認定こども園運営ハンドブック

令和 **6** 年版

公定価格の単価表収載

中央法規

【内容現在　令和6年6月14日】

＊改正規定の施行日が令和6年9月2日以降になるものは未施行扱いとし、各法令の末尾に〔参考〕として掲載。

Ⅰ　認定こども園制度の概説

Ⅱ　基本法令・通知

目　次

Ⅲ　認定こども園

1　設備運営基準

2　認可及び確認

3　利用調整

4　教育・保育の内容

5　給食・保健・衛生

6　安全管理

目　次

7　指導監査

8　給付費

目　次

9　税法関係

Ⅳ　法　　　人

1　社会福祉法人

（法　　　令）

2　学校法人

目　次

V　地域子ども・子育て支援

VI　関係法令

目　次

法令書ご購読者サービスのご案内

本書の発行直後に重要な法令改正が公布された場合、弊社のウェブサイトでその内容がご覧いただけます。

（アドレス）

https://www.chuohoki.co.jp/

I

認定こども園制度の概説

I

認定こども園の概説

認定こども園法の制定

　　幼稚園と保育所については、保護者の就労の有無で利用する施設が限定されてしまうことや、少子化が進む中、幼稚園と保育所が地域に別々に設置されていると子どもの成長に必要な規模の集団が確保されにくいこと、子育てについて不安や負担を感じている保護者の方への支援が不足していることなどの課題が指摘されており、制度の枠組みを超えた柔軟な対応が求められていました。

　　このような環境の変化を受け、幼稚園と保育所の良いところを生かしながら、その両方の役割を果たすことができるような新しい仕組みを創ろうという観点から「就学前の子どもに関する教育、保育等の総合的な提供の推進に関する法律」が制定され、就学前の教育・保育ニーズに対応する新たな選択肢である『認定こども園』が、平成18年10月からスタートしました。

　　そして、平成24年8月、子ども・子育て家庭を社会全体で支援することを目的として、子ども・子育て支援関連の制度及び財源を一元化して新しい仕組みを構築し、質の高い学校教育・保育の一体的な提供、保育の量的拡充、家庭における養育支援の充実を図るための子ども・子育て関連3法が成立し、新制度における主な取り組みが以下のように始まりました。

○認定こども園・幼稚園・保育所を通じた共通の給付「施設型給付」、及び小規模保育等への給付「地域型保育給付」の創設

　※私立保育所に対しては、委託費として支払います。

○地域の実情に応じた子ども・子育て支援（利用者支援・地域子育て支援拠点・放課後児童クラブなどの「地域子ども・子育て支援事業」）の充実

○認定こども園制度の改善（幼保連携型認定こども園の改善等）

　・幼保連携型認定こども園について、認可・指導監督の一本化、学校及び児童福祉施設としての法的位置付け。

　・幼保連携型認定こども園の設置主体は、国、自治体、学校法人、社会福祉法人

　・認定こども園の財政措置を「施設型給付」に一本化

　　これにより、二重行政の解消による手続きの一本化・簡素化が実現し、教育・保育・子育て支援の総合的な提供と質の維持・向上が図られました。

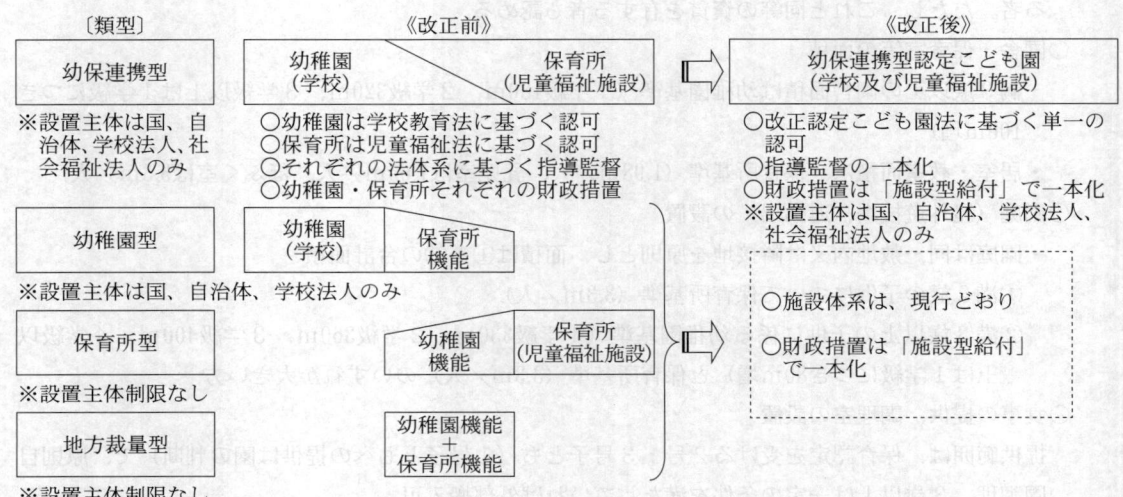

認定こども園とは

　幼稚園・保育所等のうち、認定基準を満たす施設は、都道府県知事から認定こども園の認定を受けることができます。認定を受けた認定こども園は、次のような支援を行います。

○保護者が働いている・いないにかかわらず利用可能。

○集団活動・異年齢交流に大切な子ども集団を保ち、すこやかな育ちを支援。

○子育て相談等を実施し、地域の子育て家庭を支援。

　また、認定こども園法の平成24年改正により、「学校及び児童福祉施設としての法的位置づけを持つ単一の施設」としての、新たな「幼保連携型認定こども園」を創設、この新たな幼保連携型認定こども園の設置主体は、国、自治体、学校法人、社会福祉法人となります。また、財政措置は既存3類型も含め、共通の施設型給付で一本化され、消費税を含む安定的な財源を確保し、質の改善を図ることとしています。

幼保連携型認定こども園の認可基準

　幼保連携型認定こども園の認可基準の考え方は、学校かつ児童福祉施設たる「単一の施設」にふさわしい「単一の基準」であることとし、既存施設（幼稚園、保育所、認定こども園）からの円滑な移行を確保するため、一定の移行特例が設けられています。なお、平成24年改正法施行までに認定を受けた幼保連携型認定こども園については、みなし認可となり、設備について、施行前の基準が適用されます。

【施設を新設する場合】

○学級編制・職員配置基準

・満3歳以上の子どもの教育時間は学級を編制（1学級35人以下）し、専任の保育教諭を1人配置。

　※幼稚園教諭の免許状と保育士資格を併有（平成27年4月施行後10年間の経過措置あり）

・職員配置基準は、4・5歳児25：1、3歳児15：1、1・2歳児6：1、乳児3：1（経過措置あり）。なお公定価格において配置改善加算を実施。

○園長等の資格

　原則として、教諭免許状と保育士資格を有し、5年以上の教育職・児童福祉施設事業の経験がある者。ただし、これと同等の資質を有する者も認める。

○園舎・保育室等の面積

・満3歳以上の園舎面積は幼稚園基準（1学級180㎡、2学級320㎡、3学級以上は1学級につき100㎡増）

・居室・教室面積は、保育所基準（1.98㎡／人、乳児室は1.65㎡／人、ほふく室は3.3㎡／人）

○園庭（屋外遊技場、運動場）の設置

・園庭は同一敷地内又は隣接地を原則とし、面積は①と②の合計面積

　①満2歳の子供について保育所基準（3.3㎡／人）

　②満3歳以上の子供に係る幼稚園基準（1学級330㎡、2学級360㎡、3学級400㎡、4学級以上は1学級につき80㎡増）と保育所基準（3.3㎡／人）のいずれか大きい方

○食事の提供、調理室の設置

　提供範囲は、保育認定を受ける2号・3号子ども（1号子どもへの提供は園の判断）で、原則自園調理。3歳以上は一定の条件を満たしていれば外部搬入可。

幼保連携型認定こども園教育・保育要領

　全ての子どもに質の高い幼児期の学校教育及び保育の総合的な提供を行うため、幼稚園教育要領と保育所保育指針との整合性を確保し、小学校における教育との円滑な接続に配慮した幼保連携型認定こども園教育・保育要領が策定されました。

　また、認定こども園として特に配慮すべき事項も考慮され、入園時期や在園時間の違い等に配慮し、生活の連続性や生活リズムの多様性に配慮した教育及び保育を実施する旨が盛り込まれました。

公定価格について

　「施設型給付」及び「地域型保育給付」の基本構造は、「内閣総理大臣が定める基準により算定した費用の額」（公定価格）から「政令で定める額を限度として市町村が定める額」（利用者負担額）を控除した額とされています。

「給付費」＝「公定価格」－「利用者負担額」

　また、市町村が定める利用者負担額のほか、実費徴収（通園送迎費、給食費、文房具費、行事費等）、それ以外の上乗せ徴収（教育・保育の質の向上を図るための費用）が、事前説明・同意のうえ可能です。

幼稚園教諭免許・保育士資格の取得の特例

　幼稚園教諭免許、保育士資格の併有を促進するため、免許・資格を有する者について、その勤務経験を評価し、免許・資格の取得に必要な単位数を軽減する特例が設けられています。

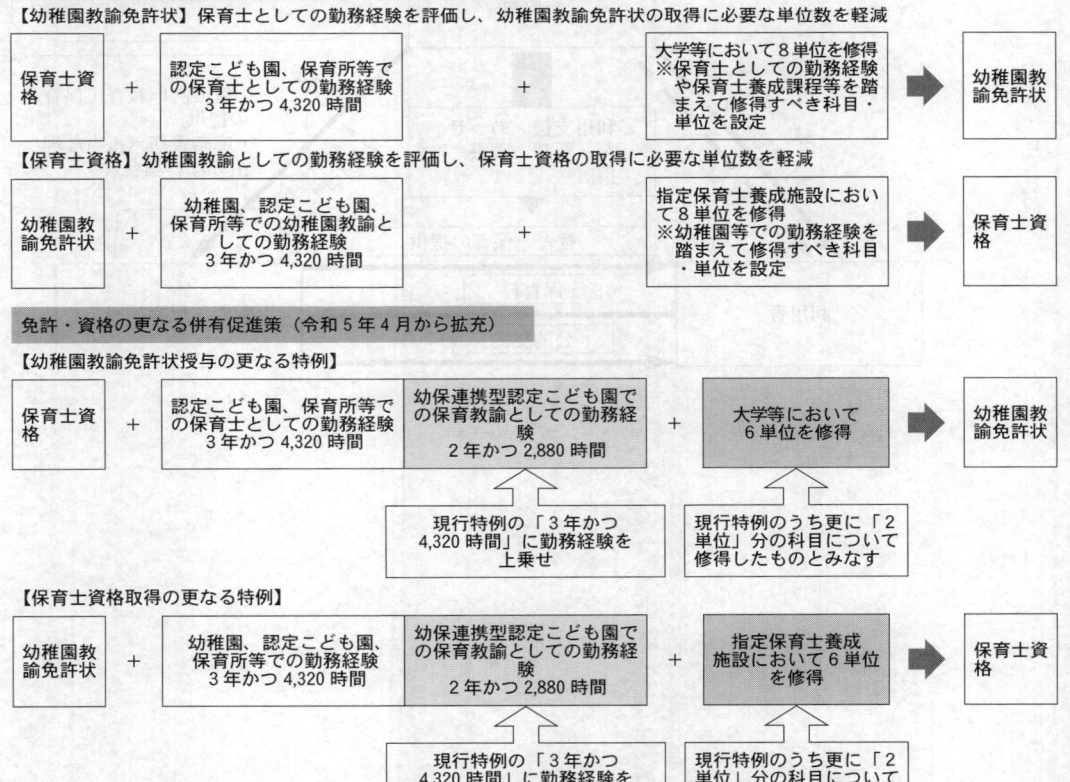

認定こども園の利用手続きについて

○行政が関与した利用手続きについて

・市町村が客観的基準に基づき、教育・保育の利用時間を認定します。

　　【認定区分】　1号認定…教育標準時間認定・満3歳以上→認定こども園、幼稚園

　　　　　　　　　2号認定…保育認定※・満3歳以上　　　→認定こども園、保育所

　　　　　　　　　3号認定…保育認定※・満3歳未満　　　→認定こども園、保育所、地域型保育

　　　　　　　　　※標準時間・短時間

・施設型給付については、保護者に対する個人給付としつつ、確実に学校教育・保育に要する費用に充てるため、施設が居住市町村から法定代理受領する仕組みとなっています。

・契約については、市町村の関与の下、保護者が自ら施設を選択し、保護者が施設と契約する公的契約とし、施設の利用の申し込みがあった時は、正当な理由がある場合を除き、施設に応諾義務が課せられます。

・入園希望者が定員を上回る場合は正当な理由に該当しますが、この場合は国の選考基準に基づき、選考が行われます。

　　※1号認定は、施設が定める選考基準によります。2号・3号認定は、市町村による利用調整が行われます。

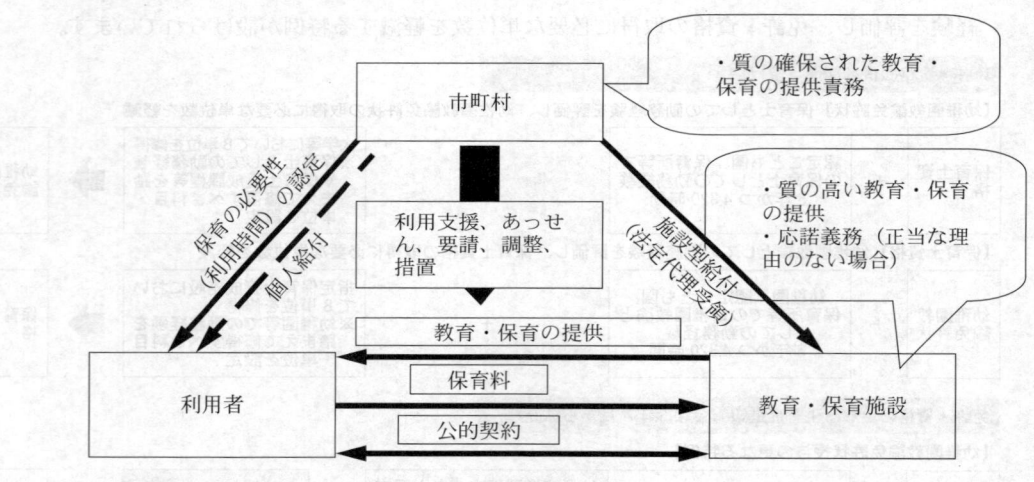

Ⅱ

基本法令・通知

II

映画・今・未来

●子ども・子育て支援法

［平成24年 8 月22日
法 律 第 65 号］

注 令和 6 年 6 月12日法律第47号改正現在
（未施行分については1769頁以降に収載）

　　第 1 章　総則

（目的）

第 1 条　この法律は、我が国における急速な少子化の進行並びに家庭及び地域を取り巻く環境の変化に鑑み、児童福祉法（昭和22年法律第164号）その他の子どもに関する法律による施策と相まって、子ども・子育て支援給付その他の子ども及び子どもを養育している者に必要な支援を行い、もって一人一人の子どもが健やかに成長することができる社会の実現に寄与することを目的とする。

（基本理念）

第 2 条　子ども・子育て支援は、父母その他の保護者が子育てについての第一義的責任を有するという基本的認識の下に、家庭、学校、地域、職域その他の社会のあらゆる分野における全ての構成員が、各々の役割を果たすとともに、相互に協力して行われなければならない。

2　子ども・子育て支援給付その他の子ども・子育て支援の内容及び水準は、全ての子どもが健やかに成長するように支援するものであって、良質かつ適切なものであり、かつ、子どもの保護者の経済的負担の軽減について適切に配慮されたものでなければならない。

3　子ども・子育て支援給付その他の子ども・子育て支援は、地域の実情に応じて、総合的かつ効率的に提供されるよう配慮して行われなければならない。

（市町村等の責務）

第 3 条　市町村（特別区を含む。以下同じ。）は、この法律の実施に関し、次に掲げる責務を有する。

一　子どもの健やかな成長のために適切な環境が等しく確保されるよう、子ども及びその保護者に必要な子ども・子育て支援給付及び地域子ども・子育て支援事業を総合的かつ計画的に行うこと。

二　子ども及びその保護者が、確実に子ども・子育て支援給付を受け、及び地域子ども・子育て支援

事業その他の子ども・子育て支援を円滑に利用するために必要な援助を行うとともに、関係機関との連絡調整その他の便宜の提供を行うこと。

　三　子ども及びその保護者が置かれている環境に応じて、子どもの保護者の選択に基づき、多様な施設又は事業者から、良質かつ適切な教育及び保育その他の子ども・子育て支援が総合的かつ効率的に提供されるよう、その提供体制を確保すること。

2　都道府県は、市町村が行う子ども・子育て支援給付及び地域子ども・子育て支援事業が適正かつ円滑に行われるよう、市町村に対する必要な助言及び適切な援助を行うとともに、子ども・子育て支援のうち、特に専門性の高い施策及び各市町村の区域を超えた広域的な対応が必要な施策を講じなければならない。

3　国は、市町村が行う子ども・子育て支援給付及び地域子ども・子育て支援事業その他この法律に基づく業務が適正かつ円滑に行われるよう、市町村及び都道府県と相互に連携を図りながら、子ども・子育て支援の提供体制の確保に関する施策その他の必要な各般の措置を講じなければならない。

（事業主の責務）

第4条　事業主は、その雇用する労働者に係る多様な労働条件の整備その他の労働者の職業生活と家庭生活との両立が図られるようにするために必要な雇用環境の整備を行うことにより当該労働者の子育ての支援に努めるとともに、国又は地方公共団体が講ずる子ども・子育て支援に協力しなければならない。

（国民の責務）

第5条　国民は、子ども・子育て支援の重要性に対する関心と理解を深めるとともに、国又は地方公共団体が講ずる子ども・子育て支援に協力しなければならない。

（定義）

第6条　この法律において「子ども」とは、18歳に達する日以後の最初の3月31日までの間にある者をいい、「小学校就学前子ども」とは、子どものうち小学校就学の始期に達するまでの者をいう。

2　この法律において「保護者」とは、親権を行う者、未成年後見人その他の者で、子どもを現に監護する者をいう。

第7条　この法律において「子ども・子育て支援」とは、全ての子どもの健やかな成長のために適切な環境が等しく確保されるよう、国若しくは地方公共団体又は地域における子育ての支援を行う者が実施する子ども及び子どもの保護者に対する支援をいう。

2　この法律において「教育」とは、満3歳以上の小学校就学前子どもに対して義務教育及びその後の教育の基礎を培うものとして教育基本法（平成18年法律第120号）第6条第1項に規定する法律に定める学校において行われる教育をいう。

3　この法律において「保育」とは、児童福祉法第6条の3第7項第1号に規定する保育をいう。

4　この法律において「教育・保育施設」とは、就学前の子どもに関する教育、保育等の総合的な提供の推進に関する法律（平成18年法律第77号。以下「認定こども園法」という。）第2条第6項に規定する認定こども園（以下「認定こども園」という。）、学校教育法（昭和22年法律第26号）第1条に規定する幼稚園（認定こども園法第3条第1項又は第3項の認定を受けたもの及び同条第10項の規定による公示がされたものを除く。以下「幼稚園」という。）及び児童福祉法第39条第1項に規定する保育所（認定こども園法第3条第1項の認定を受けたもの及び同条第10項の規定による公示がされたものを除く。以下「保育所」という。）をいう。

5　この法律において「地域型保育」とは、家庭的保育、小規模保育、居宅訪問型保育及び事業所内保育をいい、「地域型保育事業」とは、地域型保育を行う事業をいう。

6　この法律において「家庭的保育」とは、児童福祉法第6条の3第9項に規定する家庭的保育事業として行われる保育をいう。

7　この法律において「小規模保育」とは、児童福祉法第6条の3第10項に規定する小規模保育事業として行われる保育をいう。

8　この法律において「居宅訪問型保育」とは、児童福祉法第6条の3第11項に規定する居宅訪問型保育事業として行われる保育をいう。

9　この法律において「事業所内保育」とは、児童福祉法第6条の3第12項に規定する事業所内保育事業として行われる保育をいう。

10　この法律において「子ども・子育て支援施設等」とは、次に掲げる施設又は事業をいう。

　一　認定こども園（保育所等（認定こども園法第2条第5項に規定する保育所等をいう。第5号において同じ。）であるもの及び第27条第1項に規定する特定教育・保育施設であるものを除く。第30条の11第1項第1号、第58条の4第1項第1号、第58条の10第1項第2号、第59条第3号ロ及び第6章において同じ。）

　二　幼稚園（第27条第1項に規定する特定教育・保育施設であるものを除く。第30条の11第1項第2号、第3章第2節（第58条の9第6項第3号ロを

除く。）、第59条第3号ロ及び第6章において同じ。）

三　特別支援学校（学校教育法第1条に規定する特別支援学校をいい、同法第76条第2項に規定する幼稚部に限る。以下同じ。）

四　児童福祉法第59条の2第1項に規定する施設（同項の規定による届出がされたものに限り、次に掲げるものを除く。）のうち、当該施設に配置する従業者及びその員数その他の事項について内閣府令で定める基準を満たすもの

　　イ　認定こども園法第3条第1項又は第3項の認定を受けたもの

　　ロ　認定こども園法第3条第10項の規定による公示がされたもの

　　ハ　第59条の2第1項の規定による助成を受けているもののうち政令で定めるもの

五　認定こども園、幼稚園又は特別支援学校において行われる教育・保育（教育又は保育をいう。以下同じ。）であって、次のイ又はロに掲げる当該施設の区分に応じそれぞれイ又はロに定める1日当たりの時間及び期間の範囲外において、家庭において保育を受けることが一時的に困難となった当該イ又はロに掲げる施設に在籍している小学校就学前子どもに対して行われるものを提供する事業のうち、その事業を実施するために必要なものとして内閣府令で定める基準を満たすもの

　　イ　認定こども園（保育所等であるものを除く。）、幼稚園又は特別支援学校　当該施設における教育に係る標準的な1日当たりの時間及び期間

　　ロ　認定こども園（保育所等であるものに限る。）　イに定める1日当たりの時間及び期間を勘案して内閣府令で定める1日当たりの時間及び期間

六　児童福祉法第6条の3第7項に規定する一時預かり事業（前号に掲げる事業に該当するものを除く。）

七　児童福祉法第6条の3第13項に規定する病児保育事業のうち、当該事業に従事する従業者及びその員数その他の事項について内閣府令で定める基準を満たすもの

八　児童福祉法第6条の3第14項に規定する子育て援助活動支援事業（同項第1号に掲げる援助を行うものに限る。）のうち、市町村が実施するものであることその他の内閣府令で定める基準を満たすもの

　　第2章　子ども・子育て支援給付

　　　第1節　通則

（子ども・子育て支援給付の種類）

第8条　子ども・子育て支援給付は、子どものための現金給付、子どものための教育・保育給付及び子育てのための施設等利用給付とする。

　　　第2節　子どものための現金給付

第9条　子どものための現金給付は、児童手当（児童手当法（昭和46年法律第73号）に規定する児童手当をいう。以下同じ。）の支給とする。

第10条　子どものための現金給付については、この法律に別段の定めがあるものを除き、児童手当法の定めるところによる。

　　　第3節　子どものための教育・保育給付

　　　　第1款　通則

（子どものための教育・保育給付）

第11条　子どものための教育・保育給付は、施設型給付費、特例施設型給付費、地域型保育給付費及び特例地域型保育給付費の支給とする。

（不正利得の徴収）

第12条　市町村は、偽りその他不正の手段により子どものための教育・保育給付を受けた者があるときは、その者から、その子どものための教育・保育給付の額に相当する金額の全部又は一部を徴収することができる。

2　市町村は、第27条第1項に規定する特定教育・保育施設又は第29条第1項に規定する特定地域型保育事業者が、偽りその他不正の行為により第27条第5項（第28条第4項において準用する場合を含む。）又は第29条第5項（第30条第4項において準用する場合を含む。）の規定による支払を受けたときは、当該特定教育・保育施設又は特定地域型保育事業者から、その支払った額につき返還させるべき額を徴収するほか、その返還させるべき額に100分の40を乗じて得た額を徴収することができる。

3　前2項の規定による徴収金は、地方自治法（昭和22年法律第67号）第231条の3第3項に規定する法律で定める歳入とする。

（報告等）

第13条　市町村は、子どものための教育・保育給付に関して必要があると認めるときは、この法律の施行に必要な限度において、小学校就学前子ども、小学校就学前子どもの保護者若しくは小学校就学前子どもの属する世帯の世帯主その他その世帯に属する者又はこれらの者であった者に対し、報告若しくは文書その他の物件の提出若しくは提示を命じ、又は当該職員に質問させることができる。

2　前項の規定による質問を行う場合においては、当

該職員は、その身分を示す証明書を携帯し、かつ、関係人の請求があるときは、これを提示しなければならない。

3　第1項の規定による権限は、犯罪捜査のために認められたものと解釈してはならない。

第14条　市町村は、子どものための教育・保育給付に関して必要があると認めるときは、この法律の施行に必要な限度において、当該子どものための教育・保育給付に係る教育・保育を行う者若しくはこれを使用する者若しくはこれらの者であった者に対し、報告若しくは文書その他の物件の提出若しくは提示を命じ、又は当該職員に関係者に対して質問させ、若しくは当該教育・保育を行う施設若しくは事業所に立ち入り、その設備若しくは帳簿書類その他の物件を検査させることができる。

2　前条第2項の規定は前項の規定による質問又は検査について、同条第3項の規定は前項の規定による権限について、それぞれ準用する。

（内閣総理大臣又は都道府県知事の教育・保育に関する調査等）

第15条　内閣総理大臣又は都道府県知事は、子どものための教育・保育給付に関して必要があると認めるときは、この法律の施行に必要な限度において、子どものための教育・保育給付に係る小学校就学前子ども若しくは小学校就学前子どもの保護者又はこれらの者であった者に対し、当該子どものための教育・保育給付に係る教育・保育の内容に関し、報告若しくは文書その他の物件の提出若しくは提示を命じ、又は当該職員に質問させることができる。

2　内閣総理大臣又は都道府県知事は、子どものための教育・保育給付に関して必要があると認めるときは、この法律の施行に必要な限度において、教育・保育を行った者若しくはこれを使用した者に対し、その行った教育・保育に関し、報告若しくは当該教育・保育の提供の記録、帳簿書類その他の物件の提出若しくは提示を命じ、又は当該職員に関係者に対して質問させることができる。

3　第13条第2項の規定は前2項の規定による質問について、同条第3項の規定は前2項の規定による権限について、それぞれ準用する。

（資料の提供等）

第16条　市町村は、子どものための教育・保育給付に関して必要があると認めるときは、この法律の施行に必要な限度において、小学校就学前子ども、小学校就学前子どもの保護者又は小学校就学前子どもの扶養義務者（民法（明治29年法律第89号）に規定する扶養義務者をいう。附則第6条において同じ。）

の資産又は収入の状況につき、官公署に対し必要な文書の閲覧若しくは資料の提供を求め、又は銀行、信託会社その他の機関若しくは小学校就学前子どもの保護者の雇用主その他の関係人に報告を求めることができる。

（受給権の保護）

第17条　子どものための教育・保育給付を受ける権利は、譲り渡し、担保に供し、又は差し押さえることができない。

（租税その他の公課の禁止）

第18条　租税その他の公課は、子どものための教育・保育給付として支給を受けた金品を標準として、課することができない。

第2款　教育・保育給付認定等

（支給要件）

第19条　子どものための教育・保育給付は、次に掲げる小学校就学前子どもの保護者に対し、その小学校就学前子どもの第27条第1項に規定する特定教育・保育、第28条第1項第2号に規定する特別利用保育、同項第3号に規定する特別利用教育、第29条第1項に規定する特定地域型保育又は第30条第1項第4号に規定する特例保育の利用について行う。

一　満3歳以上の小学校就学前子ども（次号に掲げる小学校就学前子どもに該当するものを除く。）

二　満3歳以上の小学校就学前子どもであって、保護者の労働又は疾病その他の内閣府令で定める事由により家庭において必要な保育を受けることが困難であるもの

三　満3歳未満の小学校就学前子どもであって、前号の内閣府令で定める事由により家庭において必要な保育を受けることが困難であるもの

（市町村の認定等）

第20条　前条各号に掲げる小学校就学前子どもの保護者は、子どものための教育・保育給付を受けようとするときは、内閣府令で定めるところにより、市町村に対し、その小学校就学前子どもごとに、子どものための教育・保育給付を受ける資格を有すること及びその該当する同条各号に掲げる小学校就学前子どもの区分についての認定を申請し、その認定を受けなければならない。

2　前項の認定は、小学校就学前子どもの保護者の居住地の市町村が行うものとする。ただし、小学校就学前子どもの保護者が居住地を有しないとき、又は明らかでないときは、その小学校就学前子どもの保護者の現在地の市町村が行うものとする。

3　市町村は、第1項の規定による申請があった場合において、当該申請に係る小学校就学前子どもが前

条第2号又は第3号に掲げる小学校就学前子どもに該当すると認めるときは、政令で定めるところにより、当該小学校就学前子どもに係る保育必要量（月を単位として内閣府令で定める期間において施設型給付費、特例施設型給付費、地域型保育給付費又は特例地域型保育給付費を支給する保育の量をいう。以下同じ。）の認定を行うものとする。

4　市町村は、第1項及び前項の認定（以下「教育・保育給付認定」という。）を行ったときは、その結果を当該教育・保育給付認定に係る保護者（以下「教育・保育給付認定保護者」という。）に通知しなければならない。この場合において、市町村は、内閣府令で定めるところにより、当該教育・保育給付認定に係る小学校就学前子ども（以下「教育・保育給付認定子ども」という。）の該当する前条各号に掲げる小学校就学前子どもの区分、保育必要量その他の内閣府令で定める事項を記載した認定証（以下「支給認定証」という。）を交付するものとする。

5　市町村は、第1項の規定による申請について、当該保護者が子どものための教育・保育給付を受ける資格を有すると認められないときは、理由を付して、その旨を当該申請に係る保護者に通知するものとする。

6　第1項の規定による申請に対する処分は、当該申請のあった日から30日以内にしなければならない。ただし、当該申請に係る保護者の労働又は疾病の状況の調査に日時を要することその他の特別な理由がある場合には、当該申請のあった日から30日以内に、当該保護者に対し、当該申請に対する処分をするためになお要する期間（次項において「処理見込期間」という。）及びその理由を通知し、これを延期することができる。

7　第1項の規定による申請をした日から30日以内に当該申請に対する処分がされないとき、若しくは前項ただし書の規定による通知がないとき、又は処理見込期間が経過した日までに当該申請に対する処分がされないときは、当該申請に係る保護者は、市町村が当該申請を却下したものとみなすことができる。

（教育・保育給付認定の有効期間）

第21条　教育・保育給付認定は、内閣府令で定める期間（以下「教育・保育給付認定の有効期間」という。）内に限り、その効力を有する。

（届出）

第22条　教育・保育給付認定保護者は、教育・保育給付認定の有効期間内において、内閣府令で定めるところにより、市町村に対し、その労働又は疾病の状況その他の内閣府令で定める事項を届け出、かつ、

内閣府令で定める書類その他の物件を提出しなければならない。

（教育・保育給付認定の変更）

第23条　教育・保育給付認定保護者は、現に受けている教育・保育給付認定に係る当該教育・保育給付認定子どもの該当する第19条各号に掲げる小学校就学前子どもの区分、保育必要量その他の内閣府令で定める事項を変更する必要があるときは、内閣府令で定めるところにより、市町村に対し、教育・保育給付認定の変更の認定を申請することができる。

2　市町村は、前項の規定による申請により、教育・保育給付認定保護者につき、必要があると認めるときは、教育・保育給付認定の変更の認定を行うことができる。この場合において、市町村は、当該変更の認定に係る教育・保育給付認定保護者に対し、支給認定証の提出を求めるものとする。

3　第20条第2項、第3項、第4項前段及び第5項から第7項までの規定は、前項の教育・保育給付認定の変更の認定について準用する。この場合において、必要な技術的読替えは、政令で定める。

4　市町村は、職権により、教育・保育給付認定保護者につき、第19条第3号に掲げる小学校就学前子どもに該当する教育・保育給付認定子ども（以下「満3歳未満保育認定子ども」という。）が満3歳に達したときその他必要があると認めるときは、内閣府令で定めるところにより、教育・保育給付認定の変更の認定を行うことができる。この場合において、市町村は、内閣府令で定めるところにより、当該変更の認定に係る教育・保育給付認定保護者に対し、支給認定証の提出を求めるものとする。

5　第20条第2項、第3項及び第4項前段の規定は、前項の教育・保育給付認定の変更の認定について準用する。この場合において、必要な技術的読替えは、政令で定める。

6　市町村は、第2項又は第4項の教育・保育給付認定の変更の認定を行った場合には、内閣府令で定めるところにより、支給認定証に当該変更の認定に係る事項を記載し、これを返還するものとする。

（教育・保育給付認定の取消し）

第24条　教育・保育給付認定を行った市町村は、次に掲げる場合には、当該教育・保育給付認定を取り消すことができる。

一　当該教育・保育給付認定に係る満3歳未満の小学校就学前子どもが、教育・保育給付認定の有効期間内に、第19条第3号に掲げる小学校就学前子どもに該当しなくなったとき。

二　当該教育・保育給付認定保護者が、教育・保育

給付認定の有効期間内に、当該市町村以外の市町村の区域内に居住地を有するに至ったと認めるとき。

　三　その他政令で定めるとき。

2　前項の規定により教育・保育給付認定の取消しを行った市町村は、内閣府令で定めるところにより、当該取消しに係る教育・保育給付認定保護者に対し支給認定証の返還を求めるものとする。

（都道府県による援助等）

第25条　都道府県は、市町村が行う第20条、第23条及び前条の規定による業務に関し、その設置する福祉事務所（社会福祉法（昭和26年法律第45号）に定める福祉に関する事務所をいう。）、児童相談所又は保健所による技術的事項についての協力その他市町村に対する必要な援助を行うことができる。

（内閣府令への委任）

第26条　この款に定めるもののほか、教育・保育給付認定の申請その他の手続に関し必要な事項は、内閣府令で定める。

**　　　　　第3款　施設型給付費及び地域型保育給付費等の支給**

（施設型給付費の支給）

第27条　市町村は、教育・保育給付認定子どもが、教育・保育給付認定の有効期間内において、市町村長（特別区の区長を含む。以下同じ。）が施設型給付費の支給に係る施設として確認する教育・保育施設（以下「特定教育・保育施設」という。）から当該確認に係る教育・保育（地域型保育を除き、第19条第1号に掲げる小学校就学前子どもに該当する教育・保育給付認定子どもにあっては認定こども園において受ける教育・保育（保育にあっては、同号に掲げる小学校就学前子どもに該当する教育・保育給付認定子どもに対して提供される教育に係る標準的な1日当たりの時間及び期間を勘案して内閣府令で定める1日当たりの時間及び期間の範囲内において行われるものに限る。）又は幼稚園において受ける教育に限り、同条第2号に掲げる小学校就学前子どもに該当する教育・保育給付認定子どもにあっては認定こども園において受ける教育・保育又は保育所において受ける保育に限り、満3歳未満保育認定子どもにあっては認定こども園又は保育所において受ける保育に限る。以下「特定教育・保育」という。）を受けたときは、内閣府令で定めるところにより、当該教育・保育給付認定子どもに係る教育・保育給付認定保護者に対し、当該特定教育・保育（保育にあっては、保育必要量の範囲内のものに限る。以下「支給認定教育・保育」という。）に要した費用について、施設型給付費を支給する。

2　特定教育・保育施設から支給認定教育・保育を受けようとする教育・保育給付認定子どもに係る教育・保育給付認定保護者は、内閣府令で定めるところにより、特定教育・保育施設に支給認定証を提示して当該支給認定教育・保育を当該教育・保育給付認定子どもに受けさせるものとする。ただし、緊急の場合その他やむを得ない事由のある場合については、この限りでない。

3　施設型給付費の額は、1月につき、第1号に掲げる額から第2号に掲げる額を控除して得た額（当該額が零を下回る場合には、零とする。）とする。

　一　第19条各号に掲げる小学校就学前子どもの区分、保育必要量、当該特定教育・保育施設の所在する地域等を勘案して算定される特定教育・保育に通常要する費用の額を勘案して内閣総理大臣が定める基準により算定した費用の額（その額が現に当該支給認定教育・保育に要した費用の額を超えるときは、当該現に支給認定教育・保育に要した費用の額）

　二　政令で定める額を限度として当該教育・保育給付認定保護者の属する世帯の所得の状況その他の事情を勘案して市町村が定める額

4　内閣総理大臣は、第1項の1日当たりの時間及び期間を定める内閣府令並びに前項第1号の基準を定め、又は変更しようとするときは、文部科学大臣に協議するとともに、こども家庭審議会の意見を聴かなければならない。

5　教育・保育給付認定子どもが特定教育・保育施設から支給認定教育・保育を受けたときは、市町村は、当該教育・保育給付認定子どもに係る教育・保育給付認定保護者が当該特定教育・保育施設に支払うべき当該支給認定教育・保育に要した費用について、施設型給付費として当該教育・保育給付認定保護者に支給すべき額の限度において、当該教育・保育給付認定保護者に代わり、当該特定教育・保育施設に支払うことができる。

6　前項の規定による支払があったときは、教育・保育給付認定保護者に対し施設型給付費の支給があったものとみなす。

7　市町村は、特定教育・保育施設から施設型給付費の請求があったときは、第3項第1号の内閣総理大臣が定める基準及び第34条第2項の市町村の条例で定める特定教育・保育施設の運営に関する基準（特定教育・保育の取扱いに関する部分に限る。）に照らして審査の上、支払うものとする。

8　前各項に定めるもののほか、施設型給付費の支給

及び特定教育・保育施設の施設型給付費の請求に関し必要な事項は、内閣府令で定める。

（特例施設型給付費の支給）

第28条 市町村は、次に掲げる場合において、必要があると認めるときは、内閣府令で定めるところにより、第１号に規定する特定教育・保育に要した費用、第２号に規定する特別利用保育に要した費用又は第３号に規定する特別利用教育に要した費用について、特例施設型給付費を支給することができる。

一 教育・保育給付認定子どもが、当該教育・保育給付認定子どもに係る教育・保育給付認定保護者が第20条第１項の規定による申請をした日から当該教育・保育給付認定の効力が生じた日の前日までの間に、緊急その他やむを得ない理由により特定教育・保育を受けたとき。

二 第19条第１号に掲げる小学校就学前子どもに該当する教育・保育給付認定子どもが、特定教育・保育施設（保育所に限る。）から特別利用保育（同号に掲げる小学校就学前子どもに該当する教育・保育給付認定子どもに対して提供される教育に係る標準的な１日当たりの時間及び期間を勘案して内閣府令で定める１日当たりの時間及び期間の範囲内において行われる保育（地域型保育を除く。）をいう。以下同じ。）を受けたとき（地域における教育の体制の整備の状況その他の事情を勘案して必要があると市町村が認めるときに限る。）。

三 第19条第２号に掲げる小学校就学前子どもに該当する教育・保育給付認定子どもが、特定教育・保育施設（幼稚園に限る。）から特別利用教育（教育のうち同号に掲げる小学校就学前子どもに該当する教育・保育給付認定子どもに対して提供されるものをいい、特定教育・保育を除く。以下同じ。）を受けたとき。

2 特例施設型給付費の額は、１月につき、次の各号に掲げる区分に応じ、当該各号に定める額とする。

一 特定教育・保育 前条第３項第１号の内閣総理大臣が定める基準により算定した費用の額（その額が現に当該特定教育・保育に要した費用の額を超えるときは、当該現に特定教育・保育に要した費用の額）から政令で定める額を限度として当該教育・保育給付認定保護者の属する世帯の所得の状況その他の事情を勘案して市町村が定める額を控除して得た額（当該額が零を下回る場合には、零とする。）を基準として市町村が定める額

二 特別利用保育 特別利用保育に通常要する費用の額を勘案して内閣総理大臣が定める基準により算定した費用の額（その額が現に当該特別利用保

育に要した費用の額を超えるときは、当該現に特別利用保育に要した費用の額）から政令で定める額を限度として当該教育・保育給付認定保護者の属する世帯の所得の状況その他の事情を勘案して市町村が定める額を控除して得た額（当該額が零を下回る場合には、零とする。）

三 特別利用教育 特別利用教育に通常要する費用の額を勘案して内閣総理大臣が定める基準により算定した費用の額（その額が現に当該特別利用教育に要した費用の額を超えるときは、当該現に特別利用教育に要した費用の額）から政令で定める額を限度として当該教育・保育給付認定保護者の属する世帯の所得の状況その他の事情を勘案して市町村が定める額を控除して得た額（当該額が零を下回る場合には、零とする。）

3 内閣総理大臣は、第１項第２号の内閣府令並びに前項第２号及び第３号の基準を定め、又は変更しようとするときは、文部科学大臣に協議するとともに、こども家庭審議会の意見を聴かなければならない。

4 前条第２項及び第５項から第７項までの規定は、特例施設型給付費（第１項第１号に係るものを除く。第40条第１項第４号において同じ。）の支給について準用する。この場合において、必要な技術的読替えは、政令で定める。

5 前各項に定めるもののほか、特例施設型給付費の支給及び特定教育・保育施設の特例施設型給付費の請求に関し必要な事項は、内閣府令で定める。

（地域型保育給付費の支給）

第29条 市町村は、満３歳未満保育認定子どもが、教育・保育給付認定の有効期間内において、市町村長が地域型保育給付費の支給に係る事業を行う者として確認する地域型保育を行う事業者（以下「特定地域型保育事業者」という。）から当該確認に係る地域型保育（以下「特定地域型保育」という。）を受けたときは、内閣府令で定めるところにより、当該満３歳未満保育認定子どもに係る教育・保育給付認定保護者に対し、当該特定地域型保育（保育必要量の範囲内のものに限る。以下「満３歳未満保育認定地域型保育」という。）に要した費用について、地域型保育給付費を支給する。

2 特定地域型保育事業者から満３歳未満保育認定地域型保育を受けようとする満３歳未満保育認定子どもに係る教育・保育給付認定保護者は、内閣府令で定めるところにより、特定地域型保育事業者に支給認定証を提示して当該満３歳未満保育認定地域型保育を当該満３歳未満保育認定子どもに受けさせるものとする。ただし、緊急の場合その他やむを得ない

事由のある場合については、この限りでない。

3　地域型保育給付費の額は、1月につき、第1号に掲げる額から第2号に掲げる額を控除して得た額（当該額が零を下回る場合には、零とする。）とする。

一　地域型保育の種類ごとに、保育必要量、当該地域型保育の種類に係る特定地域型保育の事業を行う事業所（以下「特定地域型保育事業所」という。）の所在する地域等を勘案して算定される当該特定地域型保育に通常要する費用の額を勘案して内閣総理大臣が定める基準により算定した費用の額（その額が現に当該満3歳未満保育認定地域型保育に要した費用の額を超えるときは、当該現に満3歳未満保育認定地域型保育に要した費用の額）

二　政令で定める額を限度として当該教育・保育給付認定保護者の属する世帯の所得の状況その他の事情を勘案して市町村が定める額

4　内閣総理大臣は、前項第1号の基準を定め、又は変更しようとするときは、こども家庭審議会の意見を聴かなければならない。

5　満3歳未満保育認定子どもが特定地域型保育事業者から満3歳未満保育認定地域型保育を受けたときは、市町村は、当該満3歳未満保育認定子どもに係る教育・保育給付認定保護者が当該特定地域型保育事業者に支払うべき当該満3歳未満保育認定地域型保育に要した費用について、地域型保育給付費として当該教育・保育給付認定保護者に支給すべき額の限度において、当該教育・保育給付認定保護者に代わり、当該特定地域型保育事業者に支払うことができる。

6　前項の規定による支払があったときは、教育・保育給付認定保護者に対し地域型保育給付費の支給があったものとみなす。

7　市町村は、特定地域型保育事業者から地域型保育給付費の請求があったときは、第3項第1号の内閣総理大臣が定める基準及び第46条第2項の市町村の条例で定める特定地域型保育事業の運営に関する基準（特定地域型保育の取扱いに関する部分に限る。）に照らして審査の上、支払うものとする。

8　前各項に定めるもののほか、地域型保育給付費の支給及び特定地域型保育事業者の地域型保育給付費の請求に関し必要な事項は、内閣府令で定める。

（特例地域型保育給付費の支給）

第30条　市町村は、次に掲げる場合において、必要があると認めるときは、内閣府令で定めるところにより、当該特定地域型保育（第3号に規定する特定利用地域型保育にあっては、保育必要量の範囲内のものに限る。）に要した費用又は第4号に規定する特例保育（第19条第2号又は第3号に掲げる小学校就学前子どもに該当する教育・保育給付認定子ども（以下「保育認定子ども」という。）に係るものにあっては、保育必要量の範囲内のものに限る。）に要した費用について、特例地域型保育給付費を支給することができる。

一　満3歳未満保育認定子どもが、当該満3歳未満保育認定子どもに係る教育・保育給付認定保護者が第20条第1項の規定による申請をした日から当該教育・保育給付認定の効力が生じた日の前日までの間に、緊急その他やむを得ない理由により特定地域型保育を受けたとき。

二　第19条第1号に掲げる小学校就学前子どもに該当する教育・保育給付認定子どもが、特定地域型保育事業者から特定地域型保育（同号に掲げる小学校就学前子どもに該当する教育・保育給付認定子どもに対して提供される教育に係る標準的な1日当たりの時間及び期間を勘案して内閣府令で定める1日当たりの時間及び期間の範囲内において行われるものに限る。次項及び附則第9条第1項第3号イにおいて「特別利用地域型保育」という。）を受けたとき（地域における教育の体制の整備の状況その他の事情を勘案して必要があると市町村が認めるときに限る。）。

三　第19条第2号に掲げる小学校就学前子どもに該当する教育・保育給付認定子どもが、特定地域型保育事業者から特定利用地域型保育（特定地域型保育のうち同号に掲げる小学校就学前子どもに該当する教育・保育給付認定子どもに対して提供されるものをいう。次項において同じ。）を受けたとき（地域における同号に掲げる小学校就学前子どもに該当する教育・保育給付認定子どもに係る教育・保育の体制の整備の状況その他の事情を勘案して必要があると市町村が認めるときに限る。）。

四　特定教育・保育及び特定地域型保育の確保が著しく困難である離島その他の地域であって内閣総理大臣が定める基準に該当するものに居住地を有する教育・保育給付認定保護者に係る教育・保育給付認定子どもが、特例保育（特定教育・保育及び特定地域型保育以外の保育をいい、第19条第1号に掲げる小学校就学前子どもに該当する教育・保育給付認定子どもに係るものにあっては、同号に掲げる小学校就学前子どもに該当する教育・保育給付認定子どもに対して提供される教育に係る標準的な1日当たりの時間及び期間を勘案して内閣府令で定める1日当たりの時間及び期間の範囲内において行われるものに限る。以下同じ。）を

受けたとき。

2 特例地域型保育給付費の額は、1月につき、次の各号に掲げる区分に応じ、当該各号に定める額とする。

一 特定地域型保育（特別利用地域型保育及び特定利用地域型保育を除く。以下この号において同じ。）前条第3項第1号の内閣総理大臣が定める基準により算定した費用の額（その額が現に当該特定地域型保育に要した費用の額を超えるときは、当該現に特定地域型保育に要した費用の額）から政令で定める額を限度として当該教育・保育給付認定保護者の属する世帯の所得の状況その他の事情を勘案して市町村が定める額を控除して得た額（当該額が零を下回る場合には、零とする。）を基準として市町村が定める額

二 特別利用地域型保育 特別利用地域型保育に通常要する費用の額を勘案して内閣総理大臣が定める基準により算定した費用の額（その額が現に当該特別利用地域型保育に要した費用の額を超えるときは、当該現に特別利用地域型保育に要した費用の額）から政令で定める額を限度として当該教育・保育給付認定保護者の属する世帯の所得の状況その他の事情を勘案して市町村が定める額を控除して得た額（当該額が零を下回る場合には、零とする。）

三 特定利用地域型保育 特定利用地域型保育に通常要する費用の額を勘案して内閣総理大臣が定める基準により算定した費用の額（その額が現に当該特定利用地域型保育に要した費用の額を超えるときは、当該現に特定利用地域型保育に要した費用の額）から政令で定める額を限度として当該教育・保育給付認定保護者の属する世帯の所得の状況その他の事情を勘案して市町村が定める額を控除して得た額（当該額が零を下回る場合には、零とする。）

四 特例保育 特例保育に通常要する費用の額を勘案して内閣総理大臣が定める基準により算定した費用の額（その額が現に当該特例保育に要した費用の額を超えるときは、当該現に特例保育に要した費用の額）から政令で定める額を限度として当該教育・保育給付認定保護者の属する世帯の所得の状況その他の事情を勘案して市町村が定める額を控除して得た額（当該額が零を下回る場合には、零とする。）を基準として市町村が定める額

3 内閣総理大臣は、第1項第2号及び第4号の内閣府令並びに前項第2号及び第4号の基準を定め、又は変更しようとするときは、文部科学大臣に協議す

るとともに、こども家庭審議会の意見を聴かなければならない。

4 前条第2項及び第5項から第7項までの規定は、特例地域型保育給付費（第1項第2号及び第3号に係るものに限る。第52条第1項第4号において同じ。）の支給について準用する。この場合において、必要な技術的読替えは、政令で定める。

5 前各項に定めるもののほか、特例地域型保育給付費の支給及び特定地域型保育事業者の特例地域型保育給付費の請求に関し必要な事項は、内閣府令で定める。

第4節 子育てのための施設等利用給付
第1款 通則
（子育てのための施設等利用給付）
第30条の2 子育てのための施設等利用給付は、施設等利用費の支給とする。
（準用）
第30条の3 第12条から第18条までの規定は、子育てのための施設等利用給付について準用する。この場合において、必要な技術的読替えは、政令で定める。

第2款 施設等利用給付認定等
（支給要件）
第30条の4 子育てのための施設等利用給付は、次に掲げる小学校就学前子ども（保育認定子どもに係る教育・保育給付認定保護者が、現に施設型給付費、特例施設型給付費（第28条第1項第3号に係るものを除く。次条第7項において同じ。）、地域型保育給付費若しくは特例地域型保育給付費の支給を受けている場合における当該保育認定子ども又は第7条第10項第4号ハの政令で定める施設を利用している小学校就学前子どもを除く。以下この節及び第58条の3において同じ。）の保護者に対し、その小学校就学前子どもの第30条の11第1項に規定する特定子ども・子育て支援の利用について行う。

一 満3歳以上の小学校就学前子ども（次号及び第3号に掲げる小学校就学前子どもに該当するものを除く。）

二 満3歳に達する日以後の最初の3月31日を経過した小学校就学前子どもであって、第19条第2号の内閣府令で定める事由により家庭において必要な保育を受けることが困難であるもの

三 満3歳に達する日以後の最初の3月31日までの間にある小学校就学前子どもであって、第19条第2号の内閣府令で定める事由により家庭において必要な保育を受けることが困難であるもののうち、その保護者及び当該保護者と同一の世帯に属

する者が第30条の11第１項に規定する特定子ども・子育て支援のあった月の属する年度（政令で定める場合にあっては、前年度）分の地方税法（昭和25年法律第226号）の規定による市町村民税（同法の規定による特別区民税を含み、同法第328条の規定によって課する所得割を除く。以下この号において同じ。）を課されない者（これに準ずる者として政令で定める者を含むものとし、当該市町村民税の賦課期日において同法の施行地に住所を有しない者を除く。次条第７項第２号において「市町村民税世帯非課税者」という。）であるもの

（市町村の認定等）

第30条の５　前条各号に掲げる小学校就学前子どもの保護者は、子育てのための施設等利用給付を受けようとするときは、内閣府令で定めるところにより、市町村に対し、その小学校就学前子どもごとに、子育てのための施設等利用給付を受ける資格を有すること及びその該当する同条各号に掲げる小学校就学前子どもの区分についての認定を申請し、その認定を受けなければならない。

２　前項の認定（以下「施設等利用給付認定」という。）は、小学校就学前子どもの保護者の居住地の市町村が行うものとする。ただし、小学校就学前子どもの保護者が居住地を有しないとき、又は明らかでないときは、その小学校就学前子どもの保護者の現在地の市町村が行うものとする。

３　市町村は、施設等利用給付認定を行ったときは、内閣府令で定めるところにより、その結果その他の内閣府令で定める事項を当該施設等利用給付認定に係る保護者（以下「施設等利用給付認定保護者」という。）に通知するものとする。

４　市町村は、第１項の規定による申請について、当該保護者が子育てのための施設等利用給付を受ける資格を有すると認められないときは、理由を付して、その旨を当該申請に係る保護者に通知するものとする。

５　第１項の規定による申請に対する処分は、当該申請のあった日から30日以内にしなければならない。ただし、当該申請に係る保護者の労働又は疾病の状況の調査に日時を要することその他の特別な理由がある場合には、当該申請のあった日から30日以内に、当該保護者に対し、当該申請に対する処分をするためになお要する期間（次項において「処理見込期間」という。）及びその理由を通知し、これを延期することができる。

６　第１項の規定による申請をした日から30日以内に当該申請に対する処分がされないとき、若しくは前項ただし書の規定による通知がないとき、又は処理見込期間が経過した日までに当該申請に対する処分がされないときは、当該申請に係る保護者は、市町村が当該申請を却下したものとみなすことができる。

７　次の各号に掲げる教育・保育給付認定保護者であって、その保育認定子どもについて現に施設型給付費、特例施設型給付費、地域型保育給付費又は特例地域型保育給付費の支給を受けていないものは、第１項の規定にかかわらず、施設等利用給付認定の申請をすることを要しない。この場合において、当該教育・保育給付認定保護者は、子育てのための施設等利用給付を受ける資格を有すること及び当該保育認定子どもが当該各号に定める小学校就学前子どもの区分に該当することについての施設等利用給付認定を受けたものとみなす。

一　第19条第２号に掲げる小学校就学前子どもに該当する教育・保育給付認定子ども（満３歳に達する日以後の最初の３月31日までの間にあるものを除く。）に係る教育・保育給付認定保護者　前条第２号に掲げる小学校就学前子ども

二　第19条第２号に掲げる小学校就学前子どもに該当する教育・保育給付認定子ども（満３歳に達する日以後の最初の３月31日までの間にあるものに限る。）又は満３歳未満保育認定子どもに係る教育・保育給付認定保護者（その者及びその者と同一の世帯に属する者が市町村民税世帯非課税者である場合に限る。）　前条第３号に掲げる小学校就学前子ども

（施設等利用給付認定の有効期間）

第30条の６　施設等利用給付認定は、内閣府令で定める期間（以下「施設等利用給付認定の有効期間」という。）内に限り、その効力を有する。

（届出）

第30条の７　施設等利用給付認定保護者は、施設等利用給付認定の有効期間内において、内閣府令で定めるところにより、市町村に対し、その労働又は疾病の状況その他の内閣府令で定める事項を届け出、かつ、内閣府令で定める書類その他の物件を提出しなければならない。

（施設等利用給付認定の変更）

第30条の８　施設等利用給付認定保護者は、現に受けている施設等利用給付認定に係る小学校就学前子ども（以下「施設等利用給付認定子ども」という。）の該当する第30条の４各号に掲げる小学校就学前子どもの区分その他の内閣府令で定める事項を変更す

る必要があるときは、内閣府令で定めるところにより、市町村に対し、施設等利用給付認定の変更の認定を申請することができる。

2　市町村は、前項の規定による申請により、施設等利用給付認定保護者につき、必要があると認めるときは、施設等利用給付認定の変更の認定を行うことができる。

3　第30条の５第２項から第６項までの規定は、前項の施設等利用給付認定の変更の認定について準用する。この場合において、必要な技術的読替えは、政令で定める。

4　市町村は、職権により、施設等利用給付認定保護者につき、第30条の４第３号に掲げる小学校就学前子どもに該当する施設等利用給付認定子どもが満３歳に達する日以後の最初の３月31日を経過した日以後引き続き同一の特定子ども・子育て支援施設等（第30条の11第１項に規定する特定子ども・子育て支援施設等をいう。）を利用するときその他必要があると認めるときは、内閣府令で定めるところにより、施設等利用給付認定の変更の認定を行うことができる。

5　第30条の５第２項及び第３項の規定は、前項の施設等利用給付認定の変更の認定について準用する。この場合において、必要な技術的読替えは、政令で定める。

（施設等利用給付認定の取消し）

第30条の９　施設等利用給付認定を行った市町村は、次に掲げる場合には、当該施設等利用給付認定を取り消すことができる。

一　当該施設等利用給付認定に係る満３歳未満の小学校就学前子どもが、施設等利用給付認定の有効期間内に、第30条の４第３号に掲げる小学校就学前子どもに該当しなくなったとき。

二　当該施設等利用給付認定保護者が、施設等利用給付認定の有効期間内に、当該市町村以外の市町村の区域内に居住地を有するに至ったと認めるとき。

三　その他政令で定めるとき。

2　市町村は、前項の規定により施設等利用給付認定の取消しを行ったときは、理由を付して、その旨を当該取消しに係る施設等利用給付認定保護者に通知するものとする。

（内閣府令への委任）

第30条の10　この款に定めるもののほか、施設等利用給付認定の申請その他の手続に関し必要な事項は、内閣府令で定める。

第３款　施設等利用費の支給

第30条の11　市町村は、施設等利用給付認定子どもが、施設等利用給付認定の有効期間内において、市町村長が施設等利用費の支給に係る施設又は事業として確認する子ども・子育て支援施設等（以下「特定子ども・子育て支援施設等」という。）から当該確認に係る教育・保育その他の子ども・子育て支援（次の各号に掲げる子ども・子育て支援施設等の区分に応じ、当該各号に定める小学校就学前子どもに該当する施設等利用給付認定子どもが受けるものに限る。以下「特定子ども・子育て支援」という。）を受けたときは、内閣府令で定めるところにより、当該施設等利用給付認定子どもに係る施設等利用給付認定保護者に対し、当該特定子ども・子育て支援に要した費用（食事の提供に要する費用その他の日常生活に要する費用のうち内閣府令で定める費用を除く。）について、施設等利用費を支給する。

一　認定こども園　第30条の４各号に掲げる小学校就学前子ども

二　幼稚園又は特別支援学校　第30条の４第１号若しくは第２号に掲げる小学校就学前子ども又は同条第３号に掲げる小学校就学前子ども（満３歳以上のものに限る。）

三　第７条第10項第４号から第８号までに掲げる子ども・子育て支援施設等　第30条の４第２号又は第３号に掲げる小学校就学前子ども

2　施設等利用費の額は、１月につき、第30条の４各号に掲げる小学校就学前子どもの区分ごとに、子どものための教育・保育給付との均衡、子ども・子育て支援施設等の利用に要する標準的な費用の状況その他の事情を勘案して政令で定めるところにより算定した額とする。

3　施設等利用給付認定子どもが特定子ども・子育て支援施設等から特定子ども・子育て支援を受けたときは、市町村は、当該施設等利用給付認定子どもに係る施設等利用給付認定保護者が当該特定子ども・子育て支援施設等である施設の設置者又は事業を行う者（以下「特定子ども・子育て支援提供者」という。）に支払うべき当該特定子ども・子育て支援に要した費用について、施設等利用費として当該施設等利用給付認定保護者に支給すべき額の限度において、当該施設等利用給付認定保護者に代わり、当該特定子ども・子育て支援提供者に支払うことができる。

4　前項の規定による支払があったときは、施設等利用給付認定保護者に対し施設等利用費の支給があったものとみなす。

5　前各項に定めるもののほか、施設等利用費の支給

に関し必要な事項は、内閣府令で定める。

　　　第3章　特定教育・保育施設及び特定地域型保育事業者並びに特定子ども・子育て支援施設等

　　　第1節　特定教育・保育施設及び特定地域型保育事業者

　　　第1款　特定教育・保育施設

（特定教育・保育施設の確認）

第31条　第27条第1項の確認は、内閣府令で定めるところにより、教育・保育施設の設置者（国（国立大学法人法（平成15年法律第112号）第2条第1項に規定する国立大学法人を含む。第58条の9第2項、第3項及び第6項、第65条第4号及び第5号並びに附則第7条において同じ。）及び公立大学法人（地方独立行政法人法（平成15年法律第118号）第68条第1項に規定する公立大学法人をいう。第58条の4第1項第1号、第58条の9第2項並びに第65条第3号及び第4号において同じ。）を除き、法人に限る。以下同じ。）の申請により、次の各号に掲げる教育・保育施設の区分に応じ、当該各号に定める小学校就学前子どもの区分ごとの利用定員を定めて、市町村長が行う。

　一　認定こども園　第19条各号に掲げる小学校就学前子どもの区分

　二　幼稚園　第19条第1号に掲げる小学校就学前子どもの区分

　三　保育所　第19条第2号に掲げる小学校就学前子どもの区分及び同条第3号に掲げる小学校就学前子どもの区分

2　市町村長は、前項の規定により特定教育・保育施設の利用定員を定めようとするときは、第72条第1項の審議会その他の合議制の機関を設置している場合にあってはその意見を、その他の場合にあっては子どもの保護者その他子ども・子育て支援に係る当事者の意見を聴かなければならない。

3　市町村長は、第1項の規定により特定教育・保育施設の利用定員を定めたときは、内閣府令で定めるところにより、都道府県知事に届け出なければならない。

（特定教育・保育施設の確認の変更）

第32条　特定教育・保育施設の設置者は、利用定員（第27条第1項の確認において定められた利用定員をいう。第34条第3項第1号を除き、以下この款において同じ。）を増加しようとするときは、内閣府令で定めるところにより、当該特定教育・保育施設に係る第27条第1項の確認の変更を申請することができる。

2　前条第3項の規定は、前項の確認の変更の申請があった場合について準用する。この場合において、必要な技術的読替えは、政令で定める。

3　市町村長は、前項の規定により前条第3項の規定を準用する場合のほか、利用定員を変更したときは、内閣府令で定めるところにより、都道府県知事に届け出なければならない。

（特定教育・保育施設の設置者の責務）

第33条　特定教育・保育施設の設置者は、教育・保育給付認定保護者から利用の申込みを受けたときは、正当な理由がなければ、これを拒んではならない。

2　特定教育・保育施設の設置者は、第19条各号に掲げる小学校就学前子どもの区分ごとの当該特定教育・保育施設における前項の申込みに係る教育・保育給付認定子ども及び当該特定教育・保育施設を現に利用している教育・保育給付認定子どもの総数が、当該区分に応ずる当該特定教育・保育施設の利用定員の総数を超える場合においては、内閣府令で定めるところにより、同項の申込みに係る教育・保育給付認定子どもを公正な方法で選考しなければならない。

3　内閣総理大臣は、前項の内閣府令を定め、又は変更しようとするときは、文部科学大臣に協議しなければならない。

4　特定教育・保育施設の設置者は、教育・保育給付認定子どもに対し適切な特定教育・保育を提供するとともに、市町村、児童相談所、児童福祉法第7条第1項に規定する児童福祉施設（第45条第3項及び第58条の3第1項において「児童福祉施設」という。）、教育機関その他の関係機関との緊密な連携を図りつつ、良質な特定教育・保育を小学校就学前子どもの置かれている状況その他の事情に応じ、効果的に行うように努めなければならない。

5　特定教育・保育施設の設置者は、その提供する特定教育・保育の質の評価を行うことその他の措置を講ずることにより、特定教育・保育の質の向上に努めなければならない。

6　特定教育・保育施設の設置者は、小学校就学前子どもの人格を尊重するとともに、この法律及びこの法律に基づく命令を遵守し、誠実にその職務を遂行しなければならない。

（特定教育・保育施設の基準）

第34条　特定教育・保育施設の設置者は、次の各号に掲げる教育・保育施設の区分に応じ、当該各号に定める基準（以下「教育・保育施設の認可基準」という。）を遵守しなければならない。

　一　認定こども園　認定こども園法第3条第1項の

規定により都道府県（地方自治法第252条の19第1項の指定都市又は同法第252条の22第1項の中核市（以下「指定都市等」という。）の区域内に所在する認定こども園（都道府県が設置するものを除く。以下「指定都市等所在認定こども園」という。）については、当該指定都市等。以下この号において同じ。）の条例で定める要件（当該認定こども園が認定こども園法第3条第1項の認定を受けたものである場合又は同項の規定により都道府県の条例で定める要件に適合しているものとして同条第10項の規定による公示がされたものである場合に限る。）、認定こども園法第3条第3項の規定により都道府県の条例で定める要件（当該認定こども園が同項の認定を受けたものである場合又は同項の規定により都道府県の条例で定める要件に適合しているものとして同条第10項の規定による公示がされたものである場合に限る。）又は認定こども園法第13条第1項の規定により都道府県の条例で定める設備及び運営についての基準（当該認定こども園が幼保連携型認定こども園（認定こども園法第2条第7項に規定する幼保連携型認定こども園をいう。）である場合に限る。）

二　幼稚園　学校教育法第3条に規定する学校の設備、編制その他に関する設置基準（第58条の4第1項第2号及び第3号並びに第58条の9第2項において「設置基準」という。）（幼稚園に係るものに限る。）

三　保育所　児童福祉法第45条第1項の規定により都道府県（指定都市等又は同法第59条の4第1項に規定する児童相談所設置市（以下「児童相談所設置市」という。）の区域内に所在する保育所（都道府県が設置するものを除く。第39条第2項及び第40条第1項第2号において「指定都市等所在保育所」という。）については、当該指定都市等又は児童相談所設置市）の条例で定める児童福祉施設の設備及び運営についての基準（保育所に係るものに限る。）

2　特定教育・保育施設の設置者は、市町村の条例で定める特定教育・保育施設の運営に関する基準に従い、特定教育・保育（特定教育・保育施設が特別利用保育又は特別利用教育を行う場合にあっては、特別利用保育又は特別利用教育を含む。以下この款において同じ。）を提供しなければならない。

3　市町村が前項の条例を定めるに当たっては、次に掲げる事項については内閣府令で定める基準に従い定めるものとし、その他の事項については内閣府令で定める基準を参酌するものとする。

一　特定教育・保育施設に係る利用定員（第27条第1項の確認において定める利用定員をいう。第72条第1項第1号において同じ。）

二　特定教育・保育施設の運営に関する事項であって、小学校就学前子どもの適切な処遇の確保及び秘密の保持並びに小学校就学前子どもの健全な発達に密接に関連するものとして内閣府令で定めるもの

4　内閣総理大臣は、前項に規定する内閣府令で定める基準及び同項第2号の内閣府令を定め、又は変更しようとするときは、文部科学大臣に協議するとともに、特定教育・保育の取扱いに関する部分についてこども家庭審議会の意見を聴かなければならない。

5　特定教育・保育施設の設置者は、次条第2項の規定による利用定員の減少の届出をしたとき又は第36条の規定による確認の辞退をするときは、当該届出の日又は同条に規定する予告期間の開始日の前1月以内に当該特定教育・保育を受けていた者であって、当該利用定員の減少又は確認の辞退の日以後においても引き続き当該特定教育・保育に相当する教育・保育の提供を希望する者に対し、必要な教育・保育が継続的に提供されるよう、他の特定教育・保育施設の設置者その他関係者との連絡調整その他の便宜の提供を行わなければならない。

（変更の届出等）

第35条　特定教育・保育施設の設置者は、設置者の住所その他の内閣府令で定める事項に変更があったときは、内閣府令で定めるところにより、10日以内に、その旨を市町村長に届け出なければならない。

2　特定教育・保育施設の設置者は、当該利用定員の減少をしようとするときは、内閣府令で定めるところにより、その利用定員の減少の日の3月前までに、その旨を市町村長に届け出なければならない。

（確認の辞退）

第36条　特定教育・保育施設の設置者は、3月以上の予告期間を設けて、当該特定教育・保育施設に係る第27条第1項の確認を辞退することができる。

（市町村長等による連絡調整又は援助）

第37条　市町村長は、特定教育・保育施設の設置者による第34条第5項に規定する便宜の提供が円滑に行われるため必要があると認めるときは、当該特定教育・保育施設の設置者及び他の特定教育・保育施設の設置者その他の関係者相互間の連絡調整又は当該特定教育・保育施設の設置者及び当該関係者に対する助言その他の援助を行うことができる。

2　都道府県知事は、同一の特定教育・保育施設の設置者について2以上の市町村長が前項の規定による

連絡調整又は援助を行う場合において、当該特定教育・保育施設の設置者による第34条第5項に規定する便宜の提供が円滑に行われるため必要があると認めるときは、当該市町村長相互間の連絡調整又は当該特定教育・保育施設の設置者に対する市町村の区域を超えた広域的な見地からの助言その他の援助を行うことができる。

3　内閣総理大臣は、同一の特定教育・保育施設の設置者について2以上の都道府県知事が前項の規定による連絡調整又は援助を行う場合において、当該特定教育・保育施設の設置者による第34条第5項に規定する便宜の提供が円滑に行われるため必要があると認めるときは、当該都道府県知事相互間の連絡調整又は当該特定教育・保育施設の設置者に対する都道府県の区域を超えた広域的な見地からの助言その他の援助を行うことができる。

（報告等）

第38条　市町村長は、必要があると認めるときは、この法律の施行に必要な限度において、特定教育・保育施設若しくは特定教育・保育施設の設置者若しくは特定教育・保育施設の設置者であった者若しくは特定教育・保育施設の職員であった者（以下この項において「特定教育・保育施設の設置者であった者等」という。）に対し、報告若しくは帳簿書類その他の物件の提出若しくは提示を命じ、特定教育・保育施設の設置者若しくは特定教育・保育施設の職員若しくは特定教育・保育施設の設置者であった者等に対し出頭を求め、又は当該市町村の職員に関係者に対して質問させ、若しくは特定教育・保育施設、特定教育・保育施設の設置者の事務所その他特定教育・保育施設の運営に関係のある場所に立ち入り、その設備若しくは帳簿書類その他の物件を検査させることができる。

2　第13条第2項の規定は前項の規定による質問又は検査について、同条第3項の規定は前項の規定による権限について、それぞれ準用する。

（勧告、命令等）

第39条　市町村長は、特定教育・保育施設の設置者が、次の各号に掲げる場合に該当すると認めるときは、当該特定教育・保育施設の設置者に対し、期限を定めて、当該各号に定める措置をとるべきことを勧告することができる。

一　第34条第2項の市町村の条例で定める特定教育・保育施設の運営に関する基準に従って施設型給付費の支給に係る施設として適正な特定教育・保育施設の運営をしていない場合　当該基準を遵守すること。

二　第34条第5項に規定する便宜の提供を施設型給付費の支給に係る施設として適正に行っていない場合　当該便宜の提供を適正に行うこと。

2　市町村長（指定都市等所在認定こども園については当該指定都市等の長を除き、指定都市等所在保育所については当該指定都市等又は児童相談所設置市の長を除く。第5項において同じ。）は、特定教育・保育施設（指定都市等所在認定こども園及び指定都市等所在保育所を除く。以下この項及び第5項において同じ。）の設置者が教育・保育施設の認可基準に従って施設型給付費の支給に係る施設として適正な教育・保育施設の運営をしていないと認めるときは、遅滞なく、その旨を、当該特定教育・保育施設に係る教育・保育施設の認可等（教育・保育施設に係る認定こども園法第17条第1項、学校教育法第4条第1項若しくは児童福祉法第35条第4項の認可又は認定こども園法第3条第1項若しくは第3項の認定をいう。第5項及び次条第1項第2号において同じ。）を行った都道府県知事に通知しなければならない。

3　市町村長は、第1項の規定による勧告をした場合において、その勧告を受けた特定教育・保育施設の設置者が、同項の期限内にこれに従わなかったときは、その旨を公表することができる。

4　市町村長は、第1項の規定による勧告を受けた特定教育・保育施設の設置者が、正当な理由がなくてその勧告に係る措置をとらなかったときは、当該特定教育・保育施設の設置者に対し、期限を定めて、その勧告に係る措置をとるべきことを命ずることができる。

5　市町村長は、前項の規定による命令をしたときは、その旨を公示するとともに、遅滞なく、その旨を、当該特定教育・保育施設に係る教育・保育施設の認可等を行った都道府県知事に通知しなければならない。

（確認の取消し等）

第40条　市町村長は、次の各号のいずれかに該当する場合においては、当該特定教育・保育施設に係る第27条第1項の確認を取り消し、又は期間を定めてその確認の全部若しくは一部の効力を停止することができる。

一　特定教育・保育施設の設置者が、第33条第6項の規定に違反したと認められるとき。

二　特定教育・保育施設の設置者が、教育・保育施設の認可基準に従って施設型給付費の支給に係る施設として適正な教育・保育施設の運営をすることができなくなったと当該特定教育・保育施設に

係る教育・保育施設の認可等を行った都道府県知事（指定都市等所在認定こども園については当該指定都市等の長とし、指定都市等所在保育所については当該指定都市等又は児童相談所設置市の長とする。）が認めたとき。

三　特定教育・保育施設の設置者が、第34条第2項の市町村の条例で定める特定教育・保育施設の運営に関する基準に従って施設型給付費の支給に係る施設として適正な特定教育・保育施設の運営をすることができなくなったとき。

四　施設型給付費又は特例施設型給付費の請求に関し不正があったとき。

五　特定教育・保育施設の設置者が、第38条第1項の規定により報告若しくは帳簿書類その他の物件の提出若しくは提示を命ぜられてこれに従わず、又は虚偽の報告をしたとき。

六　特定教育・保育施設の設置者又はその職員が、第38条第1項の規定により出頭を求められてこれに応ぜず、同項の規定による質問に対して答弁せず、若しくは虚偽の答弁をし、又は同項の規定による検査を拒み、妨げ、若しくは忌避したとき。ただし、当該特定教育・保育施設の職員がその行為をした場合において、その行為を防止するため、当該特定教育・保育施設の設置者が相当の注意及び監督を尽くしたときを除く。

七　特定教育・保育施設の設置者が、不正の手段により第27条第1項の確認を受けたとき。

八　前各号に掲げる場合のほか、特定教育・保育施設の設置者が、この法律その他国民の福祉若しくは学校教育に関する法律で政令で定めるもの又はこれらの法律に基づく命令若しくは処分に違反したとき。

九　前各号に掲げる場合のほか、特定教育・保育施設の設置者が、教育・保育に関し不正又は著しく不当な行為をしたとき。

十　特定教育・保育施設の設置者の役員（業務を執行する社員、取締役、執行役又はこれらに準ずる者をいい、相談役、顧問その他いかなる名称を有する者であるかを問わず、法人に対し業務を執行する社員、取締役、執行役又はこれらに準ずる者と同等以上の支配力を有するものと認められる者を含む。以下同じ。）又はその長のうちに過去5年以内に教育・保育に関し不正又は著しく不当な行為をした者があるとき。

2　前項の規定により第27条第1項の確認を取り消された教育・保育施設の設置者（政令で定める者を除く。）及びこれに準ずる者として政令で定める者は、

その取消しの日又はこれに準ずる日として政令で定める日から起算して5年を経過するまでの間は、第31条第1項の申請をすることができない。

（公示）

第41条　市町村長は、次に掲げる場合には、遅滞なく、当該特定教育・保育施設の設置者の名称、当該特定教育・保育施設の所在地その他の内閣府令で定める事項を都道府県知事に届け出るとともに、これを公示しなければならない。

一　第27条第1項の確認をしたとき。

二　第36条の規定による第27条第1項の確認の辞退があったとき。

三　前条第1項の規定により第27条第1項の確認を取り消し、又は同項の確認の全部若しくは一部の効力を停止したとき。

（市町村によるあっせん及び要請）

第42条　市町村は、特定教育・保育施設に関し必要な情報の提供を行うとともに、教育・保育給付認定保護者から求めがあった場合その他必要と認められる場合には、特定教育・保育施設を利用しようとする教育・保育給付認定子どもに係る教育・保育給付認定保護者の教育・保育に係る希望、当該教育・保育給付認定子どもの養育の状況、当該教育・保育給付認定保護者に必要な支援の内容その他の事情を勘案し、当該教育・保育給付認定子どもが適切に特定教育・保育施設を利用できるよう、相談に応じ、必要な助言又は特定教育・保育施設の利用についてのあっせんを行うとともに、必要に応じて、特定教育・保育施設の設置者に対し、当該教育・保育給付認定子どもの利用の要請を行うものとする。

2　特定教育・保育施設の設置者は、前項の規定により行われるあっせん及び要請に対し、協力しなければならない。

第2款　特定地域型保育事業者

（特定地域型保育事業者の確認）

第43条　第29条第1項の確認は、内閣府令で定めるところにより、地域型保育事業を行う者の申請により、地域型保育の種類及び当該地域型保育の種類に係る地域型保育事業を行う事業所（以下「地域型保育事業所」という。）ごとに、第19条第3号に掲げる小学校就学前子どもに係る利用定員（事業所内保育の事業を行う事業所（以下「事業所内保育事業所」という。）にあっては、その雇用する労働者の監護する小学校就学前子どもを保育するため当該事業所内保育の事業を自ら施設を設置し、又は委託して行う事業主に係る当該小学校就学前子ども（当該事業所内保育の事業が、事業主団体に係るものにあっては

47

事業主団体の構成員である事業主の雇用する労働者の監護する小学校就学前子どもとし、共済組合等（児童福祉法第6条の3第12項第1号ハに規定する共済組合等をいう。）に係るものにあっては共済組合等の構成員（同号ハに規定する共済組合等の構成員をいう。）の監護する小学校就学前子どもとする。以下「労働者等の監護する小学校就学前子ども」という。）及びその他の小学校就学前子どもごとに定める第19条第3号に掲げる小学校就学前子どもに係る利用定員とする。）を定めて、市町村長が行う。

2　市町村長は、前項の規定により特定地域型保育事業（特定地域型保育を行う事業をいう。以下同じ。）の利用定員を定めようとするときは、第72条第1項の審議会その他の合議制の機関を設置している場合にあってはその意見を、その他の場合にあっては子どもの保護者その他子ども・子育て支援に係る当事者の意見を聴かなければならない。

（特定地域型保育事業者の確認の変更）

第44条　特定地域型保育事業者は、利用定員（第29条第1項の確認において定められた利用定員をいう。第46条第3項第1号を除き、以下この款において同じ。）を増加しようとするときは、内閣府令で定めるところにより、当該特定地域型保育事業者に係る第29条第1項の確認の変更を申請することができる。

（特定地域型保育事業者の責務）

第45条　特定地域型保育事業者は、教育・保育給付認定保護者から利用の申込みを受けたときは、正当な理由がなければ、これを拒んではならない。

2　特定地域型保育事業者は、前項の申込みに係る満3歳未満保育認定子ども及び当該特定地域型保育事業者に係る特定地域型保育事業を現に利用している満3歳未満保育認定子どもの総数が、その利用定員の総数を超える場合においては、内閣府令で定めるところにより、同項の申込みに係る満3歳未満保育認定子どもを公正な方法で選考しなければならない。

3　特定地域型保育事業者は、満3歳未満保育認定子どもに対し適切な地域型保育を提供するとともに、市町村、教育・保育施設、児童相談所、児童福祉施設、教育機関その他の関係機関との緊密な連携を図りつつ、良質な地域型保育を小学校就学前子どもの置かれている状況その他の事情に応じ、効果的に行うように努めなければならない。

4　特定地域型保育事業者は、その提供する地域型保育の質の評価を行うことその他の措置を講ずることにより、地域型保育の質の向上に努めなければならない。

5　特定地域型保育事業者は、小学校就学前子どもの人格を尊重するとともに、この法律及びこの法律に基づく命令を遵守し、誠実にその職務を遂行しなければならない。

（特定地域型保育事業の基準）

第46条　特定地域型保育事業者は、地域型保育の種類に応じ、児童福祉法第34条の16第1項の規定により市町村の条例で定める設備及び運営についての基準（以下「地域型保育事業の認可基準」という。）を遵守しなければならない。

2　特定地域型保育事業者は、市町村の条例で定める特定地域型保育事業の運営に関する基準に従い、特定地域型保育を提供しなければならない。

3　市町村が前項の条例を定めるに当たっては、次に掲げる事項については内閣府令で定める基準に従い定めるものとし、その他の事項については内閣府令で定める基準を参酌するものとする。

　一　特定地域型保育事業に係る利用定員（第29条第1項の確認において定める利用定員をいう。第72条第1項第2号において同じ。）

　二　特定地域型保育事業の運営に関する事項であって、小学校就学前子どもの適切な処遇の確保及び秘密の保持等並びに小学校就学前子どもの健全な発達に密接に関連するものとして内閣府令で定めるもの

4　内閣総理大臣は、前項に規定する内閣府令で定める基準及び同項第2号の内閣府令を定め、又は変更しようとするときは、特定地域型保育の取扱いに関する部分についてこども家庭審議会の意見を聴かなければならない。

5　特定地域型保育事業者は、次条第2項の規定による利用定員の減少の届出をしたとき又は第48条の規定による確認の辞退をするときは、当該届出の日又は同条に規定する予告期間の開始日の前1月以内に当該特定地域型保育を受けていた者であって、当該利用定員の減少又は確認の辞退の日以後においても引き続き当該特定地域型保育に相当する地域型保育の提供を希望する者に対し、必要な地域型保育が継続的に提供されるよう、他の特定地域型保育事業者その他関係者との連絡調整その他の便宜の提供を行わなければならない。

（変更の届出等）

第47条　特定地域型保育事業者は、当該特定地域型保育事業所の名称及び所在地その他内閣府令で定める事項に変更があったときは、内閣府令で定めるところにより、10日以内に、その旨を市町村長に届け出なければならない。

2　特定地域型保育事業者は、当該特定地域型保育事

業の利用定員の減少をしようとするときは、内閣府令で定めるところにより、その利用定員の減少の日の３月前までに、その旨を市町村長に届け出なければならない。

（確認の辞退）

第48条 特定地域型保育事業者は、３月以上の予告期間を設けて、当該特定地域型保育事業者に係る第29条第１項の確認を辞退することができる。

（市町村長等による連絡調整又は援助）

第49条 市町村長は、特定地域型保育事業者による第46条第５項に規定する便宜の提供が円滑に行われるため必要があると認めるときは、当該特定地域型保育事業者及び他の特定地域型保育事業者その他の関係者相互間の連絡調整又は当該特定地域型保育事業者及び当該関係者に対する助言その他の援助を行うことができる。

2 都道府県知事は、同一の特定地域型保育事業者について２以上の市町村長が前項の規定による連絡調整又は援助を行う場合において、当該特定地域型保育事業者による第46条第５項に規定する便宜の提供が円滑に行われるため必要があると認めるときは、当該市町村長相互間の連絡調整又は当該特定地域型保育事業者に対する市町村の区域を超えた広域的な見地からの助言その他の援助を行うことができる。

3 内閣総理大臣は、同一の特定地域型保育事業者について２以上の都道府県知事が前項の規定による連絡調整又は援助を行う場合において、当該特定地域型保育事業者による第46条第５項に規定する便宜の提供が円滑に行われるため必要があると認めるときは、当該都道府県知事相互間の連絡調整又は当該特定地域型保育事業者に対する都道府県の区域を超えた広域的な見地からの助言その他の援助を行うことができる。

（報告等）

第50条 市町村長は、必要があると認めるときは、この法律の施行に必要な限度において、特定地域型保育事業者若しくは特定地域型保育事業者であった者若しくは特定地域型保育事業所の職員であった者（以下この項において「特定地域型保育事業者であった者等」という。）に対し、報告若しくは帳簿書類その他の物件の提出若しくは提示を命じ、特定地域型保育事業者若しくは特定地域型保育事業所の職員若しくは特定地域型保育事業者であった者等に対し出頭を求め、又は当該市町村の職員に関係者に対して質問させ、若しくは特定地域型保育事業者の特定地域型保育事業所、事務所その他特定地域型保育事業に関係のある場所に立ち入り、その設備若し

くは帳簿書類その他の物件を検査させることができる。

2 第13条第２項の規定は前項の規定による質問又は検査について、同条第３項の規定は前項の規定による権限について、それぞれ準用する。

（勧告、命令等）

第51条 市町村長は、特定地域型保育事業者が、次の各号に掲げる場合に該当すると認めるときは、当該特定地域型保育事業者に対し、期限を定めて、当該各号に定める措置をとるべきことを勧告することができる。

一 地域型保育事業の認可基準に従って地域型保育給付費の支給に係る事業を行う者として適正な地域型保育事業の運営をしていない場合 当該基準を遵守すること。

二 第46条第２項の市町村の条例で定める特定地域型保育事業の運営に関する基準に従って地域型保育給付費の支給に係る事業を行う者として適正な特定地域型保育事業の運営をしていない場合 当該基準を遵守すること。

三 第46条第５項に規定する便宜の提供を地域型保育給付費の支給に係る事業を行う者として適正に行っていない場合 当該便宜の提供を適正に行うこと。

2 市町村長は、前項の規定による勧告をした場合において、その勧告を受けた特定地域型保育事業者が、同項の期限内にこれに従わなかったときは、その旨を公表することができる。

3 市町村長は、第１項の規定による勧告を受けた特定地域型保育事業者が、正当な理由がなくてその勧告に係る措置をとらなかったときは、当該特定地域型保育事業者に対し、期限を定めて、その勧告に係る措置をとるべきことを命ずることができる。

4 市町村長は、前項の規定による命令をしたときは、その旨を公示しなければならない。

（確認の取消し等）

第52条 市町村長は、次の各号のいずれかに該当する場合においては、当該特定地域型保育事業者に係る第29条第１項の確認を取り消し、又は期間を定めてその確認の全部若しくは一部の効力を停止することができる。

一 特定地域型保育事業者が、第45条第５項の規定に違反したと認められるとき。

二 特定地域型保育事業者が、地域型保育事業の認可基準に従って地域型保育給付費の支給に係る事業を行う者として適正な地域型保育事業の運営をすることができなくなったとき。

三　特定地域型保育事業者が、第46条第2項の市町村の条例で定める特定地域型保育事業の運営に関する基準に従って地域型保育給付費の支給に係る事業を行う者として適正な特定地域型保育事業の運営をすることができなくなったとき。

四　地域型保育給付費又は特例地域型保育給付費の請求に関し不正があったとき。

五　特定地域型保育事業者が、第50条第1項の規定により報告若しくは帳簿書類その他の物件の提出若しくは提示を命ぜられてこれに従わず、又は虚偽の報告をしたとき。

六　特定地域型保育事業者又はその特定地域型保育事業所の職員が、第50条第1項の規定により出頭を求められてこれに応ぜず、同項の規定による質問に対して答弁せず、若しくは虚偽の答弁をし、又は同項の規定による検査を拒み、妨げ、若しくは忌避したとき。ただし、当該特定地域型保育事業所の職員がその行為をした場合において、その行為を防止するため、当該特定地域型保育事業者が相当の注意及び監督を尽くしたときを除く。

七　特定地域型保育事業者が、不正の手段により第29条第1項の確認を受けたとき。

八　前各号に掲げる場合のほか、特定地域型保育事業者が、この法律その他国民の福祉に関する法律で政令で定めるもの又はこれらの法律に基づく命令若しくは処分に違反したとき。

九　前各号に掲げる場合のほか、特定地域型保育事業者が、保育に関し不正又は著しく不当な行為をしたとき。

十　特定地域型保育事業者が法人である場合において、当該法人の役員又はその事業所を管理する者その他の政令で定める使用人のうちに過去5年以内に保育に関し不正又は著しく不当な行為をした者があるとき。

十一　特定地域型保育事業者が法人でない場合において、その管理者が過去5年以内に保育に関し不正又は著しく不当な行為をした者であるとき。

2　前項の規定により第29条第1項の確認を取り消された地域型保育事業を行う者（政令で定める者を除く。）及びこれに準ずる者として政令で定める者は、その取消しの日又はこれに準ずる日として政令で定める日から起算して5年を経過するまでの間は、第43条第1項の申請をすることができない。

（公示）

第53条　市町村長は、次に掲げる場合には、遅滞なく、当該特定地域型保育事業者の名称、当該特定地域型保育事業所の所在地その他の内閣府令で定める事項を都道府県知事に届け出るとともに、これを公示しなければならない。

一　第29条第1項の確認をしたとき。

二　第48条の規定による第29条第1項の確認の辞退があったとき。

三　前条第1項の規定により第29条第1項の確認を取り消し、又は同項の確認の全部若しくは一部の効力を停止したとき。

（市町村によるあっせん及び要請）

第54条　市町村は、特定地域型保育事業に関し必要な情報の提供を行うとともに、教育・保育給付認定保護者から求めがあった場合その他必要と認められる場合には、特定地域型保育事業を利用しようとする満3歳未満保育認定子どもに係る教育・保育給付認定保護者の地域型保育に係る希望、当該満3歳未満保育認定子どもの養育の状況、当該教育・保育給付認定保護者に必要な支援の内容その他の事情を勘案し、当該満3歳未満保育認定子どもが適切に特定地域型保育事業を利用できるよう、相談に応じ、必要な助言又は特定地域型保育事業の利用についてのあっせんを行うとともに、必要に応じて、特定地域型保育事業者に対し、当該満3歳未満保育認定子どもの利用の要請を行うものとする。

2　特定地域型保育事業者は、前項の規定により行われるあっせん及び要請に対し、協力しなければならない。

第3款　業務管理体制の整備等

（業務管理体制の整備等）

第55条　特定教育・保育施設の設置者及び特定地域型保育事業者（以下「特定教育・保育提供者」という。）は、第33条第6項又は第45条第5項に規定する義務の履行が確保されるよう、内閣府令で定める基準に従い、業務管理体制を整備しなければならない。

2　特定教育・保育提供者は、次の各号に掲げる区分に応じ、当該各号に定める者に対し、内閣府令で定めるところにより、業務管理体制の整備に関する事項を届け出なければならない。

一　その確認に係る全ての教育・保育施設又は地域型保育事業所（その確認に係る地域型保育の種類が異なるものを含む。次号において同じ。）が一の市町村の区域に所在する特定教育・保育提供者　市町村長

二　その確認に係る教育・保育施設又は地域型保育事業所が2以上の都道府県の区域に所在する特定教育・保育提供者　内閣総理大臣

三　前2号に掲げる特定教育・保育提供者以外の特定教育・保育提供者　都道府県知事

3 前項の規定による届出を行った特定教育・保育提供者は、その届け出た事項に変更があったときは、内閣府令で定めるところにより、遅滞なく、その旨を当該届出を行った同項各号に定める者（以下この款において「市町村長等」という。）に届け出なければならない。

4 第2項の規定による届出を行った特定教育・保育提供者は、同項各号に掲げる区分の変更により、同項の規定により当該届出を行った市町村長等以外の市町村長等に届出を行うときは、内閣府令で定めるところにより、その旨を当該届出を行った市町村長等にも届け出なければならない。

5 市町村長等は、前3項の規定による届出が適正になされるよう、相互に密接な連携を図るものとする。

（報告等）

第56条 前条第2項の規定による届出を受けた市町村長等は、当該届出を行った特定教育・保育提供者（同条第4項の規定による届出を受けた市町村長等にあっては、同項の規定による届出を行った特定教育・保育提供者を除く。）における同条第1項の規定による業務管理体制の整備に関して必要があると認めるときは、この法律の施行に必要な限度において、当該特定教育・保育提供者に対し、報告若しくは帳簿書類その他の物件の提出若しくは提示を命じ、当該特定教育・保育提供者若しくは当該特定教育・保育提供者の職員に対し出頭を求め、又は当該市町村長等の職員に関係者に対し質問させ、若しくは当該特定教育・保育提供者の当該確認に係る教育・保育施設若しくは地域型保育事業所、事務所その他の教育・保育の提供に関係のある場所に立ち入り、その設備若しくは帳簿書類その他の物件を検査させることができる。

2 内閣総理大臣又は都道府県知事が前項の権限を行うときは、当該特定教育・保育提供者に係る確認を行った市町村長（次条第5項において「確認市町村長」という。）と密接な連携の下に行うものとする。

3 市町村長は、その行った又はその行おうとする確認に係る特定教育・保育提供者における前条第1項の規定による業務管理体制の整備に関して必要があると認めるときは、内閣総理大臣又は都道府県知事に対し、第1項の権限を行うよう求めることができる。

4 内閣総理大臣又は都道府県知事は、前項の規定による市町村長の求めに応じて第1項の権限を行ったときは、内閣府令で定めるところにより、その結果を当該権限を行うよう求めた市町村長に通知しなければならない。

5 第13条第2項の規定は第1項の規定による質問又は検査について、同条第3項の規定は第1項の規定による権限について、それぞれ準用する。

（勧告、命令等）

第57条 第55条第2項の規定による届出を受けた市町村長等は、当該届出を行った特定教育・保育提供者（同条第4項の規定による届出を受けた市町村長等にあっては、同項の規定による届出を行った特定教育・保育提供者を除く。）が、同条第1項に規定する内閣府令で定める基準に従って施設型給付費の支給に係る施設又は地域型保育給付費の支給に係る事業を行う者として適正な業務管理体制の整備をしていないと認めるときは、当該特定教育・保育提供者に対し、期限を定めて、当該内閣府令で定める基準に従って適正な業務管理体制を整備すべきことを勧告することができる。

2 市町村長等は、前項の規定による勧告をした場合において、その勧告を受けた特定教育・保育提供者が同項の期限内にこれに従わなかったときは、その旨を公表することができる。

3 市町村長等は、第1項の規定による勧告を受けた特定教育・保育提供者が、正当な理由がなくてその勧告に係る措置をとらなかったときは、当該特定教育・保育提供者に対し、期限を定めて、その勧告に係る措置をとるべきことを命ずることができる。

4 市町村長等は、前項の規定による命令をしたときは、その旨を公示しなければならない。

5 内閣総理大臣又は都道府県知事は、特定教育・保育提供者が第3項の規定による命令に違反したときは、内閣府令で定めるところにより、当該違反の内容を確認市町村長に通知しなければならない。

第4款 教育・保育に関する情報の報告及び公表

第58条 特定教育・保育提供者は、特定教育・保育施設又は特定地域型保育事業者（以下「特定教育・保育施設等」という。）の確認を受け、教育・保育の提供を開始しようとするときその他内閣府令で定めるときは、政令で定めるところにより、その提供する教育・保育に係る教育・保育情報（教育・保育の内容及び教育・保育を提供する施設又は事業者の運営状況に関する情報であって、小学校就学前子どもに教育・保育を受けさせ、又は受けさせようとする小学校就学前子どもの保護者が適切かつ円滑に教育・保育を小学校就学前子どもに受けさせる機会を確保するために公表されることが必要なものとして内閣府令で定めるものをいう。以下同じ。）を、教育・保育を提供する施設又は事業所の所在地の都道府県

知事に報告しなければならない。

2　都道府県知事は、前項の規定による報告を受けた後、内閣府令で定めるところにより、当該報告の内容を公表しなければならない。

3　都道府県知事は、第1項の規定による報告に関して必要があると認めるときは、この法律の施行に必要な限度において、当該報告をした特定教育・保育提供者に対し、教育・保育情報のうち内閣府令で定めるものについて、調査を行うことができる。

4　都道府県知事は、特定教育・保育提供者が第1項の規定による報告をせず、若しくは虚偽の報告をし、又は前項の規定による調査を受けず、若しくは調査の実施を妨げたときは、期間を定めて、当該特定教育・保育提供者に対し、その報告を行い、若しくはその報告の内容を是正し、又はその調査を受けることを命ずることができる。

5　都道府県知事は、特定教育・保育提供者に対して前項の規定による処分をしたときは、遅滞なく、その旨を、当該特定教育・保育施設等の確認をした市町村長に通知しなければならない。

6　都道府県知事は、特定教育・保育提供者が、第4項の規定による命令に従わない場合において、当該特定教育・保育施設等の確認を取り消し、又は期間を定めてその確認の全部若しくは一部の効力を停止することが適当であると認めるときは、理由を付して、その旨をその確認をした市町村長に通知しなければならない。

7　都道府県知事は、小学校就学前子どもに教育・保育を受けさせ、又は受けさせようとする小学校就学前子どもの保護者が適切かつ円滑に教育・保育を小学校就学前子どもに受けさせる機会の確保に資するため、教育・保育の質及び教育・保育を担当する職員に関する情報（教育・保育情報に該当するものを除く。）であって内閣府令で定めるものの提供を希望する特定教育・保育提供者から提供を受けた当該情報について、公表を行うよう配慮するものとする。

　　　　第2節　特定子ども・子育て支援施設等

（特定子ども・子育て支援施設等の確認）

第58条の2　第30条の11第1項の確認は、内閣府令で定めるところにより、子ども・子育て支援施設等である施設の設置者又は事業を行う者の申請により、市町村長が行う。

（特定子ども・子育て支援提供者の責務）

第58条の3　特定子ども・子育て支援提供者は、施設等利用給付認定子どもに対し適切な特定子ども・子育て支援を提供するとともに、市町村、児童相談所、児童福祉施設、教育機関その他の関係機関との緊密な連携を図りつつ、良質な特定子ども・子育て支援を小学校就学前子どもの置かれている状況その他の事情に応じ、効果的に行うように努めなければならない。

2　特定子ども・子育て支援提供者は、小学校就学前子どもの人格を尊重するとともに、この法律及びこの法律に基づく命令を遵守し、誠実にその職務を遂行しなければならない。

（特定子ども・子育て支援施設等の基準）

第58条の4　特定子ども・子育て支援提供者は、次の各号に掲げる子ども・子育て支援施設等の区分に応じ、当該各号に定める基準を遵守しなければならない。

一　認定こども園　認定こども園法第3条第1項の規定により都道府県（指定都市等所在認定こども園（都道府県が単独で又は他の地方公共団体と共同して設立する公立大学法人が設置するものを除く。）については、当該指定都市等。以下この号において同じ。）の条例で定める要件（当該認定こども園が同項の認定を受けたものである場合に限る。）、同条第3項の規定により都道府県の条例で定める要件（当該認定こども園が同項の認定を受けたものである場合に限る。）又は認定こども園法第13条第1項の規定により都道府県の条例で定める設備及び運営についての基準（当該認定こども園が幼保連携型認定こども園である場合に限る。）

二　幼稚園　設置基準（幼稚園に係るものに限る。）

三　特別支援学校　設置基準（特別支援学校に係るものに限る。）

四　第7条第10項第4号に掲げる施設　同号の内閣府令で定める基準

五　第7条第10項第5号に掲げる事業　同号の内閣府令で定める基準

六　第7条第10項第6号に掲げる事業　児童福祉法第34条の13の内閣府令で定める基準（第58条の9第3項において「一時預かり事業基準」という。）

七　第7条第10項第7号に掲げる事業　同号の内閣府令で定める基準

八　第7条第10項第8号に掲げる事業　同号の内閣府令で定める基準

2　特定子ども・子育て支援提供者は、内閣府令で定める特定子ども・子育て支援施設等の運営に関する基準に従い、特定子ども・子育て支援を提供しなければならない。

3　内閣総理大臣は、前項の内閣府令で定める特定子ども・子育て支援施設等の運営に関する基準を定

め、又は変更しようとするときは、文部科学大臣に協議しなければならない。

（変更の届出）

第58条の5 特定子ども・子育て支援提供者は、特定子ども・子育て支援を提供する施設又は事業所の名称及び所在地その他の内閣府令で定める事項に変更があったときは、内閣府令で定めるところにより、10日以内に、その旨を市町村長に届け出なければならない。

（確認の辞退）

第58条の6 特定子ども・子育て支援提供者は、3月以上の予告期間を設けて、当該特定子ども・子育て支援施設等に係る第30条の11第1項の確認を辞退することができる。

2 特定子ども・子育て支援提供者は、前項の規定による確認の辞退をするときは、同項に規定する予告期間の開始日の前1月以内に当該特定子ども・子育て支援を受けていた者であって、確認の辞退の日以後においても引き続き当該特定子ども・子育て支援に相当する教育・保育その他の子ども・子育て支援の提供を希望する者に対し、必要な教育・保育その他の子ども・子育て支援が継続的に提供されるよう、他の特定子ども・子育て支援提供者その他関係者との連絡調整その他の便宜の提供を行わなければならない。

（市町村長等による連絡調整又は援助）

第58条の7 市町村長は、特定子ども・子育て支援提供者による前条第2項に規定する便宜の提供が円滑に行われるため必要があると認めるときは、当該特定子ども・子育て支援提供者及び他の特定子ども・子育て支援提供者その他の関係者相互間の連絡調整又は当該特定子ども・子育て支援提供者及び当該関係者に対する助言その他の援助を行うことができる。

2 第37条第2項及び第3項の規定は、特定子ども・子育て支援提供者による前条第2項に規定する便宜の提供について準用する。

（報告等）

第58条の8 市町村長は、必要があると認めるときは、この法律の施行に必要な限度において、特定子ども・子育て支援を提供する施設若しくは特定子ども・子育て支援提供者若しくは特定子ども・子育て支援提供者であった者若しくは特定子ども・子育て支援を提供する施設若しくは事業所の職員であった者（以下この項において「特定子ども・子育て支援提供者であった者等」という。）に対し、報告若しくは帳簿書類その他の物件の提出若しくは提示を命

じ、特定子ども・子育て支援提供者若しくは特定子ども・子育て支援を提供する施設若しくは事業所の職員若しくは特定子ども・子育て支援提供者であった者等に対し出頭を求め、又は当該市町村の職員に関係者に対して質問させ、若しくは特定子ども・子育て支援を提供する施設若しくは事業所、特定子ども・子育て支援提供者の事務所その他特定子ども・子育て支援施設等の運営に関係のある場所に立ち入り、その設備若しくは帳簿書類その他の物件を検査させることができる。

2 第13条第2項の規定は前項の規定による質問又は検査について、同条第3項の規定は前項の規定による権限について、それぞれ準用する。

（勧告、命令等）

第58条の9 市町村長は、特定子ども・子育て支援提供者が、次の各号に掲げる場合に該当すると認めるときは、当該特定子ども・子育て支援提供者に対し、期限を定めて、当該各号に定める措置をとるべきことを勧告することができる。

一 第7条第10項各号（第1号から第3号まで及び第6号を除く。以下この号において同じ。）に掲げる施設又は事業の区分に応じ、当該各号の内閣府令で定める基準に従って施設等利用費の支給に係る施設又は事業として適正な特定子ども・子育て支援施設等の運営をしていない場合 当該基準を遵守すること。

二 第58条の4第2項の内閣府令で定める特定子ども・子育て支援施設等の運営に関する基準に従って施設等利用費の支給に係る施設又は事業として適正な特定子ども・子育て支援施設等の運営をしていない場合 当該基準を遵守すること。

三 第58条の6第2項に規定する便宜の提供を施設等利用費の支給に係る施設又は事業として適正に行っていない場合 当該便宜の提供を適正に行うこと。

2 市町村長は、特定子ども・子育て支援施設等である幼稚園又は特別支援学校の設置者（国及び地方公共団体（公立大学法人を含む。次項及び第6項において同じ。）を除く。）が設置基準（幼稚園又は特別支援学校に係るものに限る。）に従って施設等利用費の支給に係る施設として適正な子ども・子育て支援施設等の運営をしていないと認めるときは、遅滞なく、その旨を、当該幼稚園又は特別支援学校に係る学校教育法第4条第1項の認可を行った都道府県知事に通知しなければならない。

3 市町村長（指定都市等又は児童相談所設置市の長を除く。）は、特定子ども・子育て支援施設等であ

る第7条第10項第6号に掲げる事業を行う者（国及び地方公共団体を除く。）が一時預かり事業基準に従って施設等利用費の支給に係る事業として適正な子ども・子育て支援施設等の運営をしていないと認めるときは、遅滞なく、その旨を、当該同号に掲げる事業に係る児童福祉法第34条の12第1項の規定による届出を受けた都道府県知事に通知しなければならない。

4　市町村長は、第1項の規定による勧告をした場合において、その勧告を受けた特定子ども・子育て支援提供者が、同項の期限内にこれに従わなかったときは、その旨を公表することができる。

5　市町村長は、第1項の規定による勧告を受けた特定子ども・子育て支援提供者が、正当な理由がなくてその勧告に係る措置をとらなかったときは、当該特定子ども・子育て支援提供者に対し、期限を定めて、その勧告に係る措置をとるべきことを命ずることができる。

6　市町村長（指定都市等所在届出保育施設（指定都市等又は児童相談所設置市の区域内に所在する第7条第10項第4号に掲げる施設をいい、都道府県が設置するものを除く。第2号及び次条第1項第2号において同じ。）については当該指定都市等又は児童相談所設置市の長を除き、指定都市等所在認定こども園において行われる第7条第10項第5号に掲げる事業については当該指定都市等の長を除き、指定都市等又は児童相談所設置市の区域内において行われる同項第6号又は第7号に掲げる事業については当該指定都市等又は児童相談所設置市の長を除く。）は、前項の規定による命令をしたときは、その旨を公示するとともに、遅滞なく、その旨を、次の各号に掲げる子ども・子育て支援施設等（国又は地方公共団体が設置し、又は行うものを除く。）の区分に応じ、当該各号に定める認可若しくは認定を行い、又は届出を受けた都道府県知事に通知しなければならない。

一　幼稚園又は特別支援学校　当該施設に係る学校教育法第4条第1項の認可

二　第7条第10項第4号に掲げる施設（指定都市等所在届出保育施設を除く。）　当該施設に係る児童福祉法第59条の2第1項の規定による届出

三　第7条第10項第5号に掲げる事業　当該事業が行われる次のイ又はロに掲げる施設の区分に応じ、それぞれイ又はロに定める認可又は認定

イ　認定こども園（指定都市等所在認定こども園を除く。）　当該施設に係る認定こども園法第17条第1項の認可又は認定こども園法第3条第1

項若しくは第3項の認定

ロ　幼稚園又は特別支援学校　当該施設に係る学校教育法第4条第1項の認可

四　第7条第10項第6号に掲げる事業（指定都市等又は児童相談所設置市の区域内において行われるものを除く。）　当該事業に係る児童福祉法第34条の12第1項の規定による届出

五　第7条第10項第7号に掲げる事業（指定都市等又は児童相談所設置市の区域内において行われるものを除く。）　当該事業に係る児童福祉法第34条の18第1項の規定による届出

（確認の取消し等）

第58条の10　市町村長は、次の各号のいずれかに該当する場合においては、当該特定子ども・子育て支援施設等に係る第30条の11第1項の確認を取り消し、又は期間を定めてその確認の全部若しくは一部の効力を停止することができる。

一　特定子ども・子育て支援提供者が、第58条の3第2項の規定に違反したと認められるとき。

二　特定子ども・子育て支援提供者（認定こども園の設置者及び第7条第10項第8号に掲げる事業を行う者を除く。）が、前条第6項各号に掲げる子ども・子育て支援施設等の区分に応じ、当該各号に定める認可若しくは認定を受け、又は届出を行った施設等利用費の支給に係る施設又は事業として適正な子ども・子育て支援施設等の運営をすることができなくなったと当該認可若しくは認定を行い、又は届出を受けた都道府県知事（指定都市等所在届出保育施設については当該指定都市等又は児童相談所設置市の長とし、指定都市等所在認定こども園において行われる第7条第10項第5号に掲げる事業については当該指定都市等の長とし、指定都市等又は児童相談所設置市の区域内において行われる同項第6号又は第7号に掲げる事業については当該指定都市等又は児童相談所設置市の長とする。）が認めたとき。

三　特定子ども・子育て支援提供者（第7条第10項第4号に掲げる施設の設置者又は同項第5号、第7号若しくは第8号に掲げる事業を行う者に限る。）が、それぞれ同項第4号、第5号、第7号又は第8号の内閣府令で定める基準に従って施設等利用費の支給に係る施設又は事業として適正な特定子ども・子育て支援施設等の運営をすることができなくなったとき。

四　特定子ども・子育て支援提供者が、第58条の4第2項の内閣府令で定める特定子ども・子育て支援施設等の運営に関する基準に従って施設等利用

費の支給に係る施設又は事業として適正な特定子ども・子育て支援施設等の運営をすることができなくなったとき。

五　特定子ども・子育て支援提供者が、第58条の8第1項の規定により報告若しくは帳簿書類その他の物件の提出若しくは提示を命ぜられてこれに従わず、又は虚偽の報告をしたとき。

六　特定子ども・子育て支援提供者又は特定子ども・子育て支援を提供する施設若しくは事業所の職員が、第58条の8第1項の規定により出頭を求められてこれに応ぜず、同項の規定による質問に対して答弁せず、若しくは虚偽の答弁をし、又は同項の規定による検査を拒み、妨げ、若しくは忌避したとき。ただし、当該職員がその行為をした場合において、その行為を防止するため、当該特定子ども・子育て支援提供者が相当の注意及び監督を尽くしたときを除く。

七　特定子ども・子育て支援提供者が、不正の手段により第30条の11第1項の確認を受けたとき。

八　前各号に掲げる場合のほか、特定子ども・子育て支援提供者が、この法律その他国民の福祉若しくは学校教育に関する法律で政令で定めるもの又はこれらの法律に基づく命令若しくは処分に違反したとき。

九　前各号に掲げる場合のほか、特定子ども・子育て支援提供者が、教育・保育その他の子ども・子育て支援に関し不正又は著しく不当な行為をしたとき。

十　特定子ども・子育て支援提供者が法人である場合において、当該法人の役員若しくはその長又はその事業所を管理する者その他の政令で定める使用人のうちに過去5年以内に教育・保育その他の子ども・子育て支援に関し不正又は著しく不当な行為をした者があるとき。

十一　特定子ども・子育て支援提供者が法人でない場合において、その管理者が過去5年以内に教育・保育その他の子ども・子育て支援に関し不正又は著しく不当な行為をした者であるとき。

2　前項の規定により第30条の11第1項の確認を取り消された子ども・子育て支援施設等である施設の設置者又は事業を行う者（政令で定める者を除く。）及びこれに準ずる者として政令で定める者は、その取消しの日又はこれに準ずる日として政令で定める日から起算して5年を経過するまでの間は、第58条の2の申請をすることができない。

（公示）

第58条の11　市町村長は、次に掲げる場合には、遅滞なく、当該特定子ども・子育て支援を提供する施設又は事業所の名称及び所在地その他の内閣府令で定める事項を公示しなければならない。

一　第30条の11第1項の確認をしたとき。

二　第58条の6第1項の規定による第30条の11第1項の確認の辞退があったとき。

三　前条第1項の規定により第30条の11第1項の確認を取り消し、又は同項の確認の全部若しくは一部の効力を停止したとき。

（都道府県知事に対する協力要請）

第58条の12　市町村長は、第30条の11第1項及び第58条の8から第58条の10までに規定する事務の執行及び権限の行使に関し、都道府県知事に対し、必要な協力を求めることができる。

　　　　第4章　地域子ども・子育て支援事業

第59条　市町村は、内閣府令で定めるところにより、第61条第1項に規定する市町村子ども・子育て支援事業計画に従って、地域子ども・子育て支援事業として、次に掲げる事業を行うものとする。

一　子ども及びその保護者が、確実に子ども・子育て支援給付を受け、及び地域子ども・子育て支援事業その他の子ども・子育て支援を円滑に利用できるよう、子ども及びその保護者の身近な場所において、地域の子ども・子育て支援に関する各般の問題につき、子ども又は子どもの保護者からの相談に応じ、必要な情報の提供及び助言を行うとともに、関係機関との連絡調整その他の内閣府令で定める便宜の提供を総合的に行う事業

二　教育・保育給付認定保護者であって、その保育認定子どもが、やむを得ない理由により利用日及び利用時間帯（当該教育・保育給付認定保護者が特定教育・保育施設等又は特例保育を行う事業者と締結した特定保育（特定教育・保育（保育に限る。）、特定地域型保育又は特例保育をいう。以下この号において同じ。）の提供に関する契約において、当該保育認定子どもが当該特定教育・保育施設等又は特例保育を行う事業者による特定保育を受ける日及び時間帯として定められた日及び時間帯をいう。）以外の日及び時間において当該特定教育・保育施設等又は特例保育を行う事業者による保育（保育必要量の範囲内のものを除く。以下この号において「時間外保育」という。）を受けたものに対し、内閣府令で定めるところにより、当該教育・保育給付認定保護者が支払うべき時間外保育の費用の全部又は一部の助成を行うことにより、必要な保育を確保する事業

三　教育・保育給付認定保護者又は施設等利用給付

認定保護者のうち、その属する世帯の所得の状況その他の事情を勘案して市町村が定める基準に該当するものに対し、当該教育・保育給付認定保護者又は施設等利用給付認定保護者が支払うべき次に掲げる費用の全部又は一部を助成する事業

　　イ　当該教育・保育給付認定保護者に係る教育・保育給付認定子どもが特定教育・保育、特別利用保育、特別利用教育、特定地域型保育又は特例保育（以下このイにおいて「特定教育・保育等」という。）を受けた場合における日用品、文房具その他の特定教育・保育等に必要な物品の購入に要する費用又は特定教育・保育等に係る行事への参加に要する費用その他これらに類する費用として市町村が定めるもの

　　ロ　当該施設等利用給付認定保護者に係る施設等利用給付認定子どもが特定子ども・子育て支援（特定子ども・子育て支援施設等である認定こども園又は幼稚園が提供するものに限る。）を受けた場合における食事の提供に要する費用として内閣府令で定めるもの

　四　特定教育・保育施設等への民間事業者の参入の促進に関する調査研究その他多様な事業者の能力を活用した特定教育・保育施設等の設置又は運営を促進するための事業

　五　児童福祉法第６条の３第２項に規定する放課後児童健全育成事業

　六　児童福祉法第６条の３第３項に規定する子育て短期支援事業

　七　児童福祉法第６条の３第４項に規定する乳児家庭全戸訪問事業

　八　児童福祉法第６条の３第５項に規定する養育支援訪問事業その他同法第25条の２第１項に規定する要保護児童対策地域協議会その他の者による同法第25条の７第１項に規定する要保護児童等に対する支援に資する事業

　九　児童福祉法第６条の３第６項に規定する地域子育て支援拠点事業

　十　児童福祉法第６条の３第７項に規定する一時預かり事業

　十一　児童福祉法第６条の３第13項に規定する病児保育事業

　十二　児童福祉法第６条の３第14項に規定する子育て援助活動支援事業

　十三　母子保健法（昭和40年法律第141号）第13条第１項の規定に基づき妊婦に対して健康診査を実施する事業

　　　　第４章の２　仕事・子育て両立支援事業

第59条の２　政府は、仕事と子育てとの両立に資する子ども・子育て支援の提供体制の充実を図るため、仕事・子育て両立支援事業として、児童福祉法第59条の２第１項に規定する施設（同項の規定による届出がされたものに限る。）のうち同法第６条の３第12項に規定する業務を目的とするものその他事業主と連携して当該事業主が雇用する労働者の監護する乳児又は幼児の保育を行う業務に係るものの設置者に対し、助成及び援助を行う事業を行うことができる。

２　全国的な事業主の団体は、仕事・子育て両立支援事業の内容に関し、内閣総理大臣に対して意見を申し出ることができる。

　　　　第５章　子ども・子育て支援事業計画
（基本指針）

第60条　内閣総理大臣は、教育・保育及び地域子ども・子育て支援事業の提供体制を整備し、子ども・子育て支援給付並びに地域子ども・子育て支援事業及び仕事・子育て両立支援事業の円滑な実施の確保その他子ども・子育て支援のための施策を総合的に推進するための基本的な指針（以下「基本指針」という。）を定めるものとする。

２　基本指針においては、次に掲げる事項について定めるものとする。

　一　子ども・子育て支援の意義並びに子どものための教育・保育給付に係る教育・保育を一体的に提供する体制その他の教育・保育を提供する体制の確保、子育てのための施設等利用給付の円滑な実施の確保並びに地域子ども・子育て支援事業及び仕事・子育て両立支援事業の実施に関する基本的事項

　二　次条第１項に規定する市町村子ども・子育て支援事業計画において教育・保育及び地域子ども・子育て支援事業の量の見込みを定めるに当たって参酌すべき標準その他当該市町村子ども・子育て支援事業計画及び第62条第１項に規定する都道府県子ども・子育て支援事業支援計画の作成に関する事項

　三　児童福祉法その他の関係法律による専門的な知識及び技術を必要とする児童の福祉増進のための施策との連携に関する事項

　四　労働者の職業生活と家庭生活との両立が図られるようにするために必要な雇用環境の整備に関する施策との連携に関する事項

　五　前各号に掲げるもののほか、子ども・子育て支援給付並びに地域子ども・子育て支援事業及び仕事・子育て両立支援事業の円滑な実施の確保その

他子ども・子育て支援のための施策の総合的な推
進のために必要な事項

3　内閣総理大臣は、基本指針を定め、又は変更しよ
うとするときは、文部科学大臣その他の関係行政機
関の長に協議するとともに、こども家庭審議会の意
見を聴かなければならない。

4　内閣総理大臣は、基本指針を定め、又はこれを変
更したときは、遅滞なく、これを公表しなければな
らない。

（市町村子ども・子育て支援事業計画）

第61条　市町村は、基本指針に即して、5年を1期と
する教育・保育及び地域子ども・子育て支援事業の
提供体制の確保その他この法律に基づく業務の円滑
な実施に関する計画（以下「市町村子ども・子育て
支援事業計画」という。）を定めるものとする。

2　市町村子ども・子育て支援事業計画においては、
次に掲げる事項を定めるものとする。

一　市町村が、地理的条件、人口、交通事情その他
の社会的条件、教育・保育を提供するための施設
の整備の状況その他の条件を総合的に勘案して定
める区域（以下「教育・保育提供区域」という。）
ごとの当該教育・保育提供区域における各年度の
特定教育・保育施設に係る必要利用定員総数（第
19条各号に掲げる小学校就学前子どもの区分ごと
の必要利用定員総数とする。）、特定地域型保育事
業所（事業所内保育事業所における労働者等の監
護する小学校就学前子どもに係る部分を除く。）
に係る必要利用定員総数（同条第3号に掲げる小
学校就学前子どもに係るものに限る。）その他の
教育・保育の量の見込み並びに実施しようとする
教育・保育の提供体制の確保の内容及びその実施
時期

二　教育・保育提供区域ごとの当該教育・保育提供
区域における各年度の地域子ども・子育て支援事
業の量の見込み並びに実施しようとする地域子ど
も・子育て支援事業の提供体制の確保の内容及び
その実施時期

三　子どものための教育・保育給付に係る教育・保
育の一体的提供及び当該教育・保育の推進に関す
る体制の確保の内容

四　子育てのための施設等利用給付の円滑な実施の
確保の内容

3　市町村子ども・子育て支援事業計画においては、
前項各号に規定するもののほか、次に掲げる事項に
ついて定めるよう努めるものとする。

一　産後の休業及び育児休業後における特定教育・
保育施設等の円滑な利用の確保に関する事項

二　保護を要する子どもの養育環境の整備、児童福
祉法第4条第2項に規定する障害児に対して行わ
れる保護並びに日常生活上の指導及び知識技能の
付与その他の子どもに関する専門的な知識及び技
術を要する支援に関する都道府県が行う施策との
連携に関する事項

三　労働者の職業生活と家庭生活との両立が図られ
るようにするために必要な雇用環境の整備に関す
る施策との連携に関する事項

四　地域子ども・子育て支援事業を行う市町村その
他の当該市町村において子ども・子育て支援の提
供を行う関係機関相互の連携の推進に関する事項

4　市町村子ども・子育て支援事業計画は、教育・保
育提供区域における子どもの数、子どもの保護者の
特定教育・保育施設等及び地域子ども・子育て支援
事業の利用に関する意向その他の事情を勘案して作
成されなければならない。

5　市町村は、教育・保育提供区域における子ども及
びその保護者の置かれている環境その他の事情を正
確に把握した上で、これらの事情を勘案して、市町
村子ども・子育て支援事業計画を作成するよう努め
るものとする。

6　市町村子ども・子育て支援事業計画は、社会福祉
法第107条第1項に規定する市町村地域福祉計画、
教育基本法第17条第2項の規定により市町村が定め
る教育の振興のための施策に関する基本的な計画
（次条第4項において「教育振興基本計画」という。）
その他の法律の規定による計画であって子どもの福
祉又は教育に関する事項を定めるものと調和が保た
れたものでなければならない。

7　市町村は、市町村子ども・子育て支援事業計画を
定め、又は変更しようとするときは、第72条第1項
の審議会その他の合議制の機関を設置している場合
にあってはその意見を、その他の場合にあっては子
どもの保護者その他子ども・子育て支援に係る当事
者の意見を聴かなければならない。

8　市町村は、市町村子ども・子育て支援事業計画を
定め、又は変更しようとするときは、インターネッ
トの利用その他の内閣府令で定める方法により広く
住民の意見を求めることその他の住民の意見を反映
させるために必要な措置を講ずるよう努めるものと
する。

9　市町村は、市町村子ども・子育て支援事業計画を
定め、又は変更しようとするときは、都道府県に協
議しなければならない。

10　市町村は、市町村子ども・子育て支援事業計画を
定め、又は変更したときは、遅滞なく、これを都道

府県知事に提出しなければならない。

（都道府県子ども・子育て支援事業支援計画）

第62条　都道府県は、基本指針に即して、5年を1期とする教育・保育及び地域子ども・子育て支援事業の提供体制の確保その他この法律に基づく業務の円滑な実施に関する計画（以下「都道府県子ども・子育て支援事業支援計画」という。）を定めるものとする。

2　都道府県子ども・子育て支援事業支援計画においては、次に掲げる事項を定めるものとする。

一　都道府県が当該都道府県内の市町村が定める教育・保育提供区域を勘案して定める区域ごとの当該区域における各年度の特定教育・保育施設に係る必要利用定員総数（第19条各号に掲げる小学校就学前子どもの区分ごとの必要利用定員総数とする。）その他の教育・保育の量の見込み並びに実施しようとする教育・保育の提供体制の確保の内容及びその実施時期

二　子どものための教育・保育給付に係る教育・保育の一体的提供及び当該教育・保育の推進に関する体制の確保の内容

三　子育てのための施設等利用給付の円滑な実施の確保を図るために必要な市町村との連携に関する事項

四　特定教育・保育及び特定地域型保育を行う者並びに地域子ども・子育て支援事業に従事する者の確保及び資質の向上のために講ずる措置に関する事項

五　保護を要する子どもの養育環境の整備、児童福祉法第4条第2項に規定する障害児に対して行われる保護並びに日常生活上の指導及び知識技能の付与その他の子どもに関する専門的な知識及び技術を要する支援に関する施策の実施に関する事項

六　前号の施策の円滑な実施を図るために必要な市町村との連携に関する事項

3　都道府県子ども・子育て支援事業支援計画においては、前項各号に掲げる事項のほか、次に掲げる事項について定めるよう努めるものとする。

一　市町村の区域を超えた広域的な見地から行う調整に関する事項

二　教育・保育情報の公表に関する事項

三　労働者の職業生活と家庭生活との両立が図られるようにするために必要な雇用環境の整備に関する施策との連携に関する事項

4　都道府県子ども・子育て支援事業支援計画は、社会福祉法第108条第1項に規定する都道府県地域福祉支援計画、教育基本法第17条第2項の規定により

都道府県が定める教育振興基本計画その他の法律の規定による計画であって子どもの福祉又は教育に関する事項を定めるものと調和が保たれたものでなければならない。

5　都道府県は、都道府県子ども・子育て支援事業支援計画を定め、又は変更しようとするときは、第72条第4項の審議会その他の合議制の機関を設置している場合にあってはその意見を、その他の場合にあっては子どもの保護者その他子ども・子育て支援に係る当事者の意見を聴かなければならない。

6　都道府県は、都道府県子ども・子育て支援事業支援計画を定め、又は変更したときは、遅滞なく、これを内閣総理大臣に提出しなければならない。

（都道府県知事の助言等）

第63条　都道府県知事は、市町村に対し、市町村子ども・子育て支援事業計画の作成上の技術的事項について必要な助言その他の援助の実施に努めるものとする。

2　内閣総理大臣は、都道府県に対し、都道府県子ども・子育て支援事業支援計画の作成の手法その他都道府県子ども・子育て支援事業支援計画の作成上重要な技術的事項について必要な助言その他の援助の実施に努めるものとする。

（国の援助）

第64条　国は、市町村又は都道府県が、市町村子ども・子育て支援事業計画又は都道府県子ども・子育て支援事業支援計画に定められた事業を実施しようとするときは、当該事業が円滑に実施されるように必要な助言その他の援助の実施に努めるものとする。

第6章　費用等

（市町村の支弁）

第65条　次に掲げる費用は、市町村の支弁とする。

一　市町村が設置する特定教育・保育施設に係る施設型給付費及び特例施設型給付費の支給に要する費用

二　都道府県及び市町村以外の者が設置する特定教育・保育施設に係る施設型給付費及び特例施設型給付費並びに地域型保育給付費及び特例地域型保育給付費の支給に要する費用

三　市町村（市町村が単独で又は他の市町村と共同して設立する公立大学法人を含む。次号及び第5号において同じ。）が設置する特定子ども・子育て支援施設等（認定こども園、幼稚園及び特別支援学校に限る。）に係る施設等利用費の支給に要する費用

四　国、都道府県（都道府県が単独で又は他の地方公共団体と共同して設立する公立大学法人を含

む。次号及び次条第2号において同じ。）又は市町村が設置し、又は行う特定子ども・子育て支援施設等（認定こども園、幼稚園及び特別支援学校を除く。）に係る施設等利用費の支給に要する費用

五　国、都道府県及び市町村以外の者が設置し、又は行う特定子ども・子育て支援施設等に係る施設等利用費の支給に要する費用

六　地域子ども・子育て支援事業に要する費用

（都道府県の支弁）

第66条　次に掲げる費用は、都道府県の支弁とする。

一　都道府県が設置する特定教育・保育施設に係る施設型給付費及び特例施設型給付費の支給に要する費用

二　都道府県が設置する特定子ども・子育て支援施設等（認定こども園、幼稚園及び特別支援学校に限る。）に係る施設等利用費の支給に要する費用

（国の支弁）

第66条の2　国（国立大学法人法第2条第1項に規定する国立大学法人を含む。）が設置する特定子ども・子育て支援施設等（認定こども園、幼稚園及び特別支援学校に限る。）に係る施設等利用費の支給に要する費用は、国の支弁とする。

（拠出金の施設型給付費等支給費用への充当）

第66条の3　第65条の規定により市町村が支弁する同条第2号に掲げる費用のうち、国、都道府県その他の者が負担すべきものの算定の基礎となる額として政令で定めるところにより算定した額（以下「施設型給付費等負担対象額」という。）であって、満3歳未満保育認定子ども（第19条第2号に掲げる小学校就学前子どもに該当する教育・保育給付認定子どものうち、満3歳に達する日以後の最初の3月31日までの間にある者を含む。第69条第1項及び第70条第2項において同じ。）に係るものについては、その額の5分の1を超えない範囲内で政令で定める割合に相当する額（次条第1項及び第68条第1項において「拠出金充当額」という。）を第69条第1項に規定する拠出金をもって充てる。

2　全国的な事業主の団体は、前項の割合に関し、内閣総理大臣に対して意見を申し出ることができる。

（都道府県の負担等）

第67条　都道府県は、政令で定めるところにより、第65条の規定により市町村が支弁する同条第2号に掲げる費用のうち、施設型給付費等負担対象額から拠出金充当額を控除した額の4分の1を負担する。

2　都道府県は、政令で定めるところにより、第65条の規定により市町村が支弁する同条第4号及び第5号に掲げる費用のうち、国及び都道府県が負担すべきものの算定の基礎となる額として政令で定めるところにより算定した額の4分の1を負担する。

3　都道府県は、政令で定めるところにより、市町村に対し、第65条の規定により市町村が支弁する同条第6号に掲げる費用に充てるため、当該都道府県の予算の範囲内で、交付金を交付することができる。

（市町村に対する交付金の交付等）

第68条　国は、政令で定めるところにより、第65条の規定により市町村が支弁する同条第2号に掲げる費用のうち、施設型給付費等負担対象額から拠出金充当額を控除した額の2分の1を負担するものとし、市町村に対し、国が負担する額及び拠出金充当額を合算した額を交付する。

2　国は、政令で定めるところにより、第65条の規定により市町村が支弁する同条第4号及び第5号に掲げる費用のうち、前条第2項の政令で定めるところにより算定した額の2分の1を負担するものとし、市町村に対し、国が負担する額を交付する。

3　国は、政令で定めるところにより、市町村に対し、第65条の規定により市町村が支弁する同条第6号に掲げる費用に充てるため、予算の範囲内で、交付金を交付することができる。

（拠出金の徴収及び納付義務）

第69条　政府は、児童手当の支給に要する費用（児童手当法第18条第1項に規定するものに限る。次条第2項において「拠出金対象児童手当費用」という。）、第65条の規定により市町村が支弁する同条第2号に掲げる費用（施設型給付費等負担対象額のうち、満3歳未満保育認定子どもに係るものに相当する費用に限る。次条第2項において「拠出金対象施設型給付費等費用」という。）、地域子ども・子育て支援事業（第59条第2号、第5号及び第11号に掲げるものに限る。）に要する費用（次条第2項において「拠出金対象地域子ども・子育て支援事業費用」という。）及び仕事・子育て両立支援事業に要する費用（同項において「仕事・子育て両立支援事業費用」という。）に充てるため、次に掲げる者（次項において「一般事業主」という。）から、拠出金を徴収する。

一　厚生年金保険法（昭和29年法律第115号）第82条第1項に規定する事業主（次号から第4号までに掲げるものを除く。）

二　私立学校教職員共済法（昭和28年法律第245号）第28条第1項に規定する学校法人等

三　地方公務員等共済組合法（昭和37年法律第152号）第144条の3第1項に規定する団体その他同

法に規定する団体で政令で定めるもの

四 国家公務員共済組合法（昭和33年法律第128号）第126条第1項に規定する連合会その他同法に規定する団体で政令で定めるもの

2 一般事業主は、拠出金を納付する義務を負う。

（拠出金の額）

第70条 拠出金の額は、厚生年金保険法に基づく保険料の計算の基礎となる標準報酬月額及び標準賞与額（育児休業、介護休業等育児又は家族介護を行う労働者の福祉に関する法律（平成3年法律第76号）第2条第1号に規定する育児休業若しくは同法第23条第2項の育児休業に関する制度に準ずる措置若しくは同法第24条第1項（第2号に係る部分に限る。）の規定により同項第2号に規定する育児休業に関する制度に準じて講ずる措置による休業、国会職員の育児休業等に関する法律（平成3年法律第108号）第3条第1項に規定する育児休業、国家公務員の育児休業等に関する法律（平成3年法律第109号）第3条第1項（同法第27条第1項及び裁判所職員臨時措置法（昭和26年法律第299号）（第7号に係る部分に限る。）において準用する場合を含む。）に規定する育児休業若しくは地方公務員の育児休業等に関する法律（平成3年法律第110号）第2条第1項に規定する育児休業又は厚生年金保険法第23条の3第1項に規定する産前産後休業をしている被用者について、当該育児休業若しくは休業又は当該産前産後休業をしたことにより、厚生年金保険法に基づき保険料の徴収を行わないこととされた場合にあっては、当該被用者に係るものを除く。次項において「賦課標準」という。）に拠出金率を乗じて得た額の総額とする。

2 前項の拠出金率は、拠出金対象児童手当費用、拠出金対象施設型給付費等費用及び拠出金対象地域子ども・子育て支援事業費用の予想総額並びに仕事・子育て両立支援事業費用の予定額、賦課標準の予想総額並びに第68条第1項の規定により国が負担する額（満3歳未満保育認定子どもに係るものに限る。）、同条第3項の規定により国が交付する額及び児童手当法第18条第1項の規定により国庫が負担する額等の予想総額に照らし、おおむね5年を通じ財政の均衡を保つことができるものでなければならないものとし、1000分の4.5以内において、政令で定める。

3 内閣総理大臣は、前項の規定により拠出金率を定めようとするときは、厚生労働大臣に協議しなければならない。

4 全国的な事業主の団体は、第1項の拠出金率に関し、内閣総理大臣に対して意見を申し出ることがで

きる。

（拠出金の徴収方法）

第71条 拠出金の徴収については、厚生年金保険の保険料その他の徴収金の徴収の例による。

2 前項の拠出金及び当該拠出金に係る厚生年金保険の保険料その他の徴収金の例により徴収する徴収金（以下「拠出金等」という。）の徴収に関する政府の権限で政令で定めるものは、厚生労働大臣が行う。

3 前項の規定により厚生労働大臣が行う権限のうち、国税滞納処分の例による処分その他政令で定めるものに係る事務は、政令で定めるところにより、日本年金機構（以下この条において「機構」という。）に行わせるものとする。

4 厚生労働大臣は、前項の規定により機構に行わせるものとしたその権限に係る事務について、機構による当該権限に係る事務の実施が困難と認める場合その他政令で定める場合には、当該権限を自ら行うことができる。この場合において、厚生労働大臣は、その権限の一部を、政令で定めるところにより、財務大臣に委任することができる。

5 財務大臣は、政令で定めるところにより、前項の規定により委任された権限を、国税庁長官に委任する。

6 国税庁長官は、政令で定めるところにより、前項の規定により委任された権限の全部又は一部を当該権限に係る拠出金等を納付する義務を負う者（次項において「納付義務者」という。）の事業所又は事務所の所在地を管轄する国税局長に委任することができる。

7 国税局長は、政令で定めるところにより、前項の規定により委任された権限の全部又は一部を当該権限に係る納付義務者の事業所又は事務所の所在地を管轄する税務署長に委任することができる。

8 厚生労働大臣は、第3項で定めるもののほか、政令で定めるところにより、第2項の規定による権限のうち厚生労働省令で定めるものに係る事務（当該権限を行使する事務を除く。）を機構に行わせるものとする。

9 政府は、拠出金等の取立てに関する事務を、当該拠出金等の取立てについて便宜を有する法人で政令で定めるものに取り扱わせることができる。

10 第1項から第8項までの規定による拠出金等の徴収並びに前項の規定による拠出金等の取立て及び政府への納付について必要な事項は、政令で定める。

第7章 市町村等における合議制の機関

第72条 市町村は、条例で定めるところにより、次に掲げる事務を処理するため、審議会その他の合議制

の機関を置くよう努めるものとする。

一　特定教育・保育施設の利用定員の設定に関し、第31条第2項に規定する事項を処理すること。

二　特定地域型保育事業の利用定員の設定に関し、第43条第2項に規定する事項を処理すること。

三　市町村子ども・子育て支援事業計画に関し、第61条第7項に規定する事項を処理すること。

四　当該市町村における子ども・子育て支援に関する施策の総合的かつ計画的な推進に関し必要な事項及び当該施策の実施状況を調査審議すること。

2　前項の合議制の機関は、同項各号に掲げる事務を処理するに当たっては、地域の子ども及び子育て家庭の実情を十分に踏まえなければならない。

3　前2項に定めるもののほか、第1項の合議制の機関の組織及び運営に関し必要な事項は、市町村の条例で定める。

4　都道府県は、条例で定めるところにより、次に掲げる事務を処理するため、審議会その他の合議制の機関を置くよう努めるものとする。

一　都道府県子ども・子育て支援事業支援計画に関し、第62条第5項に規定する事項を処理すること。

二　当該都道府県における子ども・子育て支援に関する施策の総合的かつ計画的な推進に関し必要な事項及び当該施策の実施状況を調査審議すること。

5　第2項及び第3項の規定は、前項の規定により都道府県に合議制の機関が置かれた場合に準用する。

第8章　雑則

（時効）

第73条　子どものための教育・保育給付及び子育てのための施設等利用給付を受ける権利並びに拠出金等その他この法律の規定による徴収金を徴収する権利は、これらを行使することができる時から2年を経過したときは、時効によって消滅する。

2　子どものための教育・保育給付及び子育てのための施設等利用給付の支給に関する処分についての審査請求は、時効の完成猶予及び更新に関しては、裁判上の請求とみなす。

3　拠出金等その他この法律の規定による徴収金の納入の告知又は催促は、時効の更新の効力を有する。

（期間の計算）

第74条　この法律又はこの法律に基づく命令に規定する期間の計算については、民法の期間に関する規定を準用する。

（審査請求）

第75条　第71条第2項から第7項までの規定による拠出金等の徴収に関する処分に不服がある者は、厚生労働大臣に対して審査請求をすることができる。

（権限の委任）

第76条　内閣総理大臣は、この法律に規定する内閣総理大臣の権限（政令で定めるものを除く。）をこども家庭庁長官に委任する。

2　こども家庭庁長官は、政令で定めるところにより、前項の規定により委任された権限の一部を地方厚生局長又は地方厚生支局長に委任することができる。

（実施規定）

第77条　この法律に特別の規定があるものを除くほか、この法律の実施のための手続その他その執行について必要な細則は、内閣府令で定める。

第9章　罰則

第78条　第15条第1項（第30条の3において準用する場合を含む。以下この条において同じ。）の規定による報告若しくは物件の提出若しくは提示をせず、若しくは虚偽の報告若しくは虚偽の物件の提出若しくは提示をし、又は同項の規定による当該職員の質問に対して、答弁せず、若しくは虚偽の答弁をした者は、30万円以下の罰金に処する。

第79条　第38条第1項、第50条第1項若しくは第58条の8第1項の規定による報告若しくは物件の提出若しくは提示をせず、若しくは虚偽の報告若しくは虚偽の物件の提出若しくは提示をし、又はこれらの規定による当該職員の質問に対して答弁をせず、若しくは虚偽の答弁をし、若しくはこれらの規定による検査を拒み、妨げ、若しくは忌避した者は、30万円以下の罰金に処する。

第80条　法人の代表者又は法人若しくは人の代理人、使用人その他の従業者が、その法人又は人の業務に関して前条の違反行為をしたときは、行為者を罰するほか、その法人又は人に対しても、同条の刑を科する。

第81条　第15条第2項（第30条の3において準用する場合を含む。以下この条において同じ。）の規定による報告若しくは物件の提出若しくは提示をせず、若しくは虚偽の報告若しくは虚偽の物件の提出若しくは提示をし、又は同項の規定による当該職員の質問に対して、答弁せず、若しくは虚偽の答弁をした者は、10万円以下の過料に処する。

第82条　市町村は、条例で、正当な理由なしに、第13条第1項（第30条の3において準用する場合を含む。以下この項において同じ。）の規定による報告若しくは物件の提出若しくは提示をせず、若しくは虚偽の報告若しくは虚偽の物件の提出若しくは提示をし、又は第13条第1項の規定による当該職員の質問に対して、答弁せず、若しくは虚偽の答弁をした者

に対し10万円以下の過料を科する規定を設けることができる。

2　市町村は、条例で、正当な理由なしに、第14条第1項（第30条の3において準用する場合を含む。以下この項において同じ。）の規定による報告若しくは物件の提出若しくは提示をせず、若しくは虚偽の報告若しくは虚偽の物件の提出若しくは提示をし、又は第14条第1項の規定による当該職員の質問に対して、答弁せず、若しくは虚偽の答弁をし、若しくは同項の規定による検査を拒み、妨げ、若しくは忌避した者に対し10万円以下の過料を科する規定を設けることができる。

3　市町村は、条例で、第23条第2項若しくは第4項又は第24条第2項の規定による支給認定証の提出又は返還を求められてこれに応じない者に対し10万円以下の過料を科する規定を設けることができる。

　　　附　則

（施行期日）

第1条　この法律は、社会保障の安定財源の確保等を図る税制の抜本的な改革を行うための消費税法の一部を改正する等の法律（平成24年法律第68号）附則第1条第2号に掲げる規定の施行の日の属する年の翌年の4月1日までの間において政令で定める日〔平成27年4月1日〕から施行する。ただし、次の各号に掲げる規定は、当該各号に定める日から施行する。

一　附則第2条第4項、第12条（第31条の規定による第27条第1項の確認の手続（第77条第1項の審議会その他の合議制の機関（以下この号及び次号において「市町村合議制機関」という。）の意見を聴く部分に限る。）、第43条の規定による第29条第1項の確認の手続（市町村合議制機関の意見を聴く部分に限る。）、第61条の規定による市町村子ども・子育て支援事業計画の策定の準備（市町村合議制機関の意見を聴く部分に限る。）及び第62条の規定による都道府県子ども・子育て支援事業支援計画の策定の準備（第77条第4項の審議会その他の合議制の機関（次号において「都道府県合議制機関」という。）の意見を聴く部分に限る。）に係る部分を除く。）及び第13条の規定　公布の日〔平成24年8月22日〕

二　第7章の規定並びに附則第4条、第11条及び第12条（第31条の規定による第27条第1項の確認の手続（市町村合議制機関の意見を聴く部分に限る。）、第43条の規定による第29条第1項の確認の手続（市町村合議制機関の意見を聴く部分に限る。）、第61条の規定による市町村子ども・子育て支援事業計画の策定の準備（市町村合議制機関の意見を聴く部分に限る。）及び第62条の規定による都道府県子ども・子育て支援事業支援計画の策定の準備（都道府県合議制機関の意見を聴く部分に限る。）に係る部分に限る。）の規定　平成25年4月1日

三　附則第10条の規定　社会保障の安定財源の確保等を図る税制の抜本的な改革を行うための消費税法の一部を改正する等の法律の施行の日の属する年の翌年の4月1日までの間において政令で定める日〔平成26年4月1日〕

四　附則第7条ただし書及び附則第8条ただし書の規定　この法律の施行の日（以下「施行日」という。）前の政令で定める日〔平成26年10月1日〕

（検討等）

第2条　政府は、総合的な子ども・子育て支援の実施を図る観点から、出産及び育児休業に係る給付を子ども・子育て支援給付とすることについて検討を加え、必要があると認めるときは、その結果に基づいて所要の措置を講ずるものとする。

2　政府は、平成27年度以降の次世代育成支援対策推進法（平成15年法律第120号）の延長について検討を加え、必要があると認めるときは、その結果に基づいて必要な措置を講ずるものとする。

3　政府は、この法律の公布後2年を目途として、総合的な子ども・子育て支援を実施するための行政組織の在り方について検討を加え、必要があると認めるときは、その結果に基づいて所要の措置を講ずるものとする。

4　政府は、前3項に定める事項のほか、この法律の施行後5年を目途として、この法律の施行の状況を勘案し、必要があると認めるときは、この法律の規定について検討を加え、その結果に基づいて所要の措置を講ずるものとする。

第2条の2　政府は、質の高い教育・保育その他の子ども・子育て支援の提供を推進するため、財源を確保しつつ、幼稚園教諭、保育士及び放課後児童健全育成事業に従事する者等の処遇の改善に資するための所要の措置並びに保育士資格を有する者であって現に保育に関する業務に従事していない者の就業の促進その他の教育・保育その他の子ども・子育て支援に係る人材確保のための所要の措置を講ずるものとする。

（財源の確保）

第3条　政府は、教育・保育その他の子ども・子育て支援の量的拡充及び質の向上を図るための安定した財源の確保に努めるものとする。

（保育の需要及び供給の状況の把握）

第4条 国及び地方公共団体は、施行日の前日までの間、子ども・子育て支援の推進を図るための基礎資料として、内閣府令で定めるところにより、保育の需要及び供給の状況の把握に努めなければならない。

（子どものための現金給付に関する経過措置）

第5条 第9条の規定の適用については、当分の間、同条中「同じ。）」とあるのは、「同じ。）及び同法附則第2条第1項の給付」とする。

（保育所に係る委託費の支払等）

第6条 市町村は、児童福祉法第24条第1項の規定により保育所における保育を行うため、当分の間、保育認定子どもが、特定教育・保育施設（都道府県及び市町村以外の者が設置する保育所に限る。以下この条において「特定保育所」という。）から特定教育・保育（保育に限る。以下この条において同じ。）を受けた場合については、当該特定教育・保育（保育必要量の範囲内のものに限る。以下この条において「支給認定保育」という。）に要した費用について、1月につき、第27条第3項第1号に規定する特定教育・保育に通常要する費用の額を勘案して内閣総理大臣が定める基準により算定した費用の額（その額が現に当該支給認定保育に要した費用の額を超えるときは、当該現に支給認定保育に要した費用の額）に相当する額（以下この条において「保育費用」という。）を当該特定保育所に委託費として支払うものとする。この場合において、第27条の規定は適用しない。

2 特定保育所における保育認定子どもに係る特定教育・保育については、当分の間、第33条第1項及び第2項並びに第42条、母子及び父子並びに寡婦福祉法（昭和39年法律第129号）第28条第2項並びに児童虐待の防止等に関する法律（平成12年法律第82号）第13条の3第2項の規定は適用しない。

3 第1項の場合におけるこの法律及び国有財産特別措置法（昭和27年法律第219号）の規定の適用についての必要な技術的読替えは、政令で定める。

4 第1項の場合において、保育費用の支払をした市町村の長は、当該保育費用に係る保育認定子どもの教育・保育給付認定保護者又は扶養義務者から、当該保育費用をこれらの者から徴収した場合における家計に与える影響を考慮して特定保育所における保育に係る保育認定子どもの年齢等に応じて定める額を徴収するものとする。

5 前項の規定による費用の徴収は、これを保育費用に係る保育認定子どもの教育・保育給付認定保護者又は扶養義務者の居住地又は財産所在地の都道府県又は市町村に嘱託することができる。

6 第4項の規定により徴収される費用を、指定の期限内に納付しない者があるときは、地方税の滞納処分の例により処分することができる。この場合における徴収金の先取特権の順位は、国税及び地方税に次ぐものとする。

7 第4項の規定により市町村が同項に規定する額を徴収する場合における児童福祉法及び児童手当法の規定の適用についての必要な技術的読替えは、政令で定める。

（特定教育・保育施設に関する経過措置）

第7条 この法律の施行の際現に存する就学前の子どもに関する教育、保育等の総合的な提供の推進に関する法律の一部を改正する法律（平成24年法律第66号）の規定による改正前の認定こども園法第7条第1項に規定する認定こども園（国の設置するものを除き、施行日において現に法人以外の者が設置するものを含む。）、幼稚園（国の設置するものを除き、施行日において現に法人以外の者が設置するものを含む。）又は子ども・子育て支援法及び就学前の子どもに関する教育、保育等の総合的な提供の推進に関する法律の一部を改正する法律の施行に伴う関係法律の整備等に関する法律（平成24年法律第67号）第6条の規定による改正前の児童福祉法（次条及び附則第10条第1項において「旧児童福祉法」という。）第39条第1項に規定する保育所（施行日において現に法人以外の者が設置するものを含む。）については、施行日に、第27条第1項の確認があったものとみなす。ただし、当該認定こども園、幼稚園又は保育所の設置者が施行日の前日までに、内閣府令で定めるところにより、別段の申出をしたときは、この限りでない。

（特定地域型保育事業者に関する経過措置）

第8条 この法律の施行の際現に旧児童福祉法第6条の3第9項に規定する家庭的保育事業を行っている市町村については、施行日に、家庭的保育に係る第29条第1項の確認があったものとみなす。ただし、当該市町村が施行日の前日までに、内閣府令で定めるところにより、別段の申出をしたときは、この限りでない。

（施設型給付費等の支給の基準及び費用の負担等に関する経過措置）

第9条 第19条第1号に掲げる小学校就学前子どもに該当する教育・保育給付認定子どもに係る子どものための教育・保育給付の額は、第27条第3項、第28条第2項第1号及び第2号並びに第30条第2項第2号及び第4号の規定にかかわらず、当分の間、1月

につき、次の各号に掲げる子どものための教育・保育給付の区分に応じ、それぞれ当該各号に定める額とする。

一　施設型給付費の支給　次のイ及びロに掲げる額の合計額

イ　この法律の施行前の私立学校振興助成法（昭和50年法律第61号）第９条の規定による私立幼稚園（国（国立大学法人法第２条第１項に規定する国立大学法人を含む。）、都道府県及び市町村以外の者が設置する幼稚園をいう。以下この項において同じ。）の経常的経費に充てるための国の補助金の総額（以下この項において「国の補助金の総額」という。）、私立幼稚園に係る保護者の負担額、当該施設型給付費の支給に係る支給認定教育・保育を行った特定教育・保育施設の所在する地域その他の事情を勘案して内閣総理大臣が定める基準により算定した額（その額が現に当該支給認定教育・保育に要した費用の額を超えるときは、当該現に支給認定教育・保育に要した費用の額）から政令で定める額を限度として当該教育・保育給付認定保護者の属する世帯の所得の状況その他の事情を勘案して市町村が定める額を控除して得た額（当該額が零を下回る場合には、零とする。）

ロ　当該特定教育・保育施設の所在する地域の実情、特定教育・保育に通常要する費用の額とイの内閣総理大臣が定める基準により算定した額との差額その他の事情を参酌して市町村が定める額

二　特例施設型給付費の支給　次のイ又はロに掲げる教育・保育の区分に応じ、それぞれイ又はロに定める額

イ　特定教育・保育　次の(1)及び(2)に掲げる額の合計額

(1)　国の補助金の総額、私立幼稚園に係る保護者の負担額、当該特例施設型給付費の支給に係る特定教育・保育を行った特定教育・保育施設の所在する地域その他の事情を勘案して内閣総理大臣が定める基準により算定した額（その額が現に当該特定教育・保育に要した費用の額を超えるときは、当該現に特定教育・保育に要した費用の額）から政令で定める額を限度として当該教育・保育給付認定保護者の属する世帯の所得の状況その他の事情を勘案して市町村が定める額を控除して得た額（当該額が零を下回る場合には、零とする。）を基準として市町村が定める額

(2)　当該特定教育・保育施設の所在する地域の実情、特定教育・保育に通常要する費用の額と(1)の内閣総理大臣が定める基準により算定した額との差額その他の事情を参酌して市町村が定める額

ロ　特別利用保育　次の(1)及び(2)に掲げる額の合計額

(1)　国の補助金の総額、私立幼稚園に係る保護者の負担額、当該特例施設型給付費の支給に係る特別利用保育を行った特定教育・保育施設の所在する地域その他の事情を勘案して内閣総理大臣が定める基準により算定した額（その額が現に当該特別利用保育に要した費用の額を超えるときは、当該現に特別利用保育に要した費用の額）から政令で定める額を限度として当該教育・保育給付認定保護者の属する世帯の所得の状況その他の事情を勘案して市町村が定める額を控除して得た額（当該額が零を下回る場合には、零とする。）

(2)　当該特定教育・保育施設の所在する地域の実情、特別利用保育に通常要する費用の額と(1)の内閣総理大臣が定める基準により算定した額との差額その他の事情を参酌して市町村が定める額

三　特例地域型保育給付費の支給　次のイ又はロに掲げる保育の区分に応じ、それぞれイ又はロに定める額

イ　特別利用地域型保育　次の(1)及び(2)に掲げる額の合計額

(1)　国の補助金の総額、私立幼稚園に係る保護者の負担額、当該特例地域型保育給付費の支給に係る特別利用地域型保育を行った特定地域型保育事業所の所在する地域その他の事情を勘案して内閣総理大臣が定める基準により算定した額（その額が現に当該特別利用地域型保育に要した費用の額を超えるときは、当該現に特別利用地域型保育に要した費用の額）から政令で定める額を限度として当該教育・保育給付認定保護者の属する世帯の所得の状況その他の事情を勘案して市町村が定める額を控除して得た額（当該額が零を下回る場合には、零とする。）

(2)　当該特定地域型保育事業所の所在する地域の実情、特別利用地域型保育に通常要する費用の額と(1)の内閣総理大臣が定める基準により算定した額との差額その他の事情を参酌して市町村が定める額

ロ　特例保育　次の(1)及び(2)に掲げる額の合計額

(1)　国の補助金の総額、私立幼稚園に係る保護者の負担額、当該特例地域型保育給付費の支給に係る特例保育を行った施設又は事業所の所在する地域その他の事情を勘案して内閣総理大臣が定める基準により算定した額（その額が現に当該特例保育に要した費用の額を超えるときは、当該現に特例保育に要した費用の額）から政令で定める額を限度として当該教育・保育給付認定保護者の属する世帯の所得の状況その他の事情を勘案して市町村が定める額を控除して得た額（当該額が零を下回る場合には、零とする。）を基準として市町村が定める額

(2)　当該特例保育を行う施設又は事業所の所在する地域の実情、特例保育に通常要する費用の額と(1)の内閣総理大臣が定める基準により算定した額との差額その他の事情を参酌して市町村が定める額

2　内閣総理大臣は、前項第1号イ、第2号イ(1)及びロ(1)並びに第3号イ(1)及びロ(1)の基準を定め、又は変更しようとするときは、文部科学大臣に協議するとともに、こども家庭審議会の意見を聴かなければならない。

3　第1項の場合における第67条第1項及び第68条第1項の規定の適用については、これらの規定中「同条第2号に掲げる費用」とあるのは、「同条第2号に掲げる費用（附則第9条第1項第1号ロ、第2号イ(2)及びロ(2)並びに第3号イ(2)及びロ(2)に掲げる額に係る部分を除く。）」とする。

4　都道府県は、当該都道府県の予算の範囲内において、政令で定めるところにより、第65条の規定により市町村が支弁する同条第2号に掲げる費用のうち、第1項第1号ロ、第2号イ(2)及びロ(2)並びに第3号イ(2)及びロ(2)に掲げる額に係る部分の一部を補助することができる。

（保育の需要の増大等への対応）

第10条　旧児童福祉法第56条の8第1項に規定する特定市町村（以下この条において「特定市町村」という。）は、市町村子ども・子育て支援事業計画に基づく子どものための教育・保育給付及び地域子ども・子育て支援事業の実施への円滑な移行を図るため、施行日の前日までの間、小学校就学前子どもの保育その他の子ども・子育て支援に関する事業であって内閣府令で定めるもの（以下この条において「保育緊急確保事業」という。）のうち必要と認めるものを旧児童福祉法第56条の8第2項に規定する

市町村保育計画に定め、当該市町村保育計画に従って当該保育緊急確保事業を行うものとする。

2　特定市町村以外の市町村（以下この条において「事業実施市町村」という。）は、市町村子ども・子育て支援事業計画に基づく子どものための教育・保育給付及び地域子ども・子育て支援事業の実施への円滑な移行を図るため、施行日の前日までの間、保育緊急確保事業を行うことができる。

3　内閣総理大臣は、第1項の内閣府令を定め、又は変更しようとするときは、あらかじめ、文部科学大臣及び厚生労働大臣に協議しなければならない。

4　国は、保育緊急確保事業を行う特定市町村又は事業実施市町村に対し、予算の範囲内で、政令で定めるところにより、当該保育緊急確保事業に要する費用の一部を補助することができる。

5　国及び都道府県は、特定市町村又は事業実施市町村が、保育緊急確保事業を実施しようとするときは、当該保育緊急確保事業が円滑に実施されるように必要な助言その他の援助の実施に努めるものとする。

（施行前の準備）

第11条　内閣総理大臣は、第27条第1項の1日当たりの時間及び期間を定める内閣府令、同条第3項第1号の基準、第28条第1項第2号の内閣府令、同条第2項第2号及び第3号の基準、第29条第3項第1号の基準、第30条第1項第2号及び第4号の内閣府令、同条第2項第2号から第4号までの基準、第34条第3項の内閣府令で定める基準（特定教育・保育の取扱いに関する部分に限る。）、同項第2号の内閣府令（特定教育・保育の取扱いに関する部分に限る。）、第46条第3項の内閣府令で定める基準（特定地域型保育の取扱いに関する部分に限る。）、同項第2号の内閣府令（特定地域型保育の取扱いに関する部分に限る。）、第60条第1項の基本指針並びに附則第9条第1項第1号イ、第2号イ(1)及びロ(1)並びに第3号イ(1)及びロ(1)の基準を定めようとするときは、施行日前においても第72条に規定する子ども・子育て会議の意見を聴くことができる。

第12条　前条に規定するもののほか、この法律を施行するために必要な条例の制定又は改正、第20条の規定による支給認定の手続、第31条の規定による第27条第1項の確認の手続、第42条の規定による情報の提供、相談、助言、あっせん及び利用の要請（以下この条において「情報の提供等」という。）、第43条の規定による第29条第1項の確認の手続、第54条の規定による情報の提供等、第61条の規定による市町村子ども・子育て支援事業計画の策定の準備、第62条の規定による都道府県子ども・子育て支援事業支

援計画の策定の準備、第74条の規定による子ども・子育て会議の委員の任命に関し必要な行為その他の行為は、この法律の施行前においても行うことができる。

（政令への委任）

第13条　この附則に規定するもののほか、この法律の施行に伴い必要な経過措置は、政令で定める。

（保育充実事業）

第14条　保育の実施への需要が増大しているものとして内閣府令で定める要件に該当する市町村（以下この条において「特定市町村」という。）は、当分の間、保育の量的拡充及び質の向上を図るため、小学校就学前子どもの保育に係る子ども・子育て支援に関する事業であって内閣府令で定めるもの（以下この条において「保育充実事業」という。）のうち必要と認めるものを市町村子ども・子育て支援事業計画に定め、当該市町村子ども・子育て支援事業計画に従って当該保育充実事業を行うことができる。

2　特定市町村以外の市町村（次項及び第4項において「事業実施市町村」という。）は、当分の間、保育の量的拡充及び質の向上を図るため特に必要があるときは、保育充実事業のうち必要と認めるものを市町村子ども・子育て支援事業計画に定め、当該市町村子ども・子育て支援事業計画に従って当該保育充実事業を行うことができる。

3　国は、保育充実事業を行う特定市町村又は事業実施市町村に対し、予算の範囲内で、政令で定めるところにより、当該保育充実事業に要する費用の一部を補助することができる。

4　特定市町村又は事業実施市町村を包括する都道府県は、保育充実事業その他の保育の需要に応ずるための特定市町村又は事業実施市町村の取組を支援するため、小学校就学前子どもの保育に係る子ども・子育て支援に関する施策であって、市町村の区域を超えた広域的な見地から調整が必要なもの又は特に専門性の高いものについて協議するため、内閣府令で定めるところにより、当該都道府県、当該特定市町村又は事業実施市町村その他の関係者により構成される協議会を組織することができる。

5　内閣総理大臣は、第1項又は前項の内閣府令を定め、又は変更しようとするときは、文部科学大臣に協議しなければならない。

（労働者の子育ての支援に積極的に取り組む事業主に対する助成）

第14条の2　政府は、令和3年10月1日から令和9年3月31日までの間、仕事・子育て両立支援事業として、第59条の2第1項に規定するもののほか、その雇用する労働者に係る育児休業の取得の促進その他の労働者の職業生活と家庭生活との両立が図られるようにするために必要な雇用環境の整備を行うことにより当該労働者の子育ての支援に積極的に取り組んでいると認められる事業主に対し、助成及び援助を行う事業を行うことができる。

（子ども・子育て支援臨時交付金の交付）

第15条　国は、子ども・子育て支援法の一部を改正する法律（令和元年法律第7号。次項及び附則第22条において「平成31年改正法」という。）の施行により地方公共団体の子ども・子育て支援給付及び地域子ども・子育て支援事業に要する費用についての負担が増大すること並びに社会保障の安定財源の確保等を図る税制の抜本的な改革を行うための地方税法及び地方交付税法の一部を改正する法律（平成24年法律第69号）附則第1条第3号に掲げる規定の施行による地方公共団体の地方消費税及び地方消費税交付金（地方税法第72条の115の規定により市町村に対し交付するものとされる地方消費税に係る交付金をいう。）の増収見込額（次項において「地方消費税増収見込額」という。）が平成31年度において平成32年度以降の各年度に比して過小であることに対処するため、平成31年度に限り、都道府県及び市町村に対して、子ども・子育て支援臨時交付金を交付する。

2　子ども・子育て支援臨時交付金の総額は、平成31年改正法の施行により増大した平成31年度における地方公共団体の子ども・子育て支援給付及び地域子ども・子育て支援事業に要する費用の状況並びに同年度における地方消費税増収見込額の状況を勘案して予算で定める額（次項及び附則第21条第2項において「子ども・子育て支援臨時交付金総額」という。）とする。

3　各都道府県又は各市町村に対して交付すべき子ども・子育て支援臨時交付金の額は、子ども・子育て支援臨時交付金総額を、総務省令で定めるところにより、各都道府県又は各市町村に係る次に掲げる額の合算額により按分した額とする。

一　平成31年度における子ども・子育て支援給付に要する費用（教育・保育給付認定保護者及び施設等利用給付認定保護者の経済的負担の軽減に要する費用として総務省令で定める費用に限る。）のうち、各都道府県又は各市町村が負担すべき費用に相当する額として総務省令で定めるところにより算定した額

二　平成31年度における地域子ども・子育て支援事業に要する費用（施設等利用給付認定保護者の経

済的負担の軽減に要する費用として総務省令で定める費用に限る。）のうち、各都道府県又は各市町村が負担すべき費用に相当する額として総務省令で定めるところにより算定した額

（子ども・子育て支援臨時交付金の算定の時期等）

第16条 総務大臣は、前条第3項の規定により各都道府県又は各市町村に交付すべき子ども・子育て支援臨時交付金の額を、平成32年3月中に決定し、これを当該都道府県又は当該市町村に通知しなければならない。

（子ども・子育て支援臨時交付金の交付時期）

第17条 子ども・子育て支援臨時交付金は、平成32年3月に交付する。

（子ども・子育て支援臨時交付金の算定及び交付に関する都道府県知事の義務）

第18条 都道府県知事は、政令で定めるところにより、当該都道府県の区域内の市町村に対し交付すべき子ども・子育て支援臨時交付金の額の算定及び交付に関する事務を取り扱わなければならない。

（子ども・子育て支援臨時交付金の額の算定に用いる資料の提出等）

第19条 都道府県知事は、総務省令で定めるところにより、当該都道府県の子ども・子育て支援臨時交付金の額の算定に用いる資料を総務大臣に提出しなければならない。

2 市町村長は、総務省令で定めるところにより、当該市町村の子ども・子育て支援臨時交付金の額の算定に用いる資料を都道府県知事に提出しなければならない。この場合において、都道府県知事は、当該資料を審査し、総務大臣に送付しなければならない。

（子ども・子育て支援臨時交付金の使途）

第20条 都道府県及び市町村は、交付を受けた子ども・子育て支援臨時交付金の額を、子ども・子育て支援給付及び地域子ども・子育て支援事業に要する経費に充てるものとする。

（交付税及び譲与税配付金特別会計における子ども・子育て支援臨時交付金の経理等）

第21条 子ども・子育て支援臨時交付金の交付に関する経理は、平成31年度に限り、特別会計に関する法律（平成19年法律第23号。以下この条において「特別会計法」という。）第21条の規定にかかわらず、交付税及び譲与税配付金特別会計（以下この条において「交付税特別会計」という。）において行うものとする。

2 子ども・子育て支援臨時交付金総額は、特別会計法第6条の規定にかかわらず、一般会計から交付税特別会計に繰り入れるものとする。

3 特別会計法第23条及び附則第11条の規定によるほか、前項の規定による一般会計からの繰入金は平成31年度における交付税特別会計の歳入とし、子ども・子育て支援臨時交付金は同年度における交付税特別会計の歳出とする。

（基準財政需要額の算定方法の特例）

第22条 地方財政法（昭和23年法律第109号）第10条第33号に掲げる経費のうち、平成31年改正法の施行により増大した平成31年度における地方公共団体の子どものための教育・保育給付及び子育てのための施設等利用給付に要する費用については、同法第11条の2の規定にかかわらず、地方公共団体に対して交付すべき地方交付税の額の算定に用いる基準財政需要額に算入しない。

（地方財政審議会の意見の聴取）

第23条 総務大臣は、子ども・子育て支援臨時交付金の交付に関する命令の制定又は改廃の立案をしようとする場合及び附則第16条の規定により各都道府県又は各市町村に交付すべき子ども・子育て支援臨時交付金の額を決定しようとする場合には、地方財政審議会の意見を聴かなければならない。

（事務の区分）

第24条 附則第18条及び第19条第2項後段の規定により都道府県が処理することとされている事務は、地方自治法第2条第9項第1号に規定する第1号法定受託事務とする。

（総務省令への委任）

第25条 附則第15条から前条までに定めるもののほか、子ども・子育て支援臨時交付金の算定及び交付に関し必要な事項は、総務省令で定める。

　　　　附　則（令和元年5月17日法律第7号）抄

（施行期日）

第1条 この法律は、平成31年10月1日から施行する。ただし、〔中略〕附則第17条の規定は、公布の日から施行する。

（児童福祉法第59条の2第1項に規定する施設に関する経過措置）

第4条 新法第8条に規定する子育てのための施設等利用給付については、令和12年3月31日までの間は、児童福祉法（昭和22年法律第164号）第59条の2第1項に規定する施設（同項の規定による届出がされたものに限り、就学前の子どもに関する教育、保育等の総合的な提供の推進に関する法律（平成18年法律第77号）第3条第1項又は第3項の認定を受けたもの及び同条第10項の規定による公示がされたもの並びに新法第7条第10項第4号ハの政令で定める施設を除く。）を同号に掲げる施設とみなして、

新法（第58条の４第１項（第４号に係る部分に限る。）、第58条の９第１項（第１号に係る部分に限る。）及び第58条の10第１項（第３号に係る部分に限る。）を除く。）の規定を適用する。

2　市町村（特別区を含む。以下この条において同じ。）は、施行日から起算して５年を経過する日までの間、当該市町村における保育の需要及び供給の状況その他の事情を勘案して特に必要があると認めるときは、当該市町村の条例で定めるところにより、前項の規定により新法第７条第10項第４号に掲げる施設とみなされる施設に係る新法第30条の11第１項の規定による施設等利用費の支給について、同項に規定する特定子ども・子育て支援施設等である当該施設のうち当該市町村の条例で定める基準を満たすものが提供する同項に規定する特定子ども・子育て支援を受けたときに限り、行うものとすることができる。この場合において、当該市町村の条例で定める基準は、同号の内閣府令で定める基準を超えない範囲内において定めるものとする。

3　前項の市町村の条例が定められた場合における第１項の規定の適用については、同項中「新法（第58条の４第１項（第４号に係る部分に限る。）、第58条の９第１項（第１号に係る部分に限る。）及び」と

あるのは、「新法（」とする。この場合において、新法第58条の４第１項第４号中「同号の内閣府令」とあり、及び新法第58条の９第１項第１号中「第７条第10項各号（第１号から第３号まで及び第６号を除く。以下この号において同じ。）に掲げる施設又は事業の区分に応じ、当該各号の内閣府令」とあるのは、「子ども・子育て支援法の一部を改正する法律（令和元年法律第７号）附則第４条第２項の市町村の条例」とする。

（政令への委任）

第17条　この附則に規定するもののほか、この法律の施行に伴い必要な経過措置は、政令で定める。

（検討）

第18条　政府は、この法律の施行後２年を目途として、附則第４条の規定の施行の状況について検討を加え、必要があると認めるときは、その結果に基づいて所要の措置を講ずるものとする。

2　政府は、前項に定める事項のほか、この法律の施行後５年を目途として、新法の施行の状況を勘案し、新法の規定について検討を加え、必要があると認めるときは、その結果に基づいて所要の措置を講ずるものとする。

●子ども・子育て支援法施行令

〔平成26年6月13日 政令第213号〕

注　令和6年3月30日政令第161号改正現在

（法第7条第10項第4号ハの政令で定める施設）

第1条　子ども・子育て支援法〔平成24年法律第65号〕（以下「法」という。）第7条第10項第4号ハの政令で定める施設は、法第59条の2第1項の規定による助成を受けている施設のうち、児童福祉法（昭和22年法律第164号）第59条の2第1項に規定する施設（同項の規定による届出がされたものに限る。）であって同法第6条の3第12項に規定する業務を目的とするものとする。

（保育必要量の認定）

第1条の2　法第20条第3項（法第23条第3項及び第5項において準用する場合を含む。）の認定は、小学校就学前子どもの法第19条第2号の内閣府令で定める事由により家庭において必要な保育を受けることが困難である状況に応じて行うものとする。

（教育・保育給付認定の変更の認定に関する技術的読替え）

第2条　法第23条第3項の規定により法第20条第2項、第3項、第4項前段及び第5項から第7項までの規定を準用する場合においては、次の表の上欄に掲げる同条の規定中同表の中欄に掲げる字句は、それぞれ同表の下欄に掲げる字句に読み替えるものとする。

第2項	小学校就学前子どもの保護者	教育・保育給付認定保護者
第3項	第1項の規定による申請	第23条第1項の規定による申請（保育必要量の認定に係るものに限る。）
	小学校就学前子どもが	教育・保育給付認定子どもが
	当該小学校就学前子ども	当該教育・保育給付認定子ども
	保育必要量（月を単位として内閣府令で定める期間において施設型給付費、特例施設型給付費、地域型保育給付費又は特例地域型保育給付費を支給する保育の量をいう。以下同じ。）	保育必要量
第4項前段	「教育・保育給付認定」	この項及び次項において「変更認定」
	教育・保育給付認定に係る保護者（以下「教育・保育給付認定保護者」という。）	変更認定に係る教育・保育給付認定保護者

第5項	第1項	第23条第1項
	当該保護者が子どものための教育・保育給付を受ける資格を有する	変更認定を行う必要がある
	保護者に	教育・保育給付認定保護者に
第6項及び第7項	第1項	第23条第1項
	保護者	教育・保育給付認定保護者

2　法第23条第5項の規定により法第20条第2項、第3項及び第4項前段の規定を準用する場合においては、次の表の上欄に掲げる同条の規定中同表の中欄に掲げる字句は、それぞれ同表の下欄に掲げる字句に読み替えるものとする。

第2項	小学校就学前子どもの保護者	教育・保育給付認定保護者
第3項	第1項の規定による申請があった	第23条第4項の規定による職権（保育必要量の認定に係るものに限る。）を行使する
	申請に係る小学校就学前子ども	職権に係る教育・保育給付認定子ども
	当該小学校就学前子ども	当該教育・保育給付認定子ども
	保育必要量（月を単位として内閣府令で定める期間において施設型給付費、特例施設型給付費、地域型保育給付費又は特例地域型保育給付費を支給する保育の量をいう。以下同じ。）	保育必要量
第4項前段	「教育・保育給付認定」	この項において「変更認定」
	教育・保育給付認定に係る保護者（以下「教育・保育給付認定保護者」という。）	変更認定に係る教育・保育給付認定保護者

（法第24条第1項第3号の政令で定めるとき）

第3条　法第24条第1項第3号の政令で定めるときは、次に掲げるときとする。

一　当該教育・保育給付認定保護者（法第20条第4項に規定する教育・保育給付認定保護者をいう。以下同じ。）が、正当な理由なしに、法第13条第

１項の規定による報告若しくは物件の提出若しく
は提示をせず、若しくは虚偽の報告若しくは虚偽
の物件の提出若しくは提示をし、又は同項の規定
による当該職員の質問に対して、答弁せず、若し
くは虚偽の答弁をしたとき。

二　当該教育・保育給付認定保護者が法第20条第1
項又は第23条第1項の規定による申請に関し虚偽
の申請をしたとき。

（法第27条第3項第2号の政令で定める額）

第4条　教育・保育給付認定子ども（法第20条第4項
に規定する教育・保育給付認定子どもをいう。以下
この項において同じ。）のうち、次に掲げるもの
（次条第1項、第12条第1項及び第23条第1号にお
いて「満3歳以上教育・保育給付認定子ども」とい
う。）に係る教育・保育給付認定保護者についての
法第27条第3項第2号の政令で定める額は、零とす
る。

一　教育認定子ども（法第19条第1号に掲げる小学
校就学前子どもに該当する教育・保育給付認定子
どもをいう。附則第13条の規定により読み替えて
適用する第23条第1号において同じ。）

二　満3歳以上保育認定子ども（法第19条第2号に
掲げる小学校就学前子どもに該当する教育・保育
給付認定子どもをいい、満3歳に達する日以後の
最初の3月31日までの間にある教育・保育給付認
定子ども（法第28条第1項第3号に規定する特別
利用教育を受ける者を除く。次項及び第11条第2
項において「特定満3歳以上保育認定子ども」と
いう。）を除く。第11条第1項において同じ。）

2　満3歳未満保育認定子ども（法第23条第4項に規
定する満3歳未満保育認定子どもをいい、特定満3
歳以上保育認定子どもを含む。以下同じ。）に係る
教育・保育給付認定保護者についての法第27条第3
項第2号の政令で定める額は、次の各号に掲げる教
育・保育給付認定保護者の区分に応じ、当該各号に
定める額又は特定教育・保育（同条第1項に規定す
る特定教育・保育をいう。以下この項において同
じ。）に係る標準的な費用の額として内閣総理大臣
が定める基準により算定した額のいずれか低い額と
する。

一　次号から第8号までに掲げる者以外の教育・保
育給付認定保護者　10万4000円（法第20条第3項
に規定する保育必要量が少ない者として内閣府令
で定める教育・保育給付認定保護者（以下「短時
間認定保護者」という。）にあっては、10万2400円）

二　教育・保育給付認定保護者及び当該教育・保育
給付認定保護者と同一の世帯に属する者について

特定教育・保育のあった月の属する年度（特定教
育・保育のあった月が4月から8月までの場合に
あっては、前年度）分の地方税法（昭和25年法律
第226号）の規定による市町村民税（同法の規定
による特別区民税を含む。第8号及び第15条の3
第2項において同じ。）の同法第292条第1項第2
号に掲げる所得割（同法第328条の規定によって
課する所得割を除く。）の額（同法附則第5条の
4第6項その他の内閣府令で定める規定による控
除をされるべき金額があるときは、当該金額を加
算した額とする。）を合算した額（以下この項及
び第14条において「市町村民税所得割合算額」と
いう。）が39万7000円未満である場合における当
該教育・保育給付認定保護者（次号から第8号ま
でに掲げる者を除く。）　8万円（短時間認定保護
者にあっては、7万8800円）

三　市町村民税所得割合算額が30万1000円未満であ
る場合における教育・保育給付認定保護者（次号
から第8号までに掲げる者を除く。）　6万1000円
（短時間認定保護者にあっては、6万100円）

四　市町村民税所得割合算額が16万9000円未満であ
る場合における教育・保育給付認定保護者（次号
から第8号までに掲げる者を除く。）　4万4500円
（短時間認定保護者にあっては、4万3900円）

五　市町村民税所得割合算額が9万7000円未満であ
る場合における教育・保育給付認定保護者（次号
から第8号までに掲げる者を除く。）　3万円（短
時間認定保護者にあっては、2万9600円）

六　市町村民税所得割合算額が7万7101円未満であ
る場合における特定教育・保育給付認定保護者
（その者又はその者と同一の世帯に属する者が特
定教育・保育のあった月において要保護者等（生
活保護法（昭和25年法律第144号）第6条第2項
に規定する要保護者その他内閣府令で定める者を
いう。）に該当する場合における教育・保育給付
認定保護者をいう。次号及び第14条において同
じ。）（同号及び第8号に掲げる者を除く。）　9000
円

七　市町村民税所得割合算額が4万8600円未満であ
る場合における教育・保育給付認定保護者（次号
に掲げる者を除く。）　1万9500円（短時間認定保
護者にあっては、1万9300円）。ただし、特定教育・
保育給付認定保護者にあっては、9000円とする。

八　次に掲げる教育・保育給付認定保護者　零

イ　教育・保育給付認定保護者及び当該教育・保
育給付認定保護者と同一の世帯に属する者が特
定教育・保育のあった月の属する年度（特定教

育・保育のあった月が４月から８月までの場合にあっては、前年度）分の市町村民税に係る市町村民税世帯非課税者（法第30条の４第３号に規定する市町村民税世帯非課税者をいい、第15条の３第２項第２号に掲げる者を除く。）である場合における当該教育・保育給付認定保護者

ロ　特定教育・保育のあった月において第15条の３第２項第２号又は第３号に掲げる者である教育・保育給付認定保護者

（法第28条第２項第１号の政令で定める額）

第５条　満３歳以上教育・保育給付認定子どもに係る教育・保育給付認定保護者についての法第28条第２項第１号の政令で定める額は、零とする。

2　前条第２項の規定は、満３歳未満保育認定子どもに係る教育・保育給付認定保護者についての法第28条第２項第１号の政令で定める額について準用する。

（法第28条第２項第２号及び第３号の政令で定める額）

第６条　法第28条第２項第２号及び第３号の政令で定める額は、零とする。

第７条　削除

（特例施設型給付費の支給に関する技術的読替え）

第８条　法第28条第４項の規定により法第27条第２項及び第５項から第７項までの規定を準用する場合においては、次の表の上欄に掲げる同条の規定中同表の中欄に掲げる字句は、それぞれ同表の下欄に掲げる字句に読み替えるものとする。

第２項	から支給認定教育・保育を受けようとする	（保育所に限る。）から特別利用保育を受けようとする第19条第１号に掲げる小学校就学前子どもに該当する教育・保育給付認定子どもに係る教育・保育給付認定保護者又は特定教育・保育施設（幼稚園に限る。）から特別利用教育を受けようとする同条第２号に掲げる小学校就学前子どもに該当する
	支給認定教育・保育を当該	特別利用保育又は特別利用教育（第５項及び第７項において「特別利用保育等」という。）を当該同条第１号又は第２号に掲げる小学校就学前子どもに該当する
第５項	教育・保育給付認定	第19条第１号又は

	子どもが	第２号に掲げる小学校就学前子どもに該当する教育・保育給付認定子どもが
	から支給認定教育・保育	（保育所に限る。）から特別利用保育を受け、又は特定教育・保育施設（幼稚園に限る。）から特別利用教育
	教育・保育給付認定子どもに	同条第１号又は第２号に掲げる小学校就学前子どもに該当する教育・保育給付認定子どもに
	支給認定教育・保育に	特別利用保育等に
第７項	第３項第１号	次条第２項第２号又は第３号
	特定教育・保育の	特定教育・保育（特別利用保育等を含む。）の

（法第29条第３項第２号及び第30条第２項第１号の政令で定める額）

第９条　第４条第２項の規定は、法第29条第３項第２号及び第30条第２項第１号の政令で定める額について準用する。この場合において、第４条第２項中「特定教育・保育（同条第１項に規定する特定教育・保育」とあるのは「特定地域型保育（法第29条第１項に規定する特定地域型保育」と、同項第２号、第６号及び第８号中「特定教育・保育の」とあるのは「特定地域型保育の」と読み替えるものとする。

（法第30条第２項第２号の政令で定める額）

第10条　法第30条第２項第２号の政令で定める額は、零とする。

（法第30条第２項第３号の政令で定める額）

第11条　満３歳以上保育認定子どもに係る教育・保育給付認定保護者についての法第30条第２項第３号の政令で定める額は、零とする。

2　第４条第２項の規定は、特定満３歳以上保育認定子どもに係る教育・保育給付認定保護者についての法第30条第２項第３号の政令で定める額について準用する。この場合において、第４条第２項中「特定教育・保育（同条第１項に規定する特定教育・保育」とあるのは「特定利用地域型保育（法第30条第１項第３号に規定する特定利用地域型保育」と、同項第２号、第６号及び第８号中「特定教育・保育の」とあるのは「特定利用地域型保育の」と読み替えるものとする。

（法第30条第２項第４号の政令で定める額）

第12条 満3歳以上教育・保育給付認定子どもに係る教育・保育給付認定保護者についての法第30条第2項第4号の政令で定める額は、零とする。

2 第4条第2項の規定は、満3歳未満保育認定子どもに係る教育・保育給付認定保護者についての法第30条第2項第4号の政令で定める額について準用する。この場合において、第4条第2項中「特定教育・保育（同条第1項に規定する特定教育・保育」とあるのは「特例保育（法第30条第1項第4号に規定する特例保育」と、同項第2号、第6号及び第8号中「特定教育・保育の」とあるのは「特例保育の」と読み替えるものとする。

（複数の負担額算定基準子どもがいる教育・保育給付認定保護者に係る特例）

第13条 負担額算定基準子どもが同一の世帯に2人以上いる場合の教育・保育給付認定保護者に係る次の各号に掲げる満3歳未満保育認定子どもに関する法第27条第3項第2号、第28条第2項第1号、第29条第3項第2号並びに第30条第2項第1号、第3号及び第4号に規定する政令で定める額は、第4条第2項（第8号に係る部分を除くものとし、第5条第2項、第9条、第11条第2項及び前条第2項において準用する場合を含む。第1号及び次条において同じ。）の規定にかかわらず、当該各号に定める額とする。

一 負担額算定基準子どものうち2番目の年長者である満3歳未満保育認定子ども 当該満3歳未満保育認定子どもに関して第4条第2項の規定により算定される額に100分の50を乗じて得た額

二 負担額算定基準子ども（そのうち最年長者及び2番目の年長者である者を除く。）である満3歳未満保育認定子ども 零

2 前項に規定する「負担額算定基準子ども」とは、次に掲げる小学校就学前子どもをいう。

一 次に掲げる施設に在籍する小学校就学前子ども

イ 認定こども園（就学前の子どもに関する教育、保育等の総合的な提供の推進に関する法律（平成18年法律第77号。以下「認定こども園法」という。）第2条第6項に規定する認定こども園をいう。第15条の6において同じ。）

ロ 幼稚園（学校教育法（昭和22年法律第26号）第1条に規定する幼稚園をいい、認定こども園法第3条第1項又は第3項の認定を受けたもの及び同条第10項の規定による公示がされたものを除く。第15条の6において同じ。）

ハ 特別支援学校（学校教育法第1条に規定する特別支援学校をいい、同法第76条第2項に規定

する幼稚部に限る。第15条の6において同じ。）

二 保育所（児童福祉法第39条第1項に規定する保育所をいい、認定こども園法第3条第1項の認定を受けたもの及び同条第10項の規定による公示がされたものを除く。）

二 地域型保育又は法第30条第1項第4号に規定する特例保育を受ける小学校就学前子ども

三 第1条に規定する施設を利用する小学校就学前子ども

四 児童福祉法第6条の2の2第2項に規定する児童発達支援又は同条第4項に規定する居宅訪問型児童発達支援を受ける小学校就学前子ども

五 児童福祉法第43条の2に規定する児童心理治療施設に通う小学校就学前子ども

（複数の特定被監護者等がいる教育・保育給付認定保護者に係る特例）

第14条 特定被監護者等（教育・保育給付認定保護者に監護される者その他これに準ずる者として内閣府令で定める者であって、教育・保育給付認定保護者と生計を一にするものをいう。以下この条において同じ。）が2人以上いる場合の教育・保育給付認定保護者に係る次の各号に掲げる満3歳未満保育認定子どもに関する法第27条第3項第2号、第28条第2項第1号、第29条第3項第2号並びに第30条第2項第1号、第3号及び第4号に規定する政令で定める額は、当該教育・保育給付認定保護者及び当該教育・保育給付認定保護者と同一の世帯に属する者に係る市町村民税所得割合算額が5万7700円未満（特定教育・保育給付認定保護者にあっては、7万7101円未満）であるときは、第4条第2項及び前条第1項の規定にかかわらず、当該各号に定める額とする。

一 特定被監護者等のうち2番目の年長者である満3歳未満保育認定子ども 当該満3歳未満保育認定子どもに関して第4条第2項の規定により算定される額に100分の50を乗じて得た額（特定教育・保育給付認定保護者に係る満3歳未満保育認定子どもにあっては、零）

二 特定被監護者等（そのうち最年長者及び2番目の年長者である者を除く。）である満3歳未満保育認定子ども 零

（特例地域型保育給付費の支給に関する技術的読替え）

第15条 法第30条第4項の規定により法第29条第2項及び第5項から第7項までの規定を準用する場合においては、次の表の上欄に掲げる同条の規定中同表の中欄に掲げる字句は、それぞれ同表の下欄に掲げる字句に読み替えるものとする。

第2項	満3歳未満保育認定地域型保育を受けようとする満3歳未満保育認定子ども	特別利用地域型保育を受けようとする第19条第1号に掲げる小学校就学前子どもに該当する教育・保育給付認定子どもに係る教育・保育給付認定保護者又は特定利用地域型保育を受けようとする同条第2号に掲げる小学校就学前子どもに該当する教育・保育給付認定子ども
	満3歳未満保育認定地域型保育を当該満3歳未満保育認定子ども	特別利用地域型保育又は特定利用地域型保育（第5項及び第7項において「特別利用地域型保育等」という。）を当該同条第1号又は第2号に掲げる小学校就学前子どもに該当する教育・保育給付認定子ども
第5項	満3歳未満保育認定子どもが	第19条第1号又は第2号に掲げる小学校就学前子どもに該当する教育・保育給付認定子どもが
	満3歳未満保育認定地域型保育	特別利用地域型保育等
	満3歳未満保育認定子どもに	同条第1号又は第2号に掲げる小学校就学前子どもに該当する教育・保育給付認定子どもに
第7項	第3項第1号	次条第2項第2号又は第3号
	特定地域型保育の	特定地域型保育（特別利用地域型保育等を含む。）の

（子育てのための施設等利用給付に関する技術的読替え）

第15条の2　法第30条の3の規定により法第12条から第18条までの規定を準用する場合においては、次の表の上欄に掲げる法の規定中同表の中欄に掲げる字句は、それぞれ同表の下欄に掲げる字句に読み替えるものとする。

第12条第2項	第27条第1項に規定する特定教育・保育施設又は第29条第1項に規定する特定地域型保育事業者	第30条の11第3項に規定する特定子ども・子育て支援提供者
	第27条第5項（第28条第4項において準用する場合を含む。）又は第29条第5項（第30条第4項において準用する場合を含む。）	同項
	特定教育・保育施設又は特定地域型保育事業者	特定子ども・子育て支援提供者
第14条第1項	教育・保育を	教育・保育その他の子ども・子育て支援を
第15条第1項	教育・保育の	教育・保育その他の子ども・子育て支援の
第15条第2項	教育・保育を	教育・保育その他の子ども・子育て支援を
	教育・保育に	教育・保育その他の子ども・子育て支援に
	教育・保育の	教育・保育その他の子ども・子育て支援の

（法第30条の4第3号の政令で定める場合及び市町村民税を課されない者に準ずる者）

第15条の3　法第30条の4第3号の政令で定める場合は、特定子ども・子育て支援（法第30条の11第1項に規定する特定子ども・子育て支援をいう。以下同じ。）のあった月が4月から8月までの場合とする。

2　法第30条の4第3号の政令で定める地方税法の規定による市町村民税（同法第328条の規定によって課する所得割を除く。以下この項において同じ。）を課されない者に準ずる者は、次に掲げる者とする。

一　保護者及び当該保護者と同一の世帯に属する者であって、市町村（特別区を含む。以下同じ。）の条例で定めるところにより市町村民税を免除されたもの

二　生活保護法第6条第1項に規定する被保護者である保護者

三　児童福祉法第6条の3第8項に規定する小規模住居型児童養育事業を行う者又は同法第6条の4に規定する里親である保護者

（施設等利用給付認定の変更の認定に関する技術的読替え）

第15条の4　法第30条の8第3項の規定により法第30条の5第2項から第6項までの規定を準用する場合においては、次の表の上欄に掲げる同条の規定中同表の中欄に掲げる字句は、それぞれ同表の下欄に掲げる字句に読み替えるものとする。

第2項	前項の認定（以下「施設等利用給付認	第30条の8第2項の施設等利用給付

		定」という。）	認定の変更の認定（次項及び第4項において「変更認定」という。）
		小学校就学前子どもの保護者	施設等利用給付認定保護者
第3項		施設等利用給付認定を	変更認定を
		施設等利用給付認定に係る保護者（以下「施設等利用給付認定保護者」という。）	変更認定に係る施設等利用給付認定保護者
第4項	第1項	第30条の8第1項	
	当該保護者が子育てのための施設等利用給付を受ける資格を有する	変更認定を行う必要がある	
	保護者に	施設等利用給付認定保護者に	
第5項及び第6項	第1項	第30条の8第1項	
	保護者	施設等利用給付認定保護者	

2　法第30条の8第5項の規定により法第30条の5第2項及び第3項の規定を準用する場合においては、次の表の上欄に掲げる同条の規定中同表の中欄に掲げる字句は、それぞれ同表の下欄に掲げる字句に読み替えるものとする。

第2項	前項の認定（以下「施設等利用給付認定」という。）	第30条の8第4項の施設等利用給付認定の変更の認定（次項において「変更認定」という。）
	小学校就学前子どもの保護者	施設等利用給付認定保護者
第3項	施設等利用給付認定を	変更認定を
	施設等利用給付認定に係る保護者（以下「施設等利用給付認定保護者」という。）	変更認定に係る施設等利用給付認定保護者

（法第30条の9第1項第3号の政令で定めるとき）

第15条の5　法第30条の9第1項第3号の政令で定めるときは、次に掲げるときとする。

一　当該施設等利用給付認定保護者（法第30条の5第3項に規定する施設等利用給付認定保護者をいう。以下この条及び第24条の4において同じ。）が、正当な理由なしに、法第30条の3において準用する法第13条第1項の規定による報告若しくは物件の提出若しくは提示をせず、若しくは虚偽の報告若しくは虚偽の物件の提出若しくは提示をし、又は同項の規定による当該職員の質問に対して、答弁せず、若しくは虚偽の答弁をしたとき。

二　当該施設等利用給付認定保護者が法第30条の5第1項又は第30条の8第1項の規定による申請（法第30条の5第7項の規定により同条第2項に規定する施設等利用給付認定を受けたものとみなされた施設等利用給付認定保護者にあっては、法第20条第1項又は第23条第1項の規定による申請を含む。）に関し虚偽の申請をしたとき。

三　当該施設等利用給付認定保護者がその施設等利用給付認定子ども（法第30条の8第1項に規定する施設等利用給付認定子どもをいう。次号、次条及び第24条の4において同じ。）について法第30条第1項に規定する保育認定子どもに係る教育・保育給付認定を受け、当該教育・保育給付認定に係る施設型給付費、特例施設型給付費（法第28条第1項第3号に係るものを除く。）、地域型保育給付費又は特例地域型保育給付費の支給を受けたとき。

四　当該施設等利用給付認定保護者に係る施設等利用給付認定子どもが第1条に規定する施設を利用したとき。

（施設等利用費の額）

第15条の6　法第30条の4第1号に掲げる小学校就学前子どもに該当する施設等利用給付認定子ども（特定子ども・子育て支援施設等（法第30条の11第1項に規定する特定子ども・子育て支援施設等をいう。以下この条において同じ。）である認定こども園、幼稚園又は特別支援学校に在籍する者に限る。）について法第30条の11第1項の規定により支給する施設等利用費の額は、2万5700円（国（国立大学法人法（平成15年法律第112号）第2条第1項に規定する国立大学法人を含む。第2項及び第3項において同じ。）が設置する認定こども園、幼稚園又は特別支援学校にあっては、国立大学法人法第22条第3項の文部科学省令で定める保育料その他の費用の額を勘案して内閣府令で定める額。以下この項及び次項第1号において同じ。）（現に当該特定子ども・子育て支援施設等に係る特定子ども・子育て支援に要した費用の額が2万5700円を下回る場合には、当該現に特定子ども・子育て支援に要した費用の額）とする。

2　法第30条の4第2号に掲げる小学校就学前子どもに該当する施設等利用給付認定子ども（認定こども園（国が設置するものを除く。以下この項において同じ。）、幼稚園又は特別支援学校に在籍する者に限る。）について法第30条の11第1項の規定により支給する施設等利用費の額は、次の各号に掲げる特定子ども・子育て支援施設等の区分に応じ、当該各号

に定める額（現に当該各号に掲げる特定子ども・子育て支援施設等に係る特定子ども・子育て支援に要した費用の額が当該各号に定める額を下回る場合には、それぞれ当該現に特定子ども・子育て支援に要した費用の額。第３号において同じ。）の合算額とする。

一　認定こども園、幼稚園又は特別支援学校　２万5700円

二　法第７条第10項第５号に掲げる事業　１万1300円（１月につき当該事業から特定子ども・子育て支援を受けた日数が内閣府令で定める１月当たりの日数を下回る場合にあっては、内閣府令で定めるところにより当該特定子ども・子育て支援を受けた日数に応じて算定した額）

三　法第７条第10項第４号に掲げる施設又は同項第６号から第８号までに掲げる事業（当該施設等利用給付認定子どもが在籍する認定こども園、幼稚園又は特別支援学校及び当該施設において行われる同項第５号に掲げる事業において提供される教育・保育の量が法第20条第３項に規定する保育必要量を勘案して内閣府令で定める量を下回る場合に限る。）　１万1300円から前号に定める額を控除して得た額

3　法第30条の４第２号に掲げる小学校就学前子どもに該当する施設等利用給付認定子ども（認定こども園、幼稚園又は特別支援学校に在籍する者以外の者であって特定子ども・子育て支援施設等である法第７条第10項第４号に掲げる施設若しくは同項第６号から第８号までに掲げる事業を利用するもの又は国が設置する認定こども園に在籍する者に限る。）について法第30条の11第１項の規定により支給する施設等利用費の額は、３万7000円（国が設置する認定こども園にあっては、国立大学法人法第22条第３項の文部科学省令で定める保育料その他の費用の額を勘案して内閣府令で定める額。以下この項において同じ。）（現に当該特定子ども・子育て支援施設等に係る特定子ども・子育て支援に要した費用の額が３万7000円を下回る場合には、当該現に特定子ども・子育て支援に要した費用の額）とする。

4　前２項の規定は、法第30条の４第３号に掲げる小学校就学前子どもに該当する施設等利用給付認定子どもについての法第30条の11第１項の規定により支給する施設等利用費の額の算定について準用する。この場合において、第２項第２号及び第３号中「１万1300円」とあるのは「１万6300円」と、前項中「３万7000円」とあるのは「４万2000円」と読み替えるものとする。

（特定教育・保育施設の確認の変更に関する技術的読替え）

第16条　法第32条第２項の規定により法第31条第３項の規定を準用する場合においては、同項中「第１項」とあるのは「次条第１項」と、「定めた」とあるのは「増加した」と読み替えるものとする。

（法第40条第１項第８号の政令で定める法律）

第17条　法第40条第１項第８号の政令で定める法律は、次のとおりとする。

一　学校教育法

二　児童福祉法（国家戦略特別区域法（平成25年法律第107号）第12条の５第８項において準用する場合を含む。）

三　教育職員免許法（昭和24年法律第147号）

四　私立学校法（昭和24年法律第270号）

五　身体障害者福祉法（昭和24年法律第283号）

六　精神保健及び精神障害者福祉に関する法律（昭和25年法律第123号）

七　生活保護法

八　社会福祉法（昭和26年法律第45号）

九　学校保健安全法（昭和33年法律第56号）

十　知的障害者福祉法（昭和35年法律第37号）

十一　母子及び父子並びに寡婦福祉法（昭和39年法律第129号）

十二　私立学校振興助成法（昭和50年法律第61号）

十三　社会福祉士及び介護福祉士法（昭和62年法律第30号）

十四　介護保険法（平成９年法律第123号）

十五　児童買春、児童ポルノに係る行為等の規制及び処罰並びに児童の保護等に関する法律（平成11年法律第52号）

十六　児童虐待の防止等に関する法律（平成12年法律第82号）

十七　発達障害者支援法（平成16年法律第167号）

十八　障害者の日常生活及び社会生活を総合的に支援するための法律（平成17年法律第123号）

十九　認定こども園法

二十　障害者虐待の防止、障害者の養護者に対する支援等に関する法律（平成23年法律第79号）

二十一　国家戦略特別区域法（第12条の５第７項の規定に限る。）

二十二　いじめ防止対策推進法（平成25年法律第71号）

二十三　民間あっせん機関による養子縁組のあっせんに係る児童の保護等に関する法律（平成28年法律第110号）

（法第40条第２項の政令で定める者等）

第18条　法第40条第２項の同条第１項の規定により法

第27条第1項の確認を取り消された教育・保育施設の設置者から除く政令で定める者は、当該確認の取消しの処分の理由となった事実及び当該事実の発生を防止するための当該教育・保育施設の設置者による業務管理体制の整備についての取組の状況その他の当該事実に関して当該教育・保育施設の設置者が有していた責任の程度を考慮して、法第40条第2項の規定を適用しないこととすることが相当であると認められる者として内閣府令で定める者に該当する者とする。

2　法第40条第2項の同条第1項の規定により法第27条第1項の確認を取り消された教育・保育施設の設置者（前項に規定する者を除く。）に準ずる者として政令で定める者は、次の各号に掲げる者のいずれかに該当する教育・保育施設の設置者とし、法第40条第2項の政令で定める日は、当該者の当該各号に掲げる区分に応じ、当該各号に定める日とする。

一　その者と内閣府令で定める密接な関係を有する法人（次のイからハまでに掲げる者に限る。第20条第2項第2号、第22条の2第2項第2号及び附則第11条第2項第2号において「その者と密接な関係を有する者」という。）が、法第40条第1項の規定により法第27条第1項の確認を取り消された教育・保育施設の設置者（前項に規定する者を除く。）である者　当該確認の取消しの日

イ　その者の役員に占めるその役員の割合が2分の1を超え、又はその者の株式の所有その他の事由を通じてその者の事業を実質的に支配し、若しくはその者の事業に重要な影響を与える関係にある者として内閣府令で定めるもの（ロにおいて「その者の親会社等」という。）

ロ　その者の親会社等の役員と同一の者がその役員に占める割合が2分の1を超え、又はその者の親会社等が株式の所有その他の事由を通じてその事業を実質的に支配し、若しくはその事業に重要な影響を与える関係にある者として内閣府令で定めるもの

ハ　その者の役員と同一の者がその役員に占める割合が2分の1を超え、又はその者が株式の所有その他の事由を通じてその事業を実質的に支配し、若しくはその事業に重要な影響を与える関係にある者として内閣府令で定めるもの

二　法第40条第1項の規定による法第27条第1項の確認の取消しの処分に係る行政手続法（平成5年法律第88号）第15条の規定による通知があった日から当該処分をする日又は処分をしないことを決定する日までの間に、法第36条の規定により同項の確認を辞退した者（当該確認の辞退について相

当の理由がある者を除く。）　当該確認の辞退の日

三　法第38条第1項の規定による検査が行われた日から聴聞決定予定日（当該検査の結果に基づき法第40条第1項の規定による法第27条第1項の確認の取消しの処分に係る聴聞を行うか否かの決定をすることが見込まれる日として内閣府令で定めるところにより市町村長（特別区の区長を含む。第20条第2項第4号及び第22条の2第2項第4号において同じ。）がその者に当該検査が行われた日から10日以内に特定の日を通知した場合における当該特定の日をいう。附則第11条第2項第4号において同じ。）までの間に、法第36条の規定により法第27条第1項の確認を辞退した者（当該確認の辞退について相当の理由がある者を除く。）　当該確認の辞退の日

四　教育・保育に関し不正又は著しく不当な行為をした者　当該行為をした日

五　その者の役員又は長のうちに次のイからハまでに掲げる者のいずれかに該当する者がある者　それぞれイからハまでに定める日

イ　法第40条第1項の規定により法第27条第1項の確認を取り消された教育・保育施設の設置者（前項に規定する者を除く。）において、当該確認の取消しの処分に係る行政手続法第15条の規定による通知があった日前60日以内に、その役員又は長であった者　当該確認の取消しの日

ロ　第2号に規定する期間内に法第36条の規定により法第27条第1項の確認を辞退した教育・保育施設の設置者（当該確認の辞退について相当の理由がある者を除く。）において、同号の通知の日前60日以内に、その役員又は長であった者　当該確認の辞退の日

ハ　前号に掲げる者　同号に定める日

（法第52条第1項第8号の政令で定める法律等）

第19条　法第52条第1項第8号の政令で定める法律は、第17条各号（第1号、第3号、第4号、第9号、第12号及び第22号を除く。）に掲げる法律とする。

2　法第52条第1項第10号の政令で定める使用人は、同号に規定する事業所を管理する者とする。

（法第52条第2項の政令で定める者等）

第20条　法第52条第2項の同条第1項の規定により法第29条第1項の確認を取り消された地域型保育事業を行う者から除く政令で定める者は、当該確認の取消しの処分の理由となった事実及び当該事実の発生を防止するための当該地域型保育事業を行う者による業務管理体制の整備についての取組の状況その他の当該事実に関して当該地域型保育事業を行う者が有していた責任の程度を考慮して、法第52条第2項

の規定を適用しないこととすることが相当であると認められる者として内閣府令で定める者に該当する者とする。

2 法第52条第2項の同条第1項の規定により法第29条第1項の確認を取り消された地域型保育事業を行う者(前項に規定する者を除く。)に準ずる者として政令で定める者は、次の各号に掲げる者のいずれかに該当する地域型保育事業を行う者とし、法第52条第2項の政令で定める日は、当該者の当該各号に掲げる区分に応じ、当該各号に定める日とする。

一 法第52条第1項の規定により法第29条第1項の確認を取り消された地域型保育事業を行う者(前項に規定する者を除く。)において、当該確認の取消しの処分に係る行政手続法第15条の規定による通知があった日前60日以内に、次のイ又はロに掲げる場合の区分に応じ、それぞれイ又はロに定める者であった者 当該確認の取消しの日

イ 当該確認を取り消された地域型保育事業を行う者が法人である場合 その役員等(役員又は使用人であって、その事業所を管理する者をいう。第5号イ及び第7号において同じ。)

ロ 当該確認を取り消された地域型保育事業を行う者が法人以外の者である場合 その管理者

二 法人であって、その者と密接な関係を有する者が法第52条第1項の規定により法第29条第1項の確認を取り消された地域型保育事業を行う者(前項に規定する者を除く。)であるもの 当該確認の取消しの日

三 法第52条第1項の規定による法第29条第1項の確認の取消しの処分に係る行政手続法第15条の規定による通知があった日から当該処分をする日又は処分をしないことを決定する日までの間に、法第48条の規定により同項の確認を辞退した者(当該確認の辞退について相当の理由がある者を除く。) 当該確認の辞退の日

四 法第50条第1項の規定による検査が行われた日から聴聞決定予定日(当該検査の結果に基づき法第52条第1項の規定による法第29条第1項の確認の取消しの処分に係る聴聞を行うか否かの決定をすることが見込まれる日として内閣府令で定めるところにより市町村長がその者に当該検査が行われた日から10日以内に特定の日を通知した場合における当該特定の日をいう。)までの間に、法第48条の規定により法第29条第1項の確認を辞退した者(当該確認の辞退について相当の理由がある者を除く。) 当該確認の辞退の日

五 第3号に規定する期間内に法第48条の規定によ

り法第29条第1項の確認を辞退した地域型保育事業を行う者(当該確認の辞退について相当の理由がある者を除く。)において、同号の通知の日前60日以内に、次のイ又はロに掲げる場合の区分に応じ、それぞれイ又はロに定める者であった者 当該確認の辞退の日

イ 当該確認を辞退した地域型保育事業を行う者が法人である場合 その役員等

ロ 当該確認を辞退した地域型保育事業を行う者が法人以外の者である場合 その管理者

六 保育に関し不正又は著しく不当な行為をした者 当該行為をした日

七 法人であって、その役員等のうちに次のイからハまでに掲げる者のいずれかに該当する者のあるもの それぞれイからハまでに定める日

イ 第1号に掲げる者 同号に定める日

ロ 第3号から第5号までに掲げる者 それぞれ第3号から第5号までに定める日

ハ 前号に掲げる者 同号に定める日

八 法人以外の者であって、その管理者が次のイからハまでに掲げる者のいずれかに該当するもの それぞれイからハまでに定める日

イ 第1号に掲げる者 同号に定める日

ロ 第3号から第5号までに掲げる者 それぞれ第3号から第5号までに定める日

ハ 第6号に掲げる者 同号に定める日

(教育・保育情報の報告)

第21条 法第58条第1項の規定による報告は、特定教育・保育提供者が教育・保育を提供する施設又は事業所の所在地の都道府県知事が定めるところにより行うものとする。

(法第58条の10第1項第8号の政令で定める法律等)

第22条 法第58条の10第1項第8号の政令で定める法律は、第17条各号に掲げる法律とする。

2 法第58条の10第1項第10号の政令で定める使用人は、特定子ども・子育て支援を提供する施設又は事業所を管理する者とする。

(法第58条の10第2項の政令で定める者等)

第22条の2 法第58条の10第2項の同条第1項の規定により法第30条の11第1項の確認を取り消された子ども・子育て支援施設等(法第7条第10項に規定する子ども・子育て支援施設等をいう。以下この条において同じ。)である施設の設置者又は事業を行う者(以下この条において「確認取消提供者」という。)から除く政令で定める者は、当該確認の取消しの処分の理由となった事実及び当該事実に関して当該確認取消提供者が有していた責任の程度を考慮

して、法第58条の10第２項の規定を適用しないこととすることが相当であると認められる者として内閣府令で定める者に該当する者とする。

２　法第58条の10第２項の確認取消提供者（前項に規定する者を除く。第１号及び第２号において同じ。）に準ずる者として政令で定める者は、次の各号に掲げる者のいずれかに該当する子ども・子育て支援施設等である施設の設置者又は事業を行う者とし、同条第２項の政令で定める日は、当該者の当該各号に掲げる区分に応じ、当該各号に定める日とする。

一　確認取消提供者において、当該確認の取消しの処分に係る行政手続法第15条の規定による通知があった日前60日以内に、次のイ又はロに掲げる場合の区分に応じ、それぞれイ又はロに定める者であった者　当該確認の取消しの日

イ　当該確認取消提供者が法人である場合　その役員等（役員又は使用人であって、特定子ども・子育て支援を提供する施設又は事業所を管理する者をいう。第５号イ及び第７号において同じ。）

ロ　当該確認取消提供者が法人以外の者である場合　その特定子ども・子育て支援を提供する施設又は事業所を管理する者

二　法人であって、その者と密接な関係を有する者が確認取消提供者であるもの　当該確認の取消しの日

三　法第58条の10第１項の規定による法第30条の11第１項の確認の取消しの処分に係る行政手続法第15条の規定による通知があった日から当該処分をする日又は処分をしないことを決定する日までの間に、法第58条の６第１項の規定による法第30条の11第１項の確認の辞退（以下この号から第５号までにおいて「確認辞退」という。）をした者（当該確認辞退について相当の理由がある者を除く。次号及び第５号において同じ。）　当該確認辞退の日

四　法第58条の８第１項の規定による検査が行われた日から聴聞決定予定日（当該検査の結果に基づき法第58条の10第１項の規定による法第30条の11第１項の確認の取消しの処分に係る聴聞を行うか否かの決定をすることが見込まれる日として内閣府令で定めるところにより市町村長がその者に当該検査が行われた日から10日以内に特定の日を通知した場合における当該特定の日をいう。）までの間に、確認辞退をした者　当該確認辞退の日

五　第３号に規定する期間内に確認辞退をした者において、同号の通知の日前60日以内に、次のイ又はロに掲げる場合の区分に応じ、それぞれイ又はロに定める者であった者　当該確認辞退の日

イ　当該確認辞退をした者が法人である場合　その役員等

ロ　当該確認辞退をした者が法人以外の者である場合　特定子ども・子育て支援を提供する施設又は事業所を管理する者

六　教育・保育その他の子ども・子育て支援に関し不正又は著しく不当な行為をした者　当該行為をした日

七　法人であって、その役員等のうちに前各号（第２号を除く。）に掲げる者のいずれかに該当する者のあるもの　当該各号に定める日

八　法人以外の者であって、その特定子ども・子育て支援を提供する施設又は事業所を管理する者が前各号（第２号及び前号を除く。）に掲げる者のいずれかに該当するもの　当該各号に定める日

（施設型給付費等負担対象額の算定方法）

第23条　施設型給付費等負担対象額（法第66条の３第１項に規定する施設型給付費等負担対象額をいう。第24条の３において同じ。）は、各市町村につき、その支弁する次に掲げる額の合算額とする。

一　満３歳以上教育・保育給付認定子どもに係る教育・保育給付認定保護者ごとに法第27条第３項第１号に掲げる額、法第28条第２項第２号に規定する内閣総理大臣が定める基準により算定した費用の額、同項第３号に規定する内閣総理大臣が定める基準により算定した費用の額、法第30条第２項第２号に規定する内閣総理大臣が定める基準により算定した費用の額、同項第３号に規定する内閣総理大臣が定める基準により算定した費用の額及び同項第４号に規定する内閣総理大臣が定める基準により算定した費用の額を合算した額

二　満３歳未満保育認定子どもに係る教育・保育給付認定保護者ごとに次に掲げる額（当該額が零を下回る場合には、零とする。）を合算した額

イ　法第27条第３項第１号に掲げる額から第４条第２項、第13条第１項又は第14条に定める額を控除して得た額

ロ　法第27条第３項第１号に掲げる額から第５条第２項において準用する第４条第２項、第13条第１項又は第14条に定める額を控除して得た額

ハ　法第29条第３項第１号に掲げる額から第９条において準用する第４条第２項、第13条第１項又は第14条に定める額を控除して得た額

ニ　法第30条第２項第３号に規定する内閣総理大臣が定める基準により算定した費用の額から第

11条第2項において準用する第4条第2項、第13条第1項又は第14条に定める額を控除して得た額

ホ 法第30条第2項第4号に規定する内閣総理大臣が定める基準により算定した費用の額から第12条第2項において準用する第4条第2項、第13条第1項又は第14条に定める額を控除して得た額

（施設型給付費等負担対象額の特例）

第24条 市町村が、災害その他の内閣府令で定める特別の事由があることにより、特定教育・保育等（法第59条第3号イに規定する特定教育・保育等をいう。次項において同じ。）に要する費用を満3歳未満保育認定子どもに係る教育・保育給付認定保護者が負担することが困難であると認め、その負担を軽減するよう法第27条第3項第2号の市町村が定める額、法第28条第2項第1号の当該教育・保育給付認定保護者の属する世帯の所得の状況その他の事情を勘案して市町村が定める額、法第29条第3項第2号の市町村が定める額、法第30条第2項第1号の当該教育・保育給付認定保護者の属する世帯の所得の状況その他の事情を勘案して市町村が定める額、同項第3号の市町村が定める額又は同項第4号の当該教育・保育給付認定保護者の属する世帯の所得の状況その他の事情を勘案して市町村が定める額を定めた場合における当該教育・保育給付認定保護者に関する前条の規定の適用については、同条第2号中「に定める額」とあるのは、「に定める額を限度として内閣府令で定めるところにより市町村が定める額」とする。

2 月の途中において特定教育・保育等を受け始めたことその他内閣府令で定める事由のあった満3歳未満保育認定子どもに係る教育・保育給付認定保護者に関する前条の規定の適用については、同条第2号中「に定める額」とあるのは、「に定める額（月の途中において特定教育・保育等を受け始めたことその他内閣府令で定める事由のあった月については、内閣府令で定める日数を基礎として日割りによって計算して得た額）」とする。

（法第66条の3第1項の政令で定める割合）

第24条の2 法第66条の3第1項の政令で定める割合は、1000分の181.6とする。

（施設型給付費等負担対象額に係る都道府県及び国の負担）

第24条の3 都道府県は、法第67条第1項の規定により、毎年度、施設型給付費等負担対象額から拠出金充当額（法第66条の3第1項に規定する拠出金充当額をいう。次項において同じ。）を控除した額の4分の1を負担する。

2 国は、法第68条第1項の規定により、毎年度、施設型給付費等負担対象額から拠出金充当額を控除した額の2分の1を負担する。

（国及び都道府県が負担すべき費用の算定の基礎となる額）

第24条の4 法第67条第2項に規定する国及び都道府県が負担すべき費用の算定の基礎となる額（次条において「施設等利用費負担算定基礎額」という。）は、各市町村につき、その支弁する施設等利用給付認定子どもに係る施設等利用給付認定保護者ごとの第15条の6に定める額の合計額を合算した額（その費用のための寄附金その他の収入があるときは、当該収入の額を控除した額）とする。

2 月の途中において特定子ども・子育て支援を受け始めたことその他内閣府令で定める事由のあった施設等利用給付認定子どもに係る施設等利用給付認定保護者に関する前項の規定の適用については、同項中「定める額」とあるのは、「定める額（月の途中において特定子ども・子育て支援を受け始めたことその他内閣府令で定める事由のあった月については、内閣府令で定める日数を基礎として日割りによって計算して得た額）」とする。

（施設等利用費の支給に要する費用に係る都道府県及び国の負担）

第24条の5 都道府県は、法第67条第2項の規定により、毎年度、施設等利用費負担算定基礎額の4分の1を負担する。

2 国は、法第68条第2項の規定により、毎年度、施設等利用費負担算定基礎額の2分の1を負担する。

（地域子ども・子育て支援事業に係る都道府県及び国の交付金）

第25条 都道府県は、法第67条第3項の規定により、毎年度、市町村に対して、市町村が行う地域子ども・子育て支援事業（法第59条に規定する地域子ども・子育て支援事業をいう。次項において同じ。）に要する費用の額から、その年度におけるその費用のための寄附金その他の収入の額を控除した額（その額が内閣総理大臣が定める基準により算定した費用の額を超える場合にあっては、当該費用の額）につき、内閣総理大臣が定める基準によって算定した額を交付することができる。

2 国は、法第68条第3項の規定により、毎年度、市町村に対して、市町村が行う地域子ども・子育て支援事業に要する費用の額から、その年度におけるその費用のための寄附金その他の収入の額を控除した

額（その額が内閣総理大臣が定める基準により算定した費用の額を超える場合にあっては、当該費用の額）につき、内閣総理大臣が定める基準によって算定した額を交付することができる。

（法第69条第1項の政令で定める団体）

第26条 法第69条第1項第3号の政令で定める団体は、地方公務員等共済組合法（昭和37年法律第152号）第3条第4項に規定する特定地方独立行政法人、同法第113条第6項に規定する職員団体、同法第140条第1項に規定する公庫等、同法第141条第1項に規定する組合、同条第2項に規定する連合会、同法第141条の2に規定する職員引継一般地方独立行政法人、同法第141条の3に規定する定款変更一般地方独立行政法人、同法第141条の4に規定する職員引継等合併一般地方独立行政法人及び同法第142条第2項の規定により読み替えられた同法第140条第1項に規定する特定公庫等とする。

2 法第69条第1項第4号の政令で定める団体は、国家公務員共済組合法（昭和33年法律第128号）第1条第2項に規定する行政執行法人、同法第31条第1号に規定する独立行政法人のうち同法別表第2に掲げるもの及び国立大学法人等、同法第99条第6項に規定する職員団体、同法第124条の2第1項に規定する公庫等及び特定公庫等並びに同法第125条に規定する組合とする。

（法第70条第2項の政令で定める拠出金率）

第27条 法第70条第2項の拠出金率は、1000分の3.6とする。

（権限の委任）

第28条 法第71条第2項の政令で定める政府の権限は、法第69条第1項第1号に掲げる者から拠出金等（法第71条第2項に規定する拠出金等をいう。以下同じ。）を徴収する権限とする。

（日本年金機構への厚生労働大臣の権限に係る事務の委任）

第29条 法第71条第3項の政令で定めるものは、次に掲げるとおりとする。

一 法第71条第1項の規定によりその例によるものとされる厚生年金保険法（昭和29年法律第115号）第81条の2第1項及び第81条の2の2第1項の規定による申出の受理

二 法第71条第1項の規定によりその例によるものとされる厚生年金保険法第83条の2の規定による申出の受理及び承認

三 法第71条第1項の規定によりその例によるものとされる厚生年金保険法第86条第5項の規定による市町村に対する処分の請求

四 法第71条第1項の規定によりその例によるものとされる厚生年金保険法第89条の規定により国税徴収の例によるものとされる徴収に係る権限（国税通則法（昭和37年法律第66号）第36条第1項の規定の例による納入の告知、同法第42条において準用する民法（明治29年法律第89号）第423条第1項の規定の例による納付義務者に属する権利の行使、国税通則法第46条の規定の例による納付の猶予その他の厚生労働省令で定める権限並びに次号に掲げる質問、検査及び提示又は提出の要求、物件の留置き並びに捜索を除く。）

五 法第71条第1項の規定によりその例によるものとされる厚生年金保険法第89条の規定によりその例によるものとされる国税徴収法（昭和34年法律第147号）第141条の規定による質問、検査及び提示又は提出の要求、同法第141条の2の規定による物件の留置き並びに同法第142条の規定による捜索

六 前各号に掲げるもののほか、厚生労働省令で定める権限

（機構が行う滞納処分等に係る認可等）

第30条 日本年金機構（以下「機構」という。）は、法第71条第3項に規定する国税滞納処分の例による処分及び前条第5号に掲げる権限（以下「滞納処分等」という。）を行う場合には、あらかじめ、厚生労働大臣の認可を受けるとともに、次条第1項に規定する滞納処分等実施規程に従い、徴収職員に行わせなければならない。

2 厚生年金保険法第100条の6第2項及び第3項の規定は、前項の規定による機構が行う滞納処分等について準用する。

（滞納処分等実施規程の認可等）

第31条 機構は、滞納処分等の実施に関する規程（次項において「滞納処分等実施規程」という。）を定め、厚生労働大臣の認可を受けなければならない。これを変更しようとするときも、同様とする。

2 厚生年金保険法第100条の7第2項及び第3項の規定は、滞納処分等実施規程の認可及び変更について準用する。

（機構から厚生労働大臣への求め等）

第32条 機構は、滞納処分等その他第29条各号に掲げる権限のうち厚生労働省令で定める権限に係る事務を効果的に行うため必要があると認めるときは、厚生労働省令で定めるところにより、厚生労働大臣に当該権限の行使に必要な情報を提供するとともに、厚生労働大臣自らその権限を行うよう求めることができる。

（法第71条第4項の政令で定める場合）

第33条 法第71条第4項の政令で定める場合は、前条

の規定による求めがあった場合において厚生労働大臣が必要があると認めるときとする。

（厚生年金保険法の機構への厚生労働大臣の権限に係る事務の委任に関する規定の準用）

第34条　厚生年金保険法第100条の４第４項から第７項までの規定は、法第71条第３項の規定による機構による同項に規定する国税滞納処分の例による処分及び第29条各号に掲げる権限に係る事務の実施又は法第71条第４項の規定による厚生労働大臣によるこれらの権限の行使について準用する。

（財務大臣への権限の委任）

第35条　厚生労働大臣は、法第71条第４項の規定により滞納処分等及び第29条第４号に掲げる権限の全部又は一部を自ら行うこととした場合におけるこれらの権限並びに同号に規定する厚生労働省令で定める権限のうち厚生労働省令で定めるもの（以下この条において「滞納処分等その他の処分」という。）に係る納付義務者（法第71条第６項に規定する納付義務者をいう。以下この条及び第38条において「納付義務者」という。）が滞納処分等その他の処分の執行を免れる目的でその財産について隠蔽しているおそれがあることその他の事情があるため拠出金等の効果的な徴収を行う上で必要があると認めるときは、財務大臣に、当該納付義務者に関する情報その他必要な情報を提供するとともに、当該納付義務者に係る滞納処分等その他の処分の権限を委任する。

2　前項の事情は、次の各号のいずれにも該当するものであることとする。

一　納付義務者が厚生労働省令で定める月数分以上の拠出金を滞納していること。

二　納付義務者が滞納処分等その他の処分の執行を免れる目的でその財産について隠蔽しているおそれがあること。

三　納付義務者が滞納している拠出金等の額（納付義務者が、厚生年金保険法の規定による保険料、健康保険法（大正11年法律第70号）の規定による保険料又は船員保険法（昭和14年法律第73号）の規定による保険料、厚生年金保険の保険給付及び保険料の納付の特例等に関する法律（平成19年法律第131号）の規定による特例納付保険料その他これらの法律の規定による徴収金（厚生労働省令で定めるものを除く。以下この号において同じ。）を滞納しているときは、当該滞納している保険料、特例納付保険料又はこれらの法律の規定による徴収金の合計額を加算した額）が厚生労働省令で定める金額以上であること。

四　滞納処分等その他の処分を受けたにもかかわらず、納付義務者が滞納している拠出金等の納付に

ついて誠実な意思を有すると認められないこと。

3　厚生労働大臣は、第１項の規定により滞納処分等その他の処分の権限を委任する場合においては、次に掲げる権限を除き、その全部を財務大臣に委任する。

一　法第71条第１項の規定によりその例によるものとされる厚生年金保険法第89条の規定によりその例によるものとされる国税徴収法第138条の規定による告知

二　法第71条第１項の規定によりその例によるものとされる厚生年金保険法第89条の規定によりその例によるものとされる国税徴収法第153条第１項の規定による滞納処分の執行の停止

三　法第71条第１項の規定によりその例によるものとされる厚生年金保険法第89条の規定によりその例によるものとされる国税通則法第11条の規定による延長

四　法第71条第１項の規定によりその例によるものとされる厚生年金保険法第89条の規定によりその例によるものとされる国税通則法第36条第１項の規定による告知

五　法第71条第１項の規定によりその例によるものとされる厚生年金保険法第89条の規定によりその例によるものとされる国税通則法第55条第１項の規定による受託

六　法第71条第１項の規定によりその例によるものとされる厚生年金保険法第89条の規定によりその例によるものとされる国税通則法第63条の規定による免除

七　法第71条第１項の規定によりその例によるものとされる厚生年金保険法第89条の規定によりその例によるものとされる国税通則法第123条第１項の規定による交付

八　前各号に掲げるもののほか、厚生労働省令で定める権限

（厚生年金保険法の財務大臣への権限の委任に関する規定の準用）

第36条　厚生年金保険法第100条の５第２項から第４項までの規定は、法第71条第４項の規定による財務大臣への権限の委任について準用する。

（国税庁長官への権限の委任）

第37条　財務大臣は、第35条第１項の規定により委任された権限、前条において準用する厚生年金保険法第100条の５第２項の規定による権限及び前条において準用する同法第100条の５第３項において準用する同法第100条の４第５項の規定による権限を国税庁長官に委任する。

（国税局長又は税務署長への権限の委任）

第38条　国税庁長官は、前条の規定により委任された権限の全部を、納付義務者の事業所又は事務所の所在地（厚生年金保険法第8条の2第1項の適用事業所にあっては同項の規定により一の適用事業所となった2以上の事業所又は事務所のうちから厚生労働大臣が指定する事業所又は事務所の所在地とし、同法第6条第1項第3号に規定する船舶所有者（以下この項において「船舶所有者」という。）にあっては船舶所有者の住所地又は主たる事務所の所在地（仮住所があるときは、仮住所地）とする。次項において同じ。）を管轄する国税局長に委任する。

2　国税局長は、必要があると認めるときは、前項の規定により委任された権限の全部を納付義務者の事業所又は事務所の所在地を管轄する税務署長に委任する。

（機構への事務の委託）

第39条　厚生年金保険法第100条の10第2項及び第3項の規定は、法第71条第8項の規定による機構への事務の委託について準用する。この場合において、厚生年金保険法第100条の10第2項中「機構」とあるのは「日本年金機構（次項において「機構」という。）」と、「前項各号に掲げる」とあるのは「子ども・子育て支援法（平成24年法律第65号）第71条第8項の規定により機構に行わせるものとされた」と、同条第3項中「前2項」とあるのは「子ども・子育て支援法第71条第8項及び子ども・子育て支援法施行令第39条において準用する前項」と、「第1項各号に掲げる」とあるのは「同法第71条第8項の規定による」と読み替えるものとする。

（法第71条第9項の政令で定める法人）

第40条　法第71条第9項の政令で定める法人は、日本私立学校振興・共済事業団並びに法第69条第1項第3号及び第4号の法律に基づく共済組合とする。

（拠出金等の取立て及び政府への納付）

第41条　法第71条第9項の規定による拠出金等の取立ては、前条に規定する法人が法第69条第1項第2号から第4号までの法律に基づき掛金又は負担金を徴収する同項第2号から第4号までに掲げる者について、当該掛金又は負担金の取立ての例に準じて行うものとする。

2　法第71条第9項の規定により取り立てた拠出金等については、その取立てをした月ごとに取りまとめ、これに納付書を添えて、速やかに、日本銀行に納付しなければならない。

（こども家庭庁長官に委任されない権限）

第42条　法第76条第1項の政令で定める権限は、法第59条の2第2項、第60条第1項、第66条の3第2項並びに第70条第3項及び第4項に規定する権限とする。

（こども家庭庁長官への権限の委任）

第43条　内閣総理大臣は、この政令に規定する内閣総理大臣の権限をこども家庭庁長官に委任する。

　　　附　則

（施行期日）

第1条　この政令は、法の施行の日〔平成27年4月1日〕から施行する。

（条例の制定に関する経過措置）

第2条　この政令の施行の日（以下「施行日」という。）から起算して1年を超えない期間内において、次の各号に掲げる規定に規定する市町村の条例が制定施行されるまでの間は、当該各号に定める規定に規定する内閣府令で定める基準は、当該市町村の条例で定める基準とみなす。

一　法第34条第2項　同条第3項

二　法第46条第2項　同条第3項

（子ども・子育て支援法及び就学前の子どもに関する教育、保育等の総合的な提供の推進に関する法律の一部を改正する法律の施行に伴う関係法律の整備等に関する法律によりなお従前の例によることとされた改正前の児童手当法に係る特例）

第3条　子ども・子育て支援法及び就学前の子どもに関する教育、保育等の総合的な提供の推進に関する法律の一部を改正する法律の施行に伴う関係法律の整備等に関する法律（平成24年法律第67号）第38条の規定によりなお従前の例によることとされた同法第36条の規定による改正前の児童手当法（昭和46年法律第73号）第20条の拠出金に関する第35条の規定の適用については、同条第2項第3号中「保険料、厚生年金保険」とあるのは「保険料、子ども・子育て支援法及び就学前の子どもに関する教育、保育等の総合的な提供の推進に関する法律の一部を改正する法律の施行に伴う関係法律の整備等に関する法律（平成24年法律第67号）第38条の規定によりその徴収についてなお従前の例によることとされた同法第36条の規定による改正前の児童手当法（昭和46年法律第73号）の規定による拠出金、厚生年金保険」と、「保険料、特例納付保険料」とあるのは「保険料、拠出金、特例納付保険料」とする。

（平成22年度等における子ども手当の支給に関する法律により適用される旧児童手当法に係る特例）

第4条　平成22年度等における子ども手当の支給に関する法律（平成22年法律第19号）第20条第1項の規定により適用される児童手当法の一部を改正する法

律（平成24年法律第24号）附則第11条の規定により
なおその効力を有するものとされた同法第1条の規
定による改正前の児童手当法（次条において「旧児
童手当法」という。）第20条の拠出金に関する第35
条の規定の適用については、同条第2項第3号中「保
険料、厚生年金保険」とあるのは「保険料、平成22
年度等における子ども手当の支給に関する法律（平
成22年法律第19号）第20条第1項の規定により適用
される児童手当法の一部を改正する法律（平成24年
法律第24号）附則第11条の規定によりなおその効力
を有するものとされた同法第1条の規定による改正
前の児童手当法（昭和46年法律第73号）の規定によ
る拠出金、厚生年金保険」と、「保険料、特例納付
保険料」とあるのは「保険料、拠出金、特例納付保
険料」とする。

（平成23年度における子ども手当の支給等に関する特
別措置法により適用される旧児童手当法に係る特例）

第5条 平成23年度における子ども手当の支給等に関
する特別措置法（平成23年法律第107号）第20条第
1項、第3項及び第5項の規定により適用される児
童手当法の一部を改正する法律附則第12条の規定に
よりなおその効力を有するものとされた旧児童手当
法第20条の拠出金に関する第35条の規定の適用につ
いては、同条第2項第3号中「保険料、厚生年金保
険」とあるのは「保険料、平成23年度における子ど
も手当の支給等に関する特別措置法（平成23年法律
第107号）第20条第1項、第3項及び第5項の規定
により適用される児童手当法の一部を改正する法律
（平成24年法律第24号）附則第12条の規定によりな
おその効力を有するものとされた同法第1条の規定
による改正前の児童手当法（昭和46年法律第73号）
の規定による拠出金、厚生年金保険」と、「保険料、
特例納付保険料」とあるのは「保険料、拠出金、特
例納付保険料」とする。

（特定保育所に係る委託費の支払に関する技術的読替
え）

第6条 法附則第6条第1項の場合における法及び国
有財産特別措置法（昭和27年法律第219号）の規定
の適用については、次の表の上欄に掲げる規定中同
表の中欄に掲げる字句は、それぞれ同表の下欄に掲
げる字句とする。

法第13条第1項	子どものための教育・保育給付	子どものための教育・保育給付（附則第6条第1項に規定する委託費（以下「委託費」という。）の支払を含む。次条及び第16条において同じ。）
法第20条第1項	受けよう	受け、又はその同条第2号若しくは第3号に掲げる小

		学校就学前子どもに特定保育所（附則第6条第1項に規定する特定保育所をいう。第5項、第28条第1項及び第59条第2号において同じ。）から第27条第1項に規定する特定教育・保育（保育に限る。）を受けさせよう
	を受ける	又は当該特定教育・保育（保育に限る。）を受ける
	同条各号	前条各号
法第20条第3項	又は特例地域型保育給付費を支給する	若しくは特例地域型保育給付費を支給し、又は委託費を支払う
法第20条第5項	受ける	受け、又はその前条第2号若しくは第3号に掲げる小学校就学前子どもが特定保育所から第27条第1項に規定する特定教育・保育（保育に限る。）を受ける
法第28条第1項各号列記以外の部分	特定教育・保育	特定教育・保育（特定保育所における特定教育・保育（保育に限る。）を除く。以下この条において同じ。）
法第39条第1項第1号	支給	支給（委託費の支払を含む。次号、次項、次条第1項第2号及び第3号並びに第57条第1項において同じ。）
法第59条第2号	が特定教育・保育施設等	が特定教育・保育施設等（当該教育・保育給付認定保護者の保育認定子どもが特定保育所から特定教育・保育（保育に限る。）を受ける場合にあっては、市町村）
法第61条第2項第3号	子どものための教育・保育給付	子どものための教育・保育給付（委託費の支払を含む。次条第2項第2号において同じ。）
法第65条第2号	支給	支給並びに委託費の支払
法第66条の3第1項	第65条	子ども・子育て支援法施行令（平成26年政令第213号）附則第6条第1項の規定により読み替えられた第65条
	及び第70条第2項	、第70条第2項及び附則第6条第4項
法第67条第1項及び第68条第1項	第65条	子ども・子育て支援法施行令附則第6条第1項の規定により読み替えられた第65条
法第73条第1項	規定	規定（附則第6条第4項を除く。第3項において同じ。）
法第82条第1項	第13条第1項（第30条の3	子ども・子育て支援法施行令附則第6条第1項の規定により読み替えられた第13

において準用する場合を含む。以下この項において同じ。)	条第1項	
	又は第13条第1項	又は同項
法第82条第2項	第14条第1項（第30条の3において準用する場合を含む。以下この項において同じ。)	第14条第1項
	又は第14条第1項	又は同項
法附則第6条第4項	保育認定子ども	満3歳未満保育認定子ども
国有財産特別措置法第2条第2項第2号ホ	又は特例施設型給付費の支給	若しくは特例施設型給付費の支給又は委託費の支払

2　前項の場合における第2条の規定の適用については、次の表の上欄に掲げる同条の規定中同表の中欄に掲げる字句は、それぞれ同表の下欄に掲げる字句とする。

第1項の表の第3項の項	又は特例地域型保育給付費を支給する	若しくは特例地域型保育給付費を支給し、又は委託費を支払う
第1項の表の第5項の項の中欄	第1項	第1項の
	受ける	受け、又はその前条第1項第2号若しくは第3号に掲げる小学校就学前子どもが特定保育所から第27条第1項に規定する特定教育・保育（保育に限る。）を受ける
第1項の表の第5項の項の下欄	第23条第1項	第23条第1項の
第2項の表の第3項の項	又は特例地域型保育給付費を支給する	若しくは特例地域型保育給付費を支給し、又は委託費を支払う

（委託費の支払に係る施設型給付費等負担対象額の算定に係る技術的読替え）

第7条　前条第1項の規定により法第65条第2号、第66条の3第1項、第67条第1項及び第68条第1項の規定を読み替えて適用する場合における第23条の規定の適用については、同条第1号中「を合算した額」とあるのは「並びに法附則第6条第1項に規定する委託費の支払に要する費用の額を合算した額」と、同条第2号中「を合算した額」とあるのは「及び法附則第6条第1項に規定する委託費の支払に要する費用の額から同条第4項に規定する額を控除して得た額を合算した額」とする。

第8条　削除

（保育料の徴収に係る技術的読替え）

第9条　法附則第6条第4項の規定により市町村の長が同項に規定する額を徴収する場合における児童福祉法及び児童手当法の規定の適用については、次の表の上欄に掲げる規定中同表の中欄に掲げる字句は、それぞれ同表の下欄に掲げる字句とする。

児童福祉法第56条第6項	保育所又は幼保連携型認定こども園の	保育所（第1号に掲げる乳児又は幼児については、都道府県又は市町村が設置するものに限る。以下この項において同じ。）又は幼保連携型認定こども園の
児童手当法第21条第1項	その他これ	、子ども・子育て支援法附則第6条第4項の規定により徴収する費用その他これら
児童手当法第21条第2項	児童福祉法第56条第6項各号又は第7項各号	子ども・子育て支援法施行令（平成26年政令第213号）附則第9条の規定により読み替えられた児童福祉法第56条第6項各号又は児童福祉法第56条第7項各号
児童手当法第22条第1項	場合又は同法第56条第6項若しくは第7項	場合若しくは子ども・子育て支援法附則第6条第4項の規定により費用を徴収する場合又は子ども・子育て支援法施行令附則第9条の規定により読み替えられた児童福祉法第56条第6項若しくは児童福祉法第56条第7項
	を支払うべき扶養義務者又は同法第56条第6項若しくは第7項	若しくは子ども・子育て支援法附則第6条第4項の規定により徴収する費用を支払うべき扶養義務者（同項に規定する保育費用に係る満3歳未満保育認定子どもの教育・保育給付認定保護者及び扶養義務者を含む。以下この項において同じ。）又は同令附則第9条の規定により読み替えられた児童福祉法第56条第6項若しくは児童福祉法第56条第7項
	）又は同法第56条第6項若	）若しくは子ども・子育て支援法附則第6条

しくは第７項	第４項の規定により徴収する費用又は同令附則第９条の規定により読み替えられた児童福祉法第56条第６項若しくは児童福祉法第56条第７項

（内閣府令への委任）

第10条　法附則第６条第１項及び第３項から第６項まで並びに附則第６条並びに前条に規定するもののほか、法附則第６条第１項の規定による委託費の支払に関し必要な経過措置は、内閣府令で定める。

（教育・保育施設の設置者に関する経過措置）

第11条　当分の間、次に掲げる教育・保育施設の設置者（法人以外の者に限る。）に対する法第31条第１項及び第40条第２項の規定の適用については、法第31条第１項中「除き、法人に限る」とあるのは「除く」と、法第40条第２項中「第31条第１項」とあるのは「第31条第１項（子ども・子育て支援法施行令（平成26年政令第213号）附則第11条第１項の規定により読み替えられた場合を含む。）」とする。

一　法附則第７条の規定により施行日に法第27条第１項の確認があったものとみなされた法附則第７条に規定する認定こども園（その設置者が、法第36条の規定により同項の確認を辞退したもの及び法第40条第１項の規定により法第27条第１項の確認を取り消されたものを除く。）の設置者が、施行日以後に、内閣府令で定めるところにより、当該認定こども園の認定こども園法第３条第１項又は第３項の認定を辞退し、学校教育法第４条第１項の認可を受けて設置する幼稚園又は児童福祉法第35条第４項の認可を受けて設置する保育所

二　法附則第７条の規定により施行日に法第27条第１項の確認があったものとみなされた法附則第７条に規定する幼稚園（その設置者が、法第36条の規定により同項の確認を辞退したもの及び法第40条第１項の規定により法第27条第１項の確認を取り消されたものを除く。）であって、その設置者が、施行日以後に、認定こども園法第３条第１項又は第３項の認定を受けるもの

三　法附則第７条の規定により施行日に法第27条第１項の確認があったものとみなされた法附則第７条に規定する保育所（その設置者が、法第36条の規定により同項の確認を辞退したもの及び法第40条第１項の規定により法第27条第１項の確認を取り消されたものを除く。）であって、その設置者が、施行日以後に、認定こども園法第３条第１項の認定を受けるもの

四　学校教育法第１条に規定する幼稚園（その設置

者が、法第36条の規定により法第27条第１項の確認を辞退したもの及び法第40条第１項の規定により法第27条第１項の確認を取り消されたものを除く。）の設置者が、就学前の子どもに関する教育・保育等の総合的な提供の推進に関する法律の一部を改正する法律（平成24年法律第66号）附則第４条第１項の規定により当該幼稚園を廃止して設置する同項に規定する幼保連携型認定こども園

2　当分の間、法第40条第２項（前項の規定により読み替えられた場合を含む。以下この条において同じ。）の法第40条第１項の規定により法第27条第１項の確認を取り消された教育・保育施設の設置者（第18条第１項に規定する者を除く。）に準ずる者として政令で定める者は、第18条第２項の規定にかかわらず、次の各号に掲げる者のいずれかに該当する教育・保育施設の設置者とし、法第40条第２項の政令で定める日は、当該者の当該各号に掲げる区分に応じ、当該各号に定める日とする。

一　法第40条第１項の規定により法第27条第１項の確認を取り消された教育・保育施設の設置者（第18条第１項に規定する者を除く。）において、当該確認の取消しの処分に係る行政手続法第15条の規定による通知があった日前60日以内に、次のイ又はロに掲げる場合の区分に応じ、それぞれイ又はロに定める者であった者　当該確認の取消しの日

イ　当該確認を取り消された教育・保育施設の設置者が法人である場合　その役員又は長

ロ　当該確認を取り消された教育・保育施設の設置者が法人以外の者である場合　その管理者

二　法人であって、その者と密接な関係を有する者が法第40条第１項の規定により法第27条第１項の確認を取り消された教育・保育施設の設置者（第18条第１項に規定する者を除く。）であるもの　当該確認の取消しの日

三　法第40条第１項の規定による法第27条第１項の確認の取消しの処分に係る行政手続法第15条の規定による通知があった日から当該処分をする日又は処分をしないことを決定する日までの間に、法第36条の規定により同項の確認を辞退した者（当該確認の辞退について相当の理由がある者を除く。）　当該確認の辞退の日

四　法第38条第１項の規定による検査が行われた日から聴聞決定予定日までの間に、法第36条の規定により法第27条第１項の確認を辞退した者（当該確認の辞退について相当の理由がある者を除く。）　当該確認の辞退の日

五　第3号に規定する期間内に法第36条の規定により法第27条第1項の確認を辞退した教育・保育施設の設置者（当該確認の辞退について相当の理由がある者を除く。）において、同号の通知の日前60日以内に、次のイ又はロに掲げる場合の区分に応じ、それぞれイ又はロに定める者であった者　当該確認の辞退の日

イ　当該確認を辞退した教育・保育施設の設置者が法人である場合　その役員又は長

ロ　当該確認を辞退した教育・保育施設の設置者が法人以外の者である場合　その管理者

六　教育・保育に関し不正又は著しく不当な行為をした者　当該行為をした日

七　法人であって、その役員又は長のうちに次のイからハまでに掲げる者のいずれかに該当する者のあるもの　それぞれイからハまでに定める日

イ　第1号に掲げる者　同号に定める日

ロ　第3号から第5号までに掲げる者　それぞれ第3号から第5号までに定める日

ハ　前号に掲げる者　同号に定める日

八　法人以外の者であって、その管理者が次のイからハまでに掲げる者のいずれかに該当するもの　それぞれイからハまでに定める日

イ　第1号に掲げる者　同号に定める日

ロ　第3号から第5号までに掲げる者　それぞれ第3号から第5号までに定める日

ハ　第6号に掲げる者　同号に定める日

3　当分の間、法第27条第1項の確認があった教育・保育施設の設置者（法人以外の者に限る。）に対する法第40条第1項の規定の適用については、同項第10号中「設置者の役員（業務を執行する社員、取締役、執行役又はこれらに準ずる者をいい、相談役、顧問その他いかなる名称を有する者であるかを問わず、法人に対し業務を執行する社員、取締役、執行役又はこれらに準ずる者と同等以上の支配力を有するものと認められる者を含む。以下同じ。）又はその長のうちに」とあるのは「管理者が」と、「者が」とあるのは「者で」とする。

（法附則第9条第1項第1号イの政令で定める額等）

第12条　法附則第9条第1項第1号イ、第2号イ(1)及びロ(1)並びに第3号イ(1)及びロ(1)の政令で定める額は、零とする。

（法附則第9条第3項の規定により読み替えて適用する法第67条第1項及び第68条第1項の規定による施設型給付費等負担対象額に係る都道府県及び国の負担）

第13条　法附則第9条第3項の規定により法第67条第1項及び第68条第1項の規定を読み替えて適用する場合における第23条の規定の適用については、同条中「次に掲げる額の合算額」とあるのは「第1号に掲げる額」と、同条第1号中「満3歳以上教育・保育給付認定子ども」とあるのは「教育認定子ども」と、「第27条第3項第1号に掲げる額、法第28条第2項第2号に規定する内閣総理大臣が定める基準により算定した費用の額、同項第3号」とあるのは「附則第9条第1項第1号イに規定する内閣総理大臣が定める基準により算定した費用の額、同項第2号イ(1)に規定する内閣総理大臣が定める基準により算定した費用の額、同項ロ(1)」と、「法第30条第2項第2号」とあるのは「同項第3号イ(1)」と、「、同項第3号に規定する内閣総理大臣が定める基準により算定した費用の額及び同項第4号」とあるのは「及び同号ロ(1)」とする。

（法附則第9条第4項の都道府県の補助）

第14条　法附則第9条第4項の規定による都道府県の補助は、毎年度、同条第1項第1号ロ、同項第2号イ(2)及び同号ロ(2)並びに同項第3号イ(2)及び同号ロ(2)に掲げる額の合算額の2分の1以内について行うことができる。

（法附則第14条第3項の国の補助）

第15条　法附則第14条第3項の規定による国の補助は、各年度において同条第1項に規定する特定市町村又は同条第2項に規定する事業実施市町村が行う同条第1項に規定する保育充実事業に要する費用の額から、その年度におけるそれらの費用のための寄附金その他の収入の額を控除した額につき、内閣総理大臣が定める基準に従って行うものとする。

（市町村に係る子ども・子育て支援臨時交付金の額の算定及び交付に関する都道府県知事の事務）

第16条　法附則第18条の規定により、都道府県知事は、当該都道府県の区域内の市町村に対し交付すべき子ども・子育て支援臨時交付金の額の算定及び交付に関し、次に掲げる事務を取り扱わなければならない。

一　法附則第15条第3項の規定により交付すべき子ども・子育て支援臨時交付金の額を算定してこれを総務大臣に報告すること。

二　法附則第16条の規定により総務大臣が決定した子ども・子育て支援臨時交付金の額を当該市町村に通知すること。

　　　附　則（令和3年9月27日政令第270号）

（施行期日）

1　この政令は、令和3年10月1日から施行する。

（経過措置）

2　この政令による改正後の子ども・子育て支援法施行令第14条の規定は、子ども・子育て支援法第27条第１項に規定する特定教育・保育、同法第29条第１項に規定する特定地域型保育、同法第30条第１項第３号に規定する特定利用地域型保育及び同項第４号に規定する特例保育（以下この項において「特定教育・保育等」という。）が行われた月が令和３年10月以後の場合における同法の規定による施設型給付費の支給、特例施設型給付費の支給、地域型保育給付費の支給及び特例地域型保育給付費の支給（以下この項において「施設型給付費等の支給」という。）並びに同月以後の同法第66条の３第１項に規定する施設型給付費等負担対象額（以下この項において「施設型給付費等負担対象額」という。）について適用し、特定教育・保育等が行われた月が同年９月以前の場合における施設型給付費等の支給及び同月以前の施設型給付費等負担対象額については、なお従前の例による。

●子ども・子育て支援法施行規則

〔平成26年6月9日〕
〔内閣府令第44号〕
注　令和6年3月30日内閣府令第47号改正現在

第1章　総則

（法第7条第10項第4号の基準）

第1条　子ども・子育て支援法（以下「法」という。）第7条第10項第4号の内閣府令で定める基準は、次の各号に掲げる施設の区分に応じ、当該各号に定める基準とする。

一　法第7条第10項第4号に掲げる施設のうち、1日に保育する小学校就学前子どもの数が6人以上であるもの　次に掲げる全ての事項を満たすものであること。

イ　保育に従事する者の数及び資格

(1)　保育に従事する者の数が、施設の主たる開所時間である11時間（開所時間が11時間以内である場合にあっては、当該開所時間。以下同じ。）において、満1歳未満の小学校就学前子どもおおむね3人につき1人以上、満1歳以上満3歳に満たない小学校就学前子どもおおむね6人につき1人以上、満3歳以上満4歳に満たない小学校就学前子どもおおむね20人につき1人以上、満4歳以上の小学校就学前子どもおおむね30人につき1人以上、かつ、施設1につき2人以上であること。また、主たる開所時間である11時間以外の時間帯については、常時2人（保育されている小学校就学前子どもの数が1人である時間帯にあっては、1人）以上であること。ただし、1日に保育する小学校就学前子どもの数が6人以上19人以下の施設における、複数の満1歳未満の小学校就学前子どもを保育する時間帯以外の時間帯（安全面の配慮が行われた必要最小限の時間帯に限る。）については、1人以上とすればよいこと。

(2)　保育に従事する者のうち、その総数のおおむね3分の1（保育に従事する者が2人以下の場合にあっては、1人）以上に相当する数のものが、保育士（国家戦略特別区域法（平

成25年法律第107号）第12条の５第５項に規定する事業実施区域内にある法第７条第10項第４号に掲げる施設又は同項第５号に掲げる事業を行う事業所にあっては、保育士又は当該事業実施区域に係る国家戦略特別区域限定保育士。以下同じ。）又は看護師（准看護師を含む。以下この条において同じ。）の資格を有するものであること。ただし、同法第２条第１項に規定する国家戦略特別区域内に所在する施設であって、次のいずれにも該当し、かつ、本文に規定する事項を満たす施設と同等以上に適切な保育の提供が可能である施設においては、この限りでない。

（i）過去３年間に保育した小学校就学前子どものおおむね半数以上が外国人（日本の国籍を有しない者をいう。以下同じ。）であり、かつ、現に保育する小学校就学前子どものおおむね半数以上が外国人であること。

（ii）外国の保育資格を有する者その他外国人である小学校就学前子どもの保育について十分な知識経験を有すると認められる者を十分な数配置していること。

（iii）保育士の資格を有する者を１人以上配置していること。

（3）保育士でない者について、保育士、保母、保父その他これらに紛らわしい名称が用いられていないこと。

（4）国家戦略特別区域限定保育士が、その業務に関して国家戦略特別区域限定保育士の名称を表示するときに、その資格を得た事業実施区域を明示し、当該事業実施区域以外の区域を表示していないこと。

ロ　保育室等の構造、設備及び面積

（1）小学校就学前子どもの保育を行う部屋（以下「保育室」という。）、調理室（給食を施設外で調理している場合、小学校就学前子どもが家庭からの弁当を持参している場合その他の場合にあっては、食品の加熱、保存、配膳等のために必要な調理機能を有する設備。以下同じ。）及び便所があること。

（2）保育室の面積は、小学校就学前子ども１人当たりおおむね1.65平方メートル以上であること。

（3）おおむね１歳未満の小学校就学前子どもの保育を行う場所は、おおむね１歳以上の小学校就学前子どもの保育を行う場所と区画さ

れ、かつ、安全性が確保されていること。

（4）保育室は、採光及び換気が確保され、かつ、安全性が確保されていること。

（5）便所用の手洗設備が設けられているとともに、便所は、保育室及び調理室と区画され、かつ、小学校就学前子どもが安全に使用できるものであること。

（6）便器の数は、満１歳以上の小学校就学前子どもおおむね20人につき１以上であること。

ハ　非常災害に対する措置

（1）消火用具、非常口その他非常災害に際して必要な設備が設けられていること。

（2）非常災害に対する具体的計画が立てられていること。

（3）非常災害に備えた定期的な訓練が実施されていること。

（4）保育室を２階に設ける場合は、保育室その他の小学校就学前子どもが出入りし又は通行する場所に小学校就学前子どもの転落事故を防止する設備が設けられていること。なお、当該建物が次の(i)及び(ii)のいずれも満たさないものである場合にあっては、(1)から(3)までに掲げる設備の設置及び訓練の実施を行うことに特に留意されていること。

（i）建築基準法（昭和25年法律第201号）第２条第９号の２に規定する耐火建築物又は同条第９号の３に規定する準耐火建築物（同号ロに該当するものを除く。）であること。

（ii）次の表の上欄に掲げる区分ごとに、同表の下欄に掲げる設備（小学校就学前子どもの避難に適した構造のものに限る。）のいずれかが、１以上設けられていること。

常用	1　屋内階段
	2　屋外階段
避難用	1　建築基準法施行令（昭和25年政令第338号）第123条第１項に規定する構造の屋内避難階段又は同条第３項に規定する構造の屋内特別避難階段
	2　待避上有効なバルコニー
	3　建築基準法第２条第７号の２に規定する準耐火構造の屋外傾斜路又はこれに準ずる設備
	4　屋外階段

（5）保育室を３階以上に設ける建物は、次に掲げる事項を全て満たすものであること。

（i）建築基準法第２条第９号の２に規定する耐火建築物であること。

(ⅱ)　次の表の上欄に掲げる保育室の階の区分に応じ、同表の中欄に掲げる区分ごとに、同表の下欄に掲げる設備（小学校就学前子どもの避難に適した構造のものに限る。）のいずれかが、1以上設けられていること。この場合において、当該設備は、避難上有効な位置に保育室の各部分から当該設備までの歩行距離が30メートル以内となるように設けられていること。

3階	常用	1　建築基準法施行令第123条第1項に規定する構造の屋内避難階段又は同条第3項に規定する構造の屋内特別避難階段 2　屋外階段
	避難用	1　建築基準法施行令第123条第1項に規定する構造の屋内避難階段又は同条第3項に規定する構造の屋内特別避難階段 2　建築基準法第2条第7号に規定する耐火構造の屋外傾斜路又はこれに準ずる設備 3　屋外階段
4階以上	常用	1　建築基準法施行令第123条第1項に規定する構造の屋内避難階段又は同条第3項に規定する構造の屋内特別避難階段 2　建築基準法施行令第123条第2項に規定する構造の屋外避難階段
	避難用	1　建築基準法施行令第123条第1項に規定する構造の屋内避難階段（ただし、当該屋内避難階段の構造は、建築物の1階から保育室が設けられている階までの部分に限り、屋内と階段室とは、バルコニー又は付室（階段室が同条第3項第2号に規定する構造を有する場合を除き、同号に規定する構造を有するものに限る。）を通じて連絡することとし、かつ、同条第3項第3号、第4号及び第10号を満たすものとする。）又は同条第3項に規定する構造の屋内特別避難階段 2　建築基準法第2条第7号に規定する耐火構造の屋外傾斜路 3　建築基準法施行令第123条第2項に規定する構造の屋外避難階段

(ⅲ)　調理室と調理室以外の部分とが建築基準法第2条第7号に規定する耐火構造の床若しくは壁又は建築基準法施行令第112条第1項に規定する特定防火設備によって区画されており、また、換気、暖房又は冷房の設備の風道の当該床若しくは壁を貫通する部分がある場合には、当該部分又はこれに近接する部分に防火上有効なダンパー（煙の排出量及び空気の流量を調節するための装置をいう。）が設けられていること。ただし、次のいずれかに該当する場合においては、この限りでない。

(イ)　調理室にスプリンクラー設備その他これに類するもので自動式のものが設けられていること。

(ロ)　調理室に調理用器具の種類に応じた有効な自動消火装置が設けられ、かつ、当該調理室の外部への延焼を防止するために必要な措置が講じられていること。

(ⅳ)　壁及び天井の室内に面する部分の仕上げが不燃材料でなされていること。

(ⅴ)　保育室その他小学校就学前子どもが出入りし又は通行する場所に小学校就学前子どもの転落事故を防止する設備が設けられていること。

(ⅵ)　非常警報器具又は非常警報設備及び消防機関へ火災を通報する設備が設けられていること。

(ⅶ)　カーテン、敷物、建具等で可燃性のものについて防炎処理が施されていること。

ニ　保育の内容等

(1)　小学校就学前子ども1人1人の心身の発育や発達の状況を把握し、保育内容が工夫されていること。

(2)　小学校就学前子どもが安全で清潔な環境の中で、遊び、運動、睡眠等がバランスよく組み合わされた健康的な生活リズムが保たれるように、十分に配慮がなされた保育の計画が定められていること。

(3)　小学校就学前子どもの生活リズムに沿ったカリキュラムが設定され、かつ、それが実施されていること。

(4)　小学校就学前子どもに対し漫然とテレビやビデオを見せ続ける等、小学校就学前子どもへの関わりが少ない放任的な保育内容でないこと。

(5)　必要な遊具、保育用品等が備えられていること。

(6)　小学校就学前子どもの最善の利益を考慮し、保育サービスを実施する者として適切な

姿勢であること。特に、施設の運営管理の任にあたる施設長については、その職責に鑑み、資質の向上及び適格性の確保が図られていること。

(7) 保育に従事する者が保育所保育指針（平成29年厚生労働省告示第117号）を理解する機会を設ける等、保育に従事する者の人間性及び専門性の向上が図られていること。

(8) 小学校就学前子どもに身体的苦痛を与えること、人格を辱めること等がないよう、小学校就学前子どもの人権に十分配慮されていること。

(9) 小学校就学前子どもの身体、保育中の様子又は家族の態度等から虐待等不適切な養育が行われていることが疑われる場合には、児童相談所その他の専門的機関と連携する等の体制がとられていること。

(10) 保護者と密接な連絡を取り、その意向を考慮した保育が行われていること。

(11) 緊急時における保護者との連絡体制が整備されていること。

(12) 保護者や施設において提供されるサービスを利用しようとする者等から保育の様子や施設の状況を確認したい旨の要望があった場合には、小学校就学前子どもの安全確保等に配慮しつつ、保育室等の見学に応じる等適切に対応されていること。

ホ　給食

(1) 調理室、調理、配膳、食器等の衛生管理が適切に行われていること。

(2) 小学校就学前子どもの年齢や発達、健康状態（アレルギー疾患等の状態を含む。）等に配慮した食事内容とされていること。

(3) 調理があらかじめ作成した献立に従って行われていること。

ヘ　健康管理及び安全確保

(1) 小学校就学前子ども1人1人の健康状態の観察が小学校就学前子どもの登園及び降園の際に行われていること。

(2) 身長及び体重の測定等基本的な発育状態の観察が毎月定期的に行われていること。

(3) 継続して保育している小学校就学前子どもの健康診断が入所時及び1年に2回実施されていること。

(4) 職員の健康診断が採用時及び1年に1回実施されていること。

(5) 調理に携わる職員の検便がおおむね1月に1回実施されていること。

(6) 必要な医薬品その他の医療品が備えられていること。

(7) 小学校就学前子どもが感染症にかかっていることが分かった場合には、かかりつけ医の指示に従うよう保護者に対し指示が行われていること。

(8) 睡眠中の小学校就学前子どもの顔色や呼吸の状態のきめ細かい観察が行われていること。

(9) 満1歳未満の小学校就学前子どもを寝かせる場合には、仰向けに寝かせることとされていること。

(10) 保育室での禁煙が厳守されていること。

(11) 施設の設備の安全点検、職員、小学校就学前子ども等に対する施設外での活動、取組等を含めた施設での生活その他の日常生活における安全に関する指導、職員の研修及び訓練その他施設における安全に関する事項についての計画（以下「安全計画」という。）が策定され、当該安全計画に従い、小学校就学前子どもの安全確保に配慮した保育の実施が行われていること。

(12) 職員に対し、安全計画について周知されているとともに、安全計画に定める研修及び訓練が定期的に実施されていること。

(13) 保護者に対し、安全計画に基づく取組の内容等について周知されていること。

(14) 事故防止の観点から、施設内の危険な場所、設備等について適切な安全管理が図られていること。

(15) 不審者の施設への立入防止等の対策や緊急時における小学校就学前子どもの安全を確保する体制が整備されていること。

(16) 小学校就学前子どもの施設外での活動、取組等のための移動その他の小学校就学前子どもの移動のために自動車が運行されているときは、小学校就学前子どもの乗車及び降車の際に、点呼その他の小学校就学前子どもの所在を確実に把握することができる方法により、小学校就学前子どもの所在が確認されていること。

(17) 小学校就学前子どもの送迎を目的とした自動車（運転者席及びこれと並列の座席並びにこれらより1つ後方に備えられた前向きの座席以外の座席を有しないものその他利用の態様を勘案してこれと同程度に小学校就学前子

どもの見落としのおそれが少ないと認められるものを除く。）が日常的に運行されているときは、当該自動車にブザーその他の車内の小学校就学前子どもの見落としを防止する装置を備え、これを用いて⒃に定める所在の確認（小学校就学前子どもの降車の際に限る。）が行われていること。

⒅　事故発生時に適切な救命処置が可能となるよう、訓練が実施されていること。

⒆　賠償責任保険に加入する等、保育中の事故の発生に備えた措置が講じられていること。

⒇　事故発生時に速やかに当該事故の事実を都道府県知事（地方自治法（昭和22年法律第67号）第252条の19第1項の指定都市（第21条の2において「指定都市」という。）若しくは同法第252条の22第1項の中核市又は児童福祉法（昭和22年法律第164号）第59条の4第1項の児童相談所設置市においては、それぞれの長。以下この条において「都道府県知事等」という。）に報告する体制がとられていること。

(21)　事故が発生した場合、当該事故の状況及び事故に際して採った処置について記録されていること。

(22)　死亡事故等の重大事故が発生した施設については、当該事故と同様の事故の再発防止策及び事故後の検証結果を踏まえた措置が講じられていること。

(23)　施設において提供される保育サービスの内容が、当該保育サービスを利用しようとする者の見やすいところに掲示されているとともに、電気通信回線に接続して行う自動公衆送信（公衆によって直接受信されることを目的として公衆からの求めに応じ自動的に送信を行うことをいい、放送又は有線放送に該当するものを除く。）により公衆の閲覧に供されていること。

(24)　施設において提供される保育サービスの利用に関する契約が成立したときは、その利用者に対し、当該契約の内容を記載した書面の交付が行われていること。

(25)　施設において提供される保育サービスを利用しようとする者からの利用の申込みがあったときは、その者に対し、当該保育サービスの利用に関する契約内容等についての説明が行われていること。

(26)　職員及び保育している小学校就学前子ども

の状況を明らかにする帳簿等が整備されていること。

二　法第7条第10項第4号に掲げる施設のうち、1日に保育する小学校就学前子どもの数が5人以下であり、児童福祉法第6条の3第9項に規定する業務又は同条第12項に規定する業務を目的とするもの　次に掲げる全ての事項を満たすものであること。

イ　保育に従事する者の数及び資格

(1)　保育に従事する者の数が、小学校就学前子ども3人につき1人以上であること。ただし、家庭的保育事業等の設備及び運営に関する基準（平成26年厚生労働省令第61号）第23条第3項に規定する家庭的保育補助者とともに保育する場合には、小学校就学前子ども5人につき1人以上であること。

(2)　保育に従事する者のうち、1人以上は、保育士若しくは看護師の資格を有するもの又は都道府県知事等が行う保育に従事する者に関する研修（都道府県知事等がこれと同等以上のものと認める市町村長（特別区の長を含む。）その他の機関が行う研修を含む。以下同じ。）を修了したものであること。

ロ　保育室等の構造、設備及び面積

(1)　保育室のほか、調理設備（施設外調理その他の場合にあっては必要な調理機能）及び便所があること。

(2)　保育室の面積は、家庭的保育事業等の設備及び運営に関する基準第22条第2号に規定する基準を参酌して、小学校就学前子どもの保育を適切に行うことができる広さが確保されていること。

ハ　その他

前号イ(3)及び(4)、ロ(4)及び(5)、ハ(1)から(3)まで、ニからヘまでに掲げる全ての事項を満たしていること。この場合において、同号ロ(5)中「調理室」とあるのは「調理設備の部分」と、ホ(1)中「調理室」とあるのは「調理設備」と読み替えるものとする。

三　法第7条第10項第4号に掲げる施設のうち児童福祉法第6条の3第11項に規定する業務を目的とするものであって、複数の保育に従事する者を雇用しているもの　次に掲げる全ての事項を満たすものであること。

イ　保育に従事する者の数が、小学校就学前子ども1人につき1人以上であること。ただし、当該小学校就学前子どもがその兄弟姉妹とともに

利用している等の場合であって、保護者が契約において同意しているときは、これによらないことができること。

ロ　保育に従事する全ての者（採用した日から1年を超えていない者を除く。）が、保育士若しくは看護師の資格を有する者又は都道府県知事等が行う保育に従事する者に関する研修を修了した者であること。

ハ　防災上の必要な措置を講じていること。

ニ　第1号イ(3)及び(4)、ニ(1)から(4)まで及び(6)から(11)まで並びにヘ(1)、(4)、(7)から(16)まで及び(18)から(26)までに掲げる全ての事項を満たしていること。この場合において、同号ニ(2)中「なされた保育の計画が定められている」とあるのは「なされている」と、(3)中「カリキュラムが設定され、かつ、それが」とあるのは「保育が」と、(6)中「施設長」とあるのは「施設の設置者又は管理者」と、ヘ(1)中「登園及び降園」とあるのは「預かり及び引渡し」と、(7)中「小学校就学前子どもが感染症にかかっていることが分かった場合には、かかりつけ医の指示に従うよう保護者に対し指示が行われている」とあるのは「感染予防のための対策が行われている」と、(10)中「保育室での」とあるのは「保育中の」と、(23)中「の見やすいところに掲示」とあるのは「に対し書面等により提示等」と読み替えるものとする。また、食事の提供を行う場合においては、衛生面等必要な注意を払うこと。

四　法第7条第10項第4号に掲げる施設のうち児童福祉法第6条の3第11項に規定する業務を目的とするものであって、前号に掲げる施設以外のもの　次に掲げる全ての事項を満たすこと。

イ　保育に従事する者の数が、小学校就学前子ども1人につき1人以上であること。ただし、当該小学校就学前子どもがその兄弟姉妹とともに利用している等の場合であって、保護者が契約において同意しているときは、これによらないことができること。

ロ　保育に従事する全ての者が、保育士若しくは看護師の資格を有する者又は都道府県知事等が行う保育に従事する者に関する研修を修了した者であること。

ハ　防災上の必要な措置を講じていること。

ニ　第1号イ(3)及び(4)、ニ(1)から(4)まで、(6)前段、(7)、(8)、(10)及び(11)並びにヘ(1)、(4)、(7)から(16)まで及び(18)から(26)までに掲げる全ての事項を満たしていること。この場合において、同号ニ(2)中「なされた保育の計画が定められている」

とあるのは「なされている」と、(3)中「カリキュラムが設定され、かつ、それが」とあるのは「保育が」と、ヘ(1)中「登園及び降園」とあるのは「預かり及び引渡し」と、(4)中「採用時及び1年に1回」とあるのは「1年に1回」と、(7)中「小学校就学前子どもが感染症にかかっていることが分かった場合には、かかりつけ医の指示に従うよう保護者に対し指示が行われている」とあるのは「感染予防のための対策が行われている」と、(10)中「保育室での」とあるのは「保育中の」と、(23)中「の見やすいところに掲示」とあるのは「に対し書面等により提示等」、(26)中「職員及び保育」とあるのは「保育」と読み替えるものとする。また、食事の提供を行う場合においては、衛生面等必要な注意を払うこと。

（法第7条第10項第5号の基準等）

第1条の2　法第7条第10項第5号の内閣府令で定める基準は、次に掲げる要件を満たすものであることとする。

一　認定こども園（就学前の子どもに関する教育、保育等の総合的な提供の推進に関する法律（平成18年法律第77号。以下「認定こども園法」という。）第2条第6項に規定する認定こども園をいう。以下同じ。）、幼稚園（学校教育法（昭和22年法律第26号）第1条の規定する幼稚園をいい、認定こども園法第3条第1項又は第3項の認定を受けたもの及び同条第10項の規定による公示がされたものを除く。以下同じ。）又は特別支援学校（学校教育法第1条に規定する特別支援学校をいい、同法第76条第2項に規定する幼稚部に限る。以下同じ。）に在籍する小学校就学前子ども（法第30条の4に規定する場合における法第30条第1項に規定する保育認定子どもを除く。）に対して教育・保育を行うこと。

二　児童福祉施設の設備及び運営に関する基準（昭和23年厚生省令第63号）第33条第2項の規定に準じ、法第7条第10項第5号に規定する事業の対象とする小学校就学前子どもの年齢及び人数に応じて、当該小学校就学前子どもの処遇を行う職員を置くこととし、そのうち半数以上は保育士又は幼稚園の教諭の普通免許状（教育職員免許法（昭和24年法律第147号）に規定する普通免許状をいう。）を有する者（次号において「幼稚園教諭普通免許状所有者」という。）であること。ただし、当該職員の数は、2人を下ることはできないこと。

三　前号に規定する職員は、専ら法第7条第10項第5号に規定する事業に従事するものでなければならないこと。ただし、当該事業と幼稚園、認定こども園又は特別支援学校（以下この号において「幼稚園等」という。）とが一体的に運営されている場合であって、当該事業を行うに当たって当該幼稚園等の職員（保育士又は幼稚園教諭普通免許状所有者に限る。）による支援を受けることができるときは、専ら当該事業に従事する職員を1人とすることができること。

四　次に掲げる施設の区分に応じ、それぞれ次に定めるものに準じ、事業を実施すること。

イ　幼稚園又は幼保連携型認定こども園以外の認定こども園　学校教育法第25条第1項の規定に基づき文部科学大臣が定める幼稚園の教育課程その他の教育内容に関する事項

ロ　幼保連携型認定こども園　認定こども園法第10条第1項の規定に基づき主務大臣が定める幼保連携型認定こども園の教育課程その他の教育及び保育の内容に関する事項

ハ　特別支援学校　学校教育法第77条の規定に基づき文部科学大臣が定める特別支援学校の教育課程その他の教育内容に関する事項

五　食事の提供を行う場合においては、当該施設において行うことが必要な調理のための加熱、保存等の調理機能を有する設備を備えていること。

2　法第7条第10項第5号ロの内閣府令で定める1日当たりの時間及び期間は、第17条に定めるものとする。

（法第7条第10項第7号の基準）

第1条の3　法第7条第10項第7号の内閣府令で定める基準は、次の各号に掲げる事業の類型に応じ、当該各号に定める基準とする。

一　病児（疾病にかかっている小学校就学前子どものうち、疾病の回復期に至らず、当面、病状が急変するおそれが少ない場合であって、かつ、保護者の労働その他の事由により家庭において保育を行うことが困難なものをいう。以下この条において同じ。）を病院、診療所、保育所その他の施設において一時的に保育する事業　次に掲げる全ての要件（事業を実施する場所が病院、診療所その他の医療機関である場合には、ホに掲げる要件を除く。）を満たすものであること。

イ　看護師、准看護師、保健師又は助産師（以下この条において「看護師等」という。）が、当該事業を利用する病児（ロ及びホにおいて「対象病児」という。）おおむね10人につき1人以上であること。

ロ　保育士の数が、対象病児おおむね3人につき1人以上であること。

ハ　保育室、病児の静養又は隔離の機能を持つ部屋及び調理室があること。

ニ　事故防止及び衛生面に配慮するなど病児の養育に適した場所であること。

ホ　対象病児等の病状が急変した場合に当該対象病児等を受け入れることができる医療機関（以下この条において「協力医療機関」という。）及び対象病児等の病状、心身の状況の把握、感染の防止その他の事項に関して指導又は助言を行う医師（以下この条において「指導医」という。）があらかじめ定められていること。

二　病後児（疾病にかかっている小学校就学前子どものうち、疾病の回復期であって、集団保育が困難であり、かつ、保護者の労働その他の事由により家庭において保育を行うことが困難なものをいう。以下この条において同じ。）を病院、診療所、保育所その他の施設において一時的に保育する事業　次に掲げる全ての要件（事業を実施する場所が病院、診療所その他の医療機関である場合には、ホに掲げる要件を除く。）を満たすものであること。

イ　看護師等が当該事業を利用する病後児（ロにおいて「対象病後児」という。）おおむね10人につき1人以上であること。

ロ　保育士の数が対象病後児おおむね3人につき1人以上であること。

ハ　保育室、病後児の静養又は隔離の機能を持つ部屋及び調理室があること。

ニ　事故防止及び衛生面に配慮するなど病後児の養育に適した場所であること。

ホ　協力医療機関があらかじめ定められていること。

三　保育所その他の施設において、当該施設に通園する小学校就学前子どもに対して緊急的な対応その他の保健的な対応を行う事業　次に掲げる全ての要件（事業を実施する場所が病院、診療所その他の医療機関である場合には、ハに掲げる要件を除く。）を満たすものであること。

イ　看護師等を当該事業を利用する小学校就学前子ども2人につき1人以上配置していること。

ロ　感染を予防するため、事業を実施する場所と保育室等の間に間仕切りを設けていること。

ハ　協力医療機関及び指導医があらかじめ定められていること。

四　病児又は病後児が当該病児又は病後児の居宅において一時的に保育する事業　イ及びロに掲げる要件（事業者が病院、診療所その他の医療機関である場合には、イに掲げる要件に限る。）を満たすものであること。

イ　一定の研修を修了した看護師等、保育士又は家庭的保育者（児童福祉法第6条の3第9項第1号に規定する家庭的保育者をいう。）を当該事業を利用する病児又は病後児1人につき1人以上配置していること。

ロ　協力医療機関及び指導医があらかじめ定められていること。

（法第7条第10項第8号の基準）

第1条の4　法第7条第10項第8号の内閣府令で定める基準は、次に掲げる要件を満たすものであることとする。

一　市町村（特別区を含む。以下同じ。）又はその委託等を受けた者が行うものであること。

二　当該事業を行う者が児童福祉法第6条の3第14項に規定する援助希望者に対し講習を実施していること。

　　第1章の2　子どものための教育・保育給付
　　　第1節　教育・保育給付認定等

（法第19条第2号の内閣府令で定める事由）

第1条の5　法第19条第2号の内閣府令で定める事由は、小学校就学前子どもの保護者のいずれもが次の各号のいずれかに該当することとする。

一　1月において、48時間から64時間までの範囲内で月を単位に市町村が定める時間以上労働することを常態とすること。

二　妊娠中であるか又は出産後間がないこと。

三　疾病にかかり、若しくは負傷し、又は精神若しくは身体に障害を有していること。

四　同居の親族（長期間入院等をしている親族を含む。）を常時介護又は看護していること。

五　震災、風水害、火災その他の災害の復旧に当たっていること。

六　求職活動（起業の準備を含む。）を継続的に行っていること。

七　次のいずれかに該当すること。

イ　学校教育法第1条に規定する学校、同法第124条に規定する専修学校、同法第134条第1項に規定する各種学校その他これらに準ずる教育施設に在学していること。

ロ　職業能力開発促進法（昭和44年法律第64号）第15条の7第3項に規定する公共職業能力開発施設において行う職業訓練若しくは同法第27条第1項に規定する職業能力開発総合大学校において行う同項に規定する指導員訓練若しくは職業訓練又は職業訓練の実施等による特定求職者の就職の支援に関する法律（平成23年法律第47号）第4条第2項に規定する認定職業訓練その他の職業訓練を受けていること。

八　次のいずれかに該当すること。

イ　児童虐待の防止等に関する法律（平成12年法律第82号）第2条に規定する児童虐待を行っている又は再び行われるおそれがあると認められること。

ロ　配偶者からの暴力の防止及び被害者の保護等に関する法律（平成13年法律第31号）第1条に規定する配偶者からの暴力により小学校就学前子どもの保育を行うことが困難であると認められること（イに該当する場合を除く。）。

九　育児休業をする場合であって、当該保護者の当該育児休業に係る子ども以外の小学校就学前子どもが特定教育・保育施設、特定地域型保育事業又は特定子ども・子育て支援施設等（以下この号において「特定教育・保育施設等」という。）を利用しており、当該育児休業の間に当該特定教育・保育施設等を引き続き利用することが必要であると認められること。

十　前各号に掲げるもののほか、前各号に類するものとして市町村が認める事由に該当すること。

（認定の申請等）

第2条　法第20条第1項の規定により同項に規定する認定を受けようとする小学校就学前子どもの保護者は、次に掲げる事項を記載した申請書を、市町村に提出しなければならない。

一　当該申請を行う保護者の氏名、居住地、生年月日、個人番号（行政手続における特定の個人を識別するための番号の利用等に関する法律（平成25年法律第27号）第2条第5項に規定する個人番号をいう。以下同じ。）及び連絡先（保護者が法人であるときは、法人の名称、代表者の氏名及び主たる事務所の所在地並びに当該申請に係る小学校就学前子どもの居住地）

二　当該申請に係る小学校就学前子どもの氏名、生年月日、個人番号及び当該小学校就学前子どもの保護者との続柄

三　認定を受けようとする法第19条各号に掲げる小学校就学前子どもの区分

四　法第19条第2号又は第3号に掲げる小学校就学前子どもの区分に係る認定を受けようとする場合には、その理由

2 前項の申請書には、次に掲げる書類を添付しなければならない。ただし、市町村は、当該書類により証明すべき事実を公簿等によって確認することができるときは、当該書類を省略させることができる。

一 法第27条第3項第2号、第28条第2項第1号、第29条第3項第2号並びに第30条第2項第1号、第3号及び第4号の政令で定める額を限度として市町村が定める額（以下「利用者負担額」という。）の算定のために必要な事項に関する書類

二 前項第4号に掲げる事項を証する書類（当該事項が前条第1号に掲げる事由に係るものである場合にあっては、原則として様式第1号による。）

3 第1項の申請書（法第19条第1号に掲げる小学校就学前子どもの区分に係る認定を受けようとする場合の申請書に限る。）は、特定教育・保育施設（認定こども園及び幼稚園に限る。）を経由して提出することができる。

4 第1項の申請書（法第19条第2号又は第3号に掲げる小学校就学前子どもの区分に係る認定を受けようとする場合の申請書に限る。）は、特定教育・保育施設（認定こども園及び保育所に限る。）又は特定地域型保育事業者を経由して提出することができる。

5 特定教育・保育施設又は特定地域型保育事業者（以下「特定教育・保育施設等」という。）は、関係市町村等との連携に努めるとともに、前2項の申請書の提出を受けたときは、速やかに、当該申請書を提出した保護者の居住地の市町村に当該申請書を送付しなければならない。

（法第20条第3項に規定する内閣府令で定める期間）

第3条 法第20条第3項に規定する内閣府令で定める期間は、1月間とする。

（保育必要量の認定）

第4条 保育必要量の認定は、保育の利用について、1月当たり平均275時間まで（1日当たり11時間までに限る。）又は平均200時間まで（1日当たり8時間までに限る。）の区分に分けて行うものとする。ただし、申請を行う小学校就学前子どもの保護者が第1条の5第2号、第5号又は第8号に掲げる事由に該当する場合にあっては、当該保護者が1月当たり平均200時間まで（1日当たり8時間までに限る。）の区分の認定を申請した場合を除き、1月当たり平均275時間まで（1日当たり11時間までに限る。）とする。

2 市町村は、第1条の5第3号、第6号又は第9号に掲げる事由について、保育必要量の認定を前項本文に規定する区分に分けて行うことが適当でないと

認める場合にあっては、同項の規定にかかわらず、当該区分に分けないで行うことができる。

（支給認定証の交付）

第4条の2 市町村は、法第20条第1項の規定により同項に規定する認定を受けようとする小学校就学前子どもの保護者又は同条第4項に規定する教育・保育給付認定保護者（以下「教育・保育給付認定保護者」という。）の申請により、同項に規定する支給認定証（以下「支給認定証」という。）を交付する。

（特定教育・保育施設等を経由して申請書を提出した場合の支給認定証の交付）

第5条 第2条第3項又は第4項の規定により特定教育・保育施設等を経由して申請書が提出された場合における支給認定証の交付は、当該申請の際に経由した特定教育・保育施設等を経由して行うことができる。

（法第20条第4項に規定する内閣府令で定める事項）

第6条 法第20条第4項に規定する内閣府令で定める事項は、次に掲げる事項とする。

一 教育・保育給付認定保護者の氏名、居住地及び生年月日

二 当該教育・保育給付認定に係る小学校就学前子どもの氏名及び生年月日

三 交付の年月日及び支給認定証番号

四 該当する法第19条各号に掲げる小学校就学前子どもの区分

五 教育・保育給付認定に係る第1条の5各号に掲げる事由及び保育必要量（法第19条第2号又は第3号に掲げる小学校就学前子どもの区分に該当する場合に限る。）

六 教育・保育給付認定の有効期間

七 その他必要な事項

（利用者負担額等に関する事項の通知）

第7条 市町村は、教育・保育給付認定を行ったときは、当該教育・保育給付認定に係る教育・保育給付認定保護者及び当該教育・保育給付認定保護者が利用する特定教育・保育施設等に対して、当該教育・保育給付認定保護者に係る次に掲げる事項を通知するものとする。

一 利用者負担額（満3歳未満保育認定子ども（子ども・子育て支援法施行令（平成26年政令第213号。以下「令」という。）第4条第2項に規定する満3歳未満保育認定子どもをいう。以下同じ。）に係る教育・保育給付認定保護者についての法第27条第3項第2号若しくは第29条第3項第2号に掲げる額又は法第30条第2項第3号若しくは第4号の市町村が定める額に限る。）

二　食事の提供（特定教育・保育施設及び特定地域
　型保育事業並びに特定子ども・子育て支援施設等
　の運営に関する基準（平成26年内閣府令第39号）
　第13条第４項第３号イ又はロに掲げるものに限
　る。）に要する費用の支払の免除に関する事項
2　教育・保育給付認定保護者が支給認定証の交付の
　申請をしていない場合において、前項の規定による
　通知をするときは、前条各号に掲げる事項を併せて
　通知するものとする。
（法第21条に規定する内閣府令で定める期間）
第8条　法第21条に規定する内閣府令で定める期間
　は、次の各号に掲げる小学校就学前子どもの区分に
　応じ、当該各号に定める期間とする。
一　法第19条第１号に掲げる小学校就学前子どもの
　区分に該当する子ども　教育・保育給付認定が効
　力を生じた日（以下「効力発生日」という。）か
　ら当該小学校就学前子どもが小学校就学の始期に
　達するまでの期間
二　法第19条第２号に掲げる小学校就学前子どもの
　区分に該当する子ども（当該小学校就学前子ども
　の保護者が第１条の５第２号、第６号、第７号、
　第９号及び第10号に掲げる事由に該当する場合を
　除く。）効力発生日から当該小学校就学前子ども
　が小学校就学の始期に達するまでの期間
三　法第19条第２号に掲げる小学校就学前子どもの
　区分に該当する子ども（当該小学校就学前子ども
　の保護者が第１条の５第２号に掲げる事由に該当
　する場合に限る。）次に掲げる期間のうちいずれ
　か短い期間
　イ　前号に掲げる期間
　ロ　効力発生日から、当該小学校就学前子どもの
　　保護者の出産日から起算して８週間を経過する
　　日の翌日が属する月の末日までの期間
四　法第19条第２号に掲げる小学校就学前子どもの
　区分に該当する子ども（当該小学校就学前子ども
　の保護者が第１条の５第６号に掲げる事由に該当
　する場合に限る。）次に掲げる期間のうちいずれ
　か短い期間
　イ　第２号に掲げる期間
　ロ　効力発生日から、同日から起算して90日を限
　　度として市町村が定める期間を経過する日が属
　　する月の末日までの期間
五　法第19条第２号に掲げる小学校就学前子どもの
　区分に該当する子ども（当該小学校就学前子ども
　の保護者が第１条の５第７号に掲げる事由に該当
　する場合に限る。）次に掲げる期間のうちいずれ
　か短い期間

　イ　第２号に掲げる期間
　ロ　効力発生日から当該小学校就学前子どもの保
　　護者の卒業予定日又は修了予定日が属する月の
　　末日までの期間
六　法第19条第２号に掲げる小学校就学前子どもの
　区分に該当する子ども（当該小学校就学前子ども
　の保護者が第１条の５第９号に掲げる事由に該当
　する場合に限る。）第１条の５第９号に掲げる事
　由に該当するものとして認めた事情を勘案して市
　町村が定める期間
七　法第19条第２号に掲げる小学校就学前子どもの
　区分に該当する子ども（当該小学校就学前子ども
　の保護者が第１条の５第10号に掲げる事由に該当
　する場合に限る。）第１条の５第10号に掲げる事
　由に該当するものとして認めた事情を勘案して市
　町村が定める期間
八　法第19条第３号に掲げる小学校就学前子どもの
　区分に該当する子ども（当該小学校就学前子ども
　の保護者が第１条の５第２号、第６号、第７号、
　第９号及び第10号に掲げる事由に該当する場合を
　除く。）効力発生日から当該小学校就学前子ども
　が満３歳に達する日の前日までの期間
九　法第19条第３号に掲げる小学校就学前子どもの
　区分に該当する子ども（当該小学校就学前子ども
　の保護者が第１条の５第２号に掲げる事由に該当
　する場合に限る。）次に掲げる期間のうちいずれ
　か短い期間
　イ　前号に掲げる期間
　ロ　第３号ロに掲げる期間
十　法第19条第３号に掲げる小学校就学前子どもの
　区分に該当する子ども（当該小学校就学前子ども
　の保護者が第１条の５第６号に掲げる事由に該当
　する場合に限る。）次に掲げる期間のうちいずれ
　か短い期間
　イ　第８号に掲げる期間
　ロ　第４号ロに掲げる期間
十一　法第19条第３号に掲げる小学校就学前子ども
　の区分に該当する子ども（当該小学校就学前子ど
　もの保護者が第１条の５第７号に掲げる事由に該
　当する場合に限る。）次に掲げる期間のうちいず
　れか短い期間
　イ　第８号に掲げる期間
　ロ　第５号ロに掲げる期間
十二　法第19条第３号に掲げる小学校就学前子ども
　の区分に該当する子ども（当該小学校就学前子ど
　もの保護者が第１条の５第９号に掲げる事由に該
　当する場合に限る。）第１条の５第９号に掲げる

事由に該当するものとして認めた事情を勘案して市町村が定める期間

十三　法第19条第３号に掲げる小学校就学前子どもの区分に該当する子ども（当該小学校就学前子どもの保護者が第１条の５第10号に掲げる事由に該当する場合に限る。）　第１条の５第10号に掲げる事由に該当するものとして認めた事情を勘案して市町村が定める期間

（法第22条の届出）

第９条　教育・保育給付認定保護者は、毎年、次項に定める事項を記載した届書（当該教育・保育給付認定保護者に係る教育・保育給付認定子どもが保育認定子ども（法第30条第１項に規定する保育認定子どもをいう。以下同じ。）である場合に限る。）及び第３項に掲げる書類を市町村に提出しなければならない。ただし、市町村は、当該書類により証明すべき事実を公簿等によって確認することができるときその他当該教育・保育給付認定保護者に対する施設型給付費、地域型保育給付費、特例施設型給付費又は特例地域型保育給付費の公正かつ適正な支給の確保に支障がないと認めるときは、当該書類を省略させることができる。

２　法第22条に規定する内閣府令で定める事項は、第１条の５各号に掲げる事由の状況とする。

３　法第22条に規定する内閣府令で定める書類は、第２条第２項の書類とする。

４　市町村は、第１項の届出を受け、当該教育・保育給付認定保護者に係る第７条第１項に掲げる事項を変更する必要があると認めるときは、当該教育・保育給付認定保護者及び当該教育・保育給付認定保護者が利用する特定教育・保育施設等に対して、変更後の当該事項を通知するものとする。

（法第23条第１項に規定する内閣府令で定める事項）

第10条　法第23条第１項に規定する内閣府令で定める事項は、次に掲げる事項とする。

一　該当する法第19条各号に掲げる小学校就学前子どもの区分

二　保育必要量

三　教育・保育給付認定の有効期間

四　利用者負担額に関する事項

（教育・保育給付認定の変更の認定の申請）

第11条　法第23条第１項の規定により教育・保育給付認定の変更の認定を申請しようとする教育・保育給付認定保護者は、次の各号に掲げる事項を記載した申請書を市町村に提出しなければならない。この場合において、教育・保育給付認定保護者が支給認定証の交付を受けているときは、当該支給認定証を添

付しなければならない。

一　当該申請を行う教育・保育給付認定保護者の氏名、居住地、生年月日、個人番号及び連絡先（保護者が法人であるときは、法人の名称、代表者の氏名及び主たる事務所の所在地並びに当該申請に係る小学校就学前子どもの居住地）

二　当該申請に係る小学校就学前子どもの氏名、生年月日、個人番号及び教育・保育給付認定保護者との続柄

三　第１条の５各号に掲げる事由の状況の変化その他の当該申請を行う原因となった事由

四　その他必要な事項

２　前項の申請書には、次に掲げる書類を添付しなければならない。ただし、市町村は、当該書類により証明すべき事実を公簿等によって確認することができるときは、当該書類を省略させることができる。

一　利用者負担額の算定のために必要な事項に関する書類（前条第４号に掲げる事項に係る変更の認定の申請を行う場合に限る。）

二　前項第３号に掲げる事項を証する書類（当該事項が第１条の５第１号に掲げる事由に係るものである場合にあっては、原則として様式第１号による。）

３　第９条第４項の規定は、第１項の規定による申請を受け、市町村が当該教育・保育給付認定保護者に係る第７条第１項に掲げる事項を変更する必要があると認める場合について準用する。

（市町村の職権により教育・保育給付認定の変更の認定を行う場合の手続）

第12条　市町村は、法第23条第４項の規定により教育・保育給付認定の変更の認定を行おうとするときは、その旨を書面により教育・保育給付認定保護者に通知するものとする。ただし、法第19条第３号に掲げる小学校就学前子どもに該当する教育・保育給付認定子どもが満３歳に達したときに当該認定を行う場合には、当該教育・保育給付認定子どもが満３歳に達した日の属する年度の末日までに通知すれば足りる。

２　前項の場合において、教育・保育給付認定保護者に支給認定証を交付しているときは、次の各号に掲げる事項を併せて通知し、当該支給認定証の提出を求めるものとする。ただし、教育・保育給付認定保護者の支給認定証が既に市町村に提出されているときは、この限りでない。

一　支給認定証を提出する必要がある旨

二　支給認定証の提出先及び提出期限

（準用等）

第13条　第2条第3項から第5項まで、第3条から第5条まで及び第7条の規定は、法第23条第2項又は第4項の教育・保育給付認定の変更の認定について準用する。この場合において、第7条第1項中「とする。」とあるのは「とする。ただし、法第19条第1項第3号に掲げる小学校就学前子どもに該当する教育・保育給付認定子どもが満3歳に達したときに法第23条第4項の規定により教育・保育給付認定の変更の認定を行う場合には、当該教育・保育給付認定子どもが満3歳に達した日の属する年度の末日までに通知すれば足りる。」と読み替えるものとする。

2　市町村は、法第23条第2項又は第4項の教育・保育給付認定の変更の認定を行った場合であって、教育・保育給付認定保護者に支給認定証を交付しているときは、支給認定証に第6条第4号から第6号までに掲げる事項を記載し、これを返還するものとする。ただし、教育・保育給付認定保護者から支給認定証の返還を要しない旨の申出があった場合は、この限りでない。

（教育・保育給付認定の取消しを行う場合の手続）

第14条　市町村は、法第24条第1項の規定により教育・保育給付認定の取消しを行ったときは、その旨を書面により教育・保育給付認定保護者に通知するものとする。

2　前項の場合において、教育・保育給付認定保護者に支給認定証を交付しているときは、次に掲げる事項を併せて通知し、当該支給認定証の返還を求めるものとする。ただし、教育・保育給付認定保護者の支給認定証が既に市町村に提出されているときは、この限りでない。

一　支給認定証を返還する必要がある旨

二　支給認定証の返還先及び返還期限

（申請内容の変更の届出）

第15条　教育・保育給付認定保護者は、教育・保育給付認定の有効期間内において、第2条第1項第1号及び第2号に掲げる事項（以下この条において「届出事項」という。）を変更する必要が生じたときは、速やかに、次の各号に掲げる事項を記載した届書を市町村に提出しなければならない。この場合において、教育・保育給付認定保護者が支給認定証の交付を受けているときは、当該支給認定証を添付しなければならない。

一　当該届出を行う教育・保育給付認定保護者の氏名、居住地、生年月日、個人番号及び連絡先（保護者が法人であるときは、法人の名称、代表者の氏名及び主たる事務所の所在地並びに当該届出に係る小学校就学前子どもの居住地）

二　当該届出に係る小学校就学前子どもの氏名、生年月日、個人番号及び教育・保育給付認定保護者との続柄

三　届出事項のうち変更が生じた事項とその変更内容

四　その他必要な事項

2　前項の届書には、同項第3号の事項を証する書類を添付しなければならない。ただし、市町村は、当該書類により証明すべき事実を公簿等によって確認することができるときは、当該書類を省略させることができる。

（支給認定証の再交付）

第16条　市町村は、支給認定証を破り、汚し、又は失った教育・保育給付認定保護者から、教育・保育給付認定の有効期間内において、支給認定証の再交付の申請があったときは、支給認定証を交付するものとする。

2　前項の申請をしようとする教育・保育給付認定保護者は、次の各号に掲げる事項を記載した申請書を、市町村に提出しなければならない。

一　当該申請を行う教育・保育給付認定保護者の氏名、居住地、生年月日、個人番号及び連絡先（保護者が法人であるときは、法人の名称、代表者の氏名及び主たる事務所の所在地並びに当該申請に係る小学校就学前子どもの居住地）

二　当該申請に係る小学校就学前子どもの氏名、生年月日、個人番号及び教育・保育給付認定保護者との続柄

三　申請の理由

3　支給認定証を破り、又は汚した場合の前項の申請には、同項の申請書に、その支給認定証を添付しなければならない。

4　支給認定証の再交付を受けた後、失った支給認定証を発見したときは、速やかにこれを市町村に返還しなければならない。

第2節　施設型給付費及び地域型保育給付費等の支給

（法第27条第1項に規定する1日当たりの時間及び期間）

第17条　法第27条第1項に規定する1日当たりの時間は4時間を標準とし、期間は39週以上として、教育・保育給付認定保護者が特定教育・保育施設（認定こども園に限る。）と締結した保育の提供に関する契約において定める時間及び期間とする。

（施設型給付費の支給）

第18条　市町村は、法第27条第1項の規定に基づき、毎月、施設型給付費を支給するものとする。

（支給認定証の提示）

第19条　教育・保育給付認定保護者は、法第27条第2項の規定に基づき、支給認定教育・保育を受けるに当たっては、特定教育・保育施設から求めがあった場合には、当該特定教育・保育施設に対して支給認定証を提示しなければならない。ただし、教育・保育給付認定保護者が支給認定証の交付を受けていない場合は、この限りでない。

（令第4条第2項第1号の内閣府令で定める教育・保育給付認定保護者）

第20条　令第4条第2項第1号の内閣府令で定める教育・保育給付認定保護者は、第4条の保育必要量の認定において、保育の利用について、1月当たり平均200時間まで（1日当たり8時間までに限る。）の区分と認定された教育・保育給付認定子どもに係る教育・保育給付認定保護者とする。

（令第4条第2項第2号の内閣府令で定める規定）

第21条　令第4条第2項第2号の内閣府令で定める規定は、地方税法（昭和25年法律第226号）第314条の7、第314条の8及び第314条の9並びに附則第5条第3項、附則第5条の4第6項、附則第5条の4の2第5項、附則第5条の5第2項、附則第7条の2第4項及び第5項、附則第7条の3第2項並びに附則第45条とする。

（令第4条第2項第2号に規定する市町村民税所得割合算額の算定方法）

第21条の2　市町村民税所得割合算額（令第4条第2項第2号に規定する市町村民税所得割合算額をいう。以下この条において同じ。）を算定する場合には、教育・保育給付認定保護者又は当該教育・保育給付認定保護者と同一の世帯に属する者が指定都市の区域内に住所を有する者であるときは、これらの者を指定都市以外の市町村の区域内に住所を有する者とみなして、市町村民税所得割合算額を算定するものとする。

（令第4条第2項第6号の内閣府令で定める者）

第22条　令第4条第2項第6号の内閣府令で定める者は、次に掲げる者とする。

一　母子及び父子並びに寡婦福祉法（昭和39年法律第129号）による配偶者のない者で現に児童を扶養しているもの（令第4条第2項第6号に掲げる特定教育・保育給付認定保護者と同一の世帯に属する者である場合を除く。）

二　身体障害者福祉法（昭和24年法律第283号）第15条第4項の規定により身体障害者手帳の交付を受けた者（障害者又は障害児であって、障害者の日常生活及び社会生活を総合的に支援するための法律（平成17年法律第123号）第19条第3項に規定する特定施設その他これに類する施設に入所若しくは入居又は入院をしていないもの（以下「在宅障害児」という。）に限る。）

三　療育手帳制度要綱（昭和48年9月27日厚生省発児第156号）の規定により療育手帳の交付を受けた者（在宅障害児に限る。）

四　精神保健及び精神障害者福祉に関する法律（昭和25年法律第123号）第45条第2項の規定により精神障害者保健福祉手帳の交付を受けた者（在宅障害児に限る。）

五　特別児童扶養手当等の支給に関する法律（昭和39年法律第134号）に定める特別児童扶養手当の支給対象児童（在宅障害児に限る。）

六　国民年金法（昭和34年法律第141号）に定める国民年金の障害基礎年金の受給者その他適当な者（在宅障害児に限る。）

七　その他市町村の長が生活保護法（昭和25年法律第144号）第6条第2項に規定する要保護者に準ずる程度に困窮していると認める者

（特例施設型給付費の支給）

第23条　市町村は、法第28条第1項の規定に基づき、毎月、特例施設型給付費（同項第1号に係るものを除く。）を支給するものとする。

（準用）

第24条　第17条の規定は法第28条第1項第2号の内閣府令で定める1日当たりの時間及び期間について、第19条の規定は特例施設型給付費（法第28条第1項第1号に係るものを除く。）の支給について準用する。この場合において、第17条の規定中「認定こども園」とあるのは「保育所」と読み替えるものとする。

（地域型保育給付費の支給）

第25条　市町村は、法第29条第1項の規定に基づき、毎月、地域型保育給付費を支給するものとする。

（支給認定証の提示）

第26条　教育・保育給付認定保護者は、法第29条第2項の規定に基づき、満3歳未満保育認定地域型保育を受けるに当たっては、特定地域型保育事業者から求めがあった場合には、当該特定地域型保育事業者に対して支給認定証を提示しなければならない。ただし、教育・保育給付認定保護者が支給認定証の交付を受けていない場合は、この限りでない。

（特例地域型保育給付費の支給）

第27条　市町村は、法第30条第1項の規定に基づき、毎月、特例地域型保育給付費（同項第1号に係るものを除く。）を支給するものとする。

（準用）

第28条 第17条の規定は法第30条第１項第２号及び第４号の内閣府令で定める１日当たりの時間及び期間について、第26条の規定は特例地域型保育給付費（法第30条第１項第１号に係るものを除く。）の支給について準用する。この場合において、第17条の規定中「特定教育・保育施設（認定こども園に限る。）」とあるのは「特定地域型保育事業者又は特例保育を行う事業者」と読み替えるものとする。

（令第14条の内閣府令で定める者）

第28条の２ 令第14条の内閣府令で定める者は、次に掲げる者とする。

一 教育・保育給付認定保護者に監護されていた者

二 教育・保育給付認定保護者又はその配偶者の直系卑属（教育・保育給付認定保護者に監護される者及び前号に掲げる者を除く。）

第１章の３ 子育てのための施設等利用給付

第１節 施設等利用給付認定等

（認定の申請等）

第28条の３ 法第30条の５第１項の規定により同項に規定する認定（以下「施設等利用給付認定」という。）を受けようとする小学校就学前子どもの保護者は、次に掲げる事項を記載した申請書を、市町村に提出しなければならない。

一 当該申請を行う保護者の氏名、居住地、生年月日、個人番号及び連絡先（保護者が法人であるときは、法人の名称、代表者の氏名及び主たる事務所の所在地並びに当該申請に係る小学校就学前子どもの居住地）

二 当該申請に係る小学校就学前子どもの氏名、生年月日、個人番号及び当該小学校就学前子どもの保護者との続柄

三 認定を受けようとする法第30条の４各号に掲げる小学校就学前子どもの区分

四 法第30条の４第２号又は第３号に掲げる小学校就学前子どもの区分に係る認定を受けようとする場合には、その理由

五 法第30条の４第３号に掲げる小学校就学前子どもの区分に係る認定を受けようとする場合には、市町村民税世帯非課税者（同号に規定する市町村民税世帯非課税者をいう。）に該当する旨

２ 前項の申請書には、同項第４号及び第５号に掲げる事項を証する書類（同項第４号に掲げる事項が第１条の５第１号に掲げる事由に係るものである場合にあっては、原則として様式第１号による。）を添付しなければならない。ただし、市町村は、当該書類により証明すべき事実を公簿等によって確認する

ことができるときは、当該書類を省略させることができる。

３ 第１項の申請書は、特定子ども・子育て支援提供者（法第30条の11第３項に規定する特定子ども・子育て支援提供者をいう。以下同じ。）を経由して提出することができる。

４ 特定子ども・子育て支援提供者は、関係市町村等との連携に努めるとともに、前項の申請書の提出を受けたときは、速やかに、当該申請書を提出した保護者の居住地の市町村に当該申請書を送付しなければならない。

（法第30条の５第３項に規定する内閣府令で定める事項）

第28条の４ 法第30条の５第３項に規定する内閣府令で定める事項は、次に掲げる事項とする。

一 施設等利用給付認定保護者（法第30条の５第３項に規定する施設等利用給付認定保護者をいう。以下同じ。）の氏名、居住地及び生年月日

二 施設等利用給付認定子ども（法第30条の８第１項に規定する施設等利用給付認定子どもをいう。以下同じ。）の氏名及び生年月日

三 施設等利用給付認定の年月日及び認定番号

四 該当する法第30条の４各号に掲げる小学校就学前子どもの区分

五 施設等利用給付認定に係る第１条の５各号に掲げる事由（法第30条の４第２号又は第３号に掲げる小学校就学前子どもの区分に該当する場合に限る。）

六 次条に規定する施設等利用給付認定の有効期間

七 その他必要な事項

（法第30条の６に規定する内閣府令で定める期間）

第28条の５ 法第30条の６に規定する内閣府令で定める期間（以下「施設等利用給付認定の有効期間」という。）は、次の各号に掲げる施設等利用給付認定子どもが該当する小学校就学前子どもの区分に応じ、当該各号に定める期間とする。

一 法第30条の４第１号に掲げる小学校就学前子ども 施設等利用給付認定が効力を生じた日又は当該施設等利用給付認定子どもに係る施設等利用給付認定保護者が法第30条の５第１項の規定による申請をした日以後初めて特定子ども・子育て支援（法第30条の11第１項に規定する特定子ども・子育て支援をいう。以下同じ。）を受けた日のいずれか早い日（以下「認定起算日」という。）から当該施設等利用給付認定子どもが小学校就学の始期に達するまでの期間

二 法第30条の４第２号又は第３号に掲げる小学校

就学前子ども（当該施設等利用給付認定子どもに係る施設等利用給付認定保護者が第1条の5第2号、第6号、第7号、第9号及び第10号に掲げる事由に該当する場合を除く。）　前号に定める期間（法第30条の4第3号に掲げる小学校就学前子どもにあっては、認定起算日から当該施設等利用給付認定子どもが満3歳に達する日以後の最初の3月31日までの期間。以下この条において同じ。）

三　法第30条の4第2号又は第3号に掲げる小学校就学前子ども（当該施設等利用給付認定子どもに係る施設等利用給付認定保護者が第1条の5第2号に掲げる事由に該当する場合に限る。）　次に掲げる期間のいずれか短い期間

イ　第1号に定める期間

ロ　認定起算日から、当該施設等利用給付認定保護者の出産日から起算して8週間を経過する日の翌日が属する月の末日までの期間

四　法第30条の4第2号又は第3号に掲げる小学校就学前子ども（当該施設等利用給付認定子どもに係る施設等利用給付認定保護者が第1条の5第6号に掲げる事由に該当する場合に限る。）　次に掲げる期間のいずれか短い期間

イ　第1号に定める期間

ロ　認定起算日から、同日から起算して90日を限度として市町村が定める期間を経過する日が属する月の末日までの期間

五　法第30条の4第2号又は第3号に掲げる小学校就学前子ども（当該施設等利用給付認定子どもに係る施設等利用給付認定保護者が第1条の5第7号に掲げる事由に該当する場合に限る。）　次に掲げる期間のいずれか短い期間

イ　第1号に定める期間

ロ　認定起算日から当該施設等利用給付認定保護者の卒業予定日又は修了予定日が属する月の末日までの期間

六　法第30条の4第2号又は第3号に掲げる小学校就学前子ども（当該施設等利用給付認定子どもに係る施設等利用給付認定保護者が第1条の5第9号又は第10号に掲げる事由に該当する場合に限る。）　当該事由に該当するものとして認めた事情を勘案して市町村が定める期間

（法第30条の7の届出）

第28条の6　施設等利用給付認定保護者は、毎年、次項に定める事項を記載した届書（当該施設等利用給付認定子どもが法第30条の4第2号又は第3号に掲げる小学校就学前子どもに該当する場合に限る。）及び第3項に掲げる書類を市町村に提出しなければ

ならない。ただし、市町村は、当該書類により証明すべき事実を公簿等によって確認することができるときその他施設等利用給付認定保護者に対する施設等利用費の公正かつ適正な支給の確保に支障がないと認めるときは、当該書類を省略させることができる。

2　法第30条の7に規定する内閣府令で定める事項は、第1条の5各号に掲げる事由の状況又は当該施設等利用給付認定保護者（法第30条の4第3号に掲げる小学校就学前子どもに該当する施設等利用給付認定子どもに係る者に限る。）の属する世帯の所得の状況とする。

3　法第30条の7に規定する内閣府令で定める書類は、第28条の3第2項の書類とする。

（法第30条の8第1項に規定する内閣府令で定める事項）

第28条の7　法第30条の8第1項に規定する内閣府令で定める事項は、次に掲げる事項とする。

一　該当する法第30条の4各号に掲げる小学校就学前子どもの区分

二　施設等利用給付認定の有効期間

（施設等利用給付認定の変更の認定の申請）

第28条の8　法第30条の8第1項の規定により施設等利用給付認定の変更の認定を申請しようとする施設等利用給付認定保護者は、次に掲げる事項を記載した申請書を市町村に提出しなければならない。

一　当該申請を行う施設等利用給付認定保護者の氏名、居住地、生年月日、個人番号及び連絡先（保護者が法人であるときは、法人の名称、代表者の氏名及び主たる事務所の所在地並びに当該申請に係る小学校就学前子どもの居住地）

二　当該申請に係る小学校就学前子どもの氏名、生年月日、個人番号及び施設等利用給付認定保護者との続柄

三　第1条の5各号に掲げる事由の状況の変化その他の当該申請を行う原因となった事由

四　その者の属する世帯の所得の状況（法第30条の4第1号に掲げる小学校就学前子どもから同条第3号に掲げる小学校就学前子どもの区分への変更に係る申請に限る。）

五　その他必要な事項

2　前項の申請書には、同項第3号及び第4号に掲げる事項を証する書類（同項第3号に掲げる事項が第1条の5第1号に掲げる事由に係るものである場合にあっては、原則として様式第1号による。）を添付しなければならない。ただし、市町村は、当該書類により証明すべき事実を公簿等によって確認する

ことができるときは、当該書類を省略させることができる。

（市町村の職権により施設等利用給付認定の変更の認定を行う場合の手続）

第28条の9　市町村は、法第30条の8第4項の規定により施設等利用給付認定の変更の認定を行おうとするときは、その旨を書面により施設等利用給付認定保護者に通知するものとする。

（準用）

第28条の10　第28条の3第3項及び第4項の規定は、法第30条の8第2項又は第4項の施設等利用給付認定の変更の認定について準用する。

（施設等利用給付認定の取消しを行う場合の手続）

第28条の11　市町村は、法第30条の9第1項の規定により施設等利用給付認定の取消しを行ったときは、理由を付して、その旨を書面により当該取消しに係る施設等利用給付認定保護者に通知するものとする。

（申請内容の変更の届出）

第28条の12　施設等利用給付認定保護者は、施設等利用給付認定の有効期間内において、第28条の3第1項第1号及び第2号に掲げる事項（第3号において「届出事項」という。）を変更する必要が生じたときは、速やかに、次に掲げる事項を記載した届書を、市町村に提出しなければならない。

一　当該届出を行う施設等利用給付認定保護者の氏名、居住地、生年月日、個人番号及び連絡先（保護者が法人であるときは、法人の名称、代表者の氏名及び主たる事務所の所在地並びに当該届出に係る小学校就学前子どもの居住地）

二　当該届出に係る小学校就学前子どもの氏名、生年月日、個人番号及び施設等利用給付認定保護者との続柄

三　届出事項のうち変更が生じた事項とその変更内容

四　その他必要な事項

2　前項の届書には、同項第3号の事項を証する書類を添付しなければならない。ただし、市町村は、当該書類により証明すべき事実を公簿等によって確認することができるときは、当該書類を省略させることができる。

（施設等利用給付認定の申請を行うことができない小学校就学前子どもの保護者）

第28条の13　次の各号のいずれかに該当する小学校就学前子どもの保護者は、当該各号に定める小学校就学前子どもについて、法第30条の5第1項の規定による申請を行うことができない。

一　その保育認定子どもについて現に施設型給付費、特例施設型給付費（法第28条第1項第3号に係るものを除く。）、地域型保育給付費若しくは特例地域型保育給付費の支給を受けている場合　当該保育認定子ども

二　その小学校就学前子どもが令第1条に規定する施設を現に利用している場合　当該小学校就学前子ども

（法第7条第10項第4号ハの政令で定める施設の利用状況の報告）

第28条の14　前条第2号に該当する小学校就学前子どもの保護者は、当該小学校就学前子どもが令第1条に規定する施設を利用するに至ったときは、次に掲げる事項を記載した書類を当該小学校就学前子どもの保護者の居住地の市町村（次項において単に「市町村」という。）に提出しなければならない。

一　当該小学校就学前子どもの保護者の氏名、居住地、生年月日及び連絡先

二　当該小学校就学前子どもの氏名、生年月日及び当該保護者との続柄

三　当該令第1条に規定する施設の名称及び所在地

2　前条第2号に該当する小学校就学前子どもの保護者は、当該小学校就学前子どもが令第1条に規定する施設の利用をやめようとするときは、その旨及び前項に掲げる事項を記載した書類を市町村に提出しなければならない。ただし、当該小学校就学前子どもが小学校就学の始期に達する場合は、この限りでない。

3　前2項の書類は、当該小学校就学前子どもが現に利用している令第1条に規定する施設を経由して提出することができる。

第2節　施設等利用費の支給

（施設等利用費の支給）

第28条の15　市町村は、施設等利用費の公正かつ適正な支給及び円滑な支給の確保、施設等利用給付認定保護者の経済的負担の軽減及び利便の増進その他地域の実情を勘案して定める方法により、法第30条の11第1項の規定による施設等利用費の支給又は同条第3項の規定による支払を行うものとする。

（法第30条の11第1項の内閣府令で定める費用）

第28条の16　法第30条の11第1項に規定する内閣府令で定める費用は、次に掲げる費用とする。

一　日用品、文房具その他の特定子ども・子育て支援に必要な物品の購入に要する費用

二　特定子ども・子育て支援に係る行事への参加に要する費用

三　食事の提供に要する費用

四　特定子ども・子育て支援を提供する施設又は事業所に通う際に提供される便宜に要する費用

五　前4号に掲げるもののほか、特定子ども・子育て支援において提供される便宜に要する費用のうち、特定子ども・子育て支援の利用において通常必要とされるものに係る費用であって、施設等利用給付認定保護者に負担させることが適当と認められるもの

（令第15条の6第1項の内閣府令で定める額）

第28条の17　令第15条の6第1項の内閣府令で定める額は、次の各号に掲げる施設の種類に応じ、当該各号に定める額とする。

一　認定こども園　8700円

二　幼稚園　8700円

三　特別支援学校　400円

（令第15条の6第3項の内閣府令で定める額）

第28条の18　令第15条の6第3項の内閣府令で定める額は37000円とする。

（令第15条の6第4項の規定により読み替えて適用する同条第3項の内閣府令で定める額）

第28条の19　令第15条の6第4項の規定により読み替えて適用する同条第3項の内閣府令で定める額は42000円とする。

（令第15条の6第2項第2号の内閣府令で定める日数等）

第28条の20　令第15条の6第2項第2号の内閣府令で定める1月当たりの日数は、26日とする。

2　令第15条の6第2項第2号に規定する場合における同号に定める額は、450円に当該特定子ども・子育て支援を受けた日数を乗じて得た額とする。

3　令第15条の6第2項第3号の内閣府令で定める量は、当該教育・保育が提供される1日当たりの時間が8時間（法第7条第10項第5号イ又はロに定める1日当たりの時間を含む。）、かつ、1年当たりの期間が200日とする。

（施設等利用費の支給申請）

第28条の21　施設等利用給付認定保護者は、法第30条の11第1項の規定により施設等利用費の支給を受けようとするときは、次に掲げる事項を記載した請求書を市町村に提出しなければならない。

一　施設等利用給付認定保護者の氏名、生年月日、居住地

二　施設等利用給付認定保護者に係る施設等利用給付認定子どもの氏名、生年月日

三　認定番号

四　特定子ども・子育て支援施設等（法第30条の11第1項に規定する特定子ども・子育て支援施設等

をいう。以下同じ。）の名称

五　現に特定子ども・子育て支援に要した費用の額及び施設等利用費の請求金額

2　前項の請求書には、特定子ども・子育て支援提供証明書（特定教育・保育施設及び特定地域型保育事業並びに特定子ども・子育て支援施設等の運営に関する基準第56条第2項に規定する特定子ども・子育て支援提供証明書をいう。）その他前項第5号に掲げる事項に関する証拠書類を添付しなければならない。

第2章　特定教育・保育施設及び特定地域型保育事業者並びに特定子ども・子育て支援提供者

第1節　特定教育・保育施設及び特定地域型保育事業者

第1款　特定教育・保育施設

（特定教育・保育施設の確認の申請等）

第29条　法第31条第1項の規定に基づき特定教育・保育施設の確認を受けようとする者は、次に掲げる事項を記載した申請書又は書類を、当該確認の申請に係る施設の設置の場所を管轄する市町村長（特別区の長を含む。以下同じ。）に提出しなければならない。ただし、第4号に掲げる事項を記載した申請書又は書類（登記事項証明書を除く。）については、市町村長が、インターネットを利用して当該事項を閲覧することができる場合は、この限りでない。

一　施設の名称、教育・保育施設の種類及び設置の場所

二　設置者の名称及び主たる事務所の所在地並びに代表者の氏名、生年月日、住所及び職名

三　当該申請に係る事業の開始の予定年月日

四　設置者の定款、寄附行為等及びその登記事項証明書又は条例等

五　認定こども園、幼稚園又は保育所の認可証又は認定証等の写し

六　建物の構造概要及び図面（各室の用途を明示するものとする。）並びに設備の概要

七　法第19条各号に掲げる小学校就学前子どもの区分（同条第3号に掲げる小学校就学前子どもの区分にあっては、満1歳に満たない小学校就学前子ども及び満1歳以上の小学校就学前子どもの区分）ごとの利用する小学校就学前子どもの数

八　施設の管理者の氏名、生年月日及び住所

九　運営規程

十　利用者又はその家族からの苦情を処理するために講ずる措置の概要

十一　当該申請に係る事業に係る従業者の勤務の体

制及び勤務形態

十二　当該申請に係る事業に係る資産の状況

十三　法第33条第2項の規定により教育・保育給付認定子どもを選考する場合の基準

十四　当該申請に係る事業に係る施設型給付費及び特例施設型給付費の請求に関する事項

十五　法第40条第2項に規定する申請をすることができない者に該当しないことを誓約する書面（第33条第2項において「誓約書」という。）

十六　役員の氏名、生年月日及び住所

十七　その他確認に関し必要と認める事項

（特定教育・保育施設の利用定員の届出の手続）

第30条　法第31条第3項の規定による届出は、次の各号に掲げる事項を当該市町村の属する都道府県知事に提出してするものとする。

一　当該確認に係る施設の名称、教育・保育施設の種類及び設置の場所

二　当該確認に係る設置者の名称及び主たる事務所の所在地並びに代表者の氏名、生年月日、住所及び職名

三　当該確認に係る事業の開始の予定年月日

四　定めようとする法第19条各号に掲げる小学校就学前子どもの区分（同条第3号に掲げる小学校就学前子どもの区分にあっては、満1歳に満たない小学校就学前子ども及び満1歳以上の小学校就学前子どもの区分）ごとの利用定員の数

（特定教育・保育施設の確認の変更の申請）

第31条　法第32条第1項の規定に基づき特定教育・保育施設の確認の変更を受けようとする者は、次に掲げる事項を記載した申請書又は書類を、当該変更に係る施設の所在地を管轄する市町村長に提出しなければならない。

一　施設の名称、教育・保育施設の種類及び所在地

二　設置者の名称及び主たる事務所の所在地並びに代表者の氏名、生年月日、住所及び職名

三　建物の構造概要及び図面（各室の用途を明示するものとする。）並びに設備の概要

四　法第19条各号に掲げる小学校就学前子どもの区分（同条第3号に掲げる小学校就学前子どもの区分にあっては、満1歳に満たない小学校就学前子ども及び満1歳以上の小学校就学前子どもの区分）ごとの利用する小学校就学前子どもの数

五　当該申請に係る事業に係る従業者の勤務の体制及び勤務形態

六　利用定員を増加しようとする理由

（準用）

第32条　第30条の規定は、法第32条第1項の規定によ

り法第27条第1項の確認の変更の申請があった場合及び法第32条第3項の規定により利用定員を変更しようとする場合における都道府県知事への届出について準用する。

（特定教育・保育施設の設置者の住所等の変更の届出等）

第33条　特定教育・保育施設の設置者は、第29条第1号（教育・保育施設の種類を除く。）、第2号、第4号（当該確認に係る事業に関するものに限る。）、第6号、第8号、第9号、第14号及び第16号に掲げる事項に変更があったときは、当該変更に係る事項について当該特定教育・保育施設の所在地を管轄する市町村長に届け出なければならない。ただし、同条第4号に掲げる事項（登記事項証明書を除く。）については、市町村長が、インターネットを利用して当該事項を閲覧することができる場合は、この限りでない。

2　前項の届出であって、特定教育・保育施設の設置者の役員又はその長の変更に伴うものは、誓約書を添付して行うものとする。

（特定教育・保育施設の利用定員の減少の届出）

第34条　法第35条第2項の規定による利用定員の減少の届出は、次に掲げる事項を記載した書類を提出することによって行うものとする。

一　利用定員を減少しようとする年月日

二　利用定員を減少する理由

三　現に利用している小学校就学前子どもに対する措置

四　法第19条各号に掲げる小学校就学前子どもの区分（同条第3号に掲げる小学校就学前子どもの区分にあっては、満1歳に満たない小学校就学前子ども及び満1歳以上の小学校就学前子どもの区分）ごとの減少後の利用定員

（令第18条第1項の内閣府令で定める者）

第35条　令第18条第1項の内閣府令で定める者は、市町村長、こども家庭庁長官又は都道府県知事（第42条、第46条及び第53条の4において「市町村長等」という。）が法第56条第1項その他の規定による報告等の権限を適切に行使し、当該確認の取消しの処分の理由となった事実及び当該事実の発生を防止するための当該特定教育・保育施設の設置者による業務管理体制の整備についての取組の状況その他の当該事実に関して当該特定教育・保育施設の設置者が有していた責任の程度を確認した結果、当該確認の取消しの理由となった事実について組織的に関与していると認められない者とする。

（令第18条第2項第1号の内閣府令で定める密接な関

（係等）

第36条　令第18条第2項第1号の内閣府令で定める密接な関係を有する法人は、次の各号のいずれにも該当する法人とする。

一　その者の重要な事項に係る意思決定に関与し、又はその者若しくはその者の親会社等が重要な事項に係る意思決定に関与していること。

二　法第27条第1項の規定により市町村長の確認を受けた者であること。

2　令第18条第2項第1号イの内閣府令で定めるものは、次に掲げる者とする。

一　その者の役員に占めるその役員の割合が2分の1を超える者

二　その者（株式会社である場合に限る。）の議決権の過半数を所有している者

三　その者（持分会社（会社法（平成17年法律第86号）第575条第1項に規定する持分会社をいう。以下この条において同じ。）である場合に限る。）の資本金の過半数を出資している者

四　その者の事業の方針の決定に関して、前3号に掲げる者と同等以上の支配力を有すると認められる者

3　令第18条第2項第1号ロの内閣府令で定めるものは、次に掲げる者とする。

一　その者の親会社等の役員と同一の者がその役員に占める割合が2分の1を超える者

二　その者の親会社等（株式会社である場合に限る。）が議決権の過半数を所有している者

三　その者の親会社等（持分会社である場合に限る。）が資本金の過半数を出資している者

四　事業の方針の決定に関するその者の親会社等の支配力が前3号に掲げる者と同等以上と認められる者

4　令第18条第2項第1号ハの内閣府令で定めるものは、次に掲げる者とする。

一　その者の役員と同一の者がその役員に占める割合が2分の1を超える者

二　その者（株式会社である場合に限る。）が議決権の過半数を所有している者

三　その者（持分会社である場合に限る。）が資本金の過半数を出資している者

四　事業の方針の決定に関するその者の支配力が前3号に掲げる者と同等以上と認められる者

（聴聞決定予定日の通知）

第37条　令第18条第2項第3号の規定による通知をするときは、法第38条第1項の規定による検査が行われた日（以下この条において「検査日」という。）から10日以内に、検査日から起算して60日以内の特定の日を通知するものとする。

（法第41条の内閣府令で定める事項）

第38条　法第41条の内閣府令で定める事項は、次に掲げる事項とする。

一　当該特定教育・保育施設の設置者の名称

二　当該特定教育・保育施設の名称及び所在地

三　確認をし、若しくは確認を取り消した場合又は確認の辞退があった場合にあっては、その年月日

四　確認の全部又は一部の効力を停止した場合にあっては、その内容及びその期間

五　教育・保育施設の種類

第2款　特定地域型保育事業者

（特定地域型保育事業者の確認の申請等）

第39条　法第43条第1項の規定に基づき特定地域型保育事業者の確認を受けようとする者は、次に掲げる事項を記載した申請書又は書類を、当該確認の申請に係る事業所の所在地を管轄する市町村長に提出しなければならない。ただし、第4号に掲げる事項を記載した申請書又は書類（登記事項証明書を除く。）については、市町村長が、インターネットを利用して当該事項を閲覧することができる場合は、この限りでない。

一　事業所（当該事業所の所在地以外の場所に当該事業所の一部として使用される事務所を有するときは、当該事務所を含む。）の名称及び所在地

二　申請者の名称及び主たる事務所の所在地並びに代表者の氏名、生年月日、住所及び職名

三　当該申請に係る事業の開始の予定年月日

四　申請者の定款、寄附行為等及びその登記事項証明書又は条例等

五　地域型保育事業の認可証等の写し

六　事業所の平面図（各室の用途を明示するものとする。）及び設備の概要

七　満1歳に満たない小学校就学前子ども及び満1歳以上の小学校就学前子どもの区分ごとの利用する小学校就学前子どもの数

八　事業所の管理者の氏名、生年月日、住所

九　運営規程

十　利用者又はその家族からの苦情を処理するために講ずる措置の概要

十一　当該申請に係る事業に係る従業者の勤務の体制及び勤務形態

十二　当該申請に係る事業に係る資産の状況

十三　法第45条第2項の規定により満3歳未満保育認定子どもを選考する場合の基準

十四　当該申請に係る事業に係る地域型保育給付費

及び特例地域型保育給付費の請求に関する事項

十五　法第52条第２項に規定する申請をすることができない者に該当しないことを誓約する書面（第41条第２項において「誓約書」という。）

十六　役員の氏名、生年月日及び住所

十七　特定教育・保育施設及び特定地域型保育事業並びに特定子ども・子育て支援施設等の運営に関する基準第42条第１項及び第２項の規定により連携協力を行う特定教育・保育施設又は同項に規定する居宅訪問型保育連携施設（別表第１第２号トにおいて「居宅訪問型保育連携施設」という。）の名称

十八　その他確認に関し必要と認める事項

（特定地域型保育事業者の確認の変更の申請）

第40条　法第44条の規定に基づき特定地域型保育事業者の確認の変更を受けようとする者は、次に掲げる事項を記載した申請書又は書類を、当該変更に係る事業所の所在地を管轄する市町村長に提出しなければならない。

一　事業所の名称及び所在地

二　申請者の名称及び主たる事務所の所在地並びに代表者の氏名、生年月日、住所及び職名

三　事業所の平面図（各室の用途を明示するものとする。）及び設備の概要

四　満１歳に満たない小学校就学前子ども及び満１歳以上の小学校就学前子どもの区分ごとの利用する小学校就学前子どもの数

五　当該申請に係る事業に係る従業者の勤務の体制及び勤務形態

六　利用定員を増加しようとする理由

（特定地域型保育事業者の名称等の変更の届出等）

第41条　特定地域型保育事業者は、第39条第１号、第２号、第４号（当該確認に係る事業に関するものに限る。）、第６号、第８号、第９号、第14号、第16号及び第17号に掲げる事項に変更があったときは、当該変更に係る事項について当該特定地域型保育事業者の事業所の所在地を管轄する市町村長に届け出なければならない。ただし、同条第４号に掲げる事項（登記事項証明書を除く。）については、市町村長が、インターネットを利用して当該事項を閲覧することができる場合は、この限りでない。

2　前項の届出であって、特定地域型保育事業者に係る管理者の変更又は役員の変更に伴うものは、誓約書を添付して行うものとする。

3　第34条の規定は、法第47条第２項の規定により特定地域型保育事業の利用定員の減少をしようとするときについて準用する。この場合において、第34条

第４号中「法第19条各号に掲げる小学校就学前子どもの区分（同条第３号に掲げる小学校就学前子どもの区分にあっては、満１歳に満たない小学校就学前子ども及び満１歳以上の小学校就学前子どもの区分）」とあるのは、「満１歳に満たない小学校就学前子ども及び満１歳以上の小学校就学前子どもの区分」と読み替えるものとする。

（令第20条第１項の内閣府令で定める者）

第42条　令第20条第１項の内閣府令で定める者は、市町村長等が法第56条第１項その他の規定による報告等の権限を適切に行使し、当該確認の取消しの処分の理由となった事実及び当該事実の発生を防止するための当該特定地域型保育事業者による業務管理体制の整備についての取組の状況その他の当該事実に関して当該特定地域型保育事業者が有していた責任の程度を確認した結果、当該確認の取消しの理由となった事実について組織的に関与していると認められない者とする。

（聴聞決定予定日の通知）

第43条　令第20条第２項第４号の規定による通知をするときは、法第50条第１項の規定による検査が行われた日（以下この条において「検査日」という。）から10日以内に、検査日から起算して60日以内の特定の日を通知するものとする。

（法第53条の内閣府令で定める事項）

第44条　法第53条の内閣府令で定める事項は、次に掲げる事項とする。

一　当該特定地域型保育事業者の名称

二　当該確認に係る事業所の名称及び所在地

三　確認をし、若しくは確認を取り消した場合又は確認の辞退があった場合にあっては、その年月日

四　確認の全部又は一部の効力を停止した場合にあっては、その内容及びその期間

五　地域型保育事業の種類

第３款　業務管理体制の整備等

（法第55条第１項の内閣府令で定める基準）

第45条　法第55条第１項の内閣府令で定める基準は、次の各号に掲げる者の区分に応じ、当該各号に定めるところによる。

一　確認を受けている施設又は事業所の数が１以上20未満の事業者　法令を遵守するための体制の確保に係る責任者（以下「法令遵守責任者」という。）の選任をすること。

二　確認を受けている施設又は事業所の数が20以上100未満の事業者　法令遵守責任者の選任をすること及び業務が法令に適合することを確保するための規程を整備すること。

三　確認を受けている施設又は事業所の数が100以上の事業者　法令遵守責任者の選任をすること、業務が法令に適合することを確保するための規程を整備すること及び業務執行の状況の監査を定期的に行うこと。

（業務管理体制の整備に関する事項の届出）

第46条　特定教育・保育提供者は、法第55条第1項の規定による業務管理体制の整備について、遅滞なく、次に掲げる事項を記載した届書を、同条第2項各号に掲げる区分に応じ、市町村長等に届け出なければならない。

一　事業者の名称又は氏名、主たる事務所の所在地並びにその代表者の氏名、生年月日、住所及び職名

二　法令遵守責任者の氏名及び生年月日

三　業務が法令に適合することを確保するための規程の概要（確認を受けている施設又は事業所の数が20以上の事業者の場合に限る。）

四　業務執行の状況の監査の方法の概要（確認を受けている施設又は事業所の数が100以上の事業者の場合に限る。）

2　特定教育・保育提供者は、前項の規定により届け出た事項に変更があったときは、遅滞なく、当該変更に係る事項について、法第55条第2項各号に掲げる区分に応じ、市町村長等に届け出なければならない。

3　特定教育・保育提供者は、法第55条第2項各号に掲げる区分に変更があったときは、変更後の届書を、変更後の区分により届け出るべき市町村長等及び変更前の区分により届け出るべき市町村長等の双方に届け出なければならない。

（市町村長の求めに応じて法第56条第1項の権限を行った場合におけるこども家庭庁長官又は都道府県知事による通知）

第47条　法第56条第4項の規定によりこども家庭庁長官又は都道府県知事が同条第1項の権限を行った結果を通知するときは、権限を行使した年月日、結果の概要その他必要な事項を示さなければならない。

（法第57条第3項の規定による命令に違反した場合におけるこども家庭庁長官又は都道府県知事による通知）

第48条　こども家庭庁長官又は都道府県知事は、特定教育・保育提供者が法第57条第3項の規定による命令に違反したときは、その旨を当該特定教育・保育提供者の確認を行った市町村長に通知しなければならない。

第4款　教育・保育に関する情報の報告及び公表

（法第58条第1項の内閣府令で定めるとき）

第49条　法第58条第1項の内閣府令で定めるときは、災害その他都道府県知事に対し報告を行うことができないことにつき正当な理由がある特定教育・保育提供者以外のものについて、都道府県知事が定めるときとする。

（法第58条第1項の内閣府令で定める情報）

第50条　法第58条第1項の内閣府令で定める情報は、教育・保育の提供を開始しようとするときにあっては別表第1に掲げる項目に関するものとし、同項の内閣府令で定めるときにあっては別表第1及び別表第2に掲げる項目に関するものとする。

（法第58条第2項の規定による公表の方法）

第51条　都道府県知事は、法第58条第1項の規定による報告を受けた後、当該報告の内容を公表するものとする。ただし、都道府県知事は、当該報告を受けた後に同条第3項の調査を行ったときは、当該調査の結果を公表することをもって、当該報告の内容を公表したものとすることができる。

（法第58条第3項の内閣府令で定める教育・保育情報）

第52条　法第58条第3項の内閣府令で定める教育・保育情報は、別表第1及び別表第2に掲げる項目に関する情報とする。

（法第58条第7項の内閣府令で定める情報）

第53条　法第58条第7項の内閣府令で定める情報は、教育・保育の質及び教育・保育に従事する従業者に関する情報（教育・保育情報に該当するものを除く。）として都道府県知事が定めるものとする。

第2節　特定子ども・子育て支援提供者

（特定子ども・子育て支援施設等の確認の申請等）

第53条の2　法第58条の2の規定に基づき特定子ども・子育て支援施設等の確認を受けようとする者は、次に掲げる事項を記載した申請書又は書類を、当該確認の申請に係る施設又は事業所の設置の場所を管轄する市町村長に提出しなければならない。ただし、第4号に掲げる事項を記載した申請書又は書類（登記事項証明書を除く。）については、市町村長が、インターネットを利用して当該事項を閲覧することができる場合は、この限りでない。

一　施設又は事業所（当該事業所の所在地以外の場所に当該事業所の一部として使用される事務所を有するときは、当該事務所を含む。）の名称、子ども・子育て支援施設等の種類及び設置の場所

二　設置者又は申請者の名称及び主たる事務所の所在地並びに代表者の氏名、生年月日、住所及び職名

三　当該申請に係る事業の開始の予定年月日

四　設置者又は申請者の定款、寄附行為等及びその登記事項証明書又は条例等

五　認定こども園、幼稚園又は特別支援学校の認可証の写しその他の子ども・子育て支援施設等であることを証する書類

六　施設又は事業所の管理者の氏名、生年月日及び住所

七　法第58条の10第2項に規定する申請をすることができない者に該当しないことを誓約する書面（次条第2項において「誓約書」という。）

八　役員の氏名、生年月日及び住所

九　その他確認に関し必要と認める事項

（特定子ども・子育て支援提供者の住所等の変更の届出等）

第53条の3　特定子ども・子育て支援提供者は、第53条の2第1号（子ども・子育て支援施設等の種類を除く。）、第2号、第4号（当該確認に係る事業に関するものに限る。）、第6号及び第8号に掲げる事項に変更があったときは、当該変更に係る事項について当該特定子ども・子育て支援を提供する施設又は事業所の所在地を管轄する市町村長に届け出なければならない。ただし、同条第4号に掲げる事項（登記事項証明書を除く。）については、市町村長が、インターネットを利用して当該事項を閲覧することができる場合は、この限りでない。

2　前項の届出であって、特定子ども・子育て支援施設等である施設の設置者の役員若しくはその長又は特定子ども・子育て支援施設等である事業を行う者に係る管理者若しくは役員の変更に伴うものは、誓約書を添付して行うものとする。

（令第22条の3第1項の内閣府令で定める者）

第53条の4　令第22条の2第1項の内閣府令で定める者は、市町村長等が法第58条の8第1項その他の規定による報告等の権限を適切に行使し、当該確認の取消しの処分の理由となった事実及び当該事実の発生を防止するための当該特定子ども・子育て支援提供者による子ども・子育て支援の提供体制の整備についての取組の状況その他の当該事実に関して当該子ども・子育て支援提供者が有していた責任の程度を確認した結果、当該確認の取消しの理由となった事実について組織的に関与していると認められない者とする。

（聴聞決定予定日の通知）

第53条の5　令第22条の2第2項第4号の規定による通知をするときは、法第58条の8第1項の規定による検査が行われた日（以下この条において「検査

日」という。）から10日以内に、検査日から起算して60日以内の特定の日を通知するものとする。

（法第58条の11の内閣府令で定める事項）

第53条の6　法第58条の11の内閣府令で定める事項は、次に掲げる事項とする。

一　当該特定子ども・子育て支援提供者の名称

二　当該特定子ども・子育て支援を提供する施設又は事業所の名称及び所在地

三　確認をし、若しくは確認を取り消した場合又は確認の辞退があった場合にあっては、その年月日

四　確認の全部又は一部の効力を停止した場合にあっては、その内容及びその期間

五　子ども・子育て支援施設等の種類

六　特定子ども・子育て支援施設等である法第7条第10項第5号に掲げる事業にあっては、第28条の20第3項を満たしているか否かの別

第3章　地域子ども・子育て支援事業

（法第59条第1号に規定する内閣府令で定める便宜）

第54条　法第59条第1号に規定する内閣府令で定める便宜は、子ども及びその保護者に係る状況の把握、必要な情報の提供及び助言並びに相談及び指導、子ども及びその保護者と市町村、特定教育・保育施設、特定地域型保育事業者等との連絡調整その他の子ども及びその保護者に必要な支援とする。

（法第59条第3号ロに規定する内閣府令で定めるもの）

第54条の2　法第59条第3号ロに規定する内閣府令で定めるものは、食事の提供（副食の提供に限る。）に要する費用とする。

第4章　子ども・子育て支援事業計画

（市町村子ども・子育て支援事業計画に住民の意見を反映させるために必要な措置）

第55条　法第61条第8項の内閣府令で定める方法は、市町村子ども・子育て支援事業計画の案及び当該案に対する意見の提出方法、提出期限、提出先その他意見の提出に必要な事項を、インターネットの利用、印刷物の配布その他適切な手段により住民に周知する方法とする。

第5章　費用等

（令第24条第1項に規定する内閣府令で定める特別の事由）

第56条　令第24条第1項に規定する内閣府令で定める特別の事由は、次に掲げる事由とする。

一　教育・保育給付認定保護者又はその属する世帯の生計を主として維持する者が、震災、風水害、火災その他これらに類する災害により、住宅、家財又はその財産について著しい損害を受けたこ

と。

　二　教育・保育給付認定保護者の属する世帯の生計を主として維持する者の収入が、干ばつ、冷害、凍霜害等による農作物の不作、不漁その他これに類する理由により著しく減少したこと。

　三　教育・保育給付認定保護者の属する世帯の生計を主として維持する者が死亡したこと、又はその者が心身に重大な障害を受け、若しくは長期間入院したことにより、その者の収入が著しく減少したこと。

　四　教育・保育給付認定保護者の属する世帯の生計を主として維持する者の収入が、事業又は業務の休廃止、事業における著しい損失、失業等により著しく減少したこと。

（令第24条第1項の規定により読み替えて適用する令第23条第2号の内閣府令で定めるところにより市町村が定める額）

第57条　市町村は、令第24条第1項に規定する内閣府令で定める特別の事由のうち、前条第1号又は第2号の事由があると認めた場合は、令第24条第1項の規定により読み替えて適用する令第23条第2号の内閣府令で定めるところにより市町村が定める額として、世帯の所得の状況その他の事情を勘案して適当と認める額を定めるものとする（ただし、利用者負担額以上の額に限る。）。

2　市町村は、令第24条第1項に規定する内閣府令で定める特別の事由のうち、前条第3号又は第4号の事由があると認めた場合は、令第24条第1項の規定により読み替えて適用する令第23条各号の内閣府令で定めるところにより市町村が定める額として、次の各号に掲げる教育・保育給付認定子どもの区分に応じ、当該各号に定める額のいずれかを選択するものとする（ただし、利用者負担額以上の額に限る。）。

　一　満3歳未満保育認定子ども（令第4条第2項に規定する満3歳未満保育認定子どもをいう。以下この条において同じ。）（次号に掲げるものを除く。）　8万円、6万1000円、4万4500円、3万円、1万9500円、9000円又は零

　二　満3歳未満保育認定子ども（短時間認定保護者に係るものに限る。）　7万8800円、6万100円、4万3900円、2万9600円、1万9300円、9000円又は零

3　市町村は、令第24条第1項に規定する内閣府令で定める特別の事由のうち、前条第3号又は第4号の事由があると認めた場合であって、負担額算定基準子ども（令第13条第2項に規定する負担額算定基準子どもをいう。以下この条において同じ。）が同一

世帯に2人以上いる場合の教育・保育給付認定保護者に係る次の各号に掲げる満3歳未満保育認定子どもに関する令第24条第1項の規定により読み替えて適用する令第23条第2号の内閣府令で定めるところにより市町村が定める額については、前項の規定にかかわらず、当該各号に定める額とする。

　一　令第13条第1項第1号に掲げる満3歳未満保育認定子ども　当該満3歳未満保育認定子どもに関して前項第1号又は第2号の規定により選択される額に100分の50を乗じて得た額

　二　令第13条第1項第2号に掲げる満3歳未満保育認定子ども　零

4　市町村は、令第24条第1項に規定する内閣府令で定める特別の事由のうち、前条第3号又は第4号の事由があると認めた場合であって、特定被監護者等（令第14条に規定する特定被監護者等をいう。）が2人以上いる場合の教育・保育給付認定保護者に係る次の各号に掲げる満3歳未満保育認定子どもに関する令第24条第1項の規定により読み替えて適用する令第23条第2号の内閣府令で定めるところにより市町村が定める額については、当該教育・保育給付認定保護者に係る市町村民税所得割合算額が5万7700円未満（令第4条第2項第6号に規定する特定教育・保育給付認定保護者にあっては、7万7101円未満）であるときは、前2項の規定にかかわらず、当該各号に定める額とする。

　一　令第14条第1号イ又はロに掲げる満3歳未満保育認定子ども　当該満3歳未満保育認定子どもに関して第2項第1号又は第2号の規定により選択される額に100分の50を乗じて得た額（令第9条において準用する令第4条第2項第8号に掲げる教育・保育給付認定保護者に係る満3歳未満保育認定子どもにあっては、零）

　二　令第14条第2号イからハまでに掲げる満3歳未満保育認定子ども　零

（令第24条第2項の内閣府令で定める事由）

第58条　令第24条第2項の内閣府令で定める事由は、次に掲げる事由とする。

　一　月の途中において特定教育・保育等（法第59条第3号イに規定する特定教育・保育等をいう。）を受けることをやめること

　二　月の途中において、利用する特定教育・保育施設、特定地域型保育事業所又は特例保育を提供する事業所の変更を行うこと

　三　月の途中において特定地域型保育（居宅訪問型保育（家庭的保育事業等の設備及び運営に関する基準第37条第1号に掲げる保育に係るものに限

る。）に限る。）を受けることができない日数が1月当たり5日を超えること

四　災害その他緊急やむを得ない場合としてこども家庭庁長官が定める場合に該当し、保育の提供がなされないこと

（令第24条第2項の内閣府令で定める日数）

第59条　令第24条第2項の内閣府令で定める日数は、25日とする。

（令第24条の4第2項の内閣府令で定める事由及び日数）

第59条の2　令第24条の4第2項の内閣府令で定める事由は、次に掲げる事由とする。

一　月の途中において特定子ども・子育て支援を受けることをやめること

二　月の途中において、利用する特定子ども・子育て支援を提供する施設又は事業所の変更を行うこと

2　令第24条の4第2項の内閣府令で定める日数は、次の各号に掲げる特定子ども・子育て支援施設等の区分に応じ、当該各号に定める日数とする。

一　認定こども園、幼稚園又は特別支援学校　前項に掲げる事由があった月の平日（日曜日、土曜日、国民の祝日に関する法律（昭和23年法律第178号）に規定する休日、1月2日、1月3日及び12月29日から12月31日までの日以外の日をいう。）の日数

二　法第7条第10項第4号に掲げる施設又は同項第5号から第8号までに掲げる事業（同項第5号に掲げる事業にあっては、当該事業から特定子ども・子育て支援を受けた日数が25日を超える場合に限る。）　前項に掲げる事由があった月の日数

第6章　雑則

（身分を示す証明書の様式）

第60条　法第13条第2項（法第30条の3において準用する場合を含む。）及び法第14条第2項（法第30条の3において準用する場合を含む。）において準用する法第13条第2項の規定により当該職員が携帯すべき証明書の様式は、様式第2号のとおりとする。

2　法第15条第3項（法第30条の3において準用する場合を含む。）において準用する法第13条第2項の規定により当該職員が携帯すべき証明書の様式は、様式第3号のとおりとする。

3　法第38条第2項及び第58条の8第2項において準用する法第13条第2項、法第50条第2項において準用する法第13条第2項及び法第56条第5項において準用する法第13条第2項の規定により当該職員が携帯すべき証明書の様式は、様式第4号のとおりとす

る。

（電磁的記録等）

第61条　記録、作成、保存その他これらに類するもののうち、この府令の規定において書面等（書面、書類、文書、謄本、抄本、正本、副本、複本その他文字、図形等人の知覚によって認識することができる情報が記載された紙その他の有体物をいう。以下この条において同じ。）で行うことが規定されているものについては、当該書面等に代えて、当該書面等に係る電磁的記録（電子的方式、磁気的方式その他人の知覚によっては認識することができない方式で作られる記録であって、電子計算機による情報処理の用に供されるものをいう。次項において同じ。）により行うことができる。

2　この府令の規定による書面等の提出、届出、提示、通知及び交付（以下「提出等」という。以下この条において同じ。）については、当該書面等の提出等に代えて、次項で定めるところにより、当該書面等の提出等を受けるべき相手方の承諾を得て、当該書面等が電磁的記録により作成されている場合には、電磁的方法（電子情報処理組織を使用する方法その他の情報通信の技術を利用する方法をいう。以下この条において同じ。）により行うことができる。

3　前項の規定により書面等の提出等を電磁的方法により行おうとするときは、あらかじめ、当該相手方に対し、その用いる電磁的方法の種類及び内容を示し、文書又は電磁的方法による承諾を得なければならない。

4　前項の規定による承諾を得た場合であっても、当該相手方から文書又は電磁的方法により、電磁的方法による提出等を受けない旨の申出があったときは、当該相手方に対し、第2項に規定する書面等の提出等を電磁的方法によってしてはならない。ただし、当該相手方が再び前項の規定による承諾をした場合は、この限りでない。

5　第2項の規定により書面等の提出等が電磁的方法により行われたときは、当該相手方の使用に係る電子計算機に備えられたファイルへの記録がされた時に当該書面等の提出等を受けるべき者に到達したものとみなす。

附　則

（施行期日）

第1条　この府令は、法の施行の日〔平成27年4月1日〕から施行する。ただし、附則第4条から第7条までの規定は、法附則第1条第4号の規定の施行の日〔平成26年10月1日〕から施行する。

（就労時間に係る要件に関する特例）

第2条　施行日から起算して10年を経過する日までの間は、第1条の5第1号の規定の適用については、同号中「48時間から64時間までの範囲内で月を単位に市町村」とあるのは、「市町村」とする。

（特定保育所に係る委託費の支払に関する技術的読替え）

第3条　法附則第6条第1項の場合におけるこの府令の規定の適用については、次の表の上欄に掲げる規定中同表の中欄に掲げる字句は、それぞれ同表の下欄に掲げる字句とする。

第7条第1項	特定教育・保育施設等	特定教育・保育施設等（第1号に掲げる事項については、法附則第6条第1項に規定する特定保育所を除く。第9条第4項において同じ。）
第29条第13号から第17号まで	十三　法第33条第2項の規定により教育・保育給付認定子どもを選考する場合の基準 十四　当該申請に係る事業に係る施設型給付費及び特例施設型給付費の請求に関する事項 十五　法第40条第2項に規定する申請をすることができない者に該当しないことを誓約する書面（第33条第2項において「誓約書」という。） 十六　役員の氏名、生年月日及び住所 十七　その他確認に関し必要と認める事項	十三　当該申請に係る事業に係る施設型給付費（法附則第6条第1項に規定する委託費を含む。）及び特例施設型給付費の請求に関する事項 十四　法第40条第2項に規定する申請をすることができない者に該当しないことを誓約する書面（第33条第2項において「誓約書」という。） 十五　役員の氏名、生年月日及び住所 十六　その他確認に関し必要と認める事項
第33条第1項	第14号及び第16号	第13号及び第15号

（教育・保育施設の別段の申出）

第4条　法附則第7条ただし書の規定による別段の申出は、次の事項を記載した申請書を当該申出に係る認定こども園、幼稚園又は保育所の所在地を管轄する市町村長に提出して行うものとする。

一　当該申出に係る認定こども園、幼稚園又は保育所の名称及び所在地並びにその設置者及び管理者の氏名及び住所

二　法附則第7条本文の規定に係る確認を不要とする旨

（別段の申出をしない認定こども園等の設置者に係る特定教育・保育施設の利用定員等）

第5条　市町村長は、法附則第7条ただし書の規定による別段の申出をしない認定こども園、幼稚園又は保育所（第3項及び次条において「みなし認定こども園等」という。）の設置者に係る特定教育・保育施設の利用定員を定めるものとする。

2　市町村長は、前項の規定により特定教育・保育施設の利用定員を定めようとするときは、あらかじめ都道府県知事に協議しなければならない。

3　前項の規定による協議は、第30条各号（第3号を除く。）に掲げる事項及び過去3年間におけるみなし認定こども園等の利用人数を当該市町村の属する都道府県知事に提出してするものとする。

第6条　みなし認定こども園等は、施行日までの間に、第29条各号（第3号及び第7号を除く。）に掲げる事項及び過去3年間におけるみなし認定こども園等の利用人数を記載した書類を、当該みなし認定こども園等の所在地を管轄する市町村長に提出しなければならない。ただし、同条第4号に掲げる事項を記載した書類（登記事項証明書を除く。）については、市町村長が、インターネットを利用して当該事項を閲覧することができる場合は、この限りでない。

（別段の申出をしない市町村に係る特定地域型保育事業の利用定員）

第7条　附則第5条第1項の規定は、法附則第8条ただし書の規定による別段の申出をしない市町村について、準用する。

（特定市町村の要件）

第8条　法附則第14条第1項の内閣府令で定める要件は、次の各号のいずれかに掲げるものとする。

一　前年度の4月1日以降において、特定教育・保育施設（認定こども園又は保育所に限る。）、特定地域型保育事業又は特例保育を行う施設（以下この条において「特定教育・保育施設等」という。）の利用の申込みを行った教育・保育給付認定保護者（法第19条第2号又は第3号に係る認定の申請をしたものに限る。以下この条において「保育認定保護者」という。）の当該申込みに係る児童のうちに特定教育・保育施設等を利用していないもの（保育認定保護者が利用を希望する特定教育・保育施設等以外の特定教育・保育施設等を利用できることその他の特別な事情があると認められるものを除く。）があること。

二　当該年度以降に保育認定保護者による特定教育・保育施設等の利用の申込みが増加することが見込まれること（前号に該当する場合を除く。）。

（保育充実事業）

第9条 法附則第14条第１項に規定する保育充実事業は、次の各号に掲げる小学校就学前子どもの保育に係る子ども・子育て支援に関する事業とする。

一 幼稚園（国及び地方公共団体以外の者が設置するものに限る。）であって認定こども園法第３条第１項又は第３項の認定を受けていないもの（認定こども園法第３条第１項若しくは第３項の要件、同法第13条第１項の基準又は児童福祉法第34条の16第１項の基準（小規模保育事業に係るものに限る。）に適合することが見込まれるものに限る。）において、適当な設備を備える等により、教育課程に係る教育時間外において教育活動を長時間行うことに要する費用の一部を補助する事業

二 児童福祉法第６条の３第９項、第10項若しくは第12項又は第39条第１項に規定する業務を目的とする施設であって同法第35条第４項の認可又は認定こども園法第３条第１項若しくは第３項の認定を受けていないもの（国及び地方公共団体以外の者が設置するものであって、児童福祉法第34条の16第１項の基準（家庭的保育事業、小規模保育事業又は事業所内保育事業に係るものに限る。）、同法第45条第１項の基準（保育所に係るものに限る。）、認定こども園法第３条第１項若しくは第３項の要件又は同法第13条第１項の基準に適合することが見込まれるものに限る。）において、児童福祉法第39条第１項に規定する乳児・幼児に対する保育を行うことに要する費用の一部を補助する事業

（協議会）

第10条 法附則第14条第４項の規定に基づき都道府県が組織する協議会（以下「協議会」という。）は、次に掲げる者をもって構成する。

一 当該都道府県

二 協議会において協議する施策の対象とする特定市町村又は事業実施市町村

2 協議会を組織する都道府県は、必要があると認めるときは、前項各号に掲げる者のほか、協議会に、次に掲げる者を構成員として加えることができる。

一 教育・保育施設の設置者又は地域型保育を行う事業者

二 教育・保育に関し学識経験のある者

三 前項第２号に掲げる特定市町村又は事業実施市町村以外の市町村

四 その他当該都道府県が必要と認める者

3 前２項に定めるもののほか、協議会の組織及び運営に関し必要な事項は、協議会が定める。

4 都道府県知事は、協議会を組織したときは、次の各号に掲げる事項をこども家庭庁長官に届け出るものとする。

一 協議会を組織した旨

二 当該協議会の名称

三 当該協議会において協議する施策の対象とする特定市町村又は事業実施市町村の名称

5 こども家庭庁長官は、前項の規定による届出を受けたときは、当該届出の内容を文部科学大臣に通知するものとする。

6 協議会において協議が調った事項について、都道府県が行う小学校就学前子どもの保育に係る子ども・子育て支援に関する施策の円滑かつ確実な実施のために必要があるときは、都道府県は、都道府県子ども・子育て支援事業支援計画に当該事項を定めるものとする。

（教育・保育施設の設置者に関する経過措置）

第11条 令附則第11条第１項第１号に掲げる幼稚園又は保育所は、次に掲げる要件に該当するものとする。

一 令附則第11条第１項第１号の認定こども園法第３条第１項の認定を辞退した認定こども園の所在する区域と同一の区域内にあること。

二 当該認定こども園の数と設置する幼稚園の数又は設置する保育所の数が同一の数以下であること。

第12条 当分の間、法第27条第１項の確認があった教育・保育施設の設置者（法人以外の者に限る。）に対する第33条第２項の規定の適用については、同項中「設置者の役員又は」とあるのは、「管理者の変更又は当該特定教育・保育施設の設置者の役員若しくは」とする。

第13条 第１条の２第２号の規定の適用については、当分の間、「半数」とあるのは「３分の１」とする。

　　　附　則（令和元年５月31日内閣府令第６号）抄

（施行期日）

第１条 この府令は、令和元年10月１日から施行する。ただし、第28条の３、第28条の４、第53条の２、第53条の６〔中略〕の規定は、公布の日から施行する。

（令和元年改正法附則第４条第２項の規定により市町村が条例を定めた場合における技術的読替え）

第４条 令和元年改正法附則第４条第２項の規定により、市町村が条例を定めた場合における第53条の６の適用については、次の表の上欄に掲げる規定中同表の中欄に掲げる字句は、それぞれ同表の下欄に掲げる字句とする。

第53条の６	一 当該特定子ども・子育て支援提供者の名称	一 当該特定子ども・子育て支援提供者の名称

二　当該特定子ども・子育て支援を提供する施設又は事業所の名称及び所在地	二　当該特定子ども・子育て支援を提供する施設又は事業所の名称及び所在地
三　確認をし、若しくは確認を取り消した場合又は確認の辞退があった場合にあっては、その年月日	三　確認をし、若しくは確認を取り消した場合又は確認の辞退があった場合にあっては、その年月日
四　確認の全部又は一部の効力を停止した場合にあっては、その内容及びその期間	四　確認の全部又は一部の効力を停止した場合にあっては、その内容及びその期間
五　子ども・子育て支援施設等の種類	五　子ども・子育て支援施設等の種類
六　特定子ども・子育て支援施設等である法第7条第10項第5号に掲げる事業にあっては、第28条の20第3項を満たしているか否かの別	六　特定子ども・子育て支援施設等である法第7条第10項第5号に掲げる事業にあっては、第28条の20第3項を満たしているか否かの別
	七　法附則第4条第2項の規定による条例で定める基準への適合状況

別表第1（第50条、第52条関係）

一　施設又は事業所(以下この表及び次表において「施設等」という。)を運営する法人に関する事項

　イ　法人の名称、主たる事務所の所在地及び電話番号その他の連絡先

　ロ　法人の代表者の氏名及び職名

　ハ　法人の設立年月日

　ニ　法人が教育・保育を提供し、又は提供しようとする施設等の所在地を管轄する都道府県の区域内に所在する当該法人が設置する教育・保育施設及び当該法人が行う地域型保育事業

　ホ　その他都道府県知事が必要と認める事項

二　当該報告に係る教育・保育を提供し、又は提供しようとする施設等に関する事項

　イ　教育・保育施設又は地域型保育事業の種類

　ロ　施設等の名称、所在地及び電話番号その他の連絡先

　ハ　事業所番号

　ニ　施設等の管理者の氏名及び職名

　ホ　認定こども園、幼稚園、保育所又は地域型保育事業の認可又は認定を受けた年月日

　ヘ　当該報告に係る事業の開始年月日又は開始予定年月日及び確認を受けた年月日

　ト　特定教育・保育施設及び特定地域型保育事業の運営に関する基準の規定により連携する特定教育・保育施設又は居宅訪問型保育連携施設の名称(特定地域型保育事業者に限る。)

　チ　その他都道府県知事が必要と認める事項

三　施設等において教育・保育に従事する従業者(以下この号において「従業者」という。)に関する事項

　イ　職種別の従業者の数

　ロ　従業者の勤務形態、労働時間、従業者1人当たりの小学校就学前子どもの数等

　ハ　従業者の教育・保育の業務に従事した経験年数等

　ニ　従業者の有する教育又は保育に係る免許、資格の状況

　ホ　その他都道府県知事が必要と認める事項

四　教育・保育等の内容に関する事項

　イ　施設等の開所時間、利用定員、学級数その他の運営に関する方針

　ロ　当該報告に係る教育・保育の内容等(特定教育・保育施設における保護者に対する子育ての支援の実施状況(幼稚園及び保育所については実施している場合に限る。)を含む。)

　ハ　異なる年齢の乳幼児を集団で保育する場合にお

ける個々の乳幼児の発育及び発達の過程等に応じた適切な支援及び満3歳以上の幼児を保育する場合における集団保育の提供のための配慮等（国家戦略特別区域法（平成25年法律第107号）第12条の4第1項に規定する国家戦略特別区域小規模保育事業として行われる保育を行う事業者に限る。）

ニ　当該報告に係る教育・保育の提供に係る居室面積、園舎面積、園庭の面積等（幼保連携型認定こども園の学級の編制、職員、設備及び運営に関する基準（平成26年内閣府・文部科学省・厚生労働省令第1号）附則第4条の規定により同令の規定を読み替えて適用する場合にあっては、その旨を含む。）

ホ　施設等の利用手続、選考基準その他の利用に関する事項

ヘ　利用者等（利用者又はその家族をいう。以下同じ。）からの苦情に対応する窓口等の状況

ト　当該報告に係る教育・保育の提供により賠償すべき事故が発生したときの対応に関する事項

チ　施設等の教育・保育の提供内容に関する特色等

リ　その他都道府県知事が必要と認める事項

五　当該報告に係る教育・保育を利用するに当たっての利用料等に関する事項

六　その他都道府県知事が必要と認める事項

別表第2（第50条、第52条関係）

第1　教育・保育の内容に関する事項

一　教育・保育の提供開始時における利用者等に対する説明及び契約等に当たり利用者等の権利擁護等のために講じている措置

イ　教育・保育の提供開始時における利用者等に対する説明及び利用者等の同意の取得の状況

ロ　利用者等に対する利用者が負担する利用料等に関する説明の実施の状況

二　相談、苦情等の対応のための取組の状況

第2　教育・保育を提供する施設等の運営状況に関する事項

一　安全管理及び衛生管理のために講じている措置

二　情報の管理、個人情報保護等のための取組の状況

三　教育・保育の提供内容の改善の実施の状況

第3　都道府県知事が必要と認める事項

様式第一号（第二条第二項第二号、第十一条第二項第二号、第二十八条の三第二項及び第二十八条の八第二項関係）

就労証明書

_____宛

証明日　西暦　　　年　　月　　日	
事業所名	
代表者名	
所在地	
電話番号　　　　—　　　—	
担当者名	
記載者連絡先　　　—　　　—	

下記の内容について、事実であることを証明いたします。

※本証明書の内容について、就労先事業者等に無断で作成し又は改変を行ったときには、刑法上の罪に問われる場合があります。

No.	項目	記載欄
1	業種	□農業・林業　□漁業　□鉱業・採石業・砂利採取業　□建設業　□製造業 □電気・ガス・熱供給・水道業　□情報通信業　□運輸業・郵便業　□卸売業・小売業 □金融業・保険業　□不動産業・物品賃貸業　□学術研究・専門・技術サービス業 □宿泊業・飲食サービス業　□生活関連サービス業・娯楽業　□医療・福祉 □教育・学習支援業　□複合サービス事業　□公務　□その他（　　　　　　　　　）
2	フリガナ 本人氏名	生年月日　　　　　　　年　　月　　日
3	雇用（予定）期間等	□無期　□有期　｜　期間 （無期の場合は雇用開始日のみ）　｜　年　月　日　～　年　月　日
4	本人就労先事業所	名称 住所
5	雇用の形態	□正社員　□パート・アルバイト　□派遣社員　□契約社員　□会計年度任用職員 □非常勤・臨時職員　□役員　□自営業主　□自営業専従者　□家族従事者　□内職 □業務委託　□その他（　　　　　　　　　）
6	就労時間 （固定就労の場合）	□月□火□水□木□金□土□日□祝日　｜合計時間｜月間　　時間　　分（うち休憩時間　　分） 一月当たりの就労日数　｜月間　　　日　｜一週当たりの就労日数　｜週間　　　日 平日　時　分　～　時　分（うち休憩時間　　分） 土曜　時　分　～　時　分（うち休憩時間　　分） 日祝　時　分　～　時　分（うち休憩時間　　分）
	就労時間 （変則就労の場合）	合計時間　｜□月間　□週間　　時間　　分（うち休憩時間　　分） 就労日数　｜□月間　□週間　　日 主な就労時間帯・シフト時間帯　｜　時　分　～　時　分（うち休憩時間　　分）
7	就労実績 ※日数に有給休暇を含み、時間数に休憩・残業時間を含む	年月｜年｜月｜年月｜年｜月｜年月｜年｜月 日／月｜時間／月｜日／月｜時間／月｜日／月｜時間／月
8	産前・産後休業の取得 ※取得予定を含む	□取得予定　□取得中 期間　｜　年　月　日　～　年　月　日
9	育児休業の取得 ※取得予定を含む	□取得予定　□取得中　□取得済み 期間　｜　年　月　日　～　年　月　日
10	産休・育休以外の休業の取得	□取得予定　□取得中　□取得済み　｜理由｜□介護休業　□病休　□その他（　　　　） 期間　｜　年　月　日　～　年　月　日
11	復職（予定）年月日	□復職予定　□復職済み　　年　　月　　日
12	育児のための短時間勤務制度利用有無 ※取得予定を含む	□取得予定　□取得中　｜期間｜　年　月　日　～　年　月　日 主な就労時間帯・シフト時間帯　｜　時　分　～　時　分（うち休憩時間　　分）
13	保育士等としての勤務実態の有無	□有　□有（予定）　□無
14	備考欄	
追加的記載項目欄		

様式第二号（第六十条第一項関係）

（表面）

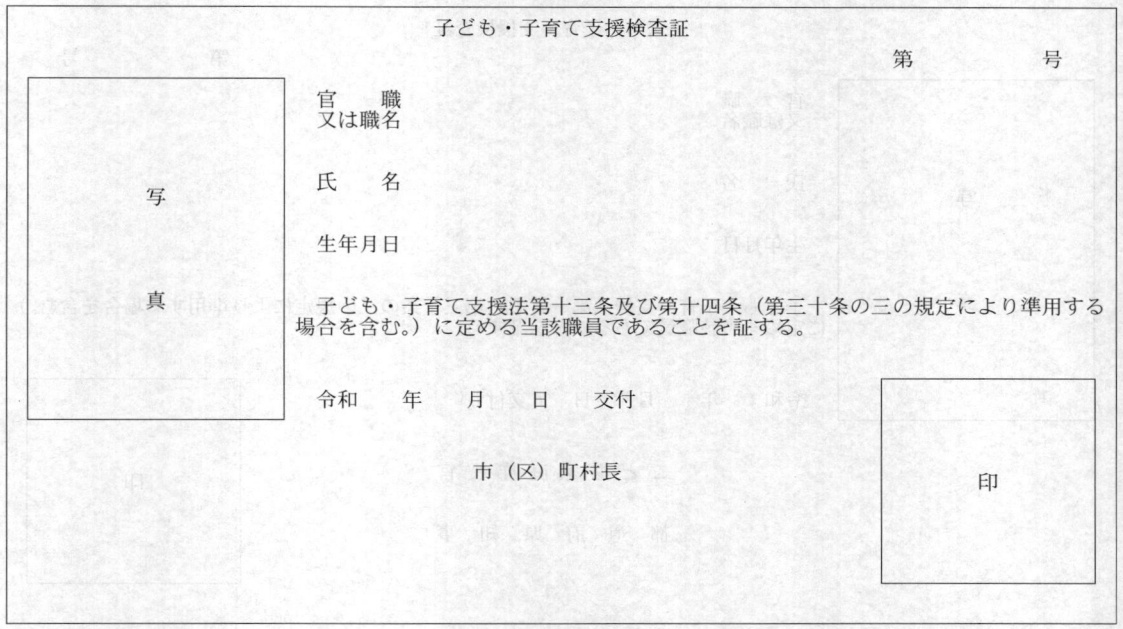

（裏面）

子ども・子育て支援法（抄）

（報告等）

第十三条　市町村は、子どものための教育・保育給付に関して必要があると認めるときは、この法律の施行に必要な限度において、小学校就学前子ども、小学校就学前子どもの保護者若しくは小学校就学前子どもの属する世帯の世帯主その他その世帯に属する者又はこれらの者であった者に対し、報告若しくは文書その他の物件の提出若しくは提示を命じ、又は当該職員に質問させることができる。

2　前項の規定による質問を行う場合においては、当該職員は、その身分を示す証明書を携帯し、かつ、関係人の請求があるときは、これを提示しなければならない。

3　第一項の規定による権限は、犯罪捜査のために認められたものと解釈してはならない。

第十四条　市町村は、子どものための教育・保育給付に関して必要があると認めるときは、この法律の施行に必要な限度において、当該子どものための教育・保育給付に係る教育・保育（教育又は保育をいう。以下同じ。）を行う者若しくはこれを使用する者若しくはこれらの者であった者に対し、報告若しくは文書その他の物件の提出若しくは提示を命じ、又は当該職員に関係者に対して質問させ、若しくは当該教育・保育を行う施設若しくは事業所に立ち入り、その設備若しくは帳簿書類その他の物件を検査させることができる。

2　前条第二項の規定は前項の規定による質問又は検査について、同条第三項の規定は前項の規定による権限について、それぞれ準用する。

（準用）

第三十条の三　第十二条から第十八条までの規定は、子育てのための施設等利用給付について準用する。この場合において、必要な技術的読替えは、政令で定める。

第八十二条　市町村は、条例で、正当な理由なしに、第十三条第一項（第三十条の三において準用する場合を含む。以下この項において同じ。）の規定による報告若しくは物件の提出若しくは提示をせず、若しくは虚偽の報告若しくは虚偽の物件の提出若しくは提示をし、又は第十三条第一項の規定による当該職員の質問に対して、答弁せず、若しくは虚偽の答弁をした者に対し十万円以下の過料を科する規定を設けることができる。

2　市町村は、条例で、正当な理由なしに、第十四条第一項（第三十条の三において準用する場合を含む。以下この項において同じ。）の規定による報告若しくは物件の提出若しくは提示をせず、若しくは虚偽の報告若しくは虚偽の物件の提出若しくは提示をし、又は第十四条第一項の規定による当該職員の質問に対して、答弁せず、若しくは虚偽の答弁をし、若しくは同項の規定による検査を拒み、妨げ、若しくは忌避した者に対し十万円以下の過料を科する規定を設けることができる。

3　（略）

注意

1　この検査証は、他人に貸与し、又は譲渡してはならない。

2　この検査証は、職名の異動を生じ、又は不用となったときは、速やかに返還しなければならない。

1．厚紙その他の材料を用い、使用に十分耐えうるものとする。

2．大きさは、縦54ミリメートル、横86ミリメートルとする。

様式第三号（第六十条第二項関係）

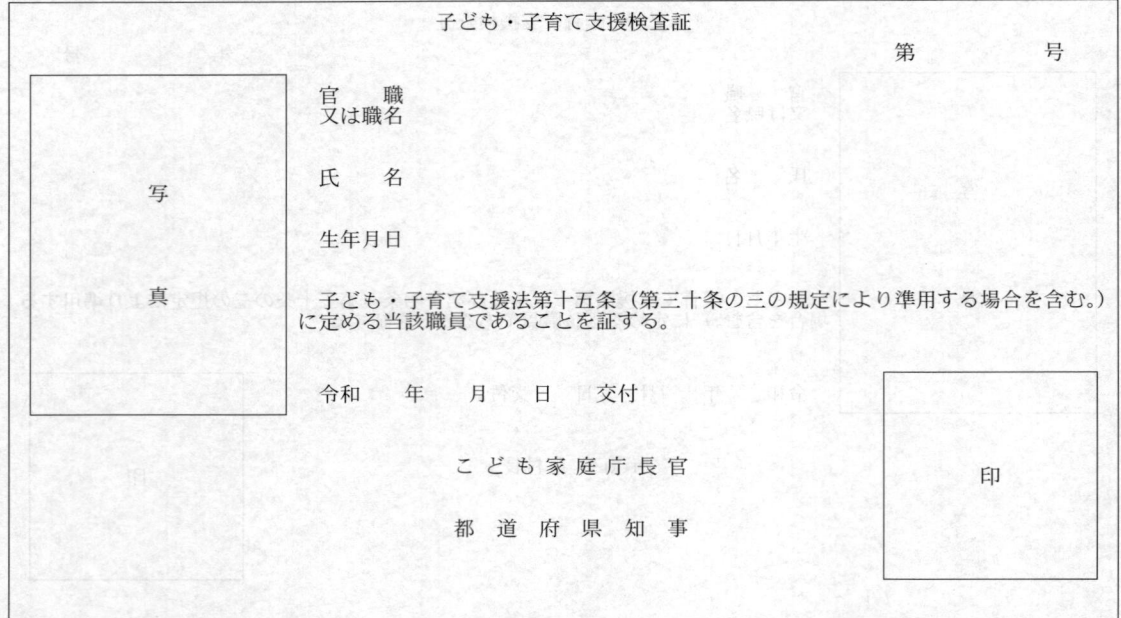

（表面）

子ども・子育て支援検査証

第　　　　　号

写　真

官　職
又は職名

氏　名

生年月日

子ども・子育て支援法第十五条（第三十条の三の規定により準用する場合を含む。）に定める当該職員であることを証する。

令和　　年　　月　　日　交付

こ ど も 家 庭 庁 長 官

都 道 府 県 知 事

印

（裏面）

子ども・子育て支援法（抄）

（報告等）

第十三条　（略）

2　前項の規定による質問を行う場合においては、当該職員は、その身分を示す証明書を携帯し、かつ、関係人の請求があるときは、これを提示しなければならない。

3　第一項の規定による権限は、犯罪捜査のために認められたものと解釈してはならない。

（内閣総理大臣又は都道府県知事の教育・保育に関する調査等）

第十五条　内閣総理大臣又は都道府県知事は、子どものための教育・保育給付に関して必要があると認めるときは、この法律の施行に必要な限度において、子どものための教育・保育給付に係る小学校就学前子ども若しくは小学校就学前子どもの保護者又はこれらの者であった者に対し、当該子どものための教育・保育給付に係る教育・保育の内容に関し、報告若しくは文書その他の物件の提出若しくは提示を命じ、又は当該職員に質問させることができる。

2　内閣総理大臣又は都道府県知事は、子どものための教育・保育給付に関して必要があると認めるときは、この法律の施行に必要な限度において、教育・保育を行った者若しくはこれを使用した者に対し、その行った教育・保育に関し、報告若しくは当該教育・保育の提供の記録、帳簿書類その他の物件の提出若しくは提示を命じ、又は当該職員に関係者に対して質問させることができる。

3　第十三条第二項の規定は前二項の規定による質問について、同条第三項の規定は前二項の規定による権限について、それぞれ準用する。

（準用）

第三十条の三　第十二条から第十八条までの規定は、子育てのための施設等利用給付について準用する。この場合において、必要な技術的読替えは、政令で定める。

（権限の委任）

第七十六条　内閣総理大臣は、この法律に規定する内閣総理大臣の権限（政令で定めるものを除く。）をこども家庭庁長官に委任する。

2　（略）

第七十八条　第十五条第一項（第三十条の三において準用する場合を含む。以下この条において同じ。）の規定による報告若しくは物件の提出若しくは提示をせず、若しくは虚偽の報告若しくは虚偽の物件の提出若しくは提示をし、又は同項の規定による当該職員の質問に対して、答弁せず、若しくは虚偽の答弁をした者は、三十万円以下の罰金に処する。

1．厚紙その他の材料を用い、使用に十分耐えうるものとする。

2．大きさは、縦54ミリメートル、横86ミリメートルとする。

様式第四号（第六十条第三項関係）

（表面）

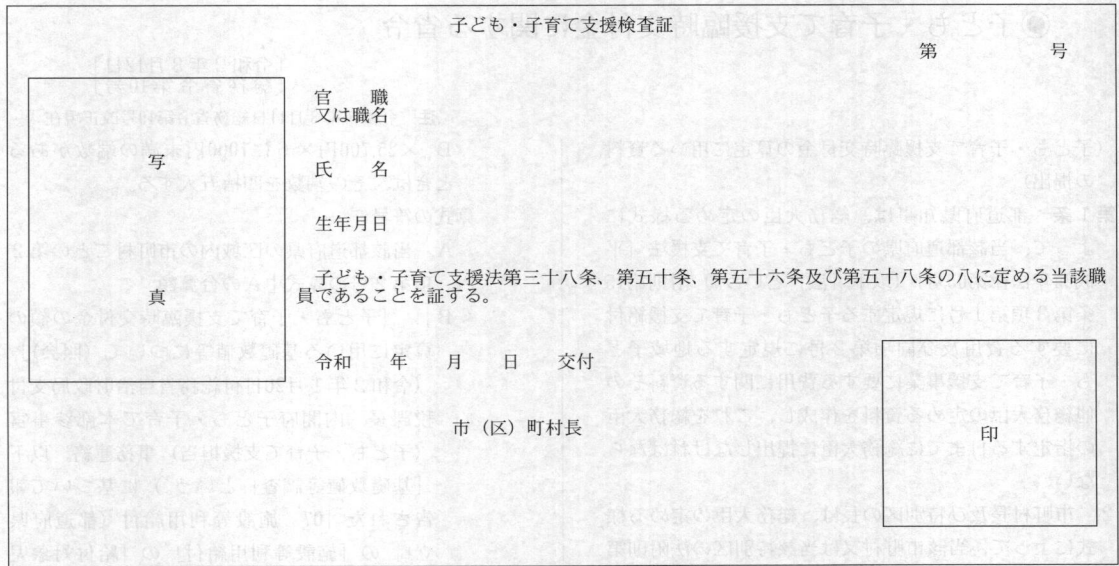

子ども・子育て支援検査証

第　　　　号

官　　職
又は職名

氏　　名

生年月日

子ども・子育て支援法第三十八条、第五十条、第五十六条及び第五十八条の八に定める当該職員であることを証する。

令和　　年　　月　　日　交付

市（区）町村長

印

（裏面）

子ども・子育て支援法（抄）

（報告等）
第十三条　（略）
2　前項の規定による質問を行う場合においては、当該職員は、その身分を示す証明書を携帯し、かつ、関係人の請求があるときは、これを提示しなければならない。
3　第一項の規定による権限は、犯罪捜査のために認められたものと解釈してはならない。
（報告等）
第三十八条　市町村長は、必要があると認めるときは、この法律の施行に必要な限度において、特定教育・保育施設若しくは特定教育・保育施設の設置者若しくは特定教育・保育施設の設置者であった者若しくは特定教育・保育施設の職員であった者（以下この項において「特定教育・保育施設の設置者であった者等」という。）に対し、報告若しくは帳簿書類その他の物件の提出若しくは提示を命じ、特定教育・保育施設の設置者若しくは特定教育・保育施設の職員若しくは特定教育・保育施設の設置者であった者等に対し出頭を求め、又は当該市町村の職員に関係者に対して質問させ、若しくは特定教育・保育施設、特定教育・保育施設の設置者の事務所その他特定教育・保育施設の運営に関係のある場所に立ち入り、その設備若しくは帳簿書類その他の物件を検査させることができる。
2　第十三条第二項の規定は前項の規定による質問又は検査について、同条第三項の規定は前項の規定による権限について、それぞれ準用する。
（報告等）
第五十条　市町村長は、必要があると認めるときは、この法律の施行に必要な限度において、特定地域型保育事業者若しくは特定地域型保育事業者であった者若しくは特定地域型保育事業所の職員であった者（以下この項において「特定地域型保育事業者であった者等」という。）に対し、報告若しくは帳簿書類その他の物件の提出若しくは提示を命じ、特定地域型保育事業者若しくは特定地域型保育事業所の職員若しくは特定地域型保育事業者であった者等に対し出頭を求め、又は当該市町村の職員に関係者に対して質問させ、若しくは特定地域型保育事業者の特定地域型保育事業所、事務所その他特定地域型保育事業に関係のある場所に立ち入り、その設備若しくは帳簿書類その他の物件を検査させることができる。
2　第十三条第二項の規定は前項の規定による質問又は検査について、同条第三項の規定は前項の規定による権限について、それぞれ準用する。
（報告等）
第五十六条　前条第二項の規定による届出を受けた市町村長等は、当該届出を行った特定教育・保育提供者（同条第四項の規定による届出を受けた市町村長等にあっては、同項の規定による届出を行った特定教育・保育提供者を除く。）における同条第一項の規定による業務管理体制の整備に関して必要があると認めるときは、この法律の施行に必要な限度において、当該特定教育・保育提供者に対し、報告若しくは帳簿書類その他の物件の提出若しくは提示を命じ、当該特定教育・保育提供者若しくは当該特定教育・保育提供者の職員に対し出頭を求め、又は当該市町村長等の職員に関係者に対し質問させ、若しくは当該特定教育・保育提供者の当該確認に係る教育・保育施設若しくは地域型保育事業所、事務所その他の教育・保育の提供に関係のある場所に立ち入り、その設備若しくは帳簿書類その他の物件を検査させることができる。
2～4　（略）
5　第十三条第二項の規定は第一項の規定による質問又は検査について、同条第三項の規定は第一項の規定による権限について準用する。
（報告等）
第五十八条の八　市町村長は、必要があると認めるときは、この法律の施行に必要な限度において、特定子ども・子育て支援を提供する施設若しくは特定子ども・子育て支援提供者若しくは特定子ども・子育て支援提供者であった者若しくは特定子ども・子育て支援を提供する施設若しくは事業所の職員であった者（以下この項において「特定子ども・子育て支援提供者であった者等」という。）に対し、報告若しくは帳簿書類その他の物件の提出若しくは提示を命じ、特定子ども・子育て支援提供者若しくは特定子ども・子育て支援を提供する施設若しくは事業所の職員若しくは特定子ども・子育て支援提供者であった者等に対し出頭を求め、又は当該市町村の職員に関係者に対して質問させ、若しくは特定子ども・子育て支援を提供する施設若しくは事業所、特定子ども・子育て支援提供者の事務所その他特定子ども・子育て支援施設等の運営に関係のある場所に立ち入り、その設備若しくは帳簿書類その他の物件を検査させることができる。
2　（略）
第七十九条　第三十八条第一項、第五十条第一項若しくは第五十八条の八第一項の規定による報告若しくは物件の提出若しくは提示をせず、若しくは虚偽の報告若しくは虚偽の物件の提出若しくは提示をし、又はこれらの規定による当該職員の質問に対して答弁をせず、若しくは虚偽の答弁をし、若しくはこれらの規定による検査を拒み、妨げ、若しくは忌避した者は、三十万円以下の罰金に処する。
注意
1　この検査証は、他人に貸与し、又は譲渡してはならない。
2　この検査証は、職名の異動を生じ、又は不用となったときは、速やかに返還しなければならない。

1．厚紙その他の材料を用い、使用に十分耐えうるものとする。
2．大きさは、縦54ミリメートル、横86ミリメートルとする。

●子ども・子育て支援臨時交付金に関する省令

〔令和2年3月12日〕
総務省令第10号

（子ども・子育て支援臨時交付金の算定に用いる資料の提出）

第1条　都道府県知事は、総務大臣の定める様式によって、当該都道府県の子ども・子育て支援法〔平成24年法律第65号〕（以下「法」という。）附則第15条第3項第1号に規定する子ども・子育て支援給付に要する費用及び同項第2号に規定する地域子ども・子育て支援事業に要する費用に関する資料その他総務大臣の定める資料を作成し、これを総務大臣の指定する日までに総務大臣に提出しなければならない。

2　市町村長及び特別区の長は、総務大臣の定める様式によって、当該市町村又は当該特別区の法附則第15条第3項第1号に規定する子ども・子育て支援給付に要する費用及び同項第2号に規定する地域子ども・子育て支援事業に要する費用に関する資料その他総務大臣の定める資料を作成し、これを総務大臣の指定する日までに都道府県知事に提出しなければならない。

（端数計算）

第2条　子ども・子育て支援臨時交付金の額を算定する場合及び子ども・子育て支援臨時交付金を交付する場合においては、特別な定めがある場合のほか、その算定の過程及び算定した額に500円未満の端数があるときはその端数金額を切り捨て、500円以上1000円未満の端数があるときはその端数金額を1000円として計算するものとする。

（各地方公共団体に交付すべき子ども・子育て支援臨時交付金の算定方法）

第3条　法附則第15条第3項の規定により各都道府県に対して交付すべき子ども・子育て支援臨時交付金の額は、第1号から第3号までに掲げる額の合算額に1.0011087を乗じて得た額とする。

一　当該都道府県の区域内の市町村（特別区を含む。以下同じ。）ごとの第2項第1号の算式中（A＋B＋C＋D）／4の合算額

二　法附則第15条第3項第1号の総務省令で定める施設等利用給付認定保護者の経済的負担の軽減に要する費用として次の算式によって算定した額

算式

$$A + \sum_{n=1}^{6} (B_n \times 25,700円 \times 6) - C \times 15,000円$$

注　令和3年3月11日総務省令第19号改正現在

$B_n \times 25,700円 \times 6$ に1000円未満の端数があるときは、その端数を四捨五入する。

算式の符号

A　当該都道府県の区域内の市町村ごとの第2項第2号の算式中Aの合算額

B_1　「子ども・子育て支援臨時交付金の額の算定に用いる基礎数値等について（照会）」（令和2年1月20日付総務省自治財政局交付税課長、内閣府子ども・子育て本部参事官（子ども・子育て支援担当）事務連絡。以下「基礎数値等調査」という。）に基づいて報告された「07　施設等利用給付（都道府県立）」の「施設等利用給付」の「給付対象児童数」（以下「施設等利用給付対象子ども数（都道府県立）」という。）のうち「第1号認定」の「新制度未移行幼稚園」の数

B_2　施設等利用給付対象子ども数（都道府県立）のうち「第1号認定」の「特別支援学校」の数

B_3　施設等利用給付対象子ども数（都道府県立）のうち「第2号認定」の「新制度未移行幼稚園」の数

B_4　施設等利用給付対象子ども数（都道府県立）のうち「第2号認定」の「特別支援学校」の数

B_5　施設等利用給付対象子ども数（都道府県立）のうち「第3号認定」の「新制度未移行幼稚園」の数

B_6　施設等利用給付対象子ども数（都道府県立）のうち「第3号認定」の「特別支援学校」の数

C　当該都道府県の区域内の市町村ごとの学校基本調査規則によって調査した令和元年5月1日現在における私立幼稚園（新制度移行分除く）の在籍人員数の合計数

三　当該都道府県の区域内の市町村ごとの第2項第3号の算式によって算定した額の合算額

2　法附則第15条第3項の規定により各市町村に対して交付すべき子ども・子育て支援臨時交付金の額は、第1号から第3号までに掲げる額の合算額に1.0011087を乗じて得た額とする。

一　法附則第15条第3項第1号の総務省令で定める
教育・保育給付認定保護者の経済的負担の軽減に
要する費用として次の算式により算定した額
算式
$$(A＋B＋C＋D)／4＋E＋F＋G＋H$$
$(A＋B＋C＋D)／4$に1000円未満の端数が
あるときは、その端数を四捨五入する。
算式の符号
A　次の算式によって算定した額
算式
$$\sum_{n=1}^{19}(a×b_n／c×\alpha_n×6)$$
$a×b_n／c$に整数未満の端数があるとき
は、その端数を四捨五入し、$a×b_n／c$
$×\alpha_n×6$に1000円未満の端数があるとき
は、その端数を四捨五入する。
算式の符号
a　基礎数値等調査に基づいて報告された
「02　教育保育給付（1号・私立）」の
「令和元年10月1日時点児童数」の数
b_1　基礎数値等調査に基づいて報告され
た「02　教育保育給付（1号・私立）」
の「平成31年4月1日時点所得階層ごと
児童数」（以下「1号認定子ども数（私
立）」という。）のうち「第1階層」の数
（aが1以上かつ1号認定子ども数（私
立）が0のときは、総務大臣が通知した
数とする。算式の符号Aの算式の符号中
b_2からb_{19}まで及びcにおいて同じ。）
b_2　1号認定子ども数（私立）のうち
「第2階層」の「第1子」の「ひとり親
世帯等以外」の数
b_3　1号認定子ども数（私立）のうち
「第2階層」の「第1子」の「ひとり親
世帯等」の数
b_4　1号認定子ども数（私立）のうち
「第2階層」の「第2子」の「ひとり親
世帯等以外」の数
b_5　1号認定子ども数（私立）のうち
「第2階層」の「第2子」の「ひとり親
世帯等」の数
b_6　1号認定子ども数（私立）のうち
「第2階層」の「第3子以降」の「ひと
り親世帯等以外」の数
b_7　1号認定子ども数（私立）のうち
「第2階層」の「第3子以降」の「ひと
り親世帯等」の数
b_8　1号認定子ども数（私立）のうち

「第3階層」の「第1子」の「ひとり親
世帯等以外」の数
b_9　1号認定子ども数（私立）のうち
「第3階層」の「第1子」の「ひとり親
世帯等」の数
b_{10}　1号認定子ども数（私立）のうち
「第3階層」の「第2子」の「ひとり親
世帯等以外」の数
b_{11}　1号認定子ども数（私立）のうち
「第3階層」の「第2子」の「ひとり親
世帯等」の数
b_{12}　1号認定子ども数（私立）のうち
「第3階層」の「第3子以降」の「ひと
り親世帯等以外」の数
b_{13}　1号認定子ども数（私立）のうち
「第3階層」の「第3子以降」の「ひと
り親世帯等」の数
b_{14}　1号認定子ども数（私立）のうち
「第4階層」の「第1子」の数
b_{15}　1号認定子ども数（私立）のうち
「第4階層」の「第2子」の数
b_{16}　1号認定子ども数（私立）のうち
「第4階層」の「第3子以降」の数
b_{17}　1号認定子ども数（私立）のうち
「第5階層」の「第1子」の数
b_{18}　1号認定子ども数（私立）のうち
「第5階層」の「第2子」の数
b_{19}　1号認定子ども数（私立）のうち
「第5階層」の「第3子以降」の数
c　1号認定子ども数（私立）のうち「合
計」の数
α_n　別表第一に定める月額単価
B　次の算式によって算定した額
算式
$$\sum_{n=1}^{34}(a×b_n／c×\alpha_n×6)$$
$a×b_n／c$に整数未満の端数があるとき
は、その端数を四捨五入し、$a×b_n／c$
$×\alpha_n×6$に1000円未満の端数があるとき
は、その端数を四捨五入する。
算式の符号
a　基礎数値等調査に基づいて報告された
「04─1　教育保育給付（2号・4歳以
上・私立）」の「令和元年10月1日時点
児童数」の数
b_1　基礎数値等調査に基づいて報告され
た「04─1　教育保育給付（2号・4
歳以上・私立）」の「平成31年4月1

日時点所得階層ごと児童数」（以下「２号認定子ども数（４歳以上・私立）」という。）の「保育標準時間」（以下「２号認定子ども数（４歳以上・私立・標準時間）」という。）のうち「第２階層」の「第１子」の「ひとり親世帯等以外」の数（ａが１以上かつ２号認定子ども数（４歳以上・私立）が０のときは、総務大臣が通知した数とする。算式の符号Ｂの算式の符号中ｂ₂からｂ₃₄まで及びｃにおいて同じ。）

b_2　２号認定子ども数（４歳以上・私立・標準時間）のうち「第３階層」の「第１子」の「ひとり親世帯等以外」の数

b_3　２号認定子ども数（４歳以上・私立・標準時間）のうち「第３階層」の「第１子」の「ひとり親世帯等」の数

b_4　２号認定子ども数（４歳以上・私立・標準時間）のうち「第３階層」の「第２子」の「ひとり親世帯等以外」の数

b_5　２号認定子ども数（４歳以上・私立・標準時間）のうち「第４階層」の「市町村民税所得割課税額57,700円未満世帯」の「第１子」の「ひとり親世帯等以外」の数

b_6　２号認定子ども数（４歳以上・私立・標準時間）のうち「第４階層」の「市町村民税所得割課税額57,700円未満世帯」の「第１子」の「ひとり親世帯等」の数

b_7　２号認定子ども数（４歳以上・私立・標準時間）のうち「第４階層」の「市町村民税所得割課税額57,700円未満世帯」の「第２子」の「ひとり親世帯等以外」の数

b_8　２号認定子ども数（４歳以上・私立・標準時間）のうち「第４階層」の「市町村民税所得割課税額57,700円以上世帯」の「第１子」の数

b_9　２号認定子ども数（４歳以上・私立・標準時間）のうち「第４階層」の「市町村民税所得割課税額57,700円以上世帯」の「第２子」の数

b_{10}　２号認定子ども数（４歳以上・私立・標準時間）のうち「第５階層」の「第１子」の数

b_{11}　２号認定子ども数（４歳以上・私立・標準時間）のうち「第５階層」の「第２子」の数

b_{12}　２号認定子ども数（４歳以上・私立・標準時間）のうち「第６階層」の「第１子」の数

b_{13}　２号認定子ども数（４歳以上・私立・標準時間）のうち「第６階層」の「第２子」の数

b_{14}　２号認定子ども数（４歳以上・私立・標準時間）のうち「第７階層」の「第１子」の数

b_{15}　２号認定子ども数（４歳以上・私立・標準時間）のうち「第７階層」の「第２子」の数

b_{16}　２号認定子ども数（４歳以上・私立・標準時間）のうち「第８階層」の「第１子」の数

b_{17}　２号認定子ども数（４歳以上・私立・標準時間）のうち「第８階層」の「第２子」の数

b_{18}　２号認定子ども数（４歳以上・私立）の「保育短時間」（以下「２号認定子ども数（４歳以上・私立・短時間）」という。）のうち「第２階層」の「第１子」の「ひとり親世帯等以外」の数

b_{19}　２号認定子ども数（４歳以上・私立・短時間）のうち「第３階層」の「第１子」の「ひとり親世帯等以外」の数

b_{20}　２号認定子ども数（４歳以上・私立・短時間）のうち「第３階層」の「第１子」の「ひとり親世帯等」の数

b_{21}　２号認定子ども数（４歳以上・私立・短時間）のうち「第３階層」の「第２子」の「ひとり親世帯等以外」の数

b_{22}　２号認定子ども数（４歳以上・私立・短時間）のうち「第４階層」の「市町村民税所得割課税額57,700円未満世帯」の「第１子」の「ひとり親世帯等以外」の数

b_{23}　２号認定子ども数（４歳以上・私立・短時間）のうち「第４階層」の「市町村民税所得割課税額57,700円未満世帯」の「第１子」の「ひとり親世帯等」の数

b_{24}　２号認定子ども数（４歳以上・私

立・短時間）のうち「第4階層」の「市町村民税所得割課税額57,700円未満世帯」の「第2子」の「ひとり親世帯等以外」の数

b_{25}　2号認定子ども数（4歳以上・私立・短時間）のうち「第4階層」の「市町村民税所得割課税額57,700円以上世帯」の「第1子」の数

b_{26}　2号認定子ども数（4歳以上・私立・短時間）のうち「第4階層」の「市町村民税所得割課税額57,700円以上世帯」の「第2子」の数

b_{27}　2号認定子ども数（4歳以上・私立・短時間）のうち「第5階層」の「第1子」の数

b_{28}　2号認定子ども数（4歳以上・私立・短時間）のうち「第5階層」の「第2子」の数

b_{29}　2号認定子ども数（4歳以上・私立・短時間）のうち「第6階層」の「第1子」の数

b_{30}　2号認定子ども数（4歳以上・私立・短時間）のうち「第6階層」の「第2子」の数

b_{31}　2号認定子ども数（4歳以上・私立・短時間）のうち「第7階層」の「第1子」の数

b_{32}　2号認定子ども数（4歳以上・私立・短時間）のうち「第7階層」の「第2子」の数

b_{33}　2号認定子ども数（4歳以上・私立・短時間）のうち「第8階層」の「第1子」の数

b_{34}　2号認定子ども数（4歳以上・私立・短時間）のうち「第8階層」の「第2子」の数

c　2号認定子ども数（4歳以上・私立）のうち「合計」の数

α_n　別表第二のア欄に定める月額単価

C　次の算式によって算定した額

算式

$$\sum_{n=1}^{34} (a \times b_n / c \times \alpha_n \times 6) / 4$$

$a \times b_n / c$ に整数未満の端数があるときは、その端数を四捨五入し、$a \times b_n / c \times \alpha_n \times 6$ に1000円未満の端数があるときは、その端数を四捨五入する。

算式の符号

a　基礎数値等調査に基づいて報告された「04—2　教育保育給付（2号・3歳・私立）」の「令和元年10月1日時点児童数」の数

b_1　基礎数値等調査に基づいて報告された「04—2　教育保育給付（2号・3歳・私立）」の「平成31年4月1日時点所得階層ごと児童数」（以下「2号認定子ども数（3歳・私立）」という。）の「保育標準時間」（以下「2号認定子ども数（3歳・私立・標準時間）」という。）のうち「第2階層」の「第1子」の「ひとり親世帯等以外」の数（aが1以上かつ2号認定子ども数（3歳・私立）が0のときは、総務大臣が通知した数とする。算式の符号Cの算式の符号中 b_2 から b_{34} まで及びcにおいて同じ。）

b_2　2号認定子ども数（3歳・私立・標準時間）のうち「第3階層」の「第1子」の「ひとり親世帯等以外」の数

b_3　2号認定子ども数（3歳・私立・標準時間）のうち「第3階層」の「第1子」の「ひとり親世帯等」の数

b_4　2号認定子ども数（3歳・私立・標準時間）のうち「第3階層」の「第2子」の「ひとり親世帯等以外」の数

b_5　2号認定子ども数（3歳・私立・標準時間）のうち「第4階層」の「市町村民税所得割課税額57,700円未満世帯」の「第1子」の「ひとり親世帯等以外」の数

b_6　2号認定子ども数（3歳・私立・標準時間）のうち「第4階層」の「市町村民税所得割課税額57,700円未満世帯」の「第1子」の「ひとり親世帯等」の数

b_7　2号認定子ども数（3歳・私立・標準時間）のうち「第4階層」の「市町村民税所得割課税額57,700円未満世帯」の「第2子」の「ひとり親世帯等以外」の数

b_8　2号認定子ども数（3歳・私立・標準時間）のうち「第4階層」の「市町村民税所得割課税額57,700円以上世帯」の「第1子」の数

b_9　2号認定子ども数（3歳・私立・標準時間）のうち「第4階層」の「市町村民税所得割課税額57,700円以上世帯」の

「第2子」の数

b_{10}　2号認定子ども数（3歳・私立・標準時間）のうち「第5階層」の「第1子」の数

b_{11}　2号認定子ども数（3歳・私立・標準時間）のうち「第5階層」の「第2子」の数

b_{12}　2号認定子ども数（3歳・私立・標準時間）のうち「第6階層」の「第1子」の数

b_{13}　2号認定子ども数（3歳・私立・標準時間）のうち「第6階層」の「第2子」の数

b_{14}　2号認定子ども数（3歳・私立・標準時間）のうち「第7階層」の「第1子」の数

b_{15}　2号認定子ども数（3歳・私立・標準時間）のうち「第7階層」の「第2子」の数

b_{16}　2号認定子ども数（3歳・私立・標準時間）のうち「第8階層」の「第1子」の数

b_{17}　2号認定子ども数（3歳・私立・標準時間）のうち「第8階層」の「第2子」の数

b_{18}　2号認定子ども数（3歳・私立）の「保育短時間」（以下「2号認定子ども数（3歳・私立・短時間）」という。）のうち「第2階層」の「第1子」の「ひとり親世帯等以外」の数

b_{19}　2号認定子ども数（3歳・私立・短時間）のうち「第3階層」の「第1子」の「ひとり親世帯等以外」の数

b_{20}　2号認定子ども数（3歳・私立・短時間）のうち「第3階層」の「第1子」の「ひとり親世帯等」の数

b_{21}　2号認定子ども数（3歳・私立・短時間）のうち「第3階層」の「第2子」の「ひとり親世帯等以外」の数

b_{22}　2号認定子ども数（3歳・私立・短時間）のうち「第4階層」の「所得割57,700円未満」の「第1子」の「ひとり親世帯等以外」の数

b_{23}　2号認定子ども数（3歳・私立・短時間）のうち「第4階層」の「所得割57,700円未満」の「第1子」の「ひとり親世帯等」の数

b_{24}　2号認定子ども数（3歳・私立・短時間）のうち「第4階層」の「所得割57,700円未満」の「第2子」の「ひとり親世帯等以外」の数

b_{25}　2号認定子ども数（3歳・私立・短時間）のうち「第4階層」の「所得割57,700円以上」の「第1子」の数

b_{26}　2号認定子ども数（3歳・私立・短時間）のうち「第4階層」の「所得割57,700円以上」の「第2子」の数

b_{27}　2号認定子ども数（3歳・私立・短時間）のうち「第5階層」の「第1子」の数

b_{28}　2号認定子ども数（3歳・私立・短時間）のうち「第5階層」の「第2子」の数

b_{29}　2号認定子ども数（3歳・私立・短時間）のうち「第6階層」の「第1子」の数

b_{30}　2号認定子ども数（3歳・私立・短時間）のうち「第6階層」の「第2子」の数

b_{31}　2号認定子ども数（3歳・私立・短時間）のうち「第7階層」の「第1子」の数

b_{32}　2号認定子ども数（3歳・私立・短時間）のうち「第7階層」の「第2子」の数

b_{33}　2号認定子ども数（3歳・私立・短時間）のうち「第8階層」の「第1子」の数

b_{34}　2号認定子ども数（3歳・私立・短時間）のうち「第8階層」の「第2子」の数

c　2号認定子ども数（3歳・私立）のうち「合計」の数

α_n　別表第二のイ欄に定める月額単価

D　次の算式によって算定した額

算式

$a \times b_1 / c \times 9{,}000円 \times 6 + a \times b_2 / c \times 9{,}000円 \times 6$

$a \times b_1 / c$ 及び $a \times b_2 / c$ に整数未満の端数があるときは、その端数を四捨五入する。

算式の符号

a　基礎数値等調査に基づいて報告された「06　教育保育給付（3号・私立）」の

「令和元年10月１日時点児童数」の数

b_1　基礎数値等調査に基づいて報告された「06　教育保育給付（３号・私立）」の「平成31年４月１日時点所得階層ごと児童数」（以下「３号認定子ども数（私立）」という。）のうち「保育標準時間」の「第２階層」の「第１子」の「ひとり親世帯等以外」の数（ａが１以上かつ３号認定子ども数（私立）が０のときは、総務大臣が通知した数とする。算式の符号Ｄの算式の符号中b_2及びｃにおいて同じ。）

b_2　３号認定子ども数（私立）のうち「保育短時間」の「第２階層」の「第１子」の「ひとり親世帯等以外」の数

ｃ　３号認定子ども数（私立）のうち「合計」の数

Ｅ　次の算式によって算定した額

算式

$$\sum_{n=1}^{17} (a \times b_n / c \times \alpha_n \times 6)$$

$a \times b_n / c$に整数未満の端数があるときは、その端数を四捨五入し、$a \times b_n / c \times \alpha_n \times 6$に1000円未満の端数があるときは、その端数を四捨五入する。

算式の符号

ａ　基礎数値等調査に基づいて報告された「01─1　教育保育給付（１号・公立）」の「令和元年10月１日時点児童数」の数

b_1　基礎数値等調査に基づいて報告された「01─1　教育保育給付（１号・公立）」の「平成31年４月１日時点所得階層ごと児童数」（以下「１号認定子ども数（公立）」という。）のうち「第１階層」の数（ａが１以上かつ１号認定子ども数（公立）が０のときは、総務大臣が通知した数とする。算式の符号Ｅの算式の符号中b_2からb_{19}まで及びｃにおいて同じ。）

b_2　１号認定子ども数（公立）のうち「第２階層」の「第１子」の「ひとり親世帯等以外」の数

b_3　１号認定子ども数（公立）のうち「第２階層」の「第１子」の「ひとり親世帯等」の数

b_4　１号認定子ども数（公立）のうち「第２階層」の「第２子」の「ひとり親世帯等以外」の数

b_5　１号認定子ども数（公立）のうち「第２階層」の「第２子」の「ひとり親世帯等」の数

b_6　１号認定子ども数（公立）のうち「第２階層」の「第３子以降」の「ひとり親世帯等以外」の数

b_7　１号認定子ども数（公立）のうち「第２階層」の「第３子以降」の「ひとり親世帯等」の数

b_8　１号認定子ども数（公立）のうち「第３階層」の「第１子」の「ひとり親世帯等以外」の数

b_9　１号認定子ども数（公立）のうち「第３階層」の「第１子」の「ひとり親世帯等」の数

b_{10}　１号認定子ども数（公立）のうち「第３階層」の「第２子」の「ひとり親世帯等以外」の数

b_{11}　１号認定子ども数（公立）のうち「第３階層」の「第２子」の「ひとり親世帯等」の数

b_{12}　１号認定子ども数（公立）のうち「第３階層」の「第３子以降」の「ひとり親世帯等以外」の数

b_{13}　１号認定子ども数（公立）のうち「第３階層」の「第３子以降」の「ひとり親世帯等」の数

b_{14}　１号認定子ども数（公立）のうち「第４階層」の「第１子」の数

b_{15}　１号認定子ども数（公立）のうち「第４階層」の「第２子」の数

b_{16}　１号認定子ども数（公立）のうち「第４階層」の「第３子以降」の数

b_{17}　１号認定子ども数（公立）のうち「第５階層」の「第１子」の数

b_{18}　１号認定子ども数（公立）のうち「第５階層」の「第２子」の数

b_{19}　１号認定子ども数（公立）のうち「第５階層」の「第３子以降」の数

ｃ　１号認定子ども数（公立）のうち「合計」の数

α_n　別表第一に定める月額単価

Ｆ　次の算式によって算定した額

算式

$$\sum_{n=1}^{34} (a \times b_n / c \times \alpha_n \times 6)$$

$a \times b_n / c$に整数未満の端数があるときは、その端数を四捨五入し、$a \times b_n / c$

$\times \alpha_n \times 6$ に1000円未満の端数があるときは、その端数を四捨五入する。

算式の符号

a　基礎数値等調査に基づいて報告された「03—1　教育保育給付（2号・4歳以上・公立）」の「令和元年10月1日時点児童数」の数

b_1　基礎数値等調査に基づいて報告された「03—1　教育保育給付（2号・4歳以上・公立）」の「平成31年4月1日時点所得階層ごと児童数」（以下「2号認定子ども数（4歳以上・公立）」という。）の「保育標準時間」（以下「2号認定子ども数（4歳以上・公立・標準時間）」という。）のうち「第2階層」の「第1子」の「ひとり親世帯等以外」の数（aが1以上かつ2号認定子ども数（4歳以上・公立）が0のときは、総務大臣が通知した数とする。算式の符号Fの算式の符号中b_2からb_{34}まで及びcにおいて同じ。）

b_2　2号認定子ども数（4歳以上・公立・標準時間）のうち「第3階層」の「第1子」の「ひとり親世帯等以外」の数

b_3　2号認定子ども数（4歳以上・公立・標準時間）のうち「第3階層」の「第1子」の「ひとり親世帯等」の数

b_4　2号認定子ども数（4歳以上・公立・標準時間）のうち「第3階層」の「第2子」の「ひとり親世帯等以外」の数

b_5　2号認定子ども数（4歳以上・公立・標準時間）のうち「第4階層」の「市町村民税所得割課税額57,700円未満世帯」の「第1子」の「ひとり親世帯等以外」の数

b_6　2号認定子ども数（4歳以上・公立・標準時間）のうち「第4階層」の「市町村民税所得割課税額57,700円未満世帯」の「第1子」の「ひとり親世帯等」の数

b_7　2号認定子ども数（4歳以上・公立・標準時間）のうち「第4階層」の「市町村民税所得割課税額57,700円未満世帯」の「第2子」の「ひとり親世帯等以外」の数

b_8　2号認定子ども数（4歳以上・公立・標準時間）のうち「第4階層」の「市町村民税所得割課税額57,700円以上世帯」の「第1子」の数

b_9　2号認定子ども数（4歳以上・公立・標準時間）のうち「第4階層」の「市町村民税所得割課税額57,700円以上世帯」の「第2子」の数

b_{10}　2号認定子ども数（4歳以上・公立・標準時間）のうち「第5階層」の「第1子」の数

b_{11}　2号認定子ども数（4歳以上・公立・標準時間）のうち「第5階層」の「第2子」の数

b_{12}　2号認定子ども数（4歳以上・公立・標準時間）のうち「第6階層」の「第1子」の数

b_{13}　2号認定子ども数（4歳以上・公立・標準時間）のうち「第6階層」の「第2子」の数

b_{14}　2号認定子ども数（4歳以上・公立・標準時間）のうち「第7階層」の「第1子」の数

b_{15}　2号認定子ども数（4歳以上・公立・標準時間）のうち「第7階層」の「第2子」の数

b_{16}　2号認定子ども数（4歳以上・公立・標準時間）のうち「第8階層」の「第1子」の数

b_{17}　2号認定子ども数（4歳以上・公立・標準時間）のうち「第8階層」の「第2子」の数

b_{18}　2号認定子ども数（4歳以上・公立）の「保育短時間」（以下「2号認定子ども数（4歳以上・公立・短時間）」という。）のうち「第2階層」の「第1子」の「ひとり親世帯等以外」の数

b_{19}　2号認定子ども数（4歳以上・公立・短時間）のうち「第3階層」の「第1子」の「ひとり親世帯等以外」の数

b_{20}　2号認定子ども数（4歳以上・公立・短時間）のうち「第3階層」の「第1子」の「ひとり親世帯等」の数

b_{21}　2号認定子ども数（4歳以上・公立・短時間）のうち「第3階層」の「第2子」の「ひとり親世帯等以外」の数

b_{22}　2号認定子ども数（4歳以上・公

立・短時間）のうち「第4階層」の「所得割57,700円未満」の「第1子」の「ひとり親世帯等以外」の数

b_{23}　2号認定子ども数（4歳以上・公立・短時間）のうち「第4階層」の「所得割57,700円未満」の「第1子」の「ひとり親世帯等」の数

b_{24}　2号認定子ども数（4歳以上・公立・短時間）のうち「第4階層」の「所得割57,700円未満」の「第2子」の「ひとり親世帯等以外」の数

b_{25}　2号認定子ども数（4歳以上・公立・短時間）のうち「第4階層」の「所得割57,700円以上」の「第1子」の数

b_{26}　2号認定子ども数（4歳以上・公立・短時間）のうち「第4階層」の「所得割57,700円以上」の「第2子」の数

b_{27}　2号認定子ども数（4歳以上・公立・短時間）のうち「第5階層」の「第1子」の数

b_{28}　2号認定子ども数（4歳以上・公立・短時間）のうち「第5階層」の「第2子」の数

b_{29}　2号認定子ども数（4歳以上・公立・短時間）のうち「第6階層」の「第1子」の数

b_{30}　2号認定子ども数（4歳以上・公立・短時間）のうち「第6階層」の「第2子」の数

b_{31}　2号認定子ども数（4歳以上・公立・短時間）のうち「第7階層」の「第1子」の数

b_{32}　2号認定子ども数（4歳以上・公立・短時間）のうち「第7階層」の「第2子」の数

b_{33}　2号認定子ども数（4歳以上・公立・短時間）のうち「第8階層」の「第1子」の数

b_{34}　2号認定子ども数（4歳以上・公立・短時間）のうち「第8階層」の「第2子」の数

c　2号認定子ども数（4歳以上・公立）のうち「合計」の数

α_n　別表第二のア欄に定める月額単価

G　次の算式によって算定した額

算式

$$\sum_{n=1}^{34}\left(a\times b_n / c\times\alpha_n\times 6\right)$$

$a\times b_n / c$に整数未満の端数があるときは、その端数を四捨五入し、$a\times b_n / c\times\alpha_n\times 6$に1000円未満の端数があるときは、その端数を四捨五入する。

算式の符号

a　基礎数値等調査に基づいて報告された「03—2　教育保育給付（2号・3歳・公立）」の「令和元年10月1日時点児童数」の数

b_1　基礎数値等調査に基づいて報告された「03—2　教育保育給付（2号・3歳・公立）」の「平成31年4月1日時点所得階層ごと児童数」（以下「2号認定子ども数（3歳・公立）」という。）の「保育標準時間」（以下「2号認定子ども数（3歳・公立・標準時間）」という。）のうち「第2階層」の「第1子」の「ひとり親世帯等以外」の数（aが1以上かつ2号認定子ども数（3歳・公立）が0のときは、総務大臣が通知した数とする。算式の符号Gの算式の符号中b_2からb_{34}まで及びcにおいて同じ。）

b_2　2号認定子ども数（3歳・公立・標準時間）のうち「第3階層」の「第1子」の「ひとり親世帯等以外」の数

b_3　2号認定子ども数（3歳・公立・標準時間）のうち「第3階層」の「第1子」の「ひとり親世帯等」の数

b_4　2号認定子ども数（3歳・公立・標準時間）のうち「第3階層」の「第2子」の「ひとり親世帯等以外」の数

b_5　2号認定子ども数（3歳・公立・標準時間）のうち「第4階層」の「市町村民税所得割課税額57,700円未満世帯」の「第1子」の「ひとり親世帯等以外」の数

b_6　2号認定子ども数（3歳・公立・標準時間）のうち「第4階層」の「市町村民税所得割課税額57,700円未満世帯」の「第1子」の「ひとり親世帯等」の数

b_7　2号認定子ども数（3歳・公立・標準時間）のうち「第4階層」の「市町村民税所得割課税額57,700円未満世帯」の「第2子」の「ひとり親世帯等以外」の数

b_8　2号認定子ども数（3歳・公立・標準時間）のうち「第4階層」の「市町村

民税所得割課税額57,700円以上世帯」の「第1子」の数

b_9　2号認定子ども数（3歳・公立・標準時間）のうち「第4階層」の「市町村民税所得割課税額57,700円以上世帯」の「第2子」の数

b_{10}　2号認定子ども数（3歳・公立・標準時間）のうち「第5階層」の「第1子」の数

b_{11}　2号認定子ども数（3歳・公立・標準時間）のうち「第5階層」の「第2子」の数

b_{12}　2号認定子ども数（3歳・公立・標準時間）のうち「第6階層」の「第1子」の数

b_{13}　2号認定子ども数（3歳・公立・標準時間）のうち「第6階層」の「第2子」の数

b_{14}　2号認定子ども数（3歳・公立・標準時間）のうち「第7階層」の「第1子」の数

b_{15}　2号認定子ども数（3歳・公立・標準時間）のうち「第7階層」の「第2子」の数

b_{16}　2号認定子ども数（3歳・公立・標準時間）のうち「第8階層」の「第1子」の数

b_{17}　2号認定子ども数（3歳・公立・標準時間）のうち「第8階層」の「第2子」の数

b_{18}　2号認定子ども数（3歳・公立）の「保育短時間」（以下「2号認定子ども数（3歳・公立・短時間）」という。）のうち「第2階層」の「第1子」の「ひとり親世帯等以外」の数

b_{19}　2号認定子ども数（3歳・公立・短時間）のうち「第3階層」の「第1子」の「ひとり親世帯等以外」の数

b_{20}　2号認定子ども数（3歳・公立・短時間）のうち「第3階層」の「第1子」の「ひとり親世帯等」の数

b_{21}　2号認定子ども数（3歳・公立・短時間）のうち「第3階層」の「第2子」の「ひとり親世帯等以外」の数

b_{22}　2号認定子ども数（3歳・公立・短時間）のうち「第4階層」の「所得割57,700円未満」の「第1子」の「ひとり

親世帯等以外」の数

b_{23}　2号認定子ども数（3歳・公立・短時間）のうち「第4階層」の「所得割57,700円未満」の「第1子」の「ひとり親世帯等」の数

b_{24}　2号認定子ども数（3歳・公立・短時間）のうち「第4階層」の「所得割57,700円未満」の「第2子」の「ひとり親世帯等以外」の数

b_{25}　2号認定子ども数（3歳・公立・短時間）のうち「第4階層」の「所得割57,700円以上」の「第1子」の数

b_{26}　2号認定子ども数（3歳・公立・短時間）のうち「第4階層」の「所得割57,700円以上」の「第2子」の数

b_{27}　2号認定子ども数（3歳・公立・短時間）のうち「第5階層」の「第1子」の数

b_{28}　2号認定子ども数（3歳・公立・短時間）のうち「第5階層」の「第2子」の数

b_{29}　2号認定子ども数（3歳・公立・短時間）のうち「第6階層」の「第1子」の数

b_{30}　2号認定子ども数（3歳・公立・短時間）のうち「第6階層」の「第2子」の数

b_{31}　2号認定子ども数（3歳・公立・短時間）のうち「第7階層」の「第1子」の数

b_{32}　2号認定子ども数（3歳・公立・短時間）のうち「第7階層」の「第2子」の数

b_{33}　2号認定子ども数（3歳・公立・短時間）のうち「第8階層」の「第1子」の数

b_{34}　2号認定子ども数（3歳・公立・短時間）のうち「第8階層」の「第2子」の数

c　2号認定子ども数（3歳・公立）のうち「合計」の数

α_n　別表第二のイ欄に定める月額単価

H　次の算式によって算定した額

算式

$a \times b_1 / c \times 9,000$円$\times 6 + a \times b_2 / c \times 9,000$円$\times 6$

$a \times b_1 / c$及び$a \times b_2 / c$に整数未満

の端数があるときは、その端数を四捨五入する。

算式の符号

a　基礎数値等調査に基づいて報告された「05－1　教育保育給付（3号・公立）」の「令和元年10月1日時点児童数」の数

b_1　基礎数値等調査に基づいて報告された「05－1　教育保育給付（3号・公立）」の「平成31年4月1日時点所得階層ごと児童数」（以下「3号認定子ども数（公立）」という。）のうち「保育標準時間」の「第2階層」の「第1子」の「ひとり親世帯等以外」の数（aが1以上かつ3号認定子ども数（公立）が0のときは、総務大臣が通知した数とする。算式の符号Hの算式の符号中b_2及びcにおいて同じ。）

b_2　3号認定子ども数（公立）のうち「保育短時間」の「第2階層」の「第1子」の「ひとり親世帯等以外」の数

c　3号認定子ども数（公立）のうち「合計」の数

二　法附則第15条第3項第1号の総務省令で定める施設等利用給付認定保護者の経済的負担の軽減に要する費用として次の算式によって算定した額

算式

$$A + \sum_{n=1}^{6}(B_n \times 25,700円 \times 6) - C \times 12,700円$$

$B_n \times 25,700円 \times 6$及び$C \times 12,700円$に1000円未満の端数があるときは、その端数を四捨五入する。

算式の符号

A　次の算式によって算定した額

算式

$$\sum_{n=1}^{24}(a_n \times \alpha_n \times 6) / 4$$

$a_n \times \alpha_n \times 6$及び$\sum_{n=1}^{24}(a_n \times \alpha_n \times 6) / 4$に1000円未満の端数があるときは、その端数を四捨五入する。

算式の符号

a_1　基礎数値等調査に基づいて報告された「07　施設等利用給付・地域子ども・子育て支援事業（補足給付）」の「施設等利用給付」の「給付対象児童数」（以下「施設等利用給付対象子ども数」という。）のうち「第1号認定」の「新制度未移行幼稚園」の「私立」の数

a_2　施設等利用給付対象子ども数のうち「第1号認定」の「特別支援学校」の「私立」の数

a_3　施設等利用給付対象子ども数のうち「第2号認定」の「新制度未移行幼稚園」の「私立」の数

a_4　施設等利用給付対象子ども数のうち「第2号認定」の「特別支援学校」の「私立」の数

a_5　施設等利用給付対象子ども数のうち「第2号認定」の「預かり保育事業」の数

a_6　施設等利用給付対象子ども数のうち「第2号認定」の「認可外保育施設」の「幼稚園等在籍者」の数

a_7　施設等利用給付対象子ども数のうち「第2号認定」の「認可外保育施設」の「幼稚園等在籍者以外」の数

a_8　施設等利用給付対象子ども数のうち「第2号認定」の「一時預かり事業」の「幼稚園等在籍者」の数

a_9　施設等利用給付対象子ども数のうち「第2号認定」の「一時預かり事業」の「幼稚園等在籍者以外」の数

a_{10}　施設等利用給付対象子ども数のうち「第2号認定」の「子育て援助活動支援事業」の「幼稚園等在籍者」の数

a_{11}　施設等利用給付対象子ども数のうち「第2号認定」の「子育て援助活動支援事業」の「幼稚園等在籍者以外」の数

a_{12}　施設等利用給付対象子ども数のうち「第2号認定」の「病児保育事業」の「幼稚園等在籍者」の数

a_{13}　施設等利用給付対象子ども数のうち「第2号認定」の「病児保育事業」の「幼稚園等在籍者以外」の数

a_{14}　施設等利用給付対象子ども数のうち「第3号認定」の「新制度未移行幼稚園」の「私立」の数

a_{15}　施設等利用給付対象子ども数のうち「第3号認定」の「特別支援学校」の「私立」の数

a_{16}　施設等利用給付対象子ども数のうち「第3号認定」の「預かり保育事業」の数

a_{17}　施設等利用給付対象子ども数のうち「第3号認定」の「認可外保育施設」の「幼稚園等在籍者」の数

a_{18}　施設等利用給付対象子ども数のうち

「第３号認定」の「認可外保育施設」の「幼稚園等在籍者以外」の数

a_{19}　施設等利用給付対象子ども数のうち「第３号認定」の「一時預かり事業」の「幼稚園等在籍者」の数

a_{20}　施設等利用給付対象子ども数のうち「第３号認定」の「一時預かり事業」の「幼稚園等在籍者以外」の数

a_{21}　施設等利用給付対象子ども数のうち「第３号認定」の「子育て援助活動支援事業」の「幼稚園等在籍者」の数

a_{22}　施設等利用給付対象子ども数のうち「第３号認定」の「子育て援助活動支援事業」の「幼稚園等在籍者以外」の数

a_{23}　施設等利用給付対象子ども数のうち「第３号認定」の「病児保育事業」の「幼稚園等在籍者」の数

a_{24}　施設等利用給付対象子ども数のうち「第３号認定」の「病児保育事業」の「幼稚園等在籍者以外」の数

α_n　別表第三に定める月額単価

B_1　施設等利用給付対象子ども数のうち「第１号認定」の「新制度未移行幼稚園」の「公立」の数

B_2　施設等利用給付対象子ども数のうち「第１号認定」の「特別支援学校」の「公立」の数

B_3　施設等利用給付対象子ども数のうち「第２号認定」の「新制度未移行幼稚園」の「公立」の数

B_4　施設等利用給付対象子ども数のうち「第２号認定」の「特別支援学校」の「公立」の数

B_5　施設等利用給付対象子ども数のうち「第３号認定」の「新制度未移行幼稚園」の「公立」の数

B_6　施設等利用給付対象子ども数のうち「第

３号認定」の「特別支援学校」の「公立」の数

C　当該市町村の学校基本調査規則によって調査した令和元年５月１日現在における私立幼稚園（新制度移行分除く）の在籍人員数

三　法附則第15条第３項第２号の総務省令で定める施設等利用給付認定保護者の経済的負担の軽減に要する費用として次の算式によって算定した額
算式
$A \times 3{,}100$円$\times 6 ／ 3$

$A \times 3{,}100$円$\times 6$ 及び $A \times 3{,}100$円$\times 6 ／ 3$に1000円未満の端数があるときは、その端数を四捨五入する。
算式の符号
A　基礎数値等調査に基づいて報告された「07施設等利用給付・地域子ども・子育て支援事業（補足給付）」の「補足給付事業」の「支給対象児童数」の数

3　法附則第15条第３項の場合において、各都道府県及び各市町村に対して交付すべき子ども・子育て支援臨時交付金の総額と各都道府県及び各市町村について第１項及び第２項の算式によって算定した額の合算額との間に差額があるときは、その差額を第１項及び第２項の算式によって算定した額の最も大きい都道府県又は市町村に交付すべき子ども・子育て支援臨時交付金の額に加算し、又はこれから減額する。

（交付すべき額の算定に錯誤があった場合の措置）

第４条　総務大臣は、子ども・子育て支援臨時交付金を各都道府県及び各市町村に交付した後において、その交付した額の算定に錯誤があったため、交付した額を減少する必要が生じたときは、当該減少すべき額を返還させることができる。

　　　附　則

この省令は、公布の日〔令和２年３月12日〕から施行する。

別表第一

1号認定子どもに係る教育・保育給付の月額単価
（円）（第3条第2項第1号関係）

算式の符号	月額単価
α_1	3,100
α_2	6,100
α_3	3,100
α_4	3,100
α_5	3,100
α_6	3,100
α_7	3,100
α_8	13,200
α_9	6,100
α_{10}	8,150
α_{11}	3,100
α_{12}	3,100
α_{13}	3,100
α_{14}	25,500
α_{15}	10,250
α_{16}	3,100
α_{17}	25,700
α_{18}	12,850
α_{19}	3,100

別表第二

2号認定子どもに係る教育・保育給付の月額単価
（円）（第3条第2項第1号関係）

算式の符号	月額単価	
	ア	イ
α_1	6,000	6,000
α_2	16,500	16,500
α_3	6,000	6,000
α_4	8,250	8,250
α_5	27,000	27,000
α_6	6,000	6,000
α_7	13,500	13,500
α_8	22,500	22,500
α_9	9,000	9,000
α_{10}	37,000	37,000
α_{11}	16,250	16,250
α_{12}	42,400	53,500
α_{13}	18,950	24,500
α_{14}	42,400	55,600
α_{15}	18,950	25,550
α_{16}	42,400	55,600
α_{17}	18,950	25,550
α_{18}	6,000	6,000
α_{19}	16,300	16,300
α_{20}	6,000	6,000
α_{21}	8,150	8,150
α_{22}	26,600	26,600
α_{23}	6,000	6,000
α_{24}	13,300	13,300
α_{25}	22,100	22,100
α_{26}	8,800	8,800
α_{27}	36,400	36,400
α_{28}	15,950	15,950
α_{29}	37,100	50,500
α_{30}	16,300	23,000
α_{31}	37,100	50,500
α_{32}	16,300	23,000
α_{33}	37,100	50,500
α_{34}	16,300	23,000

別表第三

施設等利用給付の月額単価（円）（第3条第2項第2号関係）

算式の符号	月額単価
α_1	25,700
α_2	25,700
α_3	25,700
α_4	25,700
α_5	5,800
α_6	5,800
α_7	32,700
α_8	5,800
α_9	32,700
α_{10}	5,800
α_{11}	32,700
α_{12}	5,800
α_{13}	32,700
α_{14}	25,700
α_{15}	25,700
α_{16}	6,500
α_{17}	6,500
α_{18}	32,700
α_{19}	6,500
α_{20}	32,700
α_{21}	6,500
α_{22}	32,700
α_{23}	6,500
α_{24}	32,700

●就学前の子どもに関する教育、保育等の総合的な提供の推進に関する法律

〔平成18年6月15日〕
〔法　律　第　77　号〕

注　令和5年6月16日法律第58号改正現在
（未施行分については145頁以降に収載）

第1章　総則

（目的）

第1条　この法律は、幼児期の教育及び保育が生涯にわたる人格形成の基礎を培う重要なものであること並びに我が国における急速な少子化の進行並びに家庭及び地域を取り巻く環境の変化に伴い小学校就学前の子どもの教育及び保育に対する需要が多様なものとなっていることに鑑み、地域における創意工夫を生かしつつ、小学校就学前の子どもに対する教育及び保育並びに保護者に対する子育て支援の総合的な提供を推進するための措置を講じ、もって地域において子どもが健やかに育成される環境の整備に資することを目的とする。

（定義）

第2条　この法律において「子ども」とは、小学校就学の始期に達するまでの者をいう。

2　この法律において「幼稚園」とは、学校教育法（昭和22年法律第26号）第1条に規定する幼稚園をいう。

3　この法律において「保育所」とは、児童福祉法（昭和22年法律第164号）第39条第1項に規定する保育所をいう。

4　この法律において「保育機能施設」とは、児童福祉法第59条第1項に規定する施設のうち同法第39条第1項に規定する業務を目的とするもの（少数の子どもを対象とするものその他の主務省令で定めるものを除く。）をいう。

5　この法律において「保育所等」とは、保育所又は保育機能施設をいう。

6　この法律において「認定こども園」とは、次条第1項又は第3項の認定を受けた施設、同条第10項の規定による公示がされた施設及び幼保連携型認定こども園をいう。

7　この法律において「幼保連携型認定こども園」とは、義務教育及びその後の教育の基礎を培うものとしての満3歳以上の子どもに対する教育並びに保育を必要とする子どもに対する保育を一体的に行い、これらの子どもの健やかな成長が図られるよう適当な環境を与えて、その心身の発達を助長するとともに、保護者に対する子育ての支援を行うことを目的として、この法律の定めるところにより設置される施設をいう。

8　この法律において「教育」とは、教育基本法（平成18年法律第120号）第6条第1項に規定する法律に定める学校（第9条において単に「学校」という。）において行われる教育をいう。

9　この法律において「保育」とは、児童福祉法第6条の3第7項第1号に規定する保育をいう。

10　この法律において「保育を必要とする子ども」とは、児童福祉法第6条の3第9項第1号に規定する保育を必要とする乳児・幼児をいう。

11　この法律において「保護者」とは、児童福祉法第6条に規定する保護者をいう。

12　この法律において「子育て支援事業」とは、地域の子どもの養育に関する各般の問題につき保護者からの相談に応じ必要な情報の提供及び助言を行う事業、保護者の疾病その他の理由により家庭において養育を受けることが一時的に困難となった地域の子どもに対する保育を行う事業、地域の子どもの養育に関する援助を受けることを希望する保護者と当該援助を行うことを希望する民間の団体若しくは個人との連絡及び調整を行う事業又は地域の子どもの養育に関する援助を行う民間の団体若しくは個人に対する必要な情報の提供及び助言を行う事業であって主務省令で定めるものをいう。

第2章　幼保連携型認定こども園以外の認定こども園に関する認定手続等

（幼保連携型認定こども園以外の認定こども園の認定
等）

第3条 幼稚園又は保育所等の設置者（都道府県及び
地方自治法（昭和22年法律第67号）第252条の19第
1項の指定都市又は同法第252条の22第1項の中核
市（以下「指定都市等」という。）を除く。）は、そ
の設置する幼稚園又は保育所等が都道府県（当該幼
稚園又は保育所等が指定都市等所在施設（指定都市
等の区域内に所在する施設であって、都道府県が単
独で又は他の地方公共団体と共同して設立する公立
大学法人（地方独立行政法人法（平成15年法律第
118号）第68条第1項に規定する公立大学法人をい
う。以下同じ。）が設置する施設以外のものをいう。
以下同じ。）である場合にあっては、当該指定都市等）
の条例で定める要件に適合している旨の都道府県知
事（当該幼稚園又は保育所等が指定都市等所在施設
である場合にあっては、当該指定都市等の長）（保
育所に係る児童福祉法の規定による認可その他の処
分をする権限に係る事務を地方自治法第180条の2
の規定に基づく都道府県知事又は指定都市等の長の
委任を受けて当該都道府県又は指定都市等の教育委
員会が行う場合その他の主務省令で定める場合に
あっては、都道府県又は指定都市等の教育委員会。
以下この章及び第4章において同じ。）の認定を受
けることができる。

2　前項の条例で定める要件は、次に掲げる基準に従
い、かつ、主務大臣が定める施設の設備及び運営に
関する基準を参酌して定めるものとする。

一　当該施設が幼稚園である場合にあっては、幼稚
園教育要領（学校教育法第25条第1項の規定に基
づき幼稚園に関して文部科学大臣が定める事項を
いう。第10条第2項において同じ。）に従って編
成された教育課程に基づく教育を行うほか、当該
教育のための時間の終了後、当該幼稚園に在籍し
ている子どものうち保育を必要とする子どもに該
当する者に対する教育を行うこと。

二　当該施設が保育所等である場合にあっては、保
育を必要とする子どもに対する保育を行うほか、
当該保育を必要とする子ども以外の満3歳以上の
子ども（当該施設が保育所である場合にあっては、
当該保育所が所在する市町村（特別区を含む。以
下同じ。）における児童福祉法第24条第4項に規
定する保育の利用に対する需要の状況に照らして
適当と認められる数の子どもに限る。）を保育し、
かつ、満3歳以上の子どもに対し学校教育法第23
条各号に掲げる目標が達成されるよう保育を行う
こと。

三　子育て支援事業のうち、当該施設の所在する地
域における教育及び保育に対する需要に照らし当
該地域において実施することが必要と認められる
ものを、保護者の要請に応じ適切に提供し得る体
制の下で行うこと。

3　幼稚園及び保育機能施設のそれぞれの用に供され
る建物及びその附属設備が一体的に設置されている
場合における当該幼稚園及び保育機能施設（以下「連
携施設」という。）の設置者（都道府県及び指定都
市等を除く。）は、その設置する連携施設が都道府
県（当該連携施設が指定都市等所在施設である場合
にあっては、当該指定都市等）の条例で定める要件
に適合している旨の都道府県知事（当該連携施設が
指定都市等所在施設である場合にあっては、当該指
定都市等の長）の認定を受けることができる。

4　前項の条例で定める要件は、次に掲げる基準に従
い、かつ、主務大臣が定める施設の設備及び運営に
関する基準を参酌して定めるものとする。

一　次のいずれかに該当する施設であること。

イ　当該連携施設を構成する保育機能施設におい
て、満3歳以上の子どもに対し学校教育法第23
条各号に掲げる目標が達成されるよう保育を行
い、かつ、当該保育を実施するに当たり当該連
携施設を構成する幼稚園との緊密な連携協力体
制が確保されていること。

ロ　当該連携施設を構成する保育機能施設に入所
していた子どもを引き続き当該連携施設を構成
する幼稚園に入園させて一貫した教育及び保育
を行うこと。

二　子育て支援事業のうち、当該連携施設の所在す
る地域における教育及び保育に対する需要に照ら
し当該地域において実施することが必要と認めら
れるものを、保護者の要請に応じ適切に提供し得
る体制の下で行うこと。

5　都道府県知事（指定都市等所在施設である幼稚園
若しくは保育所等又は連携施設については、当該指
定都市等の長。第8項及び第9項、次条第1項、第
7条第1項及び第2項並びに第8条第1項において
同じ。）は、国（国立大学法人法（平成15年法律第
112号）第2条第1項に規定する国立大学法人を含
む。以下同じ。）、市町村（指定都市等を除く。）及
び公立大学法人以外の者から、第1項又は第3項の
認定の申請があったときは、第1項又は第3項の条
例で定める要件に適合するかどうかを審査するほ
か、次に掲げる基準（当該認定の申請をした者が学
校法人（私立学校法（昭和24年法律第270号）第3
条に規定する学校法人をいう。以下同じ。）又は社

会福祉法人（社会福祉法（昭和26年法律第45号）第22条に規定する社会福祉法人をいう。以下同じ。）である場合にあっては、第4号に掲げる基準に限る。）によって、その申請を審査しなければならない。

一　第1項若しくは第3項の条例で定める要件に適合する設備又はこれに要する資金及び当該申請に係る施設の経営に必要な財産を有すること。

二　当該申請に係る施設を設置する者（その者が法人である場合にあっては、経営担当役員（業務を執行する社員、取締役、執行役又はこれらに準ずる者をいう。）とする。次号において同じ。）が当該施設を経営するために必要な知識又は経験を有すること。

三　当該申請に係る施設を設置する者が社会的信望を有すること。

四　次のいずれにも該当するものでないこと。

　イ　申請者が、禁錮以上の刑に処せられ、その執行を終わり、又は執行を受けることがなくなるまでの者であるとき。

　ロ　申請者が、この法律その他国民の福祉若しくは学校教育に関する法律で政令で定めるものの規定により罰金の刑に処せられ、その執行を終わり、又は執行を受けることがなくなるまでの者であるとき。

　ハ　申請者が、労働に関する法律の規定であって政令で定めるものにより罰金の刑に処せられ、その執行を終わり、又は執行を受けることがなくなるまでの者であるとき。

　ニ　申請者が、第7条第1項の規定により認定を取り消され、その取消しの日から起算して5年を経過しない者（当該認定を取り消された者が法人である場合においては、当該取消しの処分に係る行政手続法（平成5年法律第88号）第15条の規定による通知があった日前60日以内に当該法人の役員（業務を執行する社員、取締役、執行役又はこれらに準ずる者をいい、相談役、顧問その他いかなる名称を有する者であるかを問わず、法人に対し業務を執行する社員、取締役、執行役又はこれらに準ずる者と同等以上の支配力を有するものと認められる者を含む。ホ及び第17条第2項第7号において同じ。）又はその事業を管理する者その他の政令で定める使用人（以下この号において「役員等」という。）であった者で当該取消しの日から起算して5年を経過しないものを含み、当該認定を取り消された者が法人でない場合においては、当該通知

があった日前60日以内に当該事業の管理者であった者で当該取消しの日から起算して5年を経過しないものを含む。）であるとき。ただし、当該認定の取消しが、認定こども園の認定の取消しのうち当該認定の取消しの処分の理由となった事実及び当該事実の発生を防止するための当該認定こども園の設置者による業務管理体制の整備についての取組の状況その他の当該事実に関して当該認定こども園の設置者が有していた責任の程度を考慮して、ニ本文に規定する認定の取消しに該当しないこととすることが相当であると認められるものとして主務省令で定めるものに該当する場合を除く。

　ホ　申請者と密接な関係を有する者（申請者（法人に限る。以下ホにおいて同じ。）の役員に占めるその役員の割合が2分の1を超え、若しくは当該申請者の株式の所有その他の事由を通じて当該申請者の事業を実質的に支配し、若しくはその事業に重要な影響を与える関係にある者として主務省令で定めるもの（以下ホにおいて「申請者の親会社等」という。）、申請者の親会社等の役員と同一の者がその役員に占める割合が2分の1を超え、若しくは申請者の親会社等が株式の所有その他の事由を通じてその事業を実質的に支配し、若しくはその事業に重要な影響を与える関係にある者として主務省令で定めるもの又は当該申請者の役員と同一の者がその役員に占める割合が2分の1を超え、若しくは当該申請者が株式の所有その他の事由を通じてその事業を実質的に支配し、若しくはその事業に重要な影響を与える関係にある者として主務省令で定めるもののうち、当該申請者と主務省令で定める密接な関係を有する法人をいう。）が、第7条第1項の規定により認定を取り消され、その取消しの日から起算して5年を経過していないとき。ただし、当該認定の取消しが、認定こども園の認定の取消しのうち当該認定の取消しの処分の理由となった事実及び当該事実の発生を防止するための当該認定こども園の設置者による業務管理体制の整備についての取組の状況その他の当該事実に関して当該認定こども園の設置者が有していた責任の程度を考慮して、ホ本文に規定する認定の取消しに該当しないこととすることが相当であると認められるものとして主務省令で定めるものに該当する場合を除く。

　ヘ　申請者が、認定の申請前5年以内に教育又は

保育に関し不正又は著しく不当な行為をした者であるとき。

ト　申請者が、法人で、その役員等のうちにイからニまで又はへのいずれかに該当する者のあるものであるとき。

チ　申請者が、法人でない者で、その管理者がイからニまで又はへのいずれかに該当する者であるとき。

6　都道府県知事は、第1項又は第3項の認定をしようとするときは、主務省令で定めるところにより、あらかじめ、当該認定の申請に係る施設が所在する市町村の長に協議しなければならない。

7　指定都市等の長は、第1項又は第3項の認定をしようとするときは、その旨及び次条第1項各号に掲げる事項を都道府県知事に通知しなければならない。

8　都道府県知事は、第1項又は第3項及び第5項に基づく審査の結果、その申請が第1項又は第3項の条例で定める要件に適合しており、かつ、その申請をした者が第5項各号に掲げる基準（その者が学校法人又は社会福祉法人である場合にあっては、同項第4号に掲げる基準に限る。）に該当すると認めるとき（その申請をした者が国、市町村（指定都市等を除く。）又は公立大学法人である場合にあっては、その申請が第1項又は第3項の条例で定める要件に適合していると認めるとき）は、第1項又は第3項の認定をするものとする。ただし、次に掲げる要件のいずれかに該当するとき、その他の都道府県子ども・子育て支援事業支援計画（子ども・子育て支援法（平成24年法律第65号）第62条第1項の規定により当該都道府県が定める都道府県子ども・子育て支援事業支援計画をいう。以下この項及び第17条第6項において同じ。）（指定都市等の長が第1項又は第3項の認定を行う場合にあっては、同法第61条第1項の規定により当該指定都市等が定める市町村子ども・子育て支援事業計画。以下この項において同じ。）の達成に支障を生ずるおそれがある場合として主務省令で定める場合に該当すると認めるときは、第1項又は第3項の認定をしないことができる。

一　当該申請に係る施設の所在地を含む区域（子ども・子育て支援法第62条第2項第1号の規定により当該都道府県が定める区域（指定都市等の長が第1項又は第3項の認定を行う場合にあっては、同法第61条第2項第1号の規定により当該指定都市等が定める教育・保育提供区域）をいう。以下この項において同じ。）における特定教育・保育施設（同法第27条第1項に規定する特定教育・保育施設をいう。以下この項及び第17条第6項において同じ。）の利用定員の総数（同法第19条第1号に掲げる小学校就学前子どもに係るものに限る。）が、都道府県子ども・子育て支援事業支援計画において定める当該区域の特定教育・保育施設の必要利用定員総数（同号に掲げる小学校就学前子どもに係るものに限る。）に既に達しているか、又は当該申請に係る施設の認定によってこれを超えることになると認めるとき。

二　当該申請に係る施設の所在地を含む区域における特定教育・保育施設の利用定員の総数（子ども・子育て支援法第19条第2号に掲げる小学校就学前子どもに係るものに限る。）が、都道府県子ども・子育て支援事業支援計画において定める当該区域の特定教育・保育施設の必要利用定員総数（同号に掲げる小学校就学前子どもに係るものに限る。）に既に達しているか、又は当該申請に係る施設の認定によってこれを超えることになると認めるとき。

三　当該申請に係る施設の所在地を含む区域における特定教育・保育施設の利用定員の総数（子ども・子育て支援法第19条第3号に掲げる小学校就学前子どもに係るものに限る。）が、都道府県子ども・子育て支援事業支援計画において定める当該区域の特定教育・保育施設の必要利用定員総数（同号に掲げる小学校就学前子どもに係るものに限る。）に既に達しているか、又は当該申請に係る施設の認定によってこれを超えることになると認めるとき。

9　都道府県知事は、第1項又は第3項の認定をしない場合には、申請者に対し、速やかに、その旨及び理由を通知しなければならない。

10　都道府県知事又は指定都市等の長は、当該都道府県又は指定都市等が設置する施設のうち、第1項又は第3項の当該都道府県又は指定都市等の条例で定める要件に適合していると認めるものについては、これを公示するものとする。

11　指定都市等の長は、前項の規定による公示をしたときは、速やかに、次条第1項各号に掲げる事項を記載した書類を都道府県知事に提出しなければならない。

（認定の申請）

第4条　前条第1項又は第3項の認定を受けようとする者は、次に掲げる事項を記載した申請書に、その申請に係る施設が同条第1項又は第3項の条例で定める要件に適合していることを証する書類を添付して、これを都道府県知事に提出しなければならない。

一　氏名又は名称及び住所並びに法人にあっては、
　　その代表者の氏名

二　施設の名称及び所在地

三　保育を必要とする子どもに係る利用定員（満３
　　歳未満の者に係る利用定員及び満３歳以上の者に
　　係る利用定員に区分するものとする。）

四　保育を必要とする子ども以外の子どもに係る利
　　用定員（満３歳未満の者に係る利用定員及び満３
　　歳以上の者に係る利用定員に区分するものとす
　　る。）

五　その他主務省令で定める事項

２　前条第３項の認定に係る前項の申請については、
　連携施設を構成する幼稚園の設置者と保育機能施設
　の設置者とが異なる場合には、これらの者が共同し
　て行わなければならない。

第５条　削除

（教育及び保育の内容）

第６条　第３条第１項又は第３項の認定を受けた施設
　及び同条第10項の規定による公示がされた施設の設
　置者は、当該施設において教育又は保育を行うに当
　たっては、第10条第１項の幼保連携型認定こども園
　の教育課程その他の教育及び保育の内容に関する事
　項を踏まえて行わなければならない。

（認定の取消し）

第７条　都道府県知事は、次の各号のいずれかに該当
　するときは、第３条第１項又は第３項の認定を取り
　消すことができる。

一　第３条第１項又は第３項の認定を受けた施設が
　　それぞれ同条第１項又は第３項の条例で定める要
　　件を欠くに至ったと認めるとき。

二　第３条第１項又は第３項の認定を受けた施設の
　　設置者が第29条第１項の規定による届出をせず、
　　又は虚偽の届出をしたとき。

三　第３条第１項又は第３項の認定を受けた施設の
　　設置者が第30条第１項又は第３項の規定による報
　　告をせず、又は虚偽の報告をしたとき。

四　第３条第１項又は第３項の認定を受けた施設の
　　設置者が同条第５項第４号イからハまで、ト又は
　　チのいずれかに該当するに至ったとき。

五　第３条第１項又は第３項の認定を受けた施設の
　　設置者が不正の手段により同条第１項又は第３項
　　の認定を受けたとき。

六　その他第３条第１項又は第３項の認定を受けた
　　施設の設置者がこの法律、学校教育法、児童福祉
　　法、私立学校法、社会福祉法若しくは私立学校振
　　興助成法（昭和50年法律第61号）又はこれらの法
　　律に基づく命令の規定に違反したとき。

２　都道府県知事は、前項の規定により認定を取り消
　したときは、その旨を公表しなければならない。

３　都道府県知事又は指定都市等の長は、第３条第10
　項の規定による公示がされた施設が同条第１項又は
　第３項の当該都道府県又は指定都市等の条例で定め
　る要件を欠くに至ったと認めるときは、同条第10項
　の規定によりされた公示を取り消し、その旨を公示
　しなければならない。

（関係機関の連携の確保）

第８条　都道府県知事は、第３条第１項又は第３項の
　規定により認定を行おうとするとき及び前条第１項
　の規定により認定の取消しを行おうとするときは、
　あらかじめ、学校教育法又は児童福祉法の規定によ
　り当該認定又は取消しに係る施設の設置又は運営に
　関して認可その他の処分をする権限を有する地方公
　共団体の機関（当該機関が当該都道府県知事である
　場合を除く。）に協議しなければならない。

２　地方公共団体の長及び教育委員会は、認定こども
　園に関する事務が適切かつ円滑に実施されるよう、
　相互に緊密な連携を図りながら協力しなければなら
　ない。

第３章　幼保連携型認定こども園

（教育及び保育の目標）

第９条　幼保連携型認定こども園においては、第２条
　第７項に規定する目的を実現するため、子どもに対
　する学校としての教育及び児童福祉施設（児童福祉
　法第７条第１項に規定する児童福祉施設をいう。次
　条第２項において同じ。）としての保育並びにその
　実施する保護者に対する子育て支援事業の相互の有
　機的な連携を図りつつ、次に掲げる目標を達成する
　よう当該教育及び当該保育を行うものとする。

一　健康、安全で幸福な生活のために必要な基本的
　　な習慣を養い、身体諸機能の調和的発達を図るこ
　　と。

二　集団生活を通じて、喜んでこれに参加する態度
　　を養うとともに家族や身近な人への信頼感を深
　　め、自主、自律及び協同の精神並びに規範意識の
　　芽生えを養うこと。

三　身近な社会生活、生命及び自然に対する興味を
　　養い、それらに対する正しい理解と態度及び思考
　　力の芽生えを養うこと。

四　日常の会話や、絵本、童話等に親しむことを通
　　じて、言葉の使い方を正しく導くとともに、相手
　　の話を理解しようとする態度を養うこと。

五　音楽、身体による表現、造形等に親しむことを
　　通じて、豊かな感性と表現力の芽生えを養うこと。

六　快適な生活環境の実現及び子どもと保育教諭そ

の他の職員との信頼関係の構築を通じて、心身の健康の確保及び増進を図ること。

（教育及び保育の内容）

第10条 幼保連携型認定こども園の教育課程その他の教育及び保育の内容に関する事項は、第2条第7項に規定する目的及び前条に規定する目標に従い、主務大臣が定める。

2 主務大臣が前項の規定により幼保連携型認定こども園の教育課程その他の教育及び保育の内容に関する事項を定めるに当たっては、幼稚園教育要領及び児童福祉法第45条第2項の規定に基づき児童福祉施設に関して内閣府令で定める基準（同項第3号に規定する保育所における保育の内容に係る部分に限る。）との整合性の確保並びに小学校（学校教育法第1条に規定する小学校をいう。）及び義務教育学校（学校教育法第1条に規定する義務教育学校をいう。）における教育との円滑な接続に配慮しなければならない。

3 幼保連携型認定こども園の設置者は、第1項の教育及び保育の内容に関する事項を遵守しなければならない。

（入園資格）

第11条 幼保連携型認定こども園に入園することのできる者は、満3歳以上の子ども及び満3歳未満の保育を必要とする子どもとする。

（設置者）

第12条 幼保連携型認定こども園は、国、地方公共団体（公立大学法人を含む。第17条第1項において同じ。）、学校法人及び社会福祉法人のみが設置することができる。

（設備及び運営の基準）

第13条 都道府県（指定都市等所在施設である幼保連携型認定こども園（都道府県が設置するものを除く。）については、当該指定都市等。次項及び第25条において同じ。）は、幼保連携型認定こども園の設備及び運営について、条例で基準を定めなければならない。この場合において、その基準は、子どもの身体的、精神的及び社会的な発達のために必要な教育及び保育の水準を確保するものでなければならない。

2 都道府県が前項の条例を定めるに当たっては、次に掲げる事項については主務省令で定める基準に従い定めるものとし、その他の事項については主務省令で定める基準を参酌するものとする。

一 幼保連携型認定こども園における学級の編制並びに幼保連携型認定こども園に配置する園長、保育教諭その他の職員及びその員数

二 幼保連携型認定こども園に係る保育室の床面積その他幼保連携型認定こども園の設備に関する事項であって、子どもの健全な発達に密接に関連するものとして主務省令で定めるもの

三 幼保連携型認定こども園の運営に関する事項であって、子どもの適切な処遇の確保及び秘密の保持並びに子どもの健全な発達に密接に関連するものとして主務省令で定めるもの

3 主務大臣は、前項に規定する主務省令で定める基準を定め、又は変更しようとするとき、並びに同項第2号及び第3号の主務省令を定め、又は変更しようとするときは、こども家庭審議会の意見を聴かなければならない。

4 幼保連携型認定こども園の設置者は、第1項の基準を遵守しなければならない。

5 幼保連携型認定こども園の設置者は、幼保連携型認定こども園の設備及び運営についての水準の向上を図ることに努めるものとする。

（職員）

第14条 幼保連携型認定こども園には、園長及び保育教諭を置かなければならない。

2 幼保連携型認定こども園には、前項に規定するもののほか、副園長、教頭、主幹保育教諭、指導保育教諭、主幹養護教諭、養護教諭、主幹栄養教諭、栄養教諭、事務職員、養護助教諭その他必要な職員を置くことができる。

3 園長は、園務をつかさどり、所属職員を監督する。

4 副園長は、園長を助け、命を受けて園務をつかさどる。

5 副園長は、園長に事故があるときはその職務を代理し、園長が欠けたときはその職務を行う。この場合において、副園長が2人以上あるときは、あらかじめ園長が定めた順序で、その職務を代理し、又は行う。

6 教頭は、園長（副園長を置く幼保連携型認定こども園にあっては、園長及び副園長）を助け、園務を整理し、並びに必要に応じ園児（幼保連携型認定こども園に在籍する子どもをいう。以下同じ。）の教育及び保育（満3歳未満の園児については、その保育。以下この条において同じ。）をつかさどる。

7 教頭は、園長（副園長を置く幼保連携型認定こども園にあっては、園長及び副園長）に事故があるときは園長の職務を代理し、園長（副園長を置く幼保連携型認定こども園にあっては、園長及び副園長）が欠けたときは園長の職務を行う。この場合において、教頭が2人以上あるときは、あらかじめ園長が

定めた順序で、園長の職務を代理し、又は行う。

8　主幹保育教諭は、園長（副園長又は教頭を置く幼保連携型認定こども園にあっては、園長及び副園長又は教頭。第11項及び第13項において同じ。）を助け、命を受けて園務の一部を整理し、並びに園児の教育及び保育をつかさどる。

9　指導保育教諭は、園児の教育及び保育をつかさどり、並びに保育教諭その他の職員に対して、教育及び保育の改善及び充実のために必要な指導及び助言を行う。

10　保育教諭は、園児の教育及び保育をつかさどる。

11　主幹養護教諭は、園長を助け、命を受けて園務の一部を整理し、及び園児（満3歳以上の園児に限る。以下この条において同じ。）の養護をつかさどる。

12　養護教諭は、園児の養護をつかさどる。

13　主幹栄養教諭は、園長を助け、命を受けて園務の一部を整理し、並びに園児の栄養の指導及び管理をつかさどる。

14　栄養教諭は、園児の栄養の指導及び管理をつかさどる。

15　事務職員は、事務をつかさどる。

16　助保育教諭は、保育教諭の職務を助ける。

17　講師は、保育教諭又は助保育教諭に準ずる職務に従事する。

18　養護助教諭は、養護教諭の職務を助ける。

19　特別の事情のあるときは、第1項の規定にかかわらず、保育教諭に代えて助保育教諭又は講師を置くことができる。

（職員の資格）

第15条　主幹保育教諭、指導保育教諭、保育教諭及び講師（保育教諭に準ずる職務に従事するものに限る。）は、幼稚園の教諭の普通免許状（教育職員免許法（昭和24年法律第147号）第4条第2項に規定する普通免許状をいう。以下この条において同じ。）を有し、かつ、児童福祉法第18条の18第1項の登録（第4項及び第40条において単に「登録」という。）を受けた者でなければならない。

2　主幹養護教諭及び養護教諭は、養護教諭の普通免許状を有する者でなければならない。

3　主幹栄養教諭及び栄養教諭は、栄養教諭の普通免許状を有する者でなければならない。

4　助保育教諭及び講師（助保育教諭に準ずる職務に従事するものに限る。）は、幼稚園の助教諭の臨時免許状（教育職員免許法第4条第4項に規定する臨時免許状をいう。次項において同じ。）を有し、かつ、登録を受けた者でなければならない。

5　養護助教諭は、養護助教諭の臨時免許状を有する

者でなければならない。

6　前各項に定めるもののほか、職員の資格に関する事項は、主務省令で定める。

（設置等の届出）

第16条　市町村（指定都市等を除く。以下この条及び次条第5項において同じ。）（市町村が単独で又は他の市町村と共同して設立する公立大学法人を含む。）は、幼保連携型認定こども園を設置しようとするとき、又はその設置した幼保連携型認定こども園の廃止、休止若しくは設置者の変更その他政令で定める事項（同条第1項及び第34条第6項において「廃止等」という。）を行おうとするときは、あらかじめ、都道府県知事に届け出なければならない。

（設置等の認可）

第17条　国及び地方公共団体以外の者は、幼保連携型認定こども園を設置しようとするとき、又はその設置した幼保連携型認定こども園の廃止等を行おうとするときは、都道府県知事（指定都市等の区域内に所在する幼保連携型認定こども園については、当該指定都市等の長。次項、第3項、第6項及び第7項並びに次条第1項において同じ。）の認可を受けなければならない。

2　都道府県知事は、前項の設置の認可の申請があったときは、第13条第1項の条例で定める基準に適合するかどうかを審査するほか、次に掲げる基準によって、その申請を審査しなければならない。

一　申請者が、この法律その他国民の福祉若しくは学校教育に関する法律で政令で定めるものの規定により罰金の刑に処せられ、その執行を終わり、又は執行を受けることがなくなるまでの者であるとき。

二　申請者が、労働に関する法律の規定であって政令で定めるものにより罰金の刑に処せられ、その執行を終わり、又は執行を受けることがなくなるまでの者であるとき。

三　申請者が、第22条第1項の規定により認可を取り消され、その取消しの日から起算して5年を経過しない者であるとき。ただし、当該認可の取消しが、幼保連携型認定こども園の認可の取消しのうち当該認可の取消しの処分の理由となった事実及び当該事実の発生を防止するための当該幼保連携型認定こども園の設置者による業務管理体制の整備についての取組の状況その他の当該事実に関して当該幼保連携型認定こども園の設置者が有していた責任の程度を考慮して、この号本文に規定する認可の取消しに該当しないこととすることが相当であると認められるものとして主務省令で定

めるものに該当する場合を除く。

四　申請者が、第22条第1項の規定による認可の取消しの処分に係る行政手続法第15条の規定による通知があった日から当該処分をする日又は処分をしないことを決定する日までの間に前項の規定による幼保連携型認定こども園の廃止をした者（当該廃止について相当の理由がある者を除く。）で、当該幼保連携型認定こども園の廃止の認可の日から起算して5年を経過しないものであるとき。

五　申請者が、第19条第1項の規定による検査が行われた日から聴聞決定予定日（当該検査の結果に基づき第22条第1項の規定による認可の取消しの処分に係る聴聞を行うか否かの決定をすることが見込まれる日として主務省令で定めるところにより都道府県知事が当該申請者に当該検査が行われた日から10日以内に特定の日を通知した場合における当該特定の日をいう。）までの間に前項の規定による幼保連携型認定こども園の廃止をした者（当該廃止について相当の理由がある者を除く。）で、当該幼保連携型認定こども園の廃止の認可の日から起算して5年を経過しないものであるとき。

六　申請者が、認可の申請前5年以内に教育又は保育に関し不正又は著しく不当な行為をした者であるとき。

七　申請者の役員又はその長のうちに次のいずれかに該当する者があるとき。

イ　禁錮以上の刑に処せられ、その執行を終わり、又は執行を受けることがなくなるまでの者

ロ　第1号、第2号又は前号に該当する者

ハ　第22条第1項の規定により認可を取り消された幼保連携型認定こども園において、当該取消しの処分に係る行政手続法第15条の規定による通知があった日前60日以内にその幼保連携型認定こども園の設置者の役員又はその園長であった者で当該取消しの日から起算して5年を経過しないもの（当該認可の取消しが、幼保連携型認定こども園の認可の取消しのうち当該認可の取消しの処分の理由となった事実及び当該事実の発生を防止するための当該幼保連携型認定こども園の設置者による業務管理体制の整備についての取組の状況その他の当該事実に関して当該幼保連携型認定こども園の設置者が有していた責任の程度を考慮して、この号に規定する認可の取消しに該当しないこととすることが相当であると認められるものとして主務省令で定めるものに該当する場合を除く。）

ニ　第4号に規定する期間内に前項の規定により廃止した幼保連携型認定こども園（当該廃止について相当の理由がある幼保連携型認定こども園を除く。）において、同号の通知の日前60日以内にその設置者の役員又はその長であった者で当該廃止の認可の日から起算して5年を経過しないもの

3　都道府県知事は、第1項の認可をしようとするときは、あらかじめ、第25条に規定する審議会その他の合議制の機関の意見を聴かなければならない。

4　指定都市等の長は、第1項の認可をしようとするときは、その旨及び第4条第1項各号に掲げる事項を都道府県知事に通知しなければならない。

5　都道府県知事は、第1項の設置の認可をしようとするときは、主務省令で定めるところにより、あらかじめ、当該認可の申請に係る幼保連携型認定こども園を設置しようとする場所を管轄する市町村の長に協議しなければならない。

6　都道府県知事は、第1項及び第2項に基づく審査の結果、その申請が第13条第1項の条例で定める基準に適合しており、かつ、第2項各号に掲げる基準に該当しないと認めるときは、第1項の設置の認可をするものとする。ただし、次に掲げる要件のいずれかに該当するとき、その他の都道府県子ども・子育て支援事業支援計画（指定都市等の長が同項の設置の認可を行う場合にあっては、子ども・子育て支援法第61条第1項の規定により当該指定都市等が定める市町村子ども・子育て支援事業計画。以下この項において同じ。）の達成に支障を生ずるおそれがある場合として主務省令で定める場合に該当すると認めるときは、第1項の設置の認可をしないことができる。

一　当該申請に係る幼保連携型認定こども園を設置しようとする場所を含む区域（子ども・子育て支援法第62条第2項第1号の規定により当該都道府県が定める区域（指定都市等の長が第1項の設置の認可を行う場合にあっては、同法第61条第2項第1号の規定により当該指定都市等が定める教育・保育提供区域）をいう。以下この項において同じ。）における特定教育・保育施設の利用定員の総数（子ども・子育て支援法第19条第1項に掲げる小学校就学前子どもに係るものに限る。）が、都道府県子ども・子育て支援事業支援計画において定める当該区域の特定教育・保育施設の必要利用定員総数（同号に掲げる小学校就学前子どもに係るものに限る。）に既に達しているか、又は当該申請に係る設置の認可によってこれを超えるこ

とになると認めるとき。

二　当該申請に係る幼保連携型認定こども園を設置しようとする場所を含む区域における特定教育・保育施設の利用定員の総数（子ども・子育て支援法第19条第２号に掲げる小学校就学前子どもに係るものに限る。）が、都道府県子ども・子育て支援事業支援計画において定める当該区域の特定教育・保育施設の必要利用定員総数（同号に掲げる小学校就学前子どもに係るものに限る。）に既に達しているか、又は当該申請に係る設置の認可によってこれを超えることになると認めるとき。

三　当該申請に係る幼保連携型認定こども園を設置しようとする場所を含む区域における特定教育・保育施設の利用定員の総数（子ども・子育て支援法第19条第３号に掲げる小学校就学前子どもに係るものに限る。）が、都道府県子ども・子育て支援事業支援計画において定める当該区域の特定教育・保育施設の必要利用定員総数（同号に掲げる小学校就学前子どもに係るものに限る。）に既に達しているか、又は当該申請に係る設置の認可によってこれを超えることになると認めるとき。

7　都道府県知事は、第１項の設置の認可をしない場合には、申請者に対し、速やかに、その旨及び理由を通知しなければならない。

（都道府県知事への情報の提供）

第18条　第16条の届出を行おうとする者又は前条第１項の認可を受けようとする者は、第４条第１項各号に掲げる事項を記載した書類を都道府県知事に提出しなければならない。

2　指定都市等の長は、当該指定都市等（当該指定都市等が単独で又は他の市町村と共同して設立する公立大学法人を含む。）が幼保連携型認定こども園を設置したときは、速やかに、第４条第１項各号に掲げる事項を記載した書類を都道府県知事に提出しなければならない。

（報告の徴収等）

第19条　都道府県知事（指定都市等所在施設である幼保連携型認定こども園（都道府県が設置するものを除く。）については、当該指定都市等の長。第28条から第30条まで並びに第34条第３項及び第９項を除き、以下同じ。）は、この法律を施行するため必要があると認めるときは、幼保連携型認定こども園の設置者若しくは園長に対して、必要と認める事項の報告を求め、又は当該職員に関係者に対して質問させ、若しくはその施設に立ち入り、設備、帳簿書類その他の物件を検査させることができる。

2　前項の規定による立入検査を行う場合において

は、当該職員は、その身分を示す証明書を携帯し、関係者の請求があるときは、これを提示しなければならない。

3　第１項の規定による立入検査の権限は、犯罪捜査のために認められたものと解釈してはならない。

（改善勧告及び改善命令）

第20条　都道府県知事は、幼保連携型認定こども園の設置者が、この法律又はこの法律に基づく命令若しくは条例の規定に違反したときは、当該設置者に対し、必要な改善を勧告し、又は当該設置者がその勧告に従わず、かつ、園児の教育上又は保育上有害であると認められるときは、必要な改善を命ずることができる。

（事業停止命令）

第21条　都道府県知事は、次の各号のいずれかに該当する場合においては、幼保連携型認定こども園の事業の停止又は施設の閉鎖を命ずることができる。

一　幼保連携型認定こども園の設置者が、この法律又はこの法律に基づく命令若しくは条例の規定に故意に違反し、かつ、園児の教育上又は保育上著しく有害であると認められるとき。

二　幼保連携型認定こども園の設置者が前条の規定による命令に違反したとき。

三　正当な理由がないのに、６月以上休止したとき。

2　都道府県知事は、前項の規定により事業の停止又は施設の閉鎖の命令をしようとするときは、あらかじめ、第25条に規定する審議会その他の合議制の機関の意見を聴かなければならない。

（認可の取消し）

第22条　都道府県知事は、幼保連携型認定こども園の設置者が、この法律若しくはこの法律に基づく命令若しくは条例の規定又はこれらに基づいてする処分に違反したときは、第17条第１項の認可を取り消すことができる。

2　都道府県知事は、前項の規定による認可の取消しをしようとするときは、あらかじめ、第25条に規定する審議会その他の合議制の機関の意見を聴かなければならない。

（運営の状況に関する評価等）

第23条　幼保連携型認定こども園の設置者は、主務省令で定めるところにより当該幼保連携型認定こども園における教育及び保育並びに子育て支援事業（以下「教育及び保育等」という。）の状況その他の運営の状況について評価を行い、その結果に基づき幼保連携型認定こども園の運営の改善を図るため必要な措置を講ずるよう努めなければならない。

（運営の状況に関する情報の提供）

第24条 幼保連携型認定こども園の設置者は、当該幼保連携型認定こども園に関する保護者及び地域住民その他の関係者の理解を深めるとともに、これらの者との連携及び協力の推進に資するため、当該幼保連携型認定こども園における教育及び保育等の状況その他の当該幼保連携型認定こども園の運営の状況に関する情報を積極的に提供するものとする。

（都道府県における合議制の機関）

第25条 第17条第3項、第21条第2項及び第22条第2項の規定によりその権限に属させられた事項を調査審議するため、都道府県に、条例で幼保連携型認定こども園に関する審議会その他の合議制の機関を置くものとする。

（学校教育法の準用）

第26条 学校教育法第5条、第6条本文、第7条、第9条、第10条、第81条第1項及び第137条の規定は、幼保連携型認定こども園について準用する。この場合において、同法第10条中「私立学校」とあるのは「国（国立大学法人法第2条第1項に規定する国立大学法人を含む。）及び地方公共団体（公立大学法人を含む。）以外の者の設置する幼保連携型認定こども園（就学前の子どもに関する教育、保育等の総合的な提供の推進に関する法律第2条第7項に規定する幼保連携型認定こども園をいう。以下同じ。）」と、「大学及び高等専門学校にあつては文部科学大臣に、大学及び高等専門学校以外の学校にあつては都道府県知事」とあるのは「都道府県知事（指定都市等（同法第3条第1項に規定する指定都市等をいう。以下この条において同じ。）の区域内にあつては、当該指定都市等の長）」と、同法第81条第1項中「該当する幼児、児童及び生徒」とあるのは「該当する就学前の子どもに関する教育、保育等の総合的な提供の推進に関する法律第14条第6項に規定する園児（以下この項において単に「園児」という。）」と、「必要とする幼児、児童及び生徒」とあるのは「必要とする園児」と、「文部科学大臣」とあるのは「同法第36条第1項に規定する主務大臣」と、「ものとする」とあるのは「ものとする。この場合において、特別支援学校においては、幼保連携型認定こども園の要請に応じて、園児の教育に関し必要な助言又は援助を行うよう努めるものとする」と、同法第137条中「学校教育上」とあるのは「幼保連携型認定こども園の運営上」と読み替えるものとするほか、必要な技術的読替えは、政令で定める。

（学校保健安全法の準用）

第27条 学校保健安全法（昭和33年法律第56号）第3条から第10条まで、第13条から第21条まで、第23条及び第26条から第31条までの規定は、幼保連携型認定こども園について準用する。この場合において、これらの規定中「文部科学省令」とあるのは「就学前の子どもに関する教育、保育等の総合的な提供の推進に関する法律第36条第2項に規定する主務省令」と読み替えるほか、同法第9条中「学校教育法第16条」とあるのは「就学前の子どもに関する教育、保育等の総合的な提供の推進に関する法律第2条第11項」と、「第24条及び第30条」とあるのは「第30条」と、同法第17条第2項中「第11条から」とあるのは「第13条から」と、「第11条の健康診断に関するものについては政令で、第13条」とあるのは「第13条」と読み替えるものとするほか、必要な技術的読替えは、政令で定める。

第4章 認定こども園に関する情報の提供等

（教育・保育等に関する情報の提供）

第28条 都道府県知事は、第3条第1項若しくは第3項の認定をしたとき、同条第7項の規定による通知を受けたとき、同条第11項の書類の提出を受けたとき、第16条の届出を受けたとき、第17条第1項の認可をしたとき、同条第4項の規定による通知を受けたとき、又は第18条第2項の書類の提出を受けたときは、インターネットの利用、印刷物の配布その他適切な方法により、これらに係る施設において提供されるサービスを利用しようとする者に対し、第4条第1項各号に掲げる事項及び教育保育概要（当該施設において行われる教育及び保育等の概要をいう。次条第1項において同じ。）についてその周知を図るものとする。第3条第10項の規定による公示を行う場合及び都道府県（都道府県が単独で又は他の地方公共団体と共同して設立する公立大学法人を含む。）が幼保連携型認定こども園を設置する場合も、同様とする。

（変更の届出）

第29条 認定こども園の設置者（都道府県及び指定都市等を除く。次条において同じ。）は、第4条第1項各号に掲げる事項及び教育保育概要として前条の規定により周知された事項の変更（主務省令で定める軽微な変更を除く。）をしようとするときは、あらかじめ、その旨を都道府県知事（当該認定こども園が指定都市等所在施設である場合にあっては当該指定都市等の長。次条第1項及び第3項において同じ。）に届け出なければならない。

2 指定都市等の長は、前項の規定による届出を受けたときは、速やかに、都道府県知事に、当該届出に係る書類の写しを送付しなければならない。

3 指定都市等の長は、当該指定都市等が設置する認

定こども園について第1項に規定する変更を行った
ときは、当該変更に係る事項を記載した書類を都道
府県知事に提出しなければならない。

4　都道府県知事は、第1項の規定による届出があっ
たとき、第2項の規定による書類の写しの送付を受
けたとき、又は前項の規定による書類の提出を受け
たときは、前条に規定する方法により、同条に規定
する者に対し、第1項に規定する変更に係る事項に
ついてその周知を図るものとする。都道府県が設置
する認定こども園について同項に規定する変更を行
う場合も、同様とする。

（報告の徴収等）

第30条　認定こども園の設置者は、毎年、主務省令で
定めるところにより、その運営の状況を都道府県知
事に報告しなければならない。

2　指定都市等の長は、前項の規定による報告を受け
たときは、速やかに、都道府県知事に、当該報告に
係る書類の写しを送付しなければならない。

3　第19条第1項に定めるもののほか、都道府県知事
は、認定こども園の適正な運営を確保するため必要
があると認めるときは、その設置者に対し、認定こ
ども園の運営に関し必要な報告を求めることができ
る。

（名称の使用制限）

第31条　何人も、認定こども園でないものについて、
認定こども園という名称又はこれと紛らわしい名称
を用いてはならない。

2　何人も、幼保連携型認定こども園でないものにつ
いて、幼保連携型認定こども園という名称又はこれ
と紛らわしい名称を用いてはならない。

第5章　雑則

（学校教育法の特例）

第32条　認定こども園である幼稚園又は認定こども園
である連携施設を構成する幼稚園に係る学校教育法
第24条、第25条並びに第27条第4項から第7項まで
及び第11項の規定の適用については、同法第24条中
「努めるものとする」とあるのは「努めるとともに、
就学前の子どもに関する教育、保育等の総合的な提
供の推進に関する法律（平成18年法律第77号）第2
条第12項に規定する子育て支援事業（以下単に「子
育て支援事業」という。）を行うものとする」と、
同法第25条中「保育内容」とあるのは「保育内容（子
育て支援事業を含む。）」と、同法第27条第4項から
第7項まで及び第11項中「園務」とあるのは「園務
（子育て支援事業を含む。）」とする。

（児童福祉法の特例）

第33条　第3条第1項の認定を受けた公私連携型保育
所（児童福祉法第56条の8第1項に規定する公私連
携型保育所をいう。）に係る同法第56条の8の規定
の適用については、同条第1項中「保育及び」とあ
るのは、「保育（満3歳以上の子どもに対し学校教
育法第23条各号に掲げる目標が達成されるよう保育
を行うことを含む。）及び」とする。

（公私連携幼保連携型認定こども園に関する特例）

第34条　市町村長（特別区の区長を含む。以下この条
において同じ。）は、当該市町村における保育の実
施に対する需要の状況等に照らし適当であると認め
るときは、公私連携幼保連携型認定こども園（次項
に規定する協定に基づき、当該市町村から必要な設
備の貸付け、譲渡その他の協力を得て、当該市町村
との連携の下に教育及び保育等を行う幼保連携型認
定こども園をいう。以下この条において同じ。）の
運営を継続的かつ安定的に行うことができる能力を
有するものであると認められるもの（学校法人又は
社会福祉法人に限る。）を、その申請により、公私
連携幼保連携型認定こども園の設置及び運営を目的
とする法人（以下この条において「公私連携法人」
という。）として指定することができる。

2　市町村長は、前項の規定による指定（第11項及び
第14項において単に「指定」という。）をしようと
するときは、あらかじめ、当該指定をしようとする
法人と、次に掲げる事項を定めた協定（以下この条
において単に「協定」という。）を締結しなければ
ならない。

一　協定の目的となる公私連携幼保連携型認定こど
も園の名称及び所在地

二　公私連携幼保連携型認定こども園における教育
及び保育等に関する基本的事項

三　市町村による必要な設備の貸付け、譲渡その他
の協力に関する基本的事項

四　協定の有効期間

五　協定に違反した場合の措置

六　その他公私連携幼保連携型認定こども園の設置
及び運営に関し必要な事項

3　公私連携法人は、第17条第1項の規定にかかわら
ず、市町村長を経由し、都道府県知事に届け出るこ
とにより、公私連携幼保連携型認定こども園を設置
することができる。

4　市町村長は、公私連携法人が前項の規定による届
出をした際に、当該公私連携法人が協定に基づき公
私連携幼保連携型認定こども園における教育及び保
育等を行うために設備の整備を必要とする場合に
は、当該協定に定めるところにより、当該公私連携
法人に対し、当該設備を無償若しくは時価よりも低

い対価で貸し付け、又は譲渡するものとする。

5 前項の規定は、地方自治法第96条及び第237条から第238条の5までの規定の適用を妨げない。

6 公私連携法人は、第17条第1項の規定による廃止等の認可の申請を行おうとするときは、市町村長を経由して行わなければならない。この場合において、当該市町村長は、当該申請に係る事項に関し意見を付することができる。

7 市町村長は、公私連携幼保連携型認定こども園の運営を適切にさせるため必要があると認めるときは、公私連携法人若しくは園長に対して必要と認める事項の報告を求め、又は当該職員に関係者に対して質問させ、若しくはその施設に立ち入り、設備、帳簿書類その他の物件を検査させることができる。

8 第19条第2項及び第3項の規定は、前項の規定による立入検査について準用する。

9 第7項の規定により、公私連携法人若しくは園長に対し報告を求め、又は当該職員に関係者に対し質問させ、若しくは公私連携幼保連携型認定こども園に立入検査をさせた市町村長(指定都市等の長を除く。)は、当該公私連携幼保連携型認定こども園につき、第20条又は第21条第1項の規定による処分が行われる必要があると認めるときは、理由を付して、その旨を都道府県知事に通知しなければならない。

10 市町村長は、公私連携幼保連携型認定こども園が正当な理由なく協定に従って教育及び保育等を行っていないと認めるときは、公私連携法人に対し、協定に従って教育及び保育等を行うことを勧告することができる。

11 市町村長は、前項の規定により勧告を受けた公私連携法人が当該勧告に従わないときは、指定を取り消すことができる。

12 公私連携法人は、前項の規定による指定の取消しの処分を受けたときは、当該処分に係る公私連携幼保連携型認定こども園について、第17条第1項の規定による廃止の認可を都道府県知事に申請しなければならない。

13 公私連携法人は、前項の規定による廃止の認可の申請をしたときは、当該申請の日前1月以内に教育及び保育等を受けていた者であって、当該廃止の日以後においても引き続き当該教育及び保育等に相当する教育及び保育等の提供を希望する者に対し、必要な教育及び保育等が継続的に提供されるよう、他の幼保連携型認定こども園その他関係者との連絡調整その他の便宜の提供を行わなければならない。

14 指定都市等の長が指定を行う公私連携法人に対する第3項の規定の適用については、同項中「市町村長を経由し、都道府県知事」とあるのは、「指定都市等の長」とし、第6項の規定は、適用しない。

(緊急時における主務大臣の事務執行)

第35条 第19条第1項、第20条及び第21条第1項の規定により都道府県知事の権限に属するものとされている事務は、園児の利益を保護する緊急の必要があると主務大臣が認める場合にあっては、主務大臣又は都道府県知事が行うものとする。この場合において、この法律の規定中都道府県知事に関する規定(当該事務に係るもの(同条第2項を除く。)に限る。)は、主務大臣に関する規定として主務大臣に適用があるものとする。

2 前項の場合において、主務大臣又は都道府県知事が当該事務を行うときは、相互に密接な連携の下に行うものとする。

(主務大臣等)

第36条 この法律における主務大臣は、内閣総理大臣及び文部科学大臣とする。

2 この法律における主務省令は、主務大臣の発する命令とする。

(権限の委任)

第37条 内閣総理大臣は、この法律に規定する内閣総理大臣の権限(政令で定めるものを除く。)をこども家庭庁長官に委任する。

2 こども家庭庁長官は、政令で定めるところにより、前項の規定により委任された権限の一部を地方厚生局長又は地方厚生支局長に委任することができる。

(政令等への委任)

第38条 この法律に規定するもののほか、この法律の施行のため必要な事項で、地方公共団体の機関が処理しなければならないものについては政令で、その他のものについては主務省令で定める。

    第6章 罰則

第39条 第21条第1項の規定による事業の停止又は施設の閉鎖の命令に違反した者は、6月以下の懲役若しくは禁錮又は50万円以下の罰金に処する。

第40条 次の各号のいずれかに該当する場合には、その違反行為をした者は、30万円以下の罰金に処する。

一 第15条第1項又は第4項の規定に違反して、相当の免許状を有しない者又は登録を受けていない者を主幹保育教諭、指導保育教諭、保育教諭、助保育教諭又は講師に任命し、又は雇用したとき。

二 第15条第1項又は第4項の規定に違反して、相当の免許状を有せず、又は登録を受けていないにもかかわらず主幹保育教諭、指導保育教諭、保育教諭、助保育教諭又は講師となったとき。

三　第15条第2項、第3項又は第5項の規定に違反して、相当の免許状を有しない者を主幹養護教諭、養護教諭、主幹栄養教諭、栄養教諭又は養護助教諭に任命し、又は雇用したとき。

四　第15条第2項、第3項又は第5項の規定に違反して、相当の免許状を有しないにもかかわらず主幹養護教諭、養護教諭、主幹栄養教諭、栄養教諭又は養護助教諭となったとき。

五　第31条第1項の規定に違反して、認定こども園という名称又はこれと紛らわしい名称を用いたとき。

六　第31条第2項の規定に違反して、幼保連携型認定こども園という名称又はこれと紛らわしい名称を用いたとき。

　　　　附　則
（施行期日）
1　この法律は、平成18年10月1日から施行する。
（幼保連携型認定こども園に係る保育室の床面積の特例）
2　都道府県又は指定都市等が第13条第1項の規定により条例を定めるに当たっては、保育の実施に対する需要その他の条件を考慮して主務省令で定める基準に照らして主務大臣が指定する地域にあっては、政令で定める日までの間、同条第2項の規定にかかわらず、幼保連携型認定こども園に係る保育室の床面積については、同項に規定する主務省令で定める基準を標準として定めるものとする。
（検討）
3　政府は、この法律の施行後5年を経過した場合において、この法律の施行の状況を勘案し、必要があると認めるときは、この法律の規定について検討を加え、その結果に基づいて必要な措置を講ずるものとする。
　　　　附　則（平成24年8月22日法律第66号）抄
（施行期日）
第1条　この法律は、子ども・子育て支援法（平成24年法律第65号）の施行の日〔平成27年4月1日〕から施行する。〔以下略〕
（検討）
第2条　政府は、幼稚園の教諭の免許及び保育士の資格について、一体化を含め、その在り方について検討を加え、必要があると認めるときは、その結果に基づいて所要の措置を講ずるものとする。
2　政府は、前項に定める事項のほか、この法律の施行後5年を目途として、この法律の施行の状況を勘案し、必要があると認めるときは、この法律による改正後の就学前の子どもに関する教育、保育等の総

合的な提供の推進に関する法律（以下「新認定こども園法」という。）の規定について検討を加え、その結果に基づいて所要の措置を講ずるものとする。
（幼保連携型認定こども園の設置に係る特例）
第4条　施行日の前日において現に存する幼稚園を設置している者であって、次に掲げる要件の全てに適合するもの（国、地方公共団体、私立学校法（昭和24年法律第270号）第3条に規定する学校法人及び社会福祉法（昭和26年法律第45号）第22条に規定する社会福祉法人を除く。）は、当分の間、新認定こども園法第12条の規定にかかわらず、当該幼稚園を廃止して幼保連携型認定こども園（新認定こども園法第2条第7項に規定する幼保連携型認定こども園をいい、当該幼稚園の所在した区域と同一の区域内にあることその他の主務省令で定める要件に該当するものに限る。以下この条及び附則第7条において同じ。）を設置することができる。

一　新認定こども園法第13条第1項の基準に適合する設備又はこれに要する資金及び当該幼保連携型認定こども園の経営に必要な財産を有すること。

二　当該幼保連携型認定こども園を設置する者が幼保連携型認定こども園を経営するために必要な知識又は経験を有すること。

三　当該幼保連携型認定こども園を設置する者が社会的信望を有すること。

2　前項の規定により幼保連携型認定こども園を設置しようとする者（法人以外の者に限る。）に係る新認定こども園法第17条第2項の規定の適用については、「一　申請者が、この法律その他国民の福祉若しくは学校教育に関する法律で政令で定めるものの規定により罰金の刑に処せられ、その執行を終わり、又は執行を受けることがなくなるまでの者であるとき。」とあるのは「一　申請者が、禁錮以上の刑に処せられ、その執行を終わり、又は執行を受けることがなくなるまでの者であるとき。一の二　申請者が、この法律その他国民の福祉若しくは学校教育に関する法律で政令で定めるものの規定により罰金の刑に処せられ、その執行を終わり、又は執行を受けることがなくなるまでの者であるとき。」とするほか、必要な技術的読替えは、政令で定める。

3　第1項の規定により設置された幼保連携型認定こども園の運営に関し必要な事項は、主務省令で定める。
（保育教諭等の資格の特例）
第5条　施行日から起算して10年間は、新認定こども園法第15条第1項の規定にかかわらず、幼稚園の教

論の普通免許状（教育職員免許法（昭和24年法律第147号）第4条第2項に規定する普通免許状をいう。）を有する者又は児童福祉法（昭和22年法律第164号）第18条の18第1項の登録を受けた者は、主幹保育教諭、指導保育教諭、保育教諭又は講師（保育教諭に準ずる職務に従事するものに限る。）となることができる。

2　施行日から起算して10年間は、新認定こども園法第15条第4項の規定にかかわらず、幼稚園の助教諭の臨時免許状（教育職員免許法第4条第4項に規定する臨時免許状をいう。）を有する者は、助保育教諭又は講師（助保育教諭に準ずる職務に従事するものに限る。）となることができる。

（幼稚園の名称の使用制限に関する経過措置）

第7条　施行日において現に幼稚園を設置しており、かつ、当該幼稚園の名称中に幼稚園という文字を用いている者が、当該幼稚園を廃止して幼保連携型認定こども園を設置した場合には、学校教育法（昭和22年法律第26号）第135条第1項の規定にかかわらず、当該幼保連携型認定こども園の名称中に引き続き幼稚園という文字を用いることができる。

〔参　考〕
　◉刑法等の一部を改正する法律の施行に伴う
　　関係法律の整理等に関する法律（抄）
　　　　　　　　　　〔令和4年6月17日〕
　　　　　　　　　　〔法　律　第　68　号〕
　　　注　令和5年5月17日法律第28号により一部改正

第1編　関係法律の一部改正
　第4章　内閣府関係
　　第1節　本府関係
（就学前の子どもに関する教育、保育等の総合的な提供の推進に関する法律の一部改正）

第87条　就学前の子どもに関する教育、保育等の総合的な提供の推進に関する法律（平成18年法律第77号）の一部を次のように改正する。

　　第3条第5項第4号イ及び第17条第2項第7号イ中「禁錮」を「拘禁刑」に改める。

　　第39条中「懲役若しくは禁錮」を「拘禁刑」に改める。

（就学前の子どもに関する教育、保育等の総合的な提供の推進に関する法律の一部を改正する法律の一部改正）

第91条　就学前の子どもに関する教育、保育等の総合的な提供の推進に関する法律の一部を改正する法律（平成24年法律第66号）の一部を次のように改正する。

　　附則第4条第2項中「禁錮」を「拘禁刑」に改め

る。

　第2編　経過措置
　　第1章　通則
（罰則の適用等に関する経過措置）

第441条　刑法等の一部を改正する法律（令和4年法律第67号。以下「刑法等一部改正法」という。）及びこの法律（以下「刑法等一部改正法等」という。）の施行前にした行為の処罰については、次章に別段の定めがあるもののほか、なお従前の例による。

2　刑法等一部改正法等の施行後にした行為に対して、他の法律の規定によりなお従前の例によることとされ、なお効力を有することとされ又は改正前若しくは廃止前の法律の規定の例によることとされる罰則を適用する場合において、当該罰則に定める刑（刑法施行法第19条第1項の規定又は第82条の規定による改正後の沖縄の復帰に伴う特別措置に関する法律第25条第4項の規定の適用後のものを含む。）に刑法等一部改正法第2条の規定による改正前の刑法（明治40年法律第45号。以下この項において「旧刑法」という。）第12条に規定する懲役（以下「懲役」という。）、旧刑法第13条に規定する禁錮（以下「禁錮」という。）又は旧刑法第16条に規定する拘留（以下「旧拘留」という。）が含まれるときは、当該刑のうち無期の懲役又は禁錮はそれぞれ無期拘禁刑と、有期の懲役又は禁錮はそれぞれその刑と長期及び短期（刑法施行法第20条の規定の適用後のものを含む。）を同じくする有期拘禁刑と、旧拘留は長期及び短期（刑法施行法第20条の規定の適用後のものを含む。）を同じくする拘留とする。

（裁判の効力とその執行に関する経過措置）

第442条　懲役、禁錮及び旧拘留の確定裁判の効力並びにその執行については、次章に別段の定めがあるもののほか、なお従前の例による。

（人の資格に関する経過措置）

第443条　懲役、禁錮又は旧拘留に処せられた者に係る人の資格に関する法令の規定の適用については、無期の懲役又は禁錮に処せられた者はそれぞれ無期拘禁刑に処せられた者と、有期の懲役又は禁錮に処せられた者はそれぞれ刑期を同じくする有期拘禁刑に処せられた者と、旧拘留に処せられた者は拘留に処せられた者とみなす。

2　拘禁刑又は拘留に処せられた者に係る他の法律の規定によりなお従前の例によることとされ、なお効力を有することとされ又は改正前若しくは廃止前の法律の規定の例によることとされる人の資格に関する法令の規定の適用については、無期拘禁刑に処せられた者は無期禁錮に処せられた者と、有期拘禁刑

に処せられた者は刑期を同じくする有期禁錮に処せ
られた者と、拘留に処せられた者は刑期を同じくす
る旧拘留に処せられた者とみなす。

第4章　その他

（経過措置の政令への委任）

第509条　この編に定めるもののほか、刑法等一部改
正法等の施行に伴い必要な経過措置は、政令で定め
る。

附　則　抄

（施行期日）

1　この法律は、刑法等一部改正法施行日〔令和7年
6月1日〕から施行する。ただし、次の各号に掲げ
る規定は、当該各号に定める日から施行する。

一　第509条の規定　公布の日

●就学前の子どもに関する教育、保育等の総合的な提供の推進に関する法律施行令

〔平成26年6月4日
政　令　第　203　号〕

注　令和5年3月30日政令第126号改正現在

（法第3条第5項第4号ロ及び第17条第2項第1号の政令で定める国民の福祉又は学校教育に関する法律）

第1条　就学前の子どもに関する教育、保育等の総合的な提供の推進に関する法律〔平成18年法律第77号〕（以下「法」という。）第3条第5項第4号ロ及び第17条第2項第1号の政令で定める国民の福祉又は学校教育に関する法律は、次のとおりとする。

　一　学校教育法（昭和22年法律第26号）
　二　児童福祉法（昭和22年法律第164号）
　三　教育職員免許法（昭和24年法律第147号）
　四　生活保護法（昭和25年法律第144号）
　五　社会福祉法（昭和26年法律第45号）
　六　社会福祉士及び介護福祉士法（昭和62年法律第30号）
　七　介護保険法（平成9年法律第123号）
　八　児童買春、児童ポルノに係る行為等の規制及び処罰並びに児童の保護等に関する法律（平成11年法律第52号）
　九　児童虐待の防止等に関する法律（平成12年法律第82号）
　十　障害者の日常生活及び社会生活を総合的に支援するための法律（平成17年法律第123号）
　十一　障害者虐待の防止、障害者の養護者に対する支援等に関する法律（平成23年法律第79号）
　十二　子ども・子育て支援法（平成24年法律第65号）
　十三　国家戦略特別区域法（平成25年法律第107号。第12条の5第15項及び第17項から第19項までの規定に限る。）
　十四　民間あっせん機関による養子縁組のあっせんに係る児童の保護等に関する法律（平成28年法律第110号）

（法第3条第5項第4号ハ及び第17条第2項第2号の政令で定める労働に関する法律の規定）

第2条　法第3条第5項第4号ハ及び第17条第2項第2号の政令で定める労働に関する法律の規定は、次のとおりとする。

　一　労働基準法（昭和22年法律第49号）第117条、第118条第1項（同法第6条及び第56条の規定に係る部分に限る。）、第119条（同法第16条、第17条、第18条第1項及び第37条の規定に係る部分に限る。）及び第120条（同法第18条第7項及び第23条から第27条までの規定に係る部分に限る。）の規定並びにこれらの規定に係る同法第121条の規定（これらの規定が労働者派遣事業の適正な運営の確保及び派遣労働者の保護等に関する法律（昭和60年法律第88号）第44条（第4項を除く。）の規定により適用される場合を含む。）

　二　最低賃金法（昭和34年法律第137号）第40条の規定及び同条の規定に係る同法第42条の規定

　三　賃金の支払の確保等に関する法律（昭和51年法律第34号）第18条の規定及び同条の規定に係る同法第20条の規定

（法第3条第5項第4号ニの政令で定める使用人）

第3条　法第3条第5項第4号ニの政令で定める使用人は、同条第1項又は第3項の認定を受けた施設に係る事業を管理する者とする。

（幼保連携型認定こども園について準用する学校教育法の規定の読替え）

第4条　法第26条の規定により幼保連携型認定こども園について学校教育法の規定を準用する場合におけるこれらの規定に係る技術的読替えは、次の表のとおりとする。

読み替える学校教育法の規定	読み替えられる字句	読み替える字句
第7条	校長	就学前の子どもに関する教育、保育等の総合的な提供の推進に関する法律第14条第1項に規定する園長（第9条及び第10条において単に「園長」という。）
第9条及び第10条	校長	園長

（幼保連携型認定こども園について準用する学校保健安全法の規定の読替え）

第5条　法第27条の規定により幼保連携型認定こども園について学校保健安全法の規定を準用する場合におけるこれらの規定に係る技術的読替えは、次の表のとおりとする。

147

読み替える学校保健安全法の規定	読み替えられる字句	読み替える字句
第4条	児童生徒等	就学前の子どもに関する教育、保育等の総合的な提供の推進に関する法律第14条第6項に規定する園児（以下「園児」という。）
第5条、第6条第1項、第8条、第9条、第13条の前の見出し、同条第2項、第19条、第26条から第28条まで、第29条第1項及び第3項並びに第30条	児童生徒等	園児
第6条第1項	事項（学校給食法（昭和29年法律第160号）第9条第1項（夜間課程を置く高等学校における学校給食に関する法律（昭和31年法律第157号）第7条及び特別支援学校の幼稚部及び高等部における学校給食に関する法律（昭和32年法律第118号）第6条において準用する場合を含む。）に規定する事項を除く。）	事項
第6条第3項	校長	就学前の子どもに関する教育、保育等の総合的な提供の推進に関する法律第14条第1項に規定する園長（以下「園長」という。）
第13条第1項	児童生徒等（通信による教育を受ける学生を除く。	園児
第19条、第28条、第29条第2項及び第31条	校長	園長

（学校保健安全法施行令の準用）

第6条　法第27条において準用する学校保健安全法第18条の政令で定める場合については、学校保健安全法施行令（昭和33年政令第174号）第5条の規定を準用する。この場合において、同条第1号中「法第

19条」とあるのは「就学前の子どもに関する教育、保育等の総合的な提供の推進に関する法律（次号において「認定こども園法」という。）第27条において準用する法第19条」と、同条第2号中「法第20条」とあるのは「認定こども園法第27条において準用する法第20条」と、「学校」とあるのは「認定こども園法第2条第7項に規定する幼保連携型認定こども園」と読み替えるものとする。

第7条　法第27条において準用する学校保健安全法第19条の規定による出席停止の手続については、学校保健安全法施行令第6条及び第7条の規定を準用する。この場合において、同令第6条第1項中「校長」とあるのは「就学前の子どもに関する教育、保育等の総合的な提供の推進に関する法律（以下この条及び次条において「認定こども園法」という。）第14条第1項に規定する園長（次条において「園長」という。）」と、「幼児、児童又は生徒（高等学校（中等教育学校の後期課程及び特別支援学校の高等部を含む。以下同じ。）の生徒を除く。）にあつてはその保護者に、高等学校の生徒又は学生にあつては当該生徒又は学生」とあるのは「認定こども園法第14条第6項に規定する園児の保護者（認定こども園法第2条第11項に規定する保護者をいう。）」と、同条第2項及び同令第7条中「文部科学省令」とあるのは「認定こども園法第36条第2項に規定する主務省令」と、同条中「校長」とあるのは「園長」と、「学校」とあるのは「認定こども園法第2条第7項に規定する幼保連携型認定こども園」と読み替えるものとする。

（幼保連携型認定こども園廃止後の書類の保存）

第8条　幼保連携型認定こども園（国が設置するものを除く。）が廃止されたときは、地方公共団体が設置する幼保連携型認定こども園については当該幼保連携型認定こども園を設置していた地方公共団体の長が、公立大学法人（地方独立行政法人法（平成15年法律第118号）第68条第1項に規定する公立大学法人をいう。以下この条において同じ。）が設置する幼保連携型認定こども園については当該幼保連携型認定こども園を設置していた公立大学法人の設立団体（同法第6条第3項に規定する設立団体をいう。）の長が、地方公共団体及び公立大学法人以外の者が設置する幼保連携型認定こども園については都道府県知事（地方自治法（昭和22年法律第67号）第252条の19第1項の指定都市又は同法第252条の22第1項の中核市（以下この条において「指定都市等」という。）の区域内に所在する幼保連携型認定こども園については、当該指定都市等の長）が、法第36条第2項に規定する主務省令で定めるところに

より、それぞれ当該幼保連携型認定こども園に在籍し、又はこれを卒園した者の学習及び健康の状況を記録した書類を保存しなければならない。

（こども家庭庁長官に委任されない権限）

第9条 法第37条第１項の政令で定める権限は、法第３条第２項及び第４項並びに第10条第１項並びに法第26条において準用する学校教育法第81条第１項に規定する権限とする。

　　　附　則

（施行期日）

1　この政令は、就学前の子どもに関する教育、保育等の総合的な提供の推進に関する法律の一部を改正する法律〔平成24年法律第66号〕（附則第３項において「一部改正法」という。）の施行の日〔平成27年４月１日〕から施行する。

（法附則第２項の政令で定める日）

2　法附則第２項の政令で定める日は、令和７年３月31日とする。

（一部改正法附則第４条第２項の規定により読み替えて適用する法第17条第２項第１号の２の政令で定める国民の福祉又は学校教育に関する法律）

3　一部改正法附則第４条第２項の規定により読み替えて適用する法第17条第２項第１号の２の政令で定める国民の福祉又は学校教育に関する法律は、第１条各号に掲げる法律とする。

●就学前の子どもに関する教育、保育等の総合的な提供の推進に関する法律施行規則

〔平成 26 年 7 月 2 日 内閣府・文部科学省・厚生労働省令第 2 号〕

注 令和 5 年 3 月31日内閣府・文部科学・厚生労働省令第 2 号改正現在

（法第 2 条第 4 項の主務省令で定める施設）

第 1 条 就学前の子どもに関する教育、保育等の総合的な提供の推進に関する法律〔平成18年法律第77号〕（以下「法」という。）第 2 条第 4 項の主務省令で定める施設は、次に掲げる施設とする。

一 1 日に保育する子どもの数（次に掲げるものを除く。）が 5 人以下である施設であって、その旨が約款その他の書類により明らかであるもの

イ 事業主がその雇用する労働者の監護する子どもを保育するために自ら設置する施設又は事業主から委託を受けて当該事業主が雇用する労働者の監護する子どもの保育を実施する施設にあっては、当該労働者の監護する子どもの数

ロ 事業主団体がその構成員である事業主の雇用する労働者の監護する子どもを保育するために自ら設置する施設又は事業主団体から委託を受けてその構成員である事業主の雇用する労働者の監護する子どもの保育を実施する施設にあっては、当該労働者の監護する子どもの数

ハ 児童福祉法施行規則（昭和23年厚生省令第11号）第 1 条の32の 2 第 1 項に規定する組合が当該組合の構成員の監護する子どもを保育するために自ら設置する施設又は同項に規定する組合から委託を受けて当該組合の構成員の監護する子どもの保育を実施する施設にあっては、当該構成員の監護する子どもの数

ニ 店舗その他の事業所において商品の販売又は役務の提供を行う事業者が商品の販売又は役務の提供を行う間に限り、その顧客の監護する子どもを保育するために自ら設置する施設又は当該事業者から委託を受けて当該顧客の監護する子どもを保育する施設にあっては、当該顧客の監護する子どもの数

ホ 設置者の四親等内の親族である子どもの数

二 半年を限度として臨時に設置される施設

（法第 2 条第12項の主務省令で定める事業）

第 2 条 法第 2 条第12項の主務省令で定める事業は、次に掲げる事業とする。

一 地域の子ども及びその保護者が相互の交流を行う場所を開設する等により、当該子どもの養育に関する各般の問題につき、その保護者からの相談に応じ、必要な情報の提供及び助言その他必要な援助を行う事業

二 地域の家庭において、当該家庭の子どもの養育に関する各般の問題につき、その保護者からの相談に応じ、必要な情報の提供及び助言その他必要な援助を行う事業

三 保護者の疾病その他の理由により、家庭において保育されることが一時的に困難となった地域の子どもにつき、認定こども園又はその居宅において保護を行う事業

四 地域の子どもの養育に関する援助を受けることを希望する保護者と当該援助を行うことを希望する民間の団体又は個人との連絡及び調整を行う事業

五 地域の子どもの養育に関する援助を行う民間の団体又は個人に対する必要な情報の提供及び助言を行う事業

（法第 3 条第 1 項の主務省令で定める場合）

第 3 条 法第 3 条第 1 項の主務省令で定める場合は、次に掲げる場合とする。

一 保育所に係る児童福祉法（昭和22年法律第164号）の規定による認可その他の処分をする権限に係る事務を地方自治法（昭和22年法律第67号）第180条の 2 の規定に基づく都道府県知事又は指定都市等（法第 3 条第 1 項に規定する指定都市等をいう。以下同じ。）の長の委任を受けて当該都道府県又は指定都市等の教育委員会が行う場合

二 都道府県知事又は指定都市等の長が、前号に規定する事務を地方自治法第180条の 2 の規定に基づき当該都道府県又は指定都市等の教育委員会の職員が補助執行を行っていることその他の当該都道府県又は指定都市等における幼稚園及び保育所に関する事務の執行等の状況に照らして当該都道府県又は指定都市等の教育委員会が認定こども園の認定を行うことが適当と認めてその旨を定めた場合

（法第 3 条第 5 項第 4 号ニただし書の主務省令で定めるニ本文に規定する認定の取消しに該当しないこととすることが相当であると認められるもの）

第4条 法第3条第5項第4号ニただし書の主務省令で定めるニ本文に規定する認定の取消しに該当しないこととすることが相当であると認められるものは、都道府県知事（同条第1項に規定する指定都市等所在施設（以下単に「指定都市等所在施設」という。）である幼稚園若しくは保育所等又は同条第3項に規定する連携施設（以下単に「連携施設」という。）については、当該指定都市等の長。第7条第1項第1号、第28条第1号及び第29条第2号において同じ。）（法第3条第1項又は第3項の規定により都道府県又は指定都市等の教育委員会が認定こども園の認定を行う場合にあっては、都道府県又は指定都市等の教育委員会。第28条及び第29条において同じ。）が法第30条第3項その他の規定による報告等の権限を適切に行使し、当該認定の取消しの処分の理由となった事実及び当該事実の発生を防止するための当該認定こども園の設置者による業務管理体制の整備についての取組の状況その他の当該事実に関して当該認定こども園の設置者が有していた責任の程度を確認した結果、当該認定こども園の設置者が当該認定の取消しの理由となった事実について組織的に関与していると認められない場合に係るものとする。

2　前項の規定は、法第3条第5項第4号ホただし書の主務省令で定めるホ本文に規定する認定の取消しに該当しないこととすることが相当であると認められるものについて準用する。

（法第3条第5項第4号ホの主務省令で定める申請者の親会社等）

第5条 法第3条第5項第4号ホに規定する申請者（以下この条において「申請者」という。）の親会社等（次項及び第4項第1号において「申請者の親会社等」という。）は、次に掲げる者とする。

一　申請者の役員に占めるその役員の割合が2分の1を超える者

二　申請者（株式会社である場合に限る。）の議決権の過半数を所有している者

三　申請者（持分会社（会社法（平成17年法律第86号）第575条第1項に規定する持分会社をいう。次項第3号及び第3項第3号において同じ。）である場合に限る。）の資本金の過半数を出資している者

四　申請者の事業の方針の決定に関して、前3号に掲げる者と同等以上の支配力を有すると認められる者

2　法第3条第5項第4号ホの主務省令で定める申請者の親会社等がその事業を実質的に支配し、又はその事業に重要な影響を与える関係にある者は、次に掲げる者とする。

一　申請者の親会社等の役員と同一の者がその役員に占める割合が2分の1を超える者

二　申請者の親会社等（株式会社である場合に限る。）が議決権の過半数を所有している者

三　申請者の親会社等（持分会社である場合に限る。）が資本金の過半数を出資している者

四　事業の方針の決定に関する申請者の親会社等の支配力が前3号に掲げる者と同等以上と認められる者

3　法第3条第5項第4号ホの主務省令で定める申請者がその事業を実質的に支配し、又はその事業に重要な影響を与える関係にある者は、次に掲げる者とする。

一　申請者の役員と同一の者がその役員に占める割合が2分の1を超える者

二　申請者（株式会社である場合に限る。）が議決権の過半数を所有している者

三　申請者（持分会社である場合に限る。）が資本金の過半数を出資している者

四　事業の方針の決定に関する申請者の支配力が前3号に掲げる者と同等以上と認められる者

4　法第3条第5項第4号ホの主務省令で定める密接な関係を有する法人は、次の各号のいずれにも該当する法人とする。

一　申請者の重要な事項に係る意思決定に関与し、又は申請者若しくは申請者の親会社等が重要な事項に係る意思決定に関与している者であること。

二　法第3条第1項又は第3項の規定により認定を受けた施設の設置者であること。

（法第3条第6項の規定による協議手続）

第6条 法第3条第6項の規定による協議は、法第4条第1項各号に掲げる事項を記載した書類を市町村（特別区を含む。以下同じ。）の長に提出してするものとする。

（法第3条第8項ただし書の主務省令で定める場合）

第7条 法第3条第8項ただし書の主務省令で定める場合は、次に掲げる場合とする。

一　法第3条第1項又は第3項の認定の申請に係る施設の所在地を含む区域（子ども・子育て支援法（平成24年法律第65号）第62条第2項第1号の規定により都道府県が定める区域（指定都市等の長が法第3条第1項又は第3項の認定を行う場合にあっては、子ども・子育て支援法第61条第2項第1号の規定により当該指定都市等が定める教育・保育提供区域）をいう。以下この条において同じ。）

における特定教育・保育施設（同法第27条第1項に規定する特定教育・保育施設をいい、同法第61条第1項に規定する市町村子ども・子育て支援事業計画（以下この項及び第22条第1項第1号において「市町村計画」という。）に基づき整備をしようとするものを含む。以下この項及び第22条第1項において同じ。）の利用定員の総数（当該申請に係る施設の事業の開始を予定する日の属する事業年度（以下この条において「申請施設事業開始年度」という。）に係るものであって、同法第19条第1号に掲げる小学校就学前子どもに係るものに限る。）及び特定教育・保育施設以外の幼稚園の収容定員の総数（申請施設事業開始年度に係るものをいい、当該特定教育・保育施設以外の幼稚園に在籍している幼児の総数が当該収容定員の総数に満たない場合にあっては、当該在籍している幼児の総数を勘案して都道府県知事が定める数）の合計数が、同法第62条第1項に規定する都道府県子ども・子育て支援事業支援計画（以下この条及び第22条において「都道府県計画」という。）

　（指定都市等の長が法第3条第1項又は第3項の認定を行う場合にあっては、子ども・子育て支援法第61条第1項の規定により当該指定都市等が定める市町村計画。以下この条において同じ。）において定める当該区域の特定教育・保育施設の必要利用定員総数（申請施設事業開始年度に係るものであって、同法第19条第1号に掲げる小学校就学前子どもに係るものに限る。）に既に達しているか、又は当該申請に係る施設の認定によってこれを超えることになると認める場合

二　法第3条第1項又は第3項の認定の申請に係る施設の所在地を含む区域における特定教育・保育施設及び国家戦略特別区域小規模保育事業（国家戦略特別区域法（平成25年法律第107号）第12条の4第1項に規定する国家戦略特別区域小規模保育事業をいう。以下同じ。）の利用定員の総数（申請施設事業開始年度に係るものであって、子ども・子育て支援法第19条第2号に掲げる小学校就学前子どもに係るものに限る。）が、都道府県計画において定める当該区域の特定教育・保育施設及び国家戦略特別区域小規模保育事業の必要利用定員総数（申請施設事業開始年度に係るものであって、同号に掲げる小学校就学前子どもに係るものに限る。）に既に達しているか、又は当該申請に係る施設の認定によってこれを超えることになると認める場合

三　法第3条第1項又は第3項の認定の申請に係る

施設の所在地を含む区域における特定教育・保育施設及び特定地域型保育事業所（子ども・子育て支援法第29条第3項第1号に規定する特定地域型保育事業所をいう。以下この号及び第22条第1項において同じ。）（同法第43条第1項に規定する事業所内保育事業所における同項に規定する労働者等の監護する小学校就学前子どもに係る部分を除き、市町村計画に基づき整備をしようとするものを含む。）の利用定員の総数（申請施設事業開始年度に係るものであって、同法第19条第3号に掲げる小学校就学前子どもに係るものに限る。）が、都道府県計画において定める当該区域の特定教育・保育施設及び特定地域型保育事業所の必要利用定員総数（申請施設事業開始年度に係るものであって、同号に掲げる小学校就学前子どもに係るものに限る。）に既に達しているか、又は当該申請に係る施設の認定によってこれを超えることになると認める場合

2　前項各号の施設が保育所又は幼稚園（これらの施設の運営の実績その他により適正な運営が確保されていると認められるものに限る。）である場合における同項各号の規定の適用については、これらの規定中「必要利用定員総数（申請施設事業開始年度に係るものであって」とあるのは、「必要利用定員総数（申請施設事業開始年度に係るもの（都道府県計画で定める当該区域において実施しようとする教育又は保育の提供体制の確保に必要な数を加えて得た数を含む。）であって」とする。

（法第4条第1項第5号の主務省令で定める事項）

第8条　法第4条第1項第5号の主務省令で定める事項は、次に掲げる事項とする。

一　認定を受ける施設について幼稚園、保育所又は保育機能施設の別

二　認定こども園の名称

三　認定こども園の長（認定こども園の事業を管理する者をいう。）となるべき者の氏名

四　教育又は保育の目標及び主な内容

五　第2条各号に掲げる事業のうち認定こども園が実施するもの

第9条　削除

（幼保連携型認定こども園に置かれる講師）

第10条　講師は、常時勤務に服しないことができる。

（幼保連携型認定こども園に置かれる用務員）

第11条　用務員は、幼保連携型認定こども園の環境の整備その他の用務に従事する。

（幼保連携型認定こども園の園長の資格）

第12条　園長の資格は、教育職員免許法（昭和24年法

律第147号）による教諭の専修免許状又は１種免許状を有し、かつ、児童福祉法第18条の18第１項（国家戦略特別区域法第12条の５第５項に規定する事業実施区域内にある幼保連携型認定こども園にあっては、同条第８項において準用する場合を含む。）の登録を受けており、及び、次に掲げる職に５年以上あることとする。

一　学校教育法（昭和22年法律第26号）第１条に規定する学校及び同法第124条に規定する専修学校の校長（幼保連携型認定こども園の園長を含む。）の職

二　学校教育法第１条に規定する学校及び幼保連携型認定こども園の教授、准教授（学校教育法の一部を改正する法律（平成17年法律第83号）による改正前の学校教育法第58条第１項及び第70条第１項に規定する助教授を含む。）、助教、副校長（幼保連携型認定こども園の副園長を含む。）、教頭、主幹教諭（幼保連携型認定こども園の主幹養護教諭及び主幹栄養教諭を含む。）、指導教諭、教諭、助教諭、養護教諭、養護助教諭、栄養教諭、主幹保育教諭、指導保育教諭、保育教諭、助保育教諭、講師（常時勤務の者に限る。）及び同法第124条に規定する専修学校の教員（以下この条において「教員」という。）の職

三　学校教育法第１条に規定する学校及び幼保連携型認定こども園の事務職員（単純な労務に雇用される者を除く。以下この条において同じ。）、実習助手、寄宿舎指導員（学校教育法の一部を改正する法律（平成13年法律第105号）による改正前の学校教育法第73条の３第１項に規定する寮母を含む。）及び学校栄養職員（学校給食法（昭和29年法律第160号）第７条に規定する職員のうち栄養教諭以外の者をいい、同法第６条に規定する施設の当該職員を含む。）の職

四　学校教育法等の一部を改正する法律（平成19年法律第96号）第１条の規定による改正前の学校教育法第94条の規定により廃止された従前の法令の規定による学校及び旧教員養成諸学校官制（昭和21年勅令第208号）第１条の規定による教員養成諸学校の長の職

五　前号に掲げる学校及び教員養成諸学校における教員及び事務職員に相当する者の職

六　海外に在留する邦人の子女のための在外教育施設で、文部科学大臣が小学校、中学校又は高等学校の課程と同等の課程を有するものとして認定したものにおける第１号から第３号までに掲げる者に準ずるものの職

七　前号に規定する職のほか、外国の学校における第１号から第３号までに掲げる者に準ずるものの職

八　少年院法（平成26年法律第58号）による少年院又は児童福祉法による児童自立支援施設（児童福祉法等の一部を改正する法律（平成９年法律第74号）附則第７条第１項の規定により証明書を発行することができるもので、同条第２項の規定によりその例によることとされた同法による改正前の児童福祉法（以下この号において「旧児童福祉法」という。）第48条第４項ただし書の規定による指定を受けたものを除く。）において矯正教育又は指導を担当する者（旧児童福祉法第44条に規定する救護院（旧児童福祉法第48条第４項ただし書の規定による指定を受けたものを除く。）において指導を担当する者を含む。）の職

九　児童福祉法第７条第１項に規定する児童福祉施設及び連携施設を構成する保育機能施設の長の職

十　児童福祉法第７条第１項に規定する児童福祉施設及び連携施設を構成する保育機能施設において児童の保育に直接従事する職員の職

十一　児童福祉法第７条第１項に規定する児童福祉施設及び連携施設を構成する保育機能施設の事務職員の職

十二　児童福祉法第６条の３第９項に規定する家庭的保育事業、同条第10項に規定する小規模保育事業、同条第11項に規定する居宅訪問型保育事業及び同条第12項に規定する事業所内保育事業（以下この条において「家庭的保育事業等」という。）の管理者の職

十三　家庭的保育事業等において児童の保育に直接従事する職員の職

十四　家庭的保育事業等における事務職員の職

十五　第１号から前号までに掲げるもののほか、国又は地方公共団体において教育（教育基本法（平成18年法律第120号）第６条第１項に規定する法律に定める学校において行われる教育以外の教育を含む。以下この号において同じ。）若しくは児童福祉に関する事務又は教育若しくは児童福祉を担当する国家公務員又は地方公務員（単純な労務に雇用される者を除く。）の職

十六　外国の官公庁における前号に準ずるものの職

第13条　国（国立大学法人法（平成15年法律第112号）第２条第１項に規定する国立大学法人を含む。）及び地方公共団体（地方独立行政法人法（平成15年法律第118号）第68条第１項に規定する公立大学法人（以下単に「公立大学法人」という。）を含む。以

下この条及び第18条において同じ。）が設置する幼保連携型認定こども園の園長の任命権者又は国及び地方公共団体以外の者が設置する幼保連携型認定こども園の設置者は、幼保連携型認定こども園の運営上特に必要がある場合には、前条の規定にかかわらず、法第２条第７項に規定する幼保連携型認定こども園の目的を実現するため、当該幼保連携型認定こども園を適切に管理及び運営する能力を有する者であって、前条に規定する資格を有する者と同等の資質を有すると認めるものを園長として任命し、又は採用することができる。

（幼保連携型認定こども園の副園長及び教頭の資格）

第14条　前２条の規定は、副園長及び教頭の資格について準用する。

（幼保連携型認定こども園の設置の認可の申請又は届出等）

第15条　幼保連携型認定こども園の設置についての認可の申請又は届出は、それぞれ認可申請書又は届出書に、次に掲げる事項を記載した書類及び法第13条第１項の条例で定める要件に適合していることを証する書類を添えてしなければならない。

一　目的

二　名称

三　所在地

四　園地、園舎その他設備の規模及び構造並びにその図面

五　幼保連携型認定こども園の運営に関する規程（第３項及び次条において「園則」という。）

六　経費の見積り及び維持方法

七　開設の時期

2　法第16条の届出を行った市町村（市町村が単独で又は他の市町村と共同して設立する公立大学法人を含む。以下この項において同じ。）又は法第17条第１項の認可を受けた者は、前項各号に掲げる事項（市町村にあっては第１号及び第６号に掲げる事項を除く。）を変更しようとするときは、あらかじめ、都道府県知事（指定都市等の区域内に所在する幼保連携型認定こども園については、当該指定都市等の長）に届け出なければならない。

3　前項の規定による園則の変更は、次条に掲げる事項に係る園則の変更とする。

（幼保連携型認定こども園の園則に記載すべき事項）

第16条　園則には、少なくとも、次に掲げる事項を記載しなければならない。

一　学年、学期、教育又は保育を行う日時数、教育又は保育を行わない日及び開園している時間に関する事項

二　教育課程その他の教育及び保育の内容に関する事項

三　保護者に対する子育ての支援の内容に関する事項

四　利用定員及び職員組織に関する事項

五　入園、退園、転園、休園及び卒園に関する事項

六　保育料その他の費用徴収に関する事項

七　その他施設の管理についての重要事項

（幼保連携型認定こども園の廃止又は休止の認可の申請又は届出）

第17条　幼保連携型認定こども園の廃止又は休止についての認可の申請又は届出は、それぞれ認可申請書又は届出書に、次に掲げる事項（休止についての認可の申請又は届出の場合にあっては第４号に掲げる事項を除く。）を記載した書類を添えてしなければならない。

一　廃止又は休止の理由

二　園児の処置方法

三　廃止の期日又は休止の予定期間

四　財産の処分

（幼保連携型認定こども園の設置者の変更の認可の申請又は届出）

第18条　幼保連携型認定こども園の設置者の変更についての認可の申請又は届出は、それぞれ認可申請書又は届出書に、当該設置者の変更に関係する者が連署して、変更前及び変更後の第15条第１項第１号から第６号までに掲げる事項並びに変更の理由及び時期を記載した書類を添えてしなければならない。ただし、新たに設置者となろうとする者が成立前の地方公共団体である場合においては、当該成立前の地方公共団体の連署を要しない。

（法第17条第２項第３号ただし書の主務省令で定める認可の取消しに該当しないこととすることが相当であると認められるもの）

第19条　法第17条第２項第３号ただし書の主務省令で定める同号本文に規定する認可の取消しに該当しないこととすることが相当であると認められるものは、都道府県知事（指定都市等の区域内に所在する幼保連携型認定こども園については当該指定都市等の長とし、法第34条第１項に規定する公私連携幼保連携型認定こども園にあっては市町村の長とし、法第35条第１項及び第37条第１項の規定により都道府県知事の権限に属するものとされている事務をこども家庭庁長官及び文部科学大臣が行う場合にあって

はこども家庭庁長官及び文部科学大臣とする。）が法第19条第1項その他の規定による報告等の権限を適切に行使し、当該認可の取消しの処分の理由となった事実及び当該事実の発生を防止するための当該幼保連携型認定こども園の設置者による業務管理体制の整備についての取組の状況その他の当該事実に関して当該幼保連携型認定こども園の設置者が有していた責任の程度を確認した結果、当該幼保連携型認定こども園の設置者が当該認可の取消しの理由となった事実について組織的に関与していると認められない場合に係るものとする。

2　前項の規定は、法第17条第2項第7号ハの主務省令で定める同号に規定する認可の取消しに該当しないこととすることが相当であると認められるものについて準用する。

（法第17条第2項第5号の規定による聴聞決定予定日の通知）

第20条　法第17条第2項第5号の規定による通知をするときは、法第19条第1項の規定による検査が行われた日（以下この条において「検査日」という。）から10日以内に、検査日から起算して60日以内の特定の日を通知するものとする。

（法第17条第5項の規定による協議手続）

第21条　法第17条第5項の規定による協議は、第15条第1項各号に掲げる事項を記載した書類を市町村の長に提出してするものとする。

（法第17条第6項ただし書の主務省令で定める場合）

第22条　法第17条第6項ただし書の主務省令で定める場合は、次に掲げる場合とする。

一　法第17条第1項の設置の認可の申請に係る幼保連携型認定こども園を設置しようとする場所を含む区域（子ども・子育て支援法第62条第2項第1号の規定により都道府県が定める区域（指定都市等の長が認可を行う場合にあっては、同法第61条第2項第1号の規定により当該指定都市等が定める教育・保育提供区域）をいう。以下この条において同じ。）における特定教育・保育施設の利用定員の総数（当該申請に係る幼保連携型認定こども園の事業の開始を予定する日の属する事業年度（以下この条において「申請幼保連携型認定こども園事業開始年度」という。）に係るものであって、同法第19条第1号に掲げる小学校就学前子どもに係るものに限る。）及び特定教育・保育施設以外の幼稚園の収容定員の総数（申請幼保連携型認定こども園事業開始年度に係るものをいい、当該特定教育・保育施設以外の幼稚園に在籍している幼児の総数が当該収容定員の総数に満たない場合に

あっては、当該在籍している幼児の総数を勘案して都道府県知事（指定都市等の長が認可を行う場合にあっては指定都市等の長）が定める数）の合計数が、都道府県計画（指定都市等の長が認可を行う場合にあっては、同法第61条第1項の規定により当該指定都市等の長が定める市町村計画。以下この条において同じ。）において定める当該区域の特定教育・保育施設の必要利用定員総数（申請幼保連携型認定こども園事業開始年度に係るものであって、同法第19条第1号に掲げる小学校就学前子どもに係るものに限る。）に既に達しているか、又は当該申請に係る設置の認可によってこれを超えることになると認める場合

二　法第17条第1項の設置の認可の申請に係る幼保連携型認定こども園を設置しようとする場所を含む区域における特定教育・保育施設及び国家戦略特別区域小規模保育事業の利用定員の総数（申請幼保連携型認定こども園事業開始年度に係るものであって、子ども・子育て支援法第19条第2号に掲げる小学校就学前子どもに係るものに限る。）が、都道府県計画において定める当該区域の特定教育・保育施設及び国家戦略特別区域小規模保育事業の必要利用定員総数（申請幼保連携型認定こども園事業開始年度に係るものであって、同号に掲げる小学校就学前子どもに係るものに限る。）に既に達しているか、又は当該申請に係る設置の認可によってこれを超えることになると認める場合

三　法第17条第1項の設置の認可の申請に係る幼保連携型認定こども園を設置しようとする場所を含む区域における特定教育・保育施設及び特定地域型保育事業所（子ども・子育て支援法第43条第1項に規定する事業所内保育事業所における同項に規定する労働者等の監護する小学校就学前子どもに係る部分を除き、市町村計画に基づき整備をしようとするものを含む。）の利用定員の総数（申請幼保連携型認定こども園事業開始年度に係るものであって、同法第19条第3号に掲げる小学校就学前子どもに係るものに限る。）が、都道府県計画において定める当該区域の特定教育・保育施設及び特定地域型保育事業所の必要利用定員総数（申請幼保連携型認定こども園事業開始年度に係るものであって、同号に掲げる小学校就学前子どもに係るものに限る。）に既に達しているか、又は当該申請に係る設置の認可によってこれを超えることになると認める場合

2　前項各号の申請に係る幼保連携型認定こども園が

幼稚園又は保育所を廃止して設置しようとする場合における同項各号の規定の適用については、これらの規定中「必要利用定員総数（申請幼保連携型認定こども園事業開始年度に係るものであって」とあるのは、「必要利用定員総数（申請幼保連携型認定こども園事業開始年度に係るもの（都道府県計画で定める当該区域において実施しようとする教育又は保育の提供の確保体制に必要な数を加えて得た数を含む。）であって」とする。

（法第23条の規定による評価の方法）

第23条　幼保連携型認定こども園の設置者は、当該幼保連携型認定こども園における教育及び保育並びに子育て支援事業（第25条において「教育及び保育等」という。）の状況その他の運営の状況について、自ら評価を行い、その結果を公表するものとする。

2　前項の評価を行うに当たっては、幼保連携型認定こども園の設置者は、その実情に応じ、適切な項目を設定して行うものとする。

第24条　幼保連携型認定こども園の設置者は、前条第1項の規定による評価の結果を踏まえた当該幼保連携型認定こども園の園児の保護者その他の当該幼保連携型認定こども園の関係者（当該幼保連携型認定こども園の職員を除く。）による評価を行い、その結果を公表するよう努めるものとする。

第25条　幼保連携型認定こども園の設置者は、当該幼保連携型認定こども園における教育及び保育等の状況その他の運営の状況について、定期的に外部の者による評価を受けて、その結果を公表するよう努めるものとする。

（学校教育法施行規則の準用）

第26条　学校教育法施行規則（昭和22年文部省令第11号）第25条、第27条、第28条第1項及び第2項前段、第48条、第49条、第59条、第60条並びに第63条の規定は、幼保連携型認定こども園について準用する。この場合において、次の表の上欄に掲げる同令の規定中同表の中欄に掲げる字句は、それぞれ同表の下欄に掲げる字句に読み替えるものとする。

読み替える学校教育法施行規則の規定	読み替えられる字句	読み替える字句
第25条	校長（学長を除く。）	就学前の子どもに関する教育、保育等の総合的な提供の推進に関する法律第14条第1項に規定する園長（以下「園長」という。）
	児童等	就学前の子どもに関する教育、保育
		等の総合的な提供の推進に関する法律第14条第6項に規定する園児
第27条	私立学校	国（国立大学法人法（平成15年法律第112号）第2条第1項に規定する国立大学法人を含む。）及び地方公共団体（公立大学法人を含む。第63条において同じ。）以外の者が設置する幼保連携型認定こども園（就学前の子どもに関する教育、保育等の総合的な提供の推進に関する法律第2条第7項に規定する幼保連携型認定こども園をいう。以下同じ。）
	大学及び高等専門学校にあつては文部科学大臣、大学及び高等専門学校以外の学校にあつては都道府県知事	都道府県知事（就学前の子どもに関する教育、保育等の総合的な提供の推進に関する法律第3条第1項に規定する指定都市等の区域内に所在する幼保連携型認定こども園については、当該指定都市等の長）
第27条、第48条、第49条第2項及び第3項、第60条並びに第63条	校長	園長
第28条第1項	学則	園則
第28条第2項前段	表簿（第24条第2項の抄本又は写しを除く。）	表簿
第49条第3項	教育	教育、保育又は子育ての支援
第60条	授業	教育の
第63条	授業	教育又は保育
	公立小学校	地方公共団体が設置する幼保連携型認定こども園
	教育委員会	長

（学校保健安全法施行規則の準用）

第27条　学校保健安全法施行規則（昭和33年文部省令第18号）第1条、第2条、第5条第1項、第6条第1項（第8号を除く。）及び第2項、第7条第1項から第4項まで及び第6項から第8項まで、第8条第1項、第3項及び第4項本文、第9条第1項（第5

号を除く。)、第10条から第24条まで並びに第28条から第29条の2までの規定は、幼保連携型認定こども園について準用する。この場合において、次の表の上欄に掲げる同令の規定中同表の中欄に掲げる字句は、それぞれ同表の下欄に掲げる字句に読み替えるものとする。

読み替える学校保健安全法施行規則の規定	読み替えられる字句	読み替える字句
第5条第1項	毎学年、6月30日までに行うもの	入園時及び毎年度2回行う（そのうち1回は6月30日までに行うものとする。）ことを原則
第7条第1項	法第13条第1項	満3歳以上の就学前の子どもに関する教育、保育等の総合的な提供の推進に関する法律第14条第6項に規定する園児（以下「園児」という。）に係る法第13条第1項
	ものとする。	ものとする。また、満3歳未満の園児については、これに準ずるものとする。
第7条第6項	全幼児、小学校の第2学年以上の児童、中学校及び高等学校の第2学年以上の生徒、高等専門学校の第2学年以上の学生並びに大学の全学生	園児
第8条第1項、第3項及び第4項、第11条、第20条、第21条第1項、第28条第1項並びに第29条の2	児童生徒等	園児
第8条第3項	校長は	就学前の子どもに関する教育、保育等の総合的な提供の推進に関する法律第14条第1項に規定する園長（以下「園長」という。）は
第9条第1項	幼児、児童又は生徒にあつては当該幼児、児童又は生徒及びその保護者（学校教育法（昭和22年法律第26号）	園児及びその保護者（就学前の子どもに関する教育、保育等の総合的な提供の推進に関する法律第2条第11項に規定する保護

	第16条に規定する保護者をいう。）に、学生にあつては当該学生	者をいう。）
第20条	学年別	年齢別
第21条第1項及び第2項、第22条第1項第8号及び第2項、第23条第2項並びに第24条第2項	校長	園長

（法第29条第1項の主務省令で定める軽微な変更）

第28条 法第29条第1項の主務省令で定める軽微な変更は、次に掲げるものとする。

一 法第4条第1項第3号に規定する保育を必要とする子どもに係る利用定員又は同項第4号に規定する保育を必要とする子ども以外の子どもに係る利用定員の変更のうち都道府県知事が定める数を超えない範囲内で行われるもの（幼保連携型認定こども園の利用定員、幼稚園の収容定員又は保育所等の入所定員の変更を伴うものを除く。）

二 法第28条に規定する教育保育概要として同条の規定により周知された事項の変更のうち都道府県知事が定めるもの

（法第30条第1項の規定による報告の方法等）

第29条 法第30条第1項の規定による報告は、次に掲げる事項を記載した報告書を都道府県知事（指定都市等所在施設である認定こども園については当該指定都市等の長）の定める日までに提出することにより行うものとする。

一 報告年月日の前日において在籍している法第4条第1項第3号に規定する保育を必要とする子どもに係る利用定員（満3歳未満の者の数及び満3歳以上の者の数に区分するものとする。）及び同項第4号に規定する保育を必要とする子ども以外の子どもに係る利用定員（満3歳未満の者の数及び満3歳以上の者の数に区分するものとする。）

二 当該認定こども園が法第3条第1項又は第3項の都道府県（指定都市等所在施設である幼稚園若しくは保育所等又は連携施設については、当該指定都市等）の条例で定める要件に適合していることを確認するために必要な事項として都道府県知事が定める事項

三 法第28条の規定により周知された同条に規定する教育保育概要を確認するために必要な事項として都道府県知事が定める事項

（幼保連携型認定こども園の指導要録）

第30条　園長は、その幼保連携型認定こども園に在籍する園児の指導要録（就学前の子どもに関する教育、保育等の総合的な提供の推進に関する法律施行令（以下「令」という。）第8条に規定する園児の学習及び健康の状況を記録した書類の原本をいう。以下この条において同じ。）を作成しなければならない。

2　園長は、園児が進学した場合においては、その作成に係る当該園児の指導要録の抄本又は写しを作成し、これを進学先の校長に送付しなければならない。

3　園長は、園児が転園した場合においては、その作成に係る当該園児の指導要録の写しを作成し、その写し（転園してきた園児については転園により送付を受けた指導要録（学校教育法施行令（昭和28年政令第340号）第31条に規定する児童等の学習及び健康の状況を記録した書類の原本を含む。）の写しを含む。）を転園先の幼稚園の園長、保育所の長又は認定こども園の長に送付しなければならない。

4　指導要録及びその写しのうち入園、卒園等の学籍に関する記録については、その保存期間は、20年間とする。

5　令第8条の規定により指導要録及びその写しを保存しなければならない期間は、前項に規定する保存期間から当該幼保連携型認定こども園においてこれらの書類を保存していた期間を控除した期間とする。

（幼保連携型認定こども園の認可の申請等の細則）

第31条　法、令及びこの命令の規定に基づいてなすべき認可の申請及び届出の手続その他の細則については、都道府県知事（指定都市等所在施設である幼保連携型認定こども園（都道府県が設置するものを除く。）については、当該指定都市等の長）が、これを定める。

　　　附　則　抄

（施行期日）

第1条　この命令は、就学前の子どもに関する教育、保育等の総合的な提供の推進に関する法律の一部を改正する法律〔平成24年法律第66号〕（以下「一部改正法」という。）の施行の日〔平成27年4月1日〕から施行する。

（第7条第1項第2号及び第3号並びに第22条第1項第2号及び第3号の規定の適用に関する特例）

第2条　第7条第1項第2号及び第3号並びに第22条第1項第2号及び第3号の規定の適用については、当分の間、次の表の上欄に掲げるこの命令の規定中同表の中欄に掲げる字句は、それぞれ同表の下欄の字句とする。

第7条第1項第2号及び第	ものであって、同	もの（申請施設事業開始年度の翌年度に係る
3号	号	ものが、申請施設事業開始年度に係るものを上回っている場合にあっては、申請施設事業開始年度の翌年度に係るもの）であって、同号
第22条第1項第2号及び第3号	ものであって、同号	もの（申請幼保連携型認定こども園事業開始年度の翌年度に係るものが、申請幼保連携型認定こども園事業開始年度に係るものを上回っている場合にあっては、申請幼保連携型認定こども園事業開始年度の翌年度に係るもの）であって、同号

（法附則第2項の主務省令で定める基準）

第3条　法附則第2項の主務省令で定める基準は、次の各号のいずれかに該当することとする。

一　次のいずれにも該当する市町村であること。

イ　前々年の4月1日において、子ども・子育て支援法第27条第1項に規定する特定教育・保育施設（認定こども園又は保育所に限る。）又は同法第43条第2項に規定する特定地域型保育事業（以下この条において「特定教育・保育施設等」という。）の利用の申込みを行った同法第20条第4項に規定する教育・保育給付認定保護者（同法第19条第2号又は第3号に掲げる小学校就学前子どもの保護者に限る。以下この号において単に「教育・保育給付認定保護者」という。）の当該申込みに係る子どもであって特定教育・保育施設等を利用していないもの（次のいずれかに該当するものを除く。）の数並びに当該市町村において特定教育・保育施設等を利用している子どもであって、法附則第2項の規定及び地域の自主性及び自立性を高めるための改革の推進を図るための関係法律の整備に関する法律（平成23年法律第37号）附則第4条の規定を適用しないものとした場合に当該特定教育・保育施設等を利用できないこととなるものの数の合計数が100人以上であること。

(1)　幼稚園に在籍する幼児であって、当該幼稚園において、適当な設備を備える等により、教育課程に係る教育時間の終了後に教育活動を行う事業（事業の実施に要する費用に係る国又は地方公共団体の補助（以下この号において「事業実施補助」という。）を受けているものに限る。）又は児童福祉法施行規則第36条の35第1項第2号に規定する幼稚園型一時預かり事業を利用しているもの

(2) 幼稚園において、適当な設備を備える等により、教育課程に係る教育時間外において教育活動を長時間行う事業（事業実施補助を受けているものに限る。）を利用している子ども

(3) 児童福祉法第59条第1項に規定する施設のうち同法第6条の3第9項から第12項まで又は第39条第1項に規定する業務を目的とするもの（事業実施補助を受けているものに限る。）を利用している子ども

(4) 教育・保育給付認定保護者が利用を希望する特定教育・保育施設等以外の特定教育・保育施設等又は(2)に規定する事業若しくは(3)に規定する施設を利用することができる子ども

(5) 育児休業中である教育・保育給付認定保護者（特定教育・保育施設等の利用が可能となった場合に就業する予定であると認められる者を除く。）の子ども

(6) 子ども・子育て支援法施行規則（平成26年内閣府令第44号）第1条の5第6号に規定する求職活動を継続的に行っていることを事由として子ども・子育て支援法第20条第1項及び第3項の認定を受けた教育・保育給付認定保護者であって、当該求職活動を継続的に行っていないと認められるものの子ども

ロ 前々年の1月1日において、当該市町村に属する地価公示法（昭和44年法律第49号）第6条に規定する標準地（以下この条において単に「標準地」という。）であって住宅地（都市計画法（昭和43年法律第100号）第7条第1項に規定する市街化区域内の同法第9条第1項に規定する第一種低層住居専用地域、同条第2項に規定する第二種低層住居専用地域、同条第3項に規定する第一種中高層住居専用地域、同条第4項に規定する第二種中高層住居専用地域、同条第5項に規定する第一種住居地域及び同条第6項に規定する第二種住居地域並びにその他の同法第4条第2項に規定する都市計画区域（以下この号において単に「都市計画区域」という。）内及び都市計画区域外の地価公示法第2条第1項に規定する公示区域内において居住用の建物の敷地の用に供されている土地をいう。以下同じ。）であるものについて同法第6条の規定により公示された価格の平均額が、首都圏整備法（昭和31年法律第83号）第2条第3項に規定する既成市街地及び同条第4項に規定する近郊整備地帯、近畿圏整備法（昭和38年法律第

129号）第2条第3項に規定する既成都市区域及び同条第4項に規定する近郊整備区域並びに中部圏開発整備法（昭和41年法律第102号）第2条第3項に規定する都市整備区域内の市町村に属する標準地であって住宅地であるものについて地価公示法第6条の規定により公示された価格の平均額を超えていること。

二 次のいずれにも該当する市町村であること。

イ 前号イに該当すること。

ロ 前々年の1月1日において、当該市町村に属する標準地であって住宅地であるものについて地価公示法第2条第1項の規定により公示された価格の平均額が、首都圏整備法第2条第3項に規定する既成市街地若しくは同条第4項に規定する近郊整備地帯、近畿圏整備法第2条第3項に規定する既成都市区域若しくは同条第4項に規定する近郊整備区域又は中部圏開発整備法第2条第3項に規定する都市整備区域内の市町村に属する標準地であって住宅地であるものについて地価公示法第2条第1項の規定により公示された価格のうちの最低額を超えていること。

ハ 次に掲げる事項を公表していること。

(1) 特定教育・保育施設等の整備の用に供する土地の確保その他の教育・保育（子ども・子育て支援法第14条第1項に規定する教育・保育をいう。）の提供体制を確保するために講じている措置に関する事項

(2) (1)の措置を講じてもなお特定教育・保育施設等の整備の用に供する土地を確保することが困難である旨及びその理由

（一部改正法附則第4条第1項の主務省令で定める要件）

第4条 一部改正法附則第4条第1項の主務省令で定める要件は、次に掲げる要件とする。

一 当該幼稚園の所在した区域と同一の区域内にあること。

二 廃止する幼稚園の数と設置する幼保連携型認定こども園の数が同一の数以下であること。

　　附 則（令和4年12月28日内閣府・文部科学・厚生労働省令第4号）

（施行期日）

1 この命令は、令和5年4月1日から施行する。

（経過措置）

2 幼保連携型認定こども園において、この命令による改正後の就学前の子どもに関する教育、保育等の総合的な提供の推進に関する法律施行規則第27条に

おいて準用する学校保健安全法施行規則（昭和33年文部省令第18号）第29条の2第2項に規定する自動車を運行する場合であって、当該自動車に同項に規定するブザーその他の車内の園児の見落としを防止する装置（以下「ブザー等」という。）を備えることにつき困難な事情があるときは、令和6年3月31日までの間、当該自動車にブザー等を備えて同条第1項に定める園児の所在の確認を行うことを要しない。この場合において、当該幼保連携型認定こども園は、ブザー等の設置及び使用に代わる措置を講じて園児の所在の確認を行わなければならない。

◉教育・保育及び地域子ども・子育て支援事業の提供体制の整備並びに子ども・子育て支援給付並びに地域子ども・子育て支援事業及び仕事・子育て両立支援事業の円滑な実施を確保するための基本的な指針

〔平成26年7月2日　内閣府告示第159号〕

注　令和6年2月13日内閣府告示第20号改正現在

子ども・子育て支援法（平成24年法律第65号）第60条の規定に基づき、教育・保育及び地域子ども・子育て支援事業の提供体制の整備並びに子ども・子育て支援給付及び地域子ども・子育て支援事業の円滑な実施を確保するための基本的な指針を次のように定めたので、同条第4項の規定により公表する。

子ども・子育て支援については、少子化社会対策基本法（平成15年法律第133号）等に基づき、総合的な施策が講じられてきたところであるが、平成24年8月に、質の高い幼児期の学校教育・保育の総合的な提供、保育の量的拡大及び確保並びに地域における子ども・子育て支援の充実等を図るため、子ども・子育て支援法（平成24年法律第65号。以下「法」という。）の制定のほか、就学前の子どもに関する教育、保育等の総合的な提供の推進に関する法律の一部を改正する法律（平成24年法律第66号）及び児童福祉法（昭和22年法律第164号）の改正を含めた子ども・子育て支援法及び就学前の子どもに関する教育、保育等の総合的な提供の推進に関する法律の一部を改正する法律の施行に伴う関係法律の整備等に関する法律（平成24年法律第67号）が制定され、子ども・子育て支援の新たな制度が創設された。また、平成28年4月及び令和元年10月に、法の一部改正により、新たに仕事・子育て両立支援事業及び子育てのための施設等利用給付がそれぞれ創設された。

法においては、市町村（特別区を含む。以下同じ。）は、子ども・子育て支援給付及び地域子ども・子育て支援事業を総合的かつ計画的に行うこととし、国及び都道府県は、当該給付及び当該事業が適正かつ円滑に行われるよう必要な各般の措置を講じなければならないこととされている。

特に、子ども・子育て支援給付に係る教育・保育（法第7条第10項第5号に規定する教育・保育をいう。以下同じ。）及び地域子ども・子育て支援事業の提供体制の確保等を図るため、市町村は市町村子ども・子育て支援事業計画（法第61条第1項に規定する市町村子ども・子育て支援事業計画をいう。以下同じ。）を、都道府県は都道府県子ども・子育て支援事業支援計画（法第62条第1項に規定する都道府県子ども・子育て支援事業支援計画をいう。以下同じ。）を定めることとされている。

この基本指針は、この新たな制度の下、法第60条に基づき、教育・保育の提供体制の確保、子育てのための施設等利用給付の円滑な実施の確保並びに地域子ども・子育て支援事業及び仕事・子育て両立支援事業の実施に関する基本的事項並びに子ども・子育て支援事業計画（市町村子ども・子育て支援事業計画及び都道府県子ども・子育て支援事業支援計画をいう。以下同じ。）の記載事項等を定め、もって教育・保育及び地域子ども・子育て支援事業を提供する体制の整備その他法に基づく業務の円滑な実施が計画的に図られるようにすること等を目的とするものである。

目次

第1　子ども・子育て支援の意義に関する事項

一　子どもの育ち及び子育てをめぐる環境

二　子どもの育ちに関する理念

三　子育てに関する理念と子ども・子育て支援の意義

四　社会のあらゆる分野における構成員の責務、役割

第2　教育・保育を提供する体制の確保、子育てのための施設等利用給付の円滑な実施の確保並びに地域子ども・子育て支援事業及び仕事・子育て両立支援事業の実施に関する基本的事項

一　教育・保育を提供する体制の確保、子育てのための施設等利用給付の円滑な実施の確保並びに地域子ども・子育て支援事業及び仕事・子育て両立支援事業の実施に関する基本的考え方

二　子ども・子育て支援に当たっての関係者の連携及び協働

1　市町村内及び都道府県内の関係部局間の連携及び協働

2　市町村相互間の連携及び協働並びに市町村と都道府県との連携及び協働

3　教育・保育その他の子ども・子育て支援の提供に係る関係者の連携及び協働

二　地方版子ども・子育て会議における子ども・子育て支援策の点検・評価に関する事項

別表第1　市町村子ども・子育て支援事業計画必須記載事項

別表第2　教育・保育の参酌標準

別表第3　地域子ども・子育て支援事業の参酌標準

別表第4　市町村子ども・子育て支援事業計画任意記載事項

別表第5　都道府県子ども・子育て支援事業支援計画必須記載事項

別表第6　教育・保育の参酌標準

別表第7　都道府県子ども・子育て支援事業支援計画任意記載事項

第1　子ども・子育て支援の意義に関する事項

　法は、「我が国における急速な少子化の進行並びに家庭及び地域を取り巻く環境の変化に鑑み、児童福祉法その他の子どもに関する法律による施策と相まって、子ども・子育て支援給付その他の子ども及び子どもを養育している者に必要な支援を行い、もって一人一人の子どもが健やかに成長することができる社会の実現に寄与する」ことを目的としている。

　子ども・子育て支援については、この法の目的を達成するため、「子どもの最善の利益」が実現される社会を目指すとの考えを基本に、子どもの視点に立ち、子どもの生存と発達が保障されるよう、良質かつ適切な内容及び水準のものとすることが必要である。

　また、法は、障害、疾病、虐待、貧困、家族の状況その他の事情により社会的な支援の必要性が高い子どもやその家族を含め、全ての子どもや子育て家庭を対象とするものである。このことを踏まえ、全ての子どもに対し、身近な地域において、法に基づく給付その他の支援を可能な限り講じるとともに、関連する諸制度との連携を図り、必要な場合には、これらの子どもに対する適切な保護及び援助の措置を講じることにより、一人一人の子どもの健やかな育ちを等しく保障することを目指す必要がある。

　子どもは、社会の希望であり、未来をつくる存在である。子どもの健やかな育ちと子育てを支えることは、一人一人の子どもや保護者の幸せにつながることはもとより、将来の我が国の担い手の育成の基礎をなす重要な未来への投資であり、社会全体で取り組むべき最重要課題の一つである。

　しかるに、子どもの育ちや子育てをめぐる状況は厳しく、結婚や出産に関する希望の実現をあきらめる人々や、悩みや不安を抱えながら子育てを行っている人々がいる。また、親自身は、周囲の様々な支援を受けながら、実際に子育てを経験することを通じて、親として成長していくものであり、全ての子育て家庭を対象に、こうしたいわゆる「親育ち」の過程を支援していくことが必要とされている。

　このような状況に鑑みれば、行政が、子ども・子育て支援を質・量ともに充実させるとともに、家庭、学校、地域、職域その他の社会のあらゆる分野における全ての構成員が、子ども・子育て支援の重要性に対する関心や理解を深め、各々が協働し、それぞれの役割を果たすことが必要である。そうした取組を通じ、家庭を築き、子どもを産み育てるという人々の希望がかなえられるとともに、全ての子どもが健やかに成長できる社会を実現していかなければならない。

一　子どもの育ち及び子育てをめぐる環境

　近年、核家族化の進展や地域のつながりの希薄化により、祖父母や近隣の住民等から、日々の子育てに対する助言、支援や協力を得ることが困難な状況となっている。また、現在の親世代の人々の兄弟姉妹の数が減少しており、自身の子どもができるまで赤ちゃんと触れ合う経験が乏しいまま親になることが増えている。このように、子育てをめぐる地域や家庭の状況は変化している。

　また、経済状況や企業経営を取り巻く環境が依然として厳しい中、共働き家庭は増加し続けているとともに、非正規雇用割合は依然として高い水準にある。また、子育てに専念することを希望して退職する者がいる一方、就労の継続を希望しながらも、仕事と子育ての両立が困難であるとの理由により、出産を機に退職する女性が一定程度存在している。さらに、女性の活力による経済社会の活性化の視点から、仕事と子育ての両立を希望する者を支援する環境の整備が求められているが、都市部を中心に、依然として多くの待機児童が存在している。

　また、長時間労働は全体的に減少傾向にあるものの、子育て期にある30代及び40代の男性で長時間労働を行う者の割合は依然として高い水準にある。父親の子育てへの参画に関する意識や意欲は高まってきているものの、子育て期の父親の家事・育児時間は、諸外国に比べ、依然として少ない時間にとどまっている。他方で、夫の家事・育児時間が長い夫婦ほど、第2子以降の出生割合が高い傾向が見られており、育児において父親が積極的に役割を果たすことが望まれる。

　このような、社会や経済の環境の変化によりもたらされた子育て家庭を取り巻く環境の変化によって、就労の有無や状況にかかわらず、子育ての負担や不安、孤立感が高まっている。こうした状況の中、子どもの心身の健やかな発達を妨げ、ひいては生命をも脅かす児童虐待の発生も後を絶たない。

　さらに、少子化により、子どもの数の減少とともに兄弟姉妹の数も減少しており、乳幼児期（小学校就学の始期に達するまでの時期をいう。以下同じ。）に異年齢の中で育つ機会が減少しているなど、子どもの育ちをめぐる環境も変容している。

　以上のような子どもの育ちや子育てをめぐる環境に鑑みれば、子どもが安心して育まれるとともに、子ども同士が集団の中で育ち合うことができるよう、また、家庭における子育ての負担や不安、孤立感を和らげ、男女共に保護者がしっかりと子どもと向き合い、喜びを感じながら子育てができるよう、子どもの育ちと子育てを、行政や地域社会を始め社会全体で支援していくことが必要である。こうした取組を通じて、全ての子どもの健やかな育ちを実現する必要がある。

二　子どもの育ちに関する理念

　人は生まれながらにして、自然に成長していく力とともに、周囲の環境に対して自分から能動的に働きかけようとする力を有している。発達とは、自然な心身の成長に伴い、人がこのように能動性を発揮して周囲の環境と関わり合う中で、生活に必要な能力、態度等を獲得していく過程である。

　とりわけ、乳幼児期は、心情、意欲、態度、基本的生活習慣等、生涯にわたる人格形成の基礎が培われる重要な時期である。

　乳児期（おおむね満１歳に達するまでの時期をいう。以下同じ。）は、一般に、身近にいる特定の大人（実親のほか、里親等の実親以外の養育者を含む。）との愛着形成により、情緒的な安定が図られるとともに、身体面の著しい発育・発達が見られる重要な時期である。子どもが示す様々な行動や欲求に、身近な大人が応答的かつ積極的に関わることにより、子どもの中に人に対する基本的信頼感が芽生え、情緒の安定が図られる。こうした情緒の安定を基盤として心身の発達が促されるなど、人として生きていく土台がこの時期に作られる。

　幼児期（乳児期を除く小学校就学の始期に達す

るまでの時期をいう。以下同じ。）のうち、おおむね満３歳に達するまでの時期は、一般に、基本的な身体機能や運動機能が発達し、様々な動きを十分楽しみながら、人や物との関わりを広げ、行動範囲を拡大させていく時期である。自我が育ち、強く自己主張することも多くなるが、大人がこうした姿を積極的に受け止めることにより、子どもは自分に自信を持つ。自分のことを信じ、見守ってくれる大人の存在により、子どもは時間をかけて自分の感情を鎮め、気持ちを立て直すようになる。安心感や安定感を得ることにより、子どもは身近な環境に自ら働きかけ、好きな遊びに熱中したりやりたいことを繰り返し行ったりするなど、自発的に活動するようになる。こうした自発的な活動が主体的に生きていく基盤となる。また、特定の大人への安心感を基盤として、徐々に人間関係を広げ、その関わりを通じて社会性を身に付けていく。

　幼児期のうち、おおむね満３歳以上の時期は、一般に、遊びを中心とした生活の中で、特に身体感覚を伴う多様な活動を経験することにより、豊かな感性とともに好奇心、探究心や思考力が養われ、それらがその後の生活や学びの基礎になる時期である。また、ものや人との関わりにおける自己表出を通して、幼児の育ちにとって最も重要な自我や主体性が芽生えるとともに、人と関わり、他人の存在に気付くことなどにより、自己を取り巻く社会への感覚を養うなど、人間関係の面でも日々急速に成長する時期である。このため、この時期における育ちは、その後の人間としての生き方を大きく左右する重要なものとなる。

　以上に述べたような乳幼児期の発達は、連続性を有するものであるとともに、一人一人の個人差が大きいものであることに留意しつつ、乳幼児期の重要性や特性を踏まえ、発達に応じた適切な保護者の関わりや、質の高い教育・保育や子育て支援の安定的な提供を通じ、その間の子どもの健やかな発達を保障することが必要である。

　また、小学校就学後の学童期は、生きる力を育むことを目指し、調和のとれた発達を図る重要な時期である。この時期は、自立意識や他者理解等の社会性の発達が進み、心身の成長も著しい時期である。学校教育とともに、遊戯やレクリエーションを含む、学習や様々な体験・交流活動のための十分な機会を提供し、放課後等における子どもの健全な育成にも適切に配慮することが必要である。

　以上のように、乳児期におけるしっかりとした愛着形成を基礎とした情緒の安定や他者への信頼感の醸成、幼児期における他者との関わりや基本的な生きる力の獲得及び学童期における心身の健全な発達を通じて、一人一人がかけがえのない個性ある存在として認められるとともに、自己肯定感をもって育まれることが可能となる環境を整備することが、社会全体の責任である。

三　子育てに関する理念と子ども・子育て支援の意義

　法を始めとする関係法律において明記されているとおり、「父母その他の保護者は、子育てについての第一義的責任を有する」という基本的認識を前提とし、また、家庭は教育の原点であり、出発点であるとの認識の下、前述の子ども・子育てをめぐる環境を踏まえ、子ども・子育て支援は進められる必要がある。

　子育てとは本来、子どもに限りない愛情を注ぎ、その存在に感謝し、日々成長する子どもの姿に感動して、親も親として成長していくという大きな喜びや生きがいをもたらす尊い営みである。

　したがって、子ども・子育て支援とは、保護者の育児を肩代わりするものではなく、保護者が子育てについての責任を果たすことや、子育ての権利を享受することが可能となるよう、地域や社会が保護者に寄り添い、子育てに対する負担や不安、孤立感を和らげることを通じて、保護者が自己肯定感を持ちながら子どもと向き合える環境を整え、親としての成長を支援し、子育てや子どもの成長に喜びや生きがいを感じることができるような支援をしていくことである。

　このような支援により、より良い親子関係を形成していくことは、子どものより良い育ちを実現することに他ならない。

　また、保護者が子育てについての第一義的な責任を有するという基本的認識については、子どもの最善の利益を実現する観点から、虐待等を理由として親子を分離し、実親以外の者が養育者となって子育てを担うことを妨げるものではない。むしろ、必要な場合には、社会的養護に係る措置を適切に講じ、もって子どもの健やかな育ちを保障することは、社会の責務である。

　以上のような子ども・子育て支援の意義に関する理解の下、各々の子どもや子育て家庭の置かれた状況や地域の実情を踏まえ、幼児期の学校教育・保育、地域における多様な子ども・子育て支援の量的拡充と質的改善を図ることが必要であ

る。

　保護者以外の保育者の具体的な関わりにおいては、3歳未満の乳幼児では、その発達の特性を踏まえ、安心できる人的及び物的環境の下で、子どもの生命の保持及び情緒の安定を図るための援助や関わりが重要である。この時期の保育においては、疾病の発生が多いことから、一人一人の発育及び発達状態や健康状態についての適切な判断に基づく保健的な対応を行うことが必要である。また、一人一人の子どもの生育歴の違いに留意しつつ、欲求を適切に満たし、特定の保育者が応答的に関わるように努めることが必要である。保育においては、子どもが探索活動を十分経験できるよう、事故防止に努めながら活動しやすい環境を整え、全身を使う遊び等様々な遊びを取り入れることが必要である。また、子どもの自我の育ちを見守り、その気持ちを受け止めるとともに、保育者が仲立ちとなり、友達の気持ちや友達との関わり方を丁寧に伝えていくことが求められる。

　3歳以上の幼児期は、知的・感情的な面でも、また人間関係の面でも、日々急速に成長する時期であり、この時期の教育の役割は極めて重要である。また、少子化の進行により子どもや兄弟姉妹の数が減少する中にあって、子どもの健やかな育ちにとって必要となる、同年齢や異年齢の幼児と主体的に関わる機会の確保が必要である。集団の生活は、幼児に人との関わりを深めさせ、規範意識の芽生えを培うものであり、異年齢交流は、年下への思いやりや責任感、年上への憧れや成長の意欲を生むものである。保育者は、一人一人の幼児に対する理解に基づき、環境を計画的に構成し、幼児の主体的な活動を援助していくことが求められる。また、幼児期の教育に際しては、小学校教育との連携・接続についても、十分配慮することが必要である。

　また、教育・保育施設（法第7条第4項に規定する教育・保育施設をいう。以下同じ。）を利用する子どもの家庭のみならず、在宅の子育て家庭を含む全ての家庭及び子どもを対象として、地域のニーズに応じた多様かつ総合的な子育て支援を質・量両面にわたり充実させることが必要である。当該支援を実施するに当たっては、妊娠・出産期からの切れ目のない支援を行っていくこと、保護者の気持ちを受け止め、寄り添いながら相談や適切な情報提供を行うこと、発達段階に応じた子どもとの関わり方等に関する保護者の学びの支援を行うこと、安全・安心な活動場所等子どもの

健全な発達のための良質な環境を整えること、及び地域の人材をいかしていくことに留意することが重要である。

全ての子どもの健やかな育ちを保障していくためには、以上に述べたような、発達段階に応じた質の高い教育・保育及び子育て支援が提供されることが重要である。質の高い教育・保育及び子育て支援を提供するためには、保護者以外に幼稚園教諭、保育士等子どもの育ちを支援する者の専門性や経験が極めて重要であり、研修等によりその専門性の向上を図ることが必要である。また、施設設備等の良質な環境の確保が必要である。さらに、こうした教育・保育及び子育て支援の質の確保・向上のためには、適切な評価を実施するとともに、その結果を踏まえた不断の改善努力を行うことが重要である。

四 社会のあらゆる分野における構成員の責務、役割

社会のあらゆる分野における全ての構成員が、父母その他の保護者が子育てについて責任を有していることを前提としつつ、全ての子どもの健やかな成長を実現するという社会全体の目的を共有し、子どもの育ち及び子育て支援の重要性に対する関心と理解を深め、各々の役割を果たすことが必要である。

法に基づく子ども・子育て支援給付及び地域子ども・子育て支援事業については、市町村が、幼児期の学校教育・保育及び地域の子ども・子育て支援を総合的に実施する主体となり、二に掲げる子どもの育ちに関する理念及び三に掲げる子育てに関する理念と子ども・子育て支援の意義を踏まえ、子どもの最善の利益の実現を念頭に、質を確保しながら、地域の実情に応じた取組を関係者と連携しつつ実施する。また、国及び都道府県は、市町村の取組を重層的に支える。

事業主においては、子育て中の労働者が男女を問わず子育てに向き合えるよう、職場全体の長時間労働の是正、労働者本人の希望に応じた育児休業や短時間勤務を取得しやすい環境づくり、職場復帰支援等の労働者の職業生活と家庭生活との両立（ワーク・ライフ・バランス）が図られるような雇用環境の整備を行うことが求められる。

子育てにおいては、保護者が、家庭の中のみならず、地域の中で、男女共に、保護者同士や地域の人々とのつながりを持ち、地域社会に参画し、連携し、地域の子育て支援に役割を果たしていくことも重要である。ＰＴＡ活動や保護者会活動を

始め、家庭、地域、施設等子どもの生活の場を有機的に連携させ、地域コミュニティーの中で子どもを育むことが必要である。とりわけ、教育・保育施設においては、地域における子ども・子育て支援の中核的な役割を担うことが期待される。また、施設が地域に開かれ、地域と共にあることや、保護者のみならず地域の人々も子どもの活動支援や見守りに参加することは、子どもの健やかな育ちにとって重要である。

地域及び社会全体が、子育て中の保護者の気持ちを受け止め、寄り添い、支えることを通じ、保護者が子育てに不安や負担ではなく喜びや生きがいを感じることができ、そして未来の社会をつくり、担う存在である全ての子どもが大事にされ、健やかに成長できるような社会、すなわち「子どもの最善の利益」が実現される社会を目指す。

第2 教育・保育を提供する体制の確保、子育てのための施設等利用給付の円滑な実施の確保並びに地域子ども・子育て支援事業及び仕事・子育て両立支援事業の実施に関する基本的事項

一 教育・保育を提供する体制の確保、子育てのための施設等利用給付の円滑な実施の確保並びに地域子ども・子育て支援事業及び仕事・子育て両立支援事業の実施に関する基本的考え方

法、就学前の子どもに関する教育、保育等の総合的な提供の推進に関する法律の一部を改正する法律による改正後の就学前の子どもに関する教育、保育等の総合的な提供の推進に関する法律（平成18年法律第77号。以下「認定こども園法」という。）及び子ども・子育て支援法及び就学前の子どもに関する教育、保育等の総合的な提供の推進に関する法律の一部を改正する法律の施行に伴う関係法律の整備等に関する法律による改正後の関係法律に基づき実施する子ども・子育て支援に係る制度（仕事・子育て両立支援事業を除く。以下「子ども・子育て支援制度」という。）は、第1の子ども・子育て支援の意義に関する事項を踏まえ、市町村が制度を実施し、都道府県及び国が重層的に支える仕組みである。

市町村は、子ども・子育て支援制度の実施主体として、全ての子どもに良質な成育環境を保障するため、それぞれの家庭や子どもの状況に応じ、子ども・子育て支援給付を保障するとともに、地域子ども・子育て支援事業を実施し、妊娠・出産期からの切れ目ない支援を行う。

具体的には、市町村は、国及び都道府県等と連携し、地域の実情に応じて質の高い教育・保育そ

の他の子ども・子育て支援が適切に提供されるよう、計画的に提供体制を確保するとともに、その利用を支援する。その際、子育てに孤立感や負担感を感じている保護者が多いこと等を踏まえ、全ての子ども・子育て家庭に、それぞれの子どもや家庭の状況に応じ、子育ての安心感や充実感を得られるような親子同士の交流の場づくり、子育て相談や情報提供などの支援を行う。

このため、市町村は、子ども・子育て支援に係る現在の利用状況及び潜在的な利用希望を含めた利用希望を把握した上で、管内における教育・保育及び地域子ども・子育て支援事業の量の見込み並びに提供体制の確保の内容及びその実施時期等を盛り込んだ市町村子ども・子育て支援事業計画を作成し、当該計画をもとに、質の高い教育・保育及び地域子ども・子育て支援事業を計画的に実施する。

また、市町村は、子育てのための施設等利用給付についても円滑に実施する。

都道府県は、市町村が上記の役割を果たすために必要な支援を行うとともに、子ども・子育て支援のうち、特に専門性の高い施策及び各市町村の区域を超えた広域的な対応が必要な施策を講ずる。

また、市町村子ども・子育て支援事業計画を踏まえて都道府県子ども・子育て支援事業支援計画を作成し、当該計画をもとに、質の高い教育・保育が適切に提供されるよう、計画的に提供体制を確保するほか、市町村の区域を超えた広域的な調整、幼稚園教諭及び保育士等の人材の確保及び資質の向上に係る方策並びに保護を要する子どもの養育環境の整備等の専門的な知識及び技術を要する支援等を行う。

国は、市町村が行う子ども・子育て支援給付及び地域子ども・子育て支援事業等が適正かつ円滑に行われるよう、市町村及び都道府県と相互に連携を図りながら、必要な支援を行う。

また、子ども・子育て支援制度は質の高い教育・保育その他の子ども・子育て支援の提供を通じて全ての子どもが健やかに成長するように支援するものであり、市町村、都道府県及び国は、それぞれの役割に応じて、教育・保育その他の子ども・子育て支援の質の確保及び向上を図ることが必要である。具体的には、認定こども園、幼稚園及び保育所と小学校等との連携・接続のための取組の促進、幼稚園教諭、保育士等に対する研修の充実等による資質の向上、幼児教育・保育に関す

る専門的知識・技能に基づき助言その他の支援を行う者の配置、教育・保育に関する施策を総合的に実施するための拠点の整備、処遇改善を始めとする労働環境への配慮並びに教育・保育施設及び地域型保育事業（法第7条第5項に規定する地域型保育事業をいう。以下同じ。）を行う者並びに子ども・子育て支援施設等（法第7条第10項に規定する子ども・子育て支援施設等をいう。以下同じ。）に対する適切な指導監督、評価等の実施を通じて、質の高い教育・保育その他の子ども・子育て支援の提供を図り、市町村及び都道府県は、これらの事項について、子ども・子育て支援事業計画に具体的に記載する。このほか、市町村は、障害児、社会的養護が必要な子ども、貧困状態にある子ども、夜間の保育が必要な子ども、外国につながる幼児等特別な支援が必要な子どもが円滑に教育・保育等を利用できるようにするために必要な配慮を行うとともに、市町村、都道府県及び国は、必要な支援を行うことが求められる。

教育・保育施設は、教育・保育の質の確保及び向上を図るため、自己評価、関係者評価、第三者評価等を通じて運営改善を図ることが求められる。市町村、都道府県及び国はこのために必要な支援を行う。

国は、仕事・子育て両立支援事業について、二に掲げる子どもの育ちに関する理念及び三に掲げる子育てに関する理念と子ども・子育て支援の意義を踏まえ、保育の質を確保しつつ、多様な働き方に対応した仕事と子育てとの両立など事業の特色を踏まえ、事業を実施する。事業の実施に当たっては、保護者及び子どもの利便性に配慮する。

保育の質を確保するため、小規模保育事業や事業所内保育事業の職員配置及び設備等の認可基準を踏まえ、仕事・子育て両立支援事業に係る事業所内保育業務を行う施設（以下「企業主導型保育施設」という。）の助成等の対象を定めるなどの対応を行う。また、保育の質が維持されるよう、助成等を行った企業主導型保育施設等に対する助成要件の確認に係る指導・監査、助成決定の取消等の仕組みを設ける。

二　子ども・子育て支援に当たっての関係者の連携及び協働

質の高い教育・保育その他の子ども・子育て支援を提供するため、関係者は次に掲げる相互の連携及び協働を図り、総合的な体制の下に子ども・子育て支援を推進することが望ましい。

1 市町村内及び都道府県内の関係部局間の連携
及び協働

子ども・子育て支援制度は、子ども・子育て
支援事業計画に基づき、地域の実情に応じた質
の高い教育・保育その他の子ども・子育て支援
が総合的かつ効率的に提供されるよう、市町村
及び都道府県がその提供体制を確保することを
基本理念とするものであり、認定こども園、幼
稚園及び保育所を通じた共通の給付が創設され
るとともに、幼保連携型認定こども園の認可及
び指導監督が一本化される。そのため、教育・
保育その他の子ども・子育て支援を一元的に行
うとともに、その他の小学校就学前子ども（法
第6条第1項に規定する小学校就学前子どもを
いう。以下同じ。）等に係る施策との緊密な連
携を推進することが求められる。また、家庭教
育の支援施策を行う市町村の関係部局との密接
な連携を図ることが望ましい。

市町村及び都道府県は、質の高い教育・保育
その他の子ども・子育て支援の提供を目指す子
ども・子育て支援制度の総合的かつ効率的な推
進を図るため、例えば、認定こども園、幼稚
園、保育所等及び地域子ども・子育て支援事業
の担当部局を一元化する、幼児教育センターと
しての機能を担う体制を整備する、関係部局の
併任職員を配置するなど、円滑な事務の実施が
可能な体制を整備し、子ども・子育て支援事業
計画の作成並びにこれに基づく質の高い教育・
保育その他の子ども・子育て支援の実施を図る
ことが望ましい。ただし、教育委員会の独立性
確保の観点から、公立幼稚園に関する教育委員
会の権限は移管できないことに留意すること。

2 市町村相互間の連携及び協働並びに市町村と
都道府県との連携及び協働

子ども・子育て支援制度の実施主体である市
町村は、住民に最も身近な地方公共団体とし
て、質の高い教育・保育その他の子ども・子育
て支援の提供の責務を有し、教育・保育施設及
び地域型保育事業を行う事業者並びに子ども・
子育て支援施設等について、法第27条第1項及
び第29条第1項並びに第30条の11第1項の確認
を行うとともに、地域型保育事業を構成する家
庭的保育事業（児童福祉法第6条の3第9項に
規定する家庭的保育事業をいう。以下同じ。）、
小規模保育事業（同条第10項に規定する小規模
保育事業をいう。以下同じ。）、居宅訪問型保育
事業（同条第11項に規定する居宅訪問型保育事

業をいう。以下同じ。）及び事業所内保育事業
（同条第12項に規定する事業所内保育事業をい
う。以下同じ。）の認可を行う。

一方、教育・保育施設及び子ども・子育て支
援施設等の認可、認定、届出に関する事項等は
主に都道府県が行う。

このため、都道府県及び市町村は、教育・保
育施設及び子ども・子育て支援施設等の認可、
認定、届出に関する事項及び確認並びに指導監
督に当たって、必要な情報を共有し、共同で指
導監督を行うなど、相互に密接に連携を図るこ
と。特に、市町村が私立幼稚園、認可外保育施
設等の運営の状況等を円滑に把握することがで
きるよう、都道府県は、市町村に必要な支援を
行うこと。

子ども・子育て支援の実施に当たり、市町村
は、地域の資源を有効に活用するため、地域の
実情に応じ、必要に応じて近隣の市町村と連
携、共同して事業を実施するなどの広域的取組
を推進することが必要である。この場合におい
て、関係市町村間の連携を図るとともに、必要
に応じて都道府県が広域調整を行うこと。

3 教育・保育その他の子ども・子育て支援の提
供に係る関係者の連携及び協働

市町村は、質の高い教育・保育その他の子ど
も・子育て支援を提供するため、地域の実情に
応じて計画的に基盤整備を行う。この場合にお
いて、市町村と教育・保育施設、地域型保育事
業を行う者その他の子ども・子育て支援を行う
者が相互に連携し、協働しながら地域の実情に
応じた取組を進めていく必要がある。

また、妊娠・出産期からの切れ目ない支援を
行うとともに、質の高い教育・保育の提供並び
に地域の子育て支援機能の維持及び確保等を図
るため、子ども・子育て支援を行う者同士相互
の密接な連携が必要である。特に、教育・保育
施設である認定こども園、幼稚園及び保育所
は、子ども・子育て支援において地域の中核的
な役割を担い、地域型保育事業を行う者及び地
域子ども・子育て支援事業を行う者等と連携
し、必要に応じてこれらの者の保育の提供等に
関する支援を行うことが求められる。

また、原則として満3歳未満の保育を必要と
する子どもが利用する地域型保育事業につい
て、満3歳以降も引き続き適切に質の高い教
育・保育を利用できるよう、教育・保育施設と
地域型保育事業を行う者との連携が必要であ

る。この際、円滑な連携が可能となるよう、市町村が積極的に関与することが必要である。

　また、保育を利用する子どもが小学校就学後に円滑に放課後児童健全育成事業を利用できるよう、相互の連携を図ることが望ましい。

4　国と地方公共団体との連携及び協働

　国及び地方公共団体は、相互に連携を図りながら、子ども・子育て支援給付及び地域子ども・子育て支援事業が適切かつ円滑に行われるようにしなければならない。このため、国及び地方公共団体は恒常的に意見交換を行い、連携及び協働を図りながら地域の実情に応じた子ども・子育て支援を推進することが必要である。

　国は、仕事・子育て両立支援事業の円滑な実施を図るため、地方公共団体への事業の内容や実施状況等の情報提供などを行う体制を整備する。また、例えば、地域枠の設定状況などの情報が地方公共団体に共有され、保育所等への入所を希望する保護者への案内につながるようにするなど、各地方公共団体における待機児童の解消等を図る観点から、地域の実情に応じ、企業主導型保育施設が活用されるよう必要な対応を行う。

5　教育・保育施設等における事故防止

　教育・保育施設や認可外保育施設等においては、子どもが安全・安心で健やかに育つことが重要であり、子どもの死亡事故などの重大事故は本来あってはならないにもかかわらず、毎年発生している。このため、教育・保育施設等及び地方公共団体は、事故防止、事故発生時の対応、再発防止に係る取組を進めるとともに、国においても重大事故の発生や再発防止の取組を進めていく。

第3　子ども・子育て支援事業計画の作成に関する事項

一　子ども・子育て支援事業計画の作成に関する基本的事項

1　子ども・子育て支援事業計画の作成に関する基本的事項

　市町村及び都道府県は、法の基本理念及び第1の子ども・子育て支援の意義に関する事項を踏まえ、子ども・子育て支援事業計画を作成すること。その際、次世代育成支援対策推進法（平成15年法律第120号）に基づき作成する市町村行動計画及び都道府県行動計画に記載して実施している次世代育成支援対策に係る分析、評価を行うこと。

2　子ども・子育て支援事業計画の作成のための体制の整備等

　子ども・子育て支援事業計画の作成に当たっては、市町村及び都道府県は、例えば担当部局の一元化を行うなど関係部局間の連携を促進し、必要な体制の整備を図るとともに、法第72条第1項及び第4項に規定する審議会その他の合議制の機関又は子どもの保護者その他子ども・子育て支援に係る当事者の意見を聴くこと。

㈠　市町村及び都道府県の関係部局相互間の連携

　子ども・子育て支援事業計画の作成に当たっては、認定こども園、幼稚園、保育所等及び地域子ども・子育て支援事業等の担当部局が相互に連携することができる体制を整備することが必要であり、第2の二の1に基づき、例えば関係部局を一元化するなど、円滑な事務の実施が可能な体制を整備すること。

㈡　子どもの保護者その他子ども・子育て支援に係る当事者の意見の聴取

　子ども・子育て支援事業計画を地域の実情に即した実効性のある内容のものとするためには、地域の関係者の意見を反映することが必要である。このため、法第61条第7項及び第62条第5項の規定に基づき、市町村及び都道府県は、法第72条第1項及び第4項に規定する審議会その他の合議制の機関を設置している場合はその意見を、その他の場合は子どもの保護者その他子ども・子育て支援に係る当事者の意見を聴かなければならないこと。

㈢　市町村間及び市町村と都道府県との間の連携

　市町村は、市町村子ども・子育て支援事業計画の作成に当たって、二の2の㈡の(1)に規定する市町村域を超えた教育・保育等の利用が行われている場合等必要な場合には、量の見込み並びに提供体制の確保の内容及びその実施時期等について、関係市町村と調整を行うこと。

　都道府県は、法第61条第9項の規定による市町村子ども・子育て支援事業計画の協議を受け、調整を行うことにより、教育・保育施設及び地域型保育事業の整備等に関する広域調整を行う役割を有している。このため、子ども・子育て支援事業計画を作成する過程では、市町村と都道府県との間の連携を図るこ

とが必要である。

具体的には、市町村は、四半期ごと等の都道府県が定める一定の期間ごとに、市町村子ども・子育て支援事業計画の作成の進捗状況等の都道府県が定める事項を、都道府県に報告すること。

また、市町村が市町村子ども・子育て支援事業計画を作成するに当たって、私立幼稚園、認可外保育施設等の運営の状況等を円滑に把握することができるよう、都道府県は、市町村に必要な支援を行うこと。

3　教育・保育及び地域子ども・子育て支援事業の利用状況及び利用希望の把握

(一)　現状の分析

市町村子ども・子育て支援事業計画については、地域の人口構造や産業構造等の地域特性、教育・保育及び地域子ども・子育て支援事業の利用の現状、利用希望の実情、教育・保育施設等の地域資源の状況、更には子どもと家庭を取り巻く環境等の現状を分析して、それらを踏まえて作成することが必要である。

(二)　現在の利用状況及び利用希望の把握

市町村は、市町村子ども・子育て支援事業計画の作成に当たり、教育・保育及び地域子ども・子育て支援事業の現在の利用状況を把握するとともに、保護者に対する調査等（以下「利用希望把握調査等」という。）を行い、これらを踏まえて教育・保育及び地域子ども・子育て支援事業の量の見込みを推計し、具体的な目標設定を行うこと。なお、地域子ども・子育て支援事業のうち子育て短期支援事業、養育支援訪問事業、一時預かり事業、子育て世帯訪問支援事業、児童育成支援拠点事業又は親子関係形成支援事業（以下「家庭支援事業」という。）については、市町村は必要に応じて児童福祉法第21条の18第1項に規定する利用の勧奨及び支援（以下「利用勧奨」という。）並びに同条第2項に規定する支援の提供（以下「利用措置」という。）を行うこととされていることから、家庭支援事業の量の見込みの推計に当たっては、利用勧奨及び利用措置による事業の提供量についても勘案すること。

利用希望把握調査等の実施に当たっては、当該調査結果を踏まえて作成する市町村子ども・子育て支援事業計画及び市町村子ども・

子育て支援事業計画を踏まえて作成する都道府県子ども・子育て支援事業支援計画が、教育・保育施設及び地域型保育事業の認可及び認定の際の需給調整の判断の基礎となることを勘案して、地域の実情に応じた適切な区域で行うこと。

また、都道府県は、利用希望把握調査等が円滑に行われるよう、市町村に対する助言、調整等に努めること。その際、私立幼稚園、認可外保育施設等の運営の状況等について市町村に対する情報提供を行う等、密接に連携を図ること。

4　計画期間における数値目標の設定

市町村及び都道府県は、地域の子どもが必要な教育・保育及び地域子ども・子育て支援事業を効果的、効率的に利用できるよう、二の2の(一)及び3の(一)並びに四の2の(一)に基づき、教育・保育及び地域子ども・子育て支援事業の現在の利用状況及び利用希望を把握し、地域の実情に応じて、子ども・子育て支援事業計画において、計画期間内における量の見込みを設定すること。

5　住民の意見の反映

市町村子ども・子育て支援事業計画を定め、又は変更しようとするときは、2の(二)により、法第72条第1項に規定する審議会その他の合議制の機関又は子どもの保護者その他子ども・子育て支援に係る当事者の意見を聴くほか、法第61条第8項の定めるところにより、あらかじめ、地域住民の意見を反映させるために必要な措置を講ずるよう努めること。

6　他の計画との関係

子ども・子育て支援事業計画は、地域福祉計画（社会福祉法（昭和26年法律第45号）第107条第1項に規定する市町村地域福祉計画及び同法第108条第1項に規定する都道府県地域福祉支援計画をいう。）、教育振興基本計画（教育基本法（平成18年法律第120号）第17条第2項の規定により市町村又は都道府県が定める教育の振興のための施策に関する基本的な計画をいう。）、自立促進計画（母子及び父子並びに寡婦福祉法（昭和39年法律第129号）第11条第2項第3号に規定する自立促進計画をいう。以下同じ。）、障害者計画（障害者基本法（昭和45年法律第84号）第11条第2項に規定する都道府県障害者計画及び同条第3項に規定する市町村障害者計画をいう。）、障害児福祉計画（児童福祉法

第33条の20第１項に規定する市町村障害児福祉計画及び同法第33条の22第１項に規定する都道府県障害児福祉計画をいう。）、児童福祉法第56条の４の２第１項に規定する市町村整備計画（以下「市町村整備計画」という。）その他の法律の規定により市町村又は都道府県が作成する計画であって、子ども・子育て支援に関する事項を定めるものその他の子ども・子育て支援に関する事項を定める計画との間の調和が保たれたものとすることが必要である。

　なお、他の法律の規定により市町村又は都道府県が作成する計画であって、子ども・子育て支援事業計画と盛り込む内容が重複するものについては、子ども・子育て支援事業計画と一体のものとして作成して差し支えない。

二　市町村子ども・子育て支援事業計画の作成に関する基本的記載事項

　市町村子ども・子育て支援事業計画において定めることとされた事項は、次に掲げる事項その他別表第１に掲げる事項とする。

　なお、地方自治法（昭和22年法律第67号）第252条の19第１項の指定都市又は同法第252条の22第１項の中核市（以下「指定都市等」という。）及び児童相談所設置市（児童福祉法第59条の４第１項に規定する児童相談所設置市をいう。以下同じ。）にあっては、本指針において都道府県子ども・子育て支援事業支援計画に盛り込まれている内容のうち、指定都市等及び児童相談所設置市が処理することとされているものについては、適切に市町村子ども・子育て支援事業計画に盛り込むことが必要である。

１　教育・保育提供区域の設定に関する事項

　市町村は、地理的条件、人口、交通事情その他の社会的条件、現在の教育・保育の利用状況、教育・保育を提供するための施設の整備の状況その他の条件を総合的に勘案して、小学校区単位、中学校区単位、行政区単位等、地域の実情に応じて、保護者や子どもが居宅より容易に移動することが可能な区域（以下「教育・保育提供区域」という。）を定める必要がある。

　その際、教育・保育提供区域は、２の㈡の(2)に規定する地域型保育事業の認可の際に行われる需給調整の判断基準となることを踏まえて設定すること。

　この場合において、教育・保育提供区域は、教育・保育及び地域子ども・子育て支援事業を通じて共通の区域設定とすることが基本とな

る。一方、教育・保育提供区域は、２の㈡の(2)に規定する地域型保育事業の認可の際に行われる需給調整の判断基準となること等から、法第19条各号に掲げる小学校就学前子どもの区分（以下「認定区分」という。）ごと、地域子ども・子育て支援事業の事業ごとに教育・保育施設等及び地域子ども・子育て支援事業の広域利用の実態が異なる場合には、実態に応じて、これらの区分又は事業ごとに設定することができる。

　なお、市町村整備計画を作成する場合には、当該市町村整備計画に記載する保育提供区域（児童福祉法第56条の４の２第２項第１号に規定する保育提供区域をいう。）は、当該教育・保育提供区域と整合性が取れたものとすること。

２　各年度における教育・保育の量の見込み並びに実施しようとする教育・保育の提供体制の確保の内容及びその実施時期に関する事項

㈠　各年度における教育・保育の量の見込み

　各年度における教育・保育提供区域ごとの教育・保育の量の見込みについては、市町村子ども・子育て支援事業計画を作成しようとするときにおける当該市町村に居住する子ども及びその保護者の教育・保育の利用状況及び利用希望把握調査等により把握する利用希望を踏まえて作成すること。具体的には、教育・保育の利用状況及び利用希望を分析し、かつ評価し、参酌標準（市町村子ども・子育て支援事業計画において教育・保育の量の見込みを定めるに当たって参酌すべき標準として別表第２に掲げるものをいう。別表第１において同じ。）を参考として、次に掲げる区分ごとに、それぞれ次に掲げる必要利用定員総数を定める。

　その際、教育・保育提供区域ごとに均衡の取れた教育・保育の提供が行われるよう、地域の実情に応じた見込量を定めるとともに、必要利用定員総数の算定に当たっての考え方を示すことが必要である。

　また、都市部を中心とする待機児童の存在に対応した基盤整備を図るため、市町村子ども・子育て支援事業計画において必要な教育・保育の量を見込むに当たっては、満３歳未満の子どもに待機児童が多いことに鑑み、地域の実情に応じて、満３歳未満の子どもの数全体に占める、認定こども園、保育所又は

地域型保育事業に係る法第19条第3号に掲げる小学校就学前子どもに該当する満3歳未満の子どもの利用定員数の割合（以下「保育利用率」という。）について、計画期間内における目標値を設定すること。その際、満3歳未満の子どもであって地域型保育事業の利用者が満3歳に到達した際に円滑に教育・保育施設に移行することが可能となるよう配慮する必要がある点に留意が必要である。

保育利用率の設定においては、市町村は、現在の保育の利用状況及び利用希望を踏まえ、計画期間内の各年度における目標を設定すること。

必要利用定員総数及び保育利用率を定める際に、必要に応じて、地域の実情を踏まえて社会的流出入等を勘案することができる。この場合には、法第72条第1項及び第4項に規定する審議会その他の合議制の機関等（以下「地方版子ども・子育て会議」という。）においてその算出根拠を調査審議するなど、必要利用定員総数の算出根拠の透明化を図ること。

さらに、保護者の就業率が高まる中、地域の実情に応じて、幼稚園の利用を希望する保護者の子どもの中にも、保育を必要とする者の増加が見込まれることから、それに応じた提供体制を確保できるよう、これらの者の見込量を定めること。

(1) 法第19条第1号に掲げる小学校就学前子どもに該当する子ども　特定教育・保育施設（法第27条第1項に規定する特定教育・保育施設をいう。以下同じ。）（認定こども園及び幼稚園に限る。）に係る必要利用定員総数（特定教育・保育施設に該当しない幼稚園に係るものを含む。）

(2) 法第19条第2号に掲げる小学校就学前子どもに該当する子ども　特定教育・保育施設（認定こども園及び保育所に限る。）及び国家戦略特別区域小規模保育事業（国家戦略特別区域法（平成25年法律第107号）第12条の4第1項に規定する国家戦略特別区域小規模保育事業をいう。以下同じ。）に係る必要利用定員総数（認可外保育施設等を利用する小学校就学前子どものうち保育を必要とする者を含む。）

(3) 法第19条第3号に掲げる小学校就学前子どもに該当する子ども　満1歳未満並びに

満1歳及び満2歳の区分（以下「年齢区分」という。）ごとの特定教育・保育施設（認定こども園及び保育所に限る。）及び特定地域型保育事業所（事業所内保育事業所（法第43条第1項に規定する事業所内保育事業所をいう。以下同じ。）にあっては、同項に規定する労働者等の監護する小学校就学前子どもに係る部分（以下「労働者枠」という。）を除く。）に係る必要利用定員総数の合計数（認可外保育施設等を利用する小学校就学前子どものうち保育を必要とする者を含む。）

(二) 実施しようとする教育・保育の提供体制の確保の内容及びその実施時期

(1) 実施しようとする教育・保育の提供体制の確保の内容及びその実施時期

市町村子ども・子育て支援事業計画においては、教育・保育提供区域ごと及び次のアからウまでに掲げる区分ごとに、それぞれ次のアからウまでに掲げる特定教育・保育施設及び特定地域型保育事業所に係る教育・保育の提供体制の確保の内容及びその実施時期を定める。

その際、子ども・子育て支援制度が、保護者の選択に基づき、多様な施設又は事業者から教育・保育を受けられるような提供体制の確保を目的の一つとしていることに鑑み、保護者の就労状況及びその変化等のみならず、子どもの教育・保育施設の利用状況等に配慮しつつ、柔軟に子どもを受け入れるための体制確保、地域の教育・保育施設の活用等も勘案し、現在の教育・保育の利用状況及び利用希望を十分に踏まえた上で定めること。また、保護者の就労状況等を勘案する際には、単に就労時間のみに着目するだけでなく、保護者の就業時間帯についても勘案することが重要である。

この場合において、教育の提供体制が不足する場合には、都道府県と市町村が連携して、幼稚園・認定こども園を運営する事業者との情報共有・意見交換を行った上で、当該事業者に対して定員の増加の検討を支援するとともに、市町村が設置する幼稚園・認定こども園の定員の増加・入園対象年齢の引下げについて積極的に検討し、教育の提供体制の確保の内容及びその実施時期を定めること。また、市町村は、幼稚

園（特定教育・保育施設に該当しないものを含む。）の利用を希望する保護者の子どものうち、特に保育を必要とする者の預かりニーズに適切に対応した提供体制となるよう、地域の実情に応じて、幼稚園から認定こども園への移行に必要な支援及び幼稚園における預かり保育の充実（長時間化・通年化）の支援を行うことが必要である。

また、市町村は、「子育て安心プラン」（平成29年6月2日公表）及び「新子育て安心プラン」（令和2年12月21日公表）を踏まえ、必要となる特定教育・保育施設及び特定地域型保育事業を整備することを目指し、各年度における提供体制の確保の内容及びその実施時期を定めること。

その際、企業主導型保育施設について、企業主導型保育施設の設置者と調整を行い、地域枠について、市町村の利用者支援の対象とする場合には、イ又はウに定める確保の内容に含めて差し支えない。

また、幼稚園（特定教育・保育施設に該当しないものを含む。）において、預かり保育の充実（長時間化・通年化）により、保育を必要とする子どもの預かりニーズにも適切に対応可能であると認められる場合には、イに定める確保の内容に含めることができる。また、「子育て安心プラン」に基づく一時預かり事業（幼稚園型）による2歳児受入れや幼稚園における長時間預かり保育運営費支援事業による満3歳未満の子どもの受入れを行う場合には、ウに定める確保の内容に含めることができる。このため、都道府県と市町村が連携して、事業者との情報交換・意見交換を十分に行った上で、積極的な対応を検討すること。

なお、当該市町村に居住する子どもについて、他の市町村の教育・保育施設又は地域型保育事業により教育・保育の利用を確保する必要があると見込まれる場合には、あらかじめ、当該他の市町村と調整を行うとともに、必要に応じて、都道府県が広域的な観点から市町村間の調整を行うこと。

市町村は、保育の提供を行う意向を有する事業者の把握に努めた上で、情報の提供を適切に行う等、多様な事業者の参入を促進する工夫を図ることが必要である。

また、市町村は、障害児・外国につなが

る幼児等特別な支援が必要な子どもが円滑に教育・保育を利用できるよう、あらかじめ、関係部局と連携して、地域における特別な支援が必要な子どもの人数等の状況並びに特定教育・保育施設及び特定地域型保育事業所における特別な支援が必要な子どもの受入れについて可能な限り把握し、必要な調整を行った上で、教育・保育の提供体制を確保すること。なお、障害児・外国につながる幼児等特別な支援が必要な子どもが教育・保育を利用する際には、必要に応じて障害児相談支援等との連携を図ることや、当該子ども及びその保護者の使用可能な言語に配慮した案内を行うことなど、それぞれの事情に応じた丁寧な支援に取り組むとともに、利用手続を行う窓口において、教育・保育以外の関連施策についても基本的な情報や必要な書類の提供を行うことが望ましい。また、教育・保育施設、地域型保育事業を行う者等は、施設の設置、事業の運営に当たり、円滑な受入れに資するような配慮を行うことが望ましい。

なお、「子育て安心プラン」等により、認可外保育施設の認可施設への移行を支援しているところであるが、当分の間、イ及びウについてはイ及びウに定める確保の内容に加え、市町村又は都道府県が一定の施設基準に基づき運営費支援等を行っている認可外保育施設等による保育の提供体制について記載することを可能とする。

ア　法第19条第1号に掲げる小学校就学前子どもに該当する子ども　特定教育・保育施設及び幼稚園（特定教育・保育施設に該当するものを除く。）

イ　法第19条第2号に掲げる小学校就学前子どもに該当する子ども　特定教育・保育施設

ウ　法第19条第3号に掲げる小学校就学前子どもに該当する子ども　年齢区分ごとに係る特定教育・保育施設及び特定地域型保育事業所（事業所内保育事業所における労働者枠に係る部分を除く。）

(2)　市町村の認可に係る需給調整の考え方

ア　市町村の認可に係る需給調整の基本的考え方

市町村長（特別区長を含む。以下同じ。）は、児童福祉法第34条の15第5項

の規定により、地域型保育事業に関する認可の申請があった場合において、当該地域型保育事業を行う者が所在する教育・保育提供区域における特定教育・保育施設及び特定地域型保育事業所（事業所内保育事業所における労働者枠に係る部分を除く。以下イにおいて同じ。）の利用定員の総数（法第19条第3号に掲げる小学校就学前子どもに係るものに限る。）が、市町村子ども・子育て支援事業計画において定める当該教育・保育提供区域における特定教育・保育施設及び特定地域型保育事業所に係る必要利用定員総数（当該年度に係る同号に掲げる小学校就学前子どもに係るものに限る。）に既に達しているか、又は当該認可申請に係る地域型保育事業所の設置によってこれを超えることになると認めるときは、地域型保育事業の認可をしないことができる。

　この際、市町村長は、当該認可申請に係る地域型保育事業所が、児童福祉法第34条の15第3項の規定に基づく基準に該当し、かつ、同法第34条の16第1項の条例で定める基準に適合している場合は、認可するものとすることとされているため、認可に係る需給調整については、慎重に取り扱われるべきものであることに留意が必要である。

イ　子ども・子育て支援事業計画において実施しようとするものとして定められた教育・保育の提供体制の確保の内容に含まれない地域型保育事業の認可申請に係る需給調整

　子ども・子育て支援事業計画に基づき、教育・保育施設又は地域型保育事業所の整備を行っている場合において、当該整備を行っている教育・保育施設又は地域型保育事業所の認可又は認定が行われる前に、地域型保育事業（(1)により、実施しようとする教育・保育の提供体制の確保の内容として子ども・子育て支援事業計画に定めたものを除く。）の認可の申請があったときは、市町村長は、認可申請に係る地域型保育事業所が所在する教育・保育提供区域における当該年度の特定教育・保育施設及び特定地域型保

育事業所（事業所内保育事業所における労働者枠に係る部分を除き、当該子ども・子育て支援事業計画に基づき基盤整備を行っている教育・保育施設及び地域型保育事業所を含む。）の利用定員の総数（法第19条第3号に掲げる小学校就学前子どもに係るものに限る。）が、市町村子ども・子育て支援事業計画において定める当該教育・保育提供区域における当該年度の特定教育・保育施設及び特定地域型保育事業所に係る必要利用定員総数（同号に掲げる小学校就学前子どもに係るものに限る。）に既に達しているか、又は当該認可申請に係る地域型保育事業所の設置によってこれを超えることになると認めるときは、地域型保育事業の認可をしないことができる。この場合において、法第20条第4項に規定する教育・保育給付認定（以下「教育・保育給付認定」という。）を受けた保護者の認定区分ごとの人数が、当該認定区分に係る量の見込みを上回っており、機動的な対応が必要であると認められる場合には、市町村は、地域の実情に応じて、当該認可申請に係る地域型保育事業所の認可を行うことが望ましい。

ウ　当該年度の翌年度の教育・保育提供区域における特定教育・保育施設及び特定地域型保育事業所に係る必要利用定員総数（法第19条第1号に掲げる小学校就学前子どもに係るものを除く。以下ウにおいて同じ。）が当該年度の必要利用定員総数を上回る場合には、ア及びイにかかわらず、当該年度の翌年度の必要利用定員総数に基づき需給調整を行う。

3　地域子ども・子育て支援事業の量の見込み並びに実施しようとする地域子ども・子育て支援事業の提供体制の確保の内容及びその実施時期に関する事項

㈠　地域子ども・子育て支援事業の量の見込み

　各年度における教育・保育提供区域ごとの地域子ども・子育て支援事業の量の見込みについては、市町村子ども・子育て支援事業計画を作成しようとするときにおける当該市町村に居住する子ども及びその保護者の地域子ども・子育て支援事業に該当する事業の利用状況及び利用希望把握調査等により把握する

利用希望を踏まえて作成すること。また、地域子ども・子育て支援事業のうち家庭支援事業の量の見込みの推計に当たっては、利用勧奨及び利用措置による事業の提供量についても勘案すること。具体的には、例えば一時預かり事業の量の見込みについては、現行の一時預かり事業に加え、幼稚園における預かり保育の利用状況や利用希望を踏まえるなど、地域子ども・子育て支援事業に該当する事業の利用状況及び利用希望を分析し、かつ評価し、参酌標準（市町村子ども・子育て支援事業計画において地域子ども・子育て支援事業の量の見込みを定めるに当たって参酌すべき標準として別表第3に掲げるものをいう。別表第1において同じ。）を参考として、事業の種類ごとの量の見込みを定めるとともに、その算定に当たっての考え方を示すこと。

量の見込みを定める際に、必要に応じて、地域の実情を踏まえて社会的流出入等を勘案することができる。この場合には、地方版子ども・子育て会議においてその算出根拠を調査審議するなど、量の見込みの算出根拠の透明化を図ること。

㈡　実施しようとする地域子ども・子育て支援事業の提供体制の確保の内容及びその実施時期

市町村子ども・子育て支援事業計画においては、㈠により定めた各年度の量の見込みに対応するよう、事業の種類ごとに、各年度における地域子ども・子育て支援事業の提供体制の確保の内容及びその実施時期を定める。

放課後児童健全育成事業の実施に当たっては、「新・放課後子ども総合プラン」（平成30年9月14日公表）における市町村子ども・子育て支援事業計画に盛り込むべき内容を踏まえつつ、放課後子供教室との一体型の推進を図るとともに、新たに放課後児童健全育成事業を整備する場合には、学校施設を徹底的に活用すること。加えて、地域の特性に応じて、子どもの健全な育成を図る中核的な活動拠点である児童館や社会教育施設等と連携し、その活用を検討するとともに、学校等とも連携し、放課後や週末等における子どもの安全かつ安心な居場所づくりを推進することが必要である。

また、放課後児童健全育成事業の設備及び運営の基準について条例を定めるに当たっては、放課後児童健全育成事業の設備及び運営に関する基準（平成26年厚生労働省令第63号）をどのように参酌したかなど、その根拠について保護者等に十分に説明し、理解を得るよう努めること。

また、地域子ども・子育て支援事業の実施に当たっては、妊娠・出産期からの切れ目ない支援に配慮することが重要であり、母子保健関連施策との連携の確保が必要である。このため、妊婦に対する健康診査を始め、母子保健に関する知識の普及、妊産婦等への保健指導その他の母子保健関連施策等を推進することが必要である。なお、その実施に当たっては、成育過程にある者及びその保護者並びに妊産婦に対し必要な成育医療等を切れ目なく提供するための施策の総合的な推進に関する法律（平成30年法律第104号）の趣旨を十分踏まえること。

4　子ども・子育て支援給付に係る教育・保育の一体的提供及び当該教育・保育の推進に関する体制の確保の内容に関する事項

市町村は、認定こども園が幼稚園及び保育所の機能を併せ持ち、保護者の就労状況及びその変化等によらず柔軟に子どもを受け入れられる施設であることを踏まえ、現在の教育・保育の利用状況及び利用希望に沿って教育・保育施設の適切な利用が可能となるよう、幼稚園及び保育所から認定こども園への移行に必要な支援その他地域の実情に応じた認定こども園の普及に係る基本的考え方を記載すること。中でも幼保連携型認定こども園については、学校及び児童福祉施設として一の認可の仕組みとした制度改正の趣旨を踏まえ、その普及に取り組むことが望ましい。

また、幼稚園教諭と保育士の合同研修に対する支援等の市町村が行う必要な支援に関する事項を定めること。

また、第1の子ども・子育て支援の意義に関する事項並びに第2の一に掲げる教育・保育その他の子ども・子育て支援の質の確保及び向上に関する事項を踏まえ、質の高い教育・保育及び地域子ども・子育て支援事業の役割、提供の必要性等に係る基本的考え方及びその推進方策を定めること。その際、乳幼児期の発達が連続性を有するものであることや、幼児期の教育が生涯にわたる人格形成の基礎を培う重要なものであることに十分留意すること。さらに、第2

の二の３に掲げる教育・保育施設及び地域型保育事業を行う者の相互の連携・接続並びに認定こども園、幼稚園及び保育所と小学校等との連携についての基本的考え方を踏まえ、市町村におけるこれらの連携の推進方策を定めること。

5　子育てのための施設等利用給付の円滑な実施の確保の内容に関する事項

市町村は、子育てのための施設等利用給付の実施に当たって、公正かつ適正な支給の確保、保護者の経済的負担の軽減や利便性等を勘案しつつ、給付方法について検討を行うことを定めること。その際には、新制度に移行していない幼稚園に係る就園奨励費の事務との連続性にも配慮すること。なお、給付の実施回数については、年４回を目安とするとともに、法第30条の11に基づき特定子ども・子育て支援施設等に対して施設等利用費を給付する場合は、特定子ども・子育て支援施設等における資金繰りに支障を来す事の無いよう給付の時期についても配慮すること。

また、過誤請求・支払いの防止のため、預かり保育事業や認可外保育施設等に係る子育てのための施設等利用給付の給付申請は、当該利用者が主に利用している施設において取りまとめることが望ましい。

また、特定子ども・子育て支援施設等の確認や公示、指導監督等の法に基づく事務の執行や権限の行使について、都道府県に対し、施設等の所在、運営状況、監査状況等の情報提供、立入調査への同行、関係法令に基づく是正指導等の協力を要請することができることを踏まえ、都道府県との連携の方策を定めること。

三　市町村子ども・子育て支援事業計画の作成に関する任意記載事項

市町村子ども・子育て支援事業計画において地域の実情に応じて定めることとされた事項は、次に掲げる事項その他別表第４に掲げる事項とする。

1　産後の休業及び育児休業後における特定教育・保育施設又は特定地域型保育事業の円滑な利用の確保に関する事項

市町村は、小学校就学前子どもの保護者が、産前・産後休業、育児休業明けに希望に応じて円滑に特定教育・保育施設又は特定地域型保育事業を利用できるよう、産前・産後休業、育児休業期間中の保護者に対する情報提供や相談支援等を行うとともに、利用希望把握調査等の結

果を踏まえて設定した教育・保育の量の見込みを基に、計画的に特定教育・保育施設又は特定地域型保育事業の整備を行うこと。

特に、現在、零歳児の子どもの保護者が、保育所等への入所時期を考慮して育児休業の取得をためらったり、取得中の育児休業を途中で切り上げたりする状況があることを踏まえ、育児休業満了時（原則１歳到達時）からの特定教育・保育施設又は特定地域型保育事業の利用を希望する保護者が、育児休業満了時から利用できるような環境を整えることが重要である。

これらの点を踏まえつつ、各市町村の実情に応じた施策を盛り込むこと。

2　子どもに関する専門的な知識及び技術を要する支援に関する都道府県が行う施策との連携に関する事項

次に掲げる施策を踏まえつつ、都道府県が行う施策との連携に関する事項及び各市町村の実情に応じた施策を記載すること。

㈠　児童虐待防止対策の充実

市町村においては、児童虐待の早期発見、早期対応のため、身近な場所における継続的な支援を行い、児童及び妊産婦の福祉に関し、実情の把握、情報の提供、相談、調査、指導等を行うこども家庭センター、地域子育て相談機関、利用者支援事業等により、地域における切れ目のない子育て支援を活用して虐待を予防するほか、児童相談所の権限や専門性を要する場合には、遅滞なく児童相談所へ事案を送致することや必要な助言を求めることが重要であり、このための関係機関との連携強化が不可欠である。

⑴　子どもの権利擁護

体罰によらない子育て等を推進するため、体罰や暴力が子どもに及ぼす悪影響や体罰によらない子育てに関する理解が社会で広まるよう、こども家庭センターや乳幼児健診の場、地域子育て支援拠点、地域子育て相談機関、保育所、学校等も活用して普及啓発活動を行う。また、保護者として監護を著しく怠ることは、ネグレクトに該当することを踏まえ、子どもを自宅や車内に放置してはならないことを母子手帳や乳幼児健診の機会などを活用し、周知する。

⑵　児童虐待の発生予防・早期発見

市町村における児童虐待の発生予防、早

期発見のため、産後の初期段階における母子に対する支援など、支援を必要とする妊婦への支援を行う。あわせて、乳幼児健康診査の未受診者及び受診後に経過観察等が必要な者、未就園の子ども並びに不就学等の子どもに関する定期的な安全確認や、乳児家庭全戸訪問事業の実施等を通じて、妊娠、出産及び育児期に養育支援を必要とする子どもや妊婦の家庭を早期に把握するとともに、支援が必要な者に対するサポートプラン（児童福祉法第10条第1項第4号に規定する計画及び母子保健法施行規則（昭和40年厚生省令第55号）第1条第1項に規定する母性並びに乳児及び幼児に対する支援に関する計画をいう。）を作成し、家庭支援事業等の適切な支援につなげることが重要である。こうした対応を円滑に行えるよう、市町村においては、全ての妊産婦、子育て世帯、子どもへ一体的に相談支援を行うこども家庭センターを整備し、児童福祉機能と母子保健機能の緊密な連携を図るとともに、地域子育て相談機関を始めとする地域における相談窓口や地域子育て支援拠点の設置を促進し、相談窓口の周知・徹底を含めた相談・支援につながりやすい仕組みづくりに努める。

市町村は、地理的条件、人口、交通事情その他の社会的条件、子育てに関する施設の整備の状況等を総合的に勘案して定める区域（中学校区を目安とする。）ごとに、その住民からの子育てに関する相談に応じ、必要な助言を行うことができる地域子育て相談機関の整備に努める。地域子育て相談機関においては、全ての妊産婦、子育て家庭又は子どもが気軽に相談できる身近な相談先として、子育て家庭と継続的につながり、支援を行うための工夫を行うとともに、こども家庭センターとの密接な連携を図る。

こうした取組をはじめとして、支援を要する妊婦、児童等を発見した医療機関や学校、福祉関係者等と市町村が効果的に情報の提供及び共有を行うためにこども家庭センターを中心とした連携体制の構築を図ることが必要である。

(3) 児童虐待発生時の迅速・的確な対応
　ア　市町村における相談支援体制の強化

児童福祉法第10条の2の規定に基づき、並びに新たな児童虐待防止対策体制総合強化プラン（令和4年12月15日児童虐待防止対策に関する関係府省庁連絡会議決定。以下「新たなプラン」という。）において全市町村が令和8年度までに全ての妊産婦、子育て世帯及び子どもへ一体的に相談支援を行う体制を整備できるよう取り組むとされていることを踏まえ、児童等に対する相談支援を行うこども家庭センターの整備を行うことが必要である。

　イ　関係機関との連携強化

地域の関係機関が情報の収集及び共有により支援の内容を協議する要保護児童対策地域協議会（以下「協議会」という。）の取組の強化が必要である。具体的には、協議会に、市町村（こども家庭センター、児童福祉、母子保健等の担当部局）、児童相談所、保健センター、保健所、福祉事務所、児童委員、民生委員、保育所、認定こども園及び児童家庭支援センターその他の児童福祉施設、地域子育て相談機関、学校、教育委員会、警察、医療機関、医師（産科医、小児科医、精神科医、法医学者等）、歯科医師、女性相談支援センター、女性相談支援員、配偶者暴力相談支援センター、性犯罪・性暴力被害者支援のためのワンストップ支援センター、ＮＰＯ、ボランティア等の民間団体並びに生活困窮者自立支援制度等の庁内関係部局等幅広い関係者の参加を得る。協議会においては、子どもの置かれた状況を含めた個別ケースに関し、その状況やアセスメントの情報共有、関係機関で役割分担の下、支援を行うとともに、その状況を定期的に確認する。こうした進行管理は、要保護児童対策調整機関（以下「調整機関」という。）が適切に行う。このため、調整機関及びこども家庭センターに専門的な知識及び技術を有する職員の計画的な人材確保、育成や、都道府県等が実施する研修・講習会等への参加を通じた市町村の体制の強化及び資質の向上を図り、協議会の効果的な運営並びに市町村の虐待相談対応における組織的な対応及び適切な

アセスメントを確保する。

　また、孤立した子育てによって虐待につながることのないよう、家庭支援事業、利用者支援事業、地域子育て支援拠点事業等の利用を促進するなど、子育て支援サービス等の地域資源の充実を図るとともに、こども家庭センターの整備及び住民の身近な場所で子育てに関する相談及び助言を行う地域子育て相談機関の整備に努める。

　加えて、転居ケース等における転居情報後の共有や引継ぎを含め、児童相談所・市町村の情報共有をより効率的・効果的に行うため、ＩＣＴの活用による情報共有を進める。

　市町村は、一時保護等の実施が適当と判断した場合など児童相談所の専門性や権限を要する場合には、遅滞なく児童相談所への事案送致や必要な助言を求める。さらに、都道府県と相互に協力して、児童虐待による死亡事例等の重大事例の検証を行う。

(4)　社会的養護施策との連携

　市町村が子ども・子育て支援を推進するに際しては、子育て短期支援事業及び児童育成支援拠点事業の確保に努めるとともに、本事業を実施する児童養護施設等との連携、市町村の求めに応じて技術的助言等を行う児童家庭支援センターの活用等、社会的養護の地域資源を地域の子ども・子育て支援に活用するための連携が必要である。他方で、地域の里親や地域分散化を進める児童養護施設等において子どもが健やかに成長するためには、市町村、学校、民間団体等の地域の関係機関の理解と協力のほか、里親の開拓や里親支援につながる広報・啓発等における都道府県との連携により、地域の中で社会的養護が行えるような支援体制の整備をする。また、母子生活支援施設については、母子が一緒に生活しつつ母と子の関係に着目した支援を受けることができることから、福祉事務所、児童相談所、女性相談支援センター等の関係機関と連携し、その積極的な活用、支援機能の充実、広域利用の推進を図る。

　なお、これら社会的養護施策との連携に当たっては、都道府県社会的養育推進計画策定要領（以下「推進計画策定要領」という。）に基づく都道府県社会的養育推進計画に規定する施策についても考慮する必要がある。

㈡　母子家庭及び父子家庭の自立支援の推進

　母子家庭及び父子家庭の自立支援については、子育て短期支援事業、母子家庭日常生活支援事業、父子家庭日常生活支援事業、保育及び放課後児童健全育成事業の利用に際しての配慮等の各種支援策を推進するほか、母子及び父子並びに寡婦福祉法、同法に基づく国の基本方針及びこれに則して都道府県等が策定する自立促進計画等の定めるところにより、子育て・生活支援策、就業支援策、養育費の確保策及び経済的支援策を４本柱として総合的な自立支援を推進する。

㈢　障害児施策の充実等

　障害の原因となる疾病及び事故の予防、早期発見並びに治療の推進を図るため、妊婦及び乳幼児に対する健康診査並びに学校における健康診断等を推進することが必要である。

　また、障害児等特別な支援が必要な子どもの健全な発達を支援し、身近な地域で安心して生活できるようにする観点から、自立支援医療（育成医療）の給付のほか、年齢や障害等に応じた専門的な医療や療育の提供が必要である。また、保健、医療、福祉、教育等の各種施策の円滑な連携により、在宅支援の充実、就学支援を含めた教育支援体制の整備等の一貫した総合的な取組を推進するとともに、児童発達支援センター等による地域支援・専門的支援の強化や保育所等訪問支援の活用を通して地域の障害児等特別な支援が必要な子どもとその家族等に対する支援の充実に努めることが必要である。

　人工呼吸器を装着している障害児その他の日常生活を営むために医療を要する状態にある障害児（医療的ケア児）が身近な地域で必要な支援が受けられるよう、総合的な支援体制の構築に向け、関連分野の支援を調整するコーディネーターとして養成された相談支援専門員等の配置を推進することが必要である。

　また、自閉症、学習障害（ＬＤ）、注意欠陥多動性障害（ＡＤＨＤ）等の発達障害を含む障害のある子どもについては、障害の状態に応じて、その可能性を最大限に伸ばし、当

該子どもが自立し、社会参加をするために必要な力を培うため、幼稚園教諭、保育士等の資質や専門性の向上を図るとともに、専門家等の協力も得ながら一人一人の希望に応じた適切な教育上必要な支援等を行うことが必要である。

そのためには、乳幼児期を含め早期からの教育相談や就学相談を行うことにより、本人や保護者に十分な情報を提供するとともに、認定こども園、幼稚園、保育所、小学校、特別支援学校等において、保護者を含めた関係者が教育上必要な支援等について共通理解を深めることにより、保護者の障害受容及びその後の円滑な支援につなげていくことが重要である。また、本人及び保護者と市町村、教育委員会、学校等とが、教育上必要な支援等について合意形成を図ることが求められる。

特に発達障害については、社会的な理解が十分になされていないことから、適切な情報の周知も必要であり、さらに家族が適切な子育てを行えるよう家族への支援を行うなど、発達障害者支援センターとの連携を密にしながら、支援体制整備を行うことが必要である。

特定教育・保育施設、特定地域型保育事業を行う者、放課後児童健全育成事業を行う者等は、障害児等特別な支援が必要な子どもの受入れを推進するとともに、受入れに当たっては、各関係機関との連携を図ることが必要である。

3 労働者の職業生活と家庭生活との両立が図られるようにするために必要な雇用環境の整備に関する施策との連携に関する事項

次に掲げる施策を踏まえつつ、各市町村の実情に応じた施策をその内容に盛り込むこと。

㈠ 仕事と生活の調和の実現のための働き方の見直し（長時間労働の抑制に取り組む労使に対する支援等を含む）

仕事と生活の調和の実現については、「仕事と生活の調和（ワーク・ライフ・バランス）憲章」（以下「憲章」という。）及び「仕事と生活の調和推進のための行動指針」（以下「行動指針」という。）において、労使を始め国民が積極的に取り組むこと、国や地方公共団体が支援すること等により、社会全体の運動として広げていく必要があるとされている。

このため、市町村は、地域の実情に応じ、自らの創意工夫の下に、次のような施策を進めることが望ましい。その際、都道府県、地域の企業、経済団体、労働者団体、都道府県労働局、仕事と生活の調和の実現のための働き方の見直しや子ども・子育て支援に取り組む民間団体等と相互に密接に連携し、協力し合いながら、地域の実情に応じた取組を進めることが必要である。

(1) 仕事と生活の調和の実現に向けた労働者、事業主、地域住民の理解や合意形成の促進及び具体的な実現方法の周知のための広報、啓発

(2) 法その他の関係法律に関する労働者、事業主、地域住民への広報、啓発

(3) 仕事と生活の調和の実現のための働き方の見直し及び子ども・子育て支援に取り組む企業及び民間団体の好事例の情報の収集及び提供等

(4) 仕事と生活の調和に関する企業における研修及びコンサルタント、アドバイザーの派遣

(5) 仕事と生活の調和の実現に積極的に取り組む企業の認証、認定や表彰制度等仕事と生活の調和を実現している企業の社会的評価の促進

(6) 融資制度や優遇金利の設定、公共調達における優遇措置等による、仕事と生活の調和の実現に積極的に取り組む企業における取組の支援

㈡ 仕事と子育ての両立のための基盤整備

保育及び放課後児童健全育成事業の充実、子育て援助活動支援事業の設置促進等の多様な働き方に対応した子育て支援を展開する。

4 地域子ども・子育て支援事業を行う市町村その他の当該市町村において子ども・子育て支援の提供を行う関係機関相互の連携の推進に関する事項

次に掲げる施策を踏まえつつ、各市町村の実情に応じた施策を盛り込むこと。その際、こども家庭センターは、全ての妊産婦、子育て家庭及び子どもへ一体的に相談支援を行い、様々な資源による支援をつなぐ機能を有することから、子育て支援に関わる関係機関と十分に連携を行うこと。加えて、住民の身近な場所で子育てに関する相談及び助言を行う地域子育て相談機関は、こども家庭センターと十分に連携する

ことで、子育て家庭を必要な支援につなげるとともに、地域の住民に対し、子育て支援に関する情報の提供を行うよう努めること。

（一）　関係機関の連携会議の開催等

妊娠・出産期からの切れ目ない支援を行っていくためには、管内の子ども・子育て支援を実施している事業所の特性を十分に把握し、それらを生かした体制整備を行うことが望まれる。その際、一の事業者が複数の事業を行い総合的な支援を実施している場合だけでなく、各事業を実施する機関が相互に連携し、協力を図ることで子育て家庭の状況に応じた支援を行う場合が考えられるが、特に関係機関が連携する場合には、市町村が主体的にその環境を整備することが重要である。

このため、市町村においては、それぞれの子どもの特性や家庭の状況に応じた適切な支援につなげるため、子育て支援に関わる関係機関（こども家庭センター、地域子育て相談機関、認定こども園、幼稚園、保育所、地域子ども・子育て支援事業を実施する事業所、保健センター、医療機関、小学校、児童相談所等）を集めた会議を少なくとも年に１回は開催し、各機関における課題等について議論し、共有するとともに、各機関の長同士だけでなく担当者同士も含め、日頃から互いの事業内容等に関する情報共有を図ることが考えられる。当該会議については、各市町村の規模に応じて、地域別に開催することや担当者の会議を開催することも考えられる。

（二）　関係機関の連携を推進する取組の促進

保護者が必要とするときに必要な支援を利用することができるよう、次に掲げる事業の実施に当たり、それぞれ次に定める取組を併せて行うことにより子育て支援に関わる関係機関の連携を促進することが考えられる。

（1）　利用者支援事業　専門的な知識及び経験を有する職員が、近隣の子育て支援又は母子保健等に関する事業を実施する各事業所等を巡回し、情報の収集及び共有を行うこと。加えて、地域子育て相談機関としてこども家庭センターと連携し、地域の住民に対し、子育てに関する相談及び助言を行うこと。

（2）　地域子育て支援拠点事業　保護者の子育てに対する不安を和らげ、男女共に保護者がしっかりと子どもと向き合い、子育てが

できるよう、必要に応じ関係機関の協力を得て、休日の育児参加促進に関する講習会を実施すること。

（3）　子育て援助活動支援事業　地域子育て支援拠点等との連携強化を図り、巡回等による見守り支援や、事故防止に関する講習等を実施すること。

四　都道府県子ども・子育て支援事業支援計画の作成に関する基本的記載事項

都道府県子ども・子育て支援事業支援計画において定めることとされた事項は、次に掲げる事項その他別表第５に掲げる事項とする。

1　区域の設定に関する事項

都道府県子ども・子育て支援事業支援計画においては、市町村が定める教育・保育提供区域を勘案して、教育・保育の量の見込み並びに実施しようとする教育・保育の提供体制の確保の内容及びその実施時期を定める単位となる区域を定めるものとされており、都道府県は、隣接市町村間等における広域利用等の実態を踏まえて、区域（以下「都道府県設定区域」という。）を定めること。その際、都道府県設定区域は、2の（二）の（2）に規定する教育・保育施設の認可、認定の際に行われる需給調整の判断基準となることを踏まえて設定すること。

この場合において、都道府県設定区域は、教育・保育及び地域子ども・子育て支援事業を通じて共通の区域設定とすることが基本となる。一方、都道府県設定区域は、2の（二）の（2）に規定する教育・保育施設の認可、認定の際に行われる需給調整の判断基準となること等から、認定区分ごと、地域子ども・子育て支援事業の事業ごとに教育・保育施設等及び地域子ども・子育て支援事業の広域利用の実態が異なる場合には、実態に応じて、これらの区分又は事業ごとに設定することができる。

2　各年度における教育・保育の量の見込み並びに実施しようとする教育・保育の提供体制の確保の内容及びその実施時期に関する事項

（一）　各年度における教育・保育の量の見込み

各年度における都道府県設定区域ごとの教育・保育の量の見込みについては、参酌標準（都道府県子ども・子育て支援事業支援計画において教育・保育の量の見込みを定めるに当たって参酌すべき標準として別表第６に掲げるものをいう。別表第５において同じ。）を参考として、原則として次に掲げる区分ご

とに、それぞれ次に掲げる必要利用定員総数を定める。

また、都道府県設定区域ごとに均衡のとれた教育・保育の提供が行われるよう、地域の実情に応じた見込量を定めるとともに、その算定に当たっての考え方を示すことが必要である。

必要利用定員総数を定める際に、必要に応じて、地域の実情を踏まえて社会的流出入等を勘案することができる。この場合には、地方版子ども・子育て会議においてその算定根拠を調査審議するなど、必要利用定員総数の算定根拠の透明化を図ること。

なお、都道府県子ども・子育て支援事業支援計画の作成に当たっては、市町村子ども・子育て支援事業計画における数値を都道府県設定区域ごとに集計したものを基本として、これを更に都道府県全域で集計した結果が、都道府県子ども・子育て支援事業支援計画における見込みの数値と整合性がとれるよう、一の2の㈢に基づき都道府県は市町村に、一定期間ごとに報告を求める等の連携を図るとともに、広域的な観点から市町村子ども・子育て支援事業計画を調整する必要があると認められる場合には、十分な調整を図ること。

(1) 法第19条第1号に掲げる小学校就学前子どもに該当する子ども 特定教育・保育施設（認定こども園及び幼稚園に限る。）に係る必要利用定員総数（特定教育・保育施設に該当しない幼稚園に係るものを含む。）

(2) 法第19条第2号に掲げる小学校就学前子どもに該当する子ども 特定教育・保育施設（認定こども園及び保育所に限る。）及び国家戦略特別区域小規模保育事業に係る必要利用定員総数（認可外保育施設等を利用する小学校就学前子どものうち保育を必要とする者を含む。）

(3) 法第19条第3号に掲げる小学校就学前子どもに該当する子ども 年齢区分ごとの特定教育・保育施設（認定こども園及び保育所に限る。）及び特定地域型保育事業所（事業所内保育事業所における労働者枠に係る部分を除く。）に係る必要利用定員総数の合計数（認可外保育施設等を利用する小学校就学前子どものうち保育を必要とする者を含む。）

㈡ 実施しようとする教育・保育の提供体制の

確保の内容及びその実施時期等

(1) 実施しようとする教育・保育の提供体制の確保の内容及びその実施時期

都道府県子ども・子育て支援事業支援計画においては、都道府県設定区域ごと及び次のアからウまでに掲げる区分ごとに、それぞれ次のアからウまでに掲げる特定教育・保育施設及び特定地域型保育事業所に係る教育・保育の提供体制の確保の内容及びその実施時期を定める。

その際、子ども・子育て支援制度が、保護者の選択に基づき、多様な施設又は事業者から教育・保育を受けられるような提供体制の確保を目的の一つとしていることに鑑み、保護者の就労状況及びその変化等のみならず、子どもの教育・保育施設の利用状況等に配慮しつつ、柔軟に子どもを受け入れるための体制確保、地域の教育・保育施設の活用等も勘案し、現在の教育・保育の利用状況及び利用希望を十分に踏まえた上で定めること。また、保護者の就労状況等を勘案する際には、単に就労時間のみに着目するだけでなく、保護者の就労時間帯についても勘案することが重要である。

この場合において、都道府県は、「子育て安心プラン」を踏まえ、必要となる特定教育・保育施設及び特定地域型保育事業を整備することを目指し、各年度における提供体制の確保の内容及びその実施時期を定めること。

その際、企業主導型保育施設について、企業主導型保育施設の設置者と調整を行い、地域枠について、市町村の利用者支援の対象とする場合には、イ又はウに定める確保の内容に含めて差し支えない。

また、幼稚園（特定教育・保育施設に該当しないものを含む。）において、預かり保育の充実（長時間化・通年化）により、保育を必要とする子どもの預かりニーズにも適切に対応可能であると認められる場合には、イに定める確保の内容に含めることができる。また、「子育て安心プラン」に基づく一時預かり事業（幼稚園型）による2歳児受入れや幼稚園における長時間預かり保育運営費支援事業による満3歳未満の子どもの受入れを行う場合には、ウに定める確保の内容に含めることができる。この

ため、都道府県と市町村が連携して、事業者との情報交換・意見交換を十分に行った上で、積極的な対応を検討すること。

　都道府県は、保育の提供を行う意向を有する事業者の把握に努めた上で、当該事業者への情報の提供を適切に行う等、多様な事業者の参入を促進する工夫を図ることが必要である。

　なお、都道府県子ども・子育て支援事業支援計画の作成に当たっては、市町村子ども・子育て支援事業計画における数値を都道府県設定区域ごとに集計したものを基本として、これを更に都道府県全域で集計した結果が、都道府県子ども・子育て支援事業支援計画における実施しようとする教育・保育の提供体制の確保の内容及びその実施時期と整合性がとれるよう、一の2の㊂に基づき、都道府県は市町村に一定期間ごとに報告を求める等の連携を図るとともに、都道府県設定区域内の関係市町村の市町村子ども・子育て支援事業計画を調整する必要があると認められる場合には、円滑な調整を図ることが必要である。

　なお、「子育て安心プラン」等により、認可外保育施設の認可施設への移行を支援しているところであるが、当分の間、イ及びウについては、市町村又は都道府県が一定の施設基準に基づき運営費支援等を行っている認可外保育施設等による保育の提供体制の確保について、イ及びウに定める確保の内容に加えて記載することを可能とする。

ア　法第19条第1号に掲げる小学校就学前子どもに該当する子ども　特定教育・保育施設及び幼稚園（特定教育・保育施設に該当するものを除く。）

イ　法第19条第2号に掲げる小学校就学前子どもに該当する子ども　特定教育・保育施設

ウ　法第19条第3号に掲げる小学校就学前子どもに該当する子ども　年齢区分ごとに係る特定教育・保育施設及び特定地域型保育事業所（事業所内保育事業所における労働者枠に係る部分を除く。）

(2)　都道府県の認可及び認定に係る需給調整の考え方

ア　都道府県の認可、認定に係る需給調整の基本的考え方

㋐　都道府県知事は、認定こども園法第3条第8項の規定により、認定こども園（幼保連携型認定こども園を除く。以下㋐において同じ。）に関する認定の申請があった場合において、当該認定こども園が所在する都道府県設定区域における次のaからcまでに掲げる利用定員の総数が、それぞれ次のaからcまでに定める都道府県子ども・子育て支援事業支援計画において定める当該都道府県設定区域における必要利用定員総数（当該年度に係るものをいう。）に既に達しているか、又は当該認定申請に係る認定こども園の設置によってこれを超えることになると認めるときは、認定こども園の認定をしないことができる。

　この際、都道府県知事は、当該認定申請に係る認定こども園が、同条第5項の規定に基づく基準に該当し、かつ、同条第1項又は第3項の条例で定める基準に適合している場合は認定するものとすることとされているため、認定に係る需給調整については、慎重に取り扱われるべきものであることに留意が必要である。

a　特定教育・保育施設の利用定員の総数（法第19条第1号に掲げる小学校就学前子どもに係るものに限る。）　特定教育・保育施設に係る必要利用定員総数（同号に掲げる小学校就学前子どもに係るものに限る。）

b　特定教育・保育施設の利用定員の総数（法第19条第2号に掲げる小学校就学前子どもに係るものに限る。）　特定教育・保育施設に係る必要利用定員総数（同号に掲げる小学校就学前子どもに係るものに限る。）

c　特定教育・保育施設及び特定地域型保育事業所（事業所内保育事業所における労働者枠に係る部分を除く。）の利用定員の総数（法第19条第3号に掲げる小学校就学前子どもに係るものに限る。）　特定教育・保育施設及び特定地域型保育事業所に係る必要利用定員総数（同号に掲げ

る小学校就学前子どもに係るものに限る。）

(イ) 都道府県知事は、認定こども園法第17条第6項の規定により、幼保連携型認定こども園に関する認可の申請があった場合において、当該幼保連携型認定こども園が所在する都道府県設定区域における(ア)のaからcまでに掲げる利用定員の総数が、それぞれ(ア)のaからcまでに定める都道府県子ども・子育て支援事業支援計画において定める当該都道府県設定区域における必要利用定員総数（当該年度に係るものをいう。）に既に達しているか、又は認可申請に係る幼保連携型認定こども園の設置によってこれを超えることになると認めるときは、幼保連携型認定こども園の認可をしないことができる。

この際、都道府県知事は、当該認可申請に係る幼保連携型認定こども園が、同条第2項の規定に基づく基準に該当し、かつ、認定こども園法第13条第1項の条例で定める基準に適合している場合は認可するものとすることとされているため、認可に係る需給調整については、慎重に取り扱われるべきものであることに留意が必要である。

(ウ) 都道府県知事は、児童福祉法第35条第8項の規定により、保育所に関する認可の申請があった場合において、当該保育所が所在する都道府県設定区域における次のa及びbに掲げる利用定員の総数が、それぞれ次のa及びbに定める都道府県子ども・子育て支援事業支援計画において定める当該都道府県設定区域における必要利用定員総数（当該年度に係るものをいう。）に既に達しているか、又は当該認可申請に係る保育所の設置によってこれを超えることになると認めるときは、保育所の認可をしないことができる。

この際、都道府県知事は、当該認可申請に係る保育所が、同条第5項の規定に基づく基準に該当し、かつ、同法第45条第1項の条例で定める基準に適合している場合は認可するものとすることとされているため、認可に係る需

給調整については、慎重に取り扱われるべきものであることに留意が必要である。

a 特定教育・保育施設の利用定員の総数（法第19条第2号に掲げる小学校就学前子どもに係るものに限る。） 特定教育・保育施設に係る必要利用定員総数（同号に掲げる小学校就学前子どもに係るものに限る。）

b 特定教育・保育施設及び特定地域型保育所（事業所内保育事業所における労働者枠に係る部分を除く。）の利用定員の総数（法第19条第3号に掲げる小学校就学前子どもに係るものに限る。） 特定教育・保育施設及び特定地域型保育事業所に係る必要利用定員総数（同号に掲げる小学校就学前子どもに係るものに限る。）

イ 子ども・子育て支援事業計画において実施しようとするものとして定められた教育・保育の提供体制の確保の内容に含まれない教育・保育施設の認可及び認定の申請に係る需給調整

アにかかわらず、子ども・子育て支援事業計画に基づき、教育・保育施設又は地域型保育事業所の整備を行っている場合において、当該整備を行っている教育・保育施設又は地域型保育事業所の認可又は認定が行われる前に、教育・保育施設（(1)により、実施しようとする教育・保育の提供体制の確保の内容として子ども・子育て支援事業計画に定めたものを除く。）の認可又は認定の申請があったときは、都道府県知事は、次に掲げるときに該当するときは、教育・保育施設の認可又は認定をしないことができる。この場合において、教育・保育給付認定を受けた保護者の認定区分ごとの人数が、当該認定区分に係る量の見込みを上回っており、機動的な対応が必要であると認められる場合には、都道府県知事は、地域の実情に応じて、当該認可申請に係る教育・保育施設の認可を行うことが望ましい。

(ア) 認可又は認定の申請に係る教育・保育施設が所在する都道府県設定区域における当該年度の特定教育・保育施設

（当該子ども・子育て支援事業計画に基づき基盤整備を行っている教育・保育施設を含む。）の利用定員の総数（法第19条第1号に掲げる小学校就学前子どもに係るものに限る。）が、都道府県子ども・子育て支援事業支援計画において定める当該都道府県設定区域における当該年度の特定教育・保育施設に係る必要利用定員総数（同号に掲げる小学校就学前子どもに係るものに限る。）に既に達しているか、又は当該認可又は認定の申請に係る教育・保育施設の設置によってこれを超えることになると認めるとき。

(イ)　認可又は認定の申請に係る教育・保育施設が所在する都道府県設定区域における当該年度の特定教育・保育施設（当該子ども・子育て支援事業計画に基づき基盤整備を行っている教育・保育施設を含む。）の利用定員の総数（法第19条第2号に掲げる小学校就学前子どもに係るものに限る。）が、都道府県子ども・子育て支援事業支援計画において定める当該都道府県設定区域における当該年度の特定教育・保育施設に係る必要利用定員総数（同号に掲げる小学校就学前子どもに係るものに限る。）に既に達しているか、又は当該認可又は認定の申請に係る教育・保育施設の設置によってこれを超えることになると認めるとき。

(ウ)　認可又は認定の申請に係る教育・保育施設が所在する都道府県設定区域における当該年度の特定教育・保育施設及び特定地域型保育事業所（事業所内保育事業所における労働者枠に係る部分を除き、当該子ども・子育て支援事業計画に基づき基盤整備を行っている教育・保育施設及び地域型保育事業所を含む。）の利用定員の総数（法第19条第3号に掲げる小学校就学前子どもに係るものに限る。）が、都道府県子ども・子育て支援事業支援計画において定める当該都道府県設定区域における当該年度の特定教育・保育施設及び特定地域型保育事業所に係る必要利用定員総数（同号に掲げる小学校就学前

子どもに係るものに限る。）に既に達しているか、又は当該認可又は認定の申請に係る教育・保育施設及び特定地域型保育事業所の設置によってこれを超えることになると認めるとき。

ウ　幼稚園及び保育所が認定こども園に移行する場合における需給調整

(ア)　都道府県知事は、アにかかわらず、幼稚園から幼保連携型認定こども園又は幼稚園型認定こども園（以下(ア)において「幼保連携型認定こども園等」という。）への移行の認可又は認定の申請があった場合において、当該幼保連携型認定こども園等が所在する都道府県設定区域における特定教育・保育施設及び特定地域型保育事業所（事業所内保育事業所における労働者枠に係る部分を除く。）の利用定員の総数（法第19条第2号及び第3号に掲げる小学校就学前子どもに係るものに限る。）が、都道府県子ども・子育て支援事業支援計画において定める当該都道府県設定区域における特定教育・保育施設及び特定地域型保育事業所の必要利用定員総数（当該年度に係る同条第2号及び第3号に掲げる小学校就学前子どもに係るものに限る。）に、都道府県子ども・子育て支援事業支援計画で定める数を加えた数に既に達しているか、又は当該認可若しくは認定の申請に係る幼保連携型認定こども園等の設置によってこれを超えることになると認めるときを除き、当該幼保連携型認定こども園等の認可又は認定をするものとする。なお、都道府県子ども・子育て支援事業支援計画で定める数は、認定こども園への移行を促進するため、認定こども園・幼稚園・保育所等の利用状況や認定こども園への移行の希望に十分配慮し、幼稚園の認定こども園への移行に関する意向等を踏まえて設定すること。この場合には、地方版子ども・子育て会議において当該都道府県子ども・子育て支援事業支援計画で定める数を調査審議するなど、その設定の透明化を図ること。

(イ)　都道府県知事は、アにかかわらず、保育所から幼保連携型認定こども園又

は保育所型認定こども園（以下(イ)において「幼保連携型認定こども園等」という。）への移行の認可又は認定の申請があった場合において、当該幼保連携型認定こども園等が所在する都道府県設定区域における特定教育・保育施設の利用定員の総数（法第19条第1号に掲げる小学校就学前子どもに係るものに限る。）が、都道府県子ども・子育て支援事業支援計画において定める当該都道府県設定区域における特定教育・保育施設の必要利用定員総数（当該年度に係る同号に掲げる小学校就学前子どもに係るものに限る。）に、都道府県子ども・子育て支援事業支援計画で定める数を加えた数に既に達しているか、又は当該認可若しくは認定の申請に係る幼保連携型認定こども園等の設置によってこれを超えることになると認めるときを除き、当該幼保連携型認定こども園等の認可又は認定をするものとする。なお、都道府県子ども・子育て支援事業支援計画で定める数は、認定こども園への移行を促進するため、認定こども園・幼稚園・保育所等の利用状況や認定こども園への移行の希望に十分配慮し、保育所の認定こども園への移行に関する意向等を踏まえて設定すること。この場合には、地方版子ども・子育て会議において当該都道府県子ども・子育て支援事業支援計画で定める数を調査審議するなど、その設定の透明化を図ること。

エ　特定教育・保育施設に該当しない幼稚園が存在する場合に係る需給調整

都道府県知事は、アにかかわらず、教育・保育施設の認可又は認定の申請があったときは、当該認可又は認定の申請に係る教育・保育施設が所在する都道府県設定区域における当該年度の特定教育・保育施設の利用定員の総数（法第19条第1号に掲げる小学校就学前子どもに係るものに限る。）及び特定教育・保育施設に該当しない幼稚園の利用定員の総数の合計が、都道府県設定区域における当該年度の特定教育・保育施設に係る必要利用定員総数（同号に掲げる小学校就

学前子どもに係るものに限る。）に既に達しているか、又は当該認可若しくは認定の申請に係る教育・保育施設の設置によってこれを超えることになると認める場合は、教育・保育施設の認可又は認定をしないことができる。

オ　当該年度の翌年度のア、イ又はウに係る必要利用定員総数（法第19条第1号に掲げる小学校就学前子どもに係るものを除く。以下オにおいて同じ。）がそれぞれ対応する当該年度の必要利用定員総数を上回る場合には、ア、イ及びウにかかわらず、当該年度の翌年度のそれぞれ対応する必要利用定員総数に基づき需給調整を行う。

3　子ども・子育て支援給付に係る教育・保育の一体的提供及び当該教育・保育の推進に関する体制の確保の内容に関する事項

都道府県は、認定こども園が幼稚園及び保育所の機能を併せ持ち、保護者の就労状況及びその変化等によらず柔軟に子どもを受け入れられる施設であることを踏まえ、現在の教育・保育の利用状況及び利用希望に沿って教育・保育施設の利用が可能となるよう、都道府県設定区域ごとの目標設置数及び設置時期、幼稚園及び保育所から認定こども園への移行に必要な支援その他地域の事情に応じた認定こども園の普及に係る基本的考え方を記載すること。中でも幼保連携型認定こども園については、学校及び児童福祉施設として1の認可の仕組みとした制度改正の趣旨を踏まえ、その普及に取り組むことが望ましい。

また、幼稚園教諭と保育士の合同研修に対する支援等の都道府県が行う必要な支援に関する事項を定めること。

また、第1の子ども・子育て支援の意義に関する事項並びに第2の一に掲げる教育・保育その他の子ども・子育て支援の質の確保及び向上に関する事項を踏まえ、教育・保育の役割提供の必要性等に係る基本的考え方及びその推進方策を定めること。その際、乳幼児期の発達が連続性を有するものであることや、幼児期の教育が生涯にわたる人格形成の基礎を培う重要なものであることに十分留意すること。さらに、第2の二の3に掲げる教育・保育施設及び地域型保育事業を行う者の相互の連携並びに認定こども園、幼稚園及び保育所と小学校等との連携に

ついての基本的考え方を踏まえ、都道府県におけるこれらの連携の推進方策を定めること。

4　子育てのための施設等利用給付の円滑な実施の確保を図るために必要な市町村との連携に関する事項

都道府県は、市町村による子育てのための施設等利用給付の円滑な実施が行われるよう、特定子ども・子育て支援施設等の確認や公示、指導等の法に基づく市町村の事務の執行や権限の行使に際し、施設等の所在、運営状況、監査状況等の情報共有、立入調査への同行、関係法令に基づく是正指導等を行うなど、都道府県におけるこれらの連携の推進方策を定めること。

また、児童福祉法に基づく市町村への通知の積極的な運用はもとより、広域利用の実態を踏まえ、預かり保育事業や認可外保育施設等に係る基本的な情報について、市町村相互間及び市町村と都道府県間での連携が図られるよう方策を定めること。

5　特定教育・保育及び特定地域型保育を行う者並びに地域子ども・子育て支援事業に従事する者の確保及び資質の向上のために講ずる措置に関する事項

質の高い特定教育・保育及び特定地域型保育並びに地域子ども・子育て支援事業（以下「特定教育・保育等」という。）の提供に当たって基本となるのは人材であり、国、都道府県、市町村及び特定教育・保育等を提供する事業者は、特定教育・保育等に係る人材の確保及び養成を総合的に推進することが重要である。

都道府県は、このための中心的な役割を担っており、都道府県子ども・子育て支援事業支援計画において、保育教諭、幼稚園教諭、保育士その他の特定教育・保育及び特定地域型保育を行う者並びに地域子ども・子育て支援事業に従事する者の確保又は資質の向上のために講ずる措置に関する事項（特定教育・保育及び特定地域型保育を行う者の見込数を含む。）を定めること。この場合において、特定教育・保育及び特定地域型保育を行う者の養成及び就業の促進等に関する事項を盛り込むこと。その際、処遇改善を始めとする労働環境等にも配慮すること。また、地域子ども・子育て支援事業についても、従事する者の確保及び資質の向上が必要であることから、都道府県は、必要な支援を行うこと。

保育教諭については、認定こども園法附則第

5条において、施行の日から起算して10年間は、幼稚園教諭の普通免許状又は保育士資格のいずれかを有する場合は保育教諭となることができることとし、国は、この間において、片方の免許又は資格のみを有している者の併有を促進するための特例措置を講じる。都道府県は、この特例措置について、対象者への周知等を行うことが望ましい。

また、待機児童の解消のためには、保育士の人材確保が重要であることから、国は、指定保育士養成施設、大学等との連携及び協働による研修等の充実や指定保育士養成施設の新規卒業者の確保、就業継続の支援、保育士資格を有しているものの保育士として保育現場において保育等に従事していないいわゆる「潜在保育士」の再就職等の支援等に係る必要な支援策等を講じるとともに、都道府県は、これらの施策等も活用して、積極的に保育士の人材確保及び質の向上を図ること。特に、保育士の質の向上を図るため、必要な研修等の実施体制の整備を含め、保育士を対象とした研修を積極的に実施すること。

また幼稚園教諭については、国は教育委員会、大学等との連携及び協働による研修等の充実や幼稚園教諭1種免許取得者数の増加に係る必要な支援策等を講じるとともに、都道府県は、これらの施策等も活用して、積極的に幼稚園教諭の人材確保及び質の向上を図ること。また、公立、私立を問わず幼稚園教諭等を対象とした研修を積極的に実施すること。

都道府県は、地域の実情に応じて研修の実施方法及び実施回数等を定めた研修計画を作成するとともに、研修受講者の記録の管理等を行うことなどにより、研修を計画的に実施することが必要である。

6　子どもに関する専門的な知識及び技術を要する支援に関する施策の実施に関する事項並びにその円滑な実施を図るために必要な市町村との連携に関する事項

次に掲げる施策を踏まえつつ、各都道府県の実情に応じた施策及びその実施のために必要な市町村との連携に関する事項を盛り込むこと。その際、子育て短期支援事業、乳児家庭全戸訪問事業、養育支援訪問事業、子育て世帯訪問支援事業、児童育成支援拠点事業、親子関係形成支援事業等の市町村が行う事業は、都道府県が行う専門的な知識等を要する施策と密接に関連

しており、都道府県と市町村は、互いの役割分担や事業の実施状況等を踏まえ、計画策定段階から十分に調整、連携の上、取組を進める必要があることに留意が必要である。

(一) 児童虐待防止対策の充実

　児童虐待から子どもを守るためには、発生予防から早期発見、早期対応、子どもの保護及び支援、保護者への指導及び支援等の各段階での切れ目のない総合的な対策を講ずる必要がある。また、福祉、保健、医療、教育、警察等の関係機関が連携し、情報を共有して地域全体で子どもを守る体制の充実が必要であり、推進計画策定要領の規定するところのほか、以下の事項に沿って、市町村とも連携しつつ都道府県において計画を策定して推進する。

(1) 子どもの権利擁護

　体罰によらない子育て等を推進するため、体罰や暴力が子どもに及ぼす悪影響や体罰によらない子育てに関する理解が社会で広まるよう、普及啓発活動を行う。また、児童相談所等は入所措置や一時保護等の際に子どもの最善の利益を考慮しつつ、その意見又は意向を勘案して措置を行うため、年齢、発達の状況その他の子どもの事情に応じ、適切に子どもの意見聴取を行う等の措置をとることとする。あわせて、都道府県は子どもの意見表明等の支援や子ども等からの申立てに基づき児童福祉審議会等が調査審議及び意見の具申を行う仕組みなど子どもの権利擁護に向けた必要な環境の整備を行う。

(2) 児童虐待の発生予防・早期発見

　都道府県は、妊娠等に関して悩みを抱える妊婦等に対する相談体制の整備等の支援を行う。また、医療機関等と市町村との連携及び情報共有により、養育支援を必要とする子どもや妊婦の家庭を把握し、市町村等による必要な支援につなげるため、必要な環境整備や市町村等の取組への支援を行う。児童相談所と市町村その他の関係機関との適切な役割分担及び連携を図るため、児童相談所は、市町村（こども家庭センター及び児童福祉、母子保健等の担当部局）、保健センター、保健所、福祉事務所、児童委員、民生委員、保育所、認定こども園及び児童家庭支援センターその他の

児童福祉施設、地域子育て相談機関、学校、教育委員会、警察、医師（産科医、小児科医、精神科医、法医学者等）、歯科医師、女性相談支援センター、女性相談支援員、配偶者暴力相談支援センター、性犯罪・性暴力被害者支援のためのワンストップ支援センター、ＮＰＯ、ボランティア等の民間団体並びに生活困窮者自立支援制度等の庁内関係部局の関係者との連携を強化する。また、都道府県は、対応が困難なケースには児童相談所が主体的に関与することを前提として、ケースに関する市町村との積極的な情報共有、支援方針の協議などの協働に努める。協議会における児童相談所の積極的な助言及び協議会関係者向けの研修の実施等により、協議会の機能強化や効果的運営を支援する。

　加えて、児童相談所虐待対応ダイヤル「１８９（いちはやく）」の周知や、ＳＮＳ等を活用した相談・支援につながりやすい仕組みづくりを進めるとともに、女性に対する暴力をなくす運動の機会を捉え、ＤＶの特性や子どもへの影響等に係る啓発活動を推進することが必要である。

(3) 児童虐待発生時の迅速・的確な対応（児童相談所の体制強化等）

　児童虐待防止対策の中心となる児童相談所の人員体制の強化及び専門性の向上が重要である。具体的には、新たなプランに基づき、ケースの組織的な管理及び対応、適切なアセスメント等を可能とするため、児童福祉司、児童心理司等を増員する等の職員の適切な配置、法律関係業務について常時弁護士による指導又は助言の下で対応するための体制整備、医学的な専門性確保のための医師の配置等の児童相談所の体制を強化することが必要である。また、研修等による職員の資質向上や親子再統合支援事業の実施により、保護者への指導及び支援を行うための専門性の確保を図る。加えて、一時保護等の介入的対応を行う職員と保護者支援を行う職員を分ける等の措置の実施や、第三者評価など児童相談所の業務に対する評価の実施、児童相談所業務の外部委託等の推進など、児童相談所の業務の見直しを進める。一時保護所については、子どもの視点に立って、権利が保障され、

一時保護を必要とする子どもを適切な環境において保護できるよう、一時保護委託も含めて、個別対応できる居室の確保等の環境整備等機能及び体制の充実が必要である。

さらに、児童虐待による死亡事例等の重大事例について検証を行い、その結果に基づき再発防止のための措置を講じるほか、市町村が行う検証を支援する。

（二）　社会的養育の充実・強化

社会的養育の充実・強化については、平成28年の児童福祉法の改正において、児童が権利の主体として位置づけられるとともに、家庭養育の優先について規定された。こうした理念を実現するため、推進計画策定要領の規定するところに沿って、都道府県において計画を策定して推進する。

（三）　母子家庭及び父子家庭の自立支援の推進

母子家庭及び父子家庭の自立支援については、母子及び父子並びに寡婦福祉法、同法に基づく国の基本方針及びこれに則して都道府県等が策定する自立促進計画の定めるところにより、子育て・生活支援策、就業支援策、養育費の確保策及び経済的支援策を４本柱として、総合的な自立支援を推進する。

（四）　障害児施策の充実等

障害児等特別な支援が必要な子どもに対して、市町村における保健、医療、福祉、教育等の各種施策が体系的かつ円滑に実施されるよう、都道府県は専門的かつ広域的な観点からの支援を行うとともに、障害に応じた専門医療機関の確保等を通じ、適切な医療を提供するほか、教育支援体制の整備を図る等の総合的な取組を進めることが必要である。

医療的ケア児が身近な地域で必要な支援が受けられるよう、支援体制の充実を図る必要がある。さらに、心身の状況に応じた保健、医療、障害福祉、保育、教育等の各関連分野の支援が受けられるよう、保健所、病院・診療所、訪問看護ステーション、障害児通所支援事業所、障害児入所施設、障害児相談支援事業所、保育所、学校等の関係者が連携を図るための協議の場を設けること等により、各関連分野が共通の理解に基づき協働する総合的な支援体制を構築することが必要である。

また、障害児入所施設については、小規模グループケアの推進、身近な地域での支援の提供、本体施設の専門機能強化を進めることが必要である。

発達障害については、社会的な理解が十分なされていないことから適切な情報の周知も必要である。発達障害者支援センターについては、関係機関及び保護者に対する専門的情報の提供及び支援手法の普及が必要になっていることから、職員の専門性を十分確保するとともに、専門的情報及び支援手法の提供を推進することが必要である。また、特別支援学校については、特別支援学校教諭等免許状保有率の向上を図る等専門性の向上に努めるとともに、在籍する子どもへの教育や指導に加えて、幼稚園、小中学校等の教員の資質向上策への支援及び協力、地域の保護者等への相談支援並びに幼稚園、小中学校等における障害のある子どもへの教育的支援を行うことが必要である。

五　都道府県子ども・子育て支援事業支援計画の作成に関する任意記載事項

都道府県子ども・子育て支援事業支援計画において地域の実情に応じて定めることとされた事項は、次に掲げる事項その他別表第７に掲げる事項とする。

1　市町村の区域を超えた広域的な見地から行う調整に関する事項

市町村は、一の２の（三）により、市町村子ども・子育て支援事業計画の作成に当たって、市町村の区域を超えた教育・保育等の利用が行われている場合等必要な場合には、教育・保育の量の見込み並びに教育・保育の提供体制の確保の内容及びその実施時期等について、関係市町村と調整を行う。

都道府県は、当該市町村間の調整が整わない場合等必要な場合において、地域の実情に応じ、市町村の区域を超えた広域的な見地からの調整を行う。この調整は、一の２の（三）に規定する市町村子ども・子育て支援事業計画の作成に当たって行われる都道府県への報告等を通じて行われることから、都道府県子ども・子育て支援事業支援計画においては、当該報告その他の協議及び調整の手続等について定めること。

また、地域子ども・子育て支援事業については、四の６により、市町村子ども・子育て支援事業計画の作成段階から、都道府県が行う専門的な知識等を要する施策との関連性に配慮した十分な調整及び連携が必要であること等から、

都道府県子ども・子育て支援事業支援計画において、市町村子ども・子育て支援事業計画の作成時における都道府県への協議及び調整について、必要な事項を定めること。

2 教育・保育情報の公表に関する事項

　教育・保育を利用し、又は利用しようとする子どもの保護者等が適切かつ円滑に特定教育・保育施設又は特定地域型保育事業を利用する機会を確保するため、法第３章第１節第４款の規定による教育・保育情報の公表に係る体制の整備を始めとする教育・保育情報の公表に関する事項を定めること。

3 労働者の職業生活と家庭生活との両立が図られるようにするために必要な雇用環境の整備に関する施策との連携に関する事項

　次に掲げる施策を踏まえつつ、各都道府県の実情に応じた施策をその内容に盛り込むこと。

㈠ 仕事と生活の調和の実現のための働き方の見直し（長時間労働の抑制に取り組む労使に対する支援等を含む）

　仕事と生活の調和の実現については、憲章及び行動指針において、労使を始め国民が積極的に取り組むこと、国や地方公共団体が支援すること等により、社会全体の運動として広げていくことが必要とされている。

　このため、地域の実情に応じ、自らの創意工夫の下に、次のような施策を進めることが望ましい。その際、市町村、地域の企業、経済団体、労働者団体、都道府県労働局、仕事と生活の調和の実現のための働き方の見直しや子ども・子育て支援に取り組む民間団体等と相互に密接に連携、協力し合いながら、地域の実情に応じた取組を進めることが必要である。具体的には、都道府県労働局に設置されている「仕事と生活の調和推進会議」に積極的に参画すること等により密接な連携を図ることが考えられる。

⑴ 仕事と生活の調和の実現に向けた労働者、事業主、地域住民の理解や合意形成の促進及び具体的な実現方法の周知のための広報・啓発

⑵ 法その他の関係法律に関する労働者、事業主、地域住民への広報・啓発

⑶ 仕事と生活の調和の実現のための働き方の見直し及び子ども・子育て支援に取り組む企業及び民間団体の好事例の情報の収集提供等

⑷ 仕事と生活の調和に関する企業における研修及びコンサルタント・アドバイザーの派遣

⑸ 仕事と生活の調和や子ども・子育て支援策に積極的に取り組む企業の認証、認定や表彰制度等や仕事と生活の調和を実現している企業の社会的評価の促進

⑹ 融資制度や優遇金利の設定、公共調達における優遇措置等、仕事と生活の調和の実現に積極的に取り組む企業における取組の支援

㈡ 仕事と子育ての両立のための基盤整備

　市町村と連携を図りつつ、広域的な観点から認定こども園や保育所の充実等多様な働き方に対応した子育て支援を展開する。

六 その他

1 子ども・子育て支援事業計画の作成の時期

　市町村子ども・子育て支援事業計画については、法の施行の日までに作成することが必要であるが、教育・保育施設及び地域型保育事業の認可及び認定並びに特定教育・保育施設及び特定地域型保育事業の確認等の事務が法の施行の日の半年程度前に開始される予定であることに鑑み、教育・保育及び地域子ども・子育て支援事業の量の見込み並びに実施しようとする教育・保育及び地域子ども・子育て支援事業の提供体制の確保の内容及びその実施時期について、法の施行の日の半年程度前までにおおむねの案を取りまとめる必要がある。

　また、都道府県子ども・子育て支援事業支援計画についても、教育・保育施設及び地域型保育事業の認可等の事務が法の施行の日の半年程度前に開始される予定であることに鑑み、教育・保育の量の見込み並びに実施しようとする教育・保育の提供体制の確保の内容及びその実施時期について、法の施行の日の半年程度前までにおおむねの案を取りまとめる必要がある。

2 子ども・子育て支援事業計画の期間

　子ども・子育て支援事業計画は、法の施行の日から５年を１期として作成することとする。

3 子ども・子育て支援事業計画の達成状況の点検及び評価

　市町村及び都道府県は、各年度において、子ども・子育て支援事業計画に基づく施策の実施状況（教育・保育施設や地域型保育事業の認可等の状況を含む。）や、これに係る費用の使途実績等について点検、評価し、この結果を公表

するとともに、これに基づいて対策を実施すること。この場合において、公立の教育・保育施設に係る施策の実施状況等についても、その対象とする必要があることに留意が必要である。この際、この一連の過程を開かれたものとするため、地方版子ども・子育て会議を活用することが望まれる。

評価においては、個別事業の進捗状況（アウトプット）に加え、計画全体の成果（アウトカム）についても点検・評価することが重要である。子ども・子育て支援の推進においては、利用者の視点に立った柔軟かつ総合的な取組が必要であり、このような取組を評価するため、利用者の視点に立った指標を設定し、点検及び評価を行い、施策の改善につなげていくことが望まれる。

法の施行後、教育・保育給付認定を受けた保護者の認定区分ごとの人数が、二の2の㈠若しくは四の2の㈠により定めた当該認定区分に係る量の見込みと大きく乖離している場合、又は地域子ども・子育て支援事業の利用状況や利用希望が、二の3の㈠により定めた地域子ども・子育て支援事業の量の見込みと大きく乖離している場合には、適切な基盤整備を行うため、計画の見直しが必要となる。このため、市町村は、教育・保育給付認定の状況を踏まえ、計画期間の中間年を目安として、必要な場合には、市町村子ども・子育て支援事業計画の見直しを行うこと。都道府県においても、市町村子ども・子育て支援事業計画の見直し状況等を踏まえ、必要な場合には、都道府県子ども・子育て支援事業支援計画の見直しを行うこと。なお、この場合において見直し後の子ども・子育て支援事業計画の期間は、当初の計画期間とすること。

4　子ども・子育て支援事業計画の公表

市町村は、市町村子ども・子育て支援事業計画を作成したときは、遅滞なく、これを都道府県知事に提出するほか、これを公表すること。

また都道府県は、都道府県子ども・子育て支援事業支援計画を作成したときは、遅滞なく、これを内閣総理大臣に提出するほか、これを公表すること。

5　東日本大震災による被害が甚大であった地方公共団体における子ども・子育て支援事業計画の作成等の取扱いについて

東日本大震災により甚大な被害を受けた市町村であって、将来の見通しを立てることが極めて困難なものにおいては、市町村子ども・子育て支援事業計画の作成に当たって、その実情に応じ、弾力的な取扱いを行っても差し支えないこととする。

6　成育医療等の提供の確保について

成育過程にある者及びその保護者並びに妊産婦に対し必要な成育医療等を切れ目なく提供するための施策の総合的な推進に関する法律の趣旨を踏まえ、妊娠・出産及び育児に関する問題、成育過程の各段階において生ずる心身の健康に関する問題等を包括的に捉えて適切に対応する医療及び保健並びにこれらに密接に関係する教育・福祉等に係るサービス等の提供が確保されるよう、都道府県子ども・子育て支援事業支援計画の作成に当たって適切な配慮をすることとする。

第4　児童福祉法その他の関係法律による専門的な知識及び技術を必要とする児童の福祉増進のための施策との連携に関する事項

市町村は、社会的養護施策等の対象となる要保護児童、障害児等特別な支援が必要な子ども等を含めた地域の子ども・子育て家庭全体を対象として、教育・保育及び地域子ども・子育て支援事業の基盤整備を行う。一方で、都道府県は、児童福祉法に基づき児童相談所の設置及び児童養護施設、障害児入所施設、児童発達支援センター等の設置認可を行うとともに、母子及び父子並びに寡婦福祉法に基づき自立促進計画に基づく施策を行うなど、要保護児童、障害児等特別な支援が必要な子ども等に係る専門性が高い施策を担う。このため、都道府県における必要な基盤整備を確保するとともに、市町村が第3の三の2により市町村子ども・子育て支援事業計画に定めた事項及び都道府県が第3の四の6により都道府県子ども・子育て支援事業支援計画に定めた事項を踏まえ、市町村と都道府県が行うこれらの施策の連携を確保し、支援を必要とする家庭に必要な支援が届くようにする必要がある。

市町村は、協議会の活用等により、特に養育支援を必要とする家庭を把握し、関係機関で情報共有、支援内容の協議等を行い、当該家庭に対し、児童福祉法第24条第5項の規定に基づく措置による保育所又は幼保連携型認定こども園への入所及び教育・保育の確実な利用の支援、同法第21条の18第2項の規定に基づく利用措置による家庭支援事業の利用その他の地域子ども・子育て支援事業等の活用等による支援を行うほか、都道府県の専門的な支援を必要と

する場合には、都道府県と連携して対応する。

　また、都道府県は、要保護児童等について、市町村による保育の措置及び地域子ども・子育て支援事業等による必要な支援を確保するほか、協議会の活用等により、これらの家庭に関する情報を市町村等の関係機関と共有し、支援方針を検討し、継続した支援を行う。

　また、里親等委託を始めとする社会的養護により養育されている子どもや、社会的養護による養育から家庭復帰した子どもについても、市町村等の関係機関と連携し、地域の理解及び協力を得るとともに、地域の子ども・子育て支援等を活用することにより支援する。

第5　労働者の職業生活と家庭生活との両立が図られるようにするために必要な雇用環境の整備に関する施策との連携に関する事項

　国民の希望する結婚、出産及び子育てを可能としつつ、働く意欲を持つ全ての若者の労働市場参加を実現し、男女が子育ての喜びを実感しながら仕事を続けられる社会をつくるためには、子ども・子育て支援施策の充実のみならず「働き方の改革」による仕事と生活の調和の双方を早期に実現することが必要である。

　このため、国は、憲章及び行動指針を踏まえ、企業や労働者、国民の取組を積極的に支援するとともに、多様な働き方に対応した子ども・子育て支援のための社会的基盤づくりを積極的に行うため、以下の施策を推進する。

一　子育て期間中を含めた働き方の見直し

　　中小企業を含め、全ての企業において、育児休業及び短時間勤務等の柔軟な働き方に係る制度を利用しやすい環境整備を促進する等、子育て期間中を含めた男女双方の働き方の見直し

二　父親も子育てができる働き方の実現

　　子の出生直後の時期に柔軟に取得できる出生時育児休業（産後パパ育休）、父母ともに育児休業を取得する場合に休業期間を延長できる「パパ・ママ育休プラス」等を活用した男性の育児休業の取得促進、積極的に育児を担う男性を応援する男性の育児休業取得促進事業（イクメンプロジェクト）等による、職場や社会全体の意識の変革並びに男性の子育てへの関わりの支援及び促進

三　事業主の取組の社会的評価の推進

　　職業生活と家庭生活の両立に取り組む企業の取組を紹介するウェブサイトへの掲載等仕事と生活の調和を実現している企業の社会的評価の促進

四　国民への周知、理解の促進等

　　仕事と生活の調和の重要性に関する様々な機会を活用した国民の理解の促進、仕事と子育てを両立しやすい社会の実現に向けた社会的気運の醸成、インターネットによる周知・広報、両親学級等を通じた子育てに関する理解の促進等

第6　その他子ども・子育て支援のための施策の総合的な推進のために必要な事項

一　地方版子ども・子育て会議の設置に関する事項

　　市町村及び都道府県は、子ども・子育て支援事業計画等への子育て当事者等の意見の反映を始め、子ども・子育て支援施策を地域の子ども及び子育て家庭の実情を踏まえて実施することを担保するとともに、子ども・子育て支援事業計画を定期的に点検、評価し、必要に応じて改善を促すため、地方版子ども・子育て会議を置くことに努めること。

　　なお、地方版子ども・子育て会議の運営については、子どもの保護者、幼児期の学校教育、保育及び子育て支援の関係者等の参画を得るなど、会議が、地域の子ども及び子育て家庭の実情を十分に踏まえてその事務を処理することができるものとなるよう、留意すること。

二　地方版子ども・子育て会議における子ども・子育て支援策の点検・評価に関する事項

　　地方版子ども・子育て会議においては、毎年度、子ども・子育て支援事業計画に基づく施策その他の地域における子ども・子育て支援施策の実施状況（教育・保育施設や地域型保育事業の認可等の状況を含む。）や費用の使途実績等について点検、評価し、必要に応じて改善を促すこと。この場合において、公立の教育・保育施設に係る施策の実施状況等についても、その対象とする必要があることに留意が必要である。

　　市町村及び都道府県は、この結果を公表するとともに、これに基づいて必要な措置を講じること。

別表第1　市町村子ども・子育て支援事業計画必須記載事項

事　　項	内　　　　　容
一　教育・保育提供区域の設定	教育・保育提供区域の設定の趣旨及び内容、各教育・保育提供区域の状況等を定めること。
二　各年度における教育・保育の量の見込み並びに実施しようとする教育・保育の提供体制の確保の内容及びその実施時期	一　各年度における教育・保育の量の見込み 　　別表第2の参酌標準を参考として、各年度における市町村全域及び各教育・保育提供区域について、認定区分ごと（法第19条第3号に掲げる小学校就学前子どもに該当する子どもにあっては、年齢区分ごと。次号、次表第2号及び別表第5第2号において同じ。）の教育・保育の量の見込み（満3歳未満の子どもについては保育利用率を含む。）を定め、その算定に当たっての考え方を示すこと。 二　実施しようとする教育・保育の提供体制の確保の内容及びその実施時期 　　認定区分ごと及び特定教育・保育施設（特定教育・保育施設に該当しない幼稚園を含む）又は特定地域型保育事業の区分ごとの提供体制の確保の内容及びその実施時期を定めること。
三　各年度における地域子ども・子育て支援事業の量の見込み並びに実施しようとする地域子ども・子育て支援事業の提供体制の確保の内容及びその実施時期	一　地域子ども・子育て支援事業の量の見込み 　　別表第3の参酌標準を参考として、各年度における市町村全域及び各教育・保育提供区域について、地域子ども・子育て支援事業の種類ごとの量の見込みを定め、その算定に当たっての考え方を示すこと。 二　実施しようとする地域子ども・子育て支援事業の提供体制の確保の内容及びその実施時期 　　地域子ども・子育て支援事業の種類ごとの提供体制の確保の内容及びその実施時期を定めること。
四　子ども・子育て支援給付に係る教育・保育の一体的な提供及び当該教育・保育の推進に関する体制の確保の内容	認定こども園の普及に係る基本的考え方等を定めるほか、教育・保育及び地域子ども・子育て支援事業の役割、提供の必要性等に係る基本的考え方及びその推進方策、地域における教育・保育施設及び地域型保育事業を行う者の連携並びに認定こども園、幼稚園及び保育所と小学校等との連携の推進方策を定めること。
五　子育てのための施設等利用給付の円滑な実施の確保の内容	子育てのための施設等利用給付の実施に当たって、公正かつ適正な支給の確保、保護者の経済的負担の軽減や利便性等を勘案しつつ、給付方法について検討を行うこと等を定めること。

別表第2　教育・保育の参酌標準

事　　項	内　　　　　容
一　法第19条第1号に掲げる小学校就学前子どもに該当する子ども	満3歳以上の小学校就学前子どもの数から法第19条第2号に掲げる小学校就学前子どもに該当する子どもの数を除いた数を基本として、保護者の利用希望等を勘案して、計画期間内における必要利用定員総数を設定すること。
二　法第19条第2号及び第3号に掲げる小学校就学前子どもに該当する子ども	認定区分ごとに、現在の保育の利用状況（認可外保育施設の利用及び幼稚園の預かり保育の定期的な利用を含む。）を基本として、保護者の利用希望等を勘案するとともに、「子育て安心プラン」を踏まえ、計画期間内における必要利用定員総数を設定すること。

別表第3　地域子ども・子育て支援事業の参酌標準

事　　項	内　　　　　容
一　利用者支援に関する事業	利用希望把握調査等により把握した、子ども・子育て支援に係る情報提供、相談支援等の利用希望に基づき、子ども又は子どもの保護者の身近な場所で必要な支援を受けられるよう、地域の実情、関係機関との連携の体制の確保等に配慮しつつ、計画期間内における適切と考えられる目標事業量を設定すること。 　　目標事業量の設定に当たっては、地理的条件、人口、交通事情その他の社会的条件、子育てに関する施設の整備の状況等を総合的に勘案して定める区域（中学校区を目安とする。）ごとに、地域子育て相談機関の整備に努めることとされていることも考慮すること。
二　時間外保育事業	利用希望把握調査等により把握した、小学校就学前子どもの保育に係る希望利用時間帯を勘案して、計画期間内における適切と考えられる目標事業量を設定すること。
三　放課後児童健全育成事業	小学校就学前子どもに係る保育との連続性を重視しつつ、待機児童を解消する観点から、ニーズを幅広く想定し、前年度における5歳児のうち、法第19条第2号の認定を受けると見込まれる者や幼稚園における預か

	り保育の定期利用が見込まれる者等の数に基づき想定した利用希望又は利用希望把握調査により把握した放課後児童健全育成事業に係る利用希望を勘案して、計画期間内における適切と考えられる目標事業量を設定すること。
四 子育て短期支援事業	利用希望把握調査等により把握した、子育て短期支援事業の利用希望、児童虐待に係る相談に応じた実績、利用勧奨及び利用措置の見込み等に基づき、子育て援助活動支援事業等の他の事業による対応の可能性も勘案しながら、計画期間内における適切と考えられる目標事業量を設定すること。
五 乳児家庭全戸訪問事業	出生数等を勘案して、計画期間内における適切と考えられる目標事業量を設定すること。
六 養育支援訪問事業及び要保護児童対策地域協議会その他の者による要保護児童等に対する支援に資する事業	児童福祉法第6条の3第5項に規定する要支援児童及び特定妊婦並びに同条第8項に規定する要保護児童の数、児童虐待に係る相談に応じた実績、利用勧奨及び利用措置の見込み等を勘案して、計画期間内における適切と考えられる目標事業量を設定すること。
七 地域子育て支援拠点事業	利用希望把握調査等により把握した、地域子育て支援拠点事業の希望利用日数等に基づき、居宅より容易に移動することが可能な範囲で利用できるよう配慮しながら、計画期間内における適切と考えられる目標事業量を設定すること。
八 一時預かり事業	利用希望把握調査等により把握した、今後の利用希望、小学校就学前子どもを一時的に第三者に預けた日数(幼稚園の預かり保育を利用した日数(幼稚園の預かり保育を定期的に利用した場合を除く。)を含む。)の実績、利用勧奨及び利用措置の見込みを勘案して、子育て援助活動支援事業等の他の事業による対応の可能性も勘案しながら、計画期間内における適切と考えられる目標事業量を設定すること。
九 病児保育事業	以下のいずれかの方法で設定すること。 1 法第19条第2号又は第3号に掲げる小学校就学前子どもに該当する子どもの数を病児保育事業の利用可能性がある者と捉えた上で、利用希望把握調査等により把握した事業の利用実績及び利用希望を勘案して、計画期間内における適切と考えられる目標事業量を設定すること。 2 利用希望把握調査等により把握した事業の利用実績

	及び利用希望を勘案して、市町村が適切と考える区域ごとに整備されるよう、計画期間内における適切と考えられる目標事業量を設定すること。
十 子育て援助活動支援事業	利用希望把握調査等により把握した、子どもを一時的に第三者に預けた日数(幼稚園の預かり保育を定期的に利用した場合を除く。)の実績に基づき、一時預かり事業等の他の事業による対応の可能性も勘案しながら、計画期間内における適切と考えられる目標事業量を設定すること。
十一 妊婦に対して健康診査を実施する事業	母子保健法(昭和40年法律第141号)第13条第2項の規定による内閣総理大臣が定める望ましい基準及び各年度の同法第15条に規定する妊娠の届出件数を勘案して、計画期間内における適切と考えられる目標事業量を設定すること。

別表第4 市町村子ども・子育て支援事業計画任意記載事項

事 項	内 容
一 市町村子ども・子育て支援事業計画の理念等	市町村子ども・子育て支援事業計画に係る法令の根拠、基本理念、目的等を記載すること。
二 産後の休業及び育児休業後における特定教育・保育施設等の円滑な利用の確保に関する事項	育児休業満了時(原則1歳到達時)からの特定教育・保育施設又は特定地域型保育事業の利用を希望する保護者が、育児休業満了時から利用できるような環境を整えることが重要であることに留意しつつ、産前・産後休業、育児休業期間中の保護者に対する情報提供や相談支援等、特定教育・保育施設又は特定地域型保育事業の計画的な整備等、各市町村の実情に応じた施策を定めること。
三 子どもに関する専門的な知識及び技術を要する支援に関する都道府県が行う施策との連携に関する事項	児童虐待防止対策の充実、母子家庭及び父子家庭の自立支援の推進、障害児施策の充実等について、都道府県が行う施策との連携に関する事項及び各市町村の実情に応じた施策を定めること。
四 労働者の職業生活と家庭生活との両立が図られるようにするために必要な雇用環境の整	仕事と生活の調和の実現のための働き方の見直し及び仕事と子育ての両立のための基盤整備について、各市町村の実情に応じた施策を定めること。

事　　項	内　　　　　容
備に関する施策との連携に関する事項	
四の二　地域子ども・子育て支援事業を行う他の当該市町村において子ども・子育て支援の提供を行う関係機関相互の連携の推進に関する事項	関係機関の連携会議の開催等及び関係機関の連携を推進する取組の促進について、各市町村の実情に応じた施策を定めること。
五　市町村子ども・子育て支援事業計画の作成の時期	市町村子ども・子育て支援事業計画の作成の時期を定めること。
六　市町村子ども・子育て支援事業計画の期間	市町村子ども・子育て支援事業計画の期間（５年間）を定めること。
七　市町村子ども・子育て支援事業計画の達成状況の点検及び評価	各年度における市町村子ども・子育て支援事業計画の達成状況を点検及び評価する方法等を定めること。

別表第5　都道府県子ども・子育て支援事業支援計画
必須記載事項

事　　項	内　　　　　容
一　都道府県設定区域の設定	都道府県設定区域の趣旨及び内容、各都道府県設定区域の状況等を定めること。
二　各年度における教育・保育の量の見込み並びに実施しようとする教育・保育の提供体制の確保の内容及びその実施時期	一　各年度における教育・保育の量の見込み 　別表第6の参酌標準を参考として、各年度における都道府県全域及び都道府県設定区域について、認定区分ごとの教育・保育の量の見込みを定め、その算定に当たっての考え方を示すこと。 二　実施しようとする教育・保育の提供体制の確保の内容及びその実施時期 　認定区分ごと及び特定教育・保育施設（特定教育・保育施設に該当しない幼稚園を含む。）又は特定地域型保育事業の区分ごとの提供体制の確保の内容及びその実施時期を定めること。
三　子ども・子育て支援給付に係る教育・保育の一体的提供及び当該教育・保育の推進に関する体制の確保の内容に関する事項	都道府県設定区域ごとの認定こども園の目標設置数及び設置時期、幼稚園及び保育所から認定こども園への移行に必要な支援その他認定こども園の普及に係る基本的考え方等を定めるほか、教育・保育及び地域子ども・子育て支援事業の役割、提供の必要性等に係る基本的考え方及びその推進方策、地域における教育・保育施設及び地域型保育事業を行う者の連携並びに認定こども園、幼稚園及び保育所と小学校等との連携の推進方策を定めること。
四　子育てのための施設等利用給付の円滑な実施の確保を図るために必要な市町村との連携に関する事項	市町村による子育てのための施設等利用給付の円滑な実施が行われるよう、特定子ども・子育て支援施設等の確認や公示、指導等の法に基づく市町村の事務の執行や権限の行使に際し、施設等の所在、運営状況、監査状況等の情報共有、立入調査への同行、関係法令に基づく是正指導等を行うなど、都道府県におけるこれらの連携の推進方策等を定めること。
五　特定教育・保育及び特定地域型保育を行う者並びに地域子ども・子育て支援事業に従事する者の確保及び資質の向上のために講ずる措置に関する事項	特定教育・保育及び特定地域型保育を行う者並びに地域子ども・子育て支援事業に従事する者の確保又は質の向上のために講ずる措置に関する事項（特定教育・保育及び特定地域型保育を行う者の見込み数を含む。）等を定めること。
六　子どもに関する専門的な知識及び技術を要する支援に関する施策の実施に関する事項並びにその円滑な実施を図るために必要な市町村との連携に関する事項	児童虐待防止対策の充実、社会的養護体制の充実、母子家庭及び父子家庭の自立支援の推進並びに障害児施策の充実等について、都道府県の実情に応じた施策及びその実施のために必要な市町村との連携に関する事項を定めること。

別表第6　教育・保育の参酌標準

事　　項	内　　　　　容
法第19条各号に掲げる小学校就学前子どもに係る教育・保育	市町村子ども・子育て支援事業計画における数値を都道府県設定区域ごとに集計したものを基本として、第3の五の1を踏まえて都道府県設定区域ごとの広域調整を行ったものを定めること。

別表第7　都道府県子ども・子育て支援事業支援計画

任意記載事項

事　　項	内　　容
一　都道府県子ども・子育て支援事業支援計画の基本理念等	都道府県子ども・子育て支援事業支援計画に係る法令の根拠、基本理念、目的及び特色等を記載すること。
二　市町村の区域を超えた広域的な見地から行う調整に関する事項	市町村子ども・子育て支援事業計画の作成時及び特定教育・保育施設の利用定員の設定時における都道府県と市町村の協議及び調整等に係る事項を定めること。
三　教育・保育情報の公表に関する事項	事業者が提供する教育・保育に係る教育・保育情報の公表に関する実施体制の整備を始めとする教育・保育情報の公表に関する事項を定めること。
四　労働者の職業生活と家庭生活との両立が図られるようにするために必要な雇用環境の整備に関する施策との連携に関する事項	仕事と生活の調和の実現のための働き方の見直し及び仕事と子育ての両立のための基盤整備について、各都道府県の実情に応じた施策を定めること。
五　都道府県子ども・子育て支援事業支援計画の作成の時期	都道府県子ども・子育て支援事業支援計画の作成の時期を定めること。
六　都道府県子ども・子育て支援事業支援計画の期間	都道府県子ども・子育て支援事業支援計画の期間（5年間）を定めること。
七　都道府県子ども・子育て支援事業支援計画の達成状況の点検及び評価	各年度における都道府県子ども・子育て支援事業支援計画の達成状況を点検及び評価する方法等を定めること。

●就学前の子どもに関する教育、保育等の総合的な提供の推進に関する法律附則第2項に基づく主務大臣が指定する地域

〔平　成　30　年　9　月　27　日〕
〔内閣府・文部科学省・厚生労働省告示第2号〕
注　令和6年3月28日こども家庭庁・文部科学省告示第1号改正現在

就学前の子どもに関する教育、保育等の総合的な提供の推進に関する法律（平成18年法律第77号）附則第2項の規定に基づき、同項の主務大臣が指定する地域を次のように定め、地域の自主性及び自立性を高めるための改革の推進を図るための関係法律の整備に関する法律（平成30年法律第66号）附則第1条第2号に掲げる規定の施行の日〔平成30年9月27日〕から適用する。

都道府県名	市　町　村　名
大阪府	大阪市

○子ども・子育て支援法、就学前の子どもに関する教育、保
育等の総合的な提供の推進に関する法律の一部を改正する
法律並びに子ども・子育て支援法及び就学前の子どもに関
する教育、保育等の総合的な提供の推進に関する法律の一
部を改正する法律の施行に伴う関係法律の整備等に関する
法律の公布について

平成24年8月31日　府政共生第678号・24文科初第616号・
雇児発0831第1号
各都道府県知事・各都道府県教育委員会・各指定都市市
長・各中核市市長・各指定都市・各中核市教育委員会・附
属幼稚園を置く各国立大学法人の長宛　内閣府政策統括官
（共生社会政策担当）・文部科学省初等中等教育・厚生労
働省雇用均等・児童家庭局長連名通知

政府は、平成24年3月2日に少子化社会対策会議において決定された「子ども・子育て新システムに関する基本制度」（以下「基本制度」という。）等に基づき、同月30日に「子ども・子育て支援法案」、「総合こども園法案」及び「子ども・子育て支援法及び総合こども園法の施行に伴う関係法律の整備等に関する法律案」を閣議決定するとともに、同日、第180回国会（常会）に提出しました。これらの法律案は、5月以降、衆議院本会議及び衆議院社会保障と税の一体改革に関する特別委員会において審議が行われましたが、6月15日に、民主党・自由民主党・公明党社会保障・税一体改革（社会保障部分）に関する実務者間会合において「社会保障・税一体改革に関する確認書」がとりまとめられ、これを踏まえ、「子ども・子育て支援法案」及び「子ども・子育て支援法及び総合こども園法の施行に伴う関係法律の整備等に関する法律案」に対する議員修正案と、新たな議員立法として「就学前の子どもに関する教育、保育等の総合的な提供の推進に関する法律の一部を改正する法律案」が国会に提出され、同月26日に衆議院社会保障と税の一体改革に関する特別委員会及び衆議院本会議で可決されました。その後、これらの法律案は、参議院における審議を経て、8月10日に参議院社会保障と税の一体改革に関する特別委員会及び参議院本会議で可決され成立したところです。

8月22日には、子ども・子育て支援法は平成24年法律第65号として、就学前の子どもに関する教育、保育等の総合的な提供の推進に関する法律の一部を改正する法律（以下「認定こども園法一部改正法」という。）は平成24年法律第66号として、子ども・子育て支援法及び就学前の子どもに関する教育、保育等の総合的な提供の推進に関する法律の一部を改正する法律の施行に伴う関係法律の整備等に関する法律（以下「整備法」

という。）は平成24年法律第67号として、それぞれ公布されたところですが、これらの法律の趣旨、内容及びその施行に際し留意すべき事項は下記のとおりですので、各都道府県知事、各都道府県教育委員会及び各指定都市・中核市市長におかれては、十分御了知の上、貴管内の関係者に対して遅滞なく周知し、その運用に遺漏のないよう配意願います。

これらの法律は、一部の規定を除き、社会保障の安定財源の確保等を図る税制の抜本的な改革を行うための消費税法の一部を改正する等の法律（平成24年法律第68号）附則第1条第2号に掲げる規定の施行の日の属する年の翌年の4月1日までの間において政令で定める日から施行するものであり、関係政省令等については、今後順次検討を行い、その内容については別途連絡する予定ですので、あらかじめ御承知おき願います。

なお、本通知は、地方自治法（昭和22年法律第67号）第245条の4第1項の規定に基づく技術的助言であることを申し添えます。

記

第一　法律の趣旨

子どもは社会の希望、未来を作る力であり、安心して子どもを生み、育てることのできる社会の実現は社会全体で取り組まなければならない最重要課題の一つである。

子どもは、親、保護者が育むことが基本である。しかしながら、現在、子どもや子育てをめぐる環境の現実は厳しく、近年の家族構成の変化や地域のつながりの希薄化によって、子育てに不安や孤立感を感じる家庭は少なくない。また、待機児童の解消が喫緊の課題となっていることや、本格的な人口減少社会が到来し、子どもを生み、育てたいという個人

の希望がかなうようにするためのサポートが強く求められていることからも、国や地域を挙げて、社会全体で子ども・子育てを支援する、新しい支え合いの仕組みを構築するということが時代の要請、社会の役割となっている。

　また、幼児期の教育及び保育が生涯にわたる人格形成の基礎を培う重要なものであること等に鑑み、地域における創意工夫を生かしつつ、小学校就学前の子どもに対する教育及び保育並びに保護者に対する子育て支援の総合的な提供を推進する必要がある。

　これらの法律は、こうした観点から、認定こども園制度の改善、認定こども園、幼稚園、保育所を通じた共通の給付（施設型給付）及び小規模保育等への給付（地域型保育給付）の創設等を行い、質の高い幼児期の学校教育・保育の総合的な提供、保育の量的拡大・確保、地域の子ども・子育て支援の充実を目指すものである。

第二　法律の内容及び留意事項

第１　子ども・子育て支援法関係

　１　総則（第１条から第７条まで関係）

　　(1)　目的（第１条関係）

　　　　この法律は、我が国における急速な少子化の進行並びに家庭及び地域を取り巻く環境の変化に鑑み、児童福祉法（昭和22年法律第164号）その他の子どもに関する法律による施策と相まって、子ども・子育て支援給付その他の子ども及び子どもを養育している者に必要な支援を行い、もって一人一人の子どもが健やかに成長することができる社会の実現に寄与することを目的とすることとしたこと。

　　(2)　基本理念（第２条関係）

　　　①　子ども・子育て支援は、父母その他の保護者が子育てについての第一義的責任を有するという基本的認識の下に、家庭、学校、地域、職域その他の社会のあらゆる分野における全ての構成員が、各々の役割を果たすとともに、相互に協力して行われなければならないこととしたこと。（第２条第１項関係）

　　　②　子ども・子育て支援給付その他の子ども・子育て支援の内容及び水準は、全ての子どもが健やかに成長するように支援するものであって、良質かつ適切なものでなければならないこととしたこと。（第２条第２項関係）

　　　③　子ども・子育て支援給付その他の子ども・子育て支援は、地域の実情に応じて、

総合的かつ効率的に提供されるよう配慮して行われなければならないこととしたこと。（第２条第３項関係）

　　(3)　市町村等の責務（第３条関係）

　　　①　市町村は、この法律の実施に関し、次に掲げる責務を有することとしたこと。

　　　　ⅰ)　子どもの健やかな成長のために適切な環境が等しく確保されるよう、子ども及びその保護者に必要な子ども・子育て支援給付及び地域子ども・子育て支援事業を総合的かつ計画的に行うこと。（第３条第１項第１号関係）

　　　　ⅱ)　子ども及びその保護者が、確実に子ども・子育て支援給付を受け、及び地域子ども・子育て支援事業その他の子ども・子育て支援を円滑に利用するために必要な援助を行うとともに、関係機関との連絡調整その他の便宜の提供を行うこと。（第３条第１項第２号関係）

　　　　ⅲ)　子ども及びその保護者が置かれている環境に応じて、子どもの保護者の選択に基づき、多様な施設又は事業者から、良質かつ適切な教育及び保育その他の子ども・子育て支援が総合的かつ効率的に提供されるよう、その提供体制を確保すること。（第３条第１項第３号関係）

　　　②　都道府県は、市町村に対する必要な助言及び適切な援助を行うとともに、子ども・子育て支援のうち、特に専門性の高い施策及び各市町村の区域を超えた広域的な対応が必要な施策を講じなければならないこととしたこと。（第３条第２項関係）

　　　③　国は、市町村及び都道府県と相互に連携を図りながら、子ども・子育て支援の提供体制の確保に関する施策その他の必要な各般の措置を講じなければならないこととしたこと。（第３条第３項関係）

　　(4)　事業主の責務（第４条関係）

　　　　事業主は、労働者の職業生活と家庭生活との両立が図られるようにするために必要な雇用環境の整備を行うことにより当該労働者の子育ての支援に努めるとともに、国又は地方公共団体が講ずる子ども・子育て支援に協力しなければならないこととしたこと。

　　(5)　国民の責務（第５条関係）

　　　　国民は、子ども・子育て支援の重要性に対する関心と理解を深めるとともに、国又は地

方公共団体が講ずる子ども・子育て支援に協力しなければならないこととしたこと。

(6) 定義（第6条及び第7条関係）

① 子ども及び小学校就学前子ども（第6条第1項関係）

「子ども」とは、18歳に達する日以後の最初の3月31日までの間にある者をいい、「小学校就学前子ども」とは、子どものうち小学校就学の始期に達するまでの者をいうこととしたこと。

② 子ども・子育て支援（第7条第1項関係）

「子ども・子育て支援」とは、全ての子どもの健やかな成長のために適切な環境が等しく確保されるよう、国若しくは地方公共団体又は地域における子育ての支援を行う者が実施する子ども及び子どもの保護者に対する支援をいうこととしたこと。

③ 教育及び保育（第7条第2項及び第3項関係）

「教育」とは、満3歳以上の小学校就学前子どもに対して義務教育及びその後の教育の基礎を培うものとして教育基本法（平成18年法律第120号）に規定する法律に定める学校において行われる教育をいい、「保育」とは、児童福祉法に規定する保育をいうこととしたこと。

④ 教育・保育施設（第7条第4項関係）

「教育・保育施設」とは、認定こども園、幼稚園及び保育所をいうこととしたこと。

⑤ 地域型保育及び地域型保育事業（第7条第5項関係）

「地域型保育」とは、家庭的保育、小規模保育、居宅訪問型保育及び事業所内保育をいい、「地域型保育事業」とは、地域型保育を行う事業をいうこととしたこと。

2 子ども・子育て支援給付（第8条から第30条まで関係）

(1) 子ども・子育て支援給付（第8条関係）

子ども・子育て支援給付は、子どものための現金給付及び子どものための教育・保育給付とすることとしたこと。

(2) 子どものための現金給付（第9条及び第10条関係）

子どものための現金給付は、児童手当の支給とし、この法律に別段の定めがあるものを除き、児童手当法（昭和46年法律第73号）の定めるところによることとしたこと。

(3) 子どものための教育・保育給付（第11条から第30条まで関係）

① 子どものための教育・保育給付（第11条関係）

子どものための教育・保育給付は、施設型給付費、特例施設型給付費、地域型保育給付費及び特例地域型保育給付費の支給とすることとしたこと。

② 支給認定等（第19条から第26条まで関係）

i) 支給要件（第19条関係）

子どものための教育・保育給付は、次に掲げる小学校就学前子どもの保護者に対し、その小学校就学前子どもの特定教育・保育、特別利用保育、特別利用教育、特定地域型保育又は特例保育の利用について行うこととしたこと。（第19条第1項関係）

ア 満3歳以上の小学校就学前子ども（イに掲げる小学校就学前子どもに該当するものを除く。）

イ 満3歳以上の小学校就学前子どもであって、保護者の労働又は疾病その他の内閣府令で定める事由により家庭において必要な保育を受けることが困難であるもの

ウ 満3歳未満の小学校就学前子どもであって、イの内閣府令で定める事由により家庭において必要な保育を受けることが困難であるもの

ii) 市町村の認定等（第20条から第22条まで関係）

ア i)のアからウまでに掲げる小学校就学前子どもの保護者は、子どものための教育・保育給付を受けようとするときは、市町村に対し、子どものための教育・保育給付を受ける資格を有すること及びその小学校就学前子どもの区分についての認定を申請し、認定を受けなければならないこととしたこと。（第20条第1項関係）

イ アの認定は、原則として当該保護者の居住地の市町村が行うこととしたこと。（第20条第2項関係）

ウ 市町村は、アの申請があった場合において、当該申請に係る小学校就学前子どもがi)のイ又はウに該当すると認めるときは、当該小学校就学前子ども

に係る保育必要量（施設型給付費等を支給する保育の量をいう。）の認定を行うこととしたこと。（第20条第3項関係）

エ　ア及びウの認定（以下「支給認定」という。）は、有効期間内に限り、その効力を有することとしたこと。（第21条関係）

オ　支給認定を受けた保護者（以下「支給認定保護者」という。）は、市町村に対し、その労働又は疾病の状況等を届け出、かつ、書類その他の物件を提出しなければならないこととしたこと。（第22条関係）

③　施設型給付費及び地域型保育給付費等の支給（第27条から第30条まで関係）

ⅰ)　施設型給付費の支給（第27条関係）

ア　市町村は、支給認定に係る小学校就学前子ども（以下「支給認定子ども」という。）が、市町村長が施設型給付費の支給に係る施設として確認する教育・保育施設（以下「特定教育・保育施設」という。）から当該確認に係る教育・保育（②のⅰ)のアに掲げる小学校就学前子どもに該当する支給認定子どもにあっては認定こども園において受ける教育・保育又は幼稚園において受ける教育に限り、②のⅰ)のイに掲げる小学校就学前子どもに該当する支給認定子どもにあっては認定こども園において受ける教育・保育又は保育所において受ける保育に限り、②のⅰ)のウに掲げる小学校就学前子どもに該当する支給認定子どもにあっては認定こども園又は保育所において受ける保育に限る。以下「特定教育・保育」という。）を受けたときは、当該支給認定子どもに係る支給認定保護者に対し、施設型給付費を支給することとしたこと。（第27条第1項関係）

イ　施設型給付費の額は、特定教育・保育に通常要する費用の額を勘案して内閣総理大臣が定める基準により算定した費用の額から当該支給認定保護者の属する世帯の所得の状況等を勘案して市町村が定める額を控除して得た額とすることとしたこと。（第27条第3項

関係）

ウ　支給認定子どもが特定教育・保育施設から特定教育・保育を受けたときは、市町村は、支給認定保護者が当該特定教育・保育施設に支払うべき費用について、施設型給付費として支給すべき額の限度において、当該支給認定保護者に代わり、当該特定教育・保育施設に支払うことができることとしたこと。（第27条第5項関係）

ⅱ)　特例施設型給付費の支給（第28条関係）

市町村は、②のⅰ)のアに掲げる小学校就学前子どもに該当する支給認定子どもが、特定教育・保育施設（保育所に限る。）から特別利用保育（当該支給認定子どもに対して提供される教育に係る標準的な1日当たりの時間及び期間を勘案して内閣府令で定める1日当たりの時間及び期間の範囲内において行われる保育をいう。）を受けたとき、②のⅰ)のイに掲げる小学校就学前子どもに該当する支給認定子どもが、特定教育・保育施設（幼稚園に限る。）から特別利用教育（教育のうち②のⅰ)のイに掲げる小学校就学前子どもに該当する支給認定子どもに対して提供されるものをいい、特定教育・保育を除く。）を受けたときその他必要があると認めるときは、特例施設型給付費を支給することができることとしたこと。（第28条第1項関係）

ⅲ)　地域型保育給付費の支給（第29条関係）

ア　市町村は、支給認定子ども（②のⅰ)のウに掲げる小学校就学前子どもに該当する支給認定子どもに限る。以下「満3歳未満保育認定子ども」という。）が、当該市町村の長が地域型保育給付費の支給に係る事業を行う者として確認する地域型保育を行う事業者（以下「特定地域型保育事業者」という。）から当該確認に係る地域型保育（以下「特定地域型保育」という。）を受けたときは、当該満3歳未満保育認定子どもに係る支給認定保護者に対し、地域型保育給付費を支給することとしたこと。（第29条第1項関係）

イ　地域型保育給付費の額は、当該特定地域型保育に通常要する費用の額を勘

案して内閣総理大臣が定める基準により算定した費用の額から当該支給認定保護者の属する世帯の所得の状況等を勘案して市町村が定める額を控除して得た額とすることとしたこと。（第29条第3項関係）

ウ　満3歳未満保育認定子どもが特定地域型保育事業者から特定地域型保育を受けたときは、市町村は、支給認定保護者が当該特定地域型保育事業者に支払うべき費用について、地域型保育給付費として支給すべき額の限度において、当該支給認定保護者に代わり、当該特定地域型保育事業者に支払うことができることとしたこと。（第29条第5項関係）

iv)　特例地域型保育給付費の支給（第30条関係）

　　　市町村は、特定教育・保育及び特定地域型保育の確保が著しく困難である離島等に居住地を有する支給認定保護者に係る支給認定子どもが、特例保育（特定教育・保育及び特定地域型保育以外の保育をいう。）を受けたときその他必要があると認めるときは、特例地域型保育給付費を支給することができることとしたこと。（第30条第1項関係）

3　特定教育・保育施設及び特定地域型保育事業者（第31条から第58条まで関係）

(1)　特定教育・保育施設（第31条から第42条まで関係）

①　教育・保育施設の確認（第31条関係）

i)　教育・保育施設の確認は、教育・保育施設の設置者の申請により、教育・保育施設の区分に応じ、小学校就学前子どもの区分ごとの利用定員を定めて、市町村長が行うこととしたこと。（第31条第1項関係）

ii)　市町村長は、特定教育・保育施設の利用定員を定めようとするときは、あらかじめ、7の(2)に掲げる合議制の機関等の意見を聴かなければならないこととしたこと。（第31条第2項関係）

iii)　市町村長は、特定教育・保育施設の利用定員を定めようとするときは、あらかじめ、都道府県知事に協議しなければならないこととしたこと。（第31条第3項

関係）

②　特定教育・保育施設の設置者の責務（第33条関係）

i)　特定教育・保育施設の設置者は、支給認定保護者から利用の申込みを受けたときは、正当な理由がなければ、これを拒んではならないこととしたこと。（第33条第1項関係）

ii)　特定教育・保育施設の設置者は、関係機関との緊密な連携を図りつつ、良質な教育・保育を小学校就学前子どもの置かれている状況その他の事情に応じ、効果的に行うように努めなければならないこと等の責務を有することとしたこと。（第33条第4項から第6項まで関係）

③　特定教育・保育施設の基準（第34条関係）

　　　特定教育・保育施設の設置者は、教育・保育施設の認可基準を遵守しなければならないこととしたこと。（第34条第1項関係）

④　勧告、命令等（第39条及び第40条関係）

　　　市町村長は、特定教育・保育施設の設置者が、特定教育・保育施設の運営について市町村の条例で定める基準に従って適正な特定教育・保育施設の運営をしていないと認めるとき等は、勧告、公表、命令等を行うことができることとするとともに、確認を取り消し、又は確認の効力を停止することができることとしたこと。（第39条及び第40条第1項関係）

⑤　市町村によるあっせん及び要請（第42条関係）

i)　市町村は、必要と認められる場合には、特定教育・保育施設の利用についてのあっせん等を行うとともに、必要に応じて、特定教育・保育施設の設置者に対し、支給認定子どもの利用の要請を行うものとしたこと。（第42条第1項関係）

ii)　特定教育・保育施設の設置者は、当該あっせん及び要請に対し、協力しなければならないこととしたこと。（第42条第2項関係）

(2)　特定地域型保育事業者（第43条から第54条まで関係）

①　特定地域型保育事業者の確認（第43条関係）

　　　地域型保育事業者の確認は、地域型保育事業を行う者の申請により、地域型保育の

種類及び当該地域型保育の種類に係る地域型保育事業を行う事業所（以下「地域型保育事業所」という。）ごとに、利用定員を定めて、市町村長が行い、当該確認をする市町村長がその長である市町村の区域に居住地を有する者に対する地域型保育給付費及び特例地域型保育給付費の支給について、その効力を有することとしたこと。（第43条第1項及び第2項関係）

② 特定地域型保育事業者の責務（第45条関係）

ⅰ) 特定地域型保育事業者は、支給認定保護者から利用の申込みを受けたときは、正当な理由がなければ、これを拒んではならないこととしたこと。（第45条第1項関係）

ⅱ) 特定地域型保育事業者は、関係機関との緊密な連携を図りつつ、良質な地域型保育を小学校就学前子どもの置かれている状況その他の事情に応じ、効果的に行うように努めなければならないこと等の責務を有することとしたこと。（第45条第4項から第6項まで関係）

③ 特定地域型保育事業の基準（第46条関係）

特定地域型保育事業者は、地域型保育事業の認可基準を遵守しなければならないこととしたこと。（第46条第1項関係）

④ 勧告、命令等（第51条及び第52条関係）

市町村長は、特定地域型保育事業者が、当該特定地域型保育事業所の運営について市町村の条例で定める基準に従って適正な特定地域型保育事業の運営をしていないと認めるとき等は、勧告、公表、命令等を行うことができることとしたとともに、確認を取り消し、又は確認の効力を停止することができることとしたこと。（第51条及び第52条第1項関係）

⑤ 市町村によるあっせん及び要請（第54条関係）

ⅰ) 市町村は、必要と認められる場合には、特定地域型保育事業の利用についてのあっせん等を行うとともに、必要に応じて、特定地域型保育事業者に対し、満3歳未満保育認定子どもの利用の要請を行うものとしたこと。（第54条第1項関係）

ⅱ) 特定地域型保育事業者は、当該あっせん及び要請に対し、協力しなければならないこととしたこと。（第54条第2項関係）

(3) 業務管理体制の整備等（第55条関係）

特定教育・保育施設の設置者及び特定地域型保育事業者（以下「特定教育・保育提供者」という。）は、業務管理体制を整備し、業務管理体制の整備に関する事項を市町村長等に届け出なければならないこととしたこと。（第55条第1項及び第2項関係）

(4) 教育・保育に関する情報の報告及び公表（第58条関係）

特定教育・保育提供者は、その提供する教育・保育の内容及び教育・保育を提供する施設又は事業者の運営状況に関する情報であって、小学校就学前子どもの保護者が適切かつ円滑に教育・保育を小学校就学前子どもに受けさせる機会を確保するために公表されることが必要な情報を、教育・保育を提供する施設又は事業所の所在地の都道府県知事に報告しなければならないこととしたこと。（第58条第1項関係）

4 地域子ども・子育て支援事業（第59条関係）

市町村は、市町村子ども・子育て支援事業計画に従って、地域子ども・子育て支援事業として、子ども又は子どもの保護者からの相談に応じ、必要な情報の提供及び助言等を行う事業、時間外保育の費用の全部又は一部の助成を行うことにより必要な保育を確保する事業、世帯の所得の状況その他の事情を勘案して市町村が定める基準に該当する支給認定保護者が支払うべき教育・保育に必要な物品の購入に要する費用等の全部又は一部を助成する事業、多様な事業者の能力を活用した特定教育・保育施設等の設置又は運営を促進するための事業、放課後児童健全育成事業、子育て短期支援事業、乳児家庭全戸訪問事業、養育支援訪問事業等、地域子育て支援拠点事業、一時預かり事業、病児保育事業、子育て援助活動支援事業及び妊婦に対して健康診査を実施する事業を行うものとしたこと。

5 子ども・子育て支援事業計画（第60条から第64条まで関係）

(1) 基本指針（第60条関係）

内閣総理大臣は、教育・保育及び地域子ども・子育て支援事業の提供体制を整備し、子ども・子育て支援給付及び地域子ども・子育て支援事業の円滑な実施の確保その他子ども・子育て支援のための施策を総合的に推進するための基本的な指針（以下「基本指針」

という。）を定め、基本指針においては、子ども・子育て支援の意義並びに子ども・子育て支援給付に係る教育・保育を一体的に提供する体制その他の教育・保育を提供する体制の確保及び地域子ども・子育て支援事業の実施に関する基本的事項等について定めるものとしたこと。（第60条第1項及び第2項関係）

(2) 市町村子ども・子育て支援事業計画及び都道府県子ども・子育て支援事業支援計画（第61条及び第62条関係）

　市町村及び都道府県は、基本指針に即して、5年を1期とする教育・保育及び地域子ども・子育て支援事業の提供体制の確保その他この法律に基づく業務の円滑な実施に関する計画を定めるものとしたこと。（第61条第1項及び第62条第1項関係）

6　費用等（第65条から第71条まで関係）

(1) 都道府県の負担及び補助（第67条関係）

① 都道府県は、市町村が支弁する都道府県及び市町村以外の者が設置する特定教育・保育施設に係る施設型給付費及び特例施設型給付費並びに地域型保育給付費及び特例地域型保育給付費の支給に要する費用のうち、国及び都道府県が負担すべきものとして政令で定めるところにより算定した額（以下「施設型給付費等負担対象額」という。）の4分の1を負担することとしたこと。（第67条第1項関係）

② 都道府県は、市町村に対し、市町村が支弁する地域子ども・子育て支援事業に要する費用に充てるため、当該都道府県の予算の範囲内で、交付金を交付することができることとしたこと。（第67条第2項関係）

(2) 市町村に対する交付金の交付等（第68条関係）

① 国は、市町村が支弁する都道府県及び市町村以外の者が設置する特定教育・保育施設に係る施設型給付費及び特例施設型給付費並びに地域型保育給付費及び特例地域型保育給付費の支給に要する費用のうち、施設型給付費等負担対象額の2分の1を負担することとしたこと。（第68条第1項関係）

② 国は、市町村に対し、市町村が支弁する地域子ども・子育て支援事業に要する費用に充てるため、予算の範囲内で、交付金を交付することができることとしたこと。（第68条第2項関係）

(3) 拠出金の徴収及び納付義務等（第69条及び第70条関係）

① 政府は、児童手当の支給に要する費用及び地域子ども・子育て支援事業（時間外保育の費用の全部又は一部の助成を行うことにより必要な保育を確保する事業、放課後児童健全育成事業及び病児保育事業に限る。）に要する費用に充てるため、一般事業主から、拠出金を徴収することとし、一般事業主は拠出金を納付する義務を負うこととしたこと。（第69条関係）

② 拠出金率は、1000分の1.5以内において政令で定めることとしたこと。（第70条第2項関係）

7　子ども・子育て会議等（第72条から第77条まで関係）

(1) 内閣府に、子ども・子育て会議を置くこととしたこと。（第72条関係）

(2) 市町村は、条例で定めるところにより、特定教育・保育施設の利用定員の設定について意見を聴く等のため、審議会その他の合議制の機関を置くよう努めるものとしたこと。（第77条第1項関係）

(3) 都道府県は、条例で定めるところにより、都道府県子ども・子育て支援事業支援計画に関し意見を聴く等のため、審議会その他の合議制の機関を置くよう努めるものとしたこと。（第77条第4項関係）

(4) なお、(2)及び(3)の審議会その他の合議制の機関（以下「地方版子ども・子育て会議」という。）に関する規定は、国の子ども・子育て会議の設置に関する規定と同じく、平成25年4月1日に施行することとしていること。当該規定については、衆議院社会保障と税の一体改革に関する特別委員会における審議を踏まえ、政府案の「(合議制の機関を)置くことができる」との規定が「置くよう努めるものとする」との規定に修正されたものであること。

　地方版子ども・子育て会議は、市町村子ども・子育て支援事業計画及び都道府県子ども・子育て支援事業支援計画等への子育て当事者等の意見の反映を始め、自治体における子ども・子育て支援施策を地域の子ども及び子育て家庭の実情を踏まえて実施することを担保するうえで重要な役割を果たすものであることから、設置するよう努められたいこと。

また、設置する場合には、同会議において市町村子ども・子育て支援事業計画及び都道府県子ども・子育て支援事業支援計画の調査審議等が充分行えるよう設置時期について留意されたいこと。

なお、地方版子ども・子育て会議の人選については、会議が、地域の子ども及び子育て家庭の実情を十分に踏まえてその事務を処理することができるよう、留意されたいこと。

8 その他

その他所要の規定を整備したこと。

9 施行期日（附則第1条関係）

この法律は、社会保障の安定財源の確保等を図る税制の抜本的な改革を行うための消費税法の一部を改正する等の法律附則第1条第2号に掲げる規定の施行の日の属する年の翌年の4月1日までの間において政令で定める日（以下「施行日」という。）から施行することとしたこと。ただし、次に掲げる規定は、当該各号に定める日から施行すること。

(1) 7及び11 平成25年4月1日

(2) 14 社会保障の安定財源の確保等を図る税制の抜本的な改革を行うための消費税法の一部を改正する等の法律の施行の日の属する年の翌年の4月1日までの間において政令で定める日

10 検討（附則第2条及び第3条関係）

(1) 政府は、出産及び育児休業に係る給付を子ども・子育て支援給付とすることについて検討を加え、必要があると認めるときは、その結果に基づいて所要の措置を講ずるものとしたこと。（附則第2条第1項関係）

(2) 政府は、平成27年度以降の次世代育成支援対策推進法（平成15年法律第120号）の延長について検討を加え、必要があると認めるときは、その結果に基づいて所要の措置を講ずるものとしたこと。（附則第2条第2項関係）

(3) 政府は、幼稚園教諭、保育士及び放課後児童健全育成事業に従事する者等の処遇の改善に資するための施策の在り方並びに保育士資格を有する者であって現に保育に関する業務に従事していない者の就業の促進その他の子ども・子育て支援に係る人材確保のための方策について検討を加え、必要があると認めるときは、その結果に基づいて所要の措置を講ずるものとしたこと。（附則第2条第3項関係）

(4) 政府は、公布後2年を目途として、総合的

な子ども・子育て支援を実施するための行政組織の在り方について検討を加え、必要があると認めるときは、その結果に基づいて所要の措置を講ずるものとしたこと。（附則第2条第4項関係）

(5) 政府は、教育・保育その他の子ども・子育て支援の量的拡充及び質の向上を図るための安定した財源の確保に努めるものとしたこと。（附則第3条関係）

11 保育の需要及び供給の状況の把握（附則第4条関係）

国及び地方公共団体は、施行日の前日までの間、子ども・子育て支援の推進を図るための基礎資料として、保育の需要及び供給の状況の把握に努めなければならないこととしたこと。

12 保育所に係る委託費の支払等（附則第6条関係）

市町村は、児童福祉法第24条第1項の規定により保育所における保育を行うため、当分の間、支給認定子ども（2の(3)の②のⅰ)のアに掲げる小学校就学前子どもに該当するものを除く。）が、特定教育・保育施設（都道府県及び市町村以外の者が設置する保育所に限る。）から保育を受けた場合は、当該保育に要した費用について、内閣総理大臣が定める基準により算定した費用の額に相当する額（以下「保育費用」という。）を、当該保育所に委託費として支払うこととするとともに、当該市町村の長は、保護者又は扶養義務者から、当該保育費用をこれらの者から徴収した場合における家計に与える影響等を考慮して定める額を徴収することとしたこと。

13 経過措置に関する事項（附則第7条から第9条まで関係）

(1) 特定教育・保育施設等に関する経過措置を定めるとしたこと。（附則第7条及び第8条関係）

(2) 2の(3)の②のⅰ)のアに掲げる小学校就学前子どもに該当する支給認定子どもに係る子どものための教育・保育給付の額及び費用の負担等に関する経過措置を定めるとしたこと。（附則第9条関係）

14 保育緊急確保事業（附則第10条関係）

(1) 整備法による改正前の児童福祉法に規定する特定市町村（以下「特定市町村」という。）は、施行日の前日までの間、小学校就学前子どもの保育その他の子ども・子育て支援に関

する事業（以下「保育緊急確保事業」という。）のうち必要と認めるものを同法に規定する市町村保育計画に定め、当該市町村保育計画に従って当該保育緊急確保事業を行うものとしたこと。（附則第10条第1項関係）

(2) 特定市町村以外の市町村（以下「事業実施市町村」という。）は、施行日の前日までの間、保育緊急確保事業を行うことができることとしたこと。（附則第10条第2項関係）

(3) 国は、保育緊急確保事業を行う特定市町村又は事業実施市町村に対し、予算の範囲内で、当該保育緊急確保事業に要する費用の一部を補助することができることとしたこと。（附則第10条第4項関係）

第2 認定こども園法一部改正法関係

1 目的規定の改正（第1条関係）
幼児期の教育及び保育が生涯にわたる人格形成の基礎を培う重要なものであることを明記したこと。

2 幼保連携型認定こども園以外の認定こども園の充実

(1) 認定等（第3条関係）
① 都道府県知事は、都道府県の条例で定める要件に適合する施設について、その設置者が欠格事由に該当する場合及び供給過剰による需給調整が必要な場合を除き、認定することとしたこと。（第3条第5項及び第7項関係）
② 認定に当たっては、都道府県知事は、市町村長に協議しなければならないこととしたこと。（第3条第6項関係）

(2) 教育及び保育の内容（第6条関係）
幼保連携型認定こども園以外の認定こども園において教育又は保育を行うに当たっては、幼保連携型認定こども園の教育課程その他の教育及び保育の内容に関する事項を踏まえて行わなければならないこととしたこと。

3 幼保連携型認定こども園

(1) 施設の定義（第2条関係）
幼保連携型認定こども園は、義務教育及びその後の教育の基礎を培うものとしての満3歳以上の子ども（小学校就学の始期に達するまでの者をいう。以下同じ。）に対する教育並びに保育を必要とする子どもに対する保育を一体的に行い、これらの子どもの健やかな成長が図られるよう適当な環境を与えて、その心身の発達を助長するとともに、保護者に

対する子育ての支援を行うことを目的として、この法律の定めるところにより設置される施設をいうこととしたこと。（第2条第7項関係）

なお、幼保連携型認定こども園は、学校であると同時に児童福祉施設としての性質も有するため、学校教育法（昭和22年法律第26号）の規定の多くが適用できないことから、学校教育法の適用される「学校」の範囲を定める学校教育法第1条は改正せず、改正後の就学前の子どもに関する教育、保育等の総合的な提供の推進に関する法律（以下単に「認定こども園法」という。）において教育基本法第6条に基づく「法律に定める学校」である旨明らかにしている。

(2) 教育及び保育の目標等（第9条から第11条まで関係）
① 教育及び保育の目標（第9条関係）
幼保連携型認定こども園においては、認定こども園法第2条第7項の目的を実現するため、子どもに対する学校としての教育及び児童福祉施設としての保育並びにその実施する保護者に対する子育て支援事業の相互の有機的な連携を図りつつ、次に掲げる目標を達成するよう教育及び保育を行うものとしたこと。
i) 健康、安全で幸福な生活のために必要な基本的な習慣を養い、身体諸機能の調和的発達を図ること。
ii) 集団生活を通じて、喜んでこれに参加する態度を養うとともに家族や身近な人への信頼感を深め、自主、自律及び協同の精神並びに規範意識の芽生えを養うこと。
iii) 身近な社会生活、生命及び自然に対する興味を養い、それらに対する正しい理解と態度及び思考力の芽生えを養うこと。
iv) 日常の会話や、絵本、童話等に親しむことを通じて、言葉の使い方を正しく導くとともに、相手の話を理解しようとする態度を養うこと。
v) 音楽、身体による表現、造形等に親しむことを通じて、豊かな感性と表現力の芽生えを養うこと。
vi) 快適な生活環境の実現及び子どもと保育教諭その他の職員との信頼関係の構築を通じて、心身の健康の確保及び増進を

図ること。

② 教育及び保育の内容（第10条関係）

ⅰ) 幼保連携型認定こども園の教育課程その他の教育及び保育の内容に関する事項は、認定こども園法第2条第7項の目的及び同法第9条の目標に従い、主務大臣が定めることとしたこと。（第10条第1項関係）

ⅱ) 主務大臣がⅰ)の事項を定めるに当たっては、幼稚園教育要領（平成20年文部科学省告示第26号）及び保育所保育指針（平成20年厚生労働省告示第141号）との整合性の確保並びに小学校における教育との円滑な接続に配慮しなければならないこととしたこと。（第10条第2項関係）

③ 入園資格（第11条関係）

幼保連携型認定こども園に入園することのできる者は、満3歳以上の子ども及び満3歳未満の保育を必要とする子どもとしたこと。

なお、個々の幼保連携型認定こども園において具体的に受け入れる子どもの範囲については、本条の定める入園資格の範囲内において設置者の判断により設定することが可能であること。

(3) 施設の設置等（第12条から第27条まで関係）

① 設置者（第12条関係）

幼保連携型認定こども園は、国、地方公共団体、学校法人及び社会福祉法人のみが設置することができることとしたこと。

② 設備及び運営の基準（第13条関係）

ⅰ) 都道府県又は指定都市等（その区域内に幼保連携型認定こども園が所在する指定都市又は中核市をいう。以下同じ。）は、幼保連携型認定こども園の設備及び運営について、条例で基準を定めなければならないこととしたこと。この場合において、その基準は、身体的、精神的及び社会的な発達のために必要な教育及び保育の水準を確保するものでなければならないこととしたこと。（第13条第1項関係）

ⅱ) 都道府県又は指定都市等がⅰ)の条例を定めるに当たっては、次に掲げる事項については主務省令で定める基準に従い定めるものとし、その他の事項については主務省令で定める基準を参酌するものとしたこと。（第13条第2項関係）

ア 学級の編制並びに園長、保育教諭その他の職員及びその員数

イ 保育室の床面積その他幼保連携型認定こども園の設備に関する事項であって、子どもの健全な発達に密接に関連するものとして主務省令で定めるもの

ウ 幼保連携型認定こども園の運営に関する事項であって、子どもの適切な処遇の確保及び秘密の保持並びに子どもの健全な発達に密接に関連するものとして主務省令で定めるもの。

③ 職員（第14条関係）

ⅰ) 幼保連携型認定こども園に、園長及び保育教諭を置かなければならないこととしたこと。（第14条第1項関係）

ⅱ) 幼保連携型認定こども園に、副園長、教頭、主幹保育教諭、指導保育教諭、主幹養護教諭、養護教諭、主幹栄養教諭、栄養教諭、事務職員、養護助教諭その他必要な職員を置くことができることとしたこと。（第14条第2項関係）

ⅲ) 特別の事情のあるときは、保育教諭に代えて助保育教諭又は講師を置くことができることとしたこと。（第14条第19項関係）

④ 職員の資格（第15条関係）

ⅰ) 主幹保育教諭、指導保育教諭、保育教諭及び講師（保育教諭に準ずる職務に従事するものに限る。）は、幼稚園の教諭の普通免許状を有し、かつ、保育士の登録を受けたものでなければならないこととしたこと。（第15条第1項関係）

ⅱ) 主幹養護教諭及び養護教諭は、養護教諭の普通免許状を有する者でなければならないこととしたこと。（第15条第2項関係）

ⅲ) 主幹栄養教諭及び栄養教諭は、栄養教諭の普通免許状を有する者でなければならないこととしたこと。（第15条第3項関係）

ⅳ) 助保育教諭及び講師（助保育教諭に準ずる職務に従事するものに限る。）は、幼稚園の助教諭の臨時免許状を有し、かつ、保育士の登録を受けた者でなければならないこととしたこと。（第15条第4項関係）

ⅴ) 養護助教諭は、養護助教諭の臨時免許

状を有する者でなければならないこととしたこと。（第15条第5項関係）

⑤　設置等の届出（第16条関係）

　　市町村（指定都市等を除く。）は、幼保連携型認定こども園の設置又は廃止等を行おうとするときは、あらかじめ、都道府県知事に届け出なければならないこととしたこと。

⑥　設置等の認可（第17条関係）

ⅰ）　国及び地方公共団体以外の者は、幼保連携型認定こども園の設置又は廃止等を行おうとするときは、都道府県知事又は指定都市等の長の認可を受けなければならないこととしたこと。（第17条第1項関係）

ⅱ）　都道府県知事又は指定都市等の長は、都道府県又は指定都市等が条例で定める基準に適合する施設について、その設置者が欠格事由に該当する場合及び供給過剰による需給調整が必要な場合を除き、設置の認可をすることとしたこと。（第17条第2項及び第6項関係）

ⅲ）　設置の認可に当たっては、都道府県知事は、市町村長に協議しなければならないこととしたこと。（第17条第5項関係）

⑦　報告の徴収等（第19条関係）

　　都道府県知事又は指定都市等の長は、認定こども園法を施行するため必要があると認めるときは、幼保連携型認定こども園の設置者若しくは園長に対して、必要と認める事項の報告を求め、又は当該職員に関係者に対して質問させ、若しくはその施設に立ち入り、設備、帳簿書類その他の物件を検査させることができることとしたこと。（第19条第1項関係）

⑧　改善勧告及び改善命令（第20条関係）

　　都道府県知事又は指定都市等の長は、幼保連携型認定こども園の設置者が、認定こども園法又は認定こども園法に基づく命令若しくは条例の規定に違反したときは、当該設置者に対し、必要な改善を勧告し、又は当該設置者がその勧告に従わず、かつ、園児の教育上又は保育上有害であると認められるときは、必要な改善を命ずることができることとしたこと。

⑨　事業停止命令（第21条関係）

　　都道府県知事又は指定都市等の長は、次

のいずれかに該当する場合においては、幼保連携型認定こども園の事業の停止又は施設の閉鎖を命ずることができることとしたこと。（第21条第1項関係）

ⅰ）　幼保連携型認定こども園の設置者が、認定こども園法又は認定こども園法に基づく命令若しくは条例の規定に故意に違反し、かつ、園児（幼保連携型認定こども園に在籍する子どもをいう。）の教育上又は保育上著しく有害であると認められるとき。

ⅱ）　幼保連携型認定こども園の設置者が⑧の規定による命令に違反したとき。

ⅲ）　正当な理由がないのに、6月以上休止したとき。

⑩　認可の取消し（第22条関係）

　　都道府県知事は、幼保連携型認定こども園の設置者が、認定こども園法若しくは認定こども園法に基づく命令若しくは条例の規定又はこれらに基づいてする処分に違反したときは、幼保連携型認定こども園の設置等の認可を取り消すことができることとしたこと。（第22条第1項関係）

⑪　都道府県における合議制の機関（第25条関係）

　　幼保連携型認定こども園の設置の認可等、事業の停止若しくは施設の閉鎖の命令又は設置の認可の取消しに関して調査審議するため、都道府県又は指定都市等に、条例で幼保連携型認定こども園に関する審議会その他の合議制の機関を置くものとしたこと。

　　なお、幼保連携型認定こども園に関する審議会その他の合議制の機関については、行政の適正性、公正性、専門性を確保するために置かれるものであることから、教育又は保育に係る有識者など関係者をバランスよく加えることが求められるものであること。

　　また、当該合議制の機関については、必ずしも新たな機関を置く必要はなく、都道府県又は指定都市等の実情に即して必要な条例等の整備を行った上で、既存の私立学校審議会や児童福祉審議会を活用（両審議会の合同開催等）することにより代替することや、子ども・子育て支援法第77条の規定に基づき地方版子ども・子育て会議が設

置されている場合には、その活用を図ることも可能であること。

⑫　学校教育法及び学校保健安全法の準用（第26条及び第27条関係）

幼保連携型認定こども園に関し、学校教育法及び学校保健安全法の関係規定を準用したこと。

4　公私連携幼保連携型認定こども園に関する特例（第34条関係）

待機児童対策など、増大する保育需要に効率的に対応するためには、民間法人の活力を積極的に活用することが有効であり、市町村が幼保連携型認定こども園の整備を進めていく中で、子ども・子育て支援に関する中核的な役割を担う施設を市町村が関与しつつ、民間法人に運営させようとするケースもあり、こうしたニーズに対応する枠組みとして公私連携幼保連携型認定こども園を設けたこと。公私連携幼保連携型認定こども園の具体的な仕組みは次のとおりであること。

①　市町村長は、当該市町村における保育の実施に対する需要の状況等に照らし適当であると認めるときは、公私連携幼保連携型認定こども園の運営を継続的かつ安定的に行うことができる能力を有するものであると認められるもの（学校法人及び社会福祉法人に限る。）を、その申請により、公私連携幼保連携型認定こども園の設置及び運営を目的とする法人（以下「公私連携法人」という。）として指定することができることとしたこと。（第34条第1項関係）

②　市町村長は、公私連携法人の指定をしようとするときは、あらかじめ、当該指定をしようとする法人と、次に掲げる事項を定めた協定を締結しなければならないこととしたこと。（第34条第2項関係）

ⅰ）協定の目的となる公私連携幼保連携型認定こども園の名称及び所在地

ⅱ）公私連携幼保連携型認定こども園における教育及び保育等に関する基本的事項

ⅲ）市町村による必要な設備の貸付け、譲渡その他の協力に関する基本的事項

ⅳ）協定の有効期間

ⅴ）協定に違反した場合の措置

ⅵ）その他公私連携幼保連携型認定こども園の設置及び運営に関し必要な事項

③　公私連携法人は、市町村長を経由し、都道府県知事に届け出ることにより、公私連携幼保連携型認定こども園を設置することができることとしたこと。（第34条第3項関係）

5　主務大臣（第36条関係）

主務大臣は、内閣総理大臣、文部科学大臣及び厚生労働大臣としたこと。（第36条第1項関係）

6　附則関係

(1)　施行期日（附則第1条関係）

この法律は、原則として、子ども・子育て支援法の施行の日から施行することとしたこと。

(2)　検討（附則第2条関係）

①　政府は、幼稚園の教諭の免許及び保育士の資格について、一体化を含め、その在り方について検討を加え、必要があると認めるときは、その結果に基づいて所要の措置を講ずるものとしたこと。（附則第2条第1項関係）

②　政府は、①の事項のほか、認定こども園法一部改正法の施行後5年を目途として、同法の施行の状況を勘案し、必要があると認めるときは、同法による改正後の認定こども園法の規定について検討を加え、その結果に基づいて所要の措置を講ずるものとしたこと。（附則第2条第2項関係）

(3)　幼保連携型認定こども園に関する特例（附則第3条及び第4条関係）

①　認定こども園法一部改正法の施行の際に現に存する旧幼保連携型認定こども園（認定こども園法一部改正法による改正前の就学前の子どもに関する教育、保育等の総合的な提供の推進に関する法律に基づく認定こども園で幼稚園及び保育所で構成されるものをいう。以下同じ。）については、施行日に、認定こども園法第17条第1項の幼保連携型認定こども園の設置の認可があったものとみなすこととしたこと。（附則第3条第1項関係）

②　施行日の前日において現に幼稚園を設置している者（国、地方公共団体、学校法人及び社会福祉法人を除く。）であって、一定の要件に適合するものは、当分の間、幼保連携型認定こども園を設置することができることとしたこと。（附則第4条第1項関係）

(4)　保育教諭等の資格の特例（附則第5条関係）

① 3の(3)の④のi）にかかわらず、施行日から起算して5年間は、幼稚園の教諭の普通免許状を有する者又は保育士の登録を受けた者は、保育教諭等となることができることとしたこと。（附則第5条第1項関係）

② その他必要な資格の特例規定を設けること。（附則第5条第2項及び第3項関係）

(5) 幼稚園の名称の使用制限に関する経過措置（附則第7条関係）

施行日において現に幼稚園を設置しており、かつ、当該幼稚園の名称中に幼稚園という文字を用いている者が、当該幼稚園を廃止して幼保連携型認定こども園を設置した場合には、学校教育法第135条第1項の規定にかかわらず、当該幼保連携型認定こども園の名称中に引き続き幼稚園という文字を用いることができることとしたこと。

なお、幼保連携型認定こども園がその名称中に「幼稚園」の文言を使用する場合は、当該施設が幼保連携型認定こども園である旨を募集要項や入園説明会等において明確に示すなど、利用者の無用な混乱を招かないよう十分配慮すること。

7 その他の留意事項

(1) 今回の制度改正により、認定こども園に係る制度上の充実が図られたことを踏まえ、各地方公共団体においては、認定こども園の一層の普及促進に努められたいこと。

認定こども園の普及促進に当たっては、「認定こども園制度の普及促進について」（平成21年3月31日文部科学省初等中等教育局長、厚生労働省雇用均等・児童家庭局長通知）も併せて参照されたいこと。なお、同通知の記1(2)に係る制度改正後の取扱いについては、今回の制度改正により認定こども園の認定が施設型給付の前提となることを踏まえ、需要を超えた供給による質の低下や市町村子ども・子育て支援事業計画の達成に支障が生ずる事態を防ぐ観点から需給調整の規定を設けるとともに、客観的な基準、要件を満たす施設は原則認定する（2の(1)及び3の(3)の⑥参照）こととし、より効果的に認定手続きの明確化、透明化が図られるよう規定を整備していることに留意すること。

(2) 旧幼保連携型認定こども園は、幼稚園と保育所のそれぞれの設置認可を基礎として、双方の機能を併せ持つものについて認定を行う

ものであり、異なる法人が設置する両施設が連携し、一体となって運営することで、全体として1つの認定こども園として認定を受けているものもあるが、新幼保連携型認定こども園（認定こども園法一部改正法による改正後の幼保連携型認定こども園をいう。以下同じ。）は学校教育と保育を一体的に行う単一の施設として制度化するものであり、単一の設置主体によって運営される必要があること。

このため、施行日までの間において旧幼保連携型認定こども園の認定を新たに行う場合においては、新幼保連携型認定こども園への移行を見据えて、単一の設置主体によって設置されるものとするようお願いしたいこと。この取扱いにより対応しがたい場合には、第3の2に示す内閣府の統一窓口まで個別に相談されたいこと。

なお、現に複数の法人が設置する両施設が一体的に運営されている旧幼保連携型認定こども園については、改正後の制度施行までに単一の設置主体により設置することができるよう、内閣府、文部科学省及び厚生労働省において、法人間の財産の承継等の取扱い等について整理し、別途通知することとしており、各都道府県においてもその内容を踏まえ設置者からの相談に適切に応じていただくよう協力をお願いしたいこと。

(3) 幼保連携型認定こども園における保育教諭は、幼稚園の教諭の普通免許状を有し、かつ、保育士の登録を受けたものでなければならないものとしたことから、有する幼稚園教諭の普通免許状に基づき教員免許更新制が適用されることとなる。このため、各都道府県教育委員会及び幼保連携型認定こども園の設置者においては、保育教諭が円滑に免許状更新講習を受講し、及び都道府県教育委員会に必要な手続きを行うことができるよう必要な周知及び対応の準備をお願いしたいこと。なお、教員免許更新制の適用に係る具体的な手続きや留意事項については、別途周知する予定であること。

第3 整備法関係

1 改正の概要

子ども・子育て支援法及び認定こども園法一部改正法の施行に伴い、関係法律の規定の整備をするとともに、所要の経過措置を定めたこと。

(1) 児童福祉法の一部改正に関する事項

子ども・子育て支援法の制定及び就学前の
子どもに関する教育、保育等の総合的な提供
の推進に関する法律の一部改正に伴い、児童
福祉法に規定する保育の実施のあり方や、各
種事業の定義・規制などについて所要の改正
を行ったこと。
(2)　改正後の幼保連携型認定こども園に関する
事項
　　次の方針に従い、ⅰ) 及びⅱ) の関係法律の整
備を行ったこと。
①　「幼保連携型認定こども園」は、教育基
本法に基づく「学校」、「児童福祉施設」(児
童福祉法第7条の改正) 及び「第二種社会
福祉事業」(社会福祉法第2条の改正) に
位置づけられることとしたことに伴い、各
種法律において単に「学校」、「児童福祉施
設」又は「社会福祉事業」と規定されてい
る場合は、特段の改正をすることなく、こ
こに「幼保連携型認定こども園」が含まれ
ることになること。このため、「学校（幼
稚園）」と「児童福祉施設（保育所）」の両
方が規定されており、それぞれの法律上の
効果が同じである場合には、どちらに「幼
保連携型認定こども園」が含まれているの
か明らかにする必要がないため、特段の規
定の整備をしていないこと。
②　「学校（幼稚園）」と「児童福祉施設（保
育所）」のそれぞれの法律上の効果が異な
る場合には、どちらに「幼保連携型認定こ
ども園」が含まれるのか明らかにするため
に、所要の規定の整備をしたこと。
③　法律の趣旨からは学校である幼保連携型
認定こども園にも適用されるべき規定であ
るが、規定上の「学校」の定義が「学校教
育法に定める学校」に限定されていること
により「幼保連携型認定こども園」に適用
されないこととなる場合には、「学校」の
定義として「学校教育法に定める学校」に
加えて「幼保連携型認定こども園」を規定
する等の改正を行ったこと。
ⅰ)　幼保連携型認定こども園が「児童福祉施
設（保育所）」と「学校（幼稚園）」のどち
らに含まれるか明確化するための改正等
（前記②）
・旅館業法（昭和23年法律第138号）の一
部改正
・建築基準法（昭和25年法律第201号）の

一部改正
・水源地域対策特別措置法（昭和48年法律
第118号）の一部改正
・過疎地域自立促進特別措置法（平成12年
法律第15号）の一部改正
ⅱ)　「学校」の定義に幼保連携型認定こども
園を加えることに伴う改正等（前記③）
・地方自治法（昭和22年法律第67号）の一
部改正
・教育公務員特例法（昭和24年法律第1号）
の一部改正
・教育職員免許法（昭和24年法律第147号）
の一部改正
・社会教育法（昭和24年法律第207号）の
一部改正
・私立学校法（昭和24年法律第270号）の
一部改正
・学校施設の確保に関する政令（昭和24年
政令第34号）の一部改正
・公職選挙法（昭和25年法律第100号）の
一部改正
・地方公務員法（昭和25年法律第261号）
の一部改正
・社会福祉法（昭和26年法律第45号）の一
部改正
・国有財産特別措置法（昭和27年法律第
219号）の一部改正
・私立学校教職員共済法（昭和28年法律第
245号）の一部改正
・女子教職員の出産に際しての補助教職員
の確保に関する法律（昭和30年法律第
125号）の一部改正
・地方教育行政の組織及び運営に関する法
律（昭和31年法律第162号）の一部改正
・公立の学校の事務職員の休職の特例に関
する法律（昭和32年法律第117号）の一
部改正
・道路交通法（昭和35年法律第105号）の
一部改正
・社会福祉施設職員等退職手当共済法（昭
和36年法律第155号）の一部改正
・激甚災害に対処するための特別の財政援
助等に関する法律（昭和37年法律第150
号）の一部改正
・登録免許税法（昭和42年法律第35号）の
一部改正
・沖縄振興開発金融公庫法（昭和47年法律

第31号）の一部改正
- 私立学校振興助成法（昭和50年法律第61号）の一部改正
- 日本私立学校振興・共済事業団法（平成9年法律第48号）の一部改正
- 独立行政法人日本スポーツ振興センター法（平成14年法律第162号）の一部改正
- 構造改革特別区域法（平成14年法律第189号）の一部改正
- 国立大学法人法（平成15年法律第112号）の一部改正
- 日本国憲法の改正手続に関する法律（平成19年法律第51号）の一部改正
- ＰＴＡ・青少年教育団体共済法（平成22年法律第42号）の一部改正
- スポーツ基本法（平成23年法律第78号）の一部改正
- 文部科学省設置法（平成11年法律第96号）の一部改正

(3) 略

2　主な改正内容及び留意事項

上記関係法律のうち、主な改正内容や留意事項は以下の通り。

(1)　児童福祉法の一部改正関係

①〜⑧　略

⑨　幼保連携型認定こども園について（第7条及び第39条の2関係）

ⅰ)　幼保連携型認定こども園は、義務教育及びその後の教育の基礎を培うものとしての満3歳以上の幼児に対する教育（教育基本法第6条第1項に規定する法律に定める学校において行われる教育をいう。）及び保育を必要とする乳児・幼児に対する保育を一体的に行い、これらの乳児又は幼児の健やかな成長が図られるよう適当な環境を与えて、その心身の発達を助長することを目的とする施設とすることとしたこと。（第39条の2第1項関係）

ⅱ)　幼保連携型認定こども園を児童福祉施設に位置付けることとしたこと。（第7条関係）

ⅲ)　幼保連携型認定こども園に関しては、児童福祉法に定めるもののほか、認定こども園法の定めるところによることとしたこと。（第39条の2第2項関係）

⑩　費用について（第50条から第56条まで関

係）

ⅰ)〜ⅴ)　略

ⅵ)　保育所又は幼保連携型認定こども園の設置者が、乳児又は幼児の保護者から、善良な管理者と同一の注意をもって、当該保護者が当該保育所又は幼保連携型認定こども園に支払うべき金額に相当する金額の支払を受けることに努めたにもかかわらず、なお当該保護者が当該金額の全部又は一部を支払わない場合において、当該保育所又は幼保連携型認定こども園における保育に支障が生じ、又は生ずるおそれがあり、かつ、市町村が必要であると認めるときは、市町村は、当該設置者の請求に基づき、地方税の滞納処分の例によりこれを処分することができることとしたこと。（第56条第11項関係）

ⅶ)　略

⑪〜⑯　略

(2)　略

(3)　教育公務員特例法の一部改正関係

①　公立の幼保連携型認定こども園について、地方教育行政の組織及び運営に関する法律の一部改正（⑩参照）により、地方公共団体の長が所管することとされたことに伴い、その園長及び教員の任命権者も地方公共団体の長となること。なお、地方公共団体の長が第21条、第23条、第24条及び第25条の2並びに附則第4条、第5条及び第6条に規定する各種研修を実施するに当たっては、学校教育に関する専門的知見を有する教育委員会など関係機関・団体等と連携・協力等により、研修の充実に努められたいこと。

②　公立の幼保連携型認定こども園の保育教諭等に対する初任者研修及び10年経験者研修については、幼稚園と同様、指定都市以外の市町村にあっては当該市町村を包括する都道府県の知事が実施する等の特例が設けられていること。（附則第4条及び第5条関係）

③　この他、公立の幼保連携型認定こども園の園長及び教員等について、教育公務員特例法の諸規定の適用（兼職及び他の事業等の従事、教育公務員の政治的行為の制限など）があることに留意されたいこと。（第17条及び第18条等関係）

　(4)　教育職員免許法の一部改正関係

　　①　幼保連携型認定こども園の教員の免許については、認定こども園法の定めるところによるとしたこと。(第3条関係)

　　②　認定こども園法一部改正法の施行の日から5年を経過するまでの間は、保育士登録をしている者であって文部科学省令で定める基礎資格を有するものに対して、教育職員免許法第6条第1項による教育職員検定により幼稚園教諭の一種免許状又は二種免許状を授与する場合の学力及び実務の検定の特例を設けることとしたこと。(附則第19項関係)

　　③　教育職員検定により上位の教諭の免許状の授与を受ける場合等に求められる実務の検定における最低在職年数として、幼保連携型認定こども園における在職年数も含まれることとしたこと。(別表第3、別表第7及び別表第8関係)

　(5)　私立学校法の一部改正関係

　　学校法人以外の者に対する私立学校法の適用関係を定めている附則第12項において、当分の間、同項の「私立学校」に、認定こども園法一部改正法附則第3条第2項に規定するみなし幼保連携型認定こども園(以下単に「みなし幼保連携型認定こども園」という。)、同法附則第4条第1項の規定により設置される幼保連携型認定こども園(以下単に「特例設置幼保連携型認定こども園」という。)及び社会福祉法人立の幼保連携型認定こども園を含むこととしたこと。また、それらの設置者を、第59条(助成)に定める「学校法人」に含むこととしたこと。(附則第12項関係)

　(6)　略

　(7)　社会福祉法の一部改正関係

　　児童福祉法及び認定こども園法の一部改正に伴い、児童福祉法に規定する小規模保育事業、病児保育事業及び子育て援助活動支援事業並びに就学前の子どもに関する教育、保育等の総合的な提供の推進に関する法律に規定する幼保連携型認定こども園を経営する事業を第二種社会福祉事業に追加することとしたこと。(第2条第3項関係)

　(8)～(16)　略

　(17)　私立学校振興助成法の一部改正関係

　　①　私立学校振興助成法第3条、第9条、第10条及び第12条～第15条における「学校法

人」には、当分の間、みなし幼保連携型認定こども園を設置する者、特例設置幼保連携型認定こども園を設置する者及び社会福祉法人立幼保連携型認定こども園を設置する者を加えたこと。(附則第2条及び第2条の2関係)

　　②　これにより、幼保連携型認定こども園を設置する社会福祉法人については、私立学校振興助成法の規定に基づき補助金の交付を受けることができることとしており、5年以内の学校法人化措置は要しないこと。

　　③　新制度における私学助成の補助対象経費などの具体的な取扱いについては、別途通知する予定であること。

　(18)～(22)　略

　3　施行期日

　　この法律は、子ども・子育て支援法の施行の日から施行することとしたこと。ただし、次に掲げる規定は、当該各号に定める日から施行すること。

　　2の(22)の①　平成25年4月1日

　　2の(22)の②　公布の日から起算して2年6月を超えない範囲内において政令で定める日

第三　その他の留意事項

　1　新制度における事務の一元的実施体制の整備等

　　行政窓口の一本化等関係機関の連携については、「認定こども園制度の普及促進について」(平成21年3月31日20文科初第8100号・雇児発第0331017号文部科学省初等中等教育局長・厚生労働省雇用均等・児童家庭局長通知)においてお願いしているところであるが、幼保連携型認定こども園について認可・指導監督が一本化されることや、認定こども園、幼稚園及び保育所を通じた共通の給付(「施設型給付」)が創設されること等を踏まえ、子ども・子育て支援法及び改正後の認定こども園法に基づく事務を一元的に実施するため、認定こども園、幼稚園及び保育所等の担当部局を一元化するなど、円滑な事務の実施が可能な体制を整備されたいこと(ただし、教育委員会の独立性確保の観点から、公立幼稚園に関する教育委員会の権限自体は移管できないことに留意いただきたい)。また、指定都市及び中核市が教育に関する事務を行うに当たっては、都道府県との連携にも配慮されたいこと。

　2　問い合わせ窓口等

　　本通知の記載内容に関する照会は、内閣府政策

統括官（共生社会政策担当）付参事官（少子化対策担当）付まで連絡されたいこと。

なお、内閣府においては、前記の法律の施行の準備等を行うため、今後速やかに「子ども・子育て支援新制度準備室（仮称）」を設置することとしている。

○就学前の子どもに関する教育、保育等の総合的な提供の推進に関する法律施行令の公布について

平成26年6月4日　府政共生第455号・26文科初第327号・雇児発0604第1号
各都道府県知事・各都道府県教育委員会・各指定都市市長・各中核市市長・各指定都市・各中核市教育委員会・附属幼稚園を置く各国立大学法人の長宛　内閣府政策統括官（共生社会政策担当）・文部科学省初等中等教育・厚生労働省雇用均等・児童家庭局長連名通知

このたび、就学前の子どもに関する教育、保育等の総合的な提供の推進に関する法律の一部を改正する法律（平成24年法律第66号。以下「一部改正法」という。）による改正後の就学前の子どもに関する教育、保育等の総合的な提供の推進に関する法律（平成18年法律第77号。以下「新法」という。）の規定等に基づき、就学前の子どもに関する教育、保育等の総合的な提供の推進に関する法律施行令（平成26年政令第203号。以下「施行令」という。）を制定し、本日公布いたしました。条文等の関係資料は、内閣府の子ども・子育て支援新制度ホームページに掲載しておりますので、御参照ください。

施行令の内容は下記のとおりですので、各都道府県知事、各指定都市・中核市市長におかれては、十分御了知の上、貴管内の関係者に対して遅滞なく周知し、教育委員会等の関係部局と連携の上、その運用に遺漏のないよう配意願います。

なお、本通知は、地方自治法（昭和22年法律第67号）第245条の4第1項の規定に基づく技術的助言であることを申し添えます。

記

1　認定こども園の認定又は認可の申請者の欠格事由関係（第1条から第3条まで関係）

(1)　認定こども園の認定又は認可の申請者の欠格事由となる国民の福祉又は学校教育に関する法律（第1条関係）

新法第3条第5項第4号において幼保連携型認定こども園以外の認定こども園の認定の申請者の欠格事由が、新法第17条第2項において幼保連携型認定こども園の認可の申請者の欠格事由が規定されており、その欠格事由の一つとして、申請者が、国民の福祉又は学校教育に関する法律で政令で定めるものの規定により罰金刑に処せられ、その執行を終わり、又は執行を受けることがなくな

るまでの者であるときと規定されている（新法第3条第5項第4号ロ及び第17条第2項第1号）。この政令で定める法律として、以下のものを定めることとしたこと。

・学校教育法（昭和22年法律第26号）
・児童福祉法（昭和22年法律第164号）
・教育職員免許法（昭和24年法律第147号）
・生活保護法（昭和25年法律第144号）
・社会福祉士及び介護福祉士法（昭和62年法律第30号）
・介護保険法（平成9年法律第123号）
・児童買春、児童ポルノに係る行為等の処罰及び児童の保護等に関する法律（平成11年法律第52号）
・児童虐待の防止等に関する法律（平成12年法律第82号）
・障害者の日常生活及び社会生活を総合的に支援するための法律（平成17年法律第123号）
・障害者虐待の防止、障害者の養護者に対する支援等に関する法律（平成23年法律第79号）
・子ども・子育て支援法（平成24年法律第65号）

(2)　認定こども園の認定又は認可の申請者の欠格事由となる労働に関する法律の規定（第2条関係）

(1)と同様に、認定こども園の認定又は認可の申請者の欠格事由の一つとして、申請者が、労働に関する法律の規定であって政令で定めるものにより罰金刑に処せられ、その執行を終わり、又は執行を受けることがなくなるまでの者であるときと規定されている（新法第3条第5項第4号ロ及び第17条第2項第1号）。この政令で定める労働に関する法律の規定として、以下のものを定めることとしたこと。

・労働基準法（昭和22年法律第49号）第117条、第118条第1項（同法第6条及び第56条の規定

に係る部分に限る。）、第119条（同法第16条、第17条、第18条第1項及び第37条の規定に係る部分に限る。）及び第120条（同法第18条第7項及び第23条から第27条までの規定に係る部分に限る。）の規定並びにこれらの規定に係る同法第121条の規定（これらの規定が労働者派遣事業の適正な運営の確保及び派遣労働者の保護等に関する法律（昭和60年法律第88号）第44条（第4項を除く。）の規定により適用される場合を含む。）

- ・最低賃金法（昭和34年法律第137号）第40条の規定及び同条の規定に係る同法第42条の規定
- ・賃金の支払の確保等に関する法律（昭和51年法律第34号）第18条の規定及び同条の規定に係る同法第20条の規定

(3)　認定こども園の認定を取り消された場合に欠格となる使用人（第3条関係）

　　　新法第3条第5項第4号ニにおいて幼保連携型認定こども園以外の認定こども園の認定の申請者の欠格事由として、新法第7条第1項の規定により認定を取り消され、その取消しの日から起算して5年を経過しない者であるときと規定されており、当該認定を取り消された者が法人である場合においては、当該取消しの処分に係る行政手続法（平成5年法律第88号）第15条の規定による通知があった日前60日以内に当該法人の役員又はその事業を管理する者その他政令で定める使用人であった者で当該取消しの日から起算して5年を経過しないものを含むこととされている。この政令で定める法律として、新法第3条第1項又は第3項の認定を受けた施設（幼保連携型認定こども園以外の認定こども園）に係る事業を管理する者を定めることとしたこと（※事業を管理する者とは、認定こども園の長のことを指す。）。

　　　なお、認定こども園の類型を変更するような場合については、新法第7条第1項の規定による認定の取消しではなく、事業者の申出に応じて、認定の効力を将来に向けて失わせ、変更後の類型の認定を行うものとすること（このことにより、認定こども園の類型の変更は、新法第3条第5項第4号の規定による認定の申請者の欠格事由には該当しないこととなる）。

2　学校教育法及び学校保健安全法の技術的読替え及び学校保健安全法施行令の準用関係（第4条から第7条まで関係）

(1)　学校教育法及び学校保健安全法の技術的読替え（第4条及び第5条関係）

　　　新法第26条において学校教育法第5条、第6条本文、第7条、第9条、第81条第1項及び第137条の規定を、新法第27条において学校保健安全法（昭和33年法律第56号）第3条から第10条まで、第13条から第21条まで、第23条及び第26条から第31条までの規定を幼保連携型認定こども園について準用することとされており、これらの規定中「校長」とあるのは「園長」と、「児童生徒等」とあるのは「園児」とする等の技術的読替えをするものとすること。

(2)　学校保健安全法施行令の準用（第6条及び第7条関係）

　　　新法第27条において準用する学校保健安全法第18条及び第19条の規定に基づく政令委任事項として、学校保健安全法施行令（昭和33年政令第174号）第5条から第7条までの規定について、必要な読替えを行った上で準用することとしたこと。

3　幼保連携型認定こども園廃止後の書類の保存関係（第8条関係）

　　子ども・子育て会議で取りまとめられた「幼保連携型認定こども園の認可基準について」（平成25年12月26日）において、幼稚園幼児指導要録や保育所児童保育要録、認定こども園こども要録に倣い、幼保連携型認定こども園の園児についても園児要録（仮称）を作成することとされたことから、幼稚園を含む学校に係る規定として整備されている学校廃止後の書類の保存の規定（学校教育法施行令（昭和28年政令第340号）第31条）と同様に、公立の幼保連携型認定こども園が廃止されたときは当該幼保連携型認定こども園を設置していた地方公共団体の長が、私立の幼保連携型認定こども園が廃止されたときは当該幼保連携型認定こども園の認可権者となっている都道府県知事（指定都市又は中核市（以下「指定都市等」という）の区域内に所在する幼保連携型認定こども園については、当該指定都市等の長）が、それぞれ当該幼保連携型認定こども園に在籍し、又はこれを卒園した者の学習及び健康の状況を記録した書類（園児要録（仮称））を保存しなければならないこととしたこと。

※本条の主務省令で定めるものとして保存期間等を想定しており、就学前の子どもに関する教育、保育等の総合的な提供の推進に関する法律施行規則（平成18年文部科学省・厚生労働省令第3号）を改正して盛り込む予定。

4　附則関係

(1)　施行期日（附則第1項関係）

　　　一部改正法の施行の日から施行することとした

こと。

(2) 個人立幼保連携型認定こども園の設置に係る特例における認可の申請者の欠格事由となる国民の福祉又は学校教育に関する法律(附則第2項関係)

一部改正法附則第4条第1項の規定により、一部改正法の施行日の前日において現に存する幼稚園を設置している個人が、幼保連携型認定こども園を設置しようとする場合、同条第2項の規定により、新法第17条第2項の規定を読み替えて適用することとされている。この規定による読替え後の新法第17条第2項第1号の2の政令で定める国民の福祉又は学校教育に関する法律は、施行令第1条に掲げる法律とすることとしたこと。

5 その他の留意事項

(1) 一部改正法附則第3条第1項の規定により、新法第17条第1項の設置の認可があったものとみなされた旧幼保連携型認定こども園(一部改正法による改正前の就学前の子どもに関する教育、保育等の総合的な提供の推進に関する法律に基づく認定こども園で幼稚園及び保育所で構成されるもの)を構成する幼稚園及び保育所の設置の認可は、一部改正法の施行に伴い、当然に失効するものであるから、学校教育法第4条第1項の規定による幼稚園の廃止の認可及び子ども・子育て支援法及び就学前の子どもに関する教育、保育等の総合的な提供の推進に関する法律の一部を改正する法律

の施行に伴う関係法律の整備等に関する法律(平成24年法律第67号)による改正後の児童福祉法第35条第12項の規定による保育所の廃止の承認は不要であること。

ただし、新法第17条第1項の設置の認可の際、認可証などの幼保連携型認定こども園であることを証明する書類を事業者に対して交付する取扱いとする場合、一部改正法附則第3条第1項の規定により、新法第17条第1項の設置の認可があったものとみなされた旧幼保連携型認定こども園についても、当該書類を事業者に対して交付する取扱いとすること。

(2) 一部改正法附則第7条の幼稚園の名称の使用制限に関する経過措置については、同条の規定に基づき、一部改正法の施行日以後、幼稚園を廃止して幼保連携型認定こども園を設置する場合はもちろんのこと、一部改正法附則第3条第1項の規定により、新法第17条第1項の設置の認可があったものとみなされた旧幼保連携型認定こども園を構成していた幼稚園についても適用されるものであること。

[参考] 内閣府 子ども・子育て支援新制度ホームページ
http://www8.cao.go.jp/shoushi/shinseido/law/index.html

○就学前の子どもに関する教育、保育等の総合的な提供の推進に関する法律施行規則の公布について

平成26年7月2日 府政共生第569号・26文科初第437号・雇児発0702第1号
各都道府県知事・各都道府県教育委員会・各指定都市市長・各中核市市長・各指定都市・各中核市教育委員会・附属幼稚園を置く各国立大学法人の長宛 内閣府政策統括官（共生社会政策担当）・文部科学省初等中等教育・厚生労働省雇用均等・児童家庭局長連名通知

このたび、就学前の子どもに関する教育、保育等の総合的な提供の推進に関する法律（平成18年法律第77号。以下「法」という。）、就学前の子どもに関する教育、保育等の総合的な提供の推進に関する法律の一部を改正する法律（平成24年法律第66号。以下「一部改正法」という。）及び就学前の子どもに関する教育、保育等の総合的な提供の推進に関する法律施行令（平成26年政令第203号。以下「施行令」という。）の規定に基づき、就学前の子どもに関する教育、保育等の総合的な提供の推進に関する法律施行規則（平成18年文部科学省・厚生労働省令第3号。以下「旧施行規則」という。）の全部を改正し、就学前の子どもに関する教育、保育等の総合的な提供の推進に関する法律施行規則（平成26年内閣府・文部科学省・厚生労働省令第2号。以下「新施行規則」という。）として本日公布いたしました。条文等の関係資料は、内閣府の子ども・子育て支援新制度ホームページに掲載しておりますので、御参照ください。

新施行規則の内容は下記のとおりですので、各都道府県知事、各指定都市・中核市市長におかれては、十分御了知の上、貴管内の関係者に対して遅滞なく周知し、教育委員会等の関係部局と連携の上、その運用に遺漏のないよう配意願います。

なお、本通知は、地方自治法（昭和22年法律第67号）第245条の4第1項の規定に基づく技術的助言であることを申し添えます。

記

1 総則（第1条から第3条まで関係）
(1) 保育機能施設に含まれない施設（第1条関係）
　法における用語の定義として「保育機能施設」とは、児童福祉法（昭和22年法律第164号）第59条第1項に規定する施設のうち同法第39条第1項に規定する業務を目的とするものをいうが、以下の施設は含まれないこと。なお、新施行規則第1条においては、子ども・子育て支援法及び就学前の子どもに関する教育、保育等の総合的な提供の推進に関する法律の一部を改正する法律の施行に伴う関係法律の整備等に関する法律（平成24年法律第67号。以下「整備法」という。）による改正後の児童福祉法の規定ぶりを踏まえ、所要の改正をしているが、内容については旧施行規則第1条と同様である。
① 1日に保育する子どもの数が5人以下の小規模施設
② 事業所内保育施設
③ 事業者が顧客のために設置する施設
④ 親族間の預かり合い
⑤ 半年を限度に臨時に設置される施設
(2) 子育て支援事業（第2条関係）
　法における「子育て支援事業」とは、以下の事業をいうものであること（なお、第2条においては、整備法による改正後の児童福祉法の規定ぶりを踏まえ、所要の改正をしているが、内容については旧施行規則第2条と同様である）。
① 親子が相互の交流を行う場所を開設する等により、子育てに関する保護者からの相談に応じ、必要な情報の提供等の援助を行う事業
② 家庭に職員を派遣し、子育てに関する保護者からの相談に応じ、必要な情報の提供等の援助を行う事業
③ 保護者の疾病等の理由により、家庭において保育されることが一時的に困難となった子どもにつき、認定こども園又はその居宅において保護を行う事業
④ 子育て支援を希望する保護者と、子育て支援を実施する者との間の連絡及び調整を行う事業
⑤ 地域の子育て支援を行う者に対する必要な情報の提供及び助言を行う事業
　また、認定こども園では、幼保連携型認定こども園も含め、これらの子育て支援事業のうち、地域における教育及び保育の需要に照らして必要と認められるものを行う必要があるが、実施に当たっては、以下の事項に留意して実施されたい。
・ 単に保護者の育児を代わって行うのではなく、教育及び保育に関する専門性を十分に活用し、子育て相談や親子の集いの場の提供等

の保護者への支援を通して保護者自身の子育て力の向上を積極的に支援すること。また、子育て世帯からの相談を待つだけでなく、認定こども園から地域の子育て世帯に対して働きかけていくような取組も有意義であること。

・　子育て支援事業としては、子育て相談や親子の集いの場の提供、家庭における養育が一時的に困難となった子どもの保護等多様な事業が考えられるが、例えば子育て相談や親子の集う場を週３日以上開設する等保護者が利用を希望するときに利用可能な体制を確保すること。

・　子どもの教育及び保育に従事する者が研修等により子育て支援に必要な能力を涵養し、その専門性と資質を向上させていくとともに、地域の子育てを支援するボランティア、ＮＰＯ、専門機関等と連携する等様々な地域の人材や社会資源を活かしていくこと。

2　幼保連携型認定こども園以外の認定こども園の認定等（第３条から第９条まで関係）

(1)　幼保連携型認定こども園以外の認定こども園の認定権者（第３条関係）

　　認定こども園は、教育及び保育を一体的に提供する機能を備える施設であることから、幼保連携型認定こども園以外の認定こども園の認定は、地方公共団体において教育及び保育の双方を統括する都道府県知事が行うことを原則としていること。ただし、以下の場合には、教育及び保育の双方を教育委員会が統括していると考えられることから、都道府県の教育委員会が認定その他の法に基づく都道府県知事の権限を行うものであること。なお、この取扱いについては、旧施行規則第３条と同様である。

①　保育所に係る認可その他の処分をする権限に係る事務を都道府県の教育委員会に委任している場合

②　保育所に係る認可その他の処分をする権限に係る事務を都道府県の教育委員会の職員が補助執行していることその他の当該都道府県における幼稚園及び保育所に関する事務の執行等の状況に照らして当該都道府県の教育委員会が幼保連携型認定こども園以外の認定こども園の認定を行うことが適当と認めてその旨を定めた場合

(2)　幼保連携型認定こども園以外の認定こども園の認定の申請者の欠格事由とならない認定の取消しと認められるもの（第４条関係）

　　法第３条第５項第４号ニにおいて幼保連携型認定こども園以外の認定こども園の認定の申請者の欠格事由として、法第７条第１項の規定により認定を取り消され、その取消しの日から起算して５年を経過しない者であるときと規定されているが、当該認定の取消しが、認定こども園の認定の取消しのうち当該認定の取消しの処分の理由となった事実及び当該事実の発生を防止するための当該認定こども園の設置者による業務管理体制の整備についての取組の状況その他の当該事実に関して当該認定こども園の設置者が有していた責任の程度を考慮して、ニ本文に規定する認定の取消しに該当しないこととすることが相当であると認められるものとして主務省令で定めるものに該当する場合を除くこととされている。この主務省令として定める場合として、都道府県知事（認定こども園の認定を都道府県の教育委員会が行う場合にあっては、都道府県の教育委員会）が、法第30条第２項その他の規定による報告等の権限を適切に行使し、当該認定の取消しの処分の理由となった事実及び当該事実の発生を防止するための当該認定こども園の設置者による業務管理体制の整備についての取組の状況その他の当該事実に関して当該認定こども園が有していた責任の程度を確認した結果、当該認定こども園の設置者が当該認定の取消しの理由となった事実について組織的に関与していると認められない場合に係るものとしたこと（法第３条第５項第４号ホただし書においても同様）。なお、ここでいう組織的関与とは、役員等からのメール、電話等による指示などに基づくものであると認められるものをいう。

(3)　幼保連携型認定こども園以外の認定こども園の認定の申請者の欠格事由となる認定の取消しを受けた申請者と密接な関係を有する者（第５条関係）

　　法第３条第５項第４号ホにおいて幼保連携型認定こども園以外の認定こども園の認定の申請者の欠格事由として、申請者と密接な関係を有する者が法第７条第１項の規定により認定を取り消され、その取消しの日から起算して５年を経過しない者であるときと規定されている。その申請者と密接な関係を有する者として、

①　申請者の親会社等であって、以下に該当する者

・申請者の役員に占めるその役員の割合が２分の１を超える者

・申請者（株式会社である場合に限る。）の議決権の過半数を所有している者

・申請者（持分会社である場合に限る。）の資

本金の過半数を出資している者

・申請者の事業の方針の決定に関して、これらの者と同等以上の支配力を有すると認められる者

② 申請者の親会社等がその事業を実質的に支配し、又はその事業に重要な影響を与える関係にある者であって、以下に該当する者

・申請者の親会社等の役員と同一の者がその役員に占める割合が2分の1を超える者

・申請者の親会社等（株式会社である場合に限る。）が議決権の過半数を所有している者

・申請者の親会社等（持分会社である場合に限る。）が資本金の過半数を出資している者

・事業の方針の決定に関する申請者の親会社等の支配力がこれらの者と同等以上と認められる者

③ 申請者がその事業を実質的に支配し、又はその事業に重要な影響を与える関係にある者であって、以下に該当する者

・申請者の役員と同一の者がその役員に占める割合が2分の1を超える者

・申請者（株式会社である場合に限る。）が議決権の過半数を所有している者

・申請者（持分会社である場合に限る。）が資本金の過半数を出資している者

・事業の方針の決定に関する申請者の支配力がこれらの者と同等以上と認められる者

のいずれかであって、申請者の重要な事項に係る意思決定に関与し、又は申請者若しくは申請者の親会社等が重要な事項に係る意思決定に関与している者であり、かつ、認定こども園の設置者であることとしたこと。なお、ここでいう「重要な事項に係る意思決定に関与」とは、例えば、取締役会に出席し、賛否を表明している場合等が考えられること。

(4) 幼保連携型認定こども園以外の認定こども園の認定の協議手続（第6条関係）

都道府県知事が幼保連携型認定こども園以外の認定こども園の認定をしようとするときは、法第3条第6項の規定により、当該認定に係る施設が所在する市町村の長に協議することとなるが、その際の手続として、法第4条第1項各号に掲げる事項を記載した書類を市町村の長に提出してするものとしたこと。

(5) 幼保連携型認定こども園以外の認定こども園の認定をしないことができる場合（第7条関係）

法第3条第7項に規定されているとおり、認定

の申請があったときは、都道府県が条例で定める要件に適合しており、かつ、その申請者が同条第5項各号に掲げる基準に該当すると認めるときは、認定をするものとされ、認定をすることによって都道府県子ども・子育て支援事業支援計画（以下「都道府県計画」という。）の達成に支障を生ずるおそれがある場合として主務省令で定める場合に限り、例外的に認定をしないことができることとされている。

この例外的に認定をしないことができるのは、

① 子ども・子育て支援法（平成24年法律第65号）第19条第1項第1号に掲げる子どもについて、供給量である都道府県計画において定める区域における特定教育・保育施設（市町村子ども・子育て支援計画（以下「市町村計画」という。）に基づき整備をしようとするものを含む。）の利用定員（子ども・子育て支援法第27条第1項の確認に係る利用定員をいう。以下(5)中において同じ。）の総数（認定こども園の認定の申請に係る施設の事業の開始を予定する日の属する事業年度（以下「申請施設事業開始年度」という。）に係るものに限る。）及び特定教育・保育施設以外の幼稚園の収容定員の総数（申請施設事業開始年度に係るものをいい、当該特定教育・保育施設以外の幼稚園に在籍している幼児の総数が当該収容定員の総数に満たない場合にあっては、当該在籍している幼児の総数を勘案して都道府県知事が定める数とする）の合計数が、需要量である都道府県計画において定める当該区域の特定教育・保育施設の必要利用定員総数に既に達しているか、又は認定をすることによってこれを超えることになると認める場合（第1項第1号）

② 子ども・子育て支援法第19条第1項第2号に掲げる子どもについて、供給量である都道府県計画において定める区域における特定教育・保育施設（市町村計画に基づき整備をしようとするものを含む。）の利用定員の総数（申請施設事業開始年度に係るものに限る。）が、需要量である都道府県計画において定める当該区域の特定教育・保育施設の必要利用定員総数に既に達しているか、又は認定をすることによってこれを超えることになると認める場合（第1項第2号）

③ 子ども・子育て支援法第19条第1項第3号に掲げる子どもについて、供給量である都道府県計画において定める区域における特定教育・保

育施設及び特定地域型保育事業所（市町村計画に基づき整備をしようとするものを含み、特定地域型保育事業所のうち事業所内保育事業所にあっては労働者等の監護する子どもに係る部分を除く。）の利用定員（の総数（申請施設事業開始年度に係るものに限る。）が、需要量である都道府県計画において定める当該区域の特定教育・保育施設及び特定地域型保育事業所の必要利用定員総数に既に達しているか、又は認定をすることによってこれを超えることになると認める場合（第1項第3号）
としたこと。

さらに、既設の保育所又は幼稚園が幼保連携型認定こども園以外の認定こども園に移行しようとする場合には、需要量である必要利用定員総数に、都道府県計画において定める区域において実施しようとする教育又は保育の提供体制の確保に必要な数（以下「都道府県計画で定める数」という。）を加えた上で、①～③を適用するものとしたこと（第2項）。

したがって、保育所又は幼稚園が認定こども園に移行しようとする場合の認定申請については、当該認定をすることによって需要量である必要利用定員総数に都道府県計画で定める数を加えて得た数を超えることになると認めるときに限り、都道府県計画の達成に支障を生ずるおそれがある場合として、認定をしないことができ、それ以外のときは法第3条第7項に基づき認定しなければならないものであること。

なお、都道府県計画で定める数とは、「教育・保育及び地域子ども・子育て支援事業の提供体制の整備並びに子ども・子育て支援給付及び地域子ども・子育て支援事業の円滑な実施を確保するための基本的な指針」（内閣府告示第159号。以下「基本指針」という。）第三の四の2（二）(2)ウに規定する、認定こども園への移行を促進するため、認定こども園・幼稚園・保育所等の利用状況や認定こども園への移行の希望に十分に配慮し、保育所又は幼稚園の認定こども園への移行に関する意向等を踏まえて設定した都道府県計画で定める数のことであり、幼稚園及び保育所の意向等を的確に把握した上で、地方版子ども・子育て会議において当該都道府県計画で定める数を調査審議するなど、その設定に透明性が図られるよう留意すること。

(6) 幼保連携型認定こども園以外の認定こども園の認定申請書記載事項として主務省令で定める事項

（第8条関係）

幼保連携型認定こども園以外の認定こども園の認定を受けようとする者は、法第4条第1項各号に掲げる事項を記載した申請書に、その申請に係る施設が法第3条第1項又は第3項の条例で定める要件に適合していることを証する書類を添付して、都道府県知事に提出することとなるが、この申請書記載事項として法第4条第1項第5号として主務省令で定める事項は、以下の事項としたこと。なお、一部改正法による改正後の法の規定ぶりや施行令の規定ぶりを踏まえ、所要の改正をしているが、内容については旧施行規則第4条と同様である。

① 認定を受ける施設について幼稚園、保育所又は保育機能施設の別
② 認定こども園の名称
③ 認定こども園の長（認定こども園の事業を管理する者をいう。）となるべき者の氏名
④ 教育又は保育の目標及び主な内容
⑤ 第2条各号に掲げる事業のうち認定こども園が実施するもの

(7) 保育所型認定こども園の有効期間の更新に係る手続（第9条関係）

保育所型認定こども園については、都道府県知事が認定の際に、当該認定の日から起算して5年を超えない範囲内において有効期間を定めるものとされており、当該有効期間の更新を受けようとする場合、

① 氏名又は名称及び住所並びに法人にあっては、その代表者名
② 施設の名称及び所在地

を記載した申請書を、認定の有効期間が満了する日の30日前までに都道府県知事に提出することとしたこと。なお、今般の全部改正に伴う所要の改正をしているが、内容については旧施行規則第5条と同様である。

3 幼保連携型認定こども園の職員の資格等（第10条から第14条まで関係）

(1) 幼保連携型認定こども園に置かれる講師（第10条関係）

幼保連携型認定こども園に置かれる講師は、常時勤務に服しないことができること。

(2) 幼保連携型認定こども園に置かれる用務員（第11条関係）

幼保連携型認定こども園に置かれる用務員は、幼保連携型認定こども園の環境の整備その他の用務に従事する者であること。

(3)　幼保連携型認定こども園の園長の資格（第12条
関係）

　　幼保連携型認定こども園の園長の資格は、教育
職員免許法（昭和24年法律第147号）による教諭
の専修免許状又は一種免許状を有し、かつ、児童
福祉法第18条の18第1項の登録を受けており、及
び、第12条各号に掲げる教育又は児童福祉に関す
る職に5年以上あるものとしたこと。

(4)　幼保連携型認定こども園の園長の資格の特例
（第13条関係）

　　幼保連携型認定こども園の園長は、第12条の規
定によるもののほか、幼保連携型認定こども園の
運営上特に必要がある場合には、当該幼保連携型
認定こども園を適切に管理及び運営する能力を有
する者であって、同条に規定する資格を有する者
と同等の資質を有すると設置者が認めた者につい
ては、園長として任命し、又は採用することがで
きることとしたこと。なお、同等の資質を有する
ことについては、その人格や教育、保育について
の熱意、識見、能力、経験等を勘案した上で、幼
保連携型認定こども園の設置者の判断によるもの
となるが、例えば、幼稚園の園長、保育所の長又
は認定こども園の長として、これらの施設を適切
に運営してきた者や、幼稚園、保育所又は認定こ
ども園の職員として、長年、教育、保育又は子育
て支援に従事してきた者、地方公共団体や関係団
体等による園長研修等を受講し、園長となるため
の識見を身につけた者などが該当しうるものと考
えられる。なお、幼稚園教諭の二種免許状を有す
る者については、単に有しているだけではなく、
上記のような者である場合には、同等の資質を有
すると判断して差し支えない。

(5)　幼保連携型認定こども園の副園長及び教頭の資
格（第14条関係）

　　幼保連携型認定こども園の副園長及び教頭の資
格は、園長の資格に係る規定である第12条及び第
13条を準用するものとしたこと。

4　幼保連携型認定こども園の認可等（第15条から第
23条まで関係）

(1)　幼保連携型認定こども園の設置の認可の申請又
は届出等（第15条関係）

　　法第16条又は第17条第1項に基づく幼保連携型
認定こども園の設置の認可の申請又は届出は、そ
れぞれ認可申請書又は届出書に、以下の事項を記
載した書類及び法第13条第1項の条例で定める要
件に適合していることを証する書類を添えてしな
ければならないこと（第1項）。

①　目的
②　名称
③　所在地
④　園地、園舎その他設備の規模及び構造並びに
その図面
⑤　幼保連携型認定こども園の運営に関する規程
（以下「園則」という。）
⑥　経費の見積り及び維持方法
⑦　開設の時期

　　また、上記の事項（指定都市又は中核市（以下
「指定都市等」という。）を除く市町村にあって
は①及び⑥を除く）を変更しようとするときは、
あらかじめ、都道府県知事（指定都市等の区域名
に所在する幼保連携型認定こども園については、
当該指定都市等の長）に届け出なければならない
こと（第2項）。

　　この際、⑤の園則の変更については、第16条に
掲げる必要的記載事項を変更する場合に限り、届
出の対象としたこと（第3項）。

　　なお、分園を設置しようとするときは、第16条
に掲げる園則の必要的記載事項である「利用定員
及び職員組織に関する事項」等についての変更が
生じるのが通例であるため、第15条第2項及び第
3項の規定に基づき、あらかじめ、都道府県知事
（指定都市等の区域名に所在する幼保連携型認定
こども園については、当該指定都市等の長）に届
け出をすること（分園の廃止をしようとするとき
についても同様である）。

(2)　幼保連携型認定こども園の園則の必要的記載事
項（第16条関係）

　　第15条第1項第5号の園則の記載事項は、少な
くとも以下の事項としたこと。なお、以下の事項
以外の事項であっても、設置者の判断で任意に園
則に記載することは可能であること。

①　学年、学期、教育又は保育を行う日時数、教
育又は保育を行わない日及び開園している時間
に関する事項
②　教育課程その他の教育及び保育の内容に関す
る事項
③　保護者に対する子育ての支援の内容に関する
事項
④　利用定員及び職員組織に関する事項
⑤　入園、退園、転園、休園及び卒園に関する事
項
⑥　保育料その他の費用徴収に関する事項
⑦　その他施設の管理についての重要事項

(3)　幼保連携型認定こども園の廃止又は休止の認可

の申請又は届出（第17条関係）

　法第16条又は第17条第1項に基づく幼保連携型認定こども園の廃止又は休止の認可の申請又は届出は、それぞれ認可申請書又は届出書に、以下の事項（休止の認可の申請又は届出の場合は、①〜③）を記載した書類を添えてしなければならないこと。

① 廃止又は休止の理由

② 園児の処置方法

③ 廃止の期日及び休止の予定期間

④ 財産の処分

(4) 幼保連携型認定こども園の設置者の変更の認可の申請又は届出（第18条関係）

　法第16条又は第17条第1項に基づく幼保連携型認定こども園の設置者の変更の認可の申請又は届出は、それぞれ認可申請書又は届出書に、当該設置者の変更に関係する者が連署（新たに設置者となろうとする者が成立前の地方公共団体である場合においては、当該成立前の地方公共団体の連署は不要）して、変更前及び変更後の第15条第1項第1号から第6号までに掲げる事項並びに変更の理由及び時期を記載した書類を添えてしなければならないこと。

(5) 幼保連携型認定こども園の認可の申請者の欠格事由とならない認可の取消しと認められるもの（第19条関係）

　法第17条第2項第3号において幼保連携型認定こども園の認可の申請者の欠格事由として、法第22条第1項の規定により認可を取り消され、その取消しの日から起算して5年を経過しない者であるときと規定されているが、ただし書きとして、当該認可の取消しが、幼保連携型認定こども園の認可の取消しのうち当該認可の取消しの処分の理由となった事実及び当該事実の発生を防止するための当該幼保連携型認定こども園の設置者による業務管理体制の整備についての取組の状況その他の当該事実に関して当該幼保連携型認定こども園の設置者が有していた責任の程度を考慮して、第3号本文に規定する認可の取消しに該当しないこととすることが相当であると認められるものとして主務省令で定めるものに該当する場合を除くこととされている。この主務省令として定める場合として、都道府県知事（指定都市等の区域内に所在する幼保連携型認定こども園は当該指定都市等の長）が、法第19条第1項その他の規定による報告等の権限を適切に行使し、当該認可の取消しの処分の理由となった事実及び当該事実の発生を防

止するための当該幼保連携型認定こども園の設置者による業務管理体制の整備についての取組の状況その他の当該事実に関して当該幼保連携型認定こども園が有していた責任の程度を確認した結果、当該幼保連携型認定こども園の設置者が当該認可の取消しの理由となった事実について組織的に関与していると認められない場合に係るものとしたこと（法第17条第2項第7号ハにおいても同様とする）。なお、ここでいう組織的関与とは、役員等からのメール、電話等による指示などに基づくものであると認められるものをいう。

(6) 幼保連携型認定こども園の認可の取消しの処分に係る聴聞決定予定日の通知（第20条関係）

　法第17条第2項第5号において幼保連携型認定こども園の認可の取消しの処分に係る聴聞決定予定日を通知するときは、法第19条第1項の規定による検査が行われた日から10日以内に、検査日から起算して60日以内の特定の日を通知するものとしたこと。

(7) 幼保連携型認定こども園の認可の協議手続（第21条関係）

　都道府県知事（指定都市等の区域内に所在する幼保連携型認定こども園については、当該指定都市等の長）が幼保連携型認定こども園の認可をしようとするときは、法第17条第5項の規定により、当該認可の申請に係る幼保連携型認定こども園を設置しようとする場所を管轄する市町村の長に協議することとなるが、その際の手続として、第15条第1項各号に掲げる事項を記載した書類を市町村の長に提出してするものとしたこと。

(8) 幼保連携型認定こども園の認可をしないことができる場合（第22条関係）

　法第17条第6項に規定されているとおり、幼保連携型認定こども園の認可の申請があったときは、都道府県（指定都市等の区域内に所在する幼保連携型認定こども園については、当該指定都市等）が条例で定める要件に適合しており、かつ、その申請者が同条第2項各号に掲げる基準に該当すると認めるときは、認可をするものとされ、認可をすることによって都道府県計画（指定都市等の区域内に所在する幼保連携型認定こども園については、当該指定都市等の市町村計画。以下同じ。）の達成に支障を生ずるおそれがある場合として主務省令で定める場合に限り、例外的に認可をしないことができることとされている。

　この例外的に認可をしないことができるのは、幼保連携型認定こども園以外の認定こども園の認

定をしないことができる場合と同様としたこと。

さらに、その適用に当たり、幼稚園又は保育所が幼保連携型認定こども園に移行しようとする場合には、必要利用定員総数に都道府県計画で定める数を加えることも、幼保連携型認定こども園以外の認定こども園の取扱いと同様としたこと。これらについては、２(5)と同様、基本指針に則った都道府県計画の策定を前提に、認可をすることによって需要量である必要利用定員総数に都道府県計画で定める数を加えて得た数を超えることになると認めるときに限り、例外的に認可をしないことができ、それ以外のときは法第17条第６項に基づき認可をしなければならないものであること。

5　幼保連携型認定こども園の評価（第23条から第25条まで関係）

(1)　幼保連携型認定こども園の自己評価（第23条関係）

法第23条の規定により、幼保連携型認定こども園の設置者は、当該幼保連携型認定こども園における教育及び保育並びに子育て支援事業の状況その他運営の状況について評価を行い、その結果に基づき幼保連携型認定こども園の運営の改善を図るため必要な措置を講ずるよう努めることとされている。この評価の一つとして、自己評価を行い、その結果を公表するものとすること（第１項）。この評価に当たり、設置者は、その実情に応じ、適切な項目を設定して行うものとしたこと（第２項）。

(2)　幼保連携型認定こども園の関係者評価（第24条関係）

法第23条の規定による評価の一つとして、自己評価の結果を踏まえ、幼保連携型認定こども園の園児の保護者その他の関係者（当該幼保連携型認定こども園の職員を除く。）による評価を行い、その結果を公表するよう努めることとしたこと。

(3)　幼保連携型認定こども園の第三者評価（第25条関係）

法第23条の規定による評価の一つとして、定期的に外部の者による評価を受けて、その結果を公表するよう努めることとしたこと。

6　学校教育法施行規則及び学校保健安全法施行規則の準用（第26条及び第27条関係）

(1)　学校教育法施行規則の準用（第26条関係）

学校教育法施行規則（昭和22年文部省令第11号）第25条、第27条、第28条第１項及び第２項前段、第48条、第49条、第59条、第60条並びに第63条の規定について、所要の読替を行った上で幼保連携

型認定こども園に準用することとしたこと。

(2)　学校保健安全法施行規則の準用（第27条関係）

学校保健安全法施行規則（昭和33年文部省令第18号）第１条、第２条、第５条第１項、第６条第１項（第８号を除く。）及び第２項、第７条第１項から第４項まで及び第６項から第９項まで、第８条第１項、第３項及び第４項本文、第９条第１項（第５号を除く。）、第10条から第24条まで、第28条並びに第29条の規定について、所要の読替を行った上で幼保連携型認定こども園に準用することとしたこと。この際、以下の事項について留意すること。

①　第２条の規定による日常的な点検を行い、環境衛生の維持又は改善を図らなければならないものとして、園児への食事の提供の際に用いる食器等も含まれること。

②　第５条の園児の健康診断については、入園時及び毎年度２回行う（うち１回は６月30日までに行う）こと。この取扱いを原則とするが、例えば、特定の年齢の乳児・幼児に対して、地方公共団体の独自の取組により、第27条で準用する学校保健安全法施行規則で定める検査の項目等と同等の健康診断が行われ、当該乳児・幼児が園児として在籍している幼保連携型認定こども園とその結果が共有され、当該幼保連携型認定こども園における教育及び保育や園児の健康管理に活用することができるような場合については、当該健康診断を幼保連携型認定こども園で行う健康診断とみなす取扱いも可能とすること。

③　第８条第３項の規定により、幼保連携型認定こども園の園児が他の幼稚園、保育所又は認定こども園に転園した場合には、当該施設の長に健康診断票を送付すること。

7　認定こども園に関する情報の提供等（第28条及び第29条まで関係）

(1)　法第４条第１項各号に掲げる事項及び教育保育概要の変更の届出（第28条関係）

法第28条の規定により、都道府県知事は、認定こども園において提供されるサービスを利用しようとする者に対し、インターネットの利用、印刷物の配布その他適切な方法により、法第４条第１項各号に掲げる事項及び当該認定こども園における教育保育概要を周知することとされている。これらの周知された事項について、認定こども園の設置者が変更しようとするときは、法第29条第１項の規定により、あらかじめ、その旨を都道府県

知事に届け出なければならないこととされているが、以下のような軽微な変更については、この届出の対象から除かれるものであること。なお、一部改正法による改正後の法の規定ぶりを踏まえ、所要の改正をしているが、内容については旧施行規則第6条と同様である。

① 「保育を必要とする子どもに係る利用定員」（法第4条第1項第3号）又は「保育を必要とする子ども以外の子どもに係る利用定員」（法第4条第1項第4号）の変更のうち都道府県知事が定める範囲内で行われる若干名の変更（幼保連携型認定こども園の利用定員、幼稚園の収容定員又は保育所等の入所定員の変更を伴うものを除く。）

② 教育保育概要として周知された事項のうち都道府県知事が定める事項の変更

(2) 法第30条第1項の規定による報告の方法等（第29条関係）

都道府県知事が、認定こども園の運営状況を的確に把握できるよう、認定こども園の設置者は、毎年、都道府県知事が定める日までに、以下に掲げる事項を都道府県知事に報告しなければならないこと。なお、一部改正法による改正後の法の規定ぶりを踏まえ、所要の改正をしているが、内容については旧施行規則第7条と同様である。

① 報告年月日の前日において在籍している保育を必要とする子どもに係る利用定員（満3歳未満の者の数及び満3歳以上の者の数に区分するものとする。）及び保育を必要とする子ども以外の子どもに係る利用定員（満3歳未満の者の数及び満3歳以上の者の数に区分するものとする。）

② 当該認定こども園が法第3条第1項又は第3項の都道府県の条例で定める要件に適合していることを確認するために必要な事項として都道府県知事が定める事項

③ 教育保育概要を確認するために必要な事項として都道府県知事が定める事項

8 幼保連携型認定こども園の指導要録（第30条関係）

幼保連携型認定こども園の園長は、当該幼保連携型認定こども園に在籍する園児の指導要録（園児の学習及び健康の状況を記録した書類の原本）を作成しなければならないこと（第1項）、園児が小学校へ進学した場合においては、指導要録の抄本又は写しを作成し、進学先の小学校の校長へ送付しなければならないこと（第2項）、園児が幼稚園、保育所又は他の認定こども園に転園した場合においては、

指導要録の写し（当該園児が転園してきた園児である場合については、転園により送付を受けた指導要録（学校教育法施行令（昭和28年政令第340号）第31条に規定する園児の学習及び健康の状況を記録した書類の原本（指導要録）の写しを含む。）を作成し、転園先の幼稚園の園長、保育所の長又は認定こども園（幼保連携型認定こども園も含む）の長に送付しなければならないこと（第3項）。

また、指導要録及びその写しのうち入園、卒園等の学籍に関する記録については、保存期間を20年間とし、施行令第8条の規定により、幼保連携型認定こども園廃止後に都道府県知事等が指導要録を保存する場合には、当該幼保連携型認定こども園において保存していた期間を控除した期間保存するものとしたこと。

9 幼保連携型認定こども園の認可の申請等の細則（第31条関係）

法、施行令及び新施行規則の規定に基づいてなすべき認可の申請及び届出の手続その他の細則については、都道府県知事（指定都市等の区域名に所在する幼保連携型認定こども園（都道府県が設置するものは除く。）については、当該指定都市等の長）において定めるものとしたこと。

10 附則関係

(1) 施行期日（附則第1条関係）

一部改正法の施行の日から施行することとしたこと。

(2) みなし認可を受けない場合の別段の申出の方法（附則第2条関係）

一部改正法附則第3条第1項の規定により、国及び地方公共団体以外の者が設置する旧幼保連携型認定こども園（一部改正法による改正前の就学前の子どもに関する教育、保育等の総合的な提供の推進に関する法律に基づく認定こども園で幼稚園及び保育所から構成されるもの）については、一部改正法の施行日に、法第17条第1項の設置の認可があったものとみなされることとなるが、当該旧幼保連携型認定こども園の設置者が、一部改正法の施行日の前日までに、一部改正法附則第3条第1項ただし書の別段の申出をした場合には、このみなし認可を受けることなく、認定こども園の認定が失効し、幼稚園及び保育所に戻ることとなる。この別段の申出の方法として、法第4条第1項第1号（氏名又は名称及び住所並びに法人にあっては、その代表者の氏名）及び第2号（施設の名称及び所在地）に掲げる事項並びに新施行規則第8条第2号に掲げる事項（認定こども園の名

称）を記載した申出書を都道府県知事（指定都市等の区域名に所在する幼保連携型認定こども園については、当該指定都市等の長）に提出して行うものとしたこと。

(3) 国、地方公共団体、学校法人及び社会福祉法人以外の者が幼保連携型認定こども園を設置する場合に必要とされる要件（附則第3条関係）

　一部改正法附則第4条第1項の規定により、一部改正法の施行日の前日において現に存する幼稚園を設置している者であって、国、地方公共団体、学校法人及び社会福祉法人以外の者は、当分の間、当該幼稚園を廃止して幼保連携型認定こども園を設置することが可能であるが、その場合には以下の要件を必要とすることとしたこと。

① 　当該幼稚園の所在した区域と同一の区域内にあること

② 　廃止する幼稚園の数と設置する幼保連携型認定こども園の数が同一の数以下であること

(4) 学校教育法施行規則の一部改正（附則第4条関係）

　第30条第3項の規定により、幼保連携型認定こども園の園児が転園した場合において、指導要録の写しを転園先の幼稚園の園長、保育所の長又は認定こども園の長に送付する扱いとなることを踏まえ、学校教育法施行規則第24条第3項の規定による幼稚園の園児が転園した場合においても、転園先の幼稚園の園長、保育所の長又は認定こども園（幼保連携型認定こども園も含む）の長に送付することとしたこと。

(5) 学校保健安全法施行規則の一部改正（附則第5条関係）

　第27条の規定より、幼保連携型認定こども園について読み替えて準用する学校保健安全法施行規則第8条第3項の規定により、幼保連携型認定こども園の園児が幼稚園、保育所又は他の認定こども園に転園した場合においては、当該園児の健康診断票を転園先の幼稚園の園長、保育所の長又は認定こども園の長に送付する扱いとなることを踏まえ、学校保健安全法施行規則第8条第3項の規定による幼稚園の園児が転園した場合においても、転園先の幼稚園の園長、保育所の長又は認定こども園（幼保連携型認定こども園も含む）の長に送付することとしたこと。

　また、第27条の規定より、幼保連携型認定こども園について読み替えて準用する学校保健安全法施行規則第15条第2項の規定により、幼保連携型認定こども園の職員が、その幼保連携型認定こども園の設置者が管理する幼保連携型認定こども園から他の学校又は幼保連携型認定こども園へ異動した場合においては、当該職員の健康診断票を異動後の学校又は幼保連携型認定こども園の設置者へ送付する扱いとなることを踏まえ、学校保健安全法施行規則第15条第2項の規定による学校の職員がその学校の設置者が管理する学校又は幼保連携型認定こども園へ異動する場合においても、当該職員の健康診断票を異動後の学校又は幼保連携型認定こども園の設置者へ送付することとしたこと。

○子ども・子育て支援法の一部を改正する法律等の施行に伴う留意事項等について

令和元年9月13日　府子本第497号・元文科初第745号・子発0913第4号
各都道府県知事・各都道府県教育委員会・各指定都市市長・各中核市市長・各指定都市教育委員会・各中核市教育委員会・附属幼稚園又は特別支援学校幼稚部を置く各国立大学法人の長宛　内閣府子ども・子育て本部統括官・文部科学省初等中等教育・厚生労働省子ども家庭局長連名通知

注　令和4年3月31日府子本第466号・3文科初第2696号・子発0331第16号改正現在

このたび、第198回通常国会において子ども・子育て支援法の一部を改正する法律（令和元年法律第7号。以下「改正法」という。）が令和元年5月10日に成立し、同月17日に公布されました。また、子ども・子育て支援法の一部を改正する法律の施行に伴う関係政令の整備等及び経過措置に関する政令（令和元年政令第17号。以下「改正令」という。）及び子ども・子育て支援法施行規則の一部を改正する内閣府令（令和元年内閣府令第6号。以下「改正府令」という。）並びに特定教育・保育施設及び特定地域型保育事業者の運営に関する基準の一部を改正する内閣府令（令和元年内閣府令第8号。以下「改正基準」という。）が同月31日に公布されました。これまで改正内容については、都道府県説明会や「幼児教育・保育の無償化に関するＦＡＱ」の公表等によりお示ししてきたところです。

これらの施行に際し留意すべき主な事項等は下記のとおりですので、各位におかれては、十分御了知の上、貴管内の関係者に対して遅滞なく周知するなど、その運用に遺漏のないようお願いします。このほか、改正法による改正後の子ども・子育て支援法（平成24年法律第65号。以下「新法」という。）、改正令第1条の規定による改正後の子ども・子育て支援法施行令（平成26年政令第213号。以下「新令」という。）及び改正府令による改正後の子ども・子育て支援法施行規則（平成26年内閣府令第44号。以下「新規則」という。）並びに改正基準による改正後の特定教育・保育施設及び特定地域型保育事業者並びに特定子ども・子育て支援施設等の運営に関する基準（平成26年内閣府令第39号。以下「新基準」という。）の運用全般については、ＦＡＱを随時更新するので、ご参照ください。

なお、本通知は、地方自治法（昭和22年法律第67号）第245条の4第1項の規定に基づく技術的助言であることを申し添えます。また、条文やＦＡＱ等の関係資料は、内閣府子ども・子育て本部のホームページに掲載しています。

記

第1　共通事項

今般の幼児教育・保育の無償化は、本年10月1日に予定される消費税率の引上げによる財源を活用し、生涯にわたる人格形成やその後の義務教育の基礎を培う幼児教育の重要性と、子育てや教育にかかる費用負担の軽減を図るという少子化対策の観点から、幼稚園、保育所及び認定こども園等の費用の無償化を図るものである。

これらを利用する小学校就学前子どものうち、満3歳に達する日以後最初の3月31日を経過した子ども（通常は3年間を対象。認定こども園、幼稚園及び特別支援学校幼稚部については、法令上の入園年齢要件及びこれまでの段階的無償化の対象を踏まえ、満3歳に達し、その後最初の3月31日までの間にある保育の必要性のない者が教育標準時間の教育・保育を受ける場合を含む。）については所得制限なしに、それ以外の満3歳に達する日以後最初の3月31日までの間にある子どもについては、保護者等が市町村民税世帯非課税者であり、かつ、保育の必要性のある者を対象とする。

利用する施設等の種類に応じ、特定教育・保育施設又は特定地域型保育事業については、現行の子どものための教育・保育給付の拡充により利用者負担上限額を零とするとともに、特定子ども・子育て支援施設等については、子育てのための施設等利用給付を創設し、その利用に要する費用の一定額までの施設等利用費を保護者に支給する。

また、日用品、行事参加費、食材料費、通園送迎費等は、保護者の自己負担を基本としつつ、年収約360万円未満相当世帯や多子世帯の第3子以降の子ども等に対する配慮として、認可施設における副食費の負担の免除（公定価格による加算）又は助成（補足給付事業）の措置を講ずる。

第2　子どものための教育・保育給付関係

1　食材料費の取扱い（新基準第13条第4項第3号関係）

（1）副食費の保護者負担

満3歳以上教育・保育給付認定子ども（新令第

4条第1項に規定する満3歳以上教育・保育給付認定子どもをいう。以下同じ。）の副食費は、（2）により「副食費徴収免除加算」の対象となる副食の提供に係る費用を除き、特定教育・保育施設等において、教育・保育給付認定保護者から支払を受けることができる費用としたこと。具体的な金額の設定の考え方等については、「幼児教育・保育の無償化に伴う食材料費の取扱いの変更について」（令和元年6月27日付け府子本第219号・子保発0627第1号内閣府子ども・子育て本部参事官・厚生労働省子ども家庭局保育課長通知）によること。

(2)　副食費の徴収免除及び通知

満3歳以上教育・保育給付認定子どものうち年収360万円未満相当世帯の子ども及び年収360万円以上相当世帯の第3子以降に係る副食費については、特定教育・保育施設等において教育・保育給付認定保護者から支払を受けることができない費用としたこと（新基準第13条第4項第3号イ及びロ）。これらに該当する子どもに係る副食費相当額の費用については、別途、特定教育・保育、特別利用保育、特別利用教育、特定地域型保育、特別利用地域型保育、特定利用地域型保育及び特例保育に要する費用の額の算定に関する基準等（平成27年内閣府告示第49号）を改正し、公定価格において「副食費徴収免除加算」を講ずる予定であること。

また、居住地市町村（特別区を含む。以下同じ。）においては、これらに該当する子どもに係る副食費の免除に関し、特定教育・保育施設等（特定保育所を含む。）及び教育・保育給付認定保護者に対して通知すべきこととしたこと（新規則第7条、附則第3条）。

なお、教育・保育給付認定保護者及びその同一世帯員が新令第15条の3第2項に規定する市町村民税世帯非課税者に準ずる者に該当する場合の副食費についても、「副食費徴収免除加算」の対象とする予定であり、特定教育・保育施設等における徴収免除及び市町村による通知は、上記と同じ取扱いとすること。

これらの取扱いは、公立施設も同様であること。

2　子どものための教育・保育給付の利用者負担額の切替月（改正令第8条関係）

利用者負担額の算定の切替えは、本年度に限り、市町村が必要と認める場合、本来の9月に代えて10月に行うことができること。その場合、収入の著し

い減少を事由とする利用者負担額の随時減額（新規則第57条）の活用などにより利用者負担額の切替月の変更に伴う影響の緩和に適切に配慮すること。

3　利用者負担額の減免及び副食費の免除における多子の算定基準（新令第13条第2項第3号等関係）

満3歳未満保育認定子どもに係る利用者負担額の減免において、負担額算定基準子どもに企業主導型保育事業の利用者を追加したこと（新令第13条第2項第3号）。満3歳以上教育・保育認定子どもに係る副食費の免除についても同じ取扱いとなること（新基準第13条第4項第3号ロ）。

また、満3歳以上教育・保育認定子どもに係る副食費の免除に係る多子の算定基準において、特別利用教育の場合は幼稚園と同じ基準（小学校第3学年修了前）とし、特別利用保育の場合は保育所と同じ基準（小学校就学前）としたこと（新基準第35条第3項又は第36条第3項による第13条第4項第3号ロの読替え）。

第3　子育てのための施設等利用給付関係

1　施設等利用費

(1)　施設等利用費の対象（新法第30条の11第1項等関係）

施設等利用給付認定子どもが特定子ども・子育て支援施設等から特定子ども・子育て支援を受けたときは、施設等利用給付認定保護者に対し、当該特定子ども・子育て支援に要した費用について、施設等利用費を一定額まで支給するが、当該費用のうち、特定費用（日用品、行事参加費、食材料費、通園送迎費等の費用をいう。以下同じ。）は、施設等利用費の対象外であること（新法第30条の11第1項、新規則第28条の16）。

特定子ども・子育て支援提供者においては、施設等利用給付認定保護者から費用の支払を受ける場合、特定費用の支払のみを受ける場合を除き、施設等利用費の対象となる利用料の額と対象外となる特定費用の額とを区分して記載した領収証を施設等利用給付認定保護者に交付すべきこと（新基準第56条第1項）。

特定教育・保育施設ではない幼稚園における食事の提供に要する費用については、授業料（保育料）として一体的に徴収している場合には消費税が非課税とされてきたところであるが、当該徴収方法を行っている場合、この取扱いは特定子ども・子育て支援施設等である幼稚園も同様となること。なお、新基準に基づき交付する領収証においては、施設等利用費の対象となる利用料に該当する保育料の内数と対象外となる特定費用に該当

する保育料の内数とを区分して記載する必要があることに留意すること。

(2) 施設等利用費の支給（新法第30条の11等関係）

施設等利用費の支給については、施設等利用給付認定保護者への償還払いのほか、特定子ども・子育て支援提供者による法定代理受領が認められ（新法第30条の11第1項、第3項及び第4項）、その具体的な方法について、公正かつ適正な支給、施設等利用給付認定保護者の便宜の増進等を勘案し、各市町村で定めること（新規則第28条の15）。

償還払いの頻度については、年4回以上支給することが望ましく、初年度については、遅くとも年度内に1回目の支給を行うこと。2か月以上にわたる施設等利用費をまとめて支払う場合でも、1か月ごとに施設等利用費の支給額の算定と上限管理を行う必要があること（新法第30条の11第2項、新令第15条の6）。

法定代理受領を行う場合、施設等利用給付認定保護者の経済的負担の軽減や経理の透明性確保等を図る観点から、特定子ども・子育て支援施設等において利用料を徴収しない、又は利用料と法定代理受領に係る見込額との差額のみを徴収する取扱いを基本とすること。その際、特定子ども・子育て支援提供者の収入時期の遅れに伴う影響等も踏まえて法定代理受領の時期・頻度を設定することを含め、特定子ども・子育て支援提供者と十分に協議すること。なお、概算払を行う場合には、必要な規則の整備等に留意すること（地方自治法施行令（昭和22年政令第16号）第162条第6号）。

(3) 施設等利用費の額の算定（新法第30条の11第2項等関係）

施設等利用費の額は、1か月ごとに、施設等利用給付認定子どもの認定区分及び特定子ども・子育て支援施設等の区分に応じた支給上限月額の範囲内で、当該特定子ども・子育て支援施設等に係る特定子ども・子育て支援に要した費用（特定費用以外の利用料）の額を算定すること（新法第30条の11第2項、新令第15条の6、新規則第28条の17）。

月の途中において特定子ども・子育て支援の利用の開始や終了又は利用する施設等の変更等の事由があった場合における施設等利用費の月額は、ア・イ・ウに記載のとおり、その月の平日の日数又はその月の日数を基礎として新令第15条の6に定める額を日割りによって計算することとし、特定子ども・子育て支援施設等の区分に応じ、以下

の算式を用いる取扱いとすること（新令第24条の4第2項、新規則59条の2）。なお、支給上限額と利用料を比較し、いずれか低い方の金額を支給額としているが、支給上限額及び利用料の計算は1円単位とし、小数点以下は切り捨てること。

ア 新令第15条の6第1項又は第2項第1号に定める額の日割り（新法第7条第10項第1号から第3号までに掲げる施設）

(ア) 利用の開始に係る施設（変更後の施設）

2.57万円[※1] × 認定起算日後最初の利用日以降のその月の平日の日数 ÷ その月の平日の日数

※1 国立の幼稚園にあっては0.87万円、国立の特別支援学校幼稚部にあっては0.04万円（新規則第28条の17）

(イ) 利用の終了に係る施設（変更前の施設）

2.57万円[※2] × 最後の利用日までのその月の平日の日数 ÷ その月の平日の日数

※2 ※1と同じ。

イ 新令第15条の6第2項第2号に定める額の日割り（新法第7条第10項第5号に掲げる事業であって、1月あたりの利用日数が26日を下回る場合）

(ア) 利用の開始に係る事業所（変更後の事業所）

450円 × 認定起算日以降のその月の預かり保育事業の利用日数

(イ) 利用の終了に係る事業所（変更前の事業所）

450円 × 最後の利用日までのその月の預かり保育事業の利用日数

※3 なお、1月あたりの利用日数が26日以上の場合は、その月の日数を基礎とした日割りを行う。

ウ 新令第15条の6第2項第3号に定める額の日割り（新法第7条第10項第4号に掲げる施設又は同項第6号から第8号までに掲げる事業）

(ア) 利用の開始に係る施設又は事業所（変更後の施設又は事業所）

(1.13万円 × 認定起算日以降のその月の日数 ÷ その月の日数）から イ(ア)の額を控除して得た額

(イ) 利用の終了に係る施設又は事業所（変更前の施設又は事業所）

(1.13万円 × 転出日までのその月の日数 ÷ その月の日数）から イ(イ)の額を控除して得た額

2　施設等利用給付認定

(1)　教育・保育給付認定保護者及び企業主導型保育施設の利用者の取扱い（新法第30条の４等関係）

　　保育認定子どもに係る施設型給付費等（特別利用教育に係る特例施設型給付費を除く。）を受けている教育・保育給付認定保護者については、施設等利用給付認定を当該保育認定子どもについて行うことができず（新法第30条の４）、保育認定子どもに係る施設型給付費等（特別利用教育に係る特例施設型給付費を除く。）の受給は施設等利用給付認定の取消事由となること（新法第30条の９第１項第３号、新令第15条の５第３号）。

　　また、企業主導型保育施設（新令第１条）については、事業主拠出金により同等の無償化の措置を講ずることから、施設等利用給付認定を企業主導型保育施設の利用者について行うことができず（新法第30条の４、新規則第28条の13）、企業主導型保育施設の利用は施設等利用給付認定の取消事由となること（新法第30条の９第１項第３号、新令第15条の５第４号）。これに伴い、企業主導型保育施設の利用する子どもの保護者に、居住地市町村に利用施設の名称等を報告する手続を課したこと（新規則第28条の14）。

(2)　施設等利用給付認定の有効期間（新法第30条の６等関係）

　　施設等利用給付認定の有効期間の始期は、施設等利用給付認定が効力を生じた日又は申請をした日以後初めて特定子ども・子育て支援を受けた日のいずれか早い日とし、これを認定起算日とすること（新法第30条の６、新規則第28条の５）。

3　預かり保育事業

(1)　預かり保育事業の定義（新法第７条第10項第５号等関係）

　　子育てのための施設等利用給付の支給に係る子ども・子育て支援施設等である預かり保育事業（新法第７条第10項第５号に掲げる事業）は、認定こども園、幼稚園又は特別支援学校幼稚部において、当該施設に在籍する者に対し、教育に係る標準的な一日当たりの時間及び期間の範囲外において教育・保育を提供する事業であり、新規則第１条の２に掲げる要件を満たすものについて、一時預かり事業（幼稚園型Ⅰ）、私学助成等の公費支援の種類や有無にかかわらず、確認を行うべきこと。

　　なお、新法における一時預かり事業（新法第７条第10項第６号に掲げる事業）からは、上記の預かり保育事業に該当するものは除かれること。

　　預かり保育事業については、保育の必要性に鑑みて子育てのための施設等利用給付の対象とするものであり、満３歳に達する日以後最初の３月31日を経過した子どもは所得制限なしに、３月31日までの間にある子どもは保護者等が市町村民税世帯非課税者である者に限られること。また、保育の必要性については、預かり保育事業の利用日ごとに確認するものではなく、施設等利用給付認定を受けていれば、(2)の支給上限月額までの利用料が施設等利用費の支給の対象となること。

(2)　預かり保育事業に係る施設等利用費の支給上限月額（新令第15条の６第２項第２号等関係）

　　預かり保育事業に係る施設等利用費の支給上限月額は1.13万円（保護者等が市町村民税世帯非課税者である満３歳児であって、満３歳に達する日以後最初の３月31日までの間にある者は、1.63万円）であるが、預かり保育事業の利用日数が１月につき26日を下回る場合は、450円に当該利用日数を乗じて得た額を支給上限月額として、１(3)により施設等利用費の額を算定すること（新令第15条の６第２項第２号、新規則第28条の18第１項及び第２項）。

(3)　預かり保育事業に代わる認可外保育施設等の利用（新令第15条の６第２項第３号等関係）

　　施設等利用給付認定子どもが在籍する認定こども園、幼稚園又は特別支援学校幼稚部において、預かり保育事業により提供される教育・保育の量が一定水準を下回る場合（教育時間を含む平日の預かり保育の提供時間が８時間未満又は年間開所日数が200日未満である場合。預かり保育事業を実施していない場合を含む。新規則第28条の18第３項）には、認定こども園、幼稚園又は特別支援学校幼稚部に在籍する施設等利用給付認定子どもが認可外保育施設等を利用した際に要した費用についても、施設等利用費の対象となること。その場合、認可外保育施設等に係る施設等利用費の支給上限月額は、1.13万円から預かり保育事業に係る施設等利用費の額を控除して得た額とすること（新令第15条の６第２項第３号）。

　　なお、確認した特定子ども・子育て支援施設等である預かり保育事業により提供される教育・保育の量の状況については、年度計画により新規則第28条の18第３項に規定する水準を満たしているかどうかを判定し、その結果を公示すべきこと（新法第58条の11、新規則第53条の６第６号）。提供量の状況の変更については、新法第30条の３において準用する新法第14条の規定により特定子

ども・子育て支援提供者に報告を求める取扱いとすることが望ましいこと。都道府県が地域の実情に応じて定めるところにより、認可・認定権者が有する指導監督の状況や市町村により確認を受けた預かり保育事業の状況、市町村が把握した預かり保育事業により提供される教育・保育の量の状況等を広域的に共有する環境整備を図ることが望ましいこと。

4 認可外保育施設に係る経過措置（改正法附則第4条関係）

　子育てのための施設等利用給付の支給に係る子ども・子育て支援施設等である認可外保育施設（新法第7条第10項第4号に掲げる施設）は、児童福祉法（昭和22年法律第164号）第59条の2の規定に基づく届出をした施設で、新規則第1条各号に定める基準を満たすものをいうこと。ただし、経過措置として、施行後5年間に限り、当該基準を満たしていなくても子ども・子育て支援施設等とみなすこと（改正法附則第4条第1項）。当該期間内は、当該子ども・子育て支援施設等（以下、「みなし子ども・子育て支援施設等」という。）に対し、新規則第1条は適用されないこと（改正法附則第4条第1項の規定により限定して適用される新法第58条の4、第58条の9又は第58条の10）。これは、新規則第1条への適合や認可保育施設への移行を支援することを趣旨とするものであること。

　また、当該期間において、市町村は、保育の需給状況等を勘案し特に必要があると認めるときは、条例で定めるところにより、みなし子ども・子育て支援施設等に係る施設等利用費の支給について、条例で定める基準を満たす施設に限り行うものとすることができること（改正法附則第4条第2項）。これは施設等利用費の支給に係る経過措置であり、みなし子ども・子育て支援施設等から確認の申請があった場合には、当該条例で定める基準を満たすかどうかにかかわらず、適法に児童福祉法の届出がなされていれば、確認を行う必要があり、確認した特定子ども・子育て支援施設等である認可外保育施設が当該条例で定める基準を満たしているかどうかについても公示すべきこと（新法第58条の11、改正府令附則第4条による読替え後の新規則第53条の6第7号）。

　なお、条例を定めた市町村に居住する子どもが域外の特定子ども・子育て支援施設等である認可外保育施設を利用している場合には、条例を定めた市町村において当該域外の施設が当該条例で定める基準を満たしているか否かを把握した上で、基準を満た

している場合に限り、施設等利用費の支給を行うこと。

5 マイナンバーの利用（改正法附則第13条関係）

　施設等利用給付認定を行う際、新法第30条の4第3号に該当するかどうかを判断する際に、所得情報についてマイナンバーを利用することができること（改正法附則第13条）。ただし、市町村間の情報連携については、データ標準レイアウトの整備を待つ必要があり、令和3年度以降の利用が想定されていること。

　なお、マイナンバーを利用して同一市町村内で保有する特定個人情報の内部利用（以下「庁内連携」という。）を行うため、各自治体において庁内連携に係る条例を整備しているところであるが、マイナンバー制度創設時に国が示したモデル条例案通りに、行政手続における特定の個人を識別するための番号の利用等に関する法律（平成25年法律第27号）別表第2を引用する形で同法別表第1の事務を規定している場合には、当該条例の改正をせずとも、庁内連携を行って差し支えないこと。

6 不正受給の防止（新基準第56条等関係）

　特定子ども・子育て支援提供者は、当該施設等利用給付認定保護者に対し、領収証及び特定子ども・子育て支援提供証明書を交付しなければならないこと（新基準第56条）。これらの書類は、特定子ども・子育て支援提供者が利用料と特定費用の区分や在籍・利用関係を証明する資料であり、特定子ども・子育て支援提供者と市町村との信頼関係や施設等利用費の支給方法等の違いにかかわらず、公正かつ適正な施設等利用費の支給のため各市町村で共通に活用可能なものであること。

　また、新法第30条の11第3項の法定代理受領により市町村から施設等利用費の支払を受けた特定子ども・子育て支援提供者は、特定子ども・子育て支援施設等である認定こども園、幼稚園及び特別支援学校幼稚部並びに預かり保育事業に係るものを除き、当該市町村及び当該施設等利用給付認定保護者に対する特定子ども・子育て支援提供証明書を交付しなければならないこと（新基準第57条）。これは、当該施設等利用給付認定保護者が当該子ども・子育て支援施設等の利用料及び利用状況を把握しつつ、支給上限額との差額分について他の子ども・子育て支援施設等を利用し市町村に対して償還払い請求をすれば、市町村は施設等利用給付認定保護者ごとの支給上限額を管理しているため、特定子ども・子育て支援提供者が実際の利用料よりも高い金額について法定代理受領の申請をしたとしても、それが不正で

あると認識できる契機になること。

第4　その他

1　市町村の条例で定める特定教育・保育施設又は特定地域型保育事業の運営に関する基準の改正に関する経過措置（改正基準附則第2項関係）

　　新基準においては、第2の1及び3のほか、「支給認定」を「教育・保育給付認定」に改める等の技術的改正も多数含まれているところ、これらの内容については、施行後1年間に限り、新法第34条第2項又は第46条第2項の市町村の条例改正がなされるまでの間、新基準を条例で定める基準とみなすこと。この経過措置を利用する市町村においては、当該期間内に、新基準に従い、又は参酌した改正条例を制定し、施行させる必要があること。

2　質の向上を伴わない理由のない利用料の引上げ防止の基本的考え方

　　今般の無償化を契機に、特定教育・保育施設ではない幼稚園や認可外保育施設において、質の向上を伴わない理由のない利用料の引上げが行われることにより、公費負担により事業者が利益を得ることにつながることのないよう取り組む必要があること。

　　なお、同じ質・量の教育・保育を提供した場合に保護者に支払を求める金額について、施設等利用給付認定子どもに限り高額な利用料を設定することは、質の向上を伴わない理由のない利用料の引上げの典型例であり、子どもの保護者の経済的負担の軽減に適切に配慮するという基本理念に反すると考えられること（新法第2条第2項）。

　　このため、国としては以下の対応を行ったところ

であるが、各自治体においても、保護者や事業者に対し、丁寧な説明を行うことが望まれること。

・幼稚園等の関係団体との連携を図り、事業者に対する周知を徹底

・幼稚園については、利用料等の実態の調査及び把握を行うとともに、保育料を変更する場合には、変更事由と併せて都道府県へ届出をさせること

・認可外保育施設については、提供するサービスの内容や額に関する事項に関し、変更の内容やその理由の掲示を求めるよう省令改正を行い、保護者への説明を行わせること（平成31年4月5日付子発0405第2号厚生労働省子ども家庭局長通知「児童福祉法施行規則の一部を改正する省令の公布について」を参照。）

3　地域における子育て支援のさらなる充実

　　利用者負担額の独自軽減に係る地方単独事業を行っている地方公共団体においては、今般の無償化により、それまで当該地方公共団体が独自に負担していた部分に国・都道府県（地方財政措置あり）の負担が入り、現在の財政負担は軽減されること。

　　今般の無償化が、地方独自の取組と相まって子育て支援の充実につながるようにすることが求められていることを踏まえ、各地方公共団体におかれては、特に、今般の無償化の実施に伴って本年10月から経済的負担が増加する世帯が生じることのないよう、当該軽減される財源負担分を活用して、さらなる子育て支援の充実等に配慮することが望まれること。

○子ども・子育て支援法施行令の改正について

令和 3 年10月 1 日　府子本第948号・ 3 文科初第1118号・子発1001第 3 号
各都道府県知事・各都道府県教育委員会教育長・各指定都市市長・各中核市市長・各指定都市・各中核市教育委員会教育長宛　内閣府子ども・子育て本部統括官・文部科学省初等中等教育・厚生労働省子ども家庭局長連名通知

下記のとおり、子ども・子育て支援法施行令（平成26年政令第213号。以下「施行令」という。）の一部改正を行いました。内容について十分に御了知の上、事務処理上遺漏のないよう願います。

各都道府県知事におかれましては、域内の市区町村長（指定都市長・中核市長を除く。）に対して、各都道府県教育委員会教育長におかれましては、域内の市区町村教育委員会（指定都市教育委員会・中核市教育委員会を除く。）に対して、本改正の周知を図るとともに、適切な事務処理が図られるよう配慮願います。

なお、本改正は、「複数の特定被監護者等がいる教育・保育給付認定保護者に関する利用者負担額の特例に係る対応について（通知）」（令和 3 年 8 月 6 日内閣府子ども・子育て本部統括官）の「第二　今後の対応方針　 1 　施行令の改正」に記載した内容を踏まえた対応です。

記

1　改正の趣旨

子ども・子育て支援新制度においては、市町村の認定を受けた子どもが認可保育所等を利用した場合の利用者負担額（いわゆる保育料）について、多子世帯の場合には、第 2 子半額、第 3 子以降無償とする特例（施行令第13条及び第14条）を設けている。

今般、年収約360万円未満相当世帯において、多子世帯の特例措置の適用対象範囲を拡大することとし、低所得の多子世帯の特例措置（施行令第14条）の適用に当たり、第何子かを決定する際に算定対象となる子どもの同時入所要件（認可保育所等の施行令第13条第 2 項に定める施設等の利用を必要とするもの）を撤廃するため、施行令の一部改正を行った。

2　改正の内容

低所得世帯の多子世帯の特例措置の適用については、昨年度の「少子化社会対策大綱」（令和 2 年 5 月29日閣議決定）における多子世帯への金銭的な負担軽減策の推進の一環として、施行令上、保育所等の利用者負担額に係る年収約360万円未満相当の多子世帯の特例措置について、算定対象となる子どもの範囲を拡げ、特定被監護者等に該当する子ども全員とすることとした。

また、本改正により、年収約360万円未満相当の多子世帯の特例措置の算定対象について、未就園又は認可外保育施設等に在籍している子どもが含まれることとなる。

3　施行期日

令和 3 年10月 1 日

※　令和 3 年10月分の保育料から、本改正内容に即して算定してください。

また、市町村が定めている保育料の算定に係る規則等が従来の施行令の規定に沿っている場合には、本改正に伴い当該規則等を改正いただく必要がある点に御留意ください。

以上

【別添資料】略

○こども家庭庁設置法、こども家庭庁設置法の施行に伴う関係法律の整備に関する法律及びこども基本法の公布について

> ［令和4年6月22日　閣副第690号
> 各都道府県知事・各指定都市市長宛　内閣官房こども家庭
> 庁設立準備室長通知］

こども家庭庁設置法（令和4年法律第75号）、こども家庭庁設置法の施行に伴う関係法律の整備に関する法律（令和4年法律第76号）及びこども基本法（令和4年法律第77号）が、本日公布されました。

その内容は下記のとおりであり、その施行日は、一部の規定を除き、令和5年4月1日ですので、下記事項に御留意の上、その円滑な施行に向け、格別の配慮をお願いするとともに、各都道府県におかれては、貴都道府県内の指定都市を除く市町村に対してもこの旨周知願います。

なお、各法律の改正によらないその他の事務の移管等については、別紙4を併せて参照ください。

（参考）条文等は、下記のリンクを御参照ください。

（こども政策の推進（こども家庭庁の設置等））

https://www.cas.go.jp/jp/seisaku/kodomo_seisaku_suishin/index.html

記

こどもや若者に関する施策については、これまでも待機児童対策、幼児教育・保育の無償化及び児童虐待防止対策の強化など各般の施策の充実に取り組んできたものの、少子化の進行、人口減少に歯止めがかかっておらず、また、児童虐待相談や不登校の件数が過去最多になるなどこどもを取り巻く状況は深刻で、コロナ禍がそうした状況に拍車をかけている。このような危機的な状況を踏まえると、常にこどもの最善の利益を第一に考え、こどもに関する取組や政策を我が国社会の真ん中に据えて、強力に進めていくことが急務である。

このため、今般、こども政策を我が国社会の真ん中に据え、こどもを取り巻くあらゆる環境を視野に入れ、こどもを誰一人取り残さず、健やかな成長を社会全体で後押ししていくため、強い司令塔機能を有し、こどもの最善の利益を第一に考え、常にこどもの視点に立った政策を推進するこども家庭庁を設置するこども家庭庁設置法及び関係法律について所要の整備を行うこども家庭庁設置法の施行に伴う関係法律の整備に関する法律を定めることとした。また、こども施策の基本理念や基本となる事項を明らかにすることによ

り、こども施策を社会全体で総合的かつ強力に実施していくための包括的な基本法であるこども基本法が定められた。

第1　こども家庭庁設置法　※こども基本法附則第10条の改正を反映したもの

1　内閣府の外局として、こども家庭庁を設置することとし、こども家庭庁の長は、こども家庭庁長官（以下「長官」という。）とすることとした。（第2条関係）

2　こども家庭庁は、心身の発達の過程にある者（以下「こども」という。）が自立した個人としてひとしく健やかに成長することのできる社会の実現に向け、子育てにおける家庭の役割の重要性を踏まえつつ、こどもの年齢及び発達の程度に応じ、その意見を尊重し、その最善の利益を優先して考慮することを基本とし、こども及びこどものある家庭の福祉の増進及び保健の向上その他のこどもの健やかな成長及びこどものある家庭における子育てに対する支援並びにこどもの権利利益の擁護に関する事務を行うことを任務とすることとした。（第3条第1項関係）

3　2に定めるもののほか、こども家庭庁は、2の任務に関連する特定の内閣の重要政策に関する内閣の事務を助けることを任務とすることとした。（第3条第2項関係）

4　こども家庭庁は、3の任務を遂行するに当たり、内閣官房を助けるものとすることとした。（第3条第3項関係）

5　こども家庭庁は、2の任務を達成するため、次に掲げる事務をつかさどることとした。（第4条第1項関係）

（一）　小学校就学前のこどもの健やかな成長のための環境の確保及び小学校就学前のこどものある家庭における子育て支援に関する基本的な政策の企画及び立案並びに推進に関すること。

（二）　子ども・子育て支援法の規定による子ども・子育て支援給付その他の子ども及び子どもを養育している者に必要な支援に関すること（同法第69条第1項の規定による拠出金の徴収

に関することを除く。）。

（三）　就学前の子どもに関する教育、保育等の総合的な提供の推進に関する法律に規定する認定こども園に関する制度に関すること。

（四）　こどもの保育及び養護に関すること。

（五）　こどものある家庭における子育ての支援体制の整備並びに地域におけるこどもの適切な遊び及び生活の場の確保に関すること。

（六）　こどもの福祉のための文化の向上に関すること。

（七）　母子家庭及び父子家庭並びに寡婦の福祉の増進に関すること。

（八）　（四）から（七）までに掲げるもののほか、こども、こどものある家庭及び妊産婦その他母性の福祉の増進に関すること。

（九）　こどもの安全で安心な生活環境の整備に関する基本的な政策の企画及び立案並びに推進に関すること。

（一〇）　独立行政法人日本スポーツ振興センターが行う独立行政法人日本スポーツ振興センター法第15条第1項第7号に規定する災害共済給付に関すること。

（一一）　青少年が安全に安心してインターネットを利用できる環境の整備等に関する法律第8条第1項に規定する基本計画の作成及び推進に関すること。

（一二）　こどもの保健の向上に関すること（児童福祉法の規定による小児慢性特定疾病医療費の支給等に関することを除く。）。

（一三）　妊産婦その他母性の保健の向上に関すること。

（一四）　成育過程にある者及びその保護者並びに妊産婦に対し必要な成育医療等を切れ目なく提供するための施策の総合的な推進に関する法律第11条第1項に規定する成育医療等基本方針の策定及び推進に関すること。

（一五）　旧優生保護法に基づく優生手術等を受けた者に対する一時金の支給等に関する法律の規定による一時金の支給等に関すること。

（一六）　こどもの虐待の防止に関すること。

（一七）　いじめ防止対策推進法の規定によるいじめの防止等に関する相談の体制その他の地域における体制の整備に関すること。

（一八）　（一六）及び（一七）に掲げるもののほか、こどもの権利利益の擁護に関すること（他省の所掌に属するものを除く。）。

（一九）　こども基本法第9条第1項に規定するこ

ども大綱の策定及び推進に関すること。

（二〇）　少子化社会対策基本法第7条に規定する大綱の策定及び推進に関すること。

（二一）　子ども・若者育成支援推進法第8条第1項に規定する子ども・若者育成支援推進大綱の策定及び推進に関すること。

（二二）　（二一）に掲げるもののほか、子ども・若者育成支援（子ども・若者育成支援推進法第1条に規定する子ども・若者育成支援をいう。6の（三）において同じ。）に関する関係行政機関の事務の連絡調整及びこれに伴い必要となる当該事務の実施の推進に関すること。

（二三）　子どもの貧困対策の推進に関する法律第8条第1項に規定する大綱の策定及び推進に関すること。

（二四）　大学等における修学の支援に関する法律の規定による大学等における修学の支援に関する関係行政機関の経費の配分計画に関すること。

（二五）　こども、こどものある家庭及び妊産婦その他母性に関する総合的な調査に関すること。

（二六）　所掌事務に係る国際協力に関すること。

（二七）　政令で定める文教研修施設において所掌事務に関する研修を行うこと。

（二八）　（一）から（二七）までに掲げるもののほか、法律（法律に基づく命令を含む。）に基づきこども家庭庁に属させられた事務

6　5に定めるもののほか、こども家庭庁は、3の任務を達成するため、行政各部の施策の統一を図るために必要となる次に掲げる事項の企画及び立案並びに総合調整に関する事務（内閣官房が行う内閣法第12条第2項第2号に掲げる事務を除く。）をつかさどることとした。（第4条第2項関係）

（一）　こどもが自立した個人としてひとしく健やかに成長することのできる社会の実現に向けた基本的な政策に関する事項

（二）　結婚、出産又は育児に希望を持つことができる社会環境の整備等少子化の克服に向けた基本的な政策に関する事項

（三）　子ども・若者育成支援に関する事項

7　5及び6に定めるもののほか、こども家庭庁は、3の任務を達成するため、内閣府設置法第4条第2項に規定する事務のうち、2の任務に関連する特定の内閣の重要政策について、当該重要政策に関して閣議において決定された基本的な方針に基づいて、行政各部の施策の統一を図るために必要となる企画及び立案並びに総合調整に関する

事務をつかさどることとした。（第4条第3項関係）

8 長官は、こども家庭庁の所掌事務を遂行するため必要があると認めるときは、関係行政機関の長に対し、資料の提出、説明その他必要な協力を求めることができることとした。（第5条関係）

9 こども家庭庁に、こども家庭審議会を置くこととした。（第6条第1項関係）

10 9に定めるもののほか、別に法律で定めるところによりこども家庭庁に置かれる審議会等は、旧優生保護法一時金認定審査会とし、旧優生保護法に基づく優生手術等を受けた者に対する一時金の支給等に関する法律（これに基づく命令を含む。）の定めるところによることとした。（第6条第2項関係）

11 こども家庭審議会について所要の規定を整備することとした。（第7条関係）

12 別に法律の定めるところによりこども家庭庁に置かれる特別の機関は、こども政策推進会議とすることとした。（第8条関係）

13 こども家庭庁は、内閣府設置法第53条第2項に規定する庁とすることとした。（第9条第1項関係）

14 内閣府設置法第53条第2項の規定に基づきこども家庭庁に置かれる官房及び局の数は、3以内とすることとした。（第9条第2項関係）

15 政府は、この法律の施行後5年を目途として、小学校就学前のこどもに対する質の高い教育及び保育の提供その他のこどもの健やかな成長及びこどものある家庭における子育てに対する支援に関する施策の実施の状況を勘案し、これらの施策を総合的かつ効果的に実施するための組織及び体制の在り方について検討を加え、必要があると認めるときは、その結果に基づいて所要の措置を講ずるものとした。（附則第2項関係）

16 この法律は、令和5年4月1日から施行することとした。

第2 こども家庭庁設置法の施行に伴う関係法律の整備に関する法律

1 こども家庭庁設置法の施行に伴い、児童福祉法その他の関係法律について、こども家庭庁長官の権限を定める等関係規定の整備を行うとともに、内閣府設置法その他の行政組織に関する法律について、任務、所掌事務の変更等関係規定の整備を行うこととした。（第1条～第46条関係）

2 この法律は、一部の規定を除き、こども家庭庁設置法の施行の日から施行するほか、この法律の

施行に関し必要な経過措置等を定めることとした。

第3 こども基本法

1 総則

（一） 目的

この法律は、日本国憲法及び児童の権利に関する条約の精神にのっとり、次代の社会を担う全てのこどもが、生涯にわたる人格形成の基礎を築き、自立した個人としてひとしく健やかに成長することができ、心身の状況、置かれている環境等にかかわらず、その権利の擁護が図られ、将来にわたって幸福な生活を送ることができる社会の実現を目指して、社会全体としてこども施策に取り組むことができるよう、こども施策に関し、基本理念を定め、国の責務等を明らかにし、及びこども施策の基本となる事項を定めるとともに、こども政策推進会議を設置すること等により、こども施策を総合的に推進することを目的とすることとした。（第1条関係）

（二） 定義（第2条関係）

(1) この法律において「こども」とは、心身の発達の過程にある者をいうこととした。

(2) この法律において「こども施策」とは、次に掲げる施策その他のこどもに関する施策及びこれと一体的に講ずべき施策をいうこととした。

イ 新生児期、乳幼児期、学童期及び思春期の各段階を経て、おとなになるまでの心身の発達の過程を通じて切れ目なく行われるこどもの健やかな成長に対する支援

ロ 子育てに伴う喜びを実感できる社会の実現に資するため、就労、結婚、妊娠、出産、育児等の各段階に応じて行われる支援

ハ 家庭における養育環境その他のこどもの養育環境の整備

（三） 基本理念

こども施策は、次に掲げる事項を基本理念として行われなければならないこととした。（第3条関係）

(1) 全てのこどもについて、個人として尊重され、その基本的人権が保障されるとともに、差別的取扱いを受けることがないようにすること。

(2) 全てのこどもについて、適切に養育されること、その生活を保障されること、愛され保護されること、その健やかな成長及び発達並びにその自立が図られることその他の福祉に

係る権利が等しく保障されるとともに、教育基本法の精神にのっとり教育を受ける機会が等しく与えられること。

(3) 全てのこどもについて、その年齢及び発達の程度に応じて、自己に直接関係する全ての事項に関して意見を表明する機会及び多様な社会的活動に参画する機会が確保されること。

(4) 全てのこどもについて、その年齢及び発達の程度に応じて、その意見が尊重され、その最善の利益が優先して考慮されること。

(5) こどもの養育については、家庭を基本として行われ、父母その他の保護者が第一義的責任を有するとの認識の下、これらの者に対してこどもの養育に関し十分な支援を行うとともに、家庭での養育が困難なこどもにはできる限り家庭と同様の養育環境を確保することにより、こどもが心身ともに健やかに育成されるようにすること。

(6) 家庭や子育てに夢を持ち、子育てに伴う喜びを実感できる社会環境を整備すること。

(四) 責務等

(1) 国の責務

国は、(三)の基本理念(以下「基本理念」という。)にのっとり、こども施策を総合的に策定し、及び実施する責務を有することとした。(第4条関係)

(2) 地方公共団体の責務

地方公共団体は、基本理念にのっとり、こども施策に関し、国及び他の地方公共団体との連携を図りつつ、その区域内におけるこどもの状況に応じた施策を策定し、及び実施する責務を有することとした。(第5条関係)

(3) 事業主の努力

事業主は、基本理念にのっとり、その雇用する労働者の職業生活及び家庭生活の充実が図られるよう、必要な雇用環境の整備に努めるものとすることとした。(第6条関係)

(4) 国民の努力

国民は、基本理念にのっとり、こども施策について関心と理解を深めるとともに、国又は地方公共団体が実施するこども施策に協力するよう努めるものとすることとした。(第7条関係)

(五) 年次報告(第8条関係)

(1) 政府は、毎年、国会に、我が国におけるこどもをめぐる状況及び政府が講じたこども施策の実施の状況に関する報告を提出するとともに、これを公表しなければならないこととした。

(2) (1)の報告は、次に掲げる事項を含むものでなければならないこととした。

イ 少子化社会対策基本法第9条第1項に規定する少子化の状況及び少子化に対処するために講じた施策の概況

ロ 子ども・若者育成支援推進法第6条第1項に規定する我が国における子ども・若者の状況及び政府が講じた子ども・若者育成支援施策の実施の状況

ハ 子どもの貧困対策の推進に関する法律第7条第1項に規定する子どもの貧困の状況及び子どもの貧困対策の実施の状況

2 基本的施策

(一) こども施策に関する大綱(第9条関係)

(1) 政府は、こども施策を総合的に推進するため、こども施策に関する大綱(以下「こども大綱」という。)を定めなければならないこととした。

(2) こども大綱は、次に掲げる事項について定めるものとすることとした。

イ こども施策に関する基本的な方針

ロ こども施策に関する重要事項

ハ イ及びロに掲げるもののほか、こども施策を推進するために必要な事項

(3) こども大綱は、次に掲げる事項を含むものでなければならないこととした。

イ 少子化社会対策基本法第7条第1項に規定する総合的かつ長期的な少子化に対処するための施策

ロ 子ども・若者育成支援推進法第8条第2項各号に掲げる事項

ハ 子どもの貧困対策の推進に関する法律第8条第2項各号に掲げる事項

(4) こども大綱に定めるこども施策については、原則として、当該こども施策の具体的な目標及びその達成の期間を定めるものとすることとした。

(5) 内閣総理大臣は、こども大綱の案につき閣議の決定を求めなければならないこととした。

(6) 内閣総理大臣は、(5)の規定による閣議の決定があったときは、遅滞なく、こども大綱を公表しなければならないこととした。

(7) (5)及び(6)は、こども大綱の変更について準

用することとした。

（二）　都道府県こども計画等（第10条関係）

（1）　都道府県は、こども大綱を勘案して、当該都道府県におけるこども施策についての計画（以下「都道府県こども計画」という。）を定めるよう努めるものとすることとした。

（2）　市町村は、こども大綱（都道府県こども計画が定められているときは、こども大綱及び都道府県こども計画）を勘案して、当該市町村におけるこども施策についての計画（以下「市町村こども計画」という。）を定めるよう努めるものとすることとした。

（3）　都道府県又は市町村は、都道府県こども計画又は市町村こども計画を定め、又は変更したときは、遅滞なく、これを公表しなければならないこととした。

（4）　都道府県こども計画は、子ども・若者育成支援推進法第9条第1項に規定する都道府県子ども・若者計画、子どもの貧困対策の推進に関する法律第9条第1項に規定する都道府県計画その他法令の規定により都道府県が作成する計画であってこども施策に関する事項を定めるものと一体のものとして作成することができることとした。

（5）　市町村こども計画は、子ども・若者育成支援推進法第9条第2項に規定する市町村子ども・若者計画、子どもの貧困対策の推進に関する法律第9条第2項に規定する市町村計画その他法令の規定により市町村が作成する計画であってこども施策に関する事項を定めるものと一体のものとして作成することができることとした。

（三）　こども施策に対するこども等の意見の反映

国及び地方公共団体は、こども施策を策定し、実施し、及び評価するに当たっては、当該こども施策の対象となるこども又はこどもを養育する者その他の関係者の意見を反映させるために必要な措置を講ずるものとすることとした。（第11条関係）

（四）　こども施策に係る支援の総合的かつ一体的な提供のための体制の整備等

国は、こども施策に係る支援が、支援を必要とする事由、支援を行う関係機関、支援の対象となる者の年齢又は居住する地域等にかかわらず、切れ目なく行われるようにするため、当該支援を総合的かつ一体的に行う体制の整備その他の必要な措置を講ずるものとすることとし

た。（第12条関係）

（五）　関係者相互の有機的な連携の確保等（第13条及び第14条関係）

（1）　国は、こども施策が適正かつ円滑に行われるよう、医療、保健、福祉、教育、療育等に関する業務を行う関係機関相互の有機的な連携の確保に努めなければならないこととした。

（2）　都道府県及び市町村は、こども施策が適正かつ円滑に行われるよう、(1)の業務を行う関係機関及び地域においてこどもに関する支援を行う民間団体相互の有機的な連携の確保に努めなければならないこととした。

（3）　都道府県又は市町村は、(2)の有機的な連携の確保に資するため、こども施策に係る事務の実施に係る協議及び連絡調整を行うための協議会を組織することができることとした。

（4）　(3)の協議会は、(2)の関係機関及び民間団体その他の都道府県又は市町村が必要と認める者をもって構成することとした。

（5）　国は、(1)の有機的な連携の確保に資するため、個人情報の適正な取扱いを確保しつつ、(1)の関係機関が行うこどもに関する支援に資する情報の共有を促進するための情報通信技術の活用その他の必要な措置を講ずるものとすることとした。

（6）　都道府県及び市町村は、(2)の有機的な連携の確保に資するため、個人情報の適正な取扱いを確保しつつ、(2)の関係機関及び民間団体が行うこどもに関する支援に資する情報の共有を促進するための情報通信技術の活用その他の必要な措置を講ずるよう努めるものとすることとした。

（六）　この法律及び児童の権利に関する条約の趣旨及び内容についての周知

国は、この法律及び児童の権利に関する条約の趣旨及び内容について、広報活動等を通じて国民に周知を図り、その理解を得るよう努めるものとすることとした。（第15条関係）

（七）　こども施策の充実及び財政上の措置等

政府は、こども大綱の定めるところにより、こども施策の幅広い展開その他のこども施策の一層の充実を図るとともに、その実施に必要な財政上の措置その他の措置を講ずるよう努めなければならないこととした。（第16条関係）

3　こども政策推進会議

（一）　会議の設置及び所掌事務等（第17条関係）

(1) こども家庭庁に、特別の機関として、こども政策推進会議（以下「会議」という。）を置くこととした。

(2) 会議は、次に掲げる事務をつかさどることとした。

イ　こども大綱の案を作成すること。

ロ　イに掲げるもののほか、こども施策に関する重要事項について審議し、及びこども施策の実施を推進すること。

ハ　こども施策について必要な関係行政機関相互の調整をすること。

ニ　イからハまでに掲げるもののほか、他の法令の規定により会議に属させられた事務

(3) 会議は、(2)によりこども大綱の案を作成するに当たり、こども及びこどもを養育する者、学識経験者、地域においてこどもに関する支援を行う民間団体その他の関係者の意見を反映させるために必要な措置を講ずるものとすることとした。

（二）　組織等（第18条関係）

(1) 会議は、会長及び委員をもって組織することとした。

(2) 会長は、内閣総理大臣をもって充てることとした。

(3) 委員は、次に掲げる者をもって充てることとした。

イ　内閣府設置法第9条第1項に規定する特命担当大臣であって、同項の規定により命を受けて同法第11条の3に規定する事務を掌理するもの

ロ　会長及びイに掲げる者以外の国務大臣のうちから、内閣総理大臣が指定する者

（三）　資料提出の要求等（第19条関係）

(1) 会議は、その所掌事務を遂行するために必要があると認めるときは、関係行政機関の長に対し、資料の提出、意見の開陳、説明その他必要な協力を求めることができることとした。

(2) 会議は、その所掌事務を遂行するために特に必要があると認めるときは、(1)の者以外の者に対しても、必要な協力を依頼することができることとした。

4　附則

（一）　国は、この法律の施行後5年を目途として、この法律の施行の状況及びこども施策の実施の状況を勘案し、こども施策が基本理念にのっとって実施されているかどうか等の観点からその実態を把握し及び公正かつ適切に評価する仕組みの整備その他の基本理念にのっとったこども施策の一層の推進のために必要な方策について検討を加え、その結果に基づき、法制上の措置その他の必要な措置を講ずるものとすることとした。（附則第2条関係）

（二）　この法律は、一部の規定を除き、令和5年4月1日から施行することとした。

別紙1〜3　略

別紙4

こども家庭庁の設置に伴う所掌事務の変更等について

こども家庭庁の設置に伴う関係府省からこども家庭庁への所掌事務、主な法律等の移管については、「こども家庭庁設置法」及び「こども家庭庁設置法の施行に伴う関係法律の整備に関する法律」に規定しているとおりであるが、法律上の改正事項以外の主な事務の移管等については、以下のとおり。

また、このほか、こども家庭庁の組織体制・事務の移管等の基本的な考え方に関しては、「こども政策の新たな推進体制に関する基本方針」（令和3年12月21日閣議決定）のとおりであるので、併せて参照いただきたい。

1　各府省からこども家庭庁に移管される法律

「こども政策の新たな推進体制に関する基本方針」別添（別紙5）のとおり。

2　こども家庭庁から地方厚生局に事務委任する事務

「こども政策の新たな推進体制に関する基本方針」別添（別紙5）のとおり。

3　厚生労働省子ども家庭局が所管する事務のうち、引き続き厚生労働省の所管とする事務

こども家庭庁に組織が移管されることとなる厚生労働省子ども家庭局が所管する事務のうち、以下の事務については、こども家庭庁に移管することとはせず、引き続き、厚生労働省の所管とする。

・厚生労働省子ども家庭局で所管していた婦人保護事業に関する事務

・厚生労働省子ども家庭局で所管していた児童委員制度に関する事務のうち、児童委員の委嘱及び主任児童委員の指名に関する事務

4　厚生労働省社会・援護局障害保健福祉部が所管する障害児支援に関する事務の整理

厚生労働省社会・援護局障害保健福祉部が所管する障害児支援に関する事務については、原則、こども家庭庁に移管することとしている。また、障害児・障害者をともに対象としている施策について

は、障害者の日常生活及び社会生活を総合的に支援するための法律（平成17年法律第123号）等に基づくものは、原則厚生労働省とこども家庭庁の共管とし、その他については引き続き厚生労働省の単管とする。

なお、障害者の日常生活及び社会生活を総合的に支援するための法律に基づく事務については、今後、政令改正により、厚生労働省の単管とするものと、厚生労働省とこども家庭庁の共管とするものの整理を行う予定である。

別紙 5
（別添）
1　こども家庭庁が所管等することとなる法律等
（移管する法律）
・地方青少年問題協議会法（昭和28年法律第83号）
・児童手当法（昭和46年法律第73号）
・少子化社会対策基本法（平成15年法律第133号）
・子ども・若者育成支援推進法（平成21年法律第71号）
・子ども・子育て支援法（平成24年法律第65号）
・児童福祉法（昭和22年法律第164号）（小児慢性特定疾患対策に係る部分を除く。）
・母体保護法（昭和23年法律第156号）
・児童扶養手当法（昭和36年法律第238号）
・母子及び父子並びに寡婦福祉法（昭和39年法律第129号）
・母子保健法（昭和40年法律第141号）
・こどもの国協会の解散及び事業の承継に関する法律（昭和55年法律第91号）
・児童虐待の防止等に関する法律（平成12年法律第82号）
・平成二十二年度等における子ども手当の支給に関する法律（平成22年法律第19号）
・平成二十三年度における子ども手当の支給等に関する特別措置法（平成23年法律第107号）
・母子家庭の母及び父子家庭の父の就業の支援に関する特別措置法（平成24年法律第92号）
・民間あっせん機関による養子縁組のあっせんに係る児童の保護等に関する法律（平成28年法律第110号）
・成育過程にある者及びその保護者並びに妊産婦に対し必要な成育医療等を切れ目なく提供するための施策の総合的な推進に関する法律（平成30年法律第104号）（文部科学省、厚生労働省は基本方針の作成に関与）

・旧優生保護法に基づく優生手術等を受けた者に対する一時金の支給等に関する法律（平成31年法律第14号）
・生殖補助医療の提供等及びこれにより出生した子の親子関係に関する民法の特例に関する法律（令和2年法律第76号）（厚生労働省子ども家庭局の所管部分をこども家庭庁に移管する。）
・医療的ケア児及びその家族に対する支援に関する法律（令和3年法律第81号）（厚生労働省社会・援護局障害保健福祉部及び子ども家庭局の所管部分をこども家庭庁に移管する。）
（共管や一定の関与を行う法律）
・就学前の子どもに関する教育、保育等の総合的な提供の推進に関する法律（平成18年法律第77号）（内閣府の所管部分及び厚生労働省の所管部分をこども家庭庁に移管し、主務大臣は内閣総理大臣及び文部科学大臣とする。）
・青少年が安全に安心してインターネットを利用できる環境の整備等に関する法律（平成20年法律第79号）（内閣府の所管部分をこども家庭庁に移管する。）
・子どもの貧困対策の推進に関する法律（平成25年法律第64号）（内閣府の所管部分及び厚生労働省子ども家庭局の所管部分についてこども家庭庁に移管する。教育の支援、保護者に対する就労の支援等の観点から、文部科学省及び厚生労働省との共管とする。）
・大学等における修学の支援に関する法律（令和元年法律第8号）
・学校教育法（昭和22年法律第26号）（文部科学省は、幼稚園の教育課程その他の保育内容に関する事項（同法第25条）の策定・改正に当たっては、こども家庭庁にあらかじめ協議する。一方、こども家庭庁は、保育所における保育の内容等（児童福祉法第45条第2項）に関する事項の策定・改正に当たっては、文部科学省にあらかじめ協議する。）
・独立行政法人日本スポーツ振興センター法（平成14年法律第162号）（独立行政法人日本スポーツ振興センターが行う災害共済給付の業務に関する事項の主務大臣を内閣総理大臣とし、災害共済給付に係る財務及び会計に関する事項の主務大臣を内閣総理大臣及び文部科学大臣とする。）
・いじめ防止対策推進法（平成25年法律第71号）（文部科学省は、いじめ防止基本方針の策定及び変更に当たっては、こども家庭庁にあらかじ

め協議する。）

・義務教育の段階における普通教育に相当する教育の機会の確保等に関する法律（平成28年法律第105号）（文部科学省は、基本指針の策定及び変更に当たっては、こども家庭庁にあらかじめ協議する。）

・教育職員等による児童生徒性暴力等の防止等に関する法律（令和３年法律第57号）（文部科学省は、基本指針の策定及び変更に当たっては、こども家庭庁にあらかじめ協議する。）

・児童福祉法（昭和22年法律第164号）（小児慢性特定疾患対策に係る部分）（厚生労働省は、同法第21条の５の「良質かつ適切な小児慢性特定疾病医療支援の実施その他の疾病児童等の健全な育成に係る施策の推進を図るための基本的な方針」の策定及び変更に当たっては、こども家庭庁にあらかじめ協議する。）

・民生委員法（昭和23年法律第198号）（児童委員を所管するこども家庭庁と民生委員を所管する厚生労働省が、相互に連携を図りながら協力することとする連携規定を設ける。また、児童福祉法にも同様の連携規定を設ける。）

・医療法（昭和23年法律第205号）（厚生労働省は、同法第30条の３第１項の「良質かつ適切な医療を効率的に提供する体制の確保を図るための基本的な方針」の策定及び変更に当たっては、こども家庭庁にあらかじめ協議する。）

・社会福祉法（昭和26年法律第45号）（厚生労働省は、同法第89条第１項の「社会福祉事業等に従事する者の確保及び国民の社会福祉に関する活動への参加の促進を図るための措置に関する基本的な指針」の策定及び変更に当たっては、こども家庭庁にあらかじめ協議する。）

・中小企業等経営強化法（平成11年法律第18号）（厚生労働省子ども家庭局の所管する保育分野に係る事業分野別指針の策定等に係る部分をこども家庭庁に移管する。）

・児童買春、児童ポルノに係る行為等の規制及び処罰並びに児童の保護等に関する法律（平成11年法律第52号）（厚生労働省の所管部分をこども家庭庁に移管する。）

・健康増進法（平成14年法律第103号）（厚生労働省は、同法第７条第１項の「国民の健康の増進の総合的な推進を図るための基本的な方針」及び同法第９条第１項の「健康増進事業実施者に対する健康診査の実施等に関する指針」の策定及び変更に当たっては、こども家庭庁にあらか

じめ協議する。）

・次世代育成支援対策推進法（平成15年法律第120号）（厚生労働省子ども家庭局の所管部分を移管し、法律をこども家庭庁の主管とする。一般事業主（民間事業主）の雇用環境の整備に関する部分は労働政策を担う厚生労働省が、それ以外の部分はこども家庭庁がそれぞれ所管する。）

・発達障害者支援法（平成16年法律第167号）（厚生労働省社会・援護局障害保健福祉部の所管する障害児に対する支援に係る部分を厚生労働省とこども家庭庁の共管とする。）

・障害者の日常生活及び社会生活を総合的に支援するための法律（平成17年法律第123号）（障害児に対する支援を担うこども家庭庁と障害者施策全般を担う厚生労働省の共管とする。）

・がん対策基本法（平成18年法律第98号）（厚生労働省は、同法第10条第１項の「がん対策の推進に関する基本的な計画」の策定及び変更に当たっては、こども家庭庁にあらかじめ協議する。）

・障害者虐待の防止、障害者の養護者に対する支援等に関する法律（平成23年法律第79号）（厚生労働省子ども家庭局の所管部分及び社会・援護局障害保健福祉部の所管する障害児に対する支援に係る部分を厚生労働省とこども家庭庁の共管とする。）

・国家戦略特別区域法（平成25年法律第107号）（厚生労働省子ども家庭局の所管する保育に係る部分をこども家庭庁に移管する。）

・アレルギー疾患対策基本法（平成26年法律第98号）（厚生労働省は、同法第11条第１項の「アレルギー疾患対策の推進に関する基本的な指針」の策定及び変更に当たっては、こども家庭庁にあらかじめ協議する。）

・健康寿命の延伸等を図るための脳卒中、心臓病その他の循環器病に係る対策に関する基本法（平成30年法律第105号）（厚生労働省は、同法第９条第１項の「循環器病対策の推進に関する基本的な計画」の策定及び変更に当たっては、こども家庭庁にあらかじめ協議する。）

（審議会等）

・子ども・子育て会議、社会保障審議会福祉文化分科会（児童福祉法に係る部分に限る。）、児童部会及び障害者部会（障害児施策に係る部分に限る。）、厚生科学審議会（母子保健施策に係る部分に限る。）、成育医療等協議会の機能を、こ

ども家庭庁に置くこども政策審議会に移管。

・旧優生保護法一時金認定審査会

（国立施設）

・国立児童自立支援施設武蔵野学院・きぬ川学院

2　こども家庭庁から地方厚生局に事務委任する事務

・以下の補助金等に係る予算執行関係事務

　－保育所等整備交付金

　－次世代育成支援対策施設整備交付金

　－社会福祉施設等施設整備費補助金（厚生労働省からこども家庭庁に移管する部分）

　－社会福祉施設等災害復旧費補助金（厚生労働省からこども家庭庁に移管する部分）

　－児童保護費負担金

　－児童保護医療費負担金

　－児童扶養手当給付費負担金

　－沖縄振興公共投資交付金（文部科学省及び厚生労働省からこども家庭庁に移管する部分）

　－子どものための教育・保育給付交付金

　－子どものための教育・保育給付費補助金

　－子育てのための施設等利用給付交付金

　－子ども・子育て支援整備交付金

　－このほか、以下の補助金等のうち、認定こども園に係る部分を文部科学省からこども家庭庁に移管して執行するもの（なお、執行に際

しては補助金等の名称が変更になる可能性がある。）

・私立学校施設整備費補助金

・認定こども園施設整備交付金

・学校施設環境改善交付金

・私立学校建物其他災害復旧費補助金

・公立諸学校建物其他災害復旧費負担金

・公立諸学校建物其他災害復旧費補助金

・児童扶養手当の監査関係事務

・保育、助産及び母子保護の実施に要する費用並びに児童福祉施設への入所又は通所に要する費用の監査関係事務

・児童福祉法に基づく指定障害児事業者等に対する監督・命令等関係事務

・障害者の日常生活及び社会生活を総合的に支援するための法律に基づく指定障害福祉サービス事業者等に対する監督・命令等関係事務

・児童福祉法に基づく緊急時の事務執行関係事務

・母子保健法に基づく緊急時の指定養育医療機関に対する事務執行等関係事務

・児童委員の委嘱等関係事務

・中小企業等経営強化法に基づく経営力向上計画（保育分野に限る）に係る認定事務

（注）詳細については、引き続き検討。

自治体向けＦＡＱ【第19.1版】

令和３年10月１日

【事業計画】

No.	事項	問	答	備考
1	確保方策 （定員弾力化の取扱い）	事業計画に定める確保方策として、定員弾力化を含めることは可能ですか。	事業計画の確保方策は、認可定員の範囲内で設定する利用定員ベースで記載していただく必要があり、定員弾力化を前提とした確保方策を定めることはできません。ただし、実際の運用において、年度途中の定員弾力化により、子どもを受け入れることを妨げるものではありません。	
2	事業計画 （私立幼稚園移行）	私立幼稚園が新制度に移行する時期は施行時に限られるものではなく、いつでも可能とのことだが、事業計画との関係はどうなりますか。施行後に新制度に移行する場合、供給計画の内容を見直す必要があるのでしょうか。	確認を受けない幼稚園については、事業計画における確保方策において、「特定教育・保育施設」とは別に記載していただくこととしている（「量の見込み」の算出のための手引き）が、新制度への移行状況に変化が生じた場合でも必ずしも計画を変更していただく必要はありません。	
3	事業計画 （認定こども園移行）	私立幼稚園が新制度に移行する時期は施行時に限られるものではなく、いつでも可能とのことですが、28年度以降、認定こども園として施設型給付を受けることを希望する場合であっても、移行は認められますか。	28年度以降に認定こども園に移行して施設型給付を受けることも可能です。なお、供給過剰地域においても認可・認定を受けられるよう、事業計画に「都道府県が定める数」を定めておく必要があることから、あらかじめ移行の意向を明確にし、事業計画に位置付けられていることが望まれます。	
4	事業計画 （認定こども園移行特例）	供給過剰地域においても、既存の幼稚園、保育所が認定こども園への移行を希望し、かつ認可・認定基準を満たす場合には、認可・認定が行われるようにする特例措置において、設定することとなる利用定員（幼稚園が移行する場合には２号３号定員、保育所が移行する場合には１号定員）の水準はどのように考えればよいですか。 幼稚園、保育所等の利用状況や移行の希望などを踏まえて設定するとのことですが、事業者が希望する定員数を設定する必要がありますか。	本特例措置は、供給過剰地域においても、既存の幼稚園、保育所が認定こども園への移行を希望する場合には認可・認定を受けられるようにするものですが、この場合においても、需給バランスは考慮すべき要素であり、事業者が希望したとしても、実態とかけ離れた大きな定員数を設定することまでを求めるものではありません。 例えば、幼稚園からの移行の場合においては、預かり保育との組み合わせにより幼稚園を利用している共働き家庭の子どもの数をひとつの目安として２号の定員を設定することが考えられます。他方、保育所からの移行の場合においては、保育所を利用している子どもの保護者の就労時間数が、新制度における保育認定の下限の原則とされる時間数を下回っている人数を目安として、１号の定員を設定する、あるいは、保護者が就労を中断しても転園をしなくても済むという認定こども園のメリットを活かす観点から、数人程度の最低限の１号定員を設定することなどが考えられます。 いずれにせよ、認可・認定に当たっては、施設の利用実態、事業者の意向を踏まえつつ、地方版子ども・子育て会議等において	

			議論を行っていただいた上で、都道府県計画（指定都市・中核市が処理することとされているものについては、指定都市・中核市計画）において「上乗せする数」を各地域の実情に応じて適切に定めていただくことが前提になります。	
5	事業計画 （認定こども園移行特例）	供給過剰地域における幼稚園、保育所からの認定こども園への移行特例の対象となるのは、制度施行時に現に存する幼稚園、保育所に限られるのでしょうか。それとも、制度施行後に設置された幼稚園、保育所も対象になるのでしょうか。	制度施行時に現に存する幼稚園、保育所に限らず、施行後に設置された幼稚園、保育所も含まれます。	
6	事業計画 （計画と認可の関係）	事業計画上、想定していない施設・事業について、事業者より認可申請があり、この申請が条件を満たしていれば、自治体は計画に位置付けられていなくても認可をしなければならないのでしょうか。 　（例えば計画中、保育の確保方策として認可保育所のみを定めているが、計画に定めていない小規模保育事業者からの認可申請がある場合。）	事業計画に具体的な記載がなくても、事業計画に定める需要量に達していない場合は、原則として認可しなければなりません。ただし、事業計画に基づき、保育所等の整備が現に具体的に進められている場合において、当該整備により供給量が確保されることとなる場合は、認可を行わないことができます。 この場合であっても、現に待機児童がいる場合、機動的な対応が望ましいと考えます。いずれにせよ、計画にない施設・事業であっても、認可・確認することは可能です。	
7	事業計画 （計画と認可の関係）	待機児童は存在しているが、事業計画で設定した供給量は既に満たされている場合において、認可申請が行われた場合、どのように取り扱うべきでしょうか。	事業計画に定める供給量がすでに確保されている場合であっても、現に保育認定を受けて保育を受けられない状況、すなわち待機児童がいる場合には、認可しなければなりません。 ただし、事業計画に基づき、保育所等の整備が現に具体的に進められている場合において、当該整備により供給量が確保されることとなる場合は、認可を行わないことができます。	
8	確保方策 （認可を受けない幼稚園の取扱い）	確認を受けない幼稚園は事業計画上どのように取り扱うのですか。	量の見込みについては、「確認を受けない幼稚園」を利用する需要も含めて教育標準時間に係る量を見込みます。 また、確保方策については、確認を受けない幼稚園も施設等での保育を必要としない満3歳以上の子どもの教育の受け皿となっていることから、対象として含めます。	
9	確保方策 （認可外保育施設の取扱い）	認可外保育施設を確保方策として計画に記載して良いのでしょうか。	子ども・子育て支援新制度では、市町村が把握した「量の見込み」に対して、「認可・確認を受けた教育・保育施設、地域型保育事業」により対応することが基本となりますが、「待機児童加速化プラン」等により、認可外保育施設の認可化を支援しているところであり、当分の間は、「認可・確認を受けた教育・保育施設、地域型保育事業」に加えて、一定の施設基準に基づき運営費等の支援を行っている「認可外保育施設」による対応についても計画に記載することも可能とします。 ※ベビーホテルのように、上記のような内容の支援を行っていない認可外保育施設は対象外とします。 （参考） 量の見込みの算出に当たっては、いわゆる「2号認定」「3号認定」は、これまでの保育の利用状況（認可外保育施設の利用等を含む。）を基本として定めるものであり（別表第二）、認可外保育施設を利用する子どものうち保育を必要とする子どもを含めます。 ※上記のような内容の支援を行っている認可外保育施設に限りません。	

No.	事項	問	答	備考
		ことは可能ですか。また、Ａ型のみに限定することは可能ですか。	が、その基準を全くＡ型と同一とし、実質的にＢ型という類型をなくすことまではできません。	
21	基準条例（放課後児童クラブ）	放課後児童健全育成事業に係る基準条例において、小４から小６の児童については、児童館など放課後児童クラブ以外の居場所を確保することを前提に、放課後児童クラブの受け入れ対象児童の利用対象を小３までに限定することは可能ですか。	個々の放課後児童クラブに小６までの受け入れ義務を一律に課すものではありませんが、対象年齢を小６までとした児童福祉法改正の趣旨を踏まえれば、条例において利用対象を小３までに制限することは適当ではありません。	
22	基準条例（放課後児童クラブ）	放課後児童クラブにおける集団の規模について、「おおむね40人以下」と定められましたが、これについて経過措置を設けることは可能ですか。	支援の単位（児童の集団の規模）は参酌すべき基準であり、各市町村で省令基準を十分参酌した結果であれば、地域の実情に応じて、条例で異なる内容を定めていただくことも可能です。このため、省令基準を十分に参酌した結果、各市町村の判断で経過措置を設けることも可能ですが、経過措置期間内に省令基準に適合させる取組を進めるなど、放課後児童クラブの質の確保を図るという基準策定の趣旨を踏まえた対応が望まれます。	
23	学則（園則）と運営規程の関係	各私立幼稚園において、学校教育法体系に基づき学則（園則）を定めていますが、特定教育・保育施設及び特定地域型保育事業の運営に関する基準第20条の運営規程も別途整備しなければならないのでしょうか。	運営規程として定めるべき事項について、幼稚園や幼保連携型認定こども園が法令に基づき定める学則（園則）で網羅している場合には、運営規程と兼ねることが可能であり、別途、運営規程を作成する必要はありません（学則（園則）に定めていない事項がある場合には、別途、運営規程を作成する、又は学則（園則）に追加する必要があります）。なお、学則（園則）は認可権者への届出が必要であり、運営規程は確認権者たる市町村へ確認の際に提出することが必要となります。	

【認定・利用調整】

No.	事項	問	答	備考
24	教育・保育給付認定（有効期間）	認定の有効期間は原則３年とのことですが、認定事由に該当しなくなった場合にはどうなりますか。また、現況確認についてはどのように対応すればよいでしょうか。	教育標準時間認定の有効期間は３年間（小学校就学前まで）を基本とします。保育認定の有効期間についても３年間（２号認定は小学校就学前まで、３号認定は３歳の誕生日の前々日まで）を基本としつつ、保育の必要性の認定を受ける事由に該当しなくなった場合はその時点までとします。ただし、求職活動が事由である場合については、90日を基本的な有効期間として取り扱います。また、現況届は、認定事由に該当していることの確認や利用者負担の決定の必要性を踏まえ、１年に１回を基本に求めることとします。（注）年齢計算に関する法律により、「満３歳に達する日」は３歳の誕生日の前日となります。	
25	保育の必要性認定	就労以外の事由についても、保育標準時間・短時間認定の区分設定を行う必要がありますか。また、求職活動、育児休業取得時の継続利用の事由については、一律に短時間認定としてもよいですか。	就労以外の事由についても、それぞれの置かれた状況が異なることから、保育標準時間・短時間の区分を設けることを基本としています。ただし、「妊娠・出産」「災害復旧」「虐待やＤＶのおそれがあること」の事由については、区分を設けず、保育標準時間を基本としています。なお、「求職活動」、「育児休業取得時の継続利用」の事由について、市町村判断により、必要に応じて、例えば、原則として保育短時間認定に統一することも可能です。	

26	保育の必要性認定	求職活動中であることを理由として、保育の必要性を認定する場合、その有効期間はどのようになりますか。	保育の必要性の認定の期間については、雇用保険の失業給付日数（基本手当）の支給日数が90日となっていることを踏まえ、90日を基本的な期間として、それを上限に市町村が定める期間とします。 なお、市町村が定めた期間経過後も引き続き求職活動により保育が必要な状況にある場合には、認定時と同様にその状況を確認のうえ、再度認定することも可能です。	
27	保育の必要性認定	保育認定が受けられる就労要件として、月48時間から64時間の間で市町村が定める時間が下限となりますが、既に48時間未満の下限時間を設定している場合やそもそも下限時間を設定していない場合において、親の就労時間が48時間に満たないが、現に保育所を利用している児童の取り扱いはどうなりますか。保育所を利用できなくなるのでしょうか。	制度施行時に、保育所において入所している児童については、経過措置により、市町村による就労時間の下限時間に変更があっても、引き続き、保育所を利用することが可能です。	
28	保育の必要性認定	保育短時間認定の要件に該当する子どもについては、新制度施行の時点で在園している子どもに限り、保育標準時間認定として差し支えないとする経過措置が設けられていますが、制度施行時に、0～2歳のみの保育所や小規模保育事業等を利用し、当該園を卒園し、満3歳以降に別の園に移る場合でも、当該経過措置は適用されますか。	新制度施行時点で在園している子どもについて保育標準時間認定で差し支えないとする経過措置の趣旨は、当該子どもについて従前と同様の保育を受けられるようにするものです。こうした観点から、ご指摘のような異なる園に転園した場合についても、引き続き、経過措置の対象として差し支えありません。	
29	保育の必要性認定	育児休業取得時に、既に保育を利用している子どもがいて継続利用が必要である場合には、保育の必要性を認定することとされたが、「継続利用が必要である場合」とは、具体的にはどういう場合を想定しているのでしょうか。	従来の制度における取扱いを踏まえ、保護者の希望や地域における保育の実情を踏まえた上で、①次年度に小学校入学を控えているなど、子どもの発達上環境の変化に留意する必要がある場合②保護者の健康状態やその子どもの発達上環境の変化が好ましくないと考えられる場合など市町村が児童福祉の観点から必要と認めるときを想定しています。	
29-2	保育の必要性認定	高度プロフェッショナル制度の対象となる労働者は、保育の必要性の認定において、どのように就労時間を把握すればよいのでしょうか。	高度プロフェッショナル制度の対象となる労働者の保育の必要性の認定に当たっては、同制度における「健康管理時間」や本人からの申し立てなどの情報をもとに、就業の実態を把握した上で、総合的に判断することが考えられます。 ※健康管理時間とは、 　「事業場内に所在していた時間（在社時間）」（タイムカード、パソコンの起動時間等で客観的に把握）と 　「事業場外での労働時間」（できるだけ客観的に把握※自宅で仕事をしている時間も把握） の合計時間で、割増賃金支払の基礎としてではなく、健康確保の観点から使用者が把握する時間です。	
30	子どもの親と別の市町村に居住する者が子どもを監護する場合の教育・保育給付認定	親が子どもを養育できない場合で、当該親とは別の市町村に居住する祖父母がその子どもを預かって監護する場合、親と祖父母のどちらの市町村で教育・保育給付認定を行うのでしょうか。	子ども・子育て支援法の保護者の定義は、「親権を行う者、未成年後見人その他の者で、子どもを現に監護する者」となっているため、例の場合は、子どもを監護している祖父母が保護者となり、その居住地の市町村に対して教育・保育給付認定の申請を行い、当該市町村が認定を行うこともできます。	
31	住民票を移していない場合の教育・保育	DV等被害で、住民票を移さずに、他市町村へ移った場合に、実際に生活の拠点となっている市町村と、住	子ども・子育て支援法第20条第2項の規定のとおり、教育・保育給付認定は保護者の居住地の市町村が行います。	

	給付認定	民票のある市町村はどちらが認定と給付を行うのでしょうか。	ここで言う「居住地の市町村」とは、保護者の居住事実が認められる場所をいい、将来にわたり起居を継続することが社会通念上期待できる場所のことで、必ずしも住民票の有無を要するものではないと考えます。 ＤＶ等被害者は住民票を移さずに他の市町村で生活をしている場合もあり、居住の実態と住民票が一致しない場合には、保護者からの聞き取り等により、実際に生活の拠点となっている方の市町村において認定を行ってください。	
32	教育標準時間認定	新制度に移行していない私立幼稚園を利用する場合、保護者による申請が必要となるのは施設等利用給付第１号認定であり、教育・保育給付第１号認定（教育標準時間認定）の申請および認定の手続きは必要ないと理解して良いですか。	お見込みのとおりです。ただし、保護者が教育・保育給付第１号認定を市町村に申請した場合には、利用する施設が確認を受けているかどうかにかかわらず、認定することが必要です。 なお、当該利用者が教育・保育給付第２号認定を受け、保育所・認定こども園を希望していたが入園できず、新制度に移行していない私立幼稚園を利用することとなった場合、保護者は施設等利用給付第２号認定の申請は要しませんが、市町村は施設等利用給付第２号認定のみなし認定を行い、認定を行った旨等の事項を保護者に通知する必要があります。この際、引き続き保護者が保育所・認定こども園を利用する希望があれば、教育・保育給付第２号認定を維持することとなります。	
33	認定の基準日	認定時期は入園する年度の前年度の10月頃から始まりますが、10月時点で２歳児の子どもが入園する４月には３歳になる場合、10月時点では３号で認定しておいて、４月にまた２号に認定しなおすのでしょうか。認定の基準日はいつになるのでしょうか。	入園までに満３歳に達することが見込まれる場合は、認定の有効期間の始期を入園する４月とした上で、２号の認定をすることが可能です。	
34	認定の処理期間の基準日	１号認定の認定証の交付について、認定申請のあった日から30日以内にしなければならないとされていますが、施設で取りまとめて市に送ってくる場合、保護者が施設に提出した日から起算するのか、市役所に届いた日から起算するのかどちらでしょうか。	市町村が受理した日が起算日となります。	
35	３号から２号の認定証の切り替え時期	認定証を３号から２号に切り替える時期はいつになるのでしょうか。自治体の裁量で決めて良いのでしょうか。	満３歳に達する日の前日（誕生日の前々日）までの期間が認定証の期限となるので、実質的な弊害がないよう配慮した上で、新しい認定証の受け渡し時期は自治体の裁量にお任せいたします。 （注）年齢計算に関する法律により、「満３歳に達する日」は３歳の誕生日の前日となります。	
36	各種ひな形、様式	各種様式のひな型は、国から示されているのでしょうか。（例：みなし確認、入所申し込み、認定証、利用者負担額決定通知、施設型給付（法定代理受領請求））	施設型給付（法定代理受領請求）の様式について、幼稚園及び認定こども園は平成27年３月10日都道府県説明会資料９別紙３で、保育所は平成31年３月29日付事務連絡「給付事務に係る請求書の標準様式について」でお示ししているのでご参照ください。 支給認定証の記載事項は省令で規定していますが、利用者負担額決定通知その他の様式を国からお示しする予定はありません。平成25年10月30日子ども・子育て支援制度説明会（システム関係）において、支給認定や確認に係る申請書（案）をお示ししているのでご参照ください。 なお、保育の必要性認定の申請の際に添付する就労証明書について、令和３年７月頃	修正

			に標準的な様式の改定版をお示ししています。	
37	日本に居住する外国籍の子どもの取扱い	日本国内に居住する外国籍の子どもも、新制度の対象となるのでしょうか。米軍基地内の子どもの場合はどうでしょうか。	日本国籍の有無、戸籍・住民登録の有無にかかわらず、当該市町村での居住の実態があれば、米軍基地内に居住する場合を含め、新制度に基づく支援の対象となります。	
38	認定の有効期間	子ども・子育て支援法施行規則で、教育・保育給付認定の有効期間について、例えば、2号の就労については「小学校就学の始期に達するまでの期間」と定められましたが、当初から3か月限定の就労と分かっているような場合には、認定の有効期間も3か月として問題ないでしょうか。	2号認定子どもに係る就労を事由とする場合の教育・保育給付認定の有効期間は、小学校就学の始期に達するまでの期間とされています（法第21条、規則第8条第2号）。あらかじめ就労の終期と、その後も保育の必要性の必要性の事由に該当しないことが明らかになっている場合に限り、就労の終期をもって1号認定に職権で変更することを、認定の条件として定めることも可能と考えられます。	
39	認定に係る処理期間を延期する場合の通知方法	教育・保育給付認定は、認定申請のあった日から30日以内にしなければならないとされていますが、「特別な理由がある場合」には、処理見込期間とその理由を通知し、延期することができることとされています。この「特別な理由」として、どのようなものが考えられますか。また、この「通知」はできる限り簡素に処理したいのですが、どのような方法が考えられますか。	申請に係る認定事務が特定の時期に集中し、審査に時間を要する場合などは、「特別な理由がある場合」に該当するものと考えられます。また、この場合の通知方法については、各市町村の判断により、以下のような方法とすることが考えられます。 ①当該申請を受理した際に、申請者に対し、一律に「次年度4月の入所に向けた認定事務が集中するために審査に時間を要することから、審査結果は○月にお知らせする」旨を通知する方法 ②申請に当たって、「次年度4月の入所に向けた認定事務が集中するために審査に時間を要することから、審査結果は○月にお知らせする」旨を案内し、これに同意する保護者の意思を認定の申請に併せて書面により確認する方法	
40	2号認定を受けた子どもの幼稚園利用	教育・保育給付第2号認定を受けた場合でも、幼稚園に入ることはできるのでしょうか。	新規に教育・保育給付第2号認定を受け、利用調整の結果、保育所等に入所できない場合（保育所等のみの利用を希望した場合、保育所等と幼稚園を併願した場合）又は既に教育・保育給付第2号認定を受けている場合（小規模保育の卒園者が入園、転居により保育所等から転園等）には、特例施設型給付を受けて新制度幼稚園を利用することが可能です。いずれの場合も、入園後、一定期間内に保育所等への転園の希望の有無を確認し、希望がない場合は教育・保育給付第1号認定へ変更することが考えられます。 なお、両親が共働きであるなど客観的には教育・保育給付第2号認定を受けられる場合であっても、保護者が新制度幼稚園の利用を希望する場合には、教育・保育給付第1号認定を受けて幼稚園を利用することになります。 教育時間外の預かりニーズについては、保護者が教育・保育給付第1号認定に加え、施設等利用給付第2号認定を受けることにより幼稚園の預かり保育を利用することが想定されます。	
41	就労時間の変更に伴う認定区分の変更手続き	フルタイム就労で保育標準時間認定を受けていた人が10月からパートタイム就労となり保育短時間認定を希望してきた又はそうした事実が判明した場合、10月から職権で認定区分を変更するのでしょうか、あるいは、あくまで申請を原則とし、変更申請を受けた翌月からの変更とするのでしょうか。	教育・保育給付認定の変更は原則として保護者からの申請が必要となるため、事実が判明した時点で速やかに変更申請を行うよう促す必要があります。（変更の事由が発生した日と変更申請日が異なる場合において、事由発生日に遡って変更認定を行うものではありません。） なお、正当な理由なく変更の申請を行わない場合は、子ども・子育て支援法第24条第1項第3号に基づく子ども・子育て支援法施行令第3条第1号により取消しを行うことができます。	

42	保育の必要性認定事由に変更が生じた場合の手続き	保育の必要性認定事由に変更が生じた場合や、保育を必要とする子どもとしての事由が無くなっていたことが分かった場合の認定の切替えや取消しなどの手続きは、どのように行うのでしょうか。	教育・保育給付認定の変更は原則として保護者からの申請が必要となるため、速やかに変更申請を行うよう促す必要があります。もし正当な理由なく変更申請を行わない場合は、２号認定子ども、３号認定子ども共に子ども・子育て支援法第23条第４項により教育・保育給付認定の変更を行うことができます。なお、保育の必要性の認定事由に変更がある場合であっても同法施行規則第10条に該当しない場合は、変更を行う必要はありません。 また、保育を必要とする事由に該当しなくなっていた場合は、３号認定子どもであれば、同法第24条第１項第１号により教育・保育給付認定の取消しを行うこともできます。 なお、市町村は、教育・保育給付に必要があるときには、必要な範囲で、保護者に報告等を求めることができ、保護者が、虚偽の報告等を行った場合については、同法第24条第１項第３号（子ども・子育て支援法施行令第３条第１号）により２号認定子ども、３号認定子ども共に職権で教育・保育給付認定の取消しを行うことが可能です。	
43	保育の必要性認定事由が無くなった場合の手続き	保育の教育・保育給付認定を受けた者が、その当該認定事由が無くなった場合でも、市町村に対する届出義務はないのでしょうか。	保育認定されていた者が、当該認定事由がなくなった場合には、給付を行うことができないため、速やかに変更の申請を行うよう通知や認定証にその旨を記載するなど、変更の申請を促す必要があります。 なお、市町村は、教育・保育給付に必要があるときには、必要な範囲で、保護者に報告等を求めることができ、保護者が、虚偽の報告等を行った場合については、子ども・子育て支援法第24条第１項第３号（子ども・子育て支援法施行令第３条第１号）により２号認定子ども、３号認定子ども共に職権で取消を行うことが可能です。	
44	保育短時間認定に係る利用時間帯を超えて施設を利用せざるを得ない場合の取扱い	①例えば１日８時間・１か月14日勤務の場合のように、１か月の就労時間数のみで認定すると保育短時間認定の対象となりますが、勤務日によっては８時間を超えて施設を利用せざるを得ない場合、延長保育の利用による利用者負担発生の負担を避けるため、市町村の判断により保育標準時間認定を行うことは認められますか。 ②また、例えば１日の就労時間は５時間ですが勤務時間帯が午後１時から６時までのため、保育の利用時間は８時間未満であるものの、施設が設定する保育短時間認定に係る利用時間帯（例えば午前９時～午後５時）を超えて施設を利用せざるを得ない場合はどうでしょうか。 ③この他、１か月の就労時間数のみで認定すると保育短時間認定の対象となるが、シフト制の勤務体系などにより、１か月の中で保育を必要とする時間帯がまちまちな場合はどうでしょうか。	保育必要量の認定に当たっては、１か月当たりの就労時間数が120時間以上であれば原則として保育標準時間認定、120時間未満であれば原則として保育短時間認定として認定することとしています。 ①一方で、ご指摘の例のように１か月の就労時間は120時間に満たないものの、１日の就労時間が８時間以上となるような就労を常態としている場合であって、保育短時間認定を行うことが適当でないと市町村が認めるときは、市町村の判断により保育標準時間認定とすることも可能であると考えています。 ②また、ご指摘の例のように、１日の就労時間は８時間未満ですが、勤務時間帯との関係から、常態として施設が設定する保育短時間認定に係る利用時間帯を超えて施設を利用せざるを得ないと市町村が認める場合についても、市町村の判断により保育標準時間認定とすることも可能であると考えます。（ただし、保育短時間認定に係る利用時間帯が利用者の就労実態を踏まえ、適切に設定されていることが前提です。） ③この他、①②に当てはまらないケースであって、シフト制の勤務体系などにより、１か月の中で保育を利用する時間帯がまちまちで常態として施設が設定する保育短時間認定に係る利用時間帯を超えて施設を利用せざるを得ないと市町村が認める場合についても保育標準時間として認定しても差し支えありません。	

			なお、就労時間が8時間に満たない場合であっても、通勤時間等により利用時間が8時間を超えると市町村が認める場合については①に該当します。	
45	保育時間の設定	保育短時間認定の子どもの保育時間については、施設で定めることとされていますが、その設定の仕方として、子どもの生活リズムや経験活動の保障、保護者の多様な就労時間への対応などの観点から、短時間認定に係る保育時間の中に6～7時間程度の基幹となる時間を設け、その前後1～2時間を個別に対応する形で設定することは可能でしょうか。	①質の高い教育・保育を提供する観点や施設・事業の人員体制確保の観点 ②No.44にもお示ししているような認定事務の取扱い により、保育短時間認定に係る利用可能時間帯の設定は1施設1時間帯で定めることが基本と考えられます。 ただし、上記の①及び②を踏まえた上で、施設・事業者が複数の時間帯を設けるべきと判断する場合は、例外的に、当該施設・事業者が、複数の時間帯を設定することも可能です。	
46	広域利用の受け入れ義務	受け入れ制限（同市の居住者のみ受け入れ）をしている公立施設は、新制度では必ず広域化が必要ですか。	必須ではありませんが、広域入所をどの程度見込むかなど周辺自治体との連絡・調整のうえ、検討する必要があるものと考えます。	
47	広域利用における利用調整	広域利用の際に、複数の市町村間で入所の優先度の判断が異なる場合、どのように対応すべきでしょうか。また、入所できなかった場合、広域入所の依頼元と依頼先、どちらの市町村があっせん等の調整を行うことになるのでしょうか。	広域利用における調整については、市町村間でよく協議の上、対応して下さい。また、広域入所については、依頼元、すなわち給付の実施主体である居住地市町村で対応いただくことが基本になります。	
48	保育短時間認定の下限が異なる自治体間での広域利用等の取扱い	転出・転入予定の場合や広域利用の場合、保育認定を行った居住地の市町村と実際に広域利用する施設が所在する市町村とで保育短時間の下限が違うことにより、居住地の市町村（または転出前の市町村）では保育認定が受けられる要件に該当するが、利用する施設が所在する市町村（または転入先の市町村）では保育認定が受けられる要件に該当しない場合の取扱いはどうなるのでしょうか（例えば、下限48時間で短時間認定を受けた人が、下限を64時間としている自治体の施設を広域で利用することはできるのでしょうか）。	転出・転入の場合、転入先の市区町村の認定基準により再度認定を受けることとなります。 また、広域利用の場合、保育認定の下限時間について、各市町村ごとに経過措置を設けることにしているなど、市町村ごとに認定の取り扱いが異なる場合がありますが、保育認定は保護者の居住地の市町村がその市町村の基準で行うことになるため、受け入れ先市町村と異なる基準で保育認定を受けた子どもであっても、利用調整を経た上で、関係市町村間で協議が整えば、広域利用することは可能です。	
49	広域利用の条件	保育所の広域利用について、これまでは保護者の勤務先や祖父母の住所が市外であることや里帰り出産の場合であることなどの条件を付していましたが、新制度下でもその取扱いを継続することは可能ですか。	2号認定子ども、3号認定子どもの保育所や認定こども園の利用については、居住地の市町村が利用調整を行うこととなりますが、これらの施設の広域利用については、市町村間で協議の上、対応されるものであり、施設所在の市町村が自市町村外の子どもを受け入れる義務を負っているものではありません。したがって、施設所在の市町村が、広域利用について、お尋ねのような条件を付することも可能です。なお、これまでの広域利用の実態を踏まえ、子ども（保護者）の居住地の市町村においては、当該保護者が広域利用を希望する場合には、個々の事情に応じ、保護者の理解を得られるよう適切に対応することが求められます。	
50	利用調整の処分性	2号認定子ども及び3号認定子どもの利用調整に関し、市町村との契約である保育所とは異なり、直接契約である認定こども園や地域型保育については、利用調整の結果がストレートに入所を決定するものではなく、一種の行政指導と考えられることから、必ずしも不服申立ての対象となる行政処分とは言えないのではないかと考えますが、いかがでしょ	直接契約の施設であっても、利用調整の結果は事実上入所の可否を左右するものであり、処分性があると考えられます。	

		うか。	
51	優先利用の事項	国の通知において、保育所等の入所に係る利用調整に当たっての優先利用の対象となる事項として、ひとり親家庭など８つの項目が例示されましたが、この８つの項目は、全て優先利用の対象事項としなければならないのでしょうか。自治体の判断により、優先利用の対象事項としないことも可能ですか。	優先利用に関する運用面の詳細については、各市町村の判断により実施していただくことになりますが、今回、お示しした８つの優先事項については、国としては、基本的には対象事項として配慮していただきたいと考えています。 なお、ひとり親家庭や、被虐待児童については、別途、法律等により配慮が求められている点に留意が必要です。
52	法施行前の利用調整の根拠	保育の利用調整業務は改正児童福祉法に根拠をもつ行為であり、子ども・子育て支援法附則第12条の準備行為（支給認定やあっせん・要請）は適用されないと理解しています。 そのため、以下の点を考慮すると、利用調整業務に係る準備行為について、法的根拠が必要と思われますので、法的根拠を教えてください。 ・新年度向けの利用調整結果通知は、１月又は２月等の実際日付（４月１日付けではなく）で発出することが妥当と考えられること。 ・利用調整結果通知は、待機（保留）を伝える処分でもあるため、不服申立の対象となることが想定され、法令等の裏付けが求められること。 ※平成26年５月16日付け新制度施行準備室事務連絡において、児童福祉法施行令の内容として「準備行為」との記載があるが、ここに含まれる想定か。	平成26年12月19日公布「子ども・子育て支援法及び就学前の子どもに関する教育、保育等の総合的な提供の推進に関する法律の一部を修正する法律の施行に伴う関係法律の整備等に関する法律の施行に伴う経過措置に関する政令（平成26年政令第404号）」第３条において、事前の準備行為を行うことができることとしています。
53	認定こども園に係る利用調整	認定こども園を利用している教育・保育給付第１号認定の子どもが、保護者の就労等の事由により教育・保育給付第２号認定への変更を申し出た場合の取り扱いについて、同施設の２号認定の利用希望者と同等に取り扱うのでしょうか、若しくは、継続して利用をするために優先的に変更する取扱いとなるのでしょうか。 それとも、施設等利用給付第２号認定の取得を促すことになるのでしょうか。	認定こども園を利用する教育・保育給付第１号認定の子どもについて、教育・保育給付第２号認定への区分の変更があった場合には、市町村の利用調整を経ることになりますが、市町村の判断により優先的に継続利用させることは可能です。なお、利用定員について、認定こども園の全体定員の範囲内での教育・保育給付第１号認定と教育・保育給付第２号認定間での柔軟な取り扱いを可能としています。 また、施設等利用給付第２号認定を促し、預かり保育料に対して施設等利用給付を支給するという取扱いも可能です。
54	妊娠・出産を理由に保育認定をする場合の取扱い	妊娠・出産を理由に保育認定をする場合の産前・産後の期間についての具体的な目安はありますか。例えば、つわりがひどい場合など妊娠初期のケースも認められますか。また、産後６か月くらいまで認めることも可能ですか。	子ども・子育て支援法施行規則（以下「規則」という。）第１条の５第２号においては、「妊娠中か出産後間がないこと」と定めています。そのため、妊娠初期のケースであっても、保護者の心身の状況を踏まえ、「保育の必要性がある」と判断されれば保育認定することとなります。他方、産後については、認定証の有効期間を「出産日から起算して８週間を経過する日の翌日の属する月の末日」と定めていますので、この期間を原則としつつ、保護者の個別の状況により、この期間を超えるケースについても必要に応じ、保育認定することは可能と考えます。 例）９月30日が出産日から起算して８週間を経過する日にあたる場合、10月末日が有効期限となります。
55	育児休業期間中の慣らし保育期間の認定	育児休業期間中に行う慣らし保育の期間の認定事由は、「就労」で良いのでしょうか。	新制度施行前の取扱いと同様に、育児休業終了前の慣らし保育の期間を含め、「就労」事由として教育・保育給付認定を行ってい

	事由		
			ただいて差し支えありません。
55 -2	応諾義務	平成27年1月29日付事務連絡「保育所や認定こども園等を現に利用している児童の取扱いについて」において、認可外保育施設が認可された場合に、市町村は、現在利用している施設を継続的に利用することに配慮することが望ましい旨の記載があるが、この事務連絡はあくまでも新制度移行による混乱を避けるためのものであるという理解でよいでしょうか。	本事務連絡は、新制度施行に際し、保育認定子どもについては市町村による利用調整を経て利用が決定されることに伴い、現在保育所等を利用している子どもに対して継続利用の保障を求める趣旨のものです。 しかし、認可外保育施設が認可保育所に移行する場合等において、現在利用している施設を継続的に利用することへの配慮は新制度施行後においても必要となることから、本事務連絡は新制度施行時に限定した取扱いを示したものではありません。 とはいえ、いかなる場合でも継続利用を「保障」することを求めているものではなく、最終的には市町村の判断により、待機児童等の状況を勘案し、取扱いを決定することとなります。	
56	認定こども園に直接申し込みがあった場合の応諾義務との関係	市町村の利用調整の結果、別の園に利用決定となった保護者が、直接、認定こども園に申し込んできた場合や、市町村に申し込まずに直接、認定こども園に申し込んできた場合、入園を断っても応諾義務違反には問われないと考えてよいですか。	保育認定の対象となる2号・3号認定子どもについては、直接契約施設である認定こども園を利用する場合を含め、全て市町村による利用調整を経て、利用先の施設・事業が決定される仕組みとなっていますので、ご指摘のようなケースにおいて、認定こども園が入園を断っても応諾義務違反を問われることはありませんが、保護者の方に市町村に申し込みや相談をしていただくようご案内することが望まれます。	
57	経過措置期間及び経過措置対象者の弟妹の取扱い	保育短時間認定の要件に該当する子どもについては、新制度の施行の時点で在園している子どもに限り、市町村が必要と認める場合には保育標準時間認定として差し支えないとする経過措置が認められていますが、当該経過措置の適用を受ける子どもの弟妹が入園する場合の認定の取扱いはどうすべきでしょうか。	本経過措置は、現に在園している児童に限って新制度への切り替えによる不利益変更が生じることのないよう保育標準時間認定とすることを可能とするものであり、新制度施行後において新たに入園する当該経過措置の適用を受ける児童の弟妹については、原則どおり保育短時間認定とするのが基本と考えますが、家庭の事情等を踏まえ、必要な範囲において、市町村の判断により保育標準時間認定とすることを妨げるものではありません。	
58	就学猶予・免除者の認定	学校教育法第18条の規定により、小学校の就学義務を猶予又は免除された児童が特定教育・保育施設を利用する場合、教育・保育給付認定を受け、施設型給付の対象となることは可能でしょうか。	可能です。なお、施設等利用給付においても対象となっています。	
59	事業所内保育事業の従業員枠を利用する子どもの保育の必要性認定	事業所内保育事業の従業員枠を利用する子どもについても、保育認定を受ける必要はありますか。また、保育認定を受けることができない程度の短時間勤務従業員の子どもが従業員枠を利用することは可能でしょうか。	市町村によって認可・確認を受けた事業所内保育事業については、従業員枠で利用する場合であっても、保育認定を受ける必要があります。 また、従業員枠を利用していた子どもが、事由変更などにより1号認定に切り替わるなどした場合には基本的には利用ができませんが、保護者の希望により3歳以降も継続して利用しており、当該子どもが次年度に小学校への就学を控えているなど、当該児童の環境の変化に留意する必要がある場合には、特例地域型保育給付の対象として、1号認定を受けた従業員の子どもを受け入れることは可能です。また、保育認定を受けない3歳未満の子どもについては、基本的に受け入れることはできません。（ただし、定員に余裕がある場合に私的契約児として受け入れることを禁止するものではありません。この場合は、地域型保育給付の対象とはなりません。）	
60	事業所内保育事業の従業員枠を利用する子どもの保育	事業所内保育事業の従業員枠を利用する子どもの場合の、保育認定の手続きについて教えてください。	事業所内保育事業の従業員枠の利用を希望する従業員については、事業所内保育事業所において申請書等をとりまとめた上で、事業者から各従業員の居住する市町村	

	の必要性認定		に提出することが基本となります。 詳しくは、「子ども・子育て支援新制度における事業所内保育事業所の運営上の取扱いについて（通知）」（平成26年12月25日付通知）をご確認ください。	
61	事業所内保育事業の従業員枠を利用する子どもの利用調整	事業所内保育事業の従業員枠を利用する子どもも、利用調整の対象となるのでしょうか。	事業所内保育事業における従業員枠を利用する子どもについては、従業員のための福利厚生等の観点から設置されるものであることから、他の保育所等と同様の利用調整は行わず、従業員枠の利用を希望する保育認定を受けた従業員等に対しては、当該事業所内保育事業所が利用者を選定することとしています。 なお、従業員枠の定員を超える利用申し込みがあった場合には、事業所内保育事業者において、保育を受ける必要性が高いと認められる子どもが優先的に利用できるよう「特定教育・保育施設及び特定地域型保育事業の運営に関する基準」第39条の趣旨を踏まえ、利用者の選考を行っていただくことになります。 詳しくは、「子ども・子育て支援新制度における事業所内保育事業所の運営上の取扱いについて（通知）」（平成26年12月25日付通知）をご確認ください。	
62	月途中の認定変更	「保育必要量や認定区分が月途中で変更した場合の利用者負担については、翌月から変更後の利用者負担を適用する」とのことですが、実際の利用の取り扱いはどうすべきでしょうか。変更前の認定区分による利用でよいでしょうか。それとも、変更後の認定区分による利用とすべきでしょうか。	給付は月単位で行うことが原則となりますが、教育・保育の提供は実際の認定区分により対応することになるため、変更後の認定区分による利用となります。	
63	認定事務の簡素化（待機児童の現況届）	子ども・子育て支援法施行規則第9条において、現況調査をすることと定められています。現況届は1年に1回を基本に求めるということですが、施設型給付費等の給付を受けていない教育・保育給付保護者（いわゆる待機児童）にかかる現況届の提出についてはどのように対応すればよいでしょうか。	平成27年12月28日付で「子ども・子育て支援法施行規則（以下「規則」という。）」の一部改正を行い、規則第9条第1項に規定する「届出」について、「当該支給認定保護者に対する施設型保育給付費、地域型保育給付費、特例施設型保育給付費又は特例地域型保育給付費の公正かつ適正な支給の確保に支障がないと認めるときは、当該書類を省略させることができる。」と改正し、待機児童等の場合については、特段の事情がない限り、市町村の判断により現況届を不要とできることとしました。	
64	転居の際の認定取消し	市外へ転居し、居住実態がなくなった場合、教育・保育給付認定は当然に取り消されることになるのでしょうか。	教育・保育給付認定は転居により当然に取り消されるものではなく、子ども・子育て支援法第24条第1項第2号に基づく取消しを行う必要があります。そのため、取消しを行うまでの間は、教育・保育給付認定が継続されており、教育・保育の提供を受ける限り、給付の支払いが発生するため、住民基本台帳担当部局を始め関係部局とよく連携する必要があります。 参考：令和2年10月26日付け事務連絡「転出入時における事務手続の円滑化に向けた住民基本台帳担当部局との連携の強化について」	
65	認定事務の簡素化（2・3号認定）	職権で3号から2号に教育・保育給付認定の変更を行うことができるとされていますが、そもそも3号認定を行う際に、3号と2号をまとめて申請・認定することはできないのでしょうか。	各市町村が地域の実情等を踏まえて、実質的な弊害がないよう配慮した上で、それぞれの教育・保育給付認定の有効期間を明示することにより、3号と2号をまとめて申請・認定する運用も可能です。	
66	客観的な状況の変化が伴わ	客観的には2号認定を受けることができるにもかかわらず、希望により	教育・保育給付認定の変更は、子ども・子育て支援法第23条第2項において、「市町	

	ない場合の教育・保育給付認定の変更	1号認定を受け認定こども園に在園している教育・保育給付認定保護者が、就労状況の変化等がないにもかかわらず、夏休みや冬休みなどの長期休暇期間中だけ2号認定に変更したいとの申請があったときは、変更を認めないとすることができるのでしょうか。	村は、(中略)、必要があると認めるときは、教育・保育給付認定の変更を行うことができる」とされています。 ここに規定する「必要があると認めるとき」は、就労状況の変化等、保護者の状況に客観的な変化があり、教育・保育給付認定の変更の必要が生じた場合を想定していますので、単に保護者の希望が変わったことだけを理由として教育・保育給付認定の変更を申請された場合には、市町村の判断により当該変更を認めないとすることも可能です。ただし、その場合は、保護者にあらかじめ、「教育・保育給付認定の変更に当たっては、客観的な必要性が市町村により認められることを要する」ことについて、丁寧な説明のうえ、理解を得ておくことが重要となります。 なお、No.53およびNo.106のとおり、保護者の就労状況等が変化しても、継続して同一の施設で教育・保育を受けることが認定こども園のメリットのひとつであることから、認定こども園を利用する教育・保育給付第1号認定の子どもについて、教育・保育給付第2号認定への区分の変更があった場合に、市町村の判断により優先的に継続利用させることも可能です。	
67	教育・保育給付認定について	子ども・子育て支援法第20条において、保護者は居住地の市町村へ認定の申請をすることとなっているが、住民票がA市にあり、実態はB市に住んでいる場合、どちらの市町村が申請を受け付けたらよいのか。	ここでいう居住地とは、住民票の有無にかかわらず居住事実が認められる場所をいい、将来にわたり起居を継続することが社会通念上期待できる場所を指しますので、個別の状況を把握したうえで、市町村間において調整のうえ、御判断ください。	
68	就労証明書の標準的な様式について	令和3年7月に示された「就労証明書の標準的な様式(簡易版)及び(詳細版)」について、自治体の状況に応じて加除修正して差し支えないか。	「就労証明書(簡易版)」については、市区町村によっては自営業等の場合に求めている民生・児童委員による証明欄以外は、項目の加除修正は行えない設定としており、各市区町村においてそのまま活用いただきたく存じます。簡易版では利用調整等のために情報が不足する場合は、「就労証明書(詳細版)」の活用をお願いします。 また、簡易版は、保育の必要性の認定の際に基本的に必要となる項目を盛り込んでおりますので、現況届の就労状況を確認するための添付書類としても、積極的な活用をお願いします。 一方で、「就労証明書(詳細版)」については、各市区町村の利用調整の実態に即し、設定した項目内での標準項目の非表示やオプション項目の追加が可能となっています。 なお、簡易版及び詳細版ともに、設定した項目内でのカスタマイズを除いて編集は不可としておりますので、従前の標準的な様式では可能であった項目の追加・削除(黒塗り)といった編集も同様に不可となります。 (参考) 国としては、令和3年7月にお示しした「就労証明書(詳細版)」「就労証明書(簡易版)」の積極的な活用をお願いしているところです。 他方で、従前の標準的な様式を引き続き使用する場合における項目の加除等の方法については、以下のとおりとしていただくようお願いします。 ①項目を追加する場合 　項目の間に行を追加するのではなく、備考欄以降に行を追加して記入する。	修正

| | | | ②項目を削除する場合

削除対象項目が記載されているエクセルの行を削除するのではなく、当該項目の欄を黒塗りにする。なお、既存項目を修正して使用されたい場合は、既存項目の欄を黒塗りにするとともに、修正後の項目は、新たな項目として備考欄以降に行を追加して記入する。 | |

【認可・確認】

No.	事項	問	答	備考
69	幼保連携型認定こども園のみなし認可	認定こども園法一部改正法附則第3条第1項のみなし認可について、地方公共団体が設置者である場合は適用されないのでしょうか。	地方公共団体が幼保連携型認定こども園を設置する場合、都道府県知事の認可は必要ありません。都道府県知事に届出をすることとなります（認定こども園法第16条）。 このため、みなし認可の規定は適用されませんが、既存施設については、上記のとおり、都道府県知事に届出をすることとなります。 ※指定都市・中核市が設置する場合、認定こども園法第16条の届出は不要ですが、都道府県知事への情報提供が必要となります（認定こども園法第18条第3項）。	
70	幼保連携型認定こども園を設置する学校法人の名称の変更の登記	みなし認可を受けて幼保連携型認定こども園を設置することになった学校法人が、その設置する私立学校の名称変更の登記を行う際、所轄庁による学校法人の寄附行為の認可に係る認可書等の添付は必要となりますか。	学校法人が幼保連携型認定こども園のみなし認可を受けたことによる私立学校の名称変更については、所轄庁の認可事項ではなく、届出事項となっています。よって登記手続についても、認可書等の添付は不要となっており、その旨法務局に周知されています。	
71	幼保連携型認定こども園を設置する学校法人の寄附行為の変更	学校法人が新幼保連携型認定こども園のみなし認可を受けた場合に、どのような寄附行為の変更手続が必要ですか。また、既存幼稚園、既存保育所から移行する場合は、どうなるのでしょうか。	学校法人が新幼保連携型認定こども園のみなし認可を受けた際の寄附行為の変更手続については、「幼保連携型認定こども園のみなし認可に伴う寄附行為変更の取扱いについて」（平成27年3月3日付事務連絡）でお示ししておりますので、ご参照ください。	
72	幼保連携型認定こども園を設置する社会福祉法人の定款の変更	社会福祉法人が新幼保連携型認定こども園のみなし認可を受けた場合に、どのような定款の変更手続が必要ですか。また、既存幼稚園、既存保育所から移行する場合は、どうなりますか。	社会福祉法人が新幼保連携型認定こども園のみなし認可を受けた際の定款の変更手続については、①目的、②名称、③社会福祉事業の種類、④公益事業を行う場合には、その種類の変更の事項の変更については、所轄庁への届出で差し支えありませんが、それ以外の事項を変更する際には、所轄庁による定款変更の認可が必要となります。 詳しくは、「幼保連携型認定こども園のみなし認可に伴う定款変更の取扱いについて」（平成27年3月31日付厚生労働省雇用均等・児童家庭局保育課長、社会・援護局福祉基盤課長通知）でお示ししておりますので、ご参照ください。 また、社会福祉法人が既存幼稚園、既存保育所から新幼保連携型認定こども園に移行した場合については、新設の場合と同じく認可の手続きが必要となります。	
73	新制度に係る学校法人の寄附行為の取扱い（幼保連携型認定こども園以外）	学校法人が幼稚園型認定こども園を構成する保育機能施設を設置する場合や、地域型保育事業（小規模保育事業、家庭的保育事業等）及び地域子ども・子育て支援事業（一時預かり事業、放課後児童健全育成事業等）を実施する場合、寄附行為の変更は必要となるのでしょうか。	学校法人が幼稚園型認定こども園を構成する保育機能施設を設置する場合、制度上、当該認定こども園を構成する幼稚園との一体的な運営が行われているものであることから、「付随事業」と位置付けることが適当です。 また、学校法人が地域型保育事業や地域子ども・子育て支援事業を実施する場合も、当該学校法人の行う教育事業と密接な関連性を有すると考えられるため、これらの事	

			業を「付随事業」として位置づけることができます。	
			なお、保育機能施設を設置する場合は、文部科学大臣所轄学校法人が認可保育所を設置する際の取扱いと同様に、適切な法人運営を確保する観点から、小規模施設等を除いては、保育機能施設の設置を寄附行為に記載することが望ましいと考えます。	
74	都道府県立院内保育の認可	都道府県立病院が実施している院内保育について、地域型保育事業の認可を受けようとする場合、都道府県が市町村に認可申請することになるのでしょうか。	いわゆる院内保育については、事業所内保育事業として実施することが想定され、その場合、都道府県から委託を受けた事業者や共済組合は、市町村長の認可を受ける必要があります。 （なお、都道府県が事業所内保育事業を含む地域型保育事業を直接実施することはできません。）	
75	事業所内保育施設の認可申請者	事業所内保育施設の場合、企業が別の事業者に委託していることが通例ですが、その場合、認可を受ける事業者はどちらになりますか。	事業所内保育事業は、児童福祉法上、「事業主自ら設置する施設」又は「事業主から委託を受けて実施する施設」と規定されています。前者の場合は事業主が設置主体として認可を受ける（その上で運営を委託することも可能）ことになり、後者の場合は委託先の事業者が認可を受けることになります。 その場合には、認可を受けた者が児童福祉法や子ども・子育て支援法等の遵守義務等を負うことになるため、どのような運営形態で事業を実施するかについては、保育事業への関与の度合い等を踏まえて、事業主と委託先の事業者との間で決定してください。	
76	待機児童がいない場合における地域型保育事業の認可	地域型保育事業の認可について、待機児童がいない場合でも設置者から申し出があり、認可基準を満たしていれば認可することはできますか。	待機児童がいない場合であっても、市町村の実情等に応じ、認可権者である市町村の判断により認可することが可能です。	
77	連携施設を設定できない場合の認可	事業者から小規模保育事業や家庭的保育事業の認可申請があった場合、連携施設を設定できないことを理由として認可しないことは認められますか。	連携施設の設定は家庭的保育事業等の認可基準のひとつとなっているため、連携施設を設定できない場合には認可基準を満たさないこととなりますが、新制度施行後10年間は連携施設の設定を要しないとする経過措置を設けていることから、保育の供給量が需要量を上回っている等の法律で定められた要件に該当する場合を除き、連携施設設定の要件以外の認可基準を満たしている限りは認可しなければなりません。 この経過措置期間中は、満3歳の幼児が4月以降も家庭的保育事業等を利用する際には、地域の保育事情などにおいて特段の事由がある場合に、当該年度内に卒園後の受け皿を確保することを基本として、市町村がやむを得ないと認めた場合には特例給付を受けて、引き続き、家庭的保育事業等を利用することを可能としていますが、本来、連携施設を設定し、確実に卒園後の受け皿を確保していただくことが基本ですので、経過措置期間中に、事業者は、必要に応じ市町村からの支援を求めつつ、連携施設の確保に努めることが必要です。 なお、令和2年4月1日より、卒園後も引き続き必要な教育・保育が提供されるよう、必要な措置が市町村により講じられている場合には、卒園後の受入先確保のための連携施設の確保を求めないこととすることができることとなりましたので、御留意ください。	
78	確認 （確認の期限）	確認の期限はありますか。	一定期限に区切って更新するという仕組みではなく、確認の期限はありません。	

79	確認 （確認の効力）	各施設・事業者の確認について、広域利用がある場合には、利用者の居住する複数の市町村が確認をする必要がありますか。	施設型給付の対象施設及び地域型保育給付の対象事業所ともに、施設・事業所所在市町村による確認の効力が全国に及ぶことから、それぞれの市町村による確認行為は不要です。	
80	確認 （利用定員設定の際の手続き）	確認対象施設の利用定員を定める場合には、地方版子ども・子育て会議の意見を聴くとともに、都道府県知事に届け出なければならないとされていますが、個々の事業者から確認申請があった場合、その都度、地方版子ども・子育て会議の意見を聴き、都道府県知事に届け出なければならないのでしょうか。	確認対象施設の利用定員については、あくまで個々の施設の利用定員の設定について、地方版子ども・子育て会議の意見を聴くとともに、都道府県知事に届出をする必要がありますが、複数の案件をまとめて、付議・届出をするなどその運用については、各自治体の判断により、柔軟に取り扱っていただいて差し支えありません。 ※地域型保育事業については、都道府県知事への届出は不要。	
81	幼稚園設置基準施行前に設置された幼稚園の確認	市町村が確認を行う際、幼稚園設置基準施行前に設置された幼稚園の確認はどのように行えば良いでしょうか。	確認は認可が適正に行われていることを前提として行うものであり、改めて設置認可と同様の認可基準に基づく審査は不要です。なお、幼稚園設置基準施行前に設置された幼稚園については、これまでも特例として幼稚園設置基準の本則に定められる基準を満たすことは求められていませんが、この取扱いを継続することも可能です。当該幼稚園の設置の経緯を確認することが必要な場合は、認可権者に確認してください。	自治体向けＦＡＱ【18版】No.82（No.81は削除）
82	認可施設・事業者に対する確認	認可された施設や事業について、市町村の判断により公的給付の対象となる確認を行わないことはできますか。	施設や事業者から確認の申請があった場合（確認の基準を満たしているものに限る）は、都道府県や市町村による認可を前提として、市町村は必ず確認を行う必要があります。なお、確認後、当該施設・事業者が子ども・子育て支援法第40条又は第52条に定める確認の取消事由等に該当することになった場合については、確認の取消し等を行うことができます。	自治体向けＦＡＱ【18版】No.83
83	家庭的保育事業のみなし確認	家庭的保育について、従来、市町村が実施していた家庭的保育は、法施行時にみなし確認されるとされていますが、確認される対象は、自治体でしょうか、個別の保育ママでしょうか。 また、法施行後においても市町村が保育ママに委託して実施する枠組みの場合は、保育ママ（特に個人）を地域型保育事業として認可することは不要と考えてよいでしょうか。また、市町村直接実施でも、国費等の負担がなされると理解してよいでしょうか。	みなし確認は市町村が実施する家庭的保育事業が対象となり、市町村以外の者が実施することになる家庭的保育事業については対象となりません。（子ども・子育て支援法附則第8条） なお、新制度施行後も引き続き市町村が委託して実施する場合は、みなし確認の対象となり、また、市町村が事業者となるため、認可については不要となります。 また、地域型保育事業については、公立・私立を問わず国庫負担の対象となります（公立・私立：国1／2、都道府県1／4、市区町村1／4）ので、市町村が直接実施する場合であっても、委託して実施する場合であっても、いずれも国庫負担の対象となります。	自治体向けＦＡＱ【18版】No.84
84	確認	居宅訪問型保育事業の確認について、保育を必要とする子どもの居宅がある市町村ごとに確認をする必要がありますか。	居宅訪問型保育事業に係る確認は、当該事業を利用する子どもの居宅が所在する市町村において行うべきであり、同一事業者が居宅訪問型保育事業を複数市町村で行う場合、それぞれの利用する子どもの居宅が所在する市町村において確認をする必要があります。	
85	運営規程	運営規程はいつまでに整備しなければならないのでしょうか。市町村に対する確認申請の際には内容を確定させておかなければならないのでしょうか。	保護者が利用申込みを行う際に運営規程が整備されていることまでは求められませんが、教育・保育の提供の開始に当たり、申込みを行った保護者に対し、運営規程の概要等を記した文書を交付して説明を行い、同意を得る必要があります（特定教育・保育施設及び特定地域型保育事業の運営に関する基準第5条）。また、確認を受ける際には、運営規程に規定すべき内容が確定できない場合があり得ることから、市町村へ	

			提出する申請書は、案として提示し、内容が確定した段階で速やかに差し替える等の柔軟な運用が可能であり、その旨を地方自治体にもお示ししているところです。	
86	運営規程の変更に関する届出	運営規程に変更があったときは、市町村長へ届出することとなっていますが、軽微な変更であっても届出が必要でしょうか。	運営規程の変更はすべて届出が必要となりますが、教育・保育の提供内容に大きな影響を与えない程度の軽微な内容の変更の届出については、少なくとも年に１度更新していただくことを基本に、他の重要な変更の際に併せて行うなど柔軟に取り扱っても差し支えありません。	
87	幼保連携型認定こども園の財産所有要件	幼稚園や保育所では、長期間使用できる保証がある等の一定の要件を満たせば、園地、園舎等について、自己所有ではなく借用でも可とされていますが、幼保連携型認定こども園でも同様でしょうか。	幼保連携型認定こども園についても、これまでの学校法人や社会福祉法人における取扱いを踏まえ、園地、園舎等の借用を可能とすることとしています。詳しくは、平成26年12月18日付「幼保連携型認定こども園の園地、園舎等の所有について（通知）」をご参照ください。	
88	幼保連携型認定こども園、保育所の設置の認可に係る合議制の機関からの意見聴取	幼保連携型認定こども園の設置の認可をしようとする際、あらかじめ、審議会その他の合議制の機関の意見を聴かなければならないとされていますが、この合議制の機関において、どのような内容を審議すればよいのでしょうか。 また、整備法により改正された児童福祉法では、保育所の設置の認可をしようとする際は、あらかじめ、児童福祉審議会の意見を聴かなければならないとされていますが、ここではどのような内容を審議すればよいのでしょうか。	私立幼保連携型認定こども園の設置の認可をする際には、条例により設置された審議会その他の合議制の機関の意見を聴くこととなっています。この合議制の機関において審議する内容は、法令上特段定められておらず、各認可権者のご判断で決めていただくこととなります（例えば、私立幼稚園の設置の認可の際に意見を聴くこととされている私立学校審議会や私立保育所の設置の認可の際に意見を聴くこととされている児童福祉審議会における運営方法を参考とすることも考えられます）。 なお、みなし認可を受ける場合には合議制の機関の意見を聴くことは不要であり、また、新設の場合には準備行為として改正認定こども園法の施行前に意見を聴くことが可能です。	
89	合議制の機関で意見聴取が必要な事項	子ども・子育て支援新制度の関係で、教育・保育施設の認可や、施設型給付費等の支給に係る施設・事業としての確認などを行う際に、法律上、審議会その他の合議制の機関で意見聴取が必要な事項にはどのようなものがありますか。	子ども・子育て支援新制度においては、教育・保育施設となる幼保連携型認定こども園や幼稚園、保育所の設置等の認可の際や、施設型給付費等の支給に係る施設・事業としての確認などを行う際に、法律上、審議会その他の合議制の機関で意見を聴くことが必要な事項があります。 各審議会等における意見聴取が必要な主な事項は以下のとおりです。 ○認定こども園法に基づく合議制の機関（同法第25条） 　・私立幼保連携型認定こども園の設置、廃止、休止、設置者変更の認可（同法第17条第１項） 　・幼保連携型認定こども園の事業の停止、閉鎖の命令（同法第21条第１項） 　・私立幼保連携型認定こども園の認可の取消し（同法第22条第１項） ○私立学校審議会（私立学校法第９条第１項） 　・私立幼稚園の設置、廃止、設置者変更、収容定員に係る学則の変更（学校教育法第４条第１項、学校教育法施行令第23条第１項第11号） 　・私立幼稚園の閉鎖命令（学校教育法第13条第１項） 　・学校法人の寄附行為の認可（私立学校法第31条第１項）　等 ○児童福祉審議会（整備法による改正後の児童福祉法第８条第１項）	

			・私立保育所の設置の認可（同法第35条第４項）	
			・私立地域型保育事業の認可（同法第34条の15第２項）	
			・児童福祉施設の停止（同法第46条第１項第４号）	
			○子ども・子育て支援法に基づく合議制の機関（同法第77条）	
			＜市町村に置かれるもの＞	
			・確認に係る利用定員の設定（同法第31条第１項、第43条第１項）	
			・市町村子ども・子育て支援事業計画の作成、変更（同法第61条第１項）	
			＜都道府県に置かれるもの＞	
			・都道府県子ども・子育て支援事業支援計画の作成、変更（同法第62条第１項）	
90	幼保連携型認定こども園以外の認定こども園の認定手続きに係る協議	幼保連携型認定こども園以外の認定こども園の認定手続きにおいて、設置者が市町村立の場合は、都道府県が当該認定の申請に係る施設が所在する市町村長への協議を行う必要がありますか。	就学前の子どもに関する教育、保育等の総合的な提供の推進に関する法律第３条第６項における都道府県と市町村との協議は、当該市町村以外が設置する認定こども園を想定したものであり、当該市町村立の認定こども園については、協議が不要です。	
91	小規模保育	従来の定員60人未満の小規模保育所の設置認可等の取扱いに変更はありますか。	新制度においては、保育所は定員20人以上で認可を行えることとし、「保育所の設置認可等について」の改正（平成26年12月12日付雇児発第1212第５号）により明確化したところであり、「小規模保育所の設置認可等について」（平成12年３月30日付児発第296号厚生省児童家庭局長通知）及び『「小規模保育所の設置認可等について」の取扱いについて』（平成12年３月30日付児保第11号厚生省児童家庭局保育課長通知）は、廃止することにしています。	
92	連携施設	家庭的保育事業者等の連携施設は、市町村の確認を受けていない施設も設定できるのでしょうか。	家庭的保育事業者等の連携施設は、市町村の確認を受けた施設だけでなく、確認を受けていない施設も設定の対象となります。	

【利用定員・認可定員】

No.	事項	問	答	備考
93	事業計画 （定員弾力化）	事業計画に定める確保方策として、定員弾力化を含めることは可能ですか。	事業計画の確保方策は、認可定員の範囲内で設定する利用定員ベースで記載していただく必要があり、定員弾力化を前提とした確保方策を定めることはできません。ただし、実際の運用において、年度途中の定員弾力化により、子どもを受け入れることを妨げるものではありません。	
94	利用定員を上回る受け入れ	認可基準を下回らない範囲内であれば、年度当初から、利用定員を上回る受け入れを行うことは認められますか。	可能です。ただし、利用定員を上回ることがあらかじめ見込まれる場合や、利用定員を上回る状況が恒常化している場合には、適切に利用定員を見直していただくことが必要です。	
95	定員超過の場合の施設型給付費の取扱い	定員を超えて受入れをしていますが、施設型給付費は支払われるのでしょうか。	市町村による確認の際に設定された利用定員の範囲内での受入れが原則となりますが、年度途中での利用希望者の増加等により利用定員を超えて受入れをする場合であっても、実際の入所児童数に応じて給付が行われます。ただし、恒常的に利用定員を超えて受入れをしている場合（幼稚園、認定こども園（１号認定子ども）は連続する過去２年度間、保育所、認定こども園（２・３号認定子ども）、小規模保育事業、事業所内保育事業においては過去５年度間常に定員を超過しており、かつ、各年度の	修正 参考資料参照

			年間平均在所率が120％以上の場合）には利用定員を見直すことが必要です。また、見直しが行われない場合には公定価格上定率で減額調整することになります。	
			※利用定員は認可定員の範囲内で市町村による確認の手続の中で設定することになるため、実際の利用人数が恒常的に認可定員をも超えている場合には、利用定員の適正化とともに認可定員の適正化（都道府県等の認可権者の認可・届出等）も必要になります。	
			また、私立幼稚園の利用定員の取扱いや公定価格の減額調整などについては、平成26年10月17日付け事務連絡「認可定員を超過して園児を受け入れている私立幼稚園に係る子ども・子育て支援法に基づく確認等に関する留意事項について」及び別添参考資料をご参照ください。	
			※令和２年度以降のいずれかの年度の４月１日時点の待機児童数が１人以上である市町村に所在する小規模保育を実施する事業所であって、同一の敷地又は隣接する敷地に所在する幼稚園の設備を活用して小規模保育事業を実施するものについては、各年度の年間平均在所率が133％以上の状態とならない限り、公定価格の減算を適用しないこととする特例が設けられております。	
96				問削除のため欠番
97	利用定員の設定方法	利用定員の設定に当たって、施設・事業者の意向は考慮されるのでしょうか。また、認可定員とは異なる利用定員を設定する場合、設定に当たっての基準はありますか。	利用定員の設定（１号〜３号の認定区分、３号の年齢区分ごとの定員設定を含む。）は、施設・事業者からの申請に基づき、市町村が行うことになります。	
			その際、市町村においては、施設・事業者との意思疎通を図り、その意向を考慮しつつ、当該施設での最近における実利用人員の実績や今後の見込みなどを踏まえた適切な利用定員を設定していただくことが必要です。	
			利用定員は、認可定員に一致させることを基本としつつ、恒常的に利用人員が少ない場合には、認可定員を超えない範囲内で利用状況を反映して設定することが必要ですが、具体的な人数設定に関する全国一律の基準を設けるものではありません。	
			子ども・子育て支援法施行規則では、みなし確認を受ける施設・事業については、過去３年間の利用実績の提出を求めることとしており、当該実績を参考にしていただくことが考えられるほか、定員増の認可申請・届出や認定こども園の認可・認定の申請などの予定があれば、そうした事情も反映していただくことが適切です。	
			なお、利用定員の設定に当たっては、地方版子ども・子育て会議等の意見を聴くとともに、都道府県への届出が必要になります。	
			また、認可定員とは異なる利用定員を設定する場合、認可定員を利用定員に合わせて減少させる手続を求めるものではありません。	
98	需要を上回る利用定員の設定	利用定員は認可定員と一致させることが基本とのことですが、認可定員どおりに利用定員を設定した結果、利用定員総数（供給量）が利用見込総数（需要）を上回る、すなわち供給過剰になっても問題ないのでしょ	新制度に基づく事業計画においては、需要を満たす確保方策を定めていただく必要があり、需要に対し、供給量が不足している場合は、当該不足に対応した確保方策を具体的に定めていただく必要がありますが、供給が過剰な場合に需要に応じて供給量	

		うか。こうした場合は、供給量を減らす必要はありますか。	（利用定員）を減らすことを求めるものではありません。	
99	利用定員設定の際の手続き	確認対象施設の利用定員を定める場合には、地方版子ども・子育て会議の意見を聴くとともに、都道府県知事に届け出なければならないとされていますが、個々の事業者から確認申請があった、その都度、地方版子ども・子育て会議の意見を聴き、都道府県知事に届け出なければならないのでしょうか。	確認対象施設の利用定員については、あくまで個々の施設の利用定員の設定について、地方版子ども・子育て会議の意見を聴くとともに、都道府県知事に届出をする必要がありますが、複数の案件をまとめて、付議・届出をするなどその運用については、各自治体の判断により、柔軟に取り扱っていただいて差し支えありません。 ※地域型保育事業については、都道府県知事への届出は不要。	
100	利用定員設定の際の手続き	第8次分権一括法に係る子ども・子育て支援法の改正により、同法第31条第3項の規定による利用定員の設定・変更時の市町村長から都道府県知事への「協議」が事後「届出」に変更されました。 他方、私立幼稚園について認可定員を超えた利用定員の設定を可能とする例外的な取扱いは、都道府県知事への事前協議を前提としています（「子ども・子育て支援法に基づく教育・保育給付認定等並びに特定教育・保育施設及び特定地域型保育事業者の確認に係る留意事項等について」（令和2年9月10日3府省通知）第3の1(1)エ）。このため、私立幼稚園については、引き続き一般的に利用定員の設定・変更に当たって都道府県知事への事前協議を必要としてよいでしょうか。	左記の取扱いの運用を可能とするために、「私立幼稚園については、市町村が例外的に認可定員を超えて利用定員を設定・変更しようとする場合には都道府県との事前協議を行う」といった取扱いをすることは差し支えありません。 他方、一般的に「私立幼稚園については必ず事前協議を必要とする」といった取扱いをすることは、地方分権の提案を踏まえた法改正の趣旨に沿わず、望ましくありません。	
101	利用定員の変更	定員超過の状況を踏まえ、認可定員及び利用定員を引き上げた後、需要の減少により利用人員が減少した場合、再び利用定員を引き下げることはできますか。	客観的に実利用人員が減少しているなど、利用定員を引き下げることについての合理的な理由がある場合には、3月前に市町村長に届け出ることによって引き下げることも可能です。 その際、実利用人員を考慮して定員設定を行う必要があり、また現に当該施設・事業において教育・保育の提供を受けていた児童に対して、定員減少後も引き続き教育・保育の提供がなされるよう、他の施設・事業者等との連絡調整等を図ることが義務づけられている点に留意が必要です。	
102	利用定員の変更	利用定員の弾力化が恒常的に行われる場合など、利用定員の見直しが必要な場合、1号、2号、3号（0歳、1・2歳）の各区分の利用定員を見直しの対象として指導していくこととなるのでしょうか。1号と2・3号の2区分の利用定員を見直すのでしょうか。	それぞれの定員設定の区分ごとにそれぞれ利用児童数に応じた利用定員を設定することが基本ですが、とりわけ、施設型給付費等の単価設定を適正なものとする観点から、1号と2・3号の2区分での適正化を図る必要があります。	
103	利用定員の変更	事業者からの利用定員の減少の届出を受理せず利用定員の減少を認めないことは可能ですか。 また、利用定員の減少の届出がされた後に、実際の利用者数が利用定員を上回っている場合、利用定員を見直す必要はないのでしょうか。	利用定員の減少は、法第35条第2項又は第47条第2項の規定により事業者の届出で足りるものであるため、市町村は、必要な事項を盛り込んだ届出を受理せず利用定員の減少を認めないといった対応を取ることはできません。 他方、市町村は、市町村子ども・子育て支援事業計画に基づき教育・保育の提供を行うこととされており、「子ども・子育て支援法に基づく教育・保育給付認定等並びに特定教育・保育施設及び特定地域型保育事業者の確認に係る留意事項等について」（令和2年9月10日3府省通知）第3の1(1)アにおいて、「市町村においては、申請者との意思疎通を図り、その意向を十分に考慮しつつ、当該施設での最近における実利用	

			人員の実績や今後の見込みなどを踏まえ、適切に利用定員を設定していただく必要がある」こととされていることから、事業者は、利用定員の減少の届出に際しても、事前に市町村と相談することが適当です。	
			その上で、当該利用定員の減少が保育士・幼稚園教諭等の確保が困難である等の理由によるものであれば、都道府県・市町村は、事業者に対して保育士・幼稚園教諭等の確保を支援することが適当です。	
			また、利用定員の減少の届出がされた後であっても、上述の通知第3の1(1)オ(イ)のとおり、恒常的に実際の利用者数が当該利用定員を恒常的に上回っているときは、市町村及び事業者は、利用定員を適切に見直し、法第32条又は第44条の規定による確認の変更を行う必要があります。	
104	利用定員変更の際の手続き	確認対象施設・事業の利用定員を変更する場合にも、地方版子ども・子育て会議の意見を聴くとともに、都道府県知事に届け出なければならないのでしょうか。	確認対象施設・事業の利用定員を変更する場合、子ども・子育て支援法の規定により、市町村が利用定員を増加・減少させる場合は都道府県知事への届出が必要となります。また、定員を減少させる場合には3か月前までに施設長が市町村長に届け出ることが必要です。 なお、利用定員を変更する場合、地方版子ども・子育て会議の意見を聴くことは義務付けられていません。	
105	減算調整	減算調整されるのは、施設全体の利用定員が120%以上の場合でしょうか、それとも1号、2号、3号それぞれの利用定員で減算になるのでしょうか。 また、減算するのは120%以上の分だけでしょうか、全体にかかるのでしょうか。 （例：認定こども園の施設全体で100人利用定員のところ、2年間130%の実利用がある。1号は定員どおり30人、2号は定員40人のところ52人、3号は定員30人のところ48人いる場合）	認定こども園の公定価格上適用される定員区分の考え方と同様に、1号の利用定員と、2・3号の利用定員を分けて考えることになります。（2・3号は合計の定員） 　1号認定については、直前の連続する2年間、2号・3号認定については、直前の連続する5年間常に利用定員を超えており、かつ、各年度の年間平均所在率120%以上の状態にある場合に減算調整が適用されます。 ※例の場合は、2号と3号の超過率が143%（2・3号の合計の定員70人に対して100人が利用）となっておりますが、5年間連続で超過していないため、減算調整は適用されません。 また、1号については、実利用人数が利用定員を超過していないため、減算調整は適用されません。	
106	認定こども園における1号利用定員と2号利用定員の取扱い	認定こども園を利用している保護者の就労状況等が変化し、教育・保育給付認定区分が変更になった場合、どのような取扱いとなりますか。利用定員に空きがない場合には、退園しないといけないのでしょうか。	保護者の就労状況が変化し、教育・保育給付認定区分が変更となった場合でも、子どもが通う施設の変更はできる限り避けることが望ましいと考えています。 特に、認定こども園の場合、保護者の就労状況等が変化しても、継続して同一の施設で教育・保育を受けることがメリットのひとつであることから、利用定員に空きがある場合はもちろんのこと、利用定員に空きがない場合であっても、認可（認定）基準を満たす範囲であれば、一時的な定員超過を認める柔軟な取扱いが可能です。 なお、No.94のとおり、利用定員の超過が恒常的に生じる場合には、適切に利用定員を見直していただくことが必要です。	
107	最低利用定員	利用定員の最低数はどのような取扱いとなっていますか。	施設型給付・委託費の対象施設のうち、保育所、認定こども園については、地域型保育事業との区分を踏まえ、最低利用定員を20人以上としています。 地域型保育事業については、家庭的保育は	

			１人以上、小規模保育は６人以上としています。
108	利用定員の区分 （年齢・保育必要量）	利用定員は、年齢別に設定する必要がありますか。また、保育標準時間・短時間ごとに設定する必要がありますか。	１号定員および２号定員については３〜５歳、３号定員については０歳と１〜２歳の区分により設定することを基本としていますが、地域の実情等に応じ、市町村の判断または事業者の申請によりさらに細かい区分で設定することも可能です。 また、保育標準時間・短時間ごとの区分は設けずに設定することを基本としていますが、年齢区分と同様に、地域の実情等に応じ、市町村の判断または事業者の申請によりさらに細かい区分で設定することも可能です。	
109	利用定員の設定区分	利用定員の設定は、満年齢ベースで設定する必要がありますか。例えば満３歳児は、満３歳児の利用定員を設定しなければならないのか、年度中に満３歳に到達する２歳児クラスの利用定員を設定するという方法でも差し支えありませんか。	１号認定子どもにおいては、２歳児クラスの利用定員を設定することが出来ないので、当該年度内に満３歳児の利用定員については、３歳児の定員に合わせていただくことが法体系上は整合的ですが、各自治体において、需要に見合った確保方策が適切に講じられるのであれば、自治体の判断により、ご指摘の方法によることとして差し支えありません。	
110	認可定員を超過している幼稚園の減算の考え方	認可定員を超過している私立幼稚園への対応について、平成26年９月４日開催の都道府県私学担当者向け説明会資料２の取扱い（Ａ〜Ｃ）以外の取扱いは認められないのでしょうか。これよりも厳しい減算措置や、逆に緩やかな減算措置は可能なのでしょうか。私立幼稚園は認可定員を遵守することが原則ですが、新制度でその取扱いは変わったのでしょうか。また、この取扱いは、私立保育所にも適用して良いのでしょうか。	平成26年９月４日開催の都道府県私学担当者向け説明会では、認可定員を超過した私立幼稚園への対応案を示したところですが、もとより国としての一定の標準的な考え方を示したいわゆる参酌基準的なものであり、従来の私学助成の運用や他の新制度に移行していない私立幼稚園に対する指導との関係や地域の事情に応じ、各都道府県で柔軟に取り扱っていただいて構いません（平成26年９月４日開催の都道府県私学担当者向け説明会資料３「認可定員を超過している私立幼稚園への対応について」の３ページ参照）。 また本案の趣旨は、新制度の施設型給付費は法律上個人給付であり、市町村から法的に有効な確認を受けている限り、当該園に通園する子どもに対する給付は行わざるを得ない制度であることを前提として、これまでの私学助成における厳しい減額措置等との整合性を図る観点から設けた仕組みです。 したがって、私立幼稚園が認可定員を遵守することが原則であるとの考えは何ら変わるものではなく、説明会で対応案を示したことで、認定定員を超過した受入れが一定の要件のもと認められ得るものと考えているものではなく、その旨、誤解のないよう、引き続き私学行政の適正な実施をお願いします。 なお、当該対応案は、「認可定員を超過している私立幼稚園への対応」を示すものであり、私立保育所については、原則通り、認可定員の範囲内での利用定員設定しかできず、また、利用定員を超えた受入れについては、認可基準を下回らないことを前提に、市町村がやむを得ないと判断する場合に可能です。	
111	定員を超過する申込みがあった場合の選考	幼稚園、認定こども園の１号認定子どもについて、利用定員を超過する申込みがあった場合の選考基準はどのようなものですか。また、選考基準はあらかじめ定めておく必要はありますか。	選考基準としては、抽選、先着順、建学の精神等設置者の理念に基づく選考（書類、面接等の方法に制限はない。）のほか、例えば以下のような一定の場合に優先的に受け入れる選考も考えられます。 ・在園児・卒園児の弟妹である場合 ・連携施設である地域型保育施設の卒園者	

			・当該法人が経営する保育所に在園していた場合 ・前年度の抽選で落選し補欠登録している場合 ・施設所在地市町村に在住する場合 ・保護者が卒園者である場合　　　　　など 選考に当たっては、あらかじめ選考基準を定めて保護者に明示した上で行う必要があります。 選考方法は運営規程にも定める必要がありますが、保護者に明示する際に運営規程の形式で示さなければならないものではなく、募集要項などで選考方法を示すことも可能です（特定教育・保育施設及び特定地域型保育事業の運営に関する基準第6条第4項及び第20条第7号）。 である場合	
112	既設認定こども園の利用定員の設定	既設認定こども園について、都道府県に届出をしている保育が必要な3歳未満の子どもの数、保育が必要な3歳以上の子どもの数、保育を必要としない3歳以上の子どもの数（認定こども園法第4条第1項第3号・第4号）と異なる利用定員を定めることは可能ですか。	既設認定こども園については、都道府県に届出をしている保育が必要な3歳未満の子どもの数、保育が必要な3歳以上の子どもの数、保育を必要としない3歳以上の子どもの数と、3号認定区分、2号認定区分、1号認定区分の利用定員をそれぞれ一致させなければならない訳ではありません。利用定員の設定に当たっては、設置者の意向を十分に考慮しつつ、実際の実利用人員の状況及び今後の利用の見込み等を踏まえて、市町村が適切にそれぞれの区分ごとの利用定員を定めてください。なお、それぞれの区分ごとの利用定員が都道府県に届出をしている数を超える場合には、原則として、認定こども園法第29条第1項の変更の届出が必要です（軽微な変更として都道府県知事が定める範囲内の変更となる場合であって、幼稚園の収容定員又は保育所等の入所定員の変更を伴わないときは不要です）。	
113	利用定員を減少させた場合の定員弾力化	認可定員よりも少ない利用定員を設定する場合、利用定員の弾力化による受け入れはできないのでしょうか。 また、その場合、利用定員を弾力化後の実利用定員に合わせて変更する必要はありますか。	認可定員より少ない利用定員を設定した場合においても、年度中における特定教育・保育に対する需要の増大への対応等、やむを得ない事情が生じた場合には、認可基準を満たす範囲で利用定員を超えた受け入れをしても差し支えありません。 また、その場合であっても、利用定員を弾力化後の実利用定員にあわせて直ちに変更する必要はありませんが、利用定員の超過が恒常的となった場合には、適切に利用定員を見直していただくことが必要となります。	
114	利用定員の変更について	1号認定の利用定員を減少させ、その分、2号認定の利用定員を増加させるなどの際、施設全体としての利用定員に変更がない場合でも子ども・子育て支援法に基づく申請・届出が必要なのでしょうか。 また、「特定教育・保育施設及び特定地域型保育事業の運営に関する基準」（運営基準）において、特定教育・保育施設等は、3号認定について、満1歳未満の利用定員と満1歳以上児の利用定員を区分して定めることとされていますが、3号認定全体の利用定員を変更せずに、満1歳未満児と満1歳以上児の利用定員数の内訳を増減させる場合はどのような手続きが必要でしょうか。	施設全体としての利用定員に増減がない場合でも、認定区分ごとの利用定員の増加・減少が生じる場合には、子ども・子育て支援法第32条第1項の規定による申請（増加の場合）、第35条第2項の規定による届出（減少の場合）が必要となります。なお、減少の場合は、利用定員の減少の日の3か月前までに届け出なければいけません。 また、3号認定全体の利用定員を変更せずに、満1歳未満児と満1歳以上児の利用定員数の内訳を変更する場合には、子ども・子育て支援法第32条及び第35条の規定による申請及び届出は不要ですが、あらかじめ利用者（利用予定者を含む。）に説明を行い理解を得ておくことが望まれます（各施設の判断で、他の年齢区分ごとに利用定員の内訳を定めている場合についても同様）。	

【利用者負担額】

No.	事項	問	答	備考
115	幼稚園の入園料等の取扱い	幼稚園の入園料等の取扱いはどうなるのですか。	幼稚園の入園料については、基本的には、保育料とともに教育に要する費用を賄うために徴収しようとするものと考えられますが、新制度では、教育・保育に要する費用は基本的に公定価格で措置されており、また、令和元年10月からの幼児教育・保育の無償化により市町村が定める利用者負担額の上限を零としたところです。 その上で、各園の教育・保育の質の向上を図る上で特に必要であると認められる場合は、当該差額分の費用を「特定負担額（上乗せ徴収）」として各施設の判断で引き続き保護者から徴収することが可能です。なお、実費として徴収するものと特定負担額（上乗せ徴収）とは重複のないように設定する必要があります。 新制度移行後も入園料として入園内定者から費用を徴収する場合、その費用の性格については、 ①教育・保育の対価としての性質 ②入園やその準備、選考などに係る事務手続等に要する費用の対価としての性質 の大きく２つに分けられると考えます。（なお、入園の権利を保証するため、これらとは別に費用を徴収することは、一定の利用者負担により標準的な内容の教育・保育の利用を保証しようとする新制度の趣旨を鑑みると適切でないと考えられます。） このうち①については、特定負担額として一定の要件の下で徴収することが可能であり、特定負担額の徴収を行う場合には、その額や理由について、保護者に事前に説明し、書面の同意を得ることが必要となります。 特定負担額の徴収の実施時期については、あらかじめ説明し同意を得ておくことにより、入園初年度にのみ徴収することも、利用者負担額と合わせて毎月徴収することも、その他のあらかじめ決められた時期に徴収することも可能であると考えられます。徴収時期や返還条件などについては、事前に保護者に説明・同意を得ることが、契約のトラブルを防ぐ観点からも重要と考えられます。 上記の②に該当する、入園受入れの準備や選考など入園にかかわる事務手続きに要する費用については、教育・保育の直接の対価ではなく、上乗せ徴収や実費徴収などのルールの対象外ですが、これらに要する費用を徴収する場合にも、同様に、徴収時期や返還条件などについては、事前に保護者に説明・同意を得ることが、契約のトラブルを防ぐ観点からも重要と考えられます。 また、既入園者が既に納付している入園料等がある場合、新制度の下で徴収する負担額（基本負担額・特定負担額）とで重複することとなる分については、特定負担額として新たに徴収しない、又はその一部を返還・相殺する、基本負担額から減算する等の対応をとることが適当と考えられ、具体的な内容は各園で既入園の保護者との話し合いで決めることが必要と考えられます。ただし、就園奨励費の対象となっていた経費の一部を返還する対応とする場合には、国庫返納等の手続きが必要となる場合があります。	

			こうした観点にかんがみると、新制度の下で入園時に行う費用徴収を「入園料」と総称する場合であっても、説明責任を果たす観点から実際の使途に見合った具体的な名目や内訳金額を明示して保護者へ説明することが適当と考えられます。	
116	幼稚園・幼保連携型認定こども園の学則（園則）の取扱い	幼稚園の学則（園則）や幼保連携型認定こども園の園則において、保育料（基本負担額）や上乗せ徴収（特定負担額）、実費徴収といった利用者負担はどのように記載すれば良いのでしょうか。	保育料（基本負担額）及び上乗せ徴収（特定負担額）については、幼稚園については学則（園則）の記載事項を定めている学校教育法施行規則（昭和22年文部省令第11号）第4条第1項第7号に、幼保連携型認定こども園については就学前の子どもに関する教育、保育等の総合的な提供の推進に関する法律施行規則（平成26年内閣府・文部科学省・厚生労働省令第2号）第16条第6号に該当するため、学則（園則）に記載する必要があります。その際、保育料（基本負担額）については、具体の金額を記載する必要はなく、例えば、「保育料（月額）　園児が居住する市町村が定める額」といった記載ぶりとし、上乗せ徴収（特定負担額）については、これまでの各種納付金と同様に、具体の金額・費目と月額・年額・入園時等の別を記載することが考えられます（例：施設整備費（年額）　○○○円、研修充実費（年額）　○○○円）。実費徴収については、学則（園則）に記載する必要はありません（各園の判断により、記載することも可能です）。	
			なお、経過措置により、上位の階層区分について、園児が居住する市町村が定める額よりも低い保育料を設定する場合には、「保育料（月額）　園児が居住する市町村が定める額（○○○円以上の階層区分に該当する場合は○○○円）」というように、上限となる額を明記してください。	
117	上乗せ徴収、実費徴収	上乗せ徴収と実費徴収の違いを教えて下さい。	教育・保育を提供するための標準的な費用として定める公定価格（利用者負担額を含む）によって賄われない費用については、実費徴収又は上乗せ徴収を行うことを検討していただくことになります。	
			これらの位置付けについては、特定教育・保育施設及び特定地域型保育事業並びに特定子ども・子育て支援施設等の運営に関する基準（平成26年内閣府令第39号）第13条第3項・第4項において規定しています。	
			上乗せ徴収は、教育・保育の質の向上を図る上で特に必要であると認められる対価について保護者に負担を求めるもので、例えば、公定価格上の基準を超えた教員の配置や平均的な水準を超えた施設整備など、公定価格で賄えない費用を賄うために徴収するものです。上乗せ徴収は、施設の種類や子どもの認定区分によらず、各施設・事業所の判断で実施することができますが、私立保育所については、市町村との協議により承認を得ることが必要です。	
			実費徴収は、教育・保育施設の利用において通常必要とされる経費であって、保護者に負担させることが適当と認められるものであり、例えば、文房具代・制服代、遠足代・行事参加代、給食代・食材費、通園バス代などがこれに該当すると考えられます。施設の種類や子どもの認定区分によらず、各施設・事業所の判断で実施することができます。	
			なお、徴収にあたっては、上乗せ徴収については書面による保護者の同意、実費徴収については保護者の同意が必要となります。	

118	公立施設の利用者負担額の徴収根拠・位置づけ	公立施設の利用者負担については、国の法律に徴収根拠規定が存在しませんが、条例で定めることは必要ですか。また、利用者負担の額も条例で定めることが必要ですか。また、利用者負担は公債権、私債権のいずれになるのでしょうか。 また、公立施設の利用者負担額の規定方法としては、公の施設の使用料として設定することとされていますが、法律上、個人給付及び法定代理受領であることを踏まえて、具体的にはどのように規定すれば良いでしょうか。	公立施設の利用者負担額については、公の施設の使用料に該当するため、条例に徴収根拠を定めることにより、公債権として整理されます。また、公の施設の費用徴収に関して条例で定める際には、金額の決定を全面的に規則に委ねることはできないので、少なくとも、条例上、上限額あるいは範囲等が規定されていることが求められます。 公立施設の利用者負担額の規定方法としては、法体系上は公定価格の額を基に使用料として定めたうえで、その弁済に、給付費の法定代理受領及び保護者負担を充てることが整合的です。 一方で、介護保険制度や障害者福祉サービス等における使用料条例の状況を見ると、実際の利用者負担額を使用料として定めている例もあるので、最終的には、市町村の考え方により定めてください。	
119	広域利用	広域利用する場合の利用者負担額について、保護者の居住地の市町村外の施設を利用する場合の利用者負担額は、当該保護者の居住地の市町村が定める額になると理解してよいでしょうか。 （公立保育所については利用者と施設（＝市町村）との直接契約になるため、例えばＡ市の子どもａ子がＢ市公立保育所に通う場合は、Ｂ市が、Ａ市が定める利用者負担額をａ子から徴収するということでよろしいでしょうか。）	お見込みのとおり、広域利用の場合であっても、利用者負担額は保護者の居住地の市町村が定める利用者負担額になります。 （例のケースでは、お見込みのとおり、Ｂ市（施設）が、Ａ市が定める利用者負担額をａ子の保護者から徴収することになります。）	
120	利用者負担額	利用者負担額には、どのような費用が含まれているのでしょうか。	利用者負担額は公定価格の一部を成すものであり、公定価格を構成する教育・保育を提供するに当たって通常必要となる人件費、事業費、管理費等の全部又は一部を保護者に負担していただくものです。なお、教育・保育第３号認定こどもの利用者負担額には給食材料費相当額（主食費及び副食費）が含まれています。	
121	２号認定に切り替わった満３歳児の保育料	利用者負担額は認定区分ごとに設定されていますが、満３歳に到達したことにより、年度途中で３号認定から２号認定に切り替わる子どもの利用者負担額は、２号の利用者負担額に切り替わるのでしょうか。	満３歳児に係る公定価格は、満３歳に到達した年度中は、２歳児の公定価格と同額になるよう調整しており、利用者負担額についても、３号と同額を適用します。	
122	多子軽減	新制度施行前の制度で行われていた幼稚園と保育所の多子軽減の取扱いは現在はどのようになっていますか。	(1) 子ども・子育て支援新制度においては、０〜２歳の子どもが認可保育所等を利用した場合の利用者負担額について、多子世帯の場合には、第２子を半額、第３子以降を零とする軽減措置（以下「多子軽減」という。）を設けています。 ※ なお、３歳以上の子どもの利用者負担額については、幼児教育・保育の無償化の対象のため、多子軽減の対象か否かとは関係なく、零となります。 (2) 多子軽減の適用に当たって、第何子かを決定する際に算定対象となる子どもの範囲（以下「多子カウント対象」という。）は、①小学校就学前子どものうち（いわゆる「年齢要件」）、②認定こども園、幼稚園、保育所等に在籍（いわゆる「同時入所要件」）しており、③保護者と同一の世帯にいるもの（いわゆる「同一世帯要件」）となります（施行令第13条）。	修正

| | | | | (3)　ただし、年収約360万円未満相当世帯の場合は、多子カウント対象の考え方が上記(2)とは異なり、いわゆる「同時入所要件」は無く（したがって、多子カウント対象に未就園児や認可外保育施設に通う子どもを含む）、また、「年齢要件」も「同一世帯要件」もなく、保護者と生計を一にし、保護者に監督・保護される者（施行令では「特定被監護者等」と規定）を全て含みます（施行令第14条）。
※　なお、多子軽減の適用対象となるのは、認定こども園や認可保育所等を利用する子どもに係る利用者負担額です。

(4)　したがって、上記(3)の場合は、特定被監護者等のうち2番目の年長者に当たる満3歳未満保育認定子どもの利用者負担額が半額、3番目以降の満3歳未満保育認定子どもの利用者負担額が零となりますが、その保護者が特定教育・保育給付認定保護者（ひとり親世帯、在宅障害児（者）のいる世帯、その他の世帯（生活保護法に定める要保護者等特に困窮していると市町村の長が認めた世帯）と同一の世帯に属する保護者）である場合は、2番目の年長者に当たる満3歳未満保育認定子どもから利用者負担額が零となります（施行令第14条第1号後段）。 | |

123				問削除のため欠番
124				問削除のため欠番
125				問削除のため欠番
126	多子軽減	企業主導型保育事業を利用している場合に、多子軽減の対象になりますか。	企業主導型保育事業を利用している子どもは、施設型給付費等の対象ではないため、利用者負担額の多子軽減の対象ではありませんが、その子ども以外の子どもに係る認可保育所等を利用した場合の利用者負担額の多子軽減の適用に当たって、第何子かを決定する際に算定対象となる子どもの範囲（多子カウント対象）には、年収約360万円未満相当世帯か否かにかかわらず、企業主導型保育事業を利用している子どもが含まれます。	修正
127	多子軽減	市町村が定める利用者負担額が、国が政令で定める上限額より低額である場合でも、第2子の利用者負担額は、市町村が定める利用者負担額の半額に設定する必要があるでしょうか。	利用者負担額の上限額については、子ども・子育て支援法施行令に規定していますが、多子軽減に係る規定についても盛り込んでいます。 市町村が多子軽減に係る利用者負担額を定める際は、公立・私立を問わず、市町村が定める利用者負担額が国が定める上限額の半額以下であれば、第2子の利用者負担額が市の定める利用者負担額の半額でなくとも差し支えありません。なお、その場合、半額とならない理由について、住民に十分に周知をすることが必要と考えられます。	
128	多子軽減	第1子が、月の途中で満3歳の誕生日を迎え、その日から幼稚園に入園した。第2子は、0歳で既に保育園に通っている。その場合、第1子の入園月における第2子の保育料の1／2の減免は、以下のいずれになりますか。 ①　日割り計算となる（入園日からが減免対象）。 ②　当月は減免にならず、翌月から減免になる。	給付は月単位で行うことが原則とされており、利用者負担額を日割りで計算するのは、子ども・子育て支援法施行令第24条第2項及び子ども・子育て支援法施行規則第58条に規定されている場合に限られます。 具体的には、 ①月途中の入退所 ②月途中での利用先事業・施設の変更 ③月途中で居宅訪問型保育（障害、疾病等の乳幼児のみ）を受けることができない	

		③　当月から減免になる。	日数が５日／月を超える ④災害その他緊急やむを得ない場合で内閣総理大臣が定める場合 の４例に該当する場合のみです。 よって、お尋ねの場合における第２子については、上記のいずれにも該当せず、日割り計算をする場合にはあたりません。また、日割り計算となる場合を除き、月途中での給付額の変更は想定されていないため、原則どおり、当該月は月額でお支払いいただき、翌月以降に多子軽減による割引後の利用者負担額へ変更されることとなります。	
129	多子軽減	養子縁組をしていない子どもは、多子カウントの対象になりますか。	多子カウントにあたっては、血縁関係の有無には着目しておらず、No.122(2)(3)の多子カウント対象の考え方に従って判断することになります。	修正
130				問削除のため欠番
131	特例給付の多子軽減の取扱い	特例給付を受ける子どもの多子軽減のカウントの仕方はどうなりますか。	特例給付を受けている場合であっても、利用する施設にかかわらず、就学前の範囲で第何子かをカウントすることになります。	
132	入退所による日割り計算方法等	月途中で入退所した場合等の利用者負担額の日割り計算方法については、どのように計算されますか。保育所から幼稚園（又はその逆）など異なる施設、事業への変更の場合等はどうなるのでしょうか。	月途中での入退所があった場合は、給付費・委託費と同様に保育認定は25日を基本として日割り計算することにしています。また、利用先が異なる施設・事業となった場合にも、それぞれの利用者負担額を日割り計算することになります。 また、子ども・子育て支援法施行規則の一部を改正する内閣府令（平成31年４月１日施行）により月の途中において特定地域型保育（居宅訪問型保育（家庭的保育事業等の設備及び運営に関する基準（平成26年厚生労働省令第61号）第37条第１号に掲げる保育に係るものに限る。）に限る。）を受けることができない日数が１月当たり５日を超える場合は、利用者負担額を日割りで計算することとなりました。 そして、子ども・子育て支援法施行規則の一部を改正する内閣府令（令和２年２月27日及び同年３月27日施行）により災害その他緊急やむを得ない場合として内閣総理大臣が定める場合は、利用者負担額を日割りで計算することとなりました。 ※計算の結果10円未満の端数が生じた場合は切り捨て ①月途中での入退所や利用する施設・事業所に変更があった場合 　１月当たりの利用者負担額×その月の途中入所日からの開所日数（その月途中退所日の前日までの開所日数）（25日を超える場合は25日）÷25日 ②居宅訪問型保育を受けることができない日数が１月当たり５日を超える場合 　１月当たりの利用者負担額×その月の月曜日から土曜日までのうち特定の日において保育の利用希望が無いなど、保育認定こどもが利用しないことが予め決まっているときに保育を行わない日を除く月曜日から土曜日までの日数÷25日 ③災害その他緊急やむを得ない場合として内閣総理大臣が定める場合 　１月当たりの利用者負担額×その月の臨時休園等の日を除く開所日数÷25日	

			※感染症の予防及び感染症の患者に対する医療に関する法律（平成10年法律第114号）第6条第8項の指定感染症のうち、新型コロナウイルス感染症（病原体がベータコロナウイルス属のコロナウイルス（令和2年1月に、中華人民共和国から世界保健機関に対して、人に伝染する能力を有することが新たに報告されたものに限る。）であるものに限る。）により臨時に休園等をする場合（令和2年内閣府告示第18号）に限る。	
133	保育必要量、認定区分が月途中で変更した場合の利用者負担	保育必要量や認定区分が月途中で変更した場合、利用者負担は月途中で変更となり日割りとなるのでしょうか、それとも翌月からの変更となるのでしょうか。	保育必要量や認定区分が月途中で変更した場合の利用者負担については、翌月から変更後の利用者負担を適用することになります。	
134	保育必要量、認定区分が月途中で変更した場合の利用者負担	月途中の教育・保育給付認定区分の変更（2号→1号、3号→1号）により、利用者負担額が下がる場合であっても、利用者負担額は翌月から適用となるのでしょうか。当該月の利用者負担額の差額は、保護者が負担しなければならないのでしょうか。	月途中の認定変更（転園以外）の場合、国の給付額の精算基準としては月を単位として翌月からの適用となります。 なお、市町村の判断で、当該月の利用者負担額を日割りとすることは妨げませんが、国の精算基準としては月単位での精算となります。 詳しくは、「特定教育・保育等に要する費用の額の算定に関する基準等の実施上の留意事項について」（平成28年8月23日付け通知）第2をご参照ください。	
135	入園式・始業式前の利用者負担額	幼稚園・認定こども園において教育を受ける場合、入園式や始業式が4月1日より後に行われ、その後から通園を始めることがありますが、4月における1号認定子どもの施設型給付費は日割りにする必要がありますか。	公定価格は、年間を通して必要となる経費として設定していることから、入園式や始業式が月途中にあったとしても、施設型給付費を日割りにする必要はありません。施設型給付費は、基本的には、入園式又は始業式時点の在園児が4月1日時点で在籍していたものとして算定することになります。卒園式が月途中にあった場合も同様です。	
136	遡及適用	税の更正がされた場合、最大5年前まで税額の修正ができますが、その場合、利用者負担額も過去に遡って変更するのでしょうか。	従来の取扱いを踏まえ、国の給付額の精算基準としては、利用者負担額の根拠となる税の更正が分かった翌月から、更正された税額による利用者負担額を適用し、遡及は行いません。 なお、市町村の判断で、更正後の利用者負担額を当該年度分は遡及して適用するなどの取扱いをすることは妨げませんが、国の給付額の遡及は行いません。	
137	保育料の特別徴収	市町村が契約の主体となる公立保育園及び私立保育園の保育料は、従来と同様に児童手当から特別徴収することができますか。	私立保育所は子ども・子育て支援法施行令による読み替えに基づき、従来、児童手当法第22条第1項の規定により可能です。 公立保育所は滞納があり代行徴収の対象になる場合、児童手当法第22条第1項の規定により可能です。	
138	徴収事務	市町村民税の税率が異なる自治体も一部ありますが、その場合であっても標準税率で再計算する方法ではなく、課税されている金額で利用者負担額を決定するということになるのでしょうか。	実際に保護者が課税されている市町村民税所得割額をもとに、利用者負担額を決定することになります。	
139	階層区分	利用者負担の階層区分は従来の利用者負担の水準を基本にしているとのことですが、新制度の階層区分の設定にあたり、どのような世帯を想定しているのでしょうか。	夫・妻・子2人（廃止前の年少扶養控除の対象）という世帯を想定しています。 ※教育標準時間認定は、妻は専業主婦を想定（所得がゼロ） ※保育認定は、妻はパートタイム労働程度	

			を想定（所得税が非課税となる程度の収入）	
140	階層区分	保育所においては、国通知（「保育所の費用徴収制度の取扱いについて（平成７年３月31日付児企第16号厚生省児童家庭局企画課課長通知）」）により、費用負担が困難であると市町村が認めた場合は階層区分の変更を行って差し支えないとされていますが、新制度においてもこの例外措置は適用されるのでしょうか。また、保育所以外の施設・事業について、同様の場合は階層区分の変更を行っても差し支えないでしょうか。	新制度においても、負担能力に著しい変動が生じ、費用負担が困難であると市町村が認めた場合は、直近の年収等を基に利用者負担の変更を可能としています。なお、その際の国・都道府県の施設型給付費等負担対象額については、従来の保育所の取り扱いに倣い、公定価格から①災害等による場合には市町村が定めた額を、②失業等による場合には市町村が定めた額に係る階層区分の上限額を控除した額となります。	
141	階層区分	利用者負担の所得階層区分に用いる税額について、従来の制度において行っている年少扶養控除及び16〜18歳までの特定扶養控除の上乗せ部分の廃止前の旧税額を再計算する取扱いはどうなりますか。	利用者負担額の算定にあたっては、市町村の事務負担等に考慮し、年少扶養控除等の廃止前の旧税額を再計算する方法や簡便な再計算を行うのではなく、改正前後で極力中立的なものになるよう、階層に用いる市町村民税所得割額を設定しています。 ただし、市町村の判断により、既に入園している者が卒園するまでの間に限り、年少扶養控除及び16〜18歳までの特定扶養控除の上乗せ部分の廃止前の旧税額を再計算した上で新制度の利用者負担階層区分の決定を可能とする経過措置を設けることができます。	
142	階層区分	利用者負担の階層区分の決定について、年少扶養控除等の廃止に係る影響については再計算しない取扱いを原則としつつ、市町村の判断により経過措置を設けることも可能とのことですが、経過措置を適用した場合、給付費に係る国との精算は、経過措置適用により算定される給付費が基準となると考えてよいでしょうか。	お見込みのとおり、給付費は、経過措置適用後の階層区分に基づく利用者負担額（国基準額）に基づき、精算することとなります。	
143	階層区分	年少扶養控除を加味して利用者負担額を算定する取扱いについて、今後の新規利用者についても同様の取扱いとしてよろしいでしょうか。	新規利用者は本経過措置の対象にはなりませんが、市町村の判断で新規利用者も年少扶養控除を加味して利用者負担を設定することを妨げるものではありません。ただし、その場合の国庫負担金の精算は、年少扶養控除適用前の階層区分に基づく利用者負担額に基づき、行うこととなります。	
144	階層区分	「利用者負担の所得階層の区分を決定するにあたっては、市町村民税額の所得割額を基に行う」とありますが、これまでの保育所の保育料は、税額控除（配当控除、外国税額控除、住宅借入金特別控除、寄付金控除等）を適用しない取り扱いとしています。新制度においては、これらの税額控除額をどのように扱うのでしょうか。	税額控除（調整控除を除く）は、人的控除と異なり所得能力を直接反映するものではないことを踏まえ、利用者負担額の算定上反映させないこととします。	自治体向けＦＡＱ【18版】No.145（No.144は削除）
145	階層区分	教育・保育給付認定保護者の利用者負担額（区分）を決定するために必要な税情報や書類の提出がない場合や、さらに調査への協力が得られない場合に、自治体の判断で、適当と認められる利用者負担額（区分）を決定してよいでしょうか。	自治体における利用者負担額（区分）の決定は、国庫負担額の決定にも関係するものであり、公正に行っていただく必要があります。 利用者負担額を決定するために必要な税情報や必要書類の提出がない場合、その他の資料等から当該教育・保育給付認定保護者の世帯の所得を調査又は推定していただくことが適当と考えます。さらに、当該教育・保育給付認定保護者の協力が得られないことにより、その他の資料等による調査・推定も困難である場合には、市町村の判断により、教育・保育給付認定保護者の	自治体向けＦＡＱ【18版】No.146

			協力が得られるまでの間、最も高い階層区分により決定し、書類等の提出がなされた後に、遡及して利用者負担額を適用することなどが考えられます。	
146	階層区分	保護者が海外で勤務し、住民票が日本にない状態から帰国した場合の利用者負担の算出方法はどのようになるのでしょうか。	利用者負担の上限額等については、子ども・子育て支援法施行令において、賦課期日において同法の施行地に住所を有しない者については、市町村民税非課税世帯から除く旨を規定しています。これは、前年度海外居住者には市町村民税の課税がされないことで、自動的に市町村民税非課税世帯に位置づけられてしまうことを避けるためですが、実際の利用者負担額の算出にあたっては、所得を推定できる資料等により、課税相当額を推計するなどして、市町村民税非課税世帯を含む全階層区分のうちいずれかの区分に当てはめることになります。	自治体向けＦＡＱ【18版】No.147
147	階層区分	海外で勤務している配偶者や長期に入所した親の収入について、世帯収入として計算すべきか。	父母の一方が入所した場合においては、どの程度子の監護を行っているか（関わっているか）という点を確認し、各家庭の御事情を十分踏まえたうえで、御判断ください。 なお、海外で勤務していた保護者の利用者負担額の算定については、No.146のとおりです。	自治体向けＦＡＱ【18版】No.148
148	階層区分	両親の一方が、遠方や海外で勤務しており、仕送りや養育費等を送っていない場合については、その親は利用者負担額の算定に係る保護者には当たらないのでしょうか。	成年に達しない子は、父母の親権に服し（民法第818条第1項）、親権を行う者は、子の監護をする義務を負っている（同法第820条）ことから、行方不明、受刑、疾病等の理由により「父母の一方が親権を行うことができないときは、他の一方が行う」（同法第818条第3項）こととならない限り、父母は原則として「子どもを現に監護する者」であり、子ども・子育て支援法第6条第2項の「保護者」に当たるといえます。 そのため、婚姻関係の破たんしていない一時的な別居、単身赴任、養育費の不払い等の事情のみで、「保護者」に当たらなくなるわけではありませんが、最終的には、どの程度子の監護を行っているか（関わっているか）という点を確認し、各家庭の御事情を十分踏まえたうえで、御判断をお願いします。市町村が事実上監護を行っていないと判断するような場合、「保護者」に当たらないとする運用も可能です。	自治体向けＦＡＱ【18版】No.149
149	未婚のひとり親を寡婦等とみなす特例	前年（4月〜8月については前々年）の12月31日時点において未婚のひとり親であれば、申請時点で未婚のひとり親でない場合であっても特例の対象となるか。	前年（4月〜8月については前々年）の12月31日時点及び申請日現在において、未婚のひとり親である必要があります。	自治体向けＦＡＱ【18版】No.150
150 -2	未婚のひとり親を寡婦等とみなす特例	特例の適用を行うためには、対象者からの申請が必要となるか。	申請が必要となります。市町村においては対象者を網羅的に把握しきれない可能性がありますので、対象者が適切に申請できるよう、市町村のホームページや広報紙への掲載、案内文書の配布等により、できるだけ広く周知広報を行っていただくことが望ましいです。 また、市町村において、特例の対象者を把握した場合には、個別に案内を行っていただくことが望ましいです。	
150 -3	未婚のひとり親を寡婦等とみなす特例	特例の対象者であることの確認はどのように行うのか。	申請書と併せて、以下の書類により確認することを想定しております。 ①申請者の戸籍全部事項証明書 　過去及び現在において婚姻をしていないことを確認します。	

| | | | ※外国籍の方の場合は、婚姻をしていないことを証明する書類（婚姻要件具備証明書、独身証明書等）

②申請者及び子の属する世帯全員の住民票

届出をしていないが事実上婚姻関係と同様の事情にある場合（いわゆる事実婚）に該当しないことを確認します。

住民票上、母（父）子以外に、「同居人」、「夫（未届）」又は「妻（未届）」がいる等、事実婚について疑義が持たれるケースについては、必要に応じて聞き取り調査を行う等、事実関係の確認を行ってください。

③申請者の所得証明書（合計所得金額が分かるもの）

申請者の合計所得金額が、寡婦等とみなした場合に市町村民税非課税となる125万円以下であるかどうかについて確認します。

④生計を一にする子の所得証明書（総所得金額等が分かるもの）

扶養親族ではない生計を一にする子について、総所得金額等が38万円以下であることを確認します。 | |
|---|---|---|---|---|
| 150 -4 | 未婚のひとり親を寡婦等とみなす特例 | 特例の申請時点より前から未婚のひとり親であった場合には、遡って特例の適用を行うか。 | 税の更正と同様、申請のあった月の翌月＊から適用し、遡及しない取扱いとします。

なお、市町村の判断で、遡及して適用する取扱いをすることを妨げませんが、国の給付額の遡及は行いません。

＊本特例は平成30年９月１日から適用されていることに鑑み、市町村の事務手続上問題がない場合は、平成30年９月分については、月途中の申請であっても、当月分から適用し、国の給付額の対象としていただいて構いません。 | |
| 150 -5 | 未婚のひとり親を寡婦等とみなす特例 | 特例の適用後に状況が変わり、未婚のひとり親でなくなった場合には、いつ時点から特例の適用対象外となるのか。 | 税法上の寡婦等でなくなった場合と同様に、未婚のひとり親でなくなった日以降の最初の９月（利用者負担額の切り替え月）より特例の適用対象外となります。 | |
| 150 -6 | 未婚のひとり親を寡婦等とみなす特例 | 特例を適用した場合に、市町村民税はどのような計算を行うのか。 | ①合計所得金額が125万円以下の場合

市町村民税所得割及び均等割が非課税（０円）となります。

②合計所得金額が125万円を超える場合

以下の計算により寡婦控除のみなし適用を行います。

「利用者負担の算定の基礎となる所得割額－寡婦（寡夫）控除額×６％＊」

＊市町村独自の減免措置等により税率が６％でない場合は、当該市町村の税率により計算してください。 | |
| 150 -7 | 未婚のひとり親を寡婦等とみなす特例 | 寡婦控除のみなし適用をした場合に、当該控除に伴う調整控除も適用させる必要があるか。 | 本特例は、あくまでも特例措置であり、市町村事務が煩雑となることを避ける観点から、適用しない取扱いとします。

なお、市町村が独自で調整控除を適用する取扱いをすることは妨げませんが、調整控除の適用により利用者負担上限額の階層が変わった場合は市町村の独自減免の取扱いとなるのでご留意ください。 | |
| 150 -8 | 都道府県から指定都市への税源移譲に伴う特例 | 税源移譲後の新税率により算定した市町村民税所得割に６／８を乗じた額をもとに利用者負担を決定することも可能か。 | 算定に当たっては、一定の事務負担の発生が見込まれるため、運用上、そのような取扱いを可能とします。その場合、近似値での算定となることにご留意ください。 | |

150 -9	都道府県から指定都市への税源移譲に伴う特例	運用上の算定により市町村民税所得割に6／8を乗じた場合の端数処理はどのように行うのか。	できる限り近似値での算定となるよう、端数処理は行わずに利用者負担を決定してください。	
150 -10	都道府県から指定都市への税源移譲に伴う特例	市町村独自の減税措置等により、市町村民税率が税源移譲前後でそれぞれ6％や8％ではない場合についても、運用上、税源移譲後の新税率により算定した市町村民税所得割に6／8を乗じる取扱いとなるのか。	税源移譲前の旧税額になるよう、新税率により計算した市町村民税所得割に適切な割合を乗じてください。 例えば、税源移譲前の税率が5.7％、税源移譲後の税率が7.7％である場合には、5.7／7.7を乗じてください。	
150 -11	都道府県から指定都市への税源移譲に伴う特例	税源移譲前の税情報について、情報連携を行うことにより確認することはできますか。	運用により近似値での算定が可能であるため、情報連携により確認することはできません。	
151	児童養護施設等に入所する子どもの利用者負担	児童養護施設等（里親、児童養護施設、児童自立施設、情緒障害児短期治療施設、乳児院、小規模住居型児童養育事業（ファミリーホーム））に入所する子どもについては、誰を保護者とし、また、利用者負担はどのように設定すれば良いでしょうか。	教育・保育給付認定保護者については、 ・児童養護施設等の入所施設　→　施設長 ・小規模住居型児童養育事業　→　小規模住居型児童養育事業を行う者（養育者） ・里親　→　里親 と整理しています。 利用者負担額は、小規模住居型児童養育事業及び里親について、被保護者世帯と同様、市町村民税非課税世帯に準ずる者として0円とすることとしています。	
152	利用者負担の切り替え時期	利用者負担の切り替え時期はいつになりますか。	利用者負担の切り替え時期は、市町村民税の賦課決定時期が6月となることから、直近の所得の状況を反映させる観点から年度途中に切り替えることとし、具体的な切り替え時期は、施設・事業者の事務負担や保護者への周知に要する期間等を考慮して9月とします（8月以前は前年度分、9月以降は当年度分の市町村民税額により決定する）。	
153	公定価格との関係	公定価格の水準は、27～29年度は各年度において変わり得るとのことですが、利用者負担額も公定価格の水準に連動して、毎年変わるのですか。	利用者負担額については、公定価格の単価と同様、最終的には毎年度の予算編成過程を経て決定されることになりますが、公定価格の水準に連動して、国が示す利用者負担額の水準を変更させることは考えていません。	
154	給食費の徴収方法	1号認定、2号認定の子どもに係る給食費はどのように徴収すれば良いでしょうか。	1号認定子どもと2号認定子どもの公定価格には給食材料費が含まれておらず、給食材料費は実費徴収として徴収することが基本となります。また、人件費の不足分は特定負担額（上乗せ徴収）として徴収することが可能です。実際に費用徴収を行う際には、対象経費により特定負担額や実費に分解することなく、全体をまとめて特定負担額又は実費のいずれかにより徴収することも可能です。 なお、実費徴収等を徴収するか否かは施設の判断であり、徴収を行わないことも可能です。	
155	私立施設の徴収根拠・位置づけ	私立施設の利用者負担の徴収根拠は何で規定されているのでしょうか。また、私立施設の利用者負担額は、規則で定めることは可能ですか。	私立保育所の利用者負担の徴収根拠は、子ども・子育て支援法附則第6条第4項に規定があり、それ以外の私立施設については、施設と保護者との直接契約になるため法で特段の規定はしていません。 また、私立施設の利用者負担額については、第27条第3項の規定により、政令で定める額を限度として、世帯の所得の状況等を勘案して市町村が定めることとなっており、規則で定めることも可能です。	

156	時効	従来の制度では保育料の時効は５年でしたが、時効の考え方については、子ども・子育て支援法第78条により、子どものための教育・保育給付を受ける権利、拠出金、徴収金を徴収する権利の時効は２年とあります。新制度の公立施設の保育料の時効は何年になりますか。また、私立施設の保育料の時効は何年になりますか。また、その根拠は何処になりますか。	公立施設の利用者負担については、地方自治法第225条及び第228条に基づき条例で使用料として徴収根拠を定めていただくことから、地方自治法第236条に基づき時効は５年間となります。 また、私立保育所に関しては、子ども・子育て支援法附則第６条第４項の規定により、市町村長が徴収をすることから、上記と同様に時効は５年間となります。私立保育所以外の私立施設については、私債権として時効は２年間となります。 なお、子ども・子育て支援法第78条に規定する徴収金を徴収する権利に、利用者負担を徴収する権利は含まれていません。	
157	特例給付の利用者負担額	２号認定子どもが幼稚園に入り、特例給付を受ける場合の利用者負担額はどうなるのでしょうか。	利用者負担は０円、公定価格は１号認定子どもに係る額と同額となります。	
158	入園料	入園料は、上乗せ徴収として月々の徴収でも、一度の徴収でも良いとされていますが、これまで入園時に一括徴収していた幼稚園が施設型給付に移行した場合、入ってきた年度によって、既に払っている子と月々徴収する子と、同一園で入った年度で徴収方法を変えても良いのでしょうか。	既に入園した子どもについて徴収済みの納付金は、新制度に基づく規制の対象となるものではなく、施設と保護者との民民契約に基づくものであり、両者の間で相談・協議のうえ、その取扱いを決めることが適当と考えられます。 新制度に移行して以後徴収する納付金については、既に入園している園児も含めて、同じルールや金額で徴収することが基本と考えますが、保護者の同意が得られることを前提に、合理的な説明がつけば、園児により額を変えることもあり得ると考えます。また、既に一括で徴収している子については改めての上乗せ徴収の負担は不要とする運用や、一旦清算した上で、徴収し直す方法もあると考えられます。最終的には施設と保護者との民民契約であり、確認基準に違反しない範囲内で、各幼稚園が判断することとなります。	
159	利用者負担額の減免	新制度施行前の制度で行われていた、ひとり親世帯等への保育料の軽減・減免については、新制度でも継続するのでしょうか。	新制度施行前、保育所運営費において行われていたひとり親世帯等への軽減措置については、新制度においても、同様に軽減措置を実施しています。 ※平成26年７月31日子ども・子育て会議資料参照。	
160	延長保育の利用料	延長保育の利用料の取扱いはどうなりますか。国から基準が示されますか。それとも、市町村や各園で自由に決めてよいのでしょうか。	基本的には新制度施行前の延長保育事業の考え方を引き続き踏襲していくこととしており、利用料の取扱いについても新制度施行前と同様に各市町村又は施設・事業所において定めることになります。	
161	入園受入準備費	「入園受入準備費」とは、具体的にどのようなものを想定していますか。	入園受入準備費とは、内定から入園までの準備などの費用を想定しています。例えば、入学手続き関係の書類や、学級名簿等の書類作成、各種教材等の準備、入学辞退者が出た場合の再募集・手続き等に係る経費などを想定しています。	
162	入園に係る事務手続き手数料	入園に係る事務手続きに要する費用の徴収については、１号認定に関してのみ認められるのですか。利用者にとっての分かりやすさ、説明のしやすさという観点から、２号・３号認定の手続きについても、事前に利用者からの同意を得た上で、費用の徴収をすることは認められますか。	市町村が利用調整を行う保育認定（２号・３号）の子どもについては、入園に係る事務手続きに要する費用について、実費徴収をすることは想定していません。	
163	上乗せ徴収を行う場合の手続き	上乗せ徴収を行う場合、市町村の許可や協議は必要ですか。	特定負担額の徴収（上乗せ徴収）を行うに当たっては、額や徴収理由を明示し、保護者に説明・書面による同意を得ることが必	

			要ですが、私立幼稚園や認定こども園が特定負担額の徴収（上乗せ徴収）を行う場合、市町村の許可や協議は必要ではありません。他方、私立保育所については、市町村から委託を受けて実施する性格上、市町村との協議を経て実施することが必要となります。	
164	上乗せ徴収、実費徴収の水準	上乗せ徴収や実費徴収で保護者に支払いを求めることができる金額の上限はありますか。	具体的な上限額の基準はなく、上乗せ徴収は教育・保育に要する費用と公定価格の差額、実費徴収は実際の便宜の提供に要する費用について、施設の判断で、使途の説明や（文書による）同意といった適正な手続きを経た上で、保護者に支払いを求めることができます。	
165	特定負担額や実費徴収に係る領収書	施設・事業者が特定負担額（上乗せ徴収）や実費徴収の支払いを受けた場合の領収書は紙で用意する必要があるでしょうか。	「特定教育・保育施設及び特定地域型保育事業の運営に関する基準」第13条第5項により、領収書の交付が必要ですが、銀行等での振込による支払を可能としている場合は振込時に発行される明細書、保護者の指定した口座からの引き落しにより支払いを受けることとしている場合は通帳の記載等をもって領収書に代えることも可能と考えられます。あらかじめ保護者に取扱いを説明しておくとともに、希望する保護者には紙での領収書を発行することが求められます。	
166	通園バス代の実費徴収	1号認定子どもの公定価格のみ通園送迎加算がありますが、2・3号認定子どもはバスを利用できないのでしょうか。2・3号認定子どもがバスを利用できる場合は、その実費徴収額は、1号認定子どもよりも加算額分高く設定すべきでしょうか。	通園送迎加算は送迎を利用する一部の1号認定子どもにのみ加算されるのではなく、施設として送迎を実施していれば1号認定子ども全体に加算が付きます。2・3号子どももバスを利用できますし、加算額で不足する必要経費は、1～3号の区分にかかわらず、バス利用者から、同額の実費徴収を行って構いません。	
167	利用者負担算定の根拠	利用者負担算定の根拠となる市町村民税額は誰の所得を見ていくこととなるのでしょうか。例えば両親に課税がある場合、両方の金額を合算していくのか、両親の他に同居親族である祖父母に収入がある場合、祖父母の課税額もみていくことになるのでしょうか。	従来の保育所運営費や幼稚園就園奨励費における取り扱いを踏襲しており、基本的には父母それぞれの課税額の合計で階層判定を行いますが、父母以外の保護者（祖父母等）が家計の主宰者と判断される場合には、当該父母以外の保護者（家計の主宰者）の課税額を含めて階層認定を行うことになります。 参考として、具体的には、下記事項を総合的に勘案して判断いただくことが考えられます。 　(1)支給対象児童を地方税法上の扶養親族としているか。 　(2)支給対象児童を健康保険等において扶養親族としているか。 　(3)その世帯において最多収入、最多納税のものであるか。 なお、支給対象児童のいる世帯の生計が父母の収入によって成り立っていると認められる場合においては、祖父母は「家計の主宰者」とはならないものであること。	
168	利用者負担の切り替え時期	利用者負担の切り替え時期が毎年9月とされていますが、各市町村の判断によりこれとは異なる時期に切り替える運用は認められますか。	利用者負担額は、施設型給付及び地域型保育給付に係る国と地方の費用負担の精算の基準になるものであることから、全国統一で運用することを想定しています。	
171	利用者負担額の上限	特に大規模園など、利用者負担額が公定価格を上回る可能性があると思われます。仮に利用者負担額の上限を給付単価限度にするとしても、公定価格の中には、3月にしかつかない加算もあり、毎月利用者負担額の	利用者負担の給付単価限度は、一部の加算部分を含めたものとなります。給付単価限度の詳細は、別添参考資料「給付単価限度算定項目」をご参照ください。ただし、ご指摘の3月限定の加算については、給付単価限度の算定上、除くこととしています。	参考資料参照

		上限が変わるという運用はできないのではないでしょうか。	
172	公立施設の広域利用の場合の利用者負担額の定め	公立施設を広域利用する場合に保護者が支払う利用者負担額は、保護者の居住地の市町村が定める額になるとのことですが、公立施設を他市町村の住民に利用させる場合、当該利用に係る利用者負担額は、施設所在の市町村において、議会の議決を経て定める必要はないのでしょうか。	公立施設の広域利用も含め、子ども・子育て支援新制度における利用者負担は施設の居住地の市町村が定める仕組みであり（子ども・子育て支援法第27条第3項第2号及び第28条第2項）、広域利用する住民に係る利用者負担額を施設所在市町村の条例で定める必要はありません。	
173	消費税の取扱い	子ども・子育て支援法に基づく確認を受ける幼稚園における給食代やスクールバス代に係る消費税は非課税になるのでしょうか。	「施設型給付費等の支給に係る事業として行われる資産の譲渡等」として非課税となります。	
174	領収書の印紙税の取扱い	利用者負担額の支払いを受けた場合、領収書を交付することとなっていますが、その際、印紙税は課税されるのでしょうか。	印紙税の取扱いは、従前の保育料等の取扱いと同様、学校法人、社会福祉法人等の公益目的事業を行うことを主たる目的とし、営利を目的としない法人が作成する文書は非課税となります。新制度になることで取扱いが変わるものではありません。	
175	利用者負担の強制徴収	公立保育所の保育料の徴収根拠が条例になることにより、新制度施行後は、強制徴収ができなくなるのでしょうか。	保育所（保育所型認定こども園を含む）及び幼保連携型認定こども園の保育料については、一定の要件に該当する場合、児童福祉法第56条第7項の規定に基づき、公立施設を含め、強制徴収を行うことが可能です。	
176	教育標準時間認定の子どもの夏季休業中などにおける利用者負担等の取扱い	幼稚園や保育所に在籍する児童が長期休業中や保護者の里帰り出産時に、里帰り先の保育所や認定こども園に、二重在籍することは可能か。	里帰り出産先等において他の特定教育・保育施設等を「利用」する場合で、当初の特定教育・保育施設等を退所（園）しているのであれば、当該他の特定教育・保育施設等について広域利用（又は転園）として給付費及び利用者負担が発生します。	
			なお、この保育利用者が転園後に帰省先から戻った場合は、市町村の判断で、当初利用していた特定教育・保育施設に優先的に利用調整していただくことも可能です。	
			また、当初の特定教育・保育施設等を何らかの理由で退所（園）していない場合は二重在籍はできませんので、一時預かり事業等での対応となることが想定され、その利用料が別途発生します。	
			なお、通常は私学助成の幼稚園に通っているが、里帰り出産等で休学し、当該他の特定教育・保育施設等に通う場合、その施設における施設型給付費が支給されることから、当該期間分について私学助成や施設等利用費の支給が行われることのないようにしてください。	
177	休日保育の利用者負担額	休日保育加算の対象となる利用者から、所得に応じた利用者負担とは別に、休日保育の利用料を徴収することはできますか。また、出張等で単発的に利用する場合は、どのように取り扱うのでしょうか。	新制度においては休日保育を給付化することになりますので、休日保育加算の対象となる「原則、休日等に常態的に保育を必要とする保育認定子ども」が休日保育を利用する場合、当該休日保育の利用に対し、所得に応じた利用者負担とは別に、利用料を徴収することはできません。	
			なお、保護者のいずれもが急な出張等により保育が必要な状態になるなど、単発で休日保育を利用する場合についても、休日保育加算の対象とすることもできます。この場合は、休日保育加算により費用が賄われることになるため、保護者から利用料を徴収することはできません。	
			また、就労により認定を受けた保護者が、冠婚葬祭など保育認定を受けた事由とは異	

			なる事由により、休日に保育を利用する場合には、一時預かり事業により利用することが考えられます。この場合は、保護者から一時預かり事業としての利用料を徴収することになります。	
			なお、休日の職員体制を充実させて休日保育を実施しているによる など、公定価格による水準を超えて費用がかかる場合は、保護者の同意や私立保育所の場合は市町村への協議など、必要な手続きを経た上で、特定負担額や実費徴収により、水準を超える費用を徴収することも考えられます。	
178	休日保育の利用者負担額	常態的に休日保育を必要とする子どもの保護者にとっての週休日（例：店の定休日である火曜日が週休日）に、単発的な仕事が入った場合や、園の行事等のために保育を行う必要があると園側が判断した場合、当該火曜日に保育を受けることは可能でしょうか。その場合の利用者負担はどう取り扱うべきでしょうか。	保育の提供は、原則として保育が必要な場合に限られますので、就労が認定事由である場合、保護者が就労していない日には、基本的には保育を受けられないことになりますが、お尋ねのように、通常の休業日に仕事が入り、保育を必要とする状態になった場合や、子どもに対する集団保育の観点から保育が必要であると園が判断する場合に、保育の利用を妨げるものではありません。また、その場合、別途の利用料を徴収することはできません。	
179	階層区分	利用者負担の所得階層区分を決定するにあたっては、市町村民税の所得割額を元に行い、その際に子ども・子育て支援法施行規則第21条に規定されている控除があるときは、当該控除金額を加算した額により階層区分の決定を行うこととされています。地方税法の附則第3条の3第5項に基づく税額調整の措置は上記の施行規則の規定に当てはまりませんが、階層区分の決定の際、税額調整はどういった取り扱いとなるのでしょうか。	子ども・子育て支援法施行規則第21条に規定されているもの（※）以外については、通常の税計算の方法により、控除を反映することとなります。地方税法附則第3条の3第5項に基づく税額調整等、上記の規定に該当しないものについては、反映することとなり、税額調整後の金額を元に、利用者負担の所得階層区分を決定することとなります。 ※控除した金額を加算する（控除を反映させない）のは地方税法の下記8項目 ①法第314条の7　（寄付金税額控除） ②法第314条の8　（外国税額控除） ③法第314条の9　（配当割額又は株式等譲渡所得割額の控除） ④法附則第5条第3項（個人の市町村民税の配当控除） ⑤法附則第5条の4第6項（個人の市町村民税の住宅借入金等特別税額控除額） ⑥法附則第5条の4の2第5項（個人の市町村民税の住宅借入金等特別税額控除額） ⑦法附則第5条の5第2項（寄付金税額控除における特例控除額の特例） ⑧法附則第45条（東日本大震災に係る住宅借入金等特別税額控除の適用期間等の特例）	修正 自治体向けFAQ【18版】No.180 （No.179は削除）
180	強制徴収・代行徴収の根拠について	保育所等の利用者負担額の強制徴収の根拠はどのようになりますか。また、その際、どの市町村が強制徴収・代行徴収を行うのでしょうか。 また、延滞金の取扱いはどのようになるのでしょうか。	利用者負担額の強制徴収については、 ・私立保育所は、子ども・子育て支援法附則第6条第7項 を根拠として、居住地市町村が強制徴収を行うことができます。 また、利用者負担額の代行による強制徴収については、 ・公立保育所、公立幼保連携型認定こども園は、児童福祉法第56条第7項 ・公立・私立地域型保育事業は、児童福祉法第56条第8項 を根拠として、「強制徴収できる」公債権として、居住地市町村が代行による強制徴収を行うことができます。	自治体向けFAQ【18版】No.181

			そのため、広域利用のケースなど、保育所等の利用にあたって複数の自治体が関係している場合には、居住地市町村以外の市町村においても上記取扱いが適切に行われるよう調整してください。 なお、市町村が徴収する場合、地方自治法第231条の３第２項に基づき、延滞金を徴収することは可能ですが、延滞金の強制徴収は行うことができませんので、御留意ください。	
181	私立施設の保育料を代行徴収する場合、時効はどのように考えるべきでしょうか。	私立施設の保育料を代行徴収する場合、時効はどのように考えるべきでしょうか。	債権の時効については、No.156のとおり、公立施設及び私立保育所については５年、私立保育所以外の私立施設は２年としています。 代行徴収については、児童福祉法において「地方税の例により滞納処分ができる」と規定していることから、単なる徴収業務を担うのではなく、債権が移譲される性質になるものと考えます。 したがって、代行徴収の対象である認定こども園（幼保連携型及び保育所型）については、引き続き、債権時効年数は２年として市町村は債権回収を行うことができます。	自治体向けＦＡＱ【18版】No.182
182	広域利用の場合の利用者負担の児童手当からの特別徴収	住民票があるA市に住む保護者がB市の保育園を利用している場合において、当該保護者が保育料を滞納した場合、B市はA市が当該保護者に対して支給する児童手当から当該保護者の同意なく保育料を徴収することができるのか。	保育料を保護者の同意なく児童手当から徴収（特別徴収）できる自治体は、B市（施設所在地市町村）ではなくA市（児童手当を支給している自治体＝住民票があり居住している市町村）となります。 公立保育所については、未納の保育料のうち、児童福祉法第56条第７項の規定に基づいて代行徴収する分について、A市は特別徴収を行うことができます。（B市の保育園の設置者は、A市に対して、代行徴収を行うことを請求できます。） 私立保育所については、納期限前の保育料のみが児童手当による特別徴収の対象となっています。未納分の保育料については、子ども・子育て支援法附則第６条第７項により、A市が強制徴収を行うことができます。 なお、特別徴収を実施する否かは、児童手当の支給を行う市町村の判断になります。	自治体向けＦＡＱ【18版】No.183
183	強制徴収	認定こども園の利用者負担額について、市町村の事情により過年度の利用者負担額を遡及して徴収する必要が生じた場合に、市町村が施設に代行して徴収することは可能でしょうか。	認定こども園における利用者負担額の徴収は、施設と支給認定保護者の契約に基づくものであり、市町村に帰責する事由により遡及して徴収する必要性が生じたとしても、市町村が施設を代行して徴収することはできません。 一方で、施設の追加徴収事務が円滑に行われるよう、市町村が施設と教育・保育給付認定保護者の間に立ち、事情を説明するなど、その徴収事務を補助することを妨げるものではありません。市町村におかれては、施設側の徴収事務が円滑に進むよう、積極的な協力をお願いいたします。	自治体向けＦＡＱ【18版】No.184

【公立幼稚園・公立保育所・公立認定こども園】

No.	事項	問	答	備考
184	新制度の位置づけ	公立幼稚園が新制度に入らないという選択肢はあるのですか。	市町村は、住民の教育・保育に係る需要量を的確に把握し、それに応じた供給体制を確保する責務を有しています。 市町村が自ら設置者となっている公立の幼稚園について、あえてこの制度の対象としないという選択肢を取ることは基本的には想定されず、私立施設を経営する事業者と	自治体向けＦＡＱ【18版】No.185

			の円滑な関係性を構築する観点や住民に対する説明の観点からも、基本的には取り得ない選択肢と考えています。	
			なお、消費税収等による質の向上に伴う所要額の地方財政措置への反映については、公立施設は基本的にすべて新制度に入ることを前提として設定しています。また、こうした考え方は公立保育所についても同様です。	
185	確認	公立施設の場合、確認の申請や法令に定める書類の提出等は必要ですか。手続を省略することはできますか。	公立施設の場合であっても、法令に定める確認の手続きは必要ですが、法令に反しない範囲で、各市町村の判断で手続を簡素化することは可能です。	自治体向けFAQ【18版】No.186
186	公立施設の施設型給付の額	公立幼稚園や公立保育所を設置する市町村は、公立幼稚園や公立保育所に係る施設型給付の額を定めることとなりますが、私立幼稚園や私立保育所と同じにしなければならないのでしょうか。	公立幼稚園や公立保育所の施設型給付額については、特定教育・保育、特別利用保育、特別利用教育、特定地域型保育、特別利用地域型保育、特定利用地域型保育及び特例保育に要する費用の額の算定に関する基準等第16条のとおり、特例として、最終的には、設置者かつ財源負担者であるそれぞれの市町村が定めることになりますが、国の公定価格の基準、各施設での現状の費用の実態や新制度での費用の見込み、公立施設としての役割、意義、公私間のバランス等を考慮し、判断すべきものと考えています。また、施設型給付の額を設定した場合、明示する必要があります。	自治体向けFAQ【18版】No.187
			なお、新制度における公立施設の地方財政措置のあり方については、従前の地方財政措置の水準をベースとしつつ、消費税収等による「質の向上」に伴う所要額や、財源確保の状況などを踏まえ、設定しています。	
187	3年保育	2年保育しか実施していない公立幼稚園は、新制度への移行に当たり、3年保育を実施する必要はありますか。	市町村事業計画の作成に当たり、見込んだ3歳児の教育・保育のニーズに対し、現存する幼稚園や認定こども園における教育・保育の供給量が不足している場合には、私立幼稚園に対する定員増の要請や公立幼稚園の入園対象年齢の引下げ等（3年保育化）などによる対応を含め、その確保方策を市町村として定めていただく必要があります。	自治体向けFAQ【18版】No.188
188	一時預かり	公立幼稚園の預かり保育は一時預かり（幼稚園型）の対象となりますか。	実施要件を満たすことにより対象となります。なお、他の地域子ども・子育て支援事業と同様、国3分の1、都道府県3分の1の交付金の対象となります。	自治体向けFAQ【18版】No.189
189	公立の保育所の利用者負担額(階層区分)	公立の保育所の利用者負担額は、どのように設定すれば良いですか。	公立の保育所の利用者負担額については、新制度施行前の徴収額、公立施設の役割、意義、幼保・公私間のバランス、激変緩和の必要性等を考慮の上、最終的には市町村が判断すべきものです。設定に当たり、必ずしも国が定める所得階層区分どおりの区分とする必要はありませんが、国が定める上限は公私共通の基準となるため、それぞれの階層区分ごとに、国の定める基準の範囲内で設定されていることが必要になります。	自治体向けFAQ【18版】No.190
190	広域利用に係る条例制定	公立施設を他市町村の住民に利用させようとする場合に、設置条例の改正の必要はありますか。	公立施設の設置条例等において、当該施設の利用対象者を住民に限ることとする規定を定めている場合には、他の市町村の住民の利用を可能とするためには、当該規定の改正が必要です。	自治体向けFAQ【18版】No.191
			なお、このような規定を定めておらず、当該公立施設が、自己の住民に限定せず他の市町村の住民にも利用させることを想定して本来の目的として設置されたものである	

			場合は、個々の利用に当たって、地方自治法第244条の３第２項に基づく市区町村間の協議は必要ないと考えられます。	
191	公立施設の広域利用	これまでは、私立保育所のみならず、他市町村の公立保育所であっても、当市と当該公立保育所の設置市町村との間で委託契約を締結するとともに、利用者負担額は当市において徴収していました。 新制度では、他市町村の公立保育所であっても直接契約とするよう変更されており、したがって、当市の設定する利用者負担額を、当該公立保育所の設置市町村が徴収することになるとの理解で間違いないでしょうか。	お見込みの通りです。	自治体向けＦＡＱ【18版】No.192
192	公立施設の広域利用の場合の利用者負担額の定め	公立施設を広域利用する場合に保護者が支払う利用者負担額は、保護者の居住地の市町村が定める額になるとのことですが、公立施設を他市町村の住民に利用させる場合、当該利用に係る利用者負担額は、施設所在の市町村において、議会の議決を経て定める必要はないのでしょうか。	公立施設の広域利用も含め、子ども・子育て支援新制度における利用者負担は保護者の居住地の市町村が定める仕組みであり（子ども・子育て支援法第27条第３項第２号及び第28条第２項）、広域利用する住民に係る利用者負担額を施設所在市町村の条例で定める必要はありません。	自治体向けＦＡＱ【18版】No.193
193	広域利用の利用者負担額	公立施設の広域利用の場合、他の市町村に居住する者の利用者負担額について、条例でどのように規定すればよいのでしょうか。	No.192のとおり、他の市町村に居住する者の利用者負担の額そのものを、施設所在市町村が条例で定める必要はありません。 また、条例の具体的な内容については、各市町村のご判断で決めていただくことですが、広域利用時の徴収根拠として条例に規定する場合、例えば、広域利用の場合は居住市町村の定める利用者負担額とする旨を規定することなどが考えられます。	自治体向けＦＡＱ【18版】No.194
194	広域利用の給付費に係る財政措置	公立保育所がないA市の子どもがB市の公立保育所を利用する場合の、子どもの保護者に対する、A市からの給付費の支払いについてはA市に交付税措置されていないことから、当該給付費に対しては国からの財政措置がなされるのでしょうか。	新制度施行前より、左記の広域利用の場合は、A市に交付税措置を行っているところであり、新制度施行後においてもA市に交付税措置がされるよう調整しています。	自治体向けＦＡＱ【18版】No.195
195	延長保育の保育料	公立保育所で延長保育事業を実施する場合についても条例で利用者負担の徴収根拠を定める必要がありますか。	公の施設の使用料徴収について、条例の根拠が必要とする地方自治法の解釈の問題となります。公立保育所と異なり、延長保育事業については、今回の制度改正で法的位置付けは変わっていないので、既に各自治体において整理済みの問題と考えます。	自治体向けＦＡＱ【18版】No.196
196	公立幼保連携型認定こども園に係る事務への教育委員会の関与	都道府県の教育委員会は、これまで公立幼稚園の設置廃止等の届出に係る事務を所管していましたが、公立幼保連携型認定こども園に係る事務には、何らの関与もしなくてよいのでしょうか。	市町村立幼保連携型認定こども園の設置・廃止等は、都道府県教育委員会ではなく、都道府県知事に届け出ることとなっています。なお、各都道府県の判断により、地方自治法の規定に基づき、首長部局の権限に属する事務の一部を教育委員会に委任又は補助執行させることも可能です。 また、整備法により改正された地方教育行政の組織及び運営に関する法律により、公立の幼保連携型認定こども園に関する事務は、教育委員会ではなく、首長部局の所管とされています。 ただし、幼保連携型認定こども園を設置する市町村においては、教育課程に関する基本的事項の策定や職員の人事など、教育委員会の事務と密接な関連を有するものとして市町村の規則で定める事務を実施するに当たっては、教育委員会の意見を聴かなければならないなど、一定の関与が義務付けられています。	自治体向けＦＡＱ【18版】No.197

			また、首長部局からも、公立・私立問わず、幼保連携型認定こども園に関する事務について、教育委員会に対し、学校教育に関する専門的事項について、助言・援助を求めることが出来ることとされています。	
197	公立幼保連携型認定こども園における保育教諭	改正認定こども園法第14条においては、「幼保連携型認定こども園には…保育教諭を置かなければならない」と規定されていますが、この規定を踏まえ、幼保連携型認定こども園を設置する地方公共団体においては、どのような対応が必要となりますか。	改正認定こども園法第14条の規定の趣旨は、公立の幼保連携型認定こども園には、保育教諭という職を配置しなければならないとするものであり、保育教諭としての任命を受けずに、事実上、保育教諭が行うべき業務を行う者を配置したことをもって、この規定の趣旨を満たすことにはなりません。 このため、幼保連携型認定こども園を設置する地方公共団体においては、保育教諭を任命するために必要と判断される措置（例：当該地方公共団体における職員の職務又は処遇等について定める条例又は規則等において、保育教諭に関する規定を整備すること等）を行った上で、保育教諭となるための要件を満たす者を保育教諭に任命することが必要です。	自治体向けＦＡＱ【18版】No.198
198	公立幼保連携型認定こども園の保育教諭の研修計画	保育教諭に対する教育公務員特例法に基づく新規採用者研修及び中堅教諭等資質向上研修については誰が実施主体になるのですか。また、これまで保育士として勤務していた職員が新たに保育教諭となった場合、新規採用者研修を受ける必要はあるのですか。	公立幼保連携型認定こども園の保育教諭に対しては、都道府県知事又は政令指定都市の長が、新規採用教員研修及び中堅教諭等資質向上研修を実施することとされています。しかしながら、従来、公立幼稚園の教諭に対する研修は教育委員会が実施しており、教育委員会は、教諭に対する研修の実施に当たっての専門的知見を有していると考えられることから、都道府県知事又は政令指定都市の長が保育教諭に対する研修を実施するに当たっては、教育委員会との連携・協力を十分に図ることが望ましいと考えます。なお、各都道府県の判断により、首長部局の事務の全部又は一部を、教育委員会に委任・補助執行することも可能です。 新規採用者研修は、教育公務員特例法において、採用した日から起算して１年に満たない者に対して行うこととされていますが、ここでいう採用とは、教員でない者が教員となることを指すものであることから、保育所などの児童福祉施設における保育士としての勤務経験があっても、新たに保育教諭となった場合には、「採用」に当たることとなり、研修の対象となります。また、10年間の経過措置によって保育士の資格のみを有することをもって保育教諭として勤務する職員についても対象となります。さらに、保育教諭としての担当が３歳未満児であっても、該当者は研修の対象となります。ただし、研修の実施者において、保育士としての勤務経験を有する者については、その点を考慮した研修の内容・方法とすることが望ましいと考えます。また、当該研修により、園の運営や子どもの教育・保育に支障が出ることのないよう配慮すべきと考えます。	自治体向けＦＡＱ【18版】No.199
199	公立幼保連携型認定こども園の保育教諭の研修カリキュラム	公立幼保連携型認定こども園の保育教諭向けの研修カリキュラムの参考になるものはありますか。	文部科学省において、委託事業を通して、幼稚園教諭・保育教諭のキャリアステージにおける具体的な研修モデルを示した『幼稚園教諭・保育教諭のための研修ガイド』を作成し、幼稚園担当指導主事・担当者会議等で都道府県等に配布しているところです。また委託先の団体ＨＰにも掲載しております（http://youseikatei.com/）。本ガイドを活用いただき、研修が充実されることが望まれます。また、内閣府において作成した『一人一人に応じた教育及び保育を展	自治体向けＦＡＱ【18版】No.200

			開していくために～幼保連携型認定こども園教育・保育要領に基づく教育及び保育の質の向上に向けた実践事例集～』（https://www8.cao.go.jp/shoushi/kodomoen/kokuji.html）を参考にしていただくことも考えられます。	
200	公立施設の公定価格の定め方	私立の幼稚園・保育所・認定こども園の施設型給付については、国が示す公定価格に基づくこととなっていますが、公立施設の施設型給付は何を基準として定めればよいのでしょうか。	内閣総理大臣が定める基準としての公立施設に係る公定価格については、平成27年2月5日の子ども・子育て会議において、「施設の設置主体である市町村が、国の公定価格の基準や地域の実情等を踏まえて定める額」とされたところです。	自治体向けＦＡＱ【18版】No.201
			この設定に当たっては、最終的には、各市町村が、公立施設の実態や取組の状況に応じ、国の公定価格の基準や地域の実情等を踏まえて、市町村ごとに定めていただくことになります。具体的な金額の検討に当たっては、当該施設に係る予算額・決算額等を利用者数で除して定めることのほか、国の公定価格の単価表（一般的な水準額は、平成27年3月10日都道府県説明会資料1－3参照）や市町村管内における私立施設の公定価格を参考に検討すること等が考えられます。	
			その際、	
			・平成27年度予算においては、公立施設の地方財政措置においても、消費税引き上げによる増収分を活用して、3歳児の配置改善等の質の向上が図られていること	
			・公立施設の運営の実態を踏まえて、どのような経費を対象とし、どの程度の給付水準とするかを判断する上で、国の公定価格の単価表や所在する地域の私立施設の給付水準を参考とすることが考えられること	
			・他市町村の住民による広域利用が行われる場合にも、施設所在市町村の公定価格を用いて給付が行われること（給付は居住地市町村から行われる）	
			・利用者負担額は私立施設に適用される国基準の公定価格ではなく、各市町村が定めることとなる公立施設の公定価格の単価が限度となること	
			・仮に公立施設の運営等に要する経費の歳出の決算額が、特定財源である使用料（施設型給付の代理受領分＋保護者負担）の額を上回った場合、どのような財源を充てるかの検討が必要になること	
			等に留意が必要です。	
			なお、市町村が実施する地域型保育事業に係る公定価格については内閣総理大臣が定める公定価格によることになるため、市町村が定める必要はありません。	
201	公立施設の予算計上	公立施設の予算について、法律上、個人給付及び法定代理受領であることを踏まえて、どのような予算計上の方法をとれば良いでしょうか。	新制度における公立施設に係る市町村の予算の計上に当たっては、従来と同様、①公立施設の職員の人件費・管理費・事業費を歳出予算に計上することに加えて、②個人に対する給付費を歳出予算に計上することが法体系上は整合的です。	自治体向けＦＡＱ【18版】No.202
			その場合、各々に対応する歳入（財源）は、	
			①については、全体を使用料（調定＝債権化が必要）として計上するものの、個人給付相当額は法定代理受領として収入し、利用者負担相当額は国で定める額を限度として市町村が定める額を保護者から納付を受けることとなります。	

②については、地方財政措置の水準として制度的に保障する額の一般財源を充当することになります。

上記のとおり、市町村の予算には、給付費に係る歳入・歳出予算と、実際の公立施設の職員の人件費等を賄うための歳入・歳出予算が計上されることになりますが、これらは目的が異なるものであり、予算の二重計上には当たりません。

※介護保険制度や障害者福祉サービス等における使用料条例の状況を見ると、実際の利用者負担額を使用料として定めている例もあるので、最終的には、市町村の考え方により、利用者負担額のみを使用料とすることも可能です（下記資料Ｐ７参照）。その場合の給付費の予算等の取扱いについては、従来と同様、歳入予算に税・交付税及び保育料を計上し、歳出予算に公立施設の職員の人件費等を計上する方法とすることが考えられます。ただし、その場合であっても、個人給付額を把握し、法定代理受領分として各保護者に通知することは必要です。

（「子ども・子育て支援新制度における公立施設の予算等の取扱いについて」資料Ｐ２をご参照ください。）

| 202 | 公立施設の公定価格の定め方 | 公立施設の公定価格については、「市町村が定める」とされたところですが、公立施設の公定価格は条例で定めることが必要でしょうか。 | 公立施設の利用者負担額は、地方自治法の「使用料」にあたるため、条例で徴収根拠を定めることが必要ですが、公定価格については、必ずしも条例で規定する必要はありません。 | 自治体向けＦＡＱ【18版】No.203 |

【認定こども園】

No.	事項	問	答	備考
203	保育教諭	幼保連携型認定こども園においては、３歳未満の子どもの保育を担当する職員も保育教諭でなければならないのでしょうか。	３歳未満の子どもの保育を担当する者も保育教諭となります。したがって、原則として、幼稚園教諭免許状と保育士資格の両者が必要となります。	自治体向けＦＡＱ【18版】No.204
204	保育教諭（幼稚園教諭の免許更新）	幼稚園教諭の免許更新の手続きを行っていない幼稚園教諭の取扱いはどうなりますか。新制度移行に伴う経過措置は講じられますか。	旧免許状（平成21年３月31日までに授与された免許状）を所持している者で、更新講習修了確認を受けずに修了確認期限を経過し、さらにその後に更新講習修了確認を受けていない者又は新免許状（平成21年４月１日以降に授与された免許状）を所持している者で有効期間の満了までに更新講習の課程を修了していない者についても、保育士の登録をしている者は、認定こども園法の施行の日から10年間（経過措置期間）については、保育教諭となることができます。ただし、その場合には、経過措置期間が終了するまでの間に、更新講習を受講し、更新講習修了確認を受け、教員免許状を有効な状態で所持している必要があります。（認定こども園法附則第５条第１項及び第３項）

なお、幼稚園教諭免許状を保有している保育士で、児童福祉法第39条第１項に規定する保育所等に勤務する者は免許状更新講習を受講することができます。（免許状更新講習規則第９条第２項第２号） | 自治体向けＦＡＱ【18版】No.205 |
| 205 | 幼保連携型認定こども園の園長資格 | 幼稚園教諭免許の二種免許状のみ所有している者は、幼保連携型認定こども園の園長にはなれないのでしょうか。 | 単に幼稚園教諭の二種免許状を有しているだけでなく、例えば、幼稚園の園長、保育所の長又は認定こども園の長として、これらの施設を適切に運営してきた者や、幼稚園、保育所又は認定こども園の職員として、長年、教育、保育又は子育て支援に従事してきた者、地方公共団体や関係団体等による園長研修等を受講し、園長となるた | 自治体向けＦＡＱ【18版】No.206 |

			めの識見を身につけた者など、幼保連携型認定こども園を適切に管理及び運営する能力を有する者であって、認定こども園法施行規則第12条に規定する資格を有する者と同等の資質を有すると設置者が認めた者については、園長となることが可能です。	
206	子育て支援事業と地域子育て支援拠点事業の関係	認定こども園には子育て支援事業の実施が義務付けられていますが、地域子育て支援拠点事業を重ねて委託することは可能ですか。	認定こども園に実施が義務付けられている子育て支援事業（認定こども園法第2条第12項）と、地域子ども・子育て支援事業の1つである地域子育て支援拠点事業（児童福祉法第6条の3第6項）とは、定義の一部が類似しているものの、相互に独立した事業です。	自治体向けＦＡＱ【18版】No.207
			子育て支援事業は、地域の子ども及びその保護者が相互の交流を行う場所を開設する等により、子どもの養育に関する問題について相談に応じて必要な情報の提供、助言等の援助を行う事業のほか、地域の家庭において保護者からの相談に応じる事業や、家庭における保育が一時的に困難となった地域の子どもについて認定こども園又はその居宅において保護を行う事業等を含んでおり、認定こども園は、いずれかの事業を実施することが義務付けられています。	
			他方、地域子育て支援拠点事業は、地域の子ども及びその保護者が相互の交流を行う場所を開設し、適当な設備を備える等により、子育てについての相談、情報の提供、助言等の援助を行う事業であって、市町村又はその委託等を受けた者が行うものであり、「週3日以上・1日5時間以上の開所」「専任職員2名以上配置」などの事業要件を満たすことが必要です。	
			これらの要件を満たせば、認定こども園にも、地域子育て支援拠点事業を重ねて委託することができます。現に、令和元年度には、拠点事業のうち1,050か所は、認定こども園を実施場所としています。	
			市町村におかれては、地域子育て支援拠点事業を委託している幼稚園や保育所が認定こども園に移行するに当たり、地域における子育て支援を推進する観点から、同事業の委託を継続していただくようお願いいたします。	
207	幼保連携型認定こども園になる際の分園の取扱い	遠隔地に分園を持っている法人が幼保連携認定こども園になる際の分園の取り扱いはどうなりますか。	保育所における分園の設置認可にあたっては、本園・分園それぞれで基準を満たすことを基本としつつ、嘱託医や調理員に係る特例を設けています。	自治体向けＦＡＱ【18版】No.208
208	認定こども園が新制度に移行しない場合の財政支援	各類型の認定こども園が、新制度に移行しない場合に、私学助成（一般補助）や保育所運営費は受けられますか。	いずれの類型の認定こども園についても、施設型給付の対象施設として子ども・子育て支援法に基づく給付を受けることを想定しており、国としては、私学助成（一般補助）の交付や保育所運営費の支給を行いません。なお、詳しくはNo.352、353をご参照ください。	自治体向けＦＡＱ【18版】No.209
209	幼保連携型認定こども園の土曜日開園義務	幼保連携型認定こども園になった場合、原則として11時間開園、土曜日開園することが必要とのことですが、保護者が就労しておらず、かつ、保育利用希望がない又は希望時間が限定されている土曜日について、閉園又は開園時間の短縮をすることは認められるでしょうか。 また、保護者の理解を得るために、重要事項説明書やホームページ等にその旨を明記しても良いでしょうか。	土曜日も11時間開園することが基本ですが、園の都合ではなく、地域の実情に応じ、保護者の希望を確認した上で、土曜日について閉園又は開園時間の短縮をすることは差し支えないものと考えます。また、園の判断により、重要事項説明書やホームページ等に明記することも可能と考えます。 ただし、土曜日であっても、11時間開所のニーズが存在する場合には、適切に保育を実施できる体制を整えておくことが前提です。	自治体向けＦＡＱ【18版】No.210

210	評議員会の設置	認定こども園のみを設置する社会福祉法人については、評議員会を設置する必要はありますか。	社会福祉法人制度改革について、社会保障審議会において、平成27年2月12日に報告書が取りまとめられ、評議員会については、全ての社会福祉法人において議決機関として設置することとされています。このため、新たな社会福祉法人制度の施行後は、評議員会を設置していただくこととなりますが、それまでの間は、従来の保育所と同様に、評議員会を設置しない取扱いも可能です。	自治体向けFAQ【18版】No.211
211	3号定員を設定しない認定こども園における食事の提供	認定こども園で3号定員を設定せず、満3歳に達した1号子ども・2号子どもを年度途中で随時受け入れる場合、外部搬入により食事を提供し独立の調理室を設けないことは可能ですか。	3号定員を設定せず、1号・2号定員のみを設定する場合、施設の判断により、満3歳に達した子どもを年度途中に入園させることが可能であり、満3歳以上の2号子どもの食事を外部搬入による場合には、必要な調理設備を有すれば調理室は不要です。 なお、3号定員を設定して年度当初から2歳児を受け入れる認定こども園は、調理室での自園調理が必要となります。この場合でも、幼保連携型認定こども園又は幼稚園型認定こども園については、外部搬入を除く食事提供人数が20人未満の場合は、独立の調理室は不要（必要な調理設備で代替可）です。	自治体向けFAQ【18版】No.212
212	調理設備	幼保連携型認定こども園の設備基準第7条第4項には、調理室を備えないことができる場合において、必要とされる「調理設備」とは具体的には何ですか。	当該施設において食事を適切に提供するための、加熱、保存等が可能な設備であり、具体的には電子レンジ・冷蔵庫などの設備等が考えられます。	自治体向けFAQ【18版】No.213
213	園児要録の作成	幼保連携型認定こども園については、園児の園児要録の作成・保存が義務付けられていますが、0～2歳児についても園児要録への記載が必要となるのでしょうか。従来と同様に児童票を作成することになるのでしょうか。	幼保連携型認定こども園園児指導要録は、幼保連携型認定こども園に在籍する全ての園児について作成することが必要です。 児童票については、上記要録の様式を参考に、これまでの児童票の取扱いも踏まえながら、自治体ごとに適宜御判断いただくようお願いいたします。 詳しくは、平成30年3月30日付「幼保連携型認定こども園園児指導要録の改善及び認定こども園こども要録の作成等に関する留意事項等について（通知）」をご参照ください。	自治体向けFAQ【18版】No.214
214	保育認定の対象とならない3歳未満児の受け入れ	これまで保育を必要としない3歳未満児について認可外部分で受け入れを行っていた認定こども園が、新制度移行後も認可外保育施設の最低基準の範囲内で施設型給付とは会計を切り分けることで、引き続き受け入れることは差し支えないでしょうか。	幼稚園型認定こども園を構成する保育機能施設及び地方裁量型認定こども園において、満3歳未満の保育が必要な子ども以外の満3歳未満の子どもについて、日極め、特定の曜日等に受け入れることについては、新制度の施行後においても可能です。 また、認定こども園とは別に認可外保育施設を併設することは可能ですが、保育室や教室の併用や職員の併任は認められず、それぞれの基準を満たすことが必要となります。 いずれの場合も、認定対象外の子どもの受入れですので、施設型給付の対象にはなりませんが、実施状況に応じて一時預かり事業等の支援を受けることが可能です。	自治体向けFAQ【18版】No.215
215	処遇改善等加算の対象となる職員	処遇改善等加算Ⅰについて、法人の役員等を兼務している職員の取扱いはどうなりますか。	処遇改善等加算Ⅰにおいては、施設・事業所に勤務する全ての常勤職員の平均経験年数等を基に算定することにしていますが、この平均経験年数の算定にあたっては、法人の役員等を兼務している職員の経験年数も含まれます。 また、賃金改善の対象となる職員については、平成29年度より、法人の役員等を兼務している職員も含むこととしていますが、処遇改善等加算Ⅰを、施設の職員としての	自治体向けFAQ【18版】No.216

			賃金ではない役員報酬に充てることはできません。	
216	認定返上	安心こども基金による認定こども園整備事業等の国庫補助を受けて整備した認定こども園について、認定こども園としての認定を返上し、幼稚園と保育所に分けて運営することとした場合、補助金の返還を求められることになりますか。	認定こども園として運営しない場合は、原則として、補助額の返還を命ずることとされています。 しかしながら、認定こども園整備事業等の国庫補助を受けて設置した施設について、後発的事情により幼稚園や保育所に転用して使用継続する場合には、所管省庁に個別にご協議いただいた上で、補助事業の趣旨を損なうものではないと整理し、国庫納付に関する条件を付さずに財産処分することも可能と考えています。	自治体向けＦＡＱ【18版】No.217
217	認定返上の場合の財産処分の取扱い①	認定こども園法の一部を改正する法律附則第３条による「みなし認可」を受けず、平成27年度から認可幼稚園と認可保育所等としてそれぞれ運営することとした場合、安心こども基金（保育所緊急整備事業）により整備した幼保連携型認定こども園の保育所部分の財産処分の取扱いはどうなるのですか。 同様に、安心こども基金（認定こども園整備事業）により整備した幼稚園型認定こども園の保育所機能部分の財産処分の取扱いはどうなるのでしょうか。	認定こども園として運営していた学校法人が、今後、認定こども園の認定を受けずに認可幼稚園と認可保育所等でそれぞれ運営することとした場合には、原則として、国庫納付に関する条件を付して財産処分手続き（転用）を行うこととなります。 ただし、認可保育所等に転用して使用継続する場合であって、認定こども園の認定を行った都道府県等と協議した結果、次に掲げる内容を遵守するものと判断される場合については、補助事業の趣旨を損なうものではないと整理し、国庫納付に関する条件を付さずに財産処分することも可能とします。 ①認定こども園を構成する保育所部分又は保育所機能部分については、認可保育所等に転用し、使用継続することが確実に見込まれること。なお、認可保育所等への転用手続を行った場合でも、当初の補助事業完了時から起算して厚生労働大臣が別に定める期間を経過するまでは、所要の手続きを経ることなく財産処分を行うことはできないこと。 ②転用後の認可保育所等の運営に当たっては、従前認定こども園を構成していた幼稚園と緊密な連携協力関係を構築し、3歳以上の入所児童に対して学校教育法第23条各号に掲げる目標が達成されるよう保育の実施に努めること。 ③認定こども園としての認定を辞退し、認可幼稚園及び認可保育所等として運営するに当たっては、当該趣旨を利用者・地域住民に対して周知し、理解を求めるよう努めるなど円滑な移行に向けた措置を講じること。	自治体向けＦＡＱ【18版】No.218
218	認定返上の場合の財産処分の取扱い②	認定こども園法の一部を改正する法律附則第３条による「みなし認可」を受けず、平成27年度から認定こども園が認可幼稚園と認可保育所等としてそれぞれ運営することとした場合、安心こども基金（認定こども園整備事業、幼稚園耐震化推進事業）により整備した幼保連携型認定こども園の幼稚園部分の財産処分の取扱いはどうなるのですか。同様に、安心こども基金（認定こども園整備事業、幼稚園耐震化推進事業）により整備した保育所型認定こども園の幼稚園機能部分の財産処分の取扱いはどうなるのでしょうか。	認定こども園として運営していた社会福祉法人（幼稚園耐震化促進事業については学校法人も含む）が、今後、認定こども園の認定を受けずに認可幼稚園と認可保育所等でそれぞれ運営することとした場合には、原則として、国庫納付に関する条件を付して財産処分手続き（転用）を行うこととなります。ただし、認可幼稚園に転用して使用継続する場合であって、認定こども園の認定を行った都道府県等と協議した結果、次に掲げる内容を遵守するものと判断される場合については、補助事業の趣旨を損なうものではないと整理し、国庫納付に関する条件を付さずに財産処分することも可能とします。 ①認定こども園を構成する幼稚園部分又は幼稚園機能部分については、認可幼稚園に転用し、使用継続することが確実に見込まれること。なお、認可幼稚園への転用手続を行った場合でも、当初の補助事業完了時から起算して文部科学大臣が別	自治体向けＦＡＱ【18版】No.219

			に定める期間を経過するまでは、所要の手続きを経ることなく財産処分を行うことはできないこと。	
			②転用後の認可幼稚園の運営に当たっては、従前認定こども園を構成していた保育所と緊密な連携協力関係を構築すること。また、3歳以上の児童を受け入れる認可保育所の運営に当たっては、学校教育法第23条各号に掲げる目標が達成されるよう保育の実施に努めること。	
			③認定こども園としての認定を辞退し、認可幼稚園及び認可保育所として運営するに当たっては、当該趣旨を利用者・地域住民に対して周知し、理解を求めるよう努めるなど円滑な移行に向けた措置を講じること。	
219	分園がある保育所の認定こども園への移行	分園がある保育所が幼保連携型認定こども園への移行を考えていますが、幼保連携型認定こども園の園庭は「同一敷地内又は隣接地に必置」とされており、基本的に分園の存在は想定されていないように見受けられます。分園がある保育所が認定こども園に移行する場合は、基本的に保育所型ということになるのでしょうか。	分園がある保育所が幼保連携型認定こども園になることも可能です。 ただし、分園については本園との一体的な運営が必要であることから、認可権者において、以下の要件を全て満たすことについての判断が必要です。 ①教育・保育の適切な提供が可能であること ②子どもの移動時の安全が確保されていること ③それぞれの敷地に所在する園舎で、通常、教育・保育を提供する子どもの数や当該子どものために編制する学級数に応じて、必要な施設・設備（※）を有していること （なお、既存の施設が所在する敷地部分については、移行特例の活用が可能です。） ※調理室は、それぞれの園舎に設置することまでは求めません。	自治体向けFAQ【18版】No.220
220	認定こども園移行後の施設整備費補助	認定こども園移行後に改築や必要となる改修等を行う場合、施設整備補助を活用することはできるのですか。また、減価償却費加算を受けることはできますか。	認定こども園に移行後であっても、文部科学省の認定こども園施設整備交付金と厚生労働省の保育所等整備交付金を活用していただくことはできます。（安心こども基金に残高がある都道府県については、基金残高を活用していただくことができますので、積極的に活用いただきますようお願いします。） 減価償却費加算については、建物の整備にあたって施設整備費または改修費の国庫補助金の交付を受けていないことが要件となっていることから、これらの補助を受けている場合には、加算を受けることはできません。	自治体向けFAQ【18版】No.221
221	施設整備費補助	認定こども園を新規に整備する場合、文部科学省の認定こども園施設整備交付金と厚生労働省の保育所等整備交付金の両方から補助を受けられるのでしょうか。	認定こども園における施設整備費については、教育部分又は教育機能部分は文部科学省の認定こども園施設整備交付金から、保育部分又は保育所機能部分は厚生労働省の保育所等整備交付金からそれぞれ補助を受けることが可能です。	自治体向けFAQ【18版】No.222
222	法人一本化のための事業譲渡の際の退職金の取扱い	学校法人及び社会福祉法人により従来の幼保連携型認定こども園を設置している場合、新制度の施行までに法人を一本化する必要があるため、どちらかの法人に幼稚園又は保育所を事業譲渡する必要がありますが、その際の転籍職員の退職金の取扱いはどうなるのでしょうか。	今般、「子ども・子育て支援法及び就学前の子どもに関する教育、保育等の総合的な提供の推進に関する法律の一部を改正する法律の施行に伴う関係法律の整備等に関する法律の施行に伴う経過措置に関する政令（平成26年政令第404号）」が平成26年12月19日に公布・施行され、幼保連携型認定こども園の設置を目的（みなし認可を受けようとする場合を含む）として、独立行政法人福祉医療機構の運営する社会福祉施設職員等退職手当共済が適用されている社会福	自治体向けFAQ【18版】No.223

社法人立保育所（又は幼稚園）を学校法人に事業譲渡する場合、引き続き、同共済契約を締結することが可能となります（被共済職員期間を通算することが可能となります。）。またあわせて、各都道府県に存在する私学退職金団体の運営する退職金共済が適用されている学校法人立幼稚園（又は保育所）を社会福祉法人に事業譲渡する場合についても同様に、引き続き、同共済契約が締結できるよう、都道府県を通じ、各団体に対して業務規程等の改正を要請しております。

なお、医療保険（短期給付）や年金保険（長期給付）については、学校法人は私学共済、社会福祉法人は健康保険と厚生年金に加入することとなり、年金保険の被保険者期間は通算されることとなります。

223	保健師、看護師又は准看護師の取扱い	乳児４人以上が利用する保育所に勤務する保健師、看護師又は准看護師を、保育士とみなすことができるとされていますが、幼保連携型認定こども園における取扱いはどうなりますか。	従来の取扱いを踏まえ、乳児４人以上が利用する幼保連携型認定こども園においては、保健師、看護師又は准看護師を、１人に限って保育士とみなすことができるものとし、当該者は、施行日から起算して10年間（令和６年度末まで）に限っては、保育教諭等又は講師として園児の保育に従事することが可能です。（平成26年11月28日付け「幼保連携型認定こども園の学級の編制、職員、設備及び運営に関する基準の運用上の取扱いについて（通知）」をご参照ください。）	自治体向けＦＡＱ【18版】No.224
224	市街化調整区域における認定こども園の保育機能施設の開発許可	市街化調整区域において、認定こども園に移行するために保育機能施設を建築する場合、開発許可は認められますか。	都市計画法第33条に規定する技術基準に適合し、かつ、同法第34条各号に規定する立地基準のいずれかに該当すると開発許可権者（都道府県知事・指定都市の長・中核市の長・特例市の長）において判断されれば、許可されます。	自治体向けＦＡＱ【18版】No.225
			認定こども園担当部局におかれては、設置者が、認定こども園に移行するために必要な開発行為であることを開発許可担当部局に対して十分に説明するよう促すとともに、設置者からの相談に応じ、開発許可担当部局に対し、認定こども園に移行するために必要な開発行為であることを説明すること等、調整をお願いします。	
225	指導監督の取扱い	これまで、幼稚園・保育所ともに、認可権者が自治事務として指導監督を行っていたところですが、幼保連携型認定こども園に対する指導監督はどのように行えば良いのでしょうか。	これまで、幼稚園は認可権者である都道府県の私学担当部局において、保育所は認可権者である都道府県・指定都市・中核市の福祉担当部局において、自治事務としてそれぞれの自治体の考え方に基づき、その内容や頻度、手法等も含め、適宜適切に指導監督が実施されていたと承知しています。	自治体向けＦＡＱ【18版】No.226
			幼保連携型認定こども園についても同様に、学校としての性質に関する事項については、各都道府県の私学担当部局が必要に応じて教育委員会と連携しながらこれまで実施してきた幼稚園に対する指導監督の在り方を、児童福祉施設としての性質に関する事項については、各都道府県・指定都市・中核市がこれまで実施してきた保育所に対する指導監督の在り方を踏まえつつ、指導監督権限が一本化されることに伴い、指導監督の実施体制についても、私学担当部局や福祉担当部局、教育委員会等の関係部局が連携の上、一体的に実施していただくことが望ましいと考えます。	
226	公私連携幼保連携型認定こども園への経過措置	公私連携幼保連携型認定こども園に移行を予定している公立幼稚園・保育所については、既存園から移行する場合に認められている経過措置の対象となりますか。	公立幼稚園・保育所から公私連携幼保連携型認定こども園に移行する場合において、設置者は私立になりますが、市町村との協定により市町村の強い関与を維持しており、かつ実態として現に存する園からの移	自治体向けＦＡＱ【18版】No.227

			行形態であることには違いはないことから、既存園からの円滑な移行を促すための経過措置の趣旨を踏まえ、経過措置の対象として差し支えありません。	
227	建築基準法上の取扱い	幼稚園、保育所等から幼保連携型認定こども園に移行する場合における、建築基準法上の用途変更の手続きや、排煙設備及び非常照明の設置に係る取扱いはどうなりますか。	新制度の施行に伴う幼保連携型認定こども園の建築基準法上の取扱いについては、「学校」及び「児童福祉施設」に係る基準の両方を適用するという原則のほか、基準の適用や建築基準法上の手続（確認申請等の手続）についての柔軟な運用が整理されておりますので、平成27年2月13日付国土交通省事務連絡「子ども・子育て支援法等の施行に伴う幼保連携型認定こども園の建築基準法上の取扱い等について」をご参照ください。 また、認定こども園法上、幼保連携型認定こども園の認可等に当たっては、必要な改修工事を完了していない場合であっても、建築行政担当部局と連携しつつ、必要な対応が適切に行われる見込みがあることなどが認められる場合については、認可等について柔軟な取扱いをしていただくことが可能です。このような認可等の際の留意点等については、平成27年2月13日付内閣府・文部科学省・厚生労働省事務連絡「子ども・子育て支援法等の施行に伴う幼保連携型認定こども園の建築基準法上の取扱い等について（周知）」をご参照ください。	自治体向けFAQ【18版】No.228
228	感染症等の発生した場合の対応	幼保連携型認定こども園において感染症等が集団発生した場合、いわゆる臨時に学級閉鎖や休業しなければならないのでしょうか。	幼保連携型認定こども園については、認定こども園法第27条により学校保健安全法第20条が準用されていますので、感染症の予防上必要がある時は、臨時に学級閉鎖や休業を行うことができるとされています。その際、保育の必要性のある子どもを受け入れている児童福祉施設であることを踏まえて対応することが望まれます。 これらの措置を行うべきか否かについて、またこれらの措置を行うとした場合の期間等の決定や衛生管理、職員及び休園している園児や登園している園児に対する指導等を含む感染症予防に必要な措置については、自治体関係部署、学校医及び学校薬剤師等と十分相談してください。	自治体向けFAQ【18版】No.229
229	避難訓練の実施回数	幼保連携型認定こども園に関する避難訓練の実施回数等については、児童福祉施設として毎月1回、学校施設として消防法の適用により年2回の避難訓練のうち、どちらが適用されるのでしょうか。 また、幼稚園型認定こども園について、3歳児未満児を利用定員として設定する場合は、児童福祉施設の避難訓練の回数（毎月1回）を適用させるのでしょうか。	幼保連携型認定こども園については、児童福祉施設の設備及び運営に関する基準第6条は準用されておりません。 また、幼稚園型認定こども園についても、消防法においては幼稚園として扱われます。したがって、どちらの類型の認定こども園についても、消防法に従って年2回以上の実施をしていただくこととなります。なお、設置者の判断で保育所と同様に、毎月1回の実施を行っていただくことは妨げません。 また、運営規程において施設ごとの非常災害対策を定めていただく必要があります。	自治体向けFAQ【18版】No.230
230	幼保連携型認定こども園の移行特例	改正認定こども園法の施行日の前日以前より運営されていた幼稚園や保育所が、幼保連携型認定こども園に移行した後に園舎の増改築等を行う場合、幼保連携型認定こども園の学級の編制、職員、設備及び運営に関する基準附則第4条の移行特例は適用されるのでしょうか。	当該幼稚園・保育所の既存設備を用いている範囲については、引き続き基準附則第4条の移行特例は適用されます。 ただし、移行特例が適用されている施設にあっても、幼保連携型認定こども園を新規に設置する場合に適用される基準に適合されるよう努めることが求められているとともに、国においても施行10年経過後を目処に特例の運用状況等を勘案し、移行特例の内容等を検討することとしていることを踏まえ、認可権者と協議し適切な施設整備を	自治体向けFAQ【18版】No.231

<table>
<tr><td></td><td></td><td></td><td>行ってください。

なお、園庭の移行特例に関しては、一定の条件を満たした場合、平成27年４月１日以降に幼稚園・保育所から同一の所在場所において「建替え」を行った場合にも適用されます。

（参考：幼保連携型認定こども園の学級の編制、職員、設備及び運営に関する基準の運用上の取扱いについて（平成26年11月28日通知））</td><td></td></tr>
</table>

【地域型保育事業】

No.	事項	問	答	備考
231	小規模保育 （特例給付）	小規模保育事業を利用する子どもが３歳になったが、卒園後の受け皿が見つからない場合、引き続き、特例給付を受けて小規模保育事業を利用することは可能ですか。	小規模保育事業を利用する子どもについては連携施設を設定して、卒園後の受け皿を確保することが求められますが、連携施設の設定については、10年間の経過措置が設けられているところです。 経過措置期間中に連携施設が設定できず、卒園後の受け皿が見つからない場合には、定員の範囲内で、特例給付を受けて、引き続き、小規模保育事業を利用することは可能です。	自治体向けＦＡＱ【18版】No.232
232	事業所内保育 （特例給付）	事業所内保育事業を利用する子どもが３歳以上になった場合、引き続き、事業所内保育事業を利用することは可能ですか。	地域枠において事業所内保育事業を利用する子どもについては、連携施設を設定して卒園後の受け皿を確保することが求められますが、連携施設の設定については、10年間の経過措置が設けられているところです。経過措置期間中に連携施設が設定できず、卒園後の受け皿が見つからない場合には、定員の範囲内で特例給付を受けて、引き続き事業所内保育事業を利用することは可能です。（なお、従業員枠において事業所内保育事業を利用する子どもが３歳以上になった場合についても、特例給付を受けて、事業所内保育事業を利用することは可能です。また、満３歳以上の子どもを受け入れている保育所型事業所内保育事業所について、規模（定員20人以上）や保育士配置等の基準が認可保育所と同等であり、３～５歳児を受け入れている事業所も存在することを踏まえ、市町村長が適当と認めるものについては、卒園後の受皿の提供を行う連携施設の確保は不要です。）	自治体向けＦＡＱ【18版】No.233
233	事業所内保育	事業所内保育事業について、業務委託契約を結んでいる者など、事業主が直接雇用していない場合も、従業員枠として利用できますか。	事業主が直接雇用していない場合であっても、業務委託契約を結んでいる者などに対して、実質的に自社労働者と同様に事業所内保育を行っている場合は、事業所内保育事業の対象として、従業員枠の中で利用して頂くことは可能です。	自治体向けＦＡＱ【18版】No.234
234	連携施設	家庭的保育事業者などの連携施設に公立の保育所（又は幼稚園）がなった場合、保育支援などで民間施設に赴く場合、公務員の立場で民間で業務を行うことに問題はありませんか。また、民間で業務を行っている際に生じた事故などの責任、賠償などについて協定などに免責要件を盛り込むなどして対応して問題ないでしょうか。	従来の家庭的保育事業における「家庭的保育支援者」においても、市町村の職員が支援者となっている場合があるように、公務員の立場で民間の業務を支援することは問題はないものと考えられます。また、後段についても、それらを含めて市町村と事業者間で調整した上で協定を締結することになります。	自治体向けＦＡＱ【18版】No.235
235	医療法人による地域型保育事業の実施	医療法人は、新たに市町村の認可事業となる小規模保育事業や事業所内保育事業などの地域型保育事業を行うことはできないのでしょうか。	医療法人は、医療法第42条に基づく告示等において、認可保育所や認可外保育施設（地方自治体が基準を定め、その運営に要する費用の補助等をしているもの）については、事業（附帯業務）として行うことができることとなっています。	自治体向けＦＡＱ【18版】No.236

			子ども・子育て支援新制度で新たに市町村の認可事業となる地域型保育事業について、引き続き医療法人が行うことができるようにするために「医療法人の附帯業務について」（平成19年3月30日医政発第0330053号厚生労働省医政局長通知）の一部を改正したところです（「医療法人の附帯業務の拡大について」（平成27年3月31日医政発0331第5号厚生労働省医政局長通知）参照）。	
236	子育て支援員の研修内容	子育て支援員の研修内容については、いつごろ示されるのですか。	研修内容等について、子育て支援員（仮称）研修制度に関する検討会及び専門研修ワーキングチームにおいて検討を行い、26年12月に取りまとめたところであり、「子育て支援員研修事業の実施について」（平成27年5月21日雇児発0521第18号厚生労働省雇用均等・児童家庭局長通知）にてお示ししています。 なお、検討会における検討状況等については、以下の厚生労働省ＨＰにてご覧頂けます。 http://www.mhlw.go.jp/stf/shingi/other-koyou.html?tid=208053	自治体向けＦＡＱ【18版】No.237
237	子育て支援員の研修	小規模保育事業等の認可の要件となっている研修について、新規事業者に対する研修を平成27年4月1日までに実施することは実質的に困難であると考えますが、初年度については、現任者等についてなどの経過措置は講じられるのでしょうか。	既に家庭的保育事業の基礎研修を修了し、家庭的保育に従事している家庭的保育者及び家庭的保育補助者、小規模保育事業等に従事している保育従事者等については、子ども・子育て支援新制度施行後も引き続き従事することができるよう平成27年6月3日付雇児保発0603第1号通知により措置を講じたところです。 また、保育士資格を有しない者が、小規模保育事業等に従事する際に必要となる、「市町村長が行う研修」については、子ども・子育て支援新制度の施行後についても、現行の家庭的保育の基礎研修等での対応を可能としたところです。 さらに、小規模保育事業Ｂ型と事業所内保育事業については、当該市町村の研修実施体制が整うまでの間（概ね2年程度）は、その間に必要な研修（子育て支援員研修又は家庭的保育の基礎研修等）を受講することで当該事業に従事することを認める経過措置を設けたところです。 なお、その際は、職場内研修を適切に実施することが適当と考えています。	自治体向けＦＡＱ【18版】No.238
238	居宅訪問型保育事業の利用対象児童	居宅訪問型保育事業の利用対象児童については、家庭的保育事業等の設備及び運営に関する基準において、障害、疾病等の要件が示されていますが、これに当てはまるかどうかの判断は誰がどのように行うのですか。	市町村が利用調整の中で判断を行うものと考えられます。	自治体向けＦＡＱ【18版】No.239
239	居宅訪問型保育事業の定員設定	居宅訪問型保育事業の場合、定員設定をどのように行うのでしょうか。	居宅訪問型保育事業は1対1で行う事業として運営基準第37条第1項の規定により利用定員は1人とされています。また、市町村が行う確認は、同条第2項の規定により事業者単位で行い、かつ、利用定員の設定は事業毎に行うのではなく、それぞれの事業所毎に保育する子どもの数を0歳と1・2歳に区分して利用定員設定を行うことになります。	自治体向けＦＡＱ【18版】No.240
240	居宅訪問型保育事業と障害福祉サービスとの関係	障害福祉サービスと居宅訪問型保育事業の関係を教えてください。 居宅訪問型保育の利用者は、障害福祉サービス等の療育を併用することはできるのでしょうか。	居宅訪問型保育事業については、1対1というその事業形態から、保育所などが利用出来ない場合に限り、利用が認められるものであるという制度の趣旨を踏まえ、保育所等の利用が可能であれば、まずはその利	自治体向けＦＡＱ【18版】No.241

用を検討することが適当です。

また、障害福祉サービス等の他の施策の利用が考えられる場合であって、当該サービスの利用により保育ニーズも満たされる場合についても、まずはその活用を考えることが適当です。

①なお、地域の障害福祉サービスの提供体制の状況等により、障害福祉サービスは一部利用可能ですが、毎日の利用が出来ない場合に、出来ない日に限り、保育所等の利用が困難である場合については、居宅訪問型保育事業の利用の可能性が考えられます。

このように、特定の日に居宅訪問型保育事業を利用しないことが予め決まっている場合、居宅訪問型保育事業は１対１という事業形態であることから、他の施設・事業と異なり、子どもが利用しない日には、当該保育者による保育の提供自体が行われないことから、居宅訪問型保育事業に係る地域型保育給付は、週当たりの保育を行わない日数に応じた調整割合により減算することとなります。（例えば、障害福祉サービスを月・水・金の３日、居宅訪問型保育を火・木・土の３日利用する場合、地域型保育給付が提供されない週３日分に応じた一定の割合により減算することとなります。）

②また、居宅訪問型保育を利用しながら、定期的に児童発達支援センターなどにおいて行われる療育の提供に保育者が帯同し、その前後に居宅において保育を行う場合は、提供を受ける支援の内容が重ならないため併用は可能であり、この場合は、月額単価による給付が行われ、減算は行いません。

なお、地域型保育給付は、①のようなケースを除き、基本的には月単位での給付となることから、例えば、利用することが予め決まっている日について、対象児童の突発的な体調変化等の理由により、結果的に月に数日間居宅訪問型保育の利用がない場合については、減算の対象とはなりません。

241	連携施設からの給食の外部搬入	地域型保育事業における給食については、連携施設からの搬入が可能とされていますが、連携施設が外部搬入している場合、外部搬入先からの搬入は認められますか。	食事の提供の責任は地域型保育事業を行う事業者にあり、その管理者が必要な注意を果たし得るような体制及び調理業務の受託者との契約内容を確保しなければならないことから、御指摘のような連携施設を介した外部搬入は認められません。	自治体向けＦＡＱ【18版】No.242
242	小規模保育事業の職員配置	小規模保育事業（Ａ型・Ｂ型）については、子どもの数が少数となる時間帯であっても、保育士等の保育従事者を常時最低２人以上配置する必要がありますか。	小規模保育事業は、定員６人以上19人以下の小規模な事業であることから、保育従事者の配置基準上、年齢別配置基準（０歳児３：１、１・２歳児６：１）に基づく必要保育従事者数に加えて１人を加配することにしています。これにより、定員６人の施設においても最低２人の保育従事者による体制を確保しています。 例えば、開所時間の始期・終期の前後の時間帯で児童がごく少数となる場合については、小規模保育事業は保育所と比べて職員数が少数であり、また、施設の規模が小さいことなどから、国の基準上は、常時最低２人以上の保育従事者の配置までは求めていません。 なお、その場合においても、保育士１人となる時間帯を必要最小限とすることや、事故などの緊急的な対応や異年齢への配慮など、適切な運営体制の確保が求められるため、その運用に当たっては認可主体となる	自治体向けＦＡＱ【18版】No.243

			市町村と十分協議することが望まれます。 ※定員19人以下の事業所内保育事業も同様。	
243	連携施設を設定できない場合の認可	事業者から小規模保育事業や家庭的保育事業の認可申請があった場合、連携施設を設定できないことを理由として認可しないことは認められますか。	連携施設の設定は家庭的保育事業等の認可基準のひとつとなっているため、連携施設を設定できない場合には認可基準を満たさないこととなりますが、新制度施行後10年間は連携施設の設定を要しないとする経過措置を設けていることから、保育の供給量が需要量を上回っている等の法律で定められた要件に該当する場合を除き、連携施設設定の要件以外の認可基準を満たしている限りは認可しなければなりません。 この経過措置期間中は、満3歳の幼児が4月以降も家庭的保育事業等を利用する際には、地域の保育事情などにおいて特段の事由がある場合に、当該年度内に卒園後の受け皿を確保することを基本として、市町村がやむを得ないと認めた場合には特例給付を受けて、引き続き、家庭的保育事業等を利用することを可能としていますが、本来、連携施設を設定し、確実に卒園後の受け皿を確保していただくことが基本ですので、経過措置期間中に、事業者は、必要に応じ市町村からの支援を求めつつ、連携施設の確保に努めることが必要です。 なお、令和2年4月1日より、卒園後も引き続き必要な教育・保育が提供されるよう、必要な措置が市町村により講じられている場合には、卒園後の受入先確保のための連携施設の確保を求めないこととすることができることとなりましたので、御留意ください。	自治体向けＦＡＱ【18版】No.244
244	幼稚園に併設した小規模保育事業	幼稚園に併設して小規模保育事業を実施することは可能でしょうか。また、利用定員を超過して受け入れた場合の運営費はどのような取扱いになるのでしょうか。	幼稚園に併設して小規模保育事業を実施することは可能です。その際、専用部分を区分して必要面積を確保するなどそれぞれの認可基準を満たして運営することが必要です。 小規模保育事業者に対して支払われる公定価格については、直前の連続する5年間常に利用定員を超過しており、かつ各年度の年間平均在所率が120％以上の状態にある場合に、一定割合の減算を行うこととされております。なお、令和2年度以降のいずれかの年度の4月1日時点の待機児童数が1人以上である市町村に所在する小規模保育を実施する事業所であって、同一の敷地又は隣接する敷地に所在する幼稚園の設備を活用して小規模保育事業を実施するものについては、各年度の年間平均在所率が133％以上の状態とならない限り、公定価格の減算を適用しないこととする特例が設けられております。	自治体向けＦＡＱ【18版】No.245
245	認定こども園に併設した小規模保育事業	認定こども園に併設して小規模保育事業を実施することは可能でしょうか。	認定こども園は、3号認定子どもの受入れが可能であるため、ご指摘の場合については、小規模保育事業ではなく、認定こども園において3号認定こどもの定員を設定していただくことが基本と考えられます。 その際、幼保連携型認定こども園又は幼稚園型認定こども園については、外部搬入を除く食事提供人数が20人未満の場合は、独立の調理室は不要（必要な調理設備で代替可）です。 なお、当該認定こども園とは異なる敷地に、同一法人が小規模保育事業を実施することは可能です。	自治体向けＦＡＱ【18版】No.246

246	幼稚園が連携施設となる場合	幼稚園で小規模保育を実施する予定ですが、事業実施場所については別棟、もしくは園舎内であっても幼稚園とは区分された部屋で行う必要がありますが、当該幼稚園が小規模保育事業の連携施設となる場合であっても、上記と同様の取扱いになるのでしょうか。	原則的には、幼稚園と小規模保育事業でそれぞれの基準を満たすことが必要です。小規模保育事業を実施する幼稚園が当該事業の連携施設となる場合でも取扱いは同様です。 また、幼稚園と小規模保育事業については、対象園児の年齢が異なり、別の職員が別事業として運営することとなるため、それを踏まえた実施場所であることが望まれます。	自治体向けＦＡＱ【18版】No.247
247	幼稚園で実施する場合の土曜日の取扱い	幼稚園で小規模保育を実施する予定ですが、土曜日は閉園して年間250日開園とする取扱いは可能でしょうか。	保育認定の子どもを受け入れる施設においては、保護者が必要とする保育を提供できるよう、原則として土曜日も含めた開所が求められます。その上で、市町村が行う利用調整の結果、日曜・祝日以外について、保育の利用希望がない場合には開所しないことができるなど、就労状況等の地域の実情に応じ、各施設の判断で弾力的に運用することが可能です。なお、土曜日の利用が必要な子どもがいない場合など、常態的に土曜日に閉園する場合は、公定価格において土曜閉園に係る費用を定率で調整することになります。	自治体向けＦＡＱ【18版】No.248
248	家庭的保育事業等の資産要件	家庭的保育事業等の資産要件については、保育所と同程度のものまでが求められるものではないと思いますが、今後、具体的な取扱い方針が示されるのでしょうか。	家庭的保育事業等の資産要件については、保育所の基準も参考に、事業規模に応じた必要な経済的基礎があると市町村が認めることとしています。 詳しくは、平成26年12月12日雇児発1212第6号「家庭的保育事業等の認可等について」をご参照ください。	自治体向けＦＡＱ【18版】No.249
249	地域型保育事業の設置階	事業所内保育事業を、マンションの1室で始めたいと考えていますが、設置階に制限はありますか。	事業所内保育事業の実施に当たって、設置階についての制限はありません。ただし、家庭的保育事業等の設備及び運営に関する基準（平成26年厚生労働省令第61号）第43条により、保育室等を2階以上に設ける場合には、耐火建築物又は準耐火建築物であることや避難階段を設けること等の各種基準を満たす必要があります。	自治体向けＦＡＱ【18版】No.250
250	社会福祉法人が地域型保育事業を行う場合の定款変更	社会福祉法人が、家庭的保育事業、居宅訪問型保育事業、事業所内保育事業を行う場合、これらの事業は第2種社会福祉事業の位置づけはなされていませんが、公益性があることから税法上減免の対象となっているため、定款において、公益事業と位置づけ、第2種社会福祉事業と同様の改正手続きをすることが必要でしょうか。	お見込みのとおりです。 社会福祉法人が行う公益事業については、定款において明記しなければなりません（社会福祉法第31条より）。 したがって、子ども・子育て支援新制度の施行に伴い、新たに家庭的保育事業、居宅訪問型保育事業、事業所内保育事業を行うのであれば、定款を改正し、当該事業の位置付けを明確にしておく必要があります。 参考：社会福祉法（昭和26年法律第45号）抜粋 （申請） 第31条　社会福祉法人を設立しようとする者は、定款をもって少なくとも次に掲げる事項を定め、厚生労働省令で定める手続に従い、当該定款について所轄庁の認可を受けなければならない。 一　目的 二　名称 三　社会福祉事業の種類 四　事務所の所在地 五　役員に関する事項 六　会議に関する事項 七　資産に関する事項	自治体向けＦＡＱ【18版】No.251

			八　会計に関する事項	
			九　評議員会を置く場合には、これに関する事項	
			十　公益事業を行う場合には、その種類	
			十一　収益事業を行う場合には、その種類	
			十二　解散に関する事項	
			十三　定款の変更に関する事項	
			十四　公告の方法	

【一時預かり事業・預かり保育】

No.	事項	問	答	備考
251	一時預かり事業（幼稚園型Ⅰ）の単価	認定こども園において、2号・3号認定子どもを対象として、土曜日開所を行っている場合、当該土曜日において1号認定子どもを預かる場合については、平日単価と休日単価のいずれが適用されるのでしょうか。	認定こども園において、土曜日を含めた日曜日・祝日等の休日において2号・3号認定子どもを対象として開所していたとしても、休日単価を適用して差し支えありません。	自治体向けFAQ【18版】No.252
252	一時預かり事業（幼稚園型Ⅰ）の単価	一時預かり事業（幼稚園型Ⅰ）の基本単価は4時間の利用を想定して積算しているとのことですが、子どもの利用時間が4時間よりも少ない場合の補助単価は同じですか、時間に応じた単価設定となるのですか。	基本分単価（通常単価・小規模施設単価）は、4時間／日の利用を基本として設定していますが、利用時間が4時間未満の利用者であっても同額となります。（園として4時間の利用が可能な体制を整えていれば、利用者毎の利用時間に応じて基本分単価を減額しない。）	自治体向けFAQ【18版】No.253
253	一時預かり事業（幼稚園型Ⅰ）の休日単価の適用条件	休日単価は8時間の利用を想定して積算しているとのことですが、子どもの利用時間が8時間よりも少ない場合の補助単価は同じですか、時間に応じた単価設定となるのですか。	休日単価は、8時間／日の利用を基本として設定しており、利用時間が8時間未満の利用者であっても、園として8時間の利用が可能な体制を整えていれば、利用者毎の利用時間に応じて基本分単価を減額するといった運用は行いません。	自治体向けFAQ【18版】No.254
254	一時預かり事業の公費補助の上限額	一時預かり事業（幼稚園型）に係る公費補助の上限額は、一時預かり事業（一般型）の上限額（年間延べ利用児童数に応じた基準額）を適用するということでよいのですか。	一時預かり事業（幼稚園型）に係る公費補助の上限額（1施設当たり年額）については1022万3000円となっています。 なお、一時預かり事業（一般型）については、年間延べ利用児童数に応じた基準額（延べ利用児童数2万100人以上の場合は別途協議した額）を適用することとなっています。	自治体向けFAQ【18版】No.255
255	一時預かり事業の利用料の設定	一時預かり事業の利用料の取扱いはどうなりますか。国から基準が示されますか。それとも、市町村や各園で自由に決めてよいのでしょうか。	利用料について、国として一律の基準を設けることは考えてはいませんので、各市町村が定めることを基本としつつ、市町村の判断より、各園の設定に委ねることも可能です。	自治体向けFAQ【18版】No.256
256	一時預かり事業の利用料の設定	利用者負担については、各市町村で設定し、国として一律の基準は設けないとされています。また、これまでは各園の設定に委ねていることを踏まえると、私立については各園の設定に委ねることが想定されるとありますが、利用料については、実施する各園で設定するということでよいでしょうか。	必ずしも各園で設定することを原則とする訳ではありませんが、預かり保育の利用料を各園が設定していたこと等を踏まえ、実際の利用料の設定を各園に委ねることも含め、市町村において適切に判断していただきたいと考えています。	自治体向けFAQ【18版】No.257
257	一時預かり事業の利用料の設定	市町村で利用料の上限を設定し、その範囲内で園に定めてもらうとしてはどうかという考え方で検討していますが、そのような方法で設定することは可能でしょうか。	可能です。	自治体向けFAQ【18版】No.258
258	一時預かり事業の利用料の設定	利用料は、園の所在市町村と利用者の居住市町村のどちらが決めるのでしょうか。	事業の実施主体となる、利用者の居住市町村が利用料を定めることになりますが、市町村が事業者に委ねることも可能です。	自治体向けFAQ【18版】No.259

259	一時預かり事業（幼稚園型Ⅰ）の広域利用の利用者数	一時預かり事業（幼稚園型Ⅰ）については、年間延べ利用者数2,000人以下では補助単価が厚い設定となっていますが、広域利用で複数市町村に居住する子どもがおり、各々が少人数である場合には、市町村別の子どもの延べ利用者数で考えるのでしょうか。それぞれの市町村の子どもの延べ利用者数の合計で考えるのでしょうか。 後者の場合、どのように調整すればよいのでしょうか。	補助単価は、施設当たりの年間延べ利用人数により設定することになります。 設定の手順としては、まず施設所在地市町村が当該施設の預かり保育の利用実績等から年間延べ利用見込人数を算出し、当該人数に適用される補助単価案を算定の上、利用予定者の居住する市町村に当該補助単価案を連絡・調整し、各居住地市町村がそれぞれ当該案を踏まえ、補助単価を設定することを想定しています。	自治体向けＦＡＱ【18版】No.260
260	一時預かり事業（幼稚園型Ⅰ）の職員配置	一時預かり事業（幼稚園型Ⅰ）の基準として、担当職員が「専ら当該幼稚園型一時預かり事業に従事する」というものがありますが、これは専任の職員の雇用を求めるものでしょうか。	「専ら当該幼稚園型一時預かり事業に従事する」とは、担当職員が一時預かり事業に従事している時間は、一時預かり事業に専従するという意味であり、その他の時間に他の業務に従事することを妨げるものではありません。このため、例えば、教育課程担当職員が午前中は教育課程上の活動を担当し、午後は一時預かり事業を担当するような運用も可能です。 この場合、校務分掌や発令等により担当を明確にしておくことのほか、公定価格において必要教員として措置されている常勤職員を一時預かり事業の配置職員として二重で計上するなど、公費の二重給付とならないよう御対応いただくことが必要となることに御留意ください。	自治体向けＦＡＱ【18版】No.261
261	一時預かり事業・預かり保育	一時預かり事業（幼稚園型）における専任職員の配置について、一時預かり事業（幼稚園型）を実施していない時間帯にその他の業務に従事することはできないのでしょうか。	一時預かり事業（幼稚園型）における専任職員の配置については、事業実施時間において専ら一時預かり事業に従事することを求めているものであり、教育課程時間など、その他の時間帯に教育・保育活動を行うことや他の事業に従事することを妨げるものではありません（常勤職員・非常勤職員等の勤務形態を問わない）。 その際、教育課程時間と一時預かり事業との兼務を行う場合には、公費の二重給付の防止や教諭等の適切な教育・労働環境を保障する観点から以下の点に留意してください。 ①一時預かり事業以外の業務と兼務する場合には、勤務内容・時間との区分が契約・職務命令等により明確とすること。 ②公定価格において学級担当等の常勤職員分が措置されている職員に係る人件費（超過勤務・休日勤務分を除く）については、一時預かり事業の対象経費として計上することができないこと。 ③チーム保育担当職員等、公定価格において非常勤分又は教育標準時間分のみ計上されている職員については、一時預かり事業の対象経費として計上することができること。 ④学級担当職員については通常の教育活動に係る業務を行うことが想定されることから、一時預かり事業との兼務職員については、学級担当職員以外のチーム保育担当職員等を中心に担当することが望ましいこと。また、兼務職員については、常に子どもに対する教育・保育活動に従事することとなり、業務負担が過重となる可能性があることから、兼務職員を配置する場合は、一時預かり事業のみを担当する（教育課程時間に従事しない）職員を配置することや特定の日時に限り学級担当職員がフォローする体制を構築するなど、質の高い預かり保育の環境の担保を図ることが必要であること。	自治体向けＦＡＱ【18版】No.262

262	一時預かり事業（幼稚園型Ⅰ）の職員配置	一時預かり事業（幼稚園型Ⅰ）の職員配置において、2人以上の配置を求めているところ、幼稚園等の職員からの支援を受けられる場合は、1人でも可とされていますが、支援を行う幼稚園等の職員は公定価格の対象となっている学級担任等でも問題ないでしょうか。	幼稚園等の職員からの支援を受けており、必要職員数が1人で可とされる場合における幼稚園等からの支援者については、公定価格の対象となっている学級担任等が、公定価格の対象となっている時間内に兼務することも可能です。	自治体向けＦＡＱ【18版】No.263
263	一時預かり事業（幼稚園型Ⅰ）と（一般型）の職員配置	幼稚園等の職員からの支援を受けられる場合は、常時2人以上配置を求めないとされていますが、同一の幼稚園等で幼稚園型と一般型を併用する場合であり、かつ、両事業を同じ場所で実施する場合、支援を行う幼稚園等の職員はそれぞれ1名で合計2名確保が必要でしょうか。	そのように同じ場所で行う場合には、支援を行う幼稚園等の職員は1名でも可能です。なお、それぞれの事業での必要配置数が1人である場合に限られることに留意して下さい。	自治体向けＦＡＱ【18版】No.264
264	預かり保育の職員配置	新制度移行園では、一時預かり事業（幼稚園型）に配置すべき専任職員に公定価格の対象となっている幼稚園の職員を算入することは原則として不可とされていますが、新制度に移行せずに私学助成一般経常費補助を受ける園の場合も同様に、私学助成の対象となっている職員を算入することはできないのでしょうか。	そのような場合は、通常、既に私学助成の対象となっている人件費と二重助成に当たることとなるため、一時預かり事業（幼稚園型）に配置すべき専任職員の対象とすることは適切ではありません。 なお、私学助成の対象となっているか否かが不明確な場合については、私学助成を行っている都道府県に確認が必要と考えます。	自治体向けＦＡＱ【18版】No.265
265	一時預かり事業（幼稚園型）の対象児童	幼稚園において非在籍児を預かる場合、どのように実施すればよいでしょうか。例えば、一時預かり事業（幼稚園型）において非在籍児を預かることは可能とされていますが、人数等の具体的な要件はあるのでしょうか。	幼稚園や保育所等において非在籍児を広く受け入れる場合は、一般型による実施を基本とし、幼稚園等の在籍園児に対する一時預かりと併せて実施する場合は、同一園において幼稚園型と一般型を併用することとなります。 ただし、幼稚園型を実施している幼稚園等において、在籍園児を主として預かる中で、非在籍園児の利用が少数であること等により、幼稚園型及び一般型の両事業を実施することが、施設や市町村の事務を増大させる等の場合には、幼稚園型において当該非在籍園児の一時預かりを実施することも可能です。 この場合、年齢別配置基準数以上の人数を配置することが必要（3歳未満児であっても保育士に限定するものではありません。）とあり、また、設備・面積等の基準も満たす必要があることに留意が必要です。 なお、幼稚園型において非在籍園児を受け入れる場合の具体的な人数の上限などを国としてお示しする予定はありませんが地域の預かりニーズを踏まえながら市町村において適切に判断してください。	自治体向けＦＡＱ【18版】No.266
266	一時預かり事業（幼稚園型Ⅰ）の対象児童	一時預かり事業（幼稚園型Ⅰ）で非在籍園児を預かる場合において、対象を満3歳以上に限定することは可能でしょうか。	市町村の判断により、一時預かり事業（幼稚園型Ⅰ）で併せて受け入れる非在籍園児の年齢に条件を設けることは可能ですが、 非在籍園児の預かりニーズは、主として満3歳未満であると考えられることから、一時預かり事業（幼稚園型Ⅰ）で実施する場合であっても年齢別配置基準数以上の職員を配置することや保育所と同様の設備基準の遵守が求められること に注意し、地域の一時預かりニーズと幼稚園の受入れ体制を併せて考慮し、適切な対応を講じていただくようお願いします。	自治体向けＦＡＱ【18版】No.267
267	一時預かり事業の対象児童の範囲	対象児童について、在籍園児（教育標準時間認定（1号認定）の子ども）となっていますが、2号認定の子ども（特例給付の子ども）に対しても、一時預かり事業の対象となり	対象となります。	自治体向けＦＡＱ【18版】No.268

		ますか。		
268	1号認定＋一時預かり事業と2号認定の選択	次年度から幼保連携型認定こども園に移行する予定の幼稚園において、教育・保育給付第1号認定を受けながら施設等利用給付第2号認定を受けてほぼ毎日預かり保育を利用している幼児が多くいる場合、その幼児らが、幼保連携型認定こども園への移行後、教育・保育給付第1号認定と施設等利用給付第2号認定で預かり保育を利用するか、教育・保育給付第2号認定を申請するかは、保護者の選択によるということでよいのでしょうか。	お見込みのとおりです。教育・保育給付第2号認定を受けた場合、市町村の利用調整を経ることになりますが、No.53にあるように市町村の判断により優先的に継続利用させることは可能です。	自治体向けＦＡＱ【18版】No.269
269	一時預かり事業（一般型）	一時預かり事業（一般型）の対象児童について、「3歳児未満の3号認定以外の子どもは、一時預かりという性格から制約が必要」とされていますが、具体的にどのような制約がかかるのでしょうか。例えば、「週何回までの利用なら可」といった指針は示されるのでしょうか。	3歳未満児の3号認定以外の子どものうち、3号認定は受けていないが就労等の理由で利用するといった場合以外で、特定の施設を定期利用する場合には、一時預かりという事業の性格から制限が必要というものです。国として利用制限等の具体的な指針を示す予定はありませんが、幅広い利用者が公平に利用できるよう、一時預かり事業の趣旨を踏まえ、適切に実施していただくようお願いします。	自治体向けＦＡＱ【18版】No.270
270	一時預かり事業（一般型）	一時預かり事業（一般型）は土曜日実施も必須でしょうか。	一時預かり事業（一般型）は利用実績に応じた補助単価設定となっていることから、国の基準として土曜日実施を必須としているものではありません。なお、市町村の判断で、土曜日実施を求めることは妨げられませんが、地域の確保状況を勘案しつつ、一時預かりニーズに適切に対応できるような事業設計をお願いします。	自治体向けＦＡＱ【18版】No.271
271	一時預かり事業の2歳児の受入れ	幼稚園において未就園児（2歳児）の受入れを行っており、園児（満3歳児）と同一のクラス編成を行っていますが、幼稚園で実施する一時預かり事業においても、2歳児を満3歳児と同じ部屋で預かることは可能ですか。	幼稚園で実施する一時預かり事業における未就園児の取扱いについては、No.267でお示ししたとおりですが、当該事業の対象となる子どもの年齢や数に応じた職員配置や面積等の基準を満たせば、2歳児と満3歳児を同じ部屋で預かることは可能です。	自治体向けＦＡＱ【18版】No.272
272	私学助成の預かり保育と一時預かり事業の選択	就労等を理由とした定期利用を実施する園に対し、一時預かり事業の財源を充当した場合、一時的な保育についても、市町村事業により補助を行う必要がありますか（従来の対応どおり、一時的な利用については私学助成補助を選択できるのでしょうか。）。	同一園において一時預かり事業（幼稚園型）と私学助成の預かり保育補助の両方の公費補助を受けることはできません。	自治体向けＦＡＱ【18版】No.273
273	市町村が一時預かり事業（幼稚園型）を委託（補助）しない場合などの経過措置	預かり保育推進事業について、市町村が認定こども園や施設型給付を受ける幼稚園に一時預かり事業（幼稚園型）を委託（補助）しない場合などの経過措置はどうなりますか。	認定こども園及び施設型給付を受ける幼稚園における教育標準時間認定の子どもの預かり保育については、私学助成からの移行の受け皿となることに特に配慮した一時預かり事業（幼稚園型）の事業類型を創設し、市町村で適切に事業を実施して移行することを原則としています。その上でなお、市町村において事業の実施が困難な特別な事情がある場合や、従来の預かり保育の支援方法との間に大きな差異がある場合など、一時預かり事業への円滑な移行が困難な園に対して、引き続き預かり保育推進事業（私学助成）の対象とする経過措置（平成26年度に都道府県による私学助成の預かり保育補助を受けている園に限ります）を設けています。	自治体向けＦＡＱ【18版】No.274

274	私学助成の預かり保育補助から一時預かり事業（幼稚園型Ⅰ）への円滑な移行が困難な園に対する経過措置	私学助成の預かり保育補助から一時預かり事業（幼稚園型Ⅰ）への円滑な移行が困難な園に対する経過措置について、どのように取り扱えばよいでしょうか。	私学助成の預かり保育補助の具体的な手続きや運用は各都道府県に委ねられていますが、例えば、都道府県において一定の期日を示して、当該期日までに私学助成の預かり保育補助の継続実施を希望する園は申し出等をするということを、園及び市町村に対して周知するなど、対象となる園が補助を受けられるよう配慮することが望ましいと考えます。 新制度へ移行した園については、私学助成の預かり保育補助ではなく、一時預かり事業（幼稚園型Ⅰ）における対応が原則となりますが、減収が生じる等により一時預かり事業（幼稚園型Ⅰ）における対応が困難な場合には、経過措置として私学助成の預かり保育補助による対応を可能としているところです。経過措置による対応を認める要件としては、一時預かり事業（幼稚園型Ⅰ）の補助単価を基に算出した当該年度の見込額及び都道府県の私学助成における預かり保育補助の当該年度の見込額（見込み額が算出出来ない場合は前年度の補助実績額）を比較し、減収が生じること等が挙げられます。 なお、新制度移行園については、一時預かり事業（幼稚園型Ⅰ）における対応が原則であることに鑑み、市町村が一時預かり事業（幼稚園型Ⅰ）を実施しない場合には、都道府県（新制度担当部局及び私立幼稚園担当部局）においては、住民の利用ニーズがあるにもかかわらず事業実施が困難である理由などを当該市町村に確認するとともに、翌年度以降の事業の実施に向けた実施計画などを確認すること等を通じて、市町村に適切な対応を求めていくことが必要と考えます。	自治体向けＦＡＱ【18版】No.275
275	現行の私学助成による預かり保育を実施できる経過措置	「施設型給付」を受ける幼稚園が従来の私学助成による預かり保育を実施できる経過措置の条件として、制度施行前に都道府県による私学助成の預かり保育を受けていた園に限るとのことですが、いわゆる102条園（個人立や宗教法人立等）も対象となりますか。	学校法人立以外の園への私学助成の実施については、学校法人化を目指す幼稚園（いわゆる志向園）に対して５年を上限に行われるものを除き、国の私学助成の対象外のため、引き続き都道府県に判断していただくことになります。	自治体向けＦＡＱ【18版】No.276
276	一時預かり事業（幼稚園型）の広域利用	広域利用があった場合、一時預かり事業（幼稚園型）の事務処理はどのように行うべきでしょうか。 特に、一時預かり事業（幼稚園型）を実施しないA市の子ども⒜が、隣接するB市の施設型給付を受ける幼稚園（b園）に入園している場合、b園の預かり保育を一時預かり事業（幼稚園型）で実施することとなった場合は、⒜の預かりに係る公費支援はどこが行うことになるのでしょうか。	一時預かり事業（幼稚園型）を広域的に行う園がある場合には、当該児童に係る委託費・補助金は、当該児童の居住する市区町村が支払うことが基本となるため、当該園に対してどの市町村からも委託（補助）ができるよう、市町村間で調整することが必要ですが、協定に基づき施設が所在する市区町村が一括して事務処理することが可能です。それが困難な場合においても、報告時期について統一を図ることなど、事務負担軽減に資する取組について積極的に検討を行っていただきたいと考えております。 その上で、なお調整がつかず、本ケースのようにA市が一時預かり事業（幼稚園型）を実施できない場合は、⒜の預かりに係る公費支援がどちらの市からもなされない場合もあるため、事業の実施上支障がある場合には、当分の間、b園の預かり保育は、一時預かり事業（幼稚園型）で実施するのではなく、引き続き、都道府県の私学助成による預かり保育補助とする経過措置（平成26年度に都道府県による預かり補助を受けている園に限ります）を受けることも考えられます。 参考：平成30年４月25日付文部科学省初等中等教育局幼児教育課事務連絡「一時預か	自治体向けＦＡＱ【18版】No.277

			り事業（幼稚園型）に係る事務負担の軽減について」	
277	施設型給付を受けない幼稚園が行う預かり保育	施設型給付を受けない幼稚園（私学助成に残る場合）が行う預かり保育の支援については、私学助成による預かり保育と一時預かり事業のいずれが優先するのですか。	各幼稚園の実情に応じて、市町村と調整の上、一時預かり事業の委託（補助）を受けて実施することも可能です。	自治体向けＦＡＱ【18版】No.278
278	施設型給付を受けない幼稚園の一時預かり事業（幼稚園型）の実施要件	新制度に移行しない幼稚園が、新制度の「一時預かり事業」を受託する場合の条件はありますか。	新制度に移行していない幼稚園が一時預かり事業（幼稚園型）を受託する場合の条件設定については、基本的には実施主体である市町村が、事業者の意向等を踏まえ、適切に判断していただくことになります。 なお、都道府県による私学助成と一時預かり事業（幼稚園型）補助で補助対象となっている職員が重複しないようにする必要があることに留意してください。	自治体向けＦＡＱ【18版】No.279
279	幼稚園がない市町村での一時預かり事業（幼稚園型）	幼稚園がない市町村においては、1号認定子どもは特例給付として保育所を利用することになりますが、その場合、保育所で一時預かり事業（幼稚園型）を実施することはできるのでしょうか。また、実施できる場合、夏休みに利用される場合も一時預かり事業（幼稚園型）での対応となるのでしょうか。	児童福祉法施行規則上、一時預かり事業（幼稚園型）の対象施設は、幼稚園及び認定こども園に限定されていますので、保育所が特例給付対象として1号認定子どもを受け入れている場合に、一時的に、その子どもの前後の保育を行う必要がある場合は、一時預かり事業（一般型）により対応することになります。 なお、恒常的な保育ニーズがある場合には、当該子どもが2号認定を受けることが可能であり、2号認定を受けて保育を提供することが基本と考えます。	自治体向けＦＡＱ【18版】No.280
280	担当職員の資格要件	幼稚園の教諭免許状は取得しているが教職についたことがない者を一時預かり事業（幼稚園型）の担当職員として配置する際に、免許状更新講習の修了確認期限を経過している場合は、配置の日までに免許状更新講習を受講・修了する必要がありますか。	一時預かり事業（幼稚園型）のみを担当する職員については、教員免許更新制の対象となる教育職員に該当しないため、免許状更新講習の受講義務はありません。免許状更新講習を受講・修了していない場合であっても、配置可能です。その際には、市町村において、当該職員が一時預かり事業（幼稚園型）を担当するための経験や能力を有していることを確認していただくようお願いします。 なお、現職の幼稚園教諭が、幼稚園の教育時間外に、引き続き一時預かり事業（幼稚園型）の職員も担当する場合には、幼稚園教諭として免許状更新講習の受講義務が生じます。このため、修了確認申請期限までに免許状更新講習を受講・修了することができなかった場合や、受講・修了しても都道府県教育委員会に修了確認の手続きを行わなかった場合等には、免許状が失効することもあります。	自治体向けＦＡＱ【18版】No.281
281	一時預かり事業（幼稚園型）の従事者の研修	一時預かり事業（幼稚園型）における子育て支援員の研修はどのようなものとなるのでしょうか。	子育て支援員は一定の研修を受ける必要がありますが、当該研修は、一般型と同内容となります。	自治体向けＦＡＱ【18版】No.282
282	一時預かり事業（幼稚園型）の従事者の研修	子育て支援員研修を受講中の者や受講予定の者を、配置することは可能でしょうか。	幼稚園の預かり保育補助からの円滑移行の観点も考慮し、経過措置として、速やかに研修を受講・修了する予定である者については、一定期間に限り（概ね2年程度を想定）、一時預かり事業（幼稚園型）の担当職員として配置して差し支えありません。この場合、当該者に対しては、業務を行う上で必要な研修を園内において適切に実施してください。	自治体向けＦＡＱ【18版】No.283
283	幼稚園における3歳未満児の預かり	幼稚園において、一時預かり事業によらず、2歳児を預かっていますが、新制度に移行した場合でもこれを継続することは可能ですか。	保育の必要性がある2歳児については、一時預かり事業（幼稚園型Ⅱ）による受け入れが可能です。また、一時預かり事業（幼稚園型Ⅰ）は、主として、幼稚園等に在籍する満3歳以上の幼児を対象としておりま	自治体向けＦＡＱ【18版】No.284

			すが、満3歳未満の保育の必要性がない子どもを受け入れることも可能です。	
			地域の一時預かりニーズと幼稚園の受け入れ体制を併せて考慮し、適切な対応を講じて頂くようお願いします。	
284	第二種社会福祉事業の届出	一時預かり事業（幼稚園型）を行う場合、社会福祉法に基づく第二種社会福祉事業の開始届を届け出る必要はありますか。	一時預かり事業（幼稚園型）は、第二種社会福祉事業に該当しますが、社会福祉法に基づく開始届を届け出る必要はありません。ただし、事業の開始に当たっては、児童福祉法に基づく都道府県知事への届け出が必要となりますのでご留意ください。	自治体向けFAQ【18版】No.285
			詳しくは、「子ども・子育て支援法及び就学前の子どもに関する教育、保育等の総合的な提供の推進に関する法律の一部を改正する法律の施行に伴う関係法律の整備等に関する法律によって新たに第二種社会福祉事業として位置づけられた事業について」（平成27年3月31日付通知）をご参照ください。	
285	一時預かり事業（幼稚園型）の長時間加算	一時預かり事業（幼稚園型）の長時間加算について、具体的な加算要件はどのようなものでしょうか。	一時預かり事業（幼稚園型）の長時間加算については、平日においては標準4時間／日（教育時間を含めて8時間／日）、休日においては8時間／日を超える場合に適用されます。ただし、実際の適用にあたっては、当該時間を超えたことのみをもって機械的に判断するのではなく、当初の利用予定時間や、実際の延長時間、延長時間における利用者負担の追加徴収の有無等を総合的に勘案し、基本分の時間を超えて、預かりを実施していることを事業の実施主体である市町村において適切に判断する必要があります。	自治体向けFAQ【18版】No.286
286	一時預かり事業（幼稚園型）の資格要件の緩和	一時預かり事業（幼稚園型）を担当する職員の資格要件に係る緩和措置は、いつまで継続されるのでしょうか。	今回の緩和措置は、有資格者不足という状況に対応するための暫定的な措置として実施するものです。具体的な実施期間については、一時預かり事業（幼稚園型）の実施状況等を踏まえつつ、今後、適切に検討していく予定です。	自治体向けFAQ【18版】No.287
287	一時預かり事業（幼稚園型）の資格要件の緩和	「幼稚園教諭免許状所有者」、「小学校普通免許状所有者」及び「養護教諭普通免許状所有者」には、免許状更新講習を受講・修了していない者も含まれるのでしょうか。	新免許状（平成21年4月1日以降に授与）と旧免許状（平成21年3月31日以前に授与）とで取扱いが異なります。	自治体向けFAQ【18版】No.288
			新免許状については、有効期間が定められており、その満了日までに免許状更新講習を受講・修了しない場合には、免許状が失効することとなります。このため、①当初の有効期間が満了していない免許状を有する者（やむを得ない事由により有効期間の延長が行われた場合を含む。）、②当初の有効期間の満了日までに免許状更新講習を受講・修了し、免許状の有効期間が更新された者、③当初の有効期間が満了（免許状が失効）した後、免許状更新講習を受講・修了し、新たに有効な免許状を有するに至った者のみが「普通免許状所有者」として取り扱われます。	
			旧免許状については、有効期間は定められていませんが、受講義務者（現教職員、指導主事・社会教育主事等）が修了確認期限までに免許状更新講習を受講・修了しなかった場合、修了確認期限をもって免許状が失効することとなります。このため、①当初の修了確認期限が到来していない免許状を有する者（やむを得ない事由により修了確認期限の延長が行われた場合を含む。）、②当初の修了確認期限の到来日までに免許状更新講習を受講・修了した者、③当初の修了確認期限が到来（免許状が失効）した後、免許状更新講習を受講・修了し、新たに有効な免許状を有するに至った	

			者、④当初の修了確認期限が到来した時点で受講義務者でない者（幼稚園での預かり保育にのみ従事している者や、特段の業務に従事していない者等）のみが「普通免許状所有者」として取り扱われます。	
288	一時預かり事業（幼稚園型）の資格要件の緩和	「幼稚園教諭教職課程又は保育士養成課程を履修中の学生」について、具体的にどのような者であれば、配置が認められるのでしょうか。	具体的には、市町村において適切な要件設定・判断していただくことを想定していますが、①幼稚園教諭課程・保育士養成課程において、幼児の心身の発達や学習の過程、幼児に対する教育・保育に係る基礎的な知識の習得を目的とした科目（例：「こどもの心理学」、「保育原理」、「保育内容総論」など）を相当程度履修していること、②過去に学生ボランティア等として預かり業務に従事した経験があること等を要件とすることが考えられます。 なお、当然ながら、これらの者を配置する場合には、園内での研修等を通じて、一時預かり事業（幼稚園型）に必要となる知識等を十分に習得させることが必要です。	自治体向けＦＡＱ【18版】No.289
289	一時預かり事業（幼稚園型）の資格要件の緩和	「幼稚園教諭教職課程又は保育士養成課程を履修中の学生」について、雇用契約を結ばず、ボランティアや実習生として活用することは可能でしょうか。	雇用契約を締結していない者を一時預かり事業（幼稚園型）の担当職員として配置（必要職員数に算入）することはできません。なお、必要職員数には算入できませんが、各園において、学生ボランティアや実習生等を受け入れ、担当職員の指導監督の下、預かり業務に従事させることは当然妨げられません。 また、幼稚園教諭教職課程又は保育士養成課程を履修中の学生と雇用契約を結び、担当職員として配置する際には、学業に支障をきたさないよう、十分に配慮する必要があります。	自治体向けＦＡＱ【18版】No.290
290	一時預かり事業（幼稚園型）の資格要件の緩和	教育・保育従事者のうち、保育士又は幼稚園教諭普通免許状所有者（有資格者）を１／３以上とすることとされていますが、「小学校普通免許状所有者」、「養護教諭普通免許状所有者」及び「幼稚園教諭教職課程又は保育士養成課程を履修中の学生」は、有資格者とみなしてよいのでしょうか。	有資格者は、「保育士」及び「幼稚園教諭普通免許状所有者」のみを指しますので、「小学校普通免許状所有者」、「養護教諭普通免許状所有者」及び「幼稚園教諭教職課程又は保育士養成課程を履修中の学生」を有資格者とみなすことはできません（研修修了者（子育て支援員）と同様の取扱いとなります）。	自治体向けＦＡＱ【18版】No.291
291	一時預かり事業（幼稚園型）における補助対象児童の把握・管理方法	補助対象児童の数・利用状況について、どのように把握・管理すれば良いでしょうか。	市区町村における補助金（委託費）の支払時期に応じて（４か月ごとの支払いであれば４か月に１回）、各施設から、在籍園児・非在籍園児別に、平日・休日ごとの延べ利用児童数（長時間加算の延べ利用児童数（待機児童に係る緊急対策の対象自治体にあっては、超過時間ごと）を含む）を確認できる簡潔な書類の提出を求めることにより確認することが基本であり、必ずしも、各月・各日ごとの利用実績や、個々の児童ごとの利用状況の詳細まで確認する必要はありません。 なお、当然ながら、指導監査等の機会に、補助申請の根拠となる帳簿等の提示・提出を求めることを妨げるものではありません。	自治体向けＦＡＱ【18版】No.292
292	一時預かり事業の開設準備経費の範囲	一時預かり事業の開設準備経費の改修費等とは具体的にどのようなものを指すのでしょうか。	開設準備経費の改修費等とは、事業開始にあたって必要となる経費を指しており、国として特段の制限は設けておりません。 例えば、空調設備・洗面台の整備等に要する改修費のほか、カーペットなどの備品購入や地域住民への広報周知に要する経費など、幅広いものが対象となり得ると考えます。	自治体向けＦＡＱ【18版】No.293
293	一時預かり事業（幼稚園	補助額については、必ず利用実績に基づき算定しなければならないので	実際の利用実績に応じて把握することが基本となりますが、各園では、事前の利用申	自治体向けＦＡＱ

	型）における補助対象児童の把握・管理方法	しょうか（事前の申請で把握された予定に基づく算定はできないのでしょうか）。	請・契約により明らかとなった利用予定児童数に基づき、預かりに係る人員配置等を行う必要があることから、利用予定児童数をもって補助額を算定することも可能です。	【18版】No.294
294	一時預かり事業（幼稚園型Ⅰ）における職員配置	子ども・子育て支援交付金実施要綱（令和２年度改正）には、保育士又は幼稚園教諭免許状所有者以外の教育・保育従事者として、「オ　幼稚園教諭、小学校教諭又は養護教諭の普通免許状を有していた者」が挙げられていますが、どういう趣旨でしょうか。	「幼稚園教諭、小学校教諭又は養護教諭の普通免許状を有していた者」とは、有効期間満了日又は修了確認期限までに免許状更新講習を受講・修了しなかったことにより免許状が失効した者を指すものですが、これらの者についても、当初の免許状取得に当たって十分な知識・技能を習得していると認められることから、「一時預かり事業（幼稚園型）」における配置を可能としたものです。 なお、「幼稚園教諭、小学校教諭又は養護教諭の普通免許状を有していた者」は、あくまで「保育士又は幼稚園免許状所有者以外の教育・保育従事者」であり、有資格者として取り扱うことはできませんので、ご注意ください。	自治体向けＦＡＱ【18版】No.295
295	一時預かり事業の長時間加算	一時預かり事業（幼稚園型）の長時間加算については、預かり時間によって加算額が異なりますが、各児童ごとの利用時間をどのように管理すべきでしょうか。	これまで、長時間加算の適用の可否を判断するにあたって行っていたのと同様の方法で管理していただければ結構です。 具体的には、各児童ごとに実際の利用時間（実績）を確認することが基本となりますが、保護者からの事前の申込みの際に利用予定時間を確認している場合、各園ではそれに対応した人員配置を行う必要があることも踏まえ、実際の利用時間（実績）によらず利用予定時間をもとに加算額を算定するなど、柔軟な取扱いを行うことも差し支えありません。	自治体向けＦＡＱ【18版】No.296
296	一時預かり事業（幼稚園型Ⅰ）の長期休業日の補助単価	令和３年度子ども・子育て支援交付金交付要綱では、長期休業日の基本分単価について、８時間未満の場合は400円、８時間以上の場合は800円とされていますが、長時間加算を含めると、預かり時間ごとの補助単価の合計はどのようになりますか。	預かり時間ごとに、以下のとおりの単価が適用されます。 ・4時間：400円（基本分のみ） ・5時間：500円（400円（基本分）＋100円（長時間加算）） ・6時間：600円（400円（基本分）＋200円（長時間加算）） ・7時間：700円（400円（基本分）＋300円（長時間加算）） ・8時間：800円（基本分のみ） ・9時間：950円（800円（基本分）＋150円（長時間加算）） ・10時間：1,100円（800円（基本分）＋300円（長時間加算）） ・11時間以上：1,250円（800円（基本分）＋450円（長時間加算））	自治体向けＦＡＱ【18版】No.297
297	一時預かり事業（幼稚園型Ⅰ）の長期休業日の補助単価	令和３年度子ども・子育て支援交付金交付要綱では、基本分単価について、「Ⅱ　年間延べ利用児童数2,000人以下の施設」においても、①平日と、②長期休業日（８時間未満）及び③長期休業日（８時間以上）が別々に記載されていますが、平日と長期休業日の預かりを両方実施した場合には、①に対応した単価（（1,600,000円÷年間延べ利用児童数）－400円）とは別途、長期休業日に係る延べ利用児童数に応じた②又は③の単価が追加で算定されるという理解で良いでしょうか。	お見込みのとおり。	自治体向けＦＡＱ【18版】No.298
298	一時預かり事	「長期休業日」とは具体的にどの期	園則等において一定期間を通じた休業日と	自治体向

No.	事項	問	答	備考
	業（幼稚園型Ⅰ）における長期休業期間	間を指すのでしょうか。秋季等に行われる１週間程度の休業日なども含まれるのでしょうか。	して定められた期間であれば、「長期休業日」として取り扱って差し支えありません。	けＦＡＱ【18版】No.299
299	一時預かり事業（幼稚園型Ⅰ）対象児童の範囲	同一法人が複数の園を運営している等の場合において、教育時間前後の預かり保育について、複数の園の児童を１つの園に集約し、一括して行うことは可能でしょうか。その場合、補助単価はどうなるでしょうか。	御指摘のような形で、複数の園の児童を１つの園に集約し、一括して預かり保育を行うことは可能です。その場合、一時預かり事業（幼稚園型Ⅰ）の補助単価の適用に当たっては、預かり保育を実施するのとは異なる園に在籍する園児についても「在籍園児」として取扱うこととなります。	自治体向けＦＡＱ【18版】No.300
300	一時預かり事業（幼稚園型Ⅰ）年間延べ利用児童数の考え方	令和３年度子ども・子育て支援交付金交付要綱では、「年間延べ利用児童数」という文言が複数の箇所に記載されていますが、その意味はすべて同じでしょうか。	「Ⅰ　年間延べ利用児童数2,000人超の施設」及び「Ⅱ　年間延べ利用児童数2,000人以下の施設」における「年間延べ利用児童数」は、平日と長期休業日を合算した数を指しますが、Ⅱの「①平日（1,600,000円÷年間延べ利用児童数）－400円」における「年間延べ利用児童数」は、平日のみの数を指すものです。	自治体向けＦＡＱ【18版】No.301
301	一時預かり事業の開設準備経費	翌年度から一時預かり事業（幼稚園型Ⅰ）を開始する予定ですが、今年度に開設準備経費を計上してもよいでしょうか。	翌年度事業を開始するにあたって、今年度に開設準備経費を計上することも可能です。	自治体向けＦＡＱ【18版】No.302
302	一時預かり事業の開設準備経費	再来年度に一時預かり事業（幼稚園型Ⅰ）を開始する予定の場合、準備期間の今年度と来年度に分けて開設準備経費を計上することは可能でしょうか。	複数年度にわたって計上することは妨げませんが、１か所あたりの合計限度額は4,000,000円となります。	自治体向けＦＡＱ【18版】No.303
303	一時預かり事業（幼稚園型Ⅱ）における２歳児の単価について	一時預かり事業（幼稚園型Ⅱ）の２歳児の単価は年間延べ利用児童数が1500人以上・未満によって異なりますが、年間延べ利用児童数が1500人以上かどうかは、２歳児のみの年間延べ利用児童数で判定するのでしょうか。それとも、０歳児、１歳児も含めた年間延べ利用児童数で判定するのでしょうか。	２歳児の単価の判定における年間延べ利用児童数は、２歳児だけでなく、一時預かり事業（幼稚園型Ⅱ）を利用するすべての年齢児の人数です。また、平日の利用児童数だけでなく、休日や長期休業日も含みます。	
304	一時預かり事業（幼稚園型Ⅱ）における開設準備経費について	一時預かり事業（幼稚園型Ⅱ）の実施にあたって開設準備経費を計上することは可能でしょうか。既に一時預かり事業の他の類型（一般型、幼稚園型Ⅰ等）を実施しており、開設時に開設準備経費を計上している場合、新しく幼稚園型Ⅱを実施するにあたって再度400万円まで計上できるのでしょうか。また、複数の類型の一時預かり事業を一度に開設する場合、開設準備経費は各類型ごとにそれぞれ400万円まで計上できるのでしょうか。	令和３年度から、幼稚園型Ⅱの実施に当たり必要な改修等について、その改修等費用を計上することが可能です。既に他の類型の一時預かり事業を実施している場合でも、新しく幼稚園型Ⅱの実施に当たり必要な改修等があれば、再度計上することが可能です。複数の類型の一時預かり事業を一度に開設する場合、それぞれの開設に経費がかかったのであれば、それぞれ開設準備経費を計上することは可能ですが、各類型ごとに開設に必要な経費を切り分けて計上するなど、同じ経費について二重で給付を受けることがないよう注意してください。	

【地域子ども・子育て支援事業】

No.	事項	問	答	備考
305	保育短時間認定子どもに係る延長保育	保育短時間認定の子どもに係る延長保育について、例えば延長保育時間がコアタイムの前後にそれぞれ１時間半と分かれた場合、前後それぞれについて延長時間１時間の単価が適用されることになるのでしょうか。保育短時間認定の子どもの延長保育の実施要件として、30分単位の設定は行われないのでしょうか。	延長保育の実施要件として、原則として前後それぞれで延長時間を定めることとしていますが、ご指摘の例のように、保育短時間認定子どもに係る延長保育について、前後それぞれで算出される延長時間に端数が生じる場合は、平均対象児童数が１人以上いる時間を前後で合算して算出することとしており、ご指摘の例の場合、３時間の単価を適用することになります。	自治体向けＦＡＱ【18版】No.304
306	延長保育事業	延長保育事業の実施要件である「1	休日に係る延長保育も平日同様、通常の開	自治体向

			日当たり平均対象児童数」については、休日保育を実施している場合は、休日保育分も含めて平均を出す、ということでよろしいでしょうか。	所時間帯の前後に保育を実施する場合を指します（休日における通常の開所時間は延長保育に含みません。）。 そのうえで、休日に係る延長保育（通常の開所時間外の利用に限る。）がその週の延長保育の最多利用児童数であれば、休日に係る延長保育を実施した日を平均対象児童数の算定に用いることになります。	けFAQ【18版】No.305
307	延長保育事業	月途中で保育短時間認定から保育標準時間認定に変更になり、延長保育の利用対象とならなくなった場合などの年額の取扱いはどうなるのでしょうか。	保育短時間認定に係る年額の算定は「在籍児童数（保育短時間認定に限る）×延長時間区分ごとの単価」で計算しますが、在籍児童数は各月初日の短時間認定児童数を平均するため、月途中で保育必要量の認定に変更がある場合には、翌月の月初日の短時間認定児童数に反映することになります。	自治体向けFAQ【18版】No.306
308	延長保育事業	幼保連携型認定こども園の保育教諭等は、幼稚園教諭免許と保育士登録の両方が必要ですが、経過措置により、施行後10年間は幼稚園教諭免許だけでも可とされています。この経過措置中の保育教諭等は保育士の資格を持っていませんが、延長保育も担当できますか。	幼保連携型認定こども園の保育教諭等に係る経過措置は、延長保育事業においても、同様の経過措置を講じていますので、延長保育も担当できます。	自治体向けFAQ【18版】No.307
309	放課後児童クラブの研修カリキュラム	放課後児童クラブの支援員、子育て支援員の研修、補助員の研修、現任研修について、それぞれの研修カリキュラムのうち、重なり合うものは共通して実施が可能でしょうか。	放課後児童支援員に係る都道府県認定資格研修は、放課後児童支援員としてのアイデンティティを持ってもらい、その意義や新たな役割、職務内容等を改めて認識してもらうために受講を課しているところであり、都道府県等が実施している放課後児童指導員等の資質の向上のための研修とは性格を異にするものです。 また、子育て支援員の専門研修（放課後児童コース）は、放課後児童支援員が行う支援について放課後児童支援員を補助する補助員として従事するためのものです。 従って、各研修は、目的、内容の異なるものですので、共通して実施することは想定していません。	自治体向けFAQ【18版】No.308
310	実費徴収に係る補足給付を行う事業	新制度に移行しない幼稚園は、実費徴収に係る補足給付を行う事業の対象になりますか。	新制度に移行しない幼稚園は従前まで補足給付事業の対象外でしたが、令和元年10月からの幼児教育・保育の無償化の施行と併せ、低所得者や多子世帯の副食費を軽減するための補足給付事業が地域子ども・子育て支援事業として位置付けられました（子ども・子育て支援法第59条第3号ロを参照）。	自治体向けFAQ【18版】No.309
311	実費徴収に係る補足給付を行う事業	実費徴収に係る補足給付を行う事業における補助額はどのように算定するのでしょうか。	補足給付事業は、副食材料費（新制度に移行しない幼稚園）及び給食費以外の教材費・行事費等（新制度園幼稚園）の実費徴収に分けて補助を行うことになりますが、その際、副食材料費は月額4500円、教材費・行事費等は月額2500円を上限とする基準額と、施設が保護者から実際に徴収した金額とをそれぞれ比較して低い方の額を用いて補助を行うことになります。	自治体向けFAQ【18版】No.310
312	実費徴収に係る補足給付を行う事業	園服などについては、園が保護者から直接費用を徴収するのではなく、園が特定の店で特定の物品の購入を指定する場合が多くあります。この場合でも、実費徴収に係る補足給付を行う事業の対象となるのでしょうか。	おたずねのように、実費徴収相当のものを保護者が園を経由せずに購入する場合についても、「特定教育・保育施設及び特定地域型保育事業の運営に関する基準」（平成26年内閣府令第39号）第13条第4項及び第43条第4項の規定による費用又は特例保育の提供に当たって徴収される同規定に掲げる費用と同様の費用であると市町村が認めた場合であって、それらについて、重要事項説明を行った上で、同意を得ている場合については、当該事業の対象となる実費徴収額に含めて差し支えありません。	自治体向けFAQ【18版】No.311

313	実費徴収に係る補足給付を行う事業	実費徴収に係る補足給付を行う事業について、対象保護者に対する補助は、生活保護制度上では保護費の算定に当たって収入として扱われるのでしょうか。 また、実費徴収に係る補足給付を行う事業について、保護者が直接購入した教材等は補足給付の対象とならないのでしょうか（例えば、施設・事業者の指示を受けて、保護者が教材等を当該施設・事業者以外から購入した場合はどうなるのでしょうか）。	本事業に基づく補助については、生活保護制度上では収入認定されません。また、補足給付の対象となるものは、「特定教育・保育施設及び特定地域型保育事業の運営に関する基準」第13条第4項の規定に係るものとなり、保護者が直接購入したものは原則として本事業の対象となりません。 ただし、実費徴収相当のものを保護者が園を経由せずに購入する場合について、「特定教育・保育施設及び特定地域型保育事業の運営に関する基準」（平成26年内閣府令第39号）第13条第4項及び第43条第4項の規定による費用又は特例保育の提供に当たって徴収される同規定に掲げる費用と同様の費用であると市町村が認めた場合であって、それらについて、保護者に対して重要事項説明を行った上で、同意を得ている場合については、本事業の対象となる実費徴収額に含めて差し支えありません。	自治体向けＦＡＱ【18版】No.312
314	実費徴収に係る補足給付を行う事業	実費徴収に係る補足給付を行う事業について、対象となる実費徴収額は、施設の名前で徴収されたものに限られるのでしょうか。例えば、ＰＴＡや保護者会の名前で徴収されたものは対象にならないのでしょうか。	ＰＴＡや保護者会の運営に要する費用については、特定教育・保育において提供される便宜に要する費用ではなく、特定教育・保育施設及び特定地域型保育事業の運営に関する基準（平成26年内閣府令第39号）第13条第4項の規定による費用に該当しないため、実費徴収に係る補足給付事業の対象となる実費徴収額には含まれません。	自治体向けＦＡＱ【18版】No.313
315	多様な事業者の参入促進・能力活用事業	多様な事業者の参入促進・能力活用事業について、公立施設も補助対象となるのでしょうか。	多様な事業者の参入促進・能力活用事業（特別支援教育）は、公立施設は対象となりません。	自治体向けＦＡＱ【18版】No.314
316	多様な事業者の参入促進・能力活用事業	私学助成の幼稚園特別支援教育経費や多様な事業者の参入促進・能力活用事業（認定こども園特別支援教育・保育経費）は、国庫補助上、対象となる子どもの2人以上の受け入れが必要とされていますが、同一施設で認定区分が異なる子どもが2人いる場合は、どのような扱いとなるのでしょうか。	私学助成の幼稚園特別支援教育経費については、対象となる子どもが2人以上いる場合のみ補助を受けられます。 多様な事業者の参入促進・能力活用事業（認定こども園特別支援教育・保育経費）の補助要件は、私学助成の幼稚園特別支援教育経費と異なり、1～3号認定子どもまで含めた園全体の対象子ども数が2人以上としています。なお、実際の補助は本事業の対象となる子どもの分のみとなります。	自治体向けＦＡＱ【18版】No.315
317	学校法人立認定こども園に通園する特別な支援を必要とする2号認定子どもへの支援	学校法人立認定こども園のうち、特別な支援を必要とする2号認定子どもが私学助成の特別支援教育経費の対象となるのはどのような場合でしょうか。また、このような場合においても、同一市町村内の他施設とのバランスの観点から、保育所等で行われている障害児保育事業の対象とすることは可能でしょうか。	令和2年度までは、学校法人立認定こども園のうち、旧接続型の幼稚園連携型認定こども園と、旧単独型と旧接続型の幼稚園型認定こども園については、2号認定子どもは私学助成の特別支援教育経費の対象となる一方、旧並列型の幼稚園型認定こども園の2号認定子どもは多様な事業者の参入促進・能力活用事業（認定こども園特別支援教育・保育経費）の対象となっていました。 令和3年度からは、新制度施行後5年の見直しに伴い、旧並列型の幼稚園型認定こども園の扱いが変わることから、旧接続型の幼稚園連携型認定こども園、及び幼稚園型認定こども園（旧類型は問わない）の2号認定子どもが、私学助成の特別支援教育経費の対象となります。 私学助成の対象となる園に対して、市町村の判断により、単独事業として、障害児保育事業を行うことも可能です。ただし、その場合には、私学助成の特別支援教育経費と重複のないよう、都道府県と調整が必要となります。 （注）ここでいう私学助成の特別支援教育経費の対象となる学校法人立認定こども園には、学校法人化する予定のいわ	自治体向けＦＡＱ【18版】No.316

			ゆる志向園も含みます。また、設置主体の一本化のために、学校法人から社会福祉法人へ事業譲渡した場合、従前まで学校法人が設置していた幼稚園部分に在籍する2号認定子どもがいたとしても、私学助成の特別支援教育経費の対象にはなりません。 なお、学校法人立の認定こども園について、旧接続型以外の幼保連携型認定こども園と、保育所型認定こども園の2号認定子どもは、障害児保育事業の対象となります。	
318	放課後児童健全育成事業	一の支援の単位を構成する児童の数が10人未満の支援の単位への国庫補助の要件について、 ①山間地、漁業集落、へき地及び離島で実施している場合 については、山村振興法やへき地教育振興法など法的根拠のある地域限定でしょうか。	当該要件については、交通条件、及び自然的、経済的、文化的諸条件に恵まれない山間地、漁業集落、へき地及び離島であり、法令等に定義された地域を対象とするものです。 対象地域について疑義がある場合は、個別にご相談いただくようお願いします。	自治体向けFAQ【18版】No.317
319	放課後児童健全育成事業	一の支援の単位を構成する児童の数が10人未満の支援の単位への国庫補助の要件について、 ②上記のほか、当該放課後児童健全育成事業を実施する必要があると厚生労働大臣が認める場合 の具体的な内容は何でしょうか。	以下のようなものを対象とする予定です。 ○小学校の統廃合により、廃校となった小学校に通っていた子ども達が自宅に近い生活圏域の中で活動（生活）するために、引き続き、廃校等を活用して放課後児童クラブを実施する場合 ○翌年度からの本格実施を見据え、年度途中（年度後半）に放課後児童クラブを開所した場合（ただし、翌年度中に児童の数が10人以上とならなかった場合は、災害等によるやむを得ない理由がある場合を除き、交付金の返還を命ずることがあるので留意すること。） なお、補助対象となるかの判断に迷う場合については、個別に厚生労働省にご相談いただくようお願いします。	自治体向けFAQ【18版】No.318
320	放課後児童クラブ支援事業（放課後児童クラブ送迎支援事業）	放課後児童クラブ支援事業（放課後児童クラブ送迎支援事業）について、タクシーやファミリー・サポート・センターの活用は対象となるのでしょうか。	タクシーによる送迎については、年間を通じて、タクシー事業者と契約を結び、定期的に送迎を行う場合などが対象となります。 また、ファミリー・サポート・センターの活用による実施については、国庫補助事業である子育て援助活動支援事業（ファミリー・サポート・センター事業）として実施する場合には、他の国庫補助を受ける場合（重複受給）に当たることから、対象とはなりません。	自治体向けFAQ【18版】No.319
321	放課後児童支援員等処遇改善等事業	賃金改善の方法にはどのようなものがありますか。	賃金改善の方法は、ベースアップ、定期昇給、手当、賞与、一時金等があります。	自治体向けFAQ【18版】No.320
322	放課後児童支援員等処遇改善等事業	放課後児童支援員等処遇改善等事業の事業費を、新たな職員を雇い上げる費用（新たな職員の給与の全部）に充当することは可能でしょうか。	実施要綱別添6の3(1)の事業については、職員の賃金改善に必要な費用の一部を補助するものであり、新たな職員を雇い上げることにより増加した人件費を補助する趣旨ではないことから、新たに職員を雇い上げる場合についても、当該職員に係る賃金改善経費のみが補助対象となり、賃金改善部分以外の人件費に充当することはできません。 実施要綱別添6の3(2)の事業については、賃金改善に必要な費用を含む常勤職員を配置するための追加費用の一部を補助するものであり、新たに常勤職員を雇い上げる場合に限らず、事業の対象となる常勤職員の賃金改善経費を含む給与に充当することも可能です。	自治体向けFAQ【18版】No.321

323	放課後児童支援員等処遇改善等事業	新規に増員した職員の賃金改善額はどのように考えたら良いでしょうか。	平成25年度に同程度の経験や能力等を有する職員を雇用した場合の賃金水準と比較し、その額を超える部分が賃金改善額となります。	自治体向けＦＡＱ【18版】No.322
324	放課後児童支援員等処遇改善等事業	新規に開所した場合の賃金改善額はどのように考えたら良いでしょうか。	平成25年度に存在しなかった放課後児童クラブに従事する職員の賃金改善額については、平成25年度の地域の放課後児童クラブの賃金水準と比較し、賃金改善が図られていると認められる部分を賃金改善額とします。	自治体向けＦＡＱ【18版】No.323
325	放課後児童支援員等処遇改善等事業	放課後児童支援員等処遇改善等事業について、実施要綱の別添６の３(1)に規定する家庭、学校等との連絡及び情報交換等の育成支援を主に担当する職員が複数名いた場合、複数名の職員に係る賃金改善経費が補助対象となるのでしょうか。	実施要綱別添６の３(1)に規定する家庭、学校等との連絡及び情報交換等の育成支援を主に担当する職員が複数名いる場合は、その全ての職員に係る賃金改善経費が補助対象経費の額の算定対象となります（人数の制限はない）。	自治体向けＦＡＱ【18版】No.324
326	放課後児童支援員等処遇改善等事業	実施要綱の別添６の３(2)に規定する家庭、学校等との連絡及び情報交換等に加え、地域との連携・協力等の育成支援に主担当として従事する常勤職員を配置するとともに、これらの業務を主に担当する非常勤職員も配置している場合、当該非常勤職員の賃金改善経費も補助対象となるのでしょうか。	実施要綱別添６の３(2)の事業については、当該育成支援に主担当として従事する常勤職員を配置するための追加費用を基に補助対象経費の額を算定することとし、非常勤職員の賃金改善経費を補助対象経費の額の算定に含めることはできませんが、「５対象事業の制限等」の(2)に記載のとおり、国庫補助金を活用して、賃金改善を実施する職員の範囲や賃金改善の具体的な内容については、実情に応じて各放課後児童健全育成事業を行う者において決定して差し支えありません。	自治体向けＦＡＱ【18版】No.325
327	放課後児童支援員等処遇改善等事業	放課後児童支援員等処遇改善等事業の国庫補助基準額は、何人分の賃金改善経費を見込んだものでしょうか。	国庫補助基準額については、放課後児童クラブに従事する非常勤職員１名分の賃金改善経費、又は非常勤職員１名を常勤職員に替える場合の追加費用を基に算出していますが、執行に当たっては、いずれも支援の単位当たりの年額として国庫補助基準額を設定しており、その金額の範囲内であれば、補助の対象となる職員の人数には制限を設けていません。	自治体向けＦＡＱ【18版】No.326
328	放課後児童クラブ運営支援事業	放課後児童クラブ運営支援事業の賃借料補助について、平成26年度以前より運営している放課後児童クラブが、新たに民家等を借りて事業を実施する場合、支援の単位が増加しなくても受入児童数が増えれば、当該補助金の対象となり得るか。	なり得る。現在の場所では手狭で、入所を希望する児童全員が入所できないため、広い場所に移転する場合は適用されると解される。その場合、支援の単位が増えなくても、定員が増えれば適用される。ただし、老朽化が理由で移転する場合は適用できないのでご留意願いたい。	自治体向けＦＡＱ【18版】No.327
329	放課後児童支援員キャリアアップ処遇改善事業	概ね５年以上の経験年数の放課後児童支援員に対する処遇改善の要件である「一定の研修」について、他の市町村が実施する研修も対象となるか。	処遇改善の補助を実施する市町村が適当と認めた場合には、他の市町村が実施する研修も対象となる。	自治体向けＦＡＱ【18版】No.328
330	放課後児童支援員キャリアアップ処遇改善事業	概ね10年以上の経験年数の放課後児童支援員の「事業所長的（マネジメント）立場にある者」とは、どのような職員を指すか。	「事業所長的（マネジメント）立場にある者」は、放課後児童健全育成事業の事業所長、若しくは支援の単位の責任者などを想定している。なお、当該立場にある者については、発令や運営規程等の文書により確認できる必要がある。	自治体向けＦＡＱ【18版】No.329
331	放課後児童支援員キャリアアップ処遇改善事業	本事業における、①平成28年度に対する賃金改善額、②放課後児童支援員の経験年数は、どのような確認方法を想定しているか。	①対象となる職員の給与等の額が確認できる書類（例えば、各年度の給与規定や、賃金台帳の写し等）、②放課後児童健全育成事業以外の事業の経験年数を確認する場合には、各々の事業所等における経験年数が確認できる書類（勤務証明書等）を想定している。	自治体向けＦＡＱ【18版】No.330
332	放課後児童健全育成事業	長期休暇支援加算について、支援の単位を新たに設けて運営する場合が補助対象となるとのことだが、支援	長期休暇支援加算は、夏休み等の長期休暇期間中に児童の数の増があり、支援の単位を新たに設けて運営する場合に補助対象と	自治体向けＦＡＱ【18版】

		の単位を新たに設けない場合（長期休暇中に児童が増え、職員を配置した場合等）は補助対象とならないのか。	することとしている。このため、単に職員を加配した場合には補助の対象とはならない。なお、当該支援の単位は、開所日数以外の設備運営基準を満たす必要がある。	No.331
333	病児保育事業	病児保育事業の改善分加算について、「利用の少ない日において、地域の保育所等への情報提供や巡回支援等を実施した場合に加算」とあるが、どの程度実施すれば加算の対象となるのか。	病児保育事業の交付要綱上、「特定分」と「一般分」を区分して記載しているが、これは、従来からの特定事業主財源による「特定分」と、消費税財源による質の向上分としての「一般分」を財源別に明示的に区分しているものである。「一般分」として記載されている、今回の新制度に伴う質の向上による改善分は、「特定分」としての基本分を改善する目的で設けたものである。 改善分加算については、利用児童の少ない日において、地域の保育所等に対して、感染症流行情報、予防策等の情報提供や巡回支援を行うなど、その地域全体の保育の質の向上につながる機能を評価することとしているが、これらの機能は、通常、病児保育事業所が備えている機能であり、基本的に改善分加算の対象となるものと考える。 したがって、利用児童数が多く、巡回等が行えない場合でも、保育所等への情報提供などを適宜行うことで、改善分の対象となるものと考える。	自治体向けＦＡＱ【18版】No.332
334	地域子育て支援拠点事業について	地域子育て支援拠点事業について、実施要綱の4. 実施方法②一般型イ. 実施場所(ｱ)では「公共施設、空き店舗、公民館、保育所等の児童福祉施設、小児科医院等の医療施設などの子育て親子が集う場所として適した場所」とありますが、これらの他にどのような場所で実施することが可能でしょうか。例えば、幼稚園や認定こども園で事業を実施することは可能でしょうか。	実施要綱に例示した場所に限らず、子育て親子が集う場として適した場所であれば、地域子育て支援拠点事業の実施場所とすることができます。 幼稚園・認定こども園は、教育・保育に関する専門性を活かして、従前から、地域における幼児期の教育・保育のセンターとして子育て家庭の保護者等に対する支援（各種講座の開催、教育相談事業の実施、親子登園など未就園児教室の実施等）を行ってきており、その知識・経験を有効活用する観点から、本事業の実施場所とすることが考えられます。 なお、幼稚園・認定こども園における子育て支援活動については、私学助成の「子育て支援推進経費」（幼稚園の子育て支援活動の推進）を活用することも可能であり、各自治体におかれては、地域及び各園の実情に応じ、積極的な対応をお願いします。	自治体向けＦＡＱ【18版】No.333
335	特別な支援を要する子どもへの補助事業	特別な支援を要する子どもへの支援については、私学助成（幼稚園等特別支援教育経費）、市町村が実施する補助制度（一般財源化前の障害児保育事業）及び多様な事業者の参入促進・能力活用事業で支援することとなっており、また令和2年度からは一時預かり事業においても加算の導入（一般型）や単価の創設（幼稚園型Ⅰ）がなされますが、これらの補助事業の対象となる子どもは身体障害者手帳等の障害者手帳の交付を受けている必要がありますか。	私学助成（幼稚園等特別支援教育経費）や多様な事業者の参入促進・能力活用事業、一時預かり事業の加算取得（一般型）や単価（幼稚園型Ⅰ）において、特別な支援を要する子どもに該当するかの判断に当たり、障害者手帳は必須ではありません。医師の診断書の他、巡回支援専門員等障害に関する専門的知見を有する者による意見等、障害の事実が把握可能であればこれらの事業の対象として差し支えありません。 また、市町村が実施する補助制度（一般財源化前の障害児保育事業）においては、市町村が補助要件を定めることになりますが、上記事業の取扱いを参考としていただくことが考えられます。	自治体向けＦＡＱ【18版】No.334
336	利用者支援事業・地域子育て支援拠点事業	配慮が必要な子育て家庭等への支援について、要件に専門的な知識・経験を有する職員を配置することとあるが、新たな職員を配置する必要がありますか。	地域において人材確保が困難な場合等であって、既に事業に従事している者が、研修の受講等により、専門的な知識・経験を有する者と認められる場合には、対象とすることも可能です。	自治体向けＦＡＱ【18版】No.335
337	地域子育て支援拠点事業	配慮が必要な子育て家庭等への支援について、要件に職員を配置等することとあるが、等は何を想定してい	社会福祉施設の職員や研究者・有識者等、それぞれの分野において専門的な知識・経験を有する者について招聘し、講習等を実	自治体向けＦＡＱ【18版】

		ますか。	施することを想定しています。	No.336
338	地域子育て支援拠点事業	実施要綱において、子育て家庭の親とその子ども（主として概ね３歳未満の児童及びその保護者）を対象とすると規定されているが、妊娠中の方は含まれますか。	地域子育て支援拠点事業については、妊娠中の方やその家族も当該事業の利用対象者となります。 妊娠中から子育て関連情報を得られることや、現に子育てをしている子育て親子との交流による不安の解消が図られること等につながるため、妊娠中の方やその家族も利用対象として、事業者、利用者等へ周知いただくようお願いします。 また、調査研究事業により、以下のＵＲＬのとおり「多胎児支援のポイント」を作成していますので参考としていただき、関係部局で連携を図りながら、引き続き多胎児家庭への支援の推進を図るようお願いします。 https://www.mhlw.go.jp/content/11900000/000592915.pdf	自治体向けＦＡＱ【18版】No.337
339	地域子育て支援拠点事業	休日における育児参加促進のための講習会の実施に係る加算について、どの程度の回数を実施すればよいのか。	両親等が共に参加しやすい日時を設定する必要があり、講習の受講機会の確保が重要であることから、概ね月２回以上の実施としていただきたい。	
339-1	地域子育て支援拠点事業	休日における育児参加促進のための講習会の実施に係る加算について、「休日」とはいつをさしますか。	土曜日・日曜日・祝日をさします。なお、拠点の開閉所関係なく、休日に当該取組を実施した場合に加算の対象となります。	新規
340	病児保育の広域利用	病児保育を利用する際、居住地市町村以外の病児保育を利用することは可能ですか。その際、どのようなことに留意する必要がありますか。	病児保育について、居住地に利用できる施設があるとは限らないため、広域的な利用ニーズに応えていく必要があります。 このため、市町村間ではあらかじめ広域利用があった場合の費用負担について十分に協議していただくことが基本となりますが、以下のような対応が考えられます。 ①一定数の利用者を恒常的に受け入れており、今後も同様に受け入れる見込みである場合には、市町村間において当該施設の利用枠に関する協定を締結する。（なお、このような場合には、当該一定数の広域利用を、あらかじめ両市町村間で子ども・子育て支援事業計画に位置付けることが適当と考えられます。） ②複数の施設において広域利用が見込まれる場合には、当該複数の施設を対象とした包括的な協定を締結する。 ③（①、②に該当しないような）急遽利用があった場合など、事後的に利用実績を把握した場合、費用負担の調整を市町村間で行ってください。 都道府県においては、必要に応じて市町村間の調整に対し助言等を行ってください。	自治体向けＦＡＱ【18版】No.338
341	放課後児童健全育成事業	開所日数加算について、交付要綱では「（年間開所日数－250日）×15,000円（1日8時間以上開所する場合）」とされていますが、平日についても1日8時間以上開所しなくてはならないのでしょうか。	小学校の年間授業日数や長期休暇期間等における平日の日数等を勘案し250日と設定しており、この日数を超えてクラブを開所する場合に開所日数加算の対象となる。このため、開所日数加算の対象となる開所日が長期休暇期間等に当たることを想定し、交付要綱では「（年間開所日数－250日）×15,000円（1日8時間以上開所する場合）」としているところであり、平日について1日8時間以上の開所を必要としているものではない。	自治体向けＦＡＱ【18版】No.339
342	放課後子ども環境整備事業（放課後児童クラブ設置促進事業）	放課後児童クラブ設置促進事業における「既存施設の改修」とは、どの程度の改修を想定しているのでしょうか。	床板やカーペットの張り替え、壁紙のはり替えなどの軽微な改修を想定している。建物の構造を変えるような改修や、建物の効用を増加させるような改修は放課後児童クラブ設置促進事業の補助対象外となる。	自治体向けＦＡＱ【18版】No.340

343	放課後児童クラブ運営支援事業（障害児受入推進事業）	障害児を受け入れるために必要な専門的知識等を有する放課後児童支援員等を配置しましたが、年間を通して障害児の利用がなかった場合、補助対象となるのでしょうか。	障害児の受入れに必要となる専門的知識等を有する放課後児童指導員等を配置していれば、結果として障害児の利用がなかった場合でも補助対象となる。	自治体向けＦＡＱ【18版】No.341
344	放課後児童クラブ運営支援事業（土地借料補助）	土地借料の補助対象となる期間はいつになるのでしょうか。	工事契約日以降から放課後児童クラブを開所するまでの期間における土地借料が補助対象となる。	自治体向けＦＡＱ【18版】No.342
345	放課後児童支援員等処遇改善等事業	平成27年度に賃金改善を図り、国庫補助の対象となりましたが、平成28年度も国庫補助の対象となるには、更なる賃金改善をしなくてはならないのでしょうか。	平成25年度の賃金と比較して、賃金改善がされていれば補助対象となるため、平成27年度の賃金と比較する必要はない。	自治体向けＦＡＱ【18版】No.343
346	一時預かり事業（幼稚園型）の補助単価	園の行事等のため、休日（土日祝）を営業日に、平日を休業日に振り替えている場合、一時預かり事業（幼稚園型）の補助単価における「平日」と「休日」の取扱いはどのようになるのでしょうか。	園の行事等のために営業日の振替えを行っている場合、振替え後の取扱いに合わせることになります。例えば、日曜日を営業日に、翌日の月曜日を休業日に振り替えている場合、日曜日は「平日」、月曜日は「休日」の単価が適用されます。	自治体向けＦＡＱ【18版】No.344
347	一時預かり事業（幼稚園型）の利用料の設定	休日や長期休業中の利用料を平日と変えることは可能でしょうか。	利用料については、市町村又は各園で自由に設定していただくものですので、日によって利用料を変えることは差し支えありませんが、その理由を含め、あらかじめ利用者にしっかりと説明を行うことが望まれます。	自治体向けＦＡＱ【18版】No.345
348	多様な事業者参入促進・能力活用事業（対象児童の在籍状況についての確認・判断時期）	対象児童の在籍状況について、いつ時点で確認・判断を行えば良いのでしょうか。	年度当初の時点で確認・判断することが基本となりますが、それ以降に対象児童が入園したり、障害を有していることが発覚する場合もあるため、施設からの相談に応じ、年度途中でも柔軟に対応する必要があります。

なお、私学助成（幼稚園等特別支援教育経費）についても、基本的な考え方は同様です。対象児童の有無・人数について、一般補助に係る園児数を算定する5月1日時点のみで確認・判断するのではなく、例えば、満3歳児の園児数を算定する1月時点で改めて確認するなど、実態に即した把握をすることが望まれます。 | 自治体向けＦＡＱ【18版】No.346 |
349	多様な事業者参入促進・能力活用事業（年度途中で対象児童の受入れがなくなった場合の取扱い）	年度途中の退所等により対象児童の受入れがなくなった場合、それ以降、補助は受けられないのでしょうか。	年度途中の退所等により、対象児童が減少したり、対象児童の受入れがなくなった場合でも、受入れに必要となる体制（職員の加配）を整えている場合には、それに応じた補助を受けることが可能です。	自治体向けＦＡＱ【18版】No.347
350	子育て援助活動支援事業（ファミリー・サポート・センター事業）	地域子育て支援拠点等との連携に係る加算について、実施要綱3(5)アに「拠点等における子どもの預かりの促進、及び子どもの預かりを実施している場合の巡回等による見守り支援」と規定されているが、具体的にどのような取組を想定しているのか。	安心して子どもの預かりを実施するため、地域子育て支援拠点や児童館等における子どもの預かりの実施が進むよう各施設との調整を行うことや、拠点等において子どもの預かりが実施できることについて会員へ周知を行うとともに、実際に子どもの預かりが実施されている場合に、アドバイザー等による巡回や各施設への委託による見守り支援を行うこと等を想定している。	
351	子育て援助活動支援事業（ファミリー・サポート・センター事業）	地域子育て支援拠点等との連携に係る加算について、実施要綱3(5)イに「拠点等の利用者との日常的な対話を通じた提供会員増加のための働きかけ」と規定されているが、具体的にどのような取組を想定しているのか。	地域子育て支援拠点や児童館等を利用する保護者との会話を通じて提供会員の募集を行う等の直接的な働きかけ（各施設への委託可）による取組を想定している。	

| 351 -1 | 子育て援助活動支援事業（ファミリー・サポート・センター事業） | 地域子育て支援拠点等との連携に係る加算について、実施要綱３(5)ア～ウすべての取組を実施した場合に加算の対象となりますか。 | ア～ウのいずれかの取組を実施した場合に加算の対象となります。 | 新規 |

【財政支援・私学助成・就園奨励費】

No.	事項	問	答	備考
352	現行制度に残る施設の私学助成の取扱い	従来の私立幼稚園（新制度に移行しない幼稚園）に対する私学助成は、新制度施行後にはどうなるのですか。	新制度に移行していない幼稚園に対する財政支援は、従来と同様、私学助成で行うことになります。国は、各都道府県が私立幼稚園に補助した場合、その一部を補助するという性質上、都道府県が私学助成を行うことが前提となりますが、国としては、新制度に移行していない幼稚園には、引き続き私学助成により支援していく方針です。	自治体向けＦＡＱ【18版】No.348
353	現行制度に残る施設の私学助成の取扱い	新制度に移行する私立幼稚園や認定こども園に対する新制度の私学助成は、新制度の施行後にどのように変わるのですか。	私学助成の一般補助は基本的に実施しませんが、国のメニューのうち一種免許状の保有の促進と財務状況の改善の支援については、引き続き実施します。また、特別補助については、国のメニューとしては、幼稚園特別支援教育経費支援と教育の質の向上を図る学校支援経費支援を引き続き実施します。預かり保育推進事業については、市町村の一時預かり事業が円滑に実施されない特別の事情がある場合の過渡的な措置として実施します。	自治体向けＦＡＱ【18版】No.349
354	一種免許、財務改善、特別支援、教育の質向上（国負担）	私学助成における一種免許状の保有の促進、財務状況の改善の支援、幼稚園特別支援教育経費及び教育の質の向上を図る学校支援経費の支援は今後どうなりますか。	幼保連携型認定こども園、幼稚園型認定こども園、施設型給付を受ける幼稚園、施設型給付を受けない幼稚園のいずれについても学校法人立については、国庫補助対象とします。社会福祉法人立の幼保連携型認定こども園については、学校法人立の幼稚園（従来の幼保連携型認定こども園を含む。）から移行したものも含め、国庫補助対象外とします。 なお、新制度施行後に新設される学校法人立の幼保連携型認定こども園における幼稚園特別支援教育経費については、１号認定子どものみを国庫補助対象とします。（平成27年２月26日付私学助成課事務連絡「幼保連携型認定こども園及び幼稚園型認定こども園における私立高等学校等経常費助成費補助金（幼稚園特別支援教育経費）について」をご参照ください。）	自治体向けＦＡＱ【18版】No.350
355	財政措置	新制度に移行しない幼稚園数・園児数を確実に見込むことは難しいと思われますが、国として確実に財政措置できるのですか。	私学助成の予算については、私立幼稚園の新制度への移行率をもとに、必要な額に限って新制度に移し替えることとしているため、新制度に移行していない幼稚園に対する私学助成に要する額は適切に措置されます。	自治体向けＦＡＱ【18版】No.351
356	新制度との出入り	年度途中において市町村の特定教育・保育施設に係る確認を辞退した私立幼稚園に対する私学助成や施設等利用費は国の補助の対象となりますか。 逆に、私学助成等を受けていた私立幼稚園が年度途中に特定教育・保育施設に係る確認を受けて新制度に移行した場合はどうなりますか。	年度途中から私学助成の対象とするかどうか、また年度途中から新制度に移行した私立幼稚園に対する私学助成の取り扱いについては都道府県・市町村間で調整して判断いただきたいと考えています。都道府県の私学助成の対象となる場合については、国庫補助の対象となります。年度途中で特定教育・保育施設の確認を辞退した私立幼稚園や年度途中に確認を受けた私立幼稚園の利用者に対して市町村が支給する施設等利用費は、国庫補助の対象となります。 なお、私立幼稚園が年度途中に特定教育・保育施設に係る確認を受けた、或いは確認を辞退したことにより、通年で施設等利用費の対象とならない場合であっても、当該	自治体向けＦＡＱ【18版】No.352

			私立幼稚園が、年度当初から年度末まで設置されていた場合、施設等利用費の算定に当たって、入園料の月額換算額は、特定子ども・子育て支援施設等（私学助成幼稚園）の対象である期間にかかわらず、支払われた入園料を、当該年度（入園初年度）における園児の在籍月数で除することにより算定することになります。	
357	特別支援（地方負担）	認定こども園・新制度に移行した幼稚園に係る特別支援教育経費支援の地方負担は、これまでと同じく特別交付税になるのですか。	引き続き特別交付税によることとしています。	自治体向けFAQ【18版】No.353
358	団体補助の在り方	団体補助（日本私立学校振興・共済事業団補助及び退職金社団補助）は、新制度施行により変更はありますか。	今回の制度改正は、団体補助の実施主体やその在り方に変更を加えるものではない（新制度に移行する園も含めて対象とする）と考えています。	自治体向けFAQ【18版】No.354
359	団体補助の実施主体	政令市・中核市所在の幼保連携型認定こども園の認可は政令市・中核市に権限移譲されますが、団体補助の実施主体はどうなりますか。	団体補助の実施主体については、引き続き都道府県を実施主体として想定しています。	自治体向けFAQ【18版】No.355
360	団体補助の加入対象	認定こども園の普及を踏まえ、退職金団体の加入対象に保育所や認可外保育施設を加えてもよいでしょうか。3歳未満児を担当する保育士も認めてよいでしょうか。	退職金団体の運営については、加入対象の範囲を含め特段の規制はなく、各団体の判断により、学校法人が行う保育所等の職員や一時預かり事業等の専任職員を加入対象とすることが可能です。	自治体向けFAQ【18版】No.356
361	認定こども園が新制度に移行しない場合の財政支援	各類型の認定こども園が、新制度に移行しない場合に、私学助成（一般補助）や保育所運営費は受けられますか。	いずれの類型の認定こども園についても、施設型給付の対象施設として子ども・子育て支援法に基づく確認を受けることを想定しており、国としては、私学助成（一般補助）の交付や保育所運営費の支給を行いません。なお、詳しくはNo.352、353をご参照ください。	自治体向けFAQ【18版】No.357
362	国・地方の費用負担割合	子ども・子育て支援新制度に基づく給付・事業についての国・都道府県・市町村の費用の負担割合はどうなりますか。指定都市・中核市についても都道府県の費用負担があるのでしょうか。	施設型給付については、私立施設の場合、国1／2、都道府県1／4、市町村1／4となり、指定都市、中核市でも他の市町村と同様に1／4となります。公立施設の場合は、市町村の一般財源によることになるため、給付費の負担割合は市町村10／10となります。	自治体向けFAQ【18版】No.358
			また、教育標準時間認定（1号認定）の子どもに係る施設型給付費については、当分の間、全国統一費用部分（国1／2、都道府県1／4、市町村1／4）と地方単独費用部分（市町村負担＋都道府県補助）を組み合わせて施設型給付費として一体的に支給する経過措置があります。	
			地域型保育給付については、公私ともに国1／2、都道府県1／4、市町村1／4の割合となり、指定都市、中核市でも他の市町村と同様に1／4となります。	
			地域子ども・子育て支援事業については、利用者支援事業は国2／3、都道府県1／6、市町村1／6、そのほかの事業は国1／3、都道府県1／3、市町村1／3を想定しています。（妊婦健診は一般財源）	
363	措置入所に係る費用負担割合	児童福祉法第24条第5項、第6項に規定する措置入所については、支援法の給付とならないと思いますが、国・都道府県・市町村の費用負担割合はどうなるのでしょうか。	児童福祉法第24条第5項、第6項に規定する措置入所に係る費用負担割合については、支援法の施設型給付と同様、公立施設は全額設置者負担、私立施設は、国2分の1、都道府県4分の1、市町村（指定都市、中核市を含む。）4分の1となります。	自治体向けFAQ【18版】No.359
364	私学助成の幼稚園特別支援教育事業	私学助成の特別支援教育事業について、同一施設の認定こども園内で1号認定子どもから2号認定子どもに認定変更が生じた場合の取扱いはどうなるのでしょうか。受けられる補	私学助成はこれまでと同様、各都道府県の定める時点において対象園児の数を確定し、年度を通じて補助を行う枠組みとなります。一方で、子どもの認定区分は随時変更可能であり、また、多様な事業者の参入	自治体向けFAQ【18版】No.360

		助メニューも私学助成から多様な主体の参入促進・能力活用事業に切り替わることになるのでしょうか。一度補助を受けたら、１年間は有効となるのでしょうか。あるいは月単位で判定していくのでしょうか。	促進・能力活用事業は月単位での補助単価となっているため、私学助成との重複が生じないよう、適宜調整をお願いします。	
365	私学助成の子育て支援活動の推進	私学助成の子育て支援活動の推進について、新制度に移行した場合はどうなりますか。	新制度に移行した幼稚園・認定こども園の子育て支援活動については、要件を満たし、かつ、市町村から委託を受ければ地域子育て支援拠点事業として実施することができます。また、従来の私学助成（子育て支援活動の推進）による支援と市町村による地域子育て支援拠点事業との間に差異があることも踏まえ、地域子育て支援拠点事業への円滑な移行が困難な園に対しては、当分の間、私学助成による補助を受けることも可能とします（ただし、これまで都道府県による私学助成の子育て支援活動の推進補助を受けていた園に限ります。）。	自治体向けＦＡＱ【18版】No.361
366	地域子育て支援拠点事業と私学助成の子育て支援活動の推進	新制度に移行した幼稚園や認定こども園が地域子育て支援拠点事業を実施する場合、当該事業に係る市町村からの委託費（補助）等のほか、私学助成（子育て支援活動の推進）も合わせて受けることは出来るのでしょうか。	そのような場合は、重複して国庫補助対象となる私学助成（子育て支援活動の推進）を受けることは出来ません。	自治体向けＦＡＱ【18版】No.362
367	特別な支援を要する子どもへの補助事業	特別な支援を要する子どもへの支援については、私学助成（幼稚園等特別支援教育経費）、市町村が実施する補助制度（一般財源化前の障害児保育事業）及び多様な事業者の参入促進・能力活用事業で支援することとなっており、また令和２年度からは一時預かり事業においても加算の導入（一般型）や単価の創設（幼稚園型Ⅰ）がなされますが、これらの補助事業の対象となる子どもは身体障害者手帳等の障害者手帳の交付を受けている必要がありますか。	私学助成（幼稚園等特別支援教育経費）や多様な事業者の参入促進・能力活用事業、一時預かり事業の加算取得（一般型）や単価利用（幼稚園型Ⅰ）において、特別な支援を要する子どもに該当するかの判断に当たり、障害者手帳は必須ではありません。医師の診断書の他、巡回支援専門員等障害に関する専門的知見を有する者による意見等、障害の事実が把握可能であればこれらの事業の対象として差し支えありません。また、市町村が実施する補助制度（一般財源化前の障害児保育事業）においては、市町村が補助要件を定めることになりますが、上記事業の取扱を参考として頂くことが考えられます。	自治体向けＦＡＱ【18版】No.363
368	多様な事業者参入促進・能力活用事業（対象児童の在籍状況についての確認・判断時期）	対象児童の在籍状況について、いつ時点で確認・判断を行えば良いのでしょうか。	年度当初の時点で確認・判断することが基本となりますが、それ以降に対象児童が入園したり、障害を有していることが発覚する場合もあるため、施設からの相談に応じて、年度途中でも柔軟に対応する必要があります。なお、私学助成（幼稚園等特別支援教育経費）についても、基本的な考え方は同様です。対象児童の有無・人数について、一般補助に係る園児数を算定する５月１日時点のみで確認・判断するのではなく、例えば、満３歳児の園児数を算定する１月時点で改めて確認するなど、実態に即した把握をすることが望まれます。	自治体向けＦＡＱ【18版】No.364

【教育標準時間認定子どもに係る施設型給付費に係る経過措置等】

No.	事項	問	答	備考
369	経過措置の対象施設	教育標準時間認定子どもに係る公定価格の経過措置は、保育所型認定こども園・地方裁量型認定こども園の１号給付にも適用されるのですか。	１号給付のいずれについても適用されます。	自治体向けＦＡＱ【18版】No.365
370	全国統一費用部分と地方単独費用部分の財政負担	教育標準時間認定子どもに係る公定価格の中で、給付の地方単独費用部分の対象となる加算はどれですか。あるいは、基本分単価、加算単価と	全国統一費用部分及び地方単独費用部分の性格を踏まえながら、実際の算定実務への影響を極力小さくする観点から、基本的には、１号給付に係る公定価格の総額に対す	自治体向けＦＡＱ【18版】No.366

		もに、一定の割合により国庫負担対象額と地方単独費用部分とで費用分担するのですか。	る一定の割合（※）により国庫負担対象額を設定し、利用者負担額を控除した額を国１／２、都道府県１／４により財政負担することにしています。	
			なお、平成27年２月６日開催の「平成26年度第３回都道府県私立学校主幹部課長会議」において、本件に係る「私立幼稚園（１号認定子ども）に係る新制度の財政構造」についてご説明しています。	
			※　令和２年度より73.8％	
371	地方単独費用部分における負担割合	地方単独費用部分に係る市町村負担・都道府県補助に係る割合はどうなりますか。また、地方自治体負担分に係る交付税措置はどうなりますか。	本則における市町村と都道府県の費用負担（１：１）を踏まえ、経過措置である地方単独費用部分についても、市町村実質負担：都道府県補助＝１：１の割合としたうえで、適切に地方財政措置を講じております。	自治体向けＦＡＱ【18版】No.367
			なお、平成27年２月６日開催の「平成26年度第３回都道府県私立学校主幹部課長会議」において、本件に係る「私立幼稚園（１号認定子ども）に係る新制度の財政構造」について説明をしていますので、そちらをご参照ください。	
372	地方単独補助による私学助成や給付の上乗せ	認定こども園・施設型給付を受ける幼稚園に対して都道府県や市町村が私学助成や給付の上乗せを行うことに問題はないでしょうか。	各都道府県や各市町村としての私立学校教育の振興の考え方に基づいて独自に助成を行うことは可能です（教育基本法第８条参照）。これまでの私学助成の水準が都道府県により格差があることなども踏まえ、必要に応じて、新制度に移行する園も含め、地方自治体独自の助成措置を検討することが考えられます。	自治体向けＦＡＱ【18版】No.368
			この場合の助成方式としては、市町村による施設型給付の支給とは別に、都道府県が独自に、これまでと同様、幼稚園への団体補助（機関補助）として私学助成を行う方式や、同様に、市町村が幼稚園への団体補助（機関補助）として独自に補助を行う（市町村の補助に対し都道府県がその経費の一部を補助することもあり得る）方式が考えられます。	
			なお、市町村が、個人給付である施設型給付として、国の設定する公定価格を上回る給付（単価の上乗せ、独自の加算項目などを設定）を行う方式も考えられます（ただし、当該上回る給付部分に係る子ども・子育て支援法による都道府県による補助について、市町村と都道府県で協議が必要）が、施設・市町村の双方にとって、給付実績や審査等の多大な事務負担増となることや、特に広域利用の施設については施設から市町村、市町村から国・都道府県への請求に過誤のないよう注意を要することに留意が必要と考えます。	

【会計基準・外部監査】

No.	事項	問	答	備考
373	個人立施設の会計処理①	施設型給付費等に係る会計処理については、法人種別ごとの会計処理を求めることが基本とされていますが、個人立の施設の会計処理はどのような取扱いとなるのでしょうか。今後、通知等で示されますか。	施設型給付費等に係る会計処理については、法人種別ごとの会計処理を求めることを基本としており、例えば学校法人が運営する施設や事業は学校法人会計基準を、社会福祉法人が運営する施設や事業は社会福祉法人会計基準を、株式会社が運営する施設や事業は企業会計基準を適用することとしています。	自治体向けＦＡＱ【18版】No.369
			また、いわゆる102条園（宗教法人立や個人立の幼稚園等）において、公的な会計基準が設けられていない施設が施設型給付費を受ける場合については、基本的に学校法	

		人会計基準に準じた会計処理を行ってください。	
374	個人立施設の会計処理②	施設型給付費を受ける個人立の幼稚園については、学校法人会計基準に準じた会計処理を行うことが基本とのことですが、事務体制の制約等により、準じた処理が困難な場合はどうすればよいのでしょうか。	必ずしも学校法人会計基準に準じた会計処理を義務づけるものではありませんが、当該基準に準じた会計処理を行っていない場合、公認会計士又は監査法人による外部監査を受けて監査証明を得ることが困難な場合も考えられますので、可能な限り、当該基準に準じた会計処理を行うことが望まれます。	自治体向けＦＡＱ【18版】No.370
375	財団法人、社団法人、ＮＰＯ法人などの会計基準	財団法人や社団法人、ＮＰＯ法人などの場合、会計基準はそれぞれの会計基準によって差し支えないでしょうか。	それぞれの会計基準によって頂いて差し支えありません。 なお、これらの者については、「保育所の設置認可等について」（平成12年３月30日付児発第295号厚生省児童家庭局長通知）においては、企業会計の会計基準による会計処理を行っている者と同様の取扱いとなります。	自治体向けＦＡＱ【18版】No.371
376	私立幼稚園に対する検査等	これまで、都道府県から私学助成を受けていた園に対しては、都道府県が検査を行っていましたが、私立幼稚園が新制度に移行した際には市町村検査、報告徴収などを行うこととなるのでしょうか。また、都道府県の私学担当部局は財務書類を徴収することができるのでしょうか。	新制度に移行する私立幼稚園については、市町村が確認権者として運営基準を満たしているか等を確認するために監査等を行うことになります。同時に、新制度に移行しても、学校法人の所轄庁が都道府県知事であることには変わりはありませんので、所轄庁としての検査、報告徴収などは、引き続き、都道府県が実施することになります。 なお、私立幼稚園が新制度に移行することにより私立学校振興助成法（昭和50年法律第61号）第９条に規定する補助金（一般補助及び特別補助）を受けなくなる場合、同法第14条の所轄庁への財務書類の届出義務の対象外となりますが、所轄庁において指導監督に必要な範囲で引き続き財務書類を徴収することは可能です。	自治体向けＦＡＱ【18版】No.372
377	利用者負担額の取扱い	学校法人で新制度に移行した私立幼稚園・認定こども園（以下、「新制度園」という。）の利用者負担額（基本負担額）に係る会計処理はどうすればよいのでしょうか。	公定価格における利用者負担額（国基準の範囲内で市町村が定める額）に係る会計処理については、大科目は「学生生徒納付金収入」、小科目は「基本保育料収入」とします。	自治体向けＦＡＱ【18版】No.373
378	施設型給付費の取扱い	学校法人立の新制度園における施設型給付費に係る会計処理はどうすればよいのでしょうか。	施設型給付費は、施設の運営に標準的に要する費用総額として設定される「公定価格」から「利用者負担額」を控除した額であることから、その性質上、大科目は「補助金収入」として取り扱うことが基本です。 （なお、小科目は「施設型給付費収入」とします。） ただし、施設型給付費が、法的には保護者に対する個人給付と位置付けられるものであるという点を重視して、所轄庁（都道府県知事）の方針のもと、大科目を「学生生徒等納付金収入」として取り扱うことも可能です。ただし、この場合でも、小科目は「施設型給付費収入」とすることが必要ですので、ご注意下さい。 なお、公認会計士による外部監査を受けない場合には、市町村による会計監査が行われることを踏まえ、上記のような取扱いを行う場合には都道府県から市町村に対して適切な情報提供等をお願いします。	自治体向けＦＡＱ【18版】No.374
379	特定負担額の取扱い	学校法人における新制度園の特定負担額に係る会計処理はどうすればよいのでしょうか。費目ごとに処理する必要はあるのでしょうか。	特定教育・保育施設及び特定地域型保育事業の運営に関する基準（平成26年内閣府令第39号。以下、「運営基準」という。）第13条第３項に規定する特定教育・保育の質の向上に係る対価として保護者の同意を得て	自治体向けＦＡＱ【18版】No.375

			支払いを受ける額（いわゆる特定負担額）に係る会計処理については、大科目は「学生生徒納付金収入」、小科目は「特定保育料収入」とすることを基本とします。（なお、小科目には使途を示す費目を付記することも考えられます。例：特定保育料収入（施設整備費）など）	
380	入園前に納付する検定料等に係る会計処理①	学校法人における新制度園の検定料や入園料に係る会計処理はどうなるのでしょうか。	検定料については、従来の私学助成を受ける園と同様、大科目は「手数料収入」、小科目は「入学検定料収入」として取り扱うことになります。 また、新制度移行後に入園料として入園内定者から費用を徴収する場合、その費用の性格については、①入園やその準備、選考などに係る事務手続等に要する費用の対価又は②教育・保育の対価の大きく２つに分けられますが、このうち、①については、その費用の性質上、検定料と同様、大科目は「手数料収入」として取り扱うことが適当と考えます（小科目は「入園受入準備費収入」とします。）。 なお、②については、特定負担額として一定の要件の下で徴収することが可能であり、使途を示す費目を一括して入園料の名目で徴収することも可能ですが、その場合の会計処理については、上記（No.379）に示すとおり、大科目は「学生生徒納付金収入」、小科目は「特定保育料収入」とすることを基本とします。（なお、小科目に使途を示す費目を付記する場合は、「入園料」ではなく、具体的な費目を用いることとします。）	自治体向けFAQ【18版】No.376
381	入園前に納付する検定料等に係る会計処理②	学校法人において新制度園における入園前に徴収する検定料や入園料は、どの年度の収入として処理すればよいのでしょうか。	「手数料収入」として取り扱う検定料及び入園受入準備費は、入園年度の前年度の収入として処理しますが、入園料として徴収する特定負担額については、教育・保育の対価としての性質上、入園年度の収入として処理します。（なお、入園年度の前年度中に徴収した場合には、いったん「前受金収入」として処理することになります。）	自治体向けFAQ【18版】No.377
382	実費徴収の取扱い	学校法人において新制度園における実費徴収に係る会計処理はどうすればよいのでしょうか。	運営基準第13条第４項に規定する特定教育・保育において提供される便宜に要する費用として保護者の同意を得て支払いを受ける額（いわゆる実費徴収額）に係る会計処理については、従来の私学助成を受ける幼稚園における取扱いと同様、徴収の実態等に応じて取り扱うものとします。	自治体向けFAQ【18版】No.378
383	一時預かり事業（幼稚園型）に係る会計処理	学校法人において一時預かり事業（幼稚園型）に係る経費等はどのように会計処理するのでしょうか。	私学助成における従来の預かり保育については、学校法人会計基準では補助活動収支として計上するQ＆Aが出されており（平成14年７月29日日本公認会計士協会「学校法人の設置する認可保育所に係る会計処理に関するQ＆A」参照。）、一時預かり事業（幼稚園型）に係る会計処理においても、私学助成における従来の預かり保育と同様に取り扱うこととします（一時預かり事業は教育活動に付随する事業であるため、教育に関連する科目として計上しないこととなります。）。なお、都道府県知事を所轄庁とする学校法人にあっては、従来どおり、教育研究経費の科目及び管理経費の科目に代えて、経費の科目を設けることができます。	自治体向けFAQ【18版】No.379
384	収支予算書における収入計上	学校法人立の新制度園において、収支予算書に施設型給付費と利用者負担額の収入見込額を計上する場合はそれぞれ区分して計上する必要があるのでしょうか。	新制度園における収支予算書の取扱いについては、私学助成を受ける幼稚園における取扱い（私学助成法第14条第２項）に準じて取り扱うこととなりますが、収入見込額の計上に当たっては、学納金収入（利用者	自治体向けFAQ【18版】No.380

			負担額）と補助金収入（施設型給付費）は、それぞれ区分して計上する必要があります。ただし、収支予算書提出時点では各入園予定者の基本保育料（利用者負担額）が必ずしも明らかではないため、例えば、公定価格における利用者負担額の割合（H27予算案ベースで約42％）や前年度実績等を用いて見込額を計上し、必要に応じて補正予算で対応することが考えられます。 なお、従前の勘定科目により既に収支予算書を作成・提出済みの場合は、後日（例えば、補正予算編成時に）、新たな勘定科目による収支予算書に差し替える等の対応が考えられます。	
385	認定こども園の取扱い①	学校法人において幼保連携型認定こども園は、単一の部門として会計処理するのでしょうか。	新制度における幼保連携型認定こども園は、学校（及び児童福祉施設）としての法的位置付けを持つ単一の施設であり、認定こども園を一つの単位として施設型給付費により財政支援を行うことから、学校法人会計基準により計算書類を作成する場合、一つの部門として取り扱うこととします。	自治体向けＦＡＱ【18版】No.381
386	認定こども園の取扱い②	学校法人において幼稚園型認定こども園は、単一の部門として会計処理するのでしょうか。	幼稚園のみで構成する認定こども園（いわゆる幼稚園型認定こども園（単独型））については、学校として一つの部門として会計処理することになります。また、幼稚園及び保育機能施設により構成する認定こども園（いわゆる幼稚園型認定こども園（並列型及び接続型））についても、子ども・子育て支援法（以下、「支援法」という。）において、認定こども園を一つの単位として施設型給付費により財政支援を行うため、施設型給付費を幼稚園と保育機能施設に区分して会計処理することとした場合の事業者の事務負担等も考慮し、学校法人会計基準により計算書類を作成する場合、幼稚園型認定こども園を一つの部門として取り扱うこととします。	自治体向けＦＡＱ【18版】No.382
387	認定こども園の取扱い③	学校法人において学校等の新設の場合は法人部門に収支を計上することになりますが、新制度への移行の場合は、移行に伴う収支をどの部門に計上すればよいでしょうか。	幼保連携型認定こども園への移行に当たっては、新たに認可（みなし認可を含む）を受けることとなるため、従来の学校新設等の会計処理と同様、移行に伴う収支（前受金や施設整備費等の準備経費など）は法人部門に計上し、移行後必要に応じて、認定こども園部門に適宜振替処理等を行うこととなります。また、幼稚園から幼稚園型認定こども園に移行する場合や幼稚園型認定こども園のまま新制度に移行する場合は、新たに認可を受ける施設が無いことから、移行に伴う収支は、引き続き、幼稚園部門に計上することとなります。	自治体向けＦＡＱ【18版】No.383
388	教育研究経費と管理経費の区分①	学校法人において幼保連携型認定こども園における教育研究経費と管理経費の区分（以下、「教管区分」という。）はどのように取り扱うのでしょうか。	新制度における幼保連携型認定こども園は、教育・保育施設（支援法第7条第4項）として教育・保育を一体的に提供していることから、学校法人会計基準により計算書類を作成する場合、基本的に管理経費に該当する経費等（昭和46年11月27日雑管第118号「教育研究経費と管理経費の区分について（報告）」について（通知）の別紙1．～7．に該当する経費及び地域型保育事業並びに地域子ども・子育て支援事業等（新制度移行後も私学助成を受けて預かり保育及び子育て支援活動等を実施する場合の当該事業を含む。）に係る経費）を除き、教育研究経費として取り扱うこととします。なお、都道府県知事を所轄庁とする学校法人にあっては、従来どおり、教育研究経費の科目及び管理経費の科目に代えて、経費の科目を設けることができます。	自治体向けＦＡＱ【18版】No.384

389	教育研究経費と管理経費の区分②	学校法人において幼稚園型認定こども園における教管区分は、どのように取り扱うのでしょうか。	幼稚園型認定こども園についても、幼保連携型認定こども園と同様に、教育・保育施設（支援法第7条第4項）として教育・保育を一体的に提供していることから、学校法人会計基準により計算書類を作成する場合、基本的に管理経費に該当する経費等（上記No.388と同じ。）を除き、教育研究経費として取り扱うこととします。 なお、都道府県知事を所轄庁とする学校法人にあっては、従来どおり、教育研究経費の科目及び管理経費の科目に代えて、経費の科目を設けることができます。	自治体向けFAQ【18版】No.385
390	外部監査を受けた場合の自治体監査の取扱い	学校法人立の新制度園が公認会計士等による外部監査を受ける場合でも、市町村からの監査を二重に受けないといけないのでしょうか。	新制度園が公認会計士又は監査法人による外部監査を受けた場合には、市町村による通常の会計監査の対象外となります。なお、運営面の適正さを担保するために、市町村による定期的な指導監督又は当該外部監査で軽微とは認められない指摘を受けた場合の監査等は実施します。	自治体向けFAQ【18版】No.386
391	大臣所轄法人（大学等を設置する法人）に係る監査報告書の取扱い	学校法人において大臣所轄法人（大学等を設置する学校法人）が私学助成を受ける場合、私学助成法第14条第3項に規定する監査報告書を作成し、所轄庁（文部科学大臣）に提出する必要があるが、当該大臣所轄法人が新制度園を設置している場合、市町村に対して提出する外部監査に係る監査報告書は、文部科学大臣に提出する監査報告書と同じものでよいのでしょうか。また、その場合でも、外部監査費加算は適用されるのでしょうか。	この場合、市町村に提出する監査報告書は、私学助成法第14条第3項に規定する監査報告書で足りるものとします。また、この場合でも、外部監査費加算の対象となります。 なお、高等学校等を設置する知事所轄法人が新制度園を設置している場合においても、同様の取扱いとします。	自治体向けFAQ【18版】No.387
392	監査報告書等の提出範囲	学校法人において外部監査の監査報告書等は、市町村のほか都道府県にも提出する必要があるのでしょうか。	外部監査費加算を受けている場合は、市町村に監査報告書等を提出することは必須ですが、市町村のほか都道府県等への提出については、所轄庁の取扱いによります。 なお、施設型給付を受給している施設であっても、引き続き、私学助成（幼稚園等特別支援教育経費及び預かり保育推進事業等）は、私学助成法第9条に規定する経常的経費に該当するため、引き続き、私学助成法第14条第3項に規定する公認会計士等による監査の実施が義務付けられているため、所轄庁たる都道府県に監査報告書を提出することは必須となります。ただし、補助金の額が寡少であって、所轄庁の許可を受けたときは、私学助成法第14条第3項に規定する公認会計士等による監査は必要ありません。また、私学助成を一切受けない施設については、私学助成法第14条に基づく公認会計士等による監査は必要ありません。	自治体向けFAQ【18版】No.388
393	外部監査の定義	学校法人における外部監査費加算の要件である公認会計士等の監査の定義は何ですか。	私学助成法第14条第3項に規定する公認会計士又は監査法人の監査（学校法人立の場合）及びこれに準ずる公認会計士又は監査法人の監査をいいます。	自治体向けFAQ【18版】No.389
394	所轄庁の指定する監査事項	学校法人における新制度園の外部監査に係る監査事項はどうなるのでしょうか。	監査事項については、従来どおり、所轄庁の判断により指定することが基本ですが、新制度においては、都道府県ごとの私学助成とは異なり、国基準を踏まえ教育・保育の標準的な運営に係る費用として公定価格を設定することから、新制度園における外部監査に係る監査事項について、一定の統一的取扱いとすることが適当です。 このため、所轄庁における監査事項の指定に当たっては、大臣所轄法人に係る監査事項（平成27年度については「文部大臣を所轄庁とする学校法人が文部大臣に届け出る	自治体向けFAQ【18版】No.390

			財務計算に関する書類に添付する監査報告書に係る監査事項を指定する等の件」（昭和51年７月13日文部省告示第135号）、平成28年度以降については「文部科学大臣を所轄庁とする学校法人が文部科学大臣に届け出る財務計算に関する書類に添付する監査報告書に係る監査事項を指定する等の件」（平成27年文部科学省告示第73号））に準じて取り扱うこととします。	
395	給食費の実費徴収の取扱い	学校法人が運営する新制度園における給食費の実費徴収に係る会計処理はどのようにすればよいのでしょうか。	給食費の実費徴収については、従来の私学助成を受ける幼稚園における取扱いと同様に、徴収の実態等に応じて取り扱うものと考えられます。例えば、以下の取扱いが考えられます。 ・（大科目）事業収入（小科目）補助活動収入（平成28年度以降は（大科目）付随事業・収益事業収入（小科目）補助活動収入）として処理。 ・補助活動収入とは別の小科目を設けて処理。 ・食育等の観点から教育（保育）の実施に必要な経費として、合理性が認められる場合には、学生生徒等納付金として処理。 ・給食を外部搬入している等の場合に、預かり金として処理。	自治体向けＦＡＱ【18版】No.391
396	人件費の計上区分	新制度における「保育教諭」に係る人件費は、学校法人会計上、「教員人件費」と「職員人件費」のどちらに計上すべきでしょうか。	就学前の子どもに関する教育、保育等の総合的な提供の推進に関する法律の一部を改正する法律第14条第10項において、「保育教諭は、園児の教育及び保育をつかさどる。」と規定されており、保育教諭は教育に従事する教員であることから、学校法人会計では保育教諭人件費は「教員人件費」に計上することになります。〔当該保育教諭が担当する子どもの認定区分にかかわらず、同様の取扱い〕	自治体向けＦＡＱ【18版】No.392
397	人件費の計上区分	新制度における「保育士」に係る人件費は、学校法人会計上、「職員人件費」として計上すればよいでしょうか。	学校法人会計では保育士資格を有する者のうち、保育士として勤務する者（幼保連携型認定こども園以外の認定こども園や保育所、小規模保育事業等で勤務する場合、一時預かり事業や子育て支援活動に従事する場合）は「職員人件費」として計上することになります。 なお、幼保連携型認定こども園に関しては、認定こども園法一部改正法附則第５条の規定により、保育士資格のみを有する者が保育教諭となることも可能とされているため、当該規定により保育教諭となる者については、上記問のとおり「教員人件費」として計上することになります。	自治体向けＦＡＱ【18版】No.393

【その他】

No.	事項	問	答	備考
398	給付額の利用者通知	法定代理受領における給付額の利用者への通知は、毎月行わなければならないのでしょうか。例えば１年分をまとめて通知することは認められますか。	利用者への通知の取扱いについては、お尋ねのように、１年分をまとめて通知する取り扱いとすることも可能と考えます。	自治体向けＦＡＱ【18版】No.394
399	給付額の利用者通知（公立施設）	施設型給付費の保護者通知について、私立保育所の場合は委託費であるので保護者への給付額通知は不要と考えて良いでしょうか。 また、公立保育所では市から保護者へ直接通知が必要でしょうか。	私立保育所における委託費の保護者への通知については、子ども・子育て支援法附則第６条により第27条が適用除外となっているため、お尋ねのとおり、法定代理受領の給付額通知についても適用除外となっています。 また、私立保育所以外の特定教育・保育施	自治体向けＦＡＱ【18版】No.395

			設及び特定地域型保育事業所からの法定代理受領の給付額の通知は、公立施設であっても必要となります。	
400	法定代理受領	施設型給付について、受給者が法定代理受領を拒み、直接、個人への給付を望んでいる場合はどうすれば良いのでしょうか。	子ども・子育て支援法第27条第5項により、市町村は、当該教育・保育給付認定教育・保育に要した費用について、施設型給付費（若しくは地域型保育給付費又は特例施設型給付費、特例地域型保育給付費）として当該教育・保育給付認定保護者に支給すべき額の限度において、当該教育・保育給付認定保護者に代わり、当該特定教育・保育施設（若しくは特定地域型保育事業者）に支払うことができるため、その支払方法を決定するのは支払者である市町村となります。 なお、認定申請後、認定の効力が発生するまでの間、緊急その他やむを得ない理由により、特定教育・保育施設等を利用した場合には、特例給付による償還払いとなりますが、基本的にはその場合を除き、償還払いとなるケースは想定していません。	自治体向けFAQ【18版】No.396
401	法定代理受領の概算払い	法定代理受領を行う施設や事業者に対する施設型給付費や地域型保育給付費の支払いについて、毎月ではなく、3か月分をまとめて概算で前払いし、事後精算することは認められますか。	施設型給付費及び地域型保育給付費については、子ども・子育て支援法施行規則第18条で毎月支払うこととされています。ご指摘の例のように、3か月分を前払いの概算払いとしてまとめて支払い、その後、各月単位で精算することも可能です。ただし、3か月分をまとめて後払いとすることは認められません。 また、私立保育所に対する委託費についても同様です。 なお、この取扱いについては、平成27年2月3日付事務連絡「施設型給付費等の支払について」、平成27年4月9日付事務連絡「施設型給付費等の支払について」及び平成27年5月20日付事務連絡「施設型給付等の支払いの円滑な実施について」においてもお示ししていますので、ご参照ください。	自治体向けFAQ【18版】No.397
402	給付額通知の内容	法定代理受領の給付額通知に記載する金額は、基本分単価だけでなく、加算も含んだ金額になるのでしょうか。	法定代理受領により施設型給付費等の支給を受けた場合において、教育・保育給付認定保護者へ通知される金額は、給付費の額（公定価格から利用者負担額を引いた金額）であるため、加算額も含めたものとなります。	自治体向けFAQ【18版】No.398
403	費用の精算の時期	新制度における給付の精算時期は、従来の保育所運営費と同様、翌年度に精算されることになるのでしょうか。	従来の保育所運営費と同様、翌年度に精算します。	自治体向けFAQ【18版】No.399
404	設置主体が変更になった場合の施設型貸付金の譲渡手続き	日本私立学校振興・共済事業団、独立行政法人福祉医療機構の貸付を活用し施設整備を行った既存施設が、新制度移行に際して施設の設置主体が変更となった場合には、移管先法人が返済することになると考えてよいでしょうか。	幼稚園又は保育所を設置する者が、当該幼稚園又は保育所の事業に関し、施設の設置、整備又は経営について私学事業団又は福祉医療機構から必要な資金の貸付けを受け、事業譲渡の時点でその償還が完了しない場合において、事業譲渡に当たり、当該貸付けに係る債務を承継しようとするときは、一般的な貸付けに係る債務の承継と同様、債権者である私学事業団又は福祉医療機構の同意を得ることが必要であるため、手続等について、事前に私学事業団又は福祉医療機構に相談する必要があります。	自治体向けFAQ【18版】No.400
405	保育士確保の取組	国における保育士確保のための取組について教えて下さい。	新子育て安心プランに基づく約14万人分の保育の受け皿整備に必要となる保育人材の確保に向けて、処遇改善のほか、保育の現場・職業の魅力向上を通じた、新規の資格取得、就業継続、離職者の再就職の支援に	自治体向けFAQ【18版】No.401

			総合的に取り組んでいます。各自治体においかれても、保育対策総合支援事業費補助金の各種事業を活用しつつ、関係者とも連携して、地域の保育人材確保対策に積極的に取り組んでいただきますよう、お願いいたします。	
406	へき地保育所の取扱い	へき地保育所に対するこれまでのような補助はなくなるとのことですが、認可化が困難な場合はどうするのですか。	地域型保育又は施設型給付の対象となるよう認可化を目指していただくことが基本ですが、それが困難な場合は、特例給付により、へき地保育所が運営を継続できるような運用を認めます。 ※平成26年10月24日子ども・子育て会議資料1「特例給付・特例地域型保育給付について」参照。 また、地域型保育事業に移行できない場合の特例給付の単価の基準については、平成27年3月3日付府政共生第216号「離島その他の地域における特例保育の公定価格に係る協議の実施について」の協議依頼において、個別の算定方式をお示ししていますので、通知をご確認ください。	自治体向けＦＡＱ【18版】No.402
407	使途制限の取扱い	施設型給付費や地域型保育給付費、委託費については、使途制限は設けられるのでしょうか。	新制度における施設型給付や地域型保育給付は個人給付（法定代理受領）であるため、使途制限はありません。ただし、私立保育所に係る委託費については、市町村からの委託に基づき、施設において保育を提供することに要する費用として支払われる性格であることにかんがみ、従前制度と同様に新制度施行後も、引き続き使途制限を設けることとしています。なお、施設型給付における処遇改善等加算は質の高い教育・保育を安定的に供給し長く働くことができる職場の構築を図るという加算の趣旨を踏まえ、確実に職員の賃金改善に充てるものとします。	自治体向けＦＡＱ【18版】No.403
408	使途制限の取扱い	使途制限については、私立保育所に係る委託費を除き設けられませんが、新制度施行前の使途制限がある中で積み立てられてきた資金についても同様に使途制限がかからなくなるものと理解してよいでしょうか。 また、社会福祉法人の認定こども園に移行する場合は、従来の運営費の取扱いはどのようになるのでしょうか。	私立保育所に係る委託費を除き、施設型給付費や地域型保育給付費については使途制限は設けられておりませんが、学校法人や社会福祉法人等のそれぞれの法人の種別に応じて課せられる要件等については、施設型給付費等の資金の運用に当たっても同様に課せられるものとなります。 また、私立保育所から認定こども園に移行した場合についても、これまでに積み立ててきた資金の取扱いについては、上記と同様の取扱いですが、なお、これまで積み立ててきた積立金の目的計画が果たされるようお願い致します。	修正 自治体向けＦＡＱ【18版】No.404
409	特定保育事業	従来の特定保育事業は、新制度ではどのようになるのでしょうか。	特定保育事業の対象となる子どもについては、新制度では保育短時間認定の対象となり、当該子どもを保育する費用については、施設型給付（私立保育所を利用した場合は委託費）として賄われることになります。	自治体向けＦＡＱ【18版】No.405
410	障害児を受け入れた場合の加算措置	障害児を受け入れた場合、地域型保育事業については、公定価格上、加算措置が設けられていますが、認定こども園や幼稚園、保育所については加算措置がないのでしょうか。	ご指摘のとおり、地域型保育事業において障害児を受け入れる場合には、障害児保育加算を設けることとしています。他方、認定こども園や幼稚園、保育所において障害児を受け入れた場合における財政支援については、既存の仕組みにより対応することとしています。具体的には、私立幼稚園については、私学助成の特別補助（特別支援教育経費）により対応することとし、保育所については従来通りの地方交付税措置により対応することになります。なお、認定こども園において私学助成や障害児保育事業の対象とならない障害児については、多様な事業者の参入促進・能力活用事業（認	自治体向けＦＡＱ【18版】No.406

			定こども園特別支援教育・保育経費）において対応することとします。これらの施設において、主幹教諭・主任保育士等が、地域関係機関との連携や相談対応等の療育支援を行う場合には、療育支援加算の対象となります。	
411	地域子ども・子育て支援事業（訪問型の子育て支援事業）	子ども・子育て支援新制度の地域子ども・子育て支援事業において、訪問型の子育て支援事業（いわゆる「ホームスタート」事業など）は実施できますか。	未就学児がいる家庭に、定期的に約２～３か月間訪問し、友人のように寄り添いながら「傾聴」（相談事などを受け止める）や「協働」（育児や家事を一緒に行う）等を行う取組みである訪問型の子育て支援事業（いわゆる「ホームスタート」事業など）については、地域子ども・子育て支援事業に直接的には位置づけられていませんが、地域子育て支援拠点事業や利用者支援事業の要件を満たせば、これらの事業を実施する中で、訪問型の子育て支援事業の要素を盛り込むことは、可能です。 （具体例） ・地域子育て支援拠点事業では、実施要件である親子の交流の場の提供・促進、子育てに関する相談援助といった基本事業を実施した上で、任意の取組みとして各家庭への訪問支援の実施を認めることも可能です。（加算措置あり）【実施自治体例：和光市】 ・利用者支援事業は、子育て家庭が、教育・保育施設や地域の子育て支援事業等を円滑に利用できるよう、身近な実施場所で情報収集と提供を行い、必要に応じ相談・助言等を行うとともに、関係機関との連絡調整等を実施する事業です。子育て家庭の場合、身近な場所であっても通うこと自体に困難が伴う場合もあることから、状況に応じて、地域で開催されている交流の場や各家庭に出向いて相談支援を実施するアウトリーチ型支援を併用することも可能です。【実施自治体例：豊後高田市】	自治体向けＦＡＱ【18版】No.407
412	地方自治体における歳入歳出予算科目の取扱いについて	地方自治法施行規則において、地方自治体における歳入歳出予算科目が定められているところですが、子ども・子育て支援新制度施行に伴い、本施行規則の改正をする予定があるでしょうか。	地方自治体における歳入歳出科目に関しては、地方自治法施行規則第15条の別記において規定がありますが、各自治体の行政権能等に基づき、予算科目を変更することが可能となっていることから、本施行規則の改正の予定はありません。 なお、どのような歳入歳出科目が想定されるのかなどのモデルケースについては、平成27年１月28日に自治体向けに「子ども・子育て支援新制度関係歳入歳出予算の科目について」をお示ししていますので、参考資料をご参照ください。	参考資料参照 自治体向けＦＡＱ【18版】No.408
413	処遇改善等加算Ⅰにおいて過去の勤務経験を通算するために必要な書類	処遇改善等加算Ⅰにおいて、職員が過去に勤務していた施設の勤続年数を通算するためには、どのような書類を用意すればよいでしょうか。	加算を受けようとする施設・事業者は、常勤職員に係る前歴（職歴）の証明に関する書類を所在地市町村に提出する仕組みを基本としているため、あらかじめ職員が過去に勤務していた、勤続年数を通算可能な他の施設等の設置者から書類を入手しておく必要がありますが、年金加入記録等から推認する取扱いも可能としています。また、公立施設に在職している期間については、辞令の写しで代えることも可能と考えられます。	自治体向けＦＡＱ【18版】No.409
414	処遇改善等加算の認定手続き	処遇改善等加算の認定手続きのスケジュールはどのように想定していますか。また、認定の効果は年度当初に遡及されますか。	処遇改善等加算を受けようとする施設・事業者は、都道府県知事・指定都市長・中核市長及び都道府県知事との協議により処遇改善等加算の認定事務を行うこととなった市町村長が定める日までに、必要書類を市町村長に提出することとしており、具体的には都道府県等が定めるスケジュールによ	自治体向けＦＡＱ【18版】No.410

			ることになります。また、加算認定が年度途中になった場合、事業者からの申請ベースで適用した上で、認定がなされた後に設定の効果を年度当初に遡及して適用することになります。	
415	減価償却費加算の要件	保育所等の減価償却費加算はどのような施設（事業所）に加算されることになるのでしょうか。 一度、施設整備費補助を受けた施設は、何十年も前に補助を受けた場合であっても、加算を受けられないのでしょうか。	減価償却費加算は、以下の要件全てに該当する施設を対象とします。 ㋐保育所等の用に供する建物が自己所有であること（注１） ㋑建物を整備又は取得する際に、建設資金又は購入資金が発生していること ㋒建物の整備に当たって、施設整備費又は改修費等（以下「施設整備費等」という。）の国庫補助金の交付を受けていないこと（注２） ㋓賃借料加算の対象となっていないこと （注１）施設の一部が賃貸物件の場合は、自己所有の建物の延べ面積が施設全体の延べ面積の50％以上であること （注２）施設整備費等の国庫補助の交付を受けて建設した建物について、整備後一定年数が経過した後に、以下の要件全てに該当する改修等を行った場合には㋒に該当することとして差し支えありません。 ①老朽化等を理由として改修等が必要であったと市町村が認める場合 ②当該改修等に当たって、国庫補助の交付を受けていないこと ③１施設当たりの改修等に要した費用を2000で除して得た値が、建物全体の延べ面積に２を乗じて得た値を上回る場合で、かつ、改修等に要した費用が1000万円以上であること よって、注２①～③に全て該当する建物については、㋒に該当するものとできるので、㋐、㋑、㋓の要件も全て該当している場合は、加算の対象とすることができます。 ※詳細は、「特定教育・保育等に要する費用の額の算定に関する基準等の実施上の留意事項について」（平成28年８月23日付け通知）をご参照ください。 また、減価償却費加算の地域区分については、「標準」または「都市部」とし、「都市部」とは、当年度又は前年度における４月１日現在の人口密度が、1000人／k㎡以上の市町村をいいます。	自治体向けＦＡＱ【18版】No.411
416	休日保育加算	休日保育加算の要件として、対象となる子どもに間食又は給食等を提供することが定められていますが、休日に自園調理を行うことが困難であること等の理由により、保護者の同意があれば弁当持参も可能とする取扱いはできないでしょうか。	日曜日における就労等に係る保育ニーズへの対応の観点から、間食又は給食等の提供をしていただくことが基本ですが、保護者の同意を得て弁当持参により対応することも考えられます。	自治体向けＦＡＱ【18版】No.412
417	基本単価と必要な職員配置	保育所や認定こども園（保育認定２号・３号）の基本分単価に含まれる職員構成と実際に配置すべき保育士数との関係を教えてください。特に、休けい保育士や保育標準時間認定に係る非常勤保育士の加算分について、実際に保育士を配置する必要がありますか。配置できない場合は、公定価格の減額調整などがあるのでしょうか。	「特定教育・保育等に要する費用の額の算定に関する基準等の実施上の留意事項について」（平成28年８月23日付け通知）の各事業類型の「Ⅱ基本部分」にあるとおり、基本分単価に含まれる休けい保育士や保育標準時間認定に係る保育士（常勤）等についても、年齢別配置基準とは別途配置する必要があり、これを満たさない場合は、指導の対象となります。なお、保育標準時間認定子どもが少数の場合で、ローテーショ	自治体向けＦＡＱ【18版】No.413

		また、非常勤職員の配置とされている場合、その非常勤職員の従事時間などの要件はありますか。	ン勤務により対応しているなど、常勤保育士を別途配置する必要性が低くなる場合には非常勤職員とすることも差し支えないこととしており、教育・保育が円滑に行われるよう、実態に応じて市町村が適切に御判断ください。また、幼稚園や認定こども園については、これまで年齢別配置基準の設定がなかったことから、配置基準に達していない施設に配慮して、公定価格上調整措置を設けて、費用を調整することにしています。 また、保育標準時間認定に係る非常勤保育士など、基本分単価に含まれる非常勤職員の取扱いについては、従事時間等の具体的要件は定めていませんので、教育・保育が円滑に行われる体制がとられているか、実態に応じて市町村が適切に御判断ください。 なお、小規模保育事業等の保育標準時間認定における非常勤保育従事者も同様の取扱いとなります。	
418	調理員の配置	保育所や家庭的保育事業等において求められている調理員の配置については、短時間勤務の調理員で対応することも可能ですか。	可能です。児童福祉施設や家庭的保育事業等の設備運営基準においては、「調理員を置かなければならない」と定めており、調理員の具体的な勤務形態等については特段の定めはありません。 ただし、短時間勤務の調理員を配置する場合においても、保育所保育指針第3章2（「食育の推進」）の内容に十分配慮し、適切な食育の推進の取組がなされるべきことに留意する必要があります。さらに、短時間勤務の調理員を配置したことに伴い、当該保育所等の利用乳幼児に提供される食事の質が低下することがないよう、食事の質の担保を確実に行っていただく必要があります。 また、公定価格上の職員配置に関する取扱いとしても、保育所（利用定員151人以上の施設の3人目の非常勤職員は除く）及び認定こども園の調理員（保育認定子どもに係る利用定員151人以上の施設の3人目の非常勤職員は除く）については、短時間勤務の調理員で対応することは可能です。	自治体向けFAQ【18版】No.414
419	引っ越し後も同一施設を利用する場合の施設型給付費	A市からB市に転入したが、引き続き、同一施設を利用し続ける場合、それぞれの市からの施設型給付費は日割りとするのでしょうか。	御指摘については、通常の転出・転入の場合と同様に、「特定教育・保育等に要する費用の額の算定に関する基準等の実施上の留意事項について」（平成28年8月23日付け通知）第2を踏まえ、日割りとすることが適当です。 ただし、当該市町村間で調整がついた場合には、月割りの取扱いとしても差し支えありません。 特に、5歳児が3月の卒園後に転居した場合にあっては、転居先自治体において新たに特定教育・保育施設を利用する事は考えにくいことから、転出元自治体において支給認定を3月末まで取り消さず、卒園月の施設型給付を一括して給付することを基本としてください。その際、転出元自治体と転入先自治体で密に連絡を取り、教育・保育認定・給付の重複が生じないよう御留意ください。	自治体向けFAQ【18版】No.415
420	法令遵守責任者の兼任	同一法人で介護保険の事業も行っている場合、法令遵守責任者は、介護保険の法令遵守責任者と兼任でもよろしいでしょうか。	子ども・子育て支援法における法令遵守責任者は、介護保険法における法令遵守責任者と兼任することも可能です。	自治体向けFAQ【18版】No.416

421	資料の提供等の際の本人同意	子ども・子育て支援法第16条に基づき、他の官公庁に対し、税情報の公用請求をする場合、本人同意は必要となるのでしょうか。	教育・保育給付認定の申請、変更、職権による変更、取消し及び現況届に係る事務を処理するために、子どもの保護者若しくは当該保護者と同一の世帯に属する者に係る地方税に関する情報を照会する場合は、照会対象者の同意は不要です。	自治体向けＦＡＱ【18版】No.417
422	施設を利用しなかった場合の給付及び利用者負担の取扱い	感染症や旅行、里帰り出産など、利用者の事由により施設を利用しなかった場合も、施設型給付の対象となるのでしょうか。また、その場合の利用者負担の徴収はどうなるのでしょうか。	新制度では、教育・保育給付認定子どもが特定教育・保育施設に在籍していれば、施設型給付費等の給付対象となります。 一方、利用者負担額については、基本的に徴収するものと考えますが、施設の判断により利用者負担額を徴収しない等、実情に応じて柔軟な対応をしていただくことは差し支えありません。	自治体向けＦＡＱ【18版】No.418
423	加算項目の認定	公定価格の加算項目の認定について、広域利用をする利用者がいた場合、施設所在地の市町村による加算認定を利用者の所在地市町村の加算認定として取扱うことはできますか。	市町村間で十分な情報提供のうえ、そのような取扱いをすることも可能です。	自治体向けＦＡＱ【18版】No.419
424	施設型給付費等の支払時期	各月初日に利用する子どもに係る施設型給付費等について、施設・事業者が困らないことが確認できれば実績に基づく翌月払いとしてもかまわないか。	施設型給付費等の支払いについては、「特定教育・保育等に要する費用の額の算定に関する基準等の実施上の留意事項について」（平成28年8月23日付け通知）第3(2)でお示ししているとおり、当月分は遅くともその月中に支弁することとしているほか、「施設型給付等の支払いについて（依頼）」（平成27年4月9日付け事務連絡）及び「施設型給付等の支払いの円滑な実施について（依頼）」（平成27年5月20日付け事務連絡）において、法令に基づき、毎月支給あるいは前払いとしての概算払いにて対応いただく必要がある旨お示ししております。 ただし、これらについては、給付費等の支払いが遅れることで、施設及び事業所の運営に支障が生じないようにお示ししているものであり、やむを得ない事情がある場合には、施設・事業者と調整の上、利用子どもの処遇や職員の処遇など施設の安定的な経営に支障の無い範囲内において、翌月払いとしても差し支えありません（ただし、この場合においても、歳出の会計年度所属区分に留意する必要があります。）。	自治体向けＦＡＱ【18版】No.420
425	マイナンバー関連	保護者からの教育・保育給付認定について、事業者を経由して市町村に申請するという手続きを行っている場合には、事業者は必ず「行政手続における特定の個人を識別するための番号の利用等に関する法律」（番号法）における「個人番号関係事務実施者」に該当し、申請者に対する本人確認を行わなければならないことになるのですか。	事業者を経由して市町村へ申請を行う場合であっても、個人番号が記載された申請書類等を密封した（施設等で確認等を行わない）まま市町村に提出する場合には、当該事業者は、番号法における「個人番号関係事務実施者」に該当せず、本人確認を行う必要はありません。 この場合、市町村が申請者の本人確認を行うこととなりますが、市町村による本人確認については、申請者本人の身分証明証の写し等の添付や電話による対応も可能とされています。詳細については、各自治体の番号制度主管課にお問い合わせ願います。	自治体向けＦＡＱ【18版】No.421
426	保育士配置の特例	平成28年4月に改正された児童福祉施設の設備運営基準第96条を適用した場合の必要保育士の計算方法はどのように行うのでしょうか。	児童福祉施設の設備及び運営に関する基準第96条を適用する場合には、認可定員に応じて必要となる保育士の数を1日に配置していれば足りることとなる。 したがって、「1日を通じて配置しなければならない保育士の総数」が、「認可定員に応じて必要となる保育士の数」を上回る場合には、その差分の範囲内で、「都道府県知事等が保育士と同等の知識及び経験を有すると認める者」の配置が可能である。	自治体向けＦＡＱ【18版】No.422

			なお、同条の適用に当たって、短時間保育士の数を常勤換算する必要はない。	
			また、定員弾力化を行っている場合には、「認可定員に応じて必要となる保育士の数」は、定員弾力化後の児童数に応じて計算するものである。	
427	その他	０〜２歳のみの定員を設定する保育所について、保護者の希望に基づき卒園後（３歳以降）の受け皿となる施設を確保する必要がありますか。	認可や確認の要件にはなりませんが、ご質問のような場合には、３歳以上児の円滑な接続の観点から、地域型保育事業と同様に卒園後の受け皿となる施設を設定すること等が重要と考えられます。 市町村においても、０〜２歳のみの定員を設定する保育所に通う子どもに対し、必要な教育・保育が継続的に提供されるよう、卒園後の受け皿となる施設を設定すること等、適切な協力や支援を行うことが望ましいです。	自治体向けＦＡＱ【18版】No.423
428	土曜日の共同保育	土曜日の共同保育は、どのような施設・事業所において行うことができるのか。	土曜日に共同保育を実施可能な施設類型については、認可保育所同士での実施のみならず、認定こども園、地域型保育事業所（居宅訪問型保育事業所は除く。）、企業主導型保育事業所と共同で実施することも可能です。 なお、土曜日に共同保育を実施するに当たり、その具体的な実施方法は、共同保育を行う相手施設・事業所の位置・数や定員等の規模、勤務する保育人材等の数、児童の利用意向、保護者同意等のさまざまな事情に応じて個別に検討されるものではありますが、適切な運用のために留意すべきこととしては以下の点が挙げられます。 ①共同保育を実施する事業者間で、実施体制や安全対策、費用負担等について十分協議し、合意すること。その際には、各事業者の役割分担及び責任の所在を明確にするとともに、相手方の利用子どもを受け入れる側の施設・事業所において、本来業務に支障が生じない体制が確保されていることを確認すること。 ②共同保育を実施する事業者において、施設又は事業の運営についての重要事項に関する規程に、共同保育の実施に関する事項を記載した上で、保護者に対して十分な説明を行い、同意を得ること。 上記に示したような、共同保育の具体的な方法の検討や調整は、共同保育実施施設・事業所同士で直接調整するという方法だけでなく、例えば地方版子ども・子育て会議等といった関係者が集まり議論する場で考え方や方法を検討するという方法も考えられます。それぞれの実情に応じ、効果的な方法で実施していただければと思います。	自治体向けＦＡＱ【18版】No.424
429	土曜日の共同保育	土曜日の共同保育を認可保育所等と企業主導型事業所とで実施する場合に、公定価格や企業主導型保育事業の補助金の取扱いはどうなりますか。	土曜日の共同保育を実施する場合、上記の回答のとおり、施設間において受け入れる児童に係る費用の負担について協議・合意することが原則となりますが、公定価格や企業主導型保育事業所の補助金の取扱いについては、以下のとおりとなります。 【公定価格や企業主導型保育事業所の補助金の取扱い】 〈公定価格〉 公定価格については、企業主導型保育施設と共同保育を実施することにより、施設を利用する保育認定子どもの土曜日における保育が確保されている場合には、認可保育所等の公定価格の算定上、土曜日の減額調整は行われません。	自治体向けＦＡＱ【18版】No.425

〈企業主導型保育〉

企業主導型保育事業所については、認可保育所等と異なり、

①施設の週の開所日を事業者が決定できること（月〜金曜日の週５日の開所とすることも可能。この場合、補助金の算定上、週５日の単価（週６日の単価より低額の単価）が適用される。）

②施設の利用児童を事業者が決定できること

から、土曜日の共同保育の実施を想定していません。

企業主導型保育事業所において、土曜日の共同保育を実施し、認可保育所等に利用児童を預けることは不可ではありませんが、この場合は、施設において土曜日に保育の提供が行われていないことから、原則どおり、週５日の単価により補助金の算定が行われることとなります。

| 430 | 新制度に係る申請等における押印の見直し | 国としての押印見直しの動きを受け、新制度に係る申請等においては押印の見直しは必要か。 | 新制度に係る申請等において、例えば①就労証明の標準的な様式、②施設等利用給付に係る参考様式において押印を不要（「子育てのための施設等利用給付等に係る参考様式の見直し版の送付について」（令和３年９月30日内閣府子ども・子育て本部参事官（子ども・子育て支援担当）事務連絡））とするなど、国がお示ししている様式については、順次見直しを進めています。

なお、各自治体が実施する手続きのうち、国からの通知等による様式を用いず独自に定められている様式において、国民や事業者等に押印を求めている場合については、「地方公共団体における押印見直しマニュアルの策定について」（令和２年12月18日付け規制改革・行政改革担当大臣通知）を参考として、押印の見直しへの積極的な取組をお願いします。 | 新規 |

参考資料　略

幼児教育・保育の無償化に関する自治体向けFAQ【2023年3月31日版】

令和5年3月31日

【1　幼児教育・保育の無償化の対象施設・事業について】

No.	事項	問	答	備考
1—1	地域型保育事業	地域型保育事業（小規模保育、家庭的保育、居宅訪問型保育、事業所内保育）は幼児教育・保育の無償化の対象事業になりますか。	地域型保育事業は、子ども・子育て支援新制度における幼稚園、保育所、認定こども園と同様に、3歳から5歳までの子供及び0歳から2歳までの住民税非課税世帯の子供の利用者負担額が無償となります。 （※）特別利用地域型保育、特定利用地域型保育、国家戦略特別区域小規模保育事業の特定満3歳以上保育認定地域型保育も同様。	
1—2	教育標準時間	施設型給付を受けない幼稚園で4時間を超える教育時間を設定している場合、無償化の範囲をどのように考えればよいですか。4時間を超える場合は入園料や保育料を按分するといった対応が必要となりますか。	施設型給付を受けない幼稚園が教育時間を4時間以上としている場合でも、当該教育時間にかかる入園料や保育料が無償化の対象であり、按分等をする必要はありません。	
1—3	預かり保育事業	預かり保育事業では早朝など延長保育時間に相当するような時間帯に実施する場合でも無償化の対象となるのですか。	預かり保育事業を含め子育てのための施設等利用給付は、利用時間帯ではなく、月額の上限額で支給限度を定めており、早朝など延長保育時間に相当する時間帯の利用であっても、月額上限額の範囲内であれば無償化の対象となります。	
1—4	一時預かり事業、病児保育事業、子育て援助活動支援事業	一時預かり事業、病児保育事業、子育て援助活動支援事業（ファミリー・サポート・センター事業）の利用が幼児教育・保育の無償化の対象となるためには、保育の必要性の認定を受ける必要がありますか。	保育の必要性の認定が必要です。特定教育・保育施設（保育所・認定こども園）又は特定地域型保育事業を利用できていない方であって、保育の必要性がある場合は、保育所等の利用者との公平性の観点から、施設等利用給付第2・3号認定を受けることにより、認可保育所における保育料の全国平均額（3歳から5歳までの場合、月額3.7万円）まで認可外保育施設等の利用と併せて、子育てのための施設等利用給付を受けることができます。 （注）「特定教育・保育施設（保育所・認定こども園）又は特定地域型保育事業を利用している方」又は「特定教育・保育施設（保育所・認定こども園）又は特定地域型保育事業を利用できてい	

		ない方」という場合の「認定こども園」は、保育標準時間又は保育短時間での利用を指す。以降の問でも同じ。
1—5	一時預かり事業	子ども・子育て支援法に基づく一時預かり事業には、一般型、幼稚園型、余裕活用型、居宅訪問型、地域密着Ⅱ型といった類型がありますが、この全ての類型が幼児教育・保育の無償化の対象となるのですか。	どの類型の事業を行っている事業所を利用した場合にも対象となります。 　対象者は、特定教育・保育施設（保育所・認定こども園）又は特定地域型保育事業を利用できていない方であって、保育の必要性がある方に限られており、保育所等の利用者との公平性の観点から、施設等利用給付第2・3号認定を受けることにより、認可保育所における保育料の全国平均額（3歳から5歳までの場合、月額3.7万円）まで認可外保育施設等の利用と併せて、子育てのための施設等利用給付を受けることができます。 　なお、幼稚園、認定こども園（1号）、特別支援学校幼稚部の在籍者が、教育標準時間の利用と併せて当該施設において提供される一時預かり事業を利用する場合については、子育てのための施設等利用給付においては、幼稚園等の預かり保育事業として扱われ、上限額は月額1.13万円となります。
1—6	一時預かり事業	2歳の子供を対象として幼稚園で行われる、子ども・子育て支援法に基づく一時預かり事業（幼稚園型Ⅱ）は幼児教育・保育の無償化の対象になりますか。	保育所等の利用者との公平性の観点から、住民税非課税世帯の子供について、保育の必要性が認められた場合、月額4.2万円を上限額として子育てのための施設等利用給付の対象となります。
1—7	緊急一時預かり事業	認可外保育施設の利用に対して施設等利用費を受給できる子どもは「保育の必要性があると認定された子供であって、特定教育・保育施設（保育所・認定こども園）又は特定地域型保育事業を利用できていない者」とされていますが、認可保育所の空きスペース等を活用して実施される緊急一時預かり事業の利用料は施設等利用給付の対象になりますか。	緊急一時預かり事業については、子ども・子育て支援法に基づく一時預かり事業の対象とされており、特定教育・保育施設（保育所・認定こども園）又は特定地域型保育事業を利用できていない方であって、保育の必要性がある場合は、施設等利用給付第2・3号認定を受けることにより、認可保育所における保育料の全国平均額（3歳から5歳までの場合、月額3.7万円）まで子育てのための施設等利用給付を受けることができます。
1—8	病児保育事業	病児保育事業を利用した際に、その利用料が幼児教育・保育の無償化の対象になるのはどのような場合ですか。	特定教育・保育施設（保育所・認定こども園）又は特定地域型保育事業を利用している方については、保育標準時間認定、保育短時間認定どちらの場合も病児保育事業を利用した際の利用料は無償化の対象とはなりません。 　特定教育・保育施設（保育所・認定こども園）又は特定地域型保育事業を利用できていない方であって、保育の必要性がある場合は、保育所等の利用者との公平性の観点から、施設等利用給付第2・3号認定を受けることにより、認可保育所における保育料の全国平均額（3歳から5歳までの場合、月額3.7万円）まで子育てのための施設等利用給付を受けることができます。
1—9	病児保育事業	子ども・子育て支援法に基づく病児保育事業には、病児対応型・病後児対応型、体調不良児対応型、非施設型（訪問型）、送迎対応という類型がありますが、この全ての類型が子育てのための施設等利用給付の対象となるのですか。	病児対応型、病後児対応型、体調不良児対応型、非施設型（訪問型）を行っている事業所を利用した場合に対象となります（送迎対応は加算要件であり、単体で実施される事業ではありません。）。 　また、送迎に要する費用として保護者から徴収している経費は、施設等利用費の対象とはなりません。 　なお、対象者は、認可保育所や認定こども園を利用できていない方であって、保育の必要性がある方に限られており、保育所等の利用者との公平性の観点から、施設等利用給付第2・3号認定を受けることによ

			り、認可保育所における保育料の全国平均額（3歳から5歳までの場合、月額3.7万円）まで認可外保育施設等の利用と併せて、子育てのための施設等利用給付を受けることができます。	
1—10	子育て援助活動支援事業（ファミリー・サポート・センター事業）	子育て援助活動支援事業（ファミリー・サポート・センター事業）は、どのような内容であれば子育てのための施設等利用給付の対象になるのでしょうか。	ファミリー・サポート・センター事業は、特定教育・保育施設（保育所・認定こども園）又は特定地域型保育事業を利用できていない方に対する代替的な措置として、特定子ども・子育て支援施設等に含まれているものであり、原則として、「預かり」が対象となります。「預かり」と併せて利用される「送迎」については、「預かり」と一体的に行われることから施設等利用給付の対象となりますが、「送迎」のみの利用は対象外となります。	
1—11	特別利用保育	教育・保育給付第1号認定を受けた子供が、地域に幼稚園や認定こども園がない等の理由で、やむを得ず保育所等を利用する特別利用保育は、幼児教育・保育の無償化の対象となりますか。	教育認定を受けた子供が、地域に幼稚園がない等の理由でやむをえず保育所を利用した場合には、現状の特別利用保育における利用者負担額の全額が無償化となります。	
1—12	へき地保育所	へき地保育所（特例保育を提供する事業所）を利用した場合には幼児教育・保育の無償化の対象となりますか。	教育・保育給付認定を受けた子供が特例保育を提供する事業所を利用した場合には、新制度幼稚園、保育所、認定こども園と同様（※）に、利用料が無償化の対象となります。 （※）3歳から5歳までの子供の利用者負担額が無償。0歳から2歳までの子供の利用者負担額については、住民税非課税世帯を対象として無償。	
1—13	延長保育	保育所等で延長保育を利用した際に、その利用料は幼児教育・保育の無償化の対象になりますか。	特定教育・保育施設（保育所・認定こども園）又は特定地域型保育事業を利用している方については、保育標準時間認定、保育短時間認定どちらの場合も延長保育を利用した際の利用料は無償化の対象とはなりません。 なお、延長保育の利用料について、市町村（特別区を含む。以下同じ。）で独自に世帯所得等に応じた軽減を行っている場合もありますが、その在り方は引き続きそれぞれの市町村において決めてください。	
1—14	休日保育	休日保育は幼児教育・保育の無償化の対象となるのですか。	子ども・子育て支援新制度では、休日保育が給付化されており、市町村が指定した休日保育所等に対し、休日保育加算を講じています。休日保育は、保護者の多様な勤務形態に応じ、保育標準時間、保育短時間の認定された保育必要量の範囲内で特定の平日に代えて利用されるものであるため、幼児教育・保育の無償化の対象になります。また、幼児教育・保育の無償化後も、今までと同様に、休日保育の利用料を徴収することはできません。 なお、通常の保育標準時間・保育短時間外にスポットで利用される保育は、新制度においては延長保育事業又は一時預かり事業に該当すると考えられ、上記の休日保育とは異なります。	
1—15	国立大学附属幼稚園等	国立大学附属幼稚園や特別支援学校幼稚部は幼児教育・保育の無償化の対象になりますか。	今般の幼児教育・保育の無償化において、幼稚園の費用を無償化することとされており、国立大学附属幼稚園及び特別支援学校幼稚部を利用した場合も、無償化の対象となります。 無償化の上限額は、国立大学附属幼稚園は、国立大学等の授業料その他の費用に関する省令（平成16年文部科学省令第16号）に定められる標準額を踏まえて月額0.87万	

			円、国立大学附属特別支援学校幼稚部は月額0.04万円、公・私立の特別支援学校幼稚部は月額2.57万円となります（なお、公立の特別支援学校幼稚部では、現在、入園料・保育料が徴収されていません。）。 これらの学校の利用についての無償化に係る手続きは、子ども・子育て支援新制度の対象とはならない私立幼稚園と同様、居住している自治体に行っていただくこととなります。 なお、国立大学附属幼稚園及び国立大学附属特別支援学校幼稚部の利用料（入園料、保育料）に係る無償化で自治体が給付を行う分の費用は全額国が負担することとなります。	
1—16	特別支援学校等	特別支援学校幼稚部と認可保育所とを併用している例がありますが、その場合はそれぞれの施設が無償化の対象となりますか。	教育・保育給付第2・3号認定を受けた子供が現に施設型給付費を受けている場合、子育てのための施設等利用給付を受けることはできません。したがって、御指摘のような場合、認可保育所は無償化となりますが、特別支援学校幼稚部については無償化の対象となりません。	
1—17	公立特別支援学校	公立の特別支援学校幼稚部では、現在利用料（入園料・保育料）が徴収されていませんが、無償化に当たって今後確認や認定等が必要になりますか。	公立の特別支援学校幼稚部についても、私立幼稚園等と同様に法令上は子育てのための施設等利用給付の枠組みを設けていますが、従前から全ての学校で利用料（入園料・保育料）を徴収していないことから、現時点において、これらの学校が確認申請をすることにより、子育てのための施設等利用給付の枠組みに入ってくることは想定していません。このため、現存の公立特別支援学校幼稚部であっても、子ども・子育て支援法の一部を改正する法律（令和元年法律第7号）附則第3条に基づく「みなし確認」を行うことを想定しておらず、この場合は、同条ただし書きや子ども・子育て支援法施行規則の一部を改正する内閣府令（令和元年内閣府令第6号）附則第2条に基づき、学校の設置者が施行日の前日までに別段の申出を行っていただくことになります。 なお、公立の特別支援学校幼稚部において預かり保育事業により料金を徴収している場合、無償化の対象となるためには、預かり保育事業としての確認申請は必要となります。	
1—18	企業主導型保育事業	企業主導型保育事業は幼児教育・保育の無償化の対象になりますか。	企業主導型保育事業は、子ども・子育て支援法第7条第10項第4号ハの政令で定める施設として、特定子ども・子育て支援施設等ではないため、子育てのための施設等利用給付の対象にはなりませんが、子ども・子育て拠出金（事業主拠出金）によって、3歳から5歳までの子供と、0歳から2歳までの住民税非課税世帯の子供の標準的な利用料（※1）が無償（※2）になります。 （※1）標準的な利用料とは、企業主導型保育事業における標準的な利用料として補助要綱において示している額のことです。 （本年10月以降の標準的な利用料の金額（予定）） 0歳：月額37,100円、1歳・2歳：月額37,000円、3歳：月額26,600円、4歳以上：月額23,100円 （※2）ただし、無償化の実施後においても、3歳から5歳までの子供の主食費・副食費については認可保育所と同様に、原則、施設が利用者から徴	

			収することとなります。	
1—19	幼稚園利用者の認可外保育施設等利用	幼稚園と認可外保育施設等を利用している場合、認可外保育施設等は幼児教育・保育の無償化の対象となるのですか。	保育の必要性のある子供が幼稚園（認定こども園（1号）、特別支援学校幼稚部を含む。）と認可外保育施設等を利用している場合、幼稚園及び当該幼稚園の預かり保育事業の利用料は子育てのための施設等利用給付の対象となります。これに加え、認可外保育施設等を利用する場合等についても、一定の要件を満たした場合には子育てのための施設等利用給付の対象となります。 　具体的には、在籍する幼稚園が提供している預かり保育事業が、①教育時間を含む平日の預かり保育事業の提供時間数が8時間未満または②年間（平日・長期休業中・休日の合計）開所日数200日未満のいずれかの要件に該当する場合には、預かり保育事業だけでは保育ニーズが充足されない場合が強く想定されるため、預かり保育事業に係る施設等利用費の上限額（月額1.13万円。住民税非課税世帯の満3歳児は月額1.63万円）から預かり保育事業に係る施設等利用費の実際の支給額を差し引いた残りの額を上限として、認可外保育施設等の利用も子育てのための施設等利用給付の対象となります（在籍する幼稚園で預かり保育が提供されていない場合、在籍する幼稚園が上記のいずれかの要件に該当し、預かり保育事業の利用がない場合も含む。）。	
1—20	認可保育所や認定こども園利用者の認可外保育施設等利用	保育の必要性が認定され、認可保育所や認定こども園を利用している場合、これらの施設に加えて認可外保育施設等を利用した場合であっても幼児教育・保育の無償化の対象になりますか。	特定教育・保育施設（保育所・認定こども園）又は特定地域型保育事業を利用している場合は、認可外保育施設等の利用は子育てのための施設等利用給付の対象にはなりません。	
1—21	幼稚園のプレスクール	幼稚園において、満2歳児を対象としたいわゆるプレスクール（プレ保育）を実施している場合、その園児は無償化の対象となりますか。 　また、幼稚園のプレスクールでは、時間帯によって保育の形態が異なることが考えられますが、時間帯によって、確認申請の内容が異なることになるのですか。（午前中は3歳クラスと同一の部屋で保育を行うが、午後は幼稚園と分けられた施設で保育を行う場合など。）	満2歳児を対象としたいわゆるプレスクール（プレ保育）については、一律に幼児教育・保育の無償化の対象とはなりませんが、保育の必要性のある子供の定期利用を主として対象としているなど、実施の態様に照らして、一時預かり事業や認可外保育施設としての届出を行っている場合には、保育の必要性が認められる住民税非課税世帯の子供は子育てのための施設等利用給付の対象となります。（月額上限4.2万円） 　なお、幼稚園併設の認可外保育施設については、これまで児童福祉法施行規則において、届出の対象外としていましたが、認可外保育施設としての指導監督を行う必要があることに鑑み、令和元年9月27日付けで省令を改正し、これを届出の対象としました。 　次の点に留意の上、適切な対応を御願いします。（「児童福祉法施行規則及び厚生労働省の所管する法令の規定に基づく民間事業者等が行う書面の保存等における情報通信の技術の利用に関する省令の一部を改正する省令の公布について」及び「認可外保育施設に対する指導監督の実施について」の一部改正について（通知）（令和元年9月27日付け厚生労働省子ども家庭局長通知参照。）） 留意点1：認可外保育施設の届出の対象となる幼稚園併設施設は、具体的には、幼稚園における子育て支援活動等と独立して実施されており、余裕教室や敷地内の別の建物など在園児と区分された専用のスペースで専従の職員による保育が実施されているものを想定していること。 留意点2：幼稚園型認定こども園を構成す	

		る保育機能施設や、幼稚園における子育て支援活動等と区別がつかない活動（例：幼稚園の在園児と同じ部屋で預かりを実施しているもの等）については、当該保育機能施設の業務が当該幼稚園における教育活動や子育て支援活動と必ずしも明確に区別することはできないことや、幼稚園所管部局による当該幼稚園を設置する者に対しての指導が行われること等から、これまでどおり、認可外保育施設としての届出は不要であること。 留意点3：幼稚園が児童福祉法第6条の3第7項に基づく一時預かり事業を実施している場合については、従来どおり、児童福祉法等に則り適正に実施されることが求められるため、一時預かり事業としての届出が必要となること。 留意点4：留意点1に示した、認可外保育施設の届出の対象となる幼稚園併設施設の指導監督は、法等に則り適正に実施されることが求められるが、従来幼稚園所管部局が当該幼稚園に対する指導の一環として行うこととしていた経緯に鑑み、幼稚園所管部局と情報交換を行う等の連携を図ること。	
1—22	多様な事業者の参入促進・能力活用事業	保育の必要性のない子供が幼稚園や認定こども園以外の幼児教育を目的とする施設を利用する場合、幼児教育・保育の無償化の対象となるのですか。	今般の幼児教育・保育の無償化は、 ① 幼児教育の質が法律により制度的に担保された幼稚園、保育所、認定こども園等に通う子供を対象とするとともに、 ② 待機児童対策の観点から、認可外保育施設等に通う子供のうち、保育の必要性のある子供についても対象とするものです。 したがって、認可を受けていないが、地域や保護者のニーズに応えて教育活動を行っている多様な集団活動事業については、乳幼児が保育されている実態がある場合、認可外保育施設の届出があれば、当該施設を利用する子供のうち、保育の必要性のある子供については子育てのための施設等利用給付の対象となる一方、保育の必要性のない子供については子育てのための施設等利用給付の対象とはなりません。 こうした施設に通う保育の必要性のない子どもの保護者負担軽減の在り方については、地域における幼児教育の受け皿として地域の実情に応じて発展してきたものであることを踏まえ、まずは各自治体において検討いただきたいと考えています。 「幼児教育・高等教育無償化の制度の具体化に向けた方針」（平成30年12月28日関係閣僚合意）においては、「地方自治体によっては、既に独自の取組により無償化や負担軽減を行っているところがある。今般の無償化が、こうした自治体独自の取組と相まって子育て支援の充実につながるようにすることが求められる。このため、今般の無償化により自治体独自の取組の財源を、地域における子育て支援の更なる充実や次世代へのつけ回し軽減等に活用することが重要である。」とされています。 国としては、令和3年度より地域子ども・子育て支援事業における「多様な事業者の参入促進・能力活用事業」において、支援を開始しています。	
1—23	多様な事業者の参入促進・能力活用事業	幼稚園、保育所、認定こども園といった認可を受けていない幼児教育を目的とする施設、いわゆる幼児教育類似施設への支援はどのようなも	幼稚園、保育所、認定こども園といった認可を受けていないが、地域や保護者のニーズに応えて教育活動を行っている多様な集団活動事業に通う保育の必要性のない	

| | | | のが考えられますか。 | 子供については子育てのための施設等利用給付の対象とはなっておりませんが、こうした施設のうち、各自治体において子育て支援の重要な拠点と判断する施設への支援についても、積極的に検討いただきたいと考えています。その際、例えば、|

①　保育料又は運営費を独自に補助する

②　幼稚園や地方裁量型認定こども園など法律において質の担保された幼児教育・保育の無償化の対象施設への移行を支援する

③　地域子ども・子育て支援事業（いわゆる「13事業」）の実施により支援する

といった取組が考えられます。特に、国と地方が協力した支援となる③の場合には、

1)　「多様な事業者の参入促進・能力活用事業」を通じて認定こども園等への移行に向けた巡回支援を実施し、該当する施設の無償化対象施設への移行を図ることや幼児教育・保育の無償化の対象とならないものの、地域において重要な役割を果たしている、小学校就学前の子どもを対象とした多様な集団活動事業において、利用料の一部を市区町村が保護者に対して給付し、子育て支援を行う

2)　地域の子育て親子の交流の場の提供や子育て等に関する相談・援助等の取組を積極的に実施する場合には「地域子育て支援拠点事業」を委託する

3)　「一時預かり事業（一般型や地域密着Ⅱ型）」を委託して運営費支援を行い保護者負担軽減につなげる

といった取組も考えられます。

　令和4年度以降については、各地方自治体の取組状況を踏まえつつ、国としても、地方と協力してどのような支援ができるか引き続き検討しています。

| 1—24 | 幼児教育類似施設 | 各種学校は幼児教育・保育の無償化の対象となりますか。 | 今般の幼児教育・保育の無償化は、これまでの段階的な無償化の取組を一気に加速し、法律により幼児教育の質が制度的に担保された施設であり、広く国民が利用している幼稚園、保育所、認定こども園等の費用を無償化するとともに、保育の必要性のある子供については、認可外保育施設等の費用も幼児教育・保育の無償化の対象とするものです。

各種学校については、

①　幼児教育を含む個別の教育に関する基準とはなっておらず、多種多様な教育を行っており、法律により幼児教育の質が制度的に担保されているとは言えないこと、

②　また、学校教育法に基づく教育施設については、児童福祉法上、認可外保育施設には該当しないこと

から、今般の無償化の対象とはなりません。

| 1—25 | 幼児教育類似施設 | インターナショナルスクールは幼児教育・保育の無償化の対象となりますか。 | インターナショナルスクールについては、法令上の定義はなく、その設置形態等は施設によって様々であり、今般の幼児教育・保育の無償化の対象となるかは、それぞれの施設の設置形態や保育の必要性等によって異なってきます。

　例えば、幼稚園としての認可を受けていれば、無償化の対象になりますし、認可を受けていなくても、乳幼児が保育されてい

No.	事項	問	答	備考
			る実態がある場合、認可外保育施設の届出があれば、保育の必要性のある子供については施設等利用給付の対象となります。一方、各種学校については、No.1—24の通り、一般の幼児教育・保育の無償化の対象とはなりません。	
1—26	自治体独自の対象事業類型の除外	例えば幼児教育・保育の無償化の対象となる事業類型から子育て援助活動支援事業（ファミリー・サポート・センター事業）のみを除外するなど、自治体において独自に対象となる事業類型の範囲を狭めることは可能ですか。	今回の幼児教育・保育の無償化は、全国一律の制度として実施するものであり、無償化の対象となる事業類型についても、地域間での公平性の観点から、独自に除外することはできません。 なお、地域によっては、そもそもファミリー・サポート・センター事業を実施していない場合も考えられますが、この場合に同事業の実施を求めるものではありません。	
1—27	広域利用	居住している市町村とは異なる市町村の認可外保育施設を利用した場合も幼児教育・保育の無償化の対象となりますか。	保育の必要性の認定があり、認可保育所に入ることができない場合の代替措置として認可外保育施設を利用した場合は、居住している市町村とは異なる市町村の施設の利用についても、認可保育所における保育料の全国平均額（3歳から5歳までの場合、月額3.7万円）を上限として、子育てのための施設等利用給付の対象となります。	
1—28	広域利用	居住している市町村とは異なる市町村の施設型給付を受けない幼稚園を利用した場合も幼児教育・保育の無償化の対象となりますか。	居住している市町村とは異なる市町村の施設型給付を受けない幼稚園を利用した場合についても、その利用料（食事の提供に要する費用その他の日常生活に要する費用のうち内閣府令で定める費用を除く。以下同じ。）について、月額2.57万円を上限として子育てのための施設等利用給付の対象となります。保育の必要性の認定がある場合には、預かり保育事業についても月額1.13万円を上限に子育てのための施設等利用給付の対象となります。	
1—29	保育所等の私的契約児	保育所等における私的契約児は無償化の対象となりますか。	「私的契約」は、認可保育所または地域型保育事業が、市町村の利用調整の結果、入所児童が決定した後になお受け入れ可能な場合で、保育の必要性のない子どもも含め、保護者との私的な契約により受け入れるものです。この場合、市町村は施設型給付等を支給せず、利用者負担額の算定も行わないため、保育に要する費用は、基本的に施設・事業者と保護者の契約によります。 このような場合、利用している子どもがたとえ認定子どもの場合であっても、市町村が施設型給付等を支給していないことから、基本的に幼児教育・保育の無償化の対象者ではなく、利用者負担額については、専ら施設・事業者と保護者の契約によります。	
1—30	外国籍の子ども等	外国籍の子どもや米軍基地内の子どもは無償化の対象となりますか。 （自治体向けＦＡＱ【第18版】No.37と関連）	子ども・子育て支援新制度に基づく支援の対象は、日本国籍の有無、戸籍・住民登録の有無にかかわらず、当該市町村での居住の実態があれば、米軍基地内に居住する場合を含め対象としており、幼児教育・保育の無償化についても、この考え方が変わるものではありません。	

【2 幼児教育・保育の無償化の上限額等】

No.	事項	問	答	備考
2—1	認可保育所以外の上限額	保育の必要性があると認定され、特定教育・保育施設（保育所・認定こども園）又は特定地域型保育事業を利用できていない方が、一般的に	保育所等の利用者との公平性の観点から、3歳から5歳までの子供については、認可保育所における月額保育料の全国平均額である月額3.7万円、住民税非課税世帯	

		いう認可外保育施設、自治体独自の認証保育施設、ベビーホテル、ベビーシッター、認可外の事業所内保育、病児保育事業やファミリー・サポート・センター事業を利用する場合、幼児教育・保育の無償化の上限額はいくらですか。	の０歳から２歳までの子供については月額4.2万円が施設等利用費の上限額となります。	
2―2	施設型給付を受けない幼稚園の上限額	子ども・子育て支援新制度の対象となる幼稚園（以下、「新制度幼稚園」という。）と、施設型給付を受けない幼稚園では、幼児教育・保育の無償化の上限額に違いはありますか。	子ども・子育て支援新制度の幼稚園は、教育・保育給付第１号認定子どもの利用者負担額の全額が無償化となります。 　新制度に移行していない幼稚園の場合は、各園による自由価格であり、新制度の幼稚園との公平性の観点から、教育・保育給付第１号認定子どもの利用者負担額の上限である月額2.57万円を上限として無償となります。	
2―3	施設型給付を受けない幼稚園の上限額	施設型給付を受けない幼稚園の利用料が月額2.57万円より安い場合、差額（例えば利用料が月額２万円の場合は5,700円）を他のサービスの幼児教育・保育の無償化に利用することはできますか。	今般の幼児教育・保育の無償化は、教育・保育の必要性に応じて個々人に必要とされる教育・保育に係る利用料を無償化することとしています。 　このため、施設型給付を受けない幼稚園においては、「月額2.57万円分を無償化」するのではなく、「幼稚園の利用料を無償化する」という考え方に立って、施設型給付を受ける幼稚園との公平性の観点から月額2.57万円という上限を設けているという考え方であるため、利用料が月額2.57万円よりも低い場合でも2.57万円との差額を他のサービスの無償化に利用することはできません。	
2―4	施設型給付を受けない幼稚園の上限額	施設型給付を受けない幼稚園の利用料が月額2.57万円より高い場合、その差額（例えば利用料が月額３万円の場合は、4,300円）は自己負担になりますか。	施設型給付を受けない幼稚園の利用料が月額2.57万円より高い場合、その差額は利用者の自己負担になります。	
2―5	預かり保育事業の上限額	保育の必要性があると認定され、幼稚園と幼稚園の預かり保育事業を利用する場合、幼稚園の預かり保育事業の施設等利用費の月額上限額はいくらですか。	保育所等の利用者との公平性の観点から、認可保育所における保育料の全国平均額（３歳から５歳までの場合、月額3.7万円）から、幼稚園利用料に係る施設等利用費の上限額（月額2.57万円）を差し引いた額（月額1.13万円）が預かり保育事業（認定こども園（１号）、特別支援学校幼稚部を含む。）に係る施設等利用費の上限額となります。 　なお、給付の適正を図るため、施設等利用費の支給額の算定については、実際の預かり保育事業の利用量に応じた計算とすることとしています。具体的には、利用日数に日額単価（450円）を乗じて計算した支給限度額（上限1.13万円）と実際に支払った利用実績額を月毎に比較して、少ない方が支給額となる仕組みとなります。 　つまり、預かり保育事業の給付額は、月ごとに支給限度額と利用実績額の合計を比較して算出すればよく、例えば、曜日によって利用実績額が異なる（水曜日は300円、金曜日は600円など）といった場合であっても、日ごとに利用実績額と日額単価（450円）を比較する必要はありません。 （参考）ある月の支給額算定方法（例） ・預かり保育事業の利用料として園に支払った額の月内総額：Ａ円 ・支給限度額：利用日数×日額単価（450円）＝Ｂ円（上限：11,300円） 　　⇒Ａ円とＢ円のうちいずれか小さい方を保護者に対して支給	

2—6	預かり保育事業の上限額	幼稚園等利用者が認可外保育施設等を利用する際の施設等利用費の考え方、費用の充て方（計算式）はどのようになるでしょうか。	幼稚園等が預かり保育事業を実施していない場合や、預かり保育事業が十分な水準ではない場合に限り、認可外保育施設等の利用も子育てのための施設等利用給付の対象となりますが、その支給上限額は、預かり保育事業の無償化上限額（月額1.13万円。いわゆる満3歳になった日から最初の3月31日までの入園児の住民税非課税世帯は月額1.63万円）から、預かり保育事業に係る施設等利用費の支給額を差し引いた額となります。 （参考）ある月の支給額算定方法（例） 《①預かり保育事業の給付額算定》 預かり保育事業の利用料として園に支払った額の月内総額：6,000円 支給限度額：利用日数（15日）×日額単価（450円）＝6,750円 ⇒預かり保育事業の給付額は6,000円 ※ 預かり保育事業の給付額は、月毎に支給限度額と利用実績額の合計を比較して算出すればよく、利用実績額と日額単価（450円）を日ごとに比較する必要はありません。 《②当月の認可外保育施設等の利用に係る支給限度額》 11,300円－6,000円＝5,300円 《③認可外保育施設等の支給額》 認可外保育施設等の利用料として支払った額の月内総額：15,000円 支給限度額：5,300円 ⇒認可外保育施設等の給付額は5,300円 ※ 上記例の場合、①・②を省略し、③で11,300円の支給額とすることも可能。（No.5—28参照）	
2—7	預かり保育事業の上限額	幼稚園の預かり保育事業について、長期休業期間中の利用料が月額上限額を超過する場合がありますが、施設等利用費の支給は月額上限額×12か月の範囲内であれば、当該月のみ月額上限額を超過してもよいでしょうか。	年単位（年度単位）ではなく、各月毎に、利用日数に日額単価（450円）を乗じて計算した支給限度額（上限1.13万円）と実際に支払った利用実績額を比較して、少ない方が支給額となります。したがって、長期休業期間中など、利用実績額が施設等利用費の月額上限額を超過した月があった場合でも、他の月の施設等利用費上限額で超過分を補填することはできません。（認定こども園（教育・保育給付第1号認定）、特別支援学校幼稚部も同じ。）	
2—8	預かり保育事業の上限額	施設型給付を受けない幼稚園の利用料が月額2.57万円より低い場合でも、預かり保育事業の施設等利用費の上限月額は1.13万円ですか、それとも3.7万円と利用料との差額（例えば月額1.7万円の幼稚園を利用している場合、3.7万円－1.7万円＝2万円）ですか。	幼稚園の利用料（教育標準時間部分）と預かり保育事業の利用料は、区分して管理することとなりますので、その場合も、月額1.13万円が預かり保育事業の施設等利用費の上限額となります。 なお、給付の適正を図るため、施設等利用費の算定については、実際の預かり保育事業の利用量に応じた計算とすることとしています。具体的には、利用日数に日額単価（450円）を乗じて計算した支給限度額（上限1.13万円）と実際に支払った利用実績額を月毎に比較して、少ない方が支給額となる仕組みです。 ※ 預かり保育事業の給付額は、月毎に支給限度額と利用実績額の合計を比較して算出すればよく、利用実績額と日額単価（450円）を日ごとに比較する必要はありません。 （参考）ある月の支給額算定方法（例）	

			・預かり保育事業の利用料として園に支払った額の月内総額：A円 ・支給限度額：利用日数×日額単価＝B円（上限：11,300円） ⇒A円とB円のうちいずれか小さい方を保護者に対して支給	
2—9	預かり保育事業の上限額	保育の必要性を認定された住民税非課税世帯の子供が、年度途中で3歳になり幼稚園に通っている場合、幼稚園の預かり保育事業は幼児教育・保育の無償化の対象となりますか。また、その場合の上限額は何円ですか。	年度途中で満3歳となり幼稚園に入園した子供が利用する預かり保育事業については、保育の必要性があり市町村民税世帯非課税の場合に、施設等利用給付第3号認定を受けることにより、子育てのための施設等利用給付の対象となります。 　その場合の預かり保育事業の施設等利用費の上限額は、認可保育所における保育料の全国平均額（月額4.2万円）から、幼稚園利用料に係る施設等利用費の支給上限額（月額2.57万円）を差し引いた額（月額1.63万円）となりますが、預かり保育事業については満3歳とその他の3歳から5歳までで保育料が異なるといった事情がないため、満3歳についても3歳から5歳までの場合と同じ日額単価（450円）で、利用量に応じた支給額の計算を行うことになります。	
2—10	預かり保育事業の上限額	幼稚園の預かり保育事業の上限額について、例えば利用料の日額は1日500円、月額最大5000円としている場合、12日以上使った場合には自己負担がなく、それ未満の利用日数だと自己負担が発生するということになりますが、利用が少ない場合に自己負担が発生する仕組みは不公平ではないですか。	預かり保育事業に係る施設等利用費の支給上限額は、給付の適正化を図る観点から、利用日数に応じた計算方法としております。したがって園の料金設定や個別利用者の利用実態によって、利用日数が少ない場合などに自己負担が生じることもあり得るものと考えます。	
2—11	幼稚園等利用者の認可外保育施設等利用	施設等利用給付の第2・3号認定を受けている施設型給付を受けない幼稚園利用者が、当該幼稚園や在籍園が実施する預かり保育事業にかかる施設等利用給付を受けず、月額3.7万円（第3号認定の場合は4.2万円）を上限として認可外保育施設等の子育てのための施設等利用給付を受けることは可能ですか。	幼稚園（認定こども園（教育・保育給付第1号認定）、特別支援学校幼稚部を含む。）の利用者のうち、保育の必要性が認められる施設等利用給付第2号又は第3号認定を受けた者は、幼稚園及び幼稚園の預かり保育事業の利用料が子育てのための施設等利用給付の対象となります。 　これに加え、在籍する幼稚園が提供している預かり保育事業が、①教育時間を含む平日の預かり保育事業の提供時間数が8時間未満または②年間（平日・長期休業中・休日の合計）開所日数200日未満のいずれかに該当する場合には、幼稚園の利用料を幼児教育・保育の無償化の対象とする前提で、預かり保育事業の施設等利用費上限額から預かり保育事業の施設等利用費を差し引いた額を上限として、認可外保育施設等の利用料も施設等利用給付の対象となりますが、幼稚園等の利用料にかかる給付を受けず、月額3.7万円（第3号認定者は月額4.2万円）を上限として認可外保育施設等の利用料にかかる施設等利用費を受けることはできません。	

【3　特定子ども・子育て支援施設等の確認】

No.	事項	問	答	備考
3—1	市町村への確認申請	認可外保育施設など、今回新たに幼児教育・保育の無償化の対象となる施設や事業について、児童福祉法に基づく届出だけではなく、市町村に確認の申請を行う必要があるのはなぜですか。	市町村が施設等利用給付を行うにあたり、対象施設等に求める基準（教育・保育等の質に係る基準）を満たしているかどうか、市町村が把握（確認）する必要があり、施設・事業者は確認のための申請を当該施設・事業所を管轄する市町村にする必要があります。 　この場合、施設型給付を受けない幼稚園、特別支援学校、一時預かり事業につい	

			ては、関係法の設置基準や事業基準が適用され、市町村は、適法な認可や届出がなされた施設・事業かどうかを確認することとなります。 　幼稚園の預かり保育事業については、幼稚園教育要領に準じて実施されていることや必要な職員配置を行っていること等が市町村の確認に係る基準となりますが、これは認可された幼稚園であれば十分満たすことができる基準であり、また各幼稚園の設置者・認可権者が通常の指導監督の過程において遵守を徹底するものですので、市町村においては、認可権者による指導監督により同基準が満たされることを前提として、書面上の確認で足りることとなります（※）。 　また、認可外保育施設、病児保育事業、ファミリー・サポート・センター事業については、市町村は、対象施設等が現行の指導監督基準や地域子ども・子育て支援事業を行う際に求めている基準と同様の内容を満たしているか確認することとなり、例えば、認可外保育施設については、市町村は、都道府県から提供される情報も活用し、児童福祉法に基づく届出がなされた施設かどうかや指導監督基準を満たした施設かどうかを確認します（5年間の経過措置期間中は届出がなされた施設かどうかの確認のみ。）。 　市町村は、確認を行った施設について、その施設に通う子どもに係る施設等利用費の支給を行うこととなります。 　なお、施設型給付を受けない幼稚園や特別支援学校については、施行日にこの確認を行ったとみなされますので、新たに確認のための申請手続を行う必要はありませんが、施行日までに一定の書類を所在地市町村に提出していただくことにしています。 　（※）幼稚園の預かり保育事業については、令和元年10月2日付け通知により、別途一時預かり事業（幼稚園型）と同様の基準を満たすよう求めておりますが、これは預かり保育事業の質の確保・向上のために実施するものであり、各幼稚園の設置者・認可権者が通常の指導監督の過程において遵守を徹底するものです（No.7―1参照）。	
3―2	市町村の関与	市町村は、特定の施設や事業について、調査や勧告を行ったり、無償化の給付を停止するなど、必要に応じて関与することは可能ですか。	市町村が子ども・子育て支援法に基づき確認を行った特定子ども・子育て支援施設等については、法第30条の3において準用する法第14条第1項に基づいて、法第58条の4第1項及び第2項に定める基準について指導し、必要と認める場合には法第58条の8第1項に基づき監査を実施することができます。 　指導監査の実施により、特定子ども・子育て支援施設等に改善を求める場合には、指導においては実地指導の結果通知、監査においては監査結果の結果通知を行い、指摘事項の改善を求めますが、指摘事項の内容によっては、法第58条の9第1項に基づく勧告や、同条第5項に基づく措置命令を行う権限があります。また法第58条の10各号のいずれかに該当する場合は、確認の取り消しを行うことができる規定があります。 　詳しくは、別途「特定子ども・子育て支援施設等の指導監査について」（令和元年11月27日付け府子本第689号・元文科初第1118号・子発1126第2号内閣府子ども・子育て本部統括官、文部科学省初等中等局	

			長、厚生労働省子ども家庭局長通知）を参照して下さい。	
3—3	市町村の関与	市町村は、公立施設に関しても、確認の申請や審査を行う必要がありますか。	市町村が設置する公立施設等の確認については、その市町村の判断により申請・審査の手続を簡素化して差し支えありません。	
3—4	簡易な確認手続き	実務フローにおいては、市町村が実施する一時預かり事業・病児保育事業と、子育て援助活動支援事業は、市町村が実施主体となることから、それぞれ市町村は簡易な確認手続きをすることができるとされていますが、具体的にどのような手続きが考えられますか。	地域子ども・子育て支援事業など市町村又はその委託等を受けた者が実施する一時預かり事業と病児保育事業については、例えば、市町村自身が実施する場合は、担当課同士で事業内容を確認した上で、問題がなければ公示手続きにおける決裁等で代用することが考えられます。また、市町村の委託を受けた者が実施する場合には、地域子ども・子育て支援事業の委託契約の際や、法施行時等に、事業者の簡易な確認申請方法として、「特定子ども・子育て支援施設等確認申請書」のみの提出を受ける（別紙の提出は求めない）手法が考えられます。 また、子育て援助活動支援事業については、緊急救命講習、事故防止に関する講習が適切に実施されているかどうか確認することが主たる目的ですが、法第7条第10項第8号において、市町村が実施するものであること（内閣府令で、市町村又はその委託等を受けた者が行うものであることを規定）としていることから、確認の手続は、市町村自身が実施する場合には、市町村内の担当部局間において、研修の実施状況など基準適合の状況などを確認し、公示手続の決裁をもって確認を代用することが考えられ、委託等を受けた者が行う場合は、「特定子ども・子育て支援施設等確認申請書」のみの提出を受けることが考えられます。	
3—5	みなし確認	国が示す確認参考様式その0（共通かがみ）の添付書類に定款、寄附行為や役員名簿等が示されておりますが、現存する施設型給付を受けない幼稚園等がみなし確認の申請を行う際にもこれらの添付書類が必要となりますか。	みなし確認を行う場合、幼稚園等の設置者は、確認申請書に加え、子ども・子育て支援法施行規則の一部を改正する内閣府令（令和元年内閣府令第6号）附則第3条に基づき、施行規則第53条の2第5号に掲げる書類（認可証の写しその他の子ども・子育て支援施設等であることを証する書類）を提出する必要がありますが、通常の確認申請の際に要する定款等の添付書類を提出する必要はありません。なお、現存する幼稚園等が預かり保育事業の確認申請を行う際は、施設型給付を受ける・受けないに限らず、定款等の添付書類を提出する必要があります。	
3—6	広域利用	居住者が他の都道府県や市町村に所在する幼稚園等の預かり保育事業を利用する場合、利用者が居住する市町村は同事業の確認情報をどのように把握すれば良いですか。	市町村が施設等利用費の支給に係る事業として、施設からの申請に基づき預かり保育事業を確認した場合、市町村は遅滞なく公示する必要があります。また、市町村が確認した情報は、指導監督権者である都道府県に共有いただき、都道府県は域内の市町村に確認の情報を共有していただくこととしております。 このため、預かり保育事業の利用者が居住する市町村は、県内他市町村の預かり保育事業の確認等の情報については、都道府県より提供を受けるとともに、仮に県外の他市町村の幼稚園等の預かり保育事業の情報把握が必要となった場合には、上記の公示された情報により把握することになります。	
3—7	都道府県保有情報の活用	施設の確認をする際に、都道府県が持っている情報を活用することはできますか。	例えば、認可外保育施設の確認に際しては、都道府県が届出等により把握した情報を活用することが想定されます。こうした	

		際に、必要に応じて、都道府県に協力を求められる旨の規定があります（子ども・子育て支援法第58条の12）。	
3—8	預かり保育事業の確認	預かり保育事業について、確認申請を審査した結果、関係する内閣府令で定める基準を満たしていないことが明らかな場合は、確認ができないことから、同事業は施設等利用費の対象外となるのですか。	幼稚園が実施する預かり保育事業については、認可権者等の所轄庁による指導監督により内閣府令で定める基準が満たされていることを前提として、書面による確認で足りることとしており、基本的に全ての園がこの基準を満たすことを想定しています。仮に、申請時に当該基準を満たさないことが明らかな場合であっても、その状況を所轄庁に報告した上で、その指導監督等により基準を満たしていただくことが基本となりますが、それでもなお基準を満たさない場合には、特定子ども・子育て支援施設等としての確認はできないことになります。	
3—9	預かり保育事業の確認	一旦、確認した預かり保育事業について、内閣府令で定める基準を満たさないことが判明した場合、確認を取り消すこととなるのですか。	内閣府令で定める預かり保育事業の基準は、認可権者等の所轄庁による指導監督により満たされていることを前提としており、仮に確認した後に同基準を満たさないことが明らかになった場合であっても、直ちに市町村が確認を取り消すのではなく、まずは所轄庁により同基準を満たすよう指導していただくとともに、必要に応じて子ども・子育て支援法に基づく勧告・命令を行っていただくことになります。 ただし、例えば、所轄庁の再三にわたる指導や同法に基づく勧告・命令にも関わらず、事業者が同基準を満たす意向を示さないなど、将来的にも同基準を満たすことが全く見込まれない場合は、確認を取り消すこともやむを得ないものと考えます。	
3—10	預かり保育事業の確認	預かり保育事業の確認に関する内閣府令で定める基準は、保育を必要とする者（無償化の対象者）を受け入れていない施設においても満たすことが必要ですか。	預かり保育事業の質を担保する観点から、幼稚園教育要領等の解釈の一環として、内閣府令で定める基準等の内容について、所轄庁から指導監督いただくよう令和元年10月2日付けで通知しており、保育を必要とする者を受入れていない施設においても、同様の基準を満たすことが望ましいと考えております。	
3—11	預かり保育事業の確認	預かり保育事業の確認の基準として、担当職員が「専ら預かり保育事業に従事する」というものがありますが、これは専任の職員の雇用を求めるものですか。	「専ら預かり保育に従事する」とは、担当職員が預かり保育事業に従事している時間は、預かり保育事業に専従するという意味であり、その他の時間に他の業務に従事することを妨げるものではありません。このため、例えば、教育課程担当職員が午前中は教育課程上の活動を担当し、午後は預かり保育事業を担当するような運用も可能です。 この場合、校務分掌や発令等により担当を明確にしておくことのほか、特に新制度幼稚園が一時預かり事業も受託している場合などにおいて、公定価格において必要教員として措置されている常勤職員を一時預かり事業の配置職員として二重で計上するなど、公費の二重給付とならないよう御対応いただくことが必要となることに御留意ください。	
3—12	預かり保育事業の確認	施設型給付を受けない幼稚園の預かり保育事業について、実務フローでは、市町村と都道府県が預かり保育事業の実施状況を共有することとなっており、これにより、市町村は書面により預かり保育事業を確認することとなりますが、都道府県がまず基準の充足性を確認した後でないと、市町村は確認することが出来ないのですか。また、市町村が確認し	市町村の確認を受けなければ、当該預かり保育事業は無償化の対象となりません。市町村は、都道府県による指導監督により基準が充足されることを前提に、確認申請書の記載事項を基に確認を行うこととなります。都道府県は通常の指導監査の中で、基準の充足性を確認することとなります。	

		ない限り、無償化の対象とならないのですか。	
3—13	預かり保育事業の確認	幼稚園等の利用者が認可外保育施設等の利用料も無償化の対象になることについて、実務フロー図等では、預かり保育事業の確認後に在園地の市町村から施設に伝達することが示されていますが、幼稚園等が預かり保育事業を実施していない場合にも、幼稚園等からの確認申請や市町村からの伝達のほか、預かり保育事業に係る請求書の配布が必要ですか。	幼稚園等が預かり保育事業を実施していない場合、預かり保育事業の確認申請は不要ですが、施設等利用給付第２・３号認定を受けている幼稚園等利用者が利用する認可外保育施設等が無償化の対象となることについて市町村が把握する必要があるため、市町村は幼稚園等に対して、例えば国が示す確認参考様式その３（預かり保育）を提出させることなどによって預かり保育事業を実施していないことを把握し、認可外保育施設等も無償化の対象となることを当該幼稚園等に伝達することが必要と思われます。また、幼稚園等が預かり保育事業を実施していない場合であっても、利用者の利便性を考慮し、預かり保育事業と合わせて認可外保育施設等の施設等利用費を請求する請求書（請求書参考様式その３）を案内することや事前に配布しておくことが望ましいと思われます。	
3—14	預かり保育事業の確認	認可外保育施設については、情報公表システムを設けるということですが、預かり保育事業についても同システムで情報を公表する予定はありますか。	現時点で同システムに預かり保育事業の情報を掲載する予定はありませんが、幼稚園利用者が認可外保育施設等の利用料を無償化の対象とできる場合を含め、預かり保育事業の確認情報については、市町村が行う公示のほか、都道府県にも共有することにより、利用者が居住する市町村外の施設等を利用する場合であってもそれらの情報を把握することが可能と考えております。	
3—15	預かり保育事業の確認	幼稚園等の利用者が認可外保育施設等の利用も無償化の対象となる際の要件である預かり保育事業の提供が「十分な水準ではない」ことも公示する必要がありますか。	幼稚園等が行う預かり保育事業が「十分な水準ではない」とする要件は、①教育時間を含む平日の預かり保育事業の提供時間が８時間未満もしくは、②年間（平日・長期休業中・休日の合計）開所日数200日未満のいずれかに該当する場合であり、法施行規則第53条の６で定められている特定子ども・子育て支援施設等であることを公示する事項には、預かり保育事業の十分な水準を満たしているか否かの別も含まれています。	
			なお、この要件は、年度開始前に予定している年間計画で判断していただくことになります。このため、年間計画の変更により年度開始前の段階で見直すことが必要な場合に、市町村は幼稚園等から、例えば法第30条の３で準用する第14条第１項に基づき確認申請書の別紙（確認参考様式その３（預かり保育））を提出させることなどにより預かり保育事業の実施状況（予定）を確認するようお願いします。	
			また、十分な水準を満たしているか否かについては、預かり保育事業として特定子ども・子育て支援施設等の確認を受けない施設においても判断する必要があることに留意が必要です。	
3—16	預かり保育事業の確認	預かり保育事業について、無償化に伴う利用者数増を抑制する目的などから確認申請を行わない幼稚園等がありますが、市町村としてどのように対処すれば良いですか。	特定子ども・子育て支援施設等の確認申請書を提出しない預かり保育事業は、施設等利用費の給付対象外となり、当該預かり保育事業を認定保護者が利用しても施設等利用給付を受けることができず、認定保護者が利用料を全額自己負担することになります。	
			特定子ども・子育て支援施設等の確認は、施設又は事業を行う者が申請することとされておりますが（法施行規則第53条の２）、確認を受けたか否かで当該施設等を利用する認定保護者が受けられる施設等利用費の給付額に影響が及ぶことから、施設	

		等の所在市町村においては、幼児教育・保育の無償化制度の趣旨を当該施設等へ丁寧に説明して確認を受けるよう促してください。 　それでもなお確認を受けない預かり保育事業がある場合には、保護者が施設等利用費の対象外の施設等であることを知らずに利用することにならないよう、保護者に対し、特定子ども・子育て支援施設等の一覧を配布する、あるいは公示内容が確認できるHPを紹介するとともに、確認を受けていない施設等を利用した場合の利用料は、全額自己負担となることを合わせて周知してください。 　なお、幼稚園等が預かり保育事業の確認申請を行わない場合でも、預かり保育事業の開設時間等によっては、当該園を利用する施設等利用給付第2・3号認定者が利用する認可外保育施設等が無償化の対象となる場合があるので、市町村は幼稚園等に対して、例えば国が示す確認参考様式その3（預かり保育）を提出させることなどによって預かり保育事業の実施状況を把握するようお願いします。	
3―17	非在園児も対象とする預かり保育事業の確認	預かり保育事業を一時預かり事業（幼稚園型Ⅰ）により実施している幼稚園が、どこの幼稚園にも在園していない子どもを預かる場合、確認の申請は預かり保育事業として確認参考様式その3（預かり保育）を提出すればよいでしょうか。	一時預かり事業（幼稚園型Ⅰ）として、自園に在園していない子どもを預かる場合には、改正後の子ども・子育て支援法第7条第10項第6号の一時預かり事業に該当するため、確認参考様式その4（一時預かり事業）を提出いただくことになります。なお、併せて自園に在籍している子どもを預かる場合には、確認参考様式その3（預かり保育事業）を併せて提出していただくことになります。	
3―18	みなし確認	子ども・子育て支援法の一部を改正する法律の附則第3条に、施設型給付を受けない幼稚園・特別支援学校は、法の施行日に確認があったものとみなすとしておりますが、この「みなし確認」について市町村は具体的にどのような手続きを行えばよいですか。	改正法附則第3条のとおり、施設型給付を受けない幼稚園と特別支援学校については、施行日に確認を行ったとみなすため、基本的に確認手続は不要ですが、市町村は最低限度、法の施行日までに「特定子ども・子育て支援施設等確認申請書（別添「確認参考様式その0」）と、学校教育法による「認可を証する書類の写し」の提出を求めるものとし、その他市町村が必要と判断する書類を求めることは差し支えないものとします。 　この「認可を証する書類の写し」とは、各都道府県が定める規則等に基づき、都道府県が認可を決定した際に申請者に通知した書面の写し等を想定しております。ただし、設置が古い園などで該当する書類を準備できない場合、市町村は、都道府県が公表している設置認可の情報等を活用することでも構いません。 　なお、国立大学附属幼稚園等については、法令により学校教育法上の幼稚園であることが明らかであることから、国立大学法人法施行規則別表第2に記載されている一覧により確認していただきたいと考えております。	
3―19	事業開始前の届出の促進方策	児童福祉法第59の2による認可外保育施設事業者の届出が事業開始後となり、事業開始日から当該施設を利用している施設等利用給付認定保護者が、事業開始日から届出日までの間は施設等利用費の給付が受けられないことにならないよう、認定保護者の利益を鑑み、国として事業開始前の届出を促進する方策等はないのでしょうか。	事業者の届出手続が遅れること等により、保護者の受給権が不当に制限されることがないよう、10月の施行に向けて周知を行ってまいります。	

		問	答	
3—20	認可外保育施設の確認申請	認可外の事業所内保育施設で0―2歳のみ受け入れている施設において、非課税世帯が存在しない場合には、確認申請はしなくても良いでしょうか。	前年度中、休職していたため住民税非課税世帯となった場合も考えられるため、こうした点も考慮した上で、各事業者において適切に判断下さい。	
3—21	在日米軍基地内での取扱	米軍基地内にある認可外保育施設などは、所在地市町村の確認を受けたり、都道府県等への届出を行うことができますか。	保育を行うこと等を目的とした施設について、認可を受けていないものは、親族間の預かりの場合等を除き、認可外保育施設として届け出なければならないこととされており、御指摘のような施設についても届出を行う必要があります。	
3—22	公示について	特定子ども・子育て支援施設等の確認をした後には、確認した旨を文書で事業者に伝える必要があるのでしょうか。	現行の特定教育・保育施設等の確認と同様の取扱いをしていただいて差し支えありません。	
3—23	個人が行う居宅訪問型事業の公示について	子ども・子育て支援法施行規則第53条の6において、市町村が確認の公示を行う際に、所在地を明確にする必要がありますが、施設を持たない個人が行う居宅訪問型事業について確認し公示する場合は、プライバシー保護の観点から当該個人の住所は公開しないなどの対応をとることは可能ですか。	個人が行う居宅訪問型事業の確認の公示においては、市町村の判断により、個人の住所は非公開とする対応を行うことは差し支えありませんが、プライバシー保護の観点から個人の住所は公開しないこと、及び連絡をとる必要がある場合は市町村への問い合わせをお願いする旨の注釈を記すようお願いします。	
3—24	認可外の居宅訪問型保育事業（保育者の転出入に伴う取扱い）	A市在住の認可外のベビーシッターが同市で特定子ども・子育て支援施設等としての確認を受けましたが、その後B市へ転出しました。 この場合、A市で受けた確認は転出日をもって効力を失うこととなるのでしょうか。 また、当該ベビーシッターの転出日以降に当該ベビーシッターを利用した場合、その利用料は施設等利用費の支給対象外となってしまうのでしょうか。	確認については、規則第53条の2において、事業を行う者が確認に係る申請書類を当該施設又は事業所の設置の場所を管轄する市町村長に提出しなければならない、とされています。また、法第58条の5では、施設又は事業所の場所に変更があったときには10日以内に変更届を市町村長に提出しなければならないこととされています。 特定子ども・子育て支援施設等の確認の効力は全国に及ぶため、当該ベビーシッターはA市転出後に所在地（＝住所）の変更届をA市へ提出する必要があるが、A市が行った当該ベビーシッターの確認自体の効果は継続するものと考えられます。 しかし、特定子ども・子育て支援施設等の確認は、所在市町村において行うものであり、また確認指導監査を実施する観点からは当該ベビーシッターの居住市町村において確認指導監査を実施することが望ましいため、本件については、転出先であるB市において特定子ども・子育て支援施設等としての確認を受けると同時にA市へ確認の辞退届を提出することが望ましいと考えます。 よって、確認辞退届がA市へ提出されるまでの間は、同市で確認を受けた特定子ども・子育て支援施設等であるため、同市転出後に提供を受けた子ども・子育て支援については施設等利用費の支給対象として構いません。 なお、ベビーシッターから確認の申請があった際には、別の市町村で特定子ども・子育て支援施設等としての確認を受けていないかベビーシッター本人に確認してA市とB市で確認の重複が起こらないよう注意してください。	（8―22に掲載）

【4　施設等利用給付認定】

No.	事項	問	答	備考
4—1	個人番号や住基ネットの活用	施設等利用給付認定の際に、対象者の確認や、食材料費を施設による徴収としたこと等に伴う所得確認事	今般の改正により、番号法別表第1及び住民基本台帳法別表第2及び別表第4に、現行の「子どものための教育・保育給付の	

		務において、個人番号（マイナンバー）や住基ネットを利用することができますか。	支給に関する事務」に加え、「子育てのための施設等利用給付の支給に関する事務」が加えられ、改正法の公布と併せて下位法令の手当も行われているため、これら事務の処理のために個人番号や住基ネットを利用することは可能です。 　また、食材料費を施設による徴収としたこと等に伴う所得確認について、同一市町村内における、いわゆる「庁内連携」については、子ども・子育て支援法の改正法の公布の日から利用可能となります。 　一方、市町村をまたぐ情報連携については、令和3年10月8日から本格運用がされています。
4—2	階層判定の要否	幼児教育・保育の無償化の実施後も、3歳から5歳までの子供の利用者負担額の階層判定は必要ですか。	3歳から5歳までの子供の幼稚園、保育所、認定こども園等の利用においては、今般の幼児教育・保育の無償化に伴い、保育料の算定にあたっては階層区分の判定は不要となりますが、副食費の免除等にあたって、所得情報の確認が必要となります。
4—3	保育の必要性の認定対象外者の取扱	保育の必要性の認定の対象とはならない場合（例：専業主婦家庭等）、どのような施設の利用が幼児教育・保育の無償化の対象になりますか。	3歳から5歳までの保育の必要性のない子供については、幼稚園、認定こども園（4時間相当分）は無償化の対象となります。なお、この場合、預かり保育事業は無償化の対象となりませんが就学前の障害児の発達支援（いわゆる障害児通園施設）は無償化の対象となります。
4—4	就学猶予の取扱	就学猶予により、6歳以上児が認可保育所や幼稚園等を利用した場合は、幼児教育・保育の無償化の対象となりますか。	現行の子どものための教育・保育給付についても、就学猶予の場合は、6歳以上児についても給付の対象となっているのと同様に、施設型給付を受けない幼稚園や預かり保育事業、認可外保育施設等についても、子育てのための施設等利用給付の対象となります。
4—5	幼稚園等の無償化対象期間	3歳から5歳までの幼児教育・保育の無償化の開始年齢は、満3歳になった日からですか。満3歳になった最初の4月からですか。また、6歳の誕生日に無償化が終了してしまうのですか。	今回の幼児教育・保育の無償化では、小学校就学前の3年間分の利用料を無償化することを基本的な考え方としております。このため、保育所等を利用する子供について、年度途中に満3歳になっても、翌年度の4月からの利用料が無償化され、また、年度途中に満6歳になっても、その年度の3月までの利用料は無償となります。これは、就学前の障害児の発達支援においても同様です。 　一方、幼稚園については、①学校教育法上、満3歳（3歳になった日）から入園できることとされている、②満3歳児は翌年度の4月を待たず年少クラスに所属する場合も多い、③これまでの段階的無償化においても満3歳から補助対象としている、といった他の施設・事業にはない事情を踏まえ、満3歳になった日から無償化の対象となります（認定こども園（教育・保育給付第1号認定）、特別支援学校幼稚部を含む）。 　ただし、幼稚園の預かり保育事業については、保育所等との公平性の観点から、住民税非課税世帯を除き、翌年度（4月）からが子育てのための施設等利用給付の対象となります。
4—6	追加認定	幼稚園や認定こども園において、教育・保育給付認定第1号認定を取得した子供が利用する預かり保育事業が施設等利用給付の対象となるためには、別途、施設等利用給付第2・3号認定が必要になるのですか。	教育・保育給付第1号認定を取得して幼稚園や認定こども園を利用している子供の場合、預かり保育事業が無償化の対象となるためには、当該教育・保育給付第1号認定に加えて、施設等利用給付第2・3号認定が必要となります。
4—7	就労時間の取	保育の必要性を認定する場合につ	就労時間に係る要件について、教育・保

	扱い	いて、教育・保育認定では、就労時間に係る要件を月48時間から64時間の範囲内で市町村ごとに規定（法の施行から10年間は経過措置あり。）することとしていますが、施設等利用給付認定においても、同様の取り扱いとなるのでしょうか。	育認定と施設等利用給付認定に違いを持たせることはできないので、施設等利用給付認定においても同様の取り扱いとなります。	
4—8	月48時間就労の場合の注意点	本市では、保育の必要性の事由のうち「就労」の要件として、月48時間以上の就労を要件としています。 　このため、幼稚園を利用する保護者が午前中のみの勤務の場合、就労時間中は幼稚園が利用できれば足りる場合があります。 　このような場合でも、市基準の月48時間以上の就労をクリアしているなら、申請があれば施設等利用給付第2号を認定するべきでしょうか。	保育の必要性の事由が「就労」の場合に「月48時間以上」を要件としているのであれば、法第30条の4第2号により施設等利用給付認定の対象です。 　当該認定保護者は、実質的に、午前中の幼稚園（教育部分）の利用が出来れば、第2号認定を受けなくても困らないと思いますが、例えば、突発的に午後も仕事となったため、「特定子ども・子育て支援施設等」を利用したという場合に、第2号認定を受けていないために施設等利用費を受給できないという結果になります。したがって、施設等利用給付の認定は必要と考えます。 　しかしながら、当該保護者が就労時間外なのに「特定子ども・子育て支援施設等」を利用し、施設等利用費を請求するという場合も想定されますが、これまでも月48時間以上の就労で保育の必要性を認定してきたのであれば、認可保育所の利用者にも同様の方が存在していたと思いますので、この場合と同様に取り扱うのが妥当と考えます。	
4—9	認定手続き	幼稚園の預かり保育事業利用者における施設等利用給付第2・3号認定の事務は誰がどのように行うのですか。	現在、子ども・子育て支援新制度の幼稚園で行われている教育・保育給付第1号認定の申請と同様に、保護者が「保育の必要性の認定」（施設等利用給付第2・3号認定）に係る申請を在籍園を経由するなどして在住市町村に対して申請し、市町村から認定通知書の交付を受けるといった事務となります。施設型給付を受ける幼稚園も、施設型給付を受けない幼稚園も手続は共通のものと考えています。	
4—10	認定手続き	施設等利用給付認定の時期について、12月に実施するスケジュールが示されていますが、保育所の利用調整等の時期を避けて、毎年の現況確認の際（7、8月）に合わせて行うなど、自治体の状況に応じて柔軟に対応することは可能ですか。	各自治体の状況に応じて柔軟に対応することが可能です。	
4—11	認定開始日の遡及について	施設等利用給付認定の開始日は、認定の申請日より前に遡及することはできますか。	教育・保育給付認定と同様に、施設等利用給付認定についても、特定子ども・子育て支援施設等を利用する前の認定の申請を基本としていることから、施設等利用給付認定の有効期間の始期を申請後初めて施設・事業を利用した日か認定日のいずれか早い方としており、認定開始日を認定の申請日より前に遡及することはできません。 　反対に、何らかの瑕疵により保育の必要性を認定した場合など、後日瑕疵により認定を取り消す場合は遡及して取り消す場合があるものと考えます。	
4—12	市町村転出入時の認定申請について	市町村間の転出入の際に、実際に転入した日以降に転入届の提出など転入の手続きと併せて施設等利用給付認定の申請を行う場合がありますが、その場合、認定に空白期間を生じさせないためには、どのようにすればよいでしょうか。特に、同一園在園中の転出入に関しては切れ目のない認定が求められるところです。	御指摘の同一園在園中の転出入のケースで認定の空白期間が生じると、その期間について、どちらの自治体からも施設等利用費が給付できず、利用料を保護者が全額負担しなければならない状況になってしまうため、認定の空白期間が生じないよう、例えば、転出元、転入先の両自治体において、以下のような取組を通じて、手続にご配慮いただくようお願いします。	

		①転出元市町村においては、転出届を提出する住民のうち、無償化の対象となる小学校就学前子どもの保護者に対しては、転入後、速やかに転入先市町村において教育・保育給付認定及び施設等利用給付認定手続等が必要であることを周知すること。	
		②転入先市町村においては、転入者に対して、住民基本台帳担当部局が転入時に必要な手続のお知らせ等を配布している場合、当該資料（書類）の中に教育・保育給付認定及び施設等利用給付認定手続等に関する内容を追加してもらうことなどにより周知すること。	
		（令和２年10月26日付事務連絡「転出入時における事務手続の円滑化に向けた住民基本台帳担当部局との連携の強化について」参照）	
		上記の取組に加えて、認定の空白期間が生じてしまった場合については、例えば、転入届・施設等利用給付認定申請が転入日から14日以内に提出されていれば、当該市町村間で確認の上、施設等利用給付認定を取消す場合について規定した、子ども・子育て支援法第30条の９第１項第２号の「当該市町村以外の市町村の区域内に居住地を有するに至ったと認めるとき」を、転出日（転出予定日）ではなく、転入先市町村に認定申請された日と解釈し、転出元自治体は転入先自治体に認定申請日を確認し、申請日に合わせて転出元自治体における認定の取消しを行う方法などが考えられる。	
4—13	認定の申請をした日以後初めて特定子ども・子育て支援を受けた日の解釈について	規則第28条の５第１号では、施設等利用給付認定子どもの認定起算日は、「施設等利用給付認定が効力を生じた日」又は「申請をした日以後初めて特定子ども・子育て支援を受けた日」のいずれか早い日になるとしています。 例えば、令和２年４月１日から４歳児が施設型給付を受けない幼稚園への入園を希望し、預かり保育事業の利用も必要になるため、令和２年３月１日に、認定事由を「就労（４月から仕事復職）」として施設等利用給付第２号認定を申請した場合、令和２年３月20日現在でまだ認定通知書は未達でしたが、この日から３月31日まで認可外保育施設を利用し、後日この分の施設等利用費の請求があったとします。 規則第28条の５に規定される認定起算日の考え方からすると、「認定が効力を生じた日」である４月１日ではなく「申請をした日以後初めて特定子ども・子育て支援を受けた日」である３月20日が認定の有効期間の始期であると考えられ、結果として、保護者は４月から就労予定であるのにも関わらず、保育の必要性がないのに保護者に３月20日からの施設等利用費を支払うのでしょうか。	規則第28条の５第１号は、転居等の場合で、認定の開始が市町村側の処理日数等の関係で、施設の利用開始日に間に合わず保護者に不利益が被らないように配慮したものであり、「申請をした日以後初めて特定子ども・子育て支援を受けた日」の「特定子ども・子育て支援」とは、申請した施設等利用給付の要件（認定子どもの属性、認定区分、認定事由等）が認定されたことを仮定した場合に利用できるものに限られます。 つまり、問のように４月から保育の必要性の事由が「就労」であれば、法第７条第10項第４から８号までに該当する特定子ども・子育て支援施設を利用した場合の施設等利用費を４月から受けることができます。 したがって、問のような令和２年３月20日から31日まで認可外保育施設を利用すること自体は、施設に空きがあれば可能と考えられますが、その施設等利用費の請求については、市町村が認定した内容を充足していませんので、請求を取り下げて頂くことになろうかと考えます。	
4—14	認定事由	幼稚園の預かり保育事業や認可外保育施設を利用して施設等利用費の支給を受ける場合の施設等利用給付第２・３号認定の基準は、教育・保育給付第２・３号認定と全く同一にする必要がありますか。自治体の判断で差を設けることは可能ですか。	幼稚園の預かり保育事業や認可外保育施設については、特定教育・保育施設（保育所・認定こども園）又は特定地域型保育事業に入ることのできない場合の代替措置として今回幼児教育・保育の無償化の対象となったことを踏まえると、教育・保育給付第２・３号認定を取得可能であるにもかか	

		また、保育の必要性の認定事由は、教育・保育給付第２・３号認定と施設等利用給付第２・３号認定とで考え方や取り扱いが異なるものはないのでしょうか。	わらず、これらが無償化の対象とならないといった事態は避ける必要があります。 　したがって、施設等利用給付第２・３号認定の基準は、法において、現在の保育認定に係る事由をそのまま引用する形で定めており、基本的に教育・保育給付第２・３号認定の基準と同等のものとする必要があり、自治体の判断でこの差を設けることはできません。	
4―15	認定事由	法で施設等利用給付認定には、教育・保育給付認定のように保育の必要性に応じた保育標準時間・短時間等の考え方はありませんが、短時間・標準時間で分けて認定することの必要はないのですか。	施設等利用給付認定においては、短時間・標準時間といった保育の必要量を認定する必要はありません。	
4―16	認定事由	保育の必要性の事由が「求職中」の場合の施設等利用給付認定の認定事由の確認はどのように行うのでしょうか。	施設等利用給付認定における求職活動による保育の必要性の認定については、教育・保育給付認定と同じ方法で行うこととなります。 　第49回の子ども・子育て会議においてお示ししたとおり、今後、保育の必要性認定における求職事由の取扱いについては、今般の新型コロナウイルス感染症及びそのまん延防止のための措置の影響を踏まえた上で、通知等により周知する予定です。	
4―17	認定事由	幼稚園の預かり保育事業の施設等利用費を受給するためには、認可保育所等へ入所申込みを行い入所できなかったことが要件となるのですか。 　また、施設等利用給付認定の取得が要件となるのですか。	幼稚園の預かり保育事業が子育てのための施設等利用給付の対象となるためには、教育・保育給付第２号認定か、施設等利用給付第２・３号認定のいずれかの保育の必要性の認定が必要となります。 　なお、施設等利用給付第２・３号認定のみを取得する場合であってもＦＡＱ４―18に記載のあるような理由書は不要となります。	
4―18	認定事由	認可外保育施設の施設等利用費を受給するためには、認可保育所等へ入所申込みを行い、入所できなかったことが要件となるのですか。教育・保育給付第２・３号認定の取得や保留通知が必要ですか。それとも施設等利用給付第２・３号認定でよいのでしょうか。	認可外保育施設の利用者が幼児教育・保育の無償化の対象となるのは、基本的には既に教育・保育給付第２・３号認定を取得し、特定教育・保育施設（保育所・認定こども園）又は特定地域型保育事業の入所申込みを行ったにもかかわらず、利用ができなかった方ですが、実際には、保育の必要性はありながらも、認可保育所等では就労している時間帯（例えば、深夜帯）の保育が行われていない、通園可能な認可保育所等が無い等の様々な理由により、認可保育所等に入所することをあきらめ、認可保育所等の利用申込み自体を行わないで認可外保育施設を利用する方が一定程度存在することを踏まえ、こうした方も子育てのための施設等利用給付の対象としています。 　なお、参考様式にある「理由書」については、認可保育所等の利用申込みを行わないで施設等利用給付認定のみを申請した方が、認可保育所等の利用申込みを行わなかった理由を把握し、認可保育所等の利用につなげる方策を検討することが望ましいことから、市町村に是非活用していただきたいと考えています。	
4―19	認定事由	認定保護者が施設等利用給付認定を申請する際、市町村の判断で保育所の利用保留通知を求めるなどの運用は認められるのでしょうか。	申請手続きに当たって、自治体の判断により、まずは認可保育所等の利用を促すことも可能です。 　なお、このような手続きについては、あくまでも保護者に対する行政指導という位置づけであり、行政指導を行ってなお、保護者が認可保育所の申し込みを拒み、施設等利用給付第２・３号認定の取得申請を行う場合には、断ることはできません。	

4—20	認定事由	認可保育所を申し込まず、最初から認可外保育施設を希望する際、保護者から理由書を提出させることについては自治体の裁量で決められるのか。それとも必須ですか。	子育てのための施設等利用給付の認定のみを申請して、認可外保育施設を利用する者（幼稚園利用者を除く。）から、認可保育所等の利用申し込みを行わなかった理由を提出いただくことについては、保育所の利用申し込みを行わなかった理由を把握し、認可保育所等の利用につなげる方策を検討するために基本的には行っていただきたいと考えておりますが、資料の性質としては技術的助言という位置づけです。	
4—21	みなし認定	既に教育・保育給付第2・3号認定を取得した子供が認可外保育施設や幼稚園の預かり保育事業等を利用する場合、無償化の対象となるためには、別途、施設等利用給付第2・3号認定が必要になるのですか。	すでに教育・保育給付第2・3号認定を取得している場合、認可外保育施設や幼稚園の預かり保育事業等の無償化について、施設等利用給付認定を申請する必要はありません。この場合、現在取得している教育・保育給付第2・3号認定を施設等利用給付第2・3号認定とみなすこととしています。 なお、教育・保育給付第2・3号認定を取得していなくても、施設等利用給付第2・3号認定を取得すれば、子育てのための施設等利用給付の対象になります。	
4—22	みなし認定	第3号認定を取得したのちに、保育所に申し込んで利用調整の結果、保育所に入所できず、認可外保育施設に通う場合、引き続き、認可保育所への入所を希望する場合は、現行第3号認定と、みなし新第3号認定が併存するということでいいですか。	お見込みのとおり、市町村民税非課税世帯の場合は、教育・保育給付第3号認定と施設等利用給付第3号認定とが併存します。	
4—23	みなし認定（育休）	就学前子どもが、例えば育児休業から復帰して就労することを前提に教育・保育給付第2号認定を取得し、認可保育所の入所を申請したところ、利用調整の結果認可保育所の利用が保留となった場合、子どもの預け先が確保できない等の理由により育児休業期間を延長した場合でも、市町村は施設等利用給付第2号認定子どもとみなし、当該認定子どもの認可外保育施設等の利用を施設等利用給付の対象とすることができますか。	教育・保育給付第2号認定子どもが、利用調整の結果、認可保育所の利用が保留となった場合で、引き続き認可保育所の利用を希望するときは、引き続き利用調整の対象者となりますが、これと並行して、法第30条の5第7項に基づき、保育の必要性の事由を「就労」とした施設等利用給付第2号認定子どもとみなされるため（みなし認定の通知は必要。）、認定子どもが認可保育所の代わりに認可外保育施設等の特定子ども・子育て支援施設等を利用する場合は、その利用費を施設等利用給付の対象とすることができます。 しかしながら、認可保育所の利用が保留となった段階で、育児休業期間を延長した場合は、教育・保育給付第2号を認定した保育の必要性の事由（御質問の場合は「就労」）が消滅していますので、教育・保育給付第2号認定は取り消され、法第30条の5第7項のみなし認定もできません。（ただし、認可保育所に入所できれば育休を終了して就労するということであれば、引き続き利用調整の対象となるために就労予定を理由として教育・保育給付第2号認定を取り消さないということも可能であると考えられます。） したがって、御質問のような育児休業期間中の認可外保育施設等の利用料は、施設等利用給付の対象とすることはできないと考えられます。	
4—24	みなし認定（育休）対象者の不正請求の防止	上記4—23の場合で、仮に認定保護者が認定者（市町村長）に育児休業期間を延長したのにもかかわらず、その事実を市町村に申し出ることなく認可外保育施設等を利用し、施設等利用費を請求した場合は、どのように対応すれば良いでしょうか。	上記4—23のようなケースは、産休や育児休業の対象となる子供の新規利用の場合だけでなく、きょうだいの新規利用の場合、あるいは教育・保育給付第3号認定及び施設等利用給付第3号認定の場合でも起こる可能性があり、この請求は不正・不当な請求となる場合があります。 仮に市町村が当該保護者に「みなし認定」に伴う認定の通知を行ったとしても、	

			育児休業期間を延長したことが事実であれば、上記4―23の答のとおり、教育・保育給付第2号を認定した保育の必要性の事由が消滅し、教育・保育給付第2号認定も法第30条の5第7項のみなし認定も取り消されるものと解釈するべきです。 　したがって市町村は、事前に問のような請求はできない旨を周知することや、認可外保育施設等の利用予定など「みなし認定」を行う必要性を確認した後に通知すること、さらには認定期間の始期に状況を確認することなど、不正・不当な請求を未然に防ぐ方策を講じることをお勧めします。	
4―25	みなし認定	みなし認定後に、保育認定が取下げ・取消となったり、第1号認定に変更となったりした場合、みなし認定はどうすべきですか。当然になくなるのですか、取り消すのでしょうか。	一旦施設等利用給付認定を受けたとみなした後は、施設等利用給付認定として扱うことで足ります。保育認定はみなしの時点で有効であればよく、その後に保育認定の状況変更が生じても、施設等利用給付認定に連動させる必要はありません（特に、新制度幼稚園や認定こども園1号利用に変更となった場合に、施設等利用給付認定を連動して取り消すと、預かり保育事業が有償となり不測の不利益を生じさせることが想定されるため。）。	
4―26	みなし認定対象者への通知	教育・保育給付第2号認定又は第3号認定を受けている子どもが、施設型給付費等の支給を受けていない場合は、「みなし認定」の対象となり、施設等利用給付認定の申請は不要としておりますが、これにより施設等利用給付認定子どもになったことを認定子ども及び保護者に通知する必要はありますか。	法第30条の5第7項では、申請手続きの簡略化の観点から、既に教育・保育給付認定を受けている保護者については、施設等利用給付認定の申請を要さず、施設等利用給付認定を行ったとみなすこととしています。この場合においても、同条第3項に基づき、市町村はみなし認定を行った対象者に対して、認定を行った旨等の事項を保護者に通知する必要があります。	
4―27	みなし認定対象者への通知	教育・保育給付第2号認定又は第3号認定を受けている子どもが、施設型給付費等の支給を受けていない場合は、「みなし認定」の対象となりますが、教育・保育給付認定の通知をする際に施設等利用給付認定についても併せて記載し、1つの通知で行うことは可能でしょうか。	市町村から保護者への通知のタイミングは、子ども・子育て支援法第20条第6項に抵触しない限りにおいては各自治体の判断により設定可能です。 　なお、施設等利用給付のみなし認定にかかる通知を利用調整より前に行った場合、仮に利用調整の結果保育所等に入所可能となった場合、教育・保育給付と施設等利用給付の二重給付とならないよう、施設等利用給付認定の取消しを行った上で利用者に通知するといった対応が発生してしまうことに留意が必要です。 　また通知の方法については、みなし認定の記載について下線を引いて目立つようにする等、利用者に対して誤解などによる不利益が生じないようにご留意頂いたうえで、自治体において、1つにまとめて行うことも可能です。	
4―28	みなし認定の場合の通知	国が示す施設等利用給付認定等のパターン整理表にみなし認定の通知とありますが、法第30条の5第7項を見ると、「～施設等利用給付認定の申請をすることを要しない。」とあります。要さないということは、みなし認定は義務的にしなければならないということですか。機械的にみなし認定することには保育の必要性の現況確認の観点からも不安があります。	数年前に市町村が教育・保育給付認定のみ行って、実際には認定保護者が子どものための教育・保育給付を受けていないような場合には、施設等利用給付のみなし認定を行うタイミングで現況確認をしていただくというのが原則だと考えます。	
4―29	認定の変更・取消	教育・保育給付認定においては、認定区分に変更が生じる場合に、保護者が変更の認定の申請をするか、市町村が職権により変更の認定をすることとされていますが、施設等利用給付認定においても同様ですか。	施設等利用給付認定子どもについても、法第30条の8及び施行規則により、認定区分や認定期間の変更等については、基本的に保護者からの認定の変更の申請を受けるか、市町村が必要と認める場合には、職権による変更の認定を行うことが可能です。	

		また、施設等利用給付認定において、法第30条の4第3号に定める市町村民税世帯非課税の要件に該当しなくなった場合等のほか、保育の必要性の認定事由がなくなった場合は、市町村はどのように対応するのでしょうか。	また、法第30条の9第1項のように、満3歳未満の施設等利用給付第3号認定子どもが法第30条の4第3号に掲げる要件に該当しなくなった場合や、施行令に定める取消事由に該当する場合に、市町村は認定を取り消すことができますが、保育を必要とする事由に該当しなくなった場合については、施設等利用給付認定保護者の申し出によるほか、法第30条の7に定める届出に対する市町村の保育の必要性の確認により、施設等利用給付認定が取り消される場合が考えられます。
4—30	認定こども園における認定変更	認定こども園において、教育・保育給付の第3号認定子どもが、満3歳になった時点で教育・保育給付の第1号認定を受けて幼児教育・保育の無償化の対象となり、満3歳になってから最初の3月31日を経過したのちに、第2号認定を受けようとする場合が想定されます。こうした場合に対して、市町村はどのように対応すれば良いのでしょうか。	このようなケースの場合、希望者が①教育・保育給付第1号認定に切り替えても、住民税非課税世帯に該当し、別途施設等利用給付第3号認定を取得しなければ、預かり保育事業の利用料は子育てのための施設等利用給付の対象外であること、②いったん教育・保育給付第1号認定に切り替えた場合には、別の同第3号認定子どもが入所されることとなり、翌年4月になって再び同第2号認定を取得しても同じ認定こども園の保育所部分を利用できるとは限らないこと、③当該園における預かり保育事業の実施状況によっては預かり保育事業を利用できない場合もあることを説明することが必要と考えます。
4—31	職権による認定の変更	施設等利用給付第3号認定を受けている者が、満3歳に達する日以後最初の3月31日を経過した後も引き続き施設等利用費の給付を受ける場合、利用者から第2号認定にかかる申請が必要となりますか、それとも市町村の職権により第2号認定へ切り替えることが可能ですか。	法第30条の8第4項により、施設等利用給付第3号認定子どもの認定区分を第2号に変更する必要がある場合は、市町村は職権で変更の認定を行うことができます。
4—32	職権による認定の変更	施設等利用給付第2号認定について、現況確認の結果、保育の必要性がなくなった場合は認定を取り消すこととなりますが、その認定子どもが、例えば施設型給付を受けない幼稚園を利用することとなった場合に、自治体の職権で第2号から第1号に認定の切り替えを行うことは可能ですか。	職権による認定の変更は、法第30条の8第4項にある施設等利用給付第3号認定子どもに対する施設等利用給付第2号への変更の認定のほか、市町村が必要と認める場合に行うことが可能です。質問のような第2号から第1号への切り替えについても、市町村が必要と認める場合は、職権による認定の変更が可能です。
4—33	育児休業時の認定	教育・保育給付では、育児休業取得時に、既に保育所等を利用している子どもがいて継続利用が必要である場合には、保育の必要性を認定することとしていますが、施設等利用給付も、これと同様の考え方で差し支えないでしょうか。	施設等利用給付においても、基本的には同様です。（令和3年10月1日子ども・子育て支援新制度　自治体向けＦＡＱ（第19.1版）No.29参照。） 　なお、施設等利用給付（第3号）では、世帯所得要件を課していることから、育児休業取得以前に、「保育の必要性」はあったにもかかわらず、認定を受けていなかったケースも考えられます。このような場合であっても、育児休業取得以前に、「保育の必要性」があったと客観的に判断でき、かつ、継続利用の必要性が認められるのであれば、保育の必要性を認定頂いても差し支えありません。
4—34	育児休業	育児休業中でも、兄弟が引き続き特定教育・保育施設等を利用することが必要と認められる際には、保育の必要性が認定されることとなりますが、どのような場合に必要と認められますか。育児休業を取得した後に、認可外保育施設や一時預かり事業、ファミリー・サポート・センター事業を一時的に利用する場合にも認定は継続され、利用料が無償化されるのでしょうか。	「育休中」を保育の必要性の事由として施設等利用給付を認定する場合、施行規則第1条の5第9号にいう、これまで利用していた及び今後も引き続き利用する「特定子ども・子育て支援施設等」については、一時預かり事業、病児保育事業、子育て援助活動支援事業は該当しないものと考えています。 　その理由は、育児休業中は、基本的に家庭で保育できるにも関わらず、保育の必要

			性を認めるのは、子どもの環境の変化を防ぐためであることであり、また継続的な役務の提供がなされている場合に保護すべき子どもの環境が形成されると考えられることから、具体的には、認可保育所と同程度の継続的な役務の提供がなされている場合が該当すると言えるからです。	
4—35	認定を申請する保護者の居住地等	認定子どもの保護者が事情により住民票を以前の居住地に残している、認定子どもを両親が養育できず祖父母が監護している等の場合、施設等利用給付認定や施設等利用費の支給は、どこの市町村が行うのでしょうか。 （教育・保育給付認定子どもについても同様、自治体向けＦＡＱ【第18版】№149と関連）	法第30条の５第２項において、施設等利用給付認定は、保護者の居住地の市町村が行うものとしており、居住地を有しないときや明らかでないときは、保護者の現在地の市町村が行うものとしています。 　成年に達しない子は、父母の親権に服し（民法第818条第１項）、親権を行う者は、子の監護をする義務を負っている（同法第820条）ことから、行方不明、受刑、疾病等の理由により「父母の一方が親権を行うことができないときは、他の一方が行う」（同法第818条第３項）こととならない限り、父母は原則として「子どもを現に監護する者」であり、子ども・子育て支援法第６条第２項の「保護者」に当たるといえます。 　そのため、婚姻関係の破たんしていない一時的な別居、単身赴任、養育費の不払い等の事情のみで、「保護者」に当たらなくなるわけではありませんが、最終的には、どの程度子の監護を行っているか（関わっているか）という点を確認し、各家庭の御事情を十分踏まえたうえで、御判断ください。	
4—36	児童養護施設の入所児童に係る認定等	児童養護施設に入所し、施設型給付を受けない幼稚園に通園する児童について、児童入所施設措置費等国庫負担金の幼稚園費の扱いや施設等利用給付認定はどのようになりますか。	幼稚園費については、施設等利用費を除いた額を支給することとされています。 　つまり、施設等利用費の給付額を超えた分が措置されることとなります。 　施設等利用給付認定については、現行の教育・保育給付認定と同様に、施設長が認定保護者となり、施設の所在市町村へ認定申請を行い認定市町村において当該児童に係る施設等利用費の給付を行うこととなります。	
4—37	「市町村民税所得割合算額」の判定	施設等利用給付において、家計の主催者の判断はどのように行うのでしょうか。施設型給付等と考え方は変わるのでしょうか。	子どものための教育・保育給付と同じ考え方で事務を行っていただくことになります。	
4—38	市町村民税世帯非課税の取扱い	施設等利用給付認定において第３号認定を受けた認定子どもは、認定後の税更正により市町村民税世帯非課税者でなくなっても、認定期間内であれば施設等利用給付認定子どもとして施設等利用費を受給できるでしょうか。 　また、逆に、税更正により施設等利用給付認定第３号認定子どもの対象になる場合もありますが、市町村はこうした税更正への対応をどのようにしたらよいでしょうか。 （教育・保育給付認定第３号認定子どもの保護者負担額についても同様　自治体向けＦＡＱ【第18版】№136と関連）	税の更正がされた場合、最大５年前まで税額の修正ができますが、国の教育・保育給付の給付額の精算基準としては、利用者負担額の根拠となる税の更正が分かった翌月から更正された税額による利用者負担額を適用し遡及は行っていません。 　また、市町村の判断で、更正後の利用者負担額を当該年度分は遡及して適用するなどの取扱いをすることは妨げていません。 　子育てのための施設等利用給付においては、税更正により市町村民税世帯非課税者でなくなった場合は、第３号認定の要件が消滅することとなりますので、市町村は法第30条の９第１項により認定を取り消すことができます。その場合、更正が分かった翌月から取り消すものとし、給付費の精算についても遡及は行わないものとします。 　反対に、税更正により施設等利用給付認定第３号認定子どもの対象になる場合は、みなし認定の対象者の場合も含め、保護者が居住する市町村に認定の申請を行うものとし、認定の効力は認定開始日からとして、遡及は行わないものとします。	

4—39	保育所等入所保留者が新制度幼稚園を利用する場合の認定	教育・保育給付認定第2号を取得して認可保育所の利用を希望し、入所保留となった場合で、特定教育・保育施設である幼稚園と当該園の預かり保育事業を利用することとした場合、当該子どもは法第30条の5第7項によれば、施設等利用給付第1号認定への「みなし認定」はできません。このような場合、市町村はどのようにすればよいでしょうか。	この場合は、幼稚園（新制度）または認定こども園（教育部分）の施設型給付費を受給するための教育・保育給付第1号認定への変更の申請と、当該園が行う預かり保育事業の施設等利用費を受けるための施設等利用給付第2号または第3号認定の申請を行っていただく必要があります。 なお、当該ケースは、認可保育所等への4月入所を希望された方に多く発生するものですので、教育・保育給付第1号認定への変更の申請と施設等利用給付第2号または第3号認定の申請を1枚の申請書により簡潔に手続きができるよう、国では「認定参考様式その3」を用意していますので、参考にして下さい。	
4—40	現況確認	教育・保育給付第2・3号認定の場合、保育の必要性の理由については、毎年の届出の提出を求める必要がありますが（法施行規則第9条）、施設等利用給付認定の場合も同様でしょうか。	施設等利用給付第2・3号認定の場合も、引き続き保育の必要性が継続しているかどうかを確認するため、毎年の届出の提出を求める必要があります。	
4—41	保育の必要性の確認	教育・保育給付認定においては、特定教育・保育施設等を利用していない場合には、年度が変わっても保育の必要性を再確認しておりませんが、幼児教育・保育の無償化が実施されても、保育の必要性の再確認については、これまでと同様の運用でよいのでしょうか。	保育の必要性の確認に係る現況確認については、公正かつ適正な支給の確保に支障がない場合を除き、毎年度実施する必要があり、またその確認は利用開始日までに行う必要があります。 しかしながら、施設等利用給付認定保護者は市町村に報告なく特定子ども・子育て支援施設等を利用し、施設等利用給付認定期間内であることをもって市町村に施設等利用費を請求することが容易に想定されるため、上記のような運用は現実的に困難であることも考えられます。 こうしたことから、子ども・子育て支援法第30条の3の規定により準用する第13条では、施設等利用費の支給のため必要な範囲で保護者に報告等を求めることが可能であり、同法第24条及び施行令第3条では、虚偽報告等は教育・保育給付認定の取消事由としていることを踏まえ、例えば、当該年度の現況届がない者については、市町村が施設等利用費の支払いまでに就労や疾病等の状況の報告を求めるなど運用方法の工夫により、施設等利用給付認定保護者・市町村の双方が柔軟に対応できるものにしていただきたいと存じます。	
4—42	現況確認と支払日の関係	ＦＡＱのNo.4—41で施設等利用給付認定についても毎年の現況確認が必要である旨と、状況に応じ市町村で柔軟に対応するようお示しいただいております。毎年の現況確認をしていない施設等利用給付認定保護者が利用した場合、請求以後、支払いまでに事由の確認を行う等の対応を取るとの記載がありますが、その場合、証明書等の日付が当該利用日より後の日付になることが想定されますが、証明日と利用日の整合性は問われないものと解釈してよいのでしょうか。 もし、整合性を取る必要があるとした場合、現況確認を確実に行うための方策として、有効期間を毎年度の末日までとする運用を市町村の裁量で行うことは可能でしょうか。	いずれにしても、ＦＡＱのNo.4—41のとおりですが、現況確認はあくまで認定期間内における保育必要性事由が継続しているかの確認であり、市町村が子育てのための施設等利用給付を不正に請求されないようにすることで、保育の必要性がある方に施設等利用費を支給することが重要なので、支給までに確認できれば足りると考えます。 なお、有効期間を年度末とするのは、施行規則第28条の5の違反となります。	

【5　施設等利用費の支給】

No.	事項	問	答	備考
5—1	標準時間・短時間認定について	保育短時間認定子どもの場合、幼児教育・保育の無償化は、時間内で計算するなど、個別の対応が必要でしょうか。 　また、施設等利用給付認定の場合も、保護者の就労時間等に応じて、標準時間・短時間による認定を行うのでしょうか。	保育短時間認定を受けて特定教育・保育施設や特定地域型保育事業を利用している場合、施設型給付費等において短時間の計算を行っており、幼児教育・保育の無償化（現物給付）について、1日の利用時間を個別に算定する等の手続きは必要ありません。 　また、施設等利用費は1月につき限度額の範囲内で支給するものであり、施設等利用給付認定において、1日の保育必要時間を算定する考え方はありません。	
5—2	施設等利用費の対象外経費	施設等利用費の対象外経費として、子ども子育て支援法施行規則第28条の16第5号において、「特定子ども・子育て支援において提供される便宜に要する費用のうち、特定子ども・子育て支援の利用において通常必要とされるものに係る費用であって、施設等利用給付認定保護者に負担させることが適当と認められるもの」とありますが、具体的にどのようなものが想定されますか。	御質問の費用は、特定子ども子育て支援そのものに要する費用ではなく、当該支援において提供される便宜に要する費用であり、例えば記念写真代、保護者会費といった経費が考えられます。	
5—3	施設等利用費の対象経費（都道府県知事等から証明書の交付を受けていない認可外保育施設における利用料に係る消費税）	「消費税法施行令第14条の3第1号の規定に基づき厚生労働大臣が指定する保育所を経営する事業に類する事業として行われる資産の譲渡等」（平成17年3月31日厚生労働省告示第128号）により「認可外保育施設指導監督基準を満たす旨の証明書の交付について」（平成17年1月21日付雇児発第0121002号雇用均等・児童家庭局長通知）に基づき、各都道府県知事等から「認可外保育施設に対する指導監督の実施について」（平成13年3月29日付雇児発第177号雇用均等・児童家庭局長通知）の別添「認可外保育施設指導監督基準」を満たす旨の証明書（以下「証明書」という。）の交付を受けた認可外保育施設については、その利用料に係る消費税が非課税とされていますが、証明書の交付を受けていない認可外保育施設における利用料の消費税相当分は、施設等利用費の対象となりますか。	施設等利用費は、保護者が支払った利用料に対して支給する費用であり、保護者は証明書が交付されない施設を利用した場合は利用料に対して課税される消費税分も支払うこととなるため、当該消費税分も含めて施設等利用費の支給対象として差し支えありません。 　ただし、特定費用に含まれる費用に対して課税される消費税分は、施設等利用費の支給対象外となります。 　なお、認可外保育施設に係る子ども・子育て支援法附則（令和元年5月17日法律第7号）第4条の経過措置は、令和6年9月末日までとなっており、経過措置終了後に認可外保育施設が施設等利用費の支給対象となるには内閣府令で定める基準を満たす必要があることにもご注意ください。	（8—23にも再掲）
5—4	特定子ども・子育て支援提供証明書	特定子ども・子育て支援提供証明書においては、預かり保育事業等を提供した日及び時間帯等を記載することとなっていますが、「提供した日及び時間帯」については子ども毎に実際の利用日と利用時間を網羅的に記載する必要がありますか。	特定子ども・子育て支援提供証明書※は、市町村における施設等利用費の算定の基礎となりますが、個別の利用日や利用時間の情報は支給額の算定において必須ではないため、「提供した日」については実際の利用日を含む提供期間を記載すれば足り、「時間帯」については標準的な利用時間を記載することで足ります。なお、預かり保育事業の「提供日数」については、実際の利用日数を記載して下さい。 ※「提供証明書（特定子ども・子育て支援提供証明書」について、令和4年4月1日より、特定子ども・子育て支援提供者は、施設等利用費を法定代理受領する場合に、預かり保育事業の利用に係るものは、提供証明書の市町村及び保護者への交付は不要となります。	
5—5—1	特定子ども・子育て支援提供証明書	特定子ども・子育て支援施設等で発行される、領収証と提供証明書は一つの様式にまとめることは可能でしょうか。	様式を兼ねることは差し支えありません。 　なお、「領収証」と「提供証明書」とい	

			う言葉は施行規則に定められているものなので、使用することが望ましいと考えます。
5—5—2	特定子ども・子育て支援提供証明書の省略	教育・保育給付費を特定教育・保育施設が保護者に代わって受領（法定代理受領）する場合、市町村及び保護者への提供証明書の交付は必要ありません。令和4年4月から、施設等利用費を特定子ども・子育て支援施設が法定代理受領する場合も、提供証明書の交付が不要とされたとのことですが、どのような内容ですか。	令和4年4月1日より、施設型給付を受けない幼稚園、認定こども園、特別支援学校幼稚部の利用に係る施設等利用費を法定代理受領する場合、特定子ども・子育て支援提供者から市町村及び保護者への提供証明書の交付は不要となります。 また、預かり保育事業の利用に係る施設等利用費を法定代理受領する場合においても、市町村及び保護者への提供証明書の交付は不要となります。 なお、市町村と幼稚園等が協議を行った上で、例えば園児毎ではなく一覧形式（別添、参考様式を参照）を作成することも考えられます。
5—6	支払方法	償還払いと現物給付について、方針を県で決めていいですか。	実務を担う市町村と施設で、検討していただくことを原則に都道府県と市町村とで合意のもと決定することを妨げません。
5—7	支払方法	事前に徴収項目・金額について保護者から承諾を得ているのであれば、その口座振替の記録をもって、領収証に代えることはできますか。	施行規則上の添付書類として「領収証」とは明記しておらず、口座振替の記録等をもって領収証に代えることは可能ですが、その金額に特定費用が含まれている場合、別途内訳がわかる書類も必要となります。
5—8	施設型給付を受けない幼稚園の支払方法	施設型給付を受けない幼稚園を利用する方への施設等利用費の支払方法は、償還払い以外に法定代理受領が可能ですか。	従前の就園奨励費の支給事務の方法は市町村によって様々であったため、今回の無償化にあたっても、就園奨励費と同様に、償還払いにするか現物給付にするかなど、居住地の市町村が実情に応じて柔軟に支給方法を判断できることとしています。 一方、現物給付は、償還払いに比べ、 ・ 利用者は一時的な利用料の立替えが不要となり負担感が軽減される ・ 幼稚園は利用料徴収事務が、市町村は利用者への給付事務が不要となり事務負担が軽減される というメリットがあります。 国としても、子育てのための施設等利用給付交付金の支払いを早めることなど自治体や幼稚園の資金繰りを支援したいと考えています。
5—9	施設型給付を受けない幼稚園の支払方法	施設型給付を受けない幼稚園の施設等利用費について、保育料分は代理受領とし、入園料分のみ償還払いという運用は可能ですか。	可能です。この場合、年度途中に退園するなど園児の在籍期間により、償還払いされる施設等利用費の額が変わり得ることに御留意ください。なお、幼稚園が施設等利用費を代理受領する場合、その対象となっている利用料は基本的に不徴収とすべきものと考えますが、特に年度途中に制度が施行する令和元年度では、幼稚園において入園料を一旦徴収しているものの、入園料相当分を含めて幼稚園が施設等利用費を代理受領する場合も考えられます。この場合は、徴収済みの入園料の全額又は一部を利用者に返還する場合があることを、幼稚園や利用者にあらかじめ説明しておくことが必要です。
5—10	施設型給付を受けない幼稚園の支払方法	施設型給付を受けない幼稚園における施設等利用費の算定方法・支給方法はどのようになるのですか。	施設型給付を受けない幼稚園の利用者に対する子育てのための施設等利用給付における支給方法や支払回数については、市町村が償還払いか法定代理受領とするかを施

			設と調整することとなりますが、施設等利用費は月額単位で計算することになります。 　具体的には、施設型給付を受けない幼稚園の場合、月額2.57万円を上限として、毎月の利用料が施設等利用費の対象となります。	
5—11	預かり保育事業の支払方法	預かり保育事業の利用料について、月額上限額に達するまで保育料とともに不徴収（現物給付）としてもよろしいですか。	幼稚園（認定こども園（教育・保育給付第１号認定）、特別支援学校幼稚部を含む。）の預かり保育事業については、市町村と園が調整・相談の上、不徴収（現物給付）とすることも可能です。ただし、預かり保育事業の施設等利用費の月額上限額を超える利用実績があった場合は、利用実績の確認後、当該利用者から差額分を徴収する必要があります。	
5—12	認可外保育施設の支払方法	認可外保育施設を利用する方への施設等利用費の支払方法は、償還払い以外に法定代理受領が可能ですか。	認可外保育施設の利用者においては、複数の施設を利用する可能性もあることから、利用者の申請に基づき一括して清算することができる償還払いを基本としつつ、市町村が地域の実情に応じて施設・事業者と調整し、法定代理受領とすることも可能としています。	
5—13	一時的利用	認可外保育施設の利用は、保育の必要性の認定があれば、月極めではなく一時的な利用であっても施設等利用費の給付対象となるのですか。	月極めか一時的かといった利用形態に関わらず、特定教育・保育施設（保育所・認定こども園）又は特定地域型保育事業を利用できていない方であって、保育の必要性がある場合は、認可保育所の利用者との公平性の観点から、認可保育所における保育料の全国平均額（３歳から５歳までの場合、月額3.7万円）まで施設等利用費の対象となります。	
5—14	施設型給付を受けない幼稚園の算定方法（入園料）	施設型給付を受けない幼稚園における入園料は施設等利用費の対象になりますか。	施設型給付を受けない幼稚園の入園料については、これまでも教育に要する費用を賄うための費用として就園奨励費の補助対象とされてきたところであり、子育てのための施設等利用給付においても、利用料の上限月額2.57万円の範囲内で施設等利用費の対象に含まれます。 　ただし、制服費やＰＴＡ会費など、通常教育・保育に要する費用とはいえない性質のものが入園料の中に含まれている場合、その部分については施設等利用費の対象とはなりません。	
5—15	施設型給付を受けない幼稚園の算定方法（入園料）	施設型給付を受けない幼稚園において、幼児教育・保育の無償化実施後に転園した場合、転園先の幼稚園の入園料は無償化の対象になるのですか。	転園先の入園料も施設等利用費の対象になります。 　ただし、対象となる入園料は、当該転園先の幼稚園における在籍初年度において、実際に支払った入園料をその初年度における転園先の在籍月数で除す（月毎に小数点以下の端数は切り捨て）ことで算定することになり、これと月毎の保育料を加えた額が月額2.57万円を上限として施設等利用費の対象となります。	
5—16	施設型給付を受けない幼稚園の算定方法（入園料）	施設型給付を受けない幼稚園の利用者が、入園初年度の途中に当該園に在園したまま市町村を越えて転居した場合、入園料の月額換算額はどのように算定するのですか。	施設型給付を受けない幼稚園の利用者が、入園初年度の途中に当該園に在園したまま市町村を越えて転居した場合、転居の前後で施設等利用費を給付する市町村が変わりますが、それぞれの自治体に居住している期間における入園料や保育料は、月額上限額の範囲内で施設等利用費の対象となります。 　この際、入園料を転居前に支払っている	

			場合であっても、退園や転園をしていないことから、転居後の自治体においても、支払った入園料を、転居前を含む入園初年度の在籍月数で除すことにより入園料の月額換算額を算定することになります。	
5—17	施設型給付を受けない幼稚園の算定方法（入園料）	施設型給付を受けない幼稚園において、入園料を入園前までに徴収している場合、無償化の対象となりますか。この場合、入園料の月額換算額はどのように算定するのですか。	施設等利用費の給付対象期間は、利用者が当該施設を利用している期間ですが、利用者が施設型給付を受けない幼稚園との契約等に基づき、入園料を入園前に支払った場合であっても、施設等利用費の対象となり、入園料の月額換算額は、支払った入園料を入園初年度の在籍月数で除すことにより算定することになります。 逆に、入園料の支払いが入園後5月以降となった場合でも、4月から入園している場合は、4月を含めた入園初年度の在籍月数で月額換算額を算定することになります。	
5—18	施設型給付を受けない幼稚園の算定方法（入園料）	施設型給付を受けない幼稚園において、入園料を年度で分割して設定（満3歳で入園する時と、3歳児クラスに進級する時の2回払いなど）している場合、2回目以降の入園料は施設等利用費の対象になりますか。この場合、入園料の月額換算額はどのように算定するのですか。	施設型給付を受けない幼稚園が入園料を年度で分割して設定している場合は、入園初年度分として支払う入園料に加え、2回目以降に支払う入園料も施設等利用費の対象となります。この場合の月額換算額の算定方法は入園初年度と同様です。	
5—19	施設型給付を受けない幼稚園の算定方法（入園料）	施設型給付を受けない幼稚園の利用者が、入園初年度の月途中に入・退園した場合、入園料の月額換算額はどのように算定するのですか。	施設型給付を受けない幼稚園において、月途中に園児が入・退園した場合、施設等利用費の月額上限額は、当該月における入園以降の平日の日数や退園までの平日の日数に応じて、日割り計算を行うことになります（なお、No.4—12や5—26で示した対応などがあります。）が、施設等利用費の算定上、幼稚園が認定保護者から徴収する月額保育料を日割り計算しない場合と同様に、入園料の月額換算額を日割り計算する必要はありません。	
5—20	施設型給付を受けない幼稚園の算定方法（入園料）	施設型給付を受けない幼稚園において、入園初年度に園児が休学した場合、入園料の月額換算額を算定する際の在籍月数に休学期間は含めるのですか。	施設型給付を受けない幼稚園において、園児が病気や怪我等の理由により長期間にわたり継続的に休学している場合、その休学期間は「利用」に当たらないため、施設等利用費の対象から除外することとなります。同様に、入園初年度に園児が休学した場合も、休学期間は施設等利用費の対象とはならず、入園料の月額換算額は、支払った入園料を、休学期間を除く初年度の在籍月数で除すことにより算定することになります。 なお、施設等利用費の算定上、幼稚園が認定保護者から徴収する月額保育料を日割り計算しない場合と同様に、月途中に休学や復学した場合であっても、入園料の月額換算額の算定では日割り計算は不要です。	
5—21	施設型給付を受けない幼稚園の算定方法（入園料）	施設型給付を受けない幼稚園において、3歳の誕生日を迎えていない2歳児に対して、「未満児クラス」への「入園」に際して「入園料」を求めている場合があり、その後3歳以降にも「入園料」を求めるケースと求めないケースなど、様々な実態があります。 この場合の2歳児・未満児の「入園料」は、認可外保育施設または一時預かり事業の利用料として扱うのですか、それとも3歳以降の正式な「幼稚園入園」の後に、3歳以降に	幼稚園における入園料は、満3歳以上の教育・保育に要した費用の前納金としての性質を踏まえて無償化の対象としているものであり、未満児クラスへの入園料は対象となりません。未満児クラスの入園料に正式入園後の入園料が含まれるような場合、正式入園後の利用開始時点から当該正式入園後の入園料に限って無償化の対象として頂いて差し支えありません。	

		支払う入園料や保育料と合わせて無償化の対象とするのですか。	
5—22	施設型給付を受けない幼稚園の算定方法（その他）	例えば、2016年11月1日が誕生日の場合、年齢計算に関する法律上は誕生日の前日である10月31日に年齢が加算されますが、2019年10月31日から施設型給付を受けない幼稚園に入園する場合、10月分の保育料から無償化の対象となりますか。	御指摘のとおり、学校教育法第26条については、幼児は満3歳に達する誕生日の前日から、幼稚園に入園及び通園をすることができるものと解されます。例えば10月31日付で対象となる子供が入園する場合には、月額上限額を日割り計算した上で、10月分の保育料や入園料（月額換算額）についても施設等利用費の対象となります。 ※　上記例で私立幼稚園の場合、10月分の月額上限額は、25,700円×1日÷10月の平日の日数	
5—23	施設型給付を受けない幼稚園の算定方法（その他）	施設型給付を受けない幼稚園について、国が示す施設等利用費の請求書雛形では「利用料の設定が月単位を超える場合は、当該利用料を当該期間の月数で除して算定」することが示されていますが、例えば8月のみ保育料を徴収していない場合、8月は無償化の対象期間となりますか。	御指摘の例の場合、8月分の保育料のみ特定の月（複数月を含む。）と合せて徴収していることや8月以外の各月に平準化して徴収していることが園則等で明確であれば、該当する月数で除す（月毎に小数点以下の端数は切り捨て）こと等の合理的な方法により、8月相当分を算出し施設等利用費の対象とすることは可能です。 一方、8月分の保育料は発生していないという前提で料金設定しているのであれば、8月分は施設等利用費の対象外となります。	
5—24	施設型給付を受けない幼稚園の算定方法（その他）	施設型給付を受けない幼稚園の保育料について、月額保育料に教材費込みと園則に記載している園がありますが、この場合の教材費は施設等利用費に含まれますか。一方、保育料とは別途徴収している教材費は施設等利用費に含まれますか。	保育料や入園料として徴収している教育課程の実施に必要な教材費のほか施設整備費や光熱水費などは、経費の性格として、教育・保育に要する経費として施設等利用費の対象となる利用料（特定子ども・子育て支援利用料）に含めて差し支えありません。一方で、教育課程の実施に不要な任意の教材購入費や、日常生活に要する費用に該当するような日用品費（文具費や制服代）については、施設等利用費の対象となる利用料に含まれません（特定費用）。各園においては適切に特定子ども・子育て支援利用料と特定費用を区分して領収証等の発行を行う必要がありますが、仮に園が教材費等を保育料や入園料とは別途徴収し特定費用として整理した場合は、施設等利用費の対象となりません。	
5—25	施設型給付を受けない幼稚園の算定方法（その他）	施設型給付を受けない幼稚園では、入園料のほかに、出願料の納付を求めている園がありますが、施設等利用費の対象となりますか。	出願料や検定料の類は、通常教育・保育に必要な経費に該当しないことから施設等利用費の対象ではありません。	
5—26	施設型給付を受けない幼稚園の算定方法（その他）	施設型給付を受けない幼稚園の利用者が月の途中で転園せずに市町村をまたがる転居をした場合、施設等利用費の算定上、幼稚園に対して支払うべき利用料（入園料・保育料）はどのように計算するべきでしょうか。	日割り計算を行って、転出先での支給認定の日以降は転出先の市町村が、転出以前は転出元の市町村が施設等利用費を支給することになります。 （なお、No.4—12や5—27で示した対応などもあります。） その際、月額上限額は、転出元の市町村では、月額上限額×転出日までのその月の平日の日数÷その月の平日の日数、転出先の市町村では、月額上限額×認定起算日以降のその月の平日の日数÷その月の平日の日数となります。（No.5—30—1参照） 施設等利用費の算定上、幼稚園が認定保護者から徴収する利用料（入園料・保育料）については、月途中で入退所する場合と異なり、日割り計算が必要となることに留意が必要です。具体的には、転出元の市町村では、月額利用料（入園料の月額換算額を含む。以下同じ。）×転出日までのその月の平日の日数÷その月の平日の日数、転出先の市町村では、月額利用料×認定起	

			算日以降のその月の平日の日数÷その月の平日の日数となります。	
5—27	施設型給付を受けない幼稚園の算定方法（その他）	施設型給付を受けない幼稚園の利用者が月の途中で転園せずに市町村をまたがる転居をした場合、施設等利用費の算定上、幼稚園に支払うべき利用料について、月額支給上限額、支払った利用料ともに日割り計算を行う必要があると思うが、教育・保育給付と同様に市町村間の調整により月割りの取扱いをすることは可能でしょうか。	御指摘の通り、施設等利用費の算定上、日割り計算を行うこととなっております（No.5—26、No.5—30参照）が、同一園在園中の転出入のケースにおいて、当該市町村間で調整がついた場合には、教育・保育給付と同様に月割りの取扱いとしても差し支えありません。 （教育・保育給付については自治体向けFAQ【第19.1版】No.419参照） ※ 卒園児に係る施設等利用費の算定上の取扱いについてはNo.5—56の通りとすることにご留意ください。	
5—28	幼稚園等利用者の認可外保育施設等利用	幼稚園を利用する認定子どもが、当該園の預かり保育事業と認可外保育施設等を利用している場合、支給額が変わらないからといって施設等利用費の請求を「幼稚園＋預かり保育事業＋認可外保育施設」の利用分ではなく、「幼稚園＋認可外保育施設」の利用分としてなされる場合が想定されますが、これは可能でしょうか。	幼稚園等（認定こども園（教育・保育給付第1号認定）、特別支援学校幼稚部を含む。）の利用者のうち、保育の必要性が認められ施設等利用給付第2・3号認定を受けた者が幼稚園等の利用料にかかる給付を受けず、認可外保育施設等の利用料にかかる給付を受けることはできません（No.2—11参照）。しかし、上記の利用者のうち、在籍する園が要件を満たして認可外保育施設等の利用料も子育てのための施設等利用給付の対象となる者については、幼稚園等の利用料にかかる給付（月額上限2.57万円）を受けた上で、月額上限1.13万円（住民税非課税世帯の満3歳児は1.63万円）の範囲で、預かり保育事業と認可外保育施設についてどのような組み合わせで給付の請求を行うかは任意となります。したがって、保護者が事務手続きの簡素化のため、利用した預かり保育事業を請求せず、認可外保育施設のみを請求することも可能です。	
5—29	幼稚園等利用者の認可外保育施設等利用	預かり保育事業を無料で提供している場合、施設が特定子ども・子育て支援施設等の確認申請自体を行わない場合もありえますが、その場合、その施設に通う施設等利用給付2号認定子どもが、園の預かり提供時間等に関係なく利用する病児保育や認可外保育施設等も月額11,300円まで無償となりますか。 預かり保育事業の確認を受けていない施設の預かり保育事業は、実施していないことと同様に、幼稚園等の利用者が認可外保育施設等の利用料も無償化の対象とする一定の基準を満たさない園となりますか。	幼稚園等が預かり保育事業を実施していない場合や無料で提供している場合など、預かり保育事業にかかる施設等利用費の支給が発生しない場合は、預かり保育事業の確認申請は不要と考えられますが、施設等利用給付第2・3号認定を受けている幼稚園等利用者が利用する認可外保育施設等が無償化の対象となることについて市町村が把握する必要があるため、市町村は幼稚園等に対して、例えば国が示す確認参考様式その3（預かり保育）を提出させることなどによって、預かり保育事業の提供が十分ではないこと等を把握し、認可外保育施設等も無償化の対象となる場合は、その旨を当該幼稚園等に伝達することが必要と思われます。 なお、預かり保育事業の確認を受けていない事業であっても内閣府令で定める基準を満たし、施設として平日8時間以上、年間200日以上の預かり保育事業を提供している場合は、子ども・子育て支援法施行令第15条の6第2項第3号に基づき、当該預かり保育事業の利用料に関わらず、認可外保育施設等の利用料は施設等利用費の対象とはなりません。	
5—30—1	日割り計算	認定子どもが月の途中で施設・事業の利用を中止した場合、或いは月の途中から利用を開始した場合、施設型給付費等や保護者負担分においては日割り計算を行っています。施設等利用費においても日割り計算を行うのでしょうか。 また、施設等利用費は特定子ども・子育て支援施設等ごとに月額限	日割り計算の考え方は、全国共通した法則のもとで実施することとします。 具体的には次の【1】～【3】のパターンとなります（日割り計算した金額に小数点以下の端数がある場合は切り捨て）。 【1】認定こども園・施設型給付を受けない幼稚園・国立大学附属幼稚園・特別支援学校（法第7条第10項第1号から第3	

度額が異なりますが、利用施設・事業ごとに日割り計算の考え方は違うのでしょうか。

号までに掲げる施設）

① 月の途中から利用開始の場合の限度額

　2.57万円（※1）×認定起算日後最初の利用日以降のその月の平日の日数÷その月の平日の日数

※1　国立の幼稚園にあっては0.87万円、国立の特別支援学校幼稚部にあっては0.04万円

② 月途中で利用終了の場合の限度額

　2.57万円（※2）×最後の利用日までのその月の平日の日数÷その月の平日の日数

※2　※1と同じ。

【2―1】国公私立の幼稚園・認定こども園・特別支援学校幼稚部の預かり保育事業（※3）（法第7条第10項第5号に掲げる事業）

① 月の途中から利用開始の場合の限度額

　450円×認定起算日以降のその月の預かり保育事業の利用日数

② 月途中で利用終了の場合の限度額

　450円×最後の利用日までのその月の預かり保育事業の利用日数

※3　預かり保育事業は、1月あたりの利用日数が26日を下回る場合は、現行どおり「450円×預かり保育事業の利用日数」の扱いとなりますが、1月あたりの利用日数が26日以上の場合は、「その月の日数」を基礎とする日割りを行うことになります。

【2―2】認定こども園・幼稚園・特別支援学校の利用者が預かり保育事業（上記【2―1】）の他に認可外保育施設等（法第7条第10項第4号に掲げる施設又は同項第6号から第8号までに掲げる事業）の利用料が無償化の対象となる場合

① 月の途中から利用開始の場合の限度額

　（1.13万円（※4）×認定起算日以降のその月の日数÷その月の日数）から【2―1】①の額を控除して得た額（※5）

② 月途中で利用終了の場合の限度額

　（1.13万円（※4）×転出日までのその月の日数÷その月の日数）から【2―1】②の額を控除して得た額（※5）

※4　施設等利用給付第3号認定子どもにあっては1.63万円

※5　支給上限額（450円×利用日数）と利用料のいずれか低い方

【3】認可外保育施設・一時預かり事業・病児保育事業・子育て援助活動支援事業（法第7条第10項第4号に掲げる施設又は同項第6号から第8号までに掲げる事業）

　これら施設等の施設等利用給付は、施設等利用給付認定の期間内であれば利用施設数にかかわらず対象となるため、日割り計算が必要になるのは、月途中で認定期間が終了する又は開始される場合か、市町村間の転出入の場合となる。

			（上記【2－2】も同じ。） ① 月の途中から利用開始の場合の限度額 　3.7万円（※6）×認定起算日以降のその月の日数÷その月の日数 ② 月途中で利用終了の場合の限度額 　3.7万円（※6）×転出日までのその月の日数÷その月の日数 　※6　施設等利用給付第3号認定子どもにあっては4.2万円	
5－30－2	日割り計算	月の途中で特定子ども・子育て支援の利用を中止した場合、或いは月の途中から利用を開始した場合における、施設等利用費の日割り計算の基礎となる日数が令和4年4月から変更されたとのことですが、どのような内容ですか。	令和4年4月以降、月途中における特定子ども・子育て支援の利用の開始・終了等があった場合には、幼稚園、特別支援学校幼稚部、認定こども園については、日割り計算の基礎となる日数を「その月の平日の日数」とします。 　また、預かり保育事業は、1月あたりの利用日数が26日を下回る場合は、現行どおり「450円×預かり保育事業の利用日数」の扱いとなりますが、1月あたりの利用日数が26日以上の場合は、「その月の日数」を基礎とする日割りを行うことになります。 　なお、認可外保育施設等については、実務上、個々の施設の開所日数を把握する事務負担を避けるため、「その月の日数」を基礎としていることから、法令上（子ども・子育て支援法施行規則）も「その月の日数」と明確にしました。	
5－30－3	日割り計算による10円未満の端数の取扱い	月の途中に特定子ども・子育て支援の利用の開始や終了又は利用する施設等の変更等の事由があった場合における施設等利用費の算出方法は、その月の開所日数を基礎とした日割り計算によって算出された支給上限額と実利用料（10円未満の端数の切り捨てなし）を比較し、いずれか低い方の金額を支給額とされています。支給上限額の10円未満の端数の切り捨てとする取扱いを令和4年4月から見直したということですが、支給上限額の10円未満の端数の切り捨ては不要となったということでしょうか。	施設等利用費の日割り計算により、支給上限額をそれぞれの自治体で支払った場合、端数が発生したときは施設・事業者又は保護者の負担となってしまうことを踏まえ、支給上限額について10円未満の端数（小数点以下切り捨て）を不要としました。	
5－31	日割り計算（修業期間外）	FAQ5－30－1では施設型給付を受けない幼稚園等における日割り計算に「その月の平日の日数」を用いることとされていますが、この「平日」とはどのように定義されるのでしょうか。	FAQ№.5－30－1における「平日」とは、土曜日、日曜日、国民の休日、12月29日～31日、1月2日・3日を除いた日を指します。	
5－32	日割り計算	認可外保育施設や一時預かり事業等については、「月途中で認定期間が終了する又は開始される場合」か「市町村間の転出入の場合」に月額上限額を日割り計算するとあります。 　例えば、一時預かり事業（幼稚園型Ⅱ）を利用している施設等利用給付第3号認定の2歳児が、月途中に3歳の誕生日を迎え、施設型給付を受けない幼稚園に入園した上で預かり保育事業を利用した場合、施設型給付を受けない幼稚園だけでなく、一時預かり事業についても月額上限額を日割り計算する必要がありますか。	御質問のケースの場合、一時預かり事業の月額上限額（4.2万円）も日割り計算が必要です。具体的には、「4.2万円×当該幼稚園の入園日前日までのその月の日数÷その月の日数（小数点以下の端数切捨て）」が一時預かり事業の月額上限額となります。	

5—33	日割り計算	事業者の手落ちで確認申請が遅れた場合、効力は遡及できますか。月途中で確認申請がなされた場合は、日割りで施設等利用給付を支給するのでしょうか。	確認の効力は申請日より前に遡及することはできませんが、認可外保育施設については、届出日の1月前まで遡及可能です。また、月途中で確認申請を行った場合は日割計算を行っていただくことになります。	
5—34	給付の請求先（自治体）について	居住している自治体とは別の自治体の幼稚園や認可外保育施設等を利用している場合、利用者はどのように施設等利用費の請求を行うことになりますか。	居住している自治体とは別の自治体の幼稚園や認可外保育施設を利用している場合についても、新制度幼稚園等と同様、保護者の居住市町村に施設等利用費の申請を行うこととなります。 なお、この場合の居住地とは、住民票の有無にかかわらず居住事実が認められる場所をいい、将来にわたり起居を継続することが社会通念上期待できる場所を指しますので、個別の状況を把握したうえで、市町村間において調整のうえ、ご判断いただくこととなります（令和3年10月1日子ども・子育て支援新制度自治体向けＦＡＱ（第19.1版）No.31参照）。 また、幼稚園については、それぞれの園が在籍園児の居住市町村ごとに申請書類をとりまとめた上で、当該市町村に提出していただくこととしています。	
5—35	給付の請求先（自治体）について	保護者が事情により、やむを得ず住民票を移さずに他の市町村に転居して認可外保育施設等を利用した場合、保育の必要性の認定や施設等利用費の給付は、住民票のある市町村ではなく、実際に居住している市町村が担当するのでしょうか。	現在の子どものための教育・保育給付においては、教育・保育給付認定の申請は居住する市町村へ行うこととなっており、ここでいう居住地とは、住民票の有無にかかわらず居住事実が認められる場所をいい、将来にわたり起居を継続することが社会通念上期待できる場所、としています。この取扱いは、子育てのための施設等利用給付についても同様です。	
5—36	支給の頻度	施設等利用費の支払いについては、償還払いや法定代理受領が可能ですが、市町村は施設型給付費等と同様に、毎月支払いをしなければならないのでしょうか。	償還払いによる施設等利用費の支払いについては、市町村の実情に応じて決定するものですが、可能な限り、初年度は年内、遅くとも年度内に1回目の支給を行い、また、償還払いの頻度は年4回以上とすることが望ましいと考えています。 また、法定代理受領の場合の請求者は施設・事業者となりますが、請求書には利用者全員分の利用実績等を個別に記入する必要があるため、請求は1か月単位が妥当と思われます。 なお、国では償還払い、法定代理受領ともに、請求書参考様式を示していますので、参考にして下さい。	
5—37	過年度支出について	年度末（2・3月頃）の特定子ども・子育て支援施設等の利用に係る施設等利用費の請求が4月や5月にあった場合、出納整理期間内に施設等利用費の支払いが出来ないと考えられます。この場合、施設等利用費は翌年度予算で支払うことは差し支えないでしょうか。	施設等利用費は、利用した年度の予算で執行することが原則ですが、年度末の利用に係る施設等利用費の請求については、施設等利用給付認定保護者や施設・事業者が請求書や添付資料を作成しなければならないことや、市町村における月額上限額の管理や領収証等の確認など、双方に一定程度の作業が必要なことから、翌年度予算での支払いとなっても差し支えありません。	
5—38	過年度支出について	施設等利用費は、請求があれば、過年度の利用分も支払う必要があるのですか。また施設型給付費等と同様に消滅時効の規定はありますか。	法第78条第1項は、これまでも子どものための教育・保育給付を受ける権利、拠出金、徴収金を徴収する権利の時効を2年としていますが、子育てのための施設等利用給付を受ける権利についてもこれと同様としました。	
5—39	施設等利用費の過年度支出について	施設等利用費は、過年度の利用分の請求を受けた場合でも市町村は支払う必要がありますか。 また、この場合、過年度分の支払	法第78条第1項に定める時効消滅前の施設等利用費の請求があった場合は、市町村は過年度の利用料であっても施設等利用費を給付する必要があります。	（16—5に再掲）

		いについては、子育てのための施設等利用給付交付金の交付はありますか。	また、この過年度分の支払いについては、国の子育てのための施設等利用給付交付金の交付対象となりますが、その取扱いについては次のとおりとなります。 ① 交付年度における額の確定前（交付年度の出納整理期）に過年度の支払いがあった場合…交付年度の実績報告書に当該過年度分を計上し、額の確定後、精算交付を行う。 ② 交付年度における額の確定後に過年度の支払いがあった場合…交付年度の実績報告書の訂正により、当該過年度分を計上し、額の再確定後、精算交付を行う。	
5—40	給付額の利用者通知	施設等利用費の支給額を決定した際に、利用者や事業者にその支給額を通知する必要はありますか。	施設等利用給付認定保護者が償還払いを請求した施設等利用費について、市町村が請求した施設等利用給付認定保護者に給付額を通知することは、特に施設等利用給付認定子どもが多い市町村において、事務的に非常に負荷が高いものであることから、法令上に規定を設けておりません。ただし、特定子ども・子育て支援施設等が法定代理受領により受けた給付額は、特定子ども・子育て支援施設等が保護者に対して通知することが必要です。	
5—41	法定代理受領	法定代理受領による施設等利用費の受給額を、特定子ども・子育て支援施設等が認定保護者に通知する頻度は、毎月行わなければならないのでしょうか。	施設等利用費は月額単位で算定することから、施設等利用給付認定保護者への通知も月額単位になると想定されますが、利用者への通知の取り扱いについては、毎月の通知が必要ということではなく、1年分をまとめて通知する取り扱いとすることも可能と考えます。	
5—42	法定代理受領	認定保護者が利用する施設・事業者による法定代理受領を拒み、償還払いを望む場合もありえると思いますが、施設等利用費の請求・支払い方法は、市町村が決定してよいのでしょうか。	子どものための教育・保育給付については、法第27条第5項等により、市町村は教育・保育に要した費用について、教育・保育給付認定保護者に代わり特定教育・保育施設若しくは特定地域型保育事業者に支払うことができる（法定代理受領）ため、その支払方法を市町村が決定することができるとされています。 子育てのための施設等利用給付についても、法第30条の11第3項により法定代理受領が認められていますが、支払方法については、施設等利用給付認定子どもの在籍数や利用料と月額上限額の差額等に応じて、最も効率的と考えられる支払い方法を、市町村と特定子ども・子育て支援施設等が事前に調整し決定するものと考えます。	
5—43	認定取消に伴う法定代理受領額の返金について	代理受領の取り扱いについて、施設等利用費の園への支払い後に、施設等利用費の給付対象者の認定が遡及して取り消されて返還が必要となった場合、施設等利用費の返還は園から行い、園が保護者に対して利用料を請求する取り扱いでいいですか。	施設等利用給付認定の取消事由（施行令第15条の5）に該当した場合、取消は通常将来に向かって取り消すか、遡及して取り消すか、市町村で判断することになると思いますが、遡及して取り消すケースとしては、虚偽の申請や答弁による不正受給などの取消事由が悪質な場合と考えられます。その場合、市町村から施設に対して施設等利用費の返還命令を行い、施設から利用者に保育料等を請求するという流れになるのではないかと考えます。	
5—44	償還払い	認定保護者が、施設等利用費を償還払いにより請求する場合、施設・事業者が発行した任意の領収証等を添付すればよいのでしょうか。	償還払いの請求書に施設・事業者が発行した任意の領収証を添付するよりも、例えば市町村が指定した「領収証」と「特定子ども・子育て支援提供証明書」を施設・事業者が作成し、施設等利用給付認定保護者が請求書にこれらを添付することにより、市町村の施設等利用費の審査事務が効果的に行われると考えます。	

			そのため、国は「請求書参考様式その7―1―1・7―1―2　特定子ども・子育て支援の提供に係る領収証」と「請求書参考様式その7―2　特定子ども・子育て支援提供証明書」を作成しましたので参考にして下さい。	
5―45	申請者以外に対する支出	施設型給付を受けない幼稚園の利用者に対する施設等利用費を償還払いで支給する場合、市町村から一旦幼稚園に支出し、幼稚園から利用者に支払うことは可能ですか。	施設等利用費を償還払いする場合には、施設等利用給付認定保護者など申請者本人に直接支給することが原則となりますが、例えば、特別な事情により施設等利用給付認定保護者以外の者を給付の受取人とする場合や、幼稚園等の施設を通じて施設等利用給付認定保護者に支払う場合には、あらかじめ受取人（幼稚園等を含む。）が施設等利用給付認定保護者から給付金受領等に関する委任を取り付けておくことが必要となります。	
5―46	費目について	施設等利用費の費目については、扶助費が適当ですか。	費目については各自治体において、財政部局とも相談しながら、適切に計上してください。	
5―47	国立大学附属幼稚園等	国立大学附属幼稚園や国立特別支援学校幼稚部の保育料等にかかる施設等利用費は国が全額負担することになっていますが、市町村は歳出予算を計上することは必要ですか。	国立大学附属幼稚園や国立特別支援学校幼稚部の保育料等にかかる施設等利用費は国が全額負担することになっていますが、施設等利用費の支給は市町村で行っていただくため、市町村においては支給する分の歳出予算を計上することが必要です。実際の支給に要した費用の財源は、国から交付され市町村の歳入に計上されることとなります。	
5―48	処分性について	教育・保育給付認定については行政処分としての性格があると思いますが、施設等利用給付認定は処分性がありますか。	教育・保育給付認定と同様に処分性があります。	
5―49	不服申し立て	施設等利用費の決定・通知が事務フローに想定されていませんが、請求金額に誤りがあった場合、どのように対応するのか。支払金額は不服申立ての対象ですか。	①決定した支払額が請求金額と異なった場合に保護者に通知する（不服申立ての教示を含む。）、②請求金額の訂正処理をし、請求書の補正手続をとる、という大きく2つの方向での対応が考えられます。 　給付の支払請求は受給権に基づく請求であり、申請に対する応答としての決定・通知は不要ですが、支払金額の決定は行政不服審査法上の公権力の行使に該当しえます。不服申立ての教示を、口座振込等の支払の都度行う必要はなく、包括的にお知らせするなどの対応で差し支えないと考えています。	
5―50	消滅時効の起算日	償還払いの場合、時効2年の考え方について、起算開始日はいつになりますか。「施設に保護者が保育料を支払った日」や「当該年度の年度末の日」などの案が考えられますが、いつになるのかご教示願います。 　また、時効前に「保護者が市に請求をしていれば良いのか。」又は「時効前に市が保護者への振り込み手続きを完了していなければならないのか。」どちらですか。	前段については、民法第166条第1項で、「消滅時効は、権利を行使することができる時から進行する。」とあります。施設等利用費の受給権が行使できるのは、施設等利用費の月額や日割り額が決定する翌月1日となると考えます。 　後段につきましては、時効前に保護者が市に請求する必要があります。	
5―51	認定期間経過後の受給権者	償還払いの場合、就学後に2年の時効ギリギリのタイミングで請求してくることも想定される。 　この場合、離婚などの理由で、施設等利用費の認定を受けていた保護者と請求時点の保護者が異なることもあり得ますが、こうした場合であっても、認定時点の保護者へ支払	児童手当については、DVなどによる要因で子どもを連れて住民票を移動せず転入してきた場合、転入した本人の申し出により子どもの監護監督を行っているのは自身であるため、児童手当の支給先を自身とする申し出を行うことが可能となっています。この場合、申し出を受けた居所地である市町村では、当該申し出を行った者を児童手当の受給者と認定するとともに、住民	

		いを行う必要がありますか。（就学を以て施設等利用給付の認定は終了するため、その後の状況変更に基づく認定保護者の変更について届け出ることができません。） 　児童手当では、こうしたケースも含め、支払先についてルールが定められているため、これを準用したいと考えています。	登録のある市町村に現在の児童手当の受給者への支給を停止するよう通知することとなります。 　こうした児童手当における取扱いについては、申し出を行った以降適用されるものであり、過去に遡及するものではありません。 　施設等利用給付認定においては、現に認定を受けていた者が受給権を有しているものであり、請求が認定期間経過後であっても、これがかわるものではありません。 　仮に、認定保護者ではない者が保育料を支払っていたとするのであれば、民事裁判等において争うべきものと考えます。
5—52	長期間欠席している場合の施設等利用費	園児の体調不良などにより、認可外保育施設等を結果的に1か月登園しなかった場合、当該月の利用料は無償化の対象となりますか。	施設型給付を受けない幼稚園においては、長期間にわたり継続的に休学している場合は、その期間は「利用」に当たらず施設等利用費の対象外としています。（No.5—20） 　しかし、当初から長期間の欠席を予定している場合でなく、結果的に1か月間欠席したような場合は、当該園児の登園に備え、職員の配置等も行っていることから実際に施設等を利用していなかったとしても、その利用料は施設等利用費の対象として構いません。 （参考：新制度自治体向けＦＡＱ【第19.1版】No.176）
5—53	施設・事業の複数利用	認可外保育施設や一時預かり事業、病児保育事業、子育て援助活動支援事業を併用した利用者から施設等利用費の請求があった場合、市町村はその内訳（例：3.7万円のうち、認可外保育施設〇〇円、一時預かり事業〇〇円など）を算定する必要はありますか。 　また、内訳を算定する必要があるとした場合、当該月の合計利用料が給付限度額を上回った利用者については、どのように内訳を算定（例：当該複数利用した施設・事業のそれぞれの利用料等で給付費を按分する、控除する施設・事業の順番を予め決めて給付費を順に充てていく等）すればよいのですか。	認可外保育施設等を併用した場合における施設等利用費の内訳については、法令や子育てのための施設等利用給付交付金の交付その他国が必要に応じて行う調査等において求めておりません。各市町村において必要に応じてご判断ください。 　なお、幼稚園利用者が当該園の預かり保育事業のほか、認可外保育施設等の利用料も無償化の対象となる場合、No.5—28のように利用者は任意の組合せで請求することが可能ですが、それぞれ給付の請求があった場合は、月額上限額（1.13万円又は1.63万円）から当該預かり保育事業に要した給付額を先に控除し、残額を認可外保育施設等に充てる月額上限額とするため、施設等利用費の内訳として、預かり保育事業と認可外保育施設等の給付額をそれぞれ把握（例：1.13万円のうち、預かり保育事業〇〇円、認可外保育施設等〇〇円）する必要があります。
5—54	法第65条第4号の解釈	法第65条第3号は「市町村が設置する特定子ども・子育て支援施設等（認定こども園、幼稚園及び特別支援学校に限る）に係る施設等利用費の支給に要する経費」とあり、同条第4号は「国、都道府県又は市町村が設置し、又は行う特定子ども・子育て支援施設等（認定こども園、幼稚園及び特別支援学校を除く）に係る施設等利用費の支給に要する費用」とあります。 　このことから、公立幼稚園、認定こども園における預かり保育事業は、法第65条第3号に該当し、国および都道府県から子育てのための施設等利用給付交付金は交付されないとの理解でよいでしょうか。また、市町村が実施するファミサポ、一時預かり事業は法第65条第4号に該当し、同交付金の交付対象となるとい	法第65条第4号にある「特定子ども・子育て支援施設等（認定こども園、幼稚園及び特別支援学校を除く）」とは、次の施設・事業が該当します。 ・国、都道府県、市町村が設置する「認可外保育施設」（法第7条第10項第4号） ・国、都道府県、市町村が設置する認定こども園、幼稚園及び特別支援学校で実施する「預かり保育事業」（法第7条第10項第5号） ・国、都道府県、市町村が実施する「一時預かり事業」（法第7条第10項第6号） ・国、都道府県、市町村が実施する「病児保育事業」（法第7条第10項第7号） ・国、都道府県、市町村が実施する「子育て援助活動支援事業」（法第7条第10項第8号） 　つまり、法第65条第4号の（　）書きに

		う理解でよいでしょうか。	ある認定こども園＝法第７条第10項第１号、幼稚園＝法第７条第10項第２号、特別支援学校＝法第７条第10項第３号であることが分かると整理しやすくなります。 このことから、御質問の「公立幼稚園、認定こども園における預かり保育事業」は、法第65条第４号に該当しますので、公立も私立も子育てのための施設等利用給付交付金は、法第67条第２項により都道府県１／４、法第68条第２項により国１／２の負担となります。 なお、御質問の「市町村が実施するファミサポ、一時預かり事業」は、お見込みのとおり法第65条第４項に該当します。	
5—55	新規入園児に係る施設等利用費について	新制度へ移行していない幼稚園等において入園式が４月２日以降に行われ、その日から通園する場合には、入園式以後の日数で４月分の利用料に係る施設等利用費の支給上限額の日割り計算を行う必要がありますか。	４月の入園式の日から通園する新規入園児は、４月１日から当該園の在籍園児と考えます。 ここでいう「新規入園児」とは、年度当初の入園児をいい、４月の入園式翌日以降を含む年度途中の入園児を除きます。従って、満３歳に達する日以後※の最初の３月31日を経過した４月の入園式の日に入園した子どもが「新規入園児」となります。これに対して例えば４月３日に満３歳の誕生日を迎え、４月８日に入園した場合などは、たとえ新規入園児と同じ入園式の日から通園する場合であっても、年度途中に入園することになるため、新規入園児には該当しません。 このため、入園式が４月の月途中に行われ、その日以降に通園を開始した場合であっても、４月１日から入園式前日までの期間は修業期間外に登園しなかったに過ぎないため、入園式以降の利用日数で４月分の当該園の利用料に係る施設等利用費の支給上限額を日割り計算する必要はありません。なお、特定子ども・子育て支援施設提供証明書に記載する提供日は、修業期間外の平日も含めて記載します。 ※　２年保育の場合は満４歳に達する日以後、１年保育の場合は満５歳に達する日以後	
5—56	卒園児に係る施設等利用費について	新制度へ移行していない幼稚園等において、卒園式が３月の月途中に行われ、卒園式の翌日以降、同園へ通園しない場合は、卒園式までの日数で３月分の施設等利用費の支給上限額を日割り計算する必要がありますか。 また、卒園月に５歳児の転出入があった場合の対応はどのようになりますか。	卒園児は、３月31日まで当該園の在籍園児と考えます。 そのため、卒園式が３月の月途中に行われ、卒園式の翌日以後、当該園へ通園しなかったとしても、卒園式の翌日以後は修業期間外であるため登園しなかったに過ぎないため、卒園式までの日数で３月分の施設等利用費の日割り計算は不要です。 ただし、当該卒園月に市町村間の転出入があり、転出に伴う施設等利用給付認定の取消し・新規取得を行う場合は、それぞれの居住日数に応じた平日の日数に基づき日割り計算が必要となります。この場合、利用中の幼稚園に在籍しながら、月途中に転出入することになるため、支給上限額のみならず月額利用料も日割り計算を行うことに留意が必要です。 なお、保護者が卒園月（３月）の月途中に転出元市町村に対して転出届を提出したとしても、例えば既に利用している幼稚園や転出元市町村の施設等に３月末日まで在籍していて転出先市町村で新たに特定子ども・子育て支援を受けないなど総合的に勘案して転出元市町村に居住実態があると推定できる場合は、転出元自治体において施	

設等利用給付認定を取消さずに３月分（月額）の施設等利用費を支給することが考えられます。この場合、二重給付を防止する観点から、仮に、卒園児の保護者が転入先自治体へ施設等利用給付認定の申請を行った場合には、転出元自治体における認定状況や特定教育・保育施設等の利用状況等を確認して認定期間の重複がないよう両自治体間で調整を行う必要があります。

卒園月に市町村間の転出入があり、転出に伴う施設等利用給付認定の取消し・新規取得を行う場合には、転入先市町村においてすき間なく認定を取得しなければ、転入後に係る幼稚園の保育料や預かり保育事業の利用料が施設等利用費の対象外となってしまいます。特に、施設等利用費を幼稚園等が法定代理受領している場合は、日割りのための認定申請が転入先で適切に行われない場合、受領する給付額が減少することとなり、経営上困難が生じる場合も考えられます。一方で、卒園月における転出入は、卒園後など修業期間外に行われることが多く、ごく短期間の給付のために認定申請や請求の手続きを転出先市町村において再度行うことに保護者や認定申請書の経由事務を行う幼稚園等の理解が得られない場合も多いと考えられます。以上のことから、転出に伴う施設等利用給付認定の取消し・新規取得を行う場合には、転出元・転入先両自治体においては、卒園月における転出入に伴う認定申請や施設等利用費の請求に係る事務を可能な限り簡素化し、例えば可能な限り園を経由せず直接保護者とやり取りするなど、保護者・園の事務負担軽減と確実な給付の確保に配慮をお願いします。

【６　教育・保育給付、就園奨励費等】

No.	事項	問	答	備考
６—１	利用料の支払方法	特定教育・保育施設及び特定地域型保育事業を利用する方への幼児教育・保育の無償化に係る費用の支払い方法はどのようになりますか。	現物給付となります。そのため、利用者は利用料を支払う必要がなくなります。	
６—２	教育・保育給付認定（１号）に係る地方単独費用	教育・保育給付認定第１号認定者に対する施設型給付については、幼児教育・保育の無償化を機会に地方単独費用分は無くなり、全額を国１／２、都道府県１／４、市町村１／４で負担すると理解してよろしいでしょうか。	教育・保育給付第１号認定子どもに係る施設型給付の支給に関する経過措置として設定しているいわゆる「地方単独費用部分」については、今回の幼児教育・保育の無償化に伴い見直してはいません。 このため、地方単独費用部分については、引き続き都道府県と市町村が折半して費用負担することになります。	
６—３	多子減免	現行の保育料多子軽減の制度は今後も続きますか。給食費のうち副食費が免除される世帯はどうなりますか。多子の算定基準はどうなりますか。	利用者負担額の多子減免については、満３歳未満保育認定子どもに引き続き適用され、小学校就学前までの範囲で多子を算定し、第２子は半額、第３子以降は無償となり（施行令第13条第１項）、低所得の多子世帯の場合は年齢制限なく、第２子は半額、第３子以降は無償となります（施行令第14条）。 また、施設で徴収される副食費の免除は、満３歳以上教育・保育給付認定子どものうち、年収360万円未満相当世帯と、世帯所得にかかわらず第３子以降が対象となります。多子の算定基準については、教育認定・特別利用教育であれば小学校第３学年修了前、保育認定・特別利用保育であれば小学校就学前までの範囲で算定します	

No.	事項	問	答	備考
			（特定教育・保育施設及び特定地域型保育事業の運営に関する基準第13条第4項）。	
6—4	問削除のため欠番			
6—5	利用料の通知	無償化により利用料が0円となった場合も，利用料の通知は必要ですか。	新たに特定教育・保育施設等を利用するときや，2歳児クラスから3歳児クラスに上がるときなど，利用者負担に変更が生じる場合には，利用者負担額が0円になる場合であっても，その旨の通知を行う必要があります。 　一方，現行制度においても，利用者負担額に変更がない場合には，通知する必要はないことを踏まえ，3歳児クラスから4歳児クラスになる場合など，利用者負担額が0円のまま変更がない場合には，通知を行う必要はないと考えています。	
6—6	特定教育・保育施設と未移行幼稚園の二重在籍	他県の保育園に在籍している子どもを，母親の里帰り出産に合わせて，9月～10月の間に，当該市にある施設型給付を受けない幼稚園に入園させることを検討しています。 　これまで，施設型給付を受けない幼稚園では，就園奨励費等の二重交付がないことを確認のうえ，里帰り前に利用していた園に在籍しながら，里帰り先の幼稚園に在籍していた園児がいる場合がありましたが，無償化後は，どのような取扱いになるでしょうか。	教育・保育給付第2号認定を受け，保育所での施設型給付を受けている場合は，施設等利用給付認定を取得できません（法第30条の4）。 　そのため，御質問の例の場合，施設型給付を受けない幼稚園に係る施設等利用給付を受けることはできません。ただし，施設等利用給付の対象とならないのみであり，二重在籍はこれまでどおり可能と考えます。	
6—7	市町村の単独補助事業分の取扱	新制度幼稚園や私立保育所の保育料を，市町村の単独事業で補助している場合，この部分も含めて国の制度として幼児教育・保育の無償化の対象となるのですか。	特定教育・保育施設及び特定地域型保育事業においては，法施行令で定める利用者負担額を0円とすることにより，幼児教育・保育の無償化を行うこととなります。このため，これまで市町村が単独事業により利用者のさらなる負担軽減を講じてきた部分（政令で定める額と市町村が定める額の差額部分）についても，国や都道府県の負担が入ることになります。 　なお，地方自治体において，既に独自に行っている無償化や負担軽減の取組については，「幼児教育・高等教育無償化の制度の具体化に向けた方針」（平成30年12月28日関係閣僚合意）において，「今般の無償化が，こうした自治体独自の取組と相まって子育て支援の充実につながるようにすることが求められる。このため，今般の無償化により自治体独自の取組の財源を，地域における子育て支援の更なる充実や次世代へのつけ回し軽減等に活用することが重要である。」とされており，適切に対応いただきたいと考えています。	

【7　預かり保育事業】

No.	事項	問	答	備考
7—1	基準・指導監督	幼稚園の預かり保育事業の基準の確認や指導監督は誰がどのようにして行うのですか。	幼稚園の預かり保育事業については，幼稚園教育要領に準じて実施されていることや必要な職員配置を行っていること等が市町村の確認に係る基準となりますが，市町村においては，認可権者による指導監督により同基準が満たされることを前提として，確認申請書類に記載された運営状況に基づき，書面において当該基準を満たすことを確認することとなります。市町村においては，都道府県による広域連携に資するよう，各園の運営状況に係る書類や確認の結果を所轄の都道府県に共有していただくよう御願いします。	

			公立園については設置者、私立園については都道府県教育所管部局が、市町村から共有された預かり保育事業の運営状況等を活用しつつ、同事業と同様の基準を満たすよう、通常の指導監督の過程において各園に求めることとなります。なお、子ども・子育て支援法に基づく一時預かり事業（幼稚園型）を受託していない場合においても、同様です。幼稚園の預かり保育事業は幼稚園教育要領に基づく教育活動であることを踏まえ、都道府県等によるこの指導監督の基準については、幼稚園教育要領の解釈の一環として令和元年10月2日付けで都道府県教育所管部局等に通知したところです。	
7—2	預かり保育事業の実施委託	複数園を経営している場合などで、預かり保育事業の実施を子供の在籍園以外の園に委託をし集約して実施している場合は無償化の対象となりますか。また、預かり保育事業の実施を業者委託し保護者は当該委託先業者と契約するような場合は無償化の対象となりますか。	子育てのための施設等利用給付の対象となる預かり保育事業は、幼稚園等において教育課程の終了後に在籍園児に対して行われる教育・保育となります。在籍する幼稚園等が近隣の幼稚園等に預かり保育の実施を委託しているような場合であっても、保護者が在籍園と利用契約を締結しており、在籍園と集約園との間の適切な委託契約等により、預かり保育事業の実施基準の充足や特定子ども・子育て支援施設等としての義務の履行（領収証・提供証明書の発行など）を担保できる場合には、在籍園児に対する預かり保育事業として子育てのための施設等利用給付の対象としていただいて差し支えありません。 しかしながら、保護者と在籍する幼稚園等との間に預かり保育事業の利用契約がなく、在籍園が委託した業者の預かりサービスを利用するだけといった場合は、在籍園における預かり保育事業を利用しているとは考えられないため、預かり保育事業としては無償化の対象とはなりませんが、当該業者が認可外保育施設や一時預かり事業の届出を行っている場合には、幼稚園等利用者の認可外保育施設等の利用料を無償化の対象とする枠組みにおいて、子育てのための施設等利用給付が受けられる場合があります。	
7—3	預かり保育事業の実施委託	A幼稚園は、平日8時間以上・年間200日以上の預かり保育事業を実施していますが、夏季休業中などの長期休業期間中の預かり保育事業を行っていないため、近隣でこれらの期間も預かり保育事業を行っているB幼稚園がB幼稚園の児童と一緒にA幼稚園の児童の預かり保育事業を行っています。 このような場合、A幼稚園の児童が利用したB幼稚園での預かり保育事業も無償化の対象となりますか。	幼稚園等として平日8時間以上、年間200日以上の預かり保育事業を実施している場合、施設等利用給付第2・3号認定子どもは、当該園が提供する預かり保育事業が施設等利用費の対象となり、他園が提供する一時預かり事業を含め認可外保育施設等の利用料は施設等利用費の対象とはなりません。 ただし、当該園児の利用する預かり保育事業が在籍する園と他園との間の適切な委託契約等により、預かり保育事業の実施基準の充足や特定子ども・子育て支援施設等としての義務の履行（領収証・提供証明書の発行など）を担保できる場合には、在籍園児に対する預かり保育事業として子育てのための施設等利用給付の対象としていただいて差し支えありません。	
7—4	幼稚園等利用者の認可外保育施設等利用	預かり保育事業の提供が「十分な水準」である場合の要件である「平日8時間以上、年間200日以上」とは、恒常的に8時間以上開所している必要があるのでしょうか。	年間200日以上とは、長期休業中・休日を含めた年間の開所日数であり、長期休業中や休日に8時間未満の開所であっても平日に8時間以上開所していれば、「十分な水準」を満たしていることになります。	
7—5	幼稚園等利用者の認可外保育施設等利用	毎週第1・第3土曜日が開園日となっている幼稚園等で、土曜日は預かり保育事業を実施していません	幼稚園等の利用者が認可外保育施設等の利用料も無償化の対象となる場合の要件における「平日」は、土・日曜日、国民の休	

		が、月～金曜日については8時間以上（教育時間を含む。）、年間で200日以上の預かり保育事業を実施している場合、この幼稚園等の利用者は認可外保育施設等の利用料も無償化の対象となりますか。	日を除く教育課程上の活動を実施している月曜日から金曜日となります。したがって、御質問のケースでは、平日に8時間以上の預かり保育事業が実施されていることから、認可外保育施設等の利用料は無償化の対象となりません。	
7―6	幼稚園等利用者の認可外保育施設等利用	施設としては平日8時間以上、年間200日以上の預かり保育事業を実施していますが、満3歳児のクラスのみ預かり保育事業を実施していない場合、当該クラスの園児は、認可外保育施設等の利用料は無償化の対象となりますか。	幼稚園等の利用者が認可外保育施設等の利用も無償化の対象となる要件については、施設としての預かり保育の実施状況により判断します。そのため、特定の学年のみ預かり保育事業を実施していなかったとしても、当該施設において十分な預かり保育事業の提供を行っている場合は、当該園を利用する施設等利用給付認定子ども全員が認可外保育施設等の利用料は無償化されません。	
7―7	幼稚園等利用者の認可外保育施設等利用	幼稚園等の利用者が認可外保育施設等の利用料も無償化の対象となる要件については、毎年度見直すことが必要ですか。	幼稚園等の利用者が認可外保育施設等の利用も無償化の対象となる要件は、年度開始前に予定している年間計画で判断していただくことになります。このため、年間計画の変更により年度開始前の段階で見直すことが必要な場合に、市町村は幼稚園等から、例えば法第30条の3で準用する法第14条第1項に基づき確認申請書の別紙（確認参考様式その3（預かり保育））を提出させることなどにより預かり保育事業の実施状況（予定）を確認するようお願いします。	
7―8	幼稚園等利用者の認可外保育施設等利用	当初予定していなかった事情により、幼稚園利用者が認可外保育施設等の利用も無償化の対象となる要件（預かり保育事業の開設日数等）に年度途中から該当することとなったり、該当しなくなったりした場合の取扱いはどのようになりますか。	幼稚園利用者が認可外保育施設等の利用も無償化の対象となる要件は、年度開始前に予定している年間計画で判断していただくことになります。 　このため、年度途中の突発的な事情により、開所時間や日数が予定と大幅に異なることをもって無償化の対象者を変更することはありませんが、申請内容の妥当性等を事後に検証できるよう、預かり保育事業の開設時間等が予定と大幅に異なることとなった経緯や理由について、幼稚園で整理しておくことが必要と思われます。 　なお、次年度以降も預かり保育事業の開設時間等が確認申請時と異なる見込みの場合は、あらかじめ市町村に確認変更届を提出することが必要となります。	
7―9	幼稚園等利用者の認可外保育施設等利用	幼稚園利用者が認可外保育施設等の利用も無償化の対象となる要件（預かり保育事業の開設日数等）について、例えば、特定の曜日（毎週水曜日など）のみ、教育時間を含めて6時間の預かり保育事業しか行っていない場合の取扱いはどうなりますか。	特定の曜日において、定期的に教育時間を含めた預かり保育事業の時間が8時間を下回る場合は、その他の曜日における預かり保育事業の時間が8時間を超える場合であっても、当該園の在籍者が利用する認可外保育施設等の利用料は無償化の対象となります。	
7―10	幼稚園等利用者の認可外保育施設等利用	幼稚園利用者が認可外保育施設等の利用も無償化の対象となる要件（預かり保育事業の開設日数等）について、例えば、夏休みなど長期休業中のみ8時間未満の預かり保育事業しか行っていない場合の取扱いはどうなりますか。	幼稚園利用者が認可外保育施設等の利用も無償化の対象となる要件のうち、「平日8時間以上」は、教育時間を含めた時間であり、教育課程に係る教育を実施している平日を想定しています。したがって、教育課程に係る教育を実施している平日に8時間以上の預かりを行っている場合で、長期休業中のみ8時間を下回る場合は、要件に該当せず、認可外保育施設等の利用は無償化の対象となりません。	
7―11	幼稚園等利用者の認可外保育施設等利用	施設としては平日8時間以上、年間200日以上の預かり保育事業を実施していますが、人材確保等の事情により、定員を超える利用希望を断ったり、利用者個別の利用日数を	幼稚園利用者が認可外保育施設等の利用料も無償化の対象とする際の要件は、全ての市町村が簡便かつ客観的に判断可能なものである必要があることから、幼稚園が提供している預かり保育事業の開設時間や日	

		制限している場合は、認可外保育施設等の無償化対象要件に該当しますか。	数で判断することとしております。したがって、施設として平日8時間以上、年間200日以上の預かり保育事業を実施している場合には、個人の個別の保育ニーズが満たされていない場合であっても、当該園の在籍者が利用する認可外保育施設等の利用料は無償化の対象とはなりません。 保育の必要性のある子どもが多く幼稚園に在籍しており、定常的に預かり保育の利用定員を超過することが明らかな場合には、各市区町村において特定教育・保育施設における第2号定員の増加を検討していただくほか、当該幼稚園において預かり保育の受入れができない子どもに係る預かり保育について他の幼稚園等に対して適切な委託契約等に基づき委託していただくことにより、在籍園児に対する預かり保育事業として無償化の対象となります。（預かり保育を実施委託する場合の施設等利用給付の扱いに係る留意点については№7—2を参照ください。） なお、預かり保育事業の長時間化・長期休業中の開所を十分な体制で実施できるよう、一時預かり事業（幼稚園型Ⅰ）の単価の充実や加算の創設を行っていますので、各自治体におかれては一時預かり事業の補助単価の国基準への引き上げ等を積極的に御検討いただき、各幼稚園の預かり保育事業が保護者の保育ニーズに応えたものとなるよう積極的な支援を御願いいたします。	
7—12	公立特別支援学校幼稚部	預かり保育事業を実施していない公立特別支援学校幼稚部の利用者が認可外保育施設等を利用した場合、その利用料は無償化の対象となりますか。	公立特別支援学校幼稚部についても、幼稚園と同様に、預かり保育事業の開設時間等が十分ではない場合や事業自体を実施していない場合、在籍園児が利用する認可外保育施設等は無償化の対象となります。この場合、公立特別支援学校幼稚部が預かり保育事業の確認申請を行わないことも想定されますが、公立特別支援学校幼稚部を利用する施設等利用給付第2・3号認定者が利用する認可外保育施設等が無償化の対象となる場合があるので、市町村は公立特別支援学校幼稚部に対して、例えば国が示す確認参考様式その3（預かり保育）を提出させることなどによって預かり保育事業の実施状況を把握するようお願いします。	
7—13	利用制限	無償化に伴い、預かり保育事業の利用者数の増加が予想されますが、定員を超える申し込みがあった場合、園の判断で利用を断ったり利用者の選定をすることは可能ですか。	各園が人員配置等を踏まえ設定する定員を超える預かり保育事業の利用申し込みがあった場合には、各園の判断で利用をお断りすることや、対象者を選定することは可能であると考えます。 ただし、保護者の保育ニーズを可能な限り満たすことが待機児童対策の観点からも重要であることから、国としては、長時間利用にかかる加算等の予算を充実させてきているところであり、このような予算の活用も含め、預かり保育事業の十分な提供に御協力いただきたいと考えております。	
7—14	日額単価の考え方	預かり保育事業の上限額にかかる日額単価は、長期休業期間を含めて同額（450円）であるため、利用時間が増加する長期休業期間で保護者負担が発生する可能性がありますが、保護者や事業者にどのように説明すれば良いですか。	預かり保育事業の上限額にかかる日額単価は、保育料が長期休業期間中にも徴収されている実態や公定価格等の運営費補助が長期休業期間を含めた年間の各月に平準化されて措置されていることを踏まえ、年間を通じて同額（450円）としております。	
7—15	算定方法（回数券の利用）	預かり保育事業の利用料を回数券として一括して購入させている場合、月額の利用料はどのように算定すればよいですか。その際、証拠書類として提出させる領収証等の扱いはどうなりますか。	回数券等により複数回分の利用料を事前に支払う場合であっても、月毎に、利用した回数分がかかる利用料相当額と、利用日数に450円を乗じた額を比較して小さい額が無償化の給付額となります。	

			この際、1回当たりの利用料金は、回数券等の料金を利用可能回数で除す（小数点以下の端数は切り捨て）ことにより算出してください。 なお、領収証自体は回数券等の代金を領収した際に発行することになると思われますが、給付の請求時に記載する利用実績の確認が出来るよう、領収証のほか、特定子ども・子育て支援提供証明書を保護者に発行していただき、それを請求の際に提出させることが必要となります。	
7—16	算定方法（転園を伴わない市町村転出入）	預かり保育事業で月の途中に利用者が転園せずに市町村をまたがる転居をした場合、算定方法はどのようになりますか。この場合、施設は領収証や提供証明書を市町村毎に分割して発行することが必要ですか。	転出先での支給認定の日以降は転出先市町村が、転出以前は転出元の市町村が施設等利用費を支給することとなります。その際、月額上限額について、転出元の市町村では転出日までの預かり保育事業の利用日数に450円を乗じ、転出先の市町村では転出先での認定日以降の預かり保育事業の利用日数に450円を乗じることとなります。また、預かり保育事業の利用料の市町村間の按分の方法としては、利用料が日額で設定されている場合、転出元の市町村では転出日までの預かり保育事業の利用日数に日額の利用料を乗じ、転出先の市町村では転出先での認定日以降の預かり保育事業の利用日数に日額の利用料を乗じることとなり、利用料が月額で設定されている場合は、月額の利用料をそれぞれの認定期間（利用日以外を含む日数）で按分することになります。この場合、それぞれの利用日数等を確認する方法として、 ① 在籍園から発行する提供証明書の「提供した日（提供日数）」を転出日以前と、転出先での支給認定日後に分割することを求め、保護者が転出元と転出先自治体にそれぞれ提供証明書を添付して請求するという方法 ② 提供証明書の分割までは求めずに、市町村間と在籍園との連絡によりそれぞれの市町村が給付する分にかかる利用日数を確認する方法 などが考えられます。 なお、いずれの方法であっても、認定期間に空白が生じることにより利用者の不利益につながらないよう、住民基本台帳担当部局との緊密な連携、両市町村と在籍園の緊密な連携によりすみやかな認定手続きをお願いします。 （令和2年10月26日付事務連絡「転出入時における事務手続の円滑化に向けた住民基本台帳担当部局との連携の強化について」参照）	
7—17	公立幼稚園における法定代理受領	特定教育・保育施設の公立幼稚園では今般の無償化により条例等で規定している利用者負担額を0円とする予定ですが、同園で実施している預かり保育事業を法定代理受領とする場合も、同様に預かり保育事業の利用料を0円と定めることが必要ですか。	施設等利用費は、預かり保育事業を含め、特定子ども・子育て支援に要した費用について支給されるものです。このため、公立幼稚園において預かり保育事業の施設等利用費を法定代理受領とし、利用者から利用料を徴収しない場合は、利用料を0円とするのではなく、利用料を規定しつつも、例えば施設等利用費として施設が法定代理受領する分の利用料は不徴収とすることなどを条例や規則等で定めることが必要となります。	
7—18	自治体独自の無償化	幼稚園で保育の必要性がない子供に対して預かり保育事業を行う場合、自治体独自で無償化としてよいですか。	市町村の判断で、このような子供の預かり保育事業の利用料を単独事業等で無償とすることは差し支えありませんが、保育の必要性がないことから、施設等利用給付第2・3号認定子どもにはなり得ないこと、	

No.	事項	問	答	備考
			さらには施設等利用費の支給対象ではないことに留意が必要です。	
7—19	預かり保育事業の利用日数について	預かり保育事業の利用日数について、例えば、数分程度の利用後に園児が早退した場合や、体調不良により教育時間終了時に園児が帰宅したが、預かり保育事業が月極契約であるため、幼稚園等が予め用意した「おやつ」を園児が受け取りに行った場合は利用に当たるのかなどの質問が幼稚園等から寄せられていますが、施設等利用費の算定根拠となる利用日数の利用についてどのように考えればよいですか。	預かり保育事業は、通常の教育時間の前後や長期休業期間中などに、幼稚園等が当該幼稚園等の園児のうち希望者を対象に行う教育・保育活動であり、幼稚園等が総合的な観点からみて当該利用が教育・保育活動の提供に相当すると認識している場合に、施設等利用費の「利用日数」としてカウントしてください。 なお、運営基準に基づき、各幼稚園等では預かり保育事業の提供の記録を整えることになっていますので、市町村におかれては、利用の実態に疑義がある場合は、指導監査等の手段を活用して、都道府県とも連携しつつ適切に対応するようお願いします。	

【8　認可外保育施設】

No.	事項	問	答	備考
8—1	認可外保育施設の無償化の始期	認可外保育施設において、10月1日又は事業開始後、数か月遅れて届出及び確認の申請がされた場合、いつから無償化の対象とすることが適当ですか。	無償化の対象となる施設・事業においては、認可や確認の申請を受けた後に事業を開始するため、無償化の給付は事業開始後に効力が発生することになります。しかし、認可外保育施設については、児童福祉法上、事業開始後1月以内に届出を行うこととされているため、確認の申請も事業開始後になされる可能性があります。 都道府県等におかれては、事業開始の相談があった際、児童福祉法に基づく届出及び子ども・子育て支援法に基づく確認の申請を早期に行うよう、助言することが適当と考えられます。そして実際に届出が出された場合、当該施設に対して、無償化に係る確認の申請を早期に行うよう助言することが適当と考えられます。 市町村におかれては、届出が適法に行われた日（届出日）から合理的な期間（例：1週間）内に確認申請があった場合には、当該届出日を確認の申請を行った日とみなすことを基本として取り扱ってください。合理的な期間は、市町村にて適切にご判断ください。 無償化の始期は、この確認の申請を行った日から1月遡った日と、事業開始日のうちいずれか遅い日と考えられます。これは、他の無償化の対象となる施設・事業においては、認可や確認を受けた後に事業を開始するのに対し、認可外保育施設については、児童福祉法上、事業開始後1月以内に届出を行うこととされているためです。	
8—2	認可外保育施設の届出	児童福祉法の規定に基づく届出がなされていない施設は幼児教育・保育の無償化の対象となりますか。事業所内の認可外保育施設や公立の認可外保育施設の取扱いはどうなるのでしょうか。	児童福祉法上、保育を行うこと等を目的とした施設について、認可を受けていないものは、親族間の預かりの場合等を除き、届け出なければならないこととされており、無償化の対象となる施設は、当該届出がなされていることが前提となります。 なお、これまで届出義務の対象外とされていた事業所内保育施設については、新たに7月1日から届出義務の対象とする児童福祉法施行規則の一部を改正する省令を3月29日付けで公布しました。 事業所内保育施設の届出に関しては、事務の平準化の観点から、以下の経過措置を設けており、7月1日の施行前でも、現行の届出様式を活用いただき、届出を受け付けていただくことは可能です。	

			①　施行日（７月１日）以前に開設している施設については、９月30日までに届出を行えばよい。 ②　これまでも、事業所内保育施設について届出を求めていた都道府県もあると承知しており、施行前であっても法令に規定する届出事項に相当する事項を届け出ていれば、改めての届出は不要。 　また、公立施設についても、行政がその事業内容を一律に把握することを可能とするため、これを届出の対象としました。（「児童福祉法施行規則及び厚生労働省の所管する法令の規定に基づく民間事業者等が行う書面の保存等における情報通信の技術の利用に関する省令の一部を改正する省令の公布について」及び「認可外保育施設に対する指導監督の実施について」の一部改正について（通知）（令和元年９月27日付け厚生労働省子ども家庭局長通知参照。））	
8―3	認可外保育施設の届出	各種学校が認可外保育施設に該当しないのは、なぜですか。	認可外保育施設については、児童福祉法において、保育を業務として目的とする施設であって認可を受けていないものとされ、これに対して、児童の福祉の観点から、届出を行い、行政による立ち入り、改善勧告、閉鎖命令等を行うよう規定されています。 　一方、各種学校については、学校教育に類する教育を行うものと学校教育法に規定されています。 　このように、各種学校とは、学校教育法に基づき教育を行うことを目的とし、かつ都道府県の教育部局による指導監督が行われているものであるため、保育を業務として目的とする認可外保育施設に該当しないとされているところです。	
8―4	認可外保育施設の届出	幼児教育・保育の無償化に必要とされる認可外保育施設の届出は、これまで児童福祉法上必要とされてきた認可外保育施設の届出と同じものですか。無償化に伴い、新たな届出を別途出さなくてはならないのですか。	無償化の対象となる要件である「届出」は、児童福祉法の規定に基づく都道府県等への届出を指します。 　児童福祉法に基づく届出が適正に行われたことを前提として、市町村が無償化に伴う給付を実施するにあたり、対象となる認可外保育施設に関する情報を把握・特定する必要があることから、市町村に対しても、確認のための申請を行っていただく必要があります。その際、届出と確認の内容は同様の内容となることが想定され、事業者の事務の簡素化の方策についても検討していきます。	
8―5	認可外保育施設の届出	児童福祉法第59条の２による認可外保育施設事業者の届出が事業開始後となり、事業開始日から当該施設を利用している施設等利用給付認定保護者が、事業開始日から届出日までの間は施設等利用費の給付が受けられないことにならないよう、認定保護者の利益を鑑み、国として事業開始前の届出を促進する方策等はないのでしょうか。	新たに認可外保育施設を設置した場合は、事業開始後１か月以内に届出を行うこととされていますが、施設等利用給付の対象施設・事業となるためには、都道府県への届出のほか市町村の確認を受ける必要があります。 　こうしたことから、当該施設・事業を利用する認定保護者への施設等利用費の給付を考慮した場合、届出と確認が、事業開始日に行われている状態となるよう、都道府県・市町村が連携して、認可外保育施設等の指導にあたることが必要と考えます。	
8―6	認可外保育施設	認可外保育施設等を特定子ども・子育て支援施設等として幼児教育・保育の無償化の対象施設・事業としたのは、待機児童問題により認可保育所に入りたくても入れず、やむを得ず認可外保育施設等を利用せざるを得ない子どもたちが存在するからとのことですが、保育所等入所保留	認可外保育施設において、保育の必要性があると認定され、無償化の対象となる方については、基本的には既に認可保育所の入所申込みのために教育・保育給付の第２・３号認定を取得し、認可保育所等の入所申込みを行った方であると考えています。 　ただし、保育の必要性はあるものの、認	

| | | 児童が存在している市町村のみが、認可外保育施設等利用者への施設等利用給付認定を行ったり、施設等利用費を支払うということなのでしょうか。 | 可保育所では就労している時間帯（例えば、深夜帯）の保育が行われていないなどの理由で、認可保育所に入所することをあきらめ、保育の利用申込み自体を行わず、認可外保育施設を利用する方が一定程度存在することを踏まえ、教育・保育給付の第2・3号認定を取得している方に加え、施設等利用給付の第2・3号認定を取得した方についても、無償化の対象としています。

　このため、全ての市町村において、申請があった場合には、施設等利用給付認定などの手続きを行う必要があります。

（施設等利用給付認定の申請のみを行う場合の運用上の取扱いについてはＦＡＱ№4－18の回答を参照ください。） | |
| 8—7 | 認可外保育施設 | 　指導監督基準を満たさない認可外保育施設も幼児教育・保育の無償化の対象にしていますが、安全の観点から問題ではないですか。 | 　待機児童問題により認可保育所に入りたくても入れず、やむを得ず認可外保育施設を利用せざるを得ない方に対する代替的な措置として認可外保育施設も幼児教育・保育の無償化の対象としました。

　原則、認可外保育施設の指導監督基準を満たす施設が対象となりますが、指導監督基準を満たさない認可外保育施設が基準を満たすために、5年間の猶予期間を設けています。

　一方で、今般の無償化を契機に、認可外保育施設の質を確保し、向上させていくことが重要です。このため、児童福祉法に基づく都道府県等の指導監督の充実等を図ることとしています。具体的には、
・　届出対象である認可外保育施設の範囲の明確化と周知
・　認可外保育施設が守るべき基準の内容についての助言などを行う「巡回支援指導員」の配置の拡充や指導監督の手法・ルールの明確化等による、現行の児童福祉法に基づく都道府県等による指導監督の徹底等
・　指導監督基準を満たさない認可外保育施設が基準を満たし、さらに認可に移行するための運営費の補助等の支援
・　ベビーシッターの指導監督基準の創設
などの取組を行っています。また、都道府県等の指導監督の充実を図るため、関連事務に従事する職員配置への地方交付税措置として、今年度から、標準団体につき、担当職員1名が増員されました。

　また、市町村によっては、
・　待機児童が多く、指導監督基準を満たさない施設を利用せざるを得ない地域がある一方、
・　待機児童がおらず、現在でも指導監督基準を満たさない施設を利用していない地域があります。

　このため、5年間の経過措置期間中は、待機児童や認可保育所の整備状況などを勘案し、市町村が特に必要と認める場合には、条例に定めた基準を満たす施設に無償化の対象を限定できる旨の特例を、子ども・子育て支援法の一部を改正する法律の附則に設けています。また、認可外保育施設等の状況把握や償還払いなどの無償化に係る事務費については、経過措置期間（2023年度まで）に係る費用相当額を国費負担するべく措置を講じます。 | |

8―8	認可外保育施設	認可外保育施設等においては、5年間の指導監督基準に関する猶予期間がありますが、この5年を経過した後に指導監督基準を満たしていない施設については無償化の対象から外れることになるのですか。	無償化の対象となる認可外保育施設は、原則として指導監督基準を満たす必要があり、5年間の猶予期間については、指導監督基準を満たさない認可外保育施設を利用している子供が存在することを踏まえ、あくまでも特例的に設けられたものです。このため、5年間の猶予期間のうちに指導監督基準を満たしていただくことが重要と考えております。仮に5年を経過した後に指導監督基準を満たしていない施設については、無償化の対象から外れることとなります。	
8―9	認可外保育施設	認可外保育施設について、5年間の経過措置期間においても幼児教育・保育の無償化の要件は何もないのですか。	5年間の経過措置期間はあるものの、認可外保育施設の質の担保は無償化に当たっての重要な課題と考えています。　認可外保育施設については、適正な保育内容や保育環境を確保するため、国において指導監督基準を定めており、都道府県等に原則年1回以上の立入検査を行うよう求めています。5年間の経過措置期間に関わらず、指導監督基準に適合していない施設については、認可外保育施設に対する指導監督権限を持つ都道府県等が指導、助言を行うことにより改善を図っていただくことが重要です。　今般の無償化を契機として、認可外保育施設の保育の質の確保・向上に向けて、児童福祉法に基づく都道府県等の指導監督の充実等を図ることとしています。引き続き、子供の保育環境の安全確保の観点から、現場を預かる皆様のご意見に十分配慮して、10月からの幼児教育・保育の無償化の円滑な施行に向けて検討を進めていきます。	
8―10	認可外保育施設（指導監督）	都道府県等が認可外保育施設に対する指導監督を着実に実施できるような体制整備のために、国はどのような支援を行うのですか。	国としては、指導監督基準の遵守状況等に関して指導・助言を行う「巡回支援指導員」の都道府県へ配置を支援するとともに、認可外保育施設の認可施設への移行促進策を強化し、指導監督基準を満たさない認可外保育施設も含め、認可施設への移行を加速化します。	
8―11	認可外保育施設	市町村が認可外保育施設等の情報を把握、確認するための方法はどのようになりますか。特に、県や市をまたがる場合の施設の情報をどのように把握、確認したらよいですか。	児童福祉法において、都道府県知事は、認可外保育施設の届出や運営状況の報告等の情報を、市町村長に通知することとされており、これを徹底するよう促してまいります。また、圏域を超えた情報共有については、幼児教育・保育の無償化の対象となる認可外保育施設等の情報について、利用者の選択に資する情報を直接閲覧できるよう情報公表システムを構築しており、当該システムを活用して、都道府県と市町村の認可外保育施設の情報共有を行っていただきたいと考えています。	
8―12	認可外保育施設	認可外保育施設の都道府県と市町村との連携について、県が所有している届出の情報を電子的に共有している場合でも、紙で市町村にすべて開示しなくてはならないのですか。	自治体の実情に合わせて判断いただいてかまいません。	
8―13	認可外の居宅訪問型保育事業（ベビーシッター）	新たに創設されるベビーシッターの指導監督基準の内容はどのようなものですか。	認可外の居宅訪問型保育事業（いわゆるベビーシッター）についての基準は、社会保障審議会児童部会「子どもの預かりサービスの在り方に関する専門委員会」で議論いただき、令和元年7月10日に「議論のとりまとめ」を公表しました。　保育従事者は保育士、看護師又は一定の研修を受講した者とする基準を子ども・子育て支援法施行規則に規定しました。「一定の研修を受講した者」とは、施行規則で	

			は、「都道府県知事が行う保育に従事する者に関する研修（都道府県知事がこれと同等以上のものと認める市町村長（特別区の長を含む。）その他の機関が行う研修を含む。）を修了した者」と規定し、認可の居宅訪問型保育事業で受講を求めている基礎研修の内容を基とする20時間程度の講義と1日以上の演習を基本としており、令和元年5月31日付けで指導監督基準を改正したところです。 　具体的な研修としては、①地方自治体が実施する認可の居宅訪問型保育研修事業（基礎研修）や子育て支援員研修（地域保育コース）、②（公社）全国保育サービス協会が実施するベビーシッター養成研修及びベビーシッター現任研修、③指定保育士養成施設が実施する（公社）全国保育サービス協会が定める「認定ベビーシッター」資格取得に関する科目の履修、④その他都道府県知事が同等以上のものと認める研修としており、④の基準等については、追って示す予定としています。 　今後、引き続き指導監督基準の改正等を実施してまいります。	
8—14	ベビーシッターの研修について	認可外のベビーシッターの要件となる一定の研修について、子育て支援員研修が考えられますが、認可外のベビーシッターが受講する場合も研修は国庫補助の対象となりますか。	お見込みのとおりですが、子育て支援員研修（地域保育コース）は小規模保育、家庭的保育、ファミリー・サポート・センター、一時預かり等の事業に従事する者を念頭に置いておりますので、定員に空きがある場合等にベビーシッターに従事する者に受講いただくなど、工夫いただくよう、お願いします。なお、ベビーシッターが受講する具体的な研修としては、①地方自治体が実施する認可の居宅訪問型保育研修事業（基礎研修）や子育て支援員研修（地域保育コース）、②（公社）全国保育サービス協会が実施するベビーシッター養成研修及びベビーシッター現任研修、③指定保育士養成施設が実施する（公社）全国保育サービス協会が定める「認定ベビーシッター」資格取得に関する科目の履修、④その他都道府県知事が同等以上のものと認める研修としており、④の基準等については、追って示す予定としています。	
8—15	公立の認可外保育施設	公立認可外保育施設は無償化の対象ですか。その場合の国・地方の負担割合はどうなりますか。	無償化の対象です。（なお、認可外保育施設の届出について、行政がその事業内容を一律に把握することを可能とするため、これを届出の対象としました。簡素な方法でも構いませんので提出いただきたいと考えています。）負担割合は国１／２、都道府県１／４、市町村１／４となります。（法第65条第４号、法第67条第２項、法第68条第２項参照）	
8—16	認可外保育施設	認可外保育施設の利用料金で２人目は半額といった設定もあるが、上限3.7万円との関係ではどのように処理をすればいいですか。 　また、認可外の居宅訪問型保育事業を兄弟姉妹で利用している場合とで、保育料の設定が２人目は半額又は時給追加500円といった設定の場合、住民税課税世帯で、１人（例：４歳児）は無償化対象、２人目（例：１歳児）は無償化対象外の場合、どのように無償化対象額を判断すべきですか。	施設の料金設定の方法にかかわらず、各子どもごとに実際に保護者が支払う保育料に応じて、上限額の管理を行うことになります。 　また、施設等利用費の支給対象者は施設等利用給付認定を受けた子どもとなりますので、当該子ども（例でいえば１人目の４歳児）の保育料が分かるよう、切り分けて管理していただく必要があります。	
8—17	認可外保育施設	雇用契約を結ばず、知人同士で共同保育を行っているようなケースは認可外保育施設に当たりますか。	親族や親しい友人、隣人等の、密接な人的関係を有する者の監護する乳幼児のみを預かる場合には、一般に利用者の募集が行	

			われていないことや、保育する側と保育される側との間に安定的な関係が想定されることから届出対象の認可外保育施設には該当しないこととしており、無償化の対象にもなりません。	
8—18	園舎のないいわゆる自然保育	園舎のないいわゆる自然保育は、認可外保育施設に該当するのですか。	認可外保育施設の業務を行う上で、園舎は通常必要と考えられることから、指導監督基準においても、乳幼児の居宅（住まい）で行うベビーシッターを除き、構造設備・面積の基準や非常災害に対する措置（設備面を含む）、給食に関する設備の衛生面の基準を定め、遵守を求めており、一般的に認可外保育施設を運営する場合、園舎を有することが望ましいと考えられます。 　（例：保育室、調理室、便所があること、保育室の面積は概ね乳幼児1人当たり1.65㎡以上であること、概ね1歳未満の乳児の保育を行う場所は、幼児の保育を行う場所と区画されており、かつ安全性が確保されていること） 　園舎のない、いわゆる自然保育について、地域の独自の認証・認定制度等を踏まえ、都道府県等の判断で認可外保育施設の届出を受けた場合には、園舎がないことを十分考慮し、届出を受けた事業者に対し、以下の例も参考に、乳幼児に対する安全性が著しく低下しないよう、責任者の連絡先や自然保育を行う特定の場所等を確実に把握した上で、不定期に抜き打ち調査を行うなど、適切に指導していただきたいと考えております。 例： ・実施主体の代表者（責任者）が特定され、緊急時に速やかに連絡が取れること（複数の連絡先（携帯電話番号等）があることが望ましい。） ・遊具などの保管場所が特定されているなど、保育の場所が特定できること（定期・不定期の調査、監査が可能であること） ・雨天荒天時の乳幼児の安全を確保できる対策が取られていること（近隣の建物やシェルター、園バスへの待避が可能であることなど） ・乳児や2歳未満児等を保育しない又は親が同伴していること ・園舎や園庭がないことを踏まえた安全対策が適切に講じられていること（保育従事者の加配、保育士等の有資格者の配置、安全に関する講習受講の義務づけ、安全対策マニュアル（予防対応・緊急時対応）の作成など）	
8—19	認可外保育施設に係る地方自治体の事務費	認可外保育施設に係る地方自治体の事務費については、法の経過措置期間中である2023年度まで全額国庫負担されることとなっていますが、どのように措置されるのでしょうか。 　また、条例を制定した場合、国庫負担の対象外となってしまうのでしょうか。	認可外保育施設に係る事務費については、令和元年度は「子ども・子育て支援事業費補助金」（「幼児教育・保育無償化実施円滑化事業」）により措置したところです。 　令和2年度以降の費用は、令和2年度において子育て支援対策臨時特例交付金（安心こども基金）に積み増しすることにより措置する予定ですが、具体的な運用上の取扱い等については、今後、地方自治体からの意見を伺いつつ検討していく予定としています。 　なお、条例の制定の有無にかかわらず、認可外保育施設にかかる事務費については、国庫負担の対象となります。	

8—20	認可外の居宅訪問型保育事業（マッチングサイトの手数料）	居宅訪問型認可外保育施設、いわゆるベビーシッターを利用する際にマッチングサイトへ支払う手数料は、施設等利用費に含めてもよいですか。	マッチングサイトの利用手数料は、ベビーシッターから保育の提供を受ける際に必ず発生する費用であることから、施設等利用費の対象に含まれます。 　この場合、領収証の発行者は支払い方法に応じ、次の3パターンが考えられます。 ① 利用者が利用料とサイト利用手数料の合計額をベビーシッターに支払う場合 　→ベビーシッターが発行する領収証（利用料とサイト利用手数料の合計額） ② 利用者がベビーシッターへ保育料を、サイト運営企業へサイト利用手数料を支払う場合 　→ベビーシッター、サイト運営企業双方が発行する領収証 ③ 利用者が保育料とサイト利用手数料をマッチングサイト運営企業へ支払い、マッチングサイト運営企業からベビーシッターに保育料を支払う。 　→マッチングサイト運営企業が発行する領収証（保育料とサイト利用手数料の合計額） 　なお、いずれの場合も特定子ども・子育て支援提供証明書は、ベビーシッターが発行することとなります。	
8—21	認可外の居宅訪問型保育事業（保育者の交通費）	認可外の居宅訪問型保育事業、いわゆるベビーシッターを利用する場合、保護者の居宅までの交通費は、施設等利用費の利用料となりますか。それとも無償化の対象外となる特定費用ですか。	ベビーシッターに限らず他の施設・事業においても、通園送迎費は特定費用とされていることから、ベビーシッターの交通費も同様に施設等利用費の対象外である特定費用となります。	
8—22 （再掲）	認可外の居宅訪問型保育事業（保育者の転出入に伴う取扱い）	A市在住の認可外のベビーシッターが同市で特定子ども・子育て支援施設等としての確認を受けましたが、その後B市へ転出しました。 　この場合、A市で受けた確認は転出日をもって効力を失うこととなるのでしょうか。 　また、当該ベビーシッターの転出日以降に当該ベビーシッターを利用した場合、その利用料は施設等利用費の支給対象外となってしまうのでしょうか。	確認については、規則第53条の2において、事業を行う者が確認に係る申請書類を当該施設又は事業所の設置の場所を管轄する市町村長に提出しなければならない、とされています。また、法第58条の5では、施設又は事業所の場所に変更があったときには10日以内に変更届を市町村長に提出しなければならないこととされています。 　特定子ども・子育て支援施設等の確認の効力は全国に及ぶため、当該ベビーシッターはA市転出後に所在地（＝住所）の変更届をA市へ提出する必要があるが、A市が行った当該ベビーシッターの確認自体の効果は継続するものと考えられます。 　しかし、特定子ども・子育て支援施設等の確認は、所在市町村において行うものであり、また確認指導監査を実施する観点からは当該ベビーシッターの居住市町村において確認指導監査を実施することが望ましいため、本件については、転出先であるB市において特定子ども・子育て支援施設等としての確認を受けると同時にA市へ確認の辞退届を提出することが望ましいと考えます。 　よって、確認辞退届がA市へ提出されるまでの間は、同市で確認を受けた特定子ども・子育て支援施設等であるため、同市転出後に提供を受けた子ども・子育て支援については施設等利用費の支給対象として構いません。 　なお、ベビーシッターから確認の申請があった際には、別の市町村で特定子ども・子育て支援施設等としての確認を受けていないかベビーシッター本人に確認してA市とB市で確認の重複が起こらないよう注意してください。	（3—24に掲載）

| 8—23
（再掲） | 施設等利用費の対象経費（都道府県知事等から証明書の交付を受けていない認可外保育施設における利用料に係る消費税） | 「消費税法施行令第14条の３第１号の規定に基づき厚生労働大臣が指定する保育所を経営する事業に類する事業として行われる資産の譲渡等」（平成17年３月31日厚生労働省告示第128号）により「認可外保育施設指導監督基準を満たす旨の証明書の交付について」（平成17年１月21日付雇児発第0121002号雇用均等・児童家庭局長通知）に基づき、各都道府県知事等から「認可外保育施設に対する指導監督の実施について」（平成13年３月29日付雇児発第177号雇用均等・児童家庭局長通知）の別添「認可外保育施設指導監督基準」を満たす旨の証明書（以下「証明書」という。）の交付を受けた認可外保育施設については、その利用料に係る消費税が非課税とされていますが、証明書の交付を受けていない認可外保育施設における利用料の消費税相当分は、施設等利用費の対象となりますか。 | 施設等利用費は、保護者が支払った利用料に対して支給する費用であり、保護者は利用料に対して課税される消費税分も支払うこととなるため、当該消費税分も含めて施設等利用費の支給対象として差し支えありません。

ただし、特定費用に含まれる費用に対して課税される消費税分は、施設等利用費の支給対象外となります。

なお、認可外保育施設に係る子ども・子育て支援法（令和元年５月17日法律第７号）附則第４条の経過措置は、令和６年９月末日までとなっており、経過措置終了後に認可外保育施設が施設等利用費の支給対象となるには内閣府令で定める基準を満たす必要があることにもご注意ください。 | （5—3に掲載） |

【9　施設等利用費の支給の対象とする認可外保育施設の基準を定める条例について】

No.	事項	問	答	備考
9—1	条例による対象範囲の限定	無償化の対象となる認可外保育施設について、市町村が条例により、指導監督基準を満たす施設についても除外するなど、「指導監督基準を満たす施設」以上に対象範囲を限定することは可能ですか。	認可外保育施設については５年間の経過措置期間について、地域によって待機児童の状況や認可保育所の新設等の状況、指導監督基準を満たす認可外保育施設へ移行させる市町村の取組の状況等が異なることから、市町村が地域の保育の需要及び供給の状況その他の事情を勘案し、特に必要であると認める場合に条例を定め、対象範囲を定めることができることとしています。条例制定は、あくまでも５年間の経過措置期間中における認可外保育施設の対象範囲に係るものであることから、子ども・子育て支援法の一部を改正する法律の本則に規定する、「指導監督基準を満たす施設」以上に対象範囲を限定することはできません。	
9—2	条例制定と確認	子ども・子育て支援法の一部を改正する法律の附則第４条第２項において、施設等利用費の支給の対象とする認可外保育施設について、法施行日から５年間は市町村が条例で基準を定めることができるとしていますが、条例を制定した場合、法第30条の11でいう「確認」は、条例で定める基準を満たす認可外保育施設のみ実施すればよいのでしょうか。	質問にある条例を制定する市町村は、当該条例に定める基準を満たしていない認可外保育施設についても、法第30条の11に規定する「確認」を行う必要があります。 すなわち、条例制定市町村以外の市町村に居住する認定子どもが、当該条例に定める基準を満たしていない認可外保育施設を利用した際には、子育てのための施設等利用給付の対象になることから、全国に効力を発する「確認」は、当該条例に定める基準を満たしていなくても実施する必要があります。	
9—3	条例で対象となった施設等の確認	子ども・子育て支援法の一部を改正する法律の附則第４条第２項において、施設等利用費の支給の対象とする認可外保育施設について、法施行日から５年間は市町村が条例で基準を定めることができるとしていますが、条例を制定した場合、条例を制定していない市町村に所在する認可外保育施設が条例で定める基準を満たしているかどうかの確認はどの市町村が行うのでしょうか。	条例を制定した市町村の住民が、他の市町村に所在する認可外保育施設を利用している場合には、当該施設が条例で定める基準を満たしているかどうかを、条例を制定した市町村が、施設の所在地にかかわらず確認する必要があります。	
9—4	他の市町村に所在する施設の利用	子ども・子育て支援法の一部を改正する法律の附則第４条第２項において、施設等利用費の支給の対象とする認可外保育施設について、法施	今回の仕組みでは、他の市の施設を利用する（越境利用する）場合であっても、通う施設がある自治体のルールではなく、施設等利用費の給付を行う居住する自治体の	

No.	事項	問	答	備考
		行日から５年間は市町村が条例で基準を定めることができるとしていますが、その条例により施設等利用費の支給を行わないとされた施設を、条例を定めた市町村以外の市町村（条例は制定していない）に居住する認定子どもが利用し、施設等利用費を居住する市町村に請求した場合、その請求を受けた市町村は施設等利用費を支払うことになるのでしょうか。	ルールに従うことになります。 　具体的には、 ・条例を制定した市町村の住民の場合、越境利用も含め、当該条例のルールが適用され、 ・条例を制定していない市町村の住民の場合、越境利用も含め、５年間の猶予期間中は認可外保育施設の届出があれば施設等利用給付の対象となります。 　よって、質問の場合は、請求を受けた市町村は条例を制定していないため、原則どおり施設等利用費を支払うこととなります。 （参考） 【居住地の自治体で条例制定を行っており、隣の自治体で条例制定を行っていない場合】 　居住地外の認可外保育施設に通う場合であっても、居住地の条例で定めた基準を満たしている施設のみが施設等利用給付の対象となります。 【居住地の自治体で条例制定を行っておらず、隣の自治体で条例制定を行っている場合】 　条例を制定している隣の自治体にある認可外保育施設に通う者についても、基準を満たしているか否かにかかわらず、施設等利用給付の対象となります。	
9―5	他の市町村に所在する施設の利用	子ども・子育て支援法の一部を改正する法律の附則第４条第２項において、施設等利用費の支給の対象とする認可外保育施設について、法施行日から５年間は市町村が条例で基準を定めることができるとされていますが、この条例を制定した市町村では、当該市町村に居住する認定こどもが、市町村外に所在している条例で定めた基準に適合していない認可外保育施設を利用した場合、施設等利用費を支払うことになるのでしょうか。	今回の仕組みでは、他の市の施設を利用する（越境利用する）場合であっても、通う施設がある自治体のルールではなく、施設等利用費の給付を行う居住する自治体のルールに従うことになります。 　具体的には、 ・条例を制定した市町村の住民の場合、越境利用も含め、当該条例のルールが適用され、 ・条例を制定していない市町村の住民の場合、越境利用も含め、５年間の猶予期間中は認可外保育施設の届出があれば無償化の対象となります。 　よって、質問の場合は、条例で定めた基準に適合していないため、施設等利用費は支払わないこととなります。	
9―6	公示について	認可外保育施設の条例を定めた場合、公示の中で無償化の対象となる施設かどうかわかるような形にするべきではないですか。	改正子ども・子育て支援法第58条の11に基づく公示事項については、子ども・子育て支援法施行規則第53条の６に規定しているところ、子ども・子育て支援法施行規則の一部を改正する内閣府令（令和元年内閣府令第６号）附則第４条の規定により、市町村が認可外保育施設の対象範囲に関する条例を定めた場合の読み替え規定を設けており、条例で定める基準への適合状況を合わせて公示することになります。条例制定市町村内に所在する者については、この基準に適合するもののみが無償化対象の施設となることを、保護者に周知していただくようお願いいたします。	

【10　一時預かり事業、病児保育事業、子育て援助活動支援事業】

No.	事項	問	答	備考
10―1	施設等利用費における低所得者減免の取扱い	病児保育は、地域子ども・子育て支援交付金の低所得者減免分加算により、低所得者への減免と減免分の国の加算がありますが、施設等利用	地域子ども・子育て支援交付金の低所得者減免分加算の適用がある場合、施設等利用費は、減免後の利用料と月額上限額のいずれか低い方の金額になります。なお、減	

		費は、こうした減免がある場合は減免後の利用料が対象になるのでしょうか。	免の際の手続きについては、地方自治体により様々な形で行われているものと承知しておりますが、減免対象者について、制度開始後も同様の手続きを行っていただくこととなります。	
10—2	子育て援助活動支援事業（ファミリー・サポート・センター事業）	認定子どもが子育て援助活動支援事業（ファミリー・サポート・センター事業）を利用する際、利用しようとする提供会員やアドバイザーが施設等利用給付の対象かどうかを確認する必要がありますか。また、提供会員はどのような事務を新たに行う必要がありますか。	ファミリー・サポート・センター事業の提供会員は、当該事業の利用者が無償化の対象者かどうかについて確認する必要はありません。（同事業のアドバイザーについても同様です。） ただし、利用者が償還払いの申請を行う際に、利用内容や金額がわかる書類が必要となるため、提供会員については、領収証や活動報告書等に、これらを記載いただき、利用者に渡していただく必要があります。	
10—3	子育て援助活動支援事業（ファミリー・サポート・センター事業）	幼児教育・保育の無償化の開始に伴い、子育て援助活動支援事業（ファミリー・サポート・センター事業）の届出や指導監督に関する制度の変更は予定されていますか。	ファミリー・サポート・センター事業については、現行においても社会福祉法上の規定により、第２種社会福祉事業として届け出ることとされており、これまで通り、当該規定に基づき、都道府県知事に届出が必要となります。また、指導監督については、同法第70条の規定により、都道府県知事が必要と認める事項の報告を求め、書類等を検査し、事業経営の状況を調査することができるため、必要に応じ、当該調査が行われることになります。	
10—4	子育て援助活動支援事業（ファミリー・サポート・センター事業）	子育て援助活動支援事業（ファミリー・サポート・センター事業）の「ひとり親家庭等への利用支援」の一環として、利用料の助成を行っている市町村で、無償化の対象となる利用者が当該助成を受けている場合、当該助成により減額された利用料が施設等利用費の対象となるのですか。	そのような場合は、減額された利用料が無償化の対象となります。	
10—5	子ども・子育て支援交付金	地域子ども・子育て支援事業である一時預かり事業、子育て援助活動支援事業、病児保育事業について、無償化の実施に伴い子ども・子育て支援交付金における取扱が変更される点がありますか。	これらの事業を施設等利用費の対象者が利用した場合であっても、子ども・子育て支援交付金上の取扱いには変更はありません。 交付金の交付申請（実績報告）において、「総事業費」「寄付金その他の収入予定額」は市町村としての支出・収入を記載する欄であるため、市町村が直接利用料を徴収している場合は、施設等利用給付を受けた利用者に係る利用料も含めて「寄付金その他の収入予定額」に計上してください。	
10—6	経過措置	地方単独補助事業の一時預かり事業について、児童福祉法の一時預かり事業の届出を行っていないものがありますが、無償化の対象となりますか。一時預かり事業の基準を満たしていない場合、認可外保育施設のように５年間は基準を満たしていなくても届出のみで足りるという経過措置はないですか。	児童福祉法の一時預かり事業の届出を行っておらず、保育所等の認可を受けていない施設については、親族間の預かり合いのような場合を除き、認可外保育施設として届出が義務づけられています。認可外保育施設の届出がなされた場合には、認可外保育施設として無償化の対象となります。 また、児童福祉法の一時預かり事業の届出を行っている者については、同法第34条の13の規定に基づき、事業実施基準の遵守義務が設けられているため、認可外保育施設のような経過措置はなく、基準を遵守していない者については、同法第34条の14第３項等の規定に基づき、基準適合するために必要な措置をとるような命令等がなされることとなります。	
10—7	情報公表システム	認可外保育施設については、情報公表システムを設けるということですが、一時預かり保育事業等についても公表するのですか。	一時預かり事業や病児保育事業については、基本的には市町村子ども・子育て支援事業として行われているものであることから、自治体のシステム入力の負担等を踏ま	

			え、情報公表システムへの掲載は予定しておりません。	

【11　企業主導型保育事業】

No.	事項	問	答	備考
11—1	追加認定の必要性	企業主導型保育事業を利用する場合、教育・保育給付第2号認定（3歳から5歳まで）や第3号認定（0歳から2歳まで）を受けていない子供が幼児教育・保育の無償化の対象となるためには、これらの認定を新たに受ける必要がありますか。	教育・保育給付第2・3号認定を受けていない子供が企業主導型保育事業を利用する場合、従業員枠の利用児童については、事業実施者等により保育の必要性を確認することとなっているため、無償化の対象となるために、別途、市町村から教育・保育給付第2・3号認定を受ける必要はありません。 一方、地域枠の利用児童については、事業実施者と利用者の間に雇用関係がなく、無償化の対象となる保育の必要性（就業状況等）を客観的に判断することが困難であるため、事業実施者が、市町村による子ども・子育て支援法に定める保育所を利用するための支給認定（教育・保育給付認定）を受けていることをもって無償化の対象となる保育の必要性を確認することとし、地域枠の利用にあたって、教育・保育給付第2・3号認定を受けていない場合は、新たに教育・保育給付認定を受ける必要があります。	
11—2	地域枠の利用者	企業主導型保育事業の地域枠の利用者について、無償化の対象となる保育の必要性を確認した結果、就労時間が月48時間を下回るなど、市町村が規定する教育・保育給付第2号認定や第3号認定の要件を満たさない場合はどうなりますか。	企業主導型保育事業の地域枠の利用においては、一般事業主に雇用されている場合は、教育・保育給付第2・3号認定を受けていることを必須の要件とはしておらず、事業実施者が保育の必要性の確認を行っているところですが、無償化の対象となる保育の必要性の確認にあたっては、教育・保育給付第2・3号認定を受けていることをもとに確認を行うことになります。したがって、当該認定の要件を満たさない利用者については、当該施設を利用することは可能ですが、無償化の対象とはなりません。	
11—3	地域枠利用者の認定	企業主導型保育所の地域枠利用者について、「求職中」又は「就労予定」の保護者の認定は、どのように行うのか。	無償化の対象となる保育の必要性の認定は、現行の教育・保育給付における保育の必要性の認定と同一となります。自治体において決定している就労時間の下限等を踏まえ、認定を行ってください。	
11—4	企業主導型保育事業利用者の認可外利用	企業主導型保育事業の利用者が他の認可外保育施設等を利用した場合、月額3.7万円（3歳から5歳までの場合）を上限として、その差額について施設等利用費を請求することはできますか。	企業主導型保育事業においては、認可施設並みの保育を提供しているため、企業主導型保育事業の利用者については、施設等利用給付認定を受けることはできません。したがって、企業主導型保育事業の利用者が他の認可外保育施設等を利用しても、認可保育所の利用者と同様に、当該認可外保育施設等は無償化の対象となりません。	
11—5	指導監督状況の情報提供	企業主導型保育事業の指導監督の状況について、市町村に情報提供されますか。	公益財団法人児童育成協会（以下、協会）が実施する企業主導型保育施設への指導・監査の状況については、取りまとめの上、協会のホームページ上で公表しています。 また、自治体から照会があった場合や必要に応じて、協会から情報提供を行うこととしています。	
11—6	企業主導型保育事業利用者の把握	企業主導型保育事業の利用者については、事業主拠出金により無償化が行われることから、法第30条の4において施設等利用給付の支給対象から除かれていますが、市町村において、どのように企業主導型保育事業の利用者を把握するのでしょう	企業主導型保育事業の利用者の保護者を、施設等利用給付認定を申請することができない者とし、内閣府令において、保護者が企業主導型保育事業の入退所時（施設利用中の他市町村への転居時を含み、小学校就学による退所は除く。）に、利用施設を通じて企業主導型保育事業の利用状況を	

		か。	居住地市町村に報告することとしています。
11—7	企業主導型保育事業としての範囲	企業主導型保育事業として助成決定を受ける以前から保育事業を実施していた場合、助成決定前に施設等利用給付認定子どもが利用し、認定保護者から施設等利用費の請求があった場合は、市町村はどのように対応すればよいでしょうか。	企業主導型保育事業として助成決定を受ける以前から保育事業を実施していた場合であっても、助成決定後は企業主導型保育事業として利用料が無償化されることになりますが、助成決定前については、認可外保育施設として児童福祉法上の届出があり市町村が確認を行っている場合には、市町村は特定子ども・子育て支援施設等として取り扱うことになります。
11—8	標準的な利用料	企業主導型保育施設において利用者から徴収している実際の利用料が、保育の質の向上のために「標準的な利用料」を上回っている場合、あるいは事業実施者の負担により利用料を軽減しており、「標準的な利用料」を下回っている場合の取扱いはどうなりますか。	企業主導型保育事業における利用者負担額の設定にあたっては、要綱等に規定する標準的な利用料（利用者負担相当額）を利用者負担額として設定することを原則としていますが、あらかじめ保護者の同意を得た上で、保育の質の向上を図る上で特に必要であると認められる対価や、保育において提供される便宜に要する費用について徴収することが可能となっています。また、企業主導型保育事業は、従業員等に対する福利厚生の側面があることを踏まえ、企業の負担により利用者負担を引き下げることも可能な仕組みとしているところです。 実際に各施設で利用者から徴収している利用料が、要綱等に規定する標準的な利用料（利用者負担相当額）を上回っている場合、あるいは下回っている場合、いずれの場合であっても、要綱等で定めた標準的な利用料（利用者負担相当額）が無償化の対象となります。
11—9	市町村への確認申請	企業主導型保育施設についても、他の認可外保育施設と同様に、市町村に確認の申請を行う必要がありますか。	企業主導型保育事業は、実施機関において、職員の配置基準や施設基準など認可施設並みの基準を満たしているかどうかを審査した上で助成決定を行い、実施機関から施設に対し、事業主拠出金を財源とした、整備費、運営費の助成を行っていることから、改めて、自治体の確認は求めないこととしております。 具体的な給付の方法としては、実施機関から施設に対し、これまで控除していた利用者負担相当額分を含めて助成を行うこととしております（利用者負担相当額分を控除せずに助成する形で、施設が代理受領する）。 ※　新たに「施設利用給付費」を創設し、無償化の対象となる児童を対象に、利用者負担相当額を助成する予定。
11—10	増加定員施設等の無償化の取扱い	企業主導型保育施設のうち、平成28年4月以降に定員を増やした施設（増加定員施設）や、空き定員を活用し、事業実施者の従業員以外の児童の受入れを行う施設（空き定員活用施設）について、無償化の取扱いはどうなりますか。	企業主導型保育事業の運営費について、増加定員施設においては「増加した定員部分」を利用している児童分について、空き定員活用施設においては「空き定員を活用した定員部分」を利用している児童分について、助成を行っています。 一方、今般、幼児教育・保育の無償化を目的として、「施設等利用給付費」を新たに創設することとしておりますが、「施設等利用給付費」については、増加定員施設及び空き定員活用施設の全ての在籍児童のうち、無償化の対象となる児童を対象に助成を行います。
11—11	企業主導型保育事業における病児保育・一時預かり	企業主導型保育事業の事業者が、企業主導型保育施設で実施している病児保育や一時預かりの利用についても、無償化の対象になりますか。	企業主導型保育施設において、「病児保育事業の実施について（平成27年7月17日付け雇児発0717第12号）」や「一時預かり事業の実施について（平成27年7月17日付け27文科初第238号・雇児発0717第11号）」に定められている要件を満たして、病児保育事業や一時預かり事業を実施する場合、

			「病児保育加算」や「預かりサービス加算」の対象としているところです。また、これらを実施する際には、児童福祉法の規定に基づき、あらかじめ都道府県知事に届出を行うこととしています。 認可保育所や認定こども園を利用できていない方であって、保育の必要性がある場合は、地域子ども・子育て支援事業による病児保育事業や一時預かり事業と同様に、企業主導型保育施設で実施する病児保育や一時預かりの利用についても、認可保育所における保育料の全国平均額（3歳から5歳までの場合、月額3.7万円）まで無償化の対象となります。 ただし、企業主導型保育事業の利用者が、病児保育や一時預かりを利用しても、認可保育所の利用者と同様に、当該事業を利用した際の利用料は無償化の対象となりません。	
11—12	企業主導型保育事業における病児保育・一時預かり	企業主導型保育施設で実施している病児保育や一時預かりについて、市町村に確認の申請を行う必要がありますか。	市町村が無償化に伴う給付を実施するにあたり、対象施設等に求める基準（教育・保育等の質に係る基準）を満たしているかどうか、市町村が把握（確認）する必要があり、企業主導型保育施設で実施している病児保育、一時預かりについても、施設・事業者は確認のための申請を市町村にする必要があります。 この場合、一時預かり事業については、関係法の設置基準や事業基準が適用され、市町村は、適法な届出がなされた施設・事業かどうかを確認することとなります。また、病児保育事業については、市町村は、対象施設等が現行の指導監督基準や地域子ども・子育て支援事業を行う際に求めている基準と同様の内容を満たしているか確認することとなります。	
11—13	企業主導型保育事業における病児保育・一時預かり	企業主導型保育施設が実施する一時預かり事業のうち、「余裕活用型」を実施している場合に、その利用について無償化の対象となりますか。	企業主導型保育施設において、「一時預かり事業の実施について（平成27年7月17日付け27文科初第238号・雇児発0717第11号）」に定められている「余裕活用型」の要件を満たして事業を実施している場合には、「企業主導型保育事業費補助金実施要綱」に基づき、「預かりサービス加算」の「余裕活用型」の加算の対象としているところです。 一方、一時預かり事業の設置基準等は児童福祉法施行規則第36条の35に定められていますが、同条第3号に規定する事業（「余裕活用型」の一時預かり事業）の実施場所（施設）は、「保育所、認定こども園又は家庭的保育事業等（居宅訪問型保育事業を除く。）を行う事業所」と規定されており、企業主導型保育施設は含まれておりません。 したがって、企業主導型保育施設において実施する一時預かり事業のうち、「余裕活用型」（※）については、児童福祉法上の事業には該当しませんので、都道府県知事への届出の対象外となります。また、市町村が子ども・子育て支援施設等として確認する施設の対象外となります。 なお、保育の必要性のある児童であって、企業主導型保育施設が実施する「余裕活用型」の一時預かり事業のみを利用している児童については、企業主導型保育施設が実施する通常の保育事業を利用できると考えられます。通常の保育事業を利用した場合、その利用については標準的な利用料が無償となります。	

			（※）企業主導型保育施設が実施している「余裕活用型」の一時預かり事業が、同条第１号に規定する事業（「一般型」の一時預かり事業）の設置基準等を満たしている場合には、「一般型」の一時預かり事業として都道府県知事への届出を行うことが可能です。また、この場合、当該事業は市町村が子ども・子育て支援施設等として確認する施設の対象となります。
11―14	企業主導型保育事業における病児保育・一時預かり	企業主導型保育施設で実施している病児保育や一時預かりの確認についても、市町村における簡易な確認手続きによることが可能ですか。	地域子ども・子育て支援事業の対象外で企業主導型保育施設が独自に実施している一時預かり事業や病児保育事業については、市町村は確認申請書並びに別紙・添付書類の提出を受け、適法な届出がなされた事業であり、基準に適合していることを確認する必要があります。
11―15	病児保育事業	企業主導型保育事業では、病児保育推進加算というものがあり、実施事業者には加算制度があるが、この場合の病児保育事業は、企業主導型保育事業が実施主体という事で、無償化の対象外か。	企業主導型保育事業は、法第７条第10項第４号（認可外保育施設）の対象外となっています。 　一方、企業主導型保育事業が実施する病児保育事業は、地域子ども・子育て支援事業ではないが児童福祉法に基づく届出を行った病児保育として、特定子ども・子育て支援施設等の「確認」がなされていれば、法第７条第10項第７号の特定子ども・子育て支援施設等に該当します。したがって、施設等利用給付認定子どもがこの企業主導型保育事業所が行う病児保育事業を利用する場合には、当該利用に係る利用料は施設等利用費の対象となります。 　なお、企業主導型保育事業の利用者は、施設等利用給付認定を受けることができないため、病児保育事業を利用した場合は、施設等利用費の対象となりません。
11―16	企業主導型保育事業における食材料費	無償化の実施後、企業主導型保育事業における食材料費の支払いはどのように変わりますか。	企業主導型保育施設を利用する３歳以上の子供の副食費については、これまで施設が保育料の一部として徴収していたところですが、無償化の実施後は認可保育所と同様に、主食費・副食費ともに施設が利用者から徴収することとなります。
11―17	企業主導型保育事業における食材料費	副食費について、特定教育・保育施設と同様に、徴収の免除を行い、そのための新たな加算などを設ける予定はありますか。	特定教育・保育施設においては、低所得者支援の一環として、年収360万円未満相当の世帯等に対する副食費の免除の措置を講じることとしていますが、企業主導型保育施設は、企業が従業員に対して主体的に実施する福利厚生としての側面を有することから、こうした取組に国として一律に低所得者支援の実施を義務付けることは課題があると考えられるため、副食費の免除の措置は講じないこととしています。 ※　国の制度として副食費の免除の措置は講じませんが、企業の判断により副食費の免除を行うことは可能です。
11―18	企業主導型保育事業における食材料費	企業主導型保育事業の副食費の扱いについて、国（児童育成協会）から補助金が出るため、市町村としては対応不要ということでいいですか。	ＦＡＱの№11―16の記載の通り、企業主導型保育施設を利用する３歳以上の子供の副食費については、無償化の実施後は施設が利用者から徴収することになることから、市町村として対応いただくことはございません。
11―19	企業主導型利用者の課税状況確認	企業主導型保育事業の地域枠を利用する教育・保育給付第３号認定子どもについて、住民税世帯非課税かどうかの判定は、市町村が行うのでしょうか。	市町村には教育・保育給付第３号の認定までをお願いしています。企業主導型保育事業における３歳未満児の無償化対象者の決定については、事業実施者において利用者の課税状況等を確認した上で判定することとなります。

【12　食材料費等の取扱い】

※　副食費徴収免除加算の加算額や実費徴収に係る補足給付を行う事業の補助単価については、物価変動による改訂が行われる場合があるため、各年度の公定価格告示や実施要綱を適宜ご確認ください。

No.	事項	問	答	備考
12—1	教育・保育給付第2号認定子どもの副食費徴収対象者の範囲	副食費を施設が徴収する教育・保育給付第2号認定子どもとは、満3歳以上は全て対象なのですか。それとも2歳児クラス在籍中は教育・保育給付第3号と見なしている場合は、3歳児クラスに進級してからが徴収の対象となるのでしょうか。	教育・保育給付第2号認定子どものうち、満3歳になってから最初の3月31日を迎えるまでの期間にある子どもについて、子ども・子育て支援法施行令では「特定満3歳以上保育認定子ども」と定義しており、同施行令第4条〜第13条第2項において、「特定満3歳以上保育認定子ども」の施設型給付費に係る利用者負担額（保育料）の上限は、満3歳未満の保育認定子ども（第3号認定子ども）と同じ取り扱いとしており、幼児教育・保育の無償化は、満3歳に達する日以後の最初の3月31日を経過した第2号認定子どもが対象となることから、副食費の施設による徴収も、これと同様の取り扱いとなります。	
12—2	食材料費関係	副食費は、第3号認定子ども（第19条）は施設による徴収の対象者ではないとのことですが、満3歳になった日から最初の3月31日を迎えるまでの第2号認定子どもは含まれるという理解で良いでしょうか。	御指摘の年齢層を「特定満3歳以上保育認定子ども」と呼びますが、施行令で保育料（保護者負担額）を定めますので、副食費は施設による徴収の対象外になります。	
12—3	施設が徴収している経費の取扱	保護者から徴収している通園送迎費、食材料費、行事費などの経費は、施設等利用費の対象になりますか。また、特定教育・保育施設における食材料費については、認定区分間で負担方法が異なっていますが、取扱いを見直すのですか。	保護者から施設が徴収している教育・保育において提供される便宜に要するこれらの経費は、無償化の対象とはなりません。 また、特定教育・保育施設における食材料費の取扱いについては、これまでも基本的に、施設からの徴収又は保育料の一部として保護者が負担してきたことから、幼児教育・保育の無償化に当たっても、この考え方を維持します。具体的には、幼稚園・保育所等の3歳から5歳までの子供の食材料費については、主食費・副食費ともに施設による徴収を基本とします。ただし、生活保護世帯やひとり親世帯等については副食費の免除を継続するとともに、免除対象者の範囲を年収360万円未満相当の世帯まで拡充します。また、新制度の対象とならない幼稚園においても、同様の負担軽減を図ることとします。 なお、無償化の対象範囲が市町村民税非課税世帯までに限られる教育・保育給付第3号認定子どもについては、現行の取扱いを継続することとしています。	
12—4	副食費の徴収	副食費を施設が徴収することとする趣旨は何でしょうか。	食材料費については、在宅で子育てをする場合でも生じる費用であることから、現行制度においても、保護者が負担することが原則であると従来から整理しており、基本的に施設からの徴収又は保育料の一部として保護者にご負担いただいています。 幼児教育・保育の無償化にあたり、「幼稚園、保育所、認定こども園以外の無償化措置の対象範囲等に関する検討会」の報告書（平成30年5月）において「保護者から実費として徴収している通園送迎費、食材料費、行事費などの経費については、無償化の対象から除くことを原則とすべきである。」とされたことを受け、教育・保育給付第1・2号認定子どもの主食費・副食費ともに施設による徴収を基本とすることとしました。 なお、無償化の対象範囲が市町村民税非課税世帯までに限られる教育・保育給付第3号認定子どもについては、現行の取扱い	

			を継続することとしています。	
12—5	副食費の徴収	幼児教育・保育の無償化の実施後、私立の認可保育所における食材料費の支払いはどのように変わりますか。	私立認可保育所を利用する教育・保育給付第2号認定子どもの副食費については、これまで市町村が保育料の一部として徴収していましたが、今後は、教育・保育給付第2号認定子どもの主食費と同様に、施設が利用者から直接徴収することになります。	
12—6	副食費徴収の委託	副食費の徴収を私人に委託することは可能ですか。（コンビニ収納などを想定）	民間施設と個人との間の徴収であるため、双方の合意に基づけば委託は可能です。 　公立施設についても、学校給食と同様と考えられ、市町村の歳入に計上していれば、物品売払代金として地方自治法施行令第158条に規定する徴収又は収納の事務の私人への委託は可能です。ただし、分担金に位置付ける場合は、同条の適用対象外です。	
12—7	副食費の徴収	副食費の設定金額等について、事前の説明や保護者の同意の手続を令和元年10月までに各施設で必ず行わなければならないのですか。	副食費の取扱いの変更は全体として、現在の主食費の取扱いの違いや今後の副食費の負担軽減に係る単独事業の見込みも含め、市町村において主体的に保護者への周知・説明を丁寧に行うことを想定しており、令和元年10月に向けた対応としては、国の目安額から著しく乖離した設定金額とするような場合に限り、各施設の責任において説明・同意手続を行うことで足りると考えています。 　なお、令和2年度の入所申込みに向けては、入園の手引き等による重要事項説明に反映し、事前手続を適切に行うよう指導してください。	
12—8	低所得者世帯への配慮	副食費が施設からの徴収となることに伴い、低所得者世帯へは配慮がされるのですか。	教育・保育給付第2号認定子どもの副食費が施設からの徴収となることに伴い、低所得世帯等については、負担が増えないよう公定価格上の加算を設けるとともに、副食費を免除することとします。具体的には、現在、保育料が無償である生活保護世帯やひとり親世帯等（※）について、引き続き公定価格内で副食費の免除を継続します。さらに、免除措置の対象範囲を、年収360万円未満相当の世帯まで拡充します。これにより、年収360万円未満相当の世帯の全ての子供及び全所得階層の第3子以降の子（多子のカウント方法はNo6—3参照。）が免除の対象となります。 ※　生活保護世帯・里親、小規模住宅型児童養育事業（ファミリーホーム）を行う者、市町村民税非課税世帯・ひとり親世帯・在宅障害児・その他市町村長が生活保護法第6条第2項に規定する要保護者に準ずる程度に困窮していると認める者がいる世帯の一部の子及び全ての世帯の第3子以降の子	
12—9	預かり保育事業における副食費	新制度幼稚園の副食費について、長期休業期間中、利用者は教育標準時間の活動ではなく、預かり保育事業しか使わない形となりますが、施設は低所得者世帯等に対して、同事業の中で提供される副食費を徴収することは可能ですか。また、公定価格における副食費の加算の対象となりますか。	新制度幼稚園において、夏休み期間など長期休業中において預かり保育事業しか利用しない場合、同事業の中で提供される副食費は施設による徴収が可能です。また、公定価格における副食費の免除対象者に係る加算の対象にもなりません。	
12—10	副食費免除対象者について	民間保育所で管外児童を受託している場合は、その児童が居住する市町村に運営費を負担してもらうので、副食費の免除対象者の加算も同	これまで公立保育所が徴収している場合であっても、免除対象者の補てんは補足給付以外ありませんでした。公立保育所の場合、副食費免除対象者の副食費の負担は保	

		様の扱いになると考えますが、管外受託児童が公立保育所に在籍している場合で、副食費の徴収免除対象者であった場合は、その児童が居住する市町村に負担してもらうことになるのでしょうか。	育所を設置する自治体が10／10負担することになるが、管外受託児童の場合は、その児童が居住する市町村の負担とするのが原則と考えます。	
12—11	副食費免除対象者について	公立幼稚園や公立保育所において、副食費免除対象者から一旦施設による副食費の徴収を行い、後日償還払い等により返金する手法を用いることは可能でしょうか。	運営基準第13条第4項では、同項第3号のイ・ロ・ハに掲げるものについては、認定保護者から支払いを受けることができないものとしていますので、質問のような手法を用いることはできないものと認識しています。	
12—12	副食費の徴収額	副食費の施設による徴収額は施設によって異なると思いますが、一律に4,500円になるのですか。それとも施設ごとに任意の金額を徴収してよいのでしょうか。	副食費の徴収額は、それぞれの施設において、実際に給食の提供に要した材料の費用を勘案して定めることになります。 この際、これまで教育・保育給付第2号認定子どもの副食費は、公定価格において積算し、保育料の一部として保護者に月額4,500円の負担を求めてきた経緯があります。質の担保された給食を提供する上では一定の費用を要するものであり、今後施設で徴収する額を設定するにあたっても、この月額4,500円を目安とします。	
12—13	特別食の提供に係る徴収	アレルギーのある児童への除去食や代替食等による対応に要する費用については、別に徴収することが可能なのでしょうか。	副食費の徴収額については、施設の子どもを通じて均一とします。アレルギー除去食等の特別食を提供する子どもについても、他の子どもと異なる徴収額とする必要はありません。 なお、特別食の提供に係る費用のうち人件費等は食材料費には当たらず、給付費の中で措置されているため、保護者に負担を求めることはできません。	
12—14	副食費の徴収	児童の欠席や一定期間休園などの場合は、副食費の徴収はどうすればよいですか。	副食費の徴収額は、月額を基本とします。ただし、土曜日に恒常的に施設を利用しない者や長期入院のような、施設があらかじめ子どもの利用しない日を把握し、配食準備に計画的に反映することが可能である場合には、徴収額の減額等の対応を行うことが考えられます。 なお、月途中の退園や入園の場合には、施設型給付費や地域型保育給付費と同様に、日割り計算等の減額調整を行って差し支えありません。	
12—15	副食費の徴収	教育・保育給付第2号認定子どもの副食費について、土曜日の利用者が少ない場合には、月曜日～金曜日までの基本単価として、土曜日分を加算という形で徴収することが出来ますか。	副食費の徴収額は月額を基本としますが、土曜日等、特定の日に恒常的に施設を利用しない者のように、施設があらかじめ子どもの利用しない日を把握し、配食準備に計画的に反映することが可能である場合には、日数を考慮するなど、利用者間で不公平が生じない仕組みであれば、国として妨げるものではありません。	
12—16	副食費の徴収	保育所で3歳以上児と3歳未満児の副食材料を一括して購入している場合、実費徴収の範囲をどのように考えればいいですか。	平均的な食事の人数や提供量を考慮して按分するなど、合理的な方法によって算定していただければ問題ありません。	
12—17	副食費の徴収	市町村が副食費の額について指導等を行うことができますか。	特定教育・保育施設が保護者から支払いを受けることができる費用については、運営基準第13条に位置づけられており、これ以外の費用の支払いを受けることはできません。このため、実際に食事の提供に要する費用よりも多額の費用を恒常的に施設が受け取っている場合には、指導等の対象となります。また、副食費の額等については、同条第6項において、施設が認定保護者に書面で説明し同意を得ることとされているため、これに違反している場合にも指導等の対象となります。	

12—18	副食費の徴収	認定こども園で、副食費の額について、教育・保育給付第1号認定の子どもと教育・保育給付第2号認定の子どもで取扱い（徴収額）を変えて良いですか。	公定価格・保育料内訳の経緯のない教育・保育給付第1号子どもについては、4,500円という目安をお示しするものではなく、教育・保育給付第2号子どもの目安をそのまま適用するものではありませんが、両者の公平性の観点から、施設の事情に応じて対応することが求められます。例えば、同じ自園調理で同じ献立で提供されている給食なら、同額が望ましいと思われる一方、教育・保育給付第1号子どもは外部搬入、教育・保育給付第2号子どもは自園調理で中身も異なる給食なら、設定金額が異なっても差し支えなく、施設において保護者に丁寧に説明すべき事柄となります。	
12—20	免除対象者の届出制について	特定教育・保育施設等における副食費の徴収の免除対象者について、市町村において免除対象者の条件を周知した上で、免除対象者が免除の申請を行った場合のみ市町村民税課税額や兄弟構成を調査し、免除対象者として認めるといった手法をとることは差し支えありませんか。	特定教育・保育施設等における副食費の徴収免除対象者は、本来は免除の対象者の要件を満たしているのに、申請がないことによって徴収の免除対象者にならない方が出ることを防ぐため、市町村が課税状況や兄弟構成を調査の上決定するもので、申請によるものではありません。	
12—21	副食費の税更正への対応	副食費の免除対象者の判定は、判定後の税更正により市町村民税所得割課税額が変更になり、対象者でなくなったりあるいはその逆も考えられます。市町村はこうした税更正への対応をどのようにしたらよいでしょうか。	国の給付額の精算基準としては、市町村が税の更正が分かった日の属する月の翌月から、更正された税額により徴収の免除対象者かどうかを判断することとし、遡及は行いません。 なお、市町村の判断で、当該年度分は遡及して適用するなどの取扱いをすることは妨げませんが、国の給付額の遡及は行いません。	
12—22	副食費に含まれるもの	副食費の範囲はどこまでなのでしょうか。おやつ代、牛乳代、お茶代、調理員の人件費、調理器具の減価償却費、水道光熱費などは含まれるのでしょうか。	施設が徴収する副食費は副食の食材料費であり、具体的にはおやつや牛乳、お茶代を含みます。なお、調理員等の人件費、厨房設備等の減価償却費、水道光熱費は含みません。	
12—23	「へき地保育所」の副食費について	へき地保育所については、制度上は認可外保育施設に相当しますが、特例保育を提供する事業所として、認定子どもは特例地域型保育給付を受けています。そのため、今回の幼児教育・保育の無償化に際しては、ＦＡＱNo.1—12のとおり、特定保育施設等と同様に、利用者負担額が無償化の対象になっています。 別途、副食費に関するＦＡＱNo.12—81では、「認可外保育施設等の副食費に対する低所得者負担軽減策はありません」とされているところですが、へき地保育所の副食費については、公定価格上の新たな加算により対応するという理解で良いでしょうか。	へき地保育所の公定価格の設定においては、副食費に係る加算について特定教育・保育施設等と同様に適用して算定することとなります。	
12—24	副食費と加算の差額について	教育・保育給付第2号認定子どもについて、副食費免除対象者分の公定価格上の加算は月額4,500円で固定になるとのことですが、副食費の施設による徴収月額がこれを超える場合、免除対象者は加算の月額4,500円を超える部分を負担しなければならないのでしょうか。	今回の幼児教育無償化に伴う、特定教育・保育施設及び特定地域型保育事業の運営に関する基準第13条の改正により、副食費の免除対象者について、食事の提供に要する費用の徴収を行うことは出来ないこととしています。	
12—25	副食費と加算の差額について	教育・保育給付第2号認定子どもについて、副食費免除対象者分の公定価格上の加算は月額4,500円で固定になり、副食費の施設による徴収月額がこれを超える場合に、免除対	保育所等において、副食材料費が月額4,500円を上回る場合であっても、幼児教育・保育の無償化実施前であれば公定価格から月額4,500円の給付を受け、これを上回る部分は、施設等の運営費の中から捻出	

		象者からは超過分を徴収できないということですが、超過分については施設が負担することとなるのでしょうか。	していると考えられます。 　したがって、幼児教育・保育の無償化実施後、副食費免除対象者分について、新たに創設する加算による月額4,500円の給付を受け、これを上回る部分は、これまでと同様に施設等の運営費の中から捻出できると考えられます。	
12—26	公立保育所における副食費の徴収	副食費の施設による徴収は、公立保育所においても行わなければならないのでしょうか。その場合、徴収免除対象者分の副食費は市町村が負担することになるのでしょうか。	公立保育所においては、これまで副食費を公立保育所の使用料（保育料）に含めて徴収してきた経緯があることから、幼児教育・保育の無償化の開始に伴い、副食費については、別途、主食費や行事費と同様に施設（市町村）が徴収することとなります。また、徴収免除対象者分の副食費は、基準財政需要額（令和元年度に限り、子ども・子育て支援臨時交付金）に含まれる公立保育所の運営費に含まれるため、市町村において負担することとなります。	
12—27	免除対象者の条例等への規定	幼稚園・認定こども園、保育所等における副食費の徴収免除対象者については、市町村の条例や規則等で規定するべきでしょうか。	特定教育・保育施設等における副食費の徴収免除対象者については、「特定教育・保育施設及び特定地域型保育事業の運営に関する基準（内閣府令）」第13条第4項を改正し、保護者から徴収可能な費目から除外します。改正法の施行後1年間は、内閣府令で定めた内容を条例で定めたものとみなす経過措置を設けますので、市町村はその期間内に、法第34条第2項の市町村の条例で定める特定教育・保育施設等の運営に関する基準条例を内閣府令に従って改正する必要があります。	
12—28	施設等における副食費徴収に係る事務費補助について	副食費の施設による徴収に伴い、特定教育・保育施設等に新たな業務が発生したり、業務システムの改修が発生する場合も想定されますが、施設において必要となる費用については、補助金等の制度はあるのでしょうか。	特定教育・保育施設及び特定地域型保育事業の運営においては、これまでも内閣府令により上乗せ徴収や実費徴収を認めていることから、副食費の徴収事務は、基本的にこれまで施設・事業において実施してきた上乗せ徴収・施設による徴収事務の中で実施するものであり、事務費補助金制度を設ける必要があるものと考えてはおりません。	
12—29	副食費の滞納債権整理について	副食費の施設による徴収について、未納者が発生した場合など、滞納債権管理については施設・事業者が対応するのでしょうか。	特定教育・保育施設及び特定地域型保育事業の運営においては、これまでも内閣府令により上乗せ徴収や施設による徴収を認めており、滞納が発生した場合においても施設・事業が対応してきたものであることから、副食費についても同様の取り扱いとするものです。	
12—30	市町村による徴収	私立の教育・保育施設及び特定地域型保育事業において、教育・保育給付認定子どもの副食費を施設・事業者が徴収するのではなく、市町村が代わりに徴収するなどの対応はできますか。	まず、市町村による副食費徴収に関する支援としては、利用調整の実施者としての立場からの関与と、児童手当受給者である利用者に対する、受給者の申出に基づく児童手当からの徴収が考えられます。 　前者については、市町村は利用者の希望を踏まえて利用調整を行いますが、利用者が副食費を滞納する場合には、経済的な理由のほか、保護者と施設の間での意思疎通や信頼関係が、何らかの理由で損なわれている等の事情が生じているものと考えられます。このため、利用調整の実施者である市町村は、副食費の滞納がある保護者から事情を聞き、その理由や改善策、利用継続の可否等を検討することが求められます。このプロセスの中で、滞納している副食費についても保育所への支払いを促すことになります。 　受給者の申出に基づく児童手当からの徴収については、ＦＡＱ№12—33の通りです。	

12—31	市町村による徴収	公立保育所の食材料費について、市町村がとりまとめて徴収することは可能ですか。	施設が直接徴収せず、口座振替等で市町村が収納することは可能です。	
12—32	市町村による徴収	公立施設における副食費の徴収方法がわかりません。どのような方法で徴収すれば良いのか。	同一市町村内での公立小学校の学校給食費の扱いを参考とすることが考えられ、歳計外現金で取り扱うことが多いようです。そのほか、歳入に入れる形で徴収・欠損処理を行うなら、負担金・分担金と位置付ける場合や雑入・諸収入と扱う場合が考えられますが、負担金・分担金は、条例又はそれに基づく下位の規則の改正が必要です。	
12—33	児童手当からの徴収	児童手当受給者の申出に基づき、市町村は保育所等における主食費・副食費について、児童手当から徴収することはできますか。	児童手当法（昭和46年法律第73号）第21条第1項又は第2項の規定に基づき、児童手当受給者が、児童手当を受給する前に、主食費・副食費の支払に充てる旨を申し出た場合には、各市町村の判断で、児童手当から徴収することは可能です。なお、当該費用は児童手当法施行規則（昭和46年厚生省令第33号）第12条の10第3項第5号に掲げる費用に該当します。	
12—34	私立保育所の副食費を市町村が徴収できない理由	私立保育所の利用契約は、市町村と利用者との間の契約であり、利用児童の選考や保育料の徴収は市町村が行うこととなっています。 この場合の保育の費用は「施設型給付」ではなく、法附則第6条により、市町村が施設に対して保育に要した費用の額に相当する額を「委託費」として支払うことになっています。 このことから、教育・保育給付第2号認定子どもの副食費を契約当事者の市町村が徴収し、その上で「委託費」を私立保育所に支払うことは可能でしょうか。	法附則第6条でいう「特定教育・保育に要した費用の額」は、同条において「1月につき、第27条第3項第1号に規定する特定教育・保育に通常要する費用の額を勘案して内閣総理大臣が定める基準により算定した費用の額」とされており、具体的には、令和元年10月1日施行の「特定教育・保育、特別利用保育、特別利用教育、特定地域型保育、特別利用地域型保育、特定利用地域型保育及び特例保育に要する費用の額の算定に関する基準等の一部を改正する告示（令和元年内閣府告示第88号）」による改正後の特定教育・保育、特別利用保育、特別利用教育、特定地域型保育、特別利用地域型保育、特定利用地域型保育及び特例保育に要する費用の額の算定に関する基準等（平成27年内閣府告示第49号）に定められた額となります。 この告示が令和元年10月1日に施行されたことにより、教育・保育給付第2号認定子どもの基本分単価は約4,500円程度の減額になりましたが、これは、「幼児教育無償化の制度の具体化に向けた方針（平成30年12月28日関係閣僚合意）」に記されているとおり、幼児教育・保育の無償化の実施にあたり、食材料費の取扱いについては、これまで同様に保護者が負担することとし、具体的には、保育所においても3歳から5歳までの子供たちの食材料費は、既に実施してきた主食費だけでなく、副食費についても施設による徴収を基本としたことによるものです。 これにより、教育・保育給付第2号認定子どもの食事の材料に要する費用全体が、法附則第6条の「特定教育・保育に要した費用」から除かれ、同時に、運営基準第13条第4項に定める「特定教育・保育において提供される便宜に要する費用」としたところですので、市町村は私立保育所の第2号認定子どもの副食費を徴収する立場にはなく、さらには、地方自治法第235条の4第2項により、市町村は、その所有に属しない現金を原則保有できないこととされていることから、市町村が私立保育所に代わって認定保護者から直接副食費を徴収することは困難なものと考えます。	
12—35	副食費の徴収免除の範囲	おやつや牛乳のみなど、副食の一部を提供する私立幼稚園及び私立認定こども園（教育・保育給付第1号認定子どもに係る部分のみ）におい	公定価格の副食費徴収免除加算については、利用児童の全てに副食の全てを提供する場合に加算を行うこととしており、当該加算の対象とならない副食の提供に要する	

		ては、副食費徴収免除加算を受けられないことになりますが、この場合であっても、特定教育・保育施設及び特定地域型保育事業並びに特定子ども・子育て支援施設等の運営に関する基準第13条第4項第3号の規定により副食費の免除対象者に該当する利用者に対して、施設は副食費を徴収できないのでしょうか。	費用については、保護者から徴収することが可能です。
12—36	副食費の徴収免除の範囲	本市の公立幼稚園では、給食を提供しておらず弁当持参としていますが、毎日おやつと牛乳を全員に提供しています。 この場合、特定教育・保育施設及び特定地域型保育事業並びに特定子ども・子育て支援施設等の運営に関する基準第13条第4項第3号の免除対象者に該当する利用者分は徴収を免除するのでしょうか。	おやつや牛乳代は副食費に含まれますが、公立幼稚園及び公立認定こども園（教育・保育給付第1号認定子どもに係る部分のみ）においても、私立と同様の取扱いとし、弁当持参の場合はおやつ代と牛乳代を徴収することが可能です。
12—37	副食費の徴収免除の範囲	これまで保育料が無償とされていた生活保護の被保護者や里親などについては、無償化後は副食費の徴収は免除されるのでしょうか。	生活保護世帯や里親委託されている子どもに係る副食費は、徴収が免除され、特定教育・保育施設を利用する場合は、副食費徴収免除加算の対象となります。 また、これらの認定子どもが施設型給付を受けない幼稚園を利用する場合は、補足給付事業の補助対象となります。 なお、児童養護施設入所児童に係る副食費は徴収免除には該当せず、施設型給付を受ける幼稚園等を利用している場合と同様に入所施設が幼稚園等へ支払うこととなります。
12—38	市町村民税所得割合算額が第1号認定と第2号認定で異なることについて	例として、両親が就労しており、市町村民税所得割合算額が65,000円の世帯で、5歳児の第1子が教育・保育給付第2号認定を受けて認可保育所を利用しており、3歳児の第2子は同第1号認定と施設等利用給付第2号認定を受けて幼稚園（新制度）と預かり保育事業を利用している場合は、運営基準第13条第4項第3号により、第1子は保育所の副食費の徴収対象者となり、第2子は幼稚園において徴収免除対象者となりますが、第1子は徴収対象者のままでよいでしょうか。	特定教育・保育施設に係る副食費の徴収免除対象者については運営基準第13条第4項第3号に規定されています。 そのうち、イ（低所得者に対する徴収免除）において、ひとり親世帯等を除き教育・保育給付第1号認定子どもと第2号認定子どもの免除対象となる市町村民税所得割合算額の基準を第1号は77,101円未満、第2号は57,700円未満（ひとり親世帯等は77,101円未満）としています。 したがって、問のように同一世帯内に第1号認定子どもと第2号認定子どもが混在する事例は、認可保育所の受入枠が足りない場合に発生する可能性がありますが、この場合は第1子は保育所の副食費の徴収対象者となり、第2子は幼稚園において徴収免除対象者となります。
12—39	食材料費関係	副食費の徴収にかかる債権の消滅時効は5年ですか。	現行民法第173条第3号を前提とすれば短期消滅時効2年ですが、改正民法施行（令和2年4月1日）後は、5年に統一されると考えます。
12—40	副食費免除対象者の決定・通知	市町村が副食費の免除対象者を選定する事務や、免除対象者であることを通知する行為は、法令で市町村が行う行政処分という理解で良いでしょうか。	子ども・子育て支援法施行規則第7条の改正により、市町村は認定保護者と施設・事業者に対して副食費の免除に関する事項を通知することとなります。 これは、施行規則第7条による、行政処分になります。
12—41	副食費免除対象者の決定・通知	副食費の免除対象者の特定の事務について、現行の保育料と同様に、家計の主催者の所得区分の確認を行い、9月に対象者の切り替えを行うということですか。	保育料の決定時期と同じ4月と9月に切替を行っていただきます。
12—42	副食費免除の	国が示している実務フローによる	市単独事業の市民への周知の中で「全員

	通知	と、副食費徴収免除の対象者へお知らせ（通知）を行うこととしていますが、当市では全員について副食費の免除を検討しており、この場合は全員に通知を行う必要がありますか。	を市負担で免除するので、施行規則第７条の通知はしない。」というアナウンスをすれば足りるものと考えます。	
12—43	副食費の金額	副食費について、一律に4,500円にするなど、統一的な取扱いを市が決めることはできますか。	副食費の徴収額については、それぞれの施設において、実際に給食の提供に要した材料の費用を勘案して定めることになりますので、献立等の提供内容を勘案せずに単純に一律の金額を決めることはできません。なお、関係団体等も同様に、一律に金額を決めることはできません。	
12—44	副食費の金額	副食費について、目安として示されたとしても、実際に提供する際には4,500円ちょうどというわけにはいかず、その場合、毎月徴収額を変えて対応するということですか。もし過不足があった場合には返金、追加徴収するのですか。	徴収額設定は施設と利用者の間で決めるものですが、毎月徴収額を変更しなければならないものではありません。過不足があった場合には、返金や追加徴収をしなければならないものではありませんが、行うことを妨げるものではありません。	
12—45	主食費・副食費の金額の根拠	教育・保育給付第２号認定子どもの保育料にこれまで含まれていた副食費4,500円及び教育・保育給付第３号認定子どもの保育料に含まれている主食費3,000円、副食費4,500円の明確な根拠はありますか。	保育料における食材料費は、平成10年に保育料の考え方を見直した際に、当時の運営費上の食材料費を踏まえて設定されたものです。	
12—46	主食費の徴収金額	教育・保育給付第１号認定及び第２号認定の主食費の徴収金額について、目安は示されるのですか。	教育・保育給付第１号認定子ども及び第２号認定子どもの主食費の徴収金額については、国から目安をお示しするものではなく、各施設において実際に主食の提供に要した材料の費用を勘案してこれまでも定めていただいているものであり、今回の無償化に伴う取扱いの変更はありません。	
12—47	長期休園の取扱	長期入院の際の副食費の扱いについて、自治体向けＦＡＱ176【第19.1版】で長期にわたって欠席する場合は利用には当たらないため、利用料はそもそも発生しないとされていることとの整合性を図る必要があるのではないでしょうか。	新制度自治体向けＦＡＱ176【第19.1版】で示しているのは、長期間にわたる継続的な欠席により、園から退園しているケースです。一方、長期入院で退園までに至らないケースも想定されることから、施設があらかじめ子どもの利用しない日を把握し、配食準備に計画的に反映することが可能である場合には、徴収額の減額等の対応を行うことが考えられることを通知等においてお示ししています。	
12—48	夜間保育	今回の幼児教育・保育の無償化においては、食材料費について施設が保護者から徴収することとなりますが、夜間保育の夕食分の食材料費についての取扱いはどのようになるのですか。	今回の幼児教育・保育の無償化において、昼食分の食材料費については、これまでも基本的に施設による徴収又は保育料の一部として保護者が負担してきたこと等を踏まえ、施設が保護者から徴収することとされました。	
			一方で、夜間保育の提供に当たって必要となる夕食分の食材料費については、従前より、公定価格における夜間保育加算の一部として公費により負担しているところであり、保護者負担の対象としていません。	
			この取扱いについては今回の幼児教育・保育の無償化後も変更はありませんので、引き続き、保護者から徴収することはできません。	
12—49	休日保育	休日保育に係る副食費については、保護者から徴収することになりますか。	今回の幼児教育・保育の無償化において、食材料費については、これまでも基本的に施設による徴収又は保育料の一部として保護者が負担してきたこと等を踏まえ、施設が保護者から徴収することとされました。	
			一方で、休日保育の提供に当たって必要となる分の食材料費については、従前より、公定価格における休日保育加算の一部	

			として公費により負担しているところであり、保護者負担の対象としていません。 　この取扱いについては今回の幼児教育・保育の無償化後も変更はありませんので、引き続き、保護者から徴収することはできません。 　なお、在籍園で平日の保育を受けない日がある休日保育利用者の在籍園における副食費の徴収額については、施設があらかじめ子どもの利用しない日を把握し、配食準備に計画的に反映することが可能である場合には、減額等の対応を行うことが考えられます。	
12—50	副食費の滞納債権整理について	児童手当からの徴収を希望する保護者が無償化実施前の分の保育料の滞納があるとか、兄弟姉妹である教育・保育給付第3号認定子どもの分の保育料の滞納があるなどの場合、公債権である保育料を優先して充当した結果、副食費を徴収することが出来ない場合、その旨を各施設に知らせることは個人情報保護の観点からできないと考えますが、このような場合どのようにすればいいですか。	副食費を児童手当から引けなかった理由について、施設に伝えず保護者に伝え施設に直接お支払いいただくことを勧めることが考えられます。	
12—51	処分性について	副食費免除の判定・施行規則第7条の通知は、行政処分なのでしょうか。行政不服審査法の取扱いはどうなりますか。	ＦＡＱNo.12—40のとおり行政処分です。行政不服審査法は「公権力の行使」一般を対象としており、副食費免除が除外されるものではないと考えられます。現行の利用者負担額の通知も今回の副食費免除も同じ施行規則第7条の手続であり、市町村内でこれまでの利用者負担額と同じ整理に則って、不服申立等の情報提供を行えばよいのではないでしょうか。	
12—52	保護者の同意について	利用者負担の変更（保育料無償化・副食費施設による徴収化）に伴い、保護者への新たな重要事項説明・同意が必要とされる中で、自治体によっては、使用料条例の改正が令和元年9月となるため、議決後、利用開始までに説明・同意を得るための十分な時間が確保できない状況が生じ得る。 　そのため、現在利用中の保護者に限り、利用者負担の変更（重要事項説明書改正の概要）を記した文書を一斉送付し、保護者が受け取った後に利用継続があった時点で同意があったものとみなす方向で検討していますが、そのような運用は可能でしょうか。	特定教育・保育施設は、その利用を開始する前には、食事の提供の費用に関する事項等について、重要事項説明書を交付して説明を行い、保護者の同意を得ることと規定されていますが、その同意は文書によらずとも良いこととされています。 　その上で、10月時点の在園者については、各施設において、在園者に対する説明・同意の手続が必要となります。ただし、重要事項説明書を修正して交付することまでは不要と考えており、例えば、おたより、説明会等で適切にご対応ください。 　また、10月以降の入園（予定）者については、重要事項説明書を修正して副食費の徴収等について記載し、保護者へこれを説明して交付・説明し、同意いただくことが必要となります。	
12—53	口座振替手数料	副食費徴収を口座振替で行う場合、その取扱いや手数料については、施設が保護者から徴収して構わないですか。	特定費用ということになりますが、運営基準第13条第4項第5号に含む実費徴収可能なものと市町村が認めている場合で保護者の同意があれば、保護者から徴収可能です。	
12—54	公設民営園における副食費の徴収	指定管理による公設民営園として保育所を運営していますが、副食費の徴収権者は、園か市町村かどちらでしょうか。	指定管理による運営の場合は、副食費については施設の債権として整理されるため、園による徴収となります。 　なお、副食費の徴収に当たり、指定管理に係る協定内容の見直しが必要かは、担当部署と協議をお願いします。	
12—55	副食費徴収免除加算	教育・保育給付第1号認定子どもについて、一部の日に給食の希望制をとっていますが、希望する子ども全員に副食の全てを提供できる体制をとっている場合には、副食費徴収	副食費徴収免除加算において、給食実施日とは「利用児童の全てに副食の全てを提供する日」とし、「施設（事業所）の都合によらずに副食の一部又は全部の提供を要しない利用子どもについては副食の全てを	

		免除加算における「給食実施日」として計上できるのでしょうか。	提供しているものとみなすものとする」としているため、希望する子ども全員に副食の全てを提供できる体制をとっている日については、給食実施日として計上することが可能です。	
12—56	副食費徴収免除加算	教育・保育給付第1号認定子どもについて、同じ月に副食の全部を提供する日と、おやつや牛乳のみなど、副食の一部を提供する日がある施設について、ともに副食費徴収免除加算における「給食実施日」として計上できるのでしょうか。	副食費徴収免除加算において、給食実施日とは「利用児童の全てに副食の全てを提供する日」としているため、ミルク給食など副食の一部を提供する日については、給食実施日として計上することはできません。 なお、給食実施日として計上されず、当該加算の対象とならない副食の提供に要する費用については、保護者から徴収することが可能です。	
12—57	副食費の加算額	特定教育・保育施設等における副食費の施設による徴収の免除対象者分については、公定価格において新たな加算を設けるとのことですが、施設や事業によって徴収金額が異なったり、弁当持参の日がある施設・事業が存在する中で、新たな加算については均一の単価が設定されるのでしょうか。	新たな加算（副食費徴収免除加算）については、各施設における設定金額にかかわらず、次の単価について、児童の居住する市町村が各施設に通知した免除対象者の数に応じて請求・支給することを基本とします。 ・教育・保育給付第1号認定子ども…225円×各月の給食実施日数 ※給食実施日数は、利用子どもの全てに副食の全てを提供する日とし、施設（事業所）の都合によらずに副食の一部または全部の提供を要しない利用子どもについては副食の全てを提供しているものとみなします。 ・教育・保育給付第2号認定子ども…月額4,500円	
12—58	副食費の単独加算	市町村単独事業により教育・保育給付第2号認定子どもの副食費保護者負担額を0円とする場合でも、重要事項説明書により説明し同意を得る必要がありますか。	重要事項説明書により説明し同意を得る必要があるのは、施設による副食費の徴収が発生したとき、それを保護者負担とすることを予め説明し同意を得る必要があるということです。 質問の場合は、そもそも保護者に負担がないので、説明も同意も不要です。ただし、市町村単独事業により保護者負担額が0円ではなく、少しでも保護者負担が発生する場合は、重要事項説明書により説明し同意を得る必要があります。	
12—59	補足給付事業	現行の補足給付事業のうち、教育・保育給付第1号認定子どもに対する副食費の助成事業は無償化実施後も継続されますか。	教育・保育給付第1号認定子どもに対する副食費の助成事業については、無償化の実施により低所得世帯等の副食費の負担免除に伴う公定価格上の加算を設けることを踏まえ廃止し、施設型給付を受けない幼稚園等を利用する施設等利用給付認定を受けた子どもに対する副食費の助成事業を新たに創設しました。 なお、補足給付事業のうち、教育・保育給付第1号～3号認定子どもの教材費・行事費等の助成事業については、これまで通り継続します。	
12—60	補足給付事業	施設型給付を受けない幼稚園の副食費の補足給付事業を実施するためには、市町村の子ども・子育て支援事業計画の変更が必要ですか。	今般の無償化の実施にあたり、補足給付事業を新たに実施する場合は、できるだけ速やかに市町村子ども・子育て支援事業計画を改正することが望ましいと考えます。 例えば、第2期市町村子ども・子育て支援事業計画の作成時に開催する地方版子ども・子育て会議において、令和元年10月からの同事業実施に係る計画の改正もご審議いただく方法も考えられますが、これが困難な場合には、少なくとも令和2年度を計画の始期とする第2期市町村子ども・子育て支援事業計画において位置付けるようにしてください。	

12―61	補足給付事業	副食費免除者については、市町村が施設に免除対象者の通知を行うこととなっていますが、施設型給付を受けない幼稚園の補足給付の対象者について、市町村が施設に通知できるような根拠はあるのでしょうか。	施設型給付を受けない幼稚園の補足給付事業については、市町村が施設に免除対象者の通知を行う根拠規定を整備していないため、例えば補助金を施設に代理受領させる場合は、国が示す参考様式【補足給付申請書参考様式その２】に記載しているように、交付申請の段階で、補助決定に関する情報等を必要な範囲で幼稚園に提供することについて、あらかじめ保護者に同意していただくことが必要となります。	
12―62	低所得者世帯への配慮	副食費について、施設型給付を受けない幼稚園を利用する低所得者世帯への配慮は行われるのですか。	施設型給付を受けない幼稚園を利用する場合に徴収される食材料費についても、低所得者世帯の負担軽減を図る観点から、施設型給付を受ける幼稚園を利用し公定価格内で副食費の徴収が免除される対象と同じ世帯について、その副食費を地域子ども・子育て支援事業における補足給付事業の対象とすることにより負担軽減を図ります。	
12―63	多子減免算定基準	施設型給付を受けない幼稚園の副食費に係る補足給付事業における、多子軽減の算定基準はどのようになりますか。	就園奨励費※における多子減免の取扱いを踏襲し、小学校第３学年修了前を算定基準とします。 ※就園奨励費は令和元年９月に廃止され、令和元年10月以降は施設等利用費となります。	
12―64	施設型給付を受けない幼稚園の食材料費と保育料	施設型給付を受けない幼稚園の中には、「費用の区分なく単一の保育料として園則で定められるとともに保護者に対しても示されて」おり、「同一学年の在園児全員から一律に徴収され、在園児全員に対する教育上必要なものに充当されるもの」であれば、「保育料に給食費が含まれていても就園奨励費補助金の国庫補助対象となり得るもの（平成26年７月25日付文部科学省初等中等教育局幼児教育課事務連絡）」とされていたことから、保育料に給食費が含まれている園があります。令和元年10月から、保育料と食材料費を切り分けて徴収しなければならないのでしょうか。	今般の幼児教育・保育の無償化では、全ての施設・事業に係る給付を通じて、食材料費・日用品費等（特定費用）については、無償化の対象となる利用料（特定子ども・子育て支援利用料）には含めることはできないため、特定子ども・子育て支援利用料と特定費用は切り分けて額を設定していただく必要があります。したがって、食材料費等の特定費用は特定子ども・子育て支援利用料とは別途徴収することが基本となると考えられますが、保護者に対して発行し、施設等利用費の支給の根拠資料となる領収証において両費用を確実に区分して記載することを前提に、保護者が両費用を一体的に徴収することも可能です。 なお、保育料とは別途徴収する場合、給食費は消費税が課税されることに御留意ください。 また、食材料費については、在宅で子育てをする場合でも生じる費用であることから、一部の減免等を除き、基本的に保護者にご負担いただく性格の費用と思われますが、仮に給食代を徴収せずに給食を実施している場合は、食材料費にかかる財源を明確に示すなど、食材料費を無償化の対象から確実に除外していることを園から説明していただくことが必要となります。	
12―65	施設型給付を受けない幼稚園の食材料費と保育料	施設型給付を受けない幼稚園において、食材料費の徴収に伴い、保育料の変更を行う場合、学則（園則）の変更を行う必要がありますか。	無償化の対象となる利用料（特定子ども・子育て支援利用料）には食材料費を含めることはできないため、特定子ども・子育て支援利用料と食材料費は切り分けて額を設定していただく必要がありますが、学則（園則）に記載する保育料については、その内容について特段の定めがないため、給食費を含めた額を記載することも可能です。なお、その場合でも、保護者に対して特定子ども・子育て支援利用料とそれ以外の徴収費用を分かりやすく示すとともに、保護者に対して発行し施設等利用費の支給の根拠資料となる領収証において両費用を確実に区分して記載していただく必要があることに留意してください。 なお、学則（園則）上の保育料を変更した場合には、変更事由とともに学則（園	

			則）変更の届出を都道府県知事に行う必要があります。（実費徴収額については、学則（園則）に記載する必要なし（各園の判断により、記載することも可能））
12—66	施設型給付を受けない幼稚園の食材料費と保育料	施設型給付を受けない幼稚園の中には、保育料に給食に係る経費が含まれている園があり、これまで消費税が非課税として取扱いがなされていました。今回の無償化を契機に課税関係が変わるのでしょうか。	従来、施設型給付を受けない幼稚園の中には、保育料に給食に係る経費を含めて一体的に徴収し、消費税非課税の取扱いがなされてきた園もあるところ、無償化実施後も本取扱いについては変わりません。ただし、食材料費については、無償化の対象となる利用料（特定子ども・子育て支援利用料）に含めることはできないため、特定子ども・子育て支援施設等の運営に関する基準に基づき、園が保護者に対して発行する領収証においては、特定費用として記載する必要があります。施設等利用費の支給に過誤が生じないようご留意をお願いします。
12—67	施設型給付を受けない幼稚園の食材料費と保育料	施設型給付を受けない幼稚園の中には、保育料に給食に係る経費を含めて一体的に徴収し、消費税非課税の取扱いがなされてきた園もあるところです。施設等利用費を園が代理受領する場合、月額上限額を超える分の差額や食材料費について保護者から徴収することになります。この場合であっても、保育料が給食に係る経費を含めた一体的なものである限り、消費税の課税関係は変わりありませんか。	今回の無償化を契機に消費税の課税関係は変わりません。
12—68	副食材料費の補足給付事業	施設型給付を受けない幼稚園に対する補足給付事業は、副食費に限定されており、文房具等は対象外ですか。	副食費以外は補助対象外となります。
12—69	副食材料費の補足給付事業	施設型給付を受けない幼稚園に対する補足給付事業で、施設等利用給付認定と同時に補助対象者を把握し、減免（現物給付）とする運用は可能ですか。その際、補足給付事業のために子育てのための施設等利用給付の認定申請書で同居者等の情報を取得することは可能ですか。	施設型給付を受けない幼稚園に対する補足給付事業は、施設型給付を受ける園に対する補足給付事業と同様に、その事業実施方法を出来る限り市町村の裁量に委ねることとしており、現物給付とすることも可能です。この場合、年度開始前に交付申請書を提出させることのほか、子育てのための施設等利用給付の認定申請書に市町村が独自で同居者等の記載欄を設けること等により補助対象者（減免対象者）を把握するような運用も可能です。
12—70	副食材料費の補足給付事業	施設型給付を受けない幼稚園に対する補足給付事業は全ての市町村が実施しなければならないのですか。	実施は義務ではありませんが、子育て支援や低所得者対策等の観点から、地域の需要を踏まえつつ積極的に実施していただきますよう御願いします。
12—71	副食材料費の補足給付事業	施設型給付を受けない幼稚園に対する補足給付事業の支払い頻度はどうすればよいのですか。	施設型給付を受けない幼稚園に対する補足給付事業は、施設型給付を受ける園に対する補足給付事業と同様に、その事業実施方法を出来る限り市町村の裁量に委ねることとしており、支払い頻度も市町村が実情に応じて決定することが可能です。
12—72	副食材料費の補足給付事業	施設型給付を受けない幼稚園に対する補足給付事業で、副食費の算出が困難な場合は便宜的な算出方法でも可能となっていますが、これは市町村内で統一的な扱いとする必要があるのですか。	便宜的な算出方法は実際に要した副食材料費の算出が困難な場合に限ることとしており、自園調理を実施しているなど副食材料費を算出することが可能な幼稚園を含めて市町村内で統一的に便宜的な算出方法を用いることは適当ではありません。
12—73	副食材料費の補足給付事業	例えば、8月は後半の5日のみ給食を実施している幼稚園の場合、施設型給付を受けない幼稚園に対する補足給付事業の補助上限額（4,500円）は減額されるのですか。また、8月は給食を実施していないが、給	施設型給付を受けない幼稚園に対する補足給付事業の補助上限額は、給食実施日数により日割り計算を行う必要はありません。また御質問前段のケースの場合、8月の補助対象額は、4,500円を上限として8月に徴収している副食費の額となります。

		食費を年額で設定し、8月を含む各月で給食費を徴収している場合、8月徴収分は補助対象となりますか。		
12—74	副食材料費の補足給付事業	施設型給付を受けない幼稚園に対する補足給付事業で、年度末分などの請求が翌年度にあり市町村として翌年度予算で支出したものは補助対象として認められますか。	利用者や施設が請求を行うために一定の時間を要することから、翌年度予算で支出したものも補助対象として認められます。この場合は、翌年度の補足給付事業の対象となります。	
12—75	副食材料費の補足給付事業	特定教育・保育施設等における副食費徴収免除加算では、教育・保育給付第1号認定子どもについて、加算額の算定基礎となる給食実施日数は、「利用児童の全てに副食の全てを提供する日であり、施設の都合によらずに副食の一部又は全部の提供を要しない利用子どもについては副食の全てを提供しているものとみなす」と定義されていますが、施設型給付を受けない幼稚園において、例えば園が提供する給食かお弁当の持参を利用者の選択に委ねている場合、給食にかかる副食費は補足給付事業の対象になりますか。	御指摘の例の場合、園が提供する給食にかかる副食費は補足給付事業の補助対象となります。	
12—76	副食材料費の補足給付事業	特定教育・保育施設等における副食費の徴収免除加算では、ミルク給食のみを実施している場合、加算の対象とはならないとのことですが、補足給付事業の場合は対象となりますか。	補足給付事業では、ミルク給食のみの場合でも補助対象となります。ただし、預かり保育事業において提供する牛乳やおやつは補助対象とはなりません。	
12—77	副食材料費の補足給付事業	施設型給付を受けない幼稚園で月額4,500円を超える副食費を徴収している場合、補足給付事業の対象となる低所得者世帯等から差額分を徴収することは可能ですか。	可能です。	
12—78	副食材料費の補足給付事業	施設型給付を受けない幼稚園の副食材料費に対する補足給付事業において、対象となる副食材料費についてはどのように算定すれば良いですか。	補足給付事業における副食材料費については、実際に要した副食材料費相当額を算出することを基本としつつ、事業の実施主体である市町村が合理的と考える方法で算出頂いてかまいません。食材の外部搬入を行っている場合など、副食材料費として実際に要した費用の算出が困難である場合には、例えば下記のような算出方法を採ることが考えられます。	

給食の実施方法	副食材料費の算出方法（原則）	便宜的な算出方法の可否
自園調理（食材自己購入）	必要経費が明確であることから、各園で「1食あたり副食材料相当額」を算出×給食日数	不可
自園調理（食材外部搬入）	外部搬入業者に依頼し、「1食あたり副食材料相当額」を算出×給食日数	例外的に便宜的な算出方法※も可
外部搬入	外部搬入業者に依頼し、「1食あたり副食材料相当額」を算出×給食日数	例外的に便宜的な算出方法※も可

※　便宜的な算出方法の例
①　園における1食あたり給食費×「給食

			費に占める副食材料費相当額の平均的な割合」（市町村に所在する他施設等の情報から推計。）
			②　園における１食あたり食材料費相当額×「食材料費に占める副食材料費の割合」（市町村に所在する他施設等の情報から推計。仮に「保育所等の運営実態に関する調査」により推計すれば、「87％」。）
			③　一律225円（教育・保育給付第１号認定子どもの公定価格上の副食費徴収免除加算と同じ単価を用いる。）
12—79	副食材料費の補足給付事業	施設型給付を受けない幼稚園の副食材料費に対する補足給付事業における所得階層の判定は、いつ時点の所得について何月から適用させるような決まりはあるのですか。	施設型給付を受けない幼稚園の副食材料費に対する補足給付事業で補助対象となるのは、施設型給付を受ける園の教育・保育給付第１号認定子どもに対する副食費免除対象に対する加算と同様に、小学校第３学年修了前までの第３子以降のほか、年収360万円未満相当世帯としており、この場合の所得階層を判定する保護者等の世帯所得の時期については、各市町村で実施する支出方法などの事情により柔軟に決定できるよう国の補助要綱等を定めています。
			このため、例えば、現行の教育・保育給付認定と同様に、６月に判明する当該年度分の市町村民税（４月から８月の利用分は前年度分の市町村民税）で判定したり、従前の就園奨励費と同様に、通年分を当該年度分の市町村民税で判定する場合も国庫補助の対象となります。
12—80	副食費免除及び補足給付の対象者について	副食費免除と補足給付の対象者について、市町村民税所得割額で判断するとのことですが、みなし寡婦控除や住宅ローン減税の取扱いなど、現行の就園奨励費と施設型給付でも算定の考え方が違う部分がありますが、どのように算定するのでしょうか。	算定方法は現行の施設型給付費と同様です。
12—81	認可外保育施設等の副食費	認可外保育施設、預かり保育事業、一時預かり事業、病児保育事業、子育て援助活動支援事業における、食材料費の取扱いはどうなるのでしょうか。	国の制度における預かり保育事業や認可外保育施設等の副食費に対する低所得者負担軽減策はありません。
12—82	保育料と実費経費の区分	認可外保育施設の事業者が保育料に実費（通園送迎費、食材料費、行事費など）を含めた額を利用料（保育料）として一括して徴収している場合、利用料と実費部分を区分させることが必要ですか。また、入園料については施設等利用費の対象になりますか。	認可外保育施設においても、保育料と食材料費などの実費（無償化対象外経費）を区分していただくことが必要です。
			また、入園料についても、無償化の対象とはならず、保育料とは別に徴収していただく必要があります。
12—83	マイナンバー	教育・保育給付第１・２号認定子どもの副食費免除対象者の判定や、施設型給付を受けない幼稚園を利用する低所得者世帯への副食費の補足給付事業の実施に関して、個人番号（マイナンバー）を利用することは可能ですか。	教育・保育給付第１・２号認定子どもの副食費徴収免除対象者の判定に個人番号を活用することは、同一市町村内における「庁内連携」、市町村間をまたぐ「庁外連携」のいずれも可能です。
			これは、番号法（行政手続における特定の個人を識別するための番号の利用に関する法律）において、今般の法改正前から番号法別表第１及び別表第２に「子どものための教育・保育給付」が位置付けられていること。また、規則第７条において各施設に対し、副食費の徴収免除に関する情報提供を行うこととされているためです。
			施設型給付を受けない幼稚園を利用する低所得世帯への副食費の補足給付事業の対

No.	事項	問	答	備考
			象者の確認に個人番号を活用することについても、番号法別表第1において「地域子ども・子育て支援事業の実施に関する事務」が位置付けられており、同表に基づく主務省令においても同事務が規定されていることから個人番号の活用は可能ですが、「庁外連携」に当たってはデータ標準レイアウトの整備等所要の準備が必要となるため、令和3年6月以降となる予定です。そのため、それまでの間は公用照会を活用するなど、申請者に添付書類を求めるのは最小限にするよう配慮をお願いします。 なお、個人番号を使用する場合には、これらの事務に用いる電算システムの情報漏洩等のリスクを評価し、その対策を公表する必要性（特定個人情報保護評価：ＰＩＡ）について検討する必要がありますが、公表の要否については、次のとおり整理することができます。 ① 既存の子どものための教育・保育給付の拡充と整理する場合で、新たに取り扱う事務が既存事務の「重要な変更」に当たると判断すればＰＩＡが必要。当たらないと判断すればＰＩＡは不要。 ※ 国の特定個人情報保護評価指針の別表に基づき、各市町村で判断することになります。 ② 新規の事務として別個実施するものと整理する場合はＰＩＡの実施が必要。	
12—84	食材料費関係	私立保育所の副食費については、消費税はかかるのでしょうか。	食材料費は保育に必要不可欠なものであるため、消費税は非課税となります。	
12—85	子ども・子育て支援交付金	一時預かり事業や病児保育事業における食材料費の取扱いについては、無償化に伴い何か変わるのでしょうか。	今回の無償化で食材料費の取扱いを見直すのは、保育料と公定価格のみであり、地域子ども・子育て支援事業である一時預かり事業や病児保育事業に関しては、変更はありません。	
12—86	食材料費を市町村からの委託料で賄うことについて	地域子ども・子育て支援交付金を活用し、病児保育事業を民間委託していますが、この施設から、給食の食材料費については認定保護者から徴収せず、地域子ども・子育て支援交付金を充当しているとの説明がありました。 この場合、給食を提供しているのにもかかわらず、食材料費が特定費用として計上されないことになりますが、差し支えないでしょうか。	まず、一般的な考え方として、義務教育においても給食費は自己負担とされていること、家庭で子育てをする場合にも食材料費は発生することから、今般の幼児教育・保育の無償化においても、保育所等における食材料費は引き続き保護者の方にご負担いただくこととし、施設等利用給付には含めないこととしたものです。 一方で、病児保育事業は、事業の実施に要した経費の総額から、一部について保護者負担を求めることができるとしておりますので、市町村の判断で食材料費の全額を徴収しないことも可能です。	

【13 質の向上を伴わない理由のない利用料の引上げ防止について】

No.	事項	問	答	備考
13—1	質の向上を伴わない利用料の引上げ防止対策（総論）	幼児教育・保育の無償化の実施に当たり、質の向上を伴わない理由のない保育料の引上げ防止についてはどのように対応するのですか。	今般の幼児教育・保育の無償化は、幼児教育・保育における保護者負担の軽減を目的としていることから、質の向上を伴わない保育料の値上げが助長されることがあってはなりません。 国としては、広報等を通じて、事業者を含めた国民の皆様に無償化の趣旨を丁寧に説明したいと考えています。	
13—2	質の向上を伴わない利用料の引上げ防止対策（施設型給付を受けない幼稚園）	施設型給付を受けない幼稚園における、質の向上を伴わない理由のない保育料の引上げ防止についてはどのように対応するのですか。	今般の幼児教育・保育の無償化は、幼児教育・保育における保護者負担の軽減を目的としていることから、質の向上を伴わない保育料の値上げが助長されることがあってはなりません。 国としては、広報等を通じて、事業者を	

			含めた国民の皆様に無償化の趣旨を丁寧に説明したいと考えています。	
			近年の人材不足に伴う賃金の上昇や園児数の減少等を受け、私立幼稚園の保育料は上昇傾向が続いており、また今般消費税率の引上げに伴うコストの増加も予想される中、私立幼稚園の保育料の引上げ自体が一概に不適切なわけではないと考えられますが、国としては、関係団体や地方自治体等とも連携し、実態の調査及び把握に努めているところです。	
			なお、保育料の変更に当たっては、変更事由とともに園則の変更届出が必要であり、所轄庁において保育料等の引上げの理由の妥当性等について確認し、必要に応じ、指導助言していただくようお願いしているところです。	
13—3	質の向上を伴わない利用料の引上げ防止対策（幼稚園の預かり保育事業）	施設型給付を受けない幼稚園の預かり保育事業における、質の向上を伴わない理由のない保育料の引上げ防止についてはどのように対応するのですか。	今般の幼児教育・保育の無償化は、幼児教育・保育における保護者負担の軽減を目的としていることから、質の向上を伴わない保育料の値上げが助長されることがあってはなりません。	
			国としては、広報等を通じて、事業者を含めた国民の皆様に無償化の趣旨を丁寧に説明したいと考えています。	
			幼稚園（認定こども園（1号）、特別支援学校幼稚部を含む。）の預かり保育事業については、利用者の中には無償化対象とならない方も多く含まれているため、園側として無償化に伴う値上げは実施しづらいと考えられますが、その上で、不当な値上げの防止に万全を期すため、①無償化対象者とそれ以外で預かり保育料の設定に差をつけるのは不適切であること等を周知・指導する、②市町村に対する確認申請において預かり保育事業の利用料を記載することを国が作成した参考様式で示すことなどの対応を行っております。	
13—4	質の向上を伴わない利用料の引上げ防止対策（認可外保育施設）	認可外保育施設における、質の向上を伴わない理由のない保育料の引上げ防止についてはどのように対応するのですか。	今般の幼児教育・保育の無償化は、幼児教育・保育における保護者負担の軽減を目的としていることから、質の向上を伴わない保育料の値上げが助長されることがあってはなりません。	
			国としては、広報等を通じて、事業者を含めた国民の皆様に無償化の趣旨を丁寧に説明したいと考えています。	
			認可外保育施設の設置者は、利用者との契約時に、支払うべき額に関する事項も含めた契約書面を交付することとされており、利用料の値上げに際しては、その理由・内訳に関して、施設から保護者に対してきちんと説明が行われるべきと考えております。児童福祉法施行規則を改正し、認可外保育施設の設置者は、サービス内容や利用料を変更した場合には、変更の内容及びその理由を掲示することとしました。	
13—5	質の向上を伴わない利用料の引上げ防止対策（一時預かり事業、病児保育事業）	一時預かり事業や病児保育事業における、質の向上を伴わない理由のない保育料の引上げ防止についてはどのように対応するのですか。	一時預かり事業や病児保育事業については、全ての利用者が無償化の対象となるわけではなく、保育の必要性認定を受けており、かつ、認可保育所等を利用していない者が、3.7万円の上限の範囲内で無償化の対象となるものであり、理由のない保育料の引き上げは考えにくいものです。	
			その上で、これらの事業は基本的には地域子ども・子育て支援事業として市町村により実施又は市町村からの委託等により実施されるものであることから、質の向上を伴わない保育料の引き上げがないよう、市	

No.	事項	問	答	備考
			町村において適切に対応することが求められます。 　また、国としても、広報等を通じて、事業者を含めた国民の皆様に無償化の趣旨を丁寧に説明したいと考えています。	
13—6	上乗せ徴収	主に特定教育施設で実施されている幼児教育の質の向上のための上乗せ徴収については、保育料の一部ですが無償化の対象となりますか。 　また、令和元年10月の幼児教育・保育の無償化開始に伴い、考え方や取り扱い方法に変更がありますか。	特定教育・保育施設においては、法施行令の改正により、幼児教育・保育の無償化の対象者の公定価格上の利用者負担額が「零」となりますが、上乗せ徴収は無償化の対象とならず、これまで同様、保護者の同意を得て徴収可能です。上乗せ徴収の考え方や取り扱い方法については、幼児教育・保育の無償化実施後も特に変更するものではありません。	
13—7	届出対象施設になったことによる利用料の引上げ	児童福祉法施行規則の改正により、企業が従業員のために設置する託児所等は、児童福祉法による届出対象施設になりますが、利用料について、これまで福利厚生の一環として設定していた利用料を施設等利用費の上限額まで値上げしようとする施設・事業者は、理由のある利用料の引上げと考えてよいのでしょうか。	事業所内保育施設については、令和元年7月1日より認可外保育施設の届出の対象とする児童福祉法施行規則の改正を行っており、都道府県等による原則年1回以上の立入も行っていただきます。また、認可外保育施設の設置者は、サービス内容や利用料を変更した場合には、変更の内容及びその理由を掲示する改正も行っております。 　その上で、御指摘のようなケースは、質の向上のための値上げの可能性もあるため、一概に不適切な値上げとは言えませんが、幼児教育・保育における保護者負担の軽減を目的とする無償化の施行を契機に、質の向上を伴わない保育料の値上げが助長されることがあってはなりません。 　例えば、同一施設で、同一のサービスの提供を行っているにもかかわらず、 ・無償化対象の子ども（保育の必要性の認定あり）の保育料のみを値上げし、無償化の対象とならない子ども（保育の必要性の認定なし）の保育料は据え置き又は値下げを行う場合や、 ・3歳から5歳までの保育料のみを値上げし、0歳から2歳までの保育料は据え置き又は値下げを行う場合 など、無償化対象者とそれ以外の者の利用料を分けて値上げを行う場合は、不適切な値上げと考えられます。 　こうした値上げが行われないよう、国としては、広報等を通じて、事業者を含めた国民の皆様に無償化の趣旨を丁寧に説明していきますが、自治体におかれても不適切と疑われる値上げの情報が寄せられた場合には、事業者に無償化の趣旨を丁寧にご説明いただきたいと考えています。	

【14　内閣府令で定める基準等】

No.	事項	問	答	備考
14—1	運営基準	各施設について定める「運営に関する基準」は、具体的にどのような基準ですか。	特定子ども・子育て支援施設等の運営に関する基準としては、以下の内容としています。 ・教育・保育等の提供の記録 ・利用料や実費の徴収可能費目及び手続 ・領収証（無償化の対象経費と対象外経費の区分等）等の交付 ・秘密保持 ・諸記録の整備	
14—2	条例制定の要否	市町村は、現行の子どものための教育・保育給付についての運営に関	施設等利用給付にかかる特定子ども・子育て支援施設等の運営に関する基準につい	

		する基準の条例を制定しておりますが、子育てのための施設等利用給付についても施設の「運営に関する基準」の確認に関して、条例を制定することが必要ですか。	ては、法第58条の４第２項において内閣府令で定める基準に従うことと規定されていることから、市町村による条例の制定は不要としています。	
14—3	質に係る基準（認可外）	市町村が「確認」を行うに当たって、認可外保育施設が満たすべき教育・保育等の質に係る基準は、どのようなものですか。	内閣府令において、保育に従事する者や保育内容等、現行の認可外保育施設指導監督基準（「認可外保育施設に対する指導監督の実施について」（平成13年３月29日付け雇児発第177号厚生労働省雇用均等・児童家庭局通知）別添）に定める内容としています。また、居宅訪問型保育事業の保育従事者は、保育士、看護師又は一定の研修を受講した者としています。	
14—4	質に係る基準（幼稚園の預かり保育事業）	市町村が「確認」を行うに当たって、幼稚園の預かり保育事業が満たすべき教育・保育等の質に係る基準は、どのようなものですか。	内閣府令で定める基準は以下の通りです。 【配置基準】 　３歳児　20：１、４・５歳児　30：１（預かり保育園児数／処遇を行う職員数） 【職員要件】 ・配置基準上必要になる担当職員の２分の１以上（当分の間、３分の１以上）を保育士、幼稚園教諭免許状所有者とすること。 ・担当職員について、預かり保育事業に従事している間は、専ら当該事業に従事すること。 【教育内容】 　幼稚園教育要領、幼保連携型認定こども園教育・保育要領又は特別支援学校幼稚部教育要領に準じて行うこと。 【設備】 　食事の提供を行う場合においては、当該施設において行うことが必要な調理のための加熱、保存等の調理機能を有する設備を備えること。 　なお、職員要件において記載する「専ら当該事業に従事する」とは、担当職員が預かり保育事業に従事している時間は、預かり保育事業に専従するという意味であり、その他の時間に他の業務に従事することを妨げるものではありません。このため、例えば、教育課程担当職員が午前中は教育課程上の活動を担当し、午後は預かり保育事業を担当するような運用も可能です。 　この場合、校務分掌や発令等により担当を明確にしておくことのほか、特に新制度幼稚園が一時預かり事業も受託している場合などにおいて、公定価格において必要教員として措置されている常勤職員を一時預かり事業の配置職員として二重で計上するなど、公費の二重給付とならないよう御対応いただくことが必要となることに御留意ください。	
14—5	質に係る基準（一時預かり事業）	市町村が「確認」を行うに当たって、一時預かり事業が満たすべき教育・保育等の質に係る基準は、どのようなものですか。	一時預かり事業については、児童福祉法において、事業実施に際して基準の遵守義務が定まっており、具体的な基準については、児童福祉法施行規則第36条の35において、一般型・幼稚園型等の区分に応じ、設備基準や人員配置基準などが定められています。 　なお、一時預かり事業の確認については、基本的に地域子ども・子育て支援事業として実施されているため、地域子ども・子育て支援事業の委託の際に合わせて確認	

			を行うこと、簡略化した申請様式を用いること、市町村自身が実施する場合には、担当課同士で事業内容を確認した上で、問題がなければ公示手続きにおける決裁等で代用すること等により、簡易な確認手続きをすることが可能です。また、子ども・子育て支援事業交付金の対象外の一時預かり事業については、都道府県に適正な届出が行われている事業者かどうかを都道府県に確認いただく必要があります。	
14—6	質に係る基準（病児保育事業）	市町村が「確認」を行うに当たって、病児保育事業が満たすべき教育・保育等の質に係る基準は、どのようなものですか。	病児保育事業については、地域子ども・子育て支援事業の「病児保育事業実施要綱」に準じた形で内閣府令に基準を設けております。具体的には、病児対応型、病後児対応型等の区分に応じ、実施場所（病児対応型の場合には、病院・診療所、保育所等に付設された専用スペース等であって、観察室又は安静室の配置などの基準を満たしていること）や職員配置基準（看護師等を利用児童おおむね10人につき１名以上配置するとともに、保育士を利用児童おおむね３人につき１名以上配置することなど）等を設けております。 　なお、病児保育事業の確認については、基本的に地域子ども・子育て支援事業として実施されているため、地域子ども・子育て支援事業の委託の際に合わせて確認を行うこと、簡略化した申請様式を用いること、市町村自身が実施する場合には、担当課同士で事業内容を確認した上で、問題がなければ公示手続きにおける決裁等で代用すること等により、簡易な確認手続きをすることが可能です。また、子ども・子育て支援事業交付金の対象外の病児保育事業については、都道府県に適正な届出が行われており、基準に適合しているかどうかを確認いただく必要があります。	
14—7	質に係る基準（ファミサポ）	市町村が「確認」を行うに当たって、子育て援助活動支援事業（ファミリー・サポート・センター事業）が満たすべき教育・保育等の質に係る基準は、どのようなものとなりますか。	市町村が無償化に伴う給付を実施するにあたり、対象施設等に求める基準を満たしているかどうか、市町村が把握（確認）する必要がありますが、ファミリー・サポート・センター事業については、援助を行う会員に対し、 ① 　緊急救命講習（ＡＥＤ（自動体外式除細動器）の使用方法や心肺蘇生等の実習を含んだもの） ② 　事故防止に関する講習 の２つを実施するとともに、少なくとも５年に１回フォローアップ講習を実施していることを基準としています。（実施要綱でも同内容を必須化するため、子ども・子育て支援交付金で運営費を申請いただく場合もこれらの実施が必要となります。） 　本事業の実施については、市町村又はその委託等を受けた者に限ることとされているため、市町村において受託者が当該基準を満たしているかを適時に把握できていることから、部局間の工夫により確認の手続は簡素に行うことができるものと考えております。	
14—8	対象経費の区分	認可外保育施設等を利用する認定保護者への施設等利用費の支給の際、施設・事業者が支払い審査に必要な書類等を提出しないこと等により、利用者が不利益を被ることがないよう法令等で対応しているのでしょうか。	特定子ども・子育て支援施設等の運営に関する基準では、領収証を施設等利用費の対象経費と対象外経費に区分することなど、子育てのための施設等利用給付の適切な実施に必要な事項を定めています。	

| 14—9 | 運営基準条例や市町村規則・要綱について | No.14—2には「子育てのための施設等利用給付については、市町村による条例の制定は不要としています。」とありますが、子育てのための施設等利用給付にかかる各種様式は、各市町村の条例や規則で定める必要があるのでしょうか。 | 今回様々な参考様式を示しはしていますが、これらはあくまでも参考であり、これを市町村でアレンジして規則や要綱で、市町村の様式として定めるものであり、国が要綱案等を作成するものではありません。 | |

【15　子ども・子育て支援事業費補助金等】

No.	事項	問	答	備考
15—1	対象経費の歳出科目について	国の補助金交付要綱に記載されている対象経費の名称が、自治体の支出科目の名称と異なる場合でも、補助金の対象科目と見なしてよいでしょうか。	国の交付要綱で定める対象経費に当てはまると認められる場合であれば、自治体における支出科目が異なっていても対象経費と見なして差し支えありません。 　不明な点がある場合は、適宜ご相談ください。	
15—2	全国総合システム	このたびの制度改正により、全国総合システムのデータ連携も大きく変わることになると思われますが、その費用も改修費に含まれるという理解でよろしいですか。改修費に含まれるということになると、全国総合システムの仕様（インターフェイスなど）の提示はいつ頃になる見込みでしょうか。	今般の無償化の実施に当たり、全国総合システムとのデータ連携の必要はありません。なお、認可外保育施設の情報連携のためのシステム（資料21）構築に当たっては、届出先自治体と情報共有システム（WAM）とのデータ接続が必要になる可能性がありますが、現在、当該システムの検討中であるため、連携することとなったとしても、その仕様書の提示は来年度になると見込まれています。	
15—3	幼児教育・保育の無償化に係る事務費	令和3年度における幼児教育・保育の無償化に係る事務費はどのように財政措置されますか。	令和3年度における幼児教育・保育の無償化に係る事務費について、認可外保育施設に係るものを除き、地方交付税措置を講じることとしています。地方交付税の性質上、使途については、各自治体において判断されるものになりますが、無償化に係る人件費、印刷製本費などに活用されることを想定しています。 　なお、認可外保育施設については、令和2年度において、各都道府県に設置されている「安心こども基金」に積み増し、令和3年度から5年度までの事務費について措置を講じることとしています。	

【16　子育てのための施設等利用給付交付金】

No.	事項	問	答	備考
16—1	施設等利用給付交付金の支給頻度	施設等利用費の国庫負担分（子育てのための施設等利用給付交付金）は、施設型給付費等（子どものための教育・保育給付交付金）と同様に国から地方自治体に概算払いで交付されるのでしょうか。	国から地方自治体に支払われる子育てのための施設等利用給付交付金は、子どものための教育・保育給付交付金と同様、自治体からの申請に基づき交付決定後、概算払いで交付します。交付決定額と決算額に過不足が生じた場合は、翌年度に精算（追加交付又は返還）を行うこととなります。	
16—2	施設等利用給付交付金の支給頻度	子育てのための施設等利用給付交付金は、概算払いにより交付されるとのことですが、例えば、事務の簡素化の観点から、都道府県の判断で毎月交付でなく数か月分をまとめて市区町村に交付することは差し支えないですか。	施設等利用費（特に施設型給付を受けない幼稚園）については、保護者が保育料を立て替えることなく直ちに無償化の恩恵が受けられるよう、国として法定代理受領を推奨するとともに、市町村が法定代理受領を選択しやすいよう、国交付金の早期の交付により、市町村の資金繰りを支援することとしたものです。そのため、都道府県におかれても、市町村が資金繰りに困らないよう、早期の交付をお願いします。	
16—3	変更交付申請	子育てのための施設等利用給付交付金について、交付申請した後に、変更申請することは認められるのでしょうか。	子育てのための施設等利用給付交付金交付要綱（令和元年9月25日付け府子本第476号通知）の第7の規定に基づき、交付決定後の事情の変更により、年間所要額に	

No.	事項	問	答	備考
			増減を生じたため、変更交付申請を行うことは可能としています。	
16—4	施設等利用給付交付金の交付スケジュール	平年度化後（令和4年度以降）の子育てのための施設等利用給付交付金の交付スケジュールはどのようになるのでしょうか。	平年度化後（令和4年度以降）の子育てのための施設等利用給付交付金の執行事務スケジュールは、現時点で以下のとおり予定しています。 ◇執行事務スケジュール（予定） 前年度3月下旬：当初交付申請書提出依頼（国→自治体） 当年度4月下旬：当初交付申請書提出（自治体→国） 〃　5月下旬：当初交付決定及び交付（国→自治体） 〃　10月下旬：変更交付申請書提出依頼（国→自治体） 〃　11月下旬：変更交付申請書提出（自治体→国） 〃　1月中旬：変更交付決定及び追加交付（国→自治体） 翌年度5月中旬：実績報告書提出依頼（国→自治体） 〃　7月下旬：実績報告書提出（自治体→国） 〃　3月下旬：額の確定及び追加交付・返還	
16—5（再掲）	施設等利用費の過年度支出について	施設等利用費は、過年度の利用分の請求を受けた場合でも市町村は支払う必要がありますか。 また、この場合、過年度分の支払いについては、子育てのための施設等利用給付交付金の交付はありますか。	法第78条第1項に定める時効消滅前の施設等利用費の請求があった場合は、市町村は過年度の利用料であっても施設等利用費を給付する必要があります。 また、この過年度分の支払いについては、国の子育てのための施設等利用給付交付金の交付対象となりますが、その取扱いについては次のとおりとなります。 ①　交付年度における額の確定前（交付年度の出納整理期）に過年度の支払いがあった場合…交付年度の実績報告書に当該過年度分を計上し、額の確定後、精算交付を行う。 ②　交付年度における額の確定後に過年度の支払いがあった場合…交付年度の実績報告書の訂正により、当該過年度分を計上し、額の再確定後、精算交付を行う。	（5—39に掲載）
16—6	交付金の歳入	子育てのための施設等利用給付交付金のうち、国負担分については、都道府県の歳入に計上する必要がありますか。	国負担分については、都道府県の歳入に計上する必要はありませんが、都道府県負担分は都道府県の歳出に計上する必要があります。	

【17　会計処理】

No.	事項	問	答	備考
17—1	施設等利用費の使途制限	施設等利用費は、使途制限がないという理解でよいでしょうか、それとも、使途制限がかかり、経理手続を指導する必要があるのでしょうか。	使途制限はありません。しかし、質の向上を伴わない保育料の引上げが行われ、施設等利用費の公費負担により事業者の利益が賄われることがあってはなりません。	
17—2	施設等利用費の会計処理	施設等利用費の支給に係る特定子ども・子育て支援施設等として確認を受けた場合、法人・設置主体別の会計基準等に則った会計処理となるのでしょうか、それとも、一律の会計処理が定められるのでしょうか。	施設等利用費の法定代理受領を行う場合、施設等利用費に対応する科目の名称等の取扱いについては、法人・設置主体別に定められている各種会計基準に従って、会計処理を行うとともに、必要な計算書類を作成することとなります。令和元年度決算	

			からの適用を想定しており、法人・設置主体の所轄庁の方針に従ってください。
			また、施設等利用費の法定代理受領を行わない場合は、施設等利用費は保護者に対して直接支給（償還払い）され、施設において施設等利用費の収受を行うわけではありませんので、施設等利用費に係る会計処理は不要であり、引き続き従来の保育料（施設型給付を受けない幼稚園については、入園料を含む。）の収受に伴う会計処理を継続することとなります。
17—3	施設等利用費の法定代理受領	法定代理受領を行う場合、行わない場合のそれぞれについて施設等利用費にかかわる会計処理はどのようになりますか。	法定代理受領ではなく、保護者が事後に請求し償還払いを受けた施設等利用費については、施設・事業所において特段の会計処理を求めることは想定していません。 　なお、法定代理受領を行う場合、その会計に関する記録を整理し５年間保存することが必要です（特定子ども・子育て支援施設等の運営に関する基準第61条）。この場合、法人・設置主体別に定められている各種会計基準に従って作成してください。
17—4	施設型給付を受けない幼稚園の会計処理	施設型給付を受けない幼稚園が利用料（入園料・保育料）にかかる施設等利用費を法定代理受領した場合の会計処理はどのようにすればよいですか。	市町村から施設型給付を受けない幼稚園に利用料（入園料・保育料）にかかる施設等利用費の支給があった場合、幼稚園では一旦預り金として受け入れ、当該利用料に係る納付期限の到来に応じて大科目は「学生生徒等納付金収入」として取り扱うことを基本とし、小科目は「施設等利用給付費収入」に振り替える取り扱いになります。 　この場合、入園料が発生する初年度においては、一般的に納付期限が先である入園料相当分から施設等利用給付費収入に振り替えることになりますが、事務処理の簡便化を図る観点から、保育料相当分を先取りして振り替えることも考えられます。いずれの場合も所轄庁の指示がある場合はその指示により処理することに留意してください。 　なお、施設等利用費は、各施設が園則に定めた保護者に支払を求めるべき利用料について、その一定額まで保護者に支給される性質であることを踏まえ、「学生生徒等納付金収入」と取り扱うものであり、「補助金収入」とすることは想定されません。
17—5	施設型給付を受けない幼稚園の会計処理	施設型給付を受けない幼稚園において法定代理受領を行う場合、利用料のうち、月額25,700円を超える部分については、従来どおり園が利用者から直接利用料を徴収することになりますが、従来の科目（入学金あるいは入園料、授業料あるいは保育料）で計上するということでよいですか。	お見込みのとおりです。
17—6	預かり保育事業の会計処理	学校法人立の認定こども園・幼稚園等が預かり保育事業にかかる施設等利用費を法定代理受領した場合の会計処理はどのようにすればよいですか。社会福祉法人立の認定こども園等の預かり保育事業の場合はどうなりますか。	【学校法人】 　学校法人立の認定こども園・幼稚園等において預かり保育事業の利用料に係る施設等利用費の法定代理受領を行う場合、これまでの預かり保育事業にかかる利用料に関する取扱いを踏まえ、大科目は「付随事業・収益事業収入」として取り扱うことを基本とし、小科目は「施設等利用給付費収入」として取り扱います。 【社会福祉法人】 　社会福祉法人立の認定こども園等において預かり保育事業の利用料に係る施設等利用費の法定代理受領を行う場合、大科目

No.	事項	問	答	備考
			「保育事業収入」、中科目「その他の事業収入」、小科目「施設等利用費収入」として取り扱います。	
17—7	施設型給付費等の教育・保育給付（私立保育所に係る委託費を除く。）	施設型給付費等の教育・保育給付（私立保育所に係る委託費を除く。）については、保護者から徴収していた利用者負担額が公費負担の施設型給付費等に変わりますが、引き続き使途制限はないのでしょうか。	特定教育・保育施設及び特定地域型保育事業においては、法施行令の改正により、幼児教育・保育の無償化の対象者の利用者負担額が「零」となりますが、施設型給付費等に使途制限がないことに変更はありません。	
17—8	無償化後の施設型給付費等の会計処理	幼児教育・保育の無償化によって、施設型給付費等の教育・保育給付（私立保育所に係る委託費を除く。）については、保護者から徴収していた利用者負担額が零となり、その同額が公費負担の施設型給付費等に変わりますが、学校法人における会計処理はどのようにすればよいですか。また、社会福祉法人の場合（保育所を除く。）はどうなりますか。	【学校法人】　施設型給付費は、施設の運営に標準的に要する費用総額として設定される「公定価格」を基に算出される性質であることを踏まえ、大科目は「補助金収入」として取り扱うことが基本とし、小科目は「施設型給付費収入」として取り扱います。　ただし、今般の無償化により増額された施設型給付費は、従前まで利用者負担額として保護者から徴収していたことや、施設型給付費が法的には保護者に対する個人給付と位置付けられているものである点を重視して、所轄庁（都道府県知事）の方針のもと、大科目を「学生生徒等納付金収入」として取り扱うことも可能です。ただし、この場合でも小科目は「施設型給付費収入」とすることが必要です。　【社会福祉法人】　無償化により増額される分も従来の取扱いと同様であり、大科目「保育事業収入」とし、代理受領する施設型給付費等の種類に応じ、小科目「施設型給付費収入」等と取り扱います。	
17—9	私立保育所に係る委託費	私立保育所にかかる委託費については、無償化前後で市町村が施設に支払う額に変更がありませんが、委託費及び経理手続の取扱いに変更はないのでしょうか。	特定保育所については、法施行令の改正により、市町村は満3歳以上保育認定子どもの保護者から保育料を徴収しないこととなります（施行令附則第6条による法附則第6条第4項の読替え）が、委託費の支払及び経理手続の取扱いには変更ありません。	
17—10	補足給付事業	施設型給付を受けない幼稚園利用者に対する補足給付事業について、現物給付として、園が補助対象者の副食費を減免・免除し、園が補足給付を代理受領した場合、園の会計処理はどのようにすればよいですか。	私立幼稚園の給食費にかかる会計処理は、給食の実施形態に応じて様々ですが、補足給付事業を現物給付で行うことにより、一部の補助対象者から副食費を徴収する代わりに、園が補足給付費を受領する場合であっても、現に行っている個々の幼稚園における給食費の会計処理を踏まえ、所轄庁の方針に従い処理を行ってください。　例えば、教育活動と一体的に行う給食の費用として、給食費を大科目「学生生徒等納付金収入」として取り扱っている場合は、補足給付費も同科目とすることが基本と考えます。　なお、償還払いとする場合は、補助対象者に給付がなされることから、施設側で補足給付費にかかる会計処理は不要です。	

【18　就学前の障害児の発達支援】

No.	事項	問	答	備考
18—1	対象範囲・用件について	就学前の障害児の発達支援の無償化について、どのような施設が対象となりますか。	児童発達支援、医療型児童発達支援、居宅訪問型児童発達支援、保育所等訪問支援を行う事業所、福祉型障害児入所施設、医療型障害児入所施設（※）が無償化の対象となります。　また、基準該当児童発達支援事業所及び共生型の特例により指定を受けた児童発達	

			支援事業所も対象となります。 （※）障害児入所支援を行う指定発達支援医療機関についても同様の扱いとします。	
18—2	対象範囲・用件について	就学前の障害児の発達支援の無償化の対象施設に障害児入所施設が含まれるのは何故ですか。	障害児入所施設においては、入所している障害児に対し、日常生活の指導や知識技能の付与など、通所型の児童発達支援と同様の支援を行っていることから、入所施設についてもその利用者負担額（児童福祉法第24条の2第2項第2号）を無償化の対象とするものです。	
18—3	対象範囲・用件について	就学前の障害児の発達支援の無償化について、措置による場合も無償化の対象となりますか。	措置による場合も無償化の対象となります。	
18—4	対象範囲・用件について	就学前の障害児の発達支援のみを利用する場合、保護者が就労していないと無償化されないのでしょうか。	就学前の障害児の発達支援については、幼児教育・保育の無償化と併せて進めていくこととされており、保護者が就労していない場合についても、無償化の対象となります。	
18—5	対象範囲・用件について	就学前の障害児の発達支援と幼稚園や認可保育所を併行通園している場合、両方とも無償化の対象になりますか。	両方とも無償化の対象となります。	
18—6	対象範囲・用件について	就学前の障害児の発達支援と認可外保育施設を併行通園している場合、両方とも無償化の対象になりますか。	就学前の障害児の発達支援は無償化の対象となります。 これに加えて、認可外保育施設等についても、保育の必要性があると認定された場合、無償化の対象（上限額は認可保育所における保育料の全国平均額（3歳から5歳までの場合、月額3.7万円））となります。	
18—7	対象範囲・用件について	就学前の障害児の発達支援の無償化において、対象外となる費用はありますか。	食事の提供に要する費用や日用品費等、これまでも実費負担とされていた費用については、無償化の対象外です。 また、医療型児童発達支援センターや医療型障害児入所施設等で提供される治療にかかる費用（肢体不自由児通所医療費及び障害児入所医療費）も、無償化の対象外です。	
18—8	その他	就学前の障害児の発達支援を利用する方への無償化に係る費用の支払い方法は、現物給付ですか。それとも償還払いですか。	現物給付となります。	

※　就学前の障害児の発達支援の無償化については、障害児支援担当部局向けのＦＡＱを配布しているのでそちらもご参照ください。（「就学前の障害児の発達支援の無償化に係る自治体事務ＦＡＱ（令和元年8月29日発出版）」）

18—9	利用料等の算定方法について	就学前の障害児の発達支援が無償化の対象となった場合、高額障害児通所給付費等の計算はどうなりますか。	算定基準額は、これまでと同様、低所得者以外は37,200円とする方向で検討中です。また、利用者負担世帯合算額については、無償化の対象施設に係る利用者負担はゼロとして算定する方向で検討中です。 （例）現行：算定基準額　37,200円／利用者負担世帯合算額　60,000円 （利用者負担世帯合算額内訳） ①　障害福祉サービスの利用者負担 　　　　　　　　　　　　　　10,000円 ②　障害児入所支援の利用者負担 　　　　　　　　　30,000円（就学児） ③　障害児通所支援の利用者負担 　　　　　　　　　　　　　　20,000円 ①'　高額障害福祉サービス等給付費 　　　　　　　　　　　　　　3,800円	

②' 高額障害児入所給付費　11,400円

③' 高額障害児通所給付費　7,600円

①'（60,000 － 37,200）× 10,000／（10,000 ＋30,000＋20,000）＝3,800円（償還額）

②'（60,000 － 37,200）× 30,000／（10,000 ＋30,000＋20,000）＝11,400円（償還額）

③'（60,000 － 37,200）× 20,000／（10,000 ＋30,000＋20,000）＝7,600円（償還額）

無償化後：算定基準額　37,200円／利用者 負担世帯合算額　40,000円

（利用者負担世帯合算額内訳）

① 障害福祉サービスの利用者負担
10,000円

② 障害児入所支援の利用者負担
30,000円（就学児）

③ 障害児通所支援の利用者負担
0円（無償化）

①' 高額障害福祉サービス等給付費
700円

②' 高額障害児入所給付費　2,100円

③' 高額障害児通所給付費　0円

①'（40,000 － 37,200）× 10,000／（10,000 ＋30,000＋ 0）＝700円（償還額）

②'（40,000 － 37,200）× 30,000／（10,000 ＋30,000＋ 0）＝2,100円（償還額）

③'（40,000 － 37,200）× 0 ／（10,000 ＋ 30,000＋ 0）＝0円（償還額）

18―10	利用料等の算定方法について	障害児施設等措置費に係る徴収金については、食費の提供に要する費用や日用品費等が切り分けられていませんが、徴収金についても実費相当分については引き続き徴収するのですか。	契約による利用の場合と同様、食事の提供に要する費用や日用品費等、これまでも実費負担とされていた費用については、無償化の対象外です。 そのため、実費相当分については徴収金から切り分けて、引き続き徴収することができます。	
18―11	無償化に係る国費補助について	就学前の障害児の発達支援無償化においては、電算システムの改修経費や初年度に要する周知費用については、同様に補助が受けられるのでしょうか。	システム改修経費については、平成30年度補正予算（22.3億円）を活用して対応することとしています。配分については、小規模な市町村に配慮しつつ、適切な配分となるよう努めます。 また、初年度（令和元年度）に要する周知費用について、全額国費による負担として措置することとしています。	
18―12	国保連請求システム入力について	事業者の請求事務について、無償化対象児童に係る請求において、無償化対象児童ではないものとして請求を行う等、誤った請求を行った場合、どのようになるのですか。	自治体が国民健康保険団体連合会に審査支払事務を委託している場合は、システム上、受給者台帳と請求情報との突合結果によりエラーが発生し、再度請求を行う必要があります。 なお、国民健康保険団体連合会に審査支払事務を委託せず自治体で行っている場合は、特に制度開始当初や年度の切り替えの時期等、請求誤りがないかどうか十分ご留意いただきますようお願いいたします。	
18―13	事務手続きについて	無償化の対象となる障害児に係る受給者証については、制度開始と同時に対象児童である旨の印字が必要となりますか。	令和元年（2019年）10月時点において既に支給決定を受けている場合は、制度開始と同時に受給者証に無償化対象児童である旨の印字がされている必要はなく、受給者証の更新の際に順次記載いただくことで差し支えありません。 なお、令和元年（2019年）10月時点で受給者証に印字のない無償化対象児童につい	

<table>
<tr><td colspan="2"></td><td>ては、受給者証の更新までの間、事業者がサービス費を請求する際、児童の生年月日により無償化の対象児童かどうかを確認し、請求を行うことを想定しています。</td></tr>
</table>

ては、受給者証の更新までの間、事業者がサービス費を請求する際、児童の生年月日により無償化の対象児童かどうかを確認し、請求を行うことを想定しています。

市町村の判断により、更新時期を待たずに一斉に印字を行うなど、市町村により印字時期の取扱いが異なる場合も考えられることから、事業者の事務に混乱をきたさないよう、受給者証への印字の実施時期等についてはあらかじめ管内事業者等に対し適切に周知いただくようお願いいたします。

※　就学前の障害児の発達支援の無償化については、障害児支援担当部局向けのＦＡＱを配布しているのでそちらもご参照ください。（「就学前の障害児の発達支援の無償化に係る自治体事務ＦＡＱ（令和元年８月29日発出版)」）

【19　その他】

No.	事項	問	答	備考
19—1	保育料を定める条例の改正の要否	無償化の実施に伴い、特定教育・保育施設の保育料を定めている条例を令和元年の10月までに改正する必要がありますか。	特定教育・保育施設の利用者負担額については、今般の幼児教育・保育の無償化に伴い、政令（法施行令）を改正し、対象者に係る上限額を零としています。このため、公立施設をはじめ、特定教育・保育施設等の保育料を条例で定めている場合においては、今般の幼児教育・保育の無償化に伴い、これを改正する必要があります。	
19—2	市町村における運営基準改正の要否	市町村の定める特定教育・保育施設の運営に関する基準を令和元年の10月までに改正する必要がありますか。	幼児教育・保育の無償化に伴い、教育・保育給付第１号・第２号認定子どもの副食費を、基本的に認定保護者が幼稚園や保育所等に支払うこととなりますが、年収約360万円未満相当世帯及び全所得階層の第３子以降の副食費については、その支払を免除するとともに、相当額を公定価格において加算することとしています。このため、食事の提供に要する費用の徴収に係る「特定教育・保育施設及び特定地域型保育事業の運営に関する基準（平成26年内閣府令第39号）」第13条第４項を改正し、年収360万円未満相当世帯及び全所得階層の第３子以降の第１号認定子ども・第２号認定子どもに対する副食費について、保護者から徴収可能な費目から除外したところです。 内閣府令における徴収可能費目の定めは、いわゆる「従うべき基準」であり、各市町村において、子ども・子育て支援法第34条第２項の市町村の条例で定める特定教育・保育施設の運営に関する基準を、内閣府令改正に従って改正することとなりますが、市町村における準備期間を考慮し、改正法の施行後１年間は府令で定めた内容を条例で定めたものとみなす経過措置を設けています。各市町村においては、経過期間中に当該条例を改正する必要があります。	
19—3	情報連携	子育てのための施設等利用給付などに係るマイナンバーを使った情報連携はいつから可能になるのでしょうか。	同一市町村内における、いわゆる「庁内連携」については、子ども・子育て支援法の改正法の公布の日から利用可能となります。 一方、市町村をまたぐ情報連携については、データ標準レイアウトの整備等所要の準備が必要になりますので令和３年６月以降に開始の予定であり、追ってお知らせします。 なお、データ標準レイアウトの整備がなされるまでの間においては、公用照会を活用するなど、申請者に添付書類を求めるのは最小限にするよう配慮をお願いします。	

19—4	マイナンバー	マイナンバーを利用するために、必要な手続きはありますか。庁内連携条例の改正は必要ですか。	マイナンバーを利用して同一市町村内で保有する特定個人情報の内部利用を行うためには、庁内連携条例を整備する必要がありますが、マイナンバー制度創設時に国が示したモデル条例案通りに、番号法別表第2を引用する形で制定している場合には、条例改正の必要はありません。 また、マイナンバーを保有する前に情報漏洩等のリスクを評価し、その対策について公表する（ＰＩＡ）必要があります。	
19—5	マイナンバー	ＦＡＱNo.19—4について、教育委員会が特定個人情報の内部利用を行う場合は、条例制定が必要となりますか。	「市長」と「教育委員会」とでは庁内他機関に該当するため、自治体の独自事務として「市長」から「教育委員会」に当該事務に係るマイナンバーを提供し、利用するという内容の条例を制定することが必要です。なお、教育委員会が子ども・子育て支援法令上の事務を行うことについて、それが地方自治法に基づく委任に基づき又は補助執行を行っているという位置付けであれば、番号法第9条第1項及び第19条第7項の「法令の規定により事務の全部又は一部を行うこととされている者」に該当し、条例に規定する必要はありません。	
19—6	マイナンバー	施設等利用給付の認定申請書にマイナンバーの記載がない場合に、申請を受け付けてもいいですか。	子どものための教育・保育給付での取扱いも参考に適切に事務を行ってください。	
19—7	マイナンバー	市町村をまたぐ情報連携にマイナンバーを活用することについて、非課税証明証等を活用する場合は、マイナンバーの提出を求めなくてもいいですか。	非課税証明書等を活用し、税情報を確認する場合でもマイナンバーの写し等の提出は必要となります。	
19—8	特定個人情報保護評価（ＰＩＡ）	特定個人情報保護評価（ＰＩＡ）はどのように行えばいいですか。	システムに係る利用者数等を勘案して、自治体の判断で、既存の子どものための教育・保育給付の拡充として実施することも、新規のものとして実施することも、いずれも可能です。 なお、既存の拡充として実施する場合、それが「重要な変更」にあたるかどうかは、特定個人情報保護評価指針の別表で定められていますので、そちらをご参照ください。	
19—9	番号法別表第2の主務省令	本市の庁内連携条例は、過去に国から示されたモデル条例案どおり、番号法別表第2を引用していますが、令和元年5月改正予定の政省令の中に、番号法別表第2の主務省令がありません。この場合、施設等利用給付事務においては、個人番号が使用できなくなると思うのですが、対応方法はありますか。	市町村の庁内連携条例が番号法別表第2を引用している場合は、改正法が成立・施行されていれば庁内連携される内容が住民に対して明らかにされており、同表の規定が施行されることや同表の主務省令の公布・施行を必要とするものではないと解することは可能であると考えております。 これを踏まえると、特段の対応をすることなく、子育てのための施設等利用給付の事務において、マイナンバーを利用することができると考えています。	
19—10	課税の取扱	令和元年10月現在、自治体単独で実施している認可外保育施設の保育料補助金は課税の対象とされていますが、子育てのための施設等利用給付についても同様の扱いと考えてよいでしょうか。	子育てのための施設等利用給付は、現行の子どものための教育・保育給付と同様に、租税公課の対象とはなりません。 ※税制改正により、令和3年度から、自治体単独で実施している認可外保育施設の保育料補助金についても租税公課の対象とはならないことになりました。	
19—11	申請等事務の施設経由	幼稚園利用者が行う認定等の申請は、預かり保育事業や認可外保育施設等の利用分を含め、幼稚園がとりまとめ市町村に提出することとなっていますが、直接市町村に提出することはできますか。	認定等の申請について幼稚園等を経由させずに、直接申請を行う場合は、市町村において、幼稚園の在籍状況や他の申請との名寄せや突合等の事務が必要となり、事業実施者である市町村の事務負担が非常に大きいと考えられます。	

		このため、私立幼稚園団体からも、各私立幼稚園に対して無償化の円滑な実施に向けた積極的な対応を呼びかけていただいているところですが、国としても、幼稚園経由で事務を行うことについて幼稚園関係者の理解を得られるよう丁寧に説明してまいります。	
19—12	東日本大震災に係る対応	今般の幼児教育・保育の無償化に関する事務は、施設型給付等と同様に「東日本大震災における原子力発電所の事故による災害に対処するための避難住民に係る事務処理の特例及び住民移転者に係る措置に関する法律」に基づき指定市町村の事務を避難先団体が処理することができますか。	指定市町村からの届出を受け、令和元年10月1日付けで総務省告示の一部改正が告示されました。これに伴い、施設型給付の支給事務等と同様に①施設等利用給付認定に係る事務（子ども・子育て支援法第30条の5）及び②施設等利用費に係る支給事務（同法第30条の11）についても、避難先市町村において処理することとなります。	
19—13	待機児童	保育所の副食費が高いことを理由に入園を拒否した場合、待機児童にカウントされるのですか。	幼児教育・保育の無償化の開始前後で待機児童の考え方には変更はありません。具体的には、入園を拒否する個別の事情をもとに判断を行うこととなりますが、保護者の意向を丁寧に確認しながら、他に利用可能な保育所等の情報の提供を行ったにも関わらず、特定の保育所等を希望し、待機している場合には待機児童には含めないこととしています。	
19—14	概算払を行う場合の会計規則等の改正	施設等利用費の歳出科目を扶助費としていますが、対象施設等に対して概算払で執行する予定でいるのですが、市町村の会計規則や財務規則を改正する必要があるでしょうか。	地方自治体において扶助費を概算払で支払う場合には、地方自治法施行令第162条第6号に基づき会計規則や財務規則において概算払を行うことができる経費として、施設等利用費を位置付ける必要があります。	
19—15	個人番号関係事務実施者の義務について	事業者を経由して施設等利用給付認定を市町村に申請する仕組みである場合、事業者は、教育・保育給付認定の場合と同様に、番号法第12条に定められた管理義務が課せられますか。また、同法第16条に定める番号確認及び身元確認を申請者本人に対して行うことが必要ですか。	施設等利用給付認定の場合も、市町村は「個人番号利用事務実施者」、事業者は「個人番号関係事務実施者」であると市町村が判断した場合には、両者とも番号法第12条に定められた管理義務が課せられるのが原則です。また、事業者が「個人番号関係事務実施者」として事務を行う場合には、同法第16条に定める番号確認及び身元確認を申請者本人に対して行うことが必要です。	
			しかしながら、申請書類を封筒等に入れ、事業者は決して開封せずに市町村に渡すなど、個人番号が事業者に知られない工夫を行うことにより、市町村が事業者を「個人番号関係事務実施者」として取り扱うのではなく、事業者は申請者から書類を一時的に預かり、とりまとめて市町村に提出する役割を果たしているだけであると判断することもできるとされています。この場合は、番号法第12条及び第16条に定める義務を負うものではありません。	
19—16	特定子ども・子育て支援施設等の指導監査について	幼児教育・保育の無償化が実施されたことにより、市町村では従来から実施してきた特定教育・保育施設等への指導監督に加え、特定子ども・子育て支援施設等へも指導監査を行うこととなりますが、新たに監査対象となった特定子ども・子育て支援施設等へは市町村による指導監査が行われることを国から周知する予定がありますか。	特定子ども・子育て支援施設等への指導監査は、特定子ども・子育て支援施設等の確認が適切に行われているか、また施設等利用費の支給が適切に実施されているかを確認するために法第30条の3において準用する法第14条第1項に基づき調査・指導等を行い、第58条の8第1項に基づき監査を行うものです。	
			従って、法令に基づき実施されるものであるため、国から特定子ども・子育て支援施設等へ個別に市町村による指導監査について周知する予定はありません。	
			必要に応じて管内の特定子ども・子育て支援施設等へ情報提供や周知をお願いいたします。	

| 19―17 | 特定子ども・子育て支援施設等の指導監査について（実施時期） | 特定子ども・子育て支援施設等への指導監査は、いつから実施すれば良いでしょうか。

また、毎年全施設等を対象に実施する必要がありますか。 | 特定子ども・子育て支援施設等への集団指導及び実地指導は、令和2年度以降に実施するようお願いします。なお、集団指導については、無償化事務や運営基準についての周知・説明を行う場であり、施設等が指導内容を翌年度の年度当初から適切に反映することができるよう、実地指導の前年度中に実施することを推奨します。

また、集団指導の対象施設等は①特定子ども・子育て支援施設等の確認の公示後、概ね1年以内の施設等、②制度改正や過去の指導事例等に基づき指導等が必要と認められる場合に選定された施設等としています。

実地指導については、全ての特定子ども・子育て支援施設等をその対象としていますが、その実施周期は特に定めていません。特定子ども・子育て支援施設等指導指針に基づき定期的かつ計画的に実施するようお願いします。 | |
| 19―18 | 施設等利用給付に係る申請書等の押印について | 現在、国の方針で押印を求める行政手続等については、原則、押印を不要とする動きがありますが、施設等利用給付に係る申請等においては、押印が必要でしょうか。 | 今般の行政手続等に係る押印の見直しに係る政府の方針を踏まえ、利用者や事業者等による押印を不要とする参考様式に見直しました（「子育てのための施設等利用給付等に係る参考様式の見直し版の送付について」（令和3年9月30日付け内閣府子ども・子育て本部参事官（子ども・子育て支援担当）事務連絡））。各自治体においては、本参考様式を用いずに、独自に定められている様式においても、利用者や事業者等に押印を求めている場合には、「地方公共団体における押印見直しマニュアルの策定について」（令和2年12月18日付け規制改革・行政改革担当大臣通知）を参考として、押印の見直しへの積極的な取組をお願いします。 | |

III

認定こども園

III

諸説をめぐって

1　設備運営基準

◉幼保連携型認定こども園の学級の編制、職員、設備及び運営に関する基準

〔平　成　26　年　4　月　30　日〕
〔内閣府・文部科学省・厚生労働省令第1号〕
注　令和6年3月13日内閣府・文部科学省令第1号改正現在

（趣旨）

第1条　就学前の子どもに関する教育、保育等の総合的な提供の推進に関する法律〔平成18年法律第77号〕（以下「法」という。）第13条第2項の主務省令で定める基準は、次の各号に掲げる基準に応じ、それぞれ当該各号に定める規定による基準とする。

一　法第13条第1項の規定により、同条第2項第1号に掲げる事項について都道府県（指定都市等所在施設（法第3条第1項に規定する指定都市等所在施設をいう。次項において同じ。）である幼保連携型認定こども園（都道府県が設置するものを除く。）については、当該指定都市等（法第3条第1項に規定する指定都市等をいう。次項において同じ。）以下同じ。）が条例を定めるに当たって従うべき基準　第4条、第5条及び第13条第2項（児童福祉施設の設備及び運営に関する基準（昭和23年厚生省令第63号）第8条第2項の規定を読み替えて準用する部分に限る。）並びに附則第2条第1項、第3条及び第5条から第9条までの規定による基準

二　法第13条第1項の規定により、同条第2項第2号に掲げる事項について都道府県が条例を定めるに当たって従うべき基準　第6条、第7条第1項から第6項まで、第13条第1項（児童福祉施設の設備及び運営に関する基準第32条第8号の規定を読み替えて準用する部分に限る。）及び第2項（同令第8条第2項の規定を読み替えて準用する部分に限る。）並びに第14条並びに附則第2条第2項及び第4条の規定による基準

三　法第13条第1項の規定により、同条第2項第3号に掲げる事項について都道府県が条例を定めるに当たって従うべき基準　第9条第1項（第1号及び第2号に係る部分に限る。）、第12条及び第13条第1項（児童福祉施設の設備及び運営に関する基準第9条、第9条の2、第11条（第4項ただし書を除く。）、第14条の2及び第32条の2（後段を除く。）の規定を読み替えて準用する部分に限る。）の規定による基準

四　法第13条第1項の規定により、同条第2項各号

に掲げる事項以外の事項について都道府県が条例を定めるに当たって参酌すべき基準　この命令に定める基準のうち、前3号に定める規定による基準以外のもの

2　法第13条第2項の主務省令で定める基準は、都道府県知事（指定都市等所在施設である幼保連携型認定こども園（都道府県が設置するものを除く。）については、当該指定都市等の長。以下同じ。）の監督に属する幼保連携型認定こども園の園児（法第14条第6項に規定する園児をいう。以下同じ。）が、明るくて、衛生的な環境において、素養があり、かつ、適切な養成又は訓練を受けた職員の指導により、心身ともに健やかに育成されることを保障するものとする。

3　内閣総理大臣及び文部科学大臣は、法第13条第2項の主務省令で定める基準を常に向上させるように努めるものとする。

（設備運営基準の目的）

第2条　法第13条第1項の規定により都道府県が条例で定める基準（次条において「設備運営基準」という。）は、都道府県知事の監督に属する幼保連携型認定こども園の園児が、明るくて、衛生的な環境において、素養があり、かつ、適切な養成又は訓練を受けた職員の指導により、心身ともに健やかに育成されることを保障するものとする。

（設備運営基準の向上）

第3条　都道府県知事は、その管理に属する法第25条に規定する審議会その他の合議制の機関の意見を聴き、その監督に属する幼保連携型認定こども園に対し、設備運営基準を超えて、その設備及び運営を向上させるように勧告することができる。

2　都道府県は、設備運営基準を常に向上させるように努めるものとする。

（学級の編制の基準）

第4条　満3歳以上の園児については、教育課程に基づく教育を行うため、学級を編制するものとする。

2　1学級の園児数は、35人以下を原則とする。

3　学級は、学年の初めの日の前日において同じ年齢にある園児で編制することを原則とする。

（職員の数等）

第5条　幼保連携型認定こども園には、各学級ごとに担当する専任の主幹保育教諭、指導保育教諭又は保育教諭（次項において「保育教諭等」という。）を1人以上置かなければならない。

2　特別の事情があるときは、保育教諭等は、専任の副園長若しくは教頭が兼ね、又は当該幼保連携型認定こども園の学級数の3分の1の範囲内で、専任の助保育教諭若しくは講師をもって代えることができる。

3　幼保連携型認定こども園に置く園児の教育及び保育（満3歳未満の園児については、その保育。以下同じ。）に直接従事する職員の数は、次の表の上欄に掲げる園児の区分に応じ、それぞれ同表の下欄に定める員数以上とする。ただし、当該職員の数は、常時2人を下ってはならない。

園児の区分	員　数
一　満4歳以上の園児	おおむね25人につき1人
二　満3歳以上満4歳未満の園児	おおむね15人につき1人
三　満1歳以上満3歳未満の園児	おおむね6人につき1人
四　満1歳未満の園児	おおむね3人につき1人

備考
　一　この表に定める員数は、副園長（幼稚園の教諭の普通免許状（教育職員免許法（昭和24年法律第147号）第4条第2項に規定する普通免許状をいう。以下この号及び附則第6条において同じ。）を有し、かつ、児童福祉法（昭和22年法律第164号）第18条の18第1項（国家戦略特別区域法（平成25年法律第107号）第12条の5第5項に規定する事業実施区域内にある幼保連携型認定こども園にあっては、同条第8項において準用する場合を含む。）の登録（以下この号において「登録」という。）を受けたものに限る。）、教頭（幼稚園の教諭の普通免許状を有し、かつ、登録を受けたものに限る。）、主幹保育教諭、指導保育教諭、保育教諭、助保育教諭又は講師であって、園児の教育及び保育に直接従事する者の数をいう。
　二　この表に定める員数は、同表の上欄の園児の区分ごとに下欄の園児数に応じ定める数を合算した数とする。
　三　この表の第1号及び第2号に係る員数が学級数を下るときは、当該学級数に相当する数を当該員数とする。
　四　園長が専任でない場合は、原則としてこの表に定める員数を1人増加するものとする。

4　幼保連携型認定こども園には、調理員を置かなければならない。ただし、第13条第1項において読み替えて準用する児童福祉施設の設備及び運営に関する基準第32条の2（後段を除く。第7条第3項にお

いて同じ。）の規定により、調理業務の全部を委託する幼保連携型認定こども園にあっては、調理員を置かないことができる。

5　幼保連携型認定こども園には、次に掲げる職員を置くよう努めなければならない。
　一　副園長又は教頭
　二　主幹養護教諭、養護教諭又は養護助教諭
　三　事務職員

（園舎及び園庭）

第6条　幼保連携型認定こども園には、園舎及び園庭を備えなければならない。

2　園舎は、2階建以下を原則とする。ただし、特別の事情がある場合は、3階建以上とすることができる。

3　乳児室、ほふく室、保育室、遊戯室又は便所（以下この項及び次項において「保育室等」という。）は1階に設けるものとする。ただし、園舎が第13条第1項において読み替えて準用する児童福祉施設の設備及び運営に関する基準第32条第8号イ、ロ及びへに掲げる要件を満たすときは保育室等を2階に、前項ただし書の規定により園舎を3階建以上とする場合であって、第13条第1項において読み替えて準用する同令第32条第8号に掲げる要件を満たすときは、保育室等を3階以上の階に設けることができる。

4　前項ただし書の場合において、3階以上の階に設けられる保育室等は、原則として、満3歳未満の園児の保育の用に供するものでなければならない。

5　園舎及び園庭は、同一の敷地内又は隣接する位置に設けることを原則とする。

6　園舎の面積は、次に掲げる面積を合算した面積以上とする。
　一　次の表の上欄に掲げる学級数に応じ、それぞれ同表の下欄に定める面積

学　級　数	面　積（平方メートル）
1学級	180
2学級以上	320＋100×（学級数－2）

　二　満3歳未満の園児数に応じ、次条第6項の規定により算定した面積

7　園庭の面積は、次に掲げる面積を合算した面積以上とする。
　一　次に掲げる面積のうちいずれか大きい面積
　イ　次の表の上欄に掲げる学級数に応じ、それぞれ同表の下欄に定める面積

学　級　数	面　積（平方メートル）
2学級以下	330＋30×（学級数－1）
3学級以上	400＋80×（学級数－3）

　ロ　3.3平方メートルに満3歳以上の園児数を乗

じて得た面積

二　3.3平方メートルに満2歳以上満3歳未満の園児数を乗じて得た面積

（園舎に備えるべき設備）

第7条　園舎には、次に掲げる設備（第2号に掲げる設備については、満2歳未満の保育を必要とする子どもを入園させる場合に限る。）を備えなければならない。ただし、特別の事情があるときは、保育室と遊戯室及び職員室と保健室とは、それぞれ兼用することができる。

一　職員室

二　乳児室又はほふく室

三　保育室

四　遊戯室

五　保健室

六　調理室

七　便所

八　飲料水用設備、手洗用設備及び足洗用設備

2　保育室（満3歳以上の園児に係るものに限る。）の数は、学級数を下ってはならない。

3　満3歳以上の園児に対する食事の提供について、第13条第1項において読み替えて準用する児童福祉施設の設備及び運営に関する基準第32条の2に規定する方法により行う幼保連携型認定こども園にあっては、第1項の規定にかかわらず、調理室を備えないことができる。この場合において、当該幼保連携型認定こども園においては、当該食事の提供について当該方法によることとしてもなお当該幼保連携型認定こども園において行うことが必要な調理のための加熱、保存等の調理機能を有する設備を備えなければならない。

4　園児に対する食事の提供について、幼保連携型認定こども園内で調理する方法により行う園児数が20人に満たない場合においては、当該食事の提供を行う幼保連携型認定こども園は、第1項の規定にかかわらず、調理室を備えないことができる。この場合において、当該幼保連携型認定こども園においては、当該食事の提供について当該方法により行うために必要な調理設備を備えなければならない。

5　飲料水用設備は、手洗用設備又は足洗用設備と区別して備えなければならない。

6　次の各号に掲げる設備の面積は、当該各号に定める面積以上とする。

一　乳児室　1.65平方メートルに満2歳未満の園児のうちほふくしないものの数を乗じて得た面積

二　ほふく室　3.3平方メートルに満2歳未満の園児のうちほふくするものの数を乗じて得た面積

三　保育室又は遊戯室　1.98平方メートルに満2歳

以上の園児数を乗じて得た面積

7　第1項に掲げる設備のほか、園舎には、次に掲げる設備を備えるよう努めなければならない。

一　放送聴取設備

二　映写設備

三　水遊び場

四　園児清浄用設備

五　図書室

六　会議室

（園具及び教具）

第8条　幼保連携型認定こども園には、学級数及び園児数に応じ、教育上及び保育上、保健衛生上並びに安全上必要な種類及び数の園具及び教具を備えなければならない。

2　前項の園具及び教具は、常に改善し、補充しなければならない。

（教育及び保育を行う期間及び時間）

第9条　幼保連携型認定こども園における教育及び保育を行う期間及び時間は、次に掲げる要件を満たすものでなければならない。

一　毎学年の教育週数は、特別の事情のある場合を除き、39週を下ってはならないこと。

二　教育に係る標準的な1日当たりの時間（次号において「教育時間」という。）は、4時間とし、園児の心身の発達の程度、季節等に適切に配慮すること。

三　保育を必要とする子どもに該当する園児に対する教育及び保育の時間（満3歳以上の保育を必要とする子どもに該当する園児については、教育時間を含む。）は、1日につき8時間を原則とすること。

2　前項第3号の時間については、その地方における園児の保護者の労働時間その他家庭の状況等を考慮して、園長がこれを定めるものとする。

（子育て支援事業の内容）

第10条　幼保連携型認定こども園における保護者に対する子育ての支援は、保護者が子育てについての第一義的責任を有するという基本認識の下に、子育てを自ら実践する力の向上を積極的に支援することを旨として、教育及び保育に関する専門性を十分に活用し、子育て支援事業のうち、その所在する地域における教育及び保育に対する需要に照らし当該地域において実施することが必要と認められるものを、保護者の要請に応じ適切に提供し得る体制の下で行うものとする。その際、地域の人材や社会資源の活用を図るよう努めるものとする。

（掲示）

第11条　幼保連携型認定こども園は、その建物又は敷

地の公衆の見やすい場所に、当該施設が幼保連携型認定こども園である旨を掲示しなければならない。

（学校教育法施行規則の準用）

第12条　学校教育法施行規則（昭和22年文部省令第11号）第54条の規定は、幼保連携型認定こども園について準用する。この場合において、同条中「児童が」とあるのは「就学前の子どもに関する教育、保育等の総合的な提供の推進に関する法律第14条第6項に規定する園児（以下この条において「園児」という。）が」と、「児童の」とあるのは「園児の」と読み替えるものとする。

（児童福祉施設の設備及び運営に関する基準の準用）

第13条　児童福祉施設の設備及び運営に関する基準第4条、第5条第1項、第2項及び第4項、第7条の2、第9条から第9条の3まで、第11条（第4項ただし書を除く。）、第14条の2、第14条の3第1項、第3項及び第4項、第32条第8号、第32条の2（後段を除く。）並びに第36条の規定は、幼保連携型認定こども園について準用する。この場合において、次の表の上欄に掲げる同令の規定中同表の中欄に掲げる字句は、それぞれ同表の下欄に掲げる字句に読み替えるものとする。

読み替える児童福祉施設の設備及び運営に関する基準の規定	読み替えられる字句	読み替える字句
第4条の見出し及び同条第2項	最低基準	設備運営基準
第4条第1項	最低基準	就学前の子どもに関する教育、保育等の総合的な提供の推進に関する法律第13条第1項の規定により都道府県（同法第3条第1項に規定する指定都市等所在施設である同法第2条第7項に規定する幼保連携型認定こども園（都道府県が設置するものを除く。）については、当該指定都市等（同法第3条第1項に規定する指定都市等をいう。））が条例で定める基準（以下この条において「設備運営基準」という。）
第5条第1項	入所している者	就学前の子どもに関する教育、保育等の総合的な提供の推進に関する法律第14条第6項に規定する園児（以下「園児」という。）
第5条第2項及び第11条第5項	児童の	園児の
第7条の2第1項	法	就学前の子どもに関する教育、保育等の総合的な提供の推進に関する法律
第9条の見出し	入所した者	園児
第9条並びに第11条第2項及び第3項	入所している者	園児
第9条	又は入所	又は入園
第9条の2	入所中の児童	園児
	当該児童	当該園児
第9条の3第1項	利用者に対する支援の提供	園児の教育及び保育（満3歳未満の園児については、その保育。以下同じ。）
	及び	並びに
第11条第1項	入所している者	保育を必要とする子どもに該当する園児
	第8条	幼保連携型認定こども園の学級の編制、職員、設備及び運営に関する基準第13条第2項において読み替えて準用

		する第8条
	社会福祉施設	学校、社会福祉施設等
第14条の2	利用者	園児
第14条の3第1項	援助	教育及び保育並びに子育ての支援
	入所している者	園児
第14条の3第3項	援助に関し、当該措置又は助産の実施、母子保護の実施若しくは保育の提供若しくは法第24条第5項若しくは第6項の規定による措置に係る	教育及び保育並びに子育ての支援について、
第32条第8号	又は遊戯室	、遊戯室又は便所
第32条第8号イ	耐火建築物（建築基準法（昭和25年法律第201号）第2条第9号の2に規定する耐火建築物をいう。以下この号において同じ。）又は準耐火建築物（同条第9号の3に規定する準耐火建築物をいい、同号ロに該当するものを除く。）（保育室等を3階以上に設ける建物にあっては、耐火建築物）	建築基準法（昭和25年法律第201号）第2条第9号の2に規定する耐火建築物
第32条第8号ロ	施設又は設備	設備
第32条第8号ハ	施設及び設備	設備
第32条第8号ヘ	乳幼児	園児
第32条の2	第11条第1項	幼保連携型認定こども園の学級の編制、職員、設備及び運営に関する基準第13条第1項において読み替えて準用する第11条第1項
	幼児	園児
	乳幼児	園児
第36条	保育所の長	就学前の子どもに関する教育、保育等の総合的な提供の推進に関する法律第14条第1項に規定する園長
	入所している乳幼児	園児
	保育	教育及び保育

2　児童福祉施設の設備及び運営に関する基準第8条の規定は、幼保連携型認定こども園の職員及び設備について準用する。この場合において、同条の見出し中「他の社会福祉施設を併せて設置する」とあるのは職員については「他の学校又は社会福祉施設の職員を兼ねる」と、設備については「他の学校、社会福祉施設等の設備を兼ねる」と、「設備及び職員」とあるのは職員については「職員」と、設備については「設備」と、同条第1項中「他の社会福祉施設を併せて設置するときは、必要に応じ」とあるのは「その運営上必要と認められる場合は、」と、「設備及び職員」とあるのは職員については「職員」と、設備については「設備」と、「併せて設置する社会福祉施設」とあるのは職員については「他の学校又は社会福祉施設」と、設備については「他の学校、社会福祉施設等」と、同条第2項中「入所している者の居室及び各施設に特有の設備並びに入所している者の保護に直接従事する職員」とあるのは職員については「就学前の子どもに関する教育、保育等の総合的な提供の推進に関する法律第14条第6項に規定する園児の保育に直接従事する職員」と、設備については「乳児室、ほふく室、保育室、遊戯室又は便所」と、「保育所の設備及び職員については、」とあるのは職員については「他の社会福祉施設の職員に兼ねる場合であって、」と、設備については「他の社会福祉施設の設備に兼ねる場合であって、」と読み替えるものとする。

（幼稚園設置基準の準用）

第14条　幼稚園設置基準（昭和31年文部省令第32号）第7条の規定は、幼保連携型認定こども園について

準用する。この場合において、同条第1項中「幼児の教育上」とあるのは「その運営上」と、同条第2項中「施設及び設備」とあるのは「設備」と読み替えるものとする。

附　則

（施行期日）

第1条　この命令は、就学前の子どもに関する教育、保育等の総合的な提供の推進に関する法律の一部を改正する法律（平成24年法律第66号。以下「一部改正法」という。）の施行の日〔平成27年4月1日〕（以下「施行日」という。）から施行する。

（みなし幼保連携型認定こども園に関する経過措置）

第2条　施行日から起算して5年間は、第5条第3項の規定にかかわらず、みなし幼保連携型認定こども園（一部改正法附則第3条第1項の規定により法第17条第1項の設置の認可があったものとみなされた旧幼保連携型認定こども園（一部改正法による改正前の法第7条第1項に規定する認定こども園である同法第3条第3項に規定する幼保連携施設（幼稚園及び保育所で構成されるものに限る。）をいう。）をいう。以下この条において同じ。）の職員配置については、なお従前の例によることができる。

2　みなし幼保連携型認定こども園の設備については、第6条から第8条までの規定にかかわらず、当分の間、なお従前の例によることができる。

（幼保連携型認定こども園の職員配置に係る特例）

第3条　施行日から起算して10年間は、副園長又は教頭を置く幼保連携型認定こども園についての第5条第3項の規定の適用については、同項の表備考第1号中「かつ、」とあるのは、「又は」とすることができる。

（幼保連携型認定こども園の設置に係る特例）

第4条　施行日の前日において現に幼稚園（その運営の実績その他により適正な運営が確保されていると認められるものに限る。以下この条において同じ。）を設置している者が、当該幼稚園を廃止し、当該幼稚園と同一の所在場所において、当該幼稚園の設備を用いて幼保連携型認定こども園を設置する場合における当該幼保連携型認定こども園に係る第6条第3項及び第7項並びに第7条第6項の規定の適用については、当分の間、次の表の上欄に掲げる規定中同表の中欄に掲げる字句は、それぞれ同表の下欄に掲げる字句に読み替えるものとする。

読み替える規定	読み替えられる字句	読み替える字句
第6条第3項	第13条第1項において読み替えて準用する児童福祉施設の設備及び運営に関する基準第32条第8号イ、ロ及びヘに掲げる要件を満たす	耐火建築物で、園児の待避上必要な設備を備える
第6条第7項	一　次に掲げる面積のうちいずれか大きい面積　イ　次の表の上欄に掲げる学級数に応じ、それぞれ同表の下欄に定める面積 | 学級数	面　積（平方メートル）
---	---
2学級以下	330＋30×（学級数－1）
3学級以上	400＋80×（学級数－3） | ロ　3.3平方メートルに満3歳以上の園児数を乗じて得た面積	一　次の表の上欄に掲げる学級数に応じ、それぞれ同表の下欄に定める面積 | 学級数	面　積（平方メートル）
---	---
2学級以下	330＋30×（学級数－1）
3学級以上	400＋80×（学級数－3）	
第7条第6項	一　乳児室　1.65平方メートルに満2歳未満の園児のうちほふくしないものの数を乗じて得た面積 二　ほふく室　3.3平方メートルに満2歳未満の園児のうちほふくするものの数を乗じて得た面積 三　保育室又は遊戯室　1.98平方メートルに満2歳以上の園児数を乗じて得た面積	一　乳児室　1.65平方メートルに満2歳未満の園児のうちほふくしないものの数を乗じて得た面積 二　ほふく室　3.3平方メートルに満2歳未満の園児のうちほふくするものの数を乗じて得た面積

2　施行日の前日において現に保育所（その運営の実績その他により適正な運営が確保されていると認められるものに限る。以下この条において同じ。）を設置している者が、当該保育所を廃止し、当該保育所と同一の所在場所において、当該保育所の設備を用いて幼保連携型認定こども園を設置する場合にお

ける当該幼保連携型認定こども園に係る第6条第3項、第6項及び第7項の規定の適用については、当分の間、次の表の上欄に掲げる規定中同表の中欄に掲げる字句は、それぞれ同表の下欄に掲げる字句に読み替えるものとする。

読み替える規定	読み替えられる字句	読み替える字句
第6条第3項	第13条第1項において読み替えて準用する児童福祉施設の設備及び運営に関する基準	児童福祉施設の設備及び運営に関する基準
第6条第6項	一 次の表の上欄に掲げる学級数に応じ、それぞれ同表の下欄に定める面積 表: 学級数 / 面積（平方メートル） 1学級 / 180 2学級以上 / 320＋100×（学級数－2）	一 満3歳以上の園児数に応じ、次条第6項の規定により算定した面積
第6条第7項	一 次に掲げる面積のうちいずれか大きい面積 イ 次の表の上欄に掲げる学級数に応じ、それぞれ同表の下欄に定める面積 表: 学級数 / 面積（平方メートル） 2学級以下 / 330＋30×（学級数－1） 3学級以上 / 400＋80×（学級数－3） ロ 3.3平方メートルに満3歳以上の園児数を乗じて得た面積	一 3.3平方メートルに満3歳以上の園児数を乗じて得た面積

3 施行日の前日において現に幼稚園又は保育所を設置している者が、当該幼稚園又は保育所を廃止し、当該幼稚園又は保育所と同一の所在場所において、当該幼稚園又は保育所の設備を用いて幼保連携型認定こども園を設置する場合における当該幼保連携型認定こども園であって、当該幼保連携型認定こども園の園舎と同一の敷地内又は隣接する位置に園庭（第6条第7項第1号の面積以上の面積のものに限る。）を設けるものは、当分の間、同条第5項の規定にかかわらず、次に掲げる要件の全てを満たす場所に園庭を設けることができる。この場合において、当該幼保連携型認定こども園は、満3歳以上の園児の教育及び保育に支障がないようにしなければならない。

一 園児が安全に移動できる場所であること。
二 園児が安全に利用できる場所であること。
三 園児が日常的に利用できる場所であること。
四 教育及び保育の適切な提供が可能な場所であること。

（幼保連携型認定こども園の職員の数等に係る特例）

第5条 園児の登園又は降園の時間帯その他の園児が少数である時間帯において、第5条第3項本文の規定により必要となる園児の教育及び保育に直接従事する職員（以下「職員」という。）の数が1人となる場合には、当分の間、同項の規定により置かなければならない職員のうち1人は、同項の表備考第1号の規定にかかわらず、都道府県知事が保育教諭と同等の知識及び経験を有すると認める者とすることができる。

第6条 第5条第3項の表備考第1号に定める者については、当分の間、小学校教諭又は養護教諭の普通免許状を有する者（現に当該施設において主幹養護教諭及び養護教諭として従事している者を除く。以下「小学校教諭等免許状所持者」という。）をもって代えることができる。この場合において、当該小学校教諭等免許状所持者は補助者として従事する場合を除き、教育課程に基づく教育に従事してはならない。

第7条 1日につき8時間を超えて開所する幼保連携型認定こども園において、開所時間を通じて必要となる職員の総数が、利用定員に応じて置かなければならない職員の数を超える場合における第5条第3項の表備考第1号に定める者については、当分の間、開所時間を通じて必要となる職員の総数から、利用定員に応じて置かなければならない職員の数を差し引いて得た数の範囲で、都道府県知事が保育教諭と

同等の知識及び経験を有すると認める者をもって代えることができる。この場合において、当該者は補助者として従事する場合を除き、教育課程に基づく教育に従事してはならない。

第8条　第5条第3項の表備考第1号に定める者については、当分の間、1人に限って、当該幼保連携型認定こども園に勤務する保健師、看護師又は准看護師（以下「看護師等」という。）をもって代えることができる。ただし、満1歳未満の園児の数が4人未満である幼保連携型認定こども園については、子育てに関する知識と経験を有する看護師等を配置し、かつ、当該看護師等が保育を行うに当たって第5条第3項の表備考第1号に定める者による支援を受けることができる体制を確保しなければならない。

2　前項の場合において、当該看護師等は補助者として従事する場合を除き、教育課程に基づく教育に従事してはならない。

第9条　前3条の規定により第5条第3項の表備考第1号に定める者を小学校教諭等免許状所持者、都道府県知事が保育教諭と同等の知識及び経験を有すると認める者又は看護師等をもって代える場合においては、当該小学校教諭等免許状所持者、都道府県知事が保育教諭と同等の知識及び経験を有すると認める者並びに看護師等の総数は、同項の規定により置かなければならない職員の数の3分の1を超えてはならない。

　　　　附　則（令和6年3月13日内閣府・文部科学省

令第1号）

（施行期日）

1　この命令は、令和6年4月1日から施行する。

（経過措置）

2　園児の教育及び保育に直接従事する職員の配置の状況に鑑み、教育及び保育の提供に支障を及ぼすおそれがあるときは、当分の間、この命令による改正後の幼保連携型認定こども園の学級の編制、職員、設備及び運営に関する基準（次項において「新基準」という。）第5条第3項の規定は、適用しない。この場合において、この命令による改正前の幼保連携型認定こども園の学級の編制、職員、設備及び運営に関する基準第5条第3項の規定は、この命令の施行の日以後においても、なおその効力を有する。

3　前項の場合を除き、この命令の施行の日から起算して1年を超えない期間内において、新基準第5条第3項の規定による基準（満4歳以上の園児及び満3歳以上満4歳未満の園児の教育及び保育に直接従事する職員の数に関する基準に限る。以下この項において同じ。）に従い定める就学前の子どもに関する教育、保育等の総合的な提供の推進に関する法律第13条第1項に規定する都道府県又は指定都市等（同法第3条第1項に規定する指定都市等をいう。）の条例が制定施行されるまでの間は、新基準第5条第3項の規定による基準は、当該都道府県又は指定都市等の条例で定める基準とみなす。

◉就学前の子どもに関する教育、保育等の総合的な提供の推進に関する法律第3条第2項及び第4項の規定に基づき内閣総理大臣及び文部科学大臣が定める施設の設備及び運営に関する基準

〔平　成　26　年　7　月　31　日
内閣府・文部科学省・厚生労働省告示第2号〕

注　令和6年3月13日内閣府・文部科学省告示第1号改正現在

第一　趣旨

　就学前の子どもに関する教育、保育等の総合的な提供の推進に関する法律〔平成18年法律第77号〕（以下「法」という。）は、幼保連携型認定こども園の設置及び運営に関し必要な事項を定めるとともに、幼稚園及び保育所等のうち、就学前の子どもに対する教育及び保育並びに保護者に対する子育て支援を総合的に提供する機能を備える施設を認定こども園として認定する仕組みを設けるものである。

　この幼保連携型認定こども園以外の認定こども園（以下「認定こども園」という。）については、地域の実情に応じた選択が可能となるよう、次に掲げる類型を認めるものである。

一　幼稚園型認定こども園

　　次のいずれかに該当する施設をいう。

　1　幼稚園教育要領（平成29年文部科学省告示第62号）に従って編成された教育課程に基づく教育を行うほか、当該教育のための時間の終了後、在籍している子どものうち保育を必要とする子どもに該当する者に対する教育を行う幼稚園

　2　幼稚園及び保育機能施設のそれぞれの用に供される建物及びその附属設備が一体的に設置されている施設であって、次のいずれかに該当するもの

　　イ　当該施設を構成する保育機能施設において、満3歳以上の子どもに対し学校教育法（昭和22年法律第26号）第23条各号に掲げる目標

が達成されるよう保育を行い、かつ、当該保育を実施するに当たり当該施設を構成する幼稚園との緊密な連携協力体制が確保されていること。

　　ロ　当該施設を構成する保育機能施設に入所していた子どもを引き続き当該施設を構成する幼稚園に入園させて一貫した教育及び保育を行うこと。

二　保育所型認定こども園

　　保育を必要とする子どもに対する保育を行うほか、当該保育を必要とする子ども以外の満3歳以上の子どもを保育し、かつ、満3歳以上の子どもに対し学校教育法第23条各号に掲げる目標が達成されるよう保育を行う保育所

三　地方裁量型認定こども園

　　保育を必要とする子どもに対する保育を行うほか、当該保育を必要とする子ども以外の満3歳以上の子どもを保育し、かつ、満3歳以上の子どもに対し学校教育法第23条各号に掲げる目標が達成されるよう保育を行う保育機能施設

　このように多様な類型の認定こども園を認めると同時に、いずれの類型の認定こども園においても、子どもの健やかな育ちを中心に置き、認定こども園に求められる機能の質を確保する必要がある。このため、法においては、認定こども園の認定の基準について、主務大臣が定める基準を参酌して都道府県（指定都市等所在施設である幼稚園若しくは保育所等又は連携施設については、当該指定都市等）の条例で定めることとしたものである。

第二　職員配置

一　認定こども園には、満1歳未満の子どもおおむね3人につき1人以上、満1歳以上満3歳未満の子どもおおむね6人につき1人以上、満3歳以上満4歳未満の子どもおおむね15人につき1人以上、満4歳以上の子どもおおむね25人につき1人以上の教育及び保育に従事する者を置かなければ

ならない。ただし、常時2人を下回ってはならない。

二　満3歳以上の子どもであって、幼稚園と同様に1日に4時間程度利用するもの（以下「教育時間相当利用児」という。）及び保育所と同様に1日に8時間程度利用するもの（以下「教育及び保育時間相当利用児」という。）に共通の4時間程度の利用時間（以下「共通利用時間」という。）については、満3歳以上の子どもについて学級を編制し、各学級ごとに少なくとも1人の職員（以下「学級担任」という。）に担当させなければならない。この場合において、1学級の子どもの数は35人以下を原則とする。

第三　職員資格

一　第二の一により認定こども園に置くものとされる職員のうち満3歳未満の子どもの保育に従事する者は、保育士（当該認定こども園が国家戦略特別区域法（平成25年法律第107号）第12条の5第5項に規定する事業実施区域内にある場合にあっては、保育士又は国家戦略特別区域限定保育士。以下同じ。）の資格を有する者でなければならない。

二　第二の一により認定こども園に置くものとされる職員のうち満3歳以上の子どもの教育及び保育に従事する者は、幼稚園の教員免許状及び保育士の資格を併有する者であることが望ましいが、幼稚園の教員免許状及び保育士の資格を併有しない場合においては、そのいずれかを有する者でなければならない。

三　二の規定にかかわらず、学級担任は、幼稚園の教員免許状を有する者でなければならない。ただし、保育所型認定こども園又は地方裁量型認定こども園の認定を受ける場合であって学級担任を幼稚園の教員免許状を有する者とすることが困難であるときは、保育士の資格を有する者であって、その意欲、適性及び能力等を考慮して適当と認められるものを、その者が幼稚園の教員免許状の取得に向けた努力を行っている場合に限り、学級担任とすることができる。

四　二の規定にかかわらず、満3歳以上の子どものうち教育及び保育時間相当利用児の保育に従事する者は、保育士の資格を有する者でなければならない。ただし、幼稚園型認定こども園又は地方裁量型認定こども園の認定を受ける場合であって当該教育及び保育時間相当利用児の保育に従事する者を保育士の資格を有する者とすることが困難であるときは、幼稚園の教員免許状を有する者で

あって、その意欲、適性及び能力等を考慮して適当と認められるものを、その者が保育士の資格の取得に向けた努力を行っている場合に限り、当該教育及び保育時間相当利用児の保育に従事する者とすることができる。

五　認定こども園の長は、教育及び保育並びに子育て支援を提供する機能を総合的に発揮させるよう管理及び運営を行う能力を有しなければならない。

第四　施設設備

一　法第3条第3項の幼稚園及び保育機能施設については、それぞれの用に供される建物及びその附属設備（以下「建物等」という。）が同一の敷地内又は隣接する敷地内にあることが望ましいが、建物等が同一の敷地内又は隣接する敷地内にない場合においては、次に掲げる要件を満たさなければならない。

1　子どもに対する教育及び保育の適切な提供が可能であること。

2　子どもの移動時の安全が確保されていること。

二　認定こども園の園舎の面積（満3歳未満の子どもの保育を行う場合にあっては、満2歳以上満3歳未満の子どもの保育の用に供する保育室、遊戯室その他の施設設備の面積及び満2歳未満の子どもの保育の用に供する乳児室、ほふく室その他の施設設備の面積を除く。）は、次の表に掲げる基準を満たさなければならない。ただし、既存施設が保育所型認定こども園又は地方裁量型認定こども園の認定を受ける場合であって、四本文（満2歳未満の子どもの保育を行う場合にあっては四本文及び九）に規定する基準を満たすときは、この限りでない。

学 級 数	面　　　積（平方メートル）
1学級	180
2学級以上	320＋100×（学級数－2）

三　認定こども園には、保育室又は遊戯室、屋外遊戯場及び調理室を設けなければならない。

四　三の保育室又は遊戯室の面積は、満2歳以上の子ども1人につき1.98平方メートル以上でなければならない。ただし、満3歳以上の子どもについては、既存施設が幼稚園型認定こども園又は地方裁量型認定こども園の認定を受ける場合であって、その園舎の面積（満3歳未満の子どもの保育を行う場合にあっては、満2歳以上満3歳未満の子どもの保育の用に供する保育室、遊戯室その他の施設設備の面積及び満2歳未満の子どもの保育の用に供する乳児室、ほふく室その他の施設設備

の面積を除く。）が二本文に規定する基準を満たすときは、この限りでない。

五　三の屋外遊戯場の面積は、次に掲げる基準を満たさなければならない。ただし、既存施設が保育所型認定こども園又は地方裁量型認定こども園の認定を受ける場合であって、1の基準を満たすときは、2の基準を満たすことを要しない。また、既存施設が幼稚園型認定こども園又は地方裁量型認定こども園の認定を受ける場合であって、2の基準を満たすときは、1の基準を満たすことを要しない。

1　満2歳以上の子ども1人につき3.3平方メートル以上であること。

2　次の表に掲げる面積に満2歳以上満3歳未満の子どもについて1により算定した面積を加えた面積以上であること。

学　級　数	面　　　　　積（平方メートル）
2学級以下	330＋30×（学級数－1）
3学級以上	400＋80×（学級数－3）

六　保育所型認定こども園又は地方裁量型認定こども園にあっては、屋外遊戯場を次に掲げる要件を満たす当該認定こども園の付近にある適当な場所に代えることができる。

1　子どもが安全に利用できる場所であること。

2　利用時間を日常的に確保できる場所であること。

3　子どもに対する教育及び保育の適切な提供が可能な場所であること。

4　五による屋外遊戯場の面積を満たす場所であること。

七　認定こども園は、当該認定こども園の子どもに食事を提供するときは、当該認定こども園内で調理する方法により行わなければならない。ただし、満3歳以上の子どもに対する食事の提供については、次に掲げる要件を満たす場合に限り、当該認定こども園外で調理し搬入する方法により行うことができる。この場合において、当該認定こども園は、当該食事の提供について当該方法によることとしてもなお当該認定こども園において行うことが必要な調理のための加熱、保存等の調理機能を有する設備を備えるものとする。

1　子どもに対する食事の提供の責任が当該認定こども園にあり、その管理者が、衛生面や栄養面等業務上必要な注意を果たし得るような体制及び調理業務を受託する者との契約内容が確保されていること。

2　当該認定こども園又は他の施設、保健所、市町村等に配置されている栄養士により、献立等について栄養の観点からの指導が受けられる体制にある等、栄養士による必要な配慮が行われること。

3　受託業者については、認定こども園における給食の趣旨を十分に認識し、衛生面、栄養面等、調理業務を適切に遂行できる能力を有する者とすること。

4　子どもの年齢及び発達の段階並びに健康状態に応じた食事の提供や、アレルギー、アトピー等への配慮、必要な栄養素量の給与など、子どもの食事の内容、回数及び時機に適切に応じることができること。

5　食を通じた子どもの健全育成を図る観点から、子どもの発育及び発達の過程に応じて食に関し配慮すべき事項を定めた食育に関する計画に基づき食事を提供するよう努めること。

八　幼稚園型認定こども園の子どもに対する食事の提供について、当該幼稚園型認定こども園内で調理する方法により行う子どもの数が20人に満たない場合においては、当該食事の提供を行う幼稚園型認定こども園は、三の規定にかかわらず、調理室を備えないことができる。この場合において、当該幼稚園型認定こども園においては、当該食事の提供について当該方法により行うために必要な調理設備を備えなければならない。

九　認定こども園において満2歳未満の子どもの保育を行う場合には、三により置くものとされる施設に加え、乳児室又はほふく室を設けなければならない。この場合において、乳児室の面積は満2歳未満の子ども1人につき1.65平方メートル以上、ほふく室の面積は満2歳未満の子ども1人につき3.3平方メートル以上でなければならない。

第五　教育及び保育の内容

認定こども園における教育及び保育の内容は、法第6条に基づき、幼保連携型認定こども園教育・保育要領（平成29年文部科学省告示第1号）を踏まえ
内　閣　府
厚生労働省
るとともに、幼稚園教育要領及び保育所保育指針（平成29年厚生労働省告示第117号）に基づかなければならない。また、子どもの1日の生活のリズムや集団生活の経験年数が異なること等の認定こども園に固有の事情に配慮したものでなければならない。

一　教育及び保育の基本及び目標

認定こども園における教育及び保育は、0歳から小学校就学前までの全ての子どもを対象とし、

一人一人の子どもの発達の過程に即した援助の一貫性や生活の連続性を重視しつつ、満3歳以上の子どもに対する学校教育法第23条各号に掲げる目標の達成に向けた教育の提供と、家庭において養育されることが困難な子どもに対する保育の提供という2つの機能が一体として展開されなければならない。

このため、認定こども園は、次に掲げる幼稚園教育要領及び保育所保育指針の目標が達成されるように教育及び保育を提供しなければならない。

1　十分に養護の行き届いた環境の下に、くつろいだ雰囲気の中で子どもの様々な欲求を適切に満たし、生命の保持及び情緒の安定を図るようにすること。

2　健康、安全で幸福な生活のための基本的な生活習慣や態度を育て、健全な心身の基礎を培うようにすること。

3　人とのかかわりの中で、人に対する愛情と信頼感、そして人権を大切にする心を育てるとともに、自立と協同の態度及び道徳性の芽生えを培うようにすること。

4　自然などの身近な事象への興味や関心を育て、それらに対する豊かな心情や思考力の芽生えを培うようにすること。

5　日常生活の中で、言葉への興味や関心を育て、喜んで話したり、聞いたりする態度や豊かな言葉の感覚を養うようにすること。

6　多様な体験を通して豊かな感性を育て、創造性を豊かにするようにすること。

認定こども園は、この教育及び保育の目標を達成するため、子どもの発達の状況等に応じ、より具体化した教育及び保育のねらい及び内容を定め、子どもの主体的な活動を促し、乳幼児期にふさわしい生活が展開されるように環境を構成し、子どもが発達に必要な体験を得られるようにしなければならない。

二　認定こども園として配慮すべき事項

認定こども園において教育及び保育を行うに当たっては、次の事項について特に配慮しなければならない。

1　当該認定こども園の利用を始めた年齢により集団生活の経験年数が異なる子どもがいることに配慮する等、0歳から小学校就学前までの一貫した教育及び保育を子どもの発達の連続性を考慮して展開していくこと。

2　子どもの1日の生活の連続性及びリズムの多様性に配慮するとともに、保護者の生活形態を反映した子どもの利用時間及び登園日数の違いを踏まえ、一人一人の子どもの状況に応じ、教育及び保育の内容やその展開について工夫をすること。

3　共通利用時間において、幼児期の特性を踏まえ、環境を通して行う教育活動の充実を図ること。

4　保護者及び地域の子育てを自ら実践する力を高める観点に立って子育て支援事業を実施すること。

三　教育及び保育の計画並びに指導計画

認定こども園における教育及び保育については、二に掲げる認定こども園として配慮すべき事項を踏まえつつ、園として目指すべき目標、理念や運営の方針を明確にしなければならない。

また、認定こども園においては、教育及び保育を一体的に提供するため、次に掲げる点に留意して、幼稚園における教育課程及び保育所における保育計画の双方の性格を併せ持つ教育及び保育の内容に関する全体的な計画を作成するとともに、年、学期、月、週、日々の指導計画を作成し、教育及び保育を適切に展開しなければならない。

1　教育時間相当利用児と教育及び保育時間相当利用児がいるため、指導計画の作成に当たり、子どもの1日の生活時間に配慮し、活動と休息、緊張感と解放感等の調和を図ること。

2　共通利用時間における教育及び保育の「ねらい及び内容」については、幼稚園教育要領及び保育所保育指針に基づき実施し、指導計画に定めた具体的なねらいを達成すること。

3　家庭や地域において異年齢の子どもとかかわる機会が減少していることを踏まえ、満3歳以上の子どもについては、学級による集団活動とともに、満3歳未満の子どもを含む異年齢の子どもによる活動を、発達の状況にも配慮しつつ適切に組み合わせて設定するなどの工夫をすること。

4　受験等を目的とした単なる知識や特別な技能の早期獲得のみを目指すような、いわゆる早期教育となることのないように配慮すること。

四　環境の構成

認定こども園における園舎、保育室、屋外遊戯場、遊具、教材等の環境の構成に当たっては、次に掲げる点に留意しなければならない。

1　0歳から小学校就学前までの様々な年齢の子どもの発達の特性を踏まえ、満3歳未満の子どもについては特に健康、安全や発達の確保を十

分に図るとともに、満３歳以上の子どもについては同一学年の子どもで編制される学級による集団活動の中で遊びを中心とする子どもの主体的な活動を通して発達を促す経験が得られるよう工夫をすること。

２　利用時間が異なる多様な子どもがいることを踏まえ、家庭や地域、認定こども園における生活の連続性を確保するため、子どもの生活が安定するよう１日の生活のリズムを整えるよう工夫をすること。特に満３歳未満の子どもについては睡眠時間等の個人差に配慮するとともに、満３歳以上の子どもについては集中して遊ぶ場と家庭的な雰囲気の中でくつろぐ場との適切な調和等の工夫をすること。

３　共通利用時間については、子ども一人一人の行動の理解と予測に基づき計画的に環境を構成するとともに、集団とのかかわりの中で、自己を発揮し、子ども同士の学びあいが深まり広がるように子どもの教育及び保育に従事する者のかかわりを工夫すること。

４　子どもの教育及び保育に従事する者が子どもにとって重要な環境となっていることを念頭に置き、子どもとその教育及び保育に従事する者の信頼関係を十分に築き、子どもとともによりよい教育及び保育の環境を創造すること。

五　日々の教育及び保育の指導における留意点
　　認定こども園における日々の教育及び保育の指導に際しては、次に掲げる点に留意しなければならない。

１　０歳から小学校就学前までの子どもの発達の連続性を十分理解した上で、生活や遊びを通して総合的な指導を行うこと。

２　子どもの発達の個人差、施設の利用を始めた年齢の違いなどによる集団生活の経験年数の差、家庭環境等を踏まえ、一人一人の子どもの発達の特性や課題に十分留意すること。特に満３歳未満の子どもについては、大人への依存度が極めて高い等の特性があることから、個別的な対応を図ること。また、子どもの集団生活への円滑な接続について、家庭との連携及び協力を図る等十分留意すること。

３　１日の生活のリズムや利用時間が異なる子どもが共に過ごすことを踏まえ、子どもに不安や動揺を与えないようにする等の配慮を行うこと。

４　共通利用時間においては、同年代の子どもとの集団生活の中で遊びを中心とする子どもの主体的な活動を通して発達を促す経験が得られる

ように、環境の構成、子どもの教育及び保育に従事する者の指導等の工夫をすること。

５　乳幼児期の食事は、子どもの健やかな発育及び発達に欠かせない重要なものであることから、望ましい食習慣の定着を促すとともに、子ども一人一人の状態に応じた摂取法や摂取量のほか、食物アレルギー等への適切な対応に配慮すること。また、楽しく食べる経験や食に関する様々な体験活動等を通じて、食事をすることへの興味や関心を高め、健全な食生活を実践する力の基礎を培う食育の取組を行うこと。さらに、利用時間の相違により食事を摂る子どもと摂らない子どもがいることにも配慮すること。

６　午睡は生活のリズムを構成する重要な要素であり、安心して眠ることのできる環境を確保するとともに、利用時間が異なることや、睡眠時間は子どもの発達の状況や個人によって差があることから、一律とならないよう配慮すること。

７　健康状態、発達の状況、家庭環境等から特別に配慮を要する子どもについて、一人一人の状況を的確に把握し、専門機関との連携を含め、適切な環境の下で健やかな発達が図られるよう留意すること。

８　認定こども園の職員は、当該認定こども園の子どもに対し、児童福祉法（昭和22年法律第164号）第33条の10各号に掲げる行為その他当該子どもの心身に有害な影響を与える行為をしてはならないこと。

９　家庭との連携においては、子どもの心身の健全な発達を図るために、日々の子どもの状況を的確に把握するとともに、家庭と認定こども園とで日常の子どもの様子を適切に伝え合い、十分な説明に努める等、日常的な連携を図ること。その際、職員間の連絡・協力体制を築き、家庭からの信頼を得られるようにすること。

　　また、教育及び保育活動に対する保護者の積極的な参加は、保護者の子育てを自ら実践する力の向上に寄与するだけでなく、地域社会における家庭や住民の子育てを自ら実践する力の向上及び子育ての経験の継承につながることから、これを促すこと。その際、保護者の生活形態が異なることを踏まえ、全ての保護者の相互理解が深まるように配慮すること。

六　小学校教育との連携
　　認定こども園は、次に掲げる点に留意して、小学校教育との連携を図らなければならない。

１　子どもの発達や学びの連続性を確保する観点

から、小学校教育への円滑な接続に向けた教育
及び保育の内容の工夫を図り、連携を通じた質
の向上を図ること。

2　地域の小学校等との交流活動や合同の研修の
実施等を通じ、認定こども園の子どもと小学校
等の児童及び認定こども園と小学校等の職員同
士の交流を積極的に進めること。

3　全ての子どもについて指導要録の抄本又は写
し等の子どもの育ちを支えるための資料の送付
により連携する等、教育委員会、小学校等との
積極的な情報の共有と相互理解を深めること。

第六　保育者の資質向上等

認定こども園は、次に掲げる点に留意して、子ど
もの教育及び保育に従事する者の資質向上等を図ら
なければならない。

一　子どもの教育及び保育に従事する者の資質は教
育及び保育の要であり、自らその向上に努めるこ
とが重要であること。

二　教育及び保育の質の確保及び向上を図るために
は日々の指導計画の作成や教材準備、研修等が重
要であり、これらに必要な時間について、午睡の
時間や休業日の活用、非常勤職員の配置等、様々
な工夫を行うこと。

三　幼稚園の教員免許状を有する者と保育士資格を
有する者との相互理解を図ること。

四　認定こども園においては、教育及び保育に加え、
保護者の子育てを自ら実践する力の向上につなが
るような子育て支援事業等多様な業務が展開され
るため、認定こども園の長も含め、職員に対する
当該認定こども園の内外の研修の幅を広げること。

その際、認定こども園の内外での適切な研修計
画を作成し、研修を実施するとともに、当該認定
こども園の内外での研修の機会を確保できるよ
う、勤務体制の組み立て等に配慮すること。

五　認定こども園の長には、認定こども園を1つの
園として多様な機能を一体的に発揮させる能力や
地域の人材及び資源を活用していく調整能力が求
められるため、こうした能力を向上させること。

第七　子育て支援

認定こども園における子育て支援事業について
は、次に掲げる点に留意して実施されなければなら
ない。

一　単に保護者の育児を代わって行うのではなく、
教育及び保育に関する専門性を十分に活用し、子
育て相談や親子の集いの場の提供等の保護者への
支援を通して保護者自身の子育てを自ら実践する
力の向上を積極的に支援すること。また、子育て

世帯からの相談を待つだけでなく、認定こども園
から地域の子育て世帯に対して働きかけていくよ
うな取組も有意義であること。

二　子育て支援事業としては、子育て相談や親子の
集いの場の提供、家庭における養育が一時的に困
難となった子どもに対する保育の提供等多様な事
業が考えられるが、例えば子育て相談や親子の集
う場を週3日以上開設する等保護者が利用を希望
するときに利用可能な体制を確保すること。

三　子どもの教育及び保育に従事する者が研修等に
より子育て支援に必要な能力を涵養し、その専門
性と資質を向上させていくとともに、地域の子育
てを支援するボランティア、ＮＰＯ、専門機関等
と連携する等様々な地域の人材や社会資源を活か
していくこと。

第八　管理運営等

一　認定こども園は、多様な機能を一体的に提供す
るため、1人の認定こども園の長を置き、全ての
職員の協力を得ながら一体的な管理運営を行わな
ければならない。この場合、幼稚園型認定こども
園のうち第一の一の2に掲げるものにおいては、
幼稚園又は保育機能施設の施設長とは別に認定こ
ども園の長を置くこと又はこれらの施設長のいず
れかが認定こども園の長を兼ねることが考えられ
る。

二　認定こども園における保育を必要とする子ども
に対する教育及び保育の時間は、1日につき8時
間を原則とし、子どもの保護者の労働時間その他
の家庭の状況等を考慮して認定こども園の長が定
めなければならない。

認定こども園の開園日数及び開園時間は、保育
を必要とする子どもに対する教育及び保育を適切
に提供できるよう、保護者の就労の状況等の地域
の実情に応じて定めなければならない。

三　認定こども園は、保護者が多様な施設を適切に
選択できるよう、情報開示に努めなければならな
い。

四　認定こども園は、児童虐待防止の観点から特別
の支援を要する家庭、ひとり親家庭又は低所得家
庭の子どもや、障害のある子どもなど特別な配慮
が必要な子どもの利用が排除されることのないよ
う、入園する子どもの選考を公正に行わなければ
ならない。

また、認定こども園は、地方公共団体との連携
を図り、こうした子どもの受入れに適切に配慮し
なければならない。

五　認定こども園は、耐震、防災、防犯等子どもの

健康及び安全を確保する体制を整えなければならない。

　また、認定こども園において事故等が発生した場合の補償を円滑に行うことができるよう、適切な保険や共済制度への加入を通じて、補償の体制を整えなければならない。

六　認定こども園は、子どもの通園、園外における学習のための移動その他の子どもの移動のために自動車を運行するときは、子どもの乗車及び降車の際に、点呼その他の子どもの所在を確実に把握することができる方法により、子どもの所在を確認しなければならない。

七　認定こども園は、通園を目的とした自動車（運転者席及びこれと並列の座席並びにこれらより1つ後方に備えられた前向きの座席以外の座席を有しないものその他利用の態様を勘案してこれと同程度に子どもの見落としのおそれが少ないと認められるものを除く。）を運行するときは、当該自動車にブザーその他の車内の子どもの見落としを防止する装置を備え、これを用いて六に定める所在の確認（子どもの自動車からの降車の際に限る。）を行わなければならない。

八　認定こども園は、自己評価、外部評価等において子どもの視点に立った評価を行い、その結果の公表等を通じて教育及び保育の質の向上に努めなければならない。

九　認定こども園は、その建物又は敷地の公衆の見やすい場所に、当該施設が認定こども園である旨の表示をしなければならない。

　　附　則

（施行期日）

1　この告示は、就学前の子どもに関する教育、保育等の総合的な提供の推進に関する法律の一部を改正する法律（平成24年法律第66号）の施行の日〔平成27年4月1日〕（以下「施行日」という。）から施行する。

（経過措置）

2　施行日から起算して5年間は、第二の一の規定にかかわらず、施行日の前日において現に存する認定こども園の職員配置については、なお従前の例によることができる。

（認定こども園の職員資格に関する特例）

3　園児の登園又は降園の時間帯その他の園児が少数である時間帯において、第二の一本文により認定こども園に置かなければならない職員の数が1人となる場合には、当分の間、第三の一、二及び四の規定にかかわらず、第二の一により認定こども園に置く

ものとされる職員のうち1人は、都道府県知事が幼稚園の教員免許状又は保育士の資格を有する者と同等の知識及び経験を有すると認める者にすることができる。

4　第三の一及び四（ただし書の規定を適用する場合を除く。）により置かなければならない保育士の資格を有する者については、当分の間、幼稚園の教員免許状又は小学校教諭若しくは養護教諭の普通免許状（教育職員免許法（昭和24年法律第147号）第4条第2項に規定する普通免許状をいう。次項及び附則第8項において同じ。）を有する者（現に当該施設において主幹養護教諭及び養護教諭として従事している者を除く。次項及び附則第8項において同じ。）をもって代えることができる。

5　第三の二により置かなければならない幼稚園の教員免許状又は保育士の資格を有する者については、当分の間、小学校教諭又は養護教諭の普通免許状を有する者をもって代えることができる。この場合において、当該者は補助者として従事する場合を除き、教育課程に基づく教育に従事してはならない。

6　1日につき8時間を超えて開所する認定こども園において、開所時間を通じて必要となる職員の総数が、利用定員に応じて置かなければならない職員の数を超える場合における第三の一、二及び四により置かなければならない幼稚園の教員免許状又は保育士の資格を有する者については、当分の間、開所時間を通じて必要となる職員の総数から、利用定員に応じて置かなければならない職員の数を差し引いて得た数の範囲で、都道府県知事が幼稚園の教員免許状又は保育士の資格を有する者と同等の知識及び経験を有すると認める者をもって代えることができる。この場合において、当該者は補助者として従事する場合を除き、教育課程に基づく教育に従事してはならない。

7　第三の一により置かなければならない保育士の資格を有する者については、当分の間、1人に限って、当該認定こども園に勤務する保健師、看護師又は准看護師（以下「看護師等」という。）をもって代えることができる。ただし、満1歳未満の子どもの数が4人未満である認定こども園については、子育てに関する知識と経験を有する看護師等を配置し、かつ、当該看護師等が保育を行うに当たって当該認定こども園の保育士の資格を有する者による支援を受けることができる体制を確保しなければならない。

8　次の表の上欄に掲げる規定により同表の中欄に掲げる者について同表の下欄に掲げる者をもって代え

る場合においては、同表の下欄に掲げる者の総数は、第二の一により認定こども園に置くものとされる職員の数の3分の1を超えてはならない。

附則第4項	第三の一及び四（ただし書の規定を適用する場合を除く。）により置かなければならない保育士の資格を有する者	幼稚園の教員免許状又は小学校教諭若しくは養護教諭の普通免許状を有する者
附則第5項	第三の二により置かなければならない幼稚園の教員免許状又は保育士の資格を有する者	小学校教諭又は養護教諭の普通免許状を有する者
附則第6項	第三の一、二及び四により置かなければならない幼稚園の教員免許状又は保育士の資格を有する者	都道府県知事が幼稚園の教員免許状又は保育士の資格を有する者と同等の知識及び経験を有すると認める者
附則第7項	第三の一により置かなければならない保育士の資格を有する者	看護師等

　　　附　　則（令和6年3月13日内閣府・文部科学省
　　　　　　告示第1号）

（適用期日）

1　この告示は、令和6年4月1日から適用する。

（経過措置）

2　子どもに対する教育及び保育に従事する者の配置の状況に鑑み、教育及び保育の提供に支障を及ぼすおそれがあるときは、当分の間、この告示による改正後の就学前の子どもに関する教育、保育等の総合的な提供の推進に関する法律第3条第2項及び第4項の規定に基づき内閣総理大臣及び文部科学大臣が定める施設の設備及び運営に関する基準（次項において「新基準」という。）第二の一の規定は、適用しない。この場合において、この告示による改正前の就学前の子どもに関する教育、保育等の総合的な提供の推進に関する法律第3条第2項及び第4項の規定に基づき内閣総理大臣及び文部科学大臣が定める施設の設備及び運営に関する基準第二の一の規定は、この告示の適用の日以後においても、なおその効力を有する。

3　前項の場合を除き、この告示の適用の日から起算して1年を超えない期間内において、新基準第二の一の規定による基準（満3歳以上満4歳未満の子ども及び満4歳以上の子どもに対する教育及び保育に従事する者の数に関する基準に限る。以下この項において同じ。）を参酌して定める就学前の子どもに関する教育、保育等の総合的な提供の推進に関する法律第3条第1項及び第3項に規定する都道府県又は指定都市等（同条第1項に規定する指定都市等をいう。）の条例が制定施行されるまでの間は、新基準第二の一の規定による基準は、当該都道府県又は指定都市等の条例で定める基準とみなす。

◉特定教育・保育施設及び特定地域型保育事業並びに特定子ども・子育て支援施設等の運営に関する基準

〔平成26年4月30日〕
〔内閣府令第39号〕

注　令和5年12月26日内閣府令第86号改正現在

第1章　特定教育・保育施設及び特定地域型保育事業者の運営に関する基準

　第1節　総則

（趣旨）

第1条　特定教育・保育施設に係る子ども・子育て支援法〔平成24年法律第65号〕（以下「法」という。）第34条第3項の内閣府令で定める基準及び特定地域型保育事業に係る法第46条第3項の内閣府令で定める基準は、次の各号に掲げる基準に応じ、それぞれ当該各号に定める規定による基準とする。

一　法第34条第2項の規定により、同条第3項第1号に掲げる事項について市町村（特別区を含む。以下同じ。）が条例を定めるに当たって従うべき基準　第4条の規定による基準

二　法第34条第2項の規定により、同条第3項第2号に掲げる事項について市町村が条例を定めるに当たって従うべき基準　第5条、第6条（第5項を除く。）、第7条、第13条、第15条、第24条から第27条まで、第32条、第35条及び第36条並びに附則第2条の規定による基準

三　法第46条第2項の規定により、同条第3項第1号に掲げる事項について市町村が条例を定めるに当たって従うべき基準　第37条及び附則第4条の規定による基準

四　法第46条第2項の規定により、同条第3項第2号に掲げる事項について市町村が条例を定めるに当たって従うべき基準　第24条から第27条まで（第50条において準用する場合に限る。）、第32条（第50条において準用する場合に限る。）、第38条、第39条（第4項を除く。）、第40条、第42条第1項から第8項まで、第43条、第44条、第51条及び第52条並びに附則第5条の規定による基準

五　法第34条第2項又は第46条第2項の規定により、法第34条第3項各号又は第46条第3項各号に掲げる事項以外の事項について市町村が条例を定めるに当たって参酌すべき基準　この府令に定める基準のうち、前4号に定める規定による基準以外のもの

（定義）

第2条　この府令において、次の各号に掲げる用語の定義は、それぞれ当該各号に定めるところによる。

一　小学校就学前子ども　法第6条第1項に規定する小学校就学前子どもをいう。

二　認定こども園　法第7条第4項に規定する認定こども園をいう。

三　幼稚園　法第7条第4項に規定する幼稚園をいう。

四　保育所　法第7条第4項に規定する保育所をいう。

五　家庭的保育事業　児童福祉法（昭和22年法律第164号）第6条の3第9項に規定する家庭的保育事業をいう。

六　小規模保育事業　児童福祉法第6条の3第10項

に規定する小規模保育事業をいう。

七　居宅訪問型保育事業　児童福祉法第６条の３第
11項に規定する居宅訪問型保育事業をいう。

八　事業所内保育事業　児童福祉法第６条の３第12
項に規定する事業所内保育事業をいう。

九　教育・保育給付認定　法第20条第４項に規定す
る教育・保育給付認定をいう。

十　教育・保育給付認定保護者　法第20条第４項に
規定する教育・保育給付認定保護者をいう。

十一　教育・保育給付認定子ども　法第20条第４項
に規定する教育・保育給付認定子どもをいう。

十二　満３歳以上教育・保育給付認定子ども　子ど
も・子育て支援法施行令（平成26年政令第213
号。以下「令」という。）第４条第１項に規定す
る満３歳以上教育・保育給付認定子どもをいう。

十三　特定満３歳以上保育認定子ども　令第４条第
１項第２号に規定する特定満３歳以上保育認定子
どもをいう。

十四　満３歳未満保育認定子ども　令第４条第２項
に規定する満３歳未満保育認定子どもをいう。

十五　市町村民税所得割合算額　令第４条第２項第
２号に規定する市町村民税所得割合算額をいう。

十六　負担額算定基準子ども　令第13条第２項に規
定する負担額算定基準子どもをいう。

十七　支給認定証　法第20条第４項に規定する支給
認定証をいう。

十八　教育・保育給付認定の有効期間　法第21条に
規定する教育・保育給付認定の有効期間をいう。

十九　特定教育・保育施設　法第27条第１項に規定
する特定教育・保育施設をいう。

二十　特定教育・保育　法第27条第１項に規定する
特定教育・保育をいう。

二十一　法定代理受領　法第27条第５項（法第28条
第４項において準用する場合を含む。）又は法第
29条第５項（法第30条第４項において準用する場
合を含む。）の規定により市町村が支払う特定教
育・保育又は特定地域型保育に要した費用の額の
一部を、教育・保育給付認定保護者に代わり特定
教育・保育施設又は特定地域型保育事業者が受領
することをいう。

二十二　特定地域型保育事業者　法第29条第１項に
規定する特定地域型保育事業者をいう。

二十三　特定地域型保育　法第29条第１項に規定す
る特定地域型保育をいう。

二十四　特別利用保育　法第28条第１項第２号に規
定する特別利用保育をいう。

二十五　特別利用教育　法第28条第１項第３号に規

定する特別利用教育をいう。

二十六　特別利用地域型保育　法第30条第１項第２
号に規定する特別利用地域型保育をいう。

二十七　特定利用地域型保育　法第30条第１項第３
号に規定する特定利用地域型保育をいう。

（一般原則）

第３条　特定教育・保育施設及び特定地域型保育事業
者（以下「特定教育・保育施設等」という。）は、
良質かつ適切であり、かつ、子どもの保護者の経済
的負担の軽減について適切に配慮された内容及び水
準の特定教育・保育又は特定地域型保育の提供を行
うことにより、全ての子どもが健やかに成長するた
めに適切な環境が等しく確保されることを目指すも
のでなければならない。

2　特定教育・保育施設等は、当該特定教育・保育施
設等を利用する小学校就学前子どもの意思及び人格
を尊重して、常に当該小学校就学前子どもの立場に
立って特定教育・保育又は特定地域型保育を提供す
るように努めなければならない。

3　特定教育・保育施設等は、地域及び家庭との結び
付きを重視した運営を行い、都道府県、市町村、小
学校、他の特定教育・保育施設等、地域子ども・子
育て支援事業を行う者、他の児童福祉施設その他の
学校又は保健医療サービス若しくは福祉サービスを
提供する者との密接な連携に努めなければならない。

4　特定教育・保育施設等は、当該特定教育・保育施
設等を利用する小学校就学前子どもの人権の擁護、
虐待の防止等のため、責任者を設置する等必要な体
制の整備を行うとともに、その従業者に対し、研修
を実施する等の措置を講ずるよう努めなければなら
ない。

　　第２節　特定教育・保育施設の運営に関する
　　　　　基準

　　　第１款　利用定員に関する基準

第４条　特定教育・保育施設（認定こども園及び保育
所に限る。）は、その利用定員（法第27条第１項の
確認において定めるものに限る。以下この節におい
て同じ。）の数を20人以上とする。

2　特定教育・保育施設は、次の各号に掲げる特定教
育・保育施設の区分に応じ、当該各号に定める小学
校就学前子どもの区分ごとの利用定員を定めるもの
とする。ただし、法第19条第３号に掲げる小学校就
学前子どもの区分にあっては、満１歳に満たない小
学校就学前子ども及び満１歳以上の小学校就学前子
どもに区分して定めるものとする。

一　認定こども園　法第19条各号に掲げる小学校就
学前子どもの区分

二　幼稚園　法第19条第1号に掲げる小学校就学前子どもの区分

三　保育所　法第19条第2号に掲げる小学校就学前子どもの区分及び同条第3号に掲げる小学校就学前子どもの区分

第2款　運営に関する基準

（内容及び手続の説明及び同意）

第5条　特定教育・保育施設は、特定教育・保育の提供の開始に際しては、あらかじめ、利用の申込みを行った教育・保育給付認定保護者（以下「利用申込者」という。）に対し、第20条に規定する運営規程の概要、職員の勤務体制、第13条の規定により支払を受ける費用に関する事項その他の利用申込者の教育・保育の選択に資すると認められる重要事項を記した文書を交付して説明を行い、当該提供の開始について利用申込者の同意を得なければならない。

（正当な理由のない提供拒否の禁止等）

第6条　特定教育・保育施設は、教育・保育給付認定保護者から利用の申込みを受けたときは、正当な理由がなければ、これを拒んではならない。

2　特定教育・保育施設（認定こども園又は幼稚園に限る。以下この項において同じ。）は、利用の申込みに係る法第19条第1号に掲げる小学校就学前子どもの数及び当該特定教育・保育施設を現に利用している同号に掲げる小学校就学前子どもに該当する教育・保育給付認定子どもの総数が、当該特定教育・保育施設の同号に掲げる小学校就学前子どもの区分に係る利用定員の総数を超える場合においては、抽選、申込みを受けた順序により決定する方法、当該特定教育・保育施設の設置者の教育・保育に関する理念、基本方針等に基づく選考その他公正な方法（第4項において「選考方法」という。）により選考しなければならない。

3　特定教育・保育施設（認定こども園又は保育所に限る。以下この項において同じ。）は、利用の申込みに係る法第19条第2号又は第3号に掲げる小学校就学前子どもの数及び当該特定教育・保育施設を現に利用している同条第2号又は第3号に掲げる小学校就学前子どもに該当する教育・保育給付認定子どもの総数が、当該特定教育・保育施設の同条第2号又は第3号に掲げる小学校就学前子どもの区分に係る利用定員の総数を超える場合においては、法第20条第4項の規定による認定に基づき、保育の必要の程度及び家族等の状況を勘案し、保育を受ける必要性が高いと認められる教育・保育給付認定子どもが優先的に利用できるよう、選考するものとする。

4　前2項の特定教育・保育施設は、選考方法をあらかじめ教育・保育給付認定保護者に明示した上で、選考を行わなければならない。

5　特定教育・保育施設は、利用申込者に係る教育・保育給付認定子どもに対し自ら適切な教育・保育を提供することが困難である場合は、適切な特定教育・保育施設又は特定地域型保育事業を紹介する等の適切な措置を速やかに講じなければならない。

（あっせん、調整及び要請に対する協力）

第7条　特定教育・保育施設は、当該特定教育・保育施設の利用について法第42条第1項の規定により市町村が行うあっせん及び要請に対し、できる限り協力しなければならない。

2　特定教育・保育施設（認定こども園又は保育所に限る。以下この項において同じ。）は、法第19条第2号又は第3号に掲げる小学校就学前子どもに該当する教育・保育給付認定子どもに係る当該特定教育・保育施設の利用について児童福祉法第24条第3項（同法附則第73条第1項の規定により読み替えて適用する場合を含む。）の規定により市町村が行う調整及び要請に対し、できる限り協力しなければならない。

（受給資格等の確認）

第8条　特定教育・保育施設は、特定教育・保育の提供を求められた場合は、必要に応じて、教育・保育給付認定保護者の提示する支給認定証（教育・保育給付認定保護者が支給認定証の交付を受けていない場合にあっては、子ども・子育て支援法施行規則（平成26年内閣府令第44号）第7条第2項の規定による通知）によって、教育・保育給付認定の有無、教育・保育給付認定子どもの該当する法第19条各号に掲げる小学校就学前子どもの区分、教育・保育給付認定の有効期間及び保育必要量等を確かめるものとする。

（教育・保育給付認定の申請に係る援助）

第9条　特定教育・保育施設は、教育・保育給付認定を受けていない保護者から利用の申込みがあった場合は、当該保護者の意思を踏まえて速やかに当該申請が行われるよう必要な援助を行わなければならない。

2　特定教育・保育施設は、教育・保育給付認定の変更の認定の申請が遅くとも教育・保育給付認定保護者が受けている教育・保育給付認定の有効期間の満了日の30日前には行われるよう必要な援助を行わなければならない。ただし、緊急その他やむを得ない理由がある場合には、この限りではない。

（心身の状況等の把握）

第10条　特定教育・保育施設は、特定教育・保育の提

供に当たっては、教育・保育給付認定子どもの心身の状況、その置かれている環境、他の特定教育・保育施設等の利用状況等の把握に努めなければならない。

（小学校等との連携）

第11条　特定教育・保育施設は、特定教育・保育の提供の終了に際しては、教育・保育給付認定子どもについて、小学校における教育又は他の特定教育・保育施設等において継続的に提供される教育・保育との円滑な接続に資するよう、教育・保育給付認定子どもに係る情報の提供その他小学校、特定教育・保育施設等、地域子ども・子育て支援事業を行う者その他の機関との密接な連携に努めなければならない。

（教育・保育の提供の記録）

第12条　特定教育・保育施設は、特定教育・保育を提供した際は、提供日、内容その他必要な事項を記録しなければならない。

（利用者負担額等の受領）

第13条　特定教育・保育施設は、特定教育・保育を提供した際は、教育・保育給付認定保護者（満3歳未満保育認定子どもに係る教育・保育給付認定保護者に限る。）から当該特定教育・保育に係る利用者負担額（満3歳未満保育認定子どもに係る教育・保育給付認定保護者についての法第27条第3項第2号に掲げる額をいう。）の支払を受けるものとする。

2　特定教育・保育施設は、法定代理受領を受けないときは、教育・保育給付認定保護者から、当該特定教育・保育に係る特定教育・保育費用基準額（法第27条第3項第1号に掲げる額をいう。次項において同じ。）の支払を受けるものとする。

3　特定教育・保育施設は、前2項の支払を受ける額のほか、特定教育・保育の提供に当たって、当該特定教育・保育の質の向上を図る上で特に必要であると認められる対価について、当該特定教育・保育に要する費用として見込まれるものの額と特定教育・保育費用基準額との差額に相当する金額の範囲内で設定する額の支払を教育・保育給付認定保護者から受けることができる。

4　特定教育・保育施設は、前3項の支払を受ける額のほか、特定教育・保育において提供される便宜に要する費用のうち、次に掲げる費用の額の支払を教育・保育給付認定保護者から受けることができる。

一　日用品、文房具その他の特定教育・保育に必要な物品の購入に要する費用

二　特定教育・保育等に係る行事への参加に要する費用

三　食事の提供（次に掲げるものを除く。）に要す

る費用

イ　次の(1)又は(2)に掲げる満3歳以上教育・保育給付認定子どものうち、その教育・保育給付認定保護者及び当該教育・保育給付認定保護者と同一の世帯に属する者に係る市町村民税所得割合算額がそれぞれ(1)又は(2)に定める金額未満であるものに対する副食の提供

(1)　法第19条第1号に掲げる小学校就学前子どもに該当する教育・保育給付認定子ども　7万7101円

(2)　法第19条第2号に掲げる小学校就学前子どもに該当する教育・保育給付認定子ども（特定満3歳以上保育認定子どもを除く。ロ(2)において同じ。）　5万7700円（令第4条第2項第6号に規定する特定教育・保育給付認定保護者にあっては、7万7101円）

ロ　次の(1)又は(2)に掲げる満3歳以上教育・保育給付認定子どものうち、負担額算定基準子ども又は小学校第3学年修了前子ども（小学校、義務教育学校の前期課程又は特別支援学校の小学部の第1学年から第3学年までに在籍する子どもをいう。以下ロにおいて同じ。）が同一の世帯に3人以上いる場合にそれぞれ(1)又は(2)に定める者に該当するものに対する副食の提供（イに該当するものを除く。）

(1)　法第19条第1号に掲げる小学校就学前子どもに該当する教育・保育給付認定子ども　負担額算定基準子ども又は小学校第3学年修了前子ども（そのうち最年長者及び2番目の年長者である者を除く。）である者

(2)　法第19条第2号に掲げる小学校就学前子どもに該当する教育・保育給付認定子ども　負担額算定基準子ども（そのうち最年長者及び2番目の年長者である者を除く。）である者

ハ　満3歳未満保育認定子どもに対する食事の提供

四　特定教育・保育施設に通う際に提供される便宜に要する費用

五　前4号に掲げるもののほか、特定教育・保育において提供される便宜に要する費用のうち、特定教育・保育施設の利用において通常必要とされるものに係る費用であって、教育・保育給付認定保護者に負担させることが適当と認められるもの

5　特定教育・保育施設は、前4項の費用の額の支払を受けた場合は、当該費用に係る領収証を当該費用の額を支払った教育・保育給付認定保護者に対し交付しなければならない。

6　特定教育・保育施設は、第3項及び第4項の金銭の支払を求める際は、あらかじめ、当該金銭の使途及び額並びに教育・保育給付認定保護者に金銭の支払を求める理由について書面によって明らかにするとともに、教育・保育給付認定保護者に対して説明を行い、文書による同意を得なければならない。ただし、第4項の規定による金銭の支払に係る同意については、文書によることを要しない。

（施設型給付費等の額に係る通知等）

第14条　特定教育・保育施設は、法定代理受領により特定教育・保育に係る施設型給付費（法第27条第1項の施設型給付費をいう。以下同じ。）の支給を受けた場合は、教育・保育給付認定保護者に対し、当該教育・保育給付認定保護者に係る施設型給付費の額を通知しなければならない。

2　特定教育・保育施設は、前条第2項の法定代理受領を行わない特定教育・保育に係る費用の額の支払を受けた場合は、その提供した特定教育・保育の内容、費用の額その他必要と認められる事項を記載した特定教育・保育提供証明書を教育・保育給付認定保護者に対して交付しなければならない。

（特定教育・保育の取扱方針）

第15条　特定教育・保育施設は、次の各号に掲げる施設の区分に応じて、それぞれ当該各号に定めるものに基づき、小学校就学前子どもの心身の状況等に応じて、特定教育・保育の提供を適切に行わなければならない。

一　幼保連携型認定こども園（就学前の子どもに関する教育、保育等の総合的な提供の推進に関する法律（平成18年法律第77号。以下「認定こども園法」という。）第2条第7項に規定する幼保連携型認定こども園をいう。以下同じ。）　幼保連携型認定こども園教育・保育要領（認定こども園法第10条第1項の規定に基づき主務大臣が定める幼保連携型認定こども園の教育課程その他の教育及び保育の内容に関する事項をいう。次項において同じ。）

二　認定こども園（認定こども園法第3条第1項又は第3項の認定を受けた施設及び同条第10項の規定による公示がされたものに限る。）　次号及び第4号に掲げる事項

三　幼稚園　幼稚園教育要領（学校教育法（昭和22年法律第26号）第25条第1項の規定に基づき文部科学大臣が定める幼稚園の教育課程その他の教育内容に関する事項をいう。）

四　保育所　児童福祉施設の設備及び運営に関する基準（昭和23年厚生省令第63号）第35条の規定に基づき保育所における保育の内容について内閣総理大臣が定める指針

2　前項第2号に掲げる認定こども園が特定教育・保育を提供するに当たっては、同号に掲げるもののほか、幼保連携型認定こども園教育・保育要領を踏まえなければならない。

（特定教育・保育に関する評価等）

第16条　特定教育・保育施設は、自らその提供する特定教育・保育の質の評価を行い、常にその改善を図らなければならない。

2　特定教育・保育施設は、定期的に当該特定教育・保育施設を利用する教育・保育給付認定保護者その他の特定教育・保育施設の関係者（当該特定教育・保育施設の職員を除く。）による評価又は外部の者による評価を受けて、それらの結果を公表し、常にその改善を図るよう努めなければならない。

（相談及び援助）

第17条　特定教育・保育施設は、常に教育・保育給付認定子どもの心身の状況、その置かれている環境等の的確な把握に努め、当該教育・保育給付認定子ども又は当該教育・保育給付認定子どもに係る教育・保育給付認定保護者に対し、その相談に適切に応じるとともに、必要な助言その他の援助を行わなければならない。

（緊急時等の対応）

第18条　特定教育・保育施設の職員は、現に特定教育・保育の提供を行っているときに教育・保育給付認定子どもに体調の急変が生じた場合その他必要な場合は、速やかに当該教育・保育給付認定子どもに係る教育・保育給付認定保護者又は医療機関への連絡を行う等の必要な措置を講じなければならない。

（教育・保育給付認定保護者に関する市町村への通知）

第19条　特定教育・保育施設は、特定教育・保育を受けている教育・保育給付認定子どもに係る教育・保育給付認定保護者が偽りその他不正な行為によって施設型給付費の支給を受け、又は受けようとしたときは、遅滞なく、意見を付してその旨を市町村に通知しなければならない。

（運営規程）

第20条　特定教育・保育施設は、次に掲げる施設の運営についての重要事項に関する規程（第23条において「運営規程」という。）を定めておかなければならない。

一　施設の目的及び運営の方針

二　提供する特定教育・保育の内容

三　職員の職種、員数及び職務の内容

四　特定教育・保育の提供を行う日（法第19条第1

号に掲げる小学校就学前子どもの区分に係る利用定員を定めている施設にあっては、学期を含む。以下この号において同じ。）及び時間、提供を行わない日

五　第13条の規定により教育・保育給付認定保護者から支払を受ける費用の種類、支払を求める理由及びその額

六　第4条第2項各号に定める小学校就学前子どもの区分ごとの利用定員

七　特定教育・保育施設の利用の開始、終了に関する事項及び利用に当たっての留意事項（第6条第2項及び第3項に規定する選考方法を含む。）

八　緊急時等における対応方法

九　非常災害対策

十　虐待の防止のための措置に関する事項

十一　その他特定教育・保育施設の運営に関する重要事項

（勤務体制の確保等）

第21条　特定教育・保育施設は、教育・保育給付認定子どもに対し、適切な特定教育・保育を提供することができるよう、職員の勤務の体制を定めておかなければならない。

2　特定教育・保育施設は、当該特定教育・保育施設の職員によって特定教育・保育を提供しなければならない。ただし、教育・保育給付認定子どもに対する特定教育・保育の提供に直接影響を及ぼさない業務については、この限りでない。

3　特定教育・保育施設は、職員の資質の向上のために、その研修の機会を確保しなければならない。

（定員の遵守）

第22条　特定教育・保育施設は、利用定員を超えて特定教育・保育の提供を行ってはならない。ただし、年度中における特定教育・保育に対する需要の増大への対応、法第34条第5項に規定する便宜の提供への対応、児童福祉法第24条第5項又は第6項に規定する措置への対応、災害、虐待その他のやむを得ない事情がある場合は、この限りでない。

（掲示等）

第23条　特定教育・保育施設は、当該特定教育・保育施設の見やすい場所に、運営規程の概要、職員の勤務の体制、利用者負担その他の利用申込者の特定教育・保育施設の選択に資すると認められる重要事項を掲示するとともに、電気通信回線に接続して行う自動公衆送信（公衆によって直接受信されることを目的として公衆からの求めに応じ自動的に送信を行うことをいい、放送又は有線放送に該当するものを除く。）により公衆の閲覧に供しなければならない。

（教育・保育給付認定子どもを平等に取り扱う原則）

第24条　特定教育・保育施設においては、教育・保育給付認定子どもの国籍、信条、社会的身分又は特定教育・保育の提供に要する費用を負担するか否かによって、差別的取扱いをしてはならない。

（虐待等の禁止）

第25条　特定教育・保育施設の職員は、教育・保育給付認定子どもに対し、児童福祉法第33条の10各号に掲げる行為その他当該教育・保育給付認定子どもの心身に有害な影響を与える行為をしてはならない。

第26条　削除

（秘密保持等）

第27条　特定教育・保育施設の職員及び管理者は、正当な理由がなく、その業務上知り得た教育・保育給付認定子ども又はその家族の秘密を漏らしてはならない。

2　特定教育・保育施設は、職員であった者が、正当な理由がなく、その業務上知り得た教育・保育給付認定子ども又はその家族の秘密を漏らすことがないよう、必要な措置を講じなければならない。

3　特定教育・保育施設は、小学校、他の特定教育・保育施設等、地域子ども・子育て支援事業を行う者その他の機関に対して、教育・保育給付認定子どもに関する情報を提供する際には、あらかじめ文書により当該教育・保育給付認定子どもに係る教育・保育給付認定保護者の同意を得ておかなければならない。

（情報の提供等）

第28条　特定教育・保育施設は、特定教育・保育施設を利用しようとする小学校就学前子どもに係る教育・保育給付認定保護者が、その希望を踏まえて適切に特定教育・保育施設を選択することができるように、当該特定教育・保育施設が提供する特定教育・保育の内容に関する情報の提供を行うよう努めなければならない。

2　特定教育・保育施設は、当該特定教育・保育施設について広告をする場合において、その内容を虚偽のもの又は誇大なものとしてはならない。

（利益供与等の禁止）

第29条　特定教育・保育施設は、利用者支援事業（法第59条第1号に規定する事業をいう。）その他の地域子ども・子育て支援事業を行う者（次項において「利用者支援事業者等」という。）、教育・保育施設若しくは地域型保育を行う者等又はその職員に対し、小学校就学前子ども又はその家族に対して当該特定教育・保育施設を紹介することの対償として、金品その他の財産上の利益を供与してはならない。

2 特定教育・保育施設は、利用者支援事業者等、教育・保育施設若しくは地域型保育を行う者等又はその職員から、小学校就学前子ども又はその家族を紹介することの対償として、金品その他の財産上の利益を収受してはならない。

（苦情解決）

第30条 特定教育・保育施設は、その提供した特定教育・保育に関する教育・保育給付認定子ども又は教育・保育給付認定保護者その他の当該教育・保育給付認定子どもの家族（以下この条において「教育・保育給付認定子ども等」という。）からの苦情に迅速かつ適切に対応するために、苦情を受け付けるための窓口を設置する等の必要な措置を講じなければならない。

2 特定教育・保育施設は、前項の苦情を受け付けた場合には、当該苦情の内容等を記録しなければならない。

3 特定教育・保育施設は、その提供した特定教育・保育に関する教育・保育給付認定子ども等からの苦情に関して市町村が実施する事業に協力するよう努めなければならない。

4 特定教育・保育施設は、その提供した特定教育・保育に関し、法第14条第1項の規定により市町村が行う報告若しくは帳簿書類その他の物件の提出若しくは提示の命令又は当該市町村の職員からの質問若しくは特定教育・保育施設の設備若しくは帳簿書類その他の物件の検査に応じ、及び教育・保育給付認定子ども等からの苦情に関して市町村が行う調査に協力するとともに、市町村から指導又は助言を受けた場合は、当該指導又は助言に従って必要な改善を行わなければならない。

5 特定教育・保育施設は、市町村からの求めがあった場合には、前項の改善の内容を市町村に報告しなければならない。

（地域との連携等）

第31条 特定教育・保育施設は、その運営に当たっては、地域住民又はその自発的な活動等との連携及び協力を行う等の地域との交流に努めなければならない。

（事故発生の防止及び発生時の対応）

第32条 特定教育・保育施設は、事故の発生又はその再発を防止するため、次の各号に定める措置を講じなければならない。

一 事故が発生した場合の対応、次号に規定する報告の方法等が記載された事故発生の防止のための指針を整備すること。

二 事故が発生した場合又はそれに至る危険性があ

る事態が生じた場合に、当該事実が報告され、その分析を通じた改善策を従業者に周知徹底する体制を整備すること。

三 事故発生の防止のための委員会及び従業者に対する研修を定期的に行うこと。

2 特定教育・保育施設は、教育・保育給付認定子どもに対する特定教育・保育の提供により事故が発生した場合は、速やかに市町村、当該教育・保育給付認定子どもの家族等に連絡を行うとともに、必要な措置を講じなければならない。

3 特定教育・保育施設は、前項の事故の状況及び事故に際して採った処置について記録しなければならない。

4 特定教育・保育施設は、教育・保育給付認定子どもに対する特定教育・保育の提供により賠償すべき事故が発生した場合は、損害賠償を速やかに行わなければならない。

（会計の区分）

第33条 特定教育・保育施設は、特定教育・保育の事業の会計をその他の事業の会計と区分しなければならない。

（記録の整備）

第34条 特定教育・保育施設は、職員、設備及び会計に関する諸記録を整備しておかなければならない。

2 特定教育・保育施設は、教育・保育給付認定子どもに対する特定教育・保育の提供に関する次に掲げる記録を整備し、その完結の日から5年間保存しなければならない。

一 第15条第1項各号に定めるものに基づく特定教育・保育の提供に当たっての計画

二 第12条の規定による特定教育・保育の提供の記録

三 第19条の規定による市町村への通知に係る記録

四 第30条第2項に規定する苦情の内容等の記録

五 第32条第3項に規定する事故の状況及び事故に際して採った処置についての記録

第3款 特例施設型給付費に関する基準

（特別利用保育の基準）

第35条 特定教育・保育施設（保育所に限る。以下この条において同じ。）が法第19条第1号に掲げる小学校就学前子どもに該当する教育・保育給付認定子どもに対し特別利用保育を提供する場合には、法第34条第1項第3号に規定する基準を遵守しなければならない。

2 特定教育・保育施設が、前項の規定により特別利用保育を提供する場合には、当該特別利用保育に係る法第19条第1号に掲げる小学校就学前子どもに該

当する教育・保育給付認定子どもの数及び当該特定
教育・保育施設を現に利用している同条第2号に掲
げる小学校就学前子どもに該当する教育・保育給付
認定子どもの総数が、第4条第2項第3号の規定に
より定められた法第19条第2号に掲げる小学校就学
前子どもに係る利用定員の数を超えないものとする。

3　特定教育・保育施設が、第1項の規定により特別
利用保育を提供する場合には、特定教育・保育には
特別利用保育を、施設型給付費には特例施設型給付
費（法第28条第1項の特例施設型給付費をいう。次
条第3項において同じ。）を、それぞれ含むものと
して、前款（第6条第3項及び第7条第2項を除
く。）の規定を適用する。この場合において、第6
条第2項中「特定教育・保育施設（認定こども園又
は幼稚園に限る。以下この項において同じ。）」とあ
るのは「特定教育・保育施設（特別利用保育を提供
している施設に限る。以下この項において同じ。）」
と、「同号に掲げる小学校就学前子どもに該当する
教育・保育給付認定子ども」とあるのは「同号又は
同条第2号に掲げる小学校就学前子どもに該当する
教育・保育給付認定子ども」と、第13条第2項中「法
第27条第3項第1号に掲げる額」とあるのは「法第
28条第2項第2号の内閣総理大臣が定める基準によ
り算定した費用の額」と、同条第4項第3号ロ(1)中
「教育・保育給付認定子ども」とあるのは「教育・
保育給付認定子ども（特別利用保育を受ける者を除
く。）」と、同号ロ(2)中「教育・保育給付認定子ども」
とあるのは「教育・保育給付認定子ども（特別利用
保育を受ける者を含む。）」とする。

（特別利用教育の基準）

第36条　特定教育・保育施設（幼稚園に限る。以下こ
の条において同じ。）が法第19条第2号に掲げる小
学校就学前子どもに該当する教育・保育給付認定子
どもに対し、特別利用教育を提供する場合には、法
第34条第1項第2号に規定する基準を遵守しなけれ
ばならない。

2　特定教育・保育施設が、前項の規定により特別利
用教育を提供する場合には、当該特別利用教育に係
る法第19条第2号に掲げる小学校就学前子どもに該
当する教育・保育給付認定子どもの数及び当該特定
教育・保育施設を現に利用している同条第1号に掲
げる小学校就学前子どもに該当する教育・保育給付
認定子どもの総数が、第4条第2項第2号の規定に
より定められた法第19条第1号に掲げる小学校就学
前子どもに係る利用定員の数を超えないものとする。

3　特定教育・保育施設が、第1項の規定により特別
利用教育を提供する場合には、特定教育・保育には

特別利用教育を、施設型給付費には特例施設型給付
費を、それぞれ含むものとして、前款（第6条第3
項及び第7条第2項を除く。）の規定を適用する。
この場合において、第6条第2項中「特定教育・保
育施設（認定こども園又は幼稚園に限る。以下この
項において同じ。）」とあるのは「特定教育・保育施
設（特別利用教育を提供している施設に限る。以下
この項において同じ。）」と、「利用の申込みに係る
法第19条第1号に掲げる小学校就学前子どもの数」
とあるのは「利用の申込みに係る法第19条第2号に
掲げる小学校就学前子どもの数」と、「同号に掲げ
る小学校就学前子どもに該当する教育・保育給付認
定子どもの総数」とあるのは「同条第1号又は第2
号に掲げる小学校就学前子どもに該当する教育・保
育給付認定子どもの総数」と、「同号に掲げる小学
校就学前子どもの区分に係る利用定員の総数」とあ
るのは「同条第1号に掲げる小学校就学前子どもの
区分に係る利用定員の総数」と、第13条第2項中「法
第27条第3項第1号に掲げる額」とあるのは「法第
28条第2項第3号の内閣総理大臣が定める基準によ
り算定した費用の額」と、同条第4項第3号ロ(1)中
「教育・保育給付認定子ども」とあるのは「教育・
保育給付認定子ども（特別利用教育を受ける者を含
む。）」と、同号ロ(2)中「教育・保育給付認定子ども」
とあるのは「教育・保育給付認定子ども（特別利用
教育を受ける者を除く。）」とする。

　　第3節　特定地域型保育事業者の運営に関す
る基準

　　　第1款　利用定員に関する基準

第37条　特定地域型保育事業（事業所内保育事業を除
く。）の利用定員（法第29条第1項の確認において
定めるものに限る。以下この節において同じ。）の
数は、家庭的保育事業にあっては1人以上5人以
下、小規模保育事業A型（家庭的保育事業等の設備
及び運営に関する基準（平成26年厚生労働省令第61
号）第28条に規定する小規模保育事業A型をいう。
第42条第3項第1号において同じ。）及び小規模保
育事業B型（同令第31条に規定する小規模保育事業
B型をいう。第42条第3項第1号において同じ。）
にあっては6人以上19人以下、小規模保育事業C型
（同令第33条に規定する小規模保育事業C型をい
う。附則第4条において同じ。）にあっては6人以
上10人以下、居宅訪問型保育事業にあっては1人と
する。

2　特定地域型保育事業者は、特定地域型保育の種類
及び当該特定地域型保育の種類に係る特定地域型保
育事業を行う事業所（以下「特定地域型保育事業所」

という。）ごとに、法第19条第3号に掲げる小学校就学前子どもに係る利用定員（事業所内保育事業を行う事業所にあっては、家庭的保育事業等の設備及び運営に関する基準第42条の規定を踏まえ、その雇用する労働者の監護する小学校就学前子どもを保育するため当該事業所内保育事業を自ら施設を設置して行う事業主に係る当該小学校就学前子ども（当該事業所内保育事業が、事業主団体に係るものにあっては事業主団体の構成員である事業主の雇用する労働者の監護する小学校就学前子どもとし、共済組合等（児童福祉法第6条の3第12項第1号ハに規定する共済組合等をいう。）に係るものにあっては共済組合等の構成員（同号ハに規定する共済組合等の構成員をいう。）の監護する小学校就学前子どもとする。）及びその他の小学校就学前子どもごとに定める法第19条第3号に掲げる小学校就学前子どもに係る利用定員とする。）を、満1歳に満たない小学校就学前子どもと満1歳以上の小学校就学前子どもに区分して定めるものとする。

　　　　第2款　運営に関する基準
（内容及び手続の説明及び同意）
第38条　特定地域型保育事業者は、特定地域型保育の提供の開始に際しては、あらかじめ、利用申込者に対し、第46条に規定する運営規程の概要、第42条に規定する連携施設の種類、名称、連携協力の概要、職員の勤務体制、第43条の規定により支払を受ける費用に関する事項その他の利用申込者の保育の選択に資すると認められる重要事項を記した文書を交付して説明を行い、当該提供の開始について利用申込者の同意を得なければならない。
（正当な理由のない提供拒否の禁止等）
第39条　特定地域型保育事業者は、教育・保育給付認定保護者から利用の申込みを受けたときは、正当な理由がなければ、これを拒んではならない。
2　特定地域型保育事業者は、利用の申込みに係る法第19条第3号に掲げる小学校就学前子どもの数及び特定地域型保育事業所を現に利用している満3歳未満保育認定子ども（特定満3歳以上保育認定子どもを除く。以下この節において同じ。）の総数が、当該特定地域型保育事業所の同号に掲げる小学校就学前子どもの区分に係る利用定員の総数を超える場合においては、法第20条第4項の規定による認定に基づき、保育の必要の程度及び家族等の状況を勘案し、保育を受ける必要性が高いと認められる満3歳未満保育認定子どもが優先的に利用できるよう、選考するものとする。
3　前項の特定地域型保育事業者は、前項の選考方法をあらかじめ教育・保育給付認定保護者に明示した上で、選考を行わなければならない。
4　特定地域型保育事業者は、地域型保育の提供体制の確保が困難である場合その他利用申込者に係る満3歳未満保育認定子どもに対し自ら適切な教育・保育を提供することが困難である場合は、連携施設その他の適切な特定教育・保育施設又は特定地域型保育事業を紹介する等の適切な措置を速やかに講じなければならない。
（あっせん、調整及び要請に対する協力）
第40条　特定地域型保育事業者は、特定地域型保育事業の利用について法第54条第1項の規定により市町村が行うあっせん及び要請に対し、できる限り協力しなければならない。
2　特定地域型保育事業者は、満3歳未満保育認定子どもに係る特定地域型保育事業の利用について児童福祉法第24条第3項（同法附則第73条第1項の規定により読み替えて適用する場合を含む。）の規定により市町村が行う調整及び要請に対し、できる限り協力しなければならない。
（心身の状況等の把握）
第41条　特定地域型保育事業者は、特定地域型保育の提供に当たっては、満3歳未満保育認定子どもの心身の状況、その置かれている環境、他の特定教育・保育施設等の利用状況等の把握に努めなければならない。
（特定教育・保育施設等との連携）
第42条　特定地域型保育事業者（居宅訪問型保育事業を行う者を除く。以下この項から第5項までにおいて同じ。）は、特定地域型保育が適正かつ確実に実施され、及び必要な教育・保育が継続的に提供されるよう、次に掲げる事項に係る連携協力を行う認定こども園、幼稚園又は保育所（以下「連携施設」という。）を適切に確保しなければならない。ただし、離島その他の地域であって、連携施設の確保が著しく困難であると市町村が認めるものにおいて特定地域型保育事業を行う特定地域型保育事業者については、この限りでない。
一　特定地域型保育の提供を受けている満3歳未満保育認定子どもに集団保育を体験させるための機会の設定、特定地域型保育の適切な提供に必要な特定地域型保育事業者に対する相談、助言その他の保育の内容に関する支援を行うこと。
二　必要に応じて、代替保育（特定地域型保育事業所の職員の病気、休暇等により特定地域型保育を提供することができない場合に、当該特定地域型保育事業者に代わって提供する特定教育・保育を

いう。以下この条において同じ。）を提供すること。

三　当該特定地域型保育事業者により特定地域型保育の提供を受けていた満3歳未満保育認定子ども（事業所内保育事業を利用する満3歳未満保育認定子どもにあっては、第37条第2項に規定するその他の小学校就学前子どもに限る。以下この号及び第4項第1号において同じ。）を、当該特定地域型保育の提供の終了に際して、当該満3歳未満保育認定子どもに係る教育・保育給付認定保護者の希望に基づき、引き続き当該連携施設において受け入れて教育・保育を提供すること。

2　市町村長は、特定地域型保育事業者による代替保育の提供に係る連携施設の確保が著しく困難であると認める場合であって、次の各号に掲げる要件の全てを満たすと認めるときは、前項第2号の規定を適用しないこととすることができる。

一　特定地域型保育事業者と前項第2号に掲げる事項に係る連携協力を行う者との間でそれぞれの役割の分担及び責任の所在が明確化されていること。

二　前項第2号に掲げる事項に係る連携協力を行う者の本来の業務の遂行に支障が生じないようにするための措置が講じられていること。

3　前項の場合において、特定地域型保育事業者は、次の各号に掲げる場合の区分に応じ、それぞれ当該各号に定める者を第1項第2号に掲げる事項に係る連携協力を行う者として適切に確保しなければならない。

一　当該特定地域型保育事業者が特定地域型保育事業を行う場所又は事業所（次号において「事業実施場所」という。）以外の場所又は事業所において代替保育が提供される場合　小規模保育事業A型若しくは小規模保育事業B型又は事業所内保育事業を行う者（次号において「小規模保育事業A型事業者等」という。）

二　事業実施場所において代替保育が提供される場合　事業の規模等を勘案して小規模保育事業A型事業者等と同等の能力を有すると市町村が認める者

4　市町村長は、次のいずれかに該当するときは、第1項第3号の規定を適用しないこととすることができる。

一　市町村長が、児童福祉法第24条第3項（同法附則第73条第1項の規定により読み替えて適用する場合を含む。）の規定による調整を行うに当たって、特定地域型保育事業者による特定地域型保育の提供を受けていた満3歳未満保育認定子どもを優先的に取り扱う措置その他の特定地域型保育事業者による特定地域型保育の提供の終了に際して、当該満3歳未満保育認定子どもに係る教育・保育給付認定保護者の希望に基づき、引き続き必要な教育・保育が提供されるよう必要な措置を講じているとき

二　特定地域型保育事業者による第1項第3号に掲げる事項に係る連携施設の確保が著しく困難であると認めるとき（前号に該当する場合を除く。）

5　前項（第2号に係る部分に限る。）の場合において、特定地域型保育事業者は、児童福祉法第59条第1項に規定する施設のうち、次に掲げるもの（入所定員が20人以上のものに限る。）又は国家戦略特別区域法（平成25年法律第107号）第12条の4第1項に規定する国家戦略特別区域小規模保育事業を行う事業所であって、市町村長が適当と認めるものを第1項第3号に掲げる事項に係る連携協力を行う施設又は事業所として適切に確保しなければならない。

一　法第59条の2第1項の規定による助成を受けている者の設置する施設（児童福祉法第6条の3第12項に規定する業務を目的とするものに限る。）

二　児童福祉法第6条の3第12項に規定する業務又は同法第39条第1項に規定する業務を目的とする施設であって、同法第6条の3第9項第1号に規定する保育を必要とする乳児・幼児の保育を行うことに要する費用に係る地方公共団体の補助を受けているもの

6　居宅訪問型保育事業を行う者は、家庭的保育事業等の設備及び運営に関する基準第37条第1号に規定する乳幼児に対する保育を行う場合にあっては、第1項本文の規定にかかわらず、当該乳幼児の障害、疾病等の状態に応じ、適切な専門的な支援その他の便宜の供与を受けられるよう、あらかじめ、連携する障害児入所支援施設（児童福祉法第42条に規定する障害児入所施設をいう。）その他の市町村の指定する施設（以下この項において「居宅訪問型保育連携施設」という。）を適切に確保しなければならない。ただし、離島その他の地域であって、居宅訪問型保育連携施設の確保が著しく困難であると市町村が認めるものにおいて居宅訪問型保育を行う居宅訪問型保育事業者については、この限りでない。

7　事業所内保育事業（第37条第2項の規定により定める利用定員が20人以上のものに限る。次項において「保育所型事業所内保育事業」という。）を行う者については、第1項本文の規定にかかわらず、連携施設の確保に当たって、第1項第1号及び第2号

に係る連携協力を求めることを要しない。

8　保育所型事業所内保育事業を行う者のうち、児童福祉法第6条の3第12項第2号に規定する事業を行うものであって、市町村長が適当と認めるもの（附則第5条において「特例保育所型事業所内保育事業者」という。）については、第1項本文の規定にかかわらず、連携施設の確保をしないことができる。

9　特定地域型保育事業者は、特定地域型保育の提供の終了に際しては、満3歳未満保育認定子どもについて、連携施設又は他の特定教育・保育施設等において継続的に提供される教育・保育との円滑な接続に資するよう、満3歳未満保育認定子どもに係る情報の提供その他連携施設、特定教育・保育施設等、地域子ども・子育て支援事業を実施する者等との密接な連携に努めなければならない。

（利用者負担額等の受領）

第43条　特定地域型保育事業者は、特定地域型保育を提供した際は、教育・保育給付認定保護者から当該特定地域型保育に係る利用者負担額（法第29条第3項第2号に掲げる額をいう。）の支払を受けるものとする。

2　特定地域型保育事業者は、法定代理受領を受けないときは、教育・保育給付認定保護者から、当該特定地域型保育に係る特定地域型保育費用基準額（法第29条第3項第1号に掲げる額をいう。次項において同じ。）の支払を受けるものとする。

3　特定地域型保育事業者は、前2項の支払を受ける額のほか、特定地域型保育の提供に当たって、当該特定地域型保育の質の向上を図る上で特に必要であると認められる対価について、当該特定地域型保育に要する費用として見込まれるものの額と特定地域型保育費用基準額との差額に相当する金額の範囲内で設定する額の支払を教育・保育給付認定保護者から受けることができる。

4　特定地域型保育事業者は、前3項の支払を受ける額のほか、特定地域型保育において提供される便宜に要する費用のうち、次に掲げる費用の額の支払を教育・保育給付認定保護者から受けることができる。

一　日用品、文房具その他の特定地域型保育に必要な物品

二　特定地域型保育等に係る行事への参加に要する費用

三　特定地域型保育事業所に通う際に提供される便宜に要する費用

四　前3号に掲げるもののほか、特定地域型保育において提供される便宜に要する費用のうち、特定地域型保育事業の利用において通常必要とされる

ものに係る費用であって、教育・保育給付認定保護者に負担させることが適当と認められるもの

5　特定地域型保育事業者は、前4項の費用の額の支払を受けた場合は、当該費用に係る領収証を当該費用の額を支払った教育・保育給付認定保護者に対し交付しなければならない。

6　特定地域型保育事業者は、第3項及び第4項の金銭の支払を求める際は、あらかじめ、当該金銭の使途及び額並びに教育・保育給付認定保護者に金銭の支払を求める理由について書面によって明らかにするとともに、教育・保育給付認定保護者に対して説明を行い、文書による同意を得なければならない。ただし、第4項の規定による金銭の支払に係る同意については、文書によることを要しない。

（特定地域型保育の取扱方針）

第44条　特定地域型保育事業者は、児童福祉施設の設備及び運営に関する基準第35条の規定に基づき保育所における保育の内容について内閣総理大臣が定める指針に準じ、それぞれの事業の特性に留意して、小学校就学前子どもの心身の状況等に応じて、特定地域型保育の提供を適切に行わなければならない。

（特定地域型保育に関する評価等）

第45条　特定地域型保育事業者は、自らその提供する特定地域型保育の質の評価を行い、常にその改善を図らなければならない。

2　特定地域型保育事業者は、定期的に外部の者による評価を受けて、それらの結果を公表し、常にその改善を図るよう努めなければならない。

（運営規程）

第46条　特定地域型保育事業者は、次の各号に掲げる事業の運営についての重要事項に関する規程（第50条において準用する第23条において「運営規程」という。）を定めておかなければならない。

一　事業の目的及び運営の方針

二　提供する特定地域型保育の内容

三　職員の職種、員数及び職務の内容

四　特定地域型保育の提供を行う日及び時間、提供を行わない日

五　第43条の規定により教育・保育給付認定保護者から支払を受ける費用の種類、支払を求める理由及びその額

六　利用定員

七　特定地域型保育事業の利用の開始、終了に関する事項及び利用に当たっての留意事項（第39条第2項に規定する選考方法を含む。）

八　緊急時等における対応方法

九　非常災害対策

十　虐待の防止のための措置に関する事項

十一　その他特定地域型保育事業の運営に関する重要事項

（勤務体制の確保等）

第47条　特定地域型保育事業者は、満3歳未満保育認定子どもに対し、適切な特定地域型保育を提供することができるよう、特定地域型保育事業所ごとに職員の勤務の体制を定めておかなければならない。

2　特定地域型保育事業者は、特定地域型保育事業所ごとに、当該特定地域型保育事業所の職員によって特定地域型保育を提供しなければならない。ただし、満3歳未満保育認定子どもに対する特定地域型保育の提供に直接影響を及ぼさない業務については、この限りでない。

3　特定地域型保育事業者は、職員の資質の向上のために、その研修の機会を確保しなければならない。

（定員の遵守）

第48条　特定地域型保育事業者は、利用定員を超えて特定地域型保育の提供を行ってはならない。ただし、年度中における特定地域型保育に対する需要の増大への対応、法第46条第5項に規定する便宜の提供への対応、児童福祉法第24条第6項に規定する措置への対応、災害、虐待その他のやむを得ない事情がある場合は、この限りでない。

（記録の整備）

第49条　特定地域型保育事業者は、職員、設備及び会計に関する諸記録を整備しておかなければならない。

2　特定地域型保育事業者は、満3歳未満保育認定子どもに対する特定地域型保育の提供に関する次に掲げる記録を整備し、その完結の日から5年間保存しなければならない。

一　第44条に定めるものに基づく特定地域型保育の提供に当たっての計画

二　次条において準用する第12条の規定による特定地域型保育の提供の記録

三　次条において準用する第19条の規定による市町村への通知に係る記録

四　次条において準用する第30条第2項に規定する苦情の内容等の記録

五　次条において準用する第32条第3項に規定する事故の状況及び事故に際して採った処置についての記録

（準用）

第50条　第8条から第14条まで（第10条及び第13条を除く。）、第17条から第19条まで及び第23条から第33条までの規定は、特定地域型保育事業者、特定地域型保育事業所及び特定地域型保育について準用す

る。この場合において、第11条中「教育・保育給付認定子どもについて」とあるのは「教育・保育給付認定子ども（満3歳未満保育認定子どもに限り、特定満3歳以上保育認定子どもを除く。以下この款において同じ。）について」と、第12条の見出し中「教育・保育」とあるのは「地域型保育」と、第14条の見出し中「施設型給付費」とあるのは「地域型保育給付費」と、同条第1項中「施設型給付費（法第27条第1項の施設型給付費をいう。以下」とあるのは「地域型保育給付費（法第29条第1項の地域型保育給付費をいう。以下この項及び第19条において」と、「施設型給付費の」とあるのは「地域型保育給付費の」と、同条第2項中「特定教育・保育提供証明書」とあるのは「特定地域型保育提供証明書」と、第19条中「施設型給付費」とあるのは「地域型保育給付費」と読み替えるものとする。

　　　　　第3款　特例地域型保育給付費に関する基準

（特別利用地域型保育の基準）

第51条　特定地域型保育事業者が法第19条第1号に掲げる小学校就学前子どもに該当する教育・保育給付認定子どもに対し特別利用地域型保育を提供する場合には、法第46条第1項に規定する地域型保育事業の認可基準を遵守しなければならない。

2　特定地域型保育事業者が、前項の規定により特別利用地域型保育を提供する場合には、当該特別利用地域型保育に係る法第19条第1号に掲げる小学校就学前子どもに該当する教育・保育給付認定子どもの数及び特定地域型保育事業所を現に利用している満3歳未満保育認定子ども（次条第1項の規定により特定利用地域型保育を提供する場合にあっては、当該特定利用地域型保育の対象となる法第19条第2号に掲げる小学校就学前子どもに該当する教育・保育給付認定子どもを含む。）の総数が、第37条第2項の規定により定められた利用定員の数を超えないものとする。

3　特定地域型保育事業者が、第1項の規定により特別利用地域型保育を提供する場合には、特定地域型保育には特別利用地域型保育を、地域型保育給付費には特例地域型保育給付費（法第30条第1項の特例地域型保育給付費をいう。次条第3項において同じ。）を、それぞれ含むものとして、この節（第40条第2項を除き、前条において準用する第8条から第14条まで（第10条及び第13条を除く。）、第17条から第19条まで及び第23条から第33条までを含む。次条第3項において同じ。）の規定を適用する。この場合において、第39条第2項中「利用の申込みに係

る法第19条第３号に掲げる小学校就学前子どもの数」とあるのは「利用の申込みに係る法第19条第１号に掲げる小学校就学前子どもの数」と、「満３歳未満保育認定子ども（特定満３歳以上保育認定子どもを除く。以下この節において同じ。）」とあるのは「同条第１号又は第３号に掲げる小学校就学前子どもに該当する教育・保育給付認定子ども（第52条第１項の規定により特定利用地域型保育を提供する場合にあっては、当該特定利用地域型保育の対象となる法第19条第２号に掲げる小学校就学前子どもに該当する教育・保育給付認定子どもを含む。）」と、「同号」とあるのは「法第19条第３号」と、「法第20条第４項の規定による認定に基づき、保育の必要の程度及び家族等の状況を勘案し、保育を受ける必要性が高いと認められる満３歳未満保育認定子どもが優先的に利用できるよう、」とあるのは「抽選、申込みを受けた順序により決定する方法、当該特定地域型保育事業者の保育に関する理念、基本方針等に基づく選考その他公正な方法により」と、第43条第１項中「教育・保育給付認定保護者」とあるのは「教育・保育給付認定保護者（特別利用地域型保育の対象となる法第19条第１号に掲げる小学校就学前子どもに該当する教育・保育給付認定子どもに係る教育・保育給付認定保護者を除く。）」と、同条第２項中「法第29条第３項第１号に掲げる額」とあるのは「法第30条第２項第２号の内閣総理大臣が定める基準により算定した費用の額」と、同条第３項中「前２項」とあるのは「前項」と、同条第４項中「前３項」とあるのは「前２項」と、「掲げる費用」とあるのは「掲げる費用及び食事の提供（第13条第４項第３号イ又はロに掲げるものを除く。）に要する費用」と、同条第５項中「前４項」とあるのは「前３項」とする。

（特定利用地域型保育の基準）

第52条 特定地域型保育事業者が法第19条第２号に掲げる小学校就学前子どもに該当する教育・保育給付認定子どもに対し特定利用地域型保育を提供する場合には、法第46条第１項に規定する地域型保育事業の認可基準を遵守しなければならない。

2 特定地域型保育事業者が、前項の規定により特定利用地域型保育を提供する場合には、当該特定利用地域型保育に係る法第19条第２号に掲げる小学校就学前子どもに該当する教育・保育給付認定子どもの数及び特定地域型保育事業所を現に利用している同条第３号に掲げる小学校就学前子どもに該当する教育・保育給付認定子ども（前条第１項の規定により特別利用地域型保育を提供する場合にあっては、当

該特別利用地域型保育の対象となる法第19条第１号に掲げる小学校就学前子どもに該当する教育・保育給付認定子どもを含む。）の総数が、第37条第２項の規定により定められた利用定員の数を超えないものとする。

3 特定地域型保育事業者が、第１項の規定により特定利用地域型保育を提供する場合には、特定地域型保育には特定利用地域型保育を、地域型保育給付費には特例地域型保育給付費を、それぞれ含むものとして、この節の規定を適用する。この場合において、第43条第１項中「教育・保育給付認定保護者」とあるのは「教育・保育給付認定保護者（特定利用地域型保育の対象となる法第19条第２号に掲げる小学校就学前子どもに該当する教育・保育給付認定子ども（特定満３歳以上保育認定子どもに限る。）に係る教育・保育給付認定保護者に限る。）」と、同条第２項中「法第29条第３項第１号に掲げる額」とあるのは「法第30条第２項第３号の内閣総理大臣が定める基準により算定した費用の額」と、同条第４項中「掲げる費用」とあるのは「掲げる費用及び食事の提供（特定利用地域型保育の対象となる特定満３歳以上保育認定子どもに対するもの及び満３歳以上保育認定子ども（令第４条第１項第２号に規定する満３歳以上保育認定子どもをいう。）に係る第13条第４項第３号イ又はロに掲げるものを除く。）に要する費用」とする。

第２章 特定子ども・子育て支援施設等の運営に関する基準

（趣旨）

第53条 法第58条の４第２項の内閣府令で定める特定子ども・子育て支援施設等（法第30条の11第1項に規定する特定子ども・子育て支援施設等をいう。）の運営に関する基準は、この章に定めるところによる。

（教育・保育その他の子ども・子育て支援の提供の記録）

第54条 特定子ども・子育て支援提供者（法第30条の11第３項に規定する特定子ども・子育て支援提供者をいう。以下同じ。）は、特定子ども・子育て支援（同条第１項に規定する特定子ども・子育て支援をいう。以下同じ。）を提供した際は、提供した日及び時間帯、当該特定子ども・子育て支援の具体的な内容その他必要な事項を記録しなければならない。

（利用料及び特定費用の額の受領）

第55条 特定子ども・子育て支援提供者は、特定子ども・子育て支援を提供したときは、施設等利用給付認定保護者（法第30条の５第３項に規定する施設等

利用給付認定保護者をいう。以下同じ。）から、その者との間に締結した契約により定められた特定子ども・子育て支援の提供の対価（子ども・子育て支援法施行規則第28条の16に規定する費用（以下「特定費用」という。）に係るものを除く。以下「利用料」という。）の額の支払を受けるものとする。

2　特定子ども・子育て支援提供者は、前項の規定により支払を受ける額のほか、特定費用の額の支払を施設等利用給付認定保護者から受けることができる。この場合において、特定子ども・子育て支援提供者は、あらかじめ、当該支払を求める金銭の使途及び額並びに理由について書面により明らかにするとともに、施設等利用給付認定保護者に対して説明を行い、同意を得なければならない。

（領収証及び特定子ども・子育て支援提供証明書の交付）

第56条　特定子ども・子育て支援提供者は、前条の規定による費用の支払を受ける際、当該支払をした施設等利用給付認定保護者に対し、領収証を交付しなければならない。この場合において、当該領収証は、利用料の額と特定費用の額とを区分して記載しなければならない。ただし、前条第2項に規定する費用の支払のみを受ける場合は、この限りでない。

2　前項の場合において、特定子ども・子育て支援提供者は、当該支払をした施設等利用給付認定保護者に対し、当該支払に係る特定子ども・子育て支援を提供した日及び時間帯、当該特定子ども・子育て支援の内容、費用の額その他施設等利用費の支給に必要な事項を記載した特定子ども・子育て支援提供証明書を交付しなければならない。

（法定代理受領の場合の読替え）

第57条　特定子ども・子育て支援提供者が法第30条の11第3項の規定により市町村から特定子ども・子育て支援に係る施設等利用費の支払を受ける場合における前2条の規定の適用については、第55条第1項中「額」とあるのは「額から法第30条の11第3項の規定により市町村から支払を受けた施設等利用費の額を控除して得た額」と、前条第1項中「利用料の額」とあるのは「利用料の額から法第30条の11第3項の規定により市町村から支払を受けた施設等利用費の額を控除して得た額」と、前条第2項中「前項の場合において、」とあるのは「法第30条の11第3項の規定により市町村から特定子ども・子育て支援に係る施設等利用費の支払を受ける」と、「当該支払をした」とあるのは「当該市町村及び当該」と、「交付しなければならない。」とあるのは「交付し、及び当該施設等利用給付認定保護者に対し、当

該施設等利用給付認定保護者に係る施設等利用費の額を通知しなければならない。ただし、当該特定子ども・子育て支援が、特定子ども・子育て支援施設等である認定こども園、幼稚園若しくは特別支援学校又は法第7条第10項第5号に掲げる事業において提供されるものである場合には、当該市町村及び当該施設等利用給付認定保護者に対し、特定子ども・子育て支援提供証明書を交付することを要しない。」とする。

（施設等利用給付認定保護者に関する市町村への通知）

第58条　特定子ども・子育て支援提供者は、特定子ども・子育て支援を受けている施設等利用給付認定子ども（法第30条の8第1項に規定する施設等利用給付認定子どもをいう。以下同じ。）に係る施設等利用給付認定保護者が偽りその他不正な行為によって施設等利用費の支給を受け、又は受けようとしたときは、遅滞なく、意見を付してその旨を当該支給に係る市町村に通知しなければならない。

（施設等利用給付認定子どもを平等に取り扱う原則）

第59条　特定子ども・子育て支援提供者は、施設等利用給付認定子どもの国籍、信条、社会的身分又は特定子ども・子育て支援の提供に要する費用を負担するか否かによって、差別的取扱いをしてはならない。

（秘密保持等）

第60条　特定子ども・子育て支援を提供する施設若しくは事業所の職員及び管理者は、正当な理由がなく、その業務上知り得た施設等利用給付認定子ども又はその家族の秘密を漏らしてはならない。

2　特定子ども・子育て支援提供者は、職員であった者が、正当な理由がなく、その業務上知り得た施設等利用給付認定子ども又はその家族の秘密を漏らすことがないよう、必要な措置を講じなければならない。

3　特定子ども・子育て支援提供者は、小学校、他の特定子ども・子育て支援提供者その他の機関に対して、施設等利用給付認定子どもに関する情報を提供する際には、あらかじめ文書により当該施設等利用給付認定子どもに係る施設等利用給付認定保護者の同意を得ておかなければならない。

（記録の整備）

第61条　特定子ども・子育て支援提供者は、職員、設備及び会計に関する諸記録を整備しておかなければならない。

2　特定子ども・子育て支援提供者は、第54条の規定による特定子ども・子育て支援の提供の記録及び第

58条の規定による市町村への通知に係る記録を整備し、その完結の日から5年間保存しなければならない。

第3章 雑則

（電磁的記録等）

第62条 特定教育・保育施設、特定地域型保育事業者又は特定子ども・子育て支援提供者（以下この条において「特定教育・保育施設等」という。）は、記録、作成、保存その他これらに類するもののうち、この府令の規定において書面等（書面、書類、文書、謄本、抄本、正本、副本、複本その他文字、図形等人の知覚によって認識することができる情報が記載された紙その他の有体物をいう。以下この条において同じ。）により行うことが規定されているものについては、当該書面等に代えて、当該書面等に係る電磁的記録（電子的方式、磁気的方式その他人の知覚によっては認識することができない方式で作られる記録であって、電子計算機による情報処理の用に供されるものをいう。以下この条において同じ。）により行うことができる。

2 特定教育・保育施設等は、この府令の規定による書面等の交付又は提出については、当該書面等が電磁的記録により作成されている場合には、当該書面等の交付又は提出に代えて、第4項で定めるところにより、教育・保育給付認定保護者又は施設等利用給付認定保護者（以下この条において「教育・保育給付認定保護者等」という。）の承諾を得て、当該書面等に記載すべき事項（以下この条において「記載事項」という。）を電子情報処理組織（特定教育・保育施設等の使用に係る電子計算機と、教育・保育給付認定保護者等の使用に係る電子計算機とを電気通信回線で接続した電子情報処理組織をいう。以下この条において同じ。）を使用する方法その他の情報通信の技術を利用する方法であって次に掲げるもの（以下この条において「電磁的方法」という。）により提供することができる。この場合において、当該特定教育・保育施設等は、当該書面等を交付又は提出したものとみなす。

一 電子情報処理組織を使用する方法のうちイ又はロに掲げるもの

イ 特定教育・保育施設等の使用に係る電子計算機と教育・保育給付認定保護者等の使用に係る電子計算機とを接続する電気通信回線を通じて送信し、受信者の使用に係る電子計算機に備えられたファイルに記録する方法

ロ 特定教育・保育施設等の使用に係る電子計算機に備えられたファイルに記録された記載事項を電気通信回線を通じて教育・保育給付認定保護者等の閲覧に供し、教育・保育給付認定保護者等の使用に係る電子計算機に備えられた当該教育・保育給付認定保護者等のファイルに当該記載事項を記録する方法（電磁的方法による提供を受ける旨の承諾又は受けない旨の申出をする場合にあっては、特定教育・保育施設等の使用に係る電子計算機に備えられたファイルにその旨を記録する方法）

二 電磁的記録媒体（電磁的記録に係る記録媒体をいう。）をもって調製するファイルに記載事項を記録したものを交付する方法

3 前項各号に掲げる方法は、教育・保育給付認定保護者等がファイルへの記録を出力することによる文書を作成することができるものでなければならない。

4 特定教育・保育施設等は、第2項の規定により記載事項を提供しようとするときは、あらかじめ、当該記載事項を提供する教育・保育給付認定保護者等に対し、その用いる次に掲げる電磁的方法の種類及び内容を示し、文書又は電磁的方法による承諾を得なければならない。

一 第2項各号に規定する方法のうち特定教育・保育施設等が使用するもの

二 ファイルへの記録の方式

5 前項の規定による承諾を得た特定教育・保育施設等は、当該教育・保育給付認定保護者等から文書又は電磁的方法により、電磁的方法による提供を受けない旨の申出があったときは、当該教育・保育給付認定保護者等に対し、第2項に規定する記載事項の提供を電磁的方法によってしてはならない。ただし、当該教育・保育給付認定保護者等が再び前項の規定による承諾をした場合は、この限りでない。

6 第2項から第5項までの規定は、この府令の規定による書面等による同意の取得について準用する。この場合において、第2項中「書面等の交付又は提出」とあり、及び「書面等に記載すべき事項（以下この条において「記載事項」という。）」とあるのは「書面等による同意」と、「第4項」とあるのは「第6項において準用する第4項」と、「提供する」とあるのは「得る」と、「書面等を交付又は提出した」とあるのは「書面等による同意を得た」と、「記載事項」とあるのは「同意に関する事項」と、「提供を受ける」とあるのは「同意を行う」と、「受けない」とあるのは「行わない」と、「交付する」とあるのは「得る」と、第3項中「前項各号」とあるのは「第6項において準用する前項各

号」と、第4項中「第2項」とあるのは「第6項において準用する第2項」と、「記載事項を提供しよう」とあるのは「同意を得よう」と、「記載事項を提供する」とあるのは「同意を得ようとする」と、同項第1号中「第2項各号」とあるのは「第6項において準用する第2項各号」と、第5項中「前項」とあるのは「第6項において準用する前項」と、「提供を受けない」とあるのは「同意を行わない」と、「第2項に規定する記載事項の提供」とあるのは「この府令の規定による書面等による同意の取得」と読み替えるものとする。

　　　附　則

（施行期日）

第1条　この府令は、子ども・子育て支援法の施行の日〔平成27年4月1日〕から施行する。

（特定保育所に関する特例）

第2条　特定保育所（法附則第6条第1項に規定する特定保育所をいう。以下同じ。）が特定教育・保育を提供する場合にあっては、当分の間、第13条第1項中「教育・保育給付認定保護者（満3歳未満保育認定子ども」とあるのは「教育・保育給付認定保護者（満3歳未満保育認定子ども（特定保育所（法附則第6条第1項に規定する特定保育所をいう。次項において同じ。）から特定教育・保育（保育に限る。第19条において同じ。）を受ける者を除く。以下この項において同じ。）」と、同条第2項中「当該特定教育・保育」とあるのは「当該特定教育・保育（特

定保育所における特定教育・保育（保育に限る。）を除く。）」と、同条第3項中「額の支払を」とあるのは「額の支払を、市町村の同意を得て、」と、第19条中「施設型給付費の支給を受け、又は受けようとしたとき」とあるのは「法附則第6条第1項の規定による委託費の支払の対象となる特定教育・保育の提供を受け、又は受けようとしたとき」とし、第6条及び第7条の規定は適用しない。

2　特定保育所は、市町村から児童福祉法第24条第1項の規定に基づく保育所における保育を行うことの委託を受けたときは、正当な理由がない限り、これを拒んではならない。

第3条　削除

（利用定員に関する経過措置）

第4条　小規模保育事業C型にあっては、この府令の施行の日から起算して5年を経過する日までの間、第37条第1項中「6人以上10人以下」とあるのは「6人以上15人以下」とする。

（連携施設に関する経過措置）

第5条　特定地域型保育事業者（特例保育所型事業所内保育事業者を除く。）は、連携施設の確保が著しく困難であって、法第59条第4号に規定する事業による支援その他の必要な適切な支援を行うことができると市町村が認める場合は、第42条第1項本文の規定にかかわらず、この府令の施行の日から起算して10年を経過する日までの間、連携施設を確保しないことができる。

◉児童福祉施設の設備及び運営に関する基準（抄）

［昭和23年12月29日
厚生省令第63号］
注　令和6年3月13日内閣府令第18号改正現在

第1章　総則

（趣旨）

第1条　児童福祉法（昭和22年法律第164号。以下「法」という。）第45条第2項の内閣府令で定める基準（以下「設備運営基準」という。）は、次の各号に掲げる基準に応じ、それぞれ当該各号に定める規定による基準とする。

一　法第45条第1項の規定により、同条第2項第1号に掲げる事項について都道府県が条例を定めるに当たつて従うべき基準　第8条第2項（入所している者の保護に直接従事する職員に係る部分に限る。）、第17条、第21条、第22条、第22条の2第1項、第27条、第27条の2第1項、第28条、第30条第2項、第33条第1項（第30条第1項において準用する場合を含む。）及び第2項、第38条、第42条、第42条の2第1項、第43条、第49条、第58条、第63条、第73条、第74条第1項、第80条、第81条第1項、第82条、第83条、第88条の3、第88条の6、第88条の7、第90条並びに第94条から第97条までの規定による基準

二　法第45条第1項の規定により、同条第2項第2号に掲げる事項について都道府県が条例を定めるに当たつて従うべき基準　第8条第2項（入所している者の居室及び各施設に特有の設備に係る部分に限る。）、第19条第1号（寝室及び観察室に係る部分に限る。）、第2号及び第3号、第20条第1号（乳幼児の養育のための専用の室に係る部分に限る。）及び第2号、第26条第1号（母子室に係る部分に限る。）、第2号（母子室を1世帯につき1室以上とする部分に限る。）及び第3号、第32条第1号（乳児室及びほふく室に係る部分に限る。）（第30条第1項において準用する場合を含む。）、第2号（第30条第1項において準用する場合を含む。）、第3号（第30条第1項において準用する場合を含む。）、第5号（保育室及び遊戯室に係る部分に限る。）（第30条第1項において準用する場合を含む。）及び第6号（保育室及び遊戯室に係る部分に限る。）（第30条第1項において準用する場合を含む。）、第41条第1号（居室に係る部

分に限る。）（第79条第2項において準用する場合を含む。）及び第2号（面積に係る部分に限る。）（第79条第2項において準用する場合を含む。）、第48条第1号（居室に係る部分に限る。）及び第7号（面積に係る部分に限る。）、第57条第1号（病室に係る部分に限る。）、第62条第1項（発達支援室及び遊戯室に係る部分に限る。）、第2項（病室に係る部分に限る。）並びに第3項第1号（面積に係る部分に限る。）及び第2号並びに第72条第1号（居室に係る部分に限る。）及び第2号（面積に係る部分に限る。）の規定による基準

三　法第45条第1項の規定により、同条第2項第3号に掲げる事項について都道府県が条例を定めるに当たつて従うべき基準　第6条の3、第6条の4、第9条、第9条の2、第9条の4、第10条第3項、第11条、第14条の2、第15条、第19条第1号（調理室に係る部分に限る。）、第26条第2号（調理設備に係る部分に限る。）、第32条第1号（調理室に係る部分に限る。）（第30条第1項において準用する場合を含む。）及び第5号（調理室に係る部分に限る。）（第30条第1項において準用する場合を含む。）、第32条の2（第30条第1項において準用する場合を含む。）、第35条、第41条第1号（調理室に係る部分に限る。）（第79条第2項において準用する場合を含む。）、第48条第1号（調理室に係る部分に限る。）、第57条第1号（給食施設に係る部分に限る。）、第62条第1項（調理室に係る部分に限る。）並びに第72条第1号（調理室に係る部分に限る。）の規定による基準

四　法第45条第1項の規定により、同条第2項各号に掲げる事項以外の事項について都道府県が条例を定めるに当たつて参酌すべき基準　この府令に定める基準のうち、前3号に定める規定による基準以外のもの

2　設備運営基準は、都道府県知事の監督に属する児童福祉施設に入所している者が、明るくて、衛生的な環境において、素養があり、かつ、適切な訓練を受けた職員（児童福祉施設の長を含む。以下同じ。）の指導又は支援により、心身ともに健やかにして、

社会に適応するように育成されることを保障するものとする。

3　内閣総理大臣は、設備運営基準を常に向上させるように努めるものとする。

（最低基準の目的）

第2条　法第45条第1項の規定により都道府県が条例で定める基準（以下「最低基準」という。）は、都道府県知事の監督に属する児童福祉施設に入所している者が、明るくて、衛生的な環境において、素養があり、かつ、適切な訓練を受けた職員の指導又は支援により、心身ともに健やかにして、社会に適応するように育成されることを保障するものとする。

（最低基準の向上）

第3条　都道府県知事は、その管理に属する法第8条第2項に規定する都道府県児童福祉審議会（社会福祉法（昭和26年法律第45号）第12条第1項の規定により同法第7条第1項に規定する地方社会福祉審議会（以下この項において「地方社会福祉審議会」という。）に児童福祉に関する事項を調査審議させる都道府県にあつては、地方社会福祉審議会）の意見を聴き、その監督に属する児童福祉施設に対し、最低基準を超えて、その設備及び運営を向上させるように勧告することができる。

2　都道府県は、最低基準を常に向上させるように努めるものとする。

（最低基準と児童福祉施設）

第4条　児童福祉施設は、最低基準を超えて、常に、その設備及び運営を向上させなければならない。

2　最低基準を超えて、設備を有し、又は運営をしている児童福祉施設においては、最低基準を理由として、その設備又は運営を低下させてはならない。

（児童福祉施設の一般原則）

第5条　児童福祉施設は、入所している者の人権に十分配慮するとともに、一人一人の人格を尊重して、その運営を行わなければならない。

2　児童福祉施設は、地域社会との交流及び連携を図り、児童の保護者及び地域社会に対し、当該児童福祉施設の運営の内容を適切に説明するよう努めなければならない。

3　児童福祉施設は、その運営の内容について、自ら評価を行い、その結果を公表するよう努めなければならない。

4　児童福祉施設には、法に定めるそれぞれの施設の目的を達成するために必要な設備を設けなければならない。

5　児童福祉施設の構造設備は、採光、換気等入所している者の保健衛生及びこれらの者に対する危害防止に十分な考慮を払つて設けられなければならない。

（児童福祉施設と非常災害）

第6条　児童福祉施設（障害児入所施設及び児童発達支援センター（次条、第9条の4及び第10条第3項において「障害児入所施設等」という。）を除く。第9条の3及び第10条第2項において同じ。）においては、軽便消火器等の消火用具、非常口その他非常災害に必要な設備を設けるとともに、非常災害に対する具体的計画を立て、これに対する不断の注意と訓練をするように努めなければならない。

2　前項の訓練のうち、避難及び消火に対する訓練は、少なくとも毎月1回は、これを行わなければならない。

（非常災害対策）

第6条の2　障害児入所施設等は、消火設備その他非常災害の際に必要な設備を設けるとともに、非常災害に対する具体的計画を立て、非常災害の発生時の関係機関への通報及び連絡体制を整備し、それらを定期的に職員に周知しなければならない。

2　障害児入所施設等は、非常災害に備えるため、避難及び消火に対する訓練にあつては毎月1回、救出その他必要な訓練にあつては定期的に行わなければならない。

3　障害児入所施設等は、前項に規定する訓練の実施に当たつて、地域住民の参加が得られるよう連携に努めなければならない。

（安全計画の策定等）

第6条の3　児童福祉施設（助産施設、児童遊園、児童家庭支援センター及び里親支援センターを除く。以下この条及び次条において同じ。）は、児童の安全の確保を図るため、当該児童福祉施設の設備の安全点検、職員、児童等に対する施設外での活動、取組等を含めた児童福祉施設での生活その他の日常生活における安全に関する指導、職員の研修及び訓練その他児童福祉施設における安全に関する事項についての計画（以下この条において「安全計画」という。）を策定し、当該安全計画に従い必要な措置を講じなければならない。

2　児童福祉施設は、職員に対し、安全計画について周知するとともに、前項の研修及び訓練を定期的に実施しなければならない。

3　保育所及び児童発達支援センターは、児童の安全の確保に関して保護者との連携が図られるよう、保護者に対し、安全計画に基づく取組の内容等について周知しなければならない。

4　児童福祉施設は、定期的に安全計画の見直しを行い、必要に応じて安全計画の変更を行うものとする。

（自動車を運行する場合の所在の確認）

第6条の4 児童福祉施設は、児童の施設外での活動、取組等のための移動その他の児童の移動のために自動車を運行するときは、児童の乗車及び降車の際に、点呼その他の児童の所在を確実に把握することができる方法により、児童の所在を確認しなければならない。

2 保育所及び児童発達支援センターは、児童の送迎を目的とした自動車（運転者席及びこれと並列の座席並びにこれらより1つ後方に備えられた前向きの座席以外の座席を有しないものその他利用の態様を勘案してこれと同程度に児童の見落としのおそれが少ないと認められるものを除く。）を日常的に運行するときは、当該自動車にブザーその他の車内の児童の見落としを防止する装置を備え、これを用いて前項に定める所在の確認（児童の降車の際に限る。）を行わなければならない。

（児童福祉施設における職員の一般的要件）

第7条 児童福祉施設に入所している者の保護に従事する職員は、健全な心身を有し、豊かな人間性と倫理観を備え、児童福祉事業に熱意のある者であつて、できる限り児童福祉事業の理論及び実際について訓練を受けた者でなければならない。

（児童福祉施設の職員の知識及び技能の向上等）

第7条の2 児童福祉施設の職員は、常に自己研鑽に励み、法に定めるそれぞれの施設の目的を達成するために必要な知識及び技能の修得、維持及び向上に努めなければならない。

2 児童福祉施設は、職員に対し、その資質の向上のための研修の機会を確保しなければならない。

（他の社会福祉施設を併せて設置するときの設備及び職員の基準）

第8条 児童福祉施設は、他の社会福祉施設を併せて設置するときは、必要に応じ当該児童福祉施設の設備及び職員の一部を併せて設置する社会福祉施設の設備及び職員に兼ねることができる。

2 前項の規定は、入所している者の居室及び各施設に特有の設備並びに入所している者の保護に直接従事する職員については、適用しない。ただし、保育所の設備及び職員については、その行う保育に支障がない場合は、この限りでない。

（入所した者を平等に取り扱う原則）

第9条 児童福祉施設においては、入所している者の国籍、信条、社会的身分又は入所に要する費用を負担するか否かによつて、差別的取扱いをしてはならない。

（虐待等の禁止）

第9条の2 児童福祉施設の職員は、入所中の児童に対し、法第33条の10各号に掲げる行為その他当該児童の心身に有害な影響を与える行為をしてはならない。

（業務継続計画の策定等）

第9条の3 児童福祉施設は、感染症や非常災害の発生時において、利用者に対する支援の提供を継続的に実施するための、及び非常時の体制で早期の業務再開を図るための計画（以下この条において「業務継続計画」という。）を策定し、当該業務継続計画に従い必要な措置を講ずるよう努めなければならない。

2 児童福祉施設は、職員に対し、業務継続計画について周知するとともに、必要な研修及び訓練を定期的に実施するよう努めなければならない。

3 児童福祉施設は、定期的に業務継続計画の見直しを行い、必要に応じて業務継続計画の変更を行うよう努めるものとする。

第9条の4 障害児入所施設等は、感染症や非常災害の発生時において、利用者に対する障害児入所支援又は児童発達支援の提供を継続的に実施するための、及び非常時の体制で早期の業務再開を図るための計画（以下この条において「業務継続計画」という。）を策定し、当該業務継続計画に従い必要な措置を講じなければならない。

2 障害児入所施設等は、職員に対し、業務継続計画について周知するとともに、必要な研修及び訓練を定期的に実施しなければならない。

3 障害児入所施設等は、定期的に業務継続計画の見直しを行い、必要に応じて業務継続計画の変更を行うものとする。

（衛生管理等）

第10条 児童福祉施設に入所している者の使用する設備、食器等又は飲用に供する水については、衛生的な管理に努め、又は衛生上必要な措置を講じなければならない。

2 児童福祉施設は、当該児童福祉施設において感染症又は食中毒が発生し、又はまん延しないように、職員に対し、感染症及び食中毒の予防及びまん延の防止のための研修並びに感染症の予防及びまん延の防止のための訓練を定期的に実施するよう努めなければならない。

3 障害児入所施設等は、当該障害児入所施設等において感染症又は食中毒が発生し、又はまん延しないように、次の各号に掲げる措置を講じなければならない。

一 当該障害児入所施設等における感染症及び食中

毒の予防及びまん延の防止のための対策を検討する委員会（テレビ電話装置その他の情報通信機器を活用して行うことができるものとする。）を定期的に開催するとともに、その結果について、職員に周知徹底を図ること。

二　当該障害児入所施設等における感染症及び食中毒の予防及びまん延の防止のための指針を整備すること。

三　当該障害児入所施設等において、職員に対し、感染症及び食中毒の予防及びまん延の防止のための研修並びに感染症の予防及びまん延の防止のための訓練を定期的に実施すること。

4　児童福祉施設（助産施設、保育所及び児童厚生施設を除く。）においては、入所している者の希望等を勘案し、清潔を維持することができるよう適切に、入所している者を入浴させ、又は清拭しなければならない。

5　児童福祉施設には、必要な医薬品その他の医療品を備えるとともに、それらの管理を適正に行わなければならない。

（食事）

第11条　児童福祉施設（助産施設を除く。以下この項において同じ。）において、入所している者に食事を提供するときは、当該児童福祉施設内で調理する方法（第8条の規定により、当該児童福祉施設の調理室を兼ねている他の社会福祉施設の調理室において調理する方法を含む。）により行わなければならない。

2　児童福祉施設において、入所している者に食事を提供するときは、その献立は、できる限り、変化に富み、入所している者の健全な発育に必要な栄養量を含有するものでなければならない。

3　食事は、前項の規定によるほか、食品の種類及び調理方法について栄養並びに入所している者の身体的状況及び嗜好を考慮したものでなければならない。

4　調理は、あらかじめ作成された献立に従つて行わなければならない。ただし、少数の児童を対象として家庭的な環境の下で調理するときは、この限りでない。

5　児童福祉施設は、児童の健康な生活の基本としての食を営む力の育成に努めなければならない。

（入所した者及び職員の健康診断）

第12条　児童福祉施設（児童厚生施設、児童家庭支援センター及び里親支援センターを除く。第4項を除き、以下この条において同じ。）の長は、入所した者に対し、入所時の健康診断、少なくとも1年に2回の定期健康診断及び臨時の健康診断を、学校保健

安全法（昭和33年法律第56号）に規定する健康診断に準じて行わなければならない。

2　児童福祉施設の長は、前項の規定にかかわらず、次の表の上欄に掲げる健康診断が行われた場合であつて、当該健康診断がそれぞれ同表の下欄に掲げる健康診断の全部又は一部に相当すると認められるときは、同欄に掲げる健康診断の全部又は一部を行わないことができる。この場合において、児童福祉施設の長は、それぞれ同表の上欄に掲げる健康診断の結果を把握しなければならない。

児童相談所等における児童の入所前の健康診断	入所した児童に対する入所時の健康診断
児童が通学する学校における健康診断	定期の健康診断又は臨時の健康診断

3　第1項の健康診断をした医師は、その結果必要な事項を母子健康手帳又は入所した者の健康を記録する表に記入するとともに、必要に応じ入所の措置又は助産の実施、母子保護の実施若しくは保育の提供若しくは法第24条第5項若しくは第6項の規定による措置を解除又は停止する等必要な手続をとることを、児童福祉施設の長に勧告しなければならない。

4　児童福祉施設の職員の健康診断に当たつては、特に入所している者の食事を調理する者につき、綿密な注意を払わなければならない。

（給付金として支払を受けた金銭の管理）

第12条の2　乳児院、児童養護施設、障害児入所施設、児童心理治療施設及び児童自立支援施設は、当該施設の設置者が入所中の児童に係るこども家庭庁長官が定める給付金（以下この条において「給付金」という。）の支給を受けたときは、給付金として支払を受けた金銭を次に掲げるところにより管理しなければならない。

一　当該児童に係る当該金銭及びこれに準ずるもの（これらの運用により生じた収益を含む。以下この条において「児童に係る金銭」という。）をその他の財産と区分すること。

二　児童に係る金銭を給付金の支給の趣旨に従つて用いること。

三　児童に係る金銭の収支の状況を明らかにする帳簿を整備すること。

四　当該児童が退所した場合には、速やかに、児童に係る金銭を当該児童に取得させること。

（児童福祉施設内部の規程）

第13条　児童福祉施設（保育所を除く。）においては、次に掲げる事項のうち必要な事項につき規程を設けなければならない。

一　入所する者の援助に関する事項

二　その他施設の管理についての重要事項

2　保育所は、次の各号に掲げる施設の運営についての重要事項に関する規程を定めておかなければならない。

一　施設の目的及び運営の方針

二　提供する保育の内容

三　職員の職種、員数及び職務の内容

四　保育の提供を行う日及び時間並びに提供を行わない日

五　保護者から受領する費用の種類、支払を求める理由及びその額

六　乳児、満3歳に満たない幼児及び満3歳以上の幼児の区分ごとの利用定員

七　保育所の利用の開始、終了に関する事項及び利用に当たっての留意事項

八　緊急時等における対応方法

九　非常災害対策

十　虐待の防止のための措置に関する事項

十一　保育所の運営に関する重要事項

（児童福祉施設に備える帳簿）

第14条　児童福祉施設には、職員、財産、収支及び入所している者の処遇の状況を明らかにする帳簿を整備しておかなければならない。

（秘密保持等）

第14条の2　児童福祉施設の職員は、正当な理由がなく、その業務上知り得た利用者又はその家族の秘密を漏らしてはならない。

2　児童福祉施設は、職員であつた者が、正当な理由がなく、その業務上知り得た利用者又はその家族の秘密を漏らすことがないよう、必要な措置を講じなければならない。

（苦情への対応）

第14条の3　児童福祉施設は、その行つた援助に関する入所している者又はその保護者等からの苦情に迅速かつ適切に対応するために、苦情を受け付けるための窓口を設置する等の必要な措置を講じなければならない。

2　乳児院、児童養護施設、障害児入所施設、児童発達支援センター、児童心理治療施設及び児童自立支援施設は、前項の必要な措置として、苦情の公正な解決を図るために、苦情の解決に当たつて当該児童福祉施設の職員以外の者を関与させなければならない。

3　児童福祉施設は、その行つた援助に関し、当該措置又は助産の実施、母子保護の実施若しくは保育の提供若しくは法第24条第5項若しくは第6項の規定

による措置に係る都道府県又は市町村から指導又は助言を受けた場合は、当該指導又は助言に従つて必要な改善を行わなければならない。

4　児童福祉施設は、社会福祉法第83条に規定する運営適正化委員会が行う同法第85条第1項の規定による調査にできる限り協力しなければならない。

（大都市等の特例）

第14条の4　地方自治法（昭和22年法律第67号）第252条の19第1項の指定都市（以下「指定都市」という。）にあつては、第1条第1項中「都道府県」とあるのは「指定都市」と、同条第2項中「都道府県知事」とあるのは「指定都市の市長」と、第2条中「都道府県が」とあるのは「指定都市が」と、「都道府県知事」とあるのは「指定都市の市長」と、第3条第1項中「都道府県知事」とあるのは「指定都市の市長」と、「都道府県に」とあるのは「指定都市に」と、同条第2項中「都道府県」とあるのは「指定都市」と読み替えるものとする。

2　地方自治法第252条の22第1項の中核市（以下「中核市」という。）にあつては、第1条第1項中「都道府県」とあるのは「都道府県（助産施設、母子生活支援施設又は保育所（以下「特定児童福祉施設」という。）については、中核市）」と、同条第2項中「都道府県知事」とあるのは「都道府県知事（特定児童福祉施設については、中核市の市長）」と、第2条中「都道府県が」とあるのは「都道府県（特定児童福祉施設については、中核市）が」と、「都道府県知事」とあるのは「都道府県知事（特定児童福祉施設については、中核市の市長）」と、第3条第1項中「都道府県知事」とあるのは「都道府県知事（特定児童福祉施設については、中核市の市長）」と、「都道府県に」とあるのは「都道府県（特定児童福祉施設については、中核市）に」と、同条第2項中「都道府県」とあるのは「都道府県（特定児童福祉施設については、中核市）」と読み替えるものとする。

3　法第59条の4第1項の児童相談所設置市（以下「児童相談所設置市」という。）にあつては、第1条第1項中「都道府県」とあるのは「児童相談所設置市」と、同条第2項中「都道府県知事」とあるのは「児童相談所設置市の市長」と、第2条中「都道府県が」とあるのは「児童相談所設置市が」と、「都道府県知事」とあるのは「児童相談所設置市の市長」と、第3条第1項中「都道府県知事」とあるのは「児童相談所設置市の市長」と、「法第8条第2項に規定する都道府県児童福祉審議会（社会福祉法（昭和26年法律第45号）第12条第1項の規定により同法第7条第1項に規定する地方社会福祉審議会（以下この

項において「地方社会福祉審議会」という。）に児童福祉に関する事務を調査審議させる都道府県にあつては、地方社会福祉審議会）」とあるのは「法第8条第3項に規定する児童福祉に関する審議会その

他の合議制の機関」と、同条第2項中「都道府県」とあるのは「児童相談所設置市」と読み替えるものとする。

●幼稚園設置基準

〔昭和31年12月13日〕
〔文 部 省 令 第32号〕

注 平成26年7月31日文部科学省令第23号改正現在

第1章 総則

（趣旨）

第1条 幼稚園設置基準は、学校教育法施行規則（昭和22年文部省令第11号）に定めるもののほか、この省令に定めるところによる。

（基準の向上）

第2条 この省令で定める設置基準は、幼稚園を設置するのに必要な最低の基準を示すものであるから、幼稚園の設置者は、幼稚園の水準の向上を図ることに努めなければならない。

第2章 編制

（1学級の幼児数）

第3条 1学級の幼児数は、35人以下を原則とする。

（学級の編制）

第4条 学級は、学年の初めの日の前日において同じ年齢にある幼児で編制することを原則とする。

（教職員）

第5条 幼稚園には、園長のほか、各学級ごとに少なくとも専任の主幹教諭、指導教諭又は教諭（次項において「教諭等」という。）を1人置かなければならない。

2 特別の事情があるときは、教諭等は、専任の副園長又は教頭が兼ね、又は当該幼稚園の学級数の3分の1の範囲内で、専任の助教諭若しくは講師をもつて代えることができる。

3 専任でない園長を置く幼稚園にあつては、前2項の規定により置く主幹教諭、指導教諭、教諭、助教諭又は講師のほか、副園長、教頭、主幹教諭、指導教諭、教諭、助教諭又は講師を1人置くことを原則とする。

4 幼稚園に置く教員等は、教育上必要と認められる場合は、他の学校の教員等と兼ねることができる。

第6条 幼稚園には、養護をつかさどる主幹教諭、養護教諭又は養護助教諭及び事務職員を置くように努めなければならない。

第3章 施設及び設備

（一般的基準）

第7条 幼稚園の位置は、幼児の教育上適切で、通園の際安全な環境にこれを定めなければならない。

2 幼稚園の施設及び設備は、指導上、保健衛生上、安全上及び管理上適切なものでなければならない。

（園地、園舎及び運動場）

第8条 園舎は、2階建以下を原則とする。園舎を2階建とする場合及び特別の事情があるため園舎を3階建以上とする場合にあつては、保育室、遊戯室及び便所の施設は、第1階に置かなければならない。ただし、園舎が耐火建築物で、幼児の待避上必要な施設を備えるものにあつては、これらの施設を第2階に置くことができる。

2 園舎及び運動場は、同一の敷地内又は隣接する位置に設けることを原則とする。

3 園地、園舎及び運動場の面積は、別に定める。

（施設及び設備等）

第9条 幼稚園には、次の施設及び設備を備えなければならない。ただし、特別の事情があるときは、保育室と遊戯室及び職員室と保健室とは、それぞれ兼用することができる。

一 職員室

二 保育室

三 遊戯室

四 保健室

五 便所

六 飲料水用設備、手洗用設備、足洗用設備

2 保育室の数は、学級数を下つてはならない。

3 飲料水用設備は、手洗用設備又は足洗用設備と区別して備えなければならない。

4 飲料水の水質は、衛生上無害であることが証明されたものでなければならない。

第10条 幼稚園には、学級数及び幼児数に応じ、教育上、保健衛生上及び安全上必要な種類及び数の園具及び教具を備えなければならない。

2 前項の園具及び教具は、常に改善し、補充しなければならない。

第11条 幼稚園には、次の施設及び設備を備えるように努めなければならない。

一 放送聴取設備

二 映写設備

三 水遊び場

四 幼児清浄用設備

五 給食施設

六 図書室

七 会議室

（他の施設及び設備の使用）

第12条 幼稚園は、特別の事情があり、かつ、教育上及び安全上支障がない場合は、他の学校等の施設及び設備を使用することができる。

第4章　雑則

（保育所等との合同活動等に関する特例）

第13条　幼稚園は、次に掲げる場合においては、各学級の幼児と当該幼稚園に在籍しない者を共に保育することができる。

一　当該幼稚園及び保育所等（就学前の子どもに関する教育、保育等の総合的な提供の推進に関する法律（平成18年法律第77号）第2条第5項に規定する保育所等をいう。以下同じ。）のそれぞれの用に供される建物及びその附属設備が一体的に設置されている場合における当該保育所等において、満3歳以上の子どもに対し学校教育法第23条各号に掲げる目標が達成されるよう保育を行うに当たり、当該幼稚園との緊密な連携協力体制を確保する必要があると認められる場合

二　前号に掲げる場合のほか、経済的社会的条件の変化に伴い幼児の数が減少し、又は幼児が他の幼児と共に活動する機会が減少したことその他の事情により、学校教育法第23条第2号に掲げる目標を達成することが困難であると認められることから、幼児の心身の発達を助長するために特に必要があると認められる場合

2　前項の規定により各学級の幼児と当該幼稚園に在籍しない者を共に保育する場合においては、第3条中「1学級の幼児数」とあるのは「1学級の幼児数（当該幼稚園に在籍しない者であつて当該学級の幼児と共に保育されるものの数を含む。）」と、第5条第4項中「他の学校の教員等」とあるのは「他の学校の教員等又は保育所等の保育士等」と、第10条第1項中「幼児数」とあるのは「幼児数（当該幼稚園に在籍しない者であつて各学級の幼児と共に保育されるものの数を含む。）」と読み替えて、これらの規定を適用する。

附　則　抄

1　この省令は、昭和32年2月1日から施行する。

2　園地、園舎及び運動場の面積は、第8条第3項の規定に基き別に定められるまでの間、園地についてはなお従前の例により、園舎及び運動場については別表第1及び別表第2に定めるところによる。ただし、この省令施行の際現に存する幼稚園については、特別の事情があるときは、当分の間、園舎及び運動場についてもなお従前の例によることができる。

3　第13条第1項の規定により幼稚園の幼児と保育所等に入所している児童を共に保育し、かつ、当該保育所等と保育室を共用する場合においては、別表第1及び別表第2中「面積」とあるのは、「面積（保育所等の施設及び設備のうち幼稚園と共用する部分の面積を含む。）」と読み替えて、これらの表の規定を適用する。

別表第1（園舎の面積）

学　級　数	1　学　級	2学級以上
面　　　　積	平方メートル 180	平方メートル 320＋100× （学級数－2）

別表第2（運動場の面積）

学　級　数	2学級以下	3学級以上
面　　　　積	平方メートル 330＋30× （学級数－1）	平方メートル 400＋80× （学級数－3）

○幼保連携型認定こども園の学級の編制、職員、設備及び運営に関する基準の運用上の取扱いについて

平成26年11月28日　府政共生第1104号・26文科初第891号・雇児発1128第2号
各都道府県知事・各都道府県教育委員会・各指定都市市長・各中核市市長・各指定都市・各中核市教育委員会・附属幼稚園を置く各国立大学法人の長宛　内閣府政策統括官（共生社会政策担当）・文部科学省初等中等教育・厚生労働省雇用均等・児童家庭局長連名通知

注　令和3年1月29日府子本第48号・2文科初第1565号・子発0129第1号改正現在

就学前の子どもに関する教育、保育等の総合的な提供の推進に関する法律（平成18年法律第77号。以下「法」という。）第13条第2項の規定に基づき、幼保連携型認定こども園の学級の編制、職員、設備及び運営に関する基準（平成26年内閣府・文部科学省・厚生労働省令第1号。以下「基準省令」という。）が平成26年4月30日に公布されたところですが、その運用上の取扱いに関する留意事項は下記のとおりですので、各都道府県知事、各指定都市・中核市市長におかれては、十分御了知の上、貴管内の関係者に対して遅滞なく周知し、教育委員会等の関係部局と連携の上、その運用に遺漏のないよう配意願います。

なお、本通知は、地方自治法（昭和22年法律第67号）第245条の4第1項の規定に基づく技術的助言であることを申し添えます。

記

1　学級編制について（基準省令第4条関係）

幼保連携型認定こども園においては、基準省令第4条の規定に基づき、教育課程に基づく教育を行うため、学級編制を行うことが求められるが、学級を編制するにあたっては、子ども・子育て支援法（平成24年法律第65号）第19条第1項第1号に掲げる小学校就学前子ども（以下「1号認定子ども」という。）に該当する園児と同項第2号に掲げる小学校就学前子ども（以下「2号認定子ども」という。）に該当する園児を一体的に編制することを基本とする。

学級は、第4条第3項の規定のとおり、学年の初めの日の前日において同じ年齢にある園児で編制することを原則とするが、地域の実情等に応じて、異なる年齢にある園児で学級を編制するなど、弾力的な取扱いをすることができるものとする。なお、学年の途中で満3歳に達した園児については、満3歳に達した段階で、1号認定子ども又は2号認定子どもに該当することとなり、学級編制が必要となるが、その年齢構成については、各園の園児の状況等を踏まえ、例えば、以下の①から③までの対応など、弾力的な取扱いをすることができるものとする。

① 園児が満3歳に達した当該年度中は引き続き2歳児クラス等に残る

② 園児が満3歳に達した後、3歳児学級（年少）へ移る

③ 園児が満3歳に達した後、3歳児学級（年少）とは別に、満3歳児学級を設ける　等

2　職員配置について（基準省令第5条関係）

(1) 園児の教育及び保育に直接従事する職員の数の算定方法について

幼保連携型認定こども園に配置すべき園児の教育及び保育（満3歳未満の園児については、その保育。以下同じ。）に直接従事する職員の数の算定方法は、基準省令第5条第3項の規定のとおりであるが、その具体的な算定に当たっては、以下のとおり、年齢別に、園児の数を配置基準で除して小数点第1位まで求め（小数点第2位以下切捨て）、各々を合計した後に小数点以下を四捨五入することによるものとする。

必要配置数＝（0歳児の数×1／3）
　　　　　＋｛（1歳児の数＋2歳児の数）×1／6｝
　　　　　＋（3歳児の数×1／20）
　　　　　＋｛（4歳児の数＋5歳児の数）×1／30｝

なお、基準省令附則第2条第1項の規定によりなお従前の例によることとされる場合におけるみなし幼保連携型認定こども園（就学前の子どもに関する教育、保育等の総合的な提供の推進に関する法律の一部を改正する法律（平成24年法律第66号。以下「一部改正法」という。）附則第3条第1項の規定により法第17条第1項の設置の認可があったものとみなされた旧幼保連携型認定こども園をいう。以下同じ。）に配置すべき園児の教育及び保育に直接従事する職員の数の算定方法については、なお従前の例によることができるものとする。なお、この経過措置の対象となる園については、公定価格において調整が設けられる予定であることに留意されたいこと。

(2) 特例期間中の保育教諭等、助保育教諭又は講師について

一部改正法附則第5条において、施行日から起

算して10年間に限っては、幼稚園の教諭の普通免許状を有する者又は児童福祉法（昭和22年法律第164号）第18条の18第1項の登録を受けた者（以下「保育士」という。）は、保育教諭等又は講師（幼稚園の教諭の臨時免許状を有する者にあっては、助保育教諭又は講師）となることができる特例が設けられているが、当該特例により保育教諭等、助保育教諭又は講師となった者については、当該特例が適用される期間に法第15条第1項及び第4項に規定する保育教諭等、助保育教諭又は講師の資格のうち、取得していないものの取得に努めることを前提として、幼保連携型認定こども園に置く園児の教育及び保育に直接従事することができるものとする。

ただし、幼保連携型認定こども園の学級を担任する者については幼稚園の教諭の普通免許状又は臨時免許状を有する者が、満3歳未満の園児の保育に直接従事する者については保育士が就くことが望ましいこと。

なお、現行において、乳児4人以上が利用する保育所に勤務する保健師、看護師又は准看護師を、1人に限って、保育士とみなすことができる取扱いとしていることを踏まえ、乳児4人以上が利用する幼保連携型認定こども園に勤務する保健師、看護師又は准看護師を、1人に限って、一部改正法附則第5条に定める登録を受けた者（保育士）とみなすことができるものとし、当該者は、同条に規定する期間に限っては、保育教諭等又は講師として園児の保育に従事することができるものとする（当該者は保育にのみ従事することができるため、学級を担任することはできない）。

3　園舎、園庭及び設備について（基準省令第6条、第7条及び第13条関係）

(1)　建物及びその附属設備の一体的設置について

幼保連携型認定こども園は単一の施設として設置されるものであることから、幼保連携型認定こども園を構成する建物及びその附属設備は、同一の敷地内又は隣接する敷地内に設けることが前提である。

ただし、公道を挟む程度など、同一の敷地内又は隣接する敷地内に設けられている場合と実質的に違いがなく、幼保連携型認定こども園における活動上支障がない場合については、同一の敷地内又は隣接する敷地内に設けられている場合と同様に設置が認められるものとする。

なお、既存の幼稚園又は保育所を廃止し、当該幼稚園又は保育所の土地や設備を活用して幼保連携型認定こども園へ移行する場合（幼稚園及び保育所の両方を廃止し、当該幼稚園及び保育所の土地や設備を活用する場合も含む。）については、以下の①から③までの全ての要件を満たす場合、建物及びその附属設備の一部が同一の敷地内又は隣接する敷地内にない場合であっても、幼保連携型認定こども園を設置することができるものとする。みなし幼保連携型認定こども園については、現行と同様、以下の①及び②の要件を満たす場合、同様とすること。

①　教育及び保育の適切な提供が可能であること
②　園児の移動時の安全が確保されていること
③　それぞれの敷地に所在する園舎で、通常、教育及び保育を提供する園児の数や当該園児のために編制する学級数に応じて、必要な設備を有していること（※）
※　調理室は、それぞれの園舎に設置することまでは求めない。また、既存の幼稚園又は保育所が所在する敷地部分については、それに応じた移行特例（基準省令附則第4条に定める特例）が活用できるものとする。

(2)　保育室等の設置階について

幼保連携型認定こども園において、園舎が耐火建築物であり、保育所と同様の設備を備える場合に基準省令第6条第3項の規定により例外的に3階以上の階に設けられる保育室等（同項に規定する「保育室等」をいう。以下同じ。）は、同条第4項の規定のとおり、原則として、満3歳未満の園児の保育の用に供するものでなければならないが、当該保育室と同じ階又は当該保育室がある階の上下1階の範囲内に園庭を有する場合に限り、例外的な取扱いとして、満3歳以上の園児の保育室等を3階以上の階に設けることも認められるものとする。

この場合の園庭が屋上（バルコニー等を含む。以下同じ。）にある場合は、(4)の①から⑤までの全ての要件を満たすことが必要となる。これらの要件を満たすことについては、認可権者において適切に確認すること。

なお、保育室（基準省令第7条第6項第3号の面積以上の面積のものに限る。）と別に設置される、満3歳以上の園児の教育及び保育の用に供する遊戯室その他の設備については、上下1階の範囲内の園庭の有無に関わらず3階以上の階に設けることができる。

(3)　園庭の設置・面積（代替地の取扱い等）について

幼保連携型認定こども園の園庭の設置場所につ

いては、基準省令第6条第5項の規定のとおり、園舎と同一の敷地内又は隣接する位置に設けることが原則である。

このため、園舎と同一の敷地内又は隣接する位置に設けられる園庭に代わる場所（いわゆる代替地）については、園庭としての必要面積に算入することはできないものとする。ただし、実際の園での活動において、安全の確保等に十分配慮した上で、公園等の代替地を活用することを妨げるものではない。

なお、基準省令附則第4条第3項の規定のとおり、適正な運営が確保されていると認められる既存の幼稚園又は保育所が、当該幼稚園又は保育所を廃止し、当該幼稚園又は保育所の設備を活用して幼保連携型認定こども園に移行する場合においては、移行特例として、当分の間、以下の①から④までの全ての要件を満たす代替地について、満2歳の園児に係る園庭の必要面積に限り、算入することができるものとする。

① 園児が安全に移動できる場所であること
② 園児が安全に利用できる場所であること
③ 園児が日常的に利用できる場所であること
④ 教育及び保育の適切な提供が可能な場所であること

また、既存の幼稚園又は保育所から幼保連携型認定こども園への移行や、幼保連携型認定こども園の園舎等の老朽化等に伴う園舎の建替えや園庭環境の整備等の施設整備により、当該施設整備に係る期間において基準省令第6条第7項（基準省令附則第4条第1項又は第2項の規定により読み替えて適用する場合を含む。）に定める園庭としての必要面積を満たせない場合、認可権者において当該施設における教育・保育の内容等について適切に確認した上で、一時的な園庭の面積の不足についてやむを得ないものとして取り扱うことも認められる。

なお、認可権者が教育・保育の内容等を確認するに当たっては、施設整備に関する計画に加え、当該施設整備に係る期間における安全の確保や防災上の対応、教育・保育を行う場としての相応しい環境の確保等に十分配慮したものとなっているかについても確認すること。

(4) 園庭の設置・面積（屋上の取扱い）について

屋上については、園舎と同一の敷地内又は隣接する位置に存し、かつ、以下の①から⑤までの全ての要件を満たす場合に限り、園庭としての必要面積に算入することができるものとする。これら

の要件を満たすことについては、認可権者において適切に確認すること。また、⑤の要件の確認に当たっては、例えば、室内との連続性や回遊性に配慮しつつ、園児の自然体験を豊かにし、心身の発達を促すような空間となっているか否か等の観点を参考として、学校かつ児童福祉施設である幼保連携型認定こども園における教育・保育を行う場として、相応しい園庭環境が確保されているか否かを確認することが望ましいこと。ただし、実際の園での活動において、安全の確保や防災上の対応、教育・保育を行う場としての相応しい環境の確保等に十分配慮した上で、園庭として面積算入できない屋上の実際の利用を妨げるものではない。

① 耐火建築物であること
② 幼保連携型認定こども園教育・保育要領（平成29年内閣府・文部科学省・厚生労働省告示第1号）に示された教育及び保育の内容が効果的に実施できるような環境とするよう配慮すること
③ 園児の利用しやすい場所に、便所、水飲み場等を設けること
④ 防災上の観点（避難用階段、防火戸、転落防止の金網、警報設備の設置等）に留意すること
⑤ 地上の園庭と同様の環境が確保されているとともに、園児が室内と戸外（屋上）の環境を結びつけて自ら多様な遊びが展開できるよう、園児自らの意志で屋上（保育室と同じ階又は保育室がある階の上下1階の範囲内に位置するものに限る。）と行き来できると認められること

なお、適正な運営が確保されていると認められる既存の幼稚園又は保育所が、当該幼稚園又は保育所を廃止し、当該幼稚園又は保育所の設備を活用して幼保連携型認定こども園に移行する場合においては、移行特例として、当分の間、満2歳の園児に係る園庭の必要面積に限り、上記①から④までの全ての要件を満たす屋上について、算入することができるものとする。

(5) 他の設備の使用について

幼保連携型認定こども園は、基準省令第13条第2項において準用する児童福祉施設の設備及び運営に関する基準（昭和23年厚生省令第63号）第8条の規定のとおり、当該幼保連携型認定こども園の運営に支障のない範囲で、当該幼保連携型認定こども園の設備の一部を併設する学校（幼稚園を含む。）、社会福祉施設等の設備に兼ねることができる。

4　運営について（基準省令第9条及び第13条関係）

（1）教育時間・保育時間等について

　　毎学年の教育週数は基準省令第9条第1項第1号の規定のとおり、原則として年間39週以上であるが、保育を行う児童福祉施設としての位置付けであることから、保育所と同様、幼保連携型認定こども園の1年の開園日は、日曜日及び国民の祝休日を除いた日とすることを原則とすること。また、基準省令上、教育に係る標準的な1日当たりの時間（以下「教育時間」という。）は4時間を標準とし、保育を必要とする子どもに該当する園児に対する教育及び保育の時間は1日につき8時間を原則とするものであるが、1日の開園時間は、保育所と同様、11時間とすることを原則とすること。

　　また、教育時間は、基準省令第9条第1項第2号の規定のとおり、4時間を標準とする時間を確保することが必要だが、具体的な時間設定は、各園の判断に委ねられること。

　　ただし、開園日及び開園時間については、保護者が必要とする適正な保育を提供できるよう、原則として上記のとおりの開園が求められるが、市町村が行う利用調整の結果、保育の利用希望がない場合には開園しないことができるなど、就労状況等地域の実情に応じて定められるよう、弾力的な取扱いが認められること。

（2）食事の提供について

　　幼保連携型認定こども園における園児に対する食事の提供については、基準省令第13条第1項において準用する児童福祉施設の設備及び運営に関する基準第11条の規定のとおり、2号認定子ども及び子ども・子育て支援法第19条第1項第3号に掲げる小学校就学前子ども（以下「3号認定子ども」という。）に対して自園調理の方法により提供することとしているが、1号認定子どもに対する食事の提供は、各園の判断に委ねられていること。

　　なお、満3歳以上の園児については、現行の保育所と同様、基準省令第13条第1項において準用する児童福祉施設の設備及び運営に関する基準第32条の2に掲げる要件を満たす場合に限り、外部搬入の方法により提供できること。

　　また、保護者が希望する場合や園の行事等（例：園で「お弁当の日」を設定する等）の際には、2号認定子ども及び3号認定子どもについて、自園調理ではなく、弁当の持参等の弾力的な取扱いをすることができること。

5　既存施設からの移行の特例等について（基準省令附則第2条及び第4条関係）

（1）移行特例を適用するにあたっての留意事項について

　　認可基準上、既存施設（幼稚園、保育所、幼稚園型認定こども園又は保育所型認定こども園）から幼保連携型認定こども園へ移行する場合における特例や、みなし幼保連携型認定こども園についての経過措置が認められることとされているが、これらの移行特例や経過措置の適用を受ける既存施設やみなし幼保連携型認定こども園は、幼保連携型認定こども園を新規に設置する場合に適用される基準（以下「新設基準」という。）に適合するよう努めることが求められるものであることに留意すること。そのため、地域における保育の供給量が需要を上回るなど、移行特例を適用する必要性が解消された場合においては、新設基準による利用定員を設定するよう努めること。

　　また、移行特例を適用した施設については、新設基準に適合する努力義務の実施を促すため、子ども・子育て支援法第58条に基づく情報公表制度において、都道府県が移行特例の適用状況を公表すること。なお、国においては、施行10年経過後を目途に、特例の適用状況等を勘案し、移行特例の内容等を検討することとしている。

（2）園庭の移行特例について

　　基準省令附則第4条第1項及び第2項の規定により読み替えられた基準省令第6条第7項及び、基準省令附則第4条第3項の規定については、当該規定が適用される施設が、平成27年4月1日以降に当該施設と同一の所在場所において園舎の建替えを行った場合であっても、引き続き適用することが可能であること。

　　ただし、園舎を建替える以前より園庭の面積が減少しない場合に限るとともに、新設する園舎の屋上等を、3の(4)に掲げる要件を満たすように整備する等、可能な限り新設基準に適合するよう努めること。

○ 「幼保連携型認定こども園の学級の編制、職員、設備及び運営に関する基準」等の一部改正について

> 令和5年2月9日　府子本第90号・4文科初第2134号・子発0209第2号
> 各都道府県知事・各都道府県教育委員会教育長・各指定都市市長・各中核市市長・各指定都市・各中核市教育委員会教育長・附属幼稚園を置く各国立大学法人の長宛　内閣府子ども・子育て本部統括官・文部科学省初等中等教育・厚生労働省子ども家庭局長連名通知

　この度、児童福祉施設の設備及び運営に関する基準等の一部を改正する省令（令和4年厚生労働省令第159号）等を踏まえ、別添のとおり、「幼保連携型認定こども園の学級の編制、職員、設備及び運営に関する基準の一部を改正する命令」（令和5年内閣府・文部科学省・厚生労働省令第1号）及び「就学前の子どもに関する教育、保育等の総合的な提供の推進に関する法律第3条第2項及び第4項の規定に基づき内閣総理大臣、文部科学大臣及び厚生労働大臣が定める施設の設備及び運営に関する基準の一部を改正する件」（令和5年内閣府・文部科学省・厚生労働省告示第1号）が公布・公示され、令和5年4月1日から施行・適用しますので通知します。

　本改正等の趣旨及び内容は下記のとおりですので、各都道府県知事、各指定都市・中核市市長におかれては、十分御了知の上、貴管内の関係者に対して遅滞なく周知し、教育委員会等の関係部局と連携の上、その運用に遺漏のないよう配意願います。

　なお、本改正に伴う「幼保連携型認定こども園の学級の編制、職員、設備及び運営に関する基準の運用上の取扱いについて」（平成26年11月28日付け府政共生第1104号・26文科初第891号・雇児発1128第2号通知。以下「取扱い通知」という。）の所要の改正は、追って行う予定です。

　おって、本通知は、地方自治法（昭和22年法律第67号）第245条の4第1項の規定に基づく技術的助言であることを申し添えます。

記

第1　改正の趣旨及び内容

1　業務継続計画の策定等の努力義務化について
　　幼保連携型認定こども園においても、他の児童福祉施設と同様、
　・感染症や非常災害の発生時のための業務継続計画を策定し、当該計画に従い必要な措置を講ずること
　・職員に対し業務継続計画について周知するとともに必要な研修及び訓練を定期的に実施すること
　・定期的に業務継続計画の見直しを行い、必要に応じ当該計画の変更を行うこと
　を努力義務とする。（幼保連携型認定こども園の学級の編制、職員、設備及び運営に関する基準（平成26年内閣府・文部科学省・厚生労働省令第1号。以下「基準省令」という。）第13条第1項関係）

2　インクルーシブ保育について
　　幼保連携型認定こども園においては、乳児室、ほふく室、保育室、遊戯室又は便所（以下「保育室等」という。）や、園児の保育に直接従事する職員は、他の学校や社会福祉施設等の設備や職員に兼ねることができないこととされている。

　　例えば、幼保連携型認定こども園に児童発達支援事業所が併設されている場合、幼保連携型認定こども園の園児と児童発達支援事業所を利用する障害児を共に幼保連携型認定こども園の保育室等において保育することは、仮にそれらの園児や障害児を保育するのに必要な職員や面積が確保されている場合であっても、認められないこととなっている。

　　今般、幼保連携型認定こども園においても、その設備や職員を活用した社会福祉サービスを必要とする児童等の社会参加への支援が進むよう、保育所と同様、必要な職員や面積を確保することを前提に、その行う保育に支障がない場合に限り、設備の共用や職員の兼務を可能とするため、幼保連携型認定こども園の保育室等の設備や園児の保育に直接従事する職員を他の社会福祉施設の設備や職員に兼ねることができるようにする。（基準省令第13条第2項関係）

3　看護師等の特例について
　　乳児4人以上が利用する幼保連携型認定こども園については、これまで、取扱い通知で、保健師、看護師又は准看護師（以下「看護師等」という。）を、1人に限って、令和6年度末までに

限っては、保育教諭等又は講師として園児の保育に従事できるものとしてきたところである（当該者は保育にのみ従事することができるため、学級を担任することはできない。）。

今般、保育所において、少子化の進行等により入所する乳児の数が4名付近となるケースが増えており、看護師等の処遇が乳児1人の入退所に左右され安定しないとの指摘等も踏まえ、保育の質を担保しつつ、乳児の在籍人数の要件を撤廃することとされた。

幼保連携型認定こども園にも安定して看護師等が勤務することを可能とする必要があること等を踏まえ、保育所と同様、保育の質を担保しつつ、乳児の在籍人数の要件を撤廃するための措置を講ずることとし、基準省令第5条第3項の表備考第1号に定める者については、当分の間、1人に限って、看護師等をもって代えることができるようにする。ただし、満1歳未満の園児の数が4人未満である幼保連携型認定こども園については、子育てに関する知識と経験を有する看護師等を配置し、かつ、当該看護師等が保育を行うにあたって基準省令第5条第3項の表備考第1号に定める者による支援を受けることができる体制を確保しなければならないこととする。（基準省令附則第8条関係）

また、幼保連携型以外の認定こども園についても、幼保連携型認定こども園に準じ、就学前の子どもに関する教育、保育等の総合的な提供の推進に関する法律第3条第2項及び第4項の規定に基づき内閣総理大臣、文部科学大臣及び厚生労働大臣が定める施設の設備及び運営に関する基準（平成26年内閣府・文部科学省・厚生労働省告示第2号。以下「基準告示」という。）第三の一により置かなければならない保育士の資格を有する者について、当分の間、1人に限って、看護師等をもって代えることができるようにする。（基準告示附則第7項関係）

4　虐待等の禁止について

保育施設において、不適切な保育が行われていたとされる事案が全国的に相次いでいるところである。

幼保連携型認定こども園においては、職員は、園児に対し、児童福祉法（昭和22年法律第164号）第33条の10各号に掲げる行為その他当該園児の心身に有害な影響を与える行為をしてはならないとされている。

幼保連携型以外の認定こども園においても、

日々の教育及び保育の指導における留意点として、その職員は、幼保連携型認定こども園と同様、上記行為をしてはならないことを明確にする。（基準告示第五の五の8関係）

第2　留意事項

1　業務継続計画の策定等の努力義務化について

幼保連携型認定こども園においては、学校保健安全法（昭和33年法律第56号）第29条を準用し、危険等発生時において職員がとるべき措置の具体的内容等を定めた「危険等発生時対処要領」の作成が義務付けられている。本対処要領は、危険等が発生した際の園児の安全の確保を図るためのものであり、業務継続のために必要な事項については、必ずしも記載が想定されていないが、業務継続計画と一体的に策定することも考えられること。

また、幼保連携型以外の認定こども園においても、業務継続の重要性に鑑み、幼保連携型認定こども園と同様に計画の策定等を行うよう努められたい。

なお、厚生労働省において「児童福祉施設における業務継続ガイドライン」や計画のひな形等を作成しているので、認定こども園においても、適宜、参照いただきたい。

2　インクルーシブ保育について

(1)　児童発達支援事業所等との併設・交流について

①　幼保連携型認定こども園と児童発達支援事業所等（児童発達支援事業所、児童発達支援センター及び医療型児童発達支援センターをいう。以下同じ。）が併設されている場合において、各施設に特有の設備・専従の人員（保育室等や園児の保育に直接従事する職員等をいう。以下同じ。）の共用・兼務を行う際は、以下の要件を満たす必要がある。

・　幼保連携型認定こども園部分、児童発達支援事業所等部分のそれぞれにおいて、各事業の対象となる園児等の年齢及び人数に応じて各事業の運営に必要となる職員が配置されていること（例：幼保連携型認定こども園の満3歳児40人が、併設する児童発達支援事業所の障害児20人と交流する場合、それぞれ、幼保連携型認定こども園として満3歳児40人の基準である保育教諭等2人以上、児童発達支援事業所として障害児20人の基準である保育士4人以上を満たしている必要がある。）。

・　交流を行う設備（保育室等）について
は、各事業の対象となる園児等の年齢及び
人数に応じて各事業において必要となる面
積を合計した面積が確保されていること
（例：交流を行う保育室の面積について、
それぞれの面積基準に基づき、幼保連携型
認定こども園として30㎡必要、児童発達支
援事業所として20㎡必要な場合、保育室の
面積は50㎡以上必要となる。）。

②　例えば、幼保連携型認定こども園と児童発
達支援事業所等が、1日の活動の中で、設定
保育・設定遊び等において、こどもが一緒に
過ごす時間を持ち、それぞれの人員基準以上
の保育教諭等が混合して支援を行う等、一体
的な支援が可能となるが、その交流の際、児
童発達支援事業所等における「障害児の支援
に支障がない場合」として留意すべき点は以
下の通りである。

・　児童福祉法に基づく指定通所支援の事業
等の人員、設備及び運営に関する基準（平
成24年厚生労働省令第15号）第27条第1項
に規定される「児童発達支援計画」におい
て、幼保連携型認定こども園との交流にお
ける具体的なねらい及び支援内容等を明記
し、障害児又はその保護者に対して説明を
行い、同意を得ること。

・　障害児一人一人の児童発達支援計画を考
慮し、1日の活動の中で発達支援の時間が
十分に確保されるように留意すること。

・　通所する障害児やその保護者に対して、
交流のねらいや障害児が共に過ごし、互い
に学び合うことの重要性を丁寧に説明する
こと。

・　障害児の発達状態及び発達の過程・特性
等を理解し、一人一人の障害児の障害種
別、障害の特性及び発達の状況に応じた適
切な支援及び環境構成を行うこと。

・　交流にあたり、複数のグループに分かれ
て交流することや一部の障害児のみが交流
することも想定されるが、その際には、障
害児の障害特性や情緒面への配慮、安全性
が十分に確保される体制を整えるよう留意
すること。

・　交流する際の活動等については、障害児
の障害特性や発達の段階等の共通理解が図
られた上で設定されることが望ましいこと
から、交流する幼保連携型認定こども園の

保育教諭等も交えながら検討していくこ
と。

・　支援を行う際には、「児童発達支援ガイ
ドライン」の内容を参照し、また、「幼保
連携型認定こども園教育・保育要領」（平
成29年内閣府・文部科学省・厚生労働省告
示第1号）等の内容も理解することが重要
であること。

(2) 児童発達支援事業所等以外の社会福祉施設と
の併設・交流について
　当該幼保連携型認定こども園以外の乳幼児を
対象として通所での預かりを行う、一時預かり
事業、病児保育事業及び地域子育て支援拠点事
業を行う施設と幼保連携型認定こども園が併設
されている場合において、各施設に特有の設
備・専従の人員の共用・兼務を行う際、(1)①で
示した要件に準じた要件を満たす場合には、
「その行う保育に支障がない場合」として取り
扱って差し支えない。

(3) 運営費の公定価格上の算定方法について
　例えば、幼保連携型認定こども園において、
児童発達支援事業所等の障害児と交流する場合
における幼保連携型認定こども園への公定価格
上の算定方法としては、あくまで交流している
ものと整理し、幼保連携型認定こども園に対し
ては元々の園児数分のみを算定すること。

(4) 施設整備等に係る財産処分との関係について
　幼保連携型認定こども園と社会福祉施設の併
設・交流に当たり、補助金等の交付を受けて整
備された幼保連携型認定こども園について、本
来の事業の目的として使用せずに他の用途に使
用する場合は、施設等の転用として財産処分の
手続きが必要な場合があるため、適切な手続き
を行うこと。

3　看護師等の特例について

(1) 保育教諭等と合同で保育を行うことについて
　在籍乳児数が3名以下の認定こども園で看護
師等が保育を行う場合は、保育教諭等（幼保連
携型認定こども園にあっては基準省令第5条第
3項の表備考第1号に定める者をいい、幼保連
携型以外の認定こども園にあっては基準告示第
三の一により置かなければならない保育士の資
格を有する者をいう。以下同じ。）と合同の
組・グループを編成し、原則として同一の乳児
室など同一空間内で保育を行わなければならな
いこと。

(2) 保育に係る一定の知識や経験を有することに

ついて

　　保育所、認定こども園及び地域型保育事業所等（以下「保育所等」という。）での勤務経験が概ね3年に満たない看護師等が、在籍乳児数が3名以下の認定こども園で保育を行う場合、「子育て支援員研修事業の実施について」（平成27年5月21日付け雇児発0521第18号厚生労働省雇用均等・児童家庭局長通知）で定める子育て支援員研修のうち、地域保育コースその他の都道府県知事が認める研修の修了（以下「子育て支援員研修等」という。）を必須とすること。

(3)　その他

①　本特例によって代える看護師等は、補助者として従事する場合を除き、教育課程に基づく教育に従事してはならない。

②　看護師等と合同の組・グループを担当する保育教諭等は、当該看護師等のフォローが求められるため、当該看護師等が勤務する認定こども園での勤続年数が概ね3年以上、かつ、乳児への保育の経験を有している常勤の保育教諭等であることが望ましいこと。また、当該保育教諭等が休暇を取得する際等にフォローに入る保育教諭等も同様の要件を満たしていることが望ましいこと。

③　認定こども園の園長は、職員間の連携を十分図るとともに、看護師等の資質向上のため、各種研修への参加機会の確保等に努める必要があること。あわせて、保育教諭等に業務の負担が過剰に偏ることがないよう、業務効率化や業務改善を含めたマネジメントを行うとともに、適切な業務分担が行われるよう留意すること。

④　乳児の在籍数が3名以下の認定こども園が看護師等を新規採用するに当たり、保育教諭等を、当該看護師等をもって代える前提で採用する場合は、原則として勤務開始前に子育て支援員研修等を修了していることが必要であるが、保育教諭等の確保が困難であるなどこれによりがたい場合は、この限りでないこと。ただし、この場合であっても、勤務開始後直近で開催される研修を受講するなど、できる限り早期に当該研修の受講を開始することとし、未修了の期間は同一グループでフォローする保育教諭等だけでなく、園長や主幹保育教諭等が支援を行うことが望ましいこと。

⑤　乳児の在籍数の変動により年度途中で乳児の在籍数が3名以下となった場合も、看護師等のみで乳児を保育することは適当ではないため、園長は、保育教諭等と合同の組・グループを編成するよう体制を組むこと。なお、当該場合においても、看護師等の保育所等での勤務経験が概ね3年に満たず、子育て支援員研修等を修了していないときは、できる限り早期に当該研修を受講することが望ましい。また、こうした場合にも対応できるよう、⑥のとおり、保育所等での勤務経験が概ね3年に満たない看護師等については、在籍する乳児の数にかかわらず、あらかじめ子育て支援員研修等の受講を勧奨すること。

⑥　乳児が4人以上在籍する認定こども園で勤務する看護師等においても、保育に係る一定の知識や経験を有していることは、要件化されておらずとも求められるべきものであるため、保育所等での勤務経験が概ね3年に満たない看護師等に対し、子育て支援員研修等の受講を勧奨すること。

⑦　都道府県、政令指定都市又は中核市は、認定こども園への指導監査等を行うに当たって、当該認定こども園の乳児の在籍数が3名以下である場合、本通知に沿った取扱いが適切に実施されているかも確認すること。

4　虐待等の禁止

　　今回の規定の新設は、確認的に行うものであり、何ら新しい義務を生じさせるものではないこと。

別添　略

○幼保連携型認定こども園の学級の編制、職員、設備及び運営に関する基準及び児童福祉施設の設備及び運営に関する基準における園庭及び屋外遊戯場の面積算定に係る園児及び幼児の年齢の基準日について

令和5年12月7日　事務連絡
各都道府県・各中核市・各市町村保育主管部（局）宛　こども家庭庁成育局保育政策・文部科学省初等中等教育局幼児教育課

　平素より子ども・子育て支援施策の推進にご尽力いただきありがとうございます。

　今般、内閣府地方分権改革推進室が実施した令和5年の地方分権改革に関する提案募集において、「幼保連携型認定こども園の設備基準における園庭の面積基準について、園児の年齢基準日を年度初日の前日とし、その旨の明確化を求める」旨の提案がございました。

　幼保連携型認定こども園における園庭の面積基準については、都道府県、指定都市及び中核市が条例を定めるに当たって従うべき基準とされているところ、当該基準は全国統一的な解釈のもとに運用されることが望ましいことから、今般、面積の算定に係る考え方を明確化することといたしました。

　つきましては、幼保連携型認定こども園の学級の編制、職員、設備及び運営に関する基準（平成26年内閣府・文部科学省・厚生労働省令第1号）及び児童福祉施設の設備及び運営に関する基準（昭和23年厚生省令第63号）における園庭及び屋外遊戯場の面積算定に係る園児及び幼児の年齢の基準日に関する考え方を以下の通り明確化いたしましたので、内容を御了知いただくとともに、引き続き、適切に御対応いただくようお願いします。

記

○　幼保連携型認定こども園の学級の編制、職員、設備及び運営に関する基準第6条第7項及び児童福祉施設の設備及び運営に関する基準第32条第1項第6号における園庭及び屋外遊戯場の面積算定に係る園児及び幼児の年齢の基準日については、年度初日の前日とすること。

○　なお、年度途中に定員が増加した場合の面積算定については、当該増加した定員に応じた面積を確保する必要があることに変わりないこと。

◉内閣府・文部科学省関係構造改革特別区域法第35条に規定する政令等規制事業に係る主務省令の特例に関する措置を定める命令

〔平成 27 年 9 月 4 日
内閣府・文部科学省・厚生労働省令第 7 号〕
注　令和 5 年 3 月31日内閣府・文部科学・厚生労働省令第 2 号改正現在

1　地方公共団体が、その設定する構造改革特別区域法〔平成14年法律第189号〕（以下「法」という。）第 2 条第 1 項に規定する構造改革特別区域内における公立幼保連携型認定こども園（地方公共団体が設置する幼保連携型認定こども園（就学前の子どもに関する教育、保育等の総合的な提供の推進に関する法律（平成18年法律第77号）第 2 条第 7 項に規定する幼保連携型認定こども園をいう。）をいう。以下同じ。）について、次に掲げる要件を満たしていることを認めて法第 4 条第 9 項の内閣総理大臣の認定（法第 6 条第 1 項の規定による変更の認定を含む。以下同じ。）を申請し、その認定を受けたときは、当該認定の日以後は、当該認定に係る公立幼保連携型認定こども園は、幼保連携型認定こども園の学級の編制、職員、設備及び運営に関する基準（平成26年内閣府文部科学省令第 1 号）第13条第 1 項において読み厚生労働省替えて準用する児童福祉施設の設備及び運営に関する基準（昭和23年厚生省令第63号）第11条第 1 項の規定にかかわらず、公立幼保連携型認定こども園における給食の外部搬入方式の容認事業（公立幼保連携型認定こども園外で調理し搬入する方法により当該公立幼保連携型認定こども園の満 3 歳未満の園児（就学前の子どもに関する教育、保育等の総合的な提供の推進に関する法律第14条第 6 項に規定する園児をいう。以下同じ。）に対して食事の提供を行う事業をいう。附則第 3 項において同じ。）を実施することができる。

一　満 3 歳未満の園児に対する食事の提供の責任が当該公立幼保連携型認定こども園にあり、その管理者が、衛生面、栄養面等業務上必要な注意を果たし得るような体制及び調理業務の受託者との契約内容が確保されていること。

二　当該公立幼保連携型認定こども園又は他の施設、保健所、市町村等の栄養教諭その他の栄養士により、献立等について栄養の観点からの指導が受けられる体制にある等、栄養教諭その他の栄養士による必要な配慮が行われること。

三　調理業務の受託者を、当該公立幼保連携型認定こども園における給食の趣旨を十分に認識し、衛生面、栄養面等、調理業務を適切に遂行できる能力を有する者とすること。

四　満 3 歳未満の園児の年齢及び発達の段階並びに健康状態に応じた食事の提供や、アレルギー、アトピー等への配慮、必要な栄養素量の給与等、満 3 歳未満の園児の食事の内容、回数及び時機に適切に応じることができること。

五　食を通じた園児の健全育成を図る観点から、園児の発育及び発達の過程に応じて食に関し配慮すべき事項を定めた食育に関する計画に基づき食事を提供するよう努めること。

2　前項の場合において、同項に規定する公立幼保連携型認定こども園は、幼保連携型認定こども園の学級の編制、職員、設備及び運営に関する基準第 7 条第 1 項の規定にかかわらず、調理室を備えないことができる。この場合において、当該公立幼保連携型認定こども園は、満 3 歳未満の園児に対する食事の提供について前項に規定する方法によることとしてもなお当該公立幼保連携型認定こども園において行うことが必要な調理のための加熱、保存等の調理機能を有する設備を備えなければならない。

　　　附　則　抄

（施行期日）

1　この命令は、公布の日〔平成27年 9 月 4 日〕から施行する。

2　認可及び確認

○子ども・子育て支援法に基づく教育・保育給付認定等並びに特定教育・保育施設及び特定地域型保育事業者の確認に係る留意事項等について

平成26年9月10日　府政共生第859号・26文科初第651号・雇児発0910第2号
各都道府県知事・各都道府県教育委員会・各指定都市市長・各中核市市長・各指定都市・各中核市教育委員会宛　内閣府政策統括官（共生社会政策担当）・文部科学省初等中等教育・厚生労働省雇用均等・児童家庭局長連名通知

注　令和5年3月31日府子本第383号・4文科初第2781号・子発0331第5号改正現在

子ども・子育て支援法（平成24年法律第65号）に基づく子どものための教育・保育給付の支給に係る認定等並びに特定教育・保育施設及び特定地域型保育事業者の確認については、同法、子ども・子育て支援法施行令（平成26年政令第213号）、子ども・子育て支援法施行規則（平成26年内閣府令第44号）及び特定教育・保育施設及び特定地域型保育事業並びに特定子ども・子育て支援施設等の運営に関する基準（平成26年内閣府令第39号）に定めるもののほか、下記のとおり取り扱うこととしますので、各都道府県知事及び各指定都市・中核市市長におかれては、十分御了知の上、貴管内の関係者に対して遅滞なく周知し、教育委員会等の関係部局と連携の上、その運用に遺漏のないよう配意願います。

なお、本通知は、地方自治法（昭和22年法律第67号）第245条の4第1項の規定に基づく技術的助言であることを申し添えます。

記

第1　用語の意義

この通知において、次の各号に掲げる用語の意義は、それぞれ当該各号に定めるところによること。

1　法　子ども・子育て支援法

2　令　子ども・子育て支援法施行令

3　規則　子ども・子育て支援法施行規則

4　運営基準　特定教育・保育施設及び特定地域型保育事業並びに特定子ども・子育て支援施設等の運営に関する基準

5　保育の必要性　小学校就学前子どもについて、保護者の労働又は疾病その他の規則第1条の5各号に定める事由により家庭において必要な保育を受けることが困難であること

6　教育標準時間認定　法第20条第1項の規定による認定であって法第19条第1号に掲げる小学校就学前子どもの区分に係るもの

7　1号認定子ども　教育標準時間認定を受けた小学校就学前子ども

8　2号認定　法第20条第1項の規定による認定であって法第19条第2号に掲げる小学校就学前子どもの区分に係るもの

9　2号認定子ども　2号認定を受けた小学校就学前子ども

10　3号認定　法第20条第1項の規定による認定であって法第19条第3号に掲げる小学校就学前子どもの区分に係るもの

11　3号認定子ども　3号認定を受けた小学校就学前子ども

12　保育標準時間認定　法第20条第3項の規定による保育必要量の認定のうち、規則第4条第1項の規定により、保育の利用について1月当たり平均275時間まで（1日当たり11時間までに限る。）の区分により行われるもの

13　保育短時間認定　法第20条第3項の規定による保育必要量の認定のうち、規則第4条第1項の規定により、保育の利用について1月当たり平均200時間まで（1日当たり8時間までに限る。）の区分により行われるもの

14　保育所等　2号認定子ども又は3号認定子どもが利用する保育所、認定こども園又は地域型保育事業

第2　子どものための教育・保育給付の支給に係る認定等に係る事務

1　保育の必要性に係る事由（法第19条第2号及び第3号、規則第1条の5）

(1)　趣旨

ア　保育の必要性に係る事由として、従前の「保育に欠ける事由」（児童福祉法施行令等の一部を改正する政令（平成26年政令第300号）による改正前の児童福祉法施行令（昭和23年政令第74号）第27条）に加え、各市町村（特別区を含む。以下同じ。）における取扱いの

平準化や広域利用時の対応を考慮して、昼間以外の就労、妊娠・出産、保護者の疾病・障害、同居の親族の介護・看護、災害復旧、求職活動、就学・職業訓練及び育児休業取得時の継続利用を明記したこと。

イ　また、近年の児童を取り巻く環境等に着目し、児童虐待のおそれがあると認められること及び配偶者からの暴力により保育を行うことが困難であると認められること（以下「虐待又はＤＶのおそれがあること」という。）についても、保育の必要性に係る事由として追加したこと。

ウ　従前の「保育に欠ける事由」として規定していた「同居の親族その他の者が当該児童を保育することができないと認められる場合」については、保育の必要性に係る事由としては規定せず、市町村が保育所等に係る優先的な利用を判断する際の考慮要素としたこと。具体的には、いわゆる「調整指数」（市町村が保育所等の利用について調整を行うため、保育所等の利用の優先度等に応じて定める指数をいう。以下同じ。）を減点するなどの方法が考えられる。また、その際、高齢や要介護など、当該同居の親族その他の者の心身の状況を併せて考慮することもできること。

(2)　留意事項

ア　規則第1条の5第1号（就労）

(ア)　いわゆるフルタイム就労のほか、パートタイム就労、夜間の就労など、基本的にすべての就労を対象とするものであること。

(イ)　就労の形態については、居宅外での労働のほか、居宅内で当該児童と離れて日常の家事以外の労働をすることを常態としていること（自営業、在宅勤務等）も対象とするものであること。

(ウ)　就労時間については、1か月において、48時間から64時間までの範囲内で月を単位に市町村が定める時間以上労働することを常態とすることを要件としている。

これは、保育必要量の認定（以下の3参照）が、保育標準時間認定と保育短時間認定の2区分に分けて行うこととされたことに伴い、保育短時間認定における就労時間の範囲の設定に関する次の考え方を踏まえたものであること。

・　保育短時間認定に係る範囲については、保護者の就労実態等を踏まえ、適切

な保育の利用を通じて、子どもの健やかな成長を保障し、ひいては子どもの最善の利益を確保していく上で必要な水準を定める。

・　保育の必要性の認定に当たっては、全国的な公平性の確保の観点からは、極力、収れん・一本化していくことが必要であり、その際、一時預かり事業で対応可能な短時間の就労は除き、フルタイム就労のほか、パートタイム就労などすべての就労形態に対応していくことを基本とする。

・　保育短時間認定に当たっては、その対象として主にパートタイム就労を想定していることから、フルタイム就労よりも時間が短いことを前提に、一定の時間以上の就労について対象とする。

・　その際には、多様な就労形態に対応する観点や、各市町村における実態を踏まえつつ、フルタイム就労の場合とのバランスを考慮して設定する。具体的には、フルタイム就労者は

① 1週当たりの就労日数を週5日としていることが一般的と考えられること

② 1日当たりの就労時間を7時間以上としている事業所が大半であることを踏まえ、この半分以上、就労していることを目安として設定する。

・　その上で、地域ごとの就労の実情が多様であり、それを反映した市町村の運用にも幅があることを踏まえ、1か月48時間以上64時間以下の範囲で、市町村が地域の就労実態等を考慮して定める時間とすることを基本とする。

イ　規則第1条の5第4号（同居の親族の介護又は看護）

当該子どもの兄弟姉妹が小児慢性疾患や障害を抱え、常時、介護又は看護を必要とするような場合についても対象とするものであること。

ウ　規則第1条の5第9号（育児休業取得時の継続利用）

(ア)　保護者が育児休業を取得することになった場合、休業開始前に既に保育所等を利用していた子どもについては、保護者の希望や地域における保育の実情を踏まえた上で、①次年度に小学校入学を控えるなど、

子どもの発達上環境の変化に留意する必要がある場合、②保護者の健康状態やその子どもの発達上環境の変化が好ましくないと考えられる場合など市町村が児童福祉の観点から必要と認めるときは、保育の必要性に係る事由に該当するものとして、継続して利用を可能とすることとしたものであること。なお、休業開始前に認定こども園を利用していた2号認定子どもについては、当該認定こども園の1号認定子どもに係る利用定員に空きがある場合は、教育標準時間認定へ変更したとしても、当該認定こども園を継続して利用することが可能であるため、そのような取扱いとすることも考えられること。

(イ) 育児休業取得前に保育所等を利用している場合で、(ア)に該当しないため、一旦保育所等を退所し、育児休業からの復帰に伴い、再度保育所等を利用することを希望する場合は、優先利用（以下の7参照）の枠組みの中で対応すること。

エ その他の事項

(ア) インターンシップの取扱い

インターンシップについては、その具体的な態様・期間などの状況に応じて、「就労（規則第1条の5第1号）」、「求職活動（同条第6号）」等に該当するものとして認定を考慮するほか、一時預かり事業により対応するといった柔軟な対応をとること。

(イ) ボランティア活動の取扱い

ボランティア活動については、その具体的な態様・期間などの状況に応じて、一時預かり事業で対応するほか、「災害復旧（規則第1条の5第5号）」又は「市町村が認める事由（同条第10号）」に該当するものとして認定を考慮するといった柔軟な対応をとること。

2 教育・保育給付認定の申請及び支給認定証の交付（法第20条、規則第2条、第5条、第6条）

(1) 教育・保育給付認定手続に関する基本的考え方

ア 法に基づく給付を受けて特定教育・保育を受けるためには、保護者は、法第20条第1項の規定による認定を受けるほか、特定教育・保育施設の利用申込み等の手続を行う必要がある。

このことについて、市町村及び保護者の事務負担軽減や従来の幼稚園における園児募集との整合性の観点から、教育標準時間認定を希望する場合には、令和元年9月以前の幼稚園就園奨励費の事務も参考に、保護者が入園予定の施設（認定こども園及び幼稚園）を通じて、市町村に認定の申請を行い、支給認定証の交付を受ける仕組みを基本とすること。（規則第2条第3項、第5条）

ただし、入園予定の施設の内定が得られていない、年度途中に転居したなど、入園予定の施設が決まっていない場合等においては、保護者が市町村に直接認定の申請を行うことも考えられること。

イ 上記アの場合において、保護者が施設に願書を提出した時点（入園申込みを行った時点）では、入園予定の施設が1つに特定されないことから、入園内定が得られた時点以降に、当該施設を通じて上記アの手続を行うことが考えられること。

ウ アと同様、事務負担軽減等の観点から、市町村が定めるところにより、保護者が保育標準時間認定又は保育短時間認定を希望する場合には、施設（認定こども園及び保育所）又は特定地域型保育事業者を通じて、市町村に認定の申請を行い、支給認定証の交付を受けることができること。（規則第2条第4項、第5条）

エ 保育の必要性に係る事由に該当する満3歳以上の子どもについて、保護者が幼稚園又は認定こども園（教育標準時間認定に係る利用定員に限る。）と保育所又は認定こども園（2号認定に係る利用定員に限る。）の利用申込みを併願する場合には、当該子どもは2号認定を受けることとなる。この場合において、当該幼稚園又は認定こども園については、上記アと同様に事前に認定を受けることなく施設に直接利用申込みを行うが、認定の申請は当該幼稚園又は認定こども園経由では行わないこととし、それと並行して、当該保育所又は認定こども園について、2号認定の申請及び当該保育所又は認定こども園の利用申込みを市町村（上記ウの取扱いをする市町村にあっては、当該保育所又は認定こども園）に行って、2号認定を受けた上で利用調整を受ける取扱いとすること。

オ エの場合において、2号認定を受けた子どもが最終的に幼稚園に入園することとなった

場合、教育課程に基づく教育時間が特例施設型給付の対象となり、それ以外の日時の利用に対しては、一時預かり事業の活用により適切に対応することが可能であるとともに、転園の意思がないときは、2号認定を教育標準時間認定へ変更することも考えられること。2号認定を受けた子どもが最終的に認定こども園（教育標準時間認定に係る利用定員に限る。）に入園することとなった場合、特例施設型給付の仕組みの適用はなく、入園までに教育・保育給付認定を教育標準時間認定へ変更するとともに、教育課程に基づく教育時間以外の日時の利用に対しては、一時預かり事業の活用により適切に対応すること。

　　　3号認定を受けて地域型保育事業を利用していた子どもが満3歳に達したことにより2号認定を受け、最終的に幼稚園又は認定こども園（教育標準時間認定に係る利用定員に限る。）に入園することとなった場合についても、それぞれ同様に対応すること。

カ　特定教育・保育施設には該当しない国立大学附属幼稚園や確認を受けない私立幼稚園や、地域子ども・子育て支援事業を利用する場合にあっては、教育・保育給付認定の申請は不要であること。

(2)　保護者の選択の尊重

　　　子ども・子育て支援制度（以下「本制度」という。）は、子ども・保護者の置かれている環境に応じ、保護者の選択に基づき、多様な施設・事業者から、良質かつ適切な教育・保育、子育て支援を総合的に提供する体制を確保することを基本理念の1つとしている。保育の必要性の認定の対象となり得る子どもについても、幼稚園の預かり保育・一時預かりを含め、多様な提供手段が選択肢として確保される必要がある。このため、保育の必要性に係る事由に該当する場合であっても、保育所等における保育の利用を保護者が希望しないときは、保育の必要性の認定の申請は不要であること。また、保育の利用を希望するか否かについては、兄弟姉妹によって異なることもあり得ること。保育の必要性に係る事由に該当する満3歳以上の子どもについては、教育標準時間認定を受けることも保育の必要性の認定を受けることも可能であり、特定教育・保育施設の種類や利用時間、教育・保育の内容、職員配置、設備等に関する情報を踏まえた保護者の選択が適切に行われるよう、

情報提供や申請の援助を行うこと。

(3)　支給認定証の記載事項（規則第6条）

　　　支給認定証には、教育・保育給付認定保護者の氏名、居住地及び生年月日（規則第6条第1号）、当該教育・保育給付認定に係る小学校就学前子どもの氏名及び生年月日（同条第2号）、保育の必要性に係る事由及び保育必要量（同条第5号）等同条各号に掲げる事項を記載することとされている。なお、利用者負担額については、毎年、市町村が市町村民税額等を確認の上、その階層区分ごとに定めることとなるため、支給認定証とは別途、利用者負担額に関する事項を通知することとしている（規則第7条）。このため、支給認定証にはこれを記載しないようにすること。

(4)　保護者が子どものための教育・保育給付を受ける資格を有すると認められないときの通知（法第20条第5項）

　　　法第20条第5項の規定による通知は、当該保護者が異議申立て等を行うことを妨げないよう、児童福祉法（昭和22年法律第164号）第24条第3項及び第73条第1項の規定による利用調整の状況等にかかわらず、できる限り速やかに行うよう努めること。

(5)　認定に関する処理期間（法第20条第6項）

　　　法第20条第6項の規定により、同条第1項の認定の申請に対する処分は当該申請のあった日から30日以内にしなければならないとされているところ、同条第6項ただし書の「当該申請に係る保護者の労働又は疾病の状況の調査に日時を要することその他の特別な理由がある場合」には、当該申請に係る保護者に処理見込期間及びその理由を通知し、これを延期することができるとされている。

　　　この「特別な理由がある場合」には、当該申請に係る事務が特定の時期に集中し、審査に時間を要する場合が含まれるものであること。

　　　この場合であっても、特定の者のみ処分時期を不合理に遅くするなど、申請者間の公平性を欠く対応としないよう留意することとし、申請者の希望入園時期を失することとならないよう適切な時期に認定すること。

　　　また、当該理由の通知の方法については、各市町村の判断により、次のような方法とすることが考えられること。

①　当該申請を受理した際に、申請者に対し、一律に、「次年度4月の利用に向けた認定事

務が集中するため審査に時間を要することから、審査結果は〇月にお知らせする」旨を通知する方法

② 申請に当たって、「次年度４月の利用に向けた認定事務が集中するため審査に時間を要することから、審査結果は〇月にお知らせする」旨を案内し、これに同意する保護者の意思を、認定の申請に併せて書面により確認する方法

3 保育必要量の認定（法第20条第３項、令第１条の２、規則第３条、第４条）

(1) 趣旨

ア 保育必要量の認定は、主に両親ともフルタイムで就労する場合又はそれに近い場合を想定した保育標準時間認定と、主に両親の一方がフルタイムで就労し、他方がパートタイムで就労する場合又はいずれもがパートタイムで就労する場合を想定した保育短時間認定の２区分により行うこととしたこと。

これは、子どもに対する保育が細切れにならないようにする観点や、施設・事業者において職員配置上の対応を円滑にできるようにする観点などを考慮したものであること。

イ 保育必要量は、給付（委託費）の支給対象として、それぞれの家庭の就労状況等に応じて、その範囲の中で利用することが可能な最大限の枠として設定するものであり、施設・事業者においては、利用定員に応じ、その枠に対応した体制をとることとすること。

この考え方に基づき、年間の日数の枠としては、本制度施行前における保育所の年間開所日数（約300日）と同様としたこと。（保育所の開所日数については、日曜日のほか、国民の祝日の日数を考慮し、約300日（１か月25日間）の開所を前提としている。）

ウ 保育必要量と実際の保護者の利用時間並びに保育所等の開園する日数及び時間との関係については、本制度施行前における保育所の利用実態として、土曜日の保育所の利用は平日よりも大幅に少なく、平日において閉園時間よりも前に迎えに来る保護者も多いところであるが、新制度においても、実際の保育の利用の日数及び時間については、保護者の就労時間帯での保育の確保や子どもの育成上の配慮の観点から必要な範囲での利用を想定していることに留意すること。

(2) 留意事項

ア 保育必要量に係る時間数

保育必要量に係る時間数については、「保育標準時間認定」「保育短時間認定」の区分に応じて、次のとおりとすること。

(ｱ) 「保育標準時間認定」の保育必要量については、原則的な保育時間を８時間とした上で、休憩時間や通勤時間も考慮し、本制度施行前における保育所の開所時間である１日11時間までの利用に対応するものとして、１か月当たり平均275時間（最大292時間・最低212時間）とすること。

(ｲ) 「保育短時間認定」の保育必要量については、原則的な保育時間である１日当たり８時間までの利用に対応するものとして、１か月当たり平均200時間（最大212時間）とすることを基本とすること。

イ 保育の必要性に係る事由が就労である場合における「保育標準時間認定」「保育短時間認定」の区分

(ｱ) 保育の必要性に係る事由が就労（規則第１条の５第１号）である場合における保育必要量の認定は、就労時間を勘案して行うこととし、就労時間が１か月当たり120時間以上である場合には原則として保育標準時間認定と、就労時間が１か月当たり120時間未満である場合には原則として保育短時間認定とすること。

(ｲ) 就労時間が１か月当たり120時間以上である場合であっても、保護者が保育短時間認定を希望するときは、市町村の判断により、保育短時間認定とすることもできること。

(ｳ) 現に保育所を利用している者については、市町村は、法の施行後に保育短時間認定を受けると見込まれる者のうち市町村が定める要件に該当するものについて保育標準時間認定を行う等の適切な経過措置を講ずる必要があること。（6(2)参照）

ウ 保育の必要性に係る事由が就労以外の事由である場合における「保育標準時間認定」「保育短時間認定」の区分

(ｱ) 就労以外の事由については、例えば同居の親族を常時介護又は看護している場合（規則第１条の５第４号）であっても、付添いに必要な時間が人によって異なることが考えられることから、保育標準時間認定又は保育短時間認定の区分を設けることを

基本とすること。

　　ただし、妊娠・出産（同条第2号）、災害復旧（同条第5号）及び虐待又はDVのおそれがあること（同条第8号）といった事由については、一律に保育標準時間認定とすること。（規則第4条第1項）

　（イ）保護者の疾病・障害（規則第1条の5第3号）、求職活動（同条第6号）及び育児休業取得時の継続利用（同条第9号）といった事由については、市町村の判断により、保育標準時間認定又は保育短時間認定の区分を設けないことができること。（規則第4条第2項）

　エ　延長保育事業との関係

　　通常の利用日及び利用時間帯以外の日及び時間において保育を行う延長保育事業との関係については、本制度施行前の取扱いを踏まえ、1日当たりの保育必要量との関係を基に整理し、別途示すこととしていること。

4　教育・保育給付認定の有効期間（法第21条、規則第8条）

(1)　教育標準時間認定の有効期間は、その効力発生日から小学校就学の始期に達するまでの期間としたこと。（規則第8条第1号）

(2)　2号認定及び3号認定（保育標準時間認定及び保育短時間認定）の有効期間は、満3歳以上の子どもに係る認定についてはその効力発生日から小学校就学の始期に達するまでの期間、満3歳未満の子どもに係る認定についてはその効力発生日から満3歳に達する日の前日までの期間とし、保育の必要性の認定に係る事由に該当しなくなった場合は、その時点までとすることを基本としたこと。（規則第8条第2号から第13号まで）

　　なお、「求職活動」の事由に係る有効期間については、雇用保険制度に基づく失業等給付（基本手当）の給付日数が90日を基礎としていること（被保険者期間10年未満の者が倒産、解雇等以外の理由により離職した場合）を踏まえ、90日を限度として市町村が定める期間を経過する日が属する月の末日までの期間としたものであること。（同条第4号及び第10号）

(3)　「求職活動」の事由に係る有効期間の経過後も引き続き求職活動により保育が必要な状況にあると認められる場合には、その状況を確認の上、再度認定することも可能であること。

5　現況届（法第22条、規則第9条）

現況届は、保育の必要性に係る事由に引き続き該当していることや利用者負担の切替えの要否を確認する観点から、1年に1回を基本に求めることとしたこと。

6　経過措置（規則附則第2条等）

(1)　趣旨

　　法の施行により保育必要量の認定について保育標準時間認定及び保育短時間認定の区分が設けられることに伴い、法の施行前に現に保育所を利用している者が、法の施行後に、保育所を退所し、又は保育所を利用することができる時間数が減少することにならないよう、経過措置として、現に保育所を利用することができる時間数を保障しながら、段階的に保育短時間認定を適用する等の措置を講ずることができることとしたこと。

(2)　経過措置の内容及び留意事項

　ア　法の施行の日から起算して10年を経過する日までの間は、保育の必要性の認定に係る事由のうち「就労」（規則第1条の5第1号）について、1か月当たりの労働時間数を48時間から64時間までの範囲に限定せず、市町村が定めることができることとしたこと。（規則附則第2条）

　イ　アに掲げるもののほか、市町村は、現に保育所等を利用している者であって法の施行後にその保護者が保育短時間認定を受けると見込まれるものその他法の施行により不利益が生ずると見込まれる者については、当該者が引き続き従来どおり保育所等を利用することができるよう、適切な経過措置を講ずること。

　　その際、法の施行に伴い定められた「就労」の事由に係る1か月当たりの労働時間数の下限が、本制度施行前において定める労働時間数の下限より引き上げられた場合及び引き下げられた場合のいずれについても配慮すること。

　ウ　経過措置の例として、保育短時間認定を受けると見込まれる者のうち市町村が必要と認めるものについては、保育標準時間認定を行うこととすることが考えられること。

　エ　上記に掲げるもののほか、保育短時間認定を受けるに至らないと見込まれる短時間の就労者の保育の需要に対しては、一時預かり事業を柔軟に活用するなど、市町村の実情に応じた適切な対応を行うこと。

7　優先利用

(1) 趣旨

　本制度施行前において、特に保育の需要に応ずるに足りる保育所等が不足している市町村においては、保育所等の利用に係る優先度を踏まえてその利用の調整を行うため、独自に「調整指数」を定めるとともに、ひとり親家庭等の一定の要件に該当する者に対しては調整指数を加点する措置を講じ、当該者を優先的に保育所等に利用させる取扱い（以下「優先利用」という。）を行っている事例が見られた。

　本制度の施行に伴い、市町村は、保育の必要性の認定を行うこととされたほか、児童福祉法第24条第3項及び第73条第1項の規定により、保育所、認定こども園又は家庭的保育事業等の利用について調整を行う（利用調整）等とされた。

　これらを踏まえ、法に基づく保育の必要性の認定及びこれを踏まえた保育所等の利用に係る利用の調整を適切に行うため、優先利用に関する基本的考え方を明らかにするものであること。

　なお、本通知に定めるもののほか、児童福祉法第24条第3項及び第73条第1項の規定による利用調整に関し必要な事項については、別途示すこととしていること。

(2) 優先利用に関する基本的考え方

ア　待機児童の発生状況に加え、事前の予測可能性や個別事案ごとへの対応の必要性等の観点を踏まえ、事案に応じて調整指数上の優先度を高めることにより、優先利用を可能とする仕組みを基本とすること。

　その際、優先的な受入れが実際に行われるよう、地域における受入体制を確認し、市町村子ども・子育て支援事業計画に基づく提供体制の確保等を着実に実施していくことが必要となること。

イ　虐待又はDVのおそれがあること（規則第1条の5第8号）に該当する場合など、社会的養護が必要な場合には、より確実な手段である児童福祉法第24条第5項に基づく措置制度も併せて活用すること。

ウ　「優先利用」の対象として考えられる事項について例示をすると、次のとおりであること。ただし、それぞれの事項については、適用される子ども・保護者、状況、体制等が異なることが想定されるため、運用面の詳細を含め、実施主体である市町村において、それぞれ検討・運用する必要があること。

① ひとり親家庭

※ 母子及び父子並びに寡婦福祉法（昭和39年法律第129号）に基づく配慮義務がある。

② 生活保護世帯（就労による自立支援につながる場合等）

③ 主として生計を維持する者の失業により、就労の必要性が高い場合

④ 虐待又はDVのおそれがあることに該当する場合など、社会的養護が必要な場合

※ 被虐待児童については、児童虐待の防止等に関する法律（平成12年法律第82号）に基づく配慮義務がある。また、家庭での養育が困難又は適当でない児童についても、児童福祉法に基づき、必要な措置を講じる義務がある。

※ 社会的養護が必要な場合として、里親委託が行われている場合を含む。

⑤ 子どもが障害を有する場合

※ 例えば、障害児保育を実施している保育所については、障害児が優先的に利用できるようにする必要性が高いため。

⑥ 育児休業を終了した場合
（例）

・ 育児休業取得前に特定教育・保育施設等を利用しており、特定教育・保育施設等の利用を再度希望する場合

・ 育児休業取得前に認可外保育施設等を利用しており、特定教育・保育施設又は地域型保育事業の利用を希望する場合

・ 1歳時点まで育児休業を取得しており、復帰する場合

⑦ 兄弟姉妹（多胎で生まれた者や、1号認定子どもである兄姉が認定こども園を利用している場合であってその弟妹が3号認定を受けて当該認定こども園の利用を希望する場合を含む。）について同一の保育所等の利用を希望する場合

⑧ 小規模保育事業など地域型保育事業の卒園児童

※ 運営基準第42条の規定により、特定地域型保育事業者は、同条第1項各号に規定する連携施設を適切に確保しなければならないこととされ、また、運営基準附則第5条の規定により、必要な適切な支援を行うことができると市町村が認める

場合は、法の施行の日から起算して10年を経過する日までの間は、連携施設を確保しないことができるとされている。

この「必要な適切な支援を行うことができると市町村が認める場合」には、市町村が児童福祉法第24条第3項及び第73条第1項の規定による利用調整に当たっての優先度を高め、地域型保育事業において保育を受けていた子どもが卒園後に円滑に特定教育・保育施設において継続して教育・保育を受けることができるようにするため必要な措置を講じている場合が含まれるものであること。

※　運営基準第42条第4項の規定により、同条第1項第3号に規定する連携施設を不要とする場合は、市町村において、特定地域型保育事業者による特定地域型保育の提供を受けていた満3歳未満保育認定子どもを優先的に取り扱う措置その他の特定地域型保育事業者による特定地域型保育の提供の終了に際して、当該満3歳未満保育認定子どもに係る教育・保育給付認定保護者の希望に基づき、引き続き必要な教育・保育が提供されるよう必要な措置を適切に講じること。

⑨　その他市町村が定める事由

※　このほか、選考の際に、保護者の疾病・障害の状況や各世帯の経済状況（所得等）を考慮することも考えられる。

※　また、市町村の判断により、人材確保、育成や就業継続による全体へのメリット等の観点から、保育士、幼稚園教諭、保育教諭の子どもの利用に当たって配慮することも考えられる。

※　併せて、放課後児童クラブの指導員等の子どもの利用に当たって配慮することも考えられる。

8　保育の必要性の認定に関する子ども・子育て会議の意見

保育の必要性の認定に関しては、平成26年1月15日に開催された子ども・子育て会議の場において、別添のとおり、「保育の必要性の認定に関する基準案取りまとめに当たっての附帯意見」が、同会議の意見としてまとめられたところである。

このため、保育の必要性の認定の運用に当たっては、当該意見に十分留意し、適切な措置を講ずるようお願いしたいこと。

第3　特定教育・保育施設及び特定地域型保育事業者の確認等に係る事務

1　特定教育・保育施設の確認

(1)　利用定員（法第31条第1項、運営基準第4条）

ア　利用定員に関する基本的考え方

利用定員は、教育・保育施設の設置者又は地域型保育事業を行う者からの申請に基づき市町村長が法第31条又は第43条の規定による確認を行う際に、定めるものである。

利用定員は、認可定員（教育・保育施設の設置に当たり認可若しくは認定され、又はその後の変更につき適正な手続を経た定員のことをいい、幼稚園については学校教育法施行規則（昭和22年文部省令第11号）第4条第1項第5号の収容定員、保育所については児童福祉施設の設備及び運営に関する基準（昭和23年厚生省令第63号）第13条第2項第6号に掲げる利用定員、幼保連携型認定こども園については就学前の子どもに関する教育、保育等の総合的な提供の推進に関する法律施行規則（平成26年内閣府・文部科学省・厚生労働省令第2号）第16条第4号の利用定員、幼稚園型認定こども園、保育所型認定こども園及び地方裁量型認定こども園については就学前の子どもに関する教育、保育等の総合的な提供の推進に関する法律（平成18年法律第77号）第4条第1項第3号の利用定員と第4号の利用定員（満3歳以上の者に係るものに限る。）を合計したもの。以下同じ。）に一致させることを基本としつつ、原則として認可定員を超えない範囲内で利用状況を反映して設定する必要があるが、具体的な人数設定に関し、全国一律の基準を設けるものではないこと。

利用定員は、当該確認を受けた教育・保育施設又は地域型保育事業において、質の高い教育・保育が提供されるよう設定する必要がある。このため、市町村においては、申請者との意思疎通を図り、その意向を十分に考慮しつつ、当該施設での最近における実利用人員の実績や今後の見込みなどを踏まえ、適切に利用定員を設定していただく必要があること。

なお、利用定員を認可定員に一致させるよう設定した場合に、当該地域における利用定員の総数（供給）が必要利用定員総数（需要）を上回ることが考えられるが、この場合において、必要利用定員総数（需要）に応じて利

用定員の総数（供給）を減少させることを求める趣旨ではないこと。

イ　幼稚園並びに幼稚園型認定こども園及び地方裁量型認定こども園の取扱い

　　(ア)　幼稚園については、現行の取扱いを踏まえ、最低利用定員を設けないこととしたこと。

　　(イ)　幼稚園型認定こども園及び地方裁量型認定こども園については、施設全体で利用定員を20人以上に設定すること。

ウ　利用定員の区分

　　法第19条第1号及び第2号に掲げる小学校就学前子どもの利用定員については年齢ごとの区分を設けない一方、法第19条第3号に掲げる小学校就学前子どもの利用定員については満1歳に満たない小学校就学前子ども及び満1歳以上の小学校就学前子どもに区分して定めることとしているが、これは、年度中における子どもやその保護者の状況の変化に柔軟に対応できるようにするとともに、子ども・子育て支援事業計画における「量の見込み」等の区分との整合性を考慮したものであること。同様に、利用定員に係る保育標準時間認定及び保育短時間認定の区分についても、これを設けないこととしたこと。なお、これらについては、地域の実情等に応じてさらに細かい区分で設定することも可能であること。

エ　利用定員と認可定員との関係

　　(ア)　実際の利用者数が恒常的に認可定員を下回る状況にある施設については、当該認可定員にかかわらず、実際の利用者数及び今後の見込み等を勘案して、当該施設の利用定員を定めること。なお、この場合において、認可定員を利用定員に合わせて減少させる必要はないこと。

　　(イ)　実際の利用者数が認可定員を超える状況にある施設については、当該認可定員の範囲内で利用定員を設定することが原則であることから、認可権者において、認可基準を満たすように必要な指導監督を行うとともに、利用実態に応じた認可定員に変更することが必要である。ただし、当該施設が私立幼稚園（認定こども園を含む）である場合に、認可権者の判断により、法第27条第1項の規定による確認を受けてから5年を超えない範囲内で都道府県が認める期間

に限り、実際の利用者数に応じた認可基準を満たしており、かつ、認可定員の適正化に取り組んでいる場合（認可定員の増加の認可申請中又は申請予定である場合や、新規入園者の計画的な減少等による実際の利用者数の適正化に取り組んでいる場合）であって認可権者が適当と認めるときは、例外的に認可定員を超えて利用定員を設定することを可能とすること。この取扱いは、市町村子ども・子育て支援事業計画に係る協議の際に、都道府県の私立幼稚園担当部局において当該変更内容を確認すること。

オ　利用定員を超える受入れ

　　(ア)　運営基準第22条ただし書の「やむを得ない事情がある場合」に該当するか否かについては、市町村の判断に委ねられるが、同条ただし書に規定される例示に限られず、当該施設を利用する子どもの保護者の就労状況の変化等により、2号認定子どもが保育の必要性に係る事由に該当しなくなったこと又は1号認定子どもが保育の必要性に係る事由に該当するようになったことから、当該施設において法第19条第1号及び第2号の区分ごとの利用定員を超えた受入れを行う必要が生じた場合や、保護者と直接契約を締結する認定こども園、幼稚園等において、入園を辞退する者が想定よりも少ない等の理由により実際の利用者数が利用定員を超えることとなる場合が含まれること。また、同条ただし書の「年度中における特定教育・保育に対する需要の増大への対応」には、特定教育・保育施設において、年度当初から利用定員を超える受入れが必要となる場合が含まれること。

　　(イ)　特定教育・保育施設は、運営基準第22条ただし書に掲げる場合には、その利用定員を超えて特定教育・保育の提供を行うことができるが、その場合であっても、実際の利用者数が当該利用定員を恒常的に上回っているときは、当該利用定員を適切に見直し、法第32条の規定による確認の変更を行う必要があること。

　　(ウ)　連続する過去一定年度間（幼稚園及び認定こども園（1号認定）にあっては2年間、保育所及び認定こども園（2・3号認定）にあっては5年間）常に実際の利用者数が利用定員を超えており、かつ、各年度の年

間平均の利用率が120％以上の場合であって、(イ)の見直しが行われないときは、法に基づく給付費を減算する等の措置を講ずること。

(エ)　実際の利用者数が利用定員又は認可定員を超えることとなる場合の法に基づく給付費の減算の取扱い等については、別途通知すること。

カ　利用定員を下回る場合の定員変更

上記エ(ア)のとおり、実際の利用者数が恒常的に認可定員を下回る状況にある施設については、実際の利用者数及び今後の見込み等を勘案して、当該施設の利用定員を定めること。その際、利用定員の減少は、法第35条第2項又は第47条第2項の規定により届出で足りるものであるため、市町村は、必要な事項を盛り込んだ届出を受理せず利用定員の減少を認めないといった対応を取ることはできないことに留意すること。

一方で、市町村は、市町村子ども・子育て支援事業計画に基づき教育・保育の提供体制の確保を行うこととされていることから、施設・事業者は、利用定員の減少の届出に際しても、事前に市町村と相談することが適当であり、市町村は、日頃から利用定員の設定に関し施設・事業者との意思疎通を図る必要がある。

また、利用定員の減少により、地域の教育・保育の利用定員と市町村子ども・子育て支援事業計画に定める教育・保育の確保方策に差が生じる場合には、その要因等を把握した上で、必要に応じて、計画期間の中間年を目安として行う見直し等により市町村子ども・子育て支援事業計画に定める量の見込み及び確保方策の見直しを行うことが考えられること。

なお、当該利用定員の減少が保育士・幼稚園教諭等の確保が困難である等の理由によるものであれば、都道府県・市町村は、施設・事業者に対して保育士・幼稚園教諭等の確保を支援することが適当である。

キ　利用定員に係る情報提供

特定教育・保育施設は、年齢別の利用定員について、その利用者に対し情報提供するよう努めること。

(2)　合議制の機関等からの意見聴取（法第31条第2項）

法第31条第2項の規定による合議制の機関等からの意見聴取は、個々の施設の利用定員について行う必要があるが、その際、当該施設ごとに個別に付議するのではなく、複数の施設をまとめて付議するなど、各自治体の判断等により、適宜簡素化することも差し支えないこと。

(3)　確認の効力の及ぶ範囲

特定教育・保育施設の確認については、市町村長による確認の効力が全国に及ぶものであり、当該市町村長がその長である市町村以外の市町村（(3)において「他の市町村」という。）の区域に居住地を有する者が当該施設を利用しようとする場合に、当該他の市町村の長が別途改めて確認を行う必要はないこと。

(4)　経過措置（規則附則第5条及び第6条）

ア　規則附則第5条に規定するみなし認定こども園等（イにおいて「みなし認定こども園等」という。）の利用定員を定めようとするときは、あらかじめ都道府県知事に協議しなければならないこととされている（規則附則第5条）が、その際、当該施設ごとに個別に協議するのではなく、例えば全施設の一覧表を作成して協議するなど、都道府県と市町村との間の協議により、適宜簡素化することも差し支えないこと。

イ　みなし認定こども園等の利用定員を定めるに当たっての法第72条第1項の合議制の機関等からの意見聴取については、法令上の義務は課せられておらず、各市町村の判断に委ねられるものであること。

ウ　市町村は、規則附則第5条の規定により、法の施行前に認定を受けた認定こども園（以下「既設認定こども園」という。）の利用定員を定めようとするときは、既設認定こども園の設置者の意向を十分に考慮するとともに、保育所又は幼稚園が新たに認定こども園に移行する場合における需給調整に係る特例措置（就学前の子どもに関する教育、保育等の総合的な提供の推進に関する法律施行規則（平成26年内閣府・文部科学省・厚生労働省令第2号）第7条及び第22条）が設けられた趣旨を踏まえ、適切にその利用定員を設定すること。

なお、既設認定こども園の「施設において保育する児童福祉法第39条第1項に規定する乳児又は幼児の数（満3歳未満の者の数及び満3歳以上の者に区分）」及び「施設におい

て保育する児童福祉法第39条第1項に規定する乳児又は幼児以外の子どもの数（満3歳未満の者の数及び満3歳以上の者に区分）」の変更については、幼稚園の収容定員の変更を伴うものを除き、届出で足りることとされている。このため、当該届出と既設認定こども園の利用定員の設定との間で整合性が損なわれることのないよう、市町村は、必要に応じ、既設認定こども園の設置者との十分な意思疎通を図ること。

2　特定地域型保育事業者の確認

(1)　利用定員の区分（法第43条、運営基準第37条）
　　特定地域型保育事業の利用定員については、特定教育・保育施設の利用定員（法第19条第3号に掲げる小学校就学前子どもの利用定員に限る。）と同様に、満1歳に満たない小学校就学前子ども及び満1歳以上の小学校就学前子どもに区分して定めることとしたこと。

(2)　確認の効力の及ぶ範囲
　　特定地域型保育事業者の確認については、事業所の所在地の市町村長による確認の効力が全国に及ぶものであり、当該市町村長がその長である市町村以外の市町村（(2)において「他の市町村」という。）の区域に居住地を有する者が当該施設を利用しようとする場合に、当該他の市町村の長が別途改めて確認を行う必要はないこと。

第4　その他

　第1から第3までに掲げる教育・保育給付認定及び確認に係る留意事項以外の規則及び運営基準の取扱いに係る留意事項については、別途通知する。

別添　略

○保育所の設置認可等について

［平成12年3月30日　児発第295号
各都道府県知事・各指定都市市長・各中核市市長宛　厚生
省児童家庭局長通知］

注　平成26年12月12日雇児発1212第5号改正現在

保育所の設置認可等については、「保育所の設置認可等について」（昭和38年3月19日児発第271号。以下「児発第271号通知」という。）により行ってきたところであるが、待機児童の解消等の課題に対して地域の実情に応じた取組みを容易にする観点も踏まえ、今般、保育所の設置認可の指針を下記のとおり改めたので、貴職において保育所の設置認可を行う際に適切に配意願いたい。

また、保育所の設置認可に係る申請があった際に、その内容が児童福祉法（昭和22年法律第164号）第45条第1項の基準その他の関係法令に適合するものでなければ認可してはならないことは当然であり、この点については従来の取扱いと変更がないものであるので、念のため申し添える。

記

第1　保育所設置認可の指針

1　認可制度の見直しについて

今回、法第35条第5項各号に保育所の設置認可に関する審査基準等が定められるとともに、当該地域で保育需要が充足されていない場合には、設置主体を問わず、審査基準に適合している者から保育所の設置に係る申請があった場合には、認可するものとするとされており、認可に当たっては、法の規定を踏まえて審査を行うこと。

2　地域の状況の把握及び保育所認可に係る基本的な需給調整の考え方

子ども・子育て支援新制度においては、教育・保育及び地域子ども・子育て支援事業の提供体制の整備並びに子ども・子育て支援給付及び地域子ども・子育て支援事業の円滑な実施を確保するための基本的な指針（平成26年7月2日内閣府告示第159号。以下「基本指針」という。）に即し、市町村においては子ども・子育て支援事業計画を、都道府県においては、子ども・子育て支援事業支援計画を定めることとされており、都道府県知事（指定都市及び中核市においては市長。以下同じ。）においては、当該計画に基づき、基本指針第三の四の2の㈡の(2)「都道府県の認可及び認定に係る需給調整の考え方」を踏まえて、保育所設置認可申請への対応を行うこと。

3　認可申請に係る審査等

保育所設置認可申請については、2で把握した地域の状況を踏まえつつ、個別の申請の内容について、以下の点を踏まえ審査等を行うこと。

(1)　定員

保育所の定員は、20人以上とすること。

(2)　社会福祉法人又は学校法人による設置認可申請

認可の申請をした者が社会福祉法人又は学校法人である場合にあっては、都道府県知事は、法第45条第1項の条例で定める基準（保育所に係るものに限る。）に適合するかどうかを審査するほか、法第35条第5項第4号に掲げられた基準によって審査すること。

(3)　社会福祉法人及び学校法人（以下「社会福祉法人等」という。）以外の者による設置認可申請

①　審査の基準

社会福祉法人等以外の者から保育所の設置認可に関する申請があった場合には、法第45条第1項の条例で定める基準（保育所に係るものに限る。）に適合するかどうかを審査するほか、法第35条第5項各号に掲げられた基準によって審査すること。その際の基準については以下のとおりであること。

ア　保育所を経営するために必要な経済的基礎があること。

「必要な経済的基礎がある」とは、以下の㈠及び㈡のいずれも満たすものをいうこと。また、当該認可を受ける主体が他事業を行っている場合については㈢も満たすこと。

㈠　原則として、保育所の経営を行うために直接必要なすべての物件について所有権を有しているか、又は国若しくは地方公共団体から貸与若しくは使用許可を受けていること。ただし、「不動産の貸与を受けて保育所を設置する場合の要件緩和について」（平成16年5月24日雇児発第0524002号、社援発第0524008号）に定

められた要件を満たしている場合には、「必要な経済的基礎がある」と取り扱って差し支えないこと。

(イ) 保育所の年間事業費の12分の1以上に相当する資金を、普通預金、当座預金等により有していること。

(ウ) 直近の会計年度において、保育所を経営する事業以外の事業を含む当該主体の全体の財務内容について、3年以上連続して損失を計上していないこと。

イ 当該保育所の経営担当役員（業務を執行する社員、取締役、執行役又はこれらに準ずる者をいう。以下同じ。）が社会的信望を有すること。

ウ 実務を担当する幹部職員が社会福祉事業に関する知識又は経験を有すること。

「実務を担当する幹部職員が社会福祉事業に関する知識又は経験を有すること」とは(ア)及び(イ)のいずれにも該当するか、又は(ウ)に該当すること。なお、この場合の「保育所等」とは、保育所並びに保育所以外の児童福祉施設、認定こども園、幼稚園、家庭的保育事業、小規模保育事業、居宅訪問型保育事業及び事業所内保育事業をいうこと。

(ア) 実務を担当する幹部職員が、保育所等において2年以上勤務した経験を有する者であるか、若しくはこれと同等以上の能力を有すると認められる者であるか、又は、経営担当役員者に社会福祉事業について知識経験を有する者を含むこと。

(イ) 社会福祉事業について知識経験を有する者、保育サービスの利用者（これに準ずる者を含む。）及び実務を担当する幹部職員を含む運営委員会（保育所の運営に関し、当該保育所の設置者の相談に応じ、又は意見を述べる委員会をいう。）を設置すること。

(ウ) 経営担当役員者に、保育サービスの利用者（これに準ずる者を含む。）及び実務を担当する幹部職員を含むこと。

エ 法第35条第5項第4号に掲げられた基準に該当しないこと。

② 社会福祉法人以外の者に対する設置認可の際の条件

社会福祉法人以外の者に対して保育所の設置認可を行う場合には、設置者の類型を勘案しつつ、以下の条件を付すことが望ましいこと。

ア 法第45条第1項の基準を維持するために、設置者に対して必要な報告を求めた場合には、これに応じること。

イ 特定教育・保育施設及び特定地域型保育事業の運営に関する基準（平成26年内閣府令第39号）第33条を踏まえ、収支計算書又は損益計算書において、保育所を経営する事業に係る区分を設けること。

ウ 保育所を経営する事業については、積立金・積立資産明細書を作成すること。

エ 学校法人会計基準及び企業会計の基準による会計処理を行っている者は、イに定める区分ごとに、別紙1の積立金・積立資産明細書を作成すること。

なお、企業会計の基準による会計処理を行っている者は、イに定める区分ごとに、企業会計の基準による貸借対照表（流動資産及び流動負債のみを記載）、及び別紙2の借入金明細書、及び別紙3の基本財産及びその他の固定資産（有形固定資産）の明細書を作成すること。

オ 毎会計年度終了後3か月以内に、次に掲げる書類に、保育所を経営する事業に係る現況報告書を添付して、都道府県知事に対して提出すること。

(ア) 前会計年度末における貸借対照表

(イ) 前会計年度の収支計算書又は損益計算書

(ウ) 保育所を経営する事業に係る前会計年度末における積立金・積立資産明細書

ただし、学校法人会計基準及び企業会計による会計処理を行っている者については、保育所を経営する事業に係る前会計年度末における別紙1の積立金・積立資産明細書

また、企業会計の基準による会計処理を行っている者は、保育所を経営する事業に係る前会計年度末における企業会計の基準による貸借対照表（流動資産及び流動負債のみを記載）、別紙2の借入金明細書、別紙3の基本財産及びその他の固定資産（有形固定資産）の明細書

③ 認可の取消しについて

都道府県知事は、法第58条第1項の規定を踏まえ、保育所が法若しくは法に基づいて発

する命令又はこれらに基づいてなす処分に違反したときは、当該保育所に対し、期限を定めて必要な措置をとるべき旨を命じ、さらに当該保育所がその命令に従わないときは、期間を定めて事業の停止を命じることがあり、その際、当該保育所がその命令に従わず他の方法により運営の適正を期しがたいときは、認可の取消しを行うことがあること。

ただし、当該違反が、乳幼児の生命身体に著しい影響を与えるなど、社会通念上著しく悪質であり、改善の見込みがないと考えられる場合については、速やかな事業の停止や認可の取消しを検討すること。

④　市町村との契約

社会福祉法人等以外の者と市町村との間で保育の実施に係る委託契約を締結する際には、以下の事項を当該契約の中に盛り込むことが望ましいこと。

ア　特定教育・保育施設及び特定地域型保育事業の運営に関する基準（平成26年内閣府令第39号）第33条を踏まえ、収支計算書又は損益計算書において、保育所を経営する事業に係る区分を設けること。

イ　保育所を経営する事業については、積立金・積立資産明細書を作成すること。

ウ　学校法人会計基準及び企業会計の基準による会計処理を行っている者は、区分ごとに、別紙1の積立金・積立資産明細書を作成すること。

なお、企業会計の基準による会計処理を行っている者は、区分ごとに、企業会計の基準による貸借対照表（流動資産及び流動負債のみを記載）、及び別紙2の借入金明細書、及び別紙3の基本財産及びその他の固定資産（有形固定資産）の明細書を作成すること。

エ　保育所の認可に対して付された条件を遵守すること。

第2　実施期日等

この通知は子ども・子育て支援法及び就学前の子どもに関する教育、保育等の総合的な提供の推進に関する法律の一部を改正する法律の施行に伴う関係法律の整備等に関する法律（平成24年法律第67号）の施行の日から施行する。なお、「「保育所の設置認可等について」の取扱いについて」（平成12年3月30日児保第10号厚生省児童家庭局保育課長通知）はこの通知の施行に伴って廃止する。

なお、この通知は、地方自治法（昭和22年法律第67号）第245条の4に規定する技術的な勧告に当たるものである。

別紙1〜3　略

○幼稚園と保育所の施設の共用化等に関する指針について

〔平成10年3月10日　文初幼第476号・児発第130号
各都道府県知事・各都道府県教育委員会・各指定都市市長
・各指定都市教育委員会・各中核市市長・各中核市教育委
員会宛　文部省初等中等教育・厚生省児童家庭局長連名通
知〕

注　平成17年5月13日17文科初第262号・雇児発第0513003号改正現在

幼稚園と保育所の今後の在り方については、近年における少子化の進行、共働き家庭の一般化などに伴う保育ニーズの多様化等を背景として、地方分権推進委員会第1次勧告（平成8年12月）において、地域の実情に応じた幼稚園・保育所の施設の共用化等、弾力的な運用を確立することが求められました。

このような状況を踏まえ、文部省と厚生省は共同して、国民の多様なニーズに対応できるよう、望ましい運営や施設の在り方を幅広い観点から検討するため、平成9年4月に「幼稚園と保育所の在り方に関する検討会」を発足させました。

この検討会においては、当面、幼稚園と保育所を合築し、併設し、又は同一敷地内に設置するに当たっての施設の共用化等に関する取扱いを中心に検討を行い、この度、別紙のとおりこの指針を取りまとめましたので、貴職におかれては管下の市町村その他関係者に周知徹底の上、適切に指導し、幼児教育・保育の充実に一層の御配慮をお願いします。

（別　紙）

　幼稚園と保育所の施設の共用化等に関する指針

1　目的

　　多様なニーズに的確に対応できるよう、幼稚園と保育所の施設・運営の共用化、職員の兼務などについて地域の実情に応じて弾力的な運用を図り、幼児教育環境の質的な向上を推進し、共用化された施設について保育の内容等運営が工夫され、有効利用が図られることを目的とする。

2　内容

(1)　幼稚園及び保育所について、保育上支障のない限り、その施設及び設備について相互に共用することができる。

(2)　共用化された施設について必要とされる基準面積は、原則として、それぞれ幼稚園設置基準、児童福祉施設最低基準により幼児数を基に算定するものとする。

　　ただし、この方法によることが適切でないと認められる場合には実情に即した方法により算定するものとする。

　　共用部分については、原則として幼稚園及び保育所の各々の専有面積により按分して管理する。

(3)　幼稚園と保育所が共用化されている施設における職員の数については、それぞれ幼稚園設置基準、児童福祉施設最低基準により算定するものとする。

(4)　幼稚園及び保育所に備えられている園具・教具・用具について、幼稚園及び保育所は相互に使用することができる。

(5)　幼稚園と保育所が共用化されている施設においては、教育・保育内容に関し、合同で研修を実施するように努める。

(6)　施設設備の維持保全、清掃等の共通する施設管理業務について一元的な処理に努める。

(7)　共用化指針により共用化された施設における幼稚園児及び保育所児の合同活動並びに幼稚園及び保育所の保育室の共用化については、平成17年5月13日付け17文科初第262号・雇児発第0513003号「共用化指針により共用化された施設における幼稚園児及び保育所児の合同活動並びに保育室の共用化に係る取扱いについて」別紙1の共用化指針により共用化された施設における幼稚園児及び保育所児の合同活動並びに保育室の共用化に関する指針（以下「合同活動指針」という。）にしたがって実施するものとする。

　なお、この場合において、合同活動指針2(1)⑤により合同活動を行う幼稚園児及び保育所児それぞれの定員数で按分して管理することとされた共用化された保育室のうち、当該按分された面積については、上記(2)の専有面積とみなすことができるものとする。

○共用化指針により共用化された施設における幼稚園児及び保育所児の合同活動並びに保育室の共用化に係る取扱いについて

平成17年5月13日　17文科初第262号・雇児発第0513003号
各都道府県知事・各都道府県教育委員会・各指定都市市長
・各指定都市教育委員会・各中核市市長・各中核市教育委
員会・各附属学校を置く国立大学法人学長宛　文部科学省
初等中等教育・厚生労働省雇用均等・児童家庭局長連名通
知

平成10年3月10日付け文初幼第476号・児発第130号「幼稚園と保育所の施設の共用化等に関する指針について」（以下「共用化指針」という。）により共用化された施設における幼稚園児及び保育所児の合同活動並びに保育室の共用化に係る取扱いについては、構造改革特別区域法（平成14年法律第189号）第3条に基づく構造改革特別区域基本方針（平成15年1月24日閣議決定。以下「基本方針」という。）別表1の「807　幼稚園における幼稚園児及び保育所児等の合同活動事業」（文部科学省関係構造改革特別区域法第2条第3項に規定する省令の特例に関する措置及びその適用を受ける特定事業を定める省令（平成15年文部科学省令第18号。以下「特区省令」という。）第4条により措置）、「914　保育所における保育所児及び幼稚園児の合同活動事業」（平成15年8月26日付け雇児発第0826002号「構造改革特別区域における「保育所における保育所児及び幼稚園児の合同活動事業」について」により措置）、「823及び921　幼稚園と保育所の保育室の共用化事業」（平成16年3月29日付け15文科初第1313号・雇児発第0329003号「構造改革特別区域における「幼稚園と保育所の保育室の共用化事業」について」により措置）、「831　保育所と合同活動を行う場合の幼稚園の面積基準の特例事業」（特区省令第5条により措置）により特例措置が講じられてきたところですが、これらの措置については、「構造改革特別区域基本方針の一部変更について」（平成17年4月22日閣議決定）により全国展開することとされたところです。

今般、この決定を踏まえ、これまで構造改革特別区域において行われてきた特例のうち、基本方針別表1の「807　幼稚園における幼稚園児及び保育所児等の合同活動事業」及び「831　保育所と合同活動を行う場合の幼稚園の面積基準の特例事業」を全国展開することをその内容とする幼稚園設置基準の一部を改正する省令（平成17年文部科学省令第35号）を別添のとおり、本日付けで公布・施行するとともに、「914　保育所における保育所児及び幼稚園児の合同活動事業」及び「823及び921　幼稚園と保育所の保育室の共用化事業」を全国展開することをその内容とする「共用化指針により共用化された施設における幼稚園児及び保育所児の合同活動並びに保育室の共用化に関する指針」を別紙1のとおり、策定しました。また、上記指針の策定に伴い、別紙2のとおり、共用化指針の一部を改正しました。

貴職におかれては域内の市区町村教育委員会及び児童福祉担当部局その他関係者に周知徹底の上、適切に指導し、幼児教育・保育の充実に一層の御配慮をいただけるようお願いします。

なお、平成15年8月26日付け雇児発第0826002号「構造改革特別区域における「保育所における保育所児及び幼稚園児の合同活動事業」について」及び平成16年3月29日付け15文科初第1313号・雇児発第0329003号「構造改革特別区域における「幼稚園と保育所の保育室の共用化事業」について」は本通知をもって廃止します。

（別紙1）

共用化指針により共用化された施設における幼稚園児及び保育所児の合同活動並びに保育室の共用化に関する指針

1　内容

経済的社会的条件の変化に伴い乳児及び幼児の数が減少したことその他の事情により適正規模の集団保育が困難であり、幼児の心身の健全な育成のために特に必要があるときは、平成10年3月10日付け文初幼第476号・児発第130号「幼稚園と保育所の施設の共用化等に関する指針について」により共用化された施設において、一定の条件を満たす場合、幼稚園児と保育所児を合同で教育・保育することができることとするとともに、幼稚園と保育所の保育室を共用することができることとする。

2　留意事項

(1)　1の取扱いを実施するに当たっては、次の①から⑤までを満たすことが必要であること。

① 幼稚園児と保育所児が一緒に活動する保育室は、幼児（幼稚園児及び保育所児）の数の合計により児童福祉施設最低基準（昭和23年厚生省令第63号）第32条及び第33条の面積基準及び職員配置基準を満たしていること。

② 幼稚園設置基準第5条第5項の規定により行われる幼稚園児と保育所児による合同活動であること。

③ 幼児の教育・保育に直接従事する職員は、幼稚園教諭免許及び保育士資格を併有し、合同活動を行う幼稚園児及び保育所児がそれぞれ在籍する幼稚園の幼稚園教諭及び保育所の保育士を兼務していること。

④ 合同活動の内容は、幼稚園教育要領と保育所保育指針に沿ったものであること。

⑤ 共用化された保育室は、当該保育室において合同活動を行う幼稚園児及び保育所児それぞれの定員数で按分して管理すること。なお、合同活動を行う各保育室の幼児数が増減しても、共用する保育室全体における合同活動を行う保育所児及び幼稚園児の定員数の合計数の範囲内である限りは、改めて按分する必要はなく、財産処分の手続きは必要ないこと。

(2) 1の取扱いを実施するに当たっては、幼児教育担当部局と児童福祉担当部局との間で情報交換等を密に行い、十分な連携・調整を図ることにより、1の取扱いが円滑に実施できるよう努めること。

別添・別紙2 略

○幼稚園と保育所との関係について

┌昭和38年10月28日　文初初第400号・児発第1046号┐
│各都道府県知事宛　文部省初等中等教育・厚生省児童局長│
└連名通知　　　　　　　　　　　　　　　　　　　　　　┘

幼児教育の充実振興については、かねてから種々御配慮を煩わしているところでありますが、近時、人間形成の基礎をつちかう幼児教育の重要性が認識され、幼稚園および保育所の普及と内容の改善充実の必要が強調されていることにかんがみ、文部、厚生両省においては、幼稚園と保育所との関係について協議を進めた結果、今後下記により、その適切な設置運営をはかることにいたしましたので、このことを貴管下の市町村長、市町村教育委員会等に周知徹底させ、幼児教育の振興について、今後いっそうの御配意を願います。

記

1　幼稚園は幼児に対し、学校教育を施すことを目的とし、保育所は、「保育に欠ける児童」の保育（この場合幼児の保育については、教育に関する事項を含み保育と分離することはできない。）を行なうことを、その目的とするもので、両者は明らかに機能を異にするものである。現状においては両者ともその普及の状況はふじゅうぶんであるから、それぞれがじゅうぶんその機能を果たしうるよう充実整備する必要があること。

2　幼児教育については、将来その義務化についても検討を要するので、幼稚園においては、今後5歳児および4歳児に重点をおいて、いっそうその普及充実を図るものとすること。この場合においても当該幼児の保育に欠ける状態があり得るので保育所は、その本来の機能をじゅうぶん果たし得るよう措置するものとすること。

3　保育所のもつ機能のうち、教育に関するものは、幼稚園教育要領に準ずることが望ましいこと。このことは、保育所に収容する幼児のうち幼稚園該当年齢の幼児のみを対象とすること。

4　幼稚園と保育所それぞれの普及については、じゅうぶん連絡のうえ計画的に進めるものとすること。この場合、必要に応じて都道府県または市町村の段階で緊密な連絡を保ち、それぞれ重複や偏在を避けて適正な配置が行なわれるようにすること。

5　保育所に入所すべき児童の決定にあたっては、今後いっそう厳正にこれを行なうようにするとともに、保育所に入所している「保育に欠ける幼児」以外の幼児については、将来幼稚園の普及に応じて幼稚園に入園するよう措置すること。

6　保育所における現職の保母試験合格保母については、幼稚園教育要領を扱いうるよう現職教育を計画するとともに、将来保母の資格等については、検討を加え、その改善を図るようにすること。

○保育所の設置認可に係る規制緩和に伴う保育所を設置する社会福祉法人による幼稚園の設置について

〔平成12年3月31日　文初幼第523号
各都道府県知事宛　文部省初等中等教育局長通知〕

このたび、別添のとおり、平成12年3月30日付けで厚生省児童家庭局長から各都道府県知事、指定都市市長及び中核市市長あてに、社会福祉法人以外の者による保育所の設置を認めること等を内容とする「保育所の設置認可等について」の通知がなされました。これにより、今後、幼稚園を設置する学校法人も保育所を設置することができることとなります。

幼稚園の新設については、各都道府県においてこれまで基本的に学校法人が行うこととして設置認可の事務処理が行われてきているところでありますが、上記の厚生省通知により、幼稚園を設置する学校法人が保育所を設置することができることとされたことに伴い、今後、幼稚園と保育所との均衡の確保等の観点から、保育所を設置する社会福祉法人から私立の幼稚園の設置認可に関する申請があった場合には、その取扱いについて適切な御配慮をお願いします。

別添　略

○認可定員を超過して園児を受け入れている私立幼稚園に係る子ども・子育て支援法に基づく確認等に関する留意事項について

平成26年10月17日　事務連絡
各都道府県子ども・子育て支援新制度・私立幼稚園担当課
宛　内閣府子ども・子育て支援新制度施行準備室・文部科学省初等中等教育局幼児教育課

　私立幼稚園（認定こども園であるものを含む。以下同じ。）が学校教育法施行規則（昭和22年文部省令第11号）第4条第1項第5号の収容定員を超過して園児を受け入れている場合には、認可権者である各都道府県において、認可定員の遵守や認可定員の変更を指導するとともに私学助成の交付額の調整を必要に応じて行う等により、地域の実情に応じてその運営の適正を図っているものと承知しております。

　子ども・子育て支援法（平成24年法律第65号。以下「支援法」という。）に基づき市町村が特定教育・保育施設を確認するに当たっては、認可定員（幼稚園については収容定員、認定こども園については当該認定こども園を構成する幼稚園の収容定員を前提として定められた現行の就学前の子どもに関する教育、保育等の総合的な提供の推進に関する法律（平成18年法律第77号）第4条第1項第3号の利用定員又は満3歳以上の子どもに係る同項第4号の利用定員をいう。以下同じ。）の範囲内において利用定員を設定することを原則としつつ、私立幼稚園の確認については、一定の場合には、市町村が支援法に基づき都道府県に対して行う協議において都道府県が適当であると認めるときは、例外的に認可定員を超えて利用定員を設定することが可能であることを示すとともに、給付費の減算の取扱いを別途通知することとしていたところです（「子ども・子育て支援法に基づく支給認定等並びに特定教育・保育施設及び特定地域型保育事業者の確認に係る留意事項等について（平成26年9月10日付け内閣府政策統括官・文部科学省初等中等教育局長・厚生労働省雇用均等・児童家庭局長通知）」第3の1(2)エ及びオを参照。）。

　このたび、認可定員を超過して園児を受け入れている私立幼稚園（以下「定員超過園」という。）に係る支援法に基づく確認について、私立幼稚園の認可定員に基づく指導の在り方や私学助成の交付額の調整等が各都道府県の判断に委ねられていることに鑑み、現に在籍する園児の利用を引き続き確保することを前提に、地域の実情に配慮した支援法の運用が可能となるよう、利用定員の設定及び給付費の算定における標準

的な取扱いを下記の通り整理したので、お知らせします。

　各都道府県においては、その趣旨を踏まえた適切な運用をお願いするとともに、域内の市町村及び私立幼稚園に対し、本通知の趣旨を周知し、その事務処理に遺漏のないようお願いします。

　なお、本通知で示す利用定員の設定や公定価格（特定教育・保育に通常要する費用として支援法第27条第3項に基づき内閣総理大臣が定める基準により算定する費用の額をいい、支援法附則第9条の適用を受ける場合については、同条第1項第1号イの内閣総理大臣が定める基準により算定した額及び同号ロに基づき市町村が定める額の合計額をいう。以下同じ。）の調整等に関する考え方はあくまで標準的な取扱いであり、各都道府県の判断により、私学助成との関係や個別具体的な事情に応じて異なる取扱いとすることは差し支えありません。この場合、施設型給付に係る国庫負担金については、標準的な取扱いを前提として算定した額により精算する方向で検討していることを申し添えます。

記

1　認可定員を超えた利用定員の設定の例外的・暫定的な容認

(1)　認可定員を超えた利用定員を設定する場合の条件

　　市町村は、定員超過園の設置者の希望や最近の利用状況等を勘案し認可定員を超えた利用定員の設定が適当であると認める場合には、以下の条件を満たし、かつ、都道府県との協議（支援法第31条第3項）において都道府県が必要と認める場合に限り、認可定員を超えた利用定員を期限付きで設定することができること。

①　設置者がイ又はロのいずれか又はこれらを合わせて取り組むことにより、認可基準を満たす範囲での適切な認可定員の設定及び当該認可定員の遵守に努めようとしていること。

イ　認可定員の増加に係る認可を申請し、又は申請する予定であり、かつ、その内容により

客観的な認可基準を満たしていること。

ロ　新規入園者の計画的な削減等により実利用人員の適正化に取り組んでいること。

② 認可定員を超えた利用定員は、各定員超過園の特定教育・保育施設への移行から5年を超えない範囲内で都道府県が認める期間に限り設定することができるものであること。この際、上記①ロの取組を行う定員超過園については、当該期限が経過するまでの間の毎年度、入園者の削減後の実利用人員の状況に応じて利用定員を減少させていくことを基本とすること。

③ 施設の学級編制、教職員配置及び施設設備については、上記①ロによる実利用人員の適正化の改善途上である場合等を除き、現状の実利用人員に応じた認可基準を遵守していること（したがって、現状では実利用人員に応じた認可基準を満たさない場合であっても本件協議の対象となり、今後の入園者の削減の見込みを前提に、実際の施設設備や教職員配置により認可基準を満たすことができるものと判断される最大の定員数（以下2において「基準適合定員」という。）以上の利用定員を設定することも容認され得るものであること）。

なお、協議を容認するかどうか、利用定員や期限等を修正の上容認するかどうか等は、各都道府県の裁量に委ねられるものであること。

(2) 認可定員を超えた利用定員を設定するため必要な手続

市町村が域内に所在する定員超過園について認可定員を超えた利用定員の設定を希望する場合には、設定を希望する利用定員数、上記(1)①イの取組を行う定員超過園については認可定員の変更の予定や施設の拡張等の計画、(1)①ロの取組を行う定員超過園については新規入園者の削減に向けた募集計画等について、関係書類と併せて都道府県との利用定員の設定の協議の際に都道府県の新制度担当部局及び私立幼稚園担当部局に提出すること。

当該協議を受けた都道府県においては、上記(1)①イ又はロのいずれの場合についても、私立幼稚園担当部局においてその内容を確認し、認否等の結果を市町村に回答すること。

都道府県において、当該協議のあった定員超過園について認可定員を超えた利用定員の設定を容認することとした場合には、都道府県の私立幼稚園担当部局においては、上記(1)①イについてはできる限り速やかに認可定員の変更認可等の相談や審査等を進め、(1)①ロについては都道府県自らが主導して、定員超過園の所在市町村と連携を図りつつ、定期的に指導を行うこと。また、都道府県の新制度担当部局においては、支援法に基づく情報公表の仕組みにおいて、認可定員、利用定員、在籍園児数等を公表することとなるが、認可基準を超えた利用定員を暫定的に設定していることが明確に分かるよう工夫すること。

都道府県において定員超過園について認可定員を超えた利用定員の設定を容認しないこととした場合及び市町村において定員超過園について当該協議を行わないこととした場合には、原則どおり、認可定員の範囲内で利用定員を設定することとなるが、現に認可定員を超えて園児を受け入れており、利用定員をも超えて園児を受け入れることとなることから、認可基準及び特定教育・保育施設及び特定地域型保育事業の運営に関する基準（平成26年内閣府令第39号）の違反状態を早急に解消するよう、厳格な指導監督が必要となる。特に、実利用人員により客観的な認可基準を満たさないと都道府県が認める場合には、市町村における特定教育・保育施設の確認の取消事由にも該当することに留意すること。

なお、幼稚園設置基準（昭和31年文部省令第32号）附則第2項ただし書に基づき、園舎及び運動場面積についてなお従前の例によることとされ、現行の認可基準の本則が適用されていない幼稚園については、特定教育・保育施設の確認を受けることに伴い現行の認可基準を満たすことが求められるものではなく、現状を維持して移行する以上は、直ちに基準違反を問われるものではないこと。

2　定員超過園に係る公定価格の減算措置等

定員超過園に係る公定価格については、1による利用定員の設定の状況に応じて一定の場合に減算の調整を行うことを基本とし、以下の(1)から(3)までの取扱いを標準とすること。特に(2)及び(3)の減算措置については、これまでの私学助成との関係や個別具体的な事情に応じ、各都道府県で柔軟に取り扱うこととして差し支えないこと。

ただし、教育標準時間認定の子どもに係る施設型給付費の全国統一費用部分における国及び都道府県の負担金については、仮に市町村においてこの標準的な取扱いとして設定することができる額の範囲を超えてより高い公定価格を定員超過園に設定した場合であっても、この標準的な取扱いを前提に算定した公定価格の額により精算する方向で検討していること。

なお、以下の標準的な取扱いにおいては、簡便のため、公定価格上の人員配置基準を常に満たしていることを前提とするが、仮に実際に満たしてない場合には、個別の状況に応じて年齢別配置基準を下回る場合の公定価格の減算の調整の適用を受けるものであること。

(1) 認可定員を超えた利用定員を設定する場合

認可定員を超えた利用定員を設定することとした定員超過園に係る施設型給付については、設定する利用定員の定員区分に基づく公定価格の単価を適用して支給することとすること。

これまでの私学助成の算定において厳格な減算措置を講じてきたこととの整合性を重視する都道府県にあっては、協議において認可定員を超えた利用定員の設定を容認しないことが可能であり、その場合の施設型給付は(2)の取扱いとなること。

上記1(1)①ロの取組を行う定員超過園について、期限が経過するまでの間の毎年度、入園者の削減後の実利用人員の状況に応じて利用定員を減少させていく場合には、各年度の利用定員の定員区分に基づく公定価格の単価を適用すること。

なお、定員超過園が特定教育・保育施設の確認を受けた後2年間継続してその実利用人員が認可定員を超えて設定された各年度の利用定員の120％を超えることとなる場合には、通常の利用定員に対する超過と同様に、当該2年間経過後から通常の公定価格の取扱いに従った公定価格の減算調整の対象となり得るものであること。

(2) 原則通りに認可定員の範囲内で利用定員を設定するが、実利用人員により認可基準を満たし、又は満たす状態となる見込みがある場合

定員超過園について上記1(1)の条件を満たすが協議において都道府県が容認しなかった場合や、客観的な認可基準は満たすが市町村や設置者の意向により都道府県との協議を行わなかった場合には、利用定員は原則通りに認可定員の範囲内で設定され、実利用人員が利用定員を一時的に超えることとなるが、実質的には認可基準を満たし、又は満たす状態となる見込みであることから、やむを得ないと認められる場合には、利用定員を超過した園児の受入れ（いわゆる定員弾力化）を認めることが可能と考えられ（特定教育・保育施設及び特定地域型保育事業の運営に関する基準第22条ただし書）、施設型給付については、上記(1)の場合との整合性にも鑑み、実利用人員が該当する定員区分に基づく公定価格の単価を適用して支給することとすること。

また、定員超過園が特定教育・保育施設の確認を受けた後2年間継続してその実利用人員が認可定員の範囲内で設定される利用定員の120％を超える場合には、当該2年間経過後から減算調整の対象とし、減算割合は適用する公定価格の単価の定員区分（実利用人員が該当する定員区分）に定める調整割合を適用することとすること。ただし、各都道府県の判断によっては、現行の各都道府県の私学助成における算定上の取扱いとの継続性を重視して、確認を受ける当初から当該減算割合を適用することも可能であること。

なお、実利用人員が認可定員又は利用定員以下となった段階で、通常の公定価格の算定方法に従うこと。

さらに、私学助成については各都道府県がそれぞれの考え方に従って定員超過の場合の交付額の調整を行ってきている実態を踏まえ、各都道府県において特に必要と判断する場合には、定員超過園の実態に応じ、施設ごとに、上記減算割合よりも低い調整割合を定めて適用することが可能であること。ただし、その場合であっても、下記(3)の認可定員を下限として基準適合定員により調整割合を設定する場合よりも厳しい減算措置とならないようにすること。

教育標準時間認定の子どもに係る施設型給付費の全国統一費用部分における国及び都道府県の負担金については、上記の標準的な取扱いの範囲内で各都道府県が一定の調整割合を設定することとした場合には、当該調整割合により算定した公定価格の額により精算するものであること。

(3) 原則通りに認可定員の範囲内で利用定員を設定するが、実利用人員により認可基準を満たしておらず、又は満たす状態となる見込みがない場合

客観的な認可基準を満たしておらず、又は満たす状態となる見込みのない定員超過園（幼稚園設置基準附則第2項ただし書が適用されている施設については、特定教育・保育施設の確認を受けることに伴い現行の認可基準を満たすことが求められるものではなく、現状を維持して移行する以上は、直ちに基準違反を問われるものではないことに留意。）については、そもそも現状の実利用人員の受入れ状況そのものが認可基準及び特定教育・保育施設及び特定地域型保育事業の運営に関する基準上認められないものであり、早急に違反状態を解消すべきものであること。

この場合の施設型給付については、質の高い教育・保育の利用のために支給されるものであるこ

とに鑑み、基準適合定員に応じた額の公定価格とすることが公平性の観点から適当と考えられる一方で、個人給付の性格から現に施設を利用する子どもに対する給付を支給しないことはできないことから、基準適合定員が該当する定員区分に基づく公定価格の単価を適用するとともに、当該基準適合定員を実利用人員で除して得た割合を乗じた上で支給することとすること（したがって、実質的には、基準適合定員の単価により基準適合定員分の施設型給付が支給されることとなる）。

この基準適合定員については、認可権者の判断として各都道府県の私立幼稚園担当部局において判定を行い、確認を行う市町村に伝えることが適当であること。その際、基準適合定員は、実際の施設設備や教職員配置により認可基準を満たすことができる最大の定員数とすることを原則とするが、他の私立幼稚園の指導監督や私学助成との均衡等を踏まえ、あくまでも現在認可を受けている認可定員とする取扱いとすることも差し支えないこと（幼稚園設置基準附則第２項ただし書により現行の認可基準の本則が適用されていない幼稚園を含め、定員超過園の基準適合定員が認可定員を下ることは想定されない）。

また、定員超過園が特定教育・保育施設の確認を受けた後２年間継続してその実利用人員が認可定員の範囲内で設定される利用定員の120％を超える場合には、当該２年間経過後から減算調整の対象とし、減算割合は当該基準適合定員が該当する定員区分に定める調整割合を適用することとすること。ただし、各都道府県の判断によっては、現行の各都道府県の私学助成における算定上の取扱いとの継続性を重視して、確認を受ける当初から当該減算割合を適用することも可能であること。

さらに、私学助成については各都道府県がそれぞれの考え方に従って定員超過の場合の交付額の調整を行ってきている実態を踏まえ、各都道府県において特に必要と判断する場合には、定員超過園の実態に応じ、施設ごとに、上記減算割合よりも低い調整割合を定めて適用することが可能であること。ただし、その場合であっても、基準適合定員が認可定員である場合の減算よりも厳しい減算措置とならないようにすること。

教育標準時間認定の子どもに係る施設型給付費の全国統一費用部分における国及び都道府県の負担金については、上記の標準的な取扱いの範囲内で各都道府県が現に設定した調整割合により算定した公定価格の額により精算するものであること。

なお、現状の実利用人員の受入れ状況そのものが認可基準及び特定教育・保育施設及び特定地域型保育事業の運営に関する基準上認められないことを踏まえ、都道府県及び市町村は、相互に連携して、学級の分割、教員の確保、施設設備の確保、園児の転園のあっせん等の対応を早急に講ずるよう運営の適正化を指導し、そうした指導に従わない場合には、認可の取消し及び確認の取消しも含め、厳しく対応することが必要であること。

以上

○幼保連携型認定こども園の園地、園舎等の所有について

平成26年12月18日　府政共生第743号・26高私行第9号・
雇児保発1218第1号・社援基発1218第1号
各都道府県私立学校・各都道府県・各指定都市・各中核市
民生主管部(局)長宛　内閣府政策統括官(共生社会政策担当) 付参事官(少子化対策担当)・文部科学省初等中等教育局幼児教育・高等教育局私学行政・厚生労働省雇用均等・児童家庭局保育・社会・援護局福祉基盤課長連名通知

国及び地方公共団体以外の者が設置する幼保連携型認定こども園の園地、園舎等については、幼保連携型認定こども園の運営が安定的かつ継続的に行われることが必要であるため、原則として、設置者がその所有権を有していることが適当です。

このことについては、幼保連携型認定こども園と同様に、教育又は保育を提供する施設である幼稚園又は保育所も同様であり、学校法人が設置する幼稚園については、園地、園舎等の基本財産は、「原則として負担附(担保に供せられている等)又は借用のものでないこと」としていること、また、保育所の設置に必要な土地及び建物についても、原則として、設置者が所有権を有しているか、又は国若しくは地方公共団体から貸与若しくは使用許可を受けていることとしている一方で、一定の要件を満たす場合には、これらの園地、園舎等(一部の社会福祉法人が保育所を設置する場合は施設用地に限る。)について民間等からの借用を認めるという取扱いとしており、幼稚園については「校地・校舎の自己所有を要しない小学校等設置事業の全国展開について」(平成19年3月28日付通知18文科高第756号)、保育所については「不動産の貸与を受けて保育所を設置する場合の要件緩和について」(平成16年5月24日付通知雇児発第0524002号・社援発第0524008号)において通知しているところです。

幼保連携型認定こども園については、幼稚園及び保育所の取扱いを踏まえ、下記のとおりとすることとしますので、貴職におかれては、十分御了知の上、貴管内の関係者に対して遅滞なく周知し、貴団体の関係部局と連携の上、その運用に遺漏のないよう配意願います。

なお、本通知は、地方自治法(昭和22年法律第67号)第245条の4第1項の規定に基づく技術的助言であることを申し添えます。

記

1　学校法人の設置する幼保連携型認定こども園については、幼稚園と同様に、「校地・校舎の自己所有を要しない小学校等設置事業の全国展開について」に準じた取扱いとすること。

なお、幼保連携型認定こども園には幼稚園設置基準(昭和31年文部省令第32号)は適用されないが、幼保連携型認定こども園の園地、園舎等については、幼稚園と同様に、教育上、保育上及び安全上支障がない場合には、借用することができることとして差し支えないこと。

2　社会福祉法人の設置する幼保連携型認定こども園については、保育所と同様に、「不動産の貸与を受けて保育所を設置する場合の要件緩和について」に準じた取扱いとすること。

3　幼保連携型認定こども園を設置するため、幼稚園及び保育所について単一の設置主体による運営に切り替えるために事業の全部を譲渡(以下「事業譲渡」という。)する場合の取扱いについては、「複数の法人が連携して設置する幼保連携型認定こども園に係る法人間の財産の承継を含む事業譲渡等の取扱いについて」(平成24年12月18日付通知府政共生964号、24初幼教第10号、雇児保発1218第1号、社援基発1218第1号)において通知したところであるが、現に設置されている幼稚園又は保育所の園地、園舎等について、民間等からの借用を認めるという取扱いを受けている場合において、当該幼稚園又は保育所について、その設置主体である学校法人又は社会福祉法人が幼保連携型認定こども園の設置主体となる学校法人又は社会福祉法人に対して事業譲渡を行う際には、1又は2に関わらず、引き続き、民間等からの借用を認めることを原則とすること。

○認定こども園における職員配置に係る特例について

平成28年4月1日　府子本第246号・28文科初第51号・雇児発0401第32号
各都道府県知事・各都道府県教育委員会・各指定都市市長・各中核市市長・各指定都市・各中核市教育委員会・附属幼稚園を置く各国立大学法人の長宛　内閣府子ども・子育て本部統括官・文部科学省初等中等教育・厚生労働省雇用均等・児童家庭局長連名通知

近年、待機児童対策として保育の受け皿拡大を大幅に進めている状況下で、保育の担い手の確保は喫緊の課題であることから、先日、児童福祉施設の設備及び運営に関する基準（昭和23年厚生省令第63号）が改正され、保育所等における保育士の配置要件が一定程度柔軟化されたところである。

幼保連携型認定こども園における保育教諭についても、保育士資格を有する者が必要となることから、保育所等と同様の措置が取れるよう、「幼保連携型認定こども園の学級の編制、職員、設備及び運営に関する基準の一部を改正する命令」（平成28年内閣府・文部科学省・厚生労働省令第1号。以下「改正省令」という。）を別添のとおり公布し、平成28年4月1日以後、当分の間、幼保連携型認定こども園における職員配置について、特例的運用を可能とした。

ついては、下記の事項に留意の上、貴管内の関係者に対して遅滞なく周知し、その運用に遺漏のないよう御配意願いたい。

なお、本通知は、地方自治法（昭和22年法律第67号）第245条の4第1項の規定に基づく技術的な助言であることを申し添える。

記

1　改正省令の概要

幼保連携型認定こども園の学級の編制、職員、設備及び運営に関する基準（平成26年内閣府・文部科学省・厚生労働省令第1号。以下「基準省令」という。）第5条第3項に規定する幼保連携型認定こども園における職員配置について、当分の間、以下の特例を設けることとした。

①　朝夕等の園児が少数となる時間帯等における職員配置に係る特例（基準省令附則第5条関係）

基準省令第5条第3項ただし書の規定により、幼保連携型認定こども園における園児の教育及び保育に直接従事する職員（以下「職員」という。）は2人を下ってはならないとされているところ、朝・夕の時間帯に園児が順次登所し、又は退所する過程等で、当該幼保連携型認定こども園において保育する園児が少数である時間帯に、職員1人に限り、保育教諭等に代え、都道府県知事（指定

都市にあっては、当該指定都市の市長、中核市にあっては当該中核市の市長とする。以下同じ。）が保育教諭と同等の知識及び経験を有すると認める者を置くことができるものとする。

「都道府県知事が保育教諭と同等の知識及び経験を有すると認める者」とは、認定こども園や保育所で保育業務に従事した期間が十分にある者、家庭的保育者、子育て支援員研修のうち地域型保育コースを修了した者等が想定される。

②　小学校教諭及び養護教諭の活用に係る特例（基準省令附則第6条関係）

小学校教諭又は養護教諭（以下「小学校教諭等」という。）の普通免許状を有する者を、保育教諭等に代えて置くことができることとする。

小学校教諭が保育することができる児童の年齢については、専門性を十分に発揮するという観点から、5歳児を中心的に保育することが望ましい。

また、保育に従事したことのない小学校教諭等に対しては、子育て支援員研修等の必要な研修の受講を促すこととする。

なお、養護教諭の普通免許状所持者については、養護教諭としての業務に従事している限り、本特例の対象とはならない。

③　幼保連携型認定こども園における教育及び保育の実施に当たり必要となる職員配置に係る特例（基準省令附則第7条関係）

幼保連携型認定こども園を1日につき8時間を超えて開所していること等により、認可の際に必要となる職員に加えて職員を確保しなければならない場合にあっては、基準省令第5条第3項に規定する職員の数の算定について、追加的に確保しなければならない職員の数の範囲内で、保育教諭等を都道府県知事が保育教諭と同等の知識及び経験を有すると認める者に代えることができる。

基準省令附則第7条中「都道府県知事が保育教諭と同等の知識及び経験を有すると認める者」の要件については、基準省令附則第5条における保育教諭等に代えて配置する者の要件と同様とす

577

る。併せて、幼稚園教諭免許状及び保育士資格の取得を促していくこととする。

また、基準省令附則第7条中「利用定員に応じて置かなければならない職員の数」とは、幼保連携型認定こども園の認可の基準として、利用定員数に対して基準省令第5条第3項の規定により算定される職員の数を意味している。

さらに、幼保連携型認定こども園における教育及び保育時間は、1日につき8時間を原則として園長が定めるものであるが、8時間を超えて開所する幼保連携型認定こども園では、基準省令第5条第3項の規定により必要となる職員の数を各時間帯において配置するためには、「利用定員の総数に応じて置かなければならない職員の数」に追加して職員を確保する必要がある。同条中「開所時間を通じて必要となる職員の総数」とは、このような場合における1日において必要となる職員の総数を意味している。

④　②及び③の特例を適用する場合における職員配置（基準省令附則第8条関係）

②及び③の特例が適用された職員を配置できるのは、各時間帯において必要となる職員の3分の1までである。なお、幼保連携型認定こども園の学級の編制、職員、設備及び運営に関する基準の運用上の取扱いについて（平成26年内閣府・文部科学省・厚生労働省通知）の2の(2)により、乳児4人以上が利用する幼保連携型認定こども園において保健師又は看護師を配置基準上の職員として算定している場合は、当該の保健師又は看護師を含めて3分の1までとすること。

また、基準省令第5条第1項及び第2項において必要となる各学級ごとに担当する専任の保育教諭等については特例が適用されず、保育教諭等でなければならない。教育課程に基づく教育は当該

保育教諭等が行い、小学校教諭等及び都道府県知事が保育教諭と同等の知識及び経験を有すると認める者は、当該保育教諭等の補助としてのみ従事することができる。

2　実施に係る留意事項

特例により配置された小学校教諭等及び都道府県知事が保育教諭と同等の知識及び経験を有すると認める者は、基準省令第5条第3項の算定においてのみ保育教諭等に代えて計上することができるものであり、保育教諭の資格を得ることができるものではない。

各特例を実施する場合の公定価格の算定に当たっては、保育教諭等以外の者を保育教諭等に代えて必要な算定を行うこと。また、保育教諭等以外の者を活用する場合にあっては、可能な限り、1名を超えた配置や保育教諭等の処遇改善に配慮しながら実施すること。

3　幼保連携型認定こども園以外の認定こども園の基準告示の一部改正

幼保連携型認定こども園以外の認定こども園の認定基準についても、就学前の子どもに関する教育、保育等の総合的な提供の推進に関する法律第3条第2項及び第4項の規定に基づき内閣総理大臣、文部科学大臣及び厚生労働大臣が定める施設の設備及び運営に関する基準の一部を改正する件（平成28年内閣府・文部科学省・厚生労働省告示第1号。以下「改正告示」という。）により同様の特例を設けることとした。

4　施行期日等

改正省令については、平成28年4月1日より施行するものであること。

改正告示については、平成28年4月1日より適用するものであること。

○幼保連携型認定こども園において新たに分園を設置する場合の取扱いについて

平成28年8月8日　府子本第555号・28文科初第682号・雇児発0808第1号
各都道府県知事・各都道府県教育委員会・各指定都市市長・各中核市市長・各指定都市・各中核市教育委員会・附属幼稚園を置く各国立大学法人の長宛　内閣府子ども・子育て本部統括官・文部科学省初等中等教育・厚生労働省雇用均等・児童家庭局長連名通知

幼保連携型認定こども園の運営等に関しては、幼保連携型認定こども園の学級の編制、職員、設備及び運営に関する基準（平成26年内閣府・文部科学省・厚生労働省令第1号。以下「基準省令」という。）及び幼保連携型認定こども園の学級編制、職員、設備及び運営に関する基準の運用上の取扱いについて（平成26年11月28日内閣府政策統括官（共生社会政策担当）・文部科学省初等中等教育局長・厚生労働省雇用均等・児童家庭局長通知）等に定めているところですが、この度、下記のとおり、新たに分園を設置する場合等の取扱いを定めましたので、各都道府県等におかれては、十分に御了知の上、所轄の各幼保連携型認定こども園の設置者に対する指導及び助言その他の事務処理に遺漏のないようお願いします。

なお、本通知は、地方自治法（昭和22年法律第67号）第245条の4第1項の規定に基づく技術的助言であることを申し添えます。

記

1　幼保連携型認定こども園の分園について

　(1)　基本的な考え方

　　　幼保連携型認定こども園の分園は、都市部等における待機児童の解消や過疎地域等における入園児の減少に対応する必要がある等の場合に、規模が小さい独立した園を設置するよりも、本体となる幼保連携型認定こども園（以下「本園」という。）の下で一体的に運営する園と位置付けた方が、効果的・効率的に教育・保育を提供することが可能となる場合に設置されるものであること。

　　　本園との距離や本園の体制等に応じて、分園において一定程度の独立性をもって種々の活動を行うことは妨げられないが、その場合であっても、本園と密接に連携して施設運営を行うこと。一定以上の規模を有し、本園との密接な連携なしに施設運営が行われている場合等、一体的に運営することが必要な分園とは認められない場合には、別途、独立した幼保連携型認定こども園として認可を受ける等の必要があること。

　(2)　定員及び距離

　　　分園の規模については、「保育所分園の設置運営について」（平成10年4月9日付け厚生省児童家庭局長通知）により設置される分園（以下「保育所分園」という。）の定員が原則として30人未満とされていることを踏まえ、適切な範囲に収まるよう留意すること。なお、分園において受け入れる子どもの年齢構成等については、地域の実情等に応じて柔軟に取扱うことが可能であること。

　　　本園と分園の距離については、通常の交通手段により、30分以内の距離を目安とすること。ただし、離島その他の地域であって、当該地域の実情等に鑑み、特に必要があると認められる場合はこの限りではない。なお、本園と同一の敷地にあるものは分園とは認められないこと。

　(3)　職員

　　　分園においても、適切な体制の下、教育・保育の提供を行うことができるよう、その受入れ人数に応じて、分園単独で基準省令第5条に基づく職員配置に関する要件を充足すること。

　　　なお、分園は、基本的に、本園の園長の監督の下で施設運営が行われるものであることから、別途、園長を配置することは想定されず、基準省令第5条第3項備考4の規定も適用されないこと。なお、分園の規模や施設運営の実態等に応じ、本園の園長の監督の下で、当該分園における種々の活動を実質的に統括する職員を適切に配置すること。

　　　また、下記(4)により調理室を設けないこととする場合には調理員を置かないことができること。さらに、学校医、学校歯科医及び学校薬剤師については、本園と一括して委嘱して差し支えないこと。

　(4)　設備

　　　分園においても、適切な環境の下、教育・保育の提供を行うことができるよう、その受入れ人数に応じて、分園単独で基準省令第6条から第8条までに基づく設備に関する要件を充足すること。

　　　調理室については、下記(5)により、満3歳以上

の子ども及び満3歳未満の子どもの双方に対する食事の提供について、分園内において調理する方法によらない場合には、本園の調理室及び搬送の能力を十分勘案して衛生上及び防火上不備が生じることのないよう留意しつつ、設けないことができること。なお、この場合においても、当該分園において行うことが必要な調理のための加熱、保存等の調理機能を有する設備を備えなければならないこと。

　園庭については、当該分園と同一の敷地内又は隣接する位置に設けることが原則であるが、当分の間、地域の実情に応じて特に必要があると認められる場合には、園児が安全に移動できる場所にある本園の園庭であって、園児の日常的な利用及び教育・保育の適切な提供が可能なものを必要面積に算入することができること（この場合、本園の園庭は、本園及び分園の園児数・学級数の合計に対応した面積を有する必要がある）。

(5)　食事の提供

　保育を必要とする子どもに対する食事の提供は、原則として、分園内において調理する方法により行わなければならないこと。

　ただし、近接した本園から迅速かつ安全に搬入できる場合には、当該本園において調理し搬入する方法により食事を提供することができること。

　なお、満3歳以上の子どもについては、基準省令第13条第1項において読み替えて準用する児童福祉施設の設備及び運営に関する基準（昭和23年厚生省令第63号）第32条の2各号に掲げる要件を満たす場合に限り、外部搬入の方法により提供することができること。

(6)　子育て支援事業

　分園においても、地域の実情に応じて、基準省令第10条に基づく子育て支援事業の実施に努めること。

(7)　園則等

　就学前の子どもに関する教育、保育等の総合的な提供の推進に関する法律施行規則（平成26年内閣府・文部科学省・厚生労働省令第2号。以下「認定こども園法施行規則」という。）第15条第1項第5号に規定する園則、特定教育・保育施設及び特定地域型保育事業の運営に関する基準（平成26年内閣府令第39号。以下「特定教育・保育施設等運営基準」という。）第20条に規定する運営規程及び学校保健安全法（昭和33年法律第56号）等に基づく各種計画等においては、分園について、その実情を踏まえ、適切に位置付けを行うこ

と。

2　設置手続について

(1)　認定こども園法に基づく手続

　分園を設置するときは、認定こども園法施行規則第16条各号に掲げる事項のうち必要なものについて園則の記載の変更を行った上で、認定こども園法施行規則第15条第2項に基づき、都道府県知事（指定都市・中核市の区域内に所在する幼保連携型認定こども園については、当該市長）に届出をすること（分園の廃止についても同様である。）。

(2)　子ども・子育て支援法に基づく手続

　分園を設置するときは、子ども・子育て支援法施行規則（平成26年内閣府令第44号）第33条に基づき、必要な事項の変更について、当該特定教育・保育施設の所在地を管轄する市町村長に届出をすること（分園の廃止についても同様である。）。

　また、分園の設置に伴い、利用定員を増加しようとするときは、前記に加え、子ども・子育て支援法（平成24年法律第65号）第32条第1項に基づき、確認の変更を申請しなければならないこと。

3　既存分園の取扱いについて

　学校教育法（昭和22年法律第26号）第4条の2又は学校教育法施行令（昭和28年政令第340号）第27条の2により設置の届出がされた分園を有する幼稚園・幼稚園型認定こども園や、保育所分園を有する保育所・保育所型認定こども園が幼保連携型認定こども園に移行した場合には、以下の要件を満たすことを前提として、当分の間、これらの分園を引き続き幼保連携型認定こども園の分園として取り扱うことができること。なお、この場合においても、新たに幼保連携型認定こども園の分園を設置する場合に適用される基準（本通知1）に適合するよう努めること。

①　教育・保育の適切な提供が可能であること。

②　子どもの移動時の安全が確保されていること。

③　それぞれの敷地に所在する園舎で、通常、教育・保育を提供する子どもの数や当該子どものために編制する学級数に応じて、必要な施設・設備を有していること。

4　幼保連携型認定こども園以外の認定こども園の分園について

　幼稚園型認定こども園の分園については学校教育法第4条の2又は学校教育法施行令第27条の2により設置される幼稚園分園の規定に従い、また、保育所型認定こども園の分園については「保育所分園の設置運営について」により設置される保育所分園の

規定に従うものであるとともに、それぞれの分園においても都道府県の条例で定める認定こども園の要件に適合する必要があること。

なお、当該分園が認定こども園の分園であることを鑑み、本通知による幼保連携型認定こども園の取扱いを踏まえ、適切に対応すること。

5　公定価格の取扱いについて

分園に係る公定価格の取扱いについては、別途、公定価格に係る留意事項通知等で示す予定であるため、そちらを参照して頂きたいこと。

○認定こども園における利用定員の適切な管理について

〔令和4年3月23日　府子本第364号
各都道府県・各政令指定都市・各中核市子ども・子育て支
援新制度・認定こども園担当部局宛　内閣府子ども・子育
て本部参事官（子ども・子育て支援担当）・（認定こども園
担当）通知〕

平素より、子ども・子育て支援施策の推進に御尽力いただき、厚く御礼申し上げます。

認定こども園をはじめとした特定教育・保育施設における利用定員の取扱いについては、「子ども・子育て支援法に基づく教育・保育給付認定等並びに特定教育・保育施設及び特定地域型保育事業者の確認に係る留意事項等について」（平成26年9月10日付け府政共生第859号・26文科初第651号・雇児発0910第2号内閣府政策統括官（共生社会政策担当）、文部科学省初等中等教育局長、厚生労働省雇用均等・児童家庭局長連名通知。以下「留意事項通知」という。）等において、これまでお示ししているところですが、認定こども園における利用定員の適切な管理について、下記のとおり整理しましたので、改めてお知らせいたします。各都道府県の御担当部局におかれましては、十分御了知の上、市区町村（指定都市及び中核市を除く。）に対して遅滞なく周知するとともに、関係部局と連携の上、その運用に遺漏のないよう配意願います。

記

1　利用定員に関する基本的な考え方
（1）利用定員の適切な設定及び見直し

利用定員は、確認を受けた教育・保育施設又は地域型保育事業において、質の高い教育・保育が提供されるよう設定する必要があります。このため、市区町村（指定都市及び中核市を含む。以下同じ。）においては、申請者との意思疎通を図り、その意向を十分に考慮しつつ、当該施設での実際の利用者数の実績や今後の見込みなどを踏まえ、適切に利用定員を設定していただく必要があります（留意事項通知第3の1(1)ア）。この点、実際の利用者数が利用定員を上回ることがあらかじめ見込まれる場合にも、適切に利用定員を見直すことが必要です。

（2）利用定員の遵守

特定教育・保育施設における児童の受入れについては、特定教育・保育施設及び特定地域型保育事業並びに特定子ども・子育て支援施設等の運営に関する基準（平成26年内閣府令第39号。以下「運営基準」という。）第22条本文において「特定教育・保育施設は、利用定員を超えて特定教育・保育の提供を行ってはならない」と規定されているとおり、原則として利用定員の範囲内で行う必要があります。

一方で、運営基準第22条ただし書においては「年度中における特定教育・保育に対する需要の増大への対応、法第34条第5項に規定する便宜の提供への対応、児童福祉法第24条第5項又は第6項に規定する措置への対応、災害、虐待その他のやむを得ない事情がある場合は、この限りでない」とされており、この「やむを得ない事情がある場合」に該当するか否かについては、同条ただし書に規定される例示に限られるものではなく、留意事項通知第3の1(1)オ(ア)において、当該施設を利用する子どもの保護者の就労状況の変化等により、2号認定子どもが保育の必要性に係る事由に該当しなくなったこと又は1号認定子どもが保育の必要性に係る事由に該当するようになったことから、当該施設において子ども・子育て支援法（平成24年法律第65号。以下「法」という。）第19条第1項第1号及び第2号の区分ごとの利用定員を超えた受入れを行う必要が生じた場合や、保護者と直接契約を締結する認定こども園、幼稚園等において、入園を辞退する者が想定よりも少ない等の理由により実際の利用者数が利用定員を超えることとなる場合が含まれる旨を示しております。

また、留意事項通知第3の1(1)オ(イ)において、特定教育・保育施設は、運営基準第22条ただし書に該当する場合には、一時的にその利用定員を超えて特定教育・保育の提供を行うことができますが、その場合であっても、実際の利用者数が当該利用定員を恒常的に上回っているときは、当該利用定員を適切に見直し、法第32条による確認の変更を行う必要がある点についても示しております。

2　認定こども園における利用定員の考え方
（1）認定こども園の特長

認定こども園は、就学前の子どもに対して教

育・保育を一体的に行う施設であり、保護者の就労状況等に関わらず利用でき、就労状況等が変わった場合でも、通い慣れた園で継続して教育・保育を受けることをその特長の一つとしています。

なお、留意事項通知第2の2(2)にあるとおり、保育の必要性に係る事由に該当する満3歳以上の子どもについては、教育標準時間認定を受けることも保育の必要性の認定を受けることも可能です。

(2) 認定こども園における利用定員の適切な管理

認定こども園は2(1)の特長を有しますが、その場合でも、教育・保育の提供は、1に記載のとおり、法第19条第1項第1号、第2号又は第3号の区分ごとに設定された利用定員の範囲内で行われることが原則です。その上で、実際の利用者数が利用定員を上回ることがあらかじめ見込まれる場合には、1(1)のとおり、法第19条第1項各号の区分ごとに利用定員を適切に見直すことが必要です。

「実際の利用者数が利用定員を上回ることがあらかじめ見込まれる場合」としては、例えば、自らの施設に通う2号認定子ども（満3歳となる誕生日を迎えた3号認定子どもを含む。）の保護者が1号認定への変更を希望する事例が同一年度内に複数発生し、実際の利用者数に即して利用定員を見直した際に本来適用されるべき公定価格上の定員区分に変更が生じる程度に利用者数が増大す

ることが見込まれる場合などが考えられます。

市町村においては、例えば、実際の利用者数に即して利用定員を見直した際に本来適用されるべき公定価格上の定員区分に変更が生じる程度に利用者数が増大している場合等であって、施設型給付費等の適正な執行を確保する観点から必要と認められる場合には、「子ども・子育て支援法に基づく特定教育・保育施設等の指導監査について」（平成27年12月7日付け府子本第390号・27文科初第1135号・雇児発1207第2号内閣府子ども・子育て本部統括官、文部科学省初等中等教育局長、厚生労働省子ども家庭局長連名通知。以下「指導監査通知」という。）別添1「特定教育・保育施設等指導指針」を参考に、当該施設に対し、利用定員の遵守や利用定員の見直し等の利用定員の適切な管理について必要な指導をすることが考えられます。

さらに、市町村は、指導監査通知別添2「特定教育・保育施設等監査指針」を参考に、必要な場合には当該施設に対し監査を実施することなどが考えられます。

また、運営基準第22条は、市町村が条例策定するに当たり参酌すべき基準であるところ、各市町村において、必要な各種規定の整備を行うなど、引き続き、施設型給付費等の適正な執行の確保に努めるようお願いします。

【参考】 略

3　利用調整

○児童福祉法に基づく保育所等の利用調整の取扱いについて

〔平成27年2月3日　府政共生第98号・雇児発0203第3号
各都道府県知事・各指定都市市長・各中核市市長宛　内閣
府政策統括官（共生社会政策担当）・厚生労働省雇用均等・
児童家庭局長連名通知〕

子ども・子育て支援新制度（以下「新制度」という。）においては、国会における法案修正により、子ども・子育て支援法及び就学前の子どもに関する教育、保育等の総合的な提供の推進に関する法律の一部を改正する法律の施行に伴う関係法律の整備等に関する法律（平成24年法律第67号）による改正後の児童福祉法（昭和22年法律第164号。以下「法」という。）附則第73条第1項により読み替えられた法第24条第3項に基づき、当分の間、すべての市町村は、保育の必要性の認定を受けた子どもが、保育所、認定こども園、法第24条第2項に規定する家庭的保育事業等を利用するに当たり、利用調整を行った上で、各施設・事業者に対して利用の要請を行うこととされている。今般、その取扱いをお示しすることとしたので、貴管内の関係者に対して、これを周知し、その運用に遺漏なきよう御配意願いたい。

なお、本通知は、地方自治法（昭和22年法律第67号）第245条の4第1項の規定に基づく技術的助言であることを申し添える。

記

1　児童福祉法に基づく利用調整の基本的な考え方について

新制度においては、認定こども園、保育所、家庭的保育事業等（以下「保育所等」という。）につき、保育利用するに当たっては、すべての市町村（特別区を含む。以下同じ。）は、子ども・子育て支援法（平成24年法律第65号。以下「支援法」という。）第20条第1項の規定に基づき、支援法第19条第1項第2号又は同項第3号の区分に係る認定（以下「保育認定」という。）を受けた子どもについて、市町村が法第24条第3項及び附則第73条第1項に規定する利用調整を行った上で、各施設・事業者に対して利用の要請を行うこととしており、直接契約施設・事業である認定こども園及び家庭的保育事業等についても、保育所と同様、市町村が利用調整を行うこととなる。

保育認定を受けた子どもが、支援法第27条第1項に規定する特定教育・保育施設及び支援法第29条第1項に規定する特定地域型保育（以下「特定教育・保育施設等」という。）を利用するに当たって、利用申込みに係る支援法第20条第1項の規定に基づき、支援法第19条第1項第2号に係る認定（以下「2号認定」という。）を受けた子ども及び支援法第20条第1項の規定に基づき、支援法第19条第1項第3号に係る認定（以下「3号認定」という。）を受けた子ども並びに現に利用している2号認定を受けた子ども（以下「2号認定子ども」という。）及び3号認定を受けた子ども（以下「3号認定子ども」という。）の総数が、特定教育・保育施設等が設定している2号認定及び3号認定の利用定員を上回る場合、当該特定教育・保育施設等は、保育の必要度の高い順に受け入れることが求められている。そのため、市町村がすべての特定教育・保育施設等に係る利用調整を行うこととされ、特定教育・保育施設等は、利用の申込みを受けたときは、正当な理由なく、当該申込みを拒むことはできず、また、市町村の行う利用調整に対し協力義務が課せられている。

この利用調整の規定については、待機児童（「保育所等利用待機児童数調査について」（平成27年雇児保発0114第1号厚生労働省雇用均等・児童家庭局保育課長通知）に基づき、厚生労働省に報告を行うものをいう。以下同じ。）が多い自治体に限らず、すべての市町村がその保育利用につき、利用調整を行うことを求めており、国会における法案修正の結果、保育の実施義務を有する市町村に対し、保育利用の強い関与と調整を求める規定とされている。

2　利用調整までの流れについて

(1)　行政による情報提供について

支援法第58条第2項の規定により、特定教育・保育施設等における保育の利用に当たって、都道府県は、保護者の選択に資するよう、地域にある特定教育・保育施設等の情報を一覧性ある形で提供することが求められている。

このため、地域に存在する特定教育・保育施設等の一覧や、提供される教育・保育の内容、求められる利用者負担（「特定教育・保育施設及び特定地域型保育事業の運営に関する基準」（平成26年内閣府令第39号）第13条第3項又は第4項に規

定する額についても含む）等について、保護者に分かりやすい形で示すことにより、利用調整の前提となる保護者の希望の基礎を固める。

なお、情報公表制度については都道府県が実施することとなっているが、一方、児童福祉法第21条の11の規定等を踏まえ、市町村による子育て支援事業の情報提供も実施されていることから、地域の保育資源について熟知している市町村からも、随時提供する体制を構築することが望ましいと考えられる。

その際、市町村事業である利用者支援事業等の活用により積極的に保護者の求めているサービスにつき情報提供等の適切な支援を行うことが望ましい。

(2) 施設・事業者による事前広報

(1)による情報提供のほか、特定教育・保育施設及び特定地域型保育事業の運営に関する基準（平成26年内閣府令第39号）第23条又は第50条に基づき、各施設・事業者が定める運営規程の概要、職員体制、利用者負担など、利用申込み者の施設・事業者の選択に資する重要事項を掲示することを含め、保護者の選択に資するよう、各施設・事業者において保育内容や設備環境等を保護者に知らせることや、保護者による見学希望に適宜対応する。

(3) 保育の必要性の認定

その上で、保護者からの申請により、市町村は、支援法第20条第1項に基づき、保育認定を行う。その際、市町村が利用調整を行うに当たって必要となる保護者の施設・事業の希望の聴取を同時に行うことも可能な取扱いとする。

支援法第20条第6項に基づき、市町村は、原則的に、30日以内に保育認定の可否を保護者に対し通知するものとする。

3 利用調整について

(1) 原則的な取扱い

市町村が利用調整を行うに当たって、2のとおり、保育認定を行った上で、支援法第27条第1項又は支援法第29条第1項に基づく確認を受けた保育所等について、利用調整の前提となる保護者の希望を聴取した上で、利用調整を行うこととなる。

具体的には、支援法第20条第3項等に基づき、各市町村は保育の必要性の認定を行うこととなるが、その際、子ども・子育て支援法施行規則（平成26年内閣府令第44号）第1条に定める保育の必要性の事由、同令第4条に定める保育必要量の認定、「子ども・子育て支援法に基づく支給認定等

並びに特定教育・保育施設及び特定地域型保育事業者の確認に係る留意事項等について」（平成26年府政共生第859号・26文科初第651号・雇児発0910第2号内閣府政策統括官（共生社会政策担当）・文部科学省初等中等教育局長・厚生労働省雇用均等・児童家庭局長連名通知）第2の7に規定する優先利用を踏まえ、各市町村において、利用者ごとに保育の必要度について指数（優先順位）づけを行う。

その上で、市町村は、施設・事業所ごとに当該申請者の指数と利用希望順位を踏まえ、施設・事業所ごとに申請者の指数が高い方から順に利用をあっせんすることとし、高い指数の順番からあっせんした上で、同じ指数であれば、利用希望順位を踏まえて利用をあっせんすることとする。

(2) 直接契約施設・事業における利用調整の取扱い

(i) 基本的な考え方

直接契約施設・事業である認定こども園や家庭的保育事業等の利用に係る利用調整についても、保育所と同様に、(1)のとおり、市町村内のすべての施設・事業類型を通じて、保育の必要度の高い人から保育所等の利用のあっせんを行う調整方法を原則としている。

その上で、認定こども園や家庭的保育事業等は、直接契約施設・事業であることを踏まえ、待機児童がおらず、施設・事業につき利用状況に余裕のある市町村や待機児童解消の見込みが立っている市町村においては、直接契約である施設・事業の利用を希望する保護者の意見を最優先に尊重しつつ、的確な利用調整により、保育所等の利用が概ね可能な状況であることから、以下のとおり、保護者の希望をより踏まえた形で利用調整を行うことも可能な取扱いとする。

(ii) 対象となる市町村について

保育の必要度に応じた利用の保障をしながら、保護者の希望を可能な限り満たすため、次の①②のいずれかに該当する市町村については、以下(iii)(イ)の方法によることも差し支えない。

① 待機児童がおらず、保育所等の保育利用の状況に余裕のある市町村

過去3年間、以下の要件(a)(b)を満たし、各市町村における子ども・子育て会議において説明し、了解を得た市町村

(a) 4月1日時点における待機児童が0人であること

(b) 保育所等の利用定員数が当該市町村にお

ける利用児童数を上回っていること

②　待機児童が０人又はそれに比較的近い状況の市町村であって、翌年度には待機児童０人を達成又は維持出来る見込みが立つ市町村

(A)の対象市町村が、(B)の要件を満たし、保育の確保方策に係る責務を果たしていると認められる場合

(A)　対象市町村

以下の(ア)(イ)のいずれかに該当する市町村とする。

(ア)　対象となる市町村(1)：過去３年間、以下の(a)(b)の要件をいずれも満たす市町村

(a)　４月１日時点の待機児童が０人であること

(b)　(iii)(イ)の方法に基づき利用調整を行うこととなる認定こども園等の利用定員が地方単独事業による認可外保育施設の定員を上回っていること

(イ)　対象となる市町村(2)：以下の(a)(b)の要件をいずれも満たす市町村

(a)　待機児童が50人未満であり、かつ、翌年４月時点において待機児童０人を達成又は維持できる見込みがある市町村

(b)　(iii)(イ)の方法に基づき利用調整を行うこととなる認定こども園等の利用定員が、地方単独事業による認可外保育施設の定員を上回っていること

なお、翌年４月に、結果として、待機児童０人が達成又は維持できない場合、翌々年度の募集に当たっては(1)の原則的な利用調整方法によることとする。

(B)　対象となるための要件

以下のa～cの要件をいずれも満たすこと

a　各市町村における子ども・子育て会議において調整方法を提示、了解を得ること

b　利用者支援事業を活用する等し、保護者の幅広い選択をサポートすること

c　当該認定こども園や家庭的保育事業等の利用調整の結果、利用があっせんできない場合、保護者に通知した上で、選考に漏れた保護者を利用調整により、第２希望以下の保育所等にあっせんできるようにすること

なお、①②に当てはまらない市町村については、(1)の原則的な利用調整方法によることとする。

ただし、①②に当てはまらない市町村であっても、一般的には、３歳以上児に関しては３歳未満児と比較して待機児童の発生状況が異なり、かつ、年度途中の変動も大きくないことから、こうした市町村であっても、２号認定子どもの待機児童が０人又はそれに近い市町村であって、翌年度に待機児童が０人を達成又は維持することができる見込みが立つ場合、直接契約である施設・事業の利用を希望する保護者の意見を最優先に尊重しつつ、的確な利用調整を行うことで、保育所等の利用が概ね可能な状況であるため、２号認定子どもに限って以下の(iii)(イ)の利用調整の取扱いを行うことを可能とする。

具体的には、(iii)(イ)による利用調整の対象となる認定こども園等の２号認定子どもに係る利用定員が、地方単独事業による認可外保育施設の定員（３歳以上）を上回っており、(ii)②(B)の要件を満たす市町村とする。

ただし、結果的に、翌年４月に２号認定子どもの待機児童０人が達成又は維持できない場合、翌々年度の募集に当たっては、(1)の原則的な利用調整方法によることとする。

(iii)　調整方法について

利用調整については、(ア)上記(i)のとおり、すべての施設・事業類型を通じて利用調整を行う方法で行うことが標準的な調整方法であるが、保護者の希望を可能な限り踏まえるという観点から、(ii)①②に該当する市町村については、(イ)直接契約施設・事業である認定こども園及び家庭的保育事業等において、それぞれ当該施設・事業を第１希望で利用希望する保護者の中から利用調整を行い、保育の必要度の高い順に決定する方法をとることも可能とする。この場合、例えば、市町村内の他の施設類型の利用調整の時期と揃える取扱いとすることも、園の希望時期を尊重する取扱いとすることも可能であるが、最終的に利用調整の時期は市町村が定めるものとする。

(イ)の利用調整方法を実施する場合、基本的には、施設・事業を通じて利用募集を行った上で、市町村が利用調整を行うこととする。なお、施設・事業を通じて第１希望の利用希望を申し込む際に保育認定の申請を同時に行っても差し支えない。

また、市町村において、当該利用調整方法を行うに当たっては、保護者が保育認定を申請する際、次年度の募集要項を配布する際等を活用して周知することを必須とする。

この取扱いを可能とする保護者の第1希望である施設・事業については、保育認定を受けた子ども1人につき1か所に限るものとし、第1希望の利用をあっせんできない場合、第2希望以下の施設・事業で通常の利用調整を行うこと。仮に、第2希望以下の記載がない場合、保護者にその他の施設・事業の利用の意思がないかを明示的に確認すること。

(3) 家庭的保育事業等の連携施設に関する取扱い

家庭的保育事業等については、原則として0〜2歳児を対象としていることから、当該事業を利用している保護者は、家庭的保育事業等の卒園後、2号認定子どもが通う施設を探す必要がある。特に、0〜2歳の時点で就労し、保育を利用している保護者は、3歳の時点で保育の受け皿を利用する必要性は高いと考えられる。このため、卒園後の保育の受け皿を確保することにより、保護者に対する安心感や事業としての安定性につながることから、家庭的保育事業等の設備及び運営に関する基準（平成26年厚生労働省令第61号）第6条及び「家庭的保育事業等の設備及び運営に関する基準の運営上の取扱いについて」（平成26年雇児発0905第2号厚生労働省雇用均等・児童家庭局長通知）2(2)を踏まえ、家庭的保育事業者等に対し、連携施設を設定することを求めている。

(i) 連携施設について

家庭的保育事業等の連携施設については、認定こども園、保育所又は幼稚園とし、連携施設である場合については、受入施設である連携施設においてもホームページや募集要項等において連携施設である旨を明示した上で、連携施設の類型に応じ、①〜③のとおり、連携施設がその利用定員を設定するに当たって、特定の家庭的保育事業等の卒園児が優先的に利用することができる枠（以下「優先的利用枠」という。）を設定することとする。

① 認定こども園

支援法第20条第1項に基づき、支援法第19条第1項第1号の認定（以下「1号認定」という。）及び2号認定を受けた子どものための利用定員の設定において、連携先である特定の家庭的保育事業等ごとに優先的利用枠を設定する。この範囲を基本として、利用調整

の際に優先的に取り扱うことを予め当該認定こども園及び市町村が明示することにより、透明性を確保しつつ、特定の家庭的保育事業等から卒園する予定の保育認定を受けた子どもの保護者のうち、利用を希望する者の数に応じた最終的な次年度の優先的利用枠を設定し、優先的に利用を決定する。

② 保育所

2号認定を受けた子どものための利用定員の設定において、連携先である特定の家庭的保育事業等ごとに優先的利用枠を設定する。この範囲を基本として、利用調整の際に優先的に取り扱うことを予め当該保育所及び市町村が明示することにより、透明性を確保しつつ、特定の家庭的保育事業等から卒園する予定の保育認定を受けた子どもの保護者のうち、利用を希望する者の数に応じた最終的な次年度の優先的利用枠を設定し、優先的に利用させる。

③ 幼稚園

1号認定を受けた子どものための利用定員の設定において、連携先である特定の家庭的保育事業等ごとに優先的利用枠を設定する。この範囲を基本として、入園選考時に優先的に取り扱うことを予め当該幼稚園が明示することにより、透明性を確保しつつ、特定の家庭的保育事業等から卒園する予定の保育認定を受けた子どもの保護者のうち、利用を希望する者の数に応じた最終的な次年度の優先的利用枠を設定し、優先的に入園させる。

連携施設の設定に当たっては、「家庭的保育事業等の設備及び運営に関する基準の運用上の取扱いについて」（平成26年雇児発0905第2号厚生労働省雇用均等・児童家庭局長通知）2(2)③を踏まえ、地域の実情に応じて、市町村がルールを定めた上で、例えば、当該家庭的保育事業等の卒園後の連携施設の利用につき、実際の利用実績等を踏まえた受入定員枠を目安として設けた上で、より実効性を持たせるよう、家庭的保育事業者等の利用者の卒園後の利用希望を把握してから最終的な受入枠を設けることとするなどが考えられる。

(ii) 連携施設に係る利用調整の取扱いについて

連携施設に係る利用調整については、「子ども・子育て支援法に基づく支給認定等並びに特定教育・保育施設及び特定地域型保育事業者の確認に係る留意事項等について」（平成26年府

政共生第859号・26文科初第651号・雇児初0910第2号内閣府政策統括官（共生社会政策担当）・文部科学省初等中等教育局長・厚生労働省雇用均等・児童家庭局長連名通知）第2の7(2)ウ⑧を踏まえ、家庭的保育事業等の卒園後、連携施設の利用を希望する場合については、これを優先利用の対象とすることとする。

その上で、当該連携施設については、利用定員数から当該連携に基づき受け入れる家庭的保育事業等の卒園児の数を除いて利用調整を行うこととする。

ただし、連携施設が、連携に基づく家庭的保育事業等の卒園後の受入数を設定することは、もとより連携施設に通う0～2歳児の継続的利用を妨げるものではないことに留意すること。

なお、連携施設は、連携に基づく家庭的保育事業等の卒園後の受入数を設定することが求められるが、保護者の希望等に応じて、卒園後、連携施設以外の保育の受け皿を利用することも可能である。

その際は、利用調整を行う市町村において、調整に当たっての優先度を上げるなど、3歳以降のスムーズな利用を結びつけるための措置を講ずることも考えられる。

(4) 広域利用の際の利用調整の取扱いについて

保育認定を受けた子どもが居住する市町村と異なる市町村に存在する保育所又は認定こども園（認定こども園については、保育認定に係る利用に限る。）の利用を希望する場合については、保護者が居住する市町村（以下「居住地市町村」という。）と施設・事業が所在する市町村（以下「所在地市町村」という。）の間の調整が必要となる。

この場合は、所在地市町村において、他市町村に居住する住民の利用に関する優先度の取扱いに基づき、調整を行った上で、居住地市町村が利用のあっせんを行うこととなる。

その際に、所在地市町村においては、当該保護者の保育の必要度を踏まえつつ、

・各市町村間における住民の広域利用の実態
・地域における待機児童の発生状況や保育所等の利用定員の状況

等を勘案し、調整を行うこととする。

その際、市町村間で予め調整のうえ、事業計画において広域利用を前提とした保育の提供体制の確保方策を位置づけた場合については、所在地市町村において、当該位置づけに特に配慮した調整を行うこととする。

また、家庭的保育事業等については、支援法第43条第2項に基づき、確認の効力は確認権者である市町村の区域に居住地を有する者にのみ効力を有することとしており、所在地市町村以外の市町村に居住する者が利用しようとする場合、支援法第43条第4項に基づき、当該居住地市町村が確認を行うことに対し、所在地市町村が同意する必要があるなど、原則的には、所在地市町村に居住する者が利用することを想定している。

このため、保護者が居住地市町村以外に存在する家庭的保育事業等の利用を希望するためには、居住地市町村と所在地市町村が連絡・調整の上、所在地市町村の同意が得られることを前提に、上記の流れに従い、利用することを可能とする。

なお、事業所内保育事業における地域枠についても、事業所内保育事業の所在地市町村以外に居住する保護者であって、当該事業所内保育事業の近隣に所在する他の事業所に通勤等をしているものが、当該事業所内保育事業の地域枠の利用を希望することも考えられるが、この場合の調整についても、上記と同様に行うことが可能である。

○多子世帯を対象とする保育所等の優先利用について（依頼）

平成27年1月22日　事務連絡
各都道府県・各指定都市・各中核市子ども・子育て支援新制度・保育担当課宛　内閣府子ども・子育て支援新制度施行準備室・厚生労働省雇用均等・児童家庭局保育課

　平成27年4月に施行される子ども・子育て支援新制度における保育所等の優先利用の考え方については、「子ども・子育て支援法に基づく支給認定等並びに特定教育・保育施設及び特定地域型保育事業者の確認に係る留意事項等について」（平成26年9月10日付け府政共生第859号・26文科初第651号・雇児発0910第2号。以下「留意事項通知」という。）記の第2の7においてお示ししているところですが、今般、「まち・ひと・しごと創生総合戦略」（平成26年12月27日閣議決定）において、「社会全体で多子世帯を支援する仕組みの構築（中略）を進めていく」とされ、また、そのアクションプラン（個別施策工程表）において、平成27年度（2015年度）の取組として、「第3子以降を保育所等の優先入所の対象とすることを検討、課題を抽出」することが定められました。

　このことを踏まえると、多子世帯を対象とする保育所等の優先利用については、留意事項通知記の第2の7(2)ウ⑨（その他市町村が定める事由）に該当するものとして、多子世帯（特に、第3子以降の子どもがいる世帯）を位置付けることが考えられます。

　貴課におかれては、その趣旨を十分御了知の上、貴管内の市町村に対し周知し、可能な限り当該閣議決定の趣旨を踏まえた対応を行っていただきますようお願いします。

　なお、各市町村におかれましては、第3子以降を保育所等の優先利用の対象とすることについて、その実施時期を含めて御検討いただき、その結果につきまして、別紙様式にて平成27年9月30日（水）までに、各都道府県ごとに取りまとめのうえ、厚生労働省雇用均等・児童家庭局保育課企画調整係（下記問合せ先）あて、ＦＡＸ又はe-mailにて報告をいただきますようお願いいたします。

＜問合せ先＞
【本事務連絡の内容及び報告先について】
　厚生労働省雇用均等・児童家庭局保育課企画調整係
　TEL：03-3595-2542、FAX：03-3595-2674
　e-mail：hoikuka@mhlw.go.jp
【新制度施行に係る全般的な事項】
　内閣府子ども・子育て支援新制度施行準備室
　TEL：03-6257-1468、FAX：03-3581-2521

＜別紙様式＞　多子世帯を対象とする保育所等の優先利用について

＿＿＿＿＿＿＿＿＿＿＿＿＿＿＿＿県

市町村名	実施方針（※）	実施(予定)時期	課題や実施しない理由

※優先利用の対象とする方針（すでに対象としている場合を含む。）の場合は〇、対象としない方針の場合は×を記入、
　検討中の場合には△を記載下さい。

○保育所や認定こども園等を現に利用している児童の取扱いについて

平成27年1月29日　事務連絡
各都道府県・各指定都市・各中核市子ども・子育て支援新制度・保育担当課宛　内閣府子ども・子育て支援新制度施行準備室・文部科学省初等中等教育局幼児教育・厚生労働省雇用均等・児童家庭局保育課

平成27年4月から施行される子ども・子育て支援新制度においては、保育所、認定こども園、児童福祉法第24条第2項に規定する家庭的保育事業等（以下「保育所等」という。）を利用する際には、子ども・子育て支援法（平成24年法律第65号。以下「支援法」という。）第20条第1項の規定に基づき、支援法第19条第1項第2号又は同項第3号の区分に係る認定（以下「保育認定」という。）を受けた上で、新たに、児童福祉法（昭和22年法律第164号。以下「法」という。）第24条第3項及び附則第73条第1項の規定に基づき、市町村による利用調整を経て、利用が決定されることとなります。

現に、保育所や認定こども園を利用している児童についても、市町村において保育認定を行った上でその利用を決定する必要がありますが、これらの施設で提供される教育・保育については、安定した環境で子どもの心身の健全な発達を促す観点から、一貫して継続的な環境でそれらを受けることが望ましいと考えられることを踏まえ、市町村は、現在利用している施設を継続的に利用することを保障することが適当です。

また、現在、認可外保育施設に利用しており、当該施設が保育所等に認可された場合についても、上記の観点から、市町村は、現在利用している施設を継続的に利用することに配慮することが望ましいと考えられます。

さらに、現に市町村域を超えて保育所や認定こども園を利用している場合については、当該市町村間での調整が必要になりますが、市町村域を超えてもなお、上記の観点を踏まえることが適当であり、居住地市町村が正当な理由なく、現に利用している他市町村に所在する保育所や認定こども園の利用の継続を拒むことは適当でないと考えられ、また、施設所在地市町村においても、当該保育所や認定こども園の利用の継続に適切に配慮することが望ましいと考えられます。

都道府県におかれては、管内市町村（特別区を含む。）に対し、上記に示した趣旨を踏まえ、市町村において適切な運用が行なわれるよう、本事務連絡を周知していただくとともに、支援法における都道府県の役割を踏まえ、必要に応じ市町村に対する助言や市町村間の調整を図っていただきますようお願いいたします。

○保育士等の子どもの優先入所等に係る取扱いについて

平成29年9月29日　府子本第809号・29初幼教第9号・子
保発0929第1号
各都道府県私立学校主管部（局）・民生主管部（局）・教育委
員会教育長・各指定都市・各中核市民生主管部（局）長宛
内閣府子ども・子育て本部参事官（子ども・子育て支援担
当）・文部科学省初等中等教育局幼児教育・厚生労働省子
ども家庭局保育課長連名通知

保育施策の推進については、日頃より格別の御尽力を賜り厚く御礼申し上げます。

「「子育て安心プラン」について」（平成29年6月2日付け事務連絡）においてお示しした「6つの支援パッケージ」については、各都道府県又は各市町村（特別区を含む。以下同じ。）が行っている保育関連業務に係る内容が盛り込まれています。今般、本内容の一部に係る具体的な留意事項等を下記のとおりお示ししますので、内容を十分御了知の上、貴管内の市町村への周知を行うとともに、本内容の趣旨を踏まえて対応いただきますようお願いします。

記

児童福祉法（昭和22年法律第164号）第24条第3項及び附則第73条第1項に規定する利用調整を行うに当たっては、保育園等の利用に係る優先度を踏まえるため、「子ども・子育て支援法に基づく支給認定等並びに特定教育・保育施設及び特定地域型保育事業者の確認に係る留意事項等について」（平成26年9月10日付け府政共生第859号・26文科初第651号・雇児発0910第2号内閣府・文部科学省・厚生労働省通知。以下「留意事項通知」という。）第2の7で示している「優先利用に関する基本的考え方」等を踏まえ、独自に点数付けを行うなどの取扱いを行っている事例が多く見られるところである。

これまでも留意事項通知において、保育人材の確保・育成や就業継続による全体へのメリット等の観点から、市町村の判断により、保育士、幼稚園教諭、保育教諭（以下「保育士等」という。）の子どもの利用に当たって配慮することも考えられる旨示しているが、保育士等の子どもの保育園等への入園の可能性が大きく高まるような点数付けを行い、可能な限り速やかに入園を確定させることは、

・当該保育士等の勤務する保育園等が早期に当該保育士等の子どもの入園決定を把握して当該保育士の職場への復帰を確定させ、利用定員を増やすことを可能にし、保育の受け入れ枠の増加に大きく寄与するとともに、

・保育士等が妊娠・出産後、円滑に職場復帰できる環

境を整えることにより、高い使命感と希望をもって保育の道を選んだ方々が、仕事と家庭の両立を実現しながら、将来にわたって活躍することが可能となり、保育士の処遇の改善にも大きな効果が見込まれる

ことから、待機児童の解消等のために保育人材の確保が必要な市町村においては、このような取組を行うよう努めること。

その際、市町村と都道府県が連携の上、平成27年度補正予算で創設された未就学児を持つ保育士等に対する保育料の一部貸付事業の周知を徹底し、当該事業を積極的に活用した人材確保に取り組むこと。

また、以下のような事例について、市町村によって対応にばらつきがみられることから、以下の点についてもあわせて留意すること。

⑴　保育士等が勤務している保育園等については、一律に当該保育士等の子どもを入園させない取扱いとしている市町村がみられるが、保育士等が勤務する保育園等に当該保育士等の子どもが入園できる環境を整えることは、保育士等の仕事と家庭の両立の実現や長期的な就業継続に大きく寄与することから、扱いに差を設けず、他の保育園等の場合と同様に入園の対象とすること。なお、その際、必要に応じて、当該保育士等の子どもを当該保育士等以外の者が担任を務めるクラスに入園させる等の配慮を行うことも考えられる。

⑵　保育士等の子どもの優先利用の実施に当たっては、

・市町村の圏域を超えた利用調整の実施を行っていない市町村や

・市町村の圏域を超えた利用調整は実施しているものの、当該保育士等の市町村内の保育園等への勤務を条件としている市町村

が相当数存在するが、保育士等の中には、その居住する市町村以外の市町村に所在する保育園等に勤務する者も多数存在しており、当該保育士等について、その居住する市町村内の保育園等への勤務を条件とせずに市町村の圏域を超えた利用調整

を行うことで、より多くの保育士等の職場への復帰が可能となり、当該市町村における待機児童の解消にも、広域的な待機児童の解消にも大きな効果が見込まれることから、こうした利用調整が行われるよう、積極的に各市町村間で協定を結ぶ等の連携・調整を行うこと。

なお、保育士等に限らず、市町村の圏域を超えた利用調整の実施については、「児童福祉法に基づく保育所等の利用調整の取扱いについて（通知）」（平成27年2月3日府政共生第98号・雇児発0203第3号内閣府政策統括官（共生社会政策担当）・厚生労働省雇用均等・児童家庭局長通知）

を踏まえ、所在地市町村において、他市町村に居住する住民の利用に関する優先度の取扱いに基づき、調整をお願いしているところであるが、居住する市町村以外の市町村に所在する保育園等への入園を希望する住民が一定数存在し得ることに鑑み、市町村の圏域を超えた利用調整がなされるよう、積極的に各市町村間の連携・調整に努めること。また、その際、各都道府県においても、その域内に所在する市町村の担当者が参集して広域的な利用調整に向けた協議を行うことが可能となる場を提供するなど、積極的に広域調整の役割を果たすこと。

○多様な働き方に応じた保育所等の利用調整等に係る取扱いについて

平成29年12月28日　事務連絡
各都道府県・各指定都市・各中核市子ども・子育て支援新制度担当・保育担当課宛　内閣府子ども・子育て本部参事官（子ども・子育て支援担当）・厚生労働省子ども家庭局保育課

保育施策の推進については、日頃より格別の御尽力を賜り厚く御礼申し上げます。

今般、保護者の多様な働き方が広がっている現状に鑑み、保育所等の利用調整に関して、具体的な留意事項等を下記のとおりお示ししますので、内容を十分御了知の上、貴管内の市町村への周知を行うとともに、本内容の趣旨を踏まえて対応いただきますようお願いします。

記

児童福祉法（昭和22年法律第164号）第24条第3項及び附則第73条第1項に規定する利用調整を行うに当たっては、保育所等の利用に係る優先度を踏まえるため、「子ども・子育て支援法に基づく支給認定等並びに特定教育・保育施設及び特定地域型保育事業者の確認に係る留意事項等について」（平成26年9月10日付け府政共生第859号・26文科初第651号・雇児発0910第2号内閣府・文部科学省・厚生労働省通知。以下「留意事項通知」という。）等を踏まえ、独自に点数付けを行うなどの取扱いを行っている事例が多く見られるところである。

留意事項通知第2の1の(2)のアの（イ）において、「就労の形態については、居宅外での労働のほか、居宅内で当該児童と離れて日常の家事以外の労働をすることを常態としていること（自営業、在宅勤務等）も対象とする」と示しているところ、多様な働き方が広がっていることに鑑み、それぞれの保護者の就労状況をきめ細かく把握し、実態に応じた取扱いが可能となるような点数付けが望ましいことから、以下の点に留意すること。

(1) 居宅内での労働と居宅外での労働について、一律に点数に差異を設けている市町村がみられるが、居宅内で労働しているからといって、必ずしも居宅外での労働に比べて仕事による拘束時間が短い、子どもの保育を行いやすいというわけではないことから、居宅内での労働か、居宅外での労働かという点のみをもって一律に点数に差異を設けることは望ましくなく、

・就労時間、休憩時間や移動時間等の詳細な実態
・店頭に立っている、打ち合わせ等で取引先の職場に赴いている等、具体的な就労場所
・危険な行為を伴う、集中して行う必要がある等、実際の仕事の内容・性質

等を見て、個々の保護者の就労状況を十分に把握した上で判断すべきであること。

(2) 留意事項通知第2の7の(2)のウの⑥において、「育児休業を終了した場合」について優先利用の対象として考えられる旨示しているが、自営業で育児休業制度の利用が困難である等の理由で、育児休業という形ではないが、育児に伴って休業する保護者も存在するところ、当該保護者についても育児休業中の保護者と同様に取り扱っている市町村もみられるため、このような取扱いに取り組

むこと。

(3)　保護者が取引先の理解を得て子どもを取引先の職場に連れて行くケースなど、保護者が必要に迫られてその子どもを居宅外で保育している場合について、一定程度子どもを保育できている状態であるとして点数付けにおいて減点対象としている市町村がみられるが、当該保護者はやむをえず子どもを居宅外で保育している状態であるところ、こうした場合を保育の優先順位が低いと捉えて一律に不利な点数付けを行うことは不適切であること。

(4)　保護者の就労状況の実態を把握するに当たっては、保護者からの申告内容と就労実態が一致しているか等を確認するために保護者に対しスケジュール表や確定申告書、請負契約書等各種書類の提出を求めることが考えられるが、自営業や在宅勤務等を行っている保護者については、会社勤務や在宅外労働をしている保護者と比べて提出を求められる書類が多岐にわたる傾向がみられるため、

・働き方に応じて提出書類が異なる場合は、必要な提出書類について、保育所等の利用申込みについての手引き・パンフレット等に具体的に提示するなど詳細に記載する、説明会の際に明示的に説明する等、十分な周知に努めること

・勤務実態や給与等を報告させるための所定の書式を整備すること

・提出書類として「帳簿の写し」を求める際は、保護者が帳簿を用意していない場合は契約書や請求書等の写しをもって代えることを可能にする等、必要な提出書類について、それぞれの勤務実態や職業特性に応じた柔軟な対応を心がけること

等を通じ、自営業や在宅勤務等を行っている保護者が保育の利用にあたって会社勤務や居宅外労働をしている保護者と比べて過度の負担を負うことがないよう努めること。

なお、所定の書式の整備を行うにあたっては、

・被用者・自営業ともに同じ様式を用いている例（文京区の「在職・採用内定証明書」。被用者は表面のみの記載で足り、自営業の場合は裏面に1週間の就労状況を記載する。）

・記入例が具体的であり、わかりやすい例（世田谷区の「記入例（月間スケジュール表）」）

などを参考とし、自営業や在宅勤務等を行っている保護者にとって負担の少ない書式となるよう心がけること。

（※）　文京区の「在職・採用内定証明書」のURL
http://www.city.bunkyo.lg.jp/var/rev0/0143/3721/1.zaisyoku.pdf

（※）　世田谷区の「記入例（月間スケジュール表）」のURL
http://www.city.setagaya.lg.jp/kurashi/103/129/1809/d00005733_d/fil/kinyuureigekkanschedule.pdf

(5)　就労状況をはじめとする保護者の意向や状況については、市区町村において、面談、電話連絡等により積極的かつ丁寧に把握し、利用可能な保育所等の情報を提供した上で、それぞれの保護者のニーズに応じた適切な保育の提供を行うことが重要である。こうした保護者への「寄り添う支援」に取り組む市区町村を支援するため、平成29年度予算において、子ども・子育て支援交付金における「利用者支援事業」の拡充を行っているので、引き続き積極的に活用すること。

4　教育・保育の内容

●幼保連携型認定こども園教育・保育要領

〔平　成　29　年　3　月　31　日〕
〔内閣府・文部科学省・厚生労働省告示第1号〕

第1章　総則

第1　幼保連携型認定こども園における教育及び保育の基本及び目標等

1　幼保連携型認定こども園における教育及び保育の基本

　乳幼児期の教育及び保育は、子どもの健全な心身の発達を図りつつ生涯にわたる人格形成の基礎を培う重要なものであり、幼保連携型認定こども園における教育及び保育は、就学前の子どもに関する教育、保育等の総合的な提供の推進に関する法律（平成18年法律第77号。以下「認定こども園法」という。）第2条第7項に規定する目的及び第9条に掲げる目標を達成するため、乳幼児期全体を通して、その特性及び保護者や地域の実態を踏まえ、環境を通して行うものであることを基本とし、家庭や地域での生活を含めた園児の生活全体が豊かなものとなるように努めなければならない。

　このため保育教諭等は、園児との信頼関係を十分に築き、園児が自ら安心して身近な環境に主体的に関わり、環境との関わり方や意味に気付き、これらを取り込もうとして、試行錯誤したり、考えたりするようになる幼児期の教育における見方・考え方を生かし、その活動が豊かに展開されるよう環境を整え、園児と共によりよい教育及び保育の環境を創造するように努めるものとする。これらを踏まえ、次に示す事項を重視して教育及び保育を行わなければならない。

(1)　乳幼児期は周囲への依存を基盤にしつつ自立

に向かうものであることを考慮して、周囲との信頼関係に支えられた生活の中で、園児一人一人が安心感と信頼感をもっていろいろな活動に取り組む体験を十分に積み重ねられるようにすること。

(2) 乳幼児期においては生命の保持が図られ安定した情緒の下で自己を十分に発揮することにより発達に必要な体験を得ていくものであることを考慮して、園児の主体的な活動を促し、乳幼児期にふさわしい生活が展開されるようにすること。

(3) 乳幼児期における自発的な活動としての遊びは、心身の調和のとれた発達の基礎を培う重要な学習であることを考慮して、遊びを通しての指導を中心として第2章に示すねらいが総合的に達成されるようにすること。

(4) 乳幼児期における発達は、心身の諸側面が相互に関連し合い、多様な経過をたどって成し遂げられていくものであること、また、園児の生活経験がそれぞれ異なることなどを考慮して、園児一人一人の特性や発達の過程に応じ、発達の課題に即した指導を行うようにすること。

その際、保育教諭等は、園児の主体的な活動が確保されるよう、園児一人一人の行動の理解と予想に基づき、計画的に環境を構成しなければならない。この場合において、保育教諭等は、園児と人やものとの関わりが重要であることを踏まえ、教材を工夫し、物的・空間的環境を構成しなければならない。また、園児一人一人の活動の場面に応じて、様々な役割を果たし、その活動を豊かにしなければならない。

なお、幼保連携型認定こども園における教育及び保育は、園児が入園してから修了するまでの在園期間全体を通して行われるものであり、この章の第3に示す幼保連携型認定こども園として特に配慮すべき事項を十分に踏まえて行うものとする。

2　幼保連携型認定こども園における教育及び保育の目標

幼保連携型認定こども園は、家庭との連携を図りながら、この章の第1の1に示す幼保連携型認定こども園における教育及び保育の基本に基づいて一体的に展開される幼保連携型認定こども園における生活を通して、生きる力の基礎を育成するよう認定こども園法第9条に規定する幼保連携型

認定こども園の教育及び保育の目標の達成に努めなければならない。幼保連携型認定こども園は、このことにより、義務教育及びその後の教育の基礎を培うとともに、子どもの最善の利益を考慮しつつ、その生活を保障し、保護者と共に園児を心身ともに健やかに育成するものとする。

なお、認定こども園法第9条に規定する幼保連携型認定こども園の教育及び保育の目標については、発達や学びの連続性及び生活の連続性の観点から、小学校就学の始期に達するまでの時期を通じ、その達成に向けて努力すべき目当てとなるものであることから、満3歳未満の園児の保育にも当てはまることに留意するものとする。

3　幼保連携型認定こども園の教育及び保育において育みたい資質・能力及び「幼児期の終わりまでに育ってほしい姿」

(1) 幼保連携型認定こども園においては、生きる力の基礎を育むため、この章の1に示す幼保連携型認定こども園の教育及び保育の基本を踏まえ、次に掲げる資質・能力を一体的に育むよう努めるものとする。

ア　豊かな体験を通じて、感じたり、気付いたり、分かったり、できるようになったりする「知識及び技能の基礎」

イ　気付いたことや、できるようになったことなどを使い、考えたり、試したり、工夫したり、表現したりする「思考力、判断力、表現力等の基礎」

ウ　心情、意欲、態度が育つ中で、よりよい生活を営もうとする「学びに向かう力、人間性等」

(2) (1)に示す資質・能力は、第2章に示すねらい及び内容に基づく活動全体によって育むものである。

(3) 次に示す「幼児期の終わりまでに育ってほしい姿」は、第2章に示すねらい及び内容に基づく活動全体を通して資質・能力が育まれている園児の幼保連携型認定こども園修了時の具体的な姿であり、保育教諭等が指導を行う際に考慮するものである。

ア　健康な心と体

幼保連携型認定こども園における生活の中で、充実感をもって自分のやりたいことに向かって心と体を十分に働かせ、見通しをもって行動し、自ら健康で安全な生活をつくり出

すようになる。

イ　自立心

身近な環境に主体的に関わり様々な活動を楽しむ中で、しなければならないことを自覚し、自分の力で行うために考えたり、工夫したりしながら、諦めずにやり遂げることで達成感を味わい、自信をもって行動するようになる。

ウ　協同性

友達と関わる中で、互いの思いや考えなどを共有し、共通の目的の実現に向けて、考えたり、工夫したり、協力したりし、充実感をもってやり遂げるようになる。

エ　道徳性・規範意識の芽生え

友達と様々な体験を重ねる中で、してよいことや悪いことが分かり、自分の行動を振り返ったり、友達の気持ちに共感したりし、相手の立場に立って行動するようになる。また、きまりを守る必要性が分かり、自分の気持ちを調整し、友達と折り合いを付けながら、きまりをつくったり、守ったりするようになる。

オ　社会生活との関わり

家族を大切にしようとする気持ちをもつとともに、地域の身近な人と触れ合う中で、人との様々な関わり方に気付き、相手の気持ちを考えて関わり、自分が役に立つ喜びを感じ、地域に親しみをもつようになる。また、幼保連携型認定こども園内外の様々な環境に関わる中で、遊びや生活に必要な情報を取り入れ、情報に基づき判断したり、情報を伝え合ったり、活用したりするなど、情報を役立てながら活動するようになるとともに、公共の施設を大切に利用するなどして、社会とのつながりなどを意識するようになる。

カ　思考力の芽生え

身近な事象に積極的に関わる中で、物の性質や仕組みなどを感じ取ったり、気付いたりし、考えたり、予想したり、工夫したりするなど、多様な関わりを楽しむようになる。また、友達の様々な考えに触れる中で、自分と異なる考えがあることに気付き、自ら判断したり、考え直したりするなど、新しい考えを生み出す喜びを味わいながら、自分の考えをよりよいものにするようになる。

キ　自然との関わり・生命尊重

自然に触れて感動する体験を通して、自然の変化などを感じ取り、好奇心や探究心をもって考え言葉などで表現しながら、身近な事象への関心が高まるとともに、自然への愛情や畏敬の念をもつようになる。また、身近な動植物に心を動かされる中で、生命の不思議さや尊さに気付き、身近な動植物への接し方を考え、命あるものとしていたわり、大切にする気持ちをもって関わるようになる。

ク　数量や図形、標識や文字などへの関心・感覚

遊びや生活の中で、数量や図形、標識や文字などに親しむ体験を重ねたり、標識や文字の役割に気付いたりし、自らの必要感に基づきこれらを活用し、興味や関心、感覚をもつようになる。

ケ　言葉による伝え合い

保育教諭等や友達と心を通わせる中で、絵本や物語などに親しみながら、豊かな言葉や表現を身に付け、経験したことや考えたことなどを言葉で伝えたり、相手の話を注意して聞いたりし、言葉による伝え合いを楽しむようになる。

コ　豊かな感性と表現

心を動かす出来事などに触れ感性を働かせる中で、様々な素材の特徴や表現の仕方などに気付き、感じたことや考えたことを自分で表現したり、友達同士で表現する過程を楽しんだりし、表現する喜びを味わい、意欲をもつようになる。

第2　教育及び保育の内容並びに子育ての支援等に関する全体的な計画等

1　教育及び保育の内容並びに子育ての支援等に関する全体的な計画の作成等

(1)　教育及び保育の内容並びに子育ての支援等に関する全体的な計画の役割

各幼保連携型認定こども園においては、教育基本法（平成18年法律第120号）、児童福祉法（昭和22年法律第164号）及び認定こども園法その他の法令並びにこの幼保連携型認定こども園教育・保育要領の示すところに従い、教育と保育を一体的に提供するため、創意工夫を生かし、園児の心身の発達と幼保連携型認定こども園、家庭及び地域の実態に即応した適切な教育

及び保育の内容並びに子育ての支援等に関する
全体的な計画を作成するものとする。

　　教育及び保育の内容並びに子育ての支援等に
関する全体的な計画とは、教育と保育を一体的
に捉え、園児の入園から修了までの在園期間の
全体にわたり、幼保連携型認定こども園の目標
に向かってどのような過程をたどって教育及び
保育を進めていくかを明らかにするものであ
り、子育ての支援と有機的に連携し、園児の園
生活全体を捉え、作成する計画である。

　　各幼保連携型認定こども園においては、「幼
児期の終わりまでに育ってほしい姿」を踏まえ
教育及び保育の内容並びに子育ての支援等に関
する全体的な計画を作成すること、その実施状
況を評価して改善を図っていくこと、また実施
に必要な人的又は物的な体制を確保するととも
にその改善を図っていくことなどを通して、教
育及び保育の内容並びに子育ての支援等に関す
る全体的な計画に基づき組織的かつ計画的に各
幼保連携型認定こども園の教育及び保育活動の
質の向上を図っていくこと（以下「カリキュラ
ム・マネジメント」という。）に努めるものと
する。

(2)　各幼保連携型認定こども園の教育及び保育の
目標と教育及び保育の内容並びに子育ての支援
等に関する全体的な計画の作成

　　教育及び保育の内容並びに子育ての支援等に
関する全体的な計画の作成に当たっては、幼保
連携型認定こども園の教育及び保育において育
みたい資質・能力を踏まえつつ、各幼保連携型
認定こども園の教育及び保育の目標を明確にす
るとともに、教育及び保育の内容並びに子育て
の支援等に関する全体的な計画の作成について
の基本的な方針が家庭や地域とも共有されるよ
う努めるものとする。

(3)　教育及び保育の内容並びに子育ての支援等に
関する全体的な計画の作成上の基本的事項

　　ア　幼保連携型認定こども園における生活の全
　　　体を通して第2章に示すねらいが総合的に達
　　　成されるよう、教育課程に係る教育期間や園
　　　児の生活経験や発達の過程などを考慮して具
　　　体的なねらいと内容を組織するものとする。
　　　この場合においては、特に、自我が芽生え、
　　　他者の存在を意識し、自己を抑制しようとす
　　　る気持ちが生まれるなどの乳幼児期の発達の

特性を踏まえ、入園から修了に至るまでの長
期的な視野をもって充実した生活が展開でき
るように配慮するものとする。

　　イ　幼保連携型認定こども園の満3歳以上の園
　　　児の教育課程に係る教育週数は、特別の事情
　　　のある場合を除き、39週を下ってはならな
　　　い。

　　ウ　幼保連携型認定こども園の1日の教育課程
　　　に係る教育時間は、4時間を標準とする。た
　　　だし、園児の心身の発達の程度や季節などに
　　　適切に配慮するものとする。

　　エ　幼保連携型認定こども園の保育を必要とす
　　　る子どもに該当する園児に対する教育及び保
　　　育の時間（満3歳以上の保育を必要とする子
　　　どもに該当する園児については、この章の第
　　　2の1の(3)ウに規定する教育時間を含む。）
　　　は、1日につき8時間を原則とし、園長がこ
　　　れを定める。ただし、その地方における園児
　　　の保護者の労働時間その他家庭の状況等を考
　　　慮するものとする。

(4)　教育及び保育の内容並びに子育ての支援等に
関する全体的な計画の実施上の留意事項

　　各幼保連携型認定こども園においては、園長
の方針の下に、園務分掌に基づき保育教諭等職
員が適切に役割を分担しつつ、相互に連携しな
がら、教育及び保育の内容並びに子育ての支援
等に関する全体的な計画や指導の改善を図るも
のとする。また、各幼保連携型認定こども園が
行う教育及び保育等に係る評価については、教
育及び保育の内容並びに子育ての支援等に関す
る全体的な計画の作成、実施、改善が教育及び
保育活動や園運営の中核となることを踏まえ、
カリキュラム・マネジメントと関連付けながら
実施するよう留意するものとする。

(5)　小学校教育との接続に当たっての留意事項

　　ア　幼保連携型認定こども園においては、その
　　　教育及び保育が、小学校以降の生活や学習の
　　　基盤の育成につながることに配慮し、乳幼児
　　　期にふさわしい生活を通して、創造的な思考
　　　や主体的な生活態度などの基礎を培うように
　　　するものとする。

　　イ　幼保連携型認定こども園の教育及び保育に
　　　おいて育まれた資質・能力を踏まえ、小学校
　　　教育が円滑に行われるよう、小学校の教師と
　　　の意見交換や合同の研究の機会などを設け、

「幼児期の終わりまでに育ってほしい姿」を共有するなど連携を図り、幼保連携型認定こども園における教育及び保育と小学校教育との円滑な接続を図るよう努めるものとする。

2 指導計画の作成と園児の理解に基づいた評価

(1) 指導計画の考え方

　幼保連携型認定こども園における教育及び保育は、園児が自ら意欲をもって環境と関わることによりつくり出される具体的な活動を通して、その目標の達成を図るものである。

　幼保連携型認定こども園においてはこのことを踏まえ、乳幼時期にふさわしい生活が展開され、適切な指導が行われるよう、調和のとれた組織的、発展的な指導計画を作成し、園児の活動に沿った柔軟な指導を行わなければならない。

(2) 指導計画の作成上の基本的事項

ア　指導計画は、園児の発達に即して園児一人一人が乳幼児期にふさわしい生活を展開し、必要な体験を得られるようにするために、具体的に作成するものとする。

イ　指導計画の作成に当たっては、次に示すところにより、具体的なねらい及び内容を明確に設定し、適切な環境を構成することなどにより活動が選択・展開されるようにするものとする。

(ア)　具体的なねらい及び内容は、幼保連携型認定こども園の生活における園児の発達の過程を見通し、園児の生活の連続性、季節の変化などを考慮して、園児の興味や関心、発達の実情などに応じて設定すること。

(イ)　環境は、具体的なねらいを達成するために適切なものとなるように構成し、園児が自らその環境に関わることにより様々な活動を展開しつつ必要な体験を得られるようにすること。その際、園児の生活する姿や発想を大切にし、常にその環境が適切なものとなるようにすること。

(ウ)　園児の行う具体的な活動は、生活の流れの中で様々に変化するものであることに留意し、園児が望ましい方向に向かって自ら活動を展開していくことができるよう必要な援助をすること。

その際、園児の実態及び園児を取り巻く状況

の変化などに即して指導の過程についての評価を適切に行い、常に指導計画の改善を図るものとする。

(3) 指導計画の作成上の留意事項

　指導計画の作成に当たっては、次の事項に留意するものとする。

ア　園児の生活は、入園当初の一人一人の遊びや保育教諭等との触れ合いを通して幼保連携型認定こども園の生活に親しみ、安定していく時期から、他の園児との関わりの中で園児の主体的な活動が深まり、園児が互いに必要な存在であることを認識するようになる。その後、園児同士や学級全体で目的をもって協同して幼保連携型認定こども園の生活を展開し、深めていく時期などに至るまでの過程を様々に経ながら広げられていくものである。これらを考慮し、活動がそれぞれの時期にふさわしく展開されるようにすること。

　また、園児の入園当初の教育及び保育に当たっては、既に在園している園児に不安や動揺を与えないようにしつつ、可能な限り個別的に対応し、園児が安定感を得て、次第に幼保連携型認定こども園の生活になじんでいくよう配慮すること。

イ　長期的に発達を見通した年、学期、月などにわたる長期の指導計画やこれとの関連を保ちながらより具体的な園児の生活に即した週、日などの短期の指導計画を作成し、適切な指導が行われるようにすること。特に、週、日などの短期の指導計画については、園児の生活のリズムに配慮し、園児の意識や興味の連続性のある活動が相互に関連して幼保連携型認定こども園の生活の自然な流れの中に組み込まれるようにすること。

ウ　園児が様々な人やものとの関わりを通して、多様な体験をし、心身の調和のとれた発達を促すようにしていくこと。その際、園児の発達に即して主体的・対話的で深い学びが実現するようにするとともに、心を動かされる体験が次の活動を生み出すことを考慮し、一つ一つの体験が相互に結び付き、幼保連携型認定こども園の生活が充実するようにすること。

エ　言語に関する能力の発達と思考力等の発達が関連していることを踏まえ、幼保連携型認

定こども園における生活全体を通して、園児の発達を踏まえた言語環境を整え、言語活動の充実を図ること。

オ　園児が次の活動への期待や意欲をもつことができるよう、園児の実態を踏まえながら、保育教諭等や他の園児と共に遊びや生活の中で見通しをもったり、振り返ったりするよう工夫すること。

カ　行事の指導に当たっては、幼保連携型認定こども園の生活の自然な流れの中で生活に変化や潤いを与え、園児が主体的に楽しく活動できるようにすること。なお、それぞれの行事については教育及び保育における価値を十分検討し、適切なものを精選し、園児の負担にならないようにすること。

キ　乳幼児期は直接的な体験が重要であることを踏まえ、視聴覚教材やコンピュータなど情報機器を活用する際には、幼保連携型認定こども園の生活では得難い体験を補完するなど、園児の体験との関連を考慮すること。

ク　園児の主体的な活動を促すためには、保育教諭等が多様な関わりをもつことが重要であることを踏まえ、保育教諭等は、理解者、共同作業者など様々な役割を果たし、園児の情緒の安定や発達に必要な豊かな体験が得られるよう、活動の場面に応じて、園児の人権や園児一人一人の個人差等に配慮した適切な指導を行うようにすること。

ケ　園児の行う活動は、個人、グループ、学級全体などで多様に展開されるものであることを踏まえ、幼保連携型認定こども園全体の職員による協力体制を作りながら、園児一人一人が興味や欲求を十分に満足させるよう適切な援助を行うようにすること。

コ　園児の生活は、家庭を基盤として地域社会を通じて次第に広がりをもつものであることに留意し、家庭との連携を十分に図るなど、幼保連携型認定こども園における生活が家庭や地域社会と連続性を保ちつつ展開されるようにするものとする。その際、地域の自然、高齢者や異年齢の子どもなどを含む人材、行事や公共施設などの地域の資源を積極的に活用し、園児が豊かな生活体験を得られるように工夫するものとする。また、家庭との連携に当たっては、保護者との情報交換の機会を

設けたり、保護者と園児との活動の機会を設けたりなどすることを通じて、保護者の乳幼児期の教育及び保育に関する理解が深まるよう配慮するものとする。

サ　地域や幼保連携型認定こども園の実態等により、幼保連携型認定こども園間に加え、幼稚園、保育所等の保育施設、小学校、中学校、高等学校及び特別支援学校などとの間の連携や交流を図るものとする。特に、小学校教育との円滑な接続のため、幼保連携型認定こども園の園児と小学校の児童との交流の機会を積極的に設けるようにするものとする。また、障害のある園児児童生徒との交流及び共同学習の機会を設け、共に尊重し合いながら協働して生活していく態度を育むよう努めるものとする。

(4)　園児の理解に基づいた評価の実施

園児一人一人の発達の理解に基づいた評価の実施に当たっては、次の事項に配慮するものとする。

ア　指導の過程を振り返りながら園児の理解を進め、園児一人一人のよさや可能性などを把握し、指導の改善に生かすようにすること。その際、他の園児との比較や一定の基準に対する達成度についての評定によって捉えるものではないことに留意すること。

イ　評価の妥当性や信頼性が高められるよう創意工夫を行い、組織的かつ計画的な取組を推進するとともに、次年度又は小学校等にその内容が適切に引き継がれるようにすること。

3　特別な配慮を必要とする園児への指導

(1)　障害のある園児などへの指導

障害のある園児などへの指導に当たっては、集団の中で生活することを通して全体的な発達を促していくことに配慮し、適切な環境の下で、障害のある園児が他の園児との生活を通して共に成長できるよう、特別支援学校などの助言又は援助を活用しつつ、個々の園児の障害の状態などに応じた指導内容や指導方法の工夫を組織的かつ計画的に行うものとする。また、家庭、地域及び医療や福祉、保健等の業務を行う関係機関との連携を図り、長期的な視点で園児への教育及び保育的支援を行うために、個別の教育及び保育支援計画を作成し活用することに努めるとともに、個々の園児の実態を的確に把

握し、個別の指導計画を作成し活用することに努めるものとする。

(2) 海外から帰国した園児や生活に必要な日本語の習得に困難のある園児の幼保連携型認定こども園の生活への適応

海外から帰国した園児や生活に必要な日本語の習得に困難のある園児については、安心して自己を発揮できるよう配慮するなど個々の園児の実態に応じ、指導内容や指導方法の工夫を組織的かつ計画的に行うものとする。

第3 幼保連携型認定こども園として特に配慮すべき事項

幼保連携型認定こども園における教育及び保育を行うに当たっては、次の事項について特に配慮しなければならない。

1 当該幼保連携型認定こども園に入園した年齢により集団生活の経験年数が異なる園児がいることに配慮する等、0歳から小学校就学前までの一貫した教育及び保育を園児の発達や学びの連続性を考慮して展開していくこと。特に満3歳以上については入園する園児が多いことや同一学年の園児で編制される学級の中で生活することなどを踏まえ、家庭や他の保育施設等との連携や引継ぎを円滑に行うとともに、環境の工夫をすること。

2 園児の一日の生活の連続性及びリズムの多様性に配慮するとともに、保護者の生活形態を反映した園児の在園時間の長短、入園時期や登園日数の違いを踏まえ、園児一人一人の状況に応じ、教育及び保育の内容やその展開について工夫をすること。特に入園及び年度当初においては、家庭との連携の下、園児一人一人の生活の仕方やリズムに十分に配慮して一日の自然な生活の流れをつくり出していくようにすること。

3 環境を通して行う教育及び保育の活動の充実を図るため、幼保連携型認定こども園における教育及び保育の環境の構成に当たっては、乳幼児期の特性及び保護者や地域の実態を踏まえ、次の事項に留意すること。

(1) 0歳から小学校就学前までの様々な年齢の園児の発達の特性を踏まえ、満3歳未満の園児については特に健康、安全や発達の確保を十分に図るとともに、満3歳以上の園児については同一学年の園児で編制される学級による集団活動の中で遊びを中心とする園児の主体的な活動を通して発達や学びを促す経験が得られるよう工夫をすること。特に、満3歳以上の園児同士が共に育ち、学び合いながら、豊かな体験を積み重ねることができるよう工夫をすること。

(2) 在園時間が異なる多様な園児がいることを踏まえ、園児の生活が安定するよう、家庭や地域、幼保連携型認定こども園における生活の連続性を確保するとともに、一日の生活のリズムを整えるよう工夫をすること。特に満3歳未満の園児については睡眠時間等の個人差に配慮するとともに、満3歳以上の園児については集中して遊ぶ場と家庭的な雰囲気の中でくつろぐ場との適切な調和等の工夫をすること。

(3) 家庭や地域において異年齢の子どもと関わる機会が減少していることを踏まえ、満3歳以上の園児については、学級による集団活動とともに、満3歳未満の園児を含む異年齢の園児による活動を、園児の発達の状況にも配慮しつつ適切に組み合わせて設定するなどの工夫をすること。

(4) 満3歳以上の園児については、特に長期的な休業中、園児が過ごす家庭や園などの生活の場が異なることを踏まえ、それぞれの多様な生活経験が長期的な休業などの終了後等の園生活に生かされるよう工夫をすること。

4 指導計画を作成する際には、この章に示す指導計画の作成上の留意事項を踏まえるとともに、次の事項にも特に配慮すること。

(1) 園児の発達の個人差、入園した年齢の違いなどによる集団生活の経験年数の差、家庭環境等を踏まえ、園児一人一人の発達の特性や課題に十分留意すること。特に満3歳未満の園児については、大人への依存度が極めて高い等の特性があることから、個別的な対応を図ること。また、園児の集団生活への円滑な接続について、家庭等との連携及び協力を図る等十分留意すること。

(2) 園児の発達の連続性を考慮した教育及び保育を展開する際には、次の事項に留意すること。

ア 満3歳未満の園児については、園児一人一人の生育歴、心身の発達、活動の実態等に即して、個別的な計画を作成すること。

イ 満3歳以上の園児については、個の成長と、園児相互の関係や協同的な活動が促されるよう考慮すること。

ウ 異年齢で構成されるグループ等での指導に

当たっては、園児一人一人の生活や経験、発達の過程などを把握し、適切な指導や環境の構成ができるよう考慮すること。

(3)　一日の生活のリズムや在園時間が異なる園児が共に過ごすことを踏まえ、活動と休息、緊張感と解放感等の調和を図るとともに、園児に不安や動揺を与えないようにする等の配慮を行うこと。その際、担当の保育教諭等が替わる場合には、園児の様子等引継ぎを行い、十分な連携を図ること。

(4)　午睡は生活のリズムを構成する重要な要素であり、安心して眠ることのできる安全な午睡環境を確保するとともに、在園時間が異なることや、睡眠時間は園児の発達の状況や個人によって差があることから、一律とならないよう配慮すること。

(5)　長時間にわたる教育及び保育については、園児の発達の過程、生活のリズム及び心身の状態に十分配慮して、保育の内容や方法、職員の協力体制、家庭との連携などを指導計画に位置付けること。

5　生命の保持や情緒の安定を図るなど養護の行き届いた環境の下、幼保連携型認定こども園における教育及び保育を展開すること。

(1)　園児一人一人が、快適にかつ健康で安全に過ごせるようにするとともに、その生理的欲求が十分に満たされ、健康増進が積極的に図られるようにするため、次の事項に留意すること。

ア　園児一人一人の平常の健康状態や発育及び発達の状態を的確に把握し、異常を感じる場合は、速やかに適切に対応すること。

イ　家庭との連携を密にし、学校医等との連携を図りながら、園児の疾病や事故防止に関する認識を深め、保健的で安全な環境の維持及び向上に努めること。

ウ　清潔で安全な環境を整え、適切な援助や応答的な関わりを通して、園児の生理的欲求を満たしていくこと。また、家庭と協力しながら、園児の発達の過程等に応じた適切な生活のリズムがつくられていくようにすること。

エ　園児の発達の過程等に応じて、適度な運動と休息をとることができるようにすること。また、食事、排泄、睡眠、衣類の着脱、身の回りを清潔にすることなどについて、園児が意欲的に生活できるよう適切に援助すること。

と。

(2)　園児一人一人が安定感をもって過ごし、自分の気持ちを安心して表すことができるようにするとともに、周囲から主体として受け止められ主体として育ち、自分を肯定する気持ちが育まれていくようにし、くつろいで共に過ごし、心身の疲れが癒やされるようにするため、次の事項に留意すること。

ア　園児一人一人の置かれている状態や発達の過程などを的確に把握し、園児の欲求を適切に満たしながら、応答的な触れ合いや言葉掛けを行うこと。

イ　園児一人一人の気持ちを受容し、共感しながら、園児との継続的な信頼関係を築いていくこと。

ウ　保育教諭等との信頼関係を基盤に、園児一人一人が主体的に活動し、自発性や探索意欲などを高めるとともに、自分への自信をもつことができるよう成長の過程を見守り、適切に働き掛けること。

エ　園児一人一人の生活のリズム、発達の過程、在園時間などに応じて、活動内容のバランスや調和を図りながら、適切な食事や休息がとれるようにすること。

6　園児の健康及び安全は、園児の生命の保持と健やかな生活の基本であり、幼保連携型認定こども園の生活全体を通して健康や安全に関する管理や指導、食育の推進等に十分留意すること。

7　保護者に対する子育ての支援に当たっては、この章に示す幼保連携型認定こども園における教育及び保育の基本及び目標を踏まえ、子どもに対する学校としての教育及び児童福祉施設としての保育並びに保護者に対する子育ての支援について相互に有機的な連携が図られるようにすること。また、幼保連携型認定こども園の目的の達成に資するため、保護者が子どもの成長に気付き子育ての喜びが感じられるよう、幼保連携型認定こども園の特性を生かした子育ての支援に努めること。

第2章　ねらい及び内容並びに配慮事項

この章に示すねらいは、幼保連携型認定こども園の教育及び保育において育みたい資質・能力を園児の生活する姿から捉えたものであり、内容は、ねらいを達成するために指導する事項である。各視点や領域は、この時期の発達の特徴を踏まえ、教育及び保育のねらい及び内容を乳幼児の発達の側面から、乳児は三つの

視点として、幼児は五つの領域としてまとめ、示した
ものである。内容の取扱いは、園児の発達を踏まえた
指導を行うに当たって留意すべき事項である。

　各視点や領域に示すねらいは、幼保連携型認定こど
も園における生活の全体を通じ、園児が様々な体験を
積み重ねる中で相互に関連をもちながら次第に達成に
向かうものであること、内容は、園児が環境に関わっ
て展開する具体的な活動を通して総合的に指導される
ものであることに留意しなければならない。

　また、「幼児期の終わりまでに育ってほしい姿」
が、ねらい及び内容に基づく活動全体を通して資質・
能力が育まれている園児の幼保連携型認定こども園修
了時の具体的な姿であることを踏まえ、指導を行う際
に考慮するものとする。

　なお、特に必要な場合には、各視点や領域に示すね
らいの趣旨に基づいて適切な、具体的な内容を工夫
し、それを加えても差し支えないが、その場合には、
それが第1章の第1に示す幼保連携型認定こども園の
教育及び保育の基本及び目標を逸脱しないよう慎重に
配慮する必要がある。

第1　乳児期の園児の保育に関するねらい及び内容
　基本的事項
　1　乳児期の発達については、視覚、聴覚などの感
　　覚や、座る、はう、歩くなどの運動機能が著しく
　　発達し、特定の大人との応答的な関わりを通じ
　　て、情緒的な絆が形成されるといった特徴があ
　　る。これらの発達の特徴を踏まえて、乳児期の園
　　児の保育は、愛情豊かに、応答的に行われること
　　が特に必要である。
　2　本項においては、この時期の発達の特徴を踏ま
　　え、乳児期の園児の保育のねらい及び内容につい
　　ては、身体的発達に関する視点「健やかに伸び伸
　　びと育つ」、社会的発達に関する視点「身近な人
　　と気持ちが通じ合う」及び精神的発達に関する視
　　点「身近なものと関わり感性が育つ」としてまと
　　め、示している。
　ねらい及び内容
　健やかに伸び伸びと育つ
　〔健康な心と体を育て、自ら健康で安全な生活をつ
　　くり出す力の基盤を培う。〕
　1　ねらい
　　(1)　身体感覚が育ち、快適な環境に心地よさを感
　　　じる。
　　(2)　伸び伸びと体を動かし、はう、歩くなどの運
　　　動をしようとする。

　　(3)　食事、睡眠等の生活のリズムの感覚が芽生え
　　　る。
　2　内容
　　(1)　保育教諭等の愛情豊かな受容の下で、生理
　　　的・心理的欲求を満たし、心地よく生活をす
　　　る。
　　(2)　一人一人の発育に応じて、はう、立つ、歩く
　　　など、十分に体を動かす。
　　(3)　個人差に応じて授乳を行い、離乳を進めてい
　　　く中で、様々な食品に少しずつ慣れ、食べるこ
　　　とを楽しむ。
　　(4)　一人一人の生活のリズムに応じて、安全な環
　　　境の下で十分に午睡をする。
　　(5)　おむつ交換や衣服の着脱などを通じて、清潔
　　　になることの心地よさを感じる。
　3　内容の取扱い
　　　上記の取扱いに当たっては、次の事項に留意す
　　る必要がある。
　　(1)　心と体の健康は、相互に密接な関連があるも
　　　のであることを踏まえ、温かい触れ合いの中
　　　で、心と体の発達を促すこと。特に、寝返り、
　　　お座り、はいはい、つかまり立ち、伝い歩きな
　　　ど、発育に応じて、遊びの中で体を動かす機会
　　　を十分に確保し、自ら体を動かそうとする意欲
　　　が育つようにすること。
　　(2)　健康な心と体を育てるためには望ましい食習
　　　慣の形成が重要であることを踏まえ、離乳食が
　　　完了期へと徐々に移行する中で、様々な食品に
　　　慣れるようにするとともに、和やかな雰囲気の
　　　中で食べる喜びや楽しさを味わい、進んで食べ
　　　ようとする気持ちが育つようにすること。な
　　　お、食物アレルギーのある園児への対応につい
　　　ては、学校医等の指示や協力の下に適切に対応
　　　すること。
　身近な人と気持ちが通じ合う
　〔受容的・応答的な関わりの下で、何かを伝えよう
　　とする意欲や身近な大人との信頼関係を育て、人
　　と関わる力の基盤を培う。〕
　1　ねらい
　　(1)　安心できる関係の下で、身近な人と共に過ご
　　　す喜びを感じる。
　　(2)　体の動きや表情、発声等により、保育教諭等
　　　と気持ちを通わせようとする。
　　(3)　身近な人と親しみ、関わりを深め、愛情や信
　　　頼感が芽生える。

2　内容

(1)　園児からの働き掛けを踏まえた、応答的な触れ合いや言葉掛けによって、欲求が満たされ、安定感をもって過ごす。

(2)　体の動きや表情、発声、喃語等を優しく受け止めてもらい、保育教諭等とのやり取りを楽しむ。

(3)　生活や遊びの中で、自分の身近な人の存在に気付き、親しみの気持ちを表す。

(4)　保育教諭等による語り掛けや歌い掛け、発声や喃語等への応答を通じて、言葉の理解や発語の意欲が育つ。

(5)　温かく、受容的な関わりを通じて、自分を肯定する気持ちが芽生える。

3　内容の取扱い

上記の取扱いに当たっては、次の事項に留意する必要がある。

(1)　保育教諭等との信頼関係に支えられて生活を確立していくことが人と関わる基盤となることを考慮して、園児の多様な感情を受け止め、温かく受容的・応答的に関わり、一人一人に応じた適切な援助を行うようにすること。

(2)　身近な人に親しみをもって接し、自分の感情などを表し、それに相手が応答する言葉を聞くことを通して、次第に言葉が獲得されていくことを考慮して、楽しい雰囲気の中での保育教諭等との関わり合いを大切にし、ゆっくりと優しく話し掛けるなど、積極的に言葉のやり取りを楽しむことができるようにすること。

身近なものと関わり感性が育つ

〔身近な環境に興味や好奇心をもって関わり、感じたことや考えたことを表現する力の基盤を培う。〕

1　ねらい

(1)　身の回りのものに親しみ、様々なものに興味や関心をもつ。

(2)　見る、触れる、探索するなど、身近な環境に自分から関わろうとする。

(3)　身体の諸感覚による認識が豊かになり、表情や手足、体の動き等で表現する。

2　内容

(1)　身近な生活用具、玩具や絵本などが用意された中で、身の回りのものに対する興味や好奇心をもつ。

(2)　生活や遊びの中で様々なものに触れ、音、形、色、手触りなどに気付き、感覚の働きを豊かにする。

(3)　保育教諭等と一緒に様々な色彩や形のものや絵本などを見る。

(4)　玩具や身の回りのものを、つまむ、つかむ、たたく、引っ張るなど、手や指を使って遊ぶ。

(5)　保育教諭等のあやし遊びに機嫌よく応じたり、歌やリズムに合わせて手足や体を動かして楽しんだりする。

3　内容の取扱い

上記の取扱いに当たっては、次の事項に留意する必要がある。

(1)　玩具などは、音質、形、色、大きさなど園児の発達状態に応じて適切なものを選び、その時々の園児の興味や関心を踏まえるなど、遊びを通して感覚の発達が促されるものとなるように工夫すること。なお、安全な環境の下で、園児が探索意欲を満たして自由に遊べるよう、身の回りのものについては常に十分な点検を行うこと。

(2)　乳児期においては、表情、発声、体の動きなどで、感情を表現することが多いことから、これらの表現しようとする意欲を積極的に受け止めて、園児が様々な活動を楽しむことを通して表現が豊かになるようにすること。

第2　満1歳以上満3歳未満の園児の保育に関するねらい及び内容

基本的事項

1　この時期においては、歩き始めから、歩く、走る、跳ぶなどへと、基本的な運動機能が次第に発達し、排泄の自立のための身体的機能も整うようになる。つまむ、めくるなどの指先の機能も発達し、食事、衣類の着脱なども、保育教諭等の援助の下で自分で行うようになる。発声も明瞭になり、語彙も増加し、自分の意思や欲求を言葉で表出できるようになる。このように自分でできることが増えてくる時期であることから、保育教諭等は、園児の生活の安定を図りながら、自分でしようとする気持ちを尊重し、温かく見守るとともに、愛情豊かに、応答的に関わることが必要である。

2　本項においては、この時期の発達の特徴を踏まえ、保育のねらい及び内容について、心身の健康に関する領域「健康」、人との関わりに関する領域「人間関係」、身近な環境との関わりに関する領域「環境」、言葉の獲得に関する領域「言葉」

及び感性と表現に関する領域「表現」としてまとめ、示している。

ねらい及び内容

健康

〔健康な心と体を育て、自ら健康で安全な生活をつくり出す力を養う。〕

1 ねらい

(1) 明るく伸び伸びと生活し、自分から体を動かすことを楽しむ。

(2) 自分の体を十分に動かし、様々な動きをしようとする。

(3) 健康、安全な生活に必要な習慣に気付き、自分でしてみようとする気持ちが育つ。

2 内容

(1) 保育教諭等の愛情豊かな受容の下で、安定感をもって生活をする。

(2) 食事や午睡、遊びと休息など、幼保連携型認定こども園における生活のリズムが形成される。

(3) 走る、跳ぶ、登る、押す、引っ張るなど全身を使う遊びを楽しむ。

(4) 様々な食品や調理形態に慣れ、ゆったりとした雰囲気の中で食事や間食を楽しむ。

(5) 身の回りを清潔に保つ心地よさを感じ、その習慣が少しずつ身に付く。

(6) 保育教諭等の助けを借りながら、衣類の着脱を自分でしようとする。

(7) 便器での排泄に慣れ、自分で排泄ができるようになる。

3 内容の取扱い

上記の取扱いに当たっては、次の事項に留意する必要がある。

(1) 心と体の健康は、相互に密接な関連があるものであることを踏まえ、園児の気持ちに配慮した温かい触れ合いの中で、心と体の発達を促すこと。特に、一人一人の発育に応じて、体を動かす機会を十分に確保し、自ら体を動かそうとする意欲が育つようにすること。

(2) 健康な心と体を育てるためには望ましい食習慣の形成が重要であることを踏まえ、ゆったりとした雰囲気の中で食べる喜びや楽しさを味わい、進んで食べようとする気持ちが育つようにすること。なお、食物アレルギーのある園児への対応については、学校医等の指示や協力の下に適切に対応すること。

(3) 排泄の習慣については、一人一人の排尿間隔等を踏まえ、おむつが汚れていないときに便器に座らせるなどにより、少しずつ慣れさせるようにすること。

(4) 食事、排泄、睡眠、衣類の着脱、身の回りを清潔にすることなど、生活に必要な基本的な習慣については、一人一人の状態に応じ、落ち着いた雰囲気の中で行うようにし、園児が自分でしようとする気持ちを尊重すること。また、基本的な生活習慣の形成に当たっては、家庭での生活経験に配慮し、家庭との適切な連携の下で行うようにすること。

人間関係

〔他の人々と親しみ、支え合って生活するために、自立心を育て、人と関わる力を養う。〕

1 ねらい

(1) 幼保連携型認定こども園での生活を楽しみ、身近な人と関わる心地よさを感じる。

(2) 周囲の園児等への興味・関心が高まり、関わりをもとうとする。

(3) 幼保連携型認定こども園の生活の仕方に慣れ、きまりの大切さに気付く。

2 内容

(1) 保育教諭等や周囲の園児等との安定した関係の中で、共に過ごす心地よさを感じる。

(2) 保育教諭等の受容的・応答的な関わりの中で、欲求を適切に満たし、安定感をもって過ごす。

(3) 身の回りに様々な人がいることに気付き、徐々に他の園児と関わりをもって遊ぶ。

(4) 保育教諭等の仲立ちにより、他の園児との関わり方を少しずつ身につける。

(5) 幼保連携型認定こども園の生活の仕方に慣れ、きまりがあることや、その大切さに気付く。

(6) 生活や遊びの中で、年長児や保育教諭等の真似をしたり、ごっこ遊びを楽しんだりする。

3 内容の取扱い

上記の取扱いに当たっては、次の事項に留意する必要がある。

(1) 保育教諭等との信頼関係に支えられて生活を確立するとともに、自分で何かをしようとする気持ちが旺盛になる時期であることに鑑み、そのような園児の気持ちを尊重し、温かく見守るとともに、愛情豊かに、応答的に関わり、適切

な援助を行うようにすること。

(2)　思い通りにいかない場合等の園児の不安定な感情の表出については、保育教諭等が受容的に受け止めるとともに、そうした気持ちから立ち直る経験や感情をコントロールすることへの気付き等につなげていけるように援助すること。

(3)　この時期は自己と他者との違いの認識がまだ十分ではないことから、園児の自我の育ちを見守るとともに、保育教諭等が仲立ちとなって、自分の気持ちを相手に伝えることや相手の気持ちに気付くことの大切さなど、友達の気持ちや友達との関わり方を丁寧に伝えていくこと。

環境

〔周囲の様々な環境に好奇心や探究心をもって関わり、それらを生活に取り入れていこうとする力を養う。〕

1　ねらい

(1)　身近な環境に親しみ、触れ合う中で、様々なものに興味や関心をもつ。

(2)　様々なものに関わる中で、発見を楽しんだり、考えたりしようとする。

(3)　見る、聞く、触るなどの経験を通して、感覚の働きを豊かにする。

2　内容

(1)　安全で活動しやすい環境での探索活動等を通して、見る、聞く、触れる、嗅ぐ、味わうなどの感覚の働きを豊かにする。

(2)　玩具、絵本、遊具などに興味をもち、それらを使った遊びを楽しむ。

(3)　身の回りの物に触れる中で、形、色、大きさ、量などの物の性質や仕組みに気付く。

(4)　自分の物と人の物の区別や、場所的感覚など、環境を捉える感覚が育つ。

(5)　身近な生き物に気付き、親しみをもつ。

(6)　近隣の生活や季節の行事などに興味や関心をもつ。

3　内容の取扱い

上記の取扱いに当たっては、次の事項に留意する必要がある。

(1)　玩具などは、音質、形、色、大きさなど園児の発達状態に応じて適切なものを選び、遊びを通して感覚の発達が促されるように工夫すること。

(2)　身近な生き物との関わりについては、園児が命を感じ、生命の尊さに気付く経験へとつなが

るものであることから、そうした気付きを促すような関わりとなるようにすること。

(3)　地域の生活や季節の行事などに触れる際には、社会とのつながりや地域社会の文化への気付きにつながるものとなることが望ましいこと。その際、幼保連携型認定こども園内外の行事や地域の人々との触れ合いなどを通して行うこと等も考慮すること。

言葉

〔経験したことや考えたことなどを自分なりの言葉で表現し、相手の話す言葉を聞こうとする意欲や態度を育て、言葉に対する感覚や言葉で表現する力を養う。〕

1　ねらい

(1)　言葉遊びや言葉で表現する楽しさを感じる。

(2)　人の言葉や話などを聞き、自分でも思ったことを伝えようとする。

(3)　絵本や物語等に親しむとともに、言葉のやり取りを通じて身近な人と気持ちを通わせる。

2　内容

(1)　保育教諭等の応答的な関わりや話し掛けにより、自ら言葉を使おうとする。

(2)　生活に必要な簡単な言葉に気付き、聞き分ける。

(3)　親しみをもって日常の挨拶に応じる。

(4)　絵本や紙芝居を楽しみ、簡単な言葉を繰り返したり、模倣をしたりして遊ぶ。

(5)　保育教諭等とごっこ遊びをする中で、言葉のやり取りを楽しむ。

(6)　保育教諭等を仲立ちとして、生活や遊びの中で友達との言葉のやり取りを楽しむ。

(7)　保育教諭等や友達の言葉や話に興味や関心をもって、聞いたり、話したりする。

3　内容の取扱い

上記の取扱いに当たっては、次の事項に留意する必要がある。

(1)　身近な人に親しみをもって接し、自分の感情などを伝え、それに相手が応答し、その言葉を聞くことを通して、次第に言葉が獲得されていくものであることを考慮して、楽しい雰囲気の中で保育教諭等との言葉のやり取りができるようにすること。

(2)　園児が自分の思いを言葉で伝えるとともに、他の園児の話などを聞くことを通して、次第に話を理解し、言葉による伝え合いができるよう

になるよう、気持ちや経験等の言語化を行うことを援助するなど、園児同士の関わりの仲立ちを行うようにすること。

(3) この時期は、片言から、二語文、ごっこ遊びでのやり取りができる程度へと、大きく言葉の習得が進む時期であることから、それぞれの園児の発達の状況に応じて、遊びや関わりの工夫など、保育の内容を適切に展開することが必要であること。

表現

〔感じたことや考えたことを自分なりに表現することを通して、豊かな感性や表現する力を養い、創造性を豊かにする。〕

1 ねらい

(1) 身体の諸感覚の経験を豊かにし、様々な感覚を味わう。

(2) 感じたことや考えたことなどを自分なりに表現しようとする。

(3) 生活や遊びの様々な体験を通して、イメージや感性が豊かになる。

2 内容

(1) 水、砂、土、紙、粘土など様々な素材に触れて楽しむ。

(2) 音楽、リズムやそれに合わせた体の動きを楽しむ。

(3) 生活の中で様々な音、形、色、手触り、動き、味、香りなどに気付いたり、感じたりして楽しむ。

(4) 歌を歌ったり、簡単な手遊びや全身を使う遊びを楽しんだりする。

(5) 保育教諭等からの話や、生活や遊びの中での出来事を通して、イメージを豊かにする。

(6) 生活や遊びの中で、興味のあることや経験したことなどを自分なりに表現する。

3 内容の取扱い

上記の取扱いに当たっては、次の事項に留意する必要がある。

(1) 園児の表現は、遊びや生活の様々な場面で表出されているものであることから、それらを積極的に受け止め、様々な表現の仕方や感性を豊かにする経験となるようにすること。

(2) 園児が試行錯誤しながら様々な表現を楽しむことや、自分の力でやり遂げる充実感などに気付くよう、温かく見守るとともに、適切に援助を行うようにすること。

(3) 様々な感情の表現等を通じて、園児が自分の感情や気持ちに気付くようになる時期であることに鑑み、受容的な関わりの中で自信をもって表現をすることや、諦めずに続けた後の達成感等を感じられるような経験が蓄積されるようにすること。

(4) 身近な自然や身の回りの事物に関わる中で、発見や心が動く経験が得られるよう、諸感覚を働かせることを楽しむ遊びや素材を用意するなど保育の環境を整えること。

第3 満3歳以上の園児の教育及び保育に関するねらい及び内容

基本的事項

1 この時期においては、運動機能の発達により、基本的な動作が一通りできるようになるとともに、基本的な生活習慣もほぼ自立できるようになる。理解する語彙数が急激に増加し、知的興味や関心も高まってくる。仲間と遊び、仲間の中の一人という自覚が生じ、集団的な遊びや協同的な活動も見られるようになる。これらの発達の特徴を踏まえて、この時期の教育及び保育においては、個の成長と集団としての活動の充実が図られるようにしなければならない。

2 本項においては、この時期の発達の特徴を踏まえ、教育及び保育のねらい及び内容について、心身の健康に関する領域「健康」、人との関わりに関する領域「人間関係」、身近な環境との関わりに関する領域「環境」、言葉の獲得に関する領域「言葉」及び感性と表現に関する領域「表現」としてまとめ、示している。

ねらい及び内容

健康

〔健康な心と体を育て、自ら健康で安全な生活をつくり出す力を養う。〕

1 ねらい

(1) 明るく伸び伸びと行動し、充実感を味わう。

(2) 自分の体を十分に動かし、進んで運動しようとする。

(3) 健康、安全な生活に必要な習慣や態度を身に付け、見通しをもって行動する。

2 内容

(1) 保育教諭等や友達と触れ合い、安定感をもって行動する。

(2) いろいろな遊びの中で十分に体を動かす。

(3) 進んで戸外で遊ぶ。

(4)　様々な活動に親しみ、楽しんで取り組む。

(5)　保育教諭等や友達と食べることを楽しみ、食べ物への興味や関心をもつ。

(6)　健康な生活のリズムを身に付ける。

(7)　身の回りを清潔にし、衣服の着脱、食事、排泄などの生活に必要な活動を自分でする。

(8)　幼保連携型認定こども園における生活の仕方を知り、自分たちで生活の場を整えながら見通しをもって行動する。

(9)　自分の健康に関心をもち、病気の予防などに必要な活動を進んで行う。

(10)　危険な場所、危険な遊び方、災害時などの行動の仕方が分かり、安全に気を付けて行動する。

3　内容の取扱い

　上記の取扱いに当たっては、次の事項に留意する必要がある。

(1)　心と体の健康は、相互に密接な関連があるものであることを踏まえ、園児が保育教諭等や他の園児との温かい触れ合いの中で自己の存在感や充実感を味わうことなどを基盤として、しなやかな心と体の発達を促すこと。特に、十分に体を動かす気持ちよさを体験し、自ら体を動かそうとする意欲が育つようにすること。

(2)　様々な遊びの中で、園児が興味や関心、能力に応じて全身を使って活動することにより、体を動かす楽しさを味わい、自分の体を大切にしようとする気持ちが育つようにすること。その際、多様な動きを経験する中で、体の動きを調整するようにすること。

(3)　自然の中で伸び伸びと体を動かして遊ぶことにより、体の諸機能の発達が促されることに留意し、園児の興味や関心が戸外にも向くようにすること。その際、園児の動線に配慮した園庭や遊具の配置などを工夫すること。

(4)　健康な心と体を育てるためには食育を通じた望ましい食習慣の形成が大切であることを踏まえ、園児の食生活の実情に配慮し、和やかな雰囲気の中で保育教諭等や他の園児と食べる喜びや楽しさを味わったり、様々な食べ物への興味や関心をもったりするなどし、食の大切さに気付き、進んで食べようとする気持ちが育つようにすること。

(5)　基本的な生活習慣の形成に当たっては、家庭での生活経験に配慮し、園児の自立心を育て、

園児が他の園児と関わりながら主体的な活動を展開する中で、生活に必要な習慣を身に付け、次第に見通しをもって行動できるようにすること。

(6)　安全に関する指導に当たっては、情緒の安定を図り、遊びを通して安全についての構えを身に付け、危険な場所や事物などが分かり、安全についての理解を深めるようにすること。また、交通安全の習慣を身に付けるようにするとともに、避難訓練などを通して、災害などの緊急時に適切な行動がとれるようにすること。

人間関係

〔他の人々と親しみ、支え合って生活するために、自立心を育て、人と関わる力を養う。〕

1　ねらい

(1)　幼保連携型認定こども園の生活を楽しみ、自分の力で行動することの充実感を味わう。

(2)　身近な人と親しみ、関わりを深め、工夫したり、協力したりして一緒に活動する楽しさを味わい、愛情や信頼感をもつ。

(3)　社会生活における望ましい習慣や態度を身に付ける。

2　内容

(1)　保育教諭等や友達と共に過ごすことの喜びを味わう。

(2)　自分で考え、自分で行動する。

(3)　自分でできることは自分でする。

(4)　いろいろな遊びを楽しみながら物事をやり遂げようとする気持ちをもつ。

(5)　友達と積極的に関わりながら喜びや悲しみを共感し合う。

(6)　自分の思ったことを相手に伝え、相手の思っていることに気付く。

(7)　友達のよさに気付き、一緒に活動する楽しさを味わう。

(8)　友達と楽しく活動する中で、共通の目的を見いだし、工夫したり、協力したりなどする。

(9)　よいことや悪いことがあることに気付き、考えながら行動する。

(10)　友達との関わりを深め、思いやりをもつ。

(11)　友達と楽しく生活する中できまりの大切さに気付き、守ろうとする。

(12)　共同の遊具や用具を大切にし、皆で使う。

(13)　高齢者をはじめ地域の人々などの自分の生活に関係の深いいろいろな人に親しみをもつ。

3　内容の取扱い

　　上記の取扱いに当たっては、次の事項に留意する必要がある。

(1)　保育教諭等との信頼関係に支えられて自分自身の生活を確立していくことが人と関わる基盤となることを考慮し、園児が自ら周囲に働き掛けることにより多様な感情を体験し、試行錯誤しながら諦めずにやり遂げることの達成感や、前向きな見通しをもって自分の力で行うことの充実感を味わうことができるよう、園児の行動を見守りながら適切な援助を行うようにすること。

(2)　一人一人を生かした集団を形成しながら人と関わる力を育てていくようにすること。その際、集団の生活の中で、園児が自己を発揮し、保育教諭等や他の園児に認められる体験をし、自分のよさや特徴に気付き、自信をもって行動できるようにすること。

(3)　園児が互いに関わりを深め、協同して遊ぶようになるため、自ら行動する力を育てるようにするとともに、他の園児と試行錯誤しながら活動を展開する楽しさや共通の目的が実現する喜びを味わうことができるようにすること。

(4)　道徳性の芽生えを培うに当たっては、基本的な生活習慣の形成を図るとともに、園児が他の園児との関わりの中で他人の存在に気付き、相手を尊重する気持ちをもって行動できるようにし、また、自然や身近な動植物に親しむことなどを通して豊かな心情が育つようにすること。特に、人に対する信頼感や思いやりの気持ちは、葛藤やつまずきをも体験し、それらを乗り越えることにより次第に芽生えてくることに配慮すること。

(5)　集団の生活を通して、園児が人との関わりを深め、規範意識の芽生えが培われることを考慮し、園児が保育教諭等との信頼関係に支えられて自己を発揮する中で、互いに思いを主張し、折り合いを付ける体験をし、きまりの必要性などに気付き、自分の気持ちを調整する力が育つようにすること。

(6)　高齢者をはじめ地域の人々などの自分の生活に関係の深いいろいろな人と触れ合い、自分の感情や意志を表現しながら共に楽しみ、共感し合う体験を通して、これらの人々などに親しみをもち、人と関わることの楽しさや人の役に立つ喜びを味わうことができるようにすること。また、生活を通して親や祖父母などの家族の愛情に気付き、家族を大切にしようとする気持ちが育つようにすること。

環境

〔周囲の様々な環境に好奇心や探究心をもって関わり、それらを生活に取り入れていこうとする力を養う。〕

1　ねらい

(1)　身近な環境に親しみ、自然と触れ合う中で様々な事象に興味や関心をもつ。

(2)　身近な環境に自分から関わり、発見を楽しんだり、考えたりし、それを生活に取り入れようとする。

(3)　身近な事象を見たり、考えたり、扱ったりする中で、物の性質や数量、文字などに対する感覚を豊かにする。

2　内容

(1)　自然に触れて生活し、その大きさ、美しさ、不思議さなどに気付く。

(2)　生活の中で、様々な物に触れ、その性質や仕組みに興味や関心をもつ。

(3)　季節により自然や人間の生活に変化のあることに気付く。

(4)　自然などの身近な事象に関心をもち、取り入れて遊ぶ。

(5)　身近な動植物に親しみをもって接し、生命の尊さに気付き、いたわったり、大切にしたりする。

(6)　日常生活の中で、我が国や地域社会における様々な文化や伝統に親しむ。

(7)　身近な物を大切にする。

(8)　身近な物や遊具に興味をもって関わり、自分なりに比べたり、関連付けたりしながら考えたり、試したりして工夫して遊ぶ。

(9)　日常生活の中で数量や図形などに関心をもつ。

(10)　日常生活の中で簡単な標識や文字などに関心をもつ。

(11)　生活に関係の深い情報や施設などに興味や関心をもつ。

(12)　幼保連携型認定こども園内外の行事において国旗に親しむ。

3　内容の取扱い

　　上記の取扱いに当たっては、次の事項に留意す

る必要がある。

(1) 園児が、遊びの中で周囲の環境と関わり、次第に周囲の世界に好奇心を抱き、その意味や操作の仕方に関心をもち、物事の法則性に気付き、自分なりに考えることができるようになる過程を大切にすること。また、他の園児の考えなどに触れて新しい考えを生み出す喜びや楽しさを味わい、自分の考えをよりよいものにしようとする気持ちが育つようにすること。

(2) 幼児期において自然のもつ意味は大きく、自然の大きさ、美しさ、不思議さなどに直接触れる体験を通して、園児の心が安らぎ、豊かな感情、好奇心、思考力、表現力の基礎が培われることを踏まえ、園児が自然との関わりを深めることができるよう工夫すること。

(3) 身近な事象や動植物に対する感動を伝え合い、共感し合うことなどを通して自分から関わろうとする意欲を育てるとともに、様々な関わり方を通してそれらに対する親しみや畏敬の念、生命を大切にする気持ち、公共心、探究心などが養われるようにすること。

(4) 文化や伝統に親しむ際には、正月や節句など我が国の伝統的な行事、国歌、唱歌、わらべうたや我が国の伝統的な遊びに親しんだり、異なる文化に触れる活動に親しんだりすることを通じて、社会とのつながりの意識や国際理解の意識の芽生えなどが養われるようにすること。

(5) 数量や文字などに関しては、日常生活の中で園児自身の必要感に基づく体験を大切にし、数量や文字などに関する興味や関心、感覚が養われるようにすること。

言葉

〔経験したことや考えたことなどを自分なりの言葉で表現し、相手の話す言葉を聞こうとする意欲や態度を育て、言葉に対する感覚や言葉で表現する力を養う。〕

1　ねらい

(1) 自分の気持ちを言葉で表現する楽しさを味わう。

(2) 人の言葉や話などをよく聞き、自分の経験したことや考えたことを話し、伝え合う喜びを味わう。

(3) 日常生活に必要な言葉が分かるようになるとともに、絵本や物語などに親しみ、言葉に対する感覚を豊かにし、保育教諭等や友達と心を通

わせる。

2　内容

(1) 保育教諭等や友達の言葉や話に興味や関心をもち、親しみをもって聞いたり、話したりする。

(2) したり、見たり、聞いたり、感じたり、考えたりなどしたことを自分なりに言葉で表現する。

(3) したいこと、してほしいことを言葉で表現したり、分からないことを尋ねたりする。

(4) 人の話を注意して聞き、相手に分かるように話す。

(5) 生活の中で必要な言葉が分かり、使う。

(6) 親しみをもって日常の挨拶をする。

(7) 生活の中で言葉の楽しさや美しさに気付く。

(8) いろいろな体験を通じてイメージや言葉を豊かにする。

(9) 絵本や物語などに親しみ、興味をもって聞き、想像をする楽しさを味わう。

(10) 日常生活の中で、文字などで伝える楽しさを味わう。

3　内容の取扱い

上記の取扱いに当たっては、次の事項に留意する必要がある。

(1) 言葉は、身近な人に親しみをもって接し、自分の感情や意志などを伝え、それに相手が応答し、その言葉を聞くことを通して次第に獲得されていくものであることを考慮して、園児が保育教諭等や他の園児と関わることにより心を動かされるような体験をし、言葉を交わす喜びを味わえるようにすること。

(2) 園児が自分の思いを言葉で伝えるとともに、保育教諭等や他の園児などの話を興味をもって注意して聞くことを通して次第に話を理解するようになっていき、言葉による伝え合いができるようにすること。

(3) 絵本や物語などで、その内容と自分の経験とを結び付けたり、想像を巡らせたりするなど、楽しみを十分に味わうことによって、次第に豊かなイメージをもち、言葉に対する感覚が養われるようにすること。

(4) 園児が生活の中で、言葉の響きやリズム、新しい言葉や表現などに触れ、これらを使う楽しさを味わえるようにすること。その際、絵本や物語に親しんだり、言葉遊びなどをしたりする

ことを通して、言葉が豊かになるようにすること。

(5) 園児が日常生活の中で、文字などを使いながら思ったことや考えたことを伝える喜びや楽しさを味わい、文字に対する興味や関心をもつようにすること。

表現

〔感じたことや考えたことを自分なりに表現することを通して、豊かな感性や表現する力を養い、創造性を豊かにする。〕

1 ねらい

(1) いろいろなものの美しさなどに対する豊かな感性をもつ。

(2) 感じたことや考えたことを自分なりに表現して楽しむ。

(3) 生活の中でイメージを豊かにし、様々な表現を楽しむ。

2 内容

(1) 生活の中で様々な音、形、色、手触り、動きなどに気付いたり、感じたりするなどして楽しむ。

(2) 生活の中で美しいものや心を動かす出来事に触れ、イメージを豊かにする。

(3) 様々な出来事の中で、感動したことを伝え合う楽しさを味わう。

(4) 感じたこと、考えたことなどを音や動きなどで表現したり、自由にかいたり、つくったりなどする。

(5) いろいろな素材に親しみ、工夫して遊ぶ。

(6) 音楽に親しみ、歌を歌ったり、簡単なリズム楽器を使ったりなどする楽しさを味わう。

(7) かいたり、つくったりすることを楽しみ、遊びに使ったり、飾ったりなどする。

(8) 自分のイメージを動きや言葉などで表現したり、演じて遊んだりするなどの楽しさを味わう。

3 内容の取扱い

上記の取扱いに当たっては、次の事項に留意する必要がある。

(1) 豊かな感性は、身近な環境と十分に関わる中で美しいもの、優れたもの、心を動かす出来事などに出会い、そこから得た感動を他の園児や保育教諭等と共有し、様々に表現することなどを通して養われるようにすること。その際、風の音や雨の音、身近にある草や花の形や色など

自然の中にある音、形、色などに気付くようにすること。

(2) 幼児期の自己表現は素朴な形で行われることが多いので、保育教諭等はそのような表現を受容し、園児自身の表現しようとする意欲を受け止めて、園児が生活の中で園児らしい様々な表現を楽しむことができるようにすること。

(3) 生活経験や発達に応じ、自ら様々な表現を楽しみ、表現する意欲を十分に発揮させることができるように、遊具や用具などを整えたり、様々な素材や表現の仕方に親しんだり、他の園児の表現に触れられるよう配慮したりし、表現する過程を大切にして自己表現を楽しめるように工夫すること。

第4 教育及び保育の実施に関する配慮事項

1 満3歳未満の園児の保育の実施については、以下の事項に配慮するものとする。

(1) 乳児は疾病への抵抗力が弱く、心身の機能の未熟さに伴う疾病の発生が多いことから、一人一人の発育及び発達状態や健康状態についての適切な判断に基づく保健的な対応を行うこと。また、一人一人の園児の生育歴の違いに留意しつつ、欲求を適切に満たし、特定の保育教諭等が応答的に関わるように努めること。更に、乳児期の園児の保育に関わる職員間の連携や学校医との連携を図り、第3章に示す事項を踏まえ、適切に対応すること。栄養士及び看護師等が配置されている場合は、その専門性を生かした対応を図ること。乳児期の園児の保育においては特に、保護者との信頼関係を築きながら保育を進めるとともに、保護者からの相談に応じ支援に努めていくこと。なお、担当の保育教諭等が替わる場合には、園児のそれまでの生育歴や発達の過程に留意し、職員間で協力して対応すること。

(2) 満1歳以上満3歳未満の園児は、特に感染症にかかりやすい時期であるので、体の状態、機嫌、食欲などの日常の状態の観察を十分に行うとともに、適切な判断に基づく保健的な対応を心掛けること。また、探索活動が十分できるように、事故防止に努めながら活動しやすい環境を整え、全身を使う遊びなど様々な遊びを取り入れること。更に、自我が形成され、園児が自分の感情や気持ちに気付くようになる重要な時期であることに鑑み、情緒の安定を図りなが

ら、園児の自発的な活動を尊重するとともに促していくこと。なお、担当の保育教諭等が替わる場合には、園児のそれまでの経験や発達の過程に留意し、職員間で協力して対応すること。

2　幼保連携型認定こども園における教育及び保育の全般において以下の事項に配慮するものとする。
(1)　園児の心身の発達及び活動の実態などの個人差を踏まえるとともに、一人一人の園児の気持ちを受け止め、援助すること。
(2)　園児の健康は、生理的・身体的な育ちとともに、自主性や社会性、豊かな感性の育ちとがあいまってもたらされることに留意すること。
(3)　園児が自ら周囲に働き掛け、試行錯誤しつつ自分の力で行う活動を見守りながら、適切に援助すること。
(4)　園児の入園時の教育及び保育に当たっては、できるだけ個別的に対応し、園児が安定感を得て、次第に幼保連携型認定こども園の生活になじんでいくようにするとともに、既に入園している園児に不安や動揺を与えないようにすること。
(5)　園児の国籍や文化の違いを認め、互いに尊重する心を育てるようにすること。
(6)　園児の性差や個人差にも留意しつつ、性別などによる固定的な意識を植え付けることがないようにすること。

第3章　健康及び安全

幼保連携型認定こども園における園児の健康及び安全は、園児の生命の保持と健やかな生活の基本となるものであり、第1章及び第2章の関連する事項と併せ、次に示す事項について適切に対応するものとする。その際、養護教諭や看護師、栄養教諭や栄養士等が配置されている場合には、学校医等と共に、これらの者がそれぞれの専門性を生かしながら、全職員が相互に連携し、組織的かつ適切な対応を行うことができるような体制整備や研修を行うことが必要である。

第1　健康支援
1　健康状態や発育及び発達の状態の把握
(1)　園児の心身の状態に応じた教育及び保育を行うために、園児の健康状態や発育及び発達の状態について、定期的・継続的に、また、必要に応じて随時、把握すること。
(2)　保護者からの情報とともに、登園時及び在園時に園児の状態を観察し、何らかの疾病が疑わ

れる状態や傷害が認められた場合には、保護者に連絡するとともに、学校医と相談するなど適切な対応を図ること。
(3)　園児の心身の状態等を観察し、不適切な養育の兆候が見られる場合には、市町村（特別区を含む。以下同じ。）や関係機関と連携し、児童福祉法第25条に基づき、適切な対応を図ること。また、虐待が疑われる場合には、速やかに市町村又は児童相談所に通告し、適切な対応を図ること。

2　健康増進
(1)　認定こども園法第27条において準用する学校保健安全法（昭和33年法律第56号）第5条の学校保健計画を作成する際は、教育及び保育の内容並びに子育ての支援等に関する全体的な計画に位置づくものとし、全ての職員がそのねらいや内容を踏まえ、園児一人一人の健康の保持及び増進に努めていくこと。
(2)　認定こども園法第27条において準用する学校保健安全法第13条第1項の健康診断を行ったときは、認定こども園法第27条において準用する学校保健安全法第14条の措置を行い、教育及び保育に活用するとともに、保護者が園児の状態を理解し、日常生活に活用できるようにすること。

3　疾病等への対応
(1)　在園時に体調不良や傷害が発生した場合には、その園児の状態等に応じて、保護者に連絡するとともに、適宜、学校医やかかりつけ医等と相談し、適切な処置を行うこと。
(2)　感染症やその他の疾病の発生予防に努め、その発生や疑いがある場合には必要に応じて学校医、市町村、保健所等に連絡し、その指示に従うとともに、保護者や全ての職員に連絡し、予防等について協力を求めること。また、感染症に関する幼保連携型認定こども園の対応方法等について、あらかじめ関係機関の協力を得ておくこと。
(3)　アレルギー疾患を有する園児に関しては、保護者と連携し、医師の診断及び指示に基づき、適切な対応を行うこと。また、食物アレルギーに関して、関係機関と連携して、当該幼保連携型認定こども園の体制構築など、安全な環境の整備を行うこと。
(4)　園児の疾病等の事態に備え、保健室の環境を

整え、救急用の薬品、材料等を適切な管理の下に常備し、全ての職員が対応できるようにしておくこと。

第2　食育の推進

1　幼保連携型認定こども園における食育は、健康な生活の基本としての食を営む力の育成に向け、その基礎を培うことを目標とすること。

2　園児が生活と遊びの中で、意欲をもって食に関わる体験を積み重ね、食べることを楽しみ、食事を楽しみ合う園児に成長していくことを期待するものであること。

3　乳幼児期にふさわしい食生活が展開され、適切な援助が行われるよう、教育及び保育の内容並びに子育ての支援等に関する全体的な計画に基づき、食事の提供を含む食育の計画を作成し、指導計画に位置付けるとともに、その評価及び改善に努めること。

4　園児が自らの感覚や体験を通して、自然の恵みとしての食材や食の循環・環境への意識、調理する人への感謝の気持ちが育つように、園児と調理員等との関わりや、調理室など食に関する環境に配慮すること。

5　保護者や地域の多様な関係者との連携及び協働の下で、食に関する取組が進められること。また、市町村の支援の下に、地域の関係機関等との日常的な連携を図り、必要な協力が得られるよう努めること。

6　体調不良、食物アレルギー、障害のある園児など、園児一人一人の心身の状態等に応じ、学校医、かかりつけ医等の指示や協力の下に適切に対応すること。

第3　環境及び衛生管理並びに安全管理

1　環境及び衛生管理

(1)　認定こども園法第27条において準用する学校保健安全法第6条の学校環境衛生基準に基づき幼保連携型認定こども園の適切な環境の維持に努めるとともに、施設内外の設備、用具等の衛生管理に努めること。

(2)　認定こども園法第27条において準用する学校保健安全法第6条の学校環境衛生基準に基づき幼保連携型認定こども園の施設内外の適切な環境の維持に努めるとともに、園児及び全職員が清潔を保つようにすること。また、職員は衛生知識の向上に努めること。

2　事故防止及び安全対策

(1)　在園時の事故防止のために、園児の心身の状態等を踏まえつつ、認定こども園法第27条において準用する学校保健安全法第27条の学校安全計画の策定等を通じ、全職員の共通理解や体制づくりを図るとともに、家庭や地域の関係機関の協力の下に安全指導を行うこと。

(2)　事故防止の取組を行う際には、特に、睡眠中、プール活動・水遊び中、食事中等の場面では重大事故が発生しやすいことを踏まえ、園児の主体的な活動を大切にしつつ、施設内外の環境の配慮や指導の工夫を行うなど、必要な対策を講じること。

(3)　認定こども園法第27条において準用する学校保健安全法第29条の危険等発生時対処要領に基づき、事故の発生に備えるとともに施設内外の危険箇所の点検や訓練を実施すること。また、外部からの不審者等の侵入防止のための措置や訓練など不測の事態に備え必要な対応を行うこと。更に、園児の精神保健面における対応に留意すること。

第4　災害への備え

1　施設・設備等の安全確保

(1)　認定こども園法第27条において準用する学校保健安全法第29条の危険等発生時対処要領に基づき、災害等の発生に備えるとともに、防火設備、避難経路等の安全性が確保されるよう、定期的にこれらの安全点検を行うこと。

(2)　備品、遊具等の配置、保管を適切に行い、日頃から、安全環境の整備に努めること。

2　災害発生時の対応体制及び避難への備え

(1)　火災や地震などの災害の発生に備え、認定こども園法第27条において準用する学校保健安全法第29条の危険等発生時対処要領を作成する際には、緊急時の対応の具体的内容及び手順、職員の役割分担、避難訓練計画等の事項を盛り込むこと。

(2)　定期的に避難訓練を実施するなど、必要な対応を図ること。

(3)　災害の発生時に、保護者等への連絡及び子どもの引渡しを円滑に行うため、日頃から保護者との密接な連携に努め、連絡体制や引渡し方法等について確認をしておくこと。

3　地域の関係機関等との連携

(1)　市町村の支援の下に、地域の関係機関との日常的な連携を図り、必要な協力が得られるよう

努めること。

(2) 避難訓練については、地域の関係機関や保護者との連携の下に行うなど工夫すること。

第4章　子育ての支援

幼保連携型認定こども園における保護者に対する子育ての支援は、子どもの利益を最優先して行うものとし、第1章及び第2章等の関連する事項を踏まえ、子どもの育ちを家庭と連携して支援していくとともに、保護者及び地域が有する子育てを自ら実践する力の向上に資するよう、次の事項に留意するものとする。

第1　子育ての支援全般に関わる事項

1　保護者に対する子育ての支援を行う際には、各地域や家庭の実態等を踏まえるとともに、保護者の気持ちを受け止め、相互の信頼関係を基本に、保護者の自己決定を尊重すること。

2　教育及び保育並びに子育ての支援に関する知識や技術など、保育教諭等の専門性や、園児が常に存在する環境など、幼保連携型認定こども園の特性を生かし、保護者が子どもの成長に気付き子育ての喜びを感じられるように努めること。

3　保護者に対する子育ての支援における地域の関係機関等との連携及び協働を図り、園全体の体制構築に努めること。

4　子どもの利益に反しない限りにおいて、保護者や子どものプライバシーを保護し、知り得た事柄の秘密を保持すること。

第2　幼保連携型認定こども園の園児の保護者に対する子育ての支援

1　日常の様々な機会を活用し、園児の日々の様子の伝達や収集、教育及び保育の意図の説明などを通じて、保護者との相互理解を図るよう努めること。

2　教育及び保育の活動に対する保護者の積極的な参加は、保護者の子育てを自ら実践する力の向上に寄与するだけでなく、地域社会における家庭や住民の子育てを自ら実践する力の向上及び子育ての経験の継承につながるきっかけとなる。これらのことから、保護者の参加を促すとともに、参加しやすいよう工夫すること。

3　保護者の生活形態が異なることを踏まえ、全ての保護者の相互理解が深まるように配慮すること。その際、保護者同士が子育てに対する新たな考えに出会い気付き合えるよう工夫すること。

4　保護者の就労と子育ての両立等を支援するため、保護者の多様化した教育及び保育の需要に応

じて病児保育事業など多様な事業を実施する場合には、保護者の状況に配慮するとともに、園児の福祉が尊重されるよう努め、園児の生活の連続性を考慮すること。

5　地域の実態や保護者の要請により、教育を行う標準的な時間の終了後等に希望する園児を対象に一時預かり事業などとして行う活動については、保育教諭間及び家庭との連携を密にし、園児の心身の負担に配慮すること。その際、地域の実態や保護者の事情とともに園児の生活のリズムを踏まえつつ、必要に応じて、弾力的な運用を行うこと。

6　園児に障害や発達上の課題が見られる場合には、市町村や関係機関と連携及び協力を図りつつ、保護者に対する個別の支援を行うよう努めること。

7　外国籍家庭など、特別な配慮を必要とする家庭の場合には、状況等に応じて個別の支援を行うよう努めること。

8　保護者に育児不安等が見られる場合には、保護者の希望に応じて個別の支援を行うよう努めること。

9　保護者に不適切な養育等が疑われる場合には、市町村や関係機関と連携し、要保護児童対策地域協議会で検討するなど適切な対応を図ること。また、虐待が疑われる場合には、速やかに市町村又は児童相談所に通告し、適切な対応を図ること。

第3　地域における子育て家庭の保護者等に対する支援

1　幼保連携型認定こども園において、認定こども園法第2条第12項に規定する子育て支援事業を実施する際には、当該幼保連携型認定こども園がもつ地域性や専門性などを十分に考慮して当該地域において必要と認められるものを適切に実施すること。また、地域の子どもに対する一時預かり事業などの活動を行う際には、一人一人の子どもの心身の状態などを考慮するとともに、教育及び保育との関連に配慮するなど、柔軟に活動を展開できるようにすること。

2　市町村の支援を得て、地域の関係機関等との積極的な連携及び協働を図るとともに、子育ての支援に関する地域の人材の積極的な活用を図るよう努めること。また、地域の要保護児童への対応など、地域の子どもを巡る諸課題に対し、要保護児童対策地域協議会など関係機関等と連携及び協力

して取り組むよう努めること。

3　幼保連携型認定こども園は、地域の子どもが健やかに育成される環境を提供し、保護者に対する

総合的な子育ての支援を推進するため、地域における乳幼児期の教育及び保育の中心的な役割を果たすよう努めること。

○幼保連携型認定こども園教育・保育要領の全部を改正する告示の公示について

平成29年3月31日　府子本第229号・28文科初第1859号・雇児発0331第28号
各都道府県知事・各都道府県教育委員会教育長・各指定都市市長・各中核市市長・各指定都市・各中核市教育委員会教育長宛　内閣府子ども・子育て本部統括官・文部科学省初等中等教育・厚生労働省雇用均等・児童家庭局長連名通知

このたび、就学前の子どもに関する教育、保育等の総合的な提供の推進に関する法律（平成18年法律第77号。以下「認定こども園法」という。）第10条第1項に基づき、内閣府・文部科学省・厚生労働省告示第1号をもって、別添のとおり、新幼保連携型認定こども園教育・保育要領（以下「新教育・保育要領」という。）を公示し、平成30年4月1日より施行することとしました。

新教育・保育要領は、内閣府特命担当大臣決定に基づき設置された幼保連携型認定こども園教育・保育要領の改訂に関する検討会での審議のまとめを踏まえつつ、また、認定こども園法第10条第2項に基づき、幼稚園教育要領（平成29年文部科学省告示第62号。以下「新幼稚園教育要領」という。）及び保育所保育指針（平成29年厚生労働省告示第117号。以下「新保育所保育指針」という。）との整合性の確保に配慮しながら、改正しました。

新教育・保育要領の改正の概要等は下記のとおりですので、各位におかれては、十分御了知いただき、指定保育士養成施設を含め、管内・域内の関係者に遅滞なく周知するなど、その実施に遺漏のないよう御配慮願います。

なお、本通知は、地方自治法（昭和22年法律第67号）第245条の4第1項の規定に基づく技術的助言であることを申し添えます。

また、本通知は、関係資料と併せて内閣府の子ども・子育て支援新制度のホームページに掲載しておりますので、御参照ください。

記

1　改正の概要

(1)　基本的な考え方

新教育・保育要領は、学校と児童福祉施設の両方の位置付けを持つ幼保連携型認定こども園として、次の方針に基づき改正したものであること。

①　新幼稚園教育要領及び新保育所保育指針との整合性の確保

【新幼稚園教育要領との整合性】

・　幼保連携型認定こども園の教育及び保育において育みたい資質・能力を明確にしたこと。

・　5歳児修了時までに育ってほしい具体的な姿「幼児期の終わりまでに育ってほしい姿」を明確にしたこと。

・　園児の理解に基づいた評価の実施、特別な配慮を必要とする園児への指導を充実させたこと。

・　近年の子どもの育ちをめぐる環境の変化等を踏まえ、満3歳以上の園児の教育及び保育の内容の改善を図り充実させたこと。

【新保育所保育指針との整合性】

・　乳児期及び満1歳以上満3歳未満の園児の保育に関する視点及び領域、ねらい及び内容並びに内容の取扱いを新たに記載したこと。

・　近年の課題に応じた健康及び安全に関する内容の充実、特に、災害への備えに関してや教職員間の連携や組織的な対応について強調して記載したこと。

②　幼保連携型認定こども園として特に配慮すべき事項等の充実

・　幼保連携型認定こども園の教育と保育が一体的に行われることを、新教育・保育要領の全体を通して明確に記載したこと。

・　教育及び保育の内容並びに子育ての支援等に関する全体的な計画に関して、明確に記載したこと。

・　幼保連携型認定こども園として特に配慮すべき事項として、満3歳以上の園児の入園時や移行時について、多様な経験を有する園児の学び合いについて、長期的な休業中やその後について等を記載したこと。

・　多様な生活形態の保護者が在園していることへの配慮や地域における子育て支援の役割等、子育ての支援に関して記載を充実させたこと。

(2) 構成

　新教育・保育要領の構成は、新幼稚園教育要領及び新保育所保育指針との整合性を確保する観点から、以下のとおりとしたこと。

第1章　総則
　第1　幼保連携型認定こども園における教育及び保育の基本及び目標等
　第2　教育及び保育の内容並びに子育ての支援等に関する全体的な計画等
　第3　幼保連携型認定こども園として特に配慮すべき事項
第2章　ねらい及び内容並びに配慮事項
　第1　乳児期の園児の保育に関するねらい及び内容
　第2　満1歳以上満3歳未満の園児の保育に関するねらい及び内容
　第3　満3歳以上の園児の教育及び保育に関するねらい及び内容
　第4　教育及び保育の実施に関わる配慮事項
第3章　健康及び安全
　第1　健康支援
　第2　食育の推進
　第3　環境及び衛生管理並びに安全管理
　第4　災害への備え
第4章　子育ての支援
　第1　子育ての支援全般に関わる事項
　第2　幼保連携型認定こども園の園児の保護者に対する子育ての支援
　第3　地域における子育て家庭の保護者等に対する支援

2　留意事項

(1) 趣旨の周知のための取組等

　新教育・保育要領の趣旨が幼保連携型認定こども園において実現するためには、各幼保連携型認定こども園の関係者がその趣旨や内容についての理解を深める必要がある。このため、内閣府・文部科学省・厚生労働省では、平成29年度に全国を対象とした中央説明会の開催など、集中的に周知・徹底を図ることとしており、各位におかれても、説明会や研修会を開催するなど、周知・徹底を図ることとされたいこと。

　また、新教育・保育要領は大綱的な基準であることから、その記述や解釈などの詳細については、内閣府・文部科学省・厚生労働省において、新教育・保育要領の解説を作成することを予定しており、新教育・保育要領解説の積極的な活用を図られたいこと。このため、新教育・保育要領解説を活用して、保育教諭等が新教育・保育要領についての理解を深められるよう周知・徹底を図られたいこと。

(2) 幼保連携型認定こども園以外の認定こども園における教育及び保育

　幼保連携型認定こども園以外の認定こども園の設置者は、当該施設において教育又は保育を行うに当たっては、新教育・保育要領を踏まえて行わなければならないこと（認定こども園法第6条関係）。

　このため、幼保連携型認定こども園以外の認定こども園においても、新教育・保育要領についての理解を深められるよう周知・徹底を図られたいこと。

別添　略

●幼稚園教育要領

〔平成 29 年 3 月 31 日〕
〔文部科学省告示第62号〕

教育は、教育基本法第1条に定めるとおり、人格の完成を目指し、平和で民主的な国家及び社会の形成者として必要な資質を備えた心身ともに健康な国民の育成を期すという目的のもと、同法第2条に掲げる次の目標を達成するよう行われなければならない。

1　幅広い知識と教養を身に付け、真理を求める態度を養い、豊かな情操と道徳心を培うとともに、健やかな身体を養うこと。

2　個人の価値を尊重して、その能力を伸ばし、創造性を培い、自主及び自律の精神を養うとともに、職業及び生活との関連を重視し、勤労を重んずる態度を養うこと。

3　正義と責任、男女の平等、自他の敬愛と協力を重んずるとともに、公共の精神に基づき、主体的に社会の形成に参画し、その発展に寄与する態度を養うこと。

4　生命を尊び、自然を大切にし、環境の保全に寄与する態度を養うこと。

5　伝統と文化を尊重し、それらをはぐくんできた我が国と郷土を愛するとともに、他国を尊重し、国際社会の平和と発展に寄与する態度を養うこと。

また、幼児期の教育については、同法第11条に掲げるとおり、生涯にわたる人格形成の基礎を培う重要なものであることにかんがみ、国及び地方公共団体は、幼児の健やかな成長に資する良好な環境の整備その他適当な方法によって、その振興に努めなければならないこととされている。

これからの幼稚園には、学校教育の始まりとして、こうした教育の目的及び目標の達成を目指しつつ、一人一人の幼児が、将来、自分のよさや可能性を認識するとともに、あらゆる他者を価値のある存在として尊重し、多様な人々と協働しながら様々な社会的変化を乗り越え、豊かな人生を切り拓き、持続可能な社会の創り手となることができるようにするための基礎を培うことが求められる。このために必要な教育の在り方を具体化するのが、各幼稚園において教育の内容等を組織的かつ計画的に組み立てた教育課程である。

教育課程を通して、これからの時代に求められる教育を実現していくためには、よりよい学校教育を通してよりよい社会を創るという理念を学校と社会とが共有し、それぞれの幼稚園において、幼児期にふさわしい生活をどのように展開し、どのような資質・能力を育むようにするのかを教育課程において明確にしながら、社会との連携及び協働によりその実現を図っていくという、社会に開かれた教育課程の実現が重要となる。

幼稚園教育要領とは、こうした理念の実現に向けて必要となる教育課程の基準を大綱的に定めるものである。幼稚園教育要領が果たす役割の一つは、公の性質を有する幼稚園における教育水準を全国的に確保することである。また、各幼稚園がその特色を生かして創意工夫を重ね、長年にわたり積み重ねられてきた教育実践や学術研究の蓄積を生かしながら、幼児や地域の現状や課題を捉え、家庭や地域社会と協力して、幼稚園教育要領を踏まえた教育活動の更なる充実を図っていくことも重要である。

幼児の自発的な活動としての遊びを生み出すために必要な環境を整え、一人一人の資質・能力を育んでい

くことは、教職員をはじめとする幼稚園関係者はもとより、家庭や地域の人々も含め、様々な立場から幼児や幼稚園に関わる全ての大人に期待される役割である。家庭との緊密な連携の下、小学校以降の教育や生涯にわたる学習とのつながりを見通しながら、幼児の自発的な活動としての遊びを通しての総合的な指導をする際に広く活用されるものとなることを期待して、ここに幼稚園教育要領を定める。

第1章　総　則
第1　幼稚園教育の基本

　幼児期の教育は、生涯にわたる人格形成の基礎を培う重要なものであり、幼稚園教育は、学校教育法に規定する目的及び目標を達成するため、幼児期の特性を踏まえ、環境を通して行うものであることを基本とする。

　このため教師は、幼児との信頼関係を十分に築き、幼児が身近な環境に主体的に関わり、環境との関わり方や意味に気付き、これらを取り込もうとして、試行錯誤したり、考えたりするようになる幼児期の教育における見方・考え方を生かし、幼児と共によりよい教育環境を創造するように努めるものとする。これらを踏まえ、次に示す事項を重視して教育を行わなければならない。

1　幼児は安定した情緒の下で自己を十分に発揮することにより発達に必要な体験を得ていくものであることを考慮して、幼児の主体的な活動を促し、幼児期にふさわしい生活が展開されるようにすること。

2　幼児の自発的な活動としての遊びは、心身の調和のとれた発達の基礎を培う重要な学習であることを考慮して、遊びを通しての指導を中心として第2章に示すねらいが総合的に達成されるようにすること。

3　幼児の発達は、心身の諸側面が相互に関連し合い、多様な経過をたどって成し遂げられていくものであること、また、幼児の生活経験がそれぞれ異なることなどを考慮して、幼児一人一人の特性に応じ、発達の課題に即した指導を行うようにすること。

　その際、教師は、幼児の主体的な活動が確保されるよう幼児一人一人の行動の理解と予想に基づき、計画的に環境を構成しなければならない。この場合において、教師は、幼児と人やものとの関わりが重要であることを踏まえ、教材を工夫し、物的・空間的環境を構成しなければならない。また、幼児一人一人の活動の場面に応じて、様々な役割を果たし、その活動を豊かにしなければならない。

第2　幼稚園教育において育みたい資質・能力及び「幼児期の終わりまでに育ってほしい姿」

1　幼稚園においては、生きる力の基礎を育むため、この章の第1に示す幼稚園教育の基本を踏まえ、次に掲げる資質・能力を一体的に育むよう努めるものとする。

(1)　豊かな体験を通じて、感じたり、気付いたり、分かったり、できるようになったりする「知識及び技能の基礎」

(2)　気付いたことや、できるようになったことなどを使い、考えたり、試したり、工夫したり、表現したりする「思考力、判断力、表現力等の基礎」

(3)　心情、意欲、態度が育つ中で、よりよい生活を営もうとする「学びに向かう力、人間性等」

2　1に示す資質・能力は、第2章に示すねらい及び内容に基づく活動全体によって育むものである。

3　次に示す「幼児期の終わりまでに育ってほしい姿」は、第2章に示すねらい及び内容に基づく活動全体を通して資質・能力が育まれている幼児の幼稚園修了時の具体的な姿であり、教師が指導を行う際に考慮するものである。

(1)　健康な心と体
　　幼稚園生活の中で、充実感をもって自分のやりたいことに向かって心と体を十分に働かせ、見通しをもって行動し、自ら健康で安全な生活をつくり出すようになる。

(2)　自立心
　　身近な環境に主体的に関わり様々な活動を楽しむ中で、しなければならないことを自覚し、自分の力で行うために考えたり、工夫したりしながら、諦めずにやり遂げることで達成感を味わい、自信をもって行動するようになる。

(3)　協同性
　　友達と関わる中で、互いの思いや考えなどを共有し、共通の目的の実現に向けて、考えたり、工夫したり、協力したりし、充実感をもってやり遂げるようになる。

(4)　道徳性・規範意識の芽生え
　　友達と様々な体験を重ねる中で、してよいことや悪いことが分かり、自分の行動を振り返ったり、友達の気持ちに共感したりし、相手の立場に立って行動するようになる。また、きまりを守る必要性が分かり、自分の気持ちを調整し、友達と折り合いを付けながら、きまりをつくったり、守ったりするようになる。

(5) 社会生活との関わり

　　家族を大切にしようとする気持ちをもつとともに、地域の身近な人と触れ合う中で、人との様々な関わり方に気付き、相手の気持ちを考えて関わり、自分が役に立つ喜びを感じ、地域に親しみをもつようになる。また、幼稚園内外の様々な環境に関わる中で、遊びや生活に必要な情報を取り入れ、情報に基づき判断したり、情報を伝え合ったり、活用したりするなど、情報を役立てながら活動するようになるとともに、公共の施設を大切に利用するなどして、社会とのつながりなどを意識するようになる。

(6) 思考力の芽生え

　　身近な事象に積極的に関わる中で、物の性質や仕組みなどを感じ取ったり、気付いたりし、考えたり、予想したり、工夫したりするなど、多様な関わりを楽しむようになる。また、友達の様々な考えに触れる中で、自分と異なる考えがあることに気付き、自ら判断したり、考え直したりするなど、新しい考えを生み出す喜びを味わいながら、自分の考えをよりよいものにするようになる。

(7) 自然との関わり・生命尊重

　　自然に触れて感動する体験を通して、自然の変化などを感じ取り、好奇心や探究心をもって考え言葉などで表現しながら、身近な事象への関心が高まるとともに、自然への愛情や畏敬の念をもつようになる。また、身近な動植物に心を動かされる中で、生命の不思議さや尊さに気付き、身近な動植物への接し方を考え、命あるものとしていたわり、大切にする気持ちをもって関わるようになる。

(8) 数量や図形、標識や文字などへの関心・感覚

　　遊びや生活の中で、数量や図形、標識や文字などに親しむ体験を重ねたり、標識や文字の役割に気付いたりし、自らの必要感に基づきこれらを活用し、興味や関心、感覚をもつようになる。

(9) 言葉による伝え合い

　　先生や友達と心を通わせる中で、絵本や物語などに親しみながら、豊かな言葉や表現を身に付け、経験したことや考えたことなどを言葉で伝えたり、相手の話を注意して聞いたりし、言葉による伝え合いを楽しむようになる。

(10) 豊かな感性と表現

　　心を動かす出来事などに触れ感性を働かせる中で、様々な素材の特徴や表現の仕方などに気付き、感じたことや考えたことを自分で表現したり、友達同士で表現する過程を楽しんだりし、表現する喜びを味わい、意欲をもつようになる。

第3　教育課程の役割と編成等

1　教育課程の役割

　　各幼稚園においては、教育基本法及び学校教育法その他の法令並びにこの幼稚園教育要領の示すところに従い、創意工夫を生かし、幼児の心身の発達と幼稚園及び地域の実態に即応した適切な教育課程を編成するものとする。

　　また、各幼稚園においては、6に示す全体的な計画にも留意しながら、「幼児期の終わりまでに育ってほしい姿」を踏まえ教育課程を編成すること、教育課程の実施状況を評価してその改善を図っていくこと、教育課程の実施に必要な人的又は物的な体制を確保するとともにその改善を図っていくことなどを通して、教育課程に基づき組織的かつ計画的に各幼稚園の教育活動の質の向上を図っていくこと（以下「カリキュラム・マネジメント」という。）に努めるものとする。

2　各幼稚園の教育目標と教育課程の編成

　　教育課程の編成に当たっては、幼稚園教育において育みたい資質・能力を踏まえつつ、各幼稚園の教育目標を明確にするとともに、教育課程の編成についての基本的な方針が家庭や地域とも共有されるよう努めるものとする。

3　教育課程の編成上の基本的事項

(1) 幼稚園生活の全体を通して第2章に示すねらいが総合的に達成されるよう、教育課程に係る教育期間や幼児の生活経験や発達の過程などを考慮して具体的なねらいと内容を組織するものとする。この場合においては、特に、自我が芽生え、他者の存在を意識し、自己を抑制しようとする気持ちが生まれる幼児期の発達の特性を踏まえ、入園から修了に至るまでの長期的な視野をもって充実した生活が展開できるように配慮するものとする。

(2) 幼稚園の毎学年の教育課程に係る教育週数は、特別の事情のある場合を除き、39週を下ってはならない。

(3) 幼稚園の1日の教育課程に係る教育時間は、4時間を標準とする。ただし、幼児の心身の発達の程度や季節などに適切に配慮するものとする。

4　教育課程の編成上の留意事項

　　教育課程の編成に当たっては、次の事項に留意

するものとする。

(1) 幼児の生活は、入園当初の一人一人の遊びや教師との触れ合いを通して幼稚園生活に親しみ、安定していく時期から、他の幼児との関わりの中で幼児の主体的な活動が深まり、幼児が互いに必要な存在であることを認識するようになり、やがて幼児同士や学級全体で目的をもって協同して幼稚園生活を展開し、深めていく時期などに至るまでの過程を様々に経ながら広げられていくものであることを考慮し、活動がそれぞれの時期にふさわしく展開されるようにすること。

(2) 入園当初、特に、3歳児の入園については、家庭との連携を緊密にし、生活のリズムや安全面に十分配慮すること。また、満3歳児については、学年の途中から入園することを考慮し、幼児が安心して幼稚園生活を過ごすことができるよう配慮すること。

(3) 幼稚園生活が幼児にとって安全なものとなるよう、教職員による協力体制の下、幼児の主体的な活動を大切にしつつ、園庭や園舎などの環境の配慮や指導の工夫を行うこと。

5 小学校教育との接続に当たっての留意事項

(1) 幼稚園においては、幼稚園教育が、小学校以降の生活や学習の基盤の育成につながることに配慮し、幼児期にふさわしい生活を通して、創造的な思考や主体的な生活態度などの基礎を培うようにするものとする。

(2) 幼稚園教育において育まれた資質・能力を踏まえ、小学校教育が円滑に行われるよう、小学校の教師との意見交換や合同の研究の機会などを設け、「幼児期の終わりまでに育ってほしい姿」を共有するなど連携を図り、幼稚園教育と小学校教育との円滑な接続を図るよう努めるものとする。

6 全体的な計画の作成

各幼稚園においては、教育課程を中心に、第3章に示す教育課程に係る教育時間の終了後等に行う教育活動の計画、学校保健計画、学校安全計画などとを関連させ、一体的に教育活動が展開されるよう全体的な計画を作成するものとする。

第4 指導計画の作成と幼児理解に基づいた評価

1 指導計画の考え方

幼稚園教育は、幼児が自ら意欲をもって環境と関わることによりつくり出される具体的な活動を通して、その目標の達成を図るものである。

幼稚園においてはこのことを踏まえ、幼児期にふさわしい生活が展開され、適切な指導が行われるよう、それぞれの幼稚園の教育課程に基づき、調和のとれた組織的、発展的な指導計画を作成し、幼児の活動に沿った柔軟な指導を行わなければならない。

2 指導計画の作成上の基本的事項

(1) 指導計画は、幼児の発達に即して一人一人の幼児が幼児期にふさわしい生活を展開し、必要な体験を得られるようにするために、具体的に作成するものとする。

(2) 指導計画の作成に当たっては、次に示すところにより、具体的なねらい及び内容を明確に設定し、適切な環境を構成することなどにより活動が選択・展開されるようにするものとする。

ア 具体的なねらい及び内容は、幼稚園生活における幼児の発達の過程を見通し、幼児の生活の連続性、季節の変化などを考慮して、幼児の興味や関心、発達の実情などに応じて設定すること。

イ 環境は、具体的なねらいを達成するために適切なものとなるように構成し、幼児が自らその環境に関わることにより様々な活動を展開しつつ必要な体験を得られるようにすること。その際、幼児の生活する姿や発想を大切にし、常にその環境が適切なものとなるようにすること。

ウ 幼児の行う具体的な活動は、生活の流れの中で様々に変化するものであることに留意し、幼児が望ましい方向に向かって自ら活動を展開していくことができるよう必要な援助をすること。

その際、幼児の実態及び幼児を取り巻く状況の変化などに即して指導の過程についての評価を適切に行い、常に指導計画の改善を図るものとする。

3 指導計画の作成上の留意事項

指導計画の作成に当たっては、次の事項に留意するものとする。

(1) 長期的に発達を見通した年、学期、月などにわたる長期の指導計画やこれとの関連を保ちながらより具体的な幼児の生活に即した週、日などの短期の指導計画を作成し、適切な指導が行われるようにすること。特に、週、日などの短期の指導計画については、幼児の生活のリズムに配慮し、幼児の意識や興味の連続性のある活動が相互に関連して幼稚園生活の自然の流れの中に組み込まれるようにすること。

(2)　幼児が様々な人やものとの関わりを通して、多様な体験をし、心身の調和のとれた発達を促すようにしていくこと。その際、幼児の発達に即して主体的・対話的で深い学びが実現するようにするとともに、心を動かされる体験が次の活動を生み出すことを考慮し、一つ一つの体験が相互に結び付き、幼稚園生活が充実するようにすること。

(3)　言語に関する能力の発達と思考力等の発達が関連していることを踏まえ、幼稚園生活全体を通して、幼児の発達を踏まえた言語環境を整え、言語活動の充実を図ること。

(4)　幼児が次の活動への期待や意欲をもつことができるよう、幼児の実態を踏まえながら、教師や他の幼児と共に遊びや生活の中で見通しをもったり、振り返ったりするよう工夫すること。

(5)　行事の指導に当たっては、幼稚園生活の自然の流れの中で生活に変化や潤いを与え、幼児が主体的に楽しく活動できるようにすること。なお、それぞれの行事についてはその教育的価値を十分検討し、適切なものを精選し、幼児の負担にならないようにすること。

(6)　幼児期は直接的な体験が重要であることを踏まえ、視聴覚教材やコンピュータなど情報機器を活用する際には、幼稚園生活では得難い体験を補完するなど、幼児の体験との関連を考慮すること。

(7)　幼児の主体的な活動を促すためには、教師が多様な関わりをもつことが重要であることを踏まえ、教師は、理解者、共同作業者など様々な役割を果たし、幼児の発達に必要な豊かな体験が得られるよう、活動の場面に応じて、適切な指導を行うようにすること。

(8)　幼児の行う活動は、個人、グループ、学級全体などで多様に展開されるものであることを踏まえ、幼稚園全体の教師による協力体制を作りながら、一人一人の幼児が興味や欲求を十分に満足させるよう適切な援助を行うようにすること。

4　幼児理解に基づいた評価の実施

幼児一人一人の発達の理解に基づいた評価の実施に当たっては、次の事項に配慮するものとする。

(1)　指導の過程を振り返りながら幼児の理解を進め、幼児一人一人のよさや可能性などを把握し、指導の改善に生かすようにすること。その

際、他の幼児との比較や一定の基準に対する達成度についての評定によって捉えるものではないことに留意すること。

(2)　評価の妥当性や信頼性が高められるよう創意工夫を行い、組織的かつ計画的な取組を推進するとともに、次年度又は小学校等にその内容が適切に引き継がれるようにすること。

第5　特別な配慮を必要とする幼児への指導

1　障害のある幼児などへの指導

障害のある幼児などへの指導に当たっては、集団の中で生活することを通して全体的な発達を促していくことに配慮し、特別支援学校などの助言又は援助を活用しつつ、個々の幼児の障害の状態などに応じた指導内容や指導方法の工夫を組織的かつ計画的に行うものとする。また、家庭、地域及び医療や福祉、保健等の業務を行う関係機関との連携を図り、長期的な視点で幼児への教育的支援を行うために、個別の教育支援計画を作成し活用することに努めるとともに、個々の幼児の実態を的確に把握し、個別の指導計画を作成し活用することに努めるものとする。

2　海外から帰国した幼児や生活に必要な日本語の習得に困難のある幼児の幼稚園生活への適応

海外から帰国した幼児や生活に必要な日本語の習得に困難のある幼児については、安心して自己を発揮できるよう配慮するなど個々の幼児の実態に応じ、指導内容や指導方法の工夫を組織的かつ計画的に行うものとする。

第6　幼稚園運営上の留意事項

1　各幼稚園においては、園長の方針の下に、園務分掌に基づき教職員が適切に役割を分担しつつ、相互に連携しながら、教育課程や指導の改善を図るものとする。また、各幼稚園が行う学校評価については、教育課程の編成、実施、改善が教育活動や幼稚園運営の中核となることを踏まえ、カリキュラム・マネジメントと関連付けながら実施するよう留意するものとする。

2　幼児の生活は、家庭を基盤として地域社会を通じて次第に広がりをもつものであることに留意し、家庭との連携を十分に図るなど、幼稚園における生活が家庭や地域社会と連続性を保ちつつ展開されるようにするものとする。その際、地域の自然、高齢者や異年齢の子供などを含む人材、行事や公共施設などの地域の資源を積極的に活用し、幼児が豊かな生活体験を得られるように工夫するものとする。また、家庭との連携に当たっては、保護者との情報交換の機会を設けたり、保護

者と幼児との活動の機会を設けたりなどすること
を通じて、保護者の幼児期の教育に関する理解が
深まるよう配慮するものとする。

3　地域や幼稚園の実態等により、幼稚園間に加
え、保育所、幼保連携型認定こども園、小学校、
中学校、高等学校及び特別支援学校などとの間の
連携や交流を図るものとする。特に、幼稚園教育
と小学校教育の円滑な接続のため、幼稚園の幼児
と小学校の児童との交流の機会を積極的に設ける
ようにするものとする。また、障害のある幼児児
童生徒との交流及び共同学習の機会を設け、共に
尊重し合いながら協働して生活していく態度を育
むよう努めるものとする。

第7　教育課程に係る教育時間終了後等に行う教育活動など

幼稚園は、第3章に示す教育課程に係る教育時間
の終了後等に行う教育活動について、学校教育法に
規定する目的及び目標並びにこの章の第1に示す幼
稚園教育の基本を踏まえ実施するものとする。ま
た、幼稚園の目的の達成に資するため、幼児の生活
全体が豊かなものとなるよう家庭や地域における幼
児期の教育の支援に努めるものとする。

第2章　ねらい及び内容

この章に示すねらいは、幼稚園教育において育みた
い資質・能力を幼児の生活する姿から捉えたものであ
り、内容は、ねらいを達成するために指導する事項で
ある。各領域は、これらを幼児の発達の側面から、心
身の健康に関する領域「健康」、人との関わりに関す
る領域「人間関係」、身近な環境との関わりに関する
領域「環境」、言葉の獲得に関する領域「言葉」及び
感性と表現に関する領域「表現」としてまとめ、示し
たものである。内容の取扱いは、幼児の発達を踏まえ
た指導を行うに当たって留意すべき事項である。

各領域に示すねらいは、幼稚園における生活の全体
を通じ、幼児が様々な体験を積み重ねる中で相互に関
連をもちながら次第に達成に向かうものであること、
内容は、幼児が環境に関わって展開する具体的な活動
を通して総合的に指導されるものであることに留意し
なければならない。

また、「幼児期の終わりまでに育ってほしい姿」
が、ねらい及び内容に基づく活動全体を通して資質・
能力が育まれている幼児の幼稚園修了時の具体的な姿
であることを踏まえ、指導を行う際に考慮するものと
する。

なお、特に必要な場合には、各領域に示すねらいの
趣旨に基づいて適切な、具体的な内容を工夫し、それ
を加えても差し支えないが、その場合には、それが第

1章の第1に示す幼稚園教育の基本を逸脱しないよう
慎重に配慮する必要がある。

健　康

　健康な心と体を育て、自ら健康で安全な生活を
　つくり出す力を養う。

1　ねらい

⑴　明るく伸び伸びと行動し、充実感を味わう。

⑵　自分の体を十分に動かし、進んで運動しようと
する。

⑶　健康、安全な生活に必要な習慣や態度を身に付
け、見通しをもって行動する。

2　内　容

⑴　先生や友達と触れ合い、安定感をもって行動す
る。

⑵　いろいろな遊びの中で十分に体を動かす。

⑶　進んで戸外で遊ぶ。

⑷　様々な活動に親しみ、楽しんで取り組む。

⑸　先生や友達と食べることを楽しみ、食べ物への
興味や関心をもつ。

⑹　健康な生活のリズムを身に付ける。

⑺　身の回りを清潔にし、衣服の着脱、食事、排泄（せつ）
などの生活に必要な活動を自分でする。

⑻　幼稚園における生活の仕方を知り、自分たちで
生活の場を整えながら見通しをもって行動する。

⑼　自分の健康に関心をもち、病気の予防などに必
要な活動を進んで行う。

⑽　危険な場所、危険な遊び方、災害時などの行動
の仕方が分かり、安全に気を付けて行動する。

3　内容の取扱い

上記の取扱いに当たっては、次の事項に留意する
必要がある。

⑴　心と体の健康は、相互に密接な関連があるもの
であることを踏まえ、幼児が教師や他の幼児との
温かい触れ合いの中で自己の存在感や充実感を味
わうことなどを基盤として、しなやかな心と体の
発達を促すこと。特に、十分に体を動かす気持ち
よさを体験し、自ら体を動かそうとする意欲が育
つようにすること。

⑵　様々な遊びの中で、幼児が興味や関心、能力に
応じて全身を使って活動することにより、体を動
かす楽しさを味わい、自分の体を大切にしようと
する気持ちが育つようにすること。その際、多様
な動きを経験する中で、体の動きを調整するよう
にすること。

⑶　自然の中で伸び伸びと体を動かして遊ぶことに
より、体の諸機能の発達が促されることに留意
し、幼児の興味や関心が戸外にも向くようにする

こと。その際、幼児の動線に配慮した園庭や遊具の配置などを工夫すること。

(4)　健康な心と体を育てるためには食育を通じた望ましい食習慣の形成が大切であることを踏まえ、幼児の食生活の実情に配慮し、和やかな雰囲気の中で教師や他の幼児と食べる喜びや楽しさを味わったり、様々な食べ物への興味や関心をもったりするなどし、食の大切さに気付き、進んで食べようとする気持ちが育つようにすること。

(5)　基本的な生活習慣の形成に当たっては、家庭での生活経験に配慮し、幼児の自立心を育て、幼児が他の幼児と関わりながら主体的な活動を展開する中で、生活に必要な習慣を身に付け、次第に見通しをもって行動できるようにすること。

(6)　安全に関する指導に当たっては、情緒の安定を図り、遊びを通して安全についての構えを身に付け、危険な場所や事物などが分かり、安全についての理解を深めるようにすること。また、交通安全の習慣を身に付けるようにするとともに、避難訓練などを通して、災害などの緊急時に適切な行動がとれるようにすること。

人間関係

〔他の人々と親しみ、支え合って生活するために、自立心を育て、人と関わる力を養う。〕

1　ねらい

(1)　幼稚園生活を楽しみ、自分の力で行動することの充実感を味わう。

(2)　身近な人と親しみ、関わりを深め、工夫したり、協力したりして一緒に活動する楽しさを味わい、愛情や信頼感をもつ。

(3)　社会生活における望ましい習慣や態度を身に付ける。

2　内容

(1)　先生や友達と共に過ごすことの喜びを味わう。

(2)　自分で考え、自分で行動する。

(3)　自分でできることは自分でする。

(4)　いろいろな遊びを楽しみながら物事をやり遂げようとする気持ちをもつ。

(5)　友達と積極的に関わりながら喜びや悲しみを共感し合う。

(6)　自分の思ったことを相手に伝え、相手の思っていることに気付く。

(7)　友達のよさに気付き、一緒に活動する楽しさを味わう。

(8)　友達と楽しく活動する中で、共通の目的を見いだし、工夫したり、協力したりなどする。

(9)　よいことや悪いことがあることに気付き、考え

ながら行動する。

(10)　友達との関わりを深め、思いやりをもつ。

(11)　友達と楽しく生活する中できまりの大切さに気付き、守ろうとする。

(12)　共同の遊具や用具を大切にし、皆で使う。

(13)　高齢者をはじめ地域の人々などの自分の生活に関係の深いいろいろな人に親しみをもつ。

3　内容の取扱い

上記の取扱いに当たっては、次の事項に留意する必要がある。

(1)　教師との信頼関係に支えられて自分自身の生活を確立していくことが人と関わる基盤となることを考慮し、幼児が自ら周囲に働き掛けることにより多様な感情を体験し、試行錯誤しながら諦めずにやり遂げることの達成感や、前向きな見通しをもって自分の力で行うことの充実感を味わうことができるよう、幼児の行動を見守りながら適切な援助を行うようにすること。

(2)　一人一人を生かした集団を形成しながら人と関わる力を育てていくようにすること。その際、集団の生活の中で、幼児が自己を発揮し、教師や他の幼児に認められる体験をし、自分のよさや特徴に気付き、自信をもって行動できるようにすること。

(3)　幼児が互いに関わりを深め、協同して遊ぶようになるため、自ら行動する力を育てるようにするとともに、他の幼児と試行錯誤しながら活動を展開する楽しさや共通の目的が実現する喜びを味わうことができるようにすること。

(4)　道徳性の芽生えを培うに当たっては、基本的な生活習慣の形成を図るとともに、幼児が他の幼児との関わりの中で他人の存在に気付き、相手を尊重する気持ちをもって行動できるようにし、また、自然や身近な動植物に親しむことなどを通して豊かな心情が育つようにすること。特に、人に対する信頼感や思いやりの気持ちは、葛藤やつまずきをも体験し、それらを乗り越えることにより次第に芽生えてくることに配慮すること。

(5)　集団の生活を通して、幼児が人との関わりを深め、規範意識の芽生えが培われることを考慮し、幼児が教師との信頼関係に支えられて自己を発揮する中で、互いに思いを主張し、折り合いを付ける体験をし、きまりの必要性などに気付き、自分の気持ちを調整する力が育つようにすること。

(6)　高齢者をはじめ地域の人々などの自分の生活に関係の深いいろいろな人と触れ合い、自分の感情や意志を表現しながら共に楽しみ、共感し合う体

験を通して、これらの人々などに親しみをもち、人と関わることの楽しさや人の役に立つ喜びを味わうことができるようにすること。また、生活を通して親や祖父母などの家族の愛情に気付き、家族を大切にしようとする気持ちが育つようにすること。

環　境

〔周囲の様々な環境に好奇心や探究心をもって関わり、それらを生活に取り入れていこうとする力を養う。〕

1　ねらい

(1)　身近な環境に親しみ、自然と触れ合う中で様々な事象に興味や関心をもつ。

(2)　身近な環境に自分から関わり、発見を楽しんだり、考えたりし、それを生活に取り入れようとする。

(3)　身近な事象を見たり、考えたり、扱ったりする中で、物の性質や数量、文字などに対する感覚を豊かにする。

2　内　容

(1)　自然に触れて生活し、その大きさ、美しさ、不思議さなどに気付く。

(2)　生活の中で、様々な物に触れ、その性質や仕組みに興味や関心をもつ。

(3)　季節により自然や人間の生活に変化のあることに気付く。

(4)　自然などの身近な事象に関心をもち、取り入れて遊ぶ。

(5)　身近な動植物に親しみをもって接し、生命の尊さに気付き、いたわったり、大切にしたりする。

(6)　日常生活の中で、我が国や地域社会における様々な文化や伝統に親しむ。

(7)　身近な物を大切にする。

(8)　身近な物や遊具に興味をもって関わり、自分なりに比べたり、関連付けたりしながら考えたり、試したりして工夫して遊ぶ。

(9)　日常生活の中で数量や図形などに関心をもつ。

(10)　日常生活の中で簡単な標識や文字などに関心をもつ。

(11)　生活に関係の深い情報や施設などに興味や関心をもつ。

(12)　幼稚園内外の行事において国旗に親しむ。

3　内容の取扱い

上記の取扱いに当たっては、次の事項に留意する必要がある。

(1)　幼児が、遊びの中で周囲の環境と関わり、次第に周囲の世界に好奇心を抱き、その意味や操作の

仕方に関心をもち、物事の法則性に気付き、自分なりに考えることができるようになる過程を大切にすること。また、他の幼児の考えなどに触れて新しい考えを生み出す喜びや楽しさを味わい、自分の考えをよりよいものにしようとする気持ちが育つようにすること。

(2)　幼児期において自然のもつ意味は大きく、自然の大きさ、美しさ、不思議さなどに直接触れる体験を通して、幼児の心が安らぎ、豊かな感情、好奇心、思考力、表現力の基礎が培われることを踏まえ、幼児が自然との関わりを深めることができるよう工夫すること。

(3)　身近な事象や動植物に対する感動を伝え合い、共感し合うことなどを通して自分から関わろうとする意欲を育てるとともに、様々な関わり方を通してそれらに対する親しみや畏敬の念、生命を大切にする気持ち、公共心、探究心などが養われるようにすること。

(4)　文化や伝統に親しむ際には、正月や節句など我が国の伝統的な行事、国歌、唱歌、わらべうたや我が国の伝統的な遊びに親しんだり、異なる文化に触れる活動に親しんだりすることを通じて、社会とのつながりの意識や国際理解の意識の芽生えなどが養われるようにすること。

(5)　数量や文字などに関しては、日常生活の中で幼児自身の必要感に基づく体験を大切にし、数量や文字などに関する興味や関心、感覚が養われるようにすること。

言　葉

〔経験したことや考えたことなどを自分なりの言葉で表現し、相手の話す言葉を聞こうとする意欲や態度を育て、言葉に対する感覚や言葉で表現する力を養う。〕

1　ねらい

(1)　自分の気持ちを言葉で表現する楽しさを味わう。

(2)　人の言葉や話などをよく聞き、自分の経験したことや考えたことを話し、伝え合う喜びを味わう。

(3)　日常生活に必要な言葉が分かるようになるとともに、絵本や物語などに親しみ、言葉に対する感覚を豊かにし、先生や友達と心を通わせる。

2　内　容

(1)　先生や友達の言葉や話に興味や関心をもち、親しみをもって聞いたり、話したりする。

(2)　したり、見たり、聞いたり、感じたり、考えたりなどしたことを自分なりに言葉で表現する。

(3) したいこと、してほしいことを言葉で表現したり、分からないことを尋ねたりする。

(4) 人の話を注意して聞き、相手に分かるように話す。

(5) 生活の中で必要な言葉が分かり、使う。

(6) 親しみをもって日常の挨拶をする。

(7) 生活の中で言葉の楽しさや美しさに気付く。

(8) いろいろな体験を通じてイメージや言葉を豊かにする。

(9) 絵本や物語などに親しみ、興味をもって聞き、想像をする楽しさを味わう。

(10) 日常生活の中で、文字などで伝える楽しさを味わう。

3　内容の取扱い

上記の取扱いに当たっては、次の事項に留意する必要がある。

(1) 言葉は、身近な人に親しみをもって接し、自分の感情や意志などを伝え、それに相手が応答し、その言葉を聞くことを通して次第に獲得されていくものであることを考慮して、幼児が教師や他の幼児と関わることにより心を動かされるような体験をし、言葉を交わす喜びを味わえるようにすること。

(2) 幼児が自分の思いを言葉で伝えるとともに、教師や他の幼児などの話を興味をもって注意して聞くことを通して次第に話を理解するようになっていき、言葉による伝え合いができるようにすること。

(3) 絵本や物語などで、その内容と自分の経験とを結び付けたり、想像を巡らせたりするなど、楽しみを十分に味わうことによって、次第に豊かなイメージをもち、言葉に対する感覚が養われるようにすること。

(4) 幼児が生活の中で、言葉の響きやリズム、新しい言葉や表現などに触れ、これらを使う楽しさを味わえるようにすること。その際、絵本や物語に親しんだり、言葉遊びなどをしたりすることを通して、言葉が豊かになるようにすること。

(5) 幼児が日常生活の中で、文字などを使いながら思ったことや考えたことを伝える喜びや楽しさを味わい、文字に対する興味や関心をもつようにすること。

表　現

感じたことや考えたことを自分なりに表現することを通して、豊かな感性や表現する力を養い、創造性を豊かにする。

1　ねらい

(1) いろいろなものの美しさなどに対する豊かな感性をもつ。

(2) 感じたことや考えたことを自分なりに表現して楽しむ。

(3) 生活の中でイメージを豊かにし、様々な表現を楽しむ。

2　内　容

(1) 生活の中で様々な音、形、色、手触り、動きなどに気付いたり、感じたりするなどして楽しむ。

(2) 生活の中で美しいものや心を動かす出来事に触れ、イメージを豊かにする。

(3) 様々な出来事の中で、感動したことを伝え合う楽しさを味わう。

(4) 感じたこと、考えたことなどを音や動きなどで表現したり、自由にかいたり、つくったりなどする。

(5) いろいろな素材に親しみ、工夫して遊ぶ。

(6) 音楽に親しみ、歌を歌ったり、簡単なリズム楽器を使ったりなどする楽しさを味わう。

(7) かいたり、つくったりすることを楽しみ、遊びに使ったり、飾ったりなどする。

(8) 自分のイメージを動きや言葉などで表現したり、演じて遊んだりするなどの楽しさを味わう。

3　内容の取扱い

上記の取扱いに当たっては、次の事項に留意する必要がある。

(1) 豊かな感性は、身近な環境と十分に関わる中で美しいもの、優れたもの、心を動かす出来事などに出会い、そこから得た感動を他の幼児や教師と共有し、様々に表現することなどを通して養われるようにすること。その際、風の音や雨の音、身近にある草や花の形や色など自然の中にある音、形、色などに気付くようにすること。

(2) 幼児の自己表現は素朴な形で行われることが多いので、教師はそのような表現を受容し、幼児自身の表現しようとする意欲を受け止めて、幼児が生活の中で幼児らしい様々な表現を楽しむことができるようにすること。

(3) 生活経験や発達に応じ、自ら様々な表現を楽しみ、表現する意欲を十分に発揮させることができるように、遊具や用具などを整えたり、様々な素材や表現の仕方に親しんだり、他の幼児の表現に触れられるよう配慮したりし、表現する過程を大切にして自己表現を楽しめるように工夫すること。

第3章　教育課程に係る教育時間の終了後等に行う教育活動などの留意事項

1　地域の実態や保護者の要請により、教育課程に係る教育時間の終了後等に希望する者を対象に行う教育活動については、幼児の心身の負担に配慮するものとする。また、次の点にも留意するものとする。

(1)　教育課程に基づく活動を考慮し、幼児期にふさわしい無理のないものとなるようにすること。その際、教育課程に基づく活動を担当する教師と緊密な連携を図るようにすること。

(2)　家庭や地域での幼児の生活も考慮し、教育課程に係る教育時間の終了後等に行う教育活動の計画を作成するようにすること。その際、地域の人々と連携するなど、地域の様々な資源を活用しつつ、多様な体験ができるようにすること。

(3)　家庭との緊密な連携を図るようにすること。その際、情報交換の機会を設けたりするなど、保護者が、幼稚園と共に幼児を育てるという意識が高まるようにすること。

(4)　地域の実態や保護者の事情とともに幼児の生活のリズムを踏まえつつ、例えば実施日数や時間などについて、弾力的な運用に配慮すること。

(5)　適切な責任体制と指導体制を整備した上で行うようにすること。

2　幼稚園の運営に当たっては、子育ての支援のために保護者や地域の人々に機能や施設を開放して、園内体制の整備や関係機関との連携及び協力に配慮しつつ、幼児期の教育に関する相談に応じたり、情報を提供したり、幼児と保護者との登園を受け入れたり、保護者同士の交流の機会を提供したりするなど、幼稚園と家庭が一体となって幼児と関わる取組を進め、地域における幼児期の教育のセンターとしての役割を果たすよう努めるものとする。その際、心理や保健の専門家、地域の子育て経験者等と連携・協働しながら取り組むよう配慮するものとする。

○幼保連携型認定こども園園児指導要録の改善及び認定こども園こども要録の作成等に関する留意事項等について

[平成30年3月30日　府子本第315号・29初幼教第17号・子保発0330第3号
各都道府県認定こども園担当部局・私立学校主管部（局）・教育委員会・各指定都市・各中核市子ども・子育て支援新制度担当部局・各指定都市・各中核市教育委員会・附属幼稚園、小学校及び特別支援学校を置く各国公立大学法人の長宛　内閣府子ども・子育て本部参事官（認定こども園担当）・文部科学省初等中等教育局幼児教育・厚生労働省子ども家庭局保育課長連名通知]

幼保連携型認定こども園園児指導要録（以下「園児指導要録」という。）は、園児の学籍並びに指導の過程及びその結果の要約を記録し、その後の指導及び外部に対する証明等に役立たせるための原簿となるものです。

今般の幼保連携型認定こども園教育・保育要領（平成29年内閣府・文部科学省・厚生労働省告示第1号）の改訂に伴い、各幼保連携型認定こども園において園児の理解に基づいた評価が適切に行われるとともに、地域に根ざした主体的かつ積極的な教育及び保育の展開の観点から、各設置者等において園児指導要録の様式が創意工夫の下決定され、また、各幼保連携型認定こども園により園児指導要録が作成されるよう、園児指導要録に記載する事項や様式の参考例についてとりまとめましたのでお知らせします。

また、幼保連携型以外の認定こども園における、園児指導要録に相当する資料（以下「認定こども園こども要録」という。）の作成等に関しての留意事項も示しましたのでお知らせします。

つきましては、下記に示す幼保連携型認定こども園における評価の基本的な考え方及び園児指導要録の改善の要旨等並びに別紙及び別添資料（様式の参考例）に関して十分御了知の上、管内・域内の関係部局並びに幼保連携型認定こども園及び幼保連携型認定こども園以外の認定こども園の関係者に対して、この通知の趣旨を十分周知されるようお願いします。

また、幼保連携型認定こども園等と小学校、義務教育学校の前期課程及び特別支援学校の小学部（以下「小学校等」という。）との緊密な連携を図る観点から、小学校等においてもこの通知の趣旨の理解が図られるようお願いします。

なお、この通知により、「認定こども園こども要録について（通知）」（平成21年1月29日付け20初幼教第9号・雇児保発第0129001号文部科学省初等中等教育局幼児教育課長・厚生労働省雇用均等・児童家庭局保育課長連名通知）及び「幼保連携型認定こども園園児指導要録について（通知）」（平成27年1月27日付け府政共生第73号・26初幼教第29号・雇児保発0127第1号

内閣府政策統括官（共生社会政策担当）付参事官（少子化対策担当）・文部科学省初等中等教育局幼児教育課長・厚生労働省雇用均等・児童家庭局保育課長連名通知）は廃止します。

本通知は、地方自治法（昭和22年法律第67号）第245条の4第1項の規定に基づく技術的助言であることを申し添えます。

記

1　幼保連携型認定こども園における評価の基本的な考え方

園児一人一人の発達の理解に基づいた評価の実施に当たっては、次の事項に配慮すること。

(1)　指導の過程を振り返りながら園児の理解を進め、園児一人一人のよさや可能性などを把握し、指導の改善に生かすようにすること。その際、他の園児との比較や一定の基準に対する達成度についての評定によって捉えるものではないことに留意すること。

(2)　評価の妥当性や信頼性が高められるよう創意工夫を行い、組織的かつ計画的な取組を推進するとともに、次年度又は小学校等にその内容が適切に引き継がれるようにすること。

2　園児指導要録の改善の要旨

幼保連携型認定こども園における養護は教育及び保育を行う上での基盤となるものであるということを踏まえ、満3歳以上の園児に関する記録として、従前の「養護」に関わる事項は、「指導上参考となる事項」に、また、「園児の健康状態等」については、「特に配慮すべき事項」に記入するように見直したこと。さらに、従前の「園児の育ちに関わる事項」については、満3歳未満の園児に関する記録として、各年度ごとに、「養護（園児の健康の状態等も含む）」に関する事項も含め、「園児の育ちに関する事項」に記入するように見直したこと。

最終学年の記入に当たっては、これまでの記入の考え方を引き継ぐとともに、特に小学校等における児童の指導に生かされるよう、「幼児期の終わりまでに育ってほしい姿」を活用して園児に育まれてい

る資質・能力を捉え、指導の過程と育ちつつある姿を分かりやすく記入することに留意するよう追記したこと。

以上のことなどを踏まえ、様式の参考例を見直したこと。

3 実施時期

この通知を踏まえた園児指導要録の作成は、平成30年度から実施すること。なお、平成30年度に新たに入園（転入園含む。）、進級する園児のために園児指導要録の様式を用意している場合には様式についてはこの限りではないこと。

この通知を踏まえた園児指導要録を作成する場合、既に在園している園児の園児指導要録については、従前の園児指導要録に記載された事項を転記する必要はなく、この通知を踏まえて作成された園児指導要録と併せて保存すること。

4 取扱い上の注意

(1) 園児指導要録の作成、送付及び保存については、就学前の子どもに関する教育、保育等の総合的な提供の推進に関する法律施行規則（平成26年内閣府・文部科学省・厚生労働省令第2号。以下「認定こども園法施行規則」という。）第30条並びに認定こども園法施行規則第26条の規定により準用する学校教育法施行規則（昭和22年文部省令第11号）第28条第1項及び第2項前段の規定によること。なお、認定こども園法施行規則第30条第2項により小学校等の進学先に園児指導要録の抄本又は写しを送付しなければならないことに留意すること。

(2) 園児指導要録の記載事項に基づいて外部への証明等を作成する場合には、その目的に応じて必要な事項だけを記載するよう注意すること。

(3) 配偶者からの暴力の被害者と同居する園児については、転園した園児の園児指導要録の記述を通じて転園先の園名や所在地等の情報が配偶者（加害者）に伝わることが懸念される場合がある。このような特別の事情がある場合には、「配偶者からの暴力の被害者の子どもの就学について（通知）」（平成21年7月13日付け21生参学第7号文部科学省生涯学習政策局男女共同参画学習課長・文部科学省初等中等教育局初等中等教育企画課長連名通知）を参考に、関係機関等との連携を図りながら、適切に情報を取り扱うこと。

(4) 評価の妥当性や信頼性を高めるとともに、保育教諭等の負担感の軽減を図るため、情報の適切な管理を図りつつ、情報通信技術の活用により園児指導要録等に係る事務の改善を検討することも重要であること。なお、法令に基づく文書である園児指導要録について、書面の作成、保存、送付を情報通信技術を活用して行うことは、現行の制度上も可能であること。

(5) 別添資料（様式の参考例）の用紙や文字の大きさ等については、各設置者等の判断で適宜工夫できること。

(6) 個人情報については、「個人情報の保護に関する法律」（平成15年法律第57号）等を踏まえて適切に個人情報を取り扱うこと。なお、個人情報の保護に関する法令上の取扱いは以下の①及び②のとおりである。

① 公立の幼保連携型認定こども園については、各地方公共団体が定める個人情報保護条例に準じた取扱いとすること。

② 私立の幼保連携型認定こども園については、当該施設が個人情報の保護に関する法律第2条第5項に規定する個人情報取扱事業者に該当し、原則として個人情報を第三者に提供する際には本人の同意が必要となるが、認定こども園法施行規則第30条第2項及び第3項の規定に基づいて提供する場合においては、同法第23条第1項第1号に掲げる法令に基づく場合に該当するため、第三者提供について本人（保護者）の同意は不要であること。

5 幼保連携型認定こども園以外の認定こども園における認定こども園こども要録の作成等の留意事項

(1) 幼保連携型認定こども園以外の認定こども園（以下「認定こども園」という。）においては、本通知「1 幼保連携型認定こども園における評価の基本的な考え方」及び「2 園児指導要録の改善の要旨」を踏まえ、別紙及び別添資料を参考に、適宜「幼保連携型認定こども園園児指導要録」を「認定こども園こども要録」に読み替える等して、各設置者等の創意工夫の下、認定こども園こども要録を作成すること。

なお、幼稚園型認定こども園以外の認定こども園において認定こども園こども要録を作成する場合には、保育所では各市区町村が保育所児童保育要録（「保育所保育指針の適用に際しての留意事項について」（平成30年3月30日付け子保発0330第2号厚生労働省子ども家庭局保育課長通知）に基づく保育所児童保育要録をいう。以下同じ。）の様式を作成することとされていることを踏まえ、各市区町村と相談しつつ、その様式を各設置者等において定めることが可能であること。

(2) 5(1)に関わらず、幼稚園型認定こども園におい

ては「幼稚園及び特別支援学校幼稚部における幼児指導要録の改善等について（通知）」（平成30年3月30日付け29文科初第1814号文部科学省初等中等教育局長通知）に基づく幼稚園幼児指導要録を作成することが、また、保育所型認定こども園においては保育所児童保育要録を作成することが可能であること。その際、送付及び保存等についても、それぞれの通知に準じて取り扱うこと。

　　また、認定こども園こども要録を作成した場合には、同一の子どもについて、幼稚園幼児指導要録又は保育所児童保育要録を作成する必要はないこと。

(3)　認定こども園こども要録は、学級を編制している満3歳以上の子どもについて作成すること。なお、これは、満3歳未満に関する記録を残すことを妨げるものではないこと。

(4)　子どもの進学・就学に際して、作成した認定こども園こども要録の抄本又は写しを進学・就学先の小学校等の校長に送付すること。

(5)　認定こども園においては、作成した認定こども園こども要録の原本等について、その子どもが小学校等を卒業するまでの間保存することが望ましいこと。ただし、学籍等に関する記録については、20年間保存することが望ましいこと。

(6)　「3　実施時期」並びに「4　取扱い上の注意」の(2)、(3)及び(4)について、認定こども園においても同様の取扱いであること。

(7)　個人情報については、個人情報の保護に関する法律等を踏まえて適切に個人情報を取り扱うこと。なお、個人情報の保護に関する法令上の取扱いは以下の①及び②のとおりである。

①　公立の認定こども園については、各地方公共団体が定める個人情報保護条例に準じた取扱いとすること。

②　私立の認定こども園については、当該施設が個人情報の保護に関する法律第2条第5項に規定する個人情報取扱事業者に該当し、原則として個人情報を第三者に提供する際には本人の同意が必要となるが、学校教育法施行規則第24条第2項及び第3項又は保育所保育指針第2章の4(2)ウの規定に基づいて提供する場合においては、同法第23条第1項第1号に掲げる法令に基づく場合に該当するため、第三者提供について本人（保護者）の同意は不要であること。

〔参考〕内閣府　子ども・子育て支援新制度ホームページ

http://www8.cao.go.jp/shoushi/index.html
　（内閣府ホーム＞子ども・子育て支援＞認定こども園）

別　紙
　　幼保連携型認定こども園園児指導要録に
　　記載する事項
○　学籍等に関する記録
　　学籍等に関する記録は、外部に対する証明等の原簿としての性格をもつものとし、原則として、入園時及び異動の生じたときに記入すること。
1　園児の氏名、性別、生年月日及び現住所
2　保護者（親権者）氏名及び現住所
3　学籍等の記録
(1)　入園年月日
(2)　転入園年月日
　　他の幼保連携型認定こども園、幼稚園、特別支援学校幼稚部、保育所等から転入園してきた園児について記入すること。
(3)　転・退園年月日
　　他の幼保連携型認定こども園、幼稚園、特別支援学校幼稚部、保育所等へ転園する園児や退園する園児について記入すること。
(4)　修了年月日
4　入園前の状況
　　当該幼保連携型認定こども園に入園する前の集団生活の経験の有無等を記入すること。
5　進学・就学先等
　　当該幼保連携型認定こども園で修了した場合には進学・就学した小学校等について、また、当該幼保連携型認定こども園から他園等に転園した場合には転園した園等の名称及び所在地等を記入すること。
6　園名及び所在地
7　各年度の入園（転入園）・進級時等の園児の年齢、園長の氏名、担当・学級担任の氏名
　　各年度に、園長の氏名及び満3歳未満の園児については担当者の氏名、満3歳以上の園児については学級担任者の氏名を記入し、それぞれ押印すること。（同一年度内に園長、担当者又は学級担任者が代わった場合には、その都度後任者の氏名を併記、押印する。）
※満3歳以上の園児については、学級名、整理番号も記入すること。
　　なお、氏名の記入及び押印については、電子署名（電子署名及び認証業務に関する法律（平成12年法律第102号）第2条第1項に定義する「電子

署名」をいう。）を行うことで替えることも可能である。

○ 指導等に関する記録

　指導等に関する記録は、１年間の指導の過程とその結果等を要約し、次の年度の適切な指導に資するための資料としての性格をもつものとすること。

【満３歳以上の園児に関する記録】

1　指導の重点等

　当該年度における指導の過程について次の視点から記入すること。

　① 学年の重点

　　年度当初に教育課程に基づき、長期の見通しとして設定したものを記入すること。

　② 個人の重点

　　１年間を振り返って、当該園児の指導について特に重視してきた点を記入すること。

2　指導上参考となる事項

　(1) 次の事項について記入すること。

　　① １年間の指導の過程と園児の発達の姿について以下の事項を踏まえ記入すること。

　　・ 幼保連携型認定こども園教育・保育要領に示された養護に関する事項を踏まえ、第２章第３の「ねらい及び内容」に示された各領域のねらいを視点として、当該園児の発達の実情から向上が著しいと思われるもの。その際、他の園児との比較や一定の基準に対する達成度についての評定によって捉えるものではないことに留意すること。

　　・ 園生活を通して全体的、総合的に捉えた園児の発達の姿。

　　② 次の年度の指導に必要と考えられる配慮事項等について記入すること。

　　③ 最終年度の記入に当たっては、特に小学校等における児童の指導に生かされるよう、幼保連携型認定こども園教育・保育要領第１章総則に示された「幼児期の終わりまでに育ってほしい姿」を活用して園児に育まれている資質・能力を捉え、指導の過程と育ちつつある姿を分かりやすく記入するように留意すること。その際、「幼児期の終わりまでに育ってほしい姿」が到達すべき目標ではないことに留意し、項目別に園児の育ちつつある姿を記入するのではなく、全体的かつ総合的に捉えて記入すること。

　(2) 「特に配慮すべき事項」には、園児の健康の状況等、指導上特記すべき事項がある場合に記入すること。

3　出欠状況

　① 教育日数

　　１年間に教育した総日数を記入すること。この教育日数は、原則として、幼保連携型認定こども園教育・保育要領に基づき編成した教育課程の実施日数と同日数であり、同一学年の全ての園児について同日数であること。ただし、年度の途中で入園した園児については、入園した日以降の教育日数を記入し、退園した園児については、退園した日までの教育日数を記入すること。

　② 出席日数

　　教育日数のうち当該園児が出席した日数を記入すること。

【満３歳未満の園児に関する記録】

4　園児の育ちに関する事項

　満３歳未満の園児の、次の年度の指導に特に必要と考えられる育ちに関する事項、配慮事項、健康の状況等の留意事項等について記入すること。

別添資料

(様式の参考例)

幼保連携型認定こども園園児指導要録(学籍等に関する記録)

区分　　年度	平成　　年度	平成　　年度	平成　　年度	平成　　年度
学　　級				
整理番号				

園児	ふりがな			性　別	
	氏　名				
		平成　　年　　月　　日生			
	現住所				

保護者	ふりがな	
	氏　名	
	現住所	

入　　園	平成　年　月　日	入園前の	
転 入 園	平成　年　月　日	状　　況	
転・退園	平成　年　月　日	進学・	
修　　了	平成　年　月　日	就学先等	

園　名 及び所在地	

年度及び入園(転入園) ・進級時等の園児の年齢	平成　　年度 歳　　か月	平成　　年度 歳　　か月	平成　　年度 歳　　か月	平成　　年度 歳　　か月
園　　長 氏名　　印				
担 当 者 氏名　　印				
年度及び入園(転入園) ・進級時等の園児の年齢	平成　　年度 歳　　か月	平成　　年度 歳　　か月	平成　　年度 歳　　か月	平成　　年度 歳　　か月
園　　長 氏名　　印				
学級担任者 氏名　　印				

（様式の参考例）

幼保連携型認定こども園園児指導要録（指導等に関する記録）

ふりがな		性別	指導の重点等	平成　　年度	平成　　年度	平成　　年度
氏名				（学年の重点）	（学年の重点）	（学年の重点）
平成　　年　　月　　日生				（個人の重点）	（個人の重点）	（個人の重点）

	ねらい（発達を捉える視点）	指導上参考となる事項			
健康	明るく伸び伸びと行動し、充実感を味わう。				
	自分の体を十分に動かし、進んで運動しようとする。				
	健康、安全な生活に必要な習慣や態度を身に付け、見通しをもって行動する。				
人間関係	幼保連携型認定こども園の生活を楽しみ、自分の力で行動することの充実感を味わう。				
	身近な人と親しみ、関わりを深め、工夫したり、協力したりして一緒に活動する楽しさを味わい、愛情や信頼感をもつ。				
	社会生活における望ましい習慣や態度を身に付ける。				
環境	身近な環境に親しみ、自然と触れ合う中で様々な事象に興味や関心をもつ。				
	身近な環境に自分から関わり、発見を楽しんだり、考えたりし、それを生活に取り入れようとする。				
	身近な事象を見たり、考えたり、扱ったりする中で、物の性質や数量、文字などに対する感覚を豊かにする。				
言葉	自分の気持ちを言葉で表現する楽しさを味わう。				
	人の言葉や話などをよく聞き、自分の経験したことや考えたことを話し、伝え合う喜びを味わう。				
	日常生活に必要な言葉が分かるようになるとともに、絵本や物語などに親しみ、言葉に対する感覚を豊かにし、保育教諭等や友達と心を通わせる。				
表現	いろいろなものの美しさなどに対する豊かな感性をもつ。				
	感じたことや考えたことを自分なりに表現して楽しむ。				
	生活の中でイメージを豊かにし、様々な表現を楽しむ。		（特に配慮すべき事項）	（特に配慮すべき事項）	（特に配慮すべき事項）	

出欠状況		年度	年度	年度
	教育日数			
	出席日数			

【満3歳未満の園児に関する記録】

園児の育ちに関する事項	平成　　年度	平成　　年度	平成　　年度	平成　　年度

学年の重点：年度当初に、教育課程に基づき長期の見通しとして設定したものを記入

個人の重点：1年間を振り返って、当該園児の指導について特に重視してきた点を記入

指導上参考となる事項：

(1) 次の事項について記入

① 1年間の指導の過程と園児の発達の姿について以下の事項を踏まえ記入すること。

・ 幼保連携型認定こども園教育・保育要領に示された養護に関する事項を踏まえ、第2章第3の「ねらい及び内容」に示された各領域のねらいを視点として、当該園児の発達の実情から向上が著しいと思われるもの。

その際、他の園児との比較や一定の基準に対する達成度についての評定によって捉えるものではないことに留意すること。

・ 園生活を通して全体的、総合的に捉えた園児の発達の姿。

② 次の年度の指導に必要と考えられる配慮事項等について記入すること。

(2) 「特に配慮すべき事項」には、園児の健康の状況等、指導上特記すべき事項がある場合に記入

園児の育ちに関する事項： 当該園児の、次の年度の指導に特に必要と考えられる育ちに関する事項や配慮事項、健康の状況等の留意事項等について記入

（様式の参考例）

幼保連携型認定こども園園児指導要録（最終学年の指導に関する記録）

ふりがな		指導の重点等	平成　　年度
氏名	平成　　年　月　日生		（学年の重点）
性別			（個人の重点）

ねらい
（発達を捉える視点）

		指導上参考となる事項
健康	明るく伸び伸びと行動し、充実感を味わう。	
	自分の体を十分に動かし、進んで運動しようとする。	
	健康、安全な生活に必要な習慣や態度を身に付け、見通しをもって行動する。	
人間関係	幼保連携型認定こども園の生活を楽しみ、自分の力で行動することの充実感を味わう。	
	身近な人と親しみ、関わりを深め、工夫したり、協力したりして一緒に活動する楽しさを味わい、愛情や信頼感をもつ。	
	社会生活における望ましい習慣や態度を身に付ける。	
環境	身近な環境に親しみ、自然と触れ合う中で様々な事象に興味や関心をもつ。	
	身近な環境に自分から関わり、発見を楽しんだり、考えたりし、それを生活に取り入れようとする。	
	身近な事象を見たり、考えたり、扱ったりする中で、物の性質や数量、文字などに対する感覚を豊かにする。	
言葉	自分の気持ちを言葉で表現する楽しさを味わう。	
	人の言葉や話などをよく聞き、自分の経験したことや考えたことを話し、伝え合う喜びを味わう。	
	日常生活に必要な言葉が分かるようになるとともに、絵本や物語などに親しみ、言葉に対する感覚を豊かにし、保育教諭等や友達と心を通わせる。	
表現	いろいろなものの美しさなどに対する豊かな感性をもつ。	
	感じたことや考えたことを自分なりに表現して楽しむ。	
	生活の中でイメージを豊かにし、様々な表現を楽しむ。	（特に配慮すべき事項）

出欠状況		年度	
	教育日数		
	出席日数		

幼児期の終わりまでに育ってほしい姿

「幼児期の終わりまでに育ってほしい姿」は、幼保連携型認定こども園教育・保育要領第2章に示すねらい及び内容に基づいて、各園で、幼児期にふさわしい遊びや生活を積み重ねることにより、幼保連携型認定こども園の教育及び保育において育みたい資質・能力が育まれている園児の具体的な姿であり、特に5歳児後半に見られるようになる姿である。「幼児期の終わりまでに育ってほしい姿」は、とりわけ園児の自発的な活動としての遊びを通して、一人一人の発達の特性に応じて、これらの姿が育っていくものであり、全ての園児に同じように見られるものではないことに留意すること。

健康な心と体	幼保連携型認定こども園における生活の中で、充実感をもって自分のやりたいことに向かって心と体を十分に働かせ、見通しをもって行動し、自ら健康で安全な生活をつくり出すようになる。
自立心	身近な環境に主体的に関わり様々な活動を楽しむ中で、しなければならないことを自覚し、自分の力で行うために考えたり、工夫したりしながら、諦めずにやり遂げることで達成感を味わい、自信をもって行動するようになる。
協同性	友達と関わる中で、互いの思いや考えなどを共有し、共通の目的の実現に向けて、考えたり、工夫したり、協力したりし、充実感をもってやり遂げるようになる。
道徳性・規範意識の芽生え	友達と様々な体験を重ねる中で、してよいことや悪いことが分かり、自分の行動を振り返ったり、友達の気持ちに共感したりし、相手の立場に立って行動するようになる。また、きまりを守る必要性が分かり、自分の気持ちを調整し、友達と折り合いを付けながら、きまりをつくったり、守ったりするようになる。
社会生活との関わり	家族を大切にしようとする気持ちをもつとともに、地域の身近な人と触れ合う中で、人との様々な関わり方に気付き、相手の気持ちを考えて関わり、自分が役に立つ喜びを感じ、地域に親しみをもつようになる。また、幼保連携型認定こども園内外の様々な環境に関わる中で、遊びや生活に必要な情報を取り入れ、情報に基づき判断したり、情報を伝え合ったり、活用したりするなど、情報を役立てながら活動するようになるとともに、公共の施設を大切に利用するなどして、社会とのつながりなどを意識するようになる。
思考力の芽生え	身近な事象に積極的に関わる中で、物の性質や仕組みなどを感じ取ったり、気付いたり、考えたり、予想したり、工夫したりするなど、多様な関わりを楽しむようになる。また、友達の様々な考えに触れる中で、自分と異なる考えがあることに気付き、自ら判断したり、考え直したりするなど、新しい考えを生み出す喜びを味わいながら、自分の考えをよりよいものにするようになる。
自然との関わり・生命尊重	自然に触れて感動する体験を通して、自然の変化などを感じ取り、好奇心や探究心をもって考え言葉などで表現しながら、身近な事象への関心が高まるとともに、自然への愛情や畏敬の念をもつようになる。また、身近な動植物に心を動かされる中で、生命の不思議さや尊さに気付き、身近な動植物への接し方を考え、命あるものとしていたわり、大切にする気持ちをもって関わるようになる。
数量や図形、標識や文字などへの関心・感覚	遊びや生活の中で、数量や図形、標識や文字などに親しむ体験を重ねたり、標識や文字の役割に気付いたり、自らの必要感に基づきこれらを活用し、興味や関心、感覚をもつようになる。
言葉による伝え合い	保育教諭等や友達と心を通わせる中で、絵本や物語などに親しみながら、豊かな言葉や表現を身に付け、経験したことや考えたことなどを言葉で伝えたり、相手の話を注意して聞いたりし、言葉による伝え合いを楽しむようになる。
豊かな感性と表現	心を動かす出来事などに触れ感性を働かせる中で、様々な素材の特徴や表現の仕方などに気付き、感じたことや考えたことを自分で表現したり、友達同士で表現する過程を楽しんだりし、表現する喜びを味わい、意欲をもつようになる。

学年の重点：年度当初に、教育課程に基づき長期の見通しとして設定したものを記入

個人の重点：1年間を振り返って、当該園児の指導について特に重視してきた点を記入

指導上参考となる事項：

　(1)次の事項について記入

　　①1年間の指導の過程と園児の発達の姿について以下の事項を踏まえ記入すること。

　　　・幼保連携型認定こども園教育・保育要領に示された養護に関する事項を踏まえ、第2章第3の「ねらい及び内容」に示された各領域のねらいを視点として、当該園児の発達の実情から向上が著しいと思われるもの。

　　　　その際、他の園児との比較や一定の基準に対する達成度についての評定によって捉えるものではないことに留意すること。

　　　・園生活を通して全体的、総合的に捉えた園児の発達の姿。

　　②次の年度の指導に必要と考えられる配慮事項等について記入すること。

　　③最終年度の記入に当たっては、特に小学校等における児童の指導に生かされるよう、幼保連携型認定こども園教育・保育要領第1章総則に示された「幼児期の終わりまでに育ってほしい姿」を活用して園児に育まれている資質・能力を捉え、指導の過程と育ちつつある姿を分かりやすく記入するように留意すること。その際、「幼児期の終わりまでに育ってほしい姿」が到達すべき目標ではないことに留意し、項目別に園児の育ちつつある姿を記入するのではなく、全体的、総合的に捉えて記入すること。

　(2)「特に配慮すべき事項」には、園児の健康の状況等、指導上特記すべき事項がある場合に記入すること。

5　給食・保健・衛生

○幼稚園における食育の推進について

平成19年1月17日　18初幼教第9号
各都道府県教育委員会幼稚園・各指定都市教育委員会幼稚
園・各都道府県私立学校主管部課長・附属幼稚園を置く各
国立大学法人学長宛　文部科学省初等中等教育局幼児教育
課長通知

幼児教育振興アクションプログラム（平成18年10月4日）では、食育基本法及び食育基本計画を踏まえ、食育を推進することとされています。

貴職におかれましては、幼稚園における食育を推進する観点から、食育基本計画の内容についてご了知いただくとともに、幼稚園の食育について下記の諸点にご配慮願います。

また、都道府県におかれては、所管の幼稚園や域内の市町村に対して周知していただくとともに、適切な対応がなされるよう御指導をお願いします。

記

1　幼稚園は幼児が生涯にわたる人間形成の基礎を培う場であり、食材との触れ合いや食事の準備をはじめとする食に関する様々な体験を通じて、幼児期からの適切な食事のとり方や望ましい食習慣の定着、心と体の健康など豊かな人間性の育成等を図ること

2　給食を実施する場合には、幼児の健全な食生活の実践を通じて心身の健康が図られるよう、幼稚園における食育を推進するための食に関する指導計画を作成するなど、給食が食に関する指導の「生きた教材」として活用されるよう給食時間等に幼稚園教諭等が取り組むこと。なお、食物アレルギー等への対応が必要な幼児については、保護者と十分に連携を図ること

3　弁当の場合についても、保護者と連携をとりながら、給食の場合と同様に食育の推進に努めること

○幼稚園における給食の提供及びスクールバスの運用に係る
　消費税の取扱いについて

平成19年1月19日　18初幼教第11号
各都道府県教育委員会幼稚園・各指定都市教育委員会幼稚
園・各都道府県私立学校主管部課長・附属幼稚園を置く各
国立大学法人学長宛　文部科学省初等中等教育局幼児教育
課長通知

幼稚園における食育及びスクールバスによる安全確保に関しては、「幼稚園における食育の推進について」（平成19年1月17日付18初幼教第9号）及び「幼稚園におけるスクールバスによる安全確保の推進について」（平成19年1月17日付18初幼教第10号）を通知したところです。

当課では、平成19年度税制改正に関連して、幼稚園における給食代及びスクールバス代の消費税の取扱いについて、国税庁課税部消費税室と協議し、国税庁から回答を得ましたので、貴職におかれては各幼稚園において適切に対応されるよう、所管する幼稚園に対して周知願います。

幼稚園における給食の提供及びスクール

バスの運用に係る消費税の取扱いについて（照会）

平成19年1月17日
国税庁課税部消費税室長宛　文部科学省初等中等教育
局幼児教育課長照会

1　給食の提供について

幼稚園は、「幼児を保育し、適当な環境を与えて、その心身の発達を助長する」ことを目的としている（学校教育法第77条）が、幼稚園における食育の推進の観点から、本職において「幼稚園における食育の推進について」（平成19年1月17日付18初幼教第9号）を通知したところである。

このような食育の推進の観点から提供される給食は、当該幼稚園における教育（保育）活動として一体的に行われるものであるため、給食に掛かる経費

についても教育（保育）の実施に必要な当然の経費として、授業料（保育料）と一体的に徴収することが実態に即しているものと考えられる。

　現在、幼稚園においては、授業料（保育料）とは別途に給食（食事）の提供の対価として給食代を徴収していることから、消費税が課税されているが、上述のとおり、給食に係る経費は、食育の観点から教育（保育）の実施に必要な経費であるため、授業料（保育料）として徴収することとする場合、このような給食に掛かる経費が含まれている授業料（保育料）については、その全体が消費税法別表第一第11号にいう「授業料」に該当すると解釈してよろしいか、お伺いしたい。なお、この場合において給食に掛かる経費について授業料（保育料）で賄っている旨の表示等を行うこととしても特段の問題がないと考えるが、併せてお伺いしたい。

　また、外部搬入に係る給食代については、幼児の保護者から当該外部搬入に係る取引先に対する代金として前述の授業料（保育料）と明確に区分して幼稚園が収受し、当該代金を預かり金等として処理している場合の当該代金は、幼稚園における資産の譲渡等の対価の額に含めないものとして差し支えないか、お伺いしたい。

2　スクールバスの運用について

　最近登下校時に幼児等が事件や事故に巻き込まれる事態が生じており、通園時の安全確保が求められていることから、先に「登下校時における幼児児童生徒の安全確保について」を通知し、登降園時の幼児等の安全管理の徹底を要請したところである。さらに、本職において「幼稚園におけるスクールバスによる安全確保の推進について」（平成19年1月17日付18初幼教第10号）を通知し、徒歩では通園できない幼児の安全確保の手段として幼稚園の運営に必要な設備であるスクールバスにより、安全確保に努めるよう要請したところである。

　現在、遠隔地等に居住する幼児の送迎の対価として収受するスクールバス代については、消費税が課税されているが、上述のとおり、登降園児の幼児を巡る事件、事故が多発しており、幼児の安全確保の観点からスクールバスの運用は遠隔地等に居住する幼児にとって欠かせないものとなっている。また、スクールバスは、園外活動等を実施する場合の移動手段としても使用するものであり、幼稚園の設備として重要な機能を果たすものである。そのため、スクールバスの維持・運用のために必要な費用を算定し、施設設備費として徴収する場合の当該施設設備費については、消費税法別表第一第11号にいう「施設設備費」に該当すると解釈してよろしいか、お伺いしたい。この場合において、施設設備費よりスクールバスの運用を行っている旨の表示等を行うこととしても特段の問題がないと考えるが、併せてお伺いしたい。

　なお、このようなスクールバスによる安全確保は、幼児が未就学年齢であることに起因するものであり、幼児教育固有の必要性から実施するものであることを申し添える。

　　幼稚園における給食の提供及びスクール
　　バスの運用に係る消費税の取扱いについ
　　て（平成19年1月17日付照会に対する回
　　答）

〔平成19年1月19日
文部科学省初等中等教育局幼児教育課長宛　国税庁課
税部消費税室長回答〕

標題の件については、貴見のとおり取り扱って差し支えありません。

○幼保連携型認定こども園における健康診断について

平成27年10月1日　事務連絡
各都道府県・各指定都市・各中核市認定こども園担当課宛
文部科学省初等中等教育局健康教育・食育課

幼保連携型認定こども園における園児の健康診断については、学校保健安全法に準じて実施されているところですが、別紙1のとおり、平成26年4月30日に「学校保健安全法施行規則の一部を改正する省令（平成26年文部科学省令第21号）」が公布され、平成28年4月1日から施行されることとなっております。

また、これに伴い、新たに「児童、生徒、学生、幼児及び職員の健康診断の方法及び技術的基準の補足的事項について」及び健康診断票様式例を別紙2のとおり定めましたので、これを参考として健康診断の適正な実施等を図られるようお願いします。

なお、健康診断票様式例は小中学校用を例として示していますが、幼保連携型認定こども園については、これに倣って各園において作成してください。

各都道府県・指定都市・中核市認定こども園担当課におかれましては域内の市区町村担当課及び所管の幼保連携型認定こども園に対して、本件につき御周知くださるよう併せてお願いします。

別紙1

学校保健安全法施行規則の一部改正等について

平成26年4月30日　26文科ス第96号
各都道府県知事・各都道府県教育委員会・各指定都市教育委員会教育長・各国公私立大学長・各国公私立高等専門学校長・構造改革特別区域法第12条第1項の認定を受けた各地方公共団体の長宛　文部科学省スポーツ・青少年局長通知

このたび、別添のとおり、「学校保健安全法施行規則の一部を改正する省令（平成26年文部科学省令第21号）」が公布され、職員の健康診断及び就学時健康診断票に係る改正規定については同日に、児童生徒等の健康診断に係る改正規定等については平成28年4月1日から施行されることとなりました。

今回の改正の趣旨及び概要は下記のとおりですので、改正の目的等に照らし健康診断の適正な実施等を図られるようお願いします。

また、各都道府県知事、各都道府県教育委員会教育長及び構造改革特別区域法第12条第1項の認定を受けた各地方公共団体の長におかれては、それぞれ所轄の私立学校、域内の市町村教育委員会及び所轄の学校設置会社の設置する学校に対し、本件につき御周知ください

さいますよう併せてお願いします。

記

I　改正の趣旨

　近年における児童、生徒、学生及び幼児（以下「児童生徒等」という。）の健康上の問題の変化、医療技術の進歩、地域における保健医療の状況の変化などを踏まえ、児童生徒等の健康診断の検査項目等の見直しを行うとともに、職員の健康診断、就学時健康診断の様式等について、最近における状況や予防接種法（昭和23年法律第68号）の改正を踏まえた結果を反映するため、改正を行うものであること。

II　改正の概要

1　児童生徒等の健康診断

(1)　検査の項目並びに方法及び技術的基準（第6条及び第7条関係）

　ア　座高の検査について、必須項目から削除すること。

　イ　寄生虫卵の有無の検査について、必須項目から削除すること。

　ウ　「四肢の状態」を必須項目として加えるとともに、四肢の状態を検査する際は、四肢の形態及び発育並びに運動器の機能の状態に注意することを規定すること。

(2)　保健調査（第11条関係）

　学校医・学校歯科医がより効果的に健康診断を行うため、保健調査の実施時期を、小学校入学時及び必要と認めるときから、小学校、中学校、高等学校及び高等専門学校においては全学年（中等教育学校及び特別支援学校の小学部、中学部、高等部を含む。）において、幼稚園及び大学においては必要と認めるときとすること。

2　職員の健康診断

(1)　方法及び技術的基準（第14条関係）

　ア　血圧の検査の方法について、水銀血圧計以外の血圧計が利用できるよう改めたこと。

　イ　胃の検査の方法について、胃部エックス線検査に加えて、医師が適当と認める方法を新たに認めるよう改めたこと。

3　就学時健康診断（第一号様式関係）

予防接種法の一部を改正する法律（平成25年法律第8号）が平成25年4月1日より施行されたことを受けて、第一号様式（就学時健康診断票）の予防接種の欄に、Ｈｉｂ感染症と肺炎球菌感染症の予防接種を加えたこと。

4　その他

用語の整理及び専修学校の準用規定等について所要の改正を行ったこと。

5　施行期日（附則関係）

改正後の規定の施行期日を、職員の健康診断及び就学時健康診断票に係る改正規定については公布の日、児童生徒等の健康診断に係る改正規定等については平成28年4月1日としたこと。

Ⅲ　改正に係る留意事項

1　身長曲線・体重曲線等の活用による発育の評価について

座高の検査を必須項目から削除したことに伴い、児童生徒等の発育を評価する上で、身長曲線・体重曲線等を積極的に活用することが重要となること。

2　寄生虫卵の有無の検査の必須項目からの削除に伴う留意事項について

寄生虫卵検査の検出率には地域性があり、一定数の陽性者が存在する地域もあるため、それらの地域においては、今後も検査の実施や衛生教育の徹底などを通して、引き続き寄生虫への対応に取り組む必要があること。

3　改正に伴う補足的事項の改正及びマニュアルの改訂について

文部科学省においては、今回の改正に係る健康診断の適切な実施の確保を図るため、「児童、生徒、学生、幼児及び職員の健康診断の方法及び技術的基準の補足的事項について」（平成6年12月8日付け文体学第168号文部省体育局長通知知紙）を改正するとともに、「児童生徒の健康診断マニュアル（改訂版）」（財団法人日本学校保健会）を改訂し、追って送付する予定であること。

Ⅳ　その他健康診断の実施に係る留意事項

1　児童生徒等の健康診断の目的・役割について

児童生徒等の健康診断には、家庭における健康観察を踏まえ、学校生活を送るに当たり支障があるかどうかについて、疾病をスクリーニングし、児童生徒等の健康状態を把握するという役割と、学校における健康課題を明らかにすることで、健康教育の充実に役立てるという役割があることに留意すること。

2　色覚の検査について

学校における色覚の検査については、平成15年度より児童生徒等の健康診断の必須項目から削除し、希望者に対して個別に実施するものとしたところであるが、児童生徒等が自身の色覚の特性を知らないまま卒業を迎え、就職に当たって初めて色覚による就業規制に直面するという実態の報告や、保護者等に対して色覚異常及び色覚の検査に関する基本的事項についての周知が十分に行われていないのではないかという指摘もある。

このため、平成14年3月29日付け13文科ス第489号の趣旨を十分に踏まえ、①学校医による健康相談において、児童生徒や保護者の事前の同意を得て個別に検査、指導を行うなど、必要に応じ、適切な対応ができる体制を整えること、②教職員が、色覚異常に関する正確な知識を持ち、学習指導、生徒指導、進路指導等において、色覚異常について配慮を行うとともに、適切な指導を行うよう取り計らうこと等を推進すること。特に、児童生徒等が自身の色覚の特性を知らないまま不利益を受けることのないよう、保健調査に色覚に関する項目を新たに追加するなど、より積極的に保護者等への周知を図る必要があること。

3　事後措置について

健康診断の結果、心身に疾病又は異常が認められず、健康と認められる児童生徒等についても、事後措置として健康診断の結果を通知し、当該児童生徒等の健康の保持増進に役立てる必要があること。

別添　略

別紙2

児童、生徒、学生、幼児及び職員の健康診断の方法及び技術的基準の補足的事項について

学校保健安全法（昭和33年法律第56号）第13条第1項及び同法第15条第1項の健康診断の方法及び技術的基準については、同法第17条第1項の規定に基づき学校保健安全法施行規則（昭和33年文部省令第18号）に定められたもの以外は、この「児童、生徒、学生、幼児及び職員の健康診断の方法及び技術的基準の補足的事項について」により実施するものとする。

1　総括事項

健康診断に当たっては、その正確を期すため、あらかじめ測定用具や機器類を点検し、その精度が保たれるように注意すること。

2　身長の測定（学校保健安全法施行規則（以下「規則」という。）第7条第2項関係）

身長の測定に当たっては、下記に留意して実施すること。

(1)　被検査者の頭部を正位に保たせるには、被検査

者の頭を正面に向かせて眼耳線が水平になるよう
にすること。すなわち、耳珠上縁と眼窩下縁とを
結ぶ線が水平になるよう位置させること。この場
合、後頭部は身長計に接触しなくても差し支えな
いこと。

(2) 身長計の目盛りを読む場合には、横規を上下さ
せて被検査者の頭頂部に軽く数回接触し、2回な
いし3回同じ数値が得られたときにそれを身長と
して読みとること。

(3) 被検査者の身長が検査者よりも高いときは、検
査者は踏み台などを用いて横規が自分の眼と同じ
高さになる位置において目盛りを読みとること。

3 体重の測定（規則第7条第3項関係）

体重の測定に当たって、実施に先だち体重計を
水平に保ち、移動したり振動したりしないようにく
さび等によって安定を図り、指針を零点に調節して
おくことが必要であること。

4 栄養状態の検査（規則第3条第1号関係）

栄養状態の検査に当たっては、下記に留意して実
施すること。

(1) 栄養状態の検査は、視診によって行い、貧血の
有無なども含めて総合的に判定するものとする
が、栄養不良又は肥満傾向を発見するために必要
な場合には、次の観点も参考にすることも考慮す
ること。

身長別標準体重から算出される肥満及びやせ傾向

$$=\frac{実測体重（kg）-身長別標準体重（kg）}{身長別標準体重（kg）}\times 100$$

(2) 貧血については、眼瞼結膜等の身体徴候や症状
等を観察することで、異常の有無を検査するもの
とすること。

5 脊柱及び胸郭の疾病及び異常の有無並びに四肢の
状態（規則第3条第2号、第3号及び規則第7条第
4項関係）

脊柱及び胸郭の疾病及び異常の有無並びに四肢の
状態の検査に当たっては、下記に留意して実施する
こと。

(1) 脊柱及び胸郭の疾病及び異常の有無は、形態等
について注意して、視診等によって検査すること。

(2) 脊柱の形態については、前後及び側方から観察
し、側わん等の異常わん曲に注意すること。特に、
側わん症の発見に当たっては、次の要領で行うこ
と。

ア 被検査者を後向きに直立させ、両上肢は自然
に垂れた状態で、両肩の高さの左右不均衡の有
無、肩甲骨の高さと位置の左右不均衡の有無及
び体の脇線の左右不均衡の有無を観察すること。

イ 被検査者に、体の前面で手のひらを合わせさ
せ、肘と肩の力を抜いて両上肢と頭が自然に垂
れ下がるようにしながら上体をゆっくり前屈さ
せた状態で、被検査者の前面及び必要に応じ背
面から、背部及び腰部の左右の高さの不均衡の
有無を観察すること。

(3) 四肢の状態については、保健調査票の記載内容、
学校における日常の健康観察の情報等を参考に、
入室時の姿勢・歩行の状態等に注意して、学業を
行うのに支障がある疾病及び異常の有無等を確認
すること。

6 視力の検査（規則第3条第4号関係）

視力の検査に当たっては、下記に留意して実施す
ること。

(1) 被検査者を立たせる位置は、視力表から正確に
5メートルの距離とし、これを床上に明示するこ
と。ただし5メートルの距離が取れない場合は、
3メートル用視力表を使用してもよく、同様に被
検査者を立たせる位置を床上に明示すること。

(2) 視力表は、字ひとつ視力表又は字づまり視力表
を用い、測定には原則としてランドルト環を視標
とするものを使用し、汚損したもの、変色したも
の、しわのあるものなどは使用しないこと。また、
視標の掲示は、字ひとつ視力表にあっては被検査
者の目の高さとし、字づまり視力表にあっては視
標1.0を被検査者の目の高さにすること。

(3) 視力表の照度の標準は、おおむね500ルクスか
ら1000ルクスとすること。

(4) 検査場の照度は、視力表の照度の基準を超えず、
また、その基準の10分の1以上であることが望ま
しいこと。なお、被検査者の視野の中に明るい窓
や裸の光源等、まぶしさがないことが望ましいこ
と。

(5) 検査は、検査場に被検査者を入れてから2分以
上経過した後、開始すること。

(6) 検査は、右眼及び左眼それぞれの裸眼視力につ
いて、次の要領で実施すること。

ア 検査は右眼から始めること。まず、両眼を開
かせたまま遮眼器等で左眼を遮閉し、右眼で、
目を細めることなく視標を見させ、同一視力の
視標において上下左右の4方向のうち3方向が
正答できれば、その視力はあるものとすること。
この場合、視力を1.0以上(A)、1.0未満0.7以上(B)、
0.7未満0.3以上(C)、0.3未満(D)の区分を用いて判
定して差し支えないこと。

なお、被検査者の表現力不足によって生ずる
判定誤差を避けるため、小学校低学年以下にお

いてはランドルト環の切れ目が上下左右にある
ものにとどめ、小学校高学年以上においては斜
め方向も加える等の配慮が望ましいこと。

イ　右眼の検査が終わった後、左眼についても同
様の方法により検査すること。

ウ　コンタクトレンズを使用している者に裸眼視
力検査を行う場合は、検査を始める30分前まで
にコンタクトレンズを外させておくこと。

(7)　眼鏡（コンタクトレンズを含む。）使用時の視
力は、上記(6)ア及びイに準じて測定すること。

7　聴力の検査（規則第3条第5号関係）

聴力の検査に当たっては、下記に留意して実施す
ること。

(1)　オージオメータは、平成12年8月1日制定後の
日本工業規格によるものを用い、定期的に校正を
受けること。なお、やむを得ず経過措置として、
昭和57年8月14日改正前の日本工業規格（以下「旧
規格」という。）のオージオメータを用いる場合
には、聴力損失表示であることに注意するととも
に、(5)ウによって聴力損失デシベルを聴力レベル
デシベルに換算すること。

(2)　聴力の検査は、下記及び(3)の要領で行うこと。

ア　検査場は、正常聴力者が1000Hz、25dBの音
を明瞭に聞きうる場所であること。

イ　オージオメータの聴力レベルダイアルを30dB
に固定し、気導レシーバーを被検査者の耳に
きっちりとあてさせること。

まず、1000Hz、30dBの音を聞かせ、音を断
続し、合図が確実であれば4000Hz、25dBに切
り替え、同様に音を断続し、確実に聞こえたな
らば反対の耳に移ること。このような方法で、
1000Hz、30dBあるいは4000Hz、25dBの音を両
方又は片方いずれでも聴取できない者を選び出
すこと。

第1回の検査で異常ありとされた者に対して
は(3)の再検査を行うこと。

(3)　(2)の検査で、1000Hz、30dB又は4000Hz、25dB
を聴取できない者について、更に必要により聴力
レベルを検査するときは、次の方法によって行う
こと。

ア　検査音の種類は、少なくとも500Hz、
1000Hz、2000Hz、4000Hzとすること。

イ　検査方法は下記によること。

被検査者を眼を閉じて楽に座らせ、耳にオー
ジオメータのレシーバーをよくあてさせるこ
と。前記の検査音の検査の順序は、1000Hz、
2000Hz、4000Hzと進み、次いで1000Hz、

500Hzの順とすること。これらの検査音のそれ
ぞれについて、あらかじめ十分聞こえる音の強
さで聞かせ、次いで音の強さを弱めていき、全
く聞こえないところまで下げ、次に検査音をだ
んだん強めていき、初めて聞こえた音の強さ
（dB）を聴力レベルデシベルとすること。音を
強めるときは、1ステップを1秒から2秒の速
さで強くするようにすること。検査音が聞こえ
れば、被検査者は信号ボタンを押すかあるいは
手指等で合図することとし、検査者に知らせる
こと。検査音の認知が明瞭でないときには、断
続器を用いて音を断続させて聞かせ、その認知
を確かめること。断続器を使用できない場合に
は、聴力レベルダイアルを一度左に戻してから
再び強めることを繰り返し、その認知を確かめ
ること。

この検査は聞こえのよい耳を先に検査し、左
右とも同じときは、右耳を先に検査すること。

ウ　イの検査による聴力レベルデシベルは次の式
により算出すること。

$$聴力レベルデシベル＝\frac{a＋2b＋c}{4}$$

（上の式のうち、aは500Hz、bは1000Hz、c
は2000Hzの聴力レベルデシベルを示す。）

なお、4000Hzの聴力レベルデシベルは、健
康診断票の聴力の欄にかっこをして記入するこ
と。

(4)　旧規格によるオージオメータを用いて行う聴力
の検査は、下記及び(5)の要領で行うこと。

ア　検査場は、正常聴力者が1000Hz、15dB（聴
力損失表示による。イにおいて同じ。）の音を
明瞭に聞きうる場所であること。

イ　オージオメータの聴力損失ダイアルを20dBに
固定し、気導レシーバーを被検査者の耳にきっ
ちりとあてさせること。

まず、1000Hz、20dBの音を聞かせ、音を断
続し、合図が確実であれば、4000Hz、20dBに
切り替え、同様に音を断続し、確実に聞こえた
ならば反対の耳に移ること。このような方法で
1000Hzあるいは4000Hz、20dBの音を両方また
は片方いずれでも聴取できない者を選び出すこ
と。

第1回の検査で問題ありとされた者に対して
は(5)の再検査を行うこと。

(5)　(4)の検査で、1000Hzあるいは4000Hz、20dB（聴
力損失表示による。）を聴取できない者について、
更に必要により聴力損失を検査するときは、次の

方法によって行うこと。

ア 検査音の種類は、少なくとも500Hz、1000Hz、2000Hz、4000Hzとすること。

イ 検査方法は下記によること。

被検査者を眼を閉じて楽に座らせ、耳にオージオメータのレシーバーをよくあてさせること。前記の検査音の検査の順序は、1000Hz、2000Hz、4000Hzと進み、次いで1000Hz、500Hzの順とすること。これらの検査音のそれぞれについて、あらかじめ十分聞こえる音の強さで聞かせ、次いで音の強さを弱めていき、全く聞こえないところまで下げ、次に検査音をだんだん強めていき、初めて聞こえた音の強さ（dB）を聴力損失デシベルとすること。音を強めるときは、1ステップを1秒から2秒の速さで強くするようにすること。検査音が聞こえれば、被検査者は信号ボタンを押すかあるいは手指等で合図することとし、検査者に知らせること。検査音の認知が明瞭でないときには、断続器を用いて音を断続させて聞かせ、その認知を確かめること。断続器を使用できない場合には、聴力損失ダイアルを一度左に戻してから再び強めることを繰り返し、その認知を確かめること。

この検査は聞こえのよい耳を先に検査し、左右とも同じときは、右耳を先に検査すること。

ウ イの検査による聴力損失デシベルは次の式により算出すること。

$$聴力損失デシベル＝\frac{a＋2b＋c}{4}$$

（上の式のうち、aは500Hz、bは1000Hz、cは2000Hzの聴力損失デシベルを示す。）

健康診断票の聴力の欄の記入に当たっては、次の換算式により聴力レベルデシベルに換算して記入すること。

聴力レベルデシベル＝聴力損失デシベル＋10dB

なお、4000Hzの聴力損失デシベルは、次の換算式により聴力レベルデシベルに換算し、健康診断票の聴力の欄にかっこをして記入すること。

聴力レベルデシベル＝聴力損失デシベル＋5dB

8 歯及び口腔の検査（規則第3条第9号関係）

歯及び口腔の検査に当たっては、下記に留意して実施すること。

(1) 口腔の検査に当たっては、顎、顔面の全体を診てから、口唇、口角、舌、舌小帯、口蓋、その他口腔粘膜等の異常についても注意すること。

(2) 歯の検査は下記に留意して実施すること。

ア 歯の疾病及び異常の有無の検査は、処置及び指導を要する者の選定に重点を置くこと。

イ 咬合の状態、歯の沈着物、歯周疾患、過剰歯、エナメル質形成不全などの疾病及び異常については、特に処置又は矯正を要する程度のものを具体的に所定欄に記入すること。

ウ 補てつを要する欠如歯、処置を要する不適当な義歯などのあるときは、その旨「学校歯科医所見」欄に記入すること。

エ はん状歯のある者が多数発見された場合には、その者の家庭における飲料水についても注意すること。

(3) その他、顎顔面全体のバランスを観察し、咬合の状態、開口障害、顎関節雑音、疼痛の有無、発音障害等についても注意すること。

9 心臓の疾病及び異常の有無の検査（規則第7条第6項関係）

心臓の疾病及び異常の有無の検査は、下記に留意して実施すること。

(1) 検査に当たっては、あらかじめ保健調査等によって心臓の疾病等に関する既往症、現症等を把握しておくこと。

(2) 検査は医師による聴診、心電図検査等によって行うものとすること。

(3) 心電図検査に当たっては、下記に留意して行うこと。

ア 児童・生徒に、検査の目的や方法について説明し、検査に対する不安や緊張感を取り除くこと。

イ 体育授業やスポーツ活動の直後は検査を避けること。

ウ 検査会場では、児童・生徒を静かにさせること。

エ 検査技術者は、心電計の接地を行うこと。

オ 心電図誘導法は一般的な誘導法を用いること。胸部誘導の電極位置は特に正確を期すること。

カ 心電図記録の際には、フィルターをできるだけ使用しないこと。

キ 心電図記録中に不整脈を見いだしたときは、別に、通常の倍以上の記録を行うこと。

ク 心電図の判定は、小児・若年者心電図判読に習熟した医師が行うこと。心電図自動解析装置の判読を参考にする場合は、高校生までは、各年齢、性別に応じた小児用心電図判読プログラムにて判定したものを用い、成人用プログラムの判定は用いてはならないこと。

10　尿の検査（規則第7条第7項関係）

　　尿の検査は、下記に留意して実施すること。

　(1)　検査に当たっては、あらかじめ保健調査等によって腎臓の疾病、糖尿病等に関する既往歴、現症を把握しておくこと。

　(2)　採尿は、起床直後の尿について行うものとすること。この場合の尿は尿道尿を排除させた後の排尿から10ミリリットル程度、紙製、ポリエチレン製、ガラス製などの容器に採らせること。なお、採尿に当たっては、前日の就寝前に排尿させておくこと。

　(3)　蛋白尿は、6時間から12時間後に陰転することがあるので、検尿は採尿後およそ5時間以内に行うことが望ましいこと。

　(4)　検体は変質を防止するため、日影で通風のよい場所に保管すること。

　(5)　検体は蛋白及び糖検出用の試験紙（幼稚園等において糖の検査を実施しない場合は蛋白検出用の試験紙）を用いて行い、陽性を示す者を事後の検査を要する者と判定するが、蛋白陽性者を直ちに腎臓に障害のある者とみなすことや、糖陽性者を直ちに糖尿病とみなすことのないよう十分注意すること。

　(6)　腎臓疾患の検査として尿の検査を行うに当たっては、可能ならば潜血反応検査を併せて行うことが望ましいこと。

11　職員の健康診断（規則第14条関係）

　　職員の健康診断において、それぞれの項目の結果の判定に当たっては、問診、視診等の結果を参考にすること。

12　職員の聴力の検査（規則第14条第2項関係）

　　職員の聴力の検査は、下記に留意して実施すること。

　(1)　原則としてオージオメータを使用し、通常1000Hzについては30dB、4000Hzについては40dBの音圧の音が聞こえるかどうかについて検査すること。

　(2)　検査を実施する場所の騒音の程度を考慮すること。

　(3)　35歳未満の職員及び36歳以上40歳未満の職員については、音叉による検査等医師が適当と認める方法によって行うことができるものであること。

13　職員の血圧の検査（規則第14条第4項関係）

　　職員の血圧の検査は、原則として右腕について実施すること。

14　職員の尿の検査（規則第14条第5項関係）

　　職員の尿の検査は、下記に留意して実施すること。

　(1)　尿中の蛋白等の検査については、10の(1)から(6)を参照すること。

　(2)　尿中の糖の検査のみを単独で行う場合は、朝食後2時間から3時間において採取した尿について実施する方法もあること。

15　職員の胃の疾病及び異常の有無の検査（規則第14条第6項関係）

　　妊娠可能年齢にある女子職員については、問診等を行った上で、医師が検査対象とするか否かを決定すること。

16　職員の貧血検査及び肝機能検査（規則第14条第7項及び第8項関係）

　　職員の貧血検査及び肝機能検査において、35歳未満の職員及び36歳以上40歳未満の職員について医師の判断に基づいて検査対象から除く場合は、個々の職員の健康状態、日常の生活状況、職務内容、過去の健康診断の結果等を把握し、これらを十分考慮した上で、総合的に判断すべきものであること。

17　職員の血中脂質の検査（規則第14条第9項関係）

　　職員の血中脂質の検査は、下記に留意して実施すること。

　(1)　血清トリグリセライドの量の検査は原則として空腹時に行われるものであるが、食事摂取直後に行われた場合には検査結果に変動を生ずることがあるので、医師がその影響を考慮した上で判断すべきものであること。

　(2)　35歳未満の職員及び36歳以上40歳未満の職員について医師の判断に基づいて検査対象から除く場合は、個々の職員の健康状態、日常の生活状況、職務内容、過去の健康診断の結果等を把握し、これらを十分考慮した上で、総合的に判断すべきものであること。

18　職員の心電図検査（規則第14条関係）

　　職員の心電図検査は、下記に留意して実施すること。

　(1)　原則として安静時の標準12誘導心電図とすること。

　(2)　検査技術者は、心電計の接地を行うこと。

　(3)　心電図記録の際には、フィルターをできるだけ使用しないこと。

　(4)　心電図記録中に不整脈を見いだしたときは、別に通常の倍以上の記録を行うこと。

　(5)　35歳未満の職員及び36歳以上40歳未満の職員について医師の判断に基づいて検査対象から除く場合は、個々の職員の健康状態、日常の生活状況、職務内容、過去の健康診断の結果等を把握し、これらを十分考慮した上で、総合的に判断すべきものであること。

別紙様式1（用紙　日本工業規格Ａ４縦型）

区分＼学年	小学生						中学生		
	1	2	3	4	5	6	1	2	3
学　級									
番　号									

児童生徒健康診断票（一般）
小・中学校用

氏名		性別	男	女	生年月日		年		月		日
学　校　の　名　称											
年　　　　　　齢	歳	歳	歳	歳	歳	歳	歳	歳	歳
年　　　　　　度									
身　　長　（cm）	・	・	・	・	・	・	・	・	・
体　　重　（kg）	・	・	・	・	・	・	・	・	・
栄　養　状　態									
脊柱・胸郭・四肢									
視力　右	（　）	（　）	（　）	（　）	（　）	（　）	（　）	（　）	（　）
視力　左	（　）	（　）	（　）	（　）	（　）	（　）	（　）	（　）	（　）
眼　の　疾病　及び異常									
聴力　右									
聴力　左									
耳　鼻　咽　頭　疾　患									
皮　　膚　　疾　　患									
結核　疾　病　及　び　異　常									
結核　指　導　区　分									
心臓　臨床医学的検査（心電図等）									
心臓　疾　病　及　び　異　常									
尿　蛋　白　第　1　次									
尿　糖　第　1　次									
尿　その　他　の　検　査									
その他の疾病及び異常									
学校医　所　　　見									
学校医　月　　　日	・	・	・	・	・	・	・	・	・
事　後　措　置									
備　　　　　考									

（注）

各欄の記入については、次によること。

1　「年齢」の欄　定期の健康診断が行われる学年の始まる前日に達する年齢を記入する。

2　「身長」及び「体重」の欄　測定単位は、小数第1位までを記入する。

3　「栄養状態」の欄　栄養不良又は肥満傾向で特に注意を要すると認めた者を「要注意」と記入する。

4　「脊柱・胸郭・四肢」の欄　病名又は異常名を記入する。

5　「視力」の欄　裸眼視力はかっこの左側に、矯正視力はかっこ内に記入する。この場合において、視力の検査結果が1.0以上であるときは「A」、1.0未満0.7以上であるときは「B」、0.7未満0.3以上であるときは、「C」、0.3未満であるときは「D」と記入して差し支えない。

6　「眼の疾病及び異常」の欄　病名又は異常名を記入する。

7　「聴力」の欄　1,000Hzにおいて30dB又は4,000Hzにおいて25dB（聴力レベル表示による）を聴取できない者については、〇印を記入する。なお、上記の者について、更に聴力レベルを検査したときは、併せてその聴力レベルデシベルを記入する。

8　「耳鼻咽頭疾患」及び「皮膚疾患」の欄　病名又は異常名を記入する。

9　「結核」の欄

イ　「疾病及び異常」の欄には、病名又は異常名を記入する。

ロ　「指導区分」の欄には、規則第9条第2項の規定により決定した指導区分を記入する。

10　「心臓」の欄　心電図等の臨床医学的検査の結果及び病名又は異常名を記入する。

11　「尿」の欄　「蛋白第1次」の欄には蛋白第1次の検査の結果を、「糖第1次」の欄には糖第1次の検査の結果を、それぞれ＋等の記号で記入し、「その他の検査」の欄には蛋白若しくは糖の第2次検査又は潜血検査等の検査を行った場合の検査項目名及び検査結果を記入する。

12　「その他の疾病及び異常」の欄　病名又は異常名を記入する。

13　「学校医」の欄　規則第9条の規定によって学校においてとるべき事後措置に関連して学校医が必要と認める所見を記入押印し、押印した月日を記入する。

14　「事後措置」の欄　規則第9条の規定によって学校においてとるべき事後措置を具体的に記入する。

15　「備考」の欄　健康診断に関し必要のある事項を記入する。

児童生徒健康診断票（歯・口腔）

小・中学校用

| 氏　名 | | | | | | | | 性別 | 男 | 女 | 生年月日 | | 年 | | 月 | | 日 |

年齢	年度	顎関節	歯列・咬合	歯垢の状態	歯肉の状態	歯　　式			歯の状態						その他の疾病及び異常	学校歯科医		事後措置
									乳歯		永久歯							
						・現在歯　　　　　　　　（例　Ａ　Ｂ) ・う　歯　┌未処置歯　　　　ＣＯ　　　　　└処置歯 ・喪失歯（永久歯）　　　△ ・要注意乳歯　　　　　　× ・要観察歯　　　　　　　ＣＯ			現在歯数	未処置歯数	処置歯数	現在歯数	未処置歯数	処置歯数	喪失歯数		所見	月　日	
歳	平成　年度	0 1 2	0 1 2	0 1 2	0 1 2	8 7 6 5 4 3 2 1 1 2 3 4 5 6 7 8 上下右 E D C B A A B C D E 左 上下 　　　E D C B A A B C D E 8 7 6 5 4 3 2 1 1 2 3 4 5 6 7 8												月　日
歳		0 1 2	0 1 2	0 1 2	0 1 2	8 7 6 5 4 3 2 1 1 2 3 4 5 6 7 8 上下右 E D C B A A B C D E 左 上下 　　　E D C B A A B C D E 8 7 6 5 4 3 2 1 1 2 3 4 5 6 7 8												月　日
歳		0 1 2	0 1 2	0 1 2	0 1 2	8 7 6 5 4 3 2 1 1 2 3 4 5 6 7 8 上下右 E D C B A A B C D E 左 上下 　　　E D C B A A B C D E 8 7 6 5 4 3 2 1 1 2 3 4 5 6 7 8												月　日
歳		0 1 2	0 1 2	0 1 2	0 1 2	8 7 6 5 4 3 2 1 1 2 3 4 5 6 7 8 上下右 E D C B A A B C D E 左 上下 　　　E D C B A A B C D E 8 7 6 5 4 3 2 1 1 2 3 4 5 6 7 8												月　日
歳		0 1 2	0 1 2	0 1 2	0 1 2	8 7 6 5 4 3 2 1 1 2 3 4 5 6 7 8 上下右 E D C B A A B C D E 左 上下 　　　E D C B A A B C D E 8 7 6 5 4 3 2 1 1 2 3 4 5 6 7 8												月　日
歳		0 1 2	0 1 2	0 1 2	0 1 2	8 7 6 5 4 3 2 1 1 2 3 4 5 6 7 8 上下右 E D C B A A B C D E 左 上下 　　　E D C B A A B C D E 8 7 6 5 4 3 2 1 1 2 3 4 5 6 7 8												月　日
歳		0 1 2	0 1 2	0 1 2	0 1 2	8 7 6 5 4 3 2 1 1 2 3 4 5 6 7 8 上下右 E D C B A A B C D E 左 上下 　　　E D C B A A B C D E 8 7 6 5 4 3 2 1 1 2 3 4 5 6 7 8												月　日
歳		0 1 2	0 1 2	0 1 2	0 1 2	8 7 6 5 4 3 2 1 1 2 3 4 5 6 7 8 上下右 E D C B A A B C D E 左 上下 　　　E D C B A A B C D E 8 7 6 5 4 3 2 1 1 2 3 4 5 6 7 8												月　日
歳		0 1 2	0 1 2	0 1 2	0 1 2	8 7 6 5 4 3 2 1 1 2 3 4 5 6 7 8 上下右 E D C B A A B C D E 左 上下 　　　E D C B A A B C D E 8 7 6 5 4 3 2 1 1 2 3 4 5 6 7 8												月　日

（注）

各欄の記入については、次によること。

1　「歯列・咬合」の欄　歯列の状態、咬合の状態について、異常なし、定期的観察が必要、専門医（歯科医師）による診断が必要、の3区分について、それぞれ0、1、2で記入する。

2　「顎関節」の欄　顎関節の状態について、異常なし、定期的観察が必要、専門医（歯科医師）による診断が必要、の3区分について、それぞれ0、1、2で記入する。

3　「歯垢の状態」の欄　歯垢の付着状態について、ほとんど付着なし、若干の付着あり、相当の付着あり、の3区分についてそれぞれ0、1、2で記入する。

4　「歯肉の状態」の欄　歯肉炎の発症は歯垢の付着とも関連深いものであるが、ここでは歯肉の増殖や退縮などの歯肉症状からみて、異常なし、定期的観察が必要、専門医（歯科医師）による診断が必要、の3区分について、それぞれ0、1、2で記入する。

5　「歯式」の欄　次による。

イ　現在歯、う歯、喪失歯、要注意乳歯及び要観察歯は、記号を用いて、歯式の該当歯の該当記号を附する。

ロ　現在歯は乳歯、永久歯とも該当歯を斜線又は連続横線で消す。

ハ　喪失歯はう歯が原因で喪失した永久歯のみとする。該当歯に△を記入する。

ニ　要注意乳歯は、保存の適否を慎重に考慮する必要があると認められた乳歯とする。該当歯に×を記入する。

ホ　う歯は、乳歯、永久歯ともに処置歯〇又は未処置歯Cに区分する。

ヘ　処置歯は、充填、補綴により歯の機能を営むことができると認められる歯で該当歯に〇を記入する。ただし、う歯の治療中のもの及び処置がしてあるがう歯の再発等により処置を要するものは未処置歯とする。

ト　永久歯の未処置歯Cは、直ちに処置を必要とするものとする。

チ　要観察歯は主として視診にて明らかなう窩が確認できないが、う歯の初期病変の徴候（白濁、白斑、褐色斑）が認められ、その経過を注意深く観察する必要がある歯で該当歯にCOと記入する。具体的には、(1)小窩裂溝では、エナメル質の実質欠損は認められないが、う蝕の初期病変を疑うような褐色、黒色などの着色や白濁が認められるもの、(2)平滑面では、エナメル質の実質欠損は認められないが、脱灰を疑うような白濁や褐色斑等が認められるもの、(3)そのほか、例えば、隣接面や修復物下部の着色変化、(1)、(2)の状態が多数に認められる場合等、地域の歯科医療機関との連携が必要な場合が該当する。この場合は学校歯科医所見欄にCO要相談と記載する。

6　「歯の状態」の欄　歯式の欄に記入された当該事項について、上下左右の歯数を集計した数を該当欄に記入する。

7　「その他の疾病及び異常」の欄　病名及び異常名を記入する。

8　「学校歯科医」の欄　規則第9条の規定によって、学校においてとるべき事後措置に関連して学校歯科医が必要と認める所見を記入押印し、押印した月日を記入する。

　　保健調査の結果と視診触診の結果から必要とみられる事項や要観察歯がある場合には、歯式欄に加えこの欄にもCO、CO要相談と記入する。また、歯垢と歯肉の状態を総合的に判断して、歯周疾患要観察者の場合はGO、歯科医による診断と治療が必要な場合はGと記入する。歯周疾患要観察者GOとは、歯垢があり、歯肉に軽度の炎症症候が認められているが、歯石沈着は認められず、注意深いブラッシング等を行うことによって炎症症候が消退するような歯肉の保有者をいう。

9　「事後措置」の欄　規則第9条の規定によって学校においてとるべき事後措置を具体的に記入する。

○幼保連携型認定こども園における食事の外部搬入等について

平成28年1月18日 府子本第448号・27文科初第1183号・雇児発0118第3号
各都道府県知事・各都道府県教育委員会・各指定都市市長・各中核市市長・各指定都市・各中核市教育委員会・附属幼稚園を置く各国立大学法人の長宛 内閣府子ども・子育て本部統括官・文部科学省初等中等教育・厚生労働省雇用均等・児童家庭局長連名通知

幼保連携型認定こども園における食事の提供について、施設外で調理し搬入する方法（以下「外部搬入」という。）または調理業務を委託して行う方法（外部搬入を除く。以下同じ。）により行う場合の取扱いについては、幼保連携型認定こども園の学級の編制、職員、設備及び運営に関する基準（平成26年内閣府・文部科学省・厚生労働省令第1号。以下「基準省令」という。）及び内閣府・文部科学省・厚生労働省関係構造改革特別区域法第34条に規定する政令等規制事業に係る主務省令の特例に関する措置を定める命令（平成27年内閣府・文部科学省・厚生労働省令第7号。以下「特区省令」という。）に定めるもののほか、下記のとおり取扱うことといたしますので、本通知の事項にご留意の上、その適切な実施に特段のご配慮をお願いいたします。

また、各都道府県知事、各指定都市・中核市市長におかれては、実施に当たっては、十分御了知の上、貴管内の関係者に対して遅滞なく周知し、教育委員会等の関係部局と連携の上、その運用に遺漏のないよう配意願います。

なお、本通知は、地方自治法（昭和22年法律第67号）第245条の4第1項の規定に基づく技術的助言であることを申し添えます。

記

Ⅰ 幼保連携型認定こども園における食事の提供に係る留意事項

幼保連携型認定こども園の学級の編制、職員、設備及び運営に関する基準の運用上の取扱いについて（平成26年内閣府・文部科学省・厚生労働省通知）に記載のとおり、幼保連携型認定こども園における園児に対する食事の提供については、2号認定子ども及び3号認定こどもに対しては自園調理の方法により提供することとしている一方、1号認定子どもに対する食事の提供は、各園の判断に委ねられていることを踏まえ、以下1及び2により食事の提供を行うこと。

1 幼保連携型認定こども園は学校及び児童福祉施設であることに鑑み、安全・衛生・栄養・食育等以下の点に留意し、食事の提供を行うこと。

(1) 調理業務を委託する場合や食事の外部搬入を行う場合においても、園児に対する食事の提供の責任は、当該幼保連携型認定こども園にあること。

(2) 調理に係る施設設備の整備及び管理（点検・修理等）については、当該幼保連携型認定こども園の責務であること。

(3) 食に関する事項（安全・衛生・食育等）について、全ての職員について研修を行う等、認識の共有を図ること。

(4) 都道府県知事又は指定都市若しくは中核市長は、幼保連携型認定こども園における食事の提供について、必要な指導・助言等を行うこと。

(5) 上記に加え、食事の提供に当たっては、以下の通知を踏まえ、適切に行うこと。

① 児童福祉施設等における衛生管理の強化について（昭和39年厚生労働省通知）

② 社会福祉施設における食中毒事故発生防止の徹底について（平成8年厚生省通知）

③ 社会福祉施設における保存食の保存期間等について（平成8年厚生省通知）

④ 腸管出血性大腸菌感染症の指定伝染病への指定等に伴う保育所等における対応について（平成8年厚生省通知）

⑤ 社会福祉施設における衛生管理について（平成9年厚生省通知）

⑥ 児童福祉施設等における衛生管理の改善充実及び食中毒発生の予防について（平成9年厚生省通知）

⑦ 社会福祉施設における衛生管理の自主点検の実施について（平成9年厚生省通知）

⑧ 児童福祉施設等における衛生管理等について（平成16年厚生労働省通知）

⑨ 「保育所におけるアレルギー対応ガイドライン」について（平成23年厚生労働省通知）

⑩ 児童福祉施設における食事の提供に関する援助及び指導について（平成27年厚生労働省

通知）
⑪　児童福祉施設における「食事摂取基準」を
活用した食事計画について（平成27年厚生労
働省通知）
2　幼保連携型認定こども園は教育及び保育を提供
する施設であることに鑑み、以下の通知等の内容
を参考にする等、適切に食事の提供を行うこと。
(1)　保育所における食を通じた子どもの健全育成
（いわゆる「食育」）に関する取組の推進につ
いて（平成16年厚生労働省通知）
(2)　社会福祉施設等における感染症等発生時に係
る報告について（平成17年厚生労働省通知）
(3)　社会福祉施設、介護保険施設等におけるノロ
ウイルスによる感染性胃腸炎の発生・まん延対
策について（平成19年厚生労働省通知）
(4)　学校のアレルギー疾患に対する取り組みガイ
ドライン（平成20年公益財団法人日本学校保健
会発行）
(5)　学校給食実施基準（平成21年文部科学省告示
第61号）
(6)　学校給食衛生管理基準（平成21年文部科学省
告示第64号）
(7)　「第2次食育推進基本計画」に基づく保育所
における食育の推進について（平成23年厚生労
働省通知）
(8)　「保育所における食事の提供ガイドライン」
について（平成24年厚生労働省通知）
(9)　今後の学校給食における食物アレルギー対応
について（平成26年文部科学省通知）
⑩　学校給食における食物アレルギー対応指針
（平成27年文部科学省）
Ⅱ　幼保連携型認定こども園における食事の外部搬入
等に係る基本的な考え方
幼保連携型認定こども園における給食について
は、子どもの発育段階や健康状態に応じた離乳食・
幼児食やアレルギー・アトピー等への配慮、食中毒
の防止など安全・衛生面の対応、栄養面等での質の
確保及び食育等の観点から、調理業務について当該
園が責任をもって行われるべきものであり、施設の
職員により施設内で調理が行われることが原則であ
る。しかしながら、施設の管理者が業務上必要な注
意を果たし得るような体制及び契約内容により、施
設職員による調理と同様な給食の質が確保される場
合には、入所児童の処遇の確保につながるよう十分
配慮しつつ、当該業務を第三者に委託することは差
し支えない。
なお、この場合であっても、食事の提供の責任が

当該幼保連携型認定こども園にあり、その管理者が、
衛生面、栄養面等業務上必要な注意を果たし得るよ
うな体制及び調理業務の受託者との契約内容を確保
した上で行う必要があることに留意すること。
Ⅲ　幼保連携型認定こども園における調理業務の委託
に係る留意事項
幼保連携型認定こども園における調理業務につい
ては、給食の安全・衛生や栄養等の質の確保が図ら
れていることを前提としつつ、本来の事業の円滑な
運営を阻害しない限りにおいて、次に掲げる事項に
留意の上、調理業務の委託を認めることとする。な
お、本通知に従い調理業務の委託を行う施設のうち、
全ての業務を委託する施設にあっては、基準省令第
5条第4項の規定により、調理員を置かないことが
できる。
1　調理室について
施設内の調理室を使用して調理させること。
なお、調理業務を委託する場合であっても、定
期的に施設設備の点検を行うとともに、その結果
に基づく必要な施設の改修・修理等や設備の更
新・修理等を行うことは、設置者（園側）の責任
であること
2　栄養面での配慮について
調理業務の委託を行う施設にあっては、当該幼
保連携型認定こども園や保健所・市町村等の栄養
教諭その他の栄養士により、衛生面及び献立等に
ついて栄養面や食育の観点等での指導を受けられ
るような体制にあるなど必要な配慮がなされてい
ること。したがって、こうした体制がとられてい
ない施設にあっては、調理業務の委託を行うこと
はできない。
3　施設の行う業務について
施設は次に掲げる業務を自ら実施すること。
(1)　受託事業者に対して、Ⅱの基本的な考え方の
趣旨を踏まえ、幼保連携型認定こども園におけ
る給食の意義・重要性を認識させること。
(2)　入所園児の栄養基準及び献立の作成基準を受
託業者に明示するとともに、献立表が当該基準
どおり作成されているか事前に確認すること。
(3)　献立表に示された食事内容の調理等につい
て、必要な事項を現場作業責任者に指示を与え
ること。
(4)　毎回、あらかじめ責任者を定めて、園児の摂
食前までに検食を行うこと。また、異常があっ
た場合には、給食を中止すること。
(5)　受託業者が実施した給食業務従事者の健康診
断及び検便の実施状況並びに結果を確認するこ

と。

(6) 調理業務の衛生的な取扱い、材料の購入その
他契約の履行状況を確認すること。

(7) 随時園児の嗜好調査の実施及び喫食状況の把
握を行うとともに、栄養基準を満たしているこ
とを確認すること。

(8) 園児の発育及び発達の過程に応じて食に関し
配慮すべき事項を定めた食育に関する計画に基
づき食事の提供が行えるように、受託業者と連
携すること。

※ 食育に関する計画とは、市町村が策定して
いる食育の計画等や「幼保連携型認定こども
園教育・保育要領」に基づき各幼保連携型認
定こども園に作成が求められている食育の計
画等が考えられる。

(9) 適正な発育や健康の保持増進の観点から、入
所園児及び保護者に対する栄養指導を積極的に
進めるよう努めること。

4 受託業者について

受託業者は次に掲げる事項のすべてを満たすも
のであること。

(1) 幼保連携型認定こども園における給食の趣旨
を十分認識し、適正な食材を使用するとともに
所要の栄養量が確保される調理を行うことがで
き、かつ衛生管理体制の確立等により安全性の
高い品質管理に努めた食事を提供できる能力を
有する者であること。

(2) 調理業務の運営実績や組織形態からみて、当
該受託業務を継続的かつ安定的に遂行できる能
力を有すると認められる者であること。

(3) 受託業務に関し、専門的な立場から必要な指
導を行う栄養士等が確保されていること。

(4) 調理業務に従事する者の大半は、当該業務に
ついて相当の経験を有すること。

(5) 調理業務従事者に対して、定期的に、衛生面
及び技術面の教育又は訓練を実施すること。

(6) 調理業務従事者に対して、定期的に、健康診
断及び検便を実施すること。

(7) 不当廉売行為等健全な商習慣に違反する行為
を行わない者であること。

5 業務の委託契約について

施設が調理業務を業者に委託する場合には、そ
の契約内容、施設と受託業者との業務分担及び経
費負担を明確にした契約書を取り交すこと。

なお、当該契約書には、前記4の(1)、(4)、(5)及
び(6)に係る事項並びに次に掲げる事項を明確にす
ること。

(1) 受託業者に対して、施設側から必要な資料の
提出を求めることができるとともに、その結果、
改善の必要があると認める場合には、幼保連携
型認定こども園は、必要な指導・助言を行うこ
とができること。

(2) 受託業者が契約書で定めた事項を誠実に履行
しないと幼保連携型認定こども園が認めたと
き、その他受託業者が適正な給食を確保する上
で支障となる行為を行ったときは、契約期間中
であっても幼保連携型認定こども園側において
契約を解除できること。

(3) 受託業者の労働争議その他の事情により、受
託業務の遂行が困難となった場合の業務の代行
保証に関すること。

(4) 受託業者の責任で法定伝染病又は食中毒等の
事故が発生した場合及び契約に定める義務を履
行しないため幼保連携型認定こども園に損害を
与えた場合は、受託業者は幼保連携型認定こど
も園に対し損害賠償を行うこと。

6 その他

(1) 幼保連携型認定こども園全体の調理業務に対
する保健衛生面・栄養面については、幼保連携
型認定こども園、保健所又は市町村の栄養教諭
等の活用等による助言・指導が十分に行われる
よう配慮すること。

(2) 都道府県知事又は指定都市若しくは中核市市
長は、適宜、上記1から5までの条件の遵守等
につき必要な指導等を行うものとすること。

IV 外部搬入の実施に係る留意事項

外部搬入を実施するに当たっては、基準省令第13
条において準用する児童福祉施設の設備及び運営に
関する基準（昭和23年厚生省令第63号。以下「最低
基準」という。）第32条の2又は特区省令第1項に
規定する要件（以下の1～5）を満たす必要がある
こと。

1 満3歳以上児に対する給食の外部搬入を行う場
合

(1) 園児に対する食事の提供の責任が当該幼保連
携型認定こども園にあり、その管理者が、衛生
面、栄養面等業務上必要な注意を果たし得るよ
うな体制及び調理業務の受託者との契約内容が
確保されていること。

(2) 当該幼保連携型認定こども園又は他の施設、
保健所、市町村等の栄養教諭その他の栄養士に
より、献立等について栄養の観点からの指導が
受けられる体制にある等、必要な配慮が行われ
ること。

(3) 調理業務の受託者を、当該幼保連携型認定こども園における給食の趣旨を十分に認識し、衛生面、栄養面等、調理業務を適切に遂行できる能力を有する者とすること。

(4) 園児の年齢及び発達の段階並びに健康状態に応じた食事の提供や、アレルギー、アトピー等への配慮、必要な栄養素量の給与等、園児の食事の内容、回数及び時機に適切に応じることができること。

(5) 食を通じた園児の健全育成を図る観点から、園児の発育及び発達の過程に応じて食に関し配慮すべき事項を定めた食育に関する計画に基づき食事を提供するよう努めること。

　※　食育に関する計画とは、市町村が策定している食育の計画等や「幼保連携型認定こども園教育・保育要領」に基づき各幼保連携型認定こども園に作成が求められている食育の計画等が考えられる。

2 特区制度を活用し、満3歳未満児に対する給食の外部搬入を行う場合

(1) 満3歳未満の園児に対する食事の提供の責任が当該公立幼保連携型認定こども園にあり、その管理者が、衛生面、栄養面等業務上必要な注意を果たし得るような体制及び調理業務の受託者との契約内容が確保されていること。

(2) 当該公立幼保連携型認定こども園又は他の施設、保健所、市町村等の栄養教諭その他の栄養士等により、献立等について栄養の観点からの指導が受けられる体制にある等、必要な配慮が行われること。

　※　ここでいう他の施設とは、公立の給食調理場等を想定しており、公立幼保連携型認定こども園についてその運営の合理化を進める等の観点から、公立の給食調理場等を活用することにより、公立幼保連携型認定こども園及び給食調理場相互で一体的な運営を行うこと等が考えられること。

(3) 調理業務の受託者を、当該公立幼保連携型認定こども園における給食の趣旨を十分に認識し、衛生面、栄養面等、調理業務を適切に遂行できる能力を有する者とすること。

(4) 満3歳未満の園児の年齢及び発達の段階並びに健康状態に応じた食事の提供や、アレルギー、アトピー等への配慮、必要な栄養素量の給与等、満3歳未満の園児の食事の内容、回数及び時機に適切に応じることができること。

(5) 食を通じた園児の健全育成を図る観点から、

園児の発育及び発達の過程に応じて食に関し配慮すべき事項を定めた食育に関する計画に基づき食事を提供するよう努めること。

　※　食育に関する計画とは、市町村が策定している食育の計画等や「幼保連携型認定こども園教育・保育要領」に基づき各幼保連携型認定こども園に作成が求められている食育の計画等が考えられる。

(6) また、外部搬入を行う場合には、上に掲げる事項に加え、次の①、②に掲げる事項に留意すること。

① 外部搬入を実施する幼保連携型認定こども園においては、調理室を備えないことができるが、その場合でも加熱、保存、配膳等のために必要な調理機能を有する設備を有すること。具体的には、再加熱を行うための設備、冷蔵庫等の保存のための設備、給食を配膳するための適切な用具及びスペース、体調不良児等の対応に支障が生じない設備等を有すること。

② 社会福祉施設において外部搬入を行う場合の衛生基準を遵守するとともに、学校給食衛生管理基準を参考にする等、衛生面における質の確保を図ること。また、保健衛生面・栄養面については保健所等による助言・相談に従うとともに、調理業務の委託・受託については、「保護施設等における調理業務の委託について」（昭和62年厚生省通知）及び「保育所における調理業務の委託について」（平成10年厚生省通知）の内容にも十分留意すること。

Ⅴ　学校の給食施設との共用化について

1 基準省令第13条において準用する児童福祉施設の設備及び運営に関する基準第8条により、幼保連携型認定こども園の調理室については、学校教育法（昭和22年法律第26号）第1条に規定されている学校の給食施設との供用が可能であるが、その場合には、下記に留意の上実施すること。

2 幼保連携型認定こども園における調理業務については、Ⅱで述べたとおり、子どもの発育段階や健康状態に応じた離乳食・幼児食やアレルギー・アトピー等への配慮など、安全・衛生面及び栄養面等での質の確保が図られるべきものであり、調理業務について当園が責任をもって行えるよう施設の職員により施設内で調理が行われることが望ましいが、1により実施する場合には、次の点に留意すること。

   ⑴　離乳食・アレルギー食等への対応が可能であ
　　　る設備・体制を整えること。
   ⑵　園児の食事の内容・回数・時機に適切に応じ
　　　ることができること。
   ⑶　学校給食の円滑な実施に影響を与えないよう
　　　教育委員会と密接に連携し実施すること。
  3　学校の給食施設と供用する保育所の調理室につ
　　いては、教育委員会や学校と密接に連携し、適切
　　に管理すること。

Ⅵ　その他
　　特区省令において定められた、公立幼保連携型認
　定こども園における給食の外部搬入方式の容認事業
　の特例については、本特区省令をもって、都道府県
　等が定める条例に対して直接適用されるものではな
　い。このため、既に認定を受けている、若しくは今
　後特区の認定の申請を予定している都道府県等に
　あっては、設備運営基準と特区省令の双方を参照し、
　特区省令の特例を反映できる形で、条例の制定を行
　うよう留意されたい。

○子ども食堂の活動に関する連携・協力の推進及び子ども食堂の運営上留意すべき事項の周知について

［平成30年6月28日　子発0628第4号・社援発0628第1号・
障発0628第2号・老発0628第3号
各都道府県知事・各指定都市市長・各中核市市長宛　厚生
労働省子ども家庭・社会・援護局長・社会・援護局障害保
健福祉部長・老健局長連名通知］

昨今、地域のボランティアが子どもたちに対し、無料又は安価で栄養のある食事や温かな団らんを提供する取組を行う、いわゆる子ども食堂（子どもに限らず、その他の地域住民を含めて対象とする取組を含みます。以下単に「子ども食堂」といいます。）が、各地で開設されています。

子ども食堂は、子どもの食育や居場所づくりにとどまらず、それを契機として、高齢者や障害者を含む地域住民の交流拠点に発展する可能性があり、地域共生社会の実現に向けて大きな役割を果たすことが期待されます。

一方で、地域住民、福祉関係者の子ども食堂に対する関心が薄く、取組を発展させる機運の醸成が十分に図られていない地域や、学校・教育委員会の協力が得られないといった課題を抱えている地域もあるとの指摘があります。また、食品衛生などの面において、子ども食堂の運営者（以下「運営者」といいます。）の安全管理に関する取組の促進により、利用者や地域住民の子ども食堂に対する理解と安心感を醸成することが課題との指摘もあります。

こうした状況を踏まえ、本通知においては、子ども食堂の意義を確認しつつ、地域住民、福祉関係者及び教育関係者に対し、子ども食堂の活動に関する理解と協力を促すようお願いするとともに、子ども食堂における安全管理について留意すべき点を整理することとしましたので、御了知のうえ、子ども食堂の活動に関して運営者や関係機関との連携・協力を図るとともに、本通知の内容につき、運営者のほか、地域住民及び福祉関係者に周知されますよう、管内市区町村又は関係団体への協力要請等よろしくお取り計らい願います。併せて、教育関係者に対しても周知されますよう、教育関係部局への協力要請等よろしくお取り計らい願います。

なお、本通知は、地方自治法（昭和22年法律第67号）第245条の4第1項の規定に基づく技術的助言であること、厚生労働省医薬・生活衛生局に協議済みであること、同局から都道府県等衛生主管部局に情報提供していること、当方から内閣府、農林水産省及び文部科学省に情報提供済みであること、本通知の趣旨に関し

文部科学省から都道府県教育委員会等に対して別途通知が行われることを申し添えます。

記

1　子ども食堂の活動に関する連携・協力の推進

(1)　子ども食堂の現状

現在、子ども食堂は全国各地で開設されており、その活動の在り方は、困難を抱える子どもたちへの支援を中心に活動するもの、地域の様々な子どもたちを対象とした交流拠点を設けようとするもの、「地域食堂」等の名称により、子どもたちに限らず、その他の地域住民を含めて対象とし、交流拠点を設けようとするものなど、多岐にわたります。

いずれの活動も、困難を抱える子どもたちを含め、様々な子どもたちに対し、食育や貴重な団らん、地域における居場所確保の機会を提供しているという意義を有しているものと認められます。

(2)　子ども食堂の活動への協力

厚生労働省においては、子ども、高齢者、障害者など全ての人々が地域、暮らし、生きがいを共に創り、高め合うことができる地域共生社会の実現を目指し、地域における取組への支援を進めています。

こうした観点から、(1)で示したような子ども食堂の意義について、行政のほか、子ども食堂を取り巻く地域の住民、福祉関係者及び教育関係者等が、運営者と認識を共有しながら、その活動について、積極的な連携・協力を図ることが重要です。このため、日頃から運営者等と顔の見える関係を築くよう努めるとともに、(3)や2(2)に掲げる事項について具体的な相談等を受けた場合には、運営者と連携を図りつつ、適切に対応いただくようお願いします。

この際、学校、公民館等の社会教育施設、ＰＴＡ及び地域学校協働本部や、教育委員会等が実施する学習・体験活動等の事業関係者を通じて、困難を抱える子どもたちを含む様々な子どもたちに地域の子ども食堂の情報が行き届くよう、行政において、福祉部局と教育委員会等が連携し、子ど

も食堂の活動について情報共有を図るなど、ご協力をお願いいたします。

(3) 活用可能な政府の施策

　厚生労働省において実施している以下のような施策と連携し、又は一体的に実施することで、子ども食堂の活動についてより効果的に展開することが期待されます。各施策の詳細については、それぞれ別添をご参照ください。なお、こうした施策を一体的に実施した場合の費用の計上に関して、昨年3月に通知を発出しておりますので、併せてご参照ください（別添1参照）。

・ 母子家庭等対策総合支援事業における子どもの生活・学習支援事業（別添2参照）
・ 生活困窮者自立支援制度における子どもの学習支援事業（別添3参照）
・ 介護保険法（平成9年法律第123号）に基づく介護予防・日常生活支援総合事業（別添4参照）
・ 障害者の日常生活及び社会生活を総合的に支援するための法律（平成17年法律第123号）に基づく地域活動支援センター事業（別添5参照）

　また、内閣府においては、子どもの貧困対策の観点から、子ども食堂にも資する施策として以下を推進しています。各施策の詳細については、それぞれ別添をご参照ください。

・ 地域における総合的な支援体制の確立に向けた地方自治体の取組に活用できる地域子供の未来応援交付金（別添6参照）
・ マッチング・ネットワーク推進協議会を通じた企業等との連携の促進（別添7参照）

(4) 参考資料

　子ども食堂を地域に推進するために構成された「広がれ、こども食堂の輪！」全国ツアー実行委員会（事務局：一般社団法人全国食支援活動協力会）において、運営者や関係機関に対し、運営の在り方や支援に関する啓発を行うことを目的として、各種パンフレット（広がれ、こども食堂の輪！活動ガイドブック等）が作成されています（※1）。

　また、農林水産省において、子ども食堂が抱える課題の解決や、食育の取組（共食の機会の提供、食文化の継承等）の充実に向けて、子ども食堂の取組に関心を持ち支援を考えている行政・団体関係者や地域の方々に活用いただくことを目的として、事例紹介などのパンフレットが作成されています（※2）。

　子ども食堂の活動を理解するに当たり、適宜ご参照ください。

（※1） http://www.mow.jp/archive.htm（一般社団法人全国食支援活動協力会ホームページ）
（※2） http://www.maff.go.jp/j/syokuiku/kodomosyokudo.html（農林水産省ホームページ）

2 子ども食堂の運営上留意すべき事項

　子ども食堂の運営上留意すべき事項として、以下の内容について、運営者等への周知を図っていただくようお願いいたします。

(1) 食品安全管理に関して留意すべき事項

　食中毒の発生防止のために、運営者、調理担当者等に向けて、守っていただきたい衛生管理のポイントを別添8のとおりまとめましたのでご参照ください。また、万一、食中毒が発生した場合、保健所に連絡を取るようお願いします。

(2) その他留意すべき事項

① 安全管理に関して留意すべき事項

　子ども食堂の活動を始め、ボランティア活動中に不幸にして、怪我や食中毒等の事故が起きることがあります。万一の備えとして、個人や団体向けの保険に加入することが考えられます。保険加入については、最寄りの市区町村社会福祉協議会などで相談することが可能です。

② 生活困窮者自立支援制度との連携

　運営者におかれては、その活動を通じて、生活に困窮する子どもや家庭を把握し、支援が必要と考えられる場合には、最寄りの生活困窮者自立支援制度の自立相談支援窓口にご連絡ください。

③ 社会福祉法人との連携

　社会福祉法人は、社会福祉法（昭和26年法律第45号）第24条第2項の規定に基づき、地域ニーズ等に応じて、自主性・創意工夫の下、「地域における公益的な取組」に取り組むこととされており、その一環として、地域住民の交流や協働の場の創出等（子ども食堂の運営を含みます。）に取り組んでいる場合があります。（別添9参照）

　運営者におかれては、こうした地域の社会福祉法人の取組と連携して活動を展開していくことも効果的と考えられます。

④ 養育に支援が必要な家庭や子どもを把握した場合の対応

　運営者におかれては、その活動を通じて、保護者の養育を支援することが必要と考えられる家庭や子どもを把握した場合、速やかに、市区町村の子育て支援の相談窓口又は児童相談所に

ご連絡ください。

なお、市区町村や児童相談所におかれては、相談を受けた場合は、関係機関が連携しながら早期に必要な支援を行うことができるよう、ご協力をお願いいたします。

別添1〜9　略

○保育所等における子ども食堂等の地域づくりに資する取組の実施等について

> 令和5年9月7日　こ成保152・5初幼教第21号
> 各都道府県・各市区町村保育主管部（局）長・各都道府県教育委員会教育長・私立学校主管部（局）長・附属幼稚園を置く各国立大学法人の長宛　こども家庭庁成育局保育政策・文部科学省初等中等教育局幼児教育課長連名通知

昨今、地域のボランティアがこどもたちに対し、無料又は安価で栄養のある食事や温かな団らんを提供する取組を行う、いわゆる子ども食堂（子どもに限らず、その他の地域住民を含めて対象とする取組を含む。以下単に「子ども食堂」という。）が、各地で開設され、保育所や認定こども園等において子ども食堂を実施する事例も見受けられています。

保育所、認可外保育施設及び地域型保育事業所並びに幼保連携型認定こども園並びに幼稚園（以下「保育所等」という。）は、現に入所・入園しているこどもに対して教育又は保育を行うことが本来の役割・業務ですが、その役割を全うすることを前提とした上で、保育所等の自発的意思に基づく地域貢献活動の一環として、保育所等において子ども食堂その他の地域の子育て世帯等が集う場（以下「子ども食堂等」という。）を開設及び実施することも考えられます。

子ども食堂の実施に係る取扱いについては「子ども食堂の活動に関する連携・協力の推進及び子ども食堂の運営上留意すべき事項の周知について」（平成30年6月28日厚生労働省子ども家庭局長等連名通知。以下「平成30年通知」という。）等においてお示ししているところですが、地域づくりに資する取組を行いたいと考えている保育所等が、円滑にその取組を実施できるよう、保育所等において子ども食堂等の地域づくりに資する取組を実施する際に特に留意していただきたい事項等について、下記のとおり整理しました。各都道府県・市区町村の保育主管部局長におかれては貴管内の保育所等（幼稚園を除く）に対して、各都道府県教育委員会教育長におかれては所管の幼稚園及び域内の市区町村教育委員会に対して、各都道府県私立学校主管部局長におかれては所轄の私立幼稚園に対して、附属幼稚園を置く国立大学法人の長におかれてはその設置する幼稚園に対して、当該内容を十分御了知の上、遺漏なく周知していただくようお願いします。

なお、食事を提供する際の衛生管理に係る内容については、厚生労働省健康・生活衛生局と協議済みであることを申し添えます。

記

1　保育所等において地域づくりに資する取組を行う意義

○　地域において保育所等は、現に利用しているこどもや保護者だけではなく、かつて保育所等を利用していたこどもや地域住民、保育所等において勤務していた職員その他保育所等と連携して活動する地域の主体とも関わり合う存在である。

○　そうした場において地域づくりに資する取組を行うことは、こども・子育て支援や生活困窮世帯に対する支援のみならず、高齢者、障害者その他の地域住民の交流拠点に発展することが期待されており、子育て世帯に限らない地域住民の居場所づくり、地域の賑わいの創出等の意味においても意義のあることであると考えられる。

○　特に人口減少地域においてこどもや子育て世帯その他の若い世代が集う場は貴重かつ重要なものであり、保育所等がその拠点となることは、保育所等の多機能化の一つの例である。

○　なお、地域づくりに資する取組は保育所等の自発的意思と創意工夫に基づくものであり、子ども食堂に限ったものではなく、例えば休日に保育所等において子育て世帯への相談会を実施することなどが挙げられる。

2　保育所等における子ども食堂等の実施について

○　子ども食堂等を含む多様な社会参加への支援については、「多様な社会参加への支援に向けた地域資源の活用について」（令和3年3月31日厚生労働省子ども家庭局長等連名通知。以下「令和3年通知」という。）において示されているが、保育所等において子ども食堂等を実施する場合には、次のように整理される。

・　施設等の業務時間外や休日を利用し、本来の事業に支障を及ぼさない範囲で一時的に子ども食堂等の実施のために保育所等の設備を使用す

る場合のほか、

・　保育の提供時間内であっても、令和３年通知１(2)の整理に基づき、定員に空きがある場合において、保育所等の運営に支障を及ぼさない範囲で子ども食堂等の実施のために保育所等の設備を一時的に使用する場合には、一時使用に該当するものであり、財産処分の手続は不要となるため、令和３年通知１(4)で示した取扱いも踏まえ適切な手続を行うこと。

○　なお、保育所等において子ども食堂等を実施する場合には、その旨を所轄庁に連絡し、必要な助言及び指導を受けること。

３　実施に当たっての具体的な留意事項等

(1)　食事を提供する際の衛生管理について

○　子ども食堂を実施し、食事を提供する際には、実施内容によっては営業許可又は届出等が必要なこともあることから、子ども食堂を実施しようとする者に対し、事前に保健所に相談し、必要な助言及び指導を受けるよう助言すること。

○　営業許可及び届出等が不要とされた場合、子ども食堂の実施に当たっての衛生管理については、平成30年通知においてお示ししているところであり、保育所等の施設を利用して子ども食堂を実施する場合においても同通知を踏まえて、衛生管理を実施する必要があること。

○　営業許可又は届出が必要となる場合、HACCPに沿った衛生管理が必要となることから、「中小規模で調理を行う児童福祉施設等における衛生管理について」（令和４年８月31日厚生労働省子ども家庭局等連名通知）等を参考に、各施設の実態に応じ実施する必要があること。

（※）　いずれの場合も月１回以上の検便等を求めている「大量調理施設衛生管理マニュアル」（平成９年３月24日衛食第85号）に基づく対応を求めるものではない。

(2)　消耗品費、水道光熱費等の経費等の取扱いについて

○　まず、保育所等において子ども食堂等を実施する際の消耗品費、水道光熱費等の経費について、子ども食堂等の取組の規模が本来の事業に支障を及ぼさない範囲である場合にあっては、保育所等の運営と子ども食堂等の実施とを区分して経理することを要しない。

○　ただし、子ども食堂等の取組の規模が相当程度に大きくなり、経費について保育所等の本来の事業に支障を及ぼすと考えられる場合にあっては、保育所等の運営と子ども食堂等の実施とを区分して、それぞれ適切に経理することを要する。その際には、事務の簡素化等の観点から、子ども食堂等の実施に要した消耗品費、水道光熱費等の経費と見込まれる額を、月次、年次等の一定の期間における両事業の利用人数に応じて按分する等の一定の合理的な方法により算出し、両区分間で繰り入れる等の簡便な運用も可能と考えられる。なお、保育所で子ども食堂等の取組を行う場合には、委託費に使途制限があることから、特に留意する必要がある。

○　他方で、保育所等における食事の提供に要する費用については、通常は、保護者からの実費徴収により賄われていることから、子ども食堂等を実施する際の食材料費については、区分して経理することが原則である。また、保育所等における食事の提供に際して、余剰となった食材料等を活用する場合にも、あらかじめ、保護者に説明を行い、同意を得ることが望ましい。

別添資料１　「子ども食堂の活動に関する連携・協力の推進及び子ども食堂の運営上留意すべき事項の周知について」（平成30年６月28日厚生労働省子ども家庭局長等連名通知）　略

別添資料２　「多様な社会参加への支援に向けた地域資源の活用について」（令和３年３月31日厚生労働省子ども家庭局長等連名通知）（抄）　略

以上

○社会福祉施設における衛生管理について

平成9年3月31日　社援施第65号
各都道府県・各指定都市・各中核市民生主管部（局）長宛
厚生省大臣官房障害保健福祉部企画・社会・援護局施設人
材・老人保健福祉局老人福祉計画・児童家庭局企画課長連
名通知

今般、食品衛生調査会の意見具申を踏まえ、当省生活衛生局において「大量調理施設衛生管理マニュアル」ほかを作成したこと等について、別紙のとおり当省生活衛生局長から通知されたところである。

この「大量調理施設衛生管理マニュアル」は、同一メニューを1回300食以上又は1日750食以上を提供する調理施設に適用するものであるが、社会福祉施設における食中毒を予防するため、適用されない社会福祉施設についても、可能な限り本マニュアルに基づく衛生管理に努められるよう管下の社会福祉施設に対して周知願いたい。

なお、「社会福祉施設における衛生管理について」（平成8年9月24日社援施第143号本職通知）は廃止する。

（別　紙）

大規模食中毒対策等について

平成9年3月24日　衛食第85号
各都道府県知事・各政令市市長・各特別区区長宛　厚
生省生活衛生局長通知

　　　注　平成31年3月29日生食発0329第17号改正現在

食中毒予防対策については、日頃より格別の御尽力を頂いているところであるが、近年の食中毒事件の大規模化傾向、昨年の腸管出血性大腸菌O157による食中毒事件の続発等に対応し、大規模食中毒の発生を未然に防止するとともに、食中毒事件発生時の食中毒処理の一層の迅速化・効率化を図るため、今般、食品衛生調査会の意見具申を踏まえ、別添のとおり、大量調理施設衛生管理マニュアル及び食中毒調査マニュアルを作成するとともに、下記のとおり、食中毒処理要領の一部を改正したので通知する。

貴職におかれては、大規模食中毒の発生を未然に防止するため、大量調理施設衛生管理マニュアルに基づき、貴管下の集団給食施設、弁当屋・仕出し屋等営業施設等の監視指導の徹底を図るとともに、食中毒処理要領及び食中毒調査マニュアルに基づき、食中毒発生時の原因究明に万全を期するようお願いする。

なお、「学校給食施設における衛生管理について」（平成8年8月16日衛食第219号生活衛生局長通知）は廃止する。また、今後、「病原性大腸菌O－157」は「腸管出血性大腸菌O157」と統一して表記することとしたので御了知願いたい。

　　　　　　　　　記

「食中毒処理要領の改正について」（昭和39年7月13日環発第214号厚生省環境衛生局長通知）の一部を

次のように改正する。

　　次のよう　略

（別　添）

　　大量調理施設衛生管理マニュアル

Ⅰ　趣旨

本マニュアルは、集団給食施設等における食中毒を予防するために、HACCPの概念に基づき、調理過程における重要管理事項として、

①　原材料受入れ及び下処理段階における管理を徹底すること。

②　加熱調理食品については、中心部まで十分加熱し、食中毒菌等（ウイルスを含む。以下同じ。）を死滅させること。

③　加熱調理後の食品及び非加熱調理食品の2次汚染防止を徹底すること。

④　食中毒菌が付着した場合に菌の増殖を防ぐため、原材料及び調理後の食品の温度管理を徹底すること。

等を示したものである。

集団給食施設等においては、衛生管理体制を確立し、これらの重要管理事項について、点検・記録を行うとともに、必要な改善措置を講じる必要がある。また、これを遵守するため、更なる衛生知識の普及啓発に努める必要がある。

なお、本マニュアルは同一メニューを1回300食以上又は1日750食以上を提供する調理施設に適用する。

Ⅱ　重要管理事項

1　原材料の受入れ・下処理段階における管理

(1)　原材料については、品名、仕入元の名称及び所在地、生産者（製造又は加工者を含む。）の名称及び所在地、ロットが確認可能な情報（年月日表示又はロット番号）並びに仕入れ年月日を記録し、1年間保管すること。

(2)　原材料について納入業者が定期的に実施する微生物及び理化学検査の結果を提出させること。その結果については、保健所に相談するなどして、原材料として不適と判断した場合には、納入業者の変更等適切な措置を講じること。検査結果については、1年間保管すること。

(3)　加熱せずに喫食する食品（牛乳、発酵乳、プリン等容器包装に入れられ、かつ、殺菌された

食品を除く。）については、乾物や摂取量が少ない食品も含め、製造加工業者の衛生管理の体制について保健所の監視票、食品等事業者の自主管理記録票等により確認するとともに、製造加工業者が従事者の健康状態の確認等ノロウイルス対策を適切に行っているかを確認すること。

(4) 原材料の納入に際しては調理従事者等が必ず立ち会い、検収場で品質、鮮度、品温（納入業者が運搬の際、別添1に従い、適切な温度管理を行っていたかどうかを含む。）、異物の混入等につき、点検を行い、その結果を記録すること。

(5) 原材料の納入に際しては、缶詰、乾物、調味料等常温保存可能なものを除き、食肉類、魚介類、野菜類等の生鮮食品については1回で使い切る量を調理当日に仕入れるようにすること。

(6) 野菜及び果物を加熱せずに供する場合には、別添2に従い、流水（食品製造用水[注1]として用いるもの。以下同じ。）で十分洗浄し、必要に応じて次亜塩素酸ナトリウム等で殺菌[注2]した後、流水で十分すすぎ洗いを行うこと。特に高齢者、若齢者及び抵抗力の弱い者を対象とした食事を提供する施設で、加熱せずに供する場合（表皮を除去する場合を除く。）には、殺菌を行うこと。

注1：従前の「飲用適の水」に同じ。（「食品、添加物等の規格基準」（昭和34年厚生省告示第370号）の改正により用語のみ読み替えたもの。定義については同告示の「第1 食品 B 食品一般の製造、加工及び調理基準」を参照のこと。）

注2：次亜塩素酸ナトリウム溶液又はこれと同等の効果を有する亜塩素酸水（きのこ類を除く。）、亜塩素酸ナトリウム溶液（生食用野菜に限る。）、過酢酸製剤、次亜塩素酸水並びに食品添加物として使用できる有機酸溶液。これらを使用する場合、食品衛生法で規定する「食品、添加物等の規格基準」を遵守すること。

2 加熱調理食品の加熱温度管理

加熱調理食品は、別添2に従い、中心部温度計を用いるなどにより、中心部が75℃で1分間以上（二枚貝等ノロウイルス汚染のおそれのある食品の場合は85～90℃で90秒間以上）又はこれと同等以上まで加熱されていることを確認するとともに、温度と時間の記録を行うこと。

3 二次汚染の防止

(1) 調理従事者等（食品の盛付け・配膳等、食品に接触する可能性のある者及び臨時職員を含む。以下同じ。）は、次に定める場合には、別添2に従い、必ず流水・石けんによる手洗いによりしっかりと2回（その他の時には丁寧に1回）手指の洗浄及び消毒を行うこと。なお、使い捨て手袋を使用する場合にも、原則として次に定める場合に交換を行うこと。

① 作業開始前及び用便後
② 汚染作業区域から非汚染作業区域に移動する場合
③ 食品に直接触れる作業にあたる直前
④ 生の食肉類、魚介類、卵殻等微生物の汚染源となるおそれのある食品等に触れた後、他の食品や器具等に触れる場合
⑤ 配膳の前

(2) 原材料は、隔壁等で他の場所から区分された専用の保管場に保管設備を設け、食肉類、魚介類、野菜類等、食材の分類ごとに区分して保管すること。この場合、専用の衛生的なふた付き容器に入れ替えるなどにより、原材料の包装の汚染を保管設備に持ち込まないようにするとともに、原材料の相互汚染を防ぐこと。

(3) 下処理は汚染作業区域で確実に行い、非汚染作業区域を汚染しないようにすること。

(4) 包丁、まな板などの器具、容器等は用途別及び食品別（下処理用にあっては、魚介類用、食肉類用、野菜類用の別、調理用にあっては、加熱調理済み食品用、生食野菜用、生食魚介類用の別）にそれぞれ専用のものを用意し、混同しないようにして使用すること。

(5) 器具、容器等の使用後は、別添2に従い、全面を流水で洗浄し、さらに80℃、5分間以上の加熱又はこれと同等の効果を有する方法[注3]で十分殺菌した後、乾燥させ、清潔な保管庫を用いるなどして衛生的に保管すること。

なお、調理場内における器具、容器等の使用後の洗浄・殺菌は、原則として全ての食品が調理場から搬出された後に行うこと。

また、器具、容器等の使用中も必要に応じ、同様の方法で熱湯殺菌を行うなど、衛生的に使用すること。この場合、洗浄水等が飛散しないように行うこと。なお、原材料用に使用した器具、容器等をそのまま調理後の食品用に使用するようなことは、けっして行わないこと。

(6) まな板、ざる、木製の器具は汚染が残存する可能性が高いので、特に十分な殺菌[注4]に留意すること。なお、木製の器具は極力使用を控えることが望ましい。

(7) フードカッター、野菜切り機等の調理機械は、最低1日1回以上、分解して洗浄・殺菌[注5]し

た後、乾燥させること。

(8)　シンクは原則として用途別に相互汚染しない
　ように設置すること。特に、加熱調理用食材、
　非加熱調理用食材、器具の洗浄等に用いるシン
　クを必ず別に設置すること。また、二次汚染を
　防止するため、洗浄・殺菌[注5]し、清潔に保つ
　こと。

(9)　食品並びに移動性の器具及び容器の取り扱い
　は、床面からの跳ね水等による汚染を防止する
　ため、床面から60㎝以上の場所で行うこと。た
　だし、跳ね水等からの直接汚染が防止できる食
　缶等で食品を取り扱う場合には、30㎝以上の台
　にのせて行うこと。

(10)　加熱調理後の食品の冷却、非加熱調理食品の
　下処理後における調理場等での一時保管等は、
　他からの二次汚染を防止するため、清潔な場所
　で行うこと。

(11)　調理終了後の食品は衛生的な容器にふたをし
　て保存し、他からの二次汚染を防止すること。

(12)　使用水は食品製造用水を用いること。また、
　使用水は、色、濁り、におい、異物のほか、貯
　水槽を設置している場合や井戸水等を殺菌・ろ
　過して使用する場合には、遊離残留塩素が0.1
　mg／L以上であることを始業前及び調理作業終
　了後に毎日検査し、記録すること。

注3：塩素系消毒剤（次亜塩素酸ナトリウム、亜
　塩素酸水、次亜塩素酸水等）やエタノール系消
　毒剤には、ノロウイルスに対する不活化効果を
　期待できるものがある。使用する場合、濃度・
　方法等、製品の指示を守って使用すること。浸
　漬により使用することが望ましいが、浸漬が困
　難な場合にあっては、不織布等に十分浸み込ま
　せて清拭すること。

　（参考文献）「平成27年度ノロウイルスの不活
　化条件に関する調査報告書」
　　　（http://www.mhlw.go.jp/file/06-Seisakujou
　hou-11130500-Shokuhinanzenbu/0000125854
　.pdf）

注4：大型のまな板やざる等、十分な洗浄が困難
　な器具については、亜塩素酸水又は次亜塩素酸
　ナトリウム等の塩素系消毒剤に浸漬するなどし
　て消毒を行うこと。

注5：80℃で5分間以上の加熱又はこれと同等の
　効果を有する方法（注3参照）。

4　原材料及び調理済み食品の温度管理

(1)　原材料は、別添1に従い、戸棚、冷凍又は冷
　蔵設備に適切な温度で保存すること。

　　また、原材料搬入時の時刻、室温及び冷凍又

は冷蔵設備内温度を記録すること。

(2)　冷凍又は冷蔵設備から出した原材料は、速や
　かに下処理、調理を行うこと。非加熱で供され
　る食品については、下処理後速やかに調理に移
　行すること。

(3)　調理後直ちに提供される食品以外の食品は、
　食中毒菌の増殖を抑制するために、10℃以下又
　は65℃以上で管理することが必要である。（別
　添3参照）

①　加熱調理後、食品を冷却する場合には、食
　中毒菌の発育至適温度帯（約20℃～50℃）の
　時間を可能な限り短くするため、冷却機を用
　いたり、清潔な場所で衛生的な容器に小分け
　するなどして、30分以内に中心温度を20℃付
　近（又は60分以内に中心温度を10℃付近）ま
　で下げるよう工夫すること。

　　この場合、冷却開始時刻、冷却終了時刻を
　記録すること。

②　調理が終了した食品は速やかに提供できる
　よう工夫すること。

　　調理終了後30分以内に提供できるものにつ
　いては、調理終了時刻を記録すること。また、
　調理終了後提供まで30分以上を要する場合は
　次のア及びイによること。

ア　温かい状態で提供される食品について
　は、調理終了後速やかに保温食缶等に移し
　保存すること。この場合、食缶等へ移し替
　えた時刻を記録すること。

イ　その他の食品については、調理終了後提
　供まで10℃以下で保存すること。

　　この場合、保冷設備への搬入時刻、保冷
　設備内温度及び保冷設備からの搬出時刻を
　記録すること。

③　配送過程においては保冷又は保温設備のあ
　る運搬車を用いるなど、10℃以下又は65℃以
　上の適切な温度管理を行い配送し、配送時刻
　の記録を行うこと。

　　また、65℃以上で提供される食品以外の食
　品については、保冷設備への搬入時刻及び保
　冷設備内温度の記録を行うこと。

④　共同調理施設等で調理された食品を受け入
　れ、提供する施設においても、温かい状態で
　提供される食品以外の食品であって、提供ま
　で30分以上を要する場合は提供まで10℃以下
　で保存すること。

　　この場合、保冷設備への搬入時刻、保冷設
　備内温度及び保冷設備からの搬出時刻を記録
　すること。

(4) 調理後の食品は、調理終了後から2時間以内に喫食することが望ましい。

5 その他

(1) 施設設備の構造

① 隔壁等により、汚水溜、動物飼育場、廃棄物集積場等不潔な場所から完全に区別されていること。

② 施設の出入口及び窓は極力閉めておくとともに、外部に開放される部分には網戸、エアカーテン、自動ドア等を設置し、ねずみや昆虫の侵入を防止すること。

③ 食品の各調理過程ごとに、汚染作業区域（検収場、原材料の保管場、下処理場）、非汚染作業区域（さらに準清潔作業区域（調理場）と清潔作業区域（放冷・調製場、製品の保管場）に区分される。）を明確に区別すること。なお、各区域を固定し、それぞれを壁で区画する、床面を色別する、境界にテープをはる等により明確に区画することが望ましい。

④ 手洗い設備、履き物の消毒設備（履き物の交換が困難な場合に限る。）は、各作業区域の入り口手前に設置すること。
なお、手洗い設備は、感知式の設備等で、コック、ハンドル等を直接手で操作しない構造のものが望ましい。

⑤ 器具、容器等は、作業動線を考慮し、予め適切な場所に適切な数を配置しておくこと。

⑥ 床面に水を使用する部分にあっては、適当な勾配（100分の2程度）及び排水溝（100分の2から4程度の勾配を有するもの）を設けるなど排水が容易に行える構造であること。

⑦ シンク等の排水口は排水が飛散しない構造であること。

⑧ 全ての移動性の器具、容器等を衛生的に保管するため、外部から汚染されない構造の保管設備を設けること。

⑨ 便所等
ア 便所、休憩室及び更衣室は、隔壁により食品を取り扱う場所と必ず区分されていること。なお、調理場等から3m以上離れた場所に設けられていることが望ましい。
イ 便所には、専用の手洗い設備、専用の履き物が備えられていること。また、便所は、調理従事者等専用のものが設けられていることが望ましい。

⑩ その他
施設は、ドライシステム化を積極的に図ることが望ましい。

(2) 施設設備の管理

① 施設・設備は必要に応じて補修を行い、施設の床面（排水溝を含む。）、内壁のうち床面から1mまでの部分及び手指の触れる場所は1日に1回以上、施設の天井及び内壁のうち床面から1m以上の部分は1月に1回以上清掃し、必要に応じて、洗浄・消毒を行うこと。施設の清掃は全ての食品が調理場内から完全に搬出された後に行うこと。

② 施設におけるねずみ、昆虫等の発生状況を1月に1回以上巡回点検するとともに、ねずみ、昆虫の駆除を半年に1回以上（発生を確認した時にはその都度）実施し、その実施記録を1年間保管すること。また、施設及びその周囲は、維持管理を適切に行うことにより、常に良好な状態に保ち、ねずみや昆虫の繁殖場所の排除に努めること。
なお、殺そ剤又は殺虫剤を使用する場合には、食品を汚染しないようその取扱いに十分注意すること。

③ 施設は、衛生的な管理に努め、みだりに部外者を立ち入らせたり、調理作業に不必要な物品等を置いたりしないこと。

④ 原材料を配送用包装のまま非汚染作業区域に持ち込まないこと。

⑤ 施設は十分な換気を行い、高温多湿を避けること。調理場は湿度80%以下、温度は25℃以下に保つことが望ましい。

⑥ 手洗い設備には、手洗いに適当な石けん、爪ブラシ、ペーパータオル、殺菌液等を定期的に補充し、常に使用できる状態にしておくこと。

⑦ 水道事業により供給される水以外の井戸水等の水を使用する場合には、公的検査機関、厚生労働大臣の登録検査機関等に依頼して、年2回以上水質検査を行うこと。検査の結果、飲用不適とされた場合は、直ちに保健所長の指示を受け、適切な措置を講じること。なお、検査結果は1年間保管すること。

⑧ 貯水槽は清潔を保持するため、専門の業者に委託して、年1回以上清掃すること。なお、清掃した証明書は1年間保管すること。

⑨ 便所については、業務開始前、業務中及び業務終了後等定期的に清掃及び消毒剤による消毒を行って衛生的に保つこと[注6]。

⑩ 施設（客席等の飲食施設、ロビー等の共用施設を含む。）において利用者等が嘔吐した場合には、消毒剤を用いて迅速かつ適切に嘔

吐物の処理を行うこと[注6]により、利用者及び調理従事者等へのノロウイルス感染及び施設の汚染防止に努めること。

注6：「ノロウイルスに関するQ＆A」（厚生労働省）を参照のこと。

(3)　検食の保存

検食は、原材料及び調理済み食品を食品ごとに50g程度ずつ清潔な容器（ビニール袋等）に入れ、密封し、−20℃以下で2週間以上保存すること。

なお、原材料は、特に、洗浄・殺菌等を行わず、購入した状態で、調理済み食品は配膳後の状態で保存すること。

(4)　調理従事者等の衛生管理

①　調理従事者等は、便所及び風呂等における衛生的な生活環境を確保すること。また、ノロウイルスの流行期には十分に加熱された食品を摂取する等により感染防止に努め、徹底した手洗いの励行を行うなど自らが施設や食品の汚染の原因とならないように措置するとともに、体調に留意し、健康な状態を保つように努めること。

②　調理従事者等は、毎日作業開始前に、自らの健康状態を衛生管理者に報告し、衛生管理者はその結果を記録すること。

③　調理従事者等は臨時職員も含め、定期的な健康診断及び月に1回以上の検便を受けること。検便検査[注7]には、腸管出血性大腸菌の検査を含めることとし、10月から3月までの間には月に1回以上又は必要に応じて[注8]ノロウイルスの検便検査に努めること。

④　ノロウイルスの無症状病原体保有者であることが判明した調理従事者等は、検便検査においてノロウイルスを保有していないことが確認されるまでの間、食品に直接触れる調理作業を控えるなど適切な措置をとることが望ましいこと。

⑤　調理従事者等は下痢、嘔吐、発熱などの症状があった時、手指等に化膿創があった時は調理作業に従事しないこと。

⑥　下痢又は嘔吐等の症状がある調理従事者等については、直ちに医療機関を受診し、感染性疾患の有無を確認すること。ノロウイルスを原因とする感染性疾患による症状と診断された調理従事者等は、検便検査においてノロウイルスを保有していないことが確認されるまでの間、食品に直接触れる調理作業を控えるなど適切な処置をとることが望ましいこと。

⑦　調理従事者等が着用する帽子、外衣は毎日専用で清潔なものに交換すること。

⑧　下処理場から調理場への移動の際には、外衣、履き物の交換等を行うこと。（履き物の交換が困難な場合には履き物の消毒を必ず行うこと。）

⑨　便所には、調理作業時に着用する外衣、帽子、履き物のまま入らないこと。

⑩　調理、点検に従事しない者が、やむを得ず、調理施設に立ち入る場合には、専用の清潔な帽子、外衣及び履き物を着用させ、手洗い及び手指の消毒を行わせること。

⑪　食中毒が発生した時の原因究明を確実に行うため、原則として、調理従事者等は当該施設で調理された食品を喫食しないこと。

ただし、原因究明に支障を来さないための措置が講じられている場合はこの限りでない。（試食担当者を限定すること等）

注7：ノロウイルスの検査に当たっては、遺伝子型によらず、概ね便1g当たり10^5オーダーのノロウイルスを検出できる検査法を用いることが望ましい。ただし、検査結果が陰性であっても検査感度によりノロウイルスを保有している可能性を踏まえた衛生管理が必要である。

注8：ノロウイルスの検便検査の実施に当たっては、調理従事者の健康確認の補完手段とする場合、家族等に感染性胃腸炎が疑われる有症者がいる場合、病原微生物検出情報においてノロウイルスの検出状況が増加している場合などの各食品等事業者の事情に応じ判断すること。

(5)　その他

①　加熱調理食品にトッピングする非加熱調理食品は、直接喫食する非加熱調理食品と同様の衛生管理を行い、トッピングする時期は提供までの時間が極力短くなるようにすること。

②　廃棄物（調理施設内で生じた廃棄物及び返却された残渣をいう。）の管理は、次のように行うこと。

ア　廃棄物容器は、汚臭、汚液がもれないように管理するとともに、作業終了後は速やかに清掃し、衛生上支障のないように保持すること。

イ　返却された残渣は非汚染作業区域に持ち込まないこと。

ウ　廃棄物は、適宜集積場に搬出し、作業場に放置しないこと。

エ　廃棄物集積場は、廃棄物の搬出後清掃するなど、周囲の環境に悪影響を及ぼさない

　　　よう管理すること。
Ⅲ　衛生管理体制
　1　衛生管理体制の確立
　　(1)　調理施設の経営者又は学校長等施設の運営管
　　　理責任者（以下「責任者」という。）は、施設
　　　の衛生管理に関する責任者（以下「衛生管理者」
　　　という。）を指名すること。
　　　　なお、共同調理施設等で調理された食品を受
　　　け入れ、提供する施設においても、衛生管理者
　　　を指名すること。
　　(2)　責任者は、日頃から食材の納入業者について
　　　の情報の収集に努め、品質管理の確かな業者か
　　　ら食材を購入すること。また、継続的に購入す
　　　る場合は、配送中の保存温度の徹底を指示する
　　　ほか、納入業者が定期的に行う原材料の微生物
　　　検査等の結果の提出を求めること。
　　(3)　責任者は、衛生管理者に別紙点検表に基づく
　　　点検作業を行わせるとともに、そのつど点検結
　　　果を報告させ、適切に点検が行われたことを確
　　　認すること。点検結果については、1年間保管
　　　すること。
　　(4)　責任者は、点検の結果、衛生管理者から改善
　　　不能な異常の発生の報告を受けた場合、食材の
　　　返品、メニューの一部削除、調理済み食品の回
　　　収等必要な措置を講ずること。
　　(5)　責任者は、点検の結果、改善に時間を要する
　　　事態が生じた場合、必要な応急処置を講じると
　　　ともに、計画的に改善を行うこと。
　　(6)　責任者は、衛生管理者及び調理従事者等に対
　　　して衛生管理及び食中毒防止に関する研修に参
　　　加させるなど必要な知識・技術の周知徹底を図
　　　ること。
　　(7)　責任者は、調理従事者等を含め職員の健康管
　　　理及び健康状態の確認を組織的・継続的に行
　　　い、調理従事者等の感染及び調理従事者等から
　　　の施設汚染の防止に努めること。
　　(8)　責任者は、衛生管理者に毎日作業開始前に、
　　　各調理従事者等の健康状態を確認させ、その結
　　　果を記録させること。
　　(9)　責任者は、調理従事者等に定期的な健康診断
　　　及び月に1回以上の検便を受けさせること。検
　　　便検査には、腸管出血性大腸菌の検査を含める
　　　こととし、10月から3月の間には月に1回以上
　　　又は必要に応じてノロウイルスの検便検査を受
　　　けさせるよう努めること。
　　(10)　責任者は、ノロウイルスの無症状病原体保有
　　　者であることが判明した調理従事者等を、検便
　　　検査においてノロウイルスを保有していないこ
　　　とが確認されるまでの間、食品に直接触れる調

理作業を控えさせるなど適切な措置をとること
が望ましいこと。
　(11)　責任者は、調理従事者等が下痢、嘔吐、発熱
　　などの症状があった時、手指等に化膿創があっ
　　た時は調理作業に従事させないこと。
　(12)　責任者は、下痢又は嘔吐等の症状がある調理
　　従事者等について、直ちに医療機関を受診させ、
　　感染性疾患の有無を確認すること。ノロウイル
　　スを原因とする感染性疾患による症状と診断さ
　　れた調理従事者等は、検便検査においてノロウ
　　イルスを保有していないことが確認されるまで
　　の間、食品に直接触れる調理作業を控えさせる
　　など適切な処置をとることが望ましいこと。
　(13)　責任者は、調理従事者等について、ノロウイ
　　ルスにより発症した調理従事者等と一緒に感染
　　の原因と考えられる食事を喫食するなど、同一
　　の感染機会があった可能性がある調理従事者等
　　について速やかにノロウイルスの検便検査を実
　　施し、検査の結果ノロウイルスを保有していな
　　いことが確認されるまでの間、調理に直接従事
　　することを控えさせる等の手段を講じることが
　　望ましいこと。
　(14)　献立の作成に当たっては、施設の人員等の能
　　力に余裕を持った献立作成を行うこと。
　(15)　献立ごとの調理工程表の作成に当たっては、
　　次の事項に留意すること。
　ア　調理従事者等の汚染作業区域から非汚染作
　　業区域への移動を極力行わないようにするこ
　　と。
　イ　調理従事者等の1日ごとの作業の分業化を
　　図ることが望ましいこと。
　ウ　調理終了後速やかに喫食されるよう工夫す
　　ること。
　　　また、衛生管理者は調理工程表に基づき、調
　　理従事者等と作業分担等について事前に十分な
　　打ち合わせを行うこと。
　(16)　施設の衛生管理全般について、専門的な知識
　　を有する者から定期的な指導、助言を受けるこ
　　とが望ましい。また、従事者の健康管理につい
　　ては、労働安全衛生法等関係法令に基づき産業
　　医等から定期的な指導、助言を受けること。
　(17)　高齢者や乳幼児が利用する施設等において
　　は、平常時から施設長を責任者とする危機管理
　　体制を整備し、感染拡大防止のための組織対応
　　を文書化するとともに、具体的な対応訓練を
　　行っておくことが望ましいこと。また、従業員
　　あるいは利用者において下痢・嘔吐等の発生を
　　迅速に把握するために、定常的に有症状者数を
　　調査・監視することが望ましいこと。

（別添1）原材料、製品等の保存温度

食　品　名	保存温度
穀類加工品（小麦粉、デンプン）	室　温
砂　　　　　　　　　　　　　糖	室　温
食　肉　・　鯨　肉	10℃以下
細切した食肉・鯨肉を凍結したものを容器包装に入れたもの	−15℃以下
食　　肉　　製　　品	10℃以下
鯨　　肉　　製　　品	10℃以下
冷　凍　食　肉　製　品	−15℃以下
冷　凍　鯨　肉　製　品	−15℃以下
ゆ　　で　　だ　　こ	10℃以下
冷　凍　ゆ　で　だ　こ	−15℃以下
生　食　用　か　き	10℃以下
生　食　用　冷　凍　か　き	−15℃以下
冷　　凍　　食　　品	−15℃以下
魚肉ソーセージ、魚肉ハム及び特殊包装かまぼこ	10℃以下
冷　凍　魚　肉　ね　り　製　品	−15℃以下
液　　状　　油　　脂	室　温
固　　形　　油　　脂	10℃以下
（ラード、マーガリン、ショートニング、カカオ脂）	
殻　　　付　　　卵	10℃以下
液　　　　　　卵	8℃以下
凍　　結　　卵	−18℃以下
乾　　燥　　卵	室　温
ナ　　ッ　　ツ　　類	15℃以下
チ　ョ　コ　レ　ー　ト	15℃以下
生　鮮　果　実　・　野　菜	10℃前後
生　鮮　魚　介　類（生食用鮮魚介類を含む。）	5℃以下
乳　・　濃　縮　乳	10℃以下
脱　　脂　　乳	
ク　　リ　　ー　　ム	
バ　　タ　　ー	15℃以下
チ　　ー　　ズ	
練　　　　　乳	
清　涼　飲　料　水	室　温
（食品衛生法の食品、添加物等の規格基準に規定のあるものについては、当該保存基準に従うこと。）	

（別添２）標準作業書

（手洗いマニュアル）

1　水で手をぬらし石けんをつける。

2　指、腕を洗う。特に、指の間、指先をよく洗う。（30秒程度）

3　石けんをよく洗い流す。（20秒程度）

4　使い捨てペーパータオル等でふく。（タオル等の共用はしないこと。）

5　消毒用のアルコールをかけて手指によくすりこむ。

（本文のⅡ3(1)で定める場合には、１から３までの手順を２回実施する。）

（器具等の洗浄・殺菌マニュアル）

1　調理機械

① 機械本体・部品を分解する。なお、分解した部品は床にじか置きしないようにする。

② 食品製造用水（40℃程度の微温水が望ましい。）で３回水洗いする。

③ スポンジタワシに中性洗剤又は弱アルカリ性洗剤をつけてよく洗浄する。

④ 食品製造用水（40℃程度の微温水が望ましい。）でよく洗剤を洗い流す。

⑤ 部品は80℃で５分間以上の加熱又はこれと同等の効果を有する方法で殺菌[注1]を行う。

⑥ よく乾燥させる。

⑦ 機械本体・部品を組み立てる。

⑧ 作業開始前に70％アルコール噴霧又はこれと同等の効果を有する方法で殺菌を行う。

2　調理台

① 調理台周辺の片づけを行う。

② 食品製造用水（40℃程度の微温水が望ましい。）で３回水洗いする。

③ スポンジタワシに中性洗剤又は弱アルカリ性洗剤をつけてよく洗浄する。

④ 食品製造用水（40℃程度の微温水が望ましい。）でよく洗剤を洗い流す。

⑤ よく乾燥させる。

⑥ 70％アルコール噴霧又はこれと同等の効果を有する方法で殺菌[注1]を行う。

⑦ 作業開始前に⑥と同様の方法で殺菌を行う。

3　まな板、包丁、へら等

① 食品製造用水（40℃程度の微温水が望ましい。）で３回水洗いする。

② スポンジタワシに中性洗剤又は弱アルカリ性洗剤をつけてよく洗浄する。

③ 食品製造用水（40℃程度の微温水が望ましい。）でよく洗剤を洗い流す。

④ 80℃で５分間以上の加熱又はこれと同等の効果を有する方法で殺菌[注2]を行う。

⑤ よく乾燥させる。

⑥ 清潔な保管庫にて保管する。

4　ふきん、タオル等

① 食品製造用水（40℃程度の微温水が望ましい。）で３回水洗いする。

② 中性洗剤又は弱アルカリ性洗剤をつけてよく洗浄する。

③ 食品製造用水（40℃程度の微温水が望ましい。）でよく洗剤を洗い流す。

④ 100℃で５分間以上煮沸殺菌を行う。

⑤ 清潔な場所で乾燥、保管する。

注1：塩素系消毒剤（次亜塩素酸ナトリウム、亜塩素酸水、次亜塩素酸水等）やエタノール系消毒剤には、ノロウイルスに対する不活化効果を期待できるものがある。使用する場合、濃度・方法等、製品の指示を守って使用すること。浸漬により使用することが望ましいが、浸漬が困難な場合にあっては、不織布等に十分浸み込ませて清拭すること。

（参考文献）「平成27年度ノロウイルスの不活化条件に関する調査報告書」

（http://www.mhlw.go.jp/file/06-Seisakujouhou-11130500-Shokuhinanzenbu/0000125854.pdf）

注2：大型のまな板やざる等、十分な洗浄が困難な器具については、亜塩素酸水又は次亜塩素酸ナトリウム等の塩素系消毒剤に浸漬するなどして消毒を行うこと。

（原材料等の保管管理マニュアル）

1　野菜・果物[注3]

① 衛生害虫、異物混入、腐敗・異臭等がないか点検する。異常品は返品又は使用禁止とする。

② 各材料ごとに、50ｇ程度ずつ清潔な容器（ビニール袋等）に密封して入れ、－20℃以下で２週間以上保存する。（検食用）

③ 専用の清潔な容器に入れ替えるなどして、10℃前後で保存する。（冷凍野菜は－15℃以下）

④ 流水で３回以上水洗いする。

⑤ 中性洗剤で洗う。

⑥ 流水で十分すすぎ洗いする。

⑦ 必要に応じて、次亜塩素酸ナトリウム等[注4]で殺菌[注5]した後、流水で十分すすぎ洗いする。

⑧ 水切りする。

⑨ 専用のまな板、包丁でカットする。

⑩ 清潔な容器に入れる。

⑪ 清潔なシートで覆い（容器がふた付きの場合

を除く。）、調理まで30分以上を要する場合には、10℃以下で冷蔵保存する。

注3：表面の汚れが除去され、分割・細切されずに皮付きで提供されるみかん等の果物にあっては、③から⑧までを省略して差し支えない。

注4：次亜塩素酸ナトリウム溶液（200mg／Lで5分間又は100mg／Lで10分間）又はこれと同等の効果を有する亜塩素酸水（きのこ類を除く。）、亜塩素酸ナトリウム溶液（生食用野菜に限る。）、過酢酸製剤、次亜塩素酸水並びに食品添加物として使用できる有機酸溶液。これらを使用する場合、食品衛生法で規定する「食品、添加物等の規格基準」を遵守すること。

注5：高齢者、若齢者及び抵抗力の弱い者を対象とした食事を提供する施設で、加熱せずに供する場合（表皮を除去する場合を除く。）には、殺菌を行うこと。

2　魚介類、食肉類

①　衛生害虫、異物混入、腐敗・異臭等がないか点検する。異常品は返品又は使用禁止とする。

②　各材料ごとに、50g程度ずつ清潔な容器（ビニール袋等）に密封して入れ、−20℃以下で2週間以上保存する。（検食用）

③　専用の清潔な容器に入れ替えるなどして、食肉類については10℃以下、魚介類については5℃以下で保存する。（冷凍で保存するものは−15℃以下）

④　必要に応じて、次亜塩素酸ナトリウム等注6で殺菌した後、流水で十分すすぎ洗いする。

⑤　専用のまな板、包丁でカットする。

⑥　速やかに調理へ移行させる。

注6：次亜塩素酸ナトリウム溶液（200mg／ℓで5分間又は100mg／ℓで10分間）又はこれと同等の効果を有する亜塩素酸水、亜塩素酸ナトリウム溶液（魚介類を除く。）、過酢酸製剤（魚介類を除く。）、次亜塩素酸水、次亜臭素酸水（魚介類を除く。）並びに食品添加物として使用できる有機酸溶液。これらを使用する場合、食品衛生法で規定する「食品、添加物等の規格基準」を遵守すること。

（加熱調理食品の中心温度及び加熱時間の記録マニュアル）

1　揚げ物

①　油温が設定した温度以上になったことを確認する。

②　調理を開始した時間を記録する。

③　調理の途中で適当な時間を見はからって食品の中心温度を校正された温度計で3点以上測定し、全ての点において75℃以上に達していた場合には、それぞれの中心温度を記録するとともに、その時点からさらに1分以上加熱を続ける（二枚貝等ノロウイルス汚染のおそれのある食品の場合は85〜90℃で90秒間以上）。

④　最終的な加熱処理時間を記録する。

⑤　なお、複数回同一の作業を繰り返す場合には、油温が設定した温度以上であることを確認・記録し、①〜④で設定した条件に基づき、加熱処理を行う。油温が設定した温度以上に達していない場合には、油温を上昇させるため必要な措置を講ずる。

2　焼き物及び蒸し物

①　調理を開始した時間を記録する。

②　調理の途中で適当な時間を見はからって食品の中心温度を校正された温度計で3点以上測定し、全ての点において75℃以上に達していた場合には、それぞれの中心温度を記録するとともに、その時点からさらに1分以上加熱を続ける（二枚貝等ノロウイルス汚染のおそれのある食品の場合は85〜90℃で90秒間以上）。

③　最終的な加熱処理時間を記録する。

④　なお、複数回同一の作業を繰り返す場合には、①〜③で設定した条件に基づき、加熱処理を行う。この場合、中心温度の測定は、最も熱が通りにくいと考えられる場所の1点のみでもよい。

3　煮物及び炒め物

調理の順序は食肉類の加熱を優先すること。食肉類、魚介類、野菜類の冷凍品を使用する場合には、十分解凍してから調理を行うこと。

①　調理の途中で適当な時間を見はからって、最も熱が通りにくい具材を選び、食品の中心温度を校正された温度計で3点以上（煮物の場合は1点以上）測定し、全ての点において75℃以上に達していた場合には、それぞれの中心温度を記録するとともに、その時点からさらに1分以上加熱を続ける（二枚貝等ノロウイルス汚染のおそれのある食品の場合は85〜90℃で90秒間以上）。

なお、中心温度を測定できるような具材がない場合には、調理釜の中心付近の温度を3点以上（煮物の場合は1点以上）測定する。

②　複数回同一の作業を繰り返す場合にも、同様に点検・記録を行う。

（別添3）

調理後の食品の温度管理に係る記録の取り方について
（調理終了後提供まで30分以上を要する場合）

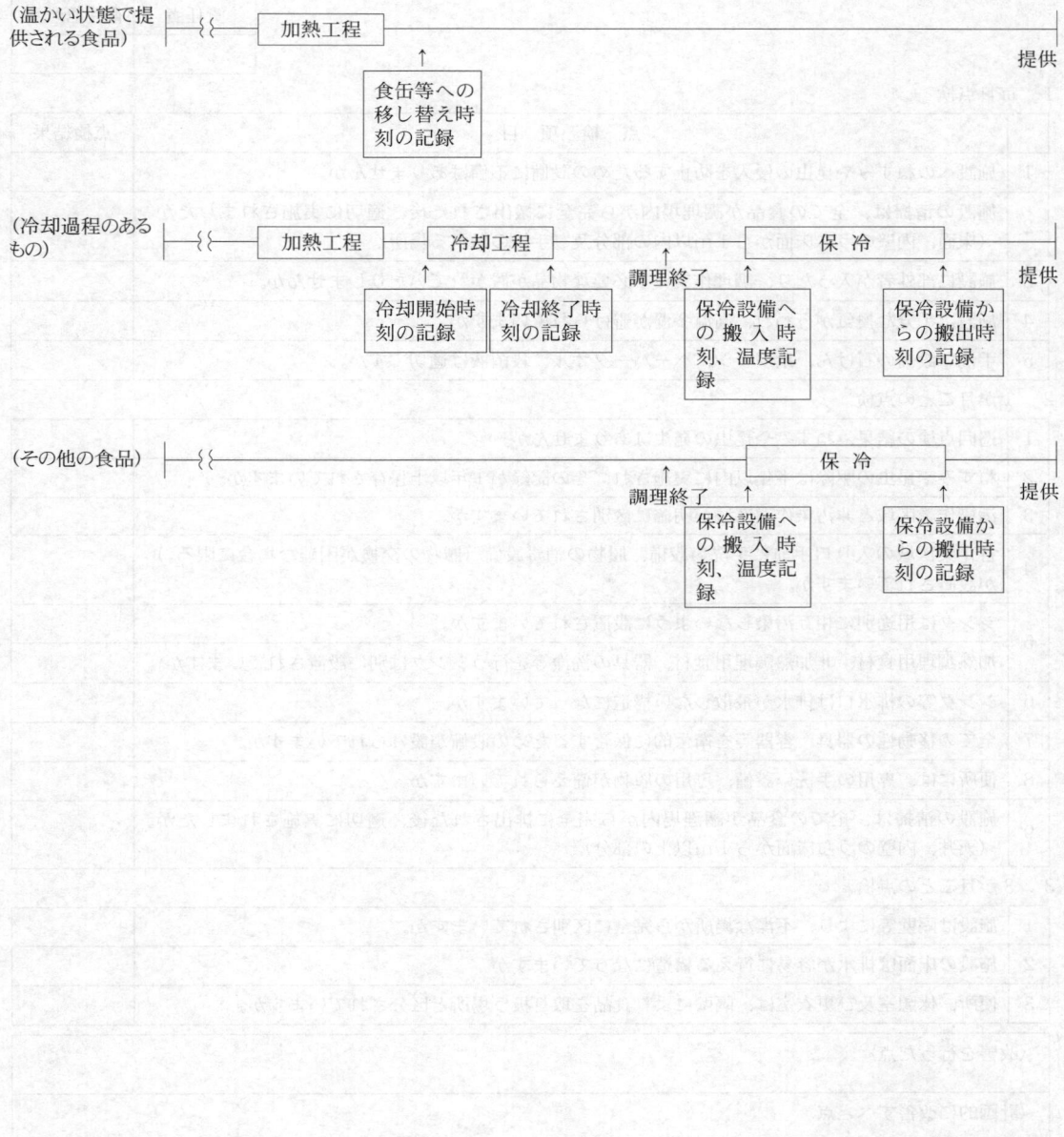

（別紙）

調理施設の点検表

平成　　年　　月　　日

責任者	衛生管理者

1　毎日点検

	点　検　項　目	点検結果
1	施設へのねずみや昆虫の侵入を防止するための設備に不備はありませんか。	
2	施設の清掃は、全ての食品が調理場内から完全に搬出された後、適切に実施されましたか。（床面、内壁のうち床面から1m以内の部分及び手指の触れる場所）	
3	施設に部外者が入ったり、調理作業に不必要な物品が置かれていたりしませんか。	
4	施設は十分な換気が行われ、高温多湿が避けられていますか。	
5	手洗い設備の石けん、爪ブラシ、ペーパータオル、殺菌液は適切ですか。	

2　1か月ごとの点検

1	巡回点検の結果、ねずみや昆虫の発生はありませんか。	
2	ねずみや昆虫の駆除は半年以内に実施され、その記録が1年以上保存されていますか。	
3	汚染作業区域と非汚染作業区域が明確に区別されていますか。	
4	各作業区域の入り口手前に手洗い設備、履物の消毒設備（履物の交換が困難な場合に限る。）が設置されていますか。	
5	シンクは用途別に相互汚染しないように設置されていますか。	
	加熱調理用食材、非加熱調理用食材、器具の洗浄等を行うシンクは別に設置されていますか。	
6	シンク等の排水口は排水が飛散しない構造になっていますか。	
7	全ての移動性の器具、容器等を衛生的に保管するための設備が設けられていますか。	
8	便所には、専用の手洗い設備、専用の履物が備えられていますか。	
9	施設の清掃は、全ての食品が調理場内から完全に排出された後、適切に実施されましたか。（天井、内壁のうち床面から1m以上の部分）	

3　3か月ごとの点検

1	施設は隔壁等により、不潔な場所から完全に区別されていますか。	
2	施設の床面は排水が容易に行える構造になっていますか。	
3	便所、休憩室及び更衣室は、隔壁により食品を取り扱う場所と区分されていますか。	

〈改善を行った点〉

〈計画的に改善すべき点〉

従事者等の衛生管理点検表

平成　　年　　月　　日

責任者	衛生管理者

氏　　名	下痢	嘔吐	発熱等	化膿創	服装	帽子	毛髪	履物	爪	指輪等	手洗い

	点　検　項　目	点検結果
1	健康診断、検便検査の結果に異常はありませんか。	
2	下痢、嘔吐、発熱などの症状はありませんか。	
3	手指や顔面に化膿創がありませんか。	
4	着用する外衣、帽子は毎日専用で清潔なものに交換されていますか。	
5	毛髪が帽子から出ていませんか。	
6	作業場専用の履き物を使っていますか。	
7	爪は短く切っていますか。	
8	指輪やマニキュアをしていませんか。	
9	手洗いを適切な時期に適切な方法で行っていますか。	
10	下処理から調理場への移動の際には外衣、履き物の交換（履き物の交換が困難な場合には、履き物の消毒）が行われていますか。	
11	便所には、調理作業時に着用する外衣、帽子、履き物のまま入らないようにしていますか。	

	調理、点検に従事しない者が、やむを得ず、調理施設に立ち入る場合には、専用の清潔な帽子、外衣及び履き物を着用させ、手洗い及び手指の消毒を行わせましたか。	立ち入った者	点検結果
12			

〈改善を行った点〉

〈計画的に改善すべき点〉

原材料の取扱い等点検表

	平成　　年　　月　　日

責任者	衛生管理者

① 原材料の取扱い（毎日点検）

	点　検　項　目	点検結果
1	原材料の納入に際しては調理従事者等が立ち会いましたか。	
	検収場で原材料の品質、鮮度、品温、異物の混入等について点検を行いましたか。	
2	原材料の納入に際し、生鮮食品については、1回で使い切る量を調理当日に仕入れましたか。	
3	原材料は分類ごとに区分して、原材料専用の保管場に保管設備を設け、適切な温度で保管されていますか。	
	原材料の搬入時の時刻及び温度の記録がされていますか。	
4	原材料の包装の汚染を保管設備に持ち込まないようにしていますか。	
	保管設備内での原材料の相互汚染が防がれていますか。	
5	原材料を配送用包装のまま非汚染作業区域に持ち込んでいませんか。	

② 原材料の取扱い（月1回点検）

点　検　項　目	点検結果
原材料について納入業者が定期的に実施する検査結果の提出が最近1か月以内にありましたか。	
検査結果は1年間保管されていますか。	

③ 検食の保存

点　検　項　目	点検結果
検食は、原材料（購入した状態のもの）及び調理済み食品（配膳後のもの）を食品ごとに50g程度ずつ清潔な容器に密封して入れ、－20℃以下で2週間以上保存されていますか。	

〈改善を行った点〉

〈計画的に改善すべき点〉

検収の記録簿

平成　　年　　月　　日

責任者	衛生管理者

納品の時刻	納入業者名	品目名	生産地	期限表示	数量	鮮度	包装	品温	異物
：									
：									
：									
：									
：									
：									
：									
：									
：									

〈進言事項〉

調理器具等及び使用水の点検表

平成　　年　　月　　日

責任者	衛生管理者

① 調理器具、容器等の点検表

	点　検　項　目	点検結果
1	包丁、まな板等の調理器具は用途別及び食品別に用意し、混同しないように使用されていますか。	
2	調理器具、容器等は作業動線を考慮し、予め適切な場所に適切な数が配置されていますか。	
3	調理器具、容器等は使用後（必要に応じて使用中）に洗浄・殺菌し、乾燥されていますか。	
4	調理場内における器具、容器等の洗浄・殺菌は、全ての食品が調理場から搬出された後、行っていますか。（使用中等やむをえない場合は、洗浄水等が飛散しないように行うこと。）	
5	調理機械は、最低1日1回以上、分解して洗浄・消毒し、乾燥されていますか。	
6	全ての調理器具、容器等は衛生的に保管されていますか。	

② 使用水の点検表

採取場所	採取時期	色	濁り	臭い	異物	残留塩素濃度
						mg／L
						mg／L
						mg／L
						mg／L

③ 井戸水、貯水槽の点検表（月1回点検）

	点　検　項　目	点検結果
1	水道事業により供給される水以外の井戸水等の水を使用している場合には、半年以内に水質検査が実施されていますか。	
	検査結果は1年間保管されていますか。	
2	貯水槽は清潔を保持するため、1年以内に清掃が実施されていますか。	
	清掃した証明書は1年間保管されていますか。	

〈改善を行った点〉

〈計画的に改善すべき点〉

調理等における点検表

<table>
<tr><td colspan="2">平成　　年　　月　　日</td></tr>
<tr><td>責任者</td><td>衛生管理者</td></tr>
<tr><td></td><td></td></tr>
</table>

① 下処理・調理中の取扱い

	点 検 項 目	点検結果
1	非汚染作業区域内に汚染を持ち込まないよう、下処理を確実に実施していますか。	
2	冷凍又は冷蔵設備から出した原材料は速やかに下処理、調理に移行させていますか。	
	非加熱で供される食品は下処理後速やかに調理に移行していますか。	
3	野菜及び果物を加熱せずに供する場合には、適切な洗浄（必要に応じて殺菌）を実施していますか。	
4	加熱調理食品は中心部が十分（75℃で1分間以上（二枚貝等ノロウイルス汚染のおそれのある食品の場合は85～90℃で90秒間以上）等）加熱されていますか。	
5	食品及び移動性の調理器具並びに容器の取扱いは床面から60cm以上の場所で行われていますか。（ただし、跳ね水等からの直接汚染が防止できる食缶等で食品を取り扱う場合には、30cm以上の台にのせて行うこと。）	
6	加熱調理後の食品の冷却、非加熱調理食品の下処理後における調理場等での一時保管等は清潔な場所で行われていますか。	
7	加熱調理食品にトッピングする非加熱調理食品は、直接喫食する非加熱調理食品と同様の衛生管理を行い、トッピングする時期は提供までの時間が極力短くなるようにしていますか。	

② 調理後の取扱い

	点 検 項 目	点検結果
1	加熱調理後、食品を冷却する場合には、速やかに中心温度を下げる工夫がされていますか。	
2	調理後の食品は、他からの二次感染を防止するため、衛生的な容器にふたをして保存していますか。	
3	調理後の食品が適切に温度管理（冷却過程の温度管理を含む。）を行い、必要な時刻及び温度が記録されていますか。	
4	配送過程があるものは保冷又は保温設備のある運搬車を用いるなどにより、適切な温度管理を行い、必要な時間及び温度等が記録されていますか。	
5	調理後の食品は2時間以内に喫食されていますか。	

③ 廃棄物の取扱い

	点 検 項 目	点検結果
1	廃棄物容器は、汚臭、汚液がもれないように管理するとともに、作業終了後は速やかに清掃し、衛生上支障のないように保持されていますか。	
2	返却された残渣は非汚染作業区域に持ち込まれていませんか。	
3	廃棄物は、適宜集積場に搬出し、作業場に放置されていませんか。	
4	廃棄物集積場は、廃棄物の搬出後清掃するなど、周囲の環境に悪影響を及ぼさないよう管理されていますか。	

〈改善を行った点〉
〈計画的に改善すべき点〉

食品保管時の記録簿

平成　　年　　月　　日

責任者	衛生管理者

① 原材料保管時

品　目　名	搬入時刻	搬入時設備内（室内）温度	品　目　名	搬入時刻	搬入時設備内（室内）温度

② 調理終了後30分以内に提供される食品

品　目　名	調理終了時刻	品　目　名	調理終了時刻

③ 調理終了後30分以上に提供される食品

ア　温かい状態で提供される食品

品　目　名	食缶等への移し替え時刻

イ　加熱後冷却する食品

品　目　名	冷却開始時刻	冷却終了時刻	保冷設備への搬入時刻	保冷設備内温度	保冷設備からの搬出時刻

ウ　その他の食品

品　目　名	保冷設備への搬入時刻	保冷設備内温度	保冷設備からの搬出時刻

〈進言事項〉

食品の加熱加工の記録簿

平成　　年　　月　　日

責任者	衛生管理者

品　目　名	No. 1			No. 2 (No. 1 で設定した条件に基づき実施)	
（揚げ物）	① 油温		℃	油温	℃
	② 調理開始時刻		：	No. 3 (No. 1 で設定した条件に基づき実施)	
	③ 確認時の中心温度	サンプルA	℃	油温	℃
		B	℃	No. 4 (No. 1 で設定した条件に基づき実施)	
		C	℃	油温	℃
	④ ③確認後の加熱時間			No. 5 (No. 1 で設定した条件に基づき実施)	
	⑤ 全加熱処理時間			油温	℃

品　目　名	No. 1			No. 2 (No. 1 で設定した条件に基づき実施)	
（焼き物、蒸し物）	① 調理開始時刻		：	確認時の中心温度	℃
	② 確認時の中心温度	サンプルA	℃	No. 3 (No. 1 で設定した条件に基づき実施)	
		B	℃	確認時の中心温度	℃
		C	℃	No. 4 (No. 1 で設定した条件に基づき実施)	
	③ ②確認後の加熱時間			確認時の中心温度	℃
	⑤ 全加熱処理時間				

品　目　名	No. 1			No. 2		
（煮物）	① 確認時の中心温度	サンプル	℃	① 確認時の中心温度	サンプル	℃
	② ①確認後の加熱時間			② ①確認後の加熱時間		
（炒め物）	① 確認時の中心温度	サンプルA	℃	① 確認時の中心温度	サンプルA	℃
		B	℃		B	℃
		C	℃		C	℃
	② ①確認後の加熱時間			② ①確認後の加熱時間		

〈改善を行った点〉

〈計画的に改善すべき点〉

配送先記録簿

| 平成 | 年 | 月 | 日 |

責任者	記録者

| 出発時刻 | | ⟹ | 帰り時刻 | |

保冷設備への搬入時刻　（　　　：　　　）
保冷設備内温度　　　　（　　　　　　　）

配送先	配送先所在地	品目名	数量	配送時刻
				：
				：
				：
				：
				：
				：
				：
				：

〈進言事項〉

（別添）食中毒調査マニュアル　略

●学校環境衛生基準

〔平成 21 年 3 月 31 日〕
〔文部科学省告示第60号〕

注　令和6年3月29日文部科学省告示第54号改正現在

第1　教室等の環境に係る学校環境衛生基準

1　教室等の環境（換気、保温、採光、照明、騒音等の環境をいう。以下同じ。）に係る学校環境衛生基準は、次表の左欄に掲げる検査項目ごとに、同表の右欄のとおりとする。

検査項目			基準
換気及び保温等	(1)	換気	換気の基準として、二酸化炭素は、1500ppm以下であることが望ましい。
	(2)	温度	18℃以上、28℃以下であることが望ましい。
	(3)	相対湿度	30%以上、80%以下であることが望ましい。
	(4)	浮遊粉じん	0.10mg／㎥以下であること。
	(5)	気流	0.5m／秒以下であることが望ましい。
	(6)	一酸化炭素	6ppm以下であること。
	(7)	二酸化窒素	0.06ppm以下であることが望ましい。
	(8)	揮発性有機化合物	
		ア．ホルムアルデヒド	100μg／㎥以下であること。
		イ．トルエン	260μg／㎥以下であること。
		ウ．キシレン	200μg／㎥以下であること。
		エ．パラジクロロベンゼン	240μg／㎥以下であること。
		オ．エチルベンゼン	3800μg／㎥以下であること。
		カ．スチレン	220μg／㎥以下であること。
	(9)	ダニ又はダニアレルゲン	100匹／㎡以下又はこれと同等のアレルゲン量以下であること。
採光及び照明	(10)	照度	(ア)　教室及びそれに準ずる場所の照度の下限値は、300lx（ルクス）とする。また、教室及び黒板の照度は、500lx以上であることが望ましい。 (イ)　教室及び黒板のそれぞれの最大照度と最小照度の比は、20：1を超えないこと。また、10：1を超えないことが望ましい。 (ウ)　コンピュータを使用する教室等の机上の照度は、500〜1000lx程度が望ましい。 (エ)　テレビやコンピュータ等の画面の垂直面照度は、100〜500lx程度が望ましい。 (オ)　その他の場所における照度は、産業標準化法（昭和24年法律第185号）に基づく日本産業規格（以下「日本産業規格」という。）Z9110に規定する学校施設の人工照明の照度基準に適合すること。
	(11)	まぶしさ	(ア)　児童生徒等から見て、黒板の外側15°以内の範囲に輝きの強い光源（昼光の場合は窓）がないこと。 (イ)　見え方を妨害するような光沢が、黒板面及び机上面にないこと。

| 騒音 | (12)　騒音レベル | 教室内の等価騒音レベルは、窓を閉じているときはLAeq50dB（デシベル）以下、窓を開けているときはLAeq55dB以下であることが望ましい。 |

2　1の学校環境衛生基準の達成状況を調査するため、次表の左欄に掲げる検査項目ごとに、同表の右欄に掲げる方法又はこれと同等以上の方法により、検査項目(1)〜(7)及び(10)〜(12)については、毎学年2回、検査項目(8)及び(9)については、毎学年1回定期に検査を行うものとする。

	検査項目	方法
	(1)　換気	二酸化炭素は、検知管法により測定する。
	(2)　温度	0.5度目盛の温度計を用いて測定する。
	(3)　相対湿度	0.5度目盛の乾湿球湿度計を用いて測定する。
	(4)　浮遊粉じん	相対沈降径10μm以下の浮遊粉じんをろ紙に捕集し、その質量による方法（Low—Volume Air Sampler法）又は質量濃度変換係数（K）を求めて質量濃度を算出する相対濃度計を用いて測定する。
	(5)　気流	0.2m／秒以上の気流を測定することができる風速計を用いて測定する。
	(6)　一酸化炭素	検知管法により測定する。
	(7)　二酸化窒素	ザルツマン法により測定する。
換気及び保温等	(8)　揮発性有機化合物	揮発性有機化合物の採取は、教室等内の温度が高い時期に行い、吸引方式では30分間で2回以上、拡散方式では8時間以上行う。
	ア．ホルムアルデヒド	ジニトロフェニルヒドラジン誘導体固相吸着／溶媒抽出法により採取し、高速液体クロマトグラフ法により測定する。
	イ．トルエン	固相吸着／溶媒抽出法、固相吸着／加熱脱着法、容器採取法のいずれかの方法により採取し、ガスクロマトグラフ―質量分析法により測定する。
	ウ．キシレン	
	エ．パラジクロロベンゼン	
	オ．エチルベンゼン	
	カ．スチレン	
	(9)　ダニ又はダニアレルゲン	温度及び湿度が高い時期に、ダニの発生しやすい場所において1㎡を電気掃除機で1分間吸引し、ダニを捕集する。捕集したダニは、顕微鏡で計数するか、アレルゲンを抽出し、酵素免疫測定法によりアレルゲン量を測定する。

備考
一　検査項目(1)〜(7)については、学校の授業中等に、各階1以上の教室等を選び、適当な場所1か所以上の机上の高さにおいて検査を行う。
　　検査項目(4)及び(5)については、空気の温度、湿度又は流量を調節する設備を使用している教室等以外の教室等においては、必要と認める場合に検査を行う。
　　検査項目(4)については、検査の結果が著しく基準値を下回る場合には、以後教室等の環境に変化が認められない限り、次回からの検査を省略することができる。
　　検査項目(6)及び(7)については、教室等において燃焼器具を使用していない場合に限り、検査を省略することができる。
二　検査項目(8)については、普通教室、音楽室、図工室、コンピュータ教室、体育館等必要と認める教室において検査を行う。
　　検査項目(8)ウ〜カについては、必要と認める場合に検査を行う。
　　検査項目(8)については、児童生徒等がいない教室等において、30分以上換気の後5時間以上密閉してから採取し、ホルムアルデヒドにあっては高速液体クロマトグラフ法により、トルエン、キシレン、パラジクロロベンゼン、エチルベンゼン、スチレンにあってはガスクロマトグラフ―質量分析法により測

定した場合に限り、その結果が著しく基準値を下回る場合には、以後教室等の環境に変化が認められない限り、次回からの検査を省略することができる。

三　検査項目(9)については、保健室の寝具、カーペット敷の教室等において検査を行う。

⑽　照度	日本産業規格C1609─1に規定する照度計の規格に適合する照度計を用いて測定する。 　教室の照度は、図に示す9か所に最も近い児童生徒等の机上で測定し、それらの最大照度、最小照度で示す。 　黒板の照度は、図に示す9か所の垂直面照度を測定し、それらの最大照度、最小照度で示す。 　教室以外の照度は、床上75cmの水平照度を測定する。なお、体育施設及び幼稚園等の照度は、それぞれの実態に即して測定する。
⑾　まぶしさ	見え方を妨害する光源、光沢の有無を調べる。

図

採光及び照明

黒　板　　　　　　　　　　　　　　30cm

10cm
中央

教　室
中　央　　　　　　　　　　　1 m

1 m

中央

騒音	⑿　騒音レベル	普通教室に対する工作室、音楽室、廊下、給食施設及び運動場等の校内騒音の影響並びに道路その他の外部騒音の影響があるかどうかを調べ騒音の影響の大きな教室を選び、児童生徒等がいない状態で、教室の窓側と廊下側で、窓を閉じたときと開けたときの等価騒音レベルを測定する。
		等価騒音レベルの測定は、日本産業規格C1509—1に規定する積分・平均機能を備える普通騒音計を用い、A特性で5分間、等価騒音レベルを測定する。
		なお、従来の普通騒音計を用いる場合は、普通騒音から等価騒音を換算するための計算式により等価騒音レベルを算出する。
		特殊な騒音源がある場合は、日本産業規格Z8731に規定する騒音レベル測定法に準じて行う。

備考
一　検査項目⑿において、測定結果が著しく基準値を下回る場合には、以後教室等の内外の環境に変化が認められない限り、次回からの検査を省略することができる。

第2　飲料水等の水質及び施設・設備に係る学校環境衛生基準

1　飲料水等の水質及び施設・設備に係る学校環境衛生基準は、次表の左欄に掲げる検査項目ごとに、同表の右欄のとおりとする。

	検査項目	基準
水質	⑴　水道水を水源とする飲料水（専用水道を除く。）の水質	
	ア．一般細菌	水質基準に関する省令（平成15年厚生労働省令第101号）の表の下欄に掲げる基準による。
	イ．大腸菌	
	ウ．塩化物イオン	
	エ．有機物（全有機炭素（TOC）の量）	
	オ．pH値	
	カ．味	
	キ．臭気	
	ク．色度	
	ケ．濁度	
	コ．遊離残留塩素	水道法施行規則（昭和32年厚生省令第45号）第17条第1項第3号に規定する遊離残留塩素の基準による。
	⑵　専用水道に該当しない井戸水等を水源とする飲料水の水質	
	ア．専用水道（水道法（昭和32年法律第177号）第3条第6項に規定する「専用水道」をいう。以下同じ。）が実施すべき水質検査の項目	水質基準に関する省令の表の下欄に掲げる基準による。
	イ．遊離残留塩素	水道法施行規則第17条第1項第3号に規定する遊離残留塩素の基準による。
	⑶　専用水道（水道水を水源とする場合を除く。）及び専用水道に該当しない井戸水等を水源とする飲料水の原水の水質	
	ア．一般細菌	水質基準に関する省令の表の下欄に掲げる基準による。
	イ．大腸菌	
	ウ．塩化物イオン	

	エ．有機物（全有機炭素（TOC）の量）	
	オ．pH値	
	カ．味	
	キ．臭気	
	ク．色度	
	ケ．濁度	
(4) 雑用水の水質		
	ア．pH値	5.8以上8.6以下であること。
	イ．臭気	異常でないこと。
	ウ．外観	ほとんど無色透明であること。
	エ．大腸菌	検出されないこと。
	オ．遊離残留塩素	0.1mg／L（結合残留塩素の場合は0.4mg／L）以上であること。
施設・設備	(5) 飲料水に関する施設・設備	
	ア．給水源の種類	上水道、簡易水道、専用水道、簡易専用水道及び井戸その他の別を調べる。
	イ．維持管理状況等	㋐ 配管、給水栓、給水ポンプ、貯水槽及び浄化設備等の給水施設・設備は、外部からの汚染を受けないように管理されていること。また、機能は適切に維持されていること。 ㋑ 給水栓は吐水口空間が確保されていること。 ㋒ 井戸その他を給水源とする場合は、汚水等が浸透、流入せず、雨水又は異物等が入らないように適切に管理されていること。 ㋓ 故障、破損、老朽又は漏水等の箇所がないこと。 ㋔ 塩素消毒設備又は浄化設備を設置している場合は、その機能が適切に維持されていること。
	ウ．貯水槽の清潔状態	貯水槽の清掃は、定期的に行われていること。
	(6) 雑用水に関する施設・設備	㋐ 水管には、雨水等雑用水であることを表示していること。 ㋑ 水栓を設ける場合は、誤飲防止の構造が維持され、飲用不可である旨表示していること。 ㋒ 飲料水による補給を行う場合は、逆流防止の構造が維持されていること。 ㋓ 貯水槽は、破損等により外部からの汚染を受けず、その内部は清潔であること。 ㋔ 水管は、漏水等の異常が認められないこと。

2　1の学校環境衛生基準の達成状況を調査するため、次表の左欄に掲げる検査項目ごとに、同表の右欄に掲げる方法又はこれと同等以上の方法により、検査項目(1)については、毎学年1回、検査項目(2)については、水道法施行規則第54条において準用する水道法施行規則第15条に規定する専用水道が実施すべき水質検査の回数、検査項目(3)については、毎学年1回、検査項目(4)については、毎学年2回、検査項目(5)については、水道水を水源とする飲料水にあっては、毎学年1回、井戸水等を水源とする飲料水にあっては、毎学年2回、検査項目(6)については、毎学年2回定期に検査を行うものとする。

検査項目	方法
(1) 水道水を水源とする飲料水（専用水道を除く。）の水質	
ア．一般細菌	水質基準に関する省令の規定に基づき環境大臣が定める方法（平成15年厚生労働省告示第261号）により測定する。
イ．大腸菌	

水 質	ウ．塩化物イオン	
	エ．有機物（全有機炭素（TOC）の量）	
	オ．pH値	
	カ．味	
	キ．臭気	
	ク．色度	
	ケ．濁度	
	コ．遊離残留塩素	水道法施行規則第17条第2項の規定に基づき環境大臣が定める遊離残留塩素及び結合残留塩素の検査方法（平成15年厚生労働省告示第318号）により測定する。
	備考 一　検査項目(1)については、貯水槽がある場合には、その系統ごとに検査を行う。	
	(2)　専用水道に該当しない井戸水等を水源とする飲料水の水質	
	ア．専用水道が実施すべき水質検査の項目	水質基準に関する省令の規定に基づき環境大臣が定める方法により測定する。
	イ．遊離残留塩素	水道法施行規則第17条第2項の規定に基づき環境大臣が定める遊離残留塩素及び結合残留塩素の検査方法により測定する。
	(3)　専用水道（水道水を水源とする場合を除く。）及び専用水道に該当しない井戸水等を水源とする飲料水の原水の水質	
	ア．一般細菌	水質基準に関する省令の規定に基づき環境大臣が定める方法により測定する。
	イ．大腸菌	
	ウ．塩化物イオン	
	エ．有機物（全有機炭素（TOC）の量）	
	オ．pH値	
	カ．味	
	キ．臭気	
	ク．色度	
	ケ．濁度	
	(4)　雑用水の水質	
	ア．pH値	水質基準に関する省令の規定に基づき環境大臣が定める方法により測定する。
	イ．臭気	
	ウ．外観	目視によって、色、濁り、泡立ち等の程度を調べる。
	エ．大腸菌	水質基準に関する省令の規定に基づき環境大臣が定める方法により測定する。
	オ．遊離残留塩素	水道法施行規則第17条第2項の規定に基づき環境大臣が定める遊離残留塩素及び結合残留塩素の検査方法により測定する。

施設・設備	(5) 飲料水に関する施設・設備	給水施設の外観や貯水槽内部を点検するほか、設備の図面、貯水槽清掃作業報告書等の書類について調べる。
	ア．給水源の種類	
	イ．維持管理状況等	
	ウ．貯水槽の清潔状態	
	(6) 雑用水に関する施設・設備	施設の外観や貯水槽等の内部を点検するほか、設備の図面等の書類について調べる。

第3　学校の清潔、ネズミ、衛生害虫等及び教室等の備品の管理に係る学校環境衛生基準

1　学校の清潔、ネズミ、衛生害虫等及び教室等の備品の管理に係る学校環境衛生基準は、次表の左欄に掲げる検査項目ごとに、同表の右欄のとおりとする。

検査項目		基準
学校の清潔	(1) 大掃除の実施	大掃除は、定期に行われていること。
	(2) 雨水の排水溝等	屋上等の雨水排水溝に、泥や砂等が堆積していないこと。また、雨水配水管の末端は、砂や泥等により管径が縮小していないこと。
	(3) 排水の施設・設備	汚水槽、雑排水槽等の施設・設備は、故障等がなく適切に機能していること。
ネズミ、衛生害虫等	(4) ネズミ、衛生害虫等	校舎、校地内にネズミ、衛生害虫等の生息が認められないこと。
教室等の備品の管理	(5) 黒板面の色彩	(ｱ) 無彩色の黒板面の色彩は、明度が3を超えないこと。 (ｲ) 有彩色の黒板面の色彩は、明度及び彩度が4を超えないこと。

2　1の学校環境衛生基準の達成状況を調査するため、次表の左欄に掲げる検査項目ごとに、同表の右欄に掲げる方法又はこれと同等以上の方法により、検査項目(1)については、毎学年3回、検査項目(2)〜(5)については、毎学年1回定期に検査を行うものとする。

検査項目		方法
学校の清潔	(1) 大掃除の実施	清掃方法及び結果を記録等により調べる。
	(2) 雨水の排水溝等	雨水の排水溝等からの排水状況を調べる。
	(3) 排水の施設・設備	汚水槽、雑排水槽等の施設・設備からの排水状況を調べる。
ネズミ、衛生害虫等	(4) ネズミ、衛生害虫等	ネズミ、衛生害虫等の生態に応じて、その生息、活動の有無及びその程度等を調べる。
教室等の備品の管理	(5) 黒板面の色彩	明度、彩度の検査は、黒板検査用色票を用いて行う。

第4　水泳プールに係る学校環境衛生基準

1　水泳プールに係る学校環境衛生基準は、次表の左欄に掲げる検査項目ごとに、同表の右欄のとおりとする。

検査項目		基準
水質	(1)　遊離残留塩素	0.4mg／L以上であること。また、1.0mg／L以下であることが望ましい。
	(2)　pH値	5.8以上8.6以下であること。
	(3)　大腸菌	検出されないこと。
	(4)　一般細菌	1 mL中200コロニー以下であること。
	(5)　有機物等（過マンガン酸カリウム消費量）	12mg／L以下であること。
	(6)　濁度	2度以下であること。
	(7)　総トリハロメタン	0.2mg／L以下であることが望ましい。
	(8)　循環ろ過装置の処理水	循環ろ過装置の出口における濁度は、0.5度以下であること。また、0.1度以下であることが望ましい。
施設・設備の衛生状態	(9)　プール本体の衛生状況等	(ア)　プール水は、定期的に全換水するとともに、清掃が行われていること。 (イ)　水位調整槽又は還水槽を設ける場合は、点検及び清掃を定期的に行うこと。
	(10)　浄化設備及びその管理状況	(ア)　循環浄化式の場合は、ろ材の種類、ろ過装置の容量及びその運転時間が、プール容積及び利用者数に比して十分であり、その管理が確実に行われていること。 (イ)　オゾン処理設備又は紫外線処理設備を設ける場合は、その管理が確実に行われていること。
	(11)　消毒設備及びその管理状況	(ア)　塩素剤の種類は、次亜塩素酸ナトリウム液、次亜塩素酸カルシウム又は塩素化イソシアヌル酸のいずれかであること。 (イ)　塩素剤の注入が連続注入式である場合は、その管理が確実に行われていること。
	(12)　屋内プール	
	ア．空気中の二酸化炭素	1500ppm以下が望ましい。
	イ．空気中の塩素ガス	0.5ppm以下が望ましい。
	ウ．水平面照度	200lx以上が望ましい。
備考 一　検査項目(9)については、浄化設備がない場合には、汚染を防止するため、1週間に1回以上換水し、換水時に清掃が行われていること。この場合、腰洗い槽を設置することが望ましい。 　また、プール水等を排水する際には、事前に残留塩素を低濃度にし、その確認を行う等、適切な処理が行われていること。		

2　1の学校環境衛生基準の達成状況を調査するため、次表の左欄に掲げる検査項目ごとに、同表の右欄に掲げる方法又はこれと同等以上の方法により、検査項目(1)〜(6)については、使用日の積算が30日以内ごとに1回、検査項目(7)については、使用期間中の適切な時期に1回以上、検査項目(8)〜(12)については、毎学年1回定期に検査を行うものとする。

検査項目		方法
水質	(1)　遊離残留塩素	水道法施行規則第17条第2項の規定に基づき環境大臣が定める遊離残留塩素及び結合残留塩素の検査方法により測定する。
	(2)　pH値	水質基準に関する省令の規定に基づき環境大臣が定める方法により測定する。
	(3)　大腸菌	

	検査項目	
	(4) 一般細菌	
	(5) 有機物等（過マンガン酸カリウム消費量）	過マンガン酸カリウム消費量として、滴定法による。
	(6) 濁度	水質基準に関する省令の規定に基づき環境大臣が定める方法により測定する。
	(7) 総トリハロメタン	
	(8) 循環ろ過装置の処理水	
	備考 一 検査項目(7)については、プール水を1週間に1回以上全換水する場合は、検査を省略することができる。	
施設・設備の衛生状態	(9) プール本体の衛生状況等	プール本体の構造を点検するほか、水位調整槽又は還水槽の管理状況を調べる。
	(10) 浄化設備及びその管理状況	プールの循環ろ過器等の浄化設備及びその管理状況を調べる。
	(11) 消毒設備及びその管理状況	消毒設備及びその管理状況について調べる。
	(12) 屋内プール	
	ア 空気中の二酸化炭素	検知管法により測定する。
	イ 空気中の塩素ガス	検知管法により測定する。
	ウ 水平面照度	日本産業規格C1609—1に規定する照度計の規格に適合する照度計を用いて測定する。

第5 日常における環境衛生に係る学校環境衛生基準

1 学校環境衛生の維持を図るため、第1から第4に掲げる検査項目の定期的な環境衛生検査等のほか、次表の左欄に掲げる検査項目について、同表の右欄の基準のとおり、毎授業日に点検を行うものとする。

	検査項目	基準
教室等の環境	(1) 換気	(ア) 外部から教室に入ったとき、不快な刺激や臭気がないこと。 (イ) 換気が適切に行われていること。
	(2) 温度	18℃以上、28℃以下であることが望ましい。
	(3) 明るさとまぶしさ	(ア) 黒板面や机上等の文字、図形等がよく見える明るさがあること。 (イ) 黒板面、机上面及びその周辺に見え方を邪魔するまぶしさがないこと。 (ウ) 黒板面に光るような箇所がないこと。
	(4) 騒音	学習指導のための教師の声等が聞き取りにくいことがないこと。
飲料水等の水質及び施設・設備	(5) 飲料水の水質	(ア) 給水栓水については、遊離残留塩素が0.1mg／L以上保持されていること。ただし、水源が病原生物によって著しく汚染されるおそれのある場合には、遊離残留塩素が0.2mg／L以上保持されていること。 (イ) 給水栓水については、外観、臭気、味等に異常がないこと。 (ウ) 冷水器等飲料水を貯留する給水器具から供給されている水についても、給水栓水と同様に管理されていること。
	(6) 雑用水の水質	(ア) 給水栓水については、遊離残留塩素が0.1mg／L以上保持されていること。ただし、水源が病原生物によって著しく汚染されるおそれのある場合には、遊離残留塩素が0.2mg／L以上保持されていること。 (イ) 給水栓水については、外観、臭気に異常がないこと。
	(7) 飲料水等の施設・設備	(ア) 水飲み、洗口、手洗い場及び足洗い場並びにその周辺は、排水の状況がよく、清潔であり、その設備は破損や故障がないこと。

学校の清潔及びネズミ、衛生害虫等		(ｲ)　配管、給水栓、給水ポンプ、貯水槽及び浄化設備等の給水施設・設備並びにその周辺は、清潔であること。
	(8)　学校の清潔	(ｱ)　教室、廊下等の施設及び机、いす、黒板等教室の備品等は、清潔であり、破損がないこと。
		(ｲ)　運動場、砂場等は、清潔であり、ごみや動物の排泄物等がないこと。
		(ｳ)　便所の施設・設備は、清潔であり、破損や故障がないこと。
		(ｴ)　排水溝及びその周辺は、泥や砂が堆積しておらず、悪臭がないこと。
		(ｵ)　飼育動物の施設・設備は、清潔であり、破損がないこと。
		(ｶ)　ごみ集積場及びごみ容器等並びにその周辺は、清潔であること。
	(9)　ネズミ、衛生害虫等	校舎、校地内にネズミ、衛生害虫等の生息が見られないこと。
水泳プールの管理	(10)　プール水等	(ｱ)　水中に危険物や異常なものがないこと。
		(ｲ)　遊離残留塩素は、プールの使用前及び使用中1時間ごとに1回以上測定し、その濃度は、どの部分でも0.4mg／L以上保持されていること。また、遊離残留塩素は1.0mg／L以下が望ましい。
		(ｳ)　pH値は、プールの使用前に1回測定し、pH値が基準値程度に保たれていることを確認すること。
		(ｴ)　透明度に常に留意し、プール水は、水中で3m離れた位置からプールの壁面が明確に見える程度に保たれていること。
	(11)　附属施設・設備等	プールの附属施設・設備、浄化設備及び消毒設備等は、清潔であり、破損や故障がないこと。

2　点検は、官能法によるもののほか、第1から第4に掲げる検査方法に準じた方法で行うものとする。

第6　雑則

1　学校においては、次のような場合、必要があるときは、臨時に必要な検査を行うものとする。

　(1)　感染症又は食中毒の発生のおそれがあり、また、発生したとき。

　(2)　風水害等により環境が不潔になり又は汚染され、感染症の発生のおそれがあるとき。

　(3)　新築、改築、改修等及び机、いす、コンピュータ等新たな学校用備品の搬入等により揮発性有機化合物の発生のおそれがあるとき。

　(4)　その他必要なとき。

2　臨時に行う検査は、定期に行う検査に準じた方法で行うものとする。

3　定期及び臨時に行う検査の結果に関する記録は、検査の日から5年間保存するものとする。また、毎授業日に行う点検の結果は記録するよう努めるとともに、その記録を点検日から3年間保存するよう努めるものとする。

4　検査に必要な施設・設備等の図面等の書類は、必要に応じて閲覧できるように保存するものとする。

6　安全管理

○子ども・子育て支援法等の施行に伴う幼保連携型認定こども園の建築基準法上の取扱い等について（周知）

平成27年2月13日　事務連絡
各都道府県・各指定都市・各中核市子ども・子育て支援新制度担当部局・各認定こども園・各都道府県私立幼稚園・教育委員会事務局幼稚園・各都道府県・各指定都市・各中核市保育担当課宛　内閣府子ども・子育て支援新制度施行準備室・文部科学省初等中等教育局幼児教育・厚生労働省雇用均等・児童家庭局保育課

平素より子ども・子育て支援施策の推進、子ども・子育て支援新制度（以下「新制度」という。）の施行準備に御尽力いただき、誠にありがとうございます。

新制度の施行に伴う幼保連携型認定こども園等の建築基準法上の取扱いについては、別紙のとおり、国土交通省住宅局建築指導課より各都道府県建築行政担当部局、管内の特定行政庁等に周知されておりますので、貴職におかれましても御了知いただくとともに、別紙の内容に関することで事業者等からの相談があった場合には、適切な指導及び助言がされるよう建築行政担当部局と緊密に連携し、新制度の円滑な施行に御配慮いただきますようお願いします。

なお、その際の留意点として、

① 幼保連携型認定こども園の認可等に当たっては、建築基準法上の手続きが必要な場合（別紙事務連絡第2(2)参照）は当該手続きが求められることとなりますが、必要な改修工事を完了していない場合であっても、建築行政担当部局と連携しつつ、必要な対応が適切に行われる見込みがあることなどが認められる場合については、認可等について柔軟な取扱いをしていただくことが可能であること

② 建築基準法令における各種基準を満たすために行う施設整備については、整備内容に応じて、認定こども園の施設整備に対する補助を活用いただくことが可能であることから、事業者等からの相談があった場合には、このような補助も活用可能である旨周知いただきたいこと

③ 既存の幼保連携型認定こども園は、認定こども園法一部改正法の規定により実態の変更によらず施行日に新幼保連携型認定こども園にみなされるものであるから、増改築等を行う場合を除き、確認申請等の手続きは必要ないこと

等が考えられますので、このような点も踏まえて御対応いただきますようお願いします。

また、各都道府県におかれましては、管内市町村及び事業者に対してこの内容を周知いただきますようお願いします。

〔別紙1〕

子ども・子育て支援法等の施行に伴う幼保連携型認定こども園の建築基準法上の取扱い等について（補足）

平成27年2月13日　事務連絡
各都道府県建築行政担当課宛　国土交通省住宅局建築指導課

日頃より建築行政の適確な実施にご尽力いただいておりますことを感謝申し上げます。

さて、「子ども・子育て支援法等の施行に伴う幼保連携型認定こども園の建築基準法上の取扱い等について（技術的助言）」（平成27年2月13日付国住指第4185号）を通知したところですが、運用に当たっての補足事項を下記のとおりお送りします。

貴職におかれましては、貴管内の特定行政庁及び貴都道府県知事指定の指定確認検査機関に対しても、この旨周知方お願いします。

なお、国土交通大臣指定及び地方整備局長指定の指定確認検査機関に対しても、この旨周知していることを申し添えます。

記

第1　整備政令における建築基準法施行令の一部改正について

就学前の子どもに関する教育、保育等の総合的な提供の推進に関する法律（平成18年法律第77号。以下「認定こども園法」という。）の改正により、幼保連携型認定こども園が子どもに対する教育と保育とを一体的に行う単一の施設として制度化されましたが、第2に示す考え方のとおり、幼保連携型認定こども園には幼稚園及び保育所と同じ規制（基準が異なる場合にはより厳しい方の規制）を適用する必要があるため、以下の改正を行いました。今後、平成27年4月1日に施行されます。

① 採光の規制については、幼稚園の教室と保育所の保育室に同一の規制が適用されていますが、適用対象となる居室として、幼保連携型認定こども園の保育室を追加し（幼保連携型認定こども園の教室は、建築基準法第28条第1項の「学校の教室」

に該当）、幼稚園及び保育所と同一の規制を幼保連携型認定こども園に適用することとしました（建築基準法施行令（昭和25年政令第338号。以下「令」という。）第19条第2項及び第3項関係）。

なお、採光の規制が適用される建築物を定める令第19条第1項において、「児童福祉施設（幼保連携型認定こども園を除く。）」とする改正を行っているのは、建築基準法第28条第1項で「学校」を定めており重複を避けるためです。これに伴い、令第19条においては「児童福祉施設等」に幼保連携型認定こども園が含まれませんが、令第115条の3で「児童福祉施設等（幼保連携型認定こども園を含む。以下同じ。）」としているため、以降の規定においては児童福祉施設等に該当します。

② 排煙設備（令第126条の2）、非常用の照明装置（令第126条の4）及び内装制限（令第128条の4及び令第129条）の規制については、「学校等」が適用外となっていますが、児童福祉施設としての性格も有する幼保連携型認定こども園については、これらの規制を適用させる必要があるため、令第126条の2において定義されている「学校等」から「幼保連携型認定こども園」を除くことにより、適用させることとしました。（令第126条の2第1項関係）

第2 幼保連携型認定こども園の建築基準法における取扱いについて

(1) 適用される基準について

幼保連携型認定こども園に適用される技術基準については、幼稚園及び保育所に同様に適用される基準は、幼保連携型認定こども園に対しても同様に適用されることになりますが、幼稚園と保育所とで適用される基準の内容が異なるものについては、今般、幼保連携型認定こども園が保育所と同様3歳未満の子どもに対する保育を行い得るものであること等を踏まえ、規制内容がより厳しい方を適用させることとし、第1のとおり、建築基準法令の所要の改正を行ったところです。

当該改正後の、幼保連携型認定こども園に対する基準の適用（幼稚園及び保育所で規制内容が異なる主なもの）については下表のとおりですので、参考としていただけますようお願いします。なお、今後排煙設備の設置を不要とする部分を定める告示を改正する予定です（別紙参照）。

ただし、改正後の認定こども園法に基づく認可の際の提出書類その他の関係書類及び関係部局間での連携等により、当面の間満3歳未満の子どもの保育を行わず、かつ、当該子どもの保育を行うこととする際にその旨を把握できる場合には、当該子どもの保育を行うまでの間は下表の避難関係規定の適用上幼稚園として取り扱い、当該保育を行うこととする際に、幼保連携型認定こども園に対する基準を適用することが可能です。

さらに、関係書類及び関係部局間での連携等により、満3歳未満の子どもの保育を行う居室が当該子どもの保育を行わない居室と間仕切壁等により区画されており、かつ、当該子どもの保育を行う居室を変更する際にその旨を把握できる場合には、当該変更までの間は当該子どもの保育を行う部分（関連する避難施設等を含む。）以外の部分は下表の避難関係規定の適用上幼稚園の用途に供する部分として取り扱うことが可能です（下表＊参照）。

なお、事業者等から相談があった場合には、基準ごとに適用される規模等の要件があること、基準によっては適用除外となる要件が定められているものもあること、「避難安全検証法」により避難関係規定の適用を除外できる場合があることなどを十分に踏まえ、個別の事案ごとに各基準の適否を判断し、適用除外規定や避難安全検証法の活用を促すなど適切かつ柔軟に指導及び助言をしていただけますようお願いします。

（参考）幼保連携型認定こども園に対する建築基準法令の基準の適用について

＊：満3歳未満の子どもの保育を行う居室が当該子どもの保育を行わない居室と間仕切壁等により区画されており、かつ、当該子どもの保育を行う居室を変更する際にその旨を把握できる場合

保育所及び幼稚園で規制内容が異なる基準とその概要			幼保連携型認定こども園に適用される基準
基準	保育所	幼稚園	
法第24条（木造建築物等である特殊建築物の外壁等）	適用外	法第22条第1項の市街地の区域内にある木造建築物等の場合、外壁及び軒裏で延焼のおそれのある部分を防火構造としなければならない。	幼稚園と同様の基準が適用される（法第24条の「学校」に該当）。
法第27条	2階の部分の保育所の用途に	幼稚園の用途に供する部分の	保育所と同様の基準と幼稚園と

（耐火建築物又は準耐火建築物としなければならない特殊建築物）	供する部分の床面積の合計が300㎡以上の場合は耐火建築物又は準耐火建築物としなければならない。 【別表第一㈡項関係】	床面積の合計が2,000㎡以上の場合は耐火建築物又は準耐火建築物としなければならない。 【別表第一㈢項関係】	同様の基準（いずれの基準も厳しい規制内容となり得る）の両方が適用される（法別表第一㈡項及び㈢項の両方に該当）。 （幼稚園、保育所及び幼保連携型認定こども園の設置基準において、２階に保育室等を設ける場合には耐火建築物又は準耐火建築物であることとされているため、建築基準法の適用関係が問題となるケースは殆どないと考えられる。）
令第120条（居室から直通階段に至る歩行距離）	主要構造部が準耐火構造であるか又は不燃材料で造られている場合以外の場合は、居室から直通階段に至る歩行距離を30m以下としなければならない。 【第１項の表㈡項】	主要構造部が準耐火構造であるか又は不燃材料で造られている場合以外の場合は、居室から直通階段に至る歩行距離を40m以下としなければならない。 【第１項の表㈢項】	より厳しい、保育所と同様の基準が適用される（令第120条第１項の表㈡項に該当）。 ＊満３歳未満の子どもの保育を行わない居室は同表㈢項の適用が可能。
令第121条（２以上の直通階段を設ける場合）	保育所の用途に供する階で、その階における保育所の用途に供する居室の床面積の合計が50㎡※を超える場合には、２以上の直通階段を設けなければならない。【第１項第４号】 ※主要構造部が準耐火構造であるか又は不燃材料で造られている場合は100㎡	用途による上乗せは無し	保育所と同様の基準が適用される（令第121条第１項第４号の「児童福祉施設等」に該当）。 ただし、一定規模以上の場合に適用されることに留意。 ＊満３歳未満の子どもの保育を行わない居室は同号の「児童福祉施設等の主たる用途に供する居室」の床面積に算入しないことが可能。
令第126条の２（排煙設備の設置）	保育所の用途に供する特殊建築物で延べ面積が500㎡を超える場合等には、排煙設備を設けなければならない。【第１項】 ただし、床面積100㎡以内ごとに準耐火構造の壁等で区画されている部分等（令第126条の２第１項第１号等）及び平成12年建設省告示第1436号に定める部分には設置不要。 なお、設置不要とする部分を追加する改正を予定（別紙参照）。	適用外	保育所と同様の基準が適用される（適用外の令第126条の２第１項第２号の「学校等」には該当しない（満３歳未満の子どもの保育を行わないことが確認できる期間を除く。））。 ただし、一定規模以上の場合に適用されること及び一定の措置が講じられている場合には設置が不要となることに留意。
令第126条の４（非常用の照明装置の設置）	保育所の用途に供する特殊建築物の居室及び居室から地上に通ずる通路等には、非常用の照明装置を設けなければならない。【第１項】 ただし、窓その他の開口部を有する居室及びこれに類する建築物の部分※（以下「居室等」という。）で①又は②に該当するものには設置不要（詳細は平成12年建設省告示第1411号参照）。 ①　避難階の居室等で当該居室等から屋外への出口までの歩行距離が30m以下 ②　避難階の直下階又は直上階の居室等で当該居室等から避難階における屋外への出口等までの歩行距離が20m以下 ※「これに類する建築物の部分」は、窓その他の開口部を有する廊下、階段その他の通路等も含む。	適用外	保育所と同様の基準が適用される（適用外の令第126条の４第１項第３号の「学校等」には該当しない（満３歳未満の子どもの保育を行わないことが確認できる期間を除く。））。 ただし、一定の措置が講じられている場合には設置が不要となることに留意。 ＊満３歳未満の子どもの保育を行わない居室及び居室から地上に通ずる通路等は適用除外とすることが可能。
令第128条の４及び令第129条（内	耐火建築物の場合、保育所等の用途に供する３階以上の部分の床面積の合計が300㎡以	適用外（火気使用室を除く）	保育所と同様の基準が適用される（令第128条の４第１項第１号の表㈡項、第２項、第３項、

装制限関係)	上の場合に、当該用途に供する居室及び当該居室から地上に通ずる主たる通路の内装制限を受ける。など	令第129条第1項、第4項等に該当)。 ＊満3歳未満の子どもの保育を行う部分（関連する避難施設等を含む。）以外の部分は「当該用途に供する部分」ではないものとしてこれらの規定の適用が可能。

(注)　幼保連携型認定こども園（表の避難関係規定の適用上幼稚園として取り扱う場合を含む。）は、管理・利用が一体的になされる単一の施設であることから、令第112条第13項の規定による異種用途区画は適用されません。

(2)　手続きについて

　　平成27年4月1日以降、既存の幼稚園又は保育所から改正後の認定こども園法に基づく認可（届け出）により新幼保連携型認定こども園に移行する場合の建築基準法上の手続きについては、以下のとおりです。

①　既存の幼稚園から新幼保連携型認定こども園に移行する場合、その床面積の合計が100平方メートルを超えれば、建築基準法第87条第1項に規定する確認申請等の手続きが必要になります。ただし、改正後の認定こども園法に基づく認可の際の提出書類その他の関係書類及び関係部局間での連携等により、当面の間満3歳未満の子どもの保育を行わず、かつ、当該子どもの保育を行うこととする際にその旨を把握できる場合には、当該子どもの保育を行うこととするまでの間は同項の適用上幼稚園として取り扱い、当該保育を行うこととなる際に、同項に規定する確認申請等の手続きを行うことが可能ですので、個々の状況に応じ、柔軟な対応をお願いします。

②　既存の保育所から新幼保連携型認定こども園に移行する場合、建築基準法の技術基準の適用関係から判断して「児童福祉施設等」間での用途の変更に該当するため、令第137条の17の規定に基づき、同法第87条第1項に規定する確認申請等の手続きは必要ありません。

③　なお、既存の幼保連携型認定こども園は、認定こども園法一部改正法の規定により実態の変更によらず施行日に新幼保連携型認定こども園にみなされるものであることから、増改築等を行う場合を除き、確認申請等の手続きを行う必要はありません。

　　なお、確認申請等に対しては、できる限り速やかに対応いただくとともに、やむを得ず新幼保連携型認定こども園への移行までに工事が完了しない場合には、例えば、工事の進捗に併せ、満3歳未満の子どもについては保育所の基準に適合した部分において保育を行うことを申請者に助言する

など、建築部局として可能な限りの柔軟な対応をお願いします。これらにより難い場合等がございましたら、遠慮なく当課までご相談願います。

別紙　略

〔別紙2〕

子ども・子育て支援法等の施行に伴う幼保連携型認定こども園の建築基準法上の取扱い等について（技術的助言）

> 平成27年2月13日　国住指第4185号
> 各都道府県建築行政主務部長宛　国土交通省住宅局建築指導課長通知

　子ども・子育て支援法等の施行に伴う関係政令の整備に関する政令（平成26年政令第412号。以下「整備政令」という。）が平成26年12月24日に公布され、平成27年4月1日に施行されます。この整備政令の内容については、「子ども・子育て支援法等の施行に伴う関係政令の整備に関する政令の公布について（通知）」（平成26年12月24日付府政共生第1191号、26文科初第996号、雇児発1224第1号）において、既に通知されているところです。

　整備政令のうち、建築基準法施行令の一部改正においては、幼保連携型認定こども園が、教育基本法（平成18年法律第120号）上の「学校」及び児童福祉法（昭和22年法律第164号）上の「児童福祉施設」に位置付けられることに伴い、所要の改正を行ったところです。具体的には、幼保連携型認定こども園が子どもに対する教育と保育とを一体的に行う単一の施設として制度化されたことを受け、建築基準法施行令においては、幼保連携型認定こども園に対して幼稚園及び保育所と同じ規制（基準が異なる場合にはより厳しい方の規制）を適用するよう整理しています。

　しかしながら、幼稚園と保育所とで適用される基準の内容が異なるものについても、建築物の延べ面積や構造種別等の条件によって適用されない場合もあるなど、必ずしも全ての建築物に適用されるものではありませんので、個別の事案ごとに基準の適否を判断し、適切に対応されるよう十分留意願います。

　本制度の円滑な施行に向けて、施設所有者等からの相談には、事前相談の段階から丁寧に対応するととも

に、教育担当部局（私立学校担当部局を含む。）や福祉担当部局等の関係部局と日常的に情報共有を行うなど、緊密に連携するようお願いします。

本通知は、地方自治法（昭和22年法律第67号）第245条の４第１項の規定に基づく技術的助言であることを申し添えます。

貴職におかれましては、貴管内の特定行政庁及び貴都道府県知事指定の指定確認検査機関に対しても、この旨周知方お願いします。

なお、国土交通大臣指定及び地方整備局長指定の指定確認検査機関に対しても、この旨周知していることを申し添えます。

○幼稚園型認定こども園の建築基準法上の取扱いについて

［平成27年３月６日　事務連絡
各都道府県建築行政担当課宛　国土交通省住宅局建築指導
課］

日頃より建築行政の適確な実施にご尽力いただいておりますことを感謝申し上げます。

先般、「子ども・子育て支援法等の施行に伴う幼保連携型認定こども園の建築基準法上の取扱い等について（補足）」（平成27年２月13日付事務連絡）をお送りしたところですが、幼稚園型認定こども園の建築基準法上の取扱いについても、運用に当たっての留意事項等を下記のとおりお送りします。

貴職におかれましては、貴管内の特定行政庁及び貴都道府県知事指定の指定確認検査機関に対しても、この旨周知お願いします。

なお、国土交通大臣指定及び地方整備局長指定の指定確認検査機関に対しても、この旨周知していることを申し添えます。

記

幼稚園型認定こども園は、幼保連携型認定こども園と異なり、施設全体として「学校」及び「児童福祉施設」の両方に該当するものではないため、建築基準法上、認可幼稚園の部分については幼稚園の基準が適用されます。（預かり保育は、満３歳以上の子どもを対象とするため、その利用形態、機能から建築基準法上幼稚園に該当します。）

一方、満３歳未満の子どもの保育を行い得る併設保育機能施設の部分については、保育所の基準と幼稚園の基準のどちらを適用するかについて施設の実情に応じて判断されているものと考えられますが、保育所と判断する場合にも、幼保連携型認定こども園と同様、２月13日付事務連絡に示した考え方のとおり取り扱うことが可能です。

○新たに消防法施行令別表第一に規定される幼保連携型認定こども園の運用について

〔平成27年2月20日　消防予第71号
各都道府県消防防災主管部長・東京消防庁・各指定都市消
防長宛　消防庁予防課長通知〕

消防法施行令（昭和36年政令第37号。以下「令」という。）別表第一(6)項ハ(3)に「幼保連携型認定こども園」を新たに追加する改正については、「児童福祉法施行令等の一部を改正する政令の公布について」（平成26年10月28日付け事務連絡）により、その施行期日を子ども・子育て支援法（平成24年法律第65号）の施行日と周知していたところですが、平成27年1月23日に公布された子ども・子育て支援法の施行期日を定める政令（平成27年政令第22号）により、当該施行期日が平成27年4月1日となりましたのでお知らせします。

また、令別表第一(6)項ハ(3)に追加された「幼保連携型認定こども園」の運用に当たっては、下記事項にご留意いただきますようお願いします。

各都道府県消防防災主管部長におかれましては、貴都道府県内の市町村（消防の事務を処理する一部事務組合等を含む。）に対しても、この旨周知していただきますようお願いします。

なお、本通知は、消防組織法（昭和22年法律第226号）第37条の規定に基づく助言として発出するものであることを申し添えます。

記

1　幼保連携型認定こども園の取り扱いについて

(1)　就学前の子どもに関する教育、保育等の総合的な提供の推進に関する法律の一部を改正する法律（平成24年法律第66号。以下「改正認定こども園法」という。）による改正前の幼保連携施設のうち、改正認定こども園法附則第3条の規定に基づき、改正認定こども園法の施行日である平成27年4月1日以降においても、幼保連携型認定こども園とみなされるもの（以下「みなし幼保連携型認定こども園」という。）については、令別表第一(6)項ハ(3)として取り扱うことにより新たに消防用設備等の設置が必要となる場合があること。

(2)　みなし幼保連携型認定こども園のうち、下記のいずれにも該当する場合には、令第32条を適用し、新たに設置が必要となる消防用設備等（消火器具を除く。）の設置を要しないものとして差し支えないこと。

ア　みなし幼保連携型認定こども園のうち、改正認定こども園法による改正前において保育所として扱われていた部分（以下「保育所部分」という。）と幼稚園として扱われていた部分（以下「幼稚園部分」という。）とは、別棟その他火災の際に相互に影響を受けるおそれが少なくなると認められる措置が講じられていること。

イ　保育所部分に令別表第一(6)項ハ(3)、幼稚園部分に同表(6)項ニにそれぞれの規模等に応じた消防用設備等が設置されていること。

2　その他

(1)　令別表第一(6)項ハ(3)に新たに規定されるものは、認定こども園のうち「幼保連携型認定こども園」のみであり、「幼稚園型」、「保育所型」及び「地方裁量型」についての取り扱いは従前の通りであること。

(2)　上記1(1)により、新たに設置が必要となる消防用設備等（屋内消火栓設備、スプリンクラー設備、屋外消火栓設備、動力消防ポンプ設備、ガス漏れ火災警報設備、漏電火災警報器、消防機関へ通報する火災報知設備、非常警報設備、避難器具、消防用水及び連結散水設備に限る。）については、施行日（平成27年4月1日）から起算して3年を経過する日（平成30年3月31日）までの間は、なお従前の例によることとされていること。

なお、当該経過措置はみなし幼保連携型認定こども園にのみ適用されるものであり、改正認定こども園法の改正前に「幼稚園型」等であった認定こども園が、改正認定こども園法の施行後に幼保連携型認定こども園に移行をする場合には適用されないことに留意すること。

○教育・保育施設等における事故防止及び事故発生時の対応のためのガイドラインについて

平成28年3月31日　府子本第192号・27文科初第1789号・雇児保発0331第3号
各都道府県子ども・子育て支援新制度担当部局・私立学校・民生主管部(局)・教育委員会・各指定都市・各中核市子ども・子育て支援新制度担当部局・民生主管部(局)の長宛　内閣府子ども・子育て本部参事官・文部科学省初等中等教育局幼児教育・厚生労働省雇用均等・児童家庭局保育課長連名通知

子ども・子育て支援新制度において、特定教育・保育施設及び特定地域型保育事業者は、事故の発生又は再発を防止するための措置及び事故が発生した場合に市町村、家族等に対する連絡等の措置を講ずることとされている。このことを踏まえ、国の子ども・子育て会議において、行政による再発防止に関する取組のあり方等について検討すべきとされた。

これを受け、平成26年9月8日「教育・保育施設等における重大事故の再発防止策に関する検討会」が設置され、昨年12月に重大事故の発生防止のための今後の取組みについて最終取りまとめが行われたところである。

この取りまとめでは、各施設・事業者や地方自治体が事故発生の防止等や事故発生時の対応に取り組み、それぞれの施設・事業者や地方自治体ごとの実態に応じて教育・保育等の実施に当たっていくために参考とするガイドライン等を作成するよう提言を受けた。

今般、この取りまとめを踏まえ、特に重大事故が発生しやすい場面ごとの注意事項や、事故が発生した場合の具体的な対応方法等について、各施設・事業者、地方自治体における事故発生の防止等や事故発生時の対応の参考となるよう「教育・保育施設等における事故防止及び事故発生時の対応のためのガイドライン」を作成したので別添のとおり送付する。

ついては、本ガイドラインを内閣府、文部科学省、厚生労働省のホームページに掲載するので、管内の市町村（特別区を含む。）、関係機関及び施設・事業者等で広く活用されるよう周知を図られたい。

なお、本通知は地方自治法（昭和22年法律第67号）第245条の4第1項に規定する技術的助言として発出するものであることを申し添える。

別添　略

（参　考）

・内閣府ホームページ
http://www8.cao.go.jp/shoushi/shinseido/meeting/index.html
・文部科学省ホームページ
http://www.mext.go.jp/a_menu/shotou/youchien/1352254.htm
・厚生労働省ホームページ
http://www.mhlw.go.jp/stf/seisakunitsuite/bunya/kodomo/kodomo_kosodate/hoiku/index.html

○教育・保育施設等におけるてんかん発作時の坐薬挿入に係る医師法第17条の解釈について

平成29年8月22日　府子本第683号・29生社教第10号・医政医発0822第1号・子保発0822第1号・子子発0822第1号
各都道府県衛生・各都道府県・各指定都市・各中核市児童福祉主管部（局）長・各都道府県教育委員会教育長・各指定都市市長・各中核市市長・各指定都市・各中核市教育委員会教育長・附属幼稚園を置く各国立大学法人の長宛　内閣府子ども・子育て本部参事官（認定こども園担当）・文部科学省生涯学習政策局社会教育・厚生労働省医政局医事・子ども家庭局保育・子育て支援課長連名通知

学校におけるてんかん発作時の坐薬挿入については、「学校におけるてんかん発作時の坐薬挿入について」（平成28年2月29日付け文部科学省初等中等教育局健康教育・食育課事務連絡）（別紙）により、学校現場等で児童生徒がてんかんによるひきつけを起こし、生命が危険な状態等である場合に、現場に居合わせた教職員が、坐薬を自ら挿入できない本人に代わって挿入する行為については、4つの条件を満たす場合は、医師法違反とはならない旨、周知されているところです。

これを踏まえ、保育園、幼保連携型認定こども園、放課後児童健全育成事業、放課後子供教室等（以下「教育・保育施設等」という。）におけるてんかん発作時の坐薬挿入について、下記のとおり示しますので、貴職におかれては、十分御了知の上、貴管内の関係者に対して遅滞なく周知し、関係部局と連携の上、適切に対応くださいますよう、よろしくお願いいたします。

なお、一連の行為の実施に当たっては、てんかんという疾病の特性上、教育・保育施設等において子どものプライバシー保護に十分配慮がなされるよう強くお願いいたします。

記

教育・保育施設等において子どもがてんかんによるひきつけを起こし、生命が危険な状態等である場合に、現場に居合わせた教育・保育施設等の職員又はスタッフ（以下「職員等」という。）が、坐薬を自ら挿入できない本人に代わって挿入する場合が想定されるが、当該行為は緊急やむを得ない措置として行われるものであり、次の4つの条件を満たす場合には、医師法違反とはならない。

① 当該子ども及びその保護者が、事前に医師から、次の点に関して書面で指示を受けていること。
・ 教育・保育施設等においてやむを得ず坐薬を使用する必要性が認められる子どもであること
・ 坐薬の使用の際の留意事項

② 当該子ども及びその保護者が、教育・保育施設等に対して、やむを得ない場合には当該子どもに坐薬を使用することについて、具体的に依頼（医師から受けた坐薬の挿入の際の留意事項に関する書面を渡して説明しておくこと等を含む。）していること。

③ 当該子どもを担当する職員等が、次の点に留意して坐薬を使用すること。
・ 当該子どもがやむを得ず坐薬を使用することが認められる子ども本人であることを改めて確認すること
・ 坐薬の挿入の際の留意事項に関する書面の記載事項を遵守すること
・ 衛生上の観点から、手袋を装着した上で坐薬を挿入すること

④ 当該子どもの保護者又は職員等は、坐薬を使用した後、当該子どもを必ず医療機関での受診をさせること。

○幼保連携型認定こども園においてプール活動・水遊びを行う場合の事故防止の徹底について

平成30年4月27日 府子本第532号
各都道府県・各指定都市・各中核市認定こども園担当部局長宛 内閣府子ども・子育て本部参事官（認定こども園担当）通知

幼保連携型認定こども園におけるプール活動・水遊びを行う場合の事故発生の防止については、従来から通知等により適切な指導をお願いしているとともに、平成28年3月31日に発出した「教育・保育施設等における事故防止及び事故発生時の対応のためのガイドライン」において、プール活動・水遊び等の監視体制、救急事態への対応等、これらに関する十分な事前教育の実施や、日常的な点検、組織的な取組等の事故の発生防止のための取組を示しているところです。

今般、消費者安全調査委員会より、「消費者安全法第33条に基づく意見」（平成26年6月20日付け消安委第50号）のフォローアップとして実施した実態調査の結果（別添1）を踏まえ、消費者安全調査委員会委員長から内閣総理大臣に対し「消費者安全法第33条の規定に基づく意見」（平成30年4月24日付け消安委第46号）（別添2）が提出されたところです。

幼保連携型認定こども園でプール活動・水遊びを行う場合において、事故の発生を防止するため、別添1の調査結果を参考にされるとともに、下記の点に留意の上、管内の幼保連携型認定こども園及び市町村に対して、安全管理の強化の指導をお願いいたします。

なお、その際、スポーツ庁から発出されている「水泳等の事故防止について」（平成30年4月27日付け30ス庁第89号）（別添3）、厚生労働省から発出されている「保育所等においてプール活動・水遊びを行う場合の事故防止の徹底について」（平成30年4月27日付け子少発0427第1号）（別添4）の通知も参考にしていただき、貴職において認定こども園に対する周知をより一層徹底していただきますよう、お願いいたします。

記

1 プール活動・水遊びを行う場合は、次の(1)から(3)までの取組を行うよう、幼保連携型認定こども園に対して一層の周知徹底を図られたい。また、地方公共団体は、安全確保策の充実及び幼保連携型認定こども園への指導監査等により、適切な監視・指導体制の確保と緊急時への備えが行われるようにされたい。

(1) プール活動・水遊びを行う場合は、監視体制の空白が生じないように水の外で監視に専念する人員とプール指導等を行う人員を分けて配置し、また、その役割分担を明確にすること。水の外で監視に専念する人員を配置することができない場合には、プール活動・水遊びを中止すること。

(2) 事故を未然に防止するため、プール活動・水遊びに関わる職員に対して、園児のプール活動・水遊びの監視を行う際に見落としがちなリスクや注意すべきポイントについての事前教育を十分に行うこと。

(3) 職員に対して、心肺蘇生を始めとした応急手当等について教育の場を設けること。また、一刻を争う状況にも対処できるように119番通報を含め緊急事態への対応を整理し共有しておくとともに、緊急時にそれらの知識や技術を実践することができるように日常的に訓練を行うこと。

2 地方公共団体は、1の(2)「監視を行う際に見落としがちなリスク等の事前教育」に関し、幼保連携型認定こども園がプール活動・水遊びに関わる職員に対する事前教育を効果的に行うことができるよう、園長に対する研修を実施する、プール活動・水遊びに関わる職員が専門家から学ぶ機会を設ける、マニュアル・チェックシート、危険予知トレーニングツール、事故事例紹介、DVDや動画等の必要な資料を提供するなど、必要な取組を行うこと。

3 地方公共団体は、1の(3)「心肺蘇生を始めとした応急手当等の教育」に関し、園児の特性を踏まえたものとなるよう、研修の実施、専門家の派遣、実施機関に関する情報提供など、必要な取組を行うこと。

4 幼保連携型認定こども園への啓発を通じて、プール活動・水遊びを行う場合に、園児の安全を最優先するという認識を管理者・職員が日頃から共有するなど、幼保連携型認定こども園における自発的な安全への取組を促すこと。

別添1・2 略

別添3

水泳等の事故防止について

平成30年4月27日 30ス庁第89号
各都道府県・各指定都市教育委員会教育長・各都道府県知事・各指定都市市長・附属学校を置く各国立大学法人学長・各国公私立高等専門学校長・独立行政法人国立高等専門学校機構理事長・構造改革特別区域法第12条第1項の認定を受けた各地方公共団体の長宛 スポーツ庁次長通知

標記については、例年関係方面の御協力をいただいているところでありますが、海や河川における水難事故及びプールでの水泳事故等により依然として多くの犠牲者が出ております（別添1、2参照）。

ついては、今夏における水泳等の事故防止のため、関係機関・団体と密接な協力の下、下記事項及び「プールの安全標準指針」（平成19年3月文部科学省・国土交通省策定）（別添3）を参考として、地域の実情に即した適切な措置を徹底するとともに、衛生管理についても十分御配意願います。

また、プールの利用が増加する夏季を前に、所管のプールの施設・設備について、安全点検及び確認を徹底していただきますようお願いします。仮に、施設・設備に不備があることが判明した場合には、安全確保のための措置が講じられるまでの間は、当該プールの使用を中止するようお願いします。

これらの事故防止のための安全確保が図られるよう、都道府県・指定都市及び都道府県教育委員会におかれては、関連する部局・課に周知の上、必要に応じて連携するとともに、都道府県及び都道府県教育委員会におかれては、市区町村及び市区町村教育委員会に通知する際に、市区町村の関連各課にも周知が徹底するよう御配意願います。

なお、学校における対応については、上記対応に併せて、別紙「学校における児童・生徒等に対する指導等について」にも留意されるとともに、都道府県・指定都市教育委員会教育長におかれては、所管の学校及び市区町村教育委員会に対して、都道府県知事におかれては、所轄の学校法人及び学校設置会社に対して、株式会社立学校を認定した地方公共団体の長におかれては、認可した学校に対して周知されるようお取り計らい願います。

記

1　プールの施設面、管理・運営面について

(1)　プールの利用期間前に、排（環）水口の蓋の設置の有無を確認し、蓋がない場合及び固定されていない場合は、早急にネジ・ボルト等で固定するなどの改善を図るほか、排（環）水口の吸い込み防止金具についても丈夫な格子金具とするなどの措置をし、いたずらなどで簡単に取り外しができない構造とすること。また、屋内プールにあっては、吊り天井の脱落防止のための点検を行う等の安全対策を講ずること。

(2)　プールを安全に利用できるよう、救命具の設置や、プールサイド等での事故防止対策を行うとともに、適切かつ円滑な安全管理を行うための管理体制を整えること。

監視員については、プール全体がくまなく監視できるよう十分な数を配置し、救護員についても、緊急時に速やかな対応が可能となる数を確保すること。

(3)　プール施設の管理は利用者の命を守る重要な任務であることを踏まえ、安全管理に携わる全ての従事者に対し、プールの構造設備及び維持管理、事故防止対策、事故発生等緊急時の措置と救護等に関し、就業前に十分な教育及び訓練を行うこと。

また、使用期間中に新たに雇用した従事者に対しても、就業前に同様の教育、訓練を行うこと。

2　その他の留意事項について

(1)　集団で水泳を行う場合には、引率者や指導者の責任分担を明確にして、指導・監督が周知されるようにすること。また、班の編成に当たっては、引率者の指導・監督が全員に行き届く程度の人数に編成すること。

(2)　海、河川、用水路、湖沼池、プールなどの水難事故発生のおそれのある場所については、必要に応じて防護柵、蓋、危険表示の掲示板や標識の整備、監視員の配備、巡回指導の周知など、市町村、警察署、消防署、海上保安部署、保健所等との協力により点検等を行い、事故防止のため万全の安全確保措置を講ずること。

なお、幼児の水難事故も多く発生しているので、前記の事故防止措置については、幼児の行動にも配慮した万全のものとするとともに、保護者が監督を怠ることがないように、広報等によってこの趣旨の周知を図ること。

(3)　水泳場を利用する場合、その選定に当たっては、保健所その他の関係諸機関の協力を得て、農薬、油、工場廃液、その他浮遊物等による水の汚染状況、水底の状態、潮流などを必ず事前に調査して適切な場所を選定すること。また、水泳区域標識、監視所、救命用具など事故防止のための施設・設備等を確認するとともに、救急体制を確立するよう配慮すること。

別添1〜3・別紙　略

別添4

保育所等においてプール活動・水遊びを
行う場合の事故防止の徹底について

［平成30年4月27日　子少発0427第1号
各都道府県・各指定都市・各中核市児童福祉主管部
（局）長宛　厚生労働省子ども家庭局総務課少子化総合
対策室長通知］

保育所及び認可外保育施設（以下「保育所等」という。）における事故防止については、従来より、関係

機関、市区町村及び各施設・事業者に対して、「教育・保育施設等における事故防止及び事故発生時の対応のためのガイドラインについて」（平成28年3月31日付け府子本第192号、27文科初第1789号、雇児保発0331第3号。以下「ガイドライン」という。）の周知等を通じ、保育所等の安全管理に対する適切な指導をお願いしています。

特に、プール活動・水遊びを行う場合の事故防止については、「保育所、地域型保育事業及び認可外保育施設においてプール活動・水遊びを行う場合の事故の防止について」（平成29年6月16日付け雇児保発0616第1号）により、ガイドラインの周知を図るとともに、「水泳等の事故防止について」（平成29年4月28日付け29ス庁第99号）を参考にして、管内の保育所等及び市区町村に対して、安全管理及び事故防止の徹底を周知するよう、お願いしたところです。

今般、消費者安全調査委員会より、「消費者安全法第33条に基づく意見」（平成26年6月20日付け消安委第50号）のフォローアップとして実施した実態調査の結果（別添1）を踏まえ、消費者安全調査委員会委員長から厚生労働大臣に対し意見（別添2）が提出されたところです。

保育所等でプール活動・水遊びを行う場合において、事故の発生を防止するため、別添1の調査結果を参考にされるとともに、下記の点に留意の上、管内の保育所等及び市町村に対して、安全管理の強化の指導をお願いします。

記

1 プール活動・水遊びを行う場合は、次の(1)から(3)までの取組を行うよう、保育所等に対して一層の周知徹底を図られたい。また、地方公共団体は、安全確保策の充実及び幼保育所等への指導監査等により、適切な監視・指導体制の確保と緊急時への備えが行われるようにされたい。

(1) プール活動・水遊びを行う場合は、監視体制の空白が生じないように水の外で監視に専念する人員とプール指導等を行う人員を分けて配置し、また、その役割分担を明確にすること。水の外で監視に専念する人員を配置することができない場合には、プール活動・水遊びを中止すること。

(2) 事故を未然に防止するため、プール活動・水遊びに関わる職員に対して、子供のプール活動・水遊びの監視を行う際に見落としがちなリスクや注意すべきポイントについての事前教育を十分に行うこと。

(3) 職員に対して、心肺蘇生を始めとした応急手当等について教育の場を設けること。また、一刻を争う状況にも対処できるように119番通報を含め緊急事態への対応を整理し共有しておくとともに、緊急時にそれらの知識や技術を実践することができるように日常的に訓練を行うこと。

2 1の(2)「監視を行う際に見落としがちなリスク等の事前教育」に関し、保育所等がプール活動・水遊びに関わる職員に対する事前教育を効果的に行うことができるよう、園長に対する研修を実施する、プール活動・水遊びに関わる職員が専門家から学ぶ機会を設ける、マニュアル・チェックシート、危険予知トレーニングツール、事故事例紹介、DVDや動画等の必要な資料を提供するなど、必要な取り組みを行うこと。

3 1の(3)「心肺蘇生を始めとした応急手当等の教育」に関し、子供の特性を踏まえたものとなるよう、研修の実施、専門家の派遣、実施機関に関する情報提供など、必要な取組を行うこと。

4 保育所等への啓発を通じて、プール活動・水遊びを行う場合に、子供の安全を最優先するという認識を管理者・職員が日頃から共有するなど、保育所等における自発的な安全への取組を促すこと。

別添1・2 略

○児童虐待防止対策に係る学校等及びその設置者と市町村・児童相談所との連携の強化について

平成31年2月28日　府子本第189号・30文科初第1616号・子発0228第2号・障発0228第2号
各都道府県知事・各都道府県教育委員会教育長・各指定都市市長・各指定都市教育委員会教育長・各中核市市長・各児童相談所設置市市長・附属学校を置く各国立大学法人学長・附属学校を置く各公立大学法人学長・小中高等学校を設置する学校設置会社を所管する構造改革特別区域法第12条第1項の認定を受けた各地方公共団体の長・独立行政法人国立高等専門学校機構理事長・高等専門学校を設置する各地方公共団体の長・高等専門学校を設置する各公立大学法人の理事長・高等専門学校を設置する各学校法人の理事長宛　内閣府子ども・子育て本部統括官・文部科学省総合教育政策・初等中等教育・高等教育・厚生労働省子ども家庭局長・社会・援護局障害保健福祉部長連名通知

　児童虐待については、児童相談所への児童虐待相談対応件数が年々増加の一途をたどっており、子どもの生命が奪われるなど重大な事件も後を絶たないなど依然として深刻な社会問題となっている。

　このような状況から、学校等（幼稚園、小学校、中学校、義務教育学校、高等学校、中等教育学校、特別支援学校、高等専門学校、高等課程を置く専修学校、保育所、地域型保育事業所、認定こども園、認可外保育施設（児童福祉法（昭和22年法律第164号）第59条の2第1項に規定する施設をいう。）及び障害児通所支援事業所をいう。以下同じ。）及びその設置者や市町村・児童相談所等の関係機関に対しては、「児童虐待防止対策の強化に向けた緊急総合対策」（平成30年7月20日児童虐待防止対策に関する関係閣僚会議決定）等を踏まえた対応をお願いしているところであるが、本年1月に千葉県野田市で発生した小学校4年生死亡事案を受け、「「児童虐待防止対策の強化に向けた緊急総合対策」の更なる徹底・強化について」（平成31年2月8日児童虐待防止対策に関する関係閣僚会議決定）が決定され、児童相談所及び学校における子どもの緊急安全確認を実施するなど緊急点検を実施し、抜本的な体制強化を図ることとされた。

　こうした対応を受け、増加する児童虐待に対応するため、とりわけ、学校等における児童虐待の早期発見・早期対応、被害を受けた子どもの適切な保護等について、学校等及びその設置者と市町村・児童相談所が連携した対応が図られるよう、下記に掲げる取組の徹底を改めてお願いする。

　なお、児童虐待への対応に当たっては、

・学校等においては、児童虐待の早期発見・早期対応に努め、市町村や児童相談所等への通告や情報提供を速やかに行うこと

・児童相談所においては、児童虐待通告や学校等の

関係機関からの情報提供を受け、子どもと家族の状況の把握、対応方針の検討を行った上で、一時保護の実施や来所によるカウンセリング、家庭訪問による相談助言、保護者への指導、里親委託、児童福祉施設への入所措置など必要な支援・援助を行うこと

・市町村においては、自ら育児不安に対する相談に応じるとともに、市町村に設置する要保護児童対策地域協議会の調整機関として、支援を行っている子どもの状況把握や支援課題の確認、並びに支援の経過などの進行管理を恒常的に行い、自ら相談支援を行うことはもとより関係機関がその役割に基づき対応に当たれるよう必要な調整を行うこと

・警察においては110番通報や児童相談所等の関係機関からの情報提供を受け、関係機関と連携しながら子どもの安全確保、保護を行うとともに、事案の危険性・緊急性を踏まえ、事件化すべき事案については厳正な捜査を行うこと

等といった固有の責務を関係機関それぞれが有しており、こうした責務を最大限に果たしていくことを前提として下記の連携などの取組を進めることが必要である。

　都道府県においては管内市区町村、所轄の私立学校及び関係機関へ、都道府県教育委員会・指定都市教育委員会においては管内市区町村教育委員会、所管の学校及び関係機関へ、指定都市・中核市・児童相談所設置市においては関係機関へ、附属学校を置く国立大学法人及び公立大学法人においては附属学校へ、独立行政法人国立高等専門学校機構並びに高等専門学校を設置する地方公共団体、公立大学法人及び学校法人においてはその設置する学校へ、構造改革特別区域法第12条第1項の認定を受けた地方公共団体においては認可

した学校へそれぞれ周知いただきたい。

なお、本通知については、警察庁生活安全局と協議済であることを申し添える。

記

1　今回事案を踏まえて対策の強化を図るべき事項

(1)　要保護児童等の通告元に関する情報の取扱いについて

市町村・児童相談所においては、保護者に虐待を告知する際には子どもの安全を第一とするとともに、通告者保護の観点から、通告元（児童虐待の防止等に関する法律第6条第1項に規定する児童虐待に係る通告を行った者をいう。）は明かせない旨を保護者に伝えることを徹底すること。

(2)　要保護児童等の情報元に関する情報の取扱いについて

学校等及びその設置者においては、保護者から情報元（虐待を認知するに至った端緒や経緯をいう。以下同じ。）に関する開示の求めがあった場合は、情報元を保護者に伝えないこととするとともに、児童相談所等と連携しながら対応すること。

さらに、市町村・児童相談所においては、子どもの安全が確保されない限り、子どもからの虐待の申し出等の情報元を保護者に伝えないこと。

現に、保護者との関係等を重視しすぎることで、子どもの安全確保が疎かになり、重大な事態に至ってしまう事例が生じていることに十分留意すべきである。

＜児童虐待防止対策の強化に向けた緊急総合対策の更なる徹底・強化『2 新たなルールの設定』＞

(3)　保護者からの要求への対応について

学校等は、保護者が、児童虐待の通告や児童相談所による一時保護、継続指導等に関して不服があり、保護者から学校等に対して威圧的な要求や暴力の行使等が予想される場合には、複数の教職員等で対応するとともに、即座に設置者に連絡した上で組織的に対応すると同時に、設置者と連携して速やかに市町村・児童相談所・警察等の関係機関や弁護士等の専門家と情報共有することとし、関係機関が連携して対応すること。

学校等の設置者は、保護者が、児童虐待の通告や児童相談所による一時保護、継続指導等に関して不服があり、保護者から学校等又はその設置者に対して威圧的な要求や暴力の行使等が予想される場合には、児童相談所・警察等の関係機関や弁護士等の専門家と情報共有することとし、関係機関が連携して対応すること。

また、学校等又はその設置者と関係機関が連携して対応した結果については、要保護児童対策地域協議会（児童福祉法（昭和22年法律第164号）第25条の2に規定する要保護児童対策地域協議会をいう。以下同じ。）において、事案を共有し、今後の援助方針の見直し等に活用すること。

＜児童虐待防止対策の強化に向けた緊急総合対策の更なる徹底・強化『2 新たなルールの設定』＞

(4)　定期的な情報共有に係る運用の更なる徹底について

学校等から市町村又は児童相談所への定期的な情報提供については、本通知と同日付けで「学校、保育所、認定こども園及び認可外保育施設等から市町村又は児童相談所への定期的な情報提供について」（平成31年2月28日付け内閣府子ども・子育て本部統括官、文部科学省総合教育政策局長、文部科学省初等中等教育局長、文部科学省高等教育局長、厚生労働省子ども家庭局長、厚生労働省社会・援護局障害保健福祉部長連名通知）を発出し、要保護児童等（要保護児童対策地域協議会において、児童虐待ケースとして進行管理台帳に登録されており、学校等に在籍する子ども。）の出欠状況や欠席理由等について、学校等から市町村又は児童相談所へ定期的に情報提供を行うこととし、その適切な運用をお願いしたところである。

当該通知の運用に当たっては、当該要保護児童等に関して、不自然な外傷、理由不明の欠席が続く、虐待の証言が得られた、帰宅を嫌がる、家庭環境の変化など、新たな児童虐待の兆候や状況の変化等を把握した時は、定期的な情報提供の期日を待つことなく、市町村又は児童相談所へ情報提供又は通告すること及び学校等又はその設置者から情報提供を受けた市町村又は児童相談所は、当該学校等又はその設置者から更に詳しく事情を聞き、組織的に評価した上で、状況確認、主担当機関の確認、援助方針の見直し等を行うこととともに「児童虐待防止対策の強化に向けた緊急総合対策」を踏まえて適切に警察と情報共有することについて、徹底されたい。

また、学校等は保護者等から要保護児童等が学校等を欠席する旨の連絡があるなど、欠席の理由について説明を受けている場合であっても、その理由の如何にかかわらず、休業日を除き引き続き7日以上欠席した場合（不登校等による欠席であって学校等が定期的な家庭訪問等により本人に面会でき、状況の把握を行っている場合や、入院

による欠席であって学校等が医療機関等からの情報等により状況の把握を行っている場合を除く。）には、定期的な情報提供の期日を待つことなく、速やかに市町村又は児童相談所に情報提供することについても、徹底されたい。（なお、障害児通所支援事業所におけるこれらの取扱いは、原則として当該障害児通所支援事業所をほぼ毎日利用している子どもを想定しているが、障害児通所支援事業所の利用頻度が低い又は利用が不定期である子どもについては、本取扱いに準じた取扱いとすることとし、具体的な内容については、別途お示しする。）

　その際、学校等又はその設置者から情報提供を受けた市町村又は児童相談所は、当該学校等又はその設置者から更に詳しく事情を聞き、組織的に評価した上で、状況確認、主担当機関の確認、援助方針の見直し等を行うとともに、「児童虐待防止対策の強化に向けた緊急総合対策」を踏まえて適切に警察と情報共有すること。

※詳細は、「学校、保育所、認定こども園及び認可外保育施設等から市町村又は児童相談所への定期的な情報提供について」（平成31年2月28日付け内閣府子ども・子育て本部統括官、文部科学省総合教育政策局長、文部科学省初等中等教育局長、文部科学省高等教育局長、厚生労働省子ども家庭局長、厚生労働省社会・援護局障害保健福祉部長連名通知）を参照されたい。

＜児童虐待防止対策の強化に向けた緊急総合対策『関係機関（警察・学校・病院等）間の連携強化』＞

＜児童虐待防止対策の強化に向けた緊急総合対策の更なる徹底・強化『2新たなルールの設定』＞

(5)　児童虐待に関する研修の更なる充実について

　3　(1)記載のような研修の機会を活用するとともに、児童相談所の職員を講師に招くなどして、研修の充実に努めるほか、学校長等の管理職に対しても、児童虐待に関する具体的な事例を想定することなどによる実践的な研修に取り組まれたい。

＜児童虐待防止対策の強化に向けた緊急総合対策の更なる徹底・強化『3児童相談所、市町村、学校及び教育委員会の抜本的な体制強化』＞

2　ケース対応において留意すべき事項

(1)　学校等からの通告・相談における連携

　市町村・児童相談所は、学校等又はその設置者からの通告は、地域、近隣住民あるいは家族、親族からの相談とは異なり、通告した機関が特定さ

れる可能性が高いことを説明すること。学校等又はその設置者からは通告の事実を保護者に伝えないようにすること。その際、保護者に対する対応方法について、市町村・児童相談所と事前に綿密な協議を行った上で、連携した対応を図られたい。

＜子ども虐待対応の手引き　第3章通告・相談の受理はどうするか　1.通告・相談時に何を確認すべきか　(4)通告・相談者別の対応のあり方　⑥『保育所、学校等からの通告相談』＞

(2)　保護者への告知の方法

　保護者に虐待の告知をすることで、保護者の怒りが子ども本人に向かい、さらなる虐待を誘発することを避けるよう何よりも注意すること。在宅での援助を続けることを前提に虐待の告知を行う場合は、子どもの安全は守られるという見通しを持って行うことが不可欠であり、そのためには、援助の方向性を示すことで養育を改善することはできると保護者が感じられるような方針を持って説明をすることなどを心がけること。

　また、虐待の告知をした後、「余計なことは言うな」などと保護者が子どもの口を封じるなどして、子どもが正直に話さなくなることもあり得るので、その点も念頭に置いて、子どもの所属する機関（学校等）などと連携しながら子どもの様子に十分な注意を払うこと。

　保護者が虐待の告知を受け止められず、虐待であることを否認して養育態度を改める姿勢がないような場合には、子どもの保護を図るなど、在宅での援助という方針自体を再検討しなければならないこと。　＜子ども虐待対応の手引き『告知の方法』＞

＜子ども虐待対応の手引き　第4章調査及び保護者と子どもへのアプローチをどう進めるか　2.虐待の告知をどうするか　(4)告知の方法　①『虐待通告を受けて在宅で支援する場合の告知』＞

(3)　一時保護解除後の対応

　一時保護解除等により子どもが家庭復帰した後、児童相談所への来所が滞ったり、家庭訪問を拒んだり、不在が続くなど支援機関との関係が疎遠になるときは、子どもにとっての危機のサインであると考える必要があるため、学校等及びその設置者と市町村・児童相談所の間において、子どもから直接SOSを出せるような方法を確認しておくとともに、特に学齢期以降の子どもには関係機関の連絡先を伝えておくよう対応されたい。

＜子ども虐待対応の手引き　第10章施設入所及び

里親委託中の援助　5．家庭復帰の際の支援　(4)
家庭復帰後のケア＞

3　児童虐待防止対策の強化を図るべき事項

(1)　児童虐待防止に係る研修の実施について

　　児童虐待を発見しやすい立場にある教職員等に
対する児童虐待に関する研修の実施を促進された
い。

　　学校等及びその設置者におかれては、教職員等
が、虐待を発見するポイントや発見後の対応の仕
方等についての理解を一層促進するため、以下の
研修について受講を勧奨されたい。

　　また、都道府県・市町村におかれては、主催す
る児童虐待防止に関する各種研修会について、教
職員等の参加を呼びかけ、受講を促進されたい。

　　なお、教職員等を対象とした研修事業（国庫補
助事業）は以下のとおりであるので、積極的に活
用されたい。

＜児童虐待防止対策の強化に向けた緊急総合対策
『児童虐待に関する研修の充実』＞

○子どもの虹情報研修センター主催　『教育機
　関・児童福祉関係職員合同研修』
　学校や教育委員会で児童虐待に携わる者、市町
　村で児童虐待を担当する者、児童相談所職員に
　よる合同研修

○都道府県主催　『虐待対応関係機関専門性強化
　事業』
　地域で活動する主任児童委員、保育所職員、児
　童養護施設職員、ケースワーカー、家庭相談員
　等の子どもの保護・育成に熱意のある者を対象
　とした児童虐待等に関する専門研修

　　　　　　　　　　　　　　　　　　　　（以上）

○学校、保育所、認定こども園及び認可外保育施設等から市町村又は児童相談所への定期的な情報提供について

平成31年2月28日　府子本第190号・30文科初第1618号・子発0228第3号・障発0228第3号
各都道府県知事・各都道府県教育委員会教育長・各指定都市市長・各指定都市教育委員会教育長・各中核市市長・各児童相談所設置市市長・附属学校を置く各国立大学法人学長・附属学校を置く各公立大学法人学長・小中高等学校を設置する学校設置会社を所管する構造改革特別区域法第12条第1項の認定を受けた各地方公共団体の長・独立行政法人国立高等専門学校機構理事長・高等専門学校を設置する各地方公共団体の長・高等専門学校を設置する各公立大学法人の理事長・高等専門学校を設置する各学校法人の理事長宛　内閣府子ども・子育て本部統括官・文部科学省総合教育政策・初等中等教育・高等教育・厚生労働省子ども家庭局長・社会・援護局障害保健福祉部長連名通知

　児童虐待については、児童相談所への児童虐待相談対応件数が年々増加の一途をたどっており、重篤な児童虐待事件も後を絶たないなど依然として深刻な社会問題となっている。

　こうした中、平成30年3月に東京都目黒区で発生した児童虐待事案を受けて、「児童虐待防止対策の強化に向けた緊急総合対策」（平成30年7月20日児童虐待防止対策に関する関係閣僚会議決定）に基づき、学校、保育所等と市町村、児童相談所との連携の推進を図るため、「学校、保育所、認定こども園及び認可外保育施設から市町村又は児童相談所への定期的な情報提供に関する指針」に基づく運用をお願いしているところであるが、本年1月に千葉県野田市で発生した小学校4年生死亡事案を踏まえ、今般、「学校、保育所、認定こども園及び認可外保育施設等から市町村又は児童相談所への定期的な情報提供に関する指針」（別添）を定め、一層推進すべき取組として周知徹底を図るものであるので、適切な運用を図られたい。

　都道府県においては管内市区町村、所轄の私立学校及び関係機関へ、都道府県教育委員会・指定都市教育委員会においては管内市区町村教育委員会、所管の学校及び関係機関へ、指定都市・中核市・児童相談所設置市においては関係機関へ、附属学校を置く国立大学法人及び公立大学法人においては附属学校へ、独立行政法人国立高等専門学校機構並びに高等専門学校を設置する地方公共団体、公立大学法人及び学校法人においてはその設置する学校へ、構造改革特別区域法第12条第1項の認定を受けた地方公共団体においては認可した学校へそれぞれ周知いただきたい。

　なお、「学校、保育所、認定こども園及び認可外保育施設から市町村又は児童相談所への定期的な情報提供について」（平成30年7月20日付け内閣府子ども・子育て本部統括官、文部科学省初等中等教育局長、厚生労働省雇用均等・児童家庭局長通知）については廃止する。

　また、本通知は地方自治法（昭和22年法律第67号）第245条の4第1項の規定に基づく技術的助言であることを申し添える。

（別　添）

　　学校、保育所、認定こども園及び認可外
　　保育施設等から市町村又は児童相談所へ
　　の定期的な情報提供に関する指針

1　趣旨

　　本指針は、幼稚園、小学校、中学校、義務教育学校、高等学校、中等教育学校、特別支援学校、高等専門学校、高等課程を置く専修学校（以下「学校」という。）、保育所、地域型保育事業所、認定こども園、認可外保育施設（児童福祉法（昭和22年法律第164号）第59条の2第1項に規定する施設をいう。以下同じ。）及び障害児通所支援事業所（以下「学校・保育所等」という。）から市町村又は児童相談所（以下「市町村等」という。）への児童虐待防止に係る資料及び情報の定期的な提供（以下「定期的な情報提供」という。）に関し、定期的な情報提供の対象とする児童、情報提供の頻度・内容、依頼の手続等の事項について、児童虐待の防止等に関する法律（平成12年法律第82号。以下「虐待防止法」という。）第13条の4の規定に基づく基本的な考え方を示すものである。

2　定期的な情報提供の対象とする児童

(1)　市町村が情報提供を求める場合

　　要保護児童対策地域協議会（児童福祉法第25条の2に規定する要保護児童対策地域協議会をいう。以下「協議会」という。）において、児童虐待ケースとして進行管理台帳（注）に登録されており、かつ、学校に在籍する幼児児童生徒学生、保育所、地域型保育事業所、認定こども園、認可外保育施設及び障害児通所支援事業所に在籍する乳幼児（以下「幼児児童生徒等」という。）を対

象とする。

(注) 進行管理台帳とは、市町村内における虐待ケース等に関して、子ども及び保護者に関する情報やその状況の変化等を記載し、協議会において絶えずケースの進行管理を進めるための台帳であり、協議会の中核機関である調整機関において作成するものである。

(2) 児童相談所が情報提供を求める場合

児童相談所（児童福祉法第12条に規定する児童相談所をいう。以下同じ。）が管理している児童虐待ケースであって、協議会の対象となっておらず、かつ、学校・保育所等から通告があったものなど、児童相談所において必要と考える幼児児童生徒等を対象とする。

3 定期的な情報提供の頻度・内容

(1) 定期的な情報提供の頻度

定期的な情報提供の頻度は、おおむね1か月に1回を標準とする。

(2) 定期的な情報提供の内容

定期的な情報提供の内容は、上記2(1)及び(2)に定める幼児児童生徒等について、対象期間中の出欠状況、（欠席した場合の）家庭からの連絡の有無、欠席の理由とする。

4 定期的な情報提供の依頼の手続

(1) 市町村について

市町村は、上記2(1)に定める幼児児童生徒等について、当該幼児児童生徒等が在籍する学校・保育所等に対して、対象となる幼児児童生徒等の氏名、上記3(2)に定める定期的な情報提供の内容、提供を希望する期間等を記載した書面を送付する。

(2) 児童相談所について

児童相談所は、上記2(2)に定める幼児児童生徒等について、当該幼児児童生徒等が在籍する学校・保育所等に対して、対象となる幼児児童生徒等の氏名、上記3(2)に定める定期的な情報提供の内容、提供を希望する期間等を記載した書面を送付する。

5 機関（学校・保育所等を含む。）間での合意

(1) 上記4により、市町村等が学校・保育所等に対し、定期的な情報提供の依頼を行う場合は、この仕組みが円滑に活用されるよう、市町村等と学校・保育所等との間で協定を締結するなど、事前に機関の間で情報提供の仕組みについて合意した上で、個別の幼児児童生徒等の情報提供の依頼をすることが望ましいこと。

(2) 協定の締結等による機関間での合意に際して

は、本指針に掲げる内容を基本としつつも、より実効性のある取組となるよう、おおむね1か月に1回程度を標準としている定期的な情報提供の頻度や、対象となる幼児児童生徒等の範囲について、定期的な情報提供の内容をより幅広く設定するなど、地域の実情を踏まえたものにすること。

(3) 学校は、市町村等と協定の締結等により機関間での合意をしたときは、その内容等を設置者等（私立学校にあっては当該学校の所轄庁を含む。以下同じ。）に対しても報告すること。

6 定期的な情報提供の方法等

(1) 情報提供の方法

学校・保育所等は、市町村等から上記4の依頼文書を受けた場合、依頼のあった期間内において、定期的に上記3に定める定期的な情報提供を書面にて行う。

(2) 設置者等への報告等

学校が市町村等へ定期的な情報提供を行った場合は、併せて設置者等に対してもその写しを送付すること。また、市町村等へ定期的な情報提供を行うに際しては、地域の実情に応じて設置者等を経由することも可能とする。

7 緊急時の対応

定期的な情報提供の期日より前であっても、学校・保育所等において、不自然な外傷がある、理由不明又は連絡のない欠席が続く、対象となる幼児児童生徒等から虐待についての証言が得られた、帰宅を嫌がる、家庭環境に変化があったなど、新たな児童虐待の兆候や状況の変化等を把握したときは、定期的な情報提供の期日を待つことなく、適宜適切に市町村等に情報提供又は通告をすること。

また、学校・保育所等は保護者等から対象となる幼児児童生徒等が学校・保育所等を欠席する旨の連絡があるなど、欠席の理由について説明を受けている場合であっても、その理由の如何にかかわらず、休業日を除き引き続き7日以上欠席した場合（不登校等による欠席であって学校・保育所等が定期的な家庭訪問等により本人に面会ができ、状況の把握を行っている場合や、入院による欠席であって学校・保育所等が医療機関等からの情報等により状況の把握を行っている場合を除く。）には、定期的な情報提供の期日を待つことなく、速やかに市町村等に情報提供すること。

なお、障害児通所支援事業所におけるこれらの取扱いは、原則として当該障害児通所支援事業所をほぼ毎日利用している幼児児童生徒等を想定しているが、障害児通所支援事業所の利用頻度が低い又は利

用が不定期である幼児児童生徒等については、本取扱いに準じた取扱いとすることとし、具体的な内容については、別途お示しする。

8　情報提供を受けた市町村等の対応について

(1)　市町村について

①　学校・保育所等から上記6の定期的な情報提供又は上記7の緊急時における情報提供を受けた市町村は、必要に応じて当該学校・保育所等から更に詳しく事情を聞くこととし、これらの情報を複数人で組織的に評価する。

　なお、詳細を確認する内容としては、外傷、衣服の汚れ、学校・保育所等での相談、健康診断の回避、家庭環境の変化、欠席の背景、その他の虐待の兆候をうかがわせる事実を確認できた場合には当該事項等が考えられる。

②　①の評価を踏まえて、必要に応じて関係機関にも情報を求める、自ら又は関係機関に依頼して家庭訪問を行う、個別ケース検討会議を開催するなど状況把握及び対応方針の検討を組織として行うとともに「児童虐待防止対策の強化に向けた緊急総合対策」を踏まえて適切に警察と情報共有すること。

③　対応が困難な場合には児童相談所に支援を求めるとともに、専門的な援助や家庭への立入調査等が必要と考えられる場合は、速やかに児童相談所へ送致又は通知を行う。

④　協議会においては、市町村内における全ての虐待ケース（上記2(2)の場合を除く。）について進行管理台帳を作成し、実務者会議の場において、定期的に（例えば3か月に1度）、状況確認、主担当機関の確認、援助方針の見直し等を行うことを徹底すること。

(2)　児童相談所について

①　児童相談所が学校・保育所等から上記6の定期的な情報提供又は上記7の緊急時における情報提供を受けた場合

ア　学校・保育所等から上記6の定期的な情報提供又は上記7の緊急時における情報提供を受けた児童相談所は、必要に応じて当該学校・保育所等から更に詳しく事情を聞くこととし、これらの情報について援助方針会議等の合議による組織的な評価を行うとともに、「児童虐待防止対策の強化に向けた緊急総合対策」を踏まえて適切に警察と情報共有すること。

　なお、詳細を確認する内容としては、外傷、衣服の汚れ、学校・保育所等での相談、健康診断の回避、家庭環境の変化、欠席の背景、その他の虐待の兆候をうかがわせる事実を確認できた場合には当該事項等が考えられる。

イ　アの評価を踏まえて、必要に応じて関係機関にも情報を求める、自ら家庭訪問を行う、個別ケース検討会議の開催を市町村に求めるなど状況把握及び対応方針の検討を組織として行う。

ウ　必要に応じて立入調査、出頭要求、児童の一時保護等の対応をとる。

②　市町村が学校・保育所等から上記6の定期的な情報提供又は上記7の緊急時における情報提供を受けた場合、市町村の求めに応じて積極的に支援するものとする。

9　個人情報の保護に対する配慮

(1)　虐待防止法においては、市町村等から児童虐待に係る情報の提供を求められた場合、地方公共団体の機関は情報を提供することができると従前から規定されていた一方、児童虐待の兆しや疑いを発見しやすい立場にある民間の医療機関、児童福祉施設、学校等は提供できる主体に含まれておらず、これらの機関等が児童虐待に係る有益な情報を有しているような場合であっても、個人情報保護や守秘義務の観点を考慮し、情報提供を拒むことがあった。

　児童虐待が疑われるケースについては、児童や保護者の心身の状況、置かれている環境等の情報は、市町村等において、児童の安全を確保し、対応方針を迅速に決定するために必要不可欠であることから、「児童福祉法等の一部を改正する法律」（平成28年法律第63号）においては、地方公共団体の機関に加え、病院、診療所、児童福祉施設、学校その他児童の医療、福祉又は教育に関係する機関や医師、看護師、児童福祉施設の職員、学校の教職員その他児童の医療、福祉又は教育に関連する職務に従事する者（以下「関係機関等」という。）も、児童相談所長等から児童虐待の防止等に関する資料又は情報の提供を求められたときは、当該児童相談所長等が児童虐待の防止等に関する事務又は業務の遂行に必要な限度で利用し、かつ、利用することに相当の理由があるときは、これを提供することができるものとされた。ただし、当該資料又は情報を提供することによって、当該資料又は情報に係る児童等又は第三者の権利利益を不当に侵害するおそれがあると認められるときは、この限りでないとされた（虐待防止

法第13条の４）。

(2) このため、学校・保育所等から市町村等に対して、定期的な情報提供を行うに当たって、「個人情報の保護に関する法律」（平成15年法律第57号。以下「個人情報保護法」という。）第16条及び第23条においては、本人の同意を得ない限り、①あらかじめ特定された利用目的の達成に必要な範囲を超えて個人情報を取り扱ってはならず、②第三者に個人データを提供してはならないこととされている。しかしながら、「法令に基づく場合」は、これらの規定は適用されないこととされており、虐待防止法第13条の４の規定に基づき資料又は情報を提供する場合は、この「法令に基づく場合」に該当するため、個人情報保護法に違反することにならない。

なお、地方公共団体の機関からの情報提供については、各地方公共団体の個人情報保護条例において、個人情報の目的外利用又は提供禁止の除外規定として、「法令に定めがあるとき」等を定めていることが一般的であり、虐待防止法第13条の４に基づく情報提供は「法令に定めがあるとき」に該当するため、条例にこのような除外規定がある場合には条例違反とはならないと考えられる。

ただし、幼児児童生徒等、その保護者その他の関係者又は第三者の権利利益を不当に侵害することのないよう十分な配慮の下、必要な限度で行わ

なければならないので留意すること。

また、当該情報提供は、虐待防止法第13条の４の規定に基づくものであるため、同規定の趣旨に沿って行われる限り、刑法（明治40年法律第45号）や関係資格法で設けられている守秘義務規定に抵触するものではないことに留意されたい。

(3) 市町村が学校・保育所等から受けた定期的な情報提供の内容について、協議会の実務者会議及び個別ケース検討会議において情報共有を図ろうとする際は、市町村において、学校・保育所等から提供のあった情報の内容を吟味し、情報共有すべき内容を選定の上、必要な限度で行うこと。

また、協議会における幼児児童生徒等に関する情報の共有は、幼児児童生徒等の適切な保護又は支援を図るためのものであり、協議会の構成員及び構成員であった者は、正当な理由がなく、協議会の職務に関して知り得た秘密を漏らしてはならないこととされているので、このことに十分留意し、協議会の適切な運営を図ること。

10 その他

市町村等が学校・保育所等以外の関係機関に状況確認や見守りの依頼を行った場合にも、当該関係機関との連携関係を保ち、依頼した後の定期的な状況把握に努めるものとする。

参考 略

○バス送迎に当たっての安全管理の徹底に関する緊急対策「こどものバス送迎・安全徹底プラン」について

令和４年10月12日 事務連絡
各都道府県・各市町村保育・各指定都市教育委員会学校安全・各私立学校主管課・附属幼稚園又は特別支援学校を置く各国立大学法人担当課・各都道府県・各指定都市・各中核市認定こども園主管課宛 厚生労働省子ども家庭局総務課少子化総合対策室・保育・文部科学省総合教育政策局男女共同参画共生社会学習・安全・初等中等教育局幼児教育・特別支援教育課・内閣府子ども・子育て本部参事官（子ども・子育て支援担当）・（認定こども園担当）付

平素より保育所等の安全管理の徹底について、御理解・御尽力をいただきありがとうございます。

この度、静岡県牧之原市において発生した、認定こども園の送迎バスに子どもが置き去りにされ、亡くなるという大変痛ましい事案を受け、別添１のとおりバス送迎に当たっての安全管理の徹底に関する緊急対策「こどものバス送迎・安全徹底プラン」を政府として取りまとめましたので、送付します。

また、緊急対策本体に記載していることのほか、御留意いただきたい点について、下記のとおり整理しました。

つきましては、各都道府県・市町村保育主管課におかれては域内の保育所（認可外保育施設を含む。）に対して、各都道府県・指定都市教育委員会学校安全主管課におかれては所管の幼稚園及び特別支援学校並びに域内の市町村教育委員会に対して、各都道府県私立学校主管課におかれては所轄の幼稚園及び特別支援学校に対して、国立大学法人担当課におかれては附属の幼稚園及び特別支援学校に対して、各都道府県・指定都市・中核市認定こども園主管課におかれては域内の市区町村認定こども園主管課及び所管・所轄の認定こども園に対して、このことについて周知いただくよう

お願いします。

記

1　所在確認や安全装置の装備の義務付けについて

(1)　関係改正府省令等の内容については、別途お示しする予定であるが、本改正を受けて各都道府県等においては、児童福祉法第45条第1項の規定により定める条例等を施行日までに改正いただく必要があるので留意すること。

(2)　緊急対策p6に記載しているとおり、所在確認や安全装置の装備の義務付けについては、関係府省令等を今年12月に公布し、来年4月より施行する予定であること。また、「②送迎用バスへの安全装置の装備」については、施行から1年間は、経過措置を設ける予定であること。ただし、可能な限り早期に装備するよう促すこととし、来年6月末までに安全装置を装備するよう現場へ働きかけていただきたいこと。

(3)　経過措置期間内において安全装置の装備がなされるまでの間についても、バス送迎における安全管理を徹底するとともに、例えば、運転席に確認を促すチェックシートを備え付けるとともに、車体後方に子どもの所在確認を行ったことを記録する書面を備えるなど、子どもが降車した後に運転手等が車内の確認を怠ることがないようにするための所要の代替措置を講じることとする予定であるため、留意すること。

2　安全管理マニュアルについて

別添2のとおりであること。そのうち「毎日使えるチェックシート」と「送迎業務モデル例」については、編集可能媒体を内閣府ウェブサイトに掲載していること。

本マニュアルは、バス送迎の安全管理に当たって、既にある園のマニュアルに追加して使用する、マニュアルを見直す際に参考にするなど、各園等での取組の補助資料として活用いただきたいこと。なお、現場で運用していく中で、地方自治体や現場から出された工夫すべき点等の意見や、静岡県の特別指導監査の結果等を踏まえ、今後の改訂には柔軟に対応するものであること。

3　万一重大な事案が発生した場合等の対応について

バス送迎においても、安全管理については、言う

までもなく、未然防止の徹底が肝要であること。その上で、万一重大な事案が発生した場合等には、各園等において、特に以下の点等について留意いただきたいこと。

(1)　バス送迎における安全管理の体制や手順がどうなっていたのかを点検するとともに、一時的に当該業務を休止した上で再発防止策を講じるなど、子どもの安全を最優先に対応すること。また、その際、保護者等に対して、誠実な姿勢で、経緯や考えられる原因、園の安全管理、事故後の対応等について、丁寧に説明すること。

(2)　当事者家族や在園児、その保護者等への精神的なケアも重要であり、必要に応じ、スクールカウンセラーの派遣や、ＣＲＴ（Crisis Response Team)、精神保健福祉センター、各都道府県の公認心理師協会等の関係機関・関係団体との連携等を通じて外部の支援を積極的に得ること。

(3)　重大事案の背景には、いわゆる「ヒヤリ・ハット」があると考えられる。「教育・保育施設等における事故防止及び事故発生時の対応のためのガイドライン」（平成28年3月）を踏まえ、重大事故の発生防止、予防のための組織的な取組を行うこと。なお、国においては、今後、行政や他の施設に共有すべき、命の危険につながりかねないようなヒヤリ・ハット事例の収集などについて、有識者や現場をよく知る団体関係者、先進自治体などの意見も伺いつつ、調査研究を実施する予定であること。

4　その他

バス送迎以外についても、「教育・保育施設等における事故防止及び事故発生時の対応のためのガイドライン」や「学校の危機管理マニュアル作成の手引」（平成30年2月）等を踏まえ、安全管理に遺漏のないよう適切に取り組まれたいこと。

また、幼児専用車に係る衝突時の安全対策については、「幼児専用車の車両安全性向上のためのガイドライン」（平成25年3月車両安全対策検討会）において、シートバックの後面に緩衝材を装備すること等が望ましいとされていることにも留意すること。

別添1　略

令和４年１０月１２日
内閣官房
内閣府
文部科学省
厚生労働省

［別添２］

こどものバス送迎・安全徹底マニュアル

みんなの点呼で幼い生命を守る。

※ 本マニュアルは、保育所、幼稚園、認定こども園及び特別支援学校におけるバス送迎に当たり、こどもの安全・確実な登園・降園のための安全管理の徹底に関するマニュアルです。

施設長・園長のみなさんへのお願い（本マニュアルの使い方）

本マニュアルは、園(注)の現場で送迎に携わるすべての人を対象に作成しています。

既にある園のマニュアルに追加して使用したり、マニュアルを見直す際に参考にするなど、各園での取組の補助資料としてご活用ください。

・「1. 毎日使えるチェックシート」は、日々の送迎時におけるこどもの見落とし防止にすぐに活用いただけるシートです。チェックシートを運転者手前に備え付けておくなどして、ご活用ください。

・「2. 園の体制の確認」「3. 送迎業務モデル例」は、日々の園の取組について、立ち止まって確認いただきたいことについてまとめました。これらを参考に、園長自ら定期的に園での取組状況を確認するとともに、こどもに、園長のリーダーシップの下、研修や職員会議等の機会に送迎業務モデル例を用いて園の取組の振り返りや認識合わせをするなど、各園の実情に応じてご活用いただきたい

・その他、「4. ヒヤリ・ハットの共有」「5. こどもたちへの支援」「6. 送迎用バスの装備等」は、留意いただきたい点をまとめています。園長や主任職員、担任職員、運転手等の皆様に是非ご一読いただき、日々の保育・教育等の活動に生かしていただくようお願いいたします。

(注)「園」には、保育所及び特別支援学校も含む。以下、本マニュアルにおいて同じ。

＜目　次＞

2

1. 毎日使えるチェックシート

○バス送迎をどなたが担当しても、確実に見落としを防ぐことが重要です。
○最終ページのシートを印刷して運転手席に備え付けておくなどして、見落としがないかの確認を毎日確実に行いましょう。

※活用例

10月1日（月）：登 園 ／ 降 園

☑ 同乗職員は、バスに乗るこどもの数を数えた。

☑ 同乗職員は、バスから降りたこどもの数を数え、全員が降りたことを確認した。

☑ 同乗職員は、連絡のないこどもの欠席について、出席管理責任者に確認した。

☑ 運転手は、バスを離れる前に、車内にこどもが残っていないことを、椅子の下まで見落としがないか見て、確認した。

運転手：＿＿＿＿＿＿＿＿

同乗職員：＿＿＿＿＿＿＿

上記報告を受けた：＿＿＿＿＿＿＿

3

2. 園の体制の確認

バス送迎におけるこどもの安全の確保のためには、

○全職員・関係者が共通認識をもって取り組むこと
○園長の責任の下で、こどもの安全・確実な登園・降園のための安全管理を徹底する体制を作ること

が重要です。

※ 園長自ら体制を定期的に確認しましょう。特に年度初めや職員の異動がある場合には必ず確認するようにしましょう。

（安全管理の体制づくり）

☐ 送迎時の具体的な手順と役割分担を定めたマニュアル等を作成している。

☐ 出欠確認を行う時間、記録や共有方法等のルールを定めている。

☐ 運転手の他に職員が同乗する体制を作っている。

☐ 定期的に研修等を実施している。

☐ マニュアル等について全職員に周知・徹底している。

☐ マニュアル等を送迎用バス内、又は全職員が分かる場所に設置している。

※通常送迎用バスを運転・同乗する職員とは別の職員の参加対象とする場合に備え、運転・同乗する職員以外の職員も研修の対象とすることが必要です。

☐ ヒヤリ・ハットを共有する体制を作っている。

☐ 送迎用バスの運行を外部業者に委託している場合は、園で運行する場合と同様の安全管理体制を敷いているか確認している。

（保護者との連絡体制の確保）

☐ 保護者に、欠席等の理由により送迎用バスを利用しない場合の園への連絡の時間や方法等のルールを伝えている。

☐ 園の送迎用バスのマニュアルを保護者と共有している。

☐ 園の取組を保護者に伝え、日頃から理解・協力を得ることが大切です。

（園長の責務）

☐ 園長は現場の責任者として、高い意識を持って、こどもの命を守るための安全管理に取り組んでいる。

☐ 園長は、職員相互の協力体制を築き、職員とともに安全管理に取り組んでいる。

4

3. 送迎業務モデル例

※バス送迎業務のモデル例をまとめました。各園の業務の組立ての参考にしてください。

①登園時

事前準備

□ 運転手は、車両の点検（ライト、ランプの動作確認等）をしている。

□ 園長・主任職員等は、運転手の健康状態を確認している。

□ 出席管理責任者は、当日の出欠を確認し、乗車名簿に反映している。

□ 出席管理責任者は、乗車名簿を運転手、同乗職員、園長、主任職員、担任（担当）に職員と共有している。

□ 同乗職員は、緊急連絡用の携帯電話等が車内に準備されているか、乗車前に確認している。

乗車時（こどもが所定の場所で順次乗車）

□ 同乗職員は、こどもの顔を目視し、点呼等し、乗車を確認し、記録している。

□ 同乗職員は、バス停に乗車すべきこどもがいない場合や車に乗車しないはずのこどもがいる場合などは、速やかに出席管理責任者に連絡している。

⇒□ 連絡を受けた出席管理責任者は、保護者に速やかに連絡して確認している。

□ 運転手は、乗車したこどもの着席を確認してから発車している。

降車時（園に到着後、こどもが一斉に降車）

□ 同乗職員は、こどもの顔を目視し、点呼等し、降車を確認し、記録している。

□ 運転手は、見落としがないか、車内の先頭から最後尾まで歩き、座席下や物かげなどこどもを含め一列ずつ車内全体を見回り、確認している。

⇒□ その日の確認業務を補助する職員も同様に確認している。

□ 運転手は、バスの置き去り防止を支援する安全装置が動作していることを確認している。

※「出席管理責任者」や「その日の確認業務を補助する職員」は、各園の実情に応じて主任職員等と兼務することも考えられます。

降車後（こどもが全員降車後）

□ 担任（担当）職員は、乗車名簿とその日の出欠状況を照合し、出席管理責任者に報告している。

□ 情報に齟齬がある場合、出席管理責任者は、速やかに出欠について確認を行うとともに、園長等に報告している。

⇒□ 車内清掃・点検等を行う者は、見落としがないか最終確認している。

②降園時

事前準備～乗車時（こどもが一斉に乗車）

□ 出席管理責任者は、当日の出欠を反映させた乗車名簿を運転手、同乗職員、園長、主任職員、担任（担当）に職員と共有している。

□ 同乗職員は、緊急連絡用の携帯電話等が車内に準備されているか、乗車前に確認している。

□ 同乗職員は、こどもの顔を目視し、点呼等し、乗車を確認し、記録している。

降車時（こどもが所定の場所で順次降車）

□ 同乗職員は、こどもの顔を目視し、点呼等し、降りる場所でこどもを保護者に引き渡したことを渡し、記録している。

□ 運転手は、降車したこどもたちの安全を確認してから発車している。

降車後（こどもが全員降車後）

□ 運転手は、見落としがないか、車内の先頭から最後尾まで歩き、座席下や物かげなどこどもを含め一列ずつ車内全体を見回り、確認している。

⇒□ その日の確認業務を補助する職員も同様に確認している。

□ 運転手は、バスの置き去り防止を支援する安全装置が動作していることを確認している。

⇒□ 車内清掃・点検等を行う者は、見落としがないか最終確認している。

※送迎用バス内におけるこどもの席を指定しておくことは、所在確認をしやすくし、見落としを防止する効果が期待されます。

4．ヒヤリ・ハットの共有

※ 以下のポイントも、こどもの安全を守る上で重要です。

園長のリーダーシップの下、園の実情に応じて毎日の安全管理の取組を盛り込むことが重要です。

□ ヒヤリ・ハット事例に気付いた職員は、すぐに園長に報告することとしている。

□ ヒヤリ・ハット事例について職員間で共有する機会を設けることとしている。

□ ヒヤリ・ハット事例について職員間で報告しやすい雰囲気づくりを行っている。

□ 報告のあったヒヤリ・ハット事例を踏まえ、再発防止策を講じている。

※ 安全は日々の積み重ねで築かれます。職員の入れ替わり、こどもの入れ替わり等がありますので日々の学び続けることが重要です。ヒヤリ・ハットから学び続ける姿勢が園の安全運営に関する機運を高めます。

※ 日々のミーティングや、定例の職員会議等でヒヤリ・ハットを取り上げる時間を設け、また、報告者に感謝を示す等して報告を推奨することが大切です。こうした取組によって、安全管理を大切にすることが職員の共通認識となります。

5．こどもたちへの支援

○ 大人が万全の対応をすることでこどもを絶対に見落とさないことが重要ですが、万が一車内に取り残されたこどもが、自らの危険性をこどもたちに伝えるとともに、緊急時には外部に助けを求めるための行動がとれるよう、こどもの発達に応じた支援を行うことも考えられます。

○ その際、こどもたちが園生活を通じてのびのびと育つことを第一に考え、送迎用バスに乗ることに不安を与えないよう十分留意する必要があるとともに、置き去りによる事故発生のリスクを高めることにつながりますので、避けるべきと考えられます。

[支援の例]
・周囲に誰もいなくなってしまった場合を想定してクラクションを鳴らす訓練を実施

・乗降口付近に、こどもの力でも簡単に押せ、エンジンを切った状態の時だけクラクションと連動して鳴らすことができるボタンを設置

6．送迎用バスの装備等

（置き去り防止を支援する安全装置について）

○ 園の送迎用バスについて、置き去り防止を支援する安全装置の装備を義務化します。

○ バスの置き去り防止を支援する安全装置については、現在、様々な企業が開発に取り組んでいるところですが、安全装置として必要とされる仕様に関するガイドラインを国が令和4年中に定めることとしています。

○ 園での購入・設置に当たっては、ガイドラインに適合している製品かどうかに留意してください。

※ ガイドラインに適合している製品について、ウェブサイトに掲載する等の対応を予定しています。

○ 安全装置の装備後は、定期的に、動作していることを確認することが必要です。日々の送迎時における動作を確認するほか、園の安全計画等に定期的な点検について記載し、対応してください。

（ラッピング・バス等について）

○ 紫外線等を防止しこどもの健康や安全を守る等の観点から、送迎用バスにラッピングやスモークガラス等を使用する場合は、こどもの状況や保護者の意見などを踏まえて各園において適切な対応を決めていくことが重要です。

○ その際、外から車内の様子がほとんど見えないほどのラッピングやスモークガラス等を使用することは、車内のこどもの存在が、外から全く気付いてもらえなくなってしまい、置き去りによる事故発生のリスクを高めることにつながりますので、避けるべきと考えられます。

※本ページをコピーしてご利用ください。

月　日（　）：登園／降園

□ 同乗職員は、バスに乗るこどもの数を数えた。

□ 同乗職員は、バスから降りたこどもの数を数え、全員が降りたことを確認した。

□ 同乗職員は、連絡のないこどもの欠席について、出席管理責任者に確認した。

□ 運転手は、バスを離れる前に、車内にこどもが残っていないことを、椅子の下まで見落としがないか見て、確認した。

運転手：＿＿＿＿＿＿＿

同乗職員：＿＿＿＿＿＿＿

上記報告を受けた：＿＿＿＿＿＿＿

○こどもの出欠状況に関する情報の確認、バス送迎に当たっての安全管理等の徹底について

令和4年11月14日　事務連絡
各都道府県・各市町村保育・各指定都市教育委員会学校安全・各私立学校主管課・附属幼稚園又は特別支援学校幼稚部を置く各国立大学法人担当課・各都道府県・各指定都市・各中核市認定こども園主管課宛　厚生労働省子ども家庭局総務課少子化総合対策室・保育課・文部科学省総合教育政策局男女共同参画共生社会学習・安全課・初等中等教育局幼児教育・特別支援教育課・内閣府子ども・子育て本部参事官（子ども・子育て支援担当）・（認定こども園担当）付

平素より学校や児童福祉施設の安全管理について、御理解・御尽力を頂き有難うございます。

さて、静岡県牧之原市において発生した大変痛ましい事故を受け、国においては、10月12日に緊急対策をとりまとめ、その着実な推進を図っているとともに、各都道府県・市町村担当課等において、バス送迎に当たっての安全管理に関する実地調査を実施いただくなどしているところです。

ところが、こども自身のSOSや学級担任の適切な対応等により大事には至らなかったものの、繰り返し同様の送迎用バスにおける置き去り事案が起きています。また、11月12日には、大阪府岸和田市において、保育所を利用する保護者の車に置き去りにされたこどもが亡くなるという大変痛ましい事案が発生しましたが、当該保育所では当該こどもの出欠状況に関する保護者への確認が漏れていました。こうした事態が生じていることは、極めて遺憾です。

ついては、下記について、各主管課において、現在行っていただいている実地調査を含め、様々な機会を捉えて改めて別表の各施設に対し、周知徹底を図るようよろしくお願いします。

記

1　こどもの欠席連絡等の出欠状況に関する情報については、バスによる送迎を行うこどもかどうかにかかわらず、「保育所、幼稚園、認定こども園及び特別支援学校幼稚部におけるバス送迎に当たっての安全管理の徹底について（再周知）」（令和4年9月6日付け事務連絡）等でもお示ししているとおり、保護者への速やかな確認及び職員間における情報共有を徹底していただきたいこと。なお、参考2のとおり、11月8日に閣議決定された令和4年度第2次補正予算案において、こどもの登降園の状況について、保護者からの連絡を容易にするとともに、職員間での確認・共有を支援するための登園管理システムの導入支援を含む「こどもの安心・安全対策支援パッケージ」の推進のための所要の経費を計上している。予算が成立した際には、積極的にご活用いただきたいこと。

2　10月12日に発出した「こどものバス送迎・安全徹底マニュアル」においても、「同乗職員は、バスから降りたこどもの数を数え、全員が降りたことを確認した」かどうかを含むチェックシートや、「送迎用バスの運行を外部業者に委託している場合は、園で運行する場合と同様の安全管理体制を敷いているか確認している」ことを含めた「安全管理の体制づくり」などを含めて示しており、こうしたものを改めて確認し、安全管理を徹底いただきたいこと。

3　こどもの通園や園外活動等のために自動車を運行する場合、こどもの乗降車の際に点呼等の方法により必ず所在を確認することについて、今後、関係府省令等を改正して法令上も義務付ける予定だが、こうしたことは法令の規定の有無にかかわらず、本来行われるべきものであり、改正前であっても徹底していただきたいこと。

4　送迎用の自動車を運行する場合は、今後、関係府省令等を改正して、当該自動車にブザーその他の車内のこどもの見落としを防止する装置を装備することを義務付ける予定だが、当該装備を備えていなくても、例えば、運転席に確認を促すチェックシートを備え付けるとともに、車体後方にこどもの所在確認を行ったことを記録する書面を備えるなど、こどもが降車した後に運転者等が車内の確認を怠ることがないようにするための措置を講じて、降車の際のこどもの所在確認について、徹底していただきたいこと。

5　けがなどの事故には至らなかったが、事故につながりかねない危険な状況、いわゆるヒヤリ・ハット事案が発生した場合には、施設内で事案の報告と改善策の共有を行い、事故の予防を図っていただきたいこと。また、他の施設で発生したいわゆるヒヤリ・ハット事案を知った場合も、自らの施設で同種の事案が発生しないか改めて施設内で議論するなど、事故防止につなげるよう努めていただきたいこと。

6　バス送迎以外についても、「教育・保育施設等における事故防止及び事故発生時の対応のためのガイドライン」（平成28年３月）や「学校の危機管理マニュアル作成の手引」（平成30年２月）等を踏まえ、安全管理に遺漏のないよう適切に取り組まれたいこと。

参考２　略

（別　表）

周知先	担当主管課
域内の保育所（地域型保育事業、認可外保育施設を含む。）	各都道府県・市町村保育主管課
所管の幼稚園及び特別支援学校並びに域内の市町村教育委員会	各都道府県・指定都市教育委員会学校安全主管課
所轄の私立幼稚園及び私立特別支援学校	各都道府県私立学校主管課
附属の幼稚園及び特別支援学校	附属幼稚園又は特別支援学校を置く国立大学法人担当課
域内の市区町村認定こども園主管課及び所轄の認定こども園	各都道府県・指定都市・中核市認定こども園主管課

（参考１）上記の資料

「こどものバス送迎・安全徹底プラン」や「こどものバス送迎・安全徹底マニュアル」 https://www8.cao.go.jp/shoushi/shinseido/meeting/anzen_kanri.html	
「教育・保育施設等における事故防止及び事故発生時の対応のためのガイドライン」（平成28年３月） https://www8.cao.go.jp/shoushi/shinseido/data/index.html	
「学校の危機管理マニュアル作成の手引」（平成30年２月） http://www.mext.go.jp/a_menu/kenko/anzen/1401870.htm	

○保育所等における虐待等に関する対応について

令和４年12月７日　事務連絡
各都道府県・各市町村保育・各都道府県・各指定都市・各中核市認定こども園主管課宛　厚生労働省子ども家庭局総務課少子化総合対策室・保育課・内閣府子ども・子育て本部参事官（子ども・子育て支援担当）・（認定こども園担当）付

先般、静岡県裾野市の保育所において不適切な保育が行われていたという事案が発生しました。このほか、富山県富山市の認定こども園や、宮城県仙台市の企業主導型保育施設においても、不適切な保育が行われていたという事案が発生するなど、全国で同様の事案が相次いでいるところです。

保育所、地域型保育事業所、認可外保育施設及び認定こども園（以下「保育所等」という。）については、

・例えば、児童福祉施設の設備及び運営に関する基準（昭和23年厚生省令第63号）第９条の２において「児童福祉施設の職員は、入所中の児童に対し、（中略）当該児童の心身に有害な影響を与える行為をしてはならない」との不適切な保育や虐待を禁止する旨の規定が置かれている（幼保連携型認定こども園については、幼保連携型認定こども園の学級の

編制、職員、設備及び運営に関する基準（平成26年内閣府・文部科学省・厚生労働省令第１号）第13条により準用）、

・保育所保育指針解説（平成30年３月）においても、「子どもに対する体罰や言葉の暴力が決してあってはならないことはもちろんのこと、日常の保育においても、子どもに身体的、精神的苦痛を与えることがないよう、子どもの人格を尊重するとともに、子どもが権利の主体であるという認識をもって保育に当たらなければならない。」ことを示している

・令和３年４月には、「不適切な保育の未然防止及び発生時の対応についての手引き」（以下「手引き」という。）を作成し、周知している

など、これまでも虐待等に関する対応を行ってきたところですが、こうした中、このような事案が発生した

711

ことは、誠に遺憾です。

　多くの保育所等においては適切に保育を行っていただいているものと考えていますが、今回の事案も受けて改めて保育所等における虐待等に関する対応についての留意事項等を以下のとおり整理していますので、「手引き」に加え、当該内容を十分御了知の上、各都道府県・市町村保育主管課におかれては域内の保育所、地域型保育事業所及び認可外保育施設に対して、各都道府県・指定都市・中核市認定こども園主管課におかれては、域内の市区町村認定こども園主管課及び所管・所轄の認定こども園（類型は問わない。）に対して、遺漏なく周知していただくようお願いします。

なお、幼稚園等における不適切な教育・保育に関する対応については、文部科学省より事務連絡が発出される予定となっていることを申し添えます。

記

1　保育所等における虐待の防止について

○　保育所保育指針（平成29年厚生労働省告示第117号）や幼保連携型認定こども園教育・保育要領（平成29年内閣府・文部科学省・厚生労働省告示第1号）において、こどもの生命の保持や情緒の安定を図ることを求めている。こどもの安全・安心が最も配慮されるべき保育所等において、虐待はあってはならず、保育所等において改めて虐待の発生防止を徹底いただきたい。

○　その際、初めは虐待ではなく、少し気になりつつも見過ごされてしまうような不適切な保育であっても、それが繰り返されていくうちに問題が深刻化し、虐待につながっていくこともあり得るため、早い段階で改善を促し、虐待を未然に防止することが重要であり、「手引き」や全国保育士会が作成した「保育所・認定こども園等における人権擁護のためのセルフチェックリスト」（以下「セルフチェックリスト」という。）も活用し、今一度保育の在り方を点検していただきたい。

（参考）「手引き」で示した不適切な保育の行為類型

・こども一人一人の人格を尊重しない関わり
・物事を強要するような関わり・脅迫的な言葉がけ
・罰を与える・乱暴な関わり
・こども一人一人の育ちや家庭環境への配慮に欠ける関わり
・差別的な関わり

※「セルフチェックリスト」においては、上記5項目を「人権擁護の視点から「良くない」と考えられるかかわり」とし、こうしたかかわりの具体的な事例をチェックリスト形式で示している。

2　虐待が疑われる事案が発生した場合の対応

(1)　市区町村・都道府県への情報提供・相談等について

○　「手引き」でお示ししたとおり、保育所等において虐待が疑われる事案を把握した場合、保育所等は状況を正確に把握した上で、市区町村や都道府県に設置されている相談窓口や担当部署に対して、把握した状況等を速やかに情報提供し、今後の対応について協議することが必要である。

○　また、「手引き」の対応に加え、保育所等において不適切事案や虐待が起きてしまった場合に基本となるのは、「隠さない」「嘘をつかない」という誠実な対応である。そうした誠実な対応は、管理者等が日頃から行うべきことであり、こどもや保護者への適切なケアを含め、そのような対応が早期に行われないことは、改善の機会を遅らせ、こどもに対して大きな不利益を与えることになる。

○　こうした対応を組織として行うことが重要であり、園長、副園長、教頭、主幹保育教諭、主任保育士、副主任保育士といった園のなかでのリーダー層の意識と適切な対応が必要不可欠である。このため、各市区町村及び各都道府県においては、園長や主任保育士等を対象とした会議やキャリアアップ研修を含む研修等の機会を通じ、園長や主任保育士等の管理者等に対してもこうした意識の醸成や適切な対応についての周知徹底をお願いしたい。

○　また、保育所等が組織として適切な対応を行わない場合、虐待が疑われる事案の発見者は一人で抱え込まずに速やかに市区町村や都道府県に設置されている相談窓口や担当部署に相談することが重要である。

なお、公益通報者保護法（平成16年法律第122号）第5条には、公益通報をしたことを理由として、降格、減給その他不利益な取扱いをしてはならないと規定されている。

（参考）公益通報者に対する保護規定

・①解雇の無効
・②その他不利益な取扱（降格、減給、訓告、自宅待機命令、給与上の差別、退職の強要、専ら雑務に従事させること、退職金の減給・没収等）の禁止

(2)　行政における迅速な事実確認や継続的な助言・

指導の実施について

○　「手引き」でお示ししたとおり、市区町村及び都道府県が、不適切な保育に関する相談窓口等において、不適切な保育が疑われる事案の相談を受けた場合、まず、市区町村及び都道府県の担当部局等において迅速に対応方針を協議し、方針を定めることが必要である。

　　特に、市区町村においては、不適切な保育が疑われる事案を把握した場合、事案の重大性に応じ、担当部局にとどまらず、市区町村の組織全体として迅速に事案を共有し、対応することも重要である。市区町村及び都道府県において、指導監査等による事実関係の確認を行う場合、相談者や保育所等関係者から丁寧に状況等を聞き取りつつ事実関係を正確に把握することとし、そうして把握した、不適切な保育が行われた原因や保育所等が抱える組織的な課題を踏まえ、助言・指導を継続的に行うことが必要である。

○　また、市区町村においては、児童福祉法（昭和22年法律第164号）や就学前の子どもに関する教育、保育等の総合的な提供の推進に関する法律（平成18年法律第77号。いわゆる「認定こども園法」）に基づく指導監督権限を有する都道府県に対しても迅速に情報共有を行うことが重要である。

○　さらに、事案の性質や重大性等に応じ、事案の公表等の対応も判断していくことが重要である。

(3)　保育士登録の取消等について

○　禁錮以上の刑に処せられた場合や、児童の福祉に関する法律により罰金刑に処せられた場合、都道府県は保育士登録を取り消さなければならないとされているほか、児童福祉法第18条の19第2項（信用失墜行為又は秘密保持義務規定の違反）により、登録を取り消すことができるとされている。

○　信用失墜行為による保育士登録の取消の事例としては、これまでに、児童生徒性暴力等を行った事案のほか、園児に対する虐待行為により取消が行われた事案もある。こうしたことも踏まえ、保育所等において虐待の事案があった場合には、十分に事実確認を行った上で、適切に対応いただきたい。

○　なお、教員免許状についても、禁錮以上の刑に処せられた者、教員であって懲戒免職や教員に必要な適格性を欠くこと等による分限免職となった者又はこれらの免職事由に相当する事由により解雇された者については、教員免許状の失効又は取上げの対象となること。また、教員免許状を有する者であって現在教員以外の者についても法令の規定に故意に違反し、又は教員たるにふさわしくない非行があって、その情状が重いと認められるときは、免許管理者は、その教員免許状を取り上げることができること。

3　不適切な保育への対応の実態の把握について

○　令和2年度子ども・子育て支援推進調査研究事業において、各自治体における不適切な保育への対応の実態を把握するための調査を実施している。今後の対応にも活かしていく観点から、改めて、保育所等における実態や、各自治体における不適切な保育への対応の実態を把握する。詳細は追ってお示しする。

○ 「就学前の子どもに関する教育、保育等の総合的な提供の推進に関する法律施行規則」等の一部改正について

> 〔令和4年12月28日　府子本第1107号・4文科初第1843号・子発1228第2号
> 各都道府県知事・各都道府県教育委員会教育長・各指定都市市長・各中核市市長・各指定都市教育委員会教育長・各中核市教育委員会教育長・附属幼稚園を置く各国立大学法人の長宛　内閣府子ども・子育て本部統括官・文部科学省初等中等教育・厚生労働省子ども家庭局長連名通知〕

この度、「就学前の子どもに関する教育、保育等の総合的な提供の推進に関する法律施行規則の一部を改正する命令」（令和4年内閣府・文部科学省・厚生労働省令第4号）及び「就学前の子どもに関する教育、保育等の総合的な提供の推進に関する法律第3条第2項及び第4項の規定に基づき内閣総理大臣、文部科学大臣及び厚生労働大臣が定める施設の設備及び運営に関する基準の一部を改正する件」（令和4年内閣府・文部科学省・厚生労働省告示第2号）が別添のとおり公布・公示され、令和5年4月1日から施行されることとなりましたので通知します。

本改正の趣旨及び内容は下記のとおりですので、各都道府県知事、各指定都市・中核市市長におかれては、十分御了知の上、貴管内の関係者に対して遅滞なく周知し、教育委員会等の関係部局と連携の上、その運用に遺漏のないよう配意願います。

なお、本通知は、地方自治法（昭和22年法律第67号）第245条の4第1項の規定に基づく技術的助言であることを申し添えます。

記

第1　改正の趣旨

令和4年9月に静岡県牧之原市の幼保連携型認定こども園において、送迎用バスに園児が置き去りにされ、亡くなる事案が起きたことを受け、こども政策担当大臣を議長とする関係府省会議が開催され、幼児等の所在確認と安全装置の装備の義務付けを含む「こどものバス送迎・安全徹底プラン」が同年10月に取りまとめられた。

これを受け、認定こども園において、誰が運転・乗車するかにかかわらず、乗降車の際に園児の所在の確認が確実に行われるよう、園児の所在確認と安全装置の装備を義務付けるため、就学前の子どもに関する教育、保育等の総合的な提供の推進に関する法律施行規則（平成26年内閣府・文部科学省・厚生労働省令第2号）及び就学前の子どもに関する教育、保育等の総合的な提供の推進に関する法律第3条第2項及び第4項の規定に基づき内閣総理大臣、

文部科学大臣及び厚生労働大臣が定める施設の設備及び運営に関する基準（平成26年内閣府・文部科学省・厚生労働省告示第2号）について、所要の改正を行うものである。

第2　改正の内容

1　本則

認定こども園に以下2点を義務付けるために、(1)及び(2)の改正を行う。

① 園児の通園や園外活動等のために自動車を運行する場合、園児の自動車への乗降車の際に、点呼等の方法により園児の所在を確認すること。

② 通園用の自動車を運行する場合は、当該自動車にブザーその他の車内の園児の見落としを防止する装置を装備し、当該装置を用いて、降車時の①の所在確認を行うこと。

(1) 就学前の子どもに関する教育、保育等の総合的な提供の推進に関する法律施行規則の一部を改正する命令関係

幼保連携型認定こども園について、本日公布される「学校保健安全法施行規則の一部を改正する省令（令和4年文部科学省令第41号）により学校保健安全法施行規則（昭和33年文部省令第18号）に新設される規定を準用する。

(2) 就学前の子どもに関する教育、保育等の総合的な提供の推進に関する法律第3条第2項及び第4項の規定に基づき内閣総理大臣、文部科学大臣及び厚生労働大臣が定める施設の設備及び運営に関する基準の一部を改正する件関係

幼保連携型認定こども園以外の認定こども園について、都道府県又は指定都市等の条例の改正によって適切に義務付けがなされるよう、参酌すべき基準に追加する。

2　附則

(1) 施行期日

令和5年4月1日とする。

(2) 経過措置

1 ②の規定については経過措置を設け、ブザーその他の車内の園児の見落としを防止する装置を備えることが困難である場合は、令和6年3月31日までの間、車内の園児の所在の見落としを防止するための代替的な措置を講ずることとして差し支えないこととする。

第3 留意事項

1 所在確認

第2 1①の所在確認は、送迎用バスの運行に限らず、認定こども園において園外活動ほか園児の移動のために自動車を運行する全ての場合が対象となる。

なお、本改正で義務付けられるのは、上記の場合だが、園児の動静については、常に全員の園児を把握することが必要であり、観察の空白時間が生じないよう職員間の連携を密にすることが大切である。また、所在確認に当たっては、園児の年齢や発達段階に応じて適切な方法によって行われることが望ましい。

2 安全装置に係る義務付けの対象となる自動車

通園を目的とした自動車のうち、座席（※）が2列以下の自動車を除く全ての自動車が原則として安全装置に係る義務付けの対象となる。

なお、座席が2列以下の自動車と同様に義務付けから除外される「その他利用の態様を勘案してこれと同程度に園児の見落としのおそれが少ないと認められるもの」については、例えば、座席が3列以上あるものの、園児が確実に3列目以降の座席を使用できないように園児が確実に通過できない鍵付きの柵を車体に固着させて2列目までと3列目以降を隔絶することなどが考えられるが、安全装置の装備が義務付けられる経緯・趣旨に鑑み、その判断は十分慎重に行うこと。

※ 「座席」には、車椅子を使用する園児が当該車椅子に乗ったまま乗車するためのスペースを含む。

3 装備すべき安全装置

「ブザーその他の車内の園児の見落としを防止する装置」は、国土交通省が令和4年12月20日に策定・公表した「送迎用バスの置き去り防止を支援する安全装置のガイドライン」に適合するものであることが求められること。なお、本ガイドラインに適合する装置については、今後、内閣府において、国土交通省と連携し、一覧化したリストを作成・公表する予定であり、当該リストを参考に選定することが可能であること。

4 実効性の確保

幼保連携型認定こども園の設置者が、本義務付けに違反した場合は、就学前の子どもに関する教育、保育等の総合的な提供の推進に関する法律（平成18年法律第77号）第20条の規定に抵触し、改善勧告等の対象になり得るものであり、改善が見られない場合は、同法第21条の規定による事業停止命令及び同法第38条の罰則等の対象になり得ること。

5 施行期日

本改正に伴い、各都道府県等においては条例の改正を要するため、施行期日を4月1日としているが、園児の所在確認は、法令上の直接的な規定の有無にかかわらず、徹底すべきであり、置き去りが生じないよう徹底されたい。

6 経過措置

当該園の責めに帰すことができない事情により装備すべき安全装置の導入が困難な場合も考えられるため、令和6年3月31日までの間、代替的な措置を講ずることとしているが、本義務付けの新設の趣旨に鑑み、可能な限り令和5年6月末までに導入するよう努めていただきたい。

なお、経過措置期間内において安全装置の装備がなされるまでの間についても、バス送迎における安全管理を徹底するとともに、例えば、運転席に確認を促すチェックシートを備え付けるとともに、車体後方に園児の所在確認を行ったことを記録する書面を備えるなど、園児が降車した後に運転手等が車内の確認を怠ることがないようにするための所要の代替措置を講ずること。

別添 略

○保育士による児童生徒性暴力等の防止等に関する基本的な
指針について

〔令和5年3月27日　子発0327第5号
各都道府県知事・各指定都市市長・各中核市市長宛　厚生
労働省子ども家庭局長通知〕

注　令和6年3月29日こ成基第42号改正現在

「児童福祉法等の一部を改正する法律」（令和4年法律第66号）により、「教育職員等による児童生徒性暴力等の防止等に関する法律」（令和3年法律第57号）第2条第3項に規定する児童生徒性暴力等を行った保育士について、登録取消しや再登録の制限などの資格管理の厳格化が行われることを踏まえ、その基本的な考え方等を示すとともに、保育士による児童生徒性暴力等の防止及び早期発見並びに児童生徒性暴力等への対処に関する施策を総合的かつ効果的に推進するため、別添のとおり「保育士による児童生徒性暴力等の防止等に関する基本的な指針」を策定し、令和5年4月1日より適用することとしたので通知する。

貴職におかれては、内容について御了知の上、その運用に遺漏なきよう期するとともに、管内市町村（特別区含む。）、関係機関及び関係団体に対する周知を図られたい。

なお、本通知は、地方自治法（昭和22年法律第67号）第245条の4第1項の規定に基づく技術的助言であることを申し添える。

（別　添）
保育士による児童生徒性暴力等の防止等
に関する基本的な指針
第1　保育士による児童生徒性暴力等の防止等に関する基本的な方針
　1　本指針の目的等
　　（本指針の目的）
　　○　児童を守り育てる立場にある保育士[1]が、児童に対して性暴力等を行い、当該児童の尊厳と権利を著しく侵害し、生涯にわたって回復しがたい心理的外傷や心身に対する重大な影響を与えるなどということは、断じてあってはならない。加えて、一部の保育士による加害行為により、児童と日々真摯に向き合い、児童が心身ともに健やかに成長していくことを真に願う、大多数の保育士の社会的な尊厳が毀損されることはあってはならない。
　　○　こうしたことを踏まえ、「児童福祉法等の一部を改正する法律」（令和4年法律第66号。以下「改正法」という。）により、児童福祉法（昭和22年法律第164号。以下「法」という。）

を改正し、児童生徒性暴力等を行った保育士について、登録取消しや再登録の制限などの資格管理の厳格化に関する規定が整備されることとなった。なお、教員等については、「教育職員等による児童生徒性暴力等の防止等に関する法律」（令和3年法律第57号。以下「教育職員性暴力等防止法」という。）等により、既に資格管理の厳格化が行われている。

○　本指針（以下「基本指針」という。）は、改正法を踏まえ、都道府県において資格管理の厳格化に関する運用が適切に実施されるよう基本的な考え方等を示すとともに、保育士による児童生徒性暴力等の防止及び早期発見並びに児童生徒性暴力等への対処（以下「児童生徒性暴力等の防止等」という。）に関する施策を総合的かつ効果的に推進するために策定するものである。

○　なお、今般の資格管理の厳格化は、保育士の従事先施設の種別や児童の年齢にかかわらず適用されるものであり、例えば、保育所以外の児童福祉施設に勤務する保育士が児童生徒性暴力等を行った場合についても、当然に登録取消しや再登録の制限などの対象となる。本指針においては、特段の記載がない限り、保育所、認定こども園及び地域型保育事業を行う事業所（以下「保育所等」という。）に勤務する保育士が、当該保育所等を利用する乳幼児に対して児童生徒性暴力等を行った場合を前提として記載しているが、保育所等以外の児童福祉施設等についても、本指針の内容に準じた取扱いが必要である。

（改正法の内容）
○　改正法においては、児童生徒性暴力等を行った保育士の資格管理の厳格化に関し、以下の事項を規定している。
・欠格期間の見直し
・児童生徒性暴力等を行ったと認められる場合について、保育士登録を取り消さなければならない事由に追加
・児童生徒性暴力等を行ったことにより保育士登録を取り消された者及びこれ以外の者で

あって、保育士登録を取り消された者のうち保育士登録を受けた日以後に児童生徒性暴力等を行っていたことが判明した者（以下「特定登録取消者」という。）に係る保育士資格の再登録制限

・保育士を任命し、又は雇用するもの（以下「任命権者等」という。）による都道府県知事への報告義務

・特定登録取消者の氏名及び特定登録取消者の登録の取消しの事由等に関する情報に係るデータベースの整備等

（改正法の施行期日）

○ 保育士の資格管理の厳格化に関する改正法の規定の施行期日は令和5年4月1日としている。ただし、上記のデータベースに係る規定（法第18条の20の4）は公布の日（令和4年6月15日）から起算して2年を超えない範囲内において政令で定める日から施行することとしている。

○ 改正後の規定は、法施行日以後の行為について適用されることから、令和5年3月31日以前の行為に係る欠格事由や登録の取消しについては、従前の例によることとなる。また、再登録審査の対象となるのは、令和5年4月1日以降に児童生徒性暴力等を行った者となる。

2 児童生徒性暴力等の定義

○ 児童生徒性暴力等は、次に掲げる行為（教育職員性暴力等防止法第2条第3項に規定する児童生徒性暴力等）をいう（法第18条の19第1項第3号）。

① 児童生徒等に性交等（刑法（明治40年法律第45号）第177条第1項に規定する性交等をいう。）をすること又は児童生徒等をして性交等をさせること（児童生徒等から暴行又は脅迫を受けて当該児童生徒等に性交等をした場合及び児童生徒等の心身に有害な影響を与えるおそれがないと認められる特別の事情がある場合を除く。）。（教育職員性暴力等防止法第2条第3項第1号）

② 児童生徒等にわいせつな行為をすること又は児童生徒等をしてわいせつな行為をさせること（①に掲げるものを除く。）。（教育職員性暴力等防止法第2条第3項第2号）

③ 刑法第182条の罪、児童買春、児童ポルノに係る行為等の規制及び処罰並びに児童の保護等に関する法律（平成11年法律第52号。以下「児童ポルノ法」という。）第5条から第8条までの罪又は性的な姿態を撮影する行為

等の処罰及び押収物に記録された性的な姿態の影像に係る電磁的記録の消去等に関する法律（令和5年法律第67号。以下「性的姿態撮影等処罰法」という。）第2条から第6条までの罪（児童生徒等に係るものに限る。）に当たる行為をすること（①及び②に掲げるものを除く。）。（教育職員性暴力等防止法第2条第3項第3号）

④ 児童生徒等に次に掲げる行為（児童生徒等の心身に有害な影響を与えるものに限る。）であって児童生徒等を著しく羞恥させ、若しくは児童生徒等に不安を覚えさせるようなものをすること又は児童生徒等をしてそのような行為をさせること（①〜③に掲げるものを除く。）。（教育職員性暴力等防止法第2条第3項第4号）

イ 衣服その他の身に着ける物の上から又は直接に人の性的な部位（児童ポルノ法第2条第3項第3号に規定する性的な部位をいう。）その他の身体の一部に触れること。

ロ 通常衣服で隠されている人の下着又は身体を撮影し、又は撮影する目的で写真機その他の機器を差し向け、若しくは設置すること。

⑤ 児童生徒等に対し、性的羞恥心を害する言動であって、児童生徒等の心身に有害な影響を与えるものをすること（①〜④に掲げるものを除く。）。（教育職員性暴力等防止法第2条第3項第5号）

○ 児童生徒性暴力等については、児童の同意や暴行・脅迫等の有無を問わない。また、刑事罰が科されなかった行為も児童生徒性暴力等に該当し得る。

○ ①について、刑法第177条の不同意性交等罪、法第34条第1項第6号の淫行罪に当たる行為や、いわゆる青少年健全育成条例により禁止される性交等が該当し得る。

○ ②については、刑法第176条の不同意わいせつ罪、法第34条第1項第6号の淫行罪に当たる行為（①の場合を除く。）や、いわゆる青少年健全育成条例により禁止されるわいせつ行為が該当し得る。

○ ③については、

・刑法第182条の罪[2]：16歳未満の者に対するわいせつ目的での面会要求（同条第1項）、面会（同条第2項）、性的な姿態を撮影した映像の要求（同条第3項。いわゆる自撮り要求等）、

・児童ポルノ法第5条から第8条までの罪に当たる行為：児童買春周旋（同法第5条）、児童買春勧誘（同法第6条）、児童ポルノ所持、提供等（同法第7条）、児童買春等目的人身売買等（同法第8条）（児童買春（同法第4条）は明記されていないが、これは性交等に係る他の規定との重複を避けるためであり、児童買春は児童生徒性暴力等の対象となる）、

・性的姿態撮影等処罰法第2条から第6条までの罪に当たる行為（児童生徒等に係るものに限る。）[3]：児童生徒等に係る性的姿態等の撮影（同法第2条）、性的影像記録の提供等（同法第3条）及び当該行為をする目的での保管（同法第4条）、性的姿態等の影像の影像送信（同法第5条）、及び記録（同法第6条）

がここに含まれる。

○ ④については、いわゆる迷惑防止条例により禁止される痴漢や③に含まれない盗撮などの行為などが該当し得る。

○ なお、④には身体の一部に触れることが内容に含まれている。保育所等の保育士においては、例えば、以下のような場面で、業務上児童の身体に触れる必要があると考えられるが、これらの正当な業務上の行為については、必要な範囲・態様にとどまる限りにおいて、児童生徒性暴力等の対象とはならないと考えられる。

＜正当な業務上の行為として身体接触が必要と考えられる場面の例＞

・保育中の抱っこやおんぶ、午睡時の寝かしつけ

・おむつ交換や排泄等の介助

・着替えの介助

・沐浴、ふれあい遊びや体操など身体接触を伴う活動　等

○ ⑤については、児童に対する悪質なセクシュアル・ハラスメント（児童を不快にさせる性的な言動[4]）などが該当し得る。

3　国、都道府県、市町村、任命権者等、保育所等の役割

（国の役割）

○ 国においては、改正法の趣旨を踏まえ、保育士による児童生徒性暴力等の防止等に関する施策を総合的に策定し、実施する。

（都道府県の役割）

○ 都道府県は、改正法の趣旨を踏まえ、保育士による児童生徒性暴力等の防止等に関する施策について、国と協力しつつ、その地域の状況に応じた施策を策定し、実施する。また、保育士の資格管理の実施主体として、児童生徒性暴力等を行ったと認められる保育士について必要な措置を講ずる。

（市町村の役割）

○ 市町村は、改正法の趣旨を踏まえ、都道府県や保育所等の関係者との連携を図りつつ、保育の実施主体として、保育士による児童生徒性暴力等の防止等のために必要な措置を講ずる。

（任命権者等の役割）

○ 任命権者等は、保育士を任命し、又は雇用しようとするときは、データベースを活用するとともに、任命又は雇用する保育士について、当該保育士が児童生徒性暴力等を行ったと思料するときは、速やかにその旨を都道府県知事に報告する。

（保育所等の役割）

○ 保育所等は、改正法の趣旨を踏まえ、関係者との連携を図りつつ、保育所等における保育士による児童生徒性暴力等の防止等に取り組むとともに、当該保育所等に在籍する児童が保育士による児童生徒性暴力等を受けたと思われるときは、適切かつ迅速にこれに対処する。

第2　保育士による児童生徒性暴力等の防止等に関する施策の内容に関する事項

1　児童生徒性暴力等の防止に関する施策

(1)　保育士に対する啓発

○ 国においては、全ての保育士が法の内容を理解し、児童生徒性暴力等の防止等に向けて適切に対応することができるよう、児童生徒性暴力等の特徴や法及び基本指針により求められる措置等について周知を図るとともに、都道府県、児童生徒性暴力等の防止等に係る専門家と連携し、保育士に対し、児童の人権、特性等に関する理解及び児童生徒性暴力等の防止等に関する理解を深めるための研修及び啓発の充実を図る。

また、都道府県、市町村における児童生徒性暴力等の防止等に向けた保育士の研修等についての取組状況を調査し、取組事例の共有を図る。

○ 都道府県、市町村においては、保育士による児童生徒性暴力等の防止等のための対策が専門的知識に基づき適切に行われるよう、保育士の研修及び啓発の充実を図る。

○ 保育所等においては、全ての保育士の共通理解を図るため、外部専門家を活用したり、

ロールプレイ形式・ディベート形式を導入したりするなどの効果的な研修の工夫を図りつつ、保育士による児童生徒性暴力等の問題に関する園内研修や保育の振り返りなど様々な機会を捉えて実施するなど取組の充実を図る。

(2) 保育士養成課程を履修する学生への理解促進

○ 保育現場において児童に対する児童生徒性暴力等を未然に防止していくため、指定保育士養成施設においては、保育士養成課程を履修する学生に対して例えば以下の科目等を通じた指導や、保育実習の事前指導等の授業において、児童生徒性暴力等の防止等に関する理解を深めるための取組を行うこととする。

・法における保育士の欠格事由、信用失墜行為や保育士の専門的倫理に関する科目
・性的虐待を含む子ども虐待や子どもの人権擁護に関する科目
・子どもの最善の利益を考慮した保育の基本的な考え方などについて定めた「保育所保育指針」（平成29年厚生労働省告示第117号）に関する科目

○ 国においては、指定保育士養成施設に対し、保育士養成課程を履修する学生への入学時や保育士養成課程の履修ガイダンス等の機会を捉えた指導など児童生徒性暴力等の防止等のための取組の充実を促す。

(3) 児童及び保護者に対する啓発

○ 国、都道府県、市町村、保育所等においては、児童の尊厳を保持するため、児童及び保護者に対して、何人からも児童生徒性暴力等により自己の身体を侵害されることはあってはならないことについて周知啓発に努める。また、児童に対して、職員等による児童生徒性暴力等により自己の身体を侵害されることがあってはならないこと並びに被害を受けた児童に対して保護及び支援が行われること等について周知啓発に努める。

○ 児童が被害に気付き、被害を予防できるよう、自分の身を守ることの重要性や嫌なことをされたら訴えることの必要性等を児童の発達段階に応じて身に付けさせるため、国において取組を進めている[5]、生命を大切にし、子供たちを性暴力等の加害者・被害者・傍観者にさせないための「生命（いのち）の安全教育」について、作成・公表している教材や指導の手引き等について周知徹底を図るとともに、多様な指導方法や地域における取組事

例の普及を図り、全国の保育所等において、地域の実情に応じた児童への啓発を推進する取組を支援していく。

(4) その他の施策

（児童生徒性暴力等を未然に防止するための取組の推進）

○ 保育所等は、保育士による児童生徒性暴力等を未然に防止するための取組を推進することが重要であり、保育士に対して児童生徒性暴力等につながる行為をさせないことに加え、そのような行為につながる可能性がある環境や組織体制などに潜むリスクを取り除く必要がある。

○ このため、保育士に対する研修や啓発の取組を効果的なものに充実させ、継続的に実施することなどにより、繰り返し児童生徒性暴力等の防止等に関する服務規律の徹底を図るとともに、保育所等は、必要なルールや取組等を整理・周知し、全ての保育士で共通理解を図りながら組織的に対応を進めることが必要である。

○ さらに、被害を未然に防止する観点から、他の保育士の目が行き届きにくい環境となる場面をできる限り減らしていくことが重要であり、環境の見直しによる密室状態の回避や組織的な支援体制の構築など、予防的な取組等を強化することが必要である。児童や職員の数が少ない環境や時間帯などについては、特に留意して措置を講ずる必要がある。

2 保育士による児童生徒性暴力等の早期発見及び児童生徒性暴力等への対処に関する施策

(1) 早期発見のための措置及び相談体制の整備

（早期発見のための措置）

○ 保育士による児童生徒性暴力等の早期発見のため、市町村及び保育所等は、保護者や保育士に対する定期的なアンケート調査や相談の実施等により、被害を把握するための体制を整えるとともに、地域、家庭と連携して児童を見守ることが必要である。

○ アンケート調査を実施する際には、無記名にしたり、担任や保育所等を通さず直接に市町村へ提出することも可能とするなど、被害児童の保護者の心情にも配慮した工夫を行うことが必要である。

（相談体制の整備）

○ 都道府県は、保育士による児童生徒性暴力等に関する通報及び相談を受け付けるための体制の整備等に必要な措置を講ずる。

○　相談体制の整備等に当たっては、任命権者等や被害児童の保護者等が相談しやすくなるよう、複数の相談窓口が確保され、また、同性の相談員に相談できるようにするなど相談者が安心して相談できる環境が整えられるとともに、被害児童に対する保護・支援や事案への対処など、必要な措置に迅速につなげることが重要である。

○　都道府県においては、各都道府県警察や性犯罪・性暴力被害者のためのワンストップ支援センターの相談窓口も含め、これらが被害児童の保護者から活用されるよう周知を行う。

○　その際、あらかじめ都道府県教育委員会等との間で必要な調整を行った上で、教育職員性暴力等防止法に基づき設けられた相談窓口を活用することなども考えられる。

○　また、例えば、都道府県は電話やSNS等を活用するなど相談の充実を図る等、多様な相談窓口を確保し、所管の保育所等を通じて児童の保護者等、関係各者に広く相談窓口を周知するとともに、被害児童の保護者や任命権者等からの通報が市町村に行われる場合もあることから、保育士による児童生徒性暴力等と思われる事案を把握した市町村は速やかに都道府県に報告する等、都道府県と市町村が相互に連携・協力して円滑に対応を行うことが求められる。

○　なお、児童及びその保護者が被害に係る情報を相談することは、精神的負担が大きいものであることや、その後の対応によっては被害児童及びその保護者をさらに傷付けることになりかねないことに十分留意し、児童や保護者から相談や訴えがあった場合には、真摯に傾聴するとともに、相談内容を過少評価したり、相談を受けたにもかかわらず真摯に対応しなかったりすることは、あってはならない。

(2)　保育士による児童生徒性暴力等の事実があると思われるときの措置

（基本的な考え方）

○　都道府県は、児童や保護者からの相談などにより、保育士による児童生徒性暴力等の事実があると思われるときは、被害児童の負担に十分に留意しつつ、保育所等、市町村及び所轄警察署との間で情報共有を図り、迅速に事案に対処するとともに、被害児童やその保護者に対して、必要な保護・支援を行う必要

がある。

○　また、都道府県は、保育所等が所在する市町村と必要な連携を図りつつ、初期の段階から事案の対処のために積極的に対応する必要があり、保育所等に対して必要な指導・助言を行う（都道府県が法や就学前の子どもに関する教育、保育等の総合的な提供の推進に関する法律（平成18年法律第77号。以下「認定こども園法」という。）に基づく指導監督権限を有さない保育所等の場合は、当該指導監督権限を有する自治体に対して迅速に情報共有を行う）とともに、事案の関係者と直接の人間関係や特別の利害関係のない専門家の協力を得て、公正性・中立性が確保されるよう事実確認の調査を行い、保育士の登録の取消しなどの厳正な対処につなげることが必要である。

○　都道府県においては、児童や保護者からの相談などにより、保育士による児童生徒性暴力等の事実があると思われるときの対応方針について、基本指針を参考とし、市町村との連携、児童生徒性暴力等に係る相談を受けた場合の保育士や保育所等の対応方法や手順、専門家の協力を得た調査の実施方法、被害児童に対する保護・支援やこれらに関する留意事項などを予め整理し、所管の保育所等に係る保育士に対して研修等を通じて周知を行うことが望ましい。

（任命権者等による都道府県への報告）

○　任命権者等は、その任命又は雇用する保育士による児童生徒性暴力等の事実があると思料するときは、速やかにその旨を都道府県知事に報告しなければならない。この報告は虚偽又は過失によるものを除き、守秘義務の規定に抵触するものと解してはならない（法第18条の20の3）。

○　「児童生徒性暴力等の事実があると思料するとき」とは、何らの根拠無く主観的な嫌疑を有するといったことのみでは該当しないものの、例えば、他の職員からの具体的な証言や児童の様子についての保護者からの具体的な相談があった場合など、嫌疑をかけるに足りる一定の根拠があれば該当すると考えられる。そのため、確定的な根拠がなければこれに該当しないなどとして必要な報告を怠るようなことがあってはならない。

また、保育士による児童生徒性暴力等の事実に関し、保育所等に通報があった場合等、

児童生徒性暴力等の事実が疑われる場合には、任命権者等は被害児童やその保護者への確認のほか、他の職員や児童からの聴取、防犯カメラ映像の確認などにより、当該事実の有無の確認を行った上で、当該事実があると思料するに至った場合は速やかに都道府県への報告を行うことが求められる。

なお、保育士による児童生徒性暴力等の事実があると思料するときは、当該保育士が児童生徒性暴力等を行ったことを認めているかどうかにかかわらず、都道府県への報告は必要となることに留意が必要である。

○　任命権者等において、保育士による児童生徒性暴力等の事実の有無の確認を行うに当たっては、児童の人権及び特性に配慮するとともに、その名誉及び尊厳を害しないよう注意しつつ、また、被害児童やその保護者の負担に配慮することが求められる。ただし、いたずらに被害児童への配慮やプライバシーの保護などを盾に必要な事実確認を怠るようなことがあってはならない。

○　任命権者等から都道府県への報告にあたっては、別添様式１の提出によることを基本とする。任命権者等においては、都道府県から事実確認等に関する要請があった場合には、必要な協力を行うとともに、あわせて、例えば、職員からの具体的な証言や保護者からの相談の記録、防犯カメラ映像等の児童生徒性暴力等の事実があると思料する根拠となる客観的な資料を適切に保存することが求められる。

（所轄警察署への通報等）

○　児童生徒性暴力等の中には、犯罪行為として取り扱われるべきと認められ、早期に警察に相談することが重要なものや、児童の生命身体に重大な被害が生じるような、直ちに警察に通報することが必要なものが含まれており、被害児童を徹底して守り通すという観点や被害児童に対してさらに重ねて累次の聴き取りを行うことを避ける観点からも、任命権者等はためらうことなく所轄警察署と連携して対処することが必要である。なお、任命権者等は、都道府県による児童生徒性暴力等の事実確認の結果を待たずに所轄警察署に通報することができることに留意する必要がある。

○　任命権者等が公務員である場合、その職務を行うことにより、合理的根拠に基づき犯罪

があると思料するときは、刑事訴訟法[6]（昭和23年法律第131号。以下「刑事訴訟法」という。）の定めるところにより告発をすることが求められる。

なお、任命権者等が保育所等の設置者である市町村に報告し、報告を受けたこれらの者が告発を行う場合には、重ねて告発を行う必要はないと考えられる場合もあり得る。

○　また、保育士登録の取消しに係る調査等の過程で公務員（都道府県職員）が、刑法、青少年健全育成条例、迷惑防止条例違反等の犯罪があると思料するときは、告発を行うこととなる（刑事訴訟法第239条第２項）。

都道府県や市町村により本来告発されるべき事案が告発されないということが生じないようにすることが必要であり、捜査機関等と連携して厳正に対応することが求められる。他方で、児童生徒性暴力等が犯罪行為として取り扱われる事案においては、被害児童や保護者の精神的負担、名誉、プライバシー等を特に尊重する必要があり、都道府県等が告発することについての被害児童やその保護者の意向によっては、事案により、これを尊重し、告発を差し控えることも考えられる。

○　任命権者等以外の者であって、保育士、市町村の職員その他の児童又はその保護者からの相談に応じる者等についても、上記に準じて、保育士による児童生徒性暴力等の事実があると思われるときは、任命権者等、都道府県又は所轄警察署への通報その他適切な措置をとることが求められる。その際、通報等を行った者に対して当該通報等を行ったことを理由として、懲戒等の不利益処分や平等取扱いの原則に反する処分等の不利益な取扱いをしてはならないことに留意が必要である。

○　特に、保育所等が都道府県への報告に先立って市町村に報告を行う場合も考えられるため、児童生徒性暴力等と思料される事案を把握した市町村は速やかに都道府県に報告するとともに、都道府県から事実確認のための調査等に関して協力の要請があった場合には、必要な情報提供等を行うことが求められる。

（都道府県による事実確認のための調査）

○　都道府県は、任命権者等からの報告等により、保育士による児童生徒性暴力等の事実があると思われるときは、任命権者等や市町村等と連携し、被害児童の人権及び特性に配慮

するとともに、その名誉及び尊厳を害しない
よう注意しつつ、また、被害児童やその保護
者の負担に配慮しながら、当該事実の有無の
確認を行うための調査（質問や報告徴求等）
を行うことが求められる。

当該調査に当たっては、下記「事実確認等
の実施」、「都道府県間の連携」、「その他の事
実確認等に関する留意事項」の内容を踏まえ
て実施することが考えられる。

なお、都道府県知事は保育士が児童生徒性
暴力等を行ったと認められる場合にはその登
録を取り消さなければならないこととされて
おり（法第18条の19第1項）、本規定に基づ
き、都道府県は上記の調査を行う権限を有す
るものである。

○　また、上記調査は、法や認定こども園法に
基づく保育所等への指導監査や、法に基づく
被措置児童の虐待に係る調査と併せて効率的
に実施することも考えられ、都道府県内の関
係部局や市町村と連携を図ることが重要であ
る。

○　上記調査については、被害を受けたとされ
る児童の尊厳の保持及び再発防止についても
調査の目的とされることに留意するととも
に、医療、心理、福祉及び法律に関する専門
的な知識を有する者の協力を得つつ、事実関
係を客観的に確認し、公正かつ中立な調査が
行われることを旨とする必要がある。

○　医療、心理、福祉及び法律に関する専門的
な知識を有する者としては、医師、弁護士、
警察経験者、学識経験者等が考えられ、事案
に応じた適切な専門家の協力を得ることが必
要である。

○　協力を得る専門家については、当該事案の
関係者と直接の人間関係又は特別の利害関係
を有しない者（第三者）について、職能団体
や学会からの推薦等により参加を得ることに
より、当該調査の公正性・中立性を確保する
よう努めることが求められる。

○　その際、教育職員性暴力等防止法第19条に
基づいて学校の設置者が行う調査に協力する
こととなっている専門家を保育士による児童
生徒性暴力等の調査及び事実確認においても
活用することについて、あらかじめ都道府県
教育委員会等との間で必要な調整を行い、協
力を得られる体制を整えておくことなどが考
えられる。

（事実確認等の実施）

○　事実関係の明確化に当たっては、被害児童
や保護者等から聴き取りを行うことが考えら
れる。都道府県が調査を行うに当たり、特に
自ら被害を訴えることが困難な児童本人への
聴取にあたっては、適切な支援と配慮を行う
必要がある。具体的には、児童の負担を軽減
するとの観点から、児童からの聴取回数は少
ない方が望ましいという指摘があるほか、児
童については、誘導や暗示の影響を受けやす
く、聴取方法や時期、回数についての留意が
必要であるとの指摘があることを踏まえ、捜
査機関等においては、代表者聴取の取組[7]を
行っているところであるので、被害児童から
聴き取りを行うに当たって、こうした取組に
留意が必要である。

○　被害児童に対して聴き取りを行う場合、弁
護士や医師、学識経験者等の外部の専門家で
児童生徒性暴力等の事案に係る聴き取りに長
けた者の協力を得て丁寧な事実確認を行うこ
とは非常に有効であると考えられる。また、
被害者の意向等により、保育所等の管理職や
担任等により聴き取りを行う場合であって
も、聴き取り項目や方法が適切かどうかや、
聞き取った内容について補充の質問等が必要
かどうかなど、外部の専門家の助言を得つつ
行うことが必要であると考えられる。

○　その際、仮に、将来的に当該保育士が特定
登録取消者となり、欠格期間後に保育士の再
登録を申請した場合、再登録の審査において
は、上記の事実関係で判明した児童生徒性暴
力等を行った事実に基づき当該特定登録取消
者が児童生徒性暴力等を再び行わないことの
蓋然性等に係る検討が行われることを踏ま
え、事実確認段階においては、当該保育士が
行った児童生徒性暴力等を適切に把握してお
くことが重要になることに留意する必要があ
る。

○　また、児童のプライバシー保護に十分に留
意する必要があり、例えば、都道府県や任命
権者等が、調査の初期の段階で十分な確たる
情報がない中、断片的な情報で他の職員や他
の利用児童の保護者等に誤解を与えたりする
ことのないよう留意する必要がある。

（都道府県間の連携）

○　任命権者等から、法第18条の20の3に基づ
き報告を受けた都道府県知事（以下「報告受
付知事」という。）は、当該報告に係る保育
士の登録先が他の都道府県である場合、登録

先の都道府県知事（以下「登録先知事」という。）にその旨を通知（別添様式2により通知）するものとする。

○　その上で、保育士による児童生徒性暴力等の事実の有無の確認及び登録取消しの判断は、登録先知事の責任において行うこととなるが、報告受付知事は、登録先知事から児童福祉法施行規則（昭和23年厚生省令第11号）第6条の34の2に基づく書類の提示や情報の提供などの求めがあった場合には、当該保育士が行った児童生徒性暴力等の事実確認のための調査等に資する協力を行うことが求められる。

　　また、登録先知事が、法第18条の19に基づき当該保育士の登録を取り消した場合は、当該保育士に送付した保育士登録の取消しを行った旨の通知の写しを報告受付知事に送付するものとする。

○　なお、児童生徒性暴力等を行った保育士の登録取消しの流れ（イメージ）は「別添2」のとおりである。

○　また、これまで児童福祉法施行令（昭和23年政令第74号）第20条において、都道府県知事は、他の都道府県知事の登録を受けた保育士について、登録の取消しを適当と認めるときは、理由を付して、登録を行った都道府県知事に、その旨を通知しなければならないとされていたことを踏まえ、報告受付知事が保育士登録の取消しを適当と認めるとして、その旨を登録先知事に通知した場合は、この通知をもって児童福祉法施行令第20条に基づく通知を行ったものとして差し支えない。

（その他の事実確認等に関する留意事項）

○　保育士による児童生徒性暴力等に関する事実確認は、個々の事案の具体的な内容に基づいて行われるものであり、抽象的、一般的な基準に従って判断されるべきものではないが、例えば、以下のような点を踏まえて事実確認・事実関係の明確化を行うことが考えられる。

・児童生徒性暴力等により懲戒免職・懲戒解雇されたこと（懲戒処分の判断を行う原因となった事実の確認）
・本人への聴取の結果、児童生徒性暴力等を行ったことを認めたこと
・医療、心理、福祉及び法律に関する専門的な知識を有する者など第三者の意見の聴取
・刑事裁判又は民事裁判の事件記録等の活用

○　また、以下のような事例については、一律に児童生徒性暴力等に該当しないと判断すべきではなく、被害児童やその保護者への確認のほか、他の職員や児童からの聴取、防犯カメラ映像の確認など事実関係の調査を行い、その結果、保育士が児童生徒性暴力等を行ったと合理的に認められる場合には、各都道府県の判断により、法第18条の19第1項第3号の「児童生徒性暴力等を行ったと認められる場合」に該当するものと解することができることに留意が必要である。

・児童生徒性暴力等を行ったと報告された者が事実確認のための調査に応じない場合
・児童生徒性暴力等を行ったと報告された者の所在が分からない場合
・被害を報告した者等と児童生徒性暴力等を行ったと報告された保育士の言い分が異なる（否認している）場合

○　幼保連携型認定こども園の保育教諭等、幼稚園教諭免許状と保育士資格を併有している者であって児童生徒性暴力等により幼稚園教諭免許状の失効又は取上げの処分を受けた者については、二度にわたる本人への聴取や事実確認のための調査等を行う必要がないよう、免許の失効又は取上げの処分に至った事実をもとに、児童生徒性暴力等の事実を認定し、登録取消しを決定することも考えられることから、教員免許所管部局と連携等を行うこと。

○　都道府県は、保育士が児童生徒性暴力等を行ったおそれのある事案に関する情報を迅速に把握し、事実確認のための調査等を行う必要があることから、任命権者等からの法第18条の20の3に規定する都道府県への報告が行われていない場合であっても、このような事案を通報、報道等で把握したときは、任命権者等に対して事実関係の有無や同条に基づく報告の見込み等について確認することや、必要に応じて捜査機関への情報提供の依頼、被害児童の保護者への事実確認、当該保育士への質問等などにより事実確認を行うことが求められる。

○　保育士が保育所等の外で児童生徒性暴力等を行った場合や、児童福祉施設等に勤務していない保育士が児童生徒性暴力等を行った場合であっても、保育士登録の取消しの対象となることから、このような事案を通報、報道等で把握したときは、都道府県は事実確認の

ための調査を行うこととなる。この場合においては、都道府県は、捜査機関への情報提供の依頼、被害児童の保護者への事実確認、当該保育士への質問などにより事実確認を行うことが求められる。

（児童と保育士の接触回避等）

○　任命権者等は、法第18条の20の3に規定する都道府県への報告の前においても、保育士による児童生徒性暴力等を受けたと思われる児童と当該保育士との接触を避ける等児童の保護に必要な措置を講ずる必要がある。例えば、各保育所等において、当該保育士を担任から外したり、児童と接触しない事務作業に従事させるなど、児童への影響が生じないようにすることが考えられる。

（保育所等に在籍する児童の保護及び支援等）

○　都道府県、市町村及び保育所等は、医療、心理、福祉及び法律に関する専門的な知識を有する者の協力を得つつ、被害児童の保護やその保護者への支援を継続的に行うとともに、被害児童と同じ保育所等に在籍する児童やその保護者に対する必要な心理的支援等を行う必要がある。

○　保護及び支援等としては、事案に応じて、例えば、ワンストップ支援センターなどの相談機関を被害児童の保護者等に紹介するとともに、被害児童やその保護者等からの相談等に継続的かつ適切に対応し、落ち着いて保育を受けられる環境の確保や関係機関との連携等を行うことが考えられる。

○　保育所等全体の児童や保護者、地域にも不安や動揺が広がったり、事実に基づかない風評等が流れたりする場合には、都道府県、市町村及び保育所等は、マスコミ等への対応も含め、被害児童を守りつつ、予断のない一貫した対応を行う必要がある。

（保育所等において児童と接する業務に従事する者による児童生徒性暴力等の防止等）

○　保育士以外の保育所等において児童と接する業務（当該施設等の管理下におけるものに限る。）に従事する者による児童生徒性暴力等（当該施設等の児童に対するものに限る。）についても、早期発見のためのアンケートの対象にすることや、児童生徒性暴力等を受けたと思われる児童との接触を回避するなど、保育士に準じた取扱いとする。

○　保育所等において児童と接する業務に従事する者の職については、業務の内容・範囲や職の名称、児童と接する度合い等が地域や施設の実情に応じて異なること、また、時代の変化等によりこれまでになかった業務に従事する者が絶えず新たに生じることから、網羅的に示すことは困難であるため、職の名称等で機械的に判断するのではなく、各施設の実態を踏まえつつ、児童の権利利益の擁護に資するようにする観点から、対象となる者を判断することが必要である。その上で、現時点で考えられる職としては次のようなものが考えられる。

・事務職員、嘱託医、看護師、栄養士、調理員、保育補助者、保育支援者（キッズ・ガード）等

(3)　保育士登録の取消し

（改正法による規定）

○　改正法により、児童生徒性暴力等を行ったと認められる場合について、保育士登録を取り消さなければならない事由に追加する改正を行っている。

○　保育士による児童生徒性暴力等は決して許されないことであり、改正法の趣旨を踏まえ、こうした非違行為があった場合には、保育士登録の取消しについて、適正かつ厳格な実施を図る必要がある。

（留意事項）

○　保育士登録の取消しは不利益処分に該当することから、行政手続法（平成5年法律第88号）第13条に基づく聴聞が必要となる。

○　従前は事実関係を争っていなかった保育士が、聴聞の段階で事実関係を争った場合であっても、一律に児童生徒性暴力等の事実が認められないと判断すべきではなく、例えば、①確定した裁判で児童生徒性暴力等の事実が認定されている、②従前は事実を認めた上で被害児童側と示談した、③従前は事実関係を争っていなかった理由や主張を変遷させた理由に合理的な説明がないなどの事情があり、当該弁明内容に信用性が認められず、児童生徒性暴力等を行ったと合理的に認められる事情があれば、「児童生徒性暴力等を行ったと認められる場合」に該当することに留意する必要がある。

○　都道府県知事は、特定登録取消者となった者に対し、登録証の返納を求める際や、保育士の登録の取消処分を行った旨の通知を行う際などにおいて、特定登録取消者に該当する旨及び再度登録を受けるためには、その者の

行った児童生徒性暴力等の内容等を踏まえ、改善更生の状況その他その後の事情により再び保育士の登録を行うのが適当であると認められる場合に限り、再び保育士の登録を行うことができる旨等を示すものとする。

○　なお、保育士登録の取消し後に、人違いなどの理由で無罪判決が確定したなどにより児童生徒性暴力等の事実がなかったことが明らかになった場合は、都道府県知事は当該保育士に対する登録の取消処分の取消しを行うとともに、保育士登録簿の記録の回復や登録証の再交付、法第18条の20の４に基づくデータベースにおける当該保育士に係る記録の消除などを行う必要がある。

3　保育士の任命又は雇用に関する施策

(1)　データベースの整備及び特定登録取消者に関する情報の記録

○　国は、特定登録取消者の氏名及び特定登録取消者の登録の取消しの事由等に関する情報に係るデータベースを整備し、令和６年４月１日より運用を開始する（法第18条の20の４、附則第１条、児童福祉法等の一部を改正する法律の一部の施行期日を定める政令（令和５年政令第372号））。

○　任命権者等が、保育士を任命し、又は雇用しようとするときに、個人情報の取扱いやセキュリティの確保を含め、データベースが適切かつ有効に管理及び活用されるよう、国は、都道府県の協力も得ながら、具体的な運用マニュアルの作成及び周知徹底等の必要な措置を講ずる。

○　都道府県は、当該都道府県において登録を行った者が特定登録取消者に該当するに至ったときは、「児童福祉法第18条の20の４第１項の規定に基づきこども家庭庁長官が定める事項」[8]で規定する特定登録取消者に関する情報をデータベースに迅速に記録するものとする[9]（法第18条の20の４第２項）。この場合の「迅速に記録する」とは、保育士が児童生徒性暴力等を行ったことによりその登録を取り消した日の翌日又は保育士の登録を取り消した者（児童生徒性暴力等を行ったことにより保育士の登録を取り消した者を除く。）の保育士の登録を受けた日以後の行為が児童生徒性暴力等に該当していたと判明した日の翌日（行政機関の休日に関する法律（昭和63年法律第91号）第１条第１項各号に定める休日を除く。）までに行うべきものとする。

○　データベースに記録する情報の期間は、当面、少なくとも40年間分の記録を蓄積していくこととするが、記録情報の正確さを担保するためにも、各都道府県においては、文書管理規則等に則った上で、特定登録取消者の登録の取消しに関する行政文書の適切な保存期間等に留意する必要がある。

○　法第18条の20の４第２項に基づくデータベースへの記録の入力については、改正法の趣旨等を踏まえ、法の施行日より前に児童生徒性暴力等に相当するような行為を行ったことにより登録の取消処分となった者に関する情報についても、データベースに記録するものとする。

○　児童生徒性暴力等以外の理由で登録の取消しを行った者のうち、後から児童生徒性暴力等が判明した者（法第18条の20の２第１項第２号に該当）については、重ねて取消しを行うことはできないが、児童生徒性暴力等が判明した時点で、特定登録取消者に該当する旨などの内容を本人に文書で通知するとともに、データベースに掲載するものとする。

○　児童生徒性暴力等を行った者のうち、児童生徒性暴力等を行ったことによる登録の取消し（法第18条の19第１項第３号）の前に、禁錮以上の刑が確定したことにより、登録の取消しとなる（法第18条の19第１項第１号）ケースもあり得るが、その際、当該登録の取消しを受けた者が児童生徒性暴力等を行ったことにより禁錮以上の刑に処せられたかどうか等を正確に識別するため、例えば、地方検察庁に対して刑事確定訴訟記録法（昭和62年法律第64号）に基づく保管記録の閲覧請求を行うことが考えられる。なお、法第18条の19第１項第１号に該当する者のうち、児童生徒性暴力等を行った者の登録の取消しにあたっては、同号及び同項第３号に基づいて行うものとする。

○　データベースに記録された情報は、機微な個人情報であることから、情報に触れる者は任命又は雇用の判断の権限を有する者に限定すること、当該権限を有する者のみがデータベースにアクセスするためのユーザーID・パスワードを付与されるものとし、付与された者は当該ユーザーID・パスワードを第三者に使用されないよう適切に管理すること、当該権限を有する者が権限を喪失した場合はユーザー情報を変更又は廃止すること、デー

タベースを不正の目的により利用させないこと、検索結果等の情報は紛失・盗難・漏えい防止措置を講じること、使用用途の終了した情報は速やかに復元不可能な形で破棄することを実施することに加え、「個人情報の保護に関する法律についてのガイドライン（通則編）」（平成28年個人情報保護委員会告示第6号）に例示された安全管理措置を適切に施すこと。

(2) 保育士を任命又は雇用しようとするときのデータベースの活用等

○　保育士を任命又は雇用する者は、保育士を任命し、又は雇用しようとするときは、国のデータベースを活用するものとする（法第18条の20の4第3項）。データベースの活用は、保育士を任命し、又は雇用しようとするときに限られ、目的外の用途に活用してはならない。

○　データベースの活用にあたっては、機微な個人情報の適正な管理に加え、不正利用を防止する必要があることから、データベースを活用することができるのは、保育士を置くこと等が法令等により明らかであり、かつ、所管する自治体による指導監督権限が及ぶ施設・事業所（別添4の表1及び表2）とする。

○　データベースの活用は、公私立の別や、前職の有無、常勤・非常勤といった任用形態（任期の定めのない常勤職員・任期付職員・臨時的任用職員・再任用職員・会計年度任用職員等）、フルタイム・パートタイム等の勤務時間等によらず、保育士を任命し、又は雇用しようとする場合に任命権者等に義務付けられているものであること。

○　データベースの活用は、機微な個人情報に係る情報である特定登録取消者に該当するか否かの確認であり、その結果によって任命権者等の雇用の判断にも影響がある行為であることを踏まえ、任命権者等は、保育士を任命し、又は雇用しようとするとき、具体的には、採用内定予定者である保育士についてのみ行うこととする。

　なお、任命権者等が本データベースを検索して採用内定予定者（特定登録取消者に該当しないことが確認されれば、採用内定者となる者のことを言う。以下、同じ。）の情報を確認するにあたっては、任命権者等からこども家庭庁への個人データまたは保有個人情報

の提供が生じるが、当該提供は個人情報の保護に関する法律（平成15年法律第57号。以下、「個人情報保護法」という。）第27条第1項第1号又は同法第69条第1項に定める「法令に基づく場合」に該当し、本人の同意は必ずしも求められるものではないが、本データベースでの検索の結果に照らして採用しないとの判断をすることがあり得ることを踏まえ、任命権者等は、保育士の公募等の段階においてあらかじめ、保育士としての採用を希望するものに対して、採用内定前にデータベースの検索を行うことや、検索の結果、特定登録取消者に該当することが判明した場合は採用しない場合があることを書面等により提示するとともに、特定登録取消者に該当する場合はあらかじめその旨を申告するよう求めることが望ましい。

○　採用内定予定者が特定登録取消者に該当することがデータベースの活用等により判明した場合、その情報を端緒として、採用面接等を通じて本人に経歴等より詳細な確認を行ったり、本人の同意を得た上で過去の勤務先に事実関係の確認を行うなど、法の趣旨にのっとり、十分に慎重に、適切な任命又は雇用の判断を行う必要がある。その際には、個人情報の保護に関する法律（平成15年法律第57号）及び職業安定法（昭和22年法律第141号）にのっとり、適正に情報を取り扱うこと。

○　特定登録取消者の任命又は雇用を行う場合は、児童生徒性暴力等が保育士の登録取消事由とされていることを踏まえ、当該希望者が児童生徒性暴力等を再び行わないことの高度の蓋然性を確認するなど、慎重な判断が求められることに留意が必要である。

○　なお、児童生徒性暴力等を行ったことにより登録が取消しとなった事実を秘匿することを意図して改名の上、任命又は雇用されようとするケースも考えられることから、新規学卒者でない者など保育士資格取得から一定期間が経っている場合には、本人確認書類等に記載された氏名（現在の氏名）と併せて、旧姓や改名前の氏名が判明している場合には、両方でデータベースを検索するものとする。

○　採用選考時の関係書類においても、賞罰欄等を設けた上で、刑事罰のみでなく、児童生徒性暴力等の懲戒処分の原因となった具体的な理由の明記を求めたりすることなどによ

り、任命又は雇用を希望する者の経歴等を十分に確認し、適切な判断を行うことが必要であること。経歴等を十分に確認した上での適切な判断は、前職の有無や、常勤・非常勤といった任用形態（任期の定めのない常勤職員・任期付職員・臨時的任用職員・再任用職員・会計年度任用職員等）、フルタイム・パートタイム等の勤務時間等によらず、全ての場合において必要であること。

4　特定登録取消者に対する保育士の再登録に関する施策

(1)　特定登録取消者に対する保育士の再登録

（改正法による規定）

○　改正法により、刑事裁判で所定の罪の罰金又は禁錮以上の刑に処せられた保育士の登録に係る欠格期間については、同じく児童と接する教員の場合と同様、以下のように規定している。

・禁錮以上の刑に処せられた場合は無期限

・法の規定その他児童の福祉に関する法律の規定であって政令で定めるものにより罰金の刑に処せられた場合や登録取消し等による場合は3年

○　なお、禁錮以上の刑に処せられた場合の欠格期間について無期限としているが、教員の場合と同様、刑法における刑の消滅規定（刑法第34条の2）[10]の適用は受けることから、刑の執行を終了し、罰金以上の刑に処せられないで10年を経過したときは、刑の言渡しは効力を失うため、保育士の再登録は可能となる。なお、執行猶予の場合には、猶予期間満了により刑の言渡しが効力を失う（刑法第27条）[11]ため、執行猶予期間満了時から保育士の再登録は可能となる。

○　特定登録取消者について、その者の行った児童生徒性暴力等の内容等を踏まえ、当該特定登録取消者の改善更生の状況その他その後の事情により再び保育士の登録を行うのが適当であると認められる場合に限り、再び保育士の登録を行うことができることとする。（法第18条の20の2第1項）。

○　特定登録取消者には、児童生徒性暴力等を行ったことにより保育士登録を取り消された者のほか、これら以外の者であって、保育士登録を取り消された者のうち保育士登録を受けた日以後に児童生徒性暴力等を行っていたことが判明した者も含まれる（法第18条の20の2第1項第2号）。例えば、傷害事件で懲

役刑を受け、保育士登録を取り消された者が、傷害事件とは別に保育士である期間中に児童生徒性暴力等も行っていたことが取消しの後で判明したケースについては、仮に執行猶予期間の満了等により刑の言渡しが効力を失い、法第18条の5第2号（禁錮以上の刑に処せられた場合）に該当しなくなった者であっても、再登録審査の対象となる。

○　都道府県知事は、法第18条の20の2第1項の規定による登録をしようとする際に必要があると認めるときは、当該保育士の登録を取り消した都道府県知事その他の関係機関に対し、当該特定登録取消者の行った児童生徒性暴力等の内容等を調査し、保育士の登録を行うかどうかを判断するために必要な情報の提供を求めることができることとする。（法第18条の20の2第3項）。

○　なお、国家戦略特別区域限定保育士であって、児童生徒性暴力等を行ったことにより国家戦略特別区域限定保育士資格が取り消された者について、仮に当該者が欠格期間の経過後に保育士試験に合格する等により保育士資格を有することとなった場合、保育士資格としては新規の登録となるが、保育士の登録にあたっては制限をかけるべきであり、再登録審査の対象としている（法第18条の20の2第1項各号）。

（再登録審査の基本的な考え方）

○　再登録審査の基本的な趣旨は、児童生徒性暴力等を行ったことにより登録取消し等となった保育士が、保育の現場に戻ってくるという事態はあってはならないということであり、再登録の審査に当たって、都道府県においては、都道府県児童福祉審議会の意見を踏まえ、加害行為の重大性、本人の更生度合い、被害児童及びその関係者の心情等に照らして、総合的に判断することが求められる。

○　改正法の趣旨等を踏まえ、再登録を行うためには、少なくとも児童生徒性暴力等を再び行わないことの高度の蓋然性が必要である。児童生徒性暴力等を再び行う蓋然性が否定できない場合は基本的に再登録を行わないことが適当であり、都道府県は、このような考え方の下、自らの権限及び責任において、十分に慎重に判断する必要がある。

○　その際、再登録が適当であることの証明責任は申請者自身にあり、特定登録取消者が再登録を希望する場合、当該申請者において申

請の前提となる基礎的な情報を示す書類に加え、改しゅんの情が顕著であり、再び児童生徒性暴力等を行わないことの高度の蓋然性を証明し得る書類を都道府県に提出し、自身が再登録を受けることが適当であることを証明する必要がある（審査における主な考慮要素と提出書類例は、別紙を参照）。

（再登録が不適当と考えられる例）

○　上記の再登録審査の基本的な考え方を踏まえると、例えば、以下のような者に対し再登録することは、基本的に不適当であると考えられる。

・過去に行った児童生徒性暴力等に高い悪質性が認められる者

・加害行為の再犯防止のために一定の条件を要する者（例えば、医師による治療・服薬指導等を継続する場合に限り加害行為の再犯が見込まれない等）

・保育士登録の取消期間中を含め、長期間に渡り児童と接しない職業等において加害行為を犯さなかったとしても、保育士として復職することにより児童と接することが契機（トリガー）となって、再び児童生徒性暴力等を行う可能性が排除できない者

・過去、特定登録取消者となった後に再登録を拒否され、その時から審査内容に関して大きな状況変化がない者

・自己申告内容の重要な部分に明らかな虚偽が認められる者　等

（留意事項）

○　申請者や都道府県が被害児童及びその関係者に接し、当時の事案を想起させてしまうことで、被害児童等が再び心情を害するなどの二次的被害につながることがないよう、再登録申請・審査に関する過程において、申請者や都道府県による被害児童等への接触は原則として行わないよう配慮することが望ましい。

○　都道府県は、再登録を希望する特定登録取消者が、自身が特定登録取消者であることを悪意をもって隠ぺいして又は認識せずに申請する可能性があることを踏まえ、申請者から特定登録取消者であるとの自己申告がないときでも、登録簿により当該申請者の過去の登録取消事由を確認するなど、申請者が特定登録取消者に該当するか否かを確認するよう留意するものとする。

(2)　都道府県児童福祉審議会の意見聴取

○　都道府県による特定登録取消者に対する保育士資格の再登録を行うに当たって、あらかじめ都道府県児童福祉審議会（以下「審議会」という。）に意見を聴かなければならない（法第18条の20の2第2項）。

○　再登録審査の公平・公正性や専門性を確保するため、審議会には、児童生徒性暴力等に関する学識経験を有する者（医療、心理、福祉、法律の専門家等）を参画させることが考えられ、当該児童生徒性暴力等の事案と直接の人間関係又は特別の利害関係を有しない者（第三者）により議決を行うものとする。なお、第三者性の確保の観点から、都道府県の職員は、審議会の委員としては参画しないものとする。

○　審議会は、都道府県に対し、特定登録取消者について再び登録を行うことが適当であると認められる旨の意見を述べるに当たっては、出席委員全員から意見を聴いた上で、原則として、出席委員の全員一致をもって行うよう努めなければならない。ただし、審議会において議論を尽くしても、出席委員全員の意見が一致しないときは、出席委員の過半数の同意を得た意見を審議会の意見とすることができる。

○　国は、再登録審査に関して全国で統一的な運用を図るとともに、都道府県における専門家の適切な確保に資するよう、職能団体等の協力も得ながら、専門家の候補者となる者の情報共有や専門家の共通理解を図る取組等、必要な支援を行う。なお、委員は他の都道府県の審議会又は教育職員性暴力等防止法第23条に規定する都道府県教育職員免許状再授与審査会で同様の業務を兼務すること（いわゆる掛け持ち）も可能である。

○　審議会の公開については、個人情報を取り扱うこととなり、また、会議の公正又は円滑な運営に支障が生じるおそれもあるため、基本的に非公開となることが想定されるが、当該都道府県の関係条例等を踏まえ、適切に判断する。その際、例えば、会議は非公開としつつ、事後的に議事要旨を公にすることも考えられる。なお、審議会の委員は、特別職の地方公務員（地方公務員法第3条第3項第2号該当）の身分を有し、同法上の守秘義務等は課されないこととなるため、規則等で守秘義務に関する規定を定める必要がある。

○　都道府県児童福祉審議会の職務等に関する必要な事項については、各都道府県の児童福

祉審議会規則等により定める必要がある。な
お、具体的な委員の委嘱のタイミング等につ
いては、地域の実情や申請状況等も踏まえつ
つ、柔軟に対応することも可能である。

1 保育士には、保育士登録を受けて保育教諭として幼
保連携型認定こども園で勤務する者等も含む。

2 第211回国会における、刑法及び刑事訴訟法の一部
を改正する法律及び性的姿態撮影等処罰法の成立に
より追記。

3 具体的には、正当な理由がないのに、16歳未満（相
手が13歳以上16歳未満の子どもであるときは、行為
者が5歳以上年長である場合）の子どもの「性的姿
態等」を撮影等が該当する。なお、これらの行為に
おける「正当な理由」とは、例えば、こどもの生活
の様子を保護者に伝えるために遊びの場面を撮影す
る場合、自園の保護者のみが視聴できるようにした
上でそうした影像を影像送信する場合、けがや病気
に際して保護者や医師に症状を伝えるために、ある
いは、虐待のおそれがあるときに記録のために撮影
する場合等が一般的には考えられる。また、「性的
姿態等」とは、性的な部位（性器・肛門・これらの
周辺部、臀部又は胸部）、身に着けている下着のう
ち現に性的な部位を直接・間接に覆っている部分、
わいせつな行為・性交等がされている間における人
の姿をいう。

4 「言動」には、口頭での発言に限らず、ソーシャル
ネットワーキングサービスや電子メール等を用いる
ことも含まれる。

5 文部科学省において取組が進められている。

6 ○刑事訴訟法（昭和23年法律第131号）
第239条　（略）
2　官吏又は公吏は、その職務を行うことにより犯
罪があると思料するときは、告発をしなければな
らない。

7 児童生徒等が犯罪の被害者や目撃者等の参考人であ
る事件において、児童生徒等から事情聴取を行うに
当たって、児童生徒等の負担軽減及びその供述の信
用性確保の観点から、検察、警察及び児童相談所の
3機関が、早期に情報共有や協議を行い、そのうち
の代表者が児童の供述特性を踏まえた方法（いわゆ
る司法面接的手法）等で当該児童生徒等からの面
接・聴取を行う取組をいう。

8 ○児童福祉法第18条の20の4第1項の規定に基づき
こども家庭庁長官が定める事項（令和6年こども
家庭庁告示第6号）
一　保育士登録簿（国家戦略特別区域法第12条の5
第8項において準用する場合にあっては、国家戦
略特別区域限定保育士登録簿。第9号において同

じ。）の氏名（平仮名で振り仮名を付するものと
する。）
二　保育士（国家戦略特別区域法第12条の5第8項
において準用する場合にあっては、国家戦略特別
区域限定保育士。第5〜8号において同じ。）の
登録の取消しに係る根拠規定
三　行った児童生徒性暴力等が相当する教職員等に
よる児童生徒性暴力等の防止等に関する法律（令
和3年法律第57号）第2条第3項に掲げる行為の
号番号
四　生年月日
五　保育士の登録番号
六　保育士の登録年月日
七　保育士の登録都道府県名
八　保育士の登録の取消年月日
九　氏名（登録を取り消した際の氏名が保育士登録
簿のものと異なっていた場合に限る。）（振り仮名
が確認できる場合は、片仮名で振り仮名を付する
ものとする。）
十　保育士登録証（国家戦略特別区域法第12条の5
第8項において準用する場合にあっては、国家戦
略特別区域限定保育士登録証）に記載されている
旧姓

9 改正法（データベース関係規定を除く。）の施行後
からデータベース関係規定の施行までの期間に、特
定登録取消者となった者については、データベース
が未構築であることから直ちにデータベースへの情
報の記録はできないものの、法第18条の18に規定す
る保育士登録簿に特定登録取消者に該当する旨を記
載するとともに、登録証の返納を確実に行わせるこ
と。登録証の返納を行わない者については、当該者
の保育士登録番号を都道府県ホームページに掲載す
るなど、当該者が保育士と偽って保育に関する業務
に従事することがないよう適切な措置を講じるこ
と。

10 ○刑法（明治40年法律第45号）
（刑の消滅）
第34条の2　禁錮以上の刑の執行を終わり又はその
執行の免除を得た者が罰金以上の刑に処せられな
いで10年を経過したときは、刑の言渡しは、効力
を失う。罰金以下の刑の執行を終わり又はその執
行の免除を得た者が罰金以上の刑に処せられない
で5年を経過したときも、同様とする。
2　（略）

11 ○刑法（明治40年法律第45号）
（刑の全部の執行猶予の猶予期間経過の効果）
第27条　刑の全部の執行猶予の言渡しを取り消され
ることなくその猶予の期間を経過したときは、刑
の言渡しは、効力を失う。

別紙

再登録審査における主な考慮要素及び提出書類例

○　再登録審査において、都道府県が考慮すべき主な要素や、申請者が自らの証明責任の下で提出することが想定される、①申請の前提となる基礎的な情報を示す書類に加え、②改しゅんの情が顕著であり、再び児童生徒性暴力等を行わないことの高度の蓋然性の証明に資する書類の例は、以下の表のとおり。なお、いずれの考慮要素も必ずしも独立して判断できるものではなく、他の要素との兼ね合いも踏まえつつ総合的に判断されることとなると考えられる点に留意が必要である。

考慮すべき主な要素		提出書類例
①	・加害行為の悪質性^(注1)	・登録取消しの原因となった児童生徒性暴力等の事実関係に関する自己申告書^(注2) （登録取消しの原因となった児童生徒性暴力等に関する刑事又は民事裁判がある場合はその判決謄本等を含む。）
	・再登録審査の申請歴	・特定登録取消者となった後の再登録審査の申請歴に関する自己申告書 （他の都道府県に申請中でないことの確認、過去の申請歴がある場合はその結果通知及びその後の状況変化を示す書類を含む。）
②	・社会的活動等の状況	・特定登録取消者となった後の職歴・社会的活動歴、再犯防止策に関する自己申告書^(注3)
	・治療・更生等の程度	・複数の医師等による診断書・意見書 （診断名、治療内容（期間、服薬名等）、症状の安定性・治癒の見込み、業務への支障の程度、その他特記事項）^(注4) ・更生プログラム等の受講等歴・評価書 ・申請者の現在の勤務先による勤務状況等証明書 ・申請者の復職を求める嘆願書
	・反省の程度（被害児童等との関係性を含む。）	・申請者の反省文 ・被害児童等に対する慰謝措置（謝罪、損害賠償等）や被害児童等との示談等に関する自己申告書

（注1）悪質性を判断するための要素として、過去の裁判例等を踏まえると、例えば、加害行為の動機・内容・回数・期間・常習性、被害児童の年齢・人数、保育士という立場・信頼関係の利用（自園内・勤務時間内・担当等）、計画性、撮影行為、被害児童に自責の念を抱かせる言動や秘密の共有・口止め・脅迫、犯行の重大性への認識・反省、被害当事者及び関係者の苦痛及び長期的影響や処罰感情、社会的影響等が考えられる。

（注2）申請者の申立書の審査に当たっては、登録が取消しとなった当時の都道府県等に対し、申請者の自己申告の内容が真正であることや、登録の取消し等の原因となった児童生徒性暴力等以外に判明している加害行為の有無の確認など、必要な情報を補完的に問い合わせることも可能であり、問合せを受けた関係機関は、法の趣旨を踏まえ、適切に対応することが求められている。その際、実務上、当時の都道府県等に、書面による情報提供を求めることのほか、例えば、参考人として参加する協力を求めることも考えられる。児童生徒性暴力等により禁錮以上の刑に処された者については、必要に応じて、地方検察庁に対して刑事確定訴訟記録法に基づき、当時の事件記録について、保管記録の閲覧請求を行うことも考えられる。

（注3）申請者が仮に特定登録取消者となった後に児童生徒性暴力等を行っていないとしても、それだけでは、復職時に児童に接することが契機（トリガー）となり、再犯につながる可能性もあることに留意する必要がある。

（注4）申請者が必ずしもいわゆる小児性愛その他の精神疾患により児童生徒性暴力等を行ったとは限らない点にも留意が必要である。

別添1　略

別添2

児童生徒性暴力等を行った保育士の登録取消しの流れ（イメージ）

1　管内の保育所等において児童生徒性暴力等が行われた場合
　　（自らの都道府県で保育士登録をした保育士の場合）

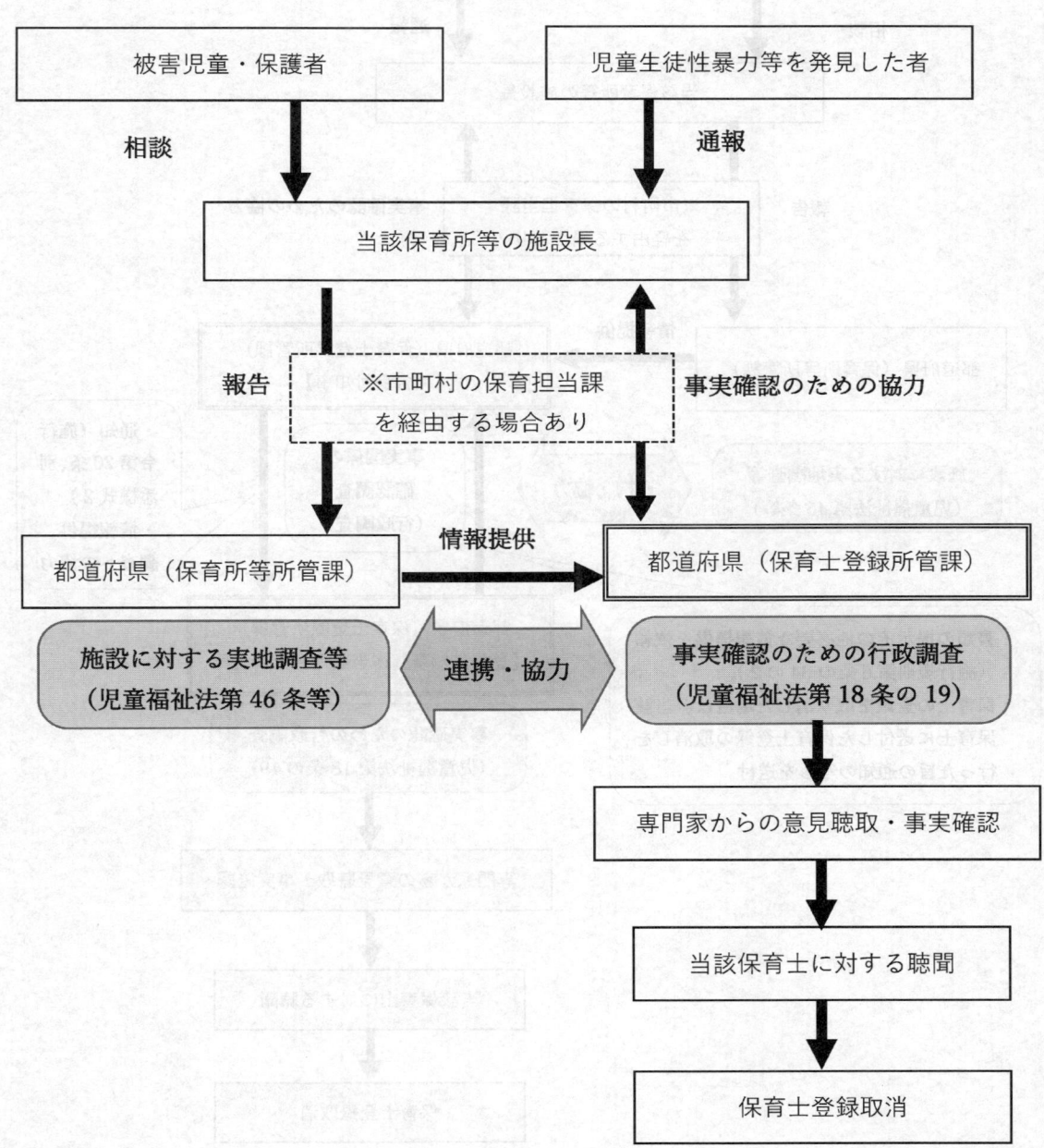

2　管内の保育所等において児童生徒性暴力等が行われた場合
　　（他の都道府県で保育士登録をした保育士の場合）

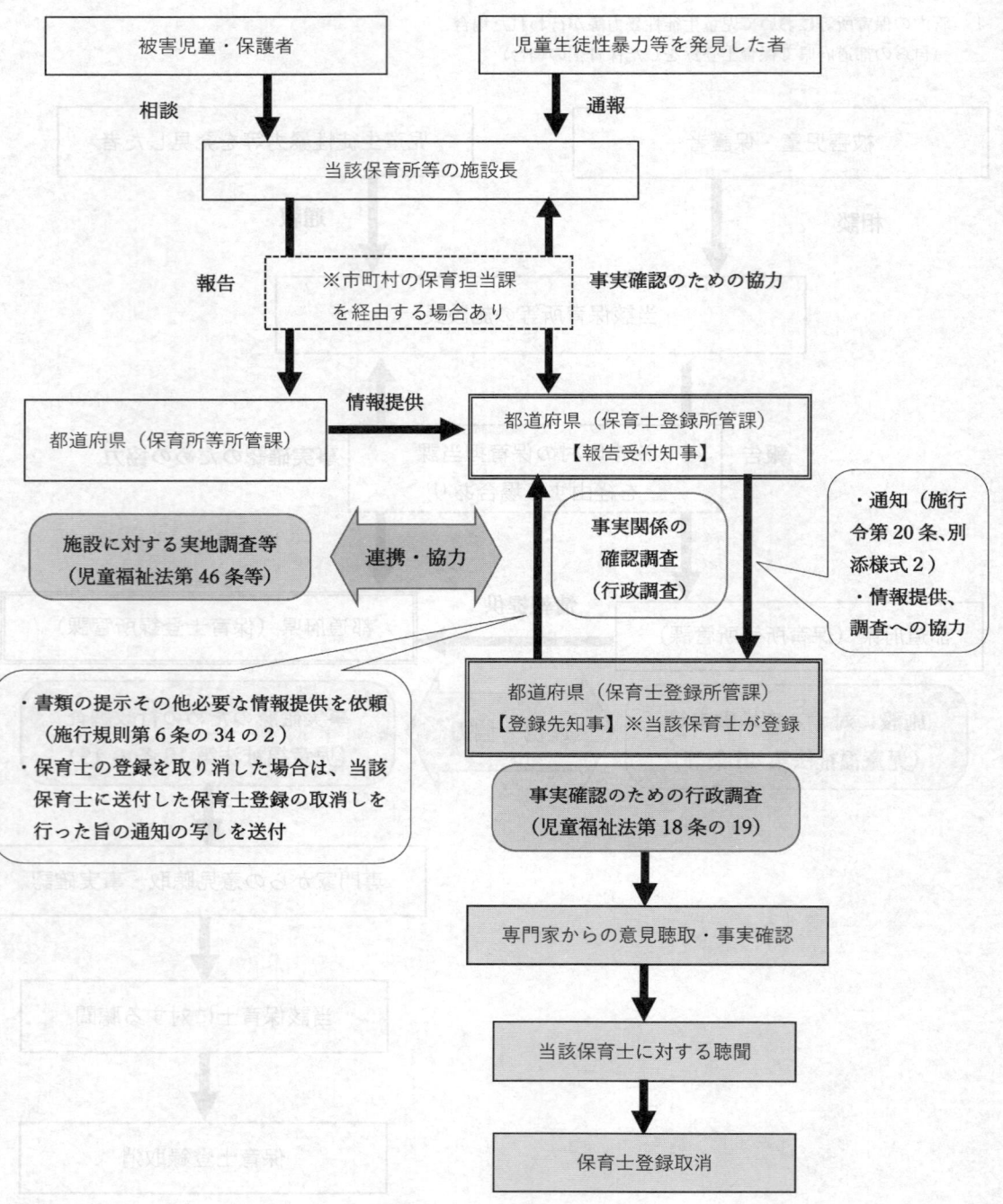

別添3

児童生徒性暴力等が行われた時点、取消事由と再登録審査の対象について

【保育士登録後に児童生徒性暴力等を行った場合】

① 施行日後、保育士登録期間中に児童生徒性暴力等を行い、第18条の19第1項第3号の規定により取り消されたケース

⇒想定されるメインのケースであり、児童生徒性暴力等を行ったことを理由に保育士登録を取り消されていることから、再登録審査の対象となる（第18条の20の2第1項第1号に該当）。

② 施行日前に児童生徒性暴力等を行ったケース

⇒児童生徒性暴力等が施行日前であり、今般の改正に伴い新設される措置（第18条の19第1項第3号の規定による取消し、再登録審査）はとることができない。なお、信用失墜行為等を理由に保育士登録を取り消すことは可能であるが、その場合にも再登録審査の対象とはならない。

③ 第18条の19第1項第3号の規定以外の理由で保育士登録を取り消されたが、後に保育士登録期間中に児童生徒性暴力等を行っていたと判明したケース

⇒児童生徒性暴力等以外の理由での保育士登録の取消しであっても、保育士登録を取り消された者で、保育士登録以後に児童生徒性暴力等を行っていた場合に該当するため、判明した場合は再登録審査の対象となる（第18条の20の2第1項第2号に該当）。

④ 第18条の19第1項第3号の規定以外の理由で保育士登録を取り消されたが、登録取消し後に児童生徒性暴力等を行っていたと判明したケース

⇒ 児童生徒性暴力等以外の理由での保育士登録の取消しであっても、保育士登録を取り消された者で、保育士登録以後に児童生徒性暴力等を行っていた場合に該当するため、判明した場合は再登録審査の対象となる（第18条の20の2第1項第2号に該当）。

【保育士登録前に児童生徒性暴力等を行った場合】

⑤　保育士登録前の児童生徒性暴力等が、保育士登録後に発覚し、第18条の21（信用失墜行為）または第18条の19第1項第1号（禁錮以上の刑に処せられた場合等）の規定により保育士登録を取り消されたケース

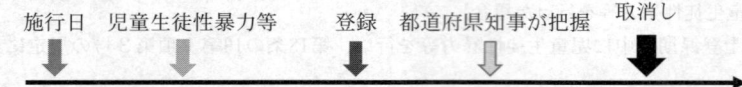

⇒　登録前の児童生徒性暴力等については、直接第18条の19第1項第3号により取り消すことができないが、第18条の21（信用失墜行為）または第18条の19第1項第1号（禁錮以上の刑に処せられた場合等）の規定により取り消すことが可能であり、この場合、児童生徒性暴力等を起因とする取消しとなることから、再登録審査の対象となる（第18条の20の2第1項第1号に該当）。

↓　…児童生徒性暴力等を理由とした取消し　　¦¦¦　…児童生徒性暴力等を理由としない取消し

別添4

データベース活用対象施設・事業一覧

○　データベースの活用対象は、保育士を置くこと等が法令等により明らかであり、かつ、自治体による指導監督権限が及ぶ以下の表1又は表2に掲げる施設等とする。

○　表1及び表2に掲げる施設等のデータベースの活用の方法については、＜活用の方法＞に定める方法とする。

【表1】　継続的に保育士を任命・雇用し保育事業を行うものとして施設等ごとにユーザーIDの付与先が明確である施設等

＜活用の方法＞　施設等に対して付与されたデータベースのユーザーIDにより、当該施設等の任命権者等が保育士を任命・雇用しようとする際に検索を実施

施設・事業名	根拠法令
児童発達支援（児童発達支援センターで行われるもの以外）	児童福祉法第6条の2の2第2項
放課後等デイサービス	児童福祉法第6条の2の2第3項
一時預かり事業	児童福祉法第6条の3第7項
家庭的保育事業	児童福祉法第6条の3第9項
小規模保育事業	児童福祉法第6条の3第10項
居宅訪問型保育事業	児童福祉法第6条の3第11項
事業所内保育事業	児童福祉法第6条の3第12項
病児保育事業	児童福祉法第6条の3第13項
一時保護施設	児童福祉法第12条の4
病院（結核児童に対する療育の給付を行う指定療育機関）	児童福祉法第20条第1項
乳児院	児童福祉法第37条
母子生活支援施設	児童福祉法第38条
保育所	児童福祉法第39条第1項
児童養護施設	児童福祉法第41条

福祉型障害児入所施設	児童福祉法第42条第1号
医療型障害児入所施設	児童福祉法第42条第2号
児童発達支援センター	児童福祉法第43条
児童心理治療施設	児童福祉法第43条の2
認可外保育施設（企業主導型保育事業を含む、届出対象の施設。保育士を任命・雇用して行うものに限る。）	児童福祉法第59条の2
預かり保育（子ども・子育て支援法に基づくもの）	子ども・子育て支援法第7条第10項第5号
認定こども園（全類型）	就学前の子どもに関する教育、保育等の総合的な提供の推進に関する法律第2条第6項
女性相談支援センター	困難な問題を抱える女性への支援に関する法律第9条第1項
女性自立支援施設	困難な問題を抱える女性への支援に関する法律第12条第1項

【表2】　必ずしも継続的ではないが、保育士を任命・雇用して保育事業を行い、法令に基づき自治体へ毎年度の運営状況報告を行っている施設等

＜活用の方法＞　保育士を任命・雇用する施設等からの申請に応じて国がデータベースを確認し、結果を当該施設等の任命権者等に通知する

施設・事業名	根拠法令
認可外保育施設（届出対象外施設。児童福祉法施行規則第49条の2第1号イ（買い物中の顧客の乳幼児のみの保育を行うことが明確に書面等に示されているショッピングモールの託児所等）及び同条第2号（半年を限度として臨時に設置される施設）に該当するものに限る。）	児童福祉法第59条 児童福祉法施行規則第49条の2第1号イ、第2号

（別添様式1）

令和〇年〇月〇日
（報告年月日）

保育士を雇用する者等から都道府県への報告様式（参考様式）

1　報告者
　・法人名：
　・施設名・所在地：
　・役職・氏名：
　・連絡先電話番号：

2　被害児童の状況
　・氏名・性別・年齢・生年月日：

3　事案の発生年月日及び時間

4　事案の発生場所

5　児童生徒性暴力等を行ったと思われる保育士
　・役職・氏名・性別：
　・保育士登録をしている都道府県名：
　・保育士登録番号：

6　発覚した事案の内容
　（何をしたのか、本人の認否、把握した経緯等を分かるように記述）

（別添様式2）

令和〇年〇月〇日
（通知年月日）

他の都道府県に登録している保育士に関する通知様式（参考様式）

1　事案が発生した施設
　・法人名：
　・施設名・所在地：
　・施設長の氏名：
　・連絡先電話番号：

2　被害児童の状況
　・氏名・性別・年齢・生年月日：
　・本事案の通知に関する保護者の同意の有無：

3　事案の発生年月日及び時間

4　事案の発生場所

5　児童生徒性暴力等を行ったと思われる保育士
　・役職・氏名・性別：
　・保育士登録をしている都道府県名：
　・保育士登録番号：

6　発覚した事案の内容
　（何をしたのか、本人の認否、把握した経緯等を分かるように記述）

7　通知をした都道府県の見解（登録取消に相当するか否か等の参考意見）

8　通知をした都道府県
　・都道府県名・所属・担当者名：
　・担当者の連絡先電話番号：

○昨年来の保育所等における不適切事案を踏まえた今後の対策について

〔令和5年5月12日　こ成保44・5文科初第420号
各都道府県知事・各指定都市市長・各中核市市長・各都道
府県教育委員会教育長・各指定都市・各中核市教育委員会
教育長・各国立大学法人の長宛　こども家庭庁成育・文部
科学省初等中等教育局長連名通知〕

保育所、地域型保育事業所、認可外保育施設、認定こども園（全類型。以下同じ。）、幼稚園及び特別支援学校幼稚部における虐待等への対応については、「保育所等における虐待等の不適切な保育への対応等に関する実態調査について」（令和4年12月27日付け事務連絡）に基づき、保育所、地域型保育事業所、認可外保育施設及び認定こども園（以下「保育所等」という。）における実態や、各自治体等（都道府県、市町村（特別区を含む。以下同じ。）及び国立大学法人をいう。以下同じ。）における不適切な保育への対応の実態を把握するための実態調査を実施したところです。

今般、昨年来の保育所等における不適切事案を踏まえた今後の対策を行うことといたしましたので、下記のとおりお示しします。

つきましては、各都道府県知事におかれては所管・所轄の保育所等並びに幼稚園及び幼稚部を設置する特別支援学校（以下「幼稚園等」という。）に対して、各指定都市・中核市市長におかれては所管の保育所等及び幼稚園等に対して、各都道府県教育委員会教育長におかれては所管の幼稚園等及び域内の市区町村教育委員会（指定都市・中核市教育委員会を除く。）に対して、各指定都市・中核市教育委員会教育長におかれては所管の幼稚園等に対して、各国立大学法人の長におかれては、その設置する幼稚園等に対して、遺漏なく周知していただきますようお願いいたします。

記

○　昨年来、保育所等における不適切事案が多く明らかになったが、虐待等はあってはならないことである一方で、日々の保育実践の中で過度に委縮し、安心して保育に当たれないといった不安もあるものと承知している。こうしたことを受け、今般の実態調査の結果も踏まえ、次の2点を基本的な考え方として、今後の対策を進めていくこととする。

①　1つ目は、こどもや保護者が不安を抱えることなく安心して保育所等に通う・こどもを預けられるようにすること、

②　2つ目は、保育所等、保育士等の皆様が日々の保育実践において安心して保育を担っていただくことである。

○　具体的には、以下及び別紙1のとおり、昨年来の保育所等における不適切事案を踏まえた今後の対策として、「保育所等における虐待等の防止及び発生時の対応等に関するガイドライン」（以下単に「ガイドライン」という。）を策定し、「不適切な保育」の考え方を明確化するなど、虐待等を未然に防止できるような環境・体制づくり、負担軽減策や保育実践における不安等に寄り添う巡回支援の強化を行うこととしている。

（1）　ガイドラインの策定

○　実態調査の結果、「不適切な保育」の捉え方、保育所等、自治体等における取組・対応にばらつきが見られた。

○　こうした中で、保育現場において少しでも気になる行為が直ちに「虐待等」になってしまうのではないかと心配し、日々の保育実践の中での過度な萎縮につながってしまうことや、「不適切な保育」や「虐待等」それぞれで取るべき対応が必ずしも整理されていないことから各都道府県、市町村においても必要な対応の遅れにつながることなどの懸念も指摘されている。

○　こうしたことから、今般、国において、手引きの内容を整理し、

・　「不適切な保育」の考え方の明確化を行うとともに、

・　保育所等における虐待等の防止及び発生時の対応に関して、保育所等や各都道府県・市町村にそれぞれ求められる事項等

について、別紙2のとおりガイドラインとして改めて整理して示すこととした。

○　各保育所等、各自治体等におかれては、本ガイドラインを踏まえて適切に対応いただくとともに、「不適切な保育の未然防止及び発生時の対応についての手引き」（令和3年3月株式会社キャンサースキャン）で示した自治体における先進的な取組事例や、各保育所等や各自治体

等で策定されているチェックリストやガイドラインなども踏まえ、行政担当者と保育関係者が連携し、地域の実情に合わせた対応を検討・実施いただきたい。

○　その上で、各保育所等におかれては、本調査結果やガイドラインを踏まえ、より良い保育に向けて、改めて日々の保育実践を振り返っていただきたい。

○　また、各自治体等におかれては、ガイドラインを踏まえ、域内の保育所等に対しては、行政指導等の対応のほか、必要な相談・支援等を行うなど、事案に応じた適切な対応を行っていただきたい。また、各自治体等における虐待等の防止及び発生時の対応に関する体制等や未然防止の取組について、適切に振り返り、改善等を行っていただきたい。

(2)　児童福祉法の改正による制度的対応の検討

○　児童養護施設等職員、障害者施設職員、高齢者施設職員による虐待に対する制度上の仕組み[1]と比較して、保育所等の職員による虐待に対する制度上の仕組みは限定的である。

　　1　それぞれ、児童福祉法（昭和22年法律第164号）、障害者虐待の防止、障害者の養護者に対する支援等に関する法律（平成23年法律第79号）、高齢者虐待の防止、高齢者の養護者に対する支援等に関する法律（平成17年法律第124号）に基づく対応

○　こうしたことから、国においては、保育所等の職員による虐待等の発見時の通報義務の創設を含め、保育所等における虐待等への対応として児童福祉法の改正による制度的対応を検討していきたいと考えている。

○　なお、各市町村におかれては、上記制度的対応に先立って、ガイドラインの「3　市区町村・都道府県における対応」の(4)虐待等と判断した場合（ガイドライン739頁〜）に記載のとおり、虐待等に該当すると判断した場合には、こども家庭庁の下記連絡先に対しても情報共有を行っていただきたい。

・　認可保育所、地域型保育事業における事案について：
　こども家庭庁成育局保育政策課企画法令第一係
　Tel：03-6858-0058
　Mail：hoikuseisaku.hourei1@cfa.go.jp
・　認定こども園における事案について
　こども家庭庁成育局保育政策課企画法令第二係

Tel：03-6858-0059
　Mail：hoikuseisaku.hourei2@cfa.go.jp
・　認可外保育施設における事案について
　こども家庭庁成育局保育政策課認可外保育施設担当室
　Tel：03-6858-0133
　Mail：ninkagaihoikushisetsu.shidou@cfa.go.jp

(3)　虐待等の未然防止に向けた保育現場の負担軽減と巡回支援の強化

○　保育所等において虐待等が起きる背景として、保育現場に余裕がないといったことも指摘されている。

○　このため、「虐待等の未然防止に向けた保育現場の負担軽減と巡回支援の強化について」（令和5年5月12日付けこども家庭庁成育局成育基盤企画課、保育政策課、文部科学省初等中等教育局幼児教育課、特別支援教育課連名事務連絡）において、保育現場の負担軽減に資するよう、運用上で見直し・工夫が考えられる事項についてお示しするとともに、日々の保育実践における不安等にも寄り添えるような支援の取組を拡げていく観点から、巡回支援事業の更なる活用等についてもお示ししたところであるため、併せてご参照いただきたい。

(4)　幼稚園等について

○　幼稚園等においても、体罰に準ずる行為はもちろんのこと、幼児の心身に悪影響を及ぼすような不適切な保育はあってはならず、こどもの安全・安心が最も配慮されるべきである。各幼稚園等におかれては、ガイドライン「2(1)　より良い保育に向けた日々の保育実践の振り返り等」を参照しつつ、日頃から自らの指導の在り方を見直し、指導力の向上に取り組むとともに、不適切な保育の未然防止に取り組んでいただきたい。

○　また、ガイドライン「2(2)　虐待等に該当するかどうかの確認」、「2(3)　市町村等への相談」を参照しつつ、不適切な保育であると幼稚園等として確認した場合には、所轄庁等に対して、把握した状況等を速やかに情報提供・相談し、今後の対応について協議いただきたい。なお、幼稚園等が組織として適切な対応を行わない場合には、不適切な保育の発見者は1人で抱え込まずに速やかに所轄庁等に相談していただきたい。

○　幼稚園等の所轄庁等におかれては、ガイドライン「3　市町村、都道府県における対応」を参照しつつ、対応窓口の設置や研修の実施などによって不適切な保育の未然防止に取り組むとともに、不適切な保育の相談や通報を受けた場合には、事案の重大性によって初動対応や緊急性を速やかに判断し、事案に応じた適切な対応を行っていただきたい。

○　なお、現場の負担軽減に資するよう、各幼稚園等におかれても「虐待等の未然防止に向けた保育現場の負担軽減と巡回支援の強化について」（令和5年5月12日付けこども家庭庁成育局成育基盤企画課、保育政策課、文部科学省初等中等教育局幼児教育課、特別支援教育課連名事務連絡）を併せてご参照いただきたい。

【添付資料】

・（別紙1）昨年来の保育所等における不適切事案を踏まえた今後の対策について　略

・（別紙2）保育所等における虐待等の防止及び発生時の対応等に関するガイドライン（令和5年5月こども家庭庁）

〔別紙2〕

保育所等における虐待等の防止及び発生
時の対応等に関するガイドライン

〔令和5年5月
こども家庭庁〕

目次　　　　　　　　　　　　　　　　　頁

1　はじめに

(1)　本ガイドラインの位置づけ

○　こどもの安全・安心が最も配慮されるべき保育所、地域型保育事業所、認可外保育施設及び認定こども園（以下「保育所等」という。）において、虐待等はあってはならず、これまでも保育所等における保育士・保育教諭等職員によるこどもへの虐待等に関しては、以下のような対応を行ってきた。

・　児童福祉施設の設備及び運営に関する基準（昭和23年厚生省令第63号）第9条の2においては、「児童福祉施設の職員は、入所中の児童に対し、法第33条の10各号に掲げる行為その他当該児童の心身に有害な影響を与える行為をしてはならない」と、施設内での虐待等を禁止する旨の規定が置かれている[1]。

1　幼保連携型認定こども園については、幼保連携型認定こども園の学級の編制、職員、設備及び運営に関する基準（平成26年内閣府・文部科学省・厚生労働省令第1号）第13条により準用、それ以外の認定こども園については、就学前の子どもに関する教育、保育等の総合的な提供の推進に関する法律第3条第2項及び第4項の規定に基づき内閣総理大臣、文部科学大臣及び厚生労働大臣が定める施設の設備及び運営に関する基準（平成26年内閣府・文部科学省・厚生労働省告示第2号）第五の五の8により規定

・　保育所保育指針解説（平成30年3月）においては、「子どもに対する体罰や言葉の暴力が決してあってはならないことはもちろんのこと、日常の保育においても、子どもに身体的、精神的苦痛を与えることがないよう、子どもの人格を尊重するとともに、子どもが権利の主体であるという認識をもって保育に当たらなければならない。」ことを示している。

・　「不適切な保育の未然防止及び発生時の対応についての手引き」（令和3年3月株式会社キャンサースキャン。以下「手引き」という。）を作成、周知している。

○　一方で、全国各地の保育所等において、虐待等が行われていたという事案が相次いでおり、令和4年12月には、国において、改めて虐待等への対応について周知を図るとともに、保育施設における虐待等の実態や、通報等があった場合の自治体等（都道府県、市町村（特別区を含む。以下同じ。）、国立大学法人）における対応や体制についての全国的な実態調査を実施した。

○　当該実態調査では、少しでも気になる行為等

は不適切な保育に当たると考え、多くの不適切な保育の事例を報告した保育所等もあれば、虐待等と同義に厳密に捉え、事例は0件と報告した保育所等もあると考えられるなど、各施設、各自治体によってこれまで手引き等で示していた不適切な保育にあたる行為等の捉え方や対応に差が見られる結果となった。また、調査に回答するにあたり、不適切な保育の取扱いを改めて明確にしたうえで、各施設、各自治体が取るべき対応を改めて整理してほしいといった意見も寄せられたところである。

　このような状況を踏まえると、保育現場において少しでも気になる行為が直ちに虐待等になってしまうのではないかと心配し、日々の保育実践の中での過度な萎縮につながってしまうことや、不適切な保育や虐待等それぞれで取るべき対応が必ずしも整理されていないことから各自治体においても必要な対応の遅れにつながることなどの懸念も指摘されている。

○　こうしたことから、今般、国において、手引きの内容を整理し、
　・　不適切な保育や虐待等の考え方の明確化を行うとともに、
　・　保育所等における虐待等の防止及び発生時の対応に関して、保育所等や自治体にそれぞれ求められる事項等について、本ガイドラインにおいて改めて整理して示すこととした。

○　各保育所等、各自治体におかれては、本ガイドラインを踏まえて適切に対応いただくとともに、手引きで示した自治体における先進的な取組事例や、各自治体で策定されているチェックリストやガイドラインなども踏まえ、行政担当者と保育関係者が連携し、地域の実情に合わせた対応を検討・実施いただきたい。

○　なお、本ガイドラインは、現場で運用していく中で、工夫すべき点など、様々な意見が出てくることが想定される。これらの意見なども踏まえ、本ガイドラインの改訂には柔軟に対応していく旨申し添える。

(2)　虐待等と不適切な保育の考え方について
　<虐待等について>
　○　保育所等における虐待等については、前述のとおり児童福祉施設の設備及び運営に関する基準などにおいて、「児童福祉施設の職員は、入所中の児童に対し、法第33条の10各号に掲げる行為その他当該児童の心身に有害な影響を与える行為をしてはならない」と規定されており、虐待等の行為は禁止されている。

　一方で、保育所等における虐待等の具体例についてはこれまで明記されていなかったことから、本ガイドラインにおいて、禁止される虐待等の考え方を下記のとおり明確化し、整理することとする。

○　まず、保育所等における虐待とは、保育所等の職員が行う次のいずれかに該当する行為である。また、下記に示す行為のほか保育所等に通うこどもの心身に有害な影響を与える行為である「その他当該児童の心身に有害な影響を与える行為」を含め、虐待等と定義される。

①　身体的虐待：保育所等に通うこどもの身体に外傷が生じ、又は生じるおそれのある暴行を加えること。

②　性的虐待：保育所等に通うこどもにわいせつな行為をすること又は保育所等に通うこどもをしてわいせつな行為をさせること。

③　ネグレクト：保育所等に通うこどもの心身の正常な発達を妨げるような著しい減食又は長時間の放置、当該保育所等に通う他のこどもによる①②又は④までに掲げる行為の放置その他の保育所等の職員としての業務を著しく怠ること。

④　心理的虐待：保育所等に通うこどもに対する著しい暴言又は著しく拒絶的な対応その他の保育所等に通うこどもに著しい心理的外傷を与える言動を行うこと。

○　各行為類型の具体例としては下記のとおりである。なお、これらはあくまで例であり、また、明らかに虐待等と判断できるものばかりでなく、個別の行為等について考えたとき、虐待等であるかどうかの判断しづらい場合もある。そうした場合には、保育所等に通うこどもの状況、保育所等の職員の状況等から総合的に判断すべきだが、その際にも、当該こどもの立場に立って判断すべきことに特に留意する必要がある。

保育所等における、職員によるこどもに対する虐待

行為類型	具体例
身体的虐待	・　首を絞める、殴る、蹴る、叩く、投げ落とす、激しく揺さぶる、熱湯をかける、布団蒸しにする、溺れさせる、逆さ吊りにする、異物を飲ませる、ご飯を押し込む、食事を与えない、戸外に閉め出す、縄などにより身体的に拘束するなどの外傷を生じさせるおそれのある行為及び意図的にこどもを病気にさせる行為 ・　打撲傷、あざ（内出血）、骨折、頭蓋内出血などの頭部外傷、内臓損傷、刺傷など外見的に明らかな傷害を生じさせる行為　など
性的虐待	・　下着のままで放置する ・　必要の無い場面で裸や下着の状態にする ・　こどもの性器を触るまたはこどもに性器を触らせる性的行為（教唆を含む） ・　性器を見せる ・　本人の前でわいせつな言葉を発する、又は会話する。性的な話を強要する（無理やり聞かせる、無理やり話させる） ・　こどもへの性交、性的暴行、性的行為の強要・教唆を行う ・　ポルノグラフィーの被写体などを強要する又はポルノグラフィーを見せる　など
ネグレクト	・　こどもの健康・安全への配慮を怠っているなど。例えば、体調を崩しているこどもに必要な看護等を行わない、こどもを故意に車の中に放置するなど ・　こどもにとって必要な情緒的欲求に応えていない（愛情遮断など） ・　おむつを替えない、汚れている服を替えないなど長時間ひどく不潔なままにするなど ・　泣き続けるこどもに長時間関わらず放置する ・　視線を合わせ、声をかけ、抱き上げるなどのコミュニケーションをとらず保育を行う ・　適切な食事を与えない ・　別室などに閉じ込める、部屋の外に締め出す ・　虐待等を行う他の保育士・保育教諭などの第三者、他のこどもによる身体的虐待や性的虐待、心理的虐待を放置する ・　他の職員等がこどもに対し不適切な指導を行っている状況を放置する ・　その他職務上の義務を著しく怠ること　など
心理的虐待	・　ことばや態度による脅かし、脅迫を行うなど ・　他のこどもとは著しく差別的な扱いをする ・　こどもを無視したり、拒否的な態度を示したりするなど ・　こどもの心を傷つけることを繰り返し言うなど（例えば、日常的にからかう、「バカ」「あほ」など侮蔑的なことを言う、こどもの失敗を執拗に責めるなど） ・　こどもの自尊心を傷つけるような言動を行うなど（例えば、食べこぼしなどを嘲笑する、「どうしてこんなことができないの」などと言う、こどもの大切にしているものを乱暴に扱う、壊す、捨てるなど） ・　他のこどもと接触させないなどの孤立的な扱いを行う ・　感情のままに、大声で指示したり、叱責したりする　など

※このほか、こどもの心身に有害な影響を与える行為を含め、虐待等と定義する。
　※個別の行為等が虐待等であるかどうかの判断は、こどもの状況、保育所等の職員の状況等から総合的に判断する。その際、保育所等に通うこどもの立場に立って判断すべきことに特に留意する必要がある。
　※上記具体例は、「被措置児童等虐待対応ガイドライン」や「障害者福祉施設等における障害者虐待の防止と対応の手引き」等で示す例を参照し、保育所等向けの例を記載したもの。

＜不適切な保育について＞

○　手引きにおいては、不適切な保育は、「保育所での保育士等による子どもへの関わりについて、保育所保育指針に示す子どもの人権・人格の尊重の観点に照らし、改善を要すると判断される行為」であるとし、全国保育士会の「保育所・認定こども園等における人権擁護のためのセルフチェックリスト～「子どもを尊重する保育」のために～」（以下「保育士会チェックリスト」）を参考に、当該チェックリストに記載される、人権擁護の観点から「『良くない』と考えられるかかわり」の５つのカテゴリー（(1)子ども一人ひとりの人格を尊重しないかかわり、(2)物事を強要するようなかかわり・脅迫的な言葉がけ、(3)罰を与える・乱暴なかかわり、(4)一人ひとりの子どもの育ちや家庭環境を考慮しないかかわり、(5)差別的なかかわり）を不適切な保育の具体的な行為類型として示している[2]。

　一方、保育士会チェックリストは、保育の振り返りを行うためのツールとして用いられることを主眼としている。具体的には、保育士・保育教諭が各項目についてチェックを行い、「『良くない』と考えられるかかわり」を「している（したことがある）」にチェックした場合、「していない」とチェックした場合どちらも、本チェックリストに掲載されている「より良いかかわり」へのポイント等を用いて、自らの保育をとらえなおし、保育の専門職としてさらなる保育の質の向上を目指すといった趣旨のものである。

　このため、保育士会チェックリストの「『良くない』と考えられるかかわり」の５つのカテゴリーの具体的なかかわりの中には、不適切な保育とまではいえないものも含まれており、当該カテゴリーと不適切な保育とを同じものとして解することは必ずしも適当ではない。

2　手引きにおいては、不適切な保育の意味を「保育所での保育士等による子どもへの関わりについて、保育所保育指針に示す子どもの人権・人格の尊重の観点に照らし、改善を要すると判断される行為」と解することとしている。

　　また、不適切な保育の具体的な行為類型としては、例えば、次のようなものが考えられるとしている。

①　子ども一人一人の人格を尊重しない関わり

②　物事を強要するような関わり・脅迫的な言葉がけ

③　罰を与える・乱暴な関わり

④　子ども一人一人の育ちや家庭環境への配慮に欠ける関わり

⑤　差別的な関わり

○　こうしたことから、本ガイドラインでは、手引きの不適切な保育の位置づけを見直すこととし、不適切な保育は、保育士会チェックリストの「『良くない』と考えられるかかわり」の５つのカテゴリーと同じものとは解さず、「虐待等と疑われる事案」と捉えなおすこととする。

○　このため、不適切な保育の中には虐待等が含まれ得るものであり、不適切な保育自体が未然防止や改善を要するものであるとして、必要な対応を講じていく必要がある。

　また、こどもの人権擁護の観点から「望ましい」と考えられるかかわりができているかどうかといった、より良い保育に向けた日々の保育実践の振り返り等の取組は、不適切な保育や虐待等そのものへの対応とは峻別して、各保育所や自治体において取り組まれるべきものである。

○　ただし、例えば、本人はこどもへの親しみを表しているつもりの行為で、振り返りの中で改善が図られていくべきものであっても、周囲の職員は見過ごしてしまったり少し気になりつつも指摘せずに済ませてしまったりする中で、それが繰り返されるうちに問題が深刻化し、不適切な保育や虐待等につながることが考えられることから、日々の保育実践の振り返り等の取組と、不適切な保育や虐待等への対応は密接に関連することにも留意が必要である。

　重要なのは、日々の保育実践において、より良い保育に向けた振り返りが実施され、改善につながる一連の「流れ」ができていることである。そうした不断の取組が、虐待等と疑われる事案（不適切な保育）があった際にも、行政も含めた施設内外に風通しよく共有され、適切な対応につながると考えられる。

○　なお、こどもの人権擁護の観点から「望ましくない」と考えられるかかわりや虐待等と疑われる事案（不適切な保育）といったものの具体例については、本ガイドラインにおいて言及していないが、今後議論を深めながら、本ガイドラインの改訂には柔軟に対応していく旨申し添える。

（「虐待等」と「虐待等と疑われる事案（不適切な保育）」の概念図）

こどもの人権擁護の観点から望ましくないと考えられるかかわり

虐待等と疑われる事案（いわゆる「不適切な保育」）

虐待等

虐待
- ●身体的虐待　●性的虐待
- ●ネグレクト　●心理的虐待

この他、こどもの心身に有害な影響を与える行為

(3) 保育所等、市町村及び都道府県における対応の
フローチャート

○　上記の整理を踏まえ、保育所等における虐待
等の防止に向けた対応や発生時の対応に関し
て、保育所等、自治体に求められる対応を次頁
のフローチャートに整理している。各保育所
等、各自治体におかれては、フローチャートの
番号に沿って具体的な対応をまとめた下記2、
3をそれぞれ参照し、必要な対応を講じていた
だきたい。

2　保育所等における対応

(1)　より良い保育に向けた日々の保育実践の振り返
り等

＜こどもの権利擁護について＞

○　まず、保育所等はこどもの最善の利益を第一
に考慮し、こども一人一人にとって心身ともに
健やかに育つために最もふさわしい生活の場で
あることが求められる。

○　保育所保育指針（平成29年厚生労働省告示第
117号）や幼保連携型認定こども園教育・保育
要領（平成29年内閣府・文部科学省・厚生労働
省告示第1号）においては、こどもの生命の保
持や情緒の安定を図ることを求めており、こど
もの安全・安心が最も配慮されるべき保育所等
において、虐待等はあってはならず、虐待等の
発生を未然に防がなければならない。

○　保育所等における虐待等の未然防止にあたっ
ては、

・　各職員や施設単位で、日々の保育実践にお

ける振り返りを行うこと

・　職員一人一人がこどもの人権・人格を尊重
する意識を共有することが重要である。

＜各職員や施設単位で、日々の保育実践における
振り返りを行うこと＞

○　保育所保育指針解説において「子どもの人権
に配慮した保育となっているか、常に全職員で
確認することが必要である」と示されている[3]
とおり、日々の保育実践の振り返りにあたって
は、常に「こどもにとってどうなのか」という
視点から考えていくことが何より大切である。
自らのかかわりや施設の保育が「こどもの人権
への配慮」や「一人一人の人格を尊重」したも
のとなっているかを振り返る際には、例えば、
保育士会チェックリスト等を活用することが考
えられる。

3　幼保連携型認定こども園教育・保育要領において
も、「園児が将来、性差や個人差などにより人を差
別したり、偏見をもったりすることがないよう、人
権に配慮した教育及び保育を心掛け、保育教諭等自
らが自己の価値観や言動を省察していくことが必要
である。」等としている。

○　チェックリスト等を活用して、言葉でうまく
伝えられないこどもの気持ちを汲み取り、こど
もの人権擁護の観点から「望ましい」と考えら
れるかかわりができているかどうか振り返り、
「望ましくない」と考えられるかかわりをして
いた場合もしていなかった場合も、個々の振り
返りや職員間のミーティング等における対話を

保育所等、市町村及び都道府県における対応のフローチャート

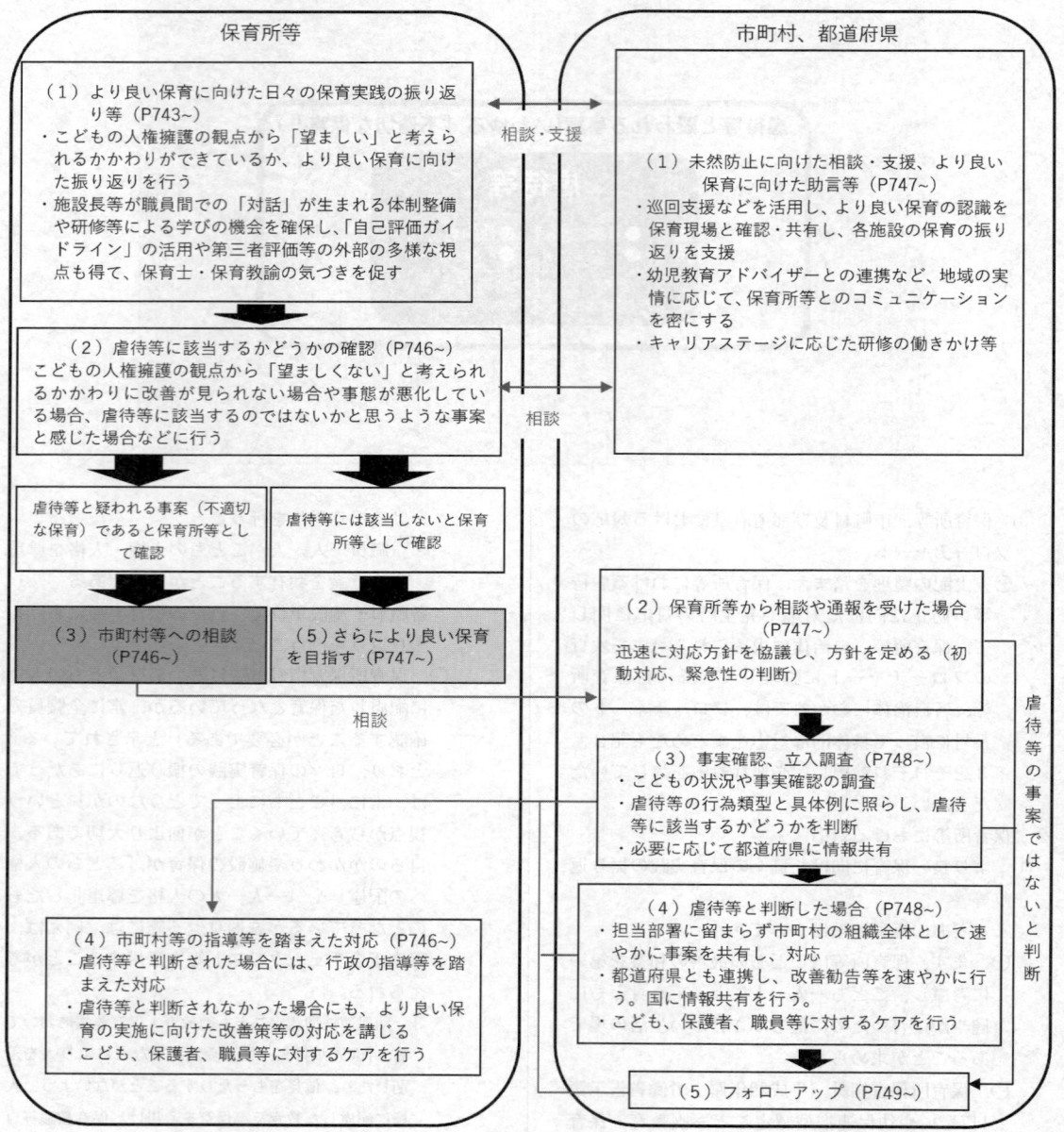

通じて保育の実践をとらえなおし、保育の専門職としてさらなる保育の質の向上を目指すことが重要である。

○　また、こうした振り返りにあたって、日々の保育に不安等があれば、巡回支援の場面などで、積極的に市町村等に相談を行う等、市町村等とのコミュニケーションを密にしていくことも重要である。

○　こうした日々の振り返りを行ってもなお、こどもの人権擁護の観点から「望ましくない」と考えられるかかわりに改善が見られない場合や事態が悪化している場合、虐待等に該当するのではないかと思うような事案と感じた場合などには、保育所等の会議の場などで共有し、保育所等として、本ガイドラインの虐待等と疑われる事案（不適切な保育）かどうか確認されたい

((2)へ続く)。

○　上記の対応にあたっては、各自治体や各保育所等において作成するチェックリストやガイドライン、保育士会チェックリスト等を活用するなど、行政担当者と保育関係者が連携し、地域の実情に合わせた対応を検討・実施いただきたい。

○　こうした振り返りにあたっては、保育士・保育教諭同士による振り返りの場や、施設での話し合いの場を定期的に持つことが求められるため、保育所等の施設長・園長など管理責任者におかれては、こうした機会の確保、組織内で相談がしやすい職場環境づくり等の対応が求められる。

＜職員一人一人がこどもの人権・人格を尊重する意識の共有をすること＞

○　職員一人一人が、こどもの人権や人格尊重に関する理解を十分に深めた上で、こどもの人権・人格を尊重する保育や、それに抵触する接し方等について認識し、職員間でそうした意識を共有することが重要である。

　　このような意識を持つことは、保育所保育指針や幼保連携型認定こども園教育・保育要領に則った保育の実施という意味において、保育士・保育教諭一人一人の責務であると同時に、施設長・園長及びリーダー層の責任において、そうした意識を徹底することが求められる。

○　このため、保育士・保育教諭等の職員に対し、こどもの人権・人格を尊重する保育についての教育・研修を行うことも重要である。施設長・園長及びリーダー層は、施設内での研修を実施するなど、そうした意識を共有するための学びの機会を設ける必要がある。

○　また、上記のとおり、日々の保育について、定期的に振り返りを行い、こどもに対する接し方が適切であったか、より望ましい対応はあったのか等、保育士・保育教諭同士で率直に話すことができる場を設けること等も、全職員がこどもの人権・人格を尊重する保育を行うための意識を共有する上で、非常に重要な取組である。

○　こうしたことから、施設内の研修等にとどまらず、保育内容等に関する自己評価を行うことが重要である。「保育所における自己評価ガイドライン（2020年改訂版）」（「「保育所における自己評価ガイドライン」の改訂について（通知）」（令和2年3月19日厚生労働省子ども家庭局保育課長通知））では、保育所保育指針に基づき、保育の質の確保・向上を図ることを目的に、保育士等や保育所が自ら行う「保育内容等の評価」について、その基盤となる「子どもの理解」や「職員間の対話が生まれる環境づくりの重要性」等を含め、自己評価の取組を進めていく上での基本的な考え方やポイント、留意点を示している。

　　また、同ガイドラインでは保育内容等の自己評価の観点（例）を別添として示すとともに、これらの観点のうち「子どもの人権への配慮と一人一人の人格の尊重」について考えられる評価項目の具体例を挙げている。こうした具体例を参考に、自己評価の観点に「こどもの人権への配慮、一人一人の人格の尊重」を位置づけ、自己評価を行うことが重要である。

○　加えて、第三者評価や公開保育、地域の合同研修等の活用を通じて、日々の保育について施設外部からより多様な視点を得ながら、保育士・保育教諭の気づきを促すことも考えられる。

コラム：保育士・保育教諭の"気づき"

　保育には様々なシーンが存在し、また、その中でのこどもへの接し方はこどもの個性や状況に応じて柔軟に行われるものである。その一つ一つの行為を、何が適切で何が不適切なのか定義することはできず、保育士・保育教諭一人一人が、状況に応じた判断を行う必要がある。そうした判断力を身に付けるためには、こどもの人権についての理解を深めるのはもちろんのこと、保育士・保育教諭が、自分が行っている保育を振り返る中で、改善点につながる課題、自身のかかわりの特徴等への気づきを得ていく必要がある。

　保育所における自己評価ガイドラインハンドブックでも、「保育士等が、評価を適切に実施して、子どもや保育についての理解を深め、よりよい保育の実現に向けたアイデアを生み出す上で、様々な人たちと語り合い、多様な視点を取り入れたり、自分の思いや直感を言葉にして発信したりすることは、とても大きな意味を持」つとされ、そのための職員間での「こどもへのかかわりや配慮、保育の状況などについての対話」が推奨されている。

　保育所において、職員間での「対話」が生まれる体制を整備し、保育士・保育教諭等が"気づき"を得られる環境を作っていくことは、施設長・園長やリーダー層の重要な役割である。

(2) 虐待等に該当するかどうかの確認

○ (1)の日々の保育実践の振り返りを行ってもなお、こどもの人権擁護の観点から「望ましくない」と考えられるかかわりの改善が見られない場合や虐待等に該当するのではないかと疑われるような事案であると感じた場合には、保育所等の会議の場などで共有し、本ガイドラインの虐待等と疑われる事案（不適切な保育）かどうか、保育所等として確認する必要がある。

○ なお、保育所等として、虐待等に該当しないと確認することに迷いが生じたり、リーダー層の間でも判断が分かれたりしたときには、積極的に市町村等に情報提供、相談を行うことが望ましい。

○ また、虐待等と疑われる事案（不適切な保育）といったものの具体例については、本ガイドラインにおいて言及していないが、今後議論を深めながら、本ガイドラインの改訂には柔軟に対応していく旨申し添える。

(3) 市町村等への相談

＜虐待等と疑われる事案（不適切な保育）と確認した場合＞

○ 虐待等と疑われる事案（不適切な保育）であると保育所等として確認した場合には、保育所等は状況を正確に把握するとともに市町村や都道府県に設置されている相談窓口や担当部署に対して、把握した状況等を速やかに情報提供・相談し、今後の対応について協議する必要がある。

○ その際に基本となるのが、「隠さない」「嘘をつかない」という誠実な対応である。そうした誠実な対応は、管理者等が日頃から行うべきことであり、こどもや保護者への適切なケアを含め、そのような対応が早期に行われないことは、改善の機会を遅らせ、こどもに対して大きな不利益を与え続けることになる。

○ こうした対応を組織として行うことが重要であり、施設長・園長、副施設長、副園長、教頭、主幹保育教諭、主任保育士、副主任保育士といった施設のなかでのリーダー層の意識と適切な対応が必要不可欠である。このため、各市町村及び各都道府県においては、施設長・園長や主任保育士等を対象とした会議やキャリアアップ研修を含む研修等の機会を通じ、施設長・園長や主任保育士等の管理者等に対してこうした意識の醸成や適切な対応についての周知徹底を図ることが重要である。

○ また、保育所等が組織として適切な対応を行わない場合、虐待等と疑われる事案（不適切な保育）の発見者は一人で抱え込まずに速やかに市町村や都道府県に設置されている相談窓口や担当部署に相談することが重要である。

なお、公益通報者保護法（平成16年法律第122号）第5条には、公益通報をしたことを理由として、降格、減給その他不利益な取扱いをしてはならないと規定されている[4]。

4　（参考）公益通報者に対する保護規定：①解雇の無効、②その他不利益な取扱い（降格、減給、訓告、自宅待機命令、給与上の差別、退職の強要、専ら雑務に従事させること、退職金の減給・没収等）の禁止

＜虐待等に該当しないと確認した場合＞

○ 虐待等に該当しないと保育所等として確認した場合には、引き続き(1)の対応を進めていくとともに、保育の専門職としてさらなる保育の質の向上を目指していくことが重要である（(5)へ続く）。

また、巡回支援の場面など、指導監査等の場面に限らず、自治体への相談をする機会を活用し、相談を行うことが重要である。

(4) 市町村等の指導等を踏まえた対応

○ 当該事案が、市町村等において虐待等と判断されたかどうかにかかわらず、今後のより良い保育の実施を目指し、同様の事案が生じないための環境を整備することが重要である。

そのため、個別の事案だけに焦点を当てた改善の検討を行うのではなく、その背景にある原因を理解した上で、保育所等の組織全体として改善するための方法を市町村等とともに探ることが重要である。保育所等は、虐待等と疑われる事案（不適切な保育）が確認された場合、施設長・園長・法人本部等が中心となり、改善に向けた行動計画を策定し、保育所等全体で改善に取り組むことが求められる。

○ また、市町村等において虐待等と判断された場合、その対象となったこどものみならず、その他の保育所等を利用するこども、虐待等に関わっていない職員も含め、十分な心のケアを行う必要がある。併せて、虐待等が行われた経緯や今後の保育所等としての対応方針等について、保育所等を利用するこどもの保護者に対して、丁寧に説明し、理解を得ることが重要である。その際、虐待等を受けたこどもの保護者から、他の保護者に対して事案の経緯等を説明す

ることの同意を得る必要が生じる場合があることに留意する必要がある。

(5) さらにより良い保育を目指す

○ (4)において、市町村に虐待等に該当しないと判断された場合においても、引き続き(1)の対応を進め、どうすればより良い保育を行うことができるのか保育所等として検討を行うとともに、保育の専門職としてさらなる保育の質の向上を目指していくことが重要である。

3 市町村、都道府県における対応

(1) 未然防止に向けた相談・支援、より良い保育に向けた助言等

○ 市町村においては、"こどもの最善の利益"を考慮した保育の実現に向けて、保育所等と緊密に連携する立場として、助言・指導を行うことが期待される。このため、巡回支援などを積極的に実施し、より良い保育の認識を保育現場と確認・共有し、各施設の振り返りを支援することが考えられる。

また、巡回支援の他、保育所、幼稚園、幼保連携型認定こども園等に対して、質の高い保育を実施するための助言等を行う幼児教育アドバイザーとの連携など、地域の実情に応じて、保育所等とのコミュニケーションを密にして、積極的に日々の保育実践の支援に取り組んでいくことが重要である。

○ また、保育士・保育教諭等や保護者が、保育所等において行われる保育に対して違和感を覚えた場合に相談できる先として、対応窓口を設けることが重要である。

例えば、虐待等と疑われる事案（不適切な保育）の対応窓口として、相談窓口やコールセンターを設置している自治体も一定数存在しており、こうした取組を参考にすることも考えられる。また、当該窓口は、例えば「虐待等が疑われる事案に関する相談窓口」といった名称をつけてわかりやすく掲示・周知するなど、広く一般に認知されるよう工夫を行うこと。

仮に専用の対応窓口を設けない場合にも、保育所等において行われる日々の保育実践に疑義が生じた際に相談を受け付ける担当部署の連絡先を周知しておくことが望ましい。

その際、内部告発者や保護者は、事実を訴えることで不利益を被る状態にある恐れがあることに留意し、必要な配慮を行うこと。

○ さらに、施設長・園長やリーダー層に対しては、職場環境も虐待等が発生する要因となり得

ることについても十分に理解を求めるとともに、保育所等としてどのように虐待等の未然防止に取り組んでいくかを検討するきっかけを提供することが望まれる。例えば、中堅層に対するキャリアアップ研修による人権意識の醸成とともに、新任研修や施設長・園長等向けの研修などキャリアステージに応じた働きかけも有効と考えられる。

また、保育現場で実際に保育に従事する保育士・保育教諭等に対して、こどもの人権・人格を尊重する保育や、それに抵触する接し方等についての研修等を行う中で、グループワーク形式で"日々の保育を通したこどもへのかかわりについて気づいたこと、感じたこと"等を話し合う場を設けるなど、保育士・保育教諭同士の話合いの中で"気づき"を促す工夫を行っている自治体も見られる。また、市町村主催の研修という形とは別に、保育現場で定期的にそのような話合いの場を持つよう推奨している自治体も見られるところである。こうした各自治体における取組の好事例については、手引きにおいて事例集として示しているため、参照されたい。

(2) 保育所等からの相談や通報を受けた場合

○ 市町村及び都道府県における虐待等に関する相談窓口等において、虐待等と疑われる事案（不適切な保育）の相談や通報を受けた場合には、まず、市町村及び都道府県の担当部局等において迅速に対応方針を協議し、方針を定めることが必要である。その際、事案の重大性によって、例えば下記のように、初動対応や緊急性を速やかに判断することが大変重要である。

＜初動対応の決定＞

○ 相談・通報を受けた際は、直ちに緊急対応が必要な場合であるかどうかを判断する必要がある[5]。これらは相談等の受付者個人ではなく、担当部局管理職や事案を担当することとなる者などによって組織的に行うことが重要である。

5 相談等の受付者が委託を受けた職員である場合などには、市町村において通報内容の詳細を確認することが必要。

○ 初動対応において、こどもや保育士・保育教諭等の状況に関する更なる事実確認の方法や関係機関への連絡・情報提供依頼等に関する今後の対応方針、行政職員の役割分担等を決定する。また、事実確認の日時の決定と事実確認の結果を受けて会議の開催日時まで決定しておく

ことで、緊急性の判断や対応をスムーズに進めることが可能である。また、平日日中だけでなく、夜間や休日等の緊急の事態に速やかに対応ができるよう、事前に、責任者やメンバー、各々の具体的な役割を明確化しておくことも考えられる。

＜初動対応のための緊急性の判断について＞

○　受付記録の作成後（場合によっては詳細な受付記録の作成に先立ち）、直ちに相談等の受付者が担当部局の管理職（又はそれに準ずる者）等に相談し、担当部局として判断を行う。緊急性の判断の際には保育士・保育教諭等の職員への支援の視点も意識しつつ、こどもの安全確保が最優先であることに留意が必要である。情報が不足する等から緊急性の程度を判断できない場合には、こどもの安全が確認できるまで、さらに調査を進めることが重要である。

＜緊急性の判断後の対応＞

○　緊急性が高いと判断したときには、
・　保育所等に通うこどもの生命や身体に重大な危険が生じるおそれがあると判断した場合、虐待等を受けたとされるこどもの安全を目視により確認することを原則とする。

○　緊急性は低いと判断したときには、
・　緊急性が低いと判断できる場合には、その後の調査方針と担当者を決定し、遅滞なく計画的に事実関係の確認と指導・助言を行う。その際、調査項目と情報収集する対象機関を明らかにして職員間で分担する。

○　また、上記いずれの場合においても、
・　決定内容は会議録に記録し、速やかに責任者の確認を受けて保存しつつ、
・　複数対応を原則とし、性的虐待が疑われる場合は、対応する職員の性別にも配慮することが重要である[6]。

　　6　なお、性的虐待への対応に関しては、「保育士による児童生徒性暴力等の防止に関する基本的な指針」についても参照すること。

○　また、特に、市町村においては、虐待等と疑われる事案（不適切な保育）を把握した場合、事案の重大性に応じ、担当部局にとどまらず、市町村の組織全体として迅速に事案を共有するとともに、児童福祉法（昭和22年法律第164号）や就学前の子どもに関する教育、保育等の総合的な提供の推進に関する法律（平成18年法律第77号。いわゆる「認定こども園法」）に基づく指導監督権限を有する都道府県に対しても

迅速に情報共有を行うことが重要である。

○　対応方針の協議、都道府県に対する情報提供を行ったうえで、速やかに事実確認、立入調査等の対応を講じる必要がある（(3)へ続く）。

(3)　事実確認、立入調査

○　(2)を踏まえ、市町村及び都道府県において、指導監査等による事実関係の確認を行う場合には、相談者や保育所等関係者から丁寧に状況等を聞き取りつつ事実関係を正確に把握することが重要である。

　　この場合、相談者や保育所等の関係者から丁寧に状況等を聞き取りつつ事実関係を正確に把握し、市町村及び都道府県の間で緊密に情報を共有することが望ましい。

○　事実関係等の聞き取りを行うにあたり、虐待等が保育所等における保育の一連の流れの中で生じるものであるという特性を踏まえ、事情を的確に把握するために、保育経験者（施設長・園長経験者など）である専門職員等が立ち合うことも考えられる。

○　そのうえで、虐待等に該当するかどうかを判断する必要がある。

＜虐待等に該当すると判断した場合＞

○　虐待等に該当すると判断した場合には、(4)に従って対応する必要がある（(4)へ続く）。

＜虐待等に該当しないと判断した場合＞

○　虐待等に該当しないと判断した場合には、
・　引き続き注視が必要な施設として、当該施設の状況等を担当部署内都道府県に情報共有すること、
・　巡回支援などの機会を増やし、必要な相談、支援等を行うこと
・　指導監査の場面で特にフォローすること
などの対応が考えられる。

(4)　虐待等と判断した場合

○　指導監査等を実施した結果、保育所等において虐待等が行われたと判断する場合には、虐待等が行われた要因や改善に向けての課題も含め、指導監査により是正を求める立場である都道府県や、保育所等と連携して改善に向けた助言・指導を行う立場である市町村として、丁寧に把握することが重要である。また、虐待等に該当すると判断した場合には、市町村において、国（こども家庭庁）に対しても情報共有を行っていただきたい。

○　また、状況を丁寧に把握したうえで、当該保育所等に対して、書面指導や改善勧告等による

改善の指示を適切に行う必要がある。改善勧告等のみでなく、引き続き、当該保育所等に対するフォローアップが求められる（(5)へ続く）。

○　さらに、事案の性質や重大性等に応じ、事案の公表等の対応も判断していくことが重要である。公表は保育所等における虐待等の防止に向けた各自治体の取組に反映していくことを目的とするものであり、公表することにより当該施設に対して制裁を与えることを目的とするものではないことに配慮するとともに、虐待等を受けたこどもやほかのこどもへの影響に十分配慮する形の公表とすることに留意が必要である。

○　また、各自治体においては、当該事案を個別の保育所等の事案として対応するのみでなく、管内の保育所等において同様の事案が生じないよう、必要な対策の検討を行うべきである。

○　虐待等を行った保育士・保育教諭の保育士資格の登録の取消等についても、都道府県等と市町村が連携し、十分に事実確認を行った上で、適切に対応することが必要である[7]。

7　信用失墜行為による保育士登録の取消（児童福祉法第18条の19第2項）の事例としては、これまで園児に対する虐待行為により取消が行われた事例もある。また、児童生徒性暴力等を行ったと認められる場合については、都道府県知事は保育士登録を取り消さなければならないこととされている（児童福祉法第18条の19）。

○　このほか、当該虐待等の対象となったこどものみならず、その他の保育所等を利用するこども、虐待等に関与していない職員も含め、十分な心のケアを行う必要がある。併せて、虐待等が行われた経緯や今後の保育所等としての対応方針等について、保育所等とも連携のうえ、保育所等を利用するこどもの保護者に対して、丁寧に説明し、理解を得ることが重要である。

　　その際、虐待等を受けたこどもの保護者から、他の保護者に対して事案の経緯等を説明することの同意を得る必要が生じる場合があることに留意する必要がある。

(5)　フォローアップ

○　虐待等が行われた保育所等に対するフォローアップにおいては、虐待等が行われた原因や保育所等が抱える組織的な課題を踏まえ、助言・指導を継続的に行うことが必要である。

○　保育の実施主体である市町村及び認可・指導監査実施主体である都道府県は、保育所等に対して、書面指導や改善勧告等により改善を求めることとなるが、その際には、実際に生じた個別の事案だけを改善するのではなく、その背景にある原因を理解した上で、保育所等の組織全体としての改善を図るための指示を行うことが期待される。

　　具体的には、指導監査等の事実確認において把握した、虐待等が行われた原因や保育所等が抱える組織的な課題を踏まえ、市町村及び都道府県が緊密に連携して、保育所等が策定する改善計画の立案を支援・指導するとともに、その実現に向けた取組に対する助言・指導を継続的に行うことが求められる。

　　虐待等が行われた背景や保育者が抱える組織的な課題は、個々のケースにより異なる。その改善のための取組の在り方も様々であるが、例えば、次のような支援が考えられる。

・　他の施設等で保育を経験した立場からの助言

・　他の保育所等の取組等を知る立場からの助言や、具体的ケースの共有

・　保育所等の組織マネジメントに関する助言・指導

・　保育士・保育教諭等の職員への研修や指導に関する助言・指導

○　なお、虐待等が行われた保育所等に対し、継続的な支援を市町村及び都道府県が実施することは重要であるが、虐待等が行われた場合に限らず、日頃から保育所等と市町村及び都道府県が密にコミュニケーションを取りつつ、虐待等の未然防止や保育の質の向上に取り組んでいくことが望ましいことに留意する必要がある。

○保育所等から市町村又は児童相談所への定期的な情報提供について（周知）

令和5年8月4日　こ成保123・こ支虐117
各都道府県知事・各指定都市市長・各中核市市長・各児童相談所設置市市長宛　こども家庭庁成育・支援局長連名通知

児童虐待への対応については、児童相談所や市町村が関係機関と緊密に連携し、こども・子育て家庭の状況を適切に把握し、こどもの安全確保を最優先に行うことが重要です。

これまで、「児童虐待防止対策の強化に向けた緊急総合対策」（平成30年7月20日児童虐待防止対策に関する関係閣僚会議決定）に基づき、学校、保育所等と市町村、児童相談所との連携の推進を図るため、「学校、保育所、認定こども園及び認可外保育施設等から市町村又は児童相談所への定期的な情報提供について」（平成31年2月28日付け内閣府子ども・子育て本部統括官・文部科学省総合教育政策局長・文部科学省初等中等教育局長・文部科学省高等教育局長・厚生労働省子ども家庭局長・厚生労働省社会・援護局障害保健福祉部長連名通知。以下「連名通知」という。）（別添1）をお示しし、学校、保育所等から市町村及び児童相談所に対する定期的な情報提供並びに緊急時の対応等についてお願いをしてきたところです。

昨今の児童虐待が疑われる死亡事例についても、従前と同様、各自治体やこども家庭審議会児童虐待防止対策部会児童虐待等要保護事例の検証に関する専門委員会等において検証が行われ、判明した課題等に応じ、必要な対応が行われることとなりますが、まずは、こどもと日々の接点を有する学校、保育所、認定こども園及び認可外保育施設等（以下「学校等」という。）と市町村・児童相談所等との間で、こどもの異変（あざ・理由不明の欠席等）に係る情報やリスク判断の鍵となる重要な情報の認識が十分に共有された上で、こどもや家族の状況等を踏まえたアセスメントやそれに基づく適切な対応がとられる等の連携体制の構築が重要です。

これを踏まえ、連名通知の趣旨、目的及び内容について、保育所等の関係機関について改めて周知徹底を図るよう、お願いします。

また、この平成31年の連名通知について、学校等において参照いただくことを目的とし、別添2のとおり内容のポイントとなる事項を整理しています。本資料について、市町村の虐待担当部署及び児童相談所の連絡先も含めて管内の学校等に対して周知いただくとともに、それぞれの学校等において、こどもと日々の接点を有する教諭、保育士等に対し、職員会議等の機会において周知することや職員室等の各教諭、保育士等が参照しやすい場所へ掲示すること等の方法により、恒常的に確認されるような対応をお願いします。

さらに、市町村の児童虐待担当部署及び児童相談所においては、学校等から情報提供又は通告を受けた場合には、平成31年の連名通知及び「気づきのポイント情報共有ツール」（令和4年度厚生労働省保健福祉調査委託費調査研究事業「要保護児童対策地域協議会のあり方に関する調査報告書」）（別添3）等を踏まえ、組織的なリスク評価等を実施するとともに、家庭訪問等による安全確認や、市町村の児童虐待担当部署から児童相談所への通告等の適切な対応に引き続き尽力をいただくようお願いします。

都道府県におかれましては、管内市区町村（児童福祉主管局）（指定都市、中核市及び児童相談所設置市を除く。）及び関係機関への周知をお願いいたします。

なお、本通知については、別途文部科学省より、都道府県（私立学校主管部局）、都道府県教育委員会、指定都市教育委員会、附属学校を置く国立大学法人及び公立大学法人、独立行政法人国立高等専門学校機構並びに高等専門学校を設置する公立大学法人及び学校法人並びに小中高等学校を設置する学校設置会社を所管する構造改革特別区域法第12条第1項の認定を受けた地方公共団体へ周知するとともに、都道府県（私立学校主管部局）から所轄の私立学校へ、都道府県教育委員会から管内市区町村教育委員会及び所管の学校へ、指定都市教育委員会から所管の学校へ、附属学校を置く国立大学法人及び公立大学法人から附属学校へ、独立行政法人国立高等専門学校機構並びに高等専門学校を設置する公立大学法人及び学校法人からその設置する学校へ、構造改革特別区域法第12条第1項の認定を受けた地方公共団体から認可した小中高等学校へ周知されますので、申し添えます。

また、公立の小中学校に別添2を周知する際には、

市町村の児童虐待担当部署等において連絡先を記入 | いいたします。
し、市町村教育委員会へ周知媒体を送付するようお願 | 別添１・３　略

別添２

こどもを家庭内の虐待から守るために、保育士・教職員等の皆さまの力が必要です！
― こどもの異変（あざ・理由不明の欠席等）に気付いたら、躊躇なく市町村・児童相談所へ連絡を ―

Q１　どんなこどもが対象なの？具体的に何をすればいいの？
○定期的な連絡を要するケース
　　市町村や児童相談所が「児童虐待の可能性がある」と評価しており、保育所等に通園しているこどもが対象です。こどもの名前等は、個別に市町村等から連絡されます。おおむね１か月に１度を目安に、出欠状況、欠席時の家庭からの連絡有無、欠席理由を連絡します。
○緊急で連絡を要するケース
　　こどもに不自然な外傷がある・理由不明で欠席するといった兆候がある場合や、理由を問わず７日以上欠席が続く場合には、躊躇なく、ただちに市町村等に連絡してください。

Q２　Q１の場合以外にこどもに虐待（ネグレクト含む）のおそれが感じられるときは？
　　Q１の場合以外でも、虐待のおそれや気になる様子が見られる場合は、躊躇なく、市町村の児童虐待担当部署や児童相談所へ相談してください。
　　→　詳しくは２枚目を参照！

Q３　個人のプライバシーなど、親とのトラブルが不安
　　国の法律等に則った連絡であり、個人情報保護法等には抵触しません。また、連絡を受けた市町村・児童相談所は、連絡を誰から受けたのか等を秘密にする義務があります。
　　気になる点があれば、必ず連絡をしてください。

　　　　　　　　　　　　　　　　　　　　○○市役所児童福祉課：○○―○○○○―○○○○
　　　　　　　　　　　　　　　　　　　　××児童相談所　　　：○○―○○○○―○○○○
※居住自治体以外の学校等に在籍する場合にはこどもの居住地の市町村等に連絡してください。

～こども・子育て家庭の見守り時注意ポイント～

　　これらは全て、児童虐待対策の専門家や児童虐待事案に対処してきた自治体職員等が「特に気を付けるべき」としているポイントです。
　　これに限らず、日常的な関わりの中で気になる様子や状況に気づいたときは、市町村や児童相談所に相談するようにしましょう。

＜こどもの様子＞
・表情が乏しく、受け答えが少ない
・落ち着きがなく、過度に乱暴
・担当教師、保育士等を独占したがる、用事が無くてもそばに近づいてくるなど過度のスキンシップ
・保護者の顔色をうかがう
・保護者といるとおどおどし、落ち着きがない
・からだや衣服の不潔感（髪を洗っていない汚れ・匂い・垢の付着、爪が伸びている等）
・虫歯の治療が行われていない
・食べ物への執着が強く過度に食べる、極端な食欲不振がみられる
・理由がはっきりしない欠席・遅刻が多い
・連絡のない欠席を繰り返す
・なにかと理由をつけてなかなか家に帰りたがらない

＜保護者、家族の様子＞
・発達にそぐわない厳しいしつけ、行動制限がある
・かわいくない、にくい等の差別的な発言がある
・こどもの発達に無関心、育児に対して拒否的な発言
・こどもを繰り返し馬鹿にする、激しく叱る・ののしる
・きょうだいに対しての差別的な言動、特定のこどもに対して拒否的な態度をとる
・ささいなことで激しく怒る、感情コントロールができない
・長期にわたる欠席があってもこどもに会わせようとしない
・行事に参加しない、連絡を取ることが難しい

○ 「教育・保育施設等における事故の報告等について」における意識不明事故の取扱いについて

令和5年12月14日　事務連絡
各都道府県・各指定都市・各中核市保育・児童福祉主管部（局）・認定こども園担当課・各都道府県・各指定都市・各中核市・各児童相談所設置市認可外保育施設担当課（室）・各都道府県・各指定都市・各中核市子育て援助活動支援事業（ファミリー・サポート・センター事業）担当・各都道府県教育委員会学校安全担当・私立学校主管・附属学校を置く各国立大学法人担当課宛　こども家庭庁成育局安全対策・保育政策課・保育政策課認可外保育施設担当室・成育環境・文部科学省総合教育政策局男女共同参画共生社会学習・安全課

平素から教育・保育施設等における安全管理の徹底について、御理解・御協力いただき、ありがとうございます。

教育・保育施設等において重大事故が発生した場合については、「特定教育・保育施設等における事故の報告等について」（令和5年4月1日付け、こ成安第2号・4教参学第21号）に基づき、都道府県等を経由して国へ報告を行うこととしてきました。

しかし、「報告の対象となる重大事故の範囲」における意識不明について、その定義が必ずしも明確にされていなかったため、報告の要否や、報告される場合でもその内容に大きなばらつきがありました。

そこで、意識不明事故については、令和4年度に実施した「教育・保育施設等で発生した重大事故等における意識不明事案に関する調査研究」等の結果を踏まえて、下記のとおり取り扱うこととし、令和6年1月1日以降の報告分から適用しますので、別紙参照の上、今後の報告に誤りがないよう留意するとともに、所管する施設・事業所に周知徹底を図っていただきますようお願いします。

なお、意識不明事故の取扱いを整理することに伴い、本件に関連する「教育・保育施設等における事故の報告等について」及び「教育・保育施設等における重大事故の再発防止のための事後的な検証について」の通知文2通についても、本日付けで再発出したことから、御確認いただきますようお願いします。

記

1　運用開始日
　　令和6年1月1日
　　（同日以降の国への報告分を対象とする。）
2　報告の対象となる重大事故の範囲
　（1）変更前
　　・　死亡事故
　　・　治療に要する期間が30日以上の負傷や疾病を伴う重篤な事故等（意識不明（人工呼吸器をつける、ICUに入る等）の事故を含み、意識不明

の事故についてはその後の経過にかかわらず、事案が生じた時点で報告すること。）
　（2）変更後
　　・　死亡事故
　　・　意識不明事故（どんな刺激にも反応しない状態に陥ったもの）
　　・　治療に要する期間が30日以上の負傷や疾病を伴う重篤な事故
3　意識不明事故の定義
　　「教育・保育施設等における事故の報告等について」（令和5年12月14日付け、こ成安第142号・5教参学第30号）における意識不明事故とは、事故が原因で意識不明となった事案であって、AVPUスケールにより評価した意識レベルが、「U：どんな刺激にも反応しない」に該当する場合をいう。
　※　AVPUスケール（小児の意識レベル評価）

A：Alert	意識がはっきりしている
V：Voice	声を掛けると反応するが、意識はもうろうとしている
P：Pain	痛み刺激には反応するが、声を掛けても反応がない
U：Unresponsive	どんな刺激にも反応しない

（痛み刺激を行う際の例）
　　肩をたたく。踵をたたく。
　　胸骨の真ん中を、手をグーにして指の関節で押す。
　　爪の生え際（半月があるあたり）を2本の指で挟む。など
　　※　2つの手技を組み合わせて判断するとよい。
4　意識不明に関する報告要否の判断基準
　　意識不明を伴う事案が発生した場合の国への報告の要否については、意識不明となった原因を判断基準とし、以下のとおりとする。
　（1）「事故」が原因である場合

　　国への報告を必要とする。

　　※　事故の具体例…転倒、衝突、誤嚥、食物アレ
　　　　　　　　　　　ルギー、熱中症等

(2)　明らかに「病気」が原因である場合

　　国への報告は不要とする。

　　ただし、当初は「病気」が原因であると判断さ
　れた場合でも、1週間経過後も意識が回復しない
　場合は、その時点で国へ報告する。

　　※　病気の具体例…てんかん、けいれん（熱性・
　　　　　　　　　　　無熱性・憤怒）等

(3)　原因が「不明」な場合

　　国への報告を必要とする。

　　報告後、その原因が「事故」又は「病気」であ
　ることが判明した場合には、その旨を国へ追加報
　告する。

5　その他参考事項

(1)　国が公表する事故報告集計との関係

　　国においては、例年、教育・保育施設等で発生
　した重大事故を集計し、事故報告集計として公表
　しているが、4(2)記載のとおり、当初は「病気」
　が原因であると判断された場合でも、1週間経過
　後も意識が回復しない場合で国に報告されたもの
　及び4(3)記載のとおり、原因が「不明」な場合と

して報告がなされたものの、原因が「病気」であ
ることが判明して国に追加報告されたものについ
ては、事故報告集計に計上しない。

(2)　事後的な検証との関係

　　地方自治体においては、「教育・保育施設等に
　おける重大事故の再発防止のための事後的な検証
　について」（令和5年12月14日付け、こ成安第143
　号・5教参学第31号）に基づき、重大事故の再発
　防止のための事後的な検証を行うものであるが、
　今後、意識不明事故として報告したものについて
　は、事後的な検証を実施すること。

　　ただし、4(2)記載のとおり、当初は「病気」が
　原因であると判断された場合でも、1週間経過後
　も意識が回復しないとして報告したもの及び4(3)
　記載のとおり、原因が「不明」な場合として報告
　したものの、原因が「病気」として国へ追加報告
　したものは除く。

【参考資料】

○　教育・保育施設等で発生した重大事故等におけ
　る意識不明事案に関する調査研究
　https://www.cfa.go.jp/policies/child-safety/
　effort/report/

別　紙

意識不明事故の取扱い等に関する変更点について

変更内容	変更後（令和6年1月1日以降）	変更前（令和5年12月31日以前）
1. 国への報告対象となる重大事故の範囲	・死亡事故 ・意識不明事故（どんな刺激にも反応しない状態に陥ったもの） ・治療に要する期間が30日以上の負傷や疾病を伴う重篤な事故	・死亡事故 ・治療に要する期間が30日以上の負傷や疾病を伴う重篤な事故等（意識不明（人工呼吸器をつける、ICUに入る等の事故を含み、意識不明の事故についてはその後の経過にかかわらず、事案が生じた時点で報告すること。）
2. 意識不明事故の定義	事故が原因で意識不明となった事案であって、AVPUスケールにより評価した意識レベルが、「U：どんな刺激にも反応しない」に該当する場合をいう。 ※ AVPUスケール（小児の意識レベル評価） A：Alert　意識がはっきりしている V：Voice　声を掛けると反応するが、意識はもうろうとしている P：Pain　痛み刺激には反応するが、声を掛けても反応がない U：Unresponsive　どんな刺激にも反応しない	定義なし
3. 意識不明に関する国への報告要否の判断基準	国への報告の要否は、意識不明となった原因を判断基準とする。 (1)「事故」が原因である場合 国への報告 ⇒ 「必要」 　※ 事故の具体例・・・転倒、衝突、誤嚥、食物アレルギー、熱中症等 (2) 明らかに「病気」が原因である場合 国への報告 ⇒ 「不要」 　ただし、当初は「病気」が原因であると判断された場合でも、1週間経過後も意識が回復しない場合は、その時点で国へ報告する。 　※ 病気の具体例・・・てんかん、けいれん（熱性・無熱性・憤怒）等 (3) 原因が「不明」な場合 国への報告 ⇒ 「必要」 　※ 報告後、その原因が「事故」又は「病気」であることが判明した場合には、その旨を国へ追加報告する。	意識不明の事故についてはその後の経過にかかわらず、事案が生じた時点で報告すること。
4. 報告様式	新様式により報告	旧様式（別紙1～4）により報告
5. 地方自治体による再発防止のための事後的検証の対象となる事故の範囲	(1) 死亡事故 　※ 乳幼児突然死症候群（SIDS）や死因不明とされた事例も含む。 (2) 意識不明事故（どんな刺激にも反応しない状態に陥ったもの） 　※ 意識不明の原因が病気であると判明したものを除く。 (3) 死亡事故、意識不明事故以外の重大事故で、都道府県又は市町村において検証が必要と判断した事故 　※ 都道府県又は市町村が検証を実施しない事故や、いわゆるヒヤリ・ハット事例等については、各施設・事業者等において検証を実施する。	(1) 死亡事故 　※ 乳幼児突然死症候群（SIDS）や死因不明とされた事例も含む。 (2) 死亡事故以外の重大事故で、都道府県又は市町村において検証が必要と判断した事例（例えば、意識不明等） 　※ 都道府県又は市町村が検証を実施しない事故や、いわゆるヒヤリ・ハット事例等については、各施設・事業者等において検証を実施する。

○学校等における重症の低血糖発作時のグルカゴン点鼻粉末剤（バクスミー®）投与について

令和6年1月25日　事務連絡

各都道府県・各指定都市・各中核市保育所・認定こども園等主管課・各都道府県・各市区町村地域子ども・子育て支援事業・認可外保育施設主管課・各都道府県・各指定都市・各中核市障害保健福祉・児童福祉主管課・各都道府県・各指定都市教育委員会学校保健・幼稚園事務担当課・各都道府県私立学校主管部課・各都道府県・各指定都市・各中核市教育委員会地域学校協働活動担当課・附属学校を置く各国公立大学法人附属学校事務主管課・各文部科学大臣所轄学校法人担当課・構造改革特別区域法第12条第1項の認定を受けた各地方公共団体の学校設置会社担当課宛
こども家庭庁成育局成育基盤企画・保育政策課・保育政策課認可外保育施設担当室・成育環境課・支援局障害児支援課・文部科学省総合教育政策局地域学習推進・初等中等教育局幼児教育・健康教育・食育課

平素より学校等の保健の推進に御尽力いただき御礼申し上げます。

さて、今般、学校、保育所、幼保連携型認定こども園、放課後児童健全育成事業、放課後子供教室、認可外保育施設、児童発達支援、放課後等デイサービス等において児童生徒等が重症の低血糖発作を起こした場合に、当該児童生徒等に代わって教職員等がグルカゴン点鼻粉末剤（バクスミー®）の投与を行うことについて、文部科学省等から厚生労働省医政局医事課に対して別紙1のとおり照会を行ったところ、別紙2のとおり回答がありましたので、お知らせします。

重症の低血糖発作においては、当該児童生徒等が意識を失っている場合も想定されることから、傷病者発生時の対応に準じて、教職員等が連携して、迅速・的確な応急手当（一次救命処置）、緊急連絡・救急要請などを行うことが重要です。その上で、グルカゴン点鼻粉末剤を使用した場合には、低血糖発作を起こした児童生徒等が受診することとなる医療機関の医療従事者が、使用済みの容器をもとにその投与状況を確認するため、当該医療従事者又は救急搬送を行う救急隊に使用済みの容器を受け渡すとともに、実施した内容を伝える等の対応が必要となります。

グルカゴン点鼻粉末剤の使い方等を理解するに当たっては、日本イーライリリー株式会社のホームページ（https://www.diabetes.co.jp/consumer/usage-baqsimi/teacher）も御参照ください。

また、本事務連絡は消防庁と協議済みであることを申し添えます。

については、都道府県・指定都市・中核市保育所・認定こども園等主管課におかれては所管の保育所・認定こども園等及び域内の市（指定都市及び中核市を除く。）区町村保育所・認定こども園等主管課に対して、地域子ども・子育て支援事業主管課及び認可外保育施設主管課におかれては域内の放課後児童健全育成事業の事業者及び認可外保育施設に対して、都道府県・指定都市・中核市障害保健福祉主管課・児童福祉主管課におかれては域内の児童発達支援、放課後等デイサービス事業所に対して、都道府県・指定都市教育委員会担当課におかれては所管の学校及び域内の市（指定都市を除く。）区町村教育委員会に対して、都道府県私立学校主管部課におかれては所轄の学校法人等を通じてその設置する学校に対して、国公立大学法人担当課におかれてはその設置する附属学校に対して、文部科学大臣所轄学校法人担当課におかれてはその設置する学校に対して、構造改革特別区域法（平成14年法律第189号）第12条第1項の認定を受けた地方公共団体の学校設置会社担当課におかれては所轄の学校設置会社及び学校に対して周知されるようお願いします。

別紙1

医師法第17条の解釈について（照会）

令和6年1月22日　こ成基第1号・こ成環第1号・こ支障第4号・5初健食第14号
厚生労働省医政局医事課長宛　こども家庭庁成育局成育基盤企画・成育環境・支援局障害児支援・文部科学省総合教育政策局地域学習推進・初等中等教育局幼児教育・健康教育・食育課長連名通知

標記の件について、下記のとおり照会しますので、御回答いただくようお願いします。

記

学校、保育所、幼保連携型認定こども園、放課後児童健全育成事業、放課後子供教室、認可外保育施設、児童発達支援、放課後等デイサービス等（以下「学校等」という。）に在籍する幼児、児童、生徒、学生又

は学校等を利用する児童（以下「児童等」という。）が重症の低血糖発作を起こし、生命が危険な状態等である場合に、現場に居合わせた教職員を含む職員又はスタッフ（以下「教職員等」という。）が、グルカゴン点鼻粉末剤（「バクスミー®」）を自ら投与できない本人に代わって投与する場合が想定されるが、当該行為は緊急やむを得ない措置として行われるものであり、次の4つの条件を満たす場合には、医師法（昭和23年法律第201号）違反とはならないと解してよいか。

① 当該児童等及びその保護者が、事前に医師から、次の点に関して書面で指示を受けていること。
・ 学校等においてやむを得ずグルカゴン点鼻粉末剤を使用する必要性が認められる児童等であること
・ グルカゴン点鼻粉末剤の使用の際の留意事項

② 当該児童等及びその保護者が、学校等に対して、やむを得ない場合には当該児童等にグルカゴン点鼻粉末剤を使用することについて、具体的に依頼（医師から受けたグルカゴン点鼻粉末剤の使用の際の留意事項に関する書面を渡して説明しておくこと等を含む。）していること。

③ 当該児童等を担当する教職員等が、次の点に留意してグルカゴン点鼻粉末剤を使用すること。
・ 当該児童等がやむを得ずグルカゴン点鼻粉末剤を使用することが認められる児童等本人であることを改めて確認すること
・ グルカゴン点鼻粉末剤の使用の際の留意事項に関する書面の記載事項を遵守すること

④ 当該児童等の保護者又は教職員等は、グルカゴン点鼻粉末剤を使用した後、当該児童等を必ず医療機関で受診させること。

以上

別紙2

医師法第17条の解釈について（回答）

令和6年1月22日　医政医発0122第3号
こども家庭庁成育局成育基盤企画・成育環境・支援局障害児支援課長・文部科学省総合教育政策局地域学習推進・初等中等教育局幼児教育・健康教育・食育課長宛　厚生労働省医政局医事課長通知

　令和6年1月22日付けこ成基第1号、こ成環第1号、こ支障第4号及び5初健食第14号をもって照会のあった件について、下記のとおり回答します。

記

　貴見のとおり。
　なお、一連の行為の実施に当たっては、児童等のプライバシーの保護に十分配慮がなされるよう強くお願いする。

○教育・保育施設等における事故の報告等について

令和6年3月22日　こ成安第36号・5教参学第39号
各都道府県・各指定都市・各中核市保育・児童福祉主管部
（局）長・認定こども園担当課長・各都道府県・各指定都
市・各中核市・各児童相談所設置市認可外保育施設担当課
（室）長・各都道府県・各指定都市・各中核市子育て援助
活動支援事業（ファミリー・サポート・センター事業）担
当課長・各都道府県教育委員会学校安全担当課長・私立学
校主管課長・附属学校を置く国立大学法人担当課長宛　こ
ども家庭庁成育局安全対策・保育政策課長・保育政策課認
可外保育施設担当室長・成育環境・文部科学省総合教育政
策局男女共同参画共生社会学習・安全課長連名通知

子ども・子育て支援新制度においては、特定教育・保育施設及び特定地域型保育事業者は、特定教育・保育施設及び特定地域型保育事業の運営に関する基準（平成26年内閣府令第39号）に基づき、放課後児童健全育成事業者は、放課後児童健全育成事業の設備及び運営に関する基準（平成26年厚生労働省令第63号）に基づき、事故の発生又は再発を防止するための措置及び事故が発生した場合における市町村（特別区を含む。以下同じ。）、家族等に対する連絡等の措置を講ずることとされている。

また、児童福祉法施行規則の一部を改正する省令（平成29年厚生労働省令第123号）が施行されたことに伴い、子育て短期支援事業、一時預かり事業、病児保育事業、子育て援助活動支援事業及び認可外保育施設については、事故の発生及び再発防止に関する努力義務や事故が発生した場合における都道府県への報告義務が課されたところである。加えて、児童福祉法等の一部を改正する法律の施行に伴うこども家庭庁関係内閣府令の整備等に関する内閣府令（令和5年内閣府令第72号）が令和6年4月1日から施行されることに伴い、既存の教育・保育施設等と同様に子育て世帯訪問支援事業については都道府県、児童育成支援拠点事業については市町村への報告義務が課されることとなる。

教育・保育施設等において事故が発生した場合の対応については、「教育・保育施設等における重大事故の再発防止策に関する検討会」の中間とりまとめ（別紙参照）、「学校事故対応に関する指針」（平成28年3月31日付け、27文科初第1,785号）及び児童福祉法施行規則改正等を踏まえ、「教育・保育施設等における事故の報告等について」（令和5年12月14日付け、こ成安第142号・5教参学第30号、以下「旧通知」という。）に基づき運用してきた。

今般、新たに子育て世帯訪問支援事業及び児童育成支援拠点事業が重大事故としての報告の対象となる施設・事業の範囲に加わることから、下記のとおり通知するので、御了知の上、管内の市町村、関係機関及び施設・事業者等に対して周知いただくとともに、その運用に遺漏のないようお願いする。

本通知については、令和6年4月1日から運用するので、本通知の運用開始に伴い、旧通知は廃止する。

なお、本通知は、地方自治法（昭和22年法律第67号）第245条の4第1項に規定する技術的助言として発出するものであることを申し添える。

記

1　事故が発生した場合の報告について

特定教育・保育施設、幼稚園（特定教育・保育施設でないもの。）、特定地域型保育事業、延長保育事業及び放課後児童健全育成事業（以下「放課後児童クラブ」という。）については、特定教育・保育施設及び特定地域型保育事業の運営に関する基準（平成26年内閣府令第39号）、学校事故対応に関する指針（平成28年3月31日付け、27文科初第1,785号）及び放課後児童健全育成事業の設備及び運営に関する基準（平成26年厚生労働省令第63号）により、事故が発生した場合には速やかに指導監督権限を持つ自治体、こどもの家族等に連絡を行うこと。

また、子育て短期支援事業、一時預かり事業、病児保育事業、子育て援助活動支援事業（以下「ファミリー・サポート・センター事業」という。）、子育て世帯訪問支援事業、児童育成支援拠点事業及び認可外保育施設については、児童福祉法施行規則（昭和23年厚生省令第11号）により、事故が発生した場合には事業に関する指導監督権限を持つ自治体への報告等を行うこと。

このうち重大事故については、事故の再発防止のための事後的な検証に資するよう、施設・事業者から報告を求めるとともに、以下の2から7までに定めるところにより、都道府県等を経由して国へ報告を行うこと。

2　重大事故としての報告の対象となる施設・事業の範囲

（1）　特定教育・保育施設

（2）　幼稚園（特定教育・保育施設でないもの。）

(3)　特別支援学校幼稚部

(4)　特定地域型保育事業

(5)　延長保育事業

(6)　放課後児童クラブ

(7)　子育て短期支援事業

(8)　一時預かり事業

(9)　病児保育事業

⑽　ファミリー・サポート・センター事業

⑾　子育て世帯訪問支援事業

⑿　児童育成支援拠点事業

⒀　認可外保育施設

3　報告の対象となる重大事故の範囲

(1)　死亡事故

(2)　意識不明事故（どんな刺激にも反応しない状態に陥ったもの）

(3)　治療に要する期間が30日以上の負傷や疾病を伴う重篤な事故

4　報告様式

　　別添1「教育・保育施設等事故報告書」のとおり

　なお、データベース掲載用シートについては、自治体において記載すること。

5　報告期限

　　国への第1報は、原則事故発生当日（遅くとも事故発生翌日）、第2報は、原則1か月以内程度とし、状況の変化や必要に応じて追加の報告を行うこと。

　　また、事故発生の要因分析や検証等の結果については、作成され次第報告すること。

6　報告要領

　　別添2「報告ルート」のとおり

(1)　特定教育・保育施設、特定地域型保育事業、延長保育事業、放課後児童クラブ、ファミリー・サポート・センター事業及び児童育成支援拠点事業

　　　施設又は事業者から市町村へ報告を行い、市町村は都道府県へ報告すること。また、都道府県は国へ報告を行うこと。

(2)　幼稚園（特定教育・保育施設でないものに限る。）及び特別支援学校幼稚部（幼稚園について）

　　　施設から各自治体等の実態に合わせて市区町村あるいは都道府県・指定都市、国立大学法人等へ報告することとし、市区町村あるいは都道府県・指定都市、国立大学法人等は国へ報告を行うこと。

(3)　特別支援学校幼稚部（特別支援学校幼稚部について）

　　　施設から設置者へ報告することとし、設置者は国へ報告を行うこと。なお、市町村（指定都市を

除く。）については、都道府県を経由すること。

(4)　子育て短期支援事業、一時預かり事業、病児保育事業及び子育て世帯訪問支援事業

　　　市町村からの委託等により事業を実施している事業者については、事業者から市町村へ報告を行うこと。

　　　市町村（指定都市、中核市又は児童相談所設置市を除く。）は都道府県へ報告し、都道府県（指定都市、中核市又は児童相談所設置市を含む。）は国へ報告を行うこと。

　　　上記以外の場合には、事業者から都道府県（指定都市、中核市又は児童相談所設置市の区域内に所在する事業者については、当該指定都市、中核市又は児童相談所設置市）へ報告し、都道府県（指定都市、中核市又は児童相談所設置市を含む。）は国へ報告を行うこと。

(5)　認可外保育施設

　　　施設から都道府県（指定都市、中核市又は児童相談所設置市の区域内に所在する施設については、当該指定都市、中核市又は児童相談所設置市）へ報告し、都道府県（指定都市、中核市又は児童相談所設置市を含む。）は国へ報告を行うこと。

　　　また、都道府県はその内容を当該施設の所在地の市町村長に通知すること。

　　　なお、企業主導型保育施設からは、上記の都道府県のほか、企業主導型保育事業の実施機関である公益財団法人児童育成協会にも通知すること。

7　国の報告先

(1)　6により国へ報告を行うこととされている都道府県（指定都市、中核市又は児童相談所設置市を含む。）は、別添1「教育・保育施設等事故報告書」により、各施設・事業の所管省庁であるこども家庭庁又は文部科学省へ報告すること。

ア　幼稚園及び幼稚園型認定こども園

　○　文部科学省総合教育政策局

　　　男女共同参画共生社会学習・安全課安全教育推進室学校安全係

　　　・TEL：03-5253-4111（内線2966）

　　　・MAIL：anzen@mext.go.jp

　○　文部科学省初等中等教育局幼児教育課

　　　・MAIL：youji@mext.go.jp

イ　特別支援学校幼稚部

　○　文部科学省総合教育政策局

　　　男女共同参画共生社会学習・安全課安全教育推進室学校安全係

　　　・TEL：03-5253-4111（内線2966）

・MAIL：anzen@mext.go.jp
〇 文部科学省初等中等教育局特別支援教育課
・MAIL：toku-sidou@mext.go.jp

ウ 特定教育・保育施設（幼稚園、幼稚園型認定こども園を除く。）、特定地域型保育事業、一時預かり事業（幼稚園又は幼稚園型認定こども園で実施する場合を除く。）、病児保育事業（幼稚園又は幼稚園型認定こども園で実施する場合を除く。）及び認可外保育施設（企業主導型保育施設を含む。）

〇 こども家庭庁成育局保育政策課認可外保育施設担当室指導係
・TEL：03-6858-0133
・MAIL：ninkagaihoikushisetsu.shidou@cfa.go.jp

エ 放課後児童クラブ
〇 こども家庭庁成育局成育環境課健全育成係
・TEL：03-6861-0303
・MAIL：seiikukankyou.kenzen@cfa.go.jp

オ 子育て短期支援事業、子育て世帯訪問支援事業及び児童育成支援拠点事業
〇 こども家庭庁成育局成育環境課家庭支援係
・TEL：03-6861-0224
・MAIL：seiikukankyou.katei@cfa.go.jp

カ ファミリー・サポート・センター事業
〇 こども家庭庁成育局成育環境課子育て支援係
・TEL：03-6861-0519
・MAIL：seiikukankyou.kosodate@cfa.go.jp

キ その他、事故の報告等の制度全般
〇 こども家庭庁成育局安全対策課事故対策係
・TEL：03-6858-0183
・MAIL：anzentaisaku.jikotaiou@cfa.go.jp

(2) 施設・事業者から報告を受けた市町村又は都道府県は、都道府県又は国への報告とともに、別添1「教育・保育施設等事故報告書」により、消費者庁消費者安全課に報告（消費者安全法に基づく通知）を行うこと。
なお、第1報のみではなく、第2報以降も報告すること。
〇 消費者庁消費者安全課
・TEL：03-3507-9201

・MAIL：i.syouhisya.anzen@caa.go.jp

8 公表等
都道府県・市町村は、報告があった事故について、類似事故の再発防止のため、事案に応じて公表を行うとともに、事故が発生した要因や再発防止策等について、管内の施設・事業者等へ情報提供すること。
併せて、再発防止策についての好事例は、こども家庭庁又は文部科学省へそれぞれ情報提供すること。
なお、公表等に当たっては、保護者の意向や個人情報保護の観点に十分に配慮すること。
また、6により報告された情報については、全体としてこども家庭庁において集約の上、事故の再発防止に資すると認められる情報について、公表するものとする。

【別 紙】
「教育・保育施設等における重大事故の再発防止策に関する検討会」中間取りまとめについて（平成26年11月28日）抜粋
事故が発生した場合には、省令等に基づき施設・事業者から市町村又は都道府県に報告することとされており、適切な運用が必要である。
このうち重大事故については、事故の再発防止のための事後的な検証に資するよう、施設・事業者から報告を求めるとともに、都道府県を経由して国へ報告を求めることが必要である（なお、事後的な検証の対象範囲については、死亡・意識不明のケース以外は今後検討が必要）。
さらに、重大事故以外の事故についても、例えば医療機関を受診した負傷及び疾病も対象とし、市町村が幅広く事故情報について把握することが望ましいという意見もある。
一方、自治体の限られた事務処理体制の中で、効果的・効率的な事故対応により質の確保を図るという観点も考慮すべきとの意見もある。
これらの意見も踏まえ、重大事故以外の事故についても、一定の範囲においては自治体に把握されるべきという考え方を前提として、どこまでの範囲で施設・事業者から報告を求めるべきかについては、各自治体の実情も踏まえ、適切な運用がなされるべきである。

別添1

教育・保育施設等事故報告書

ver.4
（表面）

基本情報

事故報告回数		施設・事業所名称		
事故報告年月日		施設・事業所所在地		
事故報告自治体 （都道府県・市区町村）		施設・事業所代表者等		
施設・事業所種別		施設・事業所設置者等 （社名・法人名・自治体名等）		
認可・認可外の区分		施設・事業開始年月日 （開設、認可、事業開始等）		

事故に遭ったこどもの情報

こどもの年齢（月齢）		こどもの性別	
施設入所年月日 （入園年月日、事業利用開始年月日等）		所属クラス等	
特記事項 （事故と因子関係がある持病、アレルギー、既往症、発育・発達状況等）			

事故発生時の状況

事故発生年月日				事故発生時間帯				
事故発生場所				事故発生クラス等				
事故発生時のこどもの人数			事故発生時の 教育・保育等従事者数			うち保育教諭・幼稚園教諭・保育士・放課後児童支援員等		
事故発生時のこどもの人数 の内訳	0歳	1歳	2歳	3歳	4歳	5歳以上	学童	その他
事故発生時の状況								
事故の誘因								
事故の転帰								
（死亡の場合）死因								
（負傷の場合）受傷部位								
（負傷の場合）負傷状況								
診断名、病状、病院名	診断名							
	病状							
	病院名							
事故の発生状況 （当日登園時からの健康状況、発生後の処置を含めて可能な限り詳細に記載。第1報で可能な範囲で記載し、第2報以降で修正。）								
事故発生後の対応 （報道発表を行う（行った）場合にはその予定（実績）。第2報以降で追記。）								

※　第1報は、本報告書（表面）を記載して報告してください。
※　第1報は、原則事故発生当日（遅くとも事故発生翌日）、第2報は原則1か月以内程度に報告してください。
※　第2報は、記載内容について保護者の了解を得た後に、各自治体へ報告してください。
※　直近の指導監査の状況報告及び発生時の状況図（写真等を含む）を添付してください。
※　意識不明事故に該当しないものの、意識不明に陥った後に死亡事故や重篤な事故となった場合は、意識不明時の状況も記載してください。
※　「（負傷の場合）負傷状況」欄における「骨折（重篤な障害が疑われるもの）」については、医師の所見等により、骨折に伴う重篤な障害
　（偽関節、著しい運動障害、著しい変形等）が残ることが疑われる場合に選択してください。
※　記載欄は適宜広げて記載してください。

教育・保育施設等事故報告書

ver.4
（裏面）

ソフト面

事故防止マニュアル		具体的内容		
事故防止に関する研修		実施頻度 (回／年)		具体的内容
職員配置		具体的内容		
その他の要因・分析・特記事項				
改善策【必須】				

ハード面

施設の安全点検		実施頻度 (回／年)		具体的内容
遊具の安全点検		実施頻度 (回／年)		具体的内容
玩具の安全点検		実施頻度 (回／年)		具体的内容
その他の要因・分析・特記事項				
改善策【必須】				

環境面

教育・保育の状況		具体的内容
その他の要因・分析・特記事項		
改善策【必須】		

人的面

対象児の動き		具体的内容
担当職員の動き		具体的内容
他の職員の動き		具体的内容
その他の要因・分析・特記事項		
改善策【必須】		

自治体コメント【必須】

（自治体による事故発生の要因分析等を記載してください。施設・事業者は記載しないでください。）

【施設・事業所別の報告先】

① 特定教育・保育施設（幼稚園、幼稚園型認定こども園を除く。）、特定地域型保育事業、一時預かり事業（幼稚園、幼稚園型認定こども園で実施する場合を除く。）、病児保育事業（幼稚園、幼稚園型認定こども園で実施する場合を除く。）及び認可外保育施設（企業主導型保育施設を含む。）
→ こども家庭庁成育局保育政策課認可外保育施設担当室指導係（ninkagaihoikushisetsu.shidou@cfa.go.jp）

② 幼稚園、幼稚園型認定こども園
→ 文部科学省総合教育政策局男女共同参画共生社会学習・安全課安全教育推進室学校安全係（anzen@mext.go.jp）
→ 文部科学省初等中等教育局幼児教育課（youji@mext.go.jp ）

③ 特別支援学校幼稚部
→ 文部科学省総合教育政策局男女共同参画共生社会学習・安全課安全教育推進室学校安全係（anzen@mext.go.jp）
→ 文部科学省初等中等教育局特別支援教育課（toku-sidoui@mext.go.jp）

④ 放課後児童健全育成事業（放課後児童クラブ）
→ こども家庭庁成育局成育環境課健全育成係（seiikukankyou.kenzen@cfa.go.jp）

⑤ 子育て短期支援事業（ショートステイ、トワイライトステイ）、子育て世帯訪問支援事業及び児童育成支援拠点事業
→ こども家庭庁成育局成育環境課家庭支援係（seiikukankyou.katei@cfa.go.jp）

⑥ 子育て援助活動支援事業（ファミリー・サポート・センター事業）
→ こども家庭庁成育局成育環境課子育て支援係（seiikukankyou.kosodate@cfa.go.jp）

【全施設・事業所共通の報告先】

→ 消費者庁消費者安全課（i.syouhisya.anzen@caa.go.jp）

※ 【施設・事業所別の報告先】及び【全施設・事業所共通の報告先】ともに報告をお願いします。
※ 裏面の記載事項は、大半部分を公表する予定であるため、個人情報（対象児氏名、搬送先病院名等）は記載しないでください。

教育・保育施設等事故報告書（記載例）

ver.4
（表面）

基本情報							
事故報告回数	第1報			施設・事業所名称	Cこども園		
事故報告年月日	令和6年	1月	11日	施設・事業所所在地	B市中央区D町1－1－1		
事故報告自治体 （都道府県・市区町村）	A県		B市	施設・事業所代表者等	E山　F男		
施設・事業所種別	幼保連携型認定こども園			施設・事業所設置者等 （社名・法人名・自治体名等）	G法人H会		
認可・認可外の区分	認可			施設・事業開始年月日 （開設、認可、事業開始等）	令和2年	4月	1日

事故に遭ったこどもの情報					
こどもの年齢（月齢）	2歳	8か月		こどもの性別	男
施設入所年月日 （入園年月日、事業利用開始年月日等）	令和5年	4月	1日	所属クラス等	3歳児クラス
特記事項 （事故と因子関係がある持病、アレルギー、既往症、発育・発達状況等）	※　事故と因子関係がある場合の、当該こどもの教育・保育において留意が必要な事項（気管切開による吸引等の医療行為、経過観察中の疾病名等）についても、この欄に記載してください。				

事故発生時の状況							
事故発生年月日	令和6年	1月	11日	事故発生時間帯	昼食時・おやつ時		
事故発生場所	施設内（室内）			事故発生クラス等	異年齢構成		
事故発生時のこどもの人数	10名			事故発生時の 教育・保育等従事者数	3名	うち保育教諭・幼稚園教諭・保育士・放課後児童支援員等	1名
事故発生時のこどもの人数 の内訳	0歳 0名	1歳 0名	2歳 3名	3歳 3名	4歳 4名	5歳以上 0名	学童 0名	その他 0名
事故発生時の状況	食事中（おやつ含む）						
事故の誘因	死亡						
事故の転帰	死亡						
（死亡の場合）死因	窒息　※　事故の転帰が「負傷」の場合は、「－」を選択してください。						
（負傷の場合）受傷部位	－　※　事故の転帰が「死亡」の場合は、「－」を選択してください。						
（負傷の場合）負傷状況	－　※　事故の転帰が「死亡」の場合は、「－」を選択してください。						
診断名、病状、病院名	診断名	※　SIDSについては、確定診断が出された時のみ記載してください。					
	病状	※　SIDS疑いの場合は、病状として記載してください。					
	病院名	I総合病院					
事故の発生状況 （当日登園時からの健康状況、発生後の処置を含めて可能な限り詳細に記載。第1報で可能な範囲で記載し、第2報以降で修正。）	15:20　本児はケーキ（縦2cm、横2cm、厚さ2cm）をほおばりながら食べるという食べ方をしていた。 　　　　2つ目に手を伸ばし、食べていた。この時、担任保育士は少し離れた場所で他児の世話をしていた。 　　　　ケーキを食べた本児が急に声を出して泣き出した。 　　　　保育士が口内に指を入れて、かき出していたが本児の唇が青くなったことに気がついた。 15:25　看護師を部屋に呼んだ後、救急車を要請。口に手を入れ前かせた。 　　　　背中を強く叩いたが、何も出てこない。泣き声が次第にかすれ声になり、体が硬直してきた。 　　　　看護師が到着した頃に、チアノーゼの症状が見られた。呼吸困難で、手は脱力した状態であることを確認した。 　　　　本児がぐったりとし、顔等が冷たいのを確認した。 　　　　心臓を確認すると、止まっている様に感じ、心臓マッサージを行う。 15:33　救急隊が到着し、心肺蘇生等を実施し、病院へ搬送。 15:45　病院到着。意識不明であり、入院。　○/○　意識が回復しないまま死亡。						
事故発生後の対応 （報道発表を行う（行った）場合にはその予定（実績）。第2報以降で追記。）	【園の対応】 ○/○　園において児童の保護者と面談　○/○　園で保護者説明会　○/○　理事会で園長が説明 【市の対応】 ○/○　記者クラブへ概要を説明						

※　第1報は、本報告書（表面）を記載して報告してください。
※　第1報は、原則事故発生当日（遅くとも事故発生翌日）、第2報は原則1か月以内程度に報告してください。
※　第2報は、記載内容について保護者の了解を得た後に、各自治体へ報告してください。
※　直近の指導監査の状況報告及び発生時の状況図（写真等を含む）を添付してください。
※　意識不明事故に該当しないものの、意識不明に陥った後に死亡事故や重篤な事故となった場合は、意識不明時の状況も記載してください。
※　「（負傷の場合）負傷状況」欄における「骨折（重篤な障害が疑われるもの）」については、医師の所見等により、骨折に伴う重篤な障害（偽関節、著しい運動障害、著しい変形等）が残ることが疑われる場合に選択してください。
※　記載欄は適宜広げて記載してください。

教育・保育施設等事故報告書（記載例）

ver.4
（裏面）

ソフト面

事故防止マニュアル	**あり**	具体的内容	※ マニュアルや指針の名称を記載してください。 ※ 記載内容が無い場合は、空欄ではなく「特になし」等と記載してください（以下、同項目において同じ。）。
事故防止に関する研修	**不定期に実施**	実施頻度 （回／年） **年に10回**	具体的内容 ※ 実施している場合は、研修内容・対象者・講師等も簡単に記載してください。
職員配置	**基準配置**	具体的内容	※ 事故発生時ではなく、事故発生当日の保育体制としての配置人数について記載してください。
その他の要因・分析・特記事項	※ 当該事故に関連する要因や特記事項がある場合、必ず記載してください。 ※ 記載内容が無い場合は、空欄ではなく「特になし」等と記載してください（以下、同項目において同じ。）。		
改善策【必須】	※ 要因分析の項目を記載した場合は必ず記載してください。また、改善点がない場合もその理由を記載してください。		

ハード面

施設の安全点検	**定期的に実施**	実施頻度 （回／年） **年に24回**	具体的内容 ※ 施設外での事故の場合は、当該場所の安全点検状況を記載してください（以下同じ。）。
遊具の安全点検	**定期的に実施**	実施頻度 （回／年） **年に12回**	具体的内容 ※ 遊具等の器具により事故が発生した場合には、当該器具のメーカー名、製品名、型式、構造等についても記載してください。
玩具の安全点検	**不定期に実施**	実施頻度 （回／年） **年に10回**	具体的内容 ※ 玩具等の器具により事故が発生した場合には、当該器具のメーカー名、製品名、型式、構造等についても記載してください。
その他の要因・分析・特記事項	※ 寝具の種類（コット、布団（堅さも）、ベビーベッド、ラックなど）、睡眠チェックの方法（頻度など）、児童の発達状況（寝返り開始前、寝返り開始から日が浅い場合は経過日数、自由に動けるなど）等、乳児の睡眠環境については、特に詳細に記載してください。分析も含めた特記事項等、当該事故に関連することを記載してください。		
改善策【必須】	※ 要因分析の項目を記載した場合は必ず記載してください。また、改善点がない場合もその理由を記載してください。		

環境面

教育・保育の状況	**食事(おやつ)中**	具体的内容	※ 運動会の練習中、午睡後の集団遊び中等、具体的な保育状況を記載してください。
その他の要因・分析・特記事項	※ 分析も含めた特記事項等、当該事故に関連することを記載してください。		
改善策【必須】	※ 要因分析の項目を記載した場合は必ず記載してください。また、改善点がない場合もその理由を記載してください。		

人的面

対象児の動き	**いつもより活発・活動的であった**	具体的内容	※ なぜそのような行動をとったのかを明らかにするため、具体的に記載してください。 （例：朝、母親より風邪気味と申し送りあり、いつもは外遊びをするが室内で遊んでいた等）
担当職員の動き	**対象児から離れたところで対象児を見ていた**	具体的内容	※ なぜそのような対応をしたのかを明らかにするため、具体的に記載してください。 （例：雲梯の反対側で対象児ともう一人の児童を見ていたが、対象児が落下する瞬間に手を差し伸べたが間に合わなかった等）
他の職員の動き	**担当者・対象児の動きを見ていなかった**	具体的内容	※ なぜそのような対応をしたのかを明らかにするため、具体的に記載してください。 （例：園庭で他児のトラブルに対応していたため、見ていなかった等）
その他の要因・分析・特記事項	※ 分析も含めた特記事項等、当該事故に関連することを記載してください。		
改善策【必須】	※ 要因分析の項目を記載した場合は必ず記載してください。また、改善点がない場合もその理由を記載してください。		

自治体コメント【必須】

（自治体による事故発生の要因分析等を記載してください。施設・事業者は記載しないでください。）

※ 自治体の立ち入り検査や第三者評価の結果、勧告や改善命令などの履歴があるかどうか、その結果や改善勧告への対応、今後の研修計画等あればその内容等、所管自治体として把握していること、取り組んでいることも含めて記載してください。

【施設・事業所別の報告先】

① 特定教育・保育施設（幼稚園、幼稚園型認定こども園を除く。）、特定地域型保育事業、一時預かり事業（幼稚園、幼稚園型認定こども園で実施する場合を除く。）、病児保育事業（幼稚園、幼稚園型認定こども園で実施する場合を除く。）及び認可外保育施設（企業主導型保育施設を含む。）
→ こども家庭庁成育局保育政策課認可外保育施設担当室指導係（ninkagaihoikushisetsu.shidou@cfa.go.jp）

② 幼稚園、幼稚園型認定こども園
→ 文部科学省総合教育政策局男女共同参画共生社会学習・安全課安全教育推進室学校安全係（anzen@mext.go.jp）
→ 文部科学省初等中等教育局幼児教育課（youji@mext.go.jp）

③ 特別支援学校幼稚部
→ 文部科学省総合教育政策局男女共同参画共生社会学習・安全課安全教育推進室学校安全係（anzen@mext.go.jp）
→ 文部科学省初等中等教育局特別支援教育課（toku-sidoui@mext.go.jp）

④ 放課後児童健全育成事業（放課後児童クラブ）
→ こども家庭庁成育局成育環境課健全育成係（seiikukankyou.kenzen@cfa.go.jp）

⑤ 子育て短期支援事業（ショートステイ、トワイライトステイ）、子育て世帯訪問支援事業及び児童育成支援拠点事業
→ こども家庭庁成育局成育環境課家庭支援係（seiikukankyou.katei@cfa.go.jp）

⑥ 子育て援助活動支援事業（ファミリー・サポート・センター事業）
→ こども家庭庁成育局成育環境課子育て支援係（seiikukankyou.kosodate@cfa.go.jp）

【全施設・事業所共通の報告先】

→ 消費者庁消費者安全課（i.syouhisya.anzen@caa.go.jp）

※ 【施設・事業所別の報告先】及び【全施設・事業所共通の報告先】ともに報告をお願いします。
※ 裏面の記載事項は大半部分を公表する予定であるため、個人情報（対象児氏名、搬送先病院名等）は記載しないでください。

特定教育・保育施設等における事故情報データベースに掲載する情報

掲載しない情報

事故報告自治体	施設・事業所名称

掲載する情報

事故の発生状況（表面）	自治体コメント（裏面）

掲載しない情報	
保護者の同意	

※　本通知に基づき報告があった事故の情報について、データベース化したものを公表しています。

※　「DB掲載用」シートの事故の「発生状況」は、教育・保育施設等事故報告書（裏面）の「事故の発生状況」欄に記載された内容、「自治体コメント」欄は、同報告書（裏面）の「自治体コメント」に記載されたものとし、必要に応じて削除、黒塗り等によって修正してください。

※　データベースについては、発生した事故に関する情報を収集し、今後の事故を防止に資するために作成しているという趣旨を御理解いただき、掲載について保護者の方の同意を得た上で、「保護者の同意」欄に○印を付していただくようお願いします。

※「表面」の「裏面」の記載事項が自動反映されます。このシートの削除やセルの値の変更はしないでください。

基本情報

事故発生		報告自治体		施設・事業所名称	事故報告回数
年	月	日	都道府県	市区町村	

事故の概要

認可・認可外の区分	施設・事業所種別	事故発生の場所		事故発生時のクラス（年齢別）	事故発生時のもの・人数
		月	時刻開始		

事故発生時の状況

異年齢構成の場合の内訳

事故発生時の体制別						教育・保育従事者			事故に遭ったこどもの情報			
0歳	1歳	2歳	3歳	4歳	5歳以上				年齢	性別	特記事項	事故発生時の状況

事故の転帰

負傷		死亡	
負傷状況受傷部位	診断名	死因	

自治体コメント（裏面）

事故の発生状況（表面）

事故の誘因

事故発生の要因分析

ソフト面

事故防止研修	実施頻度（回/年）	その他の要因・分析・特記事項	改善策
事故防止マニュアル	実施頻度（回/年）	職員履歴	

ハード面

施設の安全点検	実施頻度（回/年）	遊具の安全点検	実施頻度（回/年）	玩具の安全点検	実施頻度（回/年）	その他の要因・分析・特記事項	改善策

環境面

教育・保育の状況	改善策	その他の要因・分析・特記事項	

人的面

担当職員の動き	具体的内容	対象児の動き	具体的内容	他の職員の動き	具体的内容	その他の要因・分析・特記事項	改善策

【プルダウンメニュー一覧】 ※ プルダウンメニューが設定されているセルは、以下の選択肢の中から回答してください。

報告事項	選択肢
事故報告回数	1. 第1報　2. 第2報　3. 第3報　4. 第4報以降
事故報告年月日	1. 令和6年～令和20年　　2. 1月～12月　　3. 1日～31日
事故報告自治体 （都道府県のみ）	北海道　青森県　岩手県　宮城県　秋田県　山形県　福島県　茨城県　栃木県　群馬県　埼玉県　千葉県　東京都　神奈川県　新潟県　富山県　石川県　福井県　山梨県　長野県　岐阜県　静岡県　愛知県　三重県　滋賀県　京都府　大阪府　兵庫県　奈良県　和歌山県　鳥取県　島根県　岡山県　広島県　山口県　徳島県　香川県　愛媛県　高知県　福岡県　佐賀県　長崎県　熊本県　大分県　宮崎県　鹿児島県　沖縄県
施設・事業所種別	1. 幼保連携型認定こども園　　2. 幼稚園型認定こども園　　3. 保育所型認定こども園　4. 地方裁量型認定こども園　　5. 幼稚園　　6. 認可保育所　　7. 小規模保育事業　　8. 家庭的保育事業　9. 居宅訪問型保育事業　　10. 事業所内保育事業(認可)　　11. 一時預かり事業　　12. 病児保育事業　13. 子育て援助活動支援事業(ファミリー・サポート・センター事業)　14. 子育て短期支援事業(ショートステイ)　15. 子育て短期支援事業(トワイライトステイ)　16. 子育て世帯訪問支援事業　17. 児童育成支援拠点事業　18. 放課後児童健全育成事業(放課後児童クラブ)　19. 企業主導型保育施設　20. 地方単独保育施設　21. その他の認可外保育施設　22. 認可外の居宅訪問型保育事業
認可・認可外の区分	1. 認可　2. 認可外　3. その他
施設・事業開始月日	1. 1月～12月　　2. 1日～31日
こどもの年齢	1. 0歳　2. 1歳　3. 2歳　4. 3歳　5. 4歳　6. 5歳　7. 6歳　8. 学童 （学童を除き0か月～11か月も選択）
こどもの性別	1. 男　2. 女
施設入所年月日	1. 平成30年～令和20年　　2. 1月～12月　　3. 1日～31日
所属クラス等	1. 0歳児クラス　　2. 1歳児クラス　　3. 2歳児クラス　　4. 3歳児クラス　　5. 4歳児クラス　6. 5歳以上児クラス　　7. 異年齢構成　　8. 学童
事故発生年月日	1. 令和5年～令和20年　　2. 1月～12月　　3. 1日～31日
事故発生時間帯	1. 朝(始業～午前10時頃)　2. 午前中　3. 昼食時・おやつ時　4. 午睡中　5. 午後　6. 夕方(16時頃～夕食提供前頃)　7. 夜間・早朝(泊り保育)
事故発生場所	1. 施設内(室内)　　2. 施設内(室外・園庭等)　　3. 施設外(園外保育先・公園等)
事故発生クラス等	1. 0歳児　2. 1歳児　3. 2歳児　4. 3歳児　5. 4歳児　6. 5歳以上児　7. 異年齢構成　8. 学童
事故発生時の状況	1. 屋外活動中　2. 室内活動中　3. 睡眠中(うつぶせ寝)　4. 睡眠中(うつぶせ寝以外)　5. 食事中(おやつ含む)　6. 水遊び・プール活動中　7. 登園・降園中　8. その他
事故の誘因	1. 死亡　2. 遊具等からの転落・落下　3. 自らの転倒・衝突　4. こども同士の衝突　5. 玩具・遊具等施設・設備の安全上の不備　6. 他児からの危害　7. アナフィラキシー　8. 溺水　9. その他
事故の転帰	1. 負傷　2. 死亡
死因	1. 乳幼児突然死症候群(SIDS)　2. 窒息　3. 病死　4. 溺死　5. アナフィラキシーショック　6. その他　7. ―
受傷部位	1. 頭部　2. 顔面(口腔内含む)　3. 体幹(首・胸部・腹部・臀部)　4. 上肢(腕・手・手指)　5. 下肢(足・足指)　6. ―
負傷状況	1. 意識不明　2. 骨折(重篤な障害が疑われるもの)　3. 骨折(重篤な障害が疑われるもの以外)　4. 火傷　5. 創傷(切創・裂創等)　6. 口腔内受傷　7. その他　8. ―
事故防止マニュアル	1. あり　2. なし
事故防止に関する研修	1. 定期的に実施　2. 不定期に実施　3. 未実施
職員配置	1. 基準以上配置　2. 基準配置　3. 基準以下
施設の安全点検	1. 定期的に実施　2. 不定期に実施　3. 未実施　4. ―
遊具の安全点検	1. 定期的に実施　2. 不定期に実施　3. 未実施　4. ―
玩具の安全点検	1. 定期的に実施　2. 不定期に実施　3. 未実施　4. ―
教育・保育の状況	1. 集団活動中・見守りあり　2. 集団活動中・こども達のみ　3. 個人活動中・見守りあり　4. 個人活動中・こどものみ　5. 睡眠(午睡)中　6. 食事(おやつ)中　7. その他
対象児の動き	1. いつもどおりの様子であった　2. いつもより元気がなかった　3. いつもより活発・活動的であった　4. 具合が悪かった(熱発・腹痛・風邪気味等)
担当職員の動き	1. 対象児とマンツーマンの状態(対象児に接していた) 2. 対象児の至近で対象児を見ていた 3. 対象児から離れたところで対象児を見ていた 4. 対象児の動きを見ていなかった
他の職員の動き	1. 担当者・対象児の動きを見ていた(至近距離にいた) 2. 担当者・対象児の動きを見ていなかった　3. ―

報告ルート

① 第1報：原則事故発生当日（遅くとも発生翌日）　② 第2報：原則1か月以内程度　等

施設等区分①
※指定都市・中核市含む

市区町村 → 都道府県 → こども家庭庁／文部科学省／消費者庁

- ○特定教育・保育施設
- ○特定地域型保育事業
- ○延長保育事業
- ○放課後児童クラブ
- ○ファミリー・サポート・センター事業
- ○児童育成支援拠点事業

施設等区分②
※実態に合わせて報告

- ○幼稚園（特定教育・保育施設でないもの）
- ○特別支援学校幼稚部

都道府県・指定都市・国立大学法人等 → 文部科学省／消費者庁
※実態に合わせて報告

施設等区分③
事業所 → 市区町村 → 都道府県 → こども家庭庁／消費者庁

- ○子育て短期支援事業
- ○子育て世帯訪問支援事業
- ○一時預かり事業
- ○病児保育事業
（指定都市・中核市・児童相談所設置市以外の市区町村から委託等をされた場合）

施設等区分④
事業所 → 都道府県 → こども家庭庁／消費者庁
※指定都市・中核市・児童相談所設置市含む

- ○子育て短期支援事業
- ○子育て世帯訪問支援事業
- ○一時預かり事業
- ○病児保育事業
（左記以外の場合）

施設等区分⑤
認可外 → 都道府県 → こども家庭庁／消費者庁
※指定都市・中核市・児童相談所設置市含む

- ○認可外保育施設
（認可外の居宅訪問型保育事業を含む）

※ 企業主導型ベビーシッター等利用支援事業は、併せて「全国保育サービス協会」に通知すること。

施設等区分⑥
認可外 → 都道府県 → こども家庭庁／消費者庁
※指定都市・中核市・児童相談所設置市含む

- ○認可外保育施設
（企業主導型保育施設）

※ 企業主導型保育施設は、併せて「公益財団法人 児童育成協会」に通知すること。

○教育・保育施設等における重大事故の再発防止のための事後的な検証について

令和6年3月22日　こ成安第37号・5教参学第40号
各都道府県・各指定都市・各中核市保育・児童福祉主管部（局）長・認定こども園担当課長・各都道府県・各指定都市・各中核市・各児童相談所設置市認可外保育施設担当課（室）長・各都道府県・各指定都市・各中核市子育て援助活動支援事業（ファミリー・サポート・センター事業）担当課長・各都道府県等教育委員会学校安全担当・各都道府県私立学校主管課長・附属学校を置く国立大学法人担当課長宛　こども家庭庁成育局安全対策・保育政策課長・保育政策課認可外保育施設担当室長・成育環境・文部科学省総合教育政策局男女共同参画共生社会学習・安全課長連名通知

子ども・子育て支援新制度において、特定教育・保育施設及び特定地域型保育事業者は、事故の発生又は再発を防止するための措置及び事故が発生した場合に、市町村、家族等に対する連絡等の措置を講ずることとされている。

このことを踏まえ、第16回子ども・子育て会議（平成26年6月30日開催）において、行政による再発防止に関する取組の在り方等について検討すべきとされた。

これを受け、平成26年9月8日、「教育・保育施設等における重大事故の再発防止策に関する検討会」が設置され、平成27年12月に重大事故の発生防止のための今後の取組みについて最終取りまとめが行われた。

この取りまとめでは、死亡事故等の重大事故の発生前、発生時、発生後の一連のプロセスにおけるこどもや周囲の状況、時系列の対応などを検証し、検証の結果を重大事故の再発防止に役立てていくことが極めて重要であることから、地方自治体において検証を実施するよう提言を受けた。

この取りまとめを踏まえ、地方自治体が行う死亡事故等の重大事故の検証の参考となるよう、検証を実施する際の基本的な考え方、検証の進め方等について整理した通知を発出し、平成28年4月1日から運用を開始したものであり、現在は令和5年12月14日に発出した「教育・保育施設等における重大事故の再発防止のための事後的な検証について」（こ成安第143号・5教参学第31号、以下「旧通知」という。）に基づき運用している。

今般、新たに地域子ども・子育て支援事業に加わる子育て世帯訪問支援事業及び児童育成支援拠点事業におけるこどもの死亡事故等の重大事故についても、検証の対象とすることとし、下記のとおり通知するので、御了知の上、管内の市町村（特別区を含む。）、関係機関及び施設・事業者等に対して周知いただくとともに、その運用に遺漏のないようお願いする。

本通知については、令和6年4月1日から運用するので、本通知の運用開始に伴い旧通知は廃止する。

なお、本通知は、地方自治法（昭和22年法律第67号）第245条の4第1項に規定する技術的助言として発出するものであることを申し添える。

記

第1　基本的な考え方

1　目的

検証は、特定教育・保育施設、特定地域型保育事業、地域子ども・子育て支援事業、認可外保育施設及び認可外の居宅訪問型保育事業（以下「教育・保育施設等」という。）におけるこどもの死亡事故等の重大事故について、事実関係の把握を行い、死亡した又は重大な事故に遭ったこどもやその保護者の視点に立って発生原因の分析等を行うことにより、必要な再発防止策を検討するために行う。

2　実施主体

(1)　検証の実施主体

行政による児童福祉法（平成22年法律第164号）に基づく認可権限、子ども・子育て支援法（平成24年法律第65号）に基づく確認権限等を踏まえ、死亡事故等の重大事故の検証の実施主体については、「認可外保育施設」及び「認可外の居宅訪問型保育事業」における事故に関しては都道府県（指定都市、中核市を含む。）とし、「特定教育・保育施設」、「特定地域型保育事業」、「地域子ども・子育て支援事業」における事故に関しては市町村とする。

(2)　都道府県と市町村の連携

市町村が検証を実施する場合には、都道府県が支援を行う。

また、都道府県が検証を実施する場合、市町村は協力することとし、検証の実施は、都道府県と市町村が連携して行うものとする。

　なお、都道府県が行う市町村に対する支援の例として、

①　認可外保育施設及び認可外の居宅訪問型保育事業の検証を行うこととなる都道府県において、あらかじめ検証組織の委員候補者として適当な有識者（例えば、学識経験者、医師、弁護士、教育・保育関係者、栄養士（誤嚥等の場合）、各事業に知見のある者（地域子ども・子育て支援事業の場合）等）をリストアップしておき、市町村が実際に検証組織を設ける際に、必要に応じ、当該リストの有識者から都道府県が委員を紹介する。

②　都道府県内における検証事例の蓄積を行い、実際に検証を行う際に技術的援助を行う。

③　定期的に行っている認可権に基づく指導監査の状況についての情報提供や、当該権限を根拠とした当該事故についての資料収集、事実確認への協力を行う。

④　検証組織について、必要に応じ、オブザーバー参加や共同事務局となるなどの協力を検討する。

⑤　これらを円滑に進めるため、都道府県と市町村の間で、市町村が集まる会議や個別の市町村との連絡会議などにおいて、あらかじめ協議をする。

　ことなどが考えられる。

3　検証の対象範囲

(1)　死亡事故

　※　乳幼児突然死症候群（SIDS）や死因不明とされた事例も、事故発生時の状況等について検証する。

(2)　意識不明事故（どんな刺激にも反応しない状態に陥ったもの）

　※　意識不明の原因が病気であると判明したものを除く。

(3)　死亡事故、意識不明事故以外の重大事故で、都道府県又は市町村において検証が必要と判断した事故

　※　都道府県又は市町村が検証を実施しない事故や、いわゆるヒヤリ・ハット事例等については、各施設・事業者等において検証を実施する。

4　検証組織及び検証委員の構成

(1)　検証組織

　都道府県又は市町村における死亡事故等の重大事故の検証に当たっては、外部の委員で構成する検証委員会を設置して行う。

(2)　検証委員の構成

　検証組織の委員については、教育・保育施設等における重大事故の再発防止に知見のある有識者とする。例えば、学識経験者、医師、弁護士、教育・保育関係者、栄養士（誤嚥等の場合）、各事業に知見のある者（地域子ども・子育て支援事業の場合）等が考えられる。

　また、検証委員会における検証に当たっては、必要に応じて関係者の参加を求める。

5　検証委員会の開催

(1)　死亡事故については、事故発生後速やかに検証委員会を開催する。

　また、死亡事故以外の重大事故については、年間に複数例発生している地域等、随時開催することが困難な場合、複数例を合わせて検証委員会を開催することも考えられる。

　なお、検証については、事故発生の事実把握、発生原因の分析等を行い、必要な再発防止策を検討するものであり、関係者の処罰を目的とするものではないことを明確にする。

(2)　検証を行うに当たって、関係者から事例に関する情報の提供を求めるとともにヒアリング等を行い、情報の収集及び整理を行う。

　この情報を基に、関係機関ごとのヒアリング、現地調査その他の必要な調査を実施し、事実関係を明らかにするとともに、発生原因の分析等を行う。

　あわせて、調査結果に基づき、事故発生前・発生時の状況や発生後の対応等に係る課題を明らかにし、再発防止のために必要な改善策を検討する。

　また、プライバシー保護の観点から、委員会は非公開とすることも考えられる。

　公開又は非公開の範囲については、プライバシー保護及び保護者の意向に十分配慮した上で、個別事例ごとに関係者を含めて十分に協議する。

　関係者へのヒアリングのみ非公開とするなど、「一部非公開」等の取扱いも考えられる。

　なお、調査や検証を行う立場にある者に対し、これらの業務に当たって知り得たことについて、業務終了後も含み守秘義務を課すことに留意する。

(3)　検証を行うに当たっては、保護者やこどもの心情に十分配慮しながら行う。

6　報告等

(1) 検証委員会は、検証結果とともに、再発防止のための提言をまとめ、都道府県又は市町村に報告する。

(2) 都道府県又は市町村は、プライバシー保護及び保護者の意向に十分配慮した上で、原則として、検証委員会から提出された報告書を公表することとし、国へも報告書を提出する。

あわせて、速やかに報告書の提言を踏まえた具体的な措置を講じ、各施設・事業者等に対しても具体的な措置を講じることを求める。

また、都道府県又は市町村は、講じた措置及びその実施状況について自ら適時適切に点検・評価し、各施設・事業者等が講じた措置及びその実施状況についても適時適切に点検・評価する。

(3) 都道府県又は市町村は、検証委員会の報告を踏まえ、必要に応じ、関係機関、関係者に対し指導を行う。

第2 具体的な検証の進め方

1 事前準備

(1) 情報収集

検証の対象事例について、事務局は都道府県又は市町村に提出された事故報告等を通じて、以下の①から⑨の事項に関する情報収集を行う。

この場合、事務局は、必要に応じて施設や事業者等からヒアリングを行う。市町村が実施する場合は、都道府県の協力を得て行う。

① こどもの事故当日の健康状態など、体調に関すること等（事例によっては、家族の健康状態、事故発生の数日前の健康状態、施設や事業の利用開始時の健康状態の情報等）

② 死亡事故等の重大事故に至った経緯

③ 都道府県又は市町村の指導監査の状況等

④ 事故予防指針の整備、研修の実施、職員配置等に関すること（ソフト面）

⑤ 設備、遊具の状況などに関すること（ハード面）

⑥ 教育・保育等が行われていた状況に関すること（環境面）

⑦ 担当保育教諭・幼稚園教諭・保育士等の状況に関すること（人的面）

⑧ 事故発生後の対応（各施設・事業者等及び行政の対応）

⑨ 事故が発生した場所の見取り図、写真、ビデオ等

(2) 資料準備

① 「(1) 情報収集」で収集した情報に基づき、事実関係を時系列にまとめ、上記(1)の内容を含む「事例の概要」を作成する。

「事例の概要」には、その後、明らかになった事実を随時追記していき、基礎資料とする。

② 当該施設・事業所等の体制等に関する以下のアからオの内容を含む資料を作成する。

ア 当該施設・事業所等の組織図

イ 職種別職員数

ウ 利用こども数

エ クラス編成等の教育・保育体制等

オ その他必要な資料

③ 検証の方法、スケジュールについて計画を立て資料を作成する。

④ その他（検証委員会の設置要綱、委員名簿、報道記事等）の資料を準備する。

2 事例の内容把握

会議初回には、その目的が再発防止策を検討するためのものであり、関係者の処罰を目的とするものでないことを検証委員全員で確認した上で、検証の対象となる事例の内容を以下の項目に留意し、把握する。

(1) 確認事項

① 検証の目的

② 検証方法（関係者ごとのヒアリング、現地調査等による事実関係の確認、問題点・課題の抽出、問題点・課題に関する提案事項の検討、報告書の作成等）

③ 検証スケジュール

(2) 事例の内容把握

① 事前に収集された情報から事例の概要を把握する。

② 疑問点や不明な点を整理する。

3 問題点・課題の抽出

事例の事実関係が明確になった段階で、それを基に、なぜ検証対象の死亡事故等の重大事故が発生したのか、本事例が発生した背景、対応方法、組織の体制、その他の問題点・課題を抽出し、再発防止につなげる。

抽出の過程で、さらに事実関係を明確化する必要がある場合、事務局又は検証委員会によるヒアリングや現地調査等を実施する。

この作業を徹底して行うことが、その後の具体的な提言につながることから、特に時間をかけて検討を行うとともに、検討に当たっては、客観的な事実、データに基づき建設的な議論を行うこと

が期待される。

4　検証委員会における提言

事例が発生した背景、対応方法、組織上の問題等、抽出された問題点・課題を踏まえ、その解決に向けて実行可能性を勘案しつつ、具体的な対策を講ずべき主体ごとに提言を行う。

なお、各施設・事業者等の対応など早急に改善策を講じる必要がある場合、検証の経過において、まず早急に講ずべき改善策について、提言を行うことを考える必要がある。

その際、提言を受けた都道府県、市町村及び各施設・事業者等は、検証の全体の終結を待たずにできるだけ早急に具体的な措置を講じることも考える必要がある。

5　報告書

(1)　報告書の作成

①　事務局は、報告書に盛り込むべき以下のアからケの内容例を参考に、それまでの検証組織における審議結果を踏まえ報告書の素案を作成する。

ア　検証の目的
イ　検証の方法
ウ　事例の概要
エ　明らかとなった問題点や課題
オ　問題点や課題に対する提案（提言）
カ　今後の課題
キ　会議開催経過
ク　検証組織の委員名簿
ケ　参考資料

②　報告書の内容を検討、精査する。

③　検証組織は報告書を取りまとめ、都道府県又は市町村に提出する。

(2)　公表

各施設・事業所等における死亡事故等の重大事故について検証を行うことは、その後の事故の再発防止に密接に関連するものであり、事故に遭ったこどもや保護者の意向にも配慮しつつ、原則として検証結果は公表すべきである。

公表に当たっては、個人が特定される情報は削除するなど、プライバシーの保護について十分配慮する。

なお、公表の際には国に報告書を提出する。

(3)　提言を受けての具体的な措置等

都道府県又は市町村は、報告書の提言を受けて、速やかに具体的な措置を講じるとともに、講じた措置及びその実施状況について、自ら適時適切に点検・評価する。

また、各施設・事業者等が講じた措置及びその実施状況についても、都道府県又は市町村が適時適切に点検・評価する。

第3　検証に係る指導監査等の実施について

1　死亡事故等の重大事故が発生した場合の指導監査等について

死亡事故等の重大事故が発生した場合、必要に応じて事前通告なく、就学前の子どもに関する教育、保育等の総合的な提供の推進に関する法律（平成18年法律第77号。以下「認定こども園法」という。）に基づく指導監査、児童福祉法に基づく指導監査及び指導監督、子ども・子育て支援法に基づく指導監査（以下「指導監査等」という。）を実施する。

また、指導監査等の実施については、以下の「指導監査等の対象となる施設・事業、実施主体、根拠法及び監査指針等」を参照すること。

2　第2の1(1)の情報収集については、死亡事故等の重大事故の発生前までに実施した指導監査等の状況及び当該事故に係る指導監査等の結果を活用し、事実関係を整理する。

3　死亡事故等の重大事故が発生した各施設・事業に対する当該事故後の指導監査等においては、当該事故と同様の事故の再発防止策がとられているかなど、検証結果を踏まえた措置等についても確認すること。

〇指導監査等の対象となる施設・事業、実施主体、根拠法及び監査指針等

施設・事業	指導監査等の実施主体	根拠法	監査指針等
・特定教育・保育施設 ・特定地域型保育事業	市町村	子ども・子育て支援法	子ども・子育て支援法に基づく特定教育・保育施設等の指導監査について（平成27年12月7日府子本第390号、27文科初第1,135号、雇児発1207第2号）
幼保連携型認定こども園（※）	都道府県 指定都市 中核市	認定こども園法	就学前の子どもに関する教育、保育等の総合的な提供の推進に関する法律に基づく幼保連携型認定こども園に対する指導監査について（平成27年12月7日府子本第373号、27文科初第1,136号、雇児発1207第1号）
保育所（※）	都道府県 指定都市 中核市	児童福祉法	児童福祉行政指導監査の実施について（平成12年4月25日児発第471号）
地域型保育事業	市町村	児童福祉法	児童福祉法に基づく家庭的保育事業等の指導監査について（平成27年12月24日雇児発1224第2号）
・認可外保育施設 ・認可外の居宅訪問型保育事業	都道府県 指定都市 中核市	児童福祉法	認可外保育施設に対する指導監督の実施について（平成13年3月29日雇児発第177号）

（※）　上記の表のうち、幼保連携型認定こども園及び保育所については、都道府県と市町村の双方が指導監査等を実施することになるが、この場合、都道府県と市町村は互いに連携して指導監査等を実施する。

（参　考）検証の進め方の例

検証は、以下の図のような流れで実施する。

事前準備	●関係者から事例に関する情報収集、概要資料（事例の概要）作成 ●現行の教育・保育施設等の職員体制等検証に必要な関係資料作成
会議初回	○検証の目的の確認 ○検証の方法、スケジュールの確認 ○事例の内容把握
会議開催	○問題点・課題の抽出 ○●必要に応じて、ヒアリングや現地調査等の実施 ○問題点・課題に対する提言の検討 ●報告書素案を作成 ○報告書の内容を検討
会議最終回	○報告書の取りまとめ
報告書取りまとめ	●報告書の公表。国への報告書の提出 ●提言を基に再発防止策の措置を講ずる

※●事務局作業
　　○会議における議事内容

7　指導監査

○就学前の子どもに関する教育、保育等の総合的な提供の推
　進に関する法律に基づく幼保連携型認定こども園に対する
　指導監査について

平成27年12月7日　府子本第373号・27文科初第1136号・
雇児発1207第1号
各都道府県知事・各都道府県教育委員会教育長・各指定都
市市長・各中核市市長・各指定都市・各中核市教育委員会
教育長宛　内閣府子ども・子育て本部統括官・文部科学省
初等中等教育・厚生労働省雇用均等・児童家庭局長連名通
知

注　令和5年3月31日府子本第386号・4文科初第2796号・子発0331第8号

　このたび、就学前の子どもに関する教育、保育等の総合的な提供の推進に関する法律の一部を改正する法律（平成24年法律第66号）による改正後の就学前の子どもに関する教育、保育等の総合的な提供の推進に関する法律（平成18年法律第77号。以下「認定こども園法」という。）第19条等に基づく幼保連携型認定こども園に対する指導監査（以下「指導監査」という。）について、下記のとおり基本的な考え方を取りまとめました。

　各都道府県知事及び各指定都市・中核市市長におかれては、十分御了知の上、貴管内の関係者に対して遅滞なく周知するとともに、教育委員会等の関係部局と連携し、その運用に遺漏のないよう配意願います。

　なお、幼保連携型認定こども園以外の類型の認定こども園については、基本的には幼稚園、保育所の認可等を受けて設置・運営されているものであり、幼稚園、保育所等としての指導監査を基礎として、認定こども園としての認定基準の遵守状況等を定期的な実地検査等により確認することが考えられるところ、具体的な指導監査の実施方針等については、幼保連携型認定こども園の取扱いを踏まえつつ、認定を行う各都道府県の判断に委ねられるべきものと考えているので、念のため、申し添えます。

　また、本通知は、地方自治法（昭和22年法律第67号）第245条の4第1項の規定に基づく技術的助言であることを申し添えます。

記

1　指導監査の目的

　指導監査は、都道府県知事又は指定都市・中核市市長（以下「都道府県知事等」という。）が、幼保連携型認定こども園における「幼保連携型認定こども園の学級の編制、職員、設備及び運営に関する基準」（平成26年内閣府・文部科学省・厚生労働省令第1号。以下「認可基準」という。）、「幼保連携型認定こども園教育・保育要領」（平成29年内閣府・文部科学省・厚生労働省告示第1号。以下「要領」という。）等の遵守状況を定期的又は臨時の実地検査等により確認し、その結果に基づき、必要な助言、指導等の措置を講ずることにより、小学校就学前の子どもに対する教育・保育の提供等の適正かつ円滑な実施を確保しようとするものであること。

2　指導監査の実施方針

　1の目的に鑑み、幼保連携型認定こども園の認可を行う都道府県知事等は、定期的かつ計画的に実地検査等を行うことにより、施設の適正な運営等を確認すること。

　指導監査は、「一般監査」と「特別監査」とし、一般監査については、本通知3「主な指導監査事項」を標準として、定期的かつ計画的に行うものとする。なお、一般監査の頻度については、各都道府県知事等の判断によるものであるが、児童福祉施設については、原則として、年度ごとに一度以上実地による検査を行うこととの均衡に留意すること。

　また、特別監査については、次のいずれかに該当する場合に随時適切に行うものとすること。

①　事業運営及び施設運営に不正又は著しい不当があったことを疑うに足りる理由があるとき

②　基準に違反があると疑うに足りる理由があるとき

③　重大事故（死亡、意識不明となる事態等の重大な事故をいう。以下同じ。）が発生したとき又は園児の生命・心身・財産に重大な被害が生じるおそれが認められるとき（こうしたおそれにつき通報・苦情・相談等により把握した場合や重大事故が発生する可能性が高いと判断したとき等も含む。以下同じ。）等

④　度重なる一般監査によっても是正改善が見られないとき

⑤　正当な理由がなく、一般監査を拒否したとき

3　主な指導監査事項

都道府県知事等が幼保連携型認定こども園に対する指導監査を行うに当たっては、次に掲げる事項を標準として実施すること。

(1) 教育・保育環境の整備に関する事項

認可基準その他の関係法令の規定に照らし、主として以下の事項の状況を確認すること。

① 学級編成及び職員配置の状況

② 認可定員の遵守状況

③ 園舎に備えるべき設備や定期的な修繕改善等

④ 教育・保育を行う期間・時間

⑤ 職員の確保・定着促進及び資質向上の取組（労働条件の改善、研修の計画的実施等）

(2) 教育・保育内容に関する事項

要領その他の関係法令の規定に照らし、主として以下の事項の状況を確認すること。その際、取組の結果のみならず、取組の過程（振り返りや評価等）についても尊重する必要があることに留意すること。

① 教育及び保育の内容並びに子育ての支援等に関する全体的な計画の作成

② 指導計画の作成と園児の理解に基づいた評価（園児の多様性及び発達の連続性を踏まえた具体的なねらい・内容の設定等）

③ 小学校教育との円滑な接続（指導要録の作成及び進学先への送付、小学校の児童・教師との交流、小学校教育へ円滑な接続に向けた教育・保育内容の工夫等）

④ 子育て支援の内容及び家庭・地域社会との連携

⑤ 職員による、園児に対する虐待その他その心身に有害な影響を与える行為の未然防止及び発生時の対応に関する措置

(3) 健康・安全・給食に関する事項

学校保健安全法（昭和33年法律第56号）その他の関係法令の規定に照らし、主として以下の状況を確認すること。

① 健康の保持増進に関する取組状況（学校保健計画の策定、健康診断の実施、感染症等の予防、園児の心身の状態等の観察及び不適切な養育の兆候が見られる場合の対応等）

② 事故防止・安全対策に関する取組状況（乳幼児突然死症候群の防止、学校安全（施設及び設備の安全点検、安全に関する指導、救急救命講習の受講及び消防訓練の実施、職員の研修等）に関する計画及び危険等発生時対処要領の作成・周知、これらに基づく訓練等の実施並びに地域の関係機関との連携、重大事故の報告、重大事故の再発防止の措置（当該事故に係る検証が実施された場合には、その結果を踏まえた対

応状況等を含む。）等）

③ 給食の適切かつ衛生的な提供に関する取組状況（給食材料の用意・保管、食中毒・アレルギー対策、調理の委託契約内容の委託先における遵守状況の確認、3歳未満児に対する献立・調理等についての配慮、食育計画の作成等）

なお、特に、睡眠中、プール活動・水遊び中、食事中、自動車の運行等の場面については、重大事故が発生しやすいこと等を踏まえ、「教育・保育施設等における事故防止及び事故発生時の対応のためのガイドライン」（平成28年3月31日付け府子本第192号・27文科初第1789号・雇児保発0331第3号内閣府子ども・子育て本部参事官、文部科学省初等中等教育局幼児教育課長、厚生労働省雇用均等・児童家庭局保育課長連名通知中別添）を踏まえるなどして、以下の対策を講じているかに留意すること。

ア 睡眠中の窒息リスクの除去として、医学的な理由で医師からうつぶせ寝を勧められている場合以外は、仰向きに寝かせるなど寝かせ方に配慮しているか、園児を1人にしていないか、安全な睡眠環境を整えているか。

イ プール活動や水遊びを行う場合は、監視体制の空白が生じないよう、専ら監視を行う者とプール指導等を行う者を分けて配置し、その役割分担を明確にしているか。

ウ 園児の食事に関する情報（咀嚼や嚥下機能を含む発達や喫食の状況、食行動の特徴など）や当日の園児の健康状態を把握し、誤嚥等による窒息のリスクとなるものを除去しているか。

また、食物アレルギーのある園児については生活管理指導表等に基づいて対応しているか。

エ 窒息の可能性のある玩具、小物等が不用意に保育環境下に置かれていないかなどについての、保育教諭等による保育室内及び園庭内の点検を、定期的に実施しているか。

オ 園児の通園、園外における学習のための移動その他の園児の移動のために自動車を運行するときは、園児の乗車及び降車の際に、点呼その他の園児の所在を確実に把握することができる方法により、園児の所在を適切に確認しているか。

カ 通園のための自動車の運行については、「送迎用バスの置き去り防止を支援する安全装置のガイドライン」（令和4年12月20日国土交通省送迎用バスの置き去り防止を支援する安全装置の仕様に関するガイドラインを検討するワーキンググループ）に適合する園児の見落としを防止する装置を装備し、これを用いて園児の所

在を適切に確認しているか（当該装置の装備が義務付けられている場合に限る。）。

キ 事故発生時に適切な救命処置が可能となるよう、訓練を実施しているか。

4 検査結果に基づく措置

(1) 検査を担当した職員は、検査終了後、速やかに、検査対象施設の園長等に対して、検査結果を丁寧に説明の上、文書をもって必要な指導、助言等を行うこと。

(2) 指導、助言等を行った事項については、期限を付して対応状況の報告を求め、是正改善の有無を確認すること。

(3) 指導、助言等を行った事項について、適切な是正改善がなされない場合には、必要に応じて、認定こども園法に基づく改善勧告等の措置を講じること。

5 留意点

(1) 指導監査に当たっては、幼保連携型認定こども園が、それぞれ創意工夫のもとに運営されていることに鑑み、個々の施設の運営努力を勘案し、形式的・画一的な対応とならないよう留意すること。

なお、従来より私立幼稚園については、それぞれが建学の精神に基づく特色ある教育活動を展開しており、幼保連携型認定こども園の指導監督に当たってもその経緯も踏まえた対応を行うこと。

(2) 指導監査の実施時期・方法等については、個々の施設の事情を踏まえて柔軟に決定すること。なお、重大事故が発生したとき又は園児の生命・心身・財産に重大な被害が生じるおそれがあると認められるときには、事案の緊急性・重大性を踏まえ、必要に応じて事前通告なく指導監査等を行うことが適切であることに留意すること。

また、施設関係者の理解と自発的協力をもとに実施するとともに、相互信頼を基礎として十分に意見交換を行い、一方的判断を押しつけることのないよう留意すること。

(3) 一般監査については、次のいずれかに該当する場合には、例外的に実地によらない検査として差し支えない。ただし、①についても、直近の指導監査において問題が確認されているときには、実地による検査を行うことを検討すること。また、②については、実地によらない検査を行った翌年度は、当該園は②の場合に該当しないことに留意すること。なお、①又は②に該当するため実地によらない検査を行うこととした場合には、具体的に各園のどのような事情を踏まえて、①又は②のいずれに該当するとして、実地によらない検査を行うこととしたかを、園ごとに整理し、記録すること。

① 天災その他やむを得ない事由により当該年度内に実地検査を行うことが著しく困難又は不適当と認められる場合

※ここでいう「やむを得ない事由」は、今般の新型コロナウイルス感染症のように感染症が長期にわたって流行している状況を想定しており、一般監査に従事する職員の多忙など、都道府県等の側の事情は対象とならない。

② 以下に掲げる事項全てを勘案して実地の検査が必ずしも必要でないと認められる場合

ア 前年度の実地検査の結果

イ その幼保連携型認定こども園を設置してからの年数（当該園を設置してから３年を経過していることを目安とすること。）

ウ 管内の幼保連携型認定こども園に対する前年度の実地検査の実施率が５割以上であること。

(4) (3)により実地によらない検査とする際には、検査の実効性の確保の観点から以下を徹底すること。

① 書面確認のみではなく、テレビ会議、電話による確認を組み合わせて実施すること。実地による検査となるべく同様の確認ができるよう、実地による検査で確認していたものと同じ資料を確認する、園の職員等に状況を聞き取る、テレビ会議ができない場合には施設・設備等の写真や目視に代わって指導監査事項を確認するための資料の提出を求めるなど、工夫して検査を行うこと。

② 実地によらない検査で疑念が生じた場合等には、速やかに実地による検査に切り替えること。

(5) 幼保連携型認定こども園等における重大事故に係る検証が実施された場合、検証の結果については、当該園に限らず、今後の指導監査に反映させること。

(6) 指導監査は、法人に対する監査と併せて実施することも検討するとともに、可能な限り、子ども・子育て支援法（平成24年法律第65号）に基づき市町村が実施する確認に係る指導監査及び業務管理体制に関する確認検査とも連携して対応するなど、実施に係る負担を軽減するとともに、効果的な指導監査となるよう努めること。その際、例えば、指導監査及び確認に係る指導監査の際に求める資料やその様式等について可能な限り県内において統一化を図ること等が考えられること。

(7) 3(2)の事項に係る検査及び措置に当たっては、必要に応じて指導主事の助言を求めるなど、教育委員会と十分に連携して対応すること。

○子ども・子育て支援法に基づく特定教育・保育施設等の指導監査について

平成27年12月7日　府子本第390号・27文科初第1135号・雇児発1207第2号
各都道府県知事・各指定都市市長・各中核市市長宛　こども家庭庁成育・文部科学省初等中等教育局長連名通知

注　令和6年2月19日こ成保61・5文科初第2124号改正現在

子ども・子育て支援法（平成24年法律第65号）に基づく確認並びに同法に基づく施設型給付費、特例施設型給付費、地域型保育給付費及び特例地域型保育給付費の支給等に関する業務等が適正かつ円滑に行われるよう、法令等に基づく適正な事業実施を確保するために、市町村（特別区を含む。）が子ども・子育て支援法に基づき特定教育・保育施設又は特定地域型保育事業者に対して行う指導監査の基本的な考え方として、別添1「特定教育・保育施設等指導指針」及び別添2「特定教育・保育施設等監査指針」を作成しましたので、これを参考に指導監査に当たられるよう管内市町村あて周知お願いいたします。

また、幼稚園については学校教育法（昭和22年法律第26号）、保育所については児童福祉法（昭和22年法律第164号）、認定こども園については就学前の子どもに関する教育、保育等の総合的な提供の推進に関する法律（平成18年法律第77号）に基づき都道府県等が認可等を行っていることから、都道府県等におかれても市町村と連携の上、その円滑かつ効果的な実施に努めていただきますようお願いいたします。

なお、この通知は、地方自治法（昭和22年法律第67号）第245条の4第1項の規定に基づく技術的な助言であることを申し添えます。

（別添1）

　　特定教育・保育施設等指導指針

1　目的

　この指導指針は、市町村（特別区を含む。以下同じ。）が子ども・子育て支援法（平成24年法律第65号。以下「法」という。）に基づく子どものための教育・保育給付（法第11条に規定するものをいう。以下同じ。）に係る教育・保育（法第7条第2項に規定する教育又は同条第3項に規定する保育をいう。以下同じ。）を行う者若しくはこれを使用する者又はこれらの者であった者に対して行う指導等（法第14条第1項の規定により行う質問、立入り及び検査等（以下「質問等」という。）及び各種指導等をいう。）について、基本的事項を定めることにより、特定教育・保育、特別利用保育、特別利用教育、特定地域型保

育、特別利用地域型保育、特定利用地域型保育及び特例保育（以下「特定教育・保育等」という。）の質の確保並びに施設型給付費、特例施設型給付費、地域型保育給付費及び特例地域型保育給付費等（以下「施設型給付費等」という。）の支給の適正化を図ることを目的とする。

2　指導方針等

(1)　指導方針

　指導等は、特定教育・保育施設等（法第27条第1項に規定する特定教育・保育施設及び法第29条第1項に規定する特定地域型保育事業者をいう。以下同じ。）に対し、法第33条及び第45条に定める設置者の責務、法第34条第2項及び第46条第2項に基づき各市町村が「特定教育・保育施設及び特定地域型保育事業の運営に関する基準」（平成26年内閣府令第39号）を基に条例で定める運営に関する基準（以下「確認基準」という。）、「特定教育・保育、特別利用保育、特別利用教育、特定地域型保育、特別利用地域型保育、特定利用地域型保育及び特例保育に要する費用の額の算定に関する基準等」（平成27年内閣府告示第49号）、「特定教育・保育等に要する費用の額の算定に関する基準等の制定に伴う実施上の留意事項について」（府政共生第350号・26文科初第1464号・雇児発0331第9号平成27年3月31日付け内閣府政策統括官（共生社会政策担当）・文部科学省初等中等教育局長・厚生労働省雇用均等・児童家庭局長連名通知）等（以下「内閣府令等」という。）に定める特定教育・保育、特別利用保育、特別利用教育、特定地域型保育、特別利用地域型保育、特定利用地域型保育及び特例保育（以下「特定教育・保育等」という。）の提供及び施設の運営に関する基準並びに施設型給付費等の請求等に関する事項について周知徹底させるとともに過誤・不正の防止を図るために実施する。

(2)　留意点

① 特定教育・保育施設については、幼稚園については学校教育法（昭和22年法律第26号）、保育所については児童福祉法（昭和22年法律第

164号）、認定こども園については就学前の子どもに関する教育、保育等の総合的な提供の推進に関する法律（平成18年法律第77号）に基づき都道府県等により認可等がされており、認可基準等や幼稚園教育要領、保育所保育指針又は幼保連携型認定こども園教育・保育要領に従った特定教育・保育の実施については、基本的には、都道府県等の認可等に関する事務により担保されていることから、市町村が3(2)の実地指導を行うに当たっては、実地指導の計画段階から認可等を行う都道府県等と調整を行い、当該都道府県等が実施する認可基準等の遵守状況の確認等に関する事務と同時に実施するほか、監査の際に求める資料やその様式等について県内において統一化するなど連携を図ること。

　　　なお、この場合において、市町村が実施する監査の項目で都道府県と重複している部分に関しては、都道府県と調整の上、一方の監査項目から省略するなど効率化や事務負担の軽減を図ること。ただし、監査に漏れや不十分な部分が生じることのないよう、十分注意すること。

　　　また、法第39条第2項及び第40条第1項第2号の規定の趣旨を踏まえ、認可基準等に関する事項に係る指導等については、都道府県等と事前に協議を行うなど、綿密に連携を図ること。

②　都道府県は、広域自治体として市町村に対する助言や広域調整を行う立場にあることに加え、法第15条第2項の規定に基づき自ら指導を行うことができること、法に基づき施設型給付費等を負担及び補助していることを踏まえ、①に限らず、適切に市町村に対する助言を行うこと。

③　私立幼稚園に対する指導（特に教育内容に関するもの）を行うに当たっては、それぞれが建学の精神に基づく特色ある教育活動を展開していることを尊重するとともに、都道府県の私立幼稚園担当部局、教育委員会とも十分に連携して対応すること。

④　幼稚園又は認定こども園の設置者が、当該幼稚園又は認定こども園の運営に係る会計について公認会計士又は監査法人の監査（以下「外部監査」という。）を受けている場合には、当該外部監査で軽微とは認められない指摘を受けた場合を除き、当該外部監査の対象となっている会計については、市町村の指導の対象としないことができる。

3　指導形態等

指導等は、次の形態を基本としつつ、各市町村の実情に応じて実施する。

(1)　集団指導

　　　集団指導は、市町村が、特定教育・保育施設等に対して、内閣府令等の遵守に関して周知徹底等を図る必要があると認める場合に、その内容に応じ、特定教育・保育施設等の設置者等を一定の場所に集めて講習等の方法により行う。

　　　なお、広域利用が行われている特定教育・保育施設等については、確認の権限を有する施設所在地市町村が代表して実施することを基本としつつ、必要に応じて、当該施設に対して施設型給付費等を支給する他の市町村と共同して実施するなど、効率的かつ効果的な実施に配慮すること。

(2)　実地指導

　　　市町村は、特定教育・保育施設等に対して、質問等を行うとともに、必要と認める場合、内閣府令等の遵守に関して、各種指導等を行う。

　　　なお、広域利用が行われている特定教育・保育施設等については、確認の権限を有する施設所在地市町村が代表して実施することを基本としつつ、必要に応じて、当該施設に対して施設型給付費等を支給する他の市町村と共同して実施するなど、効率的かつ効果的な実施に配慮すること。

4　指導対象の選定

指導等は全ての特定教育・保育施設等を対象とし、重点的かつ効率的に実施する観点から、指導形態に応じて、次の基準に基づいて対象の選定を行う。

(1)　集団指導

①　新たに確認を受けた特定教育・保育施設等については、概ね1年以内に全てを対象として実施する。

②　①の集団指導を受けた特定教育・保育施設等については、その後の制度の改正、施設型給付費等の請求の実態、過去の指導事例等に基づき必要と考えられる内容が生じたときに、当該指導すべき内容に応じて、対象となる特定教育・保育施設等を選定して実施する。

(2)　実地指導

①　全ての特定教育・保育施設等を対象に定期的かつ計画的に実施する。実施頻度については、地域の特定教育・保育施設等の内閣府令等の遵守状況、集団指導の状況、都道府県等が行う認可等に関する事務の状況、市町村の実施体制等を勘案して、各市町村が周辺市町村及び都道府県と相談しつつ検討する。

②　その他特に市町村が実地による指導を要する

と認める特定教育・保育施設等を対象に随時実施する。

5　方法等

(1)　集団指導

①　指導通知

市町村は、指導対象となる特定教育・保育施設等を決定したときは、あらかじめ集団指導の日時、場所、予定される指導内容等を文書により当該特定教育・保育施設等の設置者等に通知する。

②　指導方法

集団指導は、特定教育・保育等の提供及び施設の運営に関する基準、施設型給付費等の請求の方法、制度改正の内容及び過去の指導事例等について講習等の方式で行う。

なお、やむを得ない事情により集団指導に欠席した特定教育・保育施設等には、当日使用した必要書類を送付する等、必要な情報提供に努めるとともに、直近の機会に改めて集団指導の対象に選定する。

(2)　実地指導

①　指導通知

市町村は、指導対象となる特定教育・保育施設等を決定したときは、あらかじめ次に掲げる事項を文書により当該特定教育・保育施設等に通知する。なお、日時については、施設側の教育・保育の計画的な実施に支障が生じないよう調整を行う。

ア　実地指導の根拠規定及び目的

イ　実地指導の日時及び場所

ウ　実地指導を行う市町村の担当者

エ　実地指導に同席する都道府県の担当者の有無

オ　準備すべき書類等

②　指導方法

実地指導は、内閣府令等の遵守状況を確認するために必要となる関係書類の閲覧、関係者との面談等により行う。

職員数等の充足状況の確認に際しては、各職員の当該特定教育・保育施設等の専任又は他の施設等との兼務の状況を把握すること。その上で、兼務とされる職員については、兼務する他の施設等の名称・所在地を把握するとともに、当該他の施設等での勤務の実態を把握すること。その際、当該職員の現認や出勤簿の確認等を行うほか、兼務する他の施設等の所在地が他の市町村である場合には、当該他の市町村と情報共有を図ること。

また、同一の建物・施設内で複数の施設を運営する事業者については、都道府県及び市町村の各担当部局が連携し、当該事業者の情報を把握し運営状況等を共有するとともに、可能な限り合同で指導を実施すること。

③　指導結果の通知等

実地指導の結果、改善を要すると認められた事項については、軽微なもの等を除き、後日、文書によって指導内容の通知を行うものとする。なお、必要に応じ、認可に関する事務等を行う都道府県と調整する。

④　改善報告書の提出

市町村は、当該特定教育・保育施設等に対し、原則として、文書で指摘した事項に係る改善報告書の提出を求めるものとする。

(3)　集団指導及び実地指導の方式

天災その他やむを得ない事由により集団指導及び実地指導（以下「指導」という。）を行うことが著しく困難又は不適当と認められる場合（「その他やむを得ない事由」については、感染症が長期にわたって流行している状況を想定しており、指導に対応する職員の多忙など、市町村側の事情は対象とならない。）には、例外的に実地によらない方法で実施することができる。この場合、書面による確認のみではなく、テレビ会議、電話による確認を組み合わせて実施すること。また、実地による指導となるべく同様の確認ができるよう、実地による指導で確認していたものと同じ書類を確認する、特定教育・保育施設等の職員等に状況を聞き取る、テレビ会議ができない場合には施設・設備等の写真や目視に代わって指導項目を確認するための書類提出を求めるなど、工夫して指導を行うこと。その上で、実地によらない指導で疑念が生じた場合等には、速やかに実地による指導に切り替えること。

6　監査への変更

実地指導中に以下に該当する状況を確認した場合は、直ちに「特定教育・保育施設等監査指針」に定めるところにより監査を行うこととする。

①　著しい運営基準違反が確認され、当該特定教育・保育施設等を利用する小学校就学前子ども（以下「利用児童」という。）の生命又は身体の安全に危害を及ぼすおそれがあると判断した場合

②　施設型給付費等の請求に不正又は著しい不当が

認められる場合

7　都道府県への情報提供

　　市町村は、都道府県に対して、集団指導の概要、実地指導の指導結果の通知及び改善報告書の概要について情報提供を行う。

（別添２）

　　　特定教育・保育施設等監査指針

1　目的

　　この監査指針は、市町村長（特別区の区長を含む。以下同じ。）が、子ども・子育て支援法（平成24年法律第65号。以下「法」という。）第38条から第40条まで及び第50条から第52条までの規定に基づき、特定教育・保育施設又は特定教育・保育施設の設置者若しくは特定教育・保育施設の設置者であった者若しくは特定教育・保育施設の職員であった者及び特定地域型保育事業者又は特定地域型保育事業者であった者若しくは特定地域型保育事業所の職員であった者（以下「特定教育・保育施設等の設置者等」という。）に対して行う施設型給付費、特例施設型給付費、地域型保育給付費及び特例地域型保育給付費等（以下「施設型給付費等」という。）に係る特定教育・保育、特別利用保育、特別利用教育、特定地域型保育、特別利用地域型保育、特定利用地域型保育及び特例保育（以下「特定教育・保育等」という。）の内容又は施設型給付費等の請求に関する監査について、基本的事項を定めることにより、特定教育・保育等の質の確保及び施設型給付費等の適正化を図ることを目的とする。

2　監査方針等

（1）監査方針

　　　監査は、特定教育・保育施設等（法第27条第1項に規定する特定教育・保育施設及び法第29条第1項に規定する特定地域型保育事業者をいう。以下同じ。）について、法第39条、第40条、第51条及び第52条までに定める行政上の措置に相当する違反の疑いがあると認められる場合又は施設型給付費等の請求について不正若しくは著しい不当（以下「違反疑義等」という。）が疑われる場合並びに「特定教育・保育施設等指導指針」中「6　監査への変更」に基づき、監査に移行した場合において、事実関係を的確に把握し、公正かつ適切な措置を採ることを目的として実施する。

（2）留意点

①　特定教育・保育施設については、幼稚園は学校教育法（昭和22年法律第26号）、保育所は児童福祉法（昭和22年法律第164号）、認定こども園は就学前の子どもに関する教育、保育等の総合的な提供の推進に関する法律（平成18年法律第77号）に基づき都道府県等により認可等がされており、認可基準等又は幼稚園教育要領、保育所保育指針若しくは幼保連携型認定こども園教育・保育要領に従った教育・保育の実施については、基本的には、都道府県等の認可等に関する事務により担保されるべきものであることから、市町村（特別区を含む。以下同じ。）が監査を行うに当たっては、可能な限り、事前に認可等を行う都道府県等と調整を行い、合同で立入り等を行うほか、監査の際に求める資料やその様式等について県内において統一化するなど連携を図ること。

　　　また、法第39条第2項、第40条第1項第2号の規定の趣旨を踏まえ、認可基準等に関する事項に係る監査結果の通知及び行政上の措置については、都道府県等と事前に協議を行うなど、綿密に連携を図ること。

②　私立幼稚園に対する監査を行うに当たっては、それぞれが建学の精神に基づく特色ある教育活動を展開していることを尊重するとともに、都道府県の私立幼稚園担当部局、教育委員会とも十分に連携して対応すること。

3　監査対象となる特定教育・保育施設等の選定基準

　　監査は、下記に示す情報を踏まえて、違反疑義等の確認について特に必要があると認める場合に行うものとする。

　　なお、特に③又は④の情報に基づく場合には、事案の緊急性・重大性を踏まえ、必要に応じて、事前通告なく監査を行うことが適切であることに留意すること。

①　要確認情報

　ア　通報・苦情・相談等に基づく情報（具体的な違反疑義等が把握でき、又は違反が疑われる蓋然性がある場合に限る。）

　イ　施設型給付費等の請求データ等の分析から特異傾向を示す事業者に係る情報

②　実地指導において確認した情報

　　　法第14条第1項の規定に基づき実地指導を行った市町村が特定教育・保育施設等について確認した違反疑義等に関する情報

③　重大事故に関する情報

　　　死亡事故等の重大事故の発生又は児童の生命・心身・財産への重大な被害が生じるおそれに関する情報

④　意図的な隠ぺい等の悪質な不正が疑われる情報

4 監査方法等

(1) 報告等

確認権限のある市町村長は、違反疑義等の確認について必要があると認めるときは、法第38条及び第50条に基づき、特定教育・保育施設等に対し、報告若しくは帳簿書類その他の物件の提出若しくは提示を命じ、出頭を求め、又は当該市町村の職員に関係者に対して質問させ、若しくは特定教育・保育施設等その他特定教育・保育施設等の運営に関係のある場所に立ち入り、その設備若しくは帳簿書類その他の物件の検査（以下「実地検査等」という。）を行うものとする。

確認権限のない市町村長が違反疑義等に関する情報を得た場合は、次の対応を行うものとする。なお、当該市町村が当該特定教育・保育施設等に対する施設型給付費等を支給している場合など、複数の市町村に関係がある場合については、都道府県が総合的な調整を行うものとする。

① 当該市町村長は、確認権限のある市町村長に対し、当該情報を共有する。

② 確認権限のある市町村長は、①の情報共有があったときは、速やかに必要な対応を行うものとする。

(2) 監査結果の通知等

監査の結果、法に定める行政上の措置に至らない軽微な改善を要すると認められた事項については、当該特定教育・保育施設等に対して、後日、文書によって指導内容の通知を行うとともに、原則として、文書で指導した事項に係る改善報告書の提出を求めるものとする。

(3) 行政上の措置

確認権限のある市町村長は、違反疑義等が認められた場合には、必要に応じて認可等の事務を行う都道府県と連携を図りながら、次のとおり、法第39条及び第51条（勧告、命令等）、法第40条及び第52条（確認の取消し等）の規定に基づき行政上の措置を機動的に行うものとする。

① 勧告

特定教育・保育施設等の設置者等に法第39条第1項及び第51条第1項に定める確認基準違反等が認められた場合、当該特定教育・保育施設等の設置者等に対し、期限を定めて、文書により基準の遵守等を行うべきことを勧告することができる。当該特定・保育施設等の設置者等は、勧告を受けた場合は、期限内に文書により改善報告書を提出するものとする。

② 命令

特定教育・保育施設等の設置者等が正当な理由がなくその勧告に係る措置をとらなかったときは、当該特定教育・保育施設等の設置者等に対し、期限を定めて、その勧告に係る措置をとるべきことを命令することができる。

命令をしたときは、その旨を公示するとともに、遅滞なく、その旨を、当該特定教育・保育施設等に係る認可等を行った都道府県知事等に通知しなければならない。

当該特定教育・保育施設等の設置者等は、命令を受けた場合は、期限内に文書により改善報告書を提出するものとする。

③ 確認の取消し等

確認基準違反等の内容が、第40条第1項各号及び第52条第1項各号のいずれかに該当する場合においては、当該特定教育・保育施設等に係る確認を取り消し、又は期間を定めてその確認の全部若しくは一部の効力を停止すること（以下「確認の取消し等」という。）ができる。

確認の取消し等をしたときは、遅滞なく、当該特定教育・保育施設の設置者の名称等を都道府県知事に届け出るとともに、これを公示しなければならない。

(4) 聴聞・弁明の機会の付与

監査の結果、当該特定教育・保育施設等の設置者等に対して命令又は確認の取消し等の処分（以下「取消処分等」という。）を行おうとする場合は、監査後、取消処分等の予定者に対して、行政手続法（平成5年法律第88号）第13条第1項各号の規定に基づき聴聞又は弁明の機会の付与を行わなければならない（同条第2項各号のいずれかに該当する場合を除く。）。

(5) 不正利得の徴収

① 勧告、命令又は確認の取消し等を行った場合において、当該取消し等の基礎となった事実が法第12条に定める偽りその他不正の手段により施設型給付費等を受けた場合に該当すると認めるときは、施設型給付費等の全部又は一部について、同条第1項の規定に基づく不正利得の徴収（返還金）として徴収を行う。

② ①に加え、命令又は確認の取消し等を行った特定教育・保育施設等について不正利得の徴収として返還金の徴収を求める際には、原則として、法第12条第2項の規定により、当該特定教育・保育施設等に対し、その支払った額につき返還させるほか、その返還させる額に100分の40を乗じて得た額を支払わせるようにする。

　　③　複数の市町村が施設型給付費等を支給する特
　　　定教育・保育施設等については、①及び②の措
　　　置に関し、都道府県が総合的な調整を行う。
5　関係機関への情報提供
　　市町村は、都道府県に対して、監査結果の通知、
　行政上の措置及び不正利得の徴収の内容並びに改善
　報告書の概要について情報提供を行う。また、確認
　基準違反等の情報提供を受けた都道府県は、同一事
　案の発生可能性が高い場合など事案の性質に応じ、
　同一法人が有する特定教育・保育施設が所在する管
　内市区町村及び法人本部が所在する都道府県に適切
　に情報共有を行うこと。
　　なお、広域に事業を実施している社会福祉法人等
　については、「社会福祉法人の法人監査及び施設監
　査の連携について（依頼）」（平成29年9月26日付け
　府子本第762号・29文科初第868号・子発0926第1
　号・社援発0926第1号・老発0926第1号内閣府子ど
　も・子育て本部統括官・文部科学省初等中等教育局
　長・厚生労働省子ども家庭局長・社会・援護局長・
　老健局長連名通知）により、必要な連携及び情報提
　供について別途通知しているので、留意すること。
6　死亡事故等の重大事故が発生した特定・教育保育
　施設等に係る留意点
　　特定教育・保育施設等における死亡事故等の重大
　事故に係る検証が実施された場合には、検証の結果
　を踏まえた再発防止策についての当該施設における
　対応状況等を確認すること。
7　特定教育・保育施設等における死亡事故等の重大
　事故に係る検証が実施された場合、検証の結果につ
　いては、今後の指導監督に反映させること。

○子ども・子育て支援新制度における指導監査等の実施について

平成27年12月7日　府子本第391号・27初幼教第28号・雇児保発1207第1号
各都道府県民生・私立学校主管部(局)長・教育委員会幼稚園関係事務主管部課長・各指定都市・各中核市民生主管部(局)長宛　内閣府子ども・子育て本部参事官（子ども・子育て支援担当）・（認定こども園担当）・文部科学省初等中等教育局幼児教育・厚生労働省雇用均等・児童家庭局保育課長連名通知

注　平成30年3月7日府子本第102号・29初幼教第16号・子保発0307第1号改正現在

このたび、子ども・子育て支援新制度下において実施される指導監査等について、下記のとおり基本的な考え方をまとめました。

各都道府県におかれては、十分御了知の上、貴管内市区町村に周知するとともに、関係部局及び市区町村と連携の上、その運用に遺漏のないよう配慮願います。

なお、本通知は地方自治法（昭和22年法律第67号）第245条の4第1項に規定する技術的助言として発出するものであることを申し添えます。

記

1　特定教育・保育施設及び特定地域型保育事業（以下「特定教育・保育施設等」という。）に対する指導監査等の種類について

(1)　各施設及び事業に対する認可制度等に基づく指導監査（以下「施設監査」という。）について

各特定教育・保育施設等に対し認可を行う者は、就学前の子どもに関する教育、保育の総合的な提供の推進に関する法律（平成18年法律第77号）等に基づき、認可基準の遵守（職員配置基準や面積基準の遵守等）等の観点から、以下を踏まえ、施設監査を行うものである。

○対象となる施設・事業及び監査に係る根拠法並びに監査指針等

施設・事業	根拠法	監査指針等
幼保連携型認定こども園	就学前の子どもに関する教育、保育等の総合的な提供の推進に関する法律（平成18年法律第77号）	就学前の子どもに関する教育、保育等の総合的な提供の推進に関する法律に基づく幼保連携型認定こども園に対する指導監査について（平成27年12月7日府子本第373号、27文科初第1136号、雇児発1207第1号）
幼稚園	学校教育法（昭和22年法律第26号）	従前の取扱いと同様、監査方針等は、必要に応じて、各都道府県が判断
保育所	児童福祉法（昭和22年法律第164号）	児童福祉行政指導監査の実施について（平成12年4月25日児発第471号）
地域型保育事業	児童福祉法	児童福祉法に基づく家庭的保育事業等の指導監査について（別途通知）

※　幼保連携型認定こども園以外の認定こども園については、保育所型は保育所、幼稚園型は幼稚園、地方裁量型は認可外保育施設として指導監査を実施。その上で、認定権者である都道府県の判断により、必要に応じ、認定こども園としての認定基準の遵守状況等を実地調査等により確認。

(2)　各施設及び事業に対する確認制度に基づく指導監査（以下「確認監査」という。）について

各特定教育・保育施設等に対し確認を行う者は、子ども・子育て支援法（平成24年法律第65号）に基づき、確認基準の遵守並びに施設型給付、特例施設型給付、地域型保育給付及び特例地域型保育給付の支給に関する業務の適正な実施等の観点から、「子ども・子育て支援法に基づく特定教育・保育施設等の指導監査について」（平成27年12月7日付け府子本第390号・27文科初第1135号・雇児発1207第2号内閣府子ども・子育て本部統括官・文部科学省初等中等教育局長・厚生労働省子ども家庭局長連名通知）を踏まえ、指導監査を行うものである。

(3)　各施設及び事業に対する業務管理体制の整備に関する検査について

子ども・子育て支援法第55条第2項に基づき特定教育・保育施設の設置者及び特定地域型保育事業者（以下「特定教育・保育提供者」という。）から業務管理体制の整備に関する事項の届出を受けた者は、法令遵守責任者の選任状況や法令順守

に係る規定の適切な整備等の観点から、業務管理
体制の確認検査を行うものであり、その留意点等
については別途通知する。
2　指導監査等を行うに当たっての留意事項について
　　1に述べたとおり、子ども・子育て支援新制度下
においては、各法令等に基づき、複数の指導監査等
が行われることとなる。
　　その実施に当たっては、実施主体や監査事項につ
いて、一部重複が見られることから以下のとおり、
都道府県及び市区町村において相互に連携して対応
する等負担軽減に努め、効果的な指導監査となるよ
う努められたい。
(1)　施設監査、確認監査及び業務管理体制の確認検
　査を行う際には、事前に都道府県及び市町村間で
　調整を行い、監査の際に求める資料やその様式等
　について都道府県内において統一化するなど連携
　を図ること。なお、この場合において、市町村が
　実施する監査の項目で都道府県と重複している部
　分に関しては、都道府県と調整の上、一方の監査
　項目から省略するなど効率化や事務負担の軽減を
　図ること。ただし、このことにより監査に漏れや
　不十分な部分が生じることのないよう、十分注意
　すること。
(2)　私立幼稚園については、従来よりそれぞれが建
　学の精神に基づく特色ある教育活動を展開してい
　ることを踏まえた対応を行うこと。
(3)　幼稚園又は認定こども園の設置者が、当該幼稚
　園又は認定こども園の運営に係る会計について公
　認会計士又は監査法人の監査（以下「外部監査」
　という。）を受けている場合には、当該外部監査
　で軽微とは認められない指摘を受けた場合を除
　き、当該外部監査の対象となっている会計につい
　ては、市町村が行う会計監査を省略することがで
　きる。
(4)　事業における不正の早期発見の観点から、指導
　監査の効果的な実施が重要となるため、以下の点
　に留意しつつ、関係機関の一層の連携の下、指導
　監査を実施されたい。
　①　丁寧な情報収集
　　　平素より、特定教育・保育施設等に関して丁
　　寧な情報収集を行うこと。

　　特に、保護者、保育教諭等から意見、苦情等
　が寄せられた場合等については、関係者からの
　更なる聞き取りや現地訪問等を行うことによ
　り、しっかりと事実確認を行うこと。
②　事前通告なしの監査の活用
　　違反疑義等の確認にあたっては、事案の性質
　に応じ、事前通告なく監査を行うこと。特に、
　重大事故に関する情報又は意図的な隠ぺい等の
　悪質な不正が疑われる情報に基づく場合には、
　事案の緊急性・重大性を踏まえ、必要に応じ
　て、事前の通告なく監査を行うことが適切であ
　ること。
③　地方公共団体間の連携
　　施設監査を行う都道府県等と確認監査を行う
　市町村との間で、監査の時期、内容及び結果等
　の情報を相互に共有し、連携を図ること。特
　に、確認基準違反等の情報提供を受けた都道府
　県は、同一事案の発生可能性が高い場合など事
　案の性質に応じ、同一法人が有する特定教育・
　保育施設が所在する管内市区町村及び法人本部
　が所在する都道府県に適切に情報共有を行うこ
　と。
　　なお、広域に事業を実施している社会福祉法
　人等については、「社会福祉法人の法人監査及
　び施設監査の連携について（依頼）」（平成29年
　9月26日付け府子本第762号・29文科初第868
　号・子発0926第1号・社援発0926第1号・老発
　0926第1号内閣府子ども・子育て本部統括官・
　文部科学省初等中等教育局長・厚生労働省子ど
　も家庭局長・社会・援護局長・老健局長連名通
　知）により、必要な連携及び情報提供について
　別途通知しているので、留意すること。
④　その他
　　認定や認可の取消しを行うに当たっては、施
　設を現に利用している全ての子どもの保護者に
　対する情報提供、代替施設の確保等に努めるこ
　と。また、これに至らない改善勧告・改善命令
　を行うに当たっては、事業の性質に応じて、施
　設から保護者への説明の実施を求めるなど、適
　切に対応に努めること。

○幼稚園、認定こども園、特別支援学校幼稚部における預かり保育の質の向上について

令和元年10月2日　元文科初第822号・府子本第547号
各都道府県教育委員会教育長・各都道府県知事・附属幼稚園、小学校及び特別支援学校を置く各国立大学法人学長宛
文部科学省初等中等教育局長・内閣府子ども・子育て本部統括官連名通知

幼稚園や認定こども園等において、地域の実態や保護者の要請により、教育課程に係る教育時間の範囲外に希望する在籍園児を対象に行う教育活動（以下「預かり保育」という。）については、平成12年から施行された幼稚園教育要領において初めて位置付けられ、近年においては多くの園にその実施に取り組んでいただいており、幼稚園や認定こども園等に在籍する幼児の保育需要の充足に大きな役割を果たしています。

こうした状況も踏まえ、子ども・子育て支援法の一部を改正する法律（令和元年法律第7号）による改正後の子ども・子育て支援法（平成24年法律第65号。以下「子子法」という。）に基づき令和元年10月から実施される幼児教育・保育の無償化においては、幼稚園・認定こども園・特別支援学校幼稚部（以下「幼稚園等」という。）において実施される預かり保育についても、保育の必要性が認められる者に限り無償化の対象事業とされているところです（子子法第7条第10項第5号）。

無償化の対象として子子法第30条の11の確認を受けて実施する特定子ども・子育て支援施設等である預かり保育については、運営費補助の種類や有無にかかわらず、子ども・子育て支援法施行規則の一部を改正する内閣府令（令和元年内閣府令第6号）による改正後の子ども・子育て支援法施行規則（平成26年内閣府令第44号。以下「子子法施行規則」という。）第1条の2に定める基準を満たして実施していただくこととなりますが、近年の預かり保育に対する社会的要請の高さに鑑みれば、同基準を満たすことはもちろん、一層の質の向上を図っていくことが重要です。

これまでも、幼稚園教育要領等において、適切な責任体制と指導体制を整備した上で行うようにすることなど、預かり保育の実施上の留意点をお示ししてきたところであり、幼稚園・認定こども園の設置者及び所轄庁におかれては適切に指導監督をしていただいているところですが、今般、更に具体的に預かり保育の指導監督を行う際の留意事項を下記の通り取りまとめましたので、本通知に基づいて預かり保育の一層の質の向上が図られるよう各幼稚園等の指導監督をよろしく

お願いいたします。

なお、特別支援学校幼稚部において教育課程に係る教育時間の範囲外に在籍園児に対して教育活動を行う場合も考えられ、その場合も同様の取扱となりますので、御留意願います。

都道府県教育委員会におかれては域内の市（特別区を含む。以下同じ。）町村教育委員会及び所轄の特別支援学校幼稚部に対し、都道府県知事におかれては域内の市町村長及び所轄の幼稚園等に対し、各国立大学法人学長におかれては管下の附属幼稚園及び特別支援学校幼稚部に対して、この通知の趣旨を十分周知されるようお願いいたします。

記

1　預かり保育の実施体制について

　幼稚園等の預かり保育については、下記の実施体制・設備等により実施していただきたいこと。うち、(1)〜(4)については子子法第30条の11に基づく特定子ども・子育て支援施設等の確認を受け、無償化の対象となる預かり保育が遵守すべき基準として子子法施行規則第1条の2に定められているものであり、特定子ども・子育て支援施設等としての確認を受けた幼稚園等は必ず満たすとともに、預かり保育を実施するその他の幼稚園等についても満たすことが望ましいこと。(5)〜(6)については本通知に基づく基準であり、幼稚園等における預かり保育の質の向上のため、預かり保育を実施する全ての幼稚園等が満たすことが望ましいこと。

(1)　次に掲げる幼児の年齢及び人数に応じて預かった幼児の処遇を行う職員を置くこととし、そのうち3分の1以上は保育士（国家戦略特別区域法（平成25年法律第107号）第12条の5第5項に規定する事業実施区域内にある幼稚園等にあっては、保育士又は当該事業実施区域に係る国家戦略特別区域限定保育士。以下同じ。）又は幼稚園の教諭の普通免許状（教育職員免許法（昭和24年法律第147号）に規定する普通免許状をいう。）を有する者（以下「有資格者」という。）であること。ただし、当該職員の数は、2人を下ることは

できないこと。

　　ア　3歳児　幼児概ね20人につき保育に従事する者1人

　　イ　4歳児・5歳児　幼児概ね30人につき保育に従事する者1人

(2) (1)に規定する職員は、専ら預かり保育に従事するものでなければならないこと。ただし、預かり保育を行うに当たって当該幼稚園等の職員（有資格者に限る。）による支援を受けることができるときは、有資格者1名で処遇ができる幼児数の範囲内において、専ら当該事業に従事する職員を1人とすることができること。なお、「専ら預かり保育に従事する」とは、預かり保育の実施時間中において預かり保育に専従することを意味し、教育課程に係る教育時間等に教育・保育に従事することを妨げるものではないこと。

(3) 教育・保育の内容については、次に掲げる施設の区分に応じ、それぞれ次に定めるものに準じたものとすること。

　　ア　幼稚園又は幼保連携型認定こども園以外の認定こども園　幼稚園教育要領

　　イ　幼保連携型認定こども園　幼保連携型認定こども園教育・保育要領

　　ウ　特別支援学校　特別支援学校幼稚部教育要領

(4) 食事の提供を行う場合においては、当該施設において行うことが必要な調理のための加熱、保存等の調理機能を有する設備を備えていること。

(5) 幼児の処遇を行う職員のうち、(1)に基づき配置する有資格者以外の職員については、次に掲げる者であること。

　　ア　小学校教諭普通免許状所有者

　　イ　養護教諭普通免許状所有者

　　ウ　幼稚園教諭教職課程又は保育士課程を履修中の学生で、幼児の心身の発達や幼児に対する教育・保育に係る基礎的な知識を習得していると認められる者

　　エ　幼稚園教諭、小学校教諭又は養護教諭の普通免許状を有していた者（教育職員免許法第10条第1項又は第11条第4項の規定により免許状が失効した者を除く。）

　　オ　市町村長等が行う研修を修了した者※

　　　※　「市町村長等が行う研修を修了した者」とは、「子育て支援員研修事業の実施につい

て」（平成27年5月21日雇児発0521第18号厚生労働省雇用均等・児童家庭局長通知）の別紙「子育て支援員研修事業実施要綱」の5(3)アに定める基本研修及び5(3)イ(イ)に定める「一時預かり事業」又は「地域型保育」の専門研修を修了した者又は子育ての知識と経験及び熱意を有し、「家庭的保育事業の実施について」（平成21年10月30日雇児発1030第2号厚生労働省雇用均等・児童家庭局長通知）の別紙「家庭的保育事業ガイドライン」の別添1の1に定める基礎研修と同等の研修を修了した者（令和2年3月31日までの間に修了した者に限る）をいう。

(6) 預かり保育を実施する保育室の面積は、幼児1人当たり1.98㎡以上であること。

2　預かり保育の実施状況の共有等について

　　所轄する幼稚園等が「1　預かり保育の実施体制について」に定める(1)〜(6)の各項目を充足しているかどうかを判断するに当たっては、所轄庁による通常の指導・監督の過程において確認する方法のほか、当該幼稚園等が所在する市区町村から、子子法第30条の11に基づく特定子ども・子育て支援施設等の確認を行う際に受け付けた確認申請書類に含まれる預かり保育の実施状況に係る書類の共有を受けることにより確認する方法が考えられること。

　　また、都道府県において、所轄する幼稚園等であって子子法第30条の11に基づく特定子ども・子育て支援施設等の確認を受けたものが、1(1)〜(4)の基準を満たさない状況を把握した場合は、当該幼稚園等が所在する市区町村にも情報を共有するとともに、都道府県と市町村が協力して当該幼稚園等に対して基準を満たすように適切に指導を行っていただきたいこと。

3　預かり保育の運営支援の充実について

　　今般の幼児教育・保育の無償化に伴い、預かり保育の利用に係る需要が高まることが想定され、各園が預かり保育の体制を充実できるように支援していくことは重要であり、国としても一時預かり事業（幼稚園型Ⅰ）や私学助成における預かり保育推進事業の充実を図っているところであるが、各都道府県・市区町村においてもこれらの事業を積極的に活用し、幼稚園等における預かり保育の支援の充実に努めていただきたいこと。

○特定子ども・子育て支援施設等の指導監査について

令和元年11月27日　府子本第689号・元文科初第1118号・子発1126第2号
各都道府県知事・各都道府県教育委員会・各指定都市市長・各中核市市長・各指定都市・各中核市教育委員会・附属幼稚園又は特別支援学校幼稚部を置く各国立大学法人の長宛　内閣府子ども・子育て本部統括官・文部科学省初等中等教育・厚生労働省子ども家庭局長連名通知

子ども・子育て支援法（平成24年法律第65号。以下「法」という。）に基づく特定子ども・子育て支援施設等（法第30条の11第1項に規定する特定子ども・子育て支援施設等をいう。以下同じ。）の確認及び施設等利用費の支給が適正かつ円滑に行われるよう、市町村が法に基づき特定子ども・子育て支援施設等に対して行う指導監査について、下記のとおり基本的な考え方をまとめ、あわせて別添1「特定子ども・子育て支援施設等指導指針」及び別添2「特定子ども・子育て支援施設等監査指針」を作成しましたので、各都道府県におかれては、内容について十分御了知の上、指定都市及び中核市を除く管内市町村（特別区を含む。以下同じ。）への周知をお願いいたします。

また、各都道府県におかれては、引き続き、学校教育法（昭和22年法律第26号）及び児童福祉法（昭和22年法律第164号）等に基づき、幼稚園、特別支援学校及び認可外保育施設等といった子ども・子育て支援施設等への指導監督や立ち入り調査等を行うことから、市町村における特定子ども・子育て支援施設等への指導監査の円滑かつ効果的な実施を支援していただきますようお願いいたします。

なお、この通知は、地方自治法（昭和22年法律第67号）第245条の4第1項の規定に基づく技術的な助言であることを申し添えます。

記

1　特定子ども・子育て支援施設等の指導監査における都道府県と市町村の役割について

(1)　都道府県の役割

幼児教育・保育の無償化の実施以前から、子ども・子育て支援施設等は、施設の設置や事業の開始にあたり、学校教育法や児童福祉法等に基づき、都道府県に認可や認定の申請又は届出を行うこととなっている。

そのため、都道府県は、認可、認定又は届出を受理した施設・事業に対して、学校教育法や児童福祉法をはじめ、就学前の子どもに関する教育、保育等の総合的な提供の推進に関する法律（平成18年法律第77号）、社会福祉法（昭和26年法律第45号）、認可外保育施設指導監督基準（平成13年3月29日付け雇児発第177号厚生労働省雇用均等・児童家庭局長通知の別紙。以下「指導監督基準」という。）等に基づき、基準の遵守等の観点から指導監督、立ち入り調査、報告徴収、検査等を行っており、幼児教育・保育の無償化実施後もその役割は同様である。

(2)　市町村の役割

幼児教育・保育の無償化に伴い、子ども・子育て支援施設等がその対象施設となるためには、市町村に対して法第30条の11に基づく確認の申請を行い、確認を受ける必要がある。

一方で、市町村は、必要があると認めるときは、特定子ども・子育て支援施設等に対して、法第30条の3において準用する法第14条第1項に基づき調査・指導等を行い、法第58条の8第1項に基づき監査を行うことができる。

また、市町村は、特定子ども・子育て支援提供者が法に定める基準に従って施設等利用費の支給に係る施設又は事業として適正な特定子ども・子育て支援施設等の運営をしていない場合等は、当該基準を遵守することを勧告・命令等ができることとされている（法第58条の9第1項第1号、同項第2号、同条第5項）。

なお、法に定める基準には、法第58条の4第1項と第2項に定める基準がある。

法第58条の4第1項に定める基準は、特定子ども・子育て支援施設等の設置に関する基準である。基本的には、認定こども園、特定教育・保育施設（法第27条第1項に規定する特定教育・保育施設をいう。）ではない幼稚園、特別支援学校、一時預かり事業については、学校教育法に基づく設置基準、あるいは児童福祉法等に基づく基準が適用される（法第58条の4第1項第1号、第2号、第3号及び第6号）。他方で、事業法上に基準が規定されていない、認可外保育施設、預かり保育事業、病児保育事業、子育て援助活動支援事業については、内閣府令で定める基準が適用される（法第58条の4第1項第4号、第5号、第7号及び第8号、子ども・子育て支援法施行規則（平

成26年内閣府令第44号）第1条から第1条の4まで）。

　ただし、当該内閣府令で定める基準は、認可外保育施設については現在の指導監督基準と同様の内容を、預かり保育事業については一時預かり事業の基準と同様の内容を、病児保育事業及び子育て援助活動支援事業については子ども・子育て支援交付金対象事業において求める基準と同様の内容となっている。

　法第58条の4第2項に定める基準は、特定子ども・子育て支援施設等の運営に関する基準であるが、これは今般の幼児教育・保育の無償化に際して、特定子ども・子育て支援施設等が適切な特定子ども・子育て支援を提供するために定められた基準であり、具体的には特定教育・保育施設及び特定地域型保育事業並びに特定子ども・子育て支援施設等の運営に関する基準（平成26年内閣府令第39号。以下「運営基準」という。）の第53条から第61条までに新たに定められたものである。

2　都道府県と市町村の連携について

　1に述べたとおり、都道府県及び市町村は、それぞれの役割において特定子ども・子育て支援施設等に対する指導等を実施する必要がある。

　指導等にあたっては、同一の特定子ども・子育て支援提供者に対して、複数の法令や基準等の内容が密接に関連することが見込まれることから、都道府県及び市町村は相互に連携して対応する等、効率的・効果的に実施するよう努められたい。

　また、特定子ども・子育て支援施設等における適切な特定子ども・子育て支援の提供のためには、これら施設等における安全確保が必要不可欠である。このため都道府県が行う指導監督や立ち入り調査等は、今後も大変重要なものであるが、市町村が指導等において、都道府県よりも先に重大事故の発生又は子どもの生命・心身への重大な被害が生じる恐れがある状態を発見した場合は、速やかに都道府県に情報提供を行うとともに、一刻も早い危険の除去に努められたい。

3　市町村が行う特定子ども・子育て支援施設等への指導監査について

(1)　市町村の指導について

　市町村は、別添1「特定子ども・子育て支援施設等指導指針」を参考に、特定子ども・子育て支援施設等に対し、運営基準第53条から第61条までの規定の内容について周知徹底させるとともに、施設等利用費の支給における過誤・不正の防止を図るため指導を実施すること。

　指導にあたっては、特定子ども・子育て支援施設等に対する指導の年間計画や実施スケジュールを策定し、効率的・効果的な実施に努めるとともに、指導の結果を通知する手段、時期、指摘事項への改善指導及び改善結果の確認方法等を明確化し、公表すべき事項を含め、これを着実に実施すること。

(2)　市町村の監査について

　監査は、次の①から④までに該当する情報があり、特に必要があると認める場合に、別添2「特定子ども・子育て支援施設等監査指針」を参考に実施すること。

　また、監査を実施する目的は、市町村長が事実関係を的確に把握し、公正かつ適切な措置を採ることであること。

①　特定子ども・子育て支援施設等において著しい運営基準への違反が確認された場合

②　特定子ども・子育て支援施設等及び施設等利用給付認定保護者の施設等利用費の請求に、著しい不当が疑われる場合

③　意図的な隠ぺい等の悪質な不正が疑われる場合

④　上記のほか、特定子ども・子育て支援施設等が法第58条の9第1項各号及び第58条の10第1項各号に該当することが疑われる場合

※　「特定子ども・子育て支援施設等指導指針」の「7　監査への変更」に基づき、指導から監査に移行した場合も含む。

（別添1）

　特定子ども・子育て支援施設等指導指針

1　目的

　この指針は、子ども・子育て支援法（平成24年法律第65号。以下「法」という。）に規定する施設等利用給付認定子ども（法第30条の8第1項に規定する施設等利用給付認定子どもをいう。以下同じ。）が、特定子ども・子育て支援施設等（法第30条の11第1項に規定する特定子ども・子育て支援施設等をいう。以下同じ。）から特定子ども・子育て支援（法第30条の11第1項に規定する特定子ども・子育て支援をいう。以下同じ。）を受けたときに、市町村（特別区を含む。以下同じ。）が施設等利用給付認定保護者（法第30条の5第3項に規定する施設等利用給付認定保護者をいう。以下同じ。）に対して行う施設等利用費の支給に関して、市町村が法第30条の3において準用する法第14条第1項に基づいて

行う調査・指導等における基本的事項を定めること
により、特定子ども・子育て支援施設等に特定教
育・保育施設及び特定地域型保育事業並びに特定子
ども・子育て支援施設等の運営に関する基準（平成
26年内閣府令第39号。以下「運営基準」という。）
第53条から第61条までを遵守させ、市町村における
施設等利用費の支給事務の適正性を確保することを
目的とする。

2　指導方針等

(1)　指導方針

　　市町村は、特定子ども・子育て支援施設等に対
し、運営基準第53条から第61条までの規定の内容
について周知徹底させるとともに、施設等利用費
の支給における過誤・不正の防止を図るため指導
を実施すること。

(2)　計画的な指導の実施

　　特定子ども・子育て支援施設等に対する指導の
年間計画や実施スケジュールを策定し、効率的・
効果的な実施に努めるとともに、指導の結果を通
知する手段、時期、指摘事項への改善指導及び改
善結果の確認方法等を明確化し、公表すべき事項
を含め、これを着実に実施すること。

3　指導等の形態

　　指導等は、次の形態を基本としつつ、各市町村の
実情に応じて実施すること。

(1)　集団指導

　　運営基準等の遵守に関して、特定子ども・子育
て支援提供者（法第30条の11第3項に規定する特
定子ども・子育て支援提供者をいう。以下同じ。）
を一定の場所に集めて講習等の方法により実施す
ること。

(2)　実地指導

　　特定子ども・子育て支援施設等において、提出
された書面に関する質問等を行う。その結果によ
り必要と認める場合は、運営基準の遵守に関する
各種指導等を行うこと。

4　指導対象の選定

(1)　集団指導

①　法第58条の11第1項の規定に基づく法第30条
の11第1項の確認の公示後、概ね1年以内に実
施すること。

②　制度改正や、過去の指導事例等に基づき指導
等が必要と認められる場合に、内容に応じて対
象を選定し実施すること。

(2)　実地指導

①　全ての特定子ども・子育て支援施設等に対
し、定期的かつ計画的に行うこと。

　　対象施設等の選定は、集団指導の実施状況
や、都道府県等が行う指導監督や立ち入り調査
等に関する事務の状況、市町村の実施体制等を
勘案し都道府県と協議すること。

②　運営基準等の遵守状況や、前年度の実地指導
の結果から文書による指摘事項への改善を求め
たが未実施であること等により、指導等が必要
と認められる施設等を対象とすること。

③　その他、特に市町村が実地指導の必要がある
と認める施設等を対象とすること。

5　指導等の方法等

(1)　集団指導

①　実施通知

　　対象施設等を決定し、当該特定子ども・子育
て支援提供者に集団指導の日時、場所及び指導
内容等を第1号様式にて通知すること。

②　実施方法

　　特定子ども・子育て支援施設等の運営基準、
制度改正の内容、過去の指導事例等の内容説明
を講習等の方式で行うこと。欠席した特定子ど
も・子育て支援施設提供者には、当日使用した
書類の送付や必要な情報提供に努め、直近の機
会に改めて集団指導の対象にする等の対応をと
ること。

(2)　実地指導等

①　実施通知

　　対象施設等を決定し、当該施設等の設置者に
集団指導の日時、場所及び指導内容等を第2号
様式にて通知すること。

②　実地指導の方法

　　実地指導は、主に次のア〜エについて約半日
程度を目途に実施するものとし、実地指導の終
了時に、実施場所において、特定子ども・子育
て支援施設等の代表者や面談に対応した担当者
等に対して実地指導結果の講評を行うこと。

ア　書類の確認

ⅰ)　特定子ども・子育て支援の提供日、提供
日ごとの時間帯、当該特定子ども・子育て
支援の具体的な内容その他必要な事項を記
録した書類（運営基準第54条関係）

ⅱ)　施設等利用給付認定保護者との間に締結
した契約書（利用料が明記されたもの・運
営基準第55条関係）

ⅲ)　施設等利用給付認定保護者に対して発行
した領収証の控え等利用料と特定費用の金
額がわかる書類（運営基準第56条第1項及
び同条第2項関係）

ⅳ）施設等が小学校、他の特定子ども・子育て支援施設等その他の機関に対して施設等利用給付認定子どもに関する情報を提供することを認定保護者との間で合意した文書（運営基準第60条第3項関係）

ⅴ）職員、設備及び会計に関する諸記録（運営基準第61条第1項関係）

※　市町村が確認する具体的な諸記録は、市町村が必要に応じて定めるものであるが、以下に適切な「特定子ども・子育て支援」を提供するために必要と思われるものを参考に例示する。各市町村におかれては、特定子ども・子育て支援施設等の種類や規模等に応じて、適切な「特定子ども・子育て支援」の確認に必要な書類や文書等を検討されたい。

【職員に関する記録の例】

・　労働契約における契約書・その他適正な賃金や労働条件を明示した書類や文書等

・　各時間帯において保育従事者が施設等の規模に応じて各々の基準どおり（または適正に）配置されていることがわかる書類

・　正規の手続を経て整備された就業規則や給与規程等

・　社会保険（健康保険、厚生年金保険、雇用保険等）への加入を証する書類

・　安全衛生管理体制がわかる書類

・　職員の健康診断の実施状況が分かる書類

【設備に関する記録の例】

・　施設・設備が、法令その他各自治体が認める設置基準に従って整備されていることがわかる書類

・　施設・設備、備品等が、児童の保健衛生・危害防止に十分配慮され衛生的に管理されていることがわかる書類

・　防災計画、害虫駆除、受動喫煙の防止、事故発生防止、防犯対策等が適正に実施されているかがわかる書類

【会計に関する記録の例】

・　適正な会計処理のため必要な事項について経理規程を定めているか。

・　各会計年度に作成すべき計算書類（収支計算書、損益計算書、貸借対照表等）

・　施設利用者から預かる金銭等を含めた現預金等の出納管理簿

イ　施設等利用給付認定子どもの国籍、信条、社会的身分又は特定子ども・子育て支援の提供に要する費用を負担するか否かによって、差別的取扱いをしないことに関する措置の確認（運営基準第59条関係）

ウ　施設等の職員及び管理者並びに職員であった者が、業務上で知り得た施設等利用給付認定子ども又はその家族の秘密の管理・保管に関する措置の確認（運営基準第60条第1項及び同条第2項関係）

エ　上記アのⅰ）に係る記録の過去5年間分の保管状況の確認（運営基準第61条第2項関係）

③　結果通知

実地指導の結果、改善を要すると認められた事項については、軽微なものを除き、後日、代表者に対して第3号様式により指導内容の通知を行うこと。また、改善を要すると認められる事項が無い場合は、第4号様式により通知を行うこと。

④　改善報告書の提出

第3号様式により通知した文書指摘事項については、第5号様式により、通知から60日以内に改善報告を求めること。

6　実施体制

①　実地指導は、幼児教育・保育の無償化及び会計に係る知識と経験を有する者を含めること。

②　実施指導の対象件数と実施スケジュールに応じて、同時に複数箇所への実施が必要な場合が生じることに留意すること。

③　実地指導に十分な体制が確保できない場合は、限られた体制においても全ての実地指導ができるよう、事前に提出を受ける書類を庁内で十分に検査するために人員と期間を用意する等の対応をとること。

④　実地指導は、都道府県の指導監督や立入調査等と合同で実施するように努めること。

⑤　新制度移行済み幼稚園及び認定こども園が実施する預かり保育事業に対する実地指導は、幼稚園及び認定こども園に対する施設型給付費の支給に係る実地指導の際に行うなど、効率的に実施すること。

7 監査への変更

　実地指導中に、次の①から④までに該当する状況を確認した場合は、実地指導を中止し、直ちに確認監査を行うことができる。

① 特定子ども・子育て支援施設等において著しい運営基準への違反が確認された場合

② 特定子ども・子育て支援施設等及び施設等利用給付認定保護者の施設等利用費の請求に、著しい不当が疑われる場合

③ 意図的な隠ぺい等の悪質な不正が疑われる場合

④ 上記のほか、特定子ども・子育て支援施設等が法第58条の9第1項各号及び第58条の10第1項各号に該当することが疑われる場合

8 都道府県への情報提供

　市町村は、上記7に該当する状況を確認した場合は、都道府県に対して、集団指導の概要、実地指導の指導結果及び改善報告の内容について情報提供を行うこと。

　また、実地指導中に、特定子ども・子育て支援施設等を利用する小学校就学前子どもの生命又は身体の安全に危害を及ぼす恐れがあると認められる状況を確認した場合は、速やかに都道府県に情報提供を行うとともに、一刻も早い危険の除去に努めること。

様式　略

（別添2）

　　　特定子ども・子育て支援施設等監査指針

1 目的

　この指針は、子ども・子育て支援法（平成24年法律第65号。以下「法」という。）に規定する施設等利用給付認定子ども（法第30条の8第1項に規定する施設等利用給付認定子どもをいう。以下同じ。）が、特定子ども・子育て支援施設等（法第30条の11第1項に規定する特定子ども・子育て支援施設等をいう。以下同じ。）から特定子ども・子育て支援（法第30条の11第1項に規定する特定子ども・子育て支援をいう。以下同じ。）を受けたときに、市町村（特別区を含む。以下同じ。）が施設等利用給付認定保護者（法第30条の5第3項に規定する施設等利用給付認定保護者をいう。以下同じ。）に対して行う施設等利用費の支給に関して、市町村長（特別区の区長を含む。以下同じ。）が法第58条の8第1項に基づいて行う監査における基本的事項を定めることにより、特定子ども・子育て支援施設等に特定教育・保育施設及び特定地域型保育事業並びに特定子ども・子育て支援施設等の運営に関する基準（平

成26年内閣府令第39号。以下「運営基準」という。）第53条から第61条までを遵守させ、市町村における施設等利用費の支給事務の適正性を確保することを目的とする。

2 監査の実施・目的

(1) 監査は、次の①から④までに該当する情報があり、特に必要があると認める場合に実施すること。また、事案の緊急性・重大性を踏まえ、必要に応じて、事前通告なく監査を行うことが適切な場合があることに留意すること。

① 特定子ども・子育て支援施設等において著しい運営基準への違反が確認された場合

② 特定子ども・子育て支援施設等及び施設等利用給付認定保護者の施設等利用費の請求に、著しい不当が疑われる場合

③ 意図的な隠ぺい等の悪質な不正が疑われる場合

④ 上記のほか、特定子ども・子育て支援施設等が法第58条の9第1項各号及び第58条の10第1項各号に該当することが疑われる場合

※ 「特定子ども・子育て支援施設等指導指針」の「7 監査への変更」に基づき、指導から監査に移行した場合も含む。

(2) 監査を実施する目的は、市町村長が事実関係を的確に把握し、公正かつ適切な措置をとることであること。

3 監査の方法等

(1) 実施通知

　監査を行うことが決定したときは、監査の根拠規定、目的、場所、担当者及び準備すべき書類等を第1号様式により設置者等に対して通知すること。ただし、実地指導中に監査への変更を行った場合等、これにより難い場合はこの限りではない。

(2) 結果通知

　監査の結果、法第58条の9第1項に定める勧告には至らないが、改善を要すると認められる事項がある場合及び施設等利用費等の返還を要すると認められる場合は、第2号様式によりその旨の通知を行うこと。

　なお、改善を要すると認められる事項が無い場合は、第3号様式により通知を行うこと。

(3) 改善報告書の提出

　第2号様式により通知した文書指摘事項については、通知から60日以内に第4号様式により改善報告を求めること。

(4) 行政上の措置

① 勧告

市町村長は、法第58条の9第1項に基づき、次のアからウまでに該当すると認めるときは、当該特定子ども・子育て支援提供者に対し、期限を定めて、基準を遵守すること等を勧告することができる。

ア 幼稚園又は特別支援学校の設置者及び一時預かり事業を行う者（国及び地方公共団体（公立大学法人を含む。）を除く。）を除く特定子ども・子育て支援提供者が、内閣府令で定める基準に従って施設等利用費の支給に係る施設又は事業として適正な特定子ども・子育て支援施設等の運営をしていない場合

※ 市町村長は、幼稚園又は特別支援学校の設置者及び一時預かり事業を行う者（国及び地方公共団体（公立大学法人を含む。）を除く。）が設置基準及び一時預かり事業基準に従って施設等利用費の支給に係る事業として適正な子ども・子育て支援施設等の運営をしていないと認めるときは、都道府県知事に通知しなければならない（法第58条の9第2項及び同条第3項）。

イ 法第58条の4第2項の内閣府令で定める特定子ども・子育て支援施設等の運営に関する基準に従って施設等利用費の支給に係る施設又は事業として適正な特定子ども・子育て支援施設等の運営をしていない場合

ウ 法第58条の6第2項に規定する便宜の提供を施設等利用費の支給に係る施設又は事業として適正に行っていない場合

勧告は、原則として第5号様式により行い、特定子ども・子育て支援提供者に勧告から60日以内に第4号様式により改善報告書を提出させること。

なお、当該特定子ども・子育て支援提供者が期限内にこれに従わなかったときは、市町村長は、法第58条の9第4項に基づき、その旨を公表することができる。

② 命令

市町村長は、特定子ども・子育て支援提供者が正当な理由がなく勧告に係る措置をとらなかったときは、法第58条の9第5項に基づき、当該特定子ども・子育て支援提供者に対し、期限を定めて、その勧告に係る措置をとるべきことを命令することができる。

命令は、原則として第6号様式により行い、特定子ども・子育て支援提供者に命令から60日以内に第4号様式により改善報告書を提出させ

ること。

なお、市町村長が命令を行ったときは、法第58条の9第6項に基づき、その旨を公示するとともに、遅滞なくその旨を当該特定子ども・子育て支援施設等の認可等を行った都道府県知事等に通知しなければならない。

③ 確認の取消し等

市町村長は、特定子ども・子育て支援施設等が法第58条の10第1項各号のいずれかに該当する場合においては、当該特定子ども・子育て支援施設等に係る確認を取り消し、又は期間を定めてその確認の全部若しくは一部の効力を停止（以下「確認の取消し等」という。）することができる。

また、市町村長が確認の取消し等をしたときは、法第58条の11第3項の規定に基づき、遅滞なく、当該特定子ども・子育て支援を提供する施設等の名称及び所在地等を公示しなければならない。

(5) 聴聞等

監査の結果、当該設置者等に対して、命令又は確認の取消し等の処分（以下「取消処分等」という。）を行おうとする場合には、監査後、取消処分等の予定者に対して、行政手続法（平成5年法律第88号）第13条第1項各号の規定により聴聞又は弁明の機会の付与を行わなければならない（同条第2項各号に該当する場合を除く。）。

4 他の市町村との情報共有

① 監査の実施の要請

確認権限のない市町村が当該特定子ども・子育て支援施設等の利用者に対する施設等利用費を支給している場合で、「2 監査の実施・目的」の(1)に列挙する情報を取得し、違反疑義等の確認について特に必要があると考えられるときは、確認権限のある市町村に当該特定子ども・子育て支援施設等の監査の実施を要請することができる。

② 他の市町村への情報提供

確認権限のある市町村が、上記①の要請を受けて、当該特定子ども・子育て支援施設等の監査を実施する場合は、監査結果や改善報告書等について、要請を行った市町村のほか、当該特定子ども・子育て支援施設等の利用者への施設等利用費を支給している市町村にも情報提供を行うこと。

5 都道府県への情報提供

市町村は都道府県に対して、監査結果、改善報告の内容、行政上の措置等について、必要に応じて情報提供を行うこと。

様式　略

○　「就学前の子どもに関する教育、保育等の総合的な提供の
　　推進に関する法律に基づく幼保連携型認定こども園に対す
　　る指導監査について」の一部改正について

令和5年3月31日　府子本第386号・4文科初第2796号・
子発0331第8号
各都道府県知事・教育委員会教育長・各指定都市・各中核
市市長・教育委員会教育長宛　内閣府子ども・子育て本部
統括官・文部科学省初等中等教育・厚生労働省子ども家庭
局長連名通知

この度、最近の幼保連携型認定こども園等における事案や児童福祉法施行令の一部を改正する政令（令和5年政令第77号）等を踏まえ、「就学前の子どもに関する教育、保育等の総合的な提供の推進に関する法律に基づく幼保連携型認定こども園に対する指導監査について」（平成27年12月7日付け府子本第373号・27文科初第1136号・雇児1207第1号内閣府子ども・子育て本部統括官、文部科学省初等中等教育局長及び厚生労働省雇用均等・児童家庭局長連名通知）を別紙新旧対照表のとおり改正したので通知します。

なお、現状、管内の幼保連携型認定こども園に対して、年度に1回以上の実地による一般監査を行っている都道府県等がある一方で、これが実施できていないものもあり、中には、その実施率が極端に低いものもあると承知しています。一方、幼保連携型認定こども園等の送迎用バスに置き去りにされたこどもが亡くなるという大変痛ましい事案や虐待等が行われていたという事案等が繰り返し発生している昨今の状況を踏まえれば、幼保連携型認定こども園等におけるこどもの安全管理の徹底や適切な保育・支援の実施に向けた監査の重要性はますます大きくなっています。こうした状況に鑑みて、本改正内容のほか、監査の計画・実施に当たっては、保育等の質の確保と実効的な指導監査等を両立させる必要があると考えており、下記にも御留意いただくようお願いします。

各都道府県知事及び各指定都市・中核市市長におかれては、本件について、十分御了知の上、貴管内の関係者に対して遅滞なく周知するとともに、教育委員会等の関係部局と連携し、その運用に遺漏のないよう配意願います。また、本通知は、地方自治法（昭和22年法律第67号）第245条の4第1項の規定に基づく技術的助言であることを申し添えます。

記

1　実地による検査に必要な体制の確保及び検査の実施率の向上について

　各都道府県等においては、以下の内容も踏まえた上で、検査体制の確保、計画的な検査の実施、効果的かつ効率的な検査方法について、御検討いただきたい。

⑴　必要な体制の確保について（地方交付税措置の拡充）

　各都道府県等におかれては、効果的かつ効率的な検査を実施するため、管内の幼保連携型認定こども園等に対して検査を行うための体制の強化を行い、必要な検査体制の確保に取り組んでいただきたい。

　なお、児童福祉施設等に対して検査を行う体制の強化のため、令和5年度の地方交付税措置について、道府県の標準団体（人口170万人）あたり職員1名を増員することとされている。

⑵　実地による検査が原則であることを踏まえた対応について

　今般の改正は、一定の要件を満たした場合に実地によらない方法での検査として差し支えないことを明確にするものであるが、原則はこれまでどおり実地による検査を求めるものであり、それを前提とした体制の整備を改めて図っていただきたい。

　また、管内の幼保連携型認定こども園等で虐待等の事案やこどもの安全の懸念が生じる事案が発生した都道府県等においては、実地によらない検査が認められる要件を満たしているかどうかにかかわらず、少なくとも当該年度においては本改正後も管内の全ての幼保連携型認定こども園等に対して実地による検査を行うことも検討すべきであり、こどもの安全管理等が適切に行われるよう対応していただきたい。

⑶　検査の実施率の向上について

　各都道府県等においては、管内の幼保連携型認定こども園等に対する検査の実施率について、前年度を上回る実績となるよう、計画的に実施していただきたい。

⑷　実施率の定期的な把握・公表と向上計画の策定について

国において定期的に各都道府県等の検査の実施
状況を確認し、その結果を公表するとともに、検
査の実施率が低く、前年度比等で一定の改善が見
られない都道府県等に対しては、検査実施率向上
に向けた目標値及び目標達成に向けた計画を策定
し、検査の実施率向上のための取組の見える化を
行うよう依頼することを検討中であること。

2　一般監査で、より優先的かつ重点的に確認すべき
事項について

昨今の状況を踏まえ、来年度の一般監査におい
て、こどもの安全管理や適切な保育・支援の実施に
関する項目について重点的に確認していただきた
い。

3　実地によらない検査の方法や、実地検査への切替
について

一般監査について、実地によらない検査とするか
どうかについては、改正後の通知5(3)・(4)によく留
意いただきたい。なお、同(3)②ウについては、令和
5年度は、管内の幼保連携型認定こども園の5割以
上に実地による検査を行う計画を立てている場合に

は、該当するものとみなして差し支えない。

国においても、定期的な検査の実施状況の確認に
おいて、各都道府県等における①及び②それぞれに
該当する園数等も把握することを検討している。

4　特別監査の適切な運用について

都道府県等においては、幼保連携型認定こども園
等の職員や保護者等から虐待等が疑われる事案の情
報提供・相談等を受けた場合には、当該年度に一般
監査を実施しているかどうかにかかわらず、こども
の安全の観点から、迅速に対応方針を協議し、必要
に応じて、特別監査で事実関係の確認を行い、助
言・指導を継続的に行うことが必要である。

さらに、事案の性質や重大性等に応じ、事案の公
表、改善勧告若しくは改善命令又は事業停止命令を
行う等の対応も判断していくことが重要である。

今般の改正は、一般監査に関するものであるが、
特別監査についても適切な運用を改めてお願いす
る。

別紙　略

8　給付費

●特定教育・保育、特別利用保育、特別利用教育、特定地域
　型保育、特別利用地域型保育、特定利用地域型保育及び特
　例保育に要する費用の額の算定に関する基準等

〔平成27年３月31日〕
〔内閣府告示第49号〕

注　令和６年３月29日こども家庭庁告示第９号改正現在

（定義）

第１条　この告示において、次の各号に掲げる用語の
意義は、当該各号に定めるところによる。

一　幼稚園　子ども・子育て支援法（以下「法」と
いう。）第７条第４項に規定する幼稚園をいう。

二　保育所　法第７条第４項に規定する保育所をい
う。

三　認定こども園　法第７条第４項に規定する認定
こども園をいう。

四　家庭的保育事業　児童福祉法（昭和22年法律第
164号）第６条の３第９項に規定する家庭的保育
事業をいう。

五　小規模保育事業　児童福祉法第６条の３第10項
に規定する小規模保育事業であって、次のイから
ハまでに掲げるものをいう。

イ　Ａ型（家庭的保育事業等の設備及び運営に関
する基準（平成26年厚生労働省令第61号。以下
「家庭的保育事業等設備運営基準」という。）
第28条に規定する小規模保育事業Ａ型をいう。）

ロ　Ｂ型（家庭的保育事業等設備運営基準第31条
に規定する小規模保育事業Ｂ型をいう。）

ハ　Ｃ型（家庭的保育事業等設備運営基準第33条
に規定する小規模保育事業Ｃ型をいう。）

六　事業所内保育事業　児童福祉法第６条の３第12
項に規定する事業所内保育事業であって、次のイ
からハまでに掲げるものをいう。

イ　小規模型事業所内保育事業Ａ型（小規模型事
業所内保育事業（家庭的保育事業等設備運営基
準第47条に規定する小規模型事業所内保育事業
をいう。ロにおいて同じ。）のうち、保育従事
者が全て保育士（当該事業に係る事業所が国家
戦略特別区域法（平成25年法律第107号）第12
条の５第５項に規定する事業実施区域内にある
場合にあっては、保育士又は当該事業実施区域

に係る国家戦略特別区域限定保育士。）である
ものをいう。）

ロ　小規模型事業所内保育事業Ｂ型（小規模型事
業所内保育事業のうち、小規模型事業所内保育
事業Ａ型を除いたものをいう。）

ハ　保育所型事業所内保育事業（家庭的保育事業
等設備運営基準第43条に規定する保育所型事業
所内保育事業をいう。）

七　居宅訪問型保育事業　児童福祉法第６条の３第
11項に規定する居宅訪問型保育事業をいう。

八　教育・保育給付認定子ども　法第20条第４項に
規定する教育・保育給付認定子どもをいう。

九　地域区分　別表第１の表の上欄に掲げる地域区
分について、それぞれ教育・保育給付認定子ども
の利用に係る施設等（第１号から第７号までに掲
げる施設又は事業に係る事業所をいう。以下同
じ。）が所在する同表の中欄に掲げる都道府県の
区域内の下欄に掲げる地域をいう。

十　認定区分　次のイからハまでに該当する区分を
いう。

イ　１号　法第19条第１号に掲げる小学校就学前
子どもの区分についての認定（法第20条の規定
による認定をいう。ロ及びハにおいて同じ。）

ロ　２号　法第19条第２号に掲げる小学校就学前
子どもの区分についての認定

ハ　３号　法第19条第３号に掲げる小学校就学前
子どもの区分についての認定

十一　年齢区分　次のイからニまでに掲げる者に該
当する区分をいう。

イ　４歳以上児　満４歳から小学校就学の始期に
達するまでの者

ロ　３歳児

ハ　１、２歳児

ニ　乳児　満１歳に満たない者

十二　公定価格　当該教育・保育給付認定子どもについて、第2条から第14条までの規定により基本部分（第15号に規定する基本部分をいう。）、基本加算部分（第16号に規定する基本加算部分をいう。次号において同じ。）、加減調整部分（第30号に規定する加減調整部分をいう。）、乗除調整部分（第31号に規定する乗除調整部分をいう。）及び特定加算部分（第32号に規定する特定加算部分をいう。）を基に算出する額とする。

十三　月額調整　当該教育・保育給付認定子どもに適用される年齢区分が年度の途中において変わった場合に、当該年度内に限り適用する基本分単価（次号に規定する基本分単価をいう。）又は基本加算部分の単価の区分をいう。

十四　基本分単価　事務費及び事業費を基に別表第2及び別表第3の各区分に応じて定める単価をいう。

十五　基本部分　当該施設等において、別表第2及び別表第3の各区分に応じた基本分単価（月額調整が適用される場合は月額調整に定める額）をいう。

十六　基本加算部分　当該施設等において、別表第2及び別表第3の各区分に応じて第21号から第28号の2まで、第46号、第47号、第50号から第51号の2まで、第56号、第59号から第62号まで、第64号及び第65号に掲げる加算（各加算について月額調整が適用される場合は月額調整に定める額）を合計したものをいう。

十七　基礎分　次の表の上欄に掲げる当該施設等における職員1人当たりの平均経験年数の区分に応じ、それぞれ同表の下欄に掲げる割合をいう。

当該施設等における職員1人当たりの平均経験年数	割合
1年未満	2％
1年以上2年未満	3％
2年以上3年未満	4％
3年以上4年未満	5％
4年以上5年未満	6％
5年以上6年未満	7％
6年以上7年未満	8％
7年以上8年未満	9％
8年以上9年未満	10％
9年以上10年未満	11％
10年以上	12％

十八　賃金改善要件分　当該施設等において賃金改善の実施計画の策定等を行った場合に、上欄に掲げる当該施設等における職員1人当たりの平均経験年数の区分に応じ、基礎分に加算されるものとして下欄に掲げる割合をいう。

当該施設等における職員1人当たりの平均経験年数	割合
11年未満	6％
11年以上	7％

十九　キャリアパス要件分　当該施設等において職員の職位、職責又は職務内容等に応じた勤務条件の策定等を行わなかった場合に賃金改善要件分から減じる2パーセントの割合をいう。

二十　加算率　当該施設等における職員1人当たりの平均経験年数の区分に応じ、当該施設等に該当する基礎分、賃金改善要件分及びキャリアパス要件分を合わせたものをいう。

二十一　処遇改善等加算Ⅰ　当該施設等における職員の平均経験年数並びに賃金改善及びキャリアアップの取組を踏まえた加算率を基に各区分に応じ算出し、加算されるものをいう。

二十二　副園長・教頭配置加算　当該施設等において、副園長又は教頭を配置する場合に加算されるものをいう。

二十三　3歳児配置改善加算　当該施設等において、3歳児15人につき、教員、保育士（当該施設等が国家戦略特別区域法第12条の5第5項に規定する事業実施区域内にある場合にあっては、保育士又は当該事業実施区域に係る国家戦略特別区域限定保育士。第59号を除き、以下同じ。）等を1人配置する場合に加算されるものをいう。

二十三の二　4歳以上児配置改善加算　当該施設等（第25号に規定するチーム保育加配加算又は第51号の2に規定するチーム保育推進加算を算定している施設等を除く。）において、4歳以上児25人につき、教員、保育士等を1人配置する場合に加算されるものをいう。

二十四　満3歳児対応加配加算　当該施設等において、満3歳児（法第19条第1号に掲げる小学校就学前子どもに該当する教育・保育給付認定子どものうち、年度の初日の前日における満年齢が2歳である者）6人につき、担当する教員、保育士等を1人配置する場合に加算されるものをいう。

二十四の二　講師配置加算　当該施設等において、

その利用定員（法第19条第1号に掲げる小学校就学前子どもの区分に係るものに限る。）が35人以下又は121人以上の場合であって、講師を配置する場合に加算されるものをいう。

二十五　チーム保育加配加算　当該施設等において、チーム保育を担当する教員、保育士等を配置する場合に、年齢別配置基準（第29号に規定する年齢別配置基準をいう。）等を超えて配置する加配人数（次の表の上欄に掲げる当該施設等の利用定員（法第19条第1号又は第2号に掲げる小学校就学前子どもの区分に係るものに限る。）の区分に応じ、それぞれ同表の下欄に掲げる上限人数の範囲内で配置する教員、保育士等の数をいう。）に応じて加算されるものをいう。

当該施設等の利用定員	上限人数
45人以下	1人
46人以上150人以下	2人
151人以上240人以下	3人
241人以上270人以下	3.5人
271人以上300人以下	5人
301人以上450人以下	6人
451人以上	8人

二十六　通園送迎加算　当該施設等において、通園送迎を行う場合に加算されるものをいう。

二十七　給食実施加算　当該施設等において、法第19条第1号に掲げる小学校就学前子どもに該当する教育・保育給付認定子どもについて給食を実施する場合に、週当たりの給食の実施日数に応じて加算されるものをいう。

二十八　外部監査費加算　当該施設等において、会計監査人による外部監査を実施した場合に加算されるものをいう。

二十八の二　副食費徴収免除加算　当該施設等において、給食を実施する際、副食費の徴収が免除されることについて、市町村から教育・保育給付認定保護者及び当該教育・保育給付認定保護者が利用する施設等に対する通知がなされた教育・保育給付認定子どもがいる場合に加算されるものをいう。

二十九　年齢別配置基準　当該施設等の区分に応じて適用される法第34条第1項に規定する教育・保育施設の認可基準、法第46条第1項に規定する地域型保育事業の認可基準等における教育・保育給付認定子どもの年齢及び数に応じた教員、保育士等の配置基準をいう。

三十　加減調整部分　当該施設等において、年齢別配置基準を下回っている等の事情がある場合に、別表第2及び別表第3の各区分に応じて基本部分及び基本加算部分を加減調整するものをいう。

三十一　乗除調整部分　当該施設等において、当該施設等を利用する教育・保育給付認定子どもの数が当該施設等の定員を恒常的に超過している場合に、別表第2及び別表第3の各区分に応じて基本分単価及び基本加算部分を乗除調整するものをいう。

三十二　特定加算部分　当該施設等において、別表第2及び別表第3の各区分に応じて次号から第43号まで及び第53号から第55号までに掲げる加算（各加算について月額調整が適用される場合は月額調整に定める額）を合計したものをいう。

三十三　主幹教諭等専任加算　当該施設等において、事業の取組状況に応じて主幹教諭等を指導計画の立案の業務に専任することができるよう、代替教員を配置する場合に加算されるものをいう。

三十四　子育て支援活動費加算　当該施設等において、事業の取組状況に応じて専任化した主幹教諭等が保護者又は地域住民からの育児相談、地域の子育て支援活動等に取り組む場合に加算されるものをいう。

三十五　療育支援加算　当該施設等において障害児を受け入れており、かつ、主幹教諭等を専任化させ地域住民等の子どもの療育支援に取り組む場合に加算されるものをいう。

三十五の二　事務職員配置加算　当該施設等において、その利用定員91人以上の場合であって、事務職員を配置する場合に加算されるものをいう。

三十五の三　指導充実加配加算　当該施設等において、その利用定員（法第19条第1号又は第2号に掲げる小学校就学前子どもの区分に係るものに限る。）271人以上の場合であって、講師を配置する場合に加算されるものをいう。

三十五の四　事務負担対応加配加算　当該施設等において、その利用定員271人以上の場合であって、事務職員を配置する場合に加算されるものをいう。

三十五の五　処遇改善等加算Ⅱ　当該施設等において、技能及び経験を有する職員について追加的な賃金改善を行う場合に加算されるものをいう。

三十五の六　処遇改善等加算Ⅲ　当該施設等において、賃上げ効果が継続されることを前提に、追加的な賃金改善を行う場合に加算されるものをいう。

三十六　冷暖房費加算　当該施設等において、当該

施設等の所在する地域（次のイからホまでに掲げる地域）の区分に応じ、冷暖房費として加算されるものをいう。

イ　1級地（国家公務員の寒冷地手当に関する法律（昭和24年法律第200号。以下「寒冷地手当法」という。）別表に規定する1級地をいう。）

ロ　2級地（寒冷地手当法別表に規定する2級地をいう。）

ハ　3級地（寒冷地手当法別表に規定する3級地をいう。）

ニ　4級地（寒冷地手当法別表に規定する4級地をいう。）

ホ　その他地域（イからニまでに掲げる地域以外の地域をいう。）

三十七　施設関係者評価加算　当該施設等において、施設等の関係者（当該施設等の職員を除く。）による評価を実施し、その結果を公表する場合に加算されるものをいう。

三十八　除雪費加算　当該施設等が特別豪雪地帯（豪雪地帯対策特別措置法（昭和37年法律第73号）第2条第2項に規定する地域をいう。）に所在する場合に加算されるものをいう。

三十九　降灰除去費加算　当該施設等が降灰防除地域（活動火山対策特別措置法（昭和48年法律第61号）第23条第1項に規定する降灰防除地域をいう。）に所在する場合に加算されるものをいう。

四十　施設機能強化推進費加算　一時預かり事業等の複数事業を行う当該施設等において、職員等の防災教育や、災害発生時の安全かつ迅速な避難誘導体制を充実する等総合的な防災対策の充実強化等を行う場合に加算されるものをいう。

四十一　小学校接続加算　当該施設等において、小学校との連携及び接続に係る取組を行う場合に加算されるものをいう。

四十二　栄養管理加算　当該施設等において、栄養士を活用して給食を実施する場合に加算されるものをいう。

四十三　第三者評価受審加算　当該施設等において、第三者評価を受け、その結果を公表する場合に加算されるものをいう。

四十四　保育必要量区分　次のイ及びロに掲げるものをいう。

イ　保育標準時間認定　1月当たり平均275時間まで（1日当たり11時間までに限る。）の区分として、保育必要量の認定（子ども・子育て支援法施行規則（平成26年内閣府令第44号）第4条第1項の規定に基づく認定をいう。ロにおいて同じ。）を受けたものをいう。

ロ　保育短時間認定　1月当たり平均200時間まで（1日当たり8時間までに限る。）の区分として、保育必要量の認定を受けたものをいう。

四十五　削除

四十六　休日保育加算　当該施設等（休日及び祝日（国民の祝日に関する法律（昭和23年法律第178号）に規定する休日をいう。）を含めて、年間を通じて開所する施設等（複数の施設等との共同により年間を通じて開所する施設等を含む。）として市町村（特別区を含む。以下同じ。）から確認を受けたものに限る。）において、休日保育を実施する場合に、当該休日保育の年間延べ利用数の規模に応じて加算されるものをいう。

四十七　夜間保育加算　当該施設等（夜間に保育を行う施設等として市町村から確認を受けたものに限る。）が夜間に保育を実施している場合に、加算されるものをいう。

四十八　都市部　当該地域における人口密度が1平方キロメートル当たり1000人以上の地域をいう。

四十九　標準部　都市部以外の地域をいう。

五十　減価償却費加算　施設整備費補助金を受けない施設等のうち、自己所有の建物を保有するものに対して、加算されるものをいう。

五十一　賃借料加算　次の表に掲げる地域（次の表の上欄に掲げる区分に応じ、それぞれ同表の下欄に掲げる地域をいう。）において、当該施設等が賃貸物件である場合に加算されるものをいう。

区　分	地　　　　　域
a地域	埼玉県、千葉県、東京都、神奈川県
b地域	静岡県、滋賀県、京都府、大阪府、兵庫県、奈良県
c地域	宮城県、茨城県、栃木県、群馬県、新潟県、石川県、長野県、愛知県、三重県、和歌山県、鳥取県、岡山県、広島県、香川県、福岡県、沖縄県
d地域	北海道、青森県、岩手県、秋田県、山形県、福島県、富山県、福井県、山梨県、岐阜県、島根県、山口県、徳島県、愛媛県、高知県、佐賀県、長崎県、熊本県、大分県、宮崎県、鹿児島県

五十一の二　チーム保育推進加算　当該施設等において、年齢別配置基準等を超えて保育士を配置し、チーム保育に係る体制の整備を図るとともに、職員1人当たりの平均経験年数が12年以上である場合に、加配人数（次の表の上欄に掲げる当該施設等の利用定員の区分に応じ、それぞれ同表

の下欄に掲げる上限人数の範囲内で配置する保育士の数をいう。）に応じて、加算されるものをいう。

当該施設等の利用定員	上限人数
120人以下	1人
121人以上	2人

五十二　分園　児童福祉法第35条第4項の規定により保育所の設置認可を受けている者が、当該保育所と同等の機能を有するものとして設置するもの等をいう。

五十三　主任保育士専任加算　当該施設等において、事業の取組状況に応じて主任保育士を保育計画の立案並びに保護者からの育児相談及び地域の子育て支援活動に専任することができるよう、代替保育士を配置する場合に加算されるものをいう。

五十四　事務職員雇上費加算　一時預かり事業等のうちいずれかの事業を行う当該施設等において、事務職員を配置する場合に、加算されるものをいう。

五十五　高齢者等活躍促進加算　当該施設等において、高齢者等の雇用の促進を図るため、これらの者を活用して教育・保育給付認定子どもの処遇の向上を図り、かつ、一時預かり事業等の複数事業を行う場合に加算されるものをいう。

五十六　学級編制調整加配加算　当該施設等において、その利用定員（法第19条第1号又は第2号に掲げる小学校就学前子どもの区分に係るものに限る。）36人以上300人以下の場合であって、全ての学級に専任の学級担任を配置するため、保育教諭等を1人加配する場合に加算されるものをいう。

五十七　認可施設　幼稚園、保育所又は幼保連携型認定こども園の認可を受けている施設をいう。

五十八　機能部分　認定こども園において、認可施設以外の部分をいう。

五十九　資格保有者加算　当該施設等における家庭的保育者（児童福祉法第6条の3第9項第1号に規定する家庭的保育者をいう。）が保育士資格（当該施設等が国家戦略特別区域法第12条の5第5項に規定する事業実施区域内にある場合にあっては、児童福祉法第18条の6に規定する保育士となる資格及び国家戦略特別区域法第12条の5第5項に規定する国家戦略特別区域限定保育士となる資格をいう。）、看護師免許又は准看護師免許を有する場合に加算されるものをいう。

六十　家庭的保育補助者加算　当該施設等において、当該施設等を利用する教育・保育給付認定子どもの数に応じて家庭的保育補助者（家庭的保育事業等設備運営基準第23条第3項に規定する家庭的保育補助者をいう。）を配置する場合に加算されるものをいう。

六十一　家庭的保育支援加算　当該施設等が家庭的保育支援者（家庭的保育事業の支援に係る市町村長（特別区の区長を含む。）の認定を受け、家庭的保育者若しくは家庭的保育補助者に対し指導及び支援を行う者をいう。）又は連携施設（特定教育・保育施設及び特定地域型保育事業並びに特定子ども・子育て支援施設等の運営に関する基準（平成26年内閣府令第39号。以下「特定教育・保育施設等運営基準」という。）第42条第1項に規定する連携施設をいう。）から代替保育等の特別な支援を受けて保育を実施する場合に加算されるものをいう。

六十二　障害児保育加算　当該施設等において、児童福祉法第4条第2項に規定する障害児を受け入れ、かつ、障害児数に応じた職員を加配する場合に加算されるものをいう。

六十三　削除

六十四　保育士比率向上加算　B型又は小規模型事業所内保育事業B型において、配置基準上求められる保育者数（家庭的保育事業等設備運営基準第31条第2項に規定する保育従事者の数をいう。）の4分の3以上の保育士を常に配置する場合に加算されるものをいう。

六十五　連携施設加算　居宅訪問型保育事業者が居宅訪問型保育連携施設（特定教育・保育施設等運営基準第42条第6項に規定する居宅訪問型保育連携施設をいう。）を設定し、必要な支援を受けて保育を実施する場合に加算されるものをいう。

（特定教育・保育に要する費用の額の算定に関する基準）

第2条　法第27条第3項第1号に規定する内閣総理大臣が定める基準については、別表第2に規定するものとする。

（特別利用保育に要する費用の額の算定に関する基準）

第3条　法第28条第2項第2号に規定する内閣総理大臣が定める基準については、別表第2における保育所の表中2号の保育短時間認定区分に規定するもの（当該施設等を利用する教育・保育給付認定子どものうち、当該年度中に満3歳となる教育・保育給付認定子どもにおける基本分単価については、別表第2に定めた額から7500円（副食費の徴収が免除されることについて、市町村から教育・保育給付認定保

護者及び当該教育・保育給付認定保護者が利用する施設等に対する通知がなされた教育・保育給付認定子ども（第6条及び第7条において「副食費徴収免除対象子ども」という。）は3000円）を減じた額）とする。

（特別利用教育に要する費用の額の算定に関する基準）

第4条　法第28条第2項第3号に規定する内閣総理大臣が定める基準については、別表第2における幼稚園の表中1号に規定するものとする。

（特定地域型保育に要する費用の額の算定に関する基準）

第5条　法第29条第3項第1号に規定する内閣総理大臣が定める基準については、別表第3に規定するものとする。ただし、国家戦略特別区域法第12条の4第4項の規定により読み替えて適用する法第29条第1項に規定する特定満3歳以上保育認定地域型保育にあっては、第7条第2号イからハまでに掲げる区分に応じ、それぞれ同号イ（ただし書を除く。）、ロ（ただし書を除く。）及びハの規定を準用する。

（特別利用地域型保育に要する費用の額の算定に関する基準）

第6条　法第30条第2項第2号に規定する内閣総理大臣が定める基準については、次の各号に掲げるものとする。

一　家庭的保育事業　別表第3における家庭的保育事業の表中3号の保育短時間認定区分に規定するもの（基本分単価については、別表第3に定めた額から7500円を減じた額）とする。

二　小規模保育事業　次のイからハまでに掲げるものとする。

イ　A型　別表第3における小規模保育事業A型の表中3号の1、2歳児の保育短時間認定区分に規定するもの（基本分単価については、3歳児（当該年度中に満3歳となる教育・保育給付認定子どもを除き、当該年度中に満4歳となる教育・保育給付認定子どもを含む。以下この条及び次条において同じ。）は100分の65、4歳以上児（当該年度中に満4歳となる教育・保育給付認定子どもを除く。以下この条及び次条において同じ。）は100分の60を別表第3に定めた額に乗じた額、当該年度中に満3歳となる教育・保育給付認定子どもは、別表第3の額から7500円を減じた額）とする。ただし、当該施設等を利用する教育・保育給付認定子どものうち、3歳児及び4歳以上児の利用が利用定員の3割未満の場合においては、別表第3における小規模保育事業A型の表中3号の1、2歳児の保育短

時間認定区分に規定するもの（基本分単価については、別表第3に定めた額から7500円を減じた額）とする。

ロ　B型　別表第3における小規模保育事業B型の表中3号の1、2歳児の保育短時間認定区分に規定するもの（基本分単価については、3歳児は100分の65、4歳以上児は100分の60を別表第3に定めた額に乗じた額、当該年度中に満3歳となる教育・保育給付認定子どもは、別表第3の額から7500円を減じた額）とする。ただし、当該施設等を利用する教育・保育給付認定子どものうち、3歳児及び4歳以上児の利用が利用定員の3割未満の場合においては、別表第3における小規模保育事業B型の表中3号の1、2歳児の保育短時間認定区分に規定するもの（基本分単価については、別表第3に定めた額から7500円を減じた額）とする。

ハ　C型　別表第3における小規模保育事業C型の表中3号の保育短時間認定区分に規定するもの（基本分単価については、別表第3に定めた額から7500円を減じた額）とする。

三　事業所内保育事業　次のイからハまでに掲げるものとする。

イ　小規模型事業所内保育事業A型　別表第3における小規模型事業所内保育事業A型の表中3号の保育短時間認定区分に規定するもの（基本分単価については、3歳児は100分の65、4歳以上児は100分の60を別表第3に定めた額に乗じた額、当該年度中に満3歳となる教育・保育給付認定子どもは、別表第3の額から7500円を減じた額）とする。ただし、当該施設等を利用する教育・保育給付認定子どものうち、3歳児及び4歳以上児の利用が利用定員の3割未満の場合においては、別表第3における小規模型事業所内保育事業A型の表中3号の1、2歳児の保育短時間認定区分に規定するもの（基本分単価については、別表第3に定めた額から7500円を減じた額）とする。

ロ　小規模型事業所内保育事業B型　別表第3における小規模型事業所内保育事業B型の表中3号の保育短時間認定区分に規定するもの（基本分単価については、3歳児は100分の65、4歳以上児は100分の60を別表第3に定めた額に乗じた額、当該年度中に満3歳となる教育・保育給付認定子どもは、別表第3の額から7500円を減じた額）とする。ただし、当該施設等を利用する教育・保育給付認定子どものうち、3歳児

及び４歳以上児の利用が利用定員の３割未満の場合においては、別表第３における小規模型事業所内保育事業Ｂ型の表中３号の１、２歳児の保育短時間認定区分に規定するもの（基本分単価については、別表第３に定めた額から7500円を減じた額）とする。

　　ハ　保育所型事業所内保育事業　別表第３における保育所型事業所内保育事業の表中３号の１、２歳児の保育短時間認定区分に規定するもの（基本分単価については、３歳児は100分の50、４歳以上児は100分の45を別表第３に定めた額に乗じた額、当該年度中に満３歳となる教育・保育給付認定子どもは、別表第３の額から7500円を減じた額）とする。

　四　居宅訪問型保育事業　別表第３における居宅訪問型保育事業の表中３号の保育短時間認定区分に規定するものとする。

　五　第１号から第３号までにおいて、副食費徴収免除対象子どもについては、算定した額に4500円を加えた額とする。

（特定利用地域型保育に要する費用の額の算定に関する基準）

第７条　法第30条第２項第３号に規定する内閣総理大臣が定める基準については、次の各号に掲げるものとする。

　一　家庭的保育事業　別表第３における家庭的保育事業の表中３号の区分に規定するもの（当該年度中に満３歳となる教育・保育給付認定子どもを除き、基本分単価については、別表第３に定めた額から7500円を減じた額）とする。

　二　小規模保育事業　次のイからハまでに掲げるものとする。

　　イ　Ａ型　別表第３における小規模保育事業Ａ型の表中３号の１、２歳児の区分に規定するもの（基本分単価については、３歳児は100分の65、４歳以上児は100分の60を別表第３に定めた額に乗じた額）とする。ただし、当該施設等を利用する教育・保育給付認定子どものうち、３歳児及び４歳以上児の利用が利用定員の３割未満となる又は３割以上となるが、地域における保育の提供体制に鑑み、やむを得ないと市町村が認める場合においては、別表第３における小規模保育事業Ａ型の表中３号の１、２歳児の区分に規定するもの（当該年度中に満３歳となる教育・保育給付認定子どもを除き、基本分単価については、別表第３に定めた額から7500円を減じた額）とする。

　　ロ　Ｂ型　別表第３における小規模保育事業Ｂ型の表中３号の１、２歳児の区分に規定するもの（基本分単価については、３歳児は100分の65、４歳以上児は100分の60を別表第３に定めた額に乗じた額）とする。ただし、当該施設等を利用する教育・保育給付認定子どものうち、３歳児及び４歳以上児の利用が利用定員の３割未満となる又は３割以上となるが、地域における保育の提供体制に鑑み、やむを得ないと市町村が認める場合においては、別表第３における小規模保育事業Ｂ型の表中３号の１、２歳児の区分に規定するもの（当該年度中に満３歳となる教育・保育給付認定子どもを除き、基本分単価については、別表第３に定めた額から7500円を減じた額）とする。

　　ハ　Ｃ型　別表第３における小規模保育事業Ｃ型の表中３号の区分に規定するもの（当該年度中に満３歳となる教育・保育給付認定子どもを除き、基本分単価については、別表第３に定めた額から7500円を減じた額）とする。

　三　事業所内保育事業　次のイからハまでに掲げるものとする。

　　イ　小規模型事業所内保育事業Ａ型　別表第３における小規模型事業所内保育事業Ａ型の表中３号の区分に規定するもの（基本分単価については、３歳児は100分の65、４歳以上児は100分の60を別表第３に定めた額に乗じた額）とする。ただし、当該施設等を利用する教育・保育給付認定子どものうち、３歳児及び４歳以上児の利用が利用定員の３割未満となる又は３割以上となるが、地域における保育の提供体制に鑑み、やむを得ないと市町村が認める場合においては、別表第３における小規模型事業所内保育事業Ａ型の表中３号の１、２歳児の区分に規定するもの（当該年度中に満３歳となる教育・保育給付認定子どもを除き、基本分単価については、別表第３に定めた額から7500円を減じた額）とする。

　　ロ　小規模型事業所内保育事業Ｂ型　別表第３における小規模型事業所内保育事業Ｂ型の表中３号の区分に規定するもの（基本分単価については、３歳児は100分の65、４歳以上児は100分の60を別表第３に定めた額に乗じた額）とする。ただし、当該施設等を利用する教育・保育給付認定子どものうち、３歳児及び４歳以上児の利用が利用定員の３割未満となる又は３割以上となるが、地域における保育の提供体制に鑑み、

やむを得ないと市町村が認める場合において
は、別表第3における小規模型事業所内保育事
業B型の表中3号の1、2歳児の区分に規定す
るもの（当該年度中に満3歳となる教育・保育
給付認定子どもを除き、基本分単価については、
別表第3に定めた額から7500円を減じた額）と
する。

　　ハ　保育所型事業所内保育事業　別表第3におけ
る保育所型事業所内保育事業の表中3号の1、
2歳児の区分に規定するもの（基本分単価につ
いては、3歳児は100分の55、4歳以上児は100
分の45を別表第3に定めた額に乗じた額）とす
る。

　四　居宅訪問型保育事業　別表第3における居宅訪
問型保育事業の表中3号の区分に規定するものと
する。

　五　第1号から第3号までにおいて、副食費徴収免
除対象子ども（当該年度中に満3歳となるものを
除く。）については、算定した額に4500円を加え
た額とする。

（特例保育に要する費用の額の算定に関する基準）
第8条　法第30条第2項第4号に規定する内閣総理大
臣が定める基準については、当該特例保育を行う施
設等の所在する地域の実情等に応じて内閣総理大臣
が定めるものとする。

（特定教育・保育に要する費用の額の算定に関する経
過措置）
第9条　法附則第6条第1項に規定する内閣総理大臣
が定める基準については、別表第2の保育所の表に
規定するものとする。

（施設型給付費に関する経過措置）
第10条　法附則第9条第1項第1号イに規定する内閣
総理大臣が定める基準については、別表第2の額に
1000分の749を乗じた額とする。

（特例施設型給付費に関する経過措置）
第11条　法附則第9条第1項第2号イ(1)に規定する内
閣総理大臣が定める基準については、別表第2の額
に1000分の749を乗じた額とする。

2　法附則第9条第1項第2号ロ(1)に規定する内閣総
理大臣が定める基準については、第3条の規定によ
る額に1000分の749を乗じて得た額とする。

（特例地域型保育給付費に関する経過措置）
第12条　法附則第9条第1項第3号イ(1)に規定する内
閣総理大臣が定める基準については、第6条各号の
規定による額に1000分の749を乗じて得た額とする。

2　法附則第9条第1項第3号ロ(1)に規定する内閣総
理大臣が定める基準については、第8条の規定によ

る額に1000分の749を乗じて得た額とする。

（月の途中における入退所に関する公定価格）
第13条　子ども・子育て支援法施行令（平成26年政令
第213号）第24条第2項に規定する事由（子ども・
子育て支援法施行規則第58条第3号に規定する事由
を除く。）のあった教育・保育給付認定子どもに係
る教育・保育給付認定保護者についての公定価格
は、第2条から前条までの規定による額に、当該月
における利用日数を20（法第19条第2号又は第3号
に掲げる小学校就学前子どもに該当する教育・保育
給付認定子ども（法第28条第1項第3号に規定する
特別利用教育を受ける者を除く。）については、
25）で除して得た数を乗じて得た額とする。

（端数計算）
第14条　第1条第13号、第15号、第21号（第22号、第
26号、第27号及び第30号（認定こども園において、
主幹教諭等の専任を実施していない場合及び配置基
準上求められる職員資格を有しない場合に加減調整
されるものに限る。）に係るものを除く。）、第22号
から第28号の2まで、第30号、第31号、第33号から
第43号まで、第46号、第47号、第50号から第51号の
2まで、第53号から第56号まで、第59号から第62号
まで、第64号及び第65号の各号により算出される額
については、当該額が10円以上の場合においては、
10円未満の端数が生じたときはこれを切り捨て、当
該額が10円未満の場合においては、1円未満の端数
が生じたときはこれを切り捨てる。この場合におい
て、各号において算出される額の端数計算は、それ
ぞれの額ごとに行うものとする。

（公定価格の特例）
第15条　こども家庭庁長官は、緊急その他やむを得な
い事由がある場合は、第1条から前条までの規定に
かかわらず、こども家庭審議会（こども家庭庁設置
法（令和4年法律第75号）第6条に規定するこども
家庭審議会をいう。）の意見を聴いた上で、特定教
育・保育、特別利用保育、特別利用教育、特定地域
型保育、特別利用地域型保育、特定利用地域型保育
及び特例保育に要する費用の額の算定に関する基準
等を別に定めることができる。

（地方公共団体が設置する幼稚園、保育所及び認定こ
ども園に係る費用の額の算定に関する基準）
第16条　地方公共団体が設置する幼稚園、保育所及び
認定こども園に係る法第27条第3項第1号に規定す
る内閣総理大臣が定める基準、地方公共団体が設置
する保育所に係る法第28条第2項第2号に規定する
内閣総理大臣が定める基準及び地方公共団体が設置
する幼稚園に係る法第28条第2項第3号に規定する

内閣総理大臣が定める基準については、第2条から第4条までの規定にかかわらず、当該規定による公定価格の額、地域の実情等を踏まえて当該地方公共団体が定める額とする。

（教育・保育給付認定保護者の負担上限額の算定に関する基準）

第17条 子ども・子育て支援法施行令第4条第2項（同令第5条第2項、第9条、第11条第2項及び第12条第2項において準用する場合を含む。）に規定する内閣総理大臣が定める基準により算定した費用の額については、公定価格の額から処遇改善等加算I、外部監査費加算、副食費徴収免除加算、処遇改善等加算II、処遇改善等加算III、療育支援加算、施設関係者評価加算、除雪費加算、降灰除去費加算、施設機能強化推進費加算、小学校接続加算、栄養管理加算、第三者評価受審加算、休日保育加算（居宅訪問型保育事業を除く。）、減価償却費加算、賃借料加算、チーム保育推進加算、高齢者等活躍促進加算及び障害児保育加算が適用される場合の額を減じた額とする。

　　附　則

法の施行の日（平成27年4月1日）から施行する。

　　附　則（令和6年3月29日こども家庭庁告示第9号）

この告示は、令和6年4月1日から施行する。ただし、同日前の特定教育・保育、特別利用保育、特別利用教育、特定地域型保育、特別利用地域型保育、特定利用地域型保育及び特例保育に要する費用の額の算定については、なお従前の例による。

別表第1

地域区分	都道府県	地域
100分の20地域	東京都	特別区
100分の16地域	茨城県	取手市、つくば市
	埼玉県	和光市
	千葉県	我孫子市、袖ヶ浦市、印西市
	東京都	武蔵野市、調布市、町田市、小平市、日野市、国分寺市、狛江市、清瀬市、多摩市
	神奈川県	横浜市、川崎市、厚木市
	愛知県	刈谷市、豊田市、日進市
	京都府	長岡京市
	大阪府	大阪市、守口市
100分の15地域	茨城県	守谷市
	埼玉県	さいたま市、蕨市、志木市
	千葉県	千葉市、成田市、習志野市、栄町
	東京都	八王子市、三鷹市、青梅市、府中市、昭島市、小金井市、東村山市、国立市、福生市、東久留米市、稲城市、西東京市
	神奈川県	鎌倉市、逗子市
	静岡県	裾野市
	愛知県	名古屋市、豊明市
	大阪府	池田市、高槻市、大東市、門真市、高石市、大阪狭山市
	兵庫県	西宮市、芦屋市、宝塚市
100分の12地域	茨城県	牛久市
	埼玉県	東松山市、狭山市、朝霞市、ふじみ野市
	千葉県	船橋市、浦安市
	東京都	立川市、東大和市
	神奈川県	相模原市、藤沢市、海老名市、座間市、愛川町
	三重県	鈴鹿市
	京都府	京田辺市
	大阪府	豊中市、吹田市、寝屋川市、松原市、箕面市、羽曳野市
	兵庫県	神戸市

地域区分	都道府県	地域
	奈良県	天理市
100分の10地域	宮城県	多賀城市
	茨城県	水戸市、日立市、土浦市、龍ヶ崎市、稲敷市、石岡市、阿見町
	埼玉県	新座市、桶川市、富士見市、坂戸市、鶴ヶ島市
	千葉県	市川市、松戸市、佐倉市、市原市、八千代市、富津市、四街道市
	東京都	あきる野市、羽村市、日の出町、檜原村、奥多摩町
	神奈川県	横須賀市、平塚市、小田原市、茅ヶ崎市、三浦市、大和市、伊勢原市、綾瀬市、葉山町、寒川町
	愛知県	西尾市、知多市、知立市、清須市、みよし市、長久手市、東郷町
	三重県	四日市市
	滋賀県	大津市、草津市、栗東市
	京都府	京都市、向日市
	大阪府	堺市、枚方市、茨木市、八尾市、柏原市、摂津市、藤井寺市、東大阪市、四條畷市、交野市、島本町
	兵庫県	尼崎市、伊丹市、高砂市、川西市、三田市
	奈良県	奈良市、大和郡山市、川西町
	広島県	広島市、府中町
	福岡県	福岡市、春日市、福津市、糸島市
100分の6地域	宮城県	仙台市、富谷市、七ヶ浜町、大和町
	茨城県	古河市、常総市、ひたちなか市、坂東市、神栖市、つくばみらい市、那珂市、大洗町、河内町、五霞町、境町、利根町、東海村
	栃木県	宇都宮市、大田原市、さくら市、下野市、野木町
	群馬県	高崎市、明和町
	埼玉県	川越市、川口市、行田市、所沢市、飯能市、加須市、春日部市、羽生市、鴻巣市、深谷市、上尾市、草加市、越谷市、戸田市、入間市、久喜市、北本市、八潮市、三郷市、蓮田市、幸手市、吉川市、白岡市、伊奈町、三芳町、川島町、鳩山町、ときがわ町、宮

		代町、杉戸町、松伏町、滑川町		
	千葉県	野田市、茂原市、東金市、柏市、流山市、鎌ヶ谷市、白井市、香取市、大網白里市、木更津市、君津市、酒々井町、神崎町、白子町、長柄町、長南町		
	神奈川県	秦野市、大磯町、二宮町、中井町、大井町、山北町、清川村		
	山梨県	甲府市		
	長野県	塩尻市		
	岐阜県	岐阜市、海津市		
	静岡県	静岡市、沼津市、磐田市、御殿場市		
	愛知県	岡崎市、一宮市、瀬戸市、春日井市、豊川市、津島市、碧南市、安城市、蒲郡市、犬山市、江南市、稲沢市、東海市、大府市、尾張旭市、高浜市、岩倉市、田原市、愛西市、北名古屋市、弥富市、あま市、豊山町、大治町、蟹江町、幸田町、飛島村		
	三重県	津市、桑名市、亀山市、木曽岬町		
	滋賀県	彦根市、守山市、甲賀市、野洲市		
	京都府	宇治市、亀岡市、八幡市、南丹市、木津川市、城陽市、大山崎町、笠置町、和束町、精華町、久御山町、井手町、宇治田原町、南山城村		
	大阪府	岸和田市、泉大津市、貝塚市、泉佐野市、富田林市、河内長野市、和泉市、泉南市、阪南市、豊能町、能勢町、忠岡町、熊取町、田尻町、岬町、太子町、河南町、千早赤阪村		
	兵庫県	明石市、赤穂市、丹波篠山市、猪名川町		
	奈良県	大和高田市、橿原市、生駒市、香芝市、葛城市、御所市、平群町、三郷町、斑鳩町、安堵町、上牧町、王寺町、広陵町、河合町		
	和歌山県	和歌山市、橋本市、紀の川市、岩出市、かつらぎ町		
	香川県	高松市		
	福岡県	大野城市、太宰府市、那珂川市、志免町、新宮町、粕屋町		
	佐賀県	佐賀市、吉野ヶ里町		
100分の3地域	北海道	札幌市		
	宮城県	塩釜市、名取市、村田町、利府町		
	茨城県	結城市、下妻市、常陸太田市、笠間市、鹿嶋市、潮来市、筑西市、桜川市、茨城町、城里町、八千代町		
	栃木県	足利市、栃木市、佐野市、鹿沼市、日光市、小山市、真岡市、上三川町、芳賀町、壬生町		
	群馬県	前橋市、桐生市、伊勢崎市、太田市、沼田市、渋川市、みどり市、吉岡町、東吾妻町、玉村町、板倉町、千代田町、大泉町、榛東村、昭和村		
	埼玉県	熊谷市、日高市、毛呂山町、越生町、嵐山町、吉見町		
	千葉県	鴨川市、八街市、富里市、山武市、多古町、九十九里町、芝山町、大多喜町		
	東京都	武蔵村山市、瑞穂町		
	神奈川県	箱根町		
	新潟県	新潟市		
	富山県	富山市、南砺市、上市町、立山町、舟橋村		
	石川県	金沢市、津幡町、内灘町		
	福井県	福井市		
	山梨県	韮崎市、南アルプス市、北杜市、甲斐市、上野原市、中央市、市川三郷町、早川町、身延町、南部町、富士川町、昭和町、富士河口湖町、道志村		
	長野県	長野市、松本市、上田市、岡谷市、飯田市、諏訪市、伊那市、大町市、茅野市、青木村、長和町、下諏訪町、辰野町、箕輪町、木曽町、南箕輪村、大鹿村、木祖村、山形村、朝日村、筑北村		
	岐阜県	大垣市、高山市、多治見市、関市、瑞浪市、羽島市、恵那市、美濃加茂市、土岐市、各務原市、可児市、山県市、瑞穂市、本巣市、岐南町、笠松町、神戸町、安八町、北方町、坂祝町、富加町、八百津町、御嵩町		
	静岡県	浜松市、三島市、富士宮市、島田市、富士市、焼		

		津市、掛川市、藤枝市、袋井市、湖西市、函南町、清水町、長泉町、小山町、川根本町、森町
	愛知県	豊橋市、半田市、常滑市、小牧市、新城市、大口町、扶桑町、阿久比町、東浦町、武豊町、設楽町
	三重県	名張市、いなべ市、伊賀市、東員町、菰野町、朝日町、川越町
	滋賀県	長浜市、近江八幡市、湖南市、高島市、東近江市、米原市、日野町、竜王町、愛荘町、多賀町
	兵庫県	姫路市、加古川市、三木市、小野市、加西市、加東市、稲美町、播磨町
	奈良県	桜井市、五條市、宇陀市、三宅町、田原本町、高取町、吉野町、山添村、曽爾村、明日香村
	岡山県	岡山市、玉野市、備前市、瀬戸内市
	広島県	呉市、竹原市、三原市、大竹市、東広島市、廿日市市、安芸高田市、熊野町、安芸太田町、北広島町、世羅町、海田町、坂町
	山口県	岩国市、周南市、和木町
	徳島県	徳島市、鳴門市、小松島市、阿南市、美馬市、勝浦町、松茂町、北島町、藍住町
	香川県	坂出市、さぬき市、東かがわ市、三木町、綾川町
	福岡県	北九州市、飯塚市、筑紫野市、古賀市、宮若市、宇美町、篠栗町、須惠町、久山町
	佐賀県	鳥栖市、基山町
	長崎県	長崎市
その他地域	全ての都道府県	100分の20地域から100分の3地域まで以外の地域

備考　この表の下欄に掲げる地域は、令和6年4月1日において当該地域に係る名称によって示された区域をいい、その後における当該名称又は当該区域の変更によって影響されるものでない。

別表第2
○幼稚園（教育標準時間認定）

地域区分①	定員区分②	認定区分③	年齢区分④	基本分単価 ⑤（注）		処遇改善等加算Ⅰ ⑥（注）			副園長・教頭配置加算 ⑦		処遇改善等加算Ⅰ	3歳児配置改善加算 ⑧		処遇改善等加算Ⅰ
20/100地域	15人まで	1号	4歳以上児	120,720	(129,280) +	1,180	(1,270) ×加算率				7,150 +	70×加算率	(8,560) +	(80×加算率)
			3歳児	129,280	+	1,270	×加算率	+					8,560	80×加算率
	16人から25人まで	1号	4歳以上児	74,250	(82,810) +	720	(800) ×加算率		4,290 +	40×加算率	(8,560) +	(80×加算率)		
			3歳児	82,810	+	800	×加算率	+					8,560	80×加算率
	26人から35人まで	1号	4歳以上児	54,330	(62,890) +	520	(600) ×加算率		3,060 +	30×加算率	(8,560) +	(80×加算率)		
			3歳児	62,890	+	600	×加算率	+					8,560	80×加算率
	36人から45人まで	1号	4歳以上児	54,740	(63,300) +	520	(610) ×加算率		2,380 +	20×加算率	(8,560) +	(80×加算率)		
			3歳児	63,300	+	610	×加算率	+					8,560	80×加算率
	46人から60人まで	1号	4歳以上児	50,730	(59,290) +	480	(570) ×加算率		1,780 +	10×加算率	(8,560) +	(80×加算率)		
			3歳児	59,290	+	570	×加算率	+					8,560	80×加算率
	61人から75人まで	1号	4歳以上児	44,940	(53,500) +	430	(510) ×加算率		1,430 +	10×加算率	(8,560) +	(80×加算率)		
			3歳児	53,500	+	510	×加算率	+					8,560	80×加算率
	76人から90人まで	1号	4歳以上児	41,050	(49,610) +	390	(470) ×加算率		1,190 +	10×加算率	(8,560) +	(80×加算率)		
			3歳児	49,610	+	470	×加算率	+					8,560	80×加算率
	91人から105人まで	1号	4歳以上児	38,270	(46,830) +	360	(440) ×加算率		1,020 +	10×加算率	(8,560) +	(80×加算率)		
			3歳児	46,830	+	440	×加算率	+					8,560	80×加算率
	106人から120人まで	1号	4歳以上児	36,220	(44,780) +	340	(420) ×加算率		890 +	8×加算率	(8,560) +	(80×加算率)		
			3歳児	44,780	+	420	×加算率	+					8,560	80×加算率
	121人から135人まで	1号	4歳以上児	34,590	(43,150) +	320	(410) ×加算率		790 +	7×加算率	(8,560) +	(80×加算率)		
			3歳児	43,150	+	410	×加算率	+					8,560	80×加算率
	136人から150人まで	1号	4歳以上児	33,320	(41,880) +	310	(390) ×加算率		710 +	7×加算率	(8,560) +	(80×加算率)		
			3歳児	41,880	+	390	×加算率	+					8,560	80×加算率
	151人から180人まで	1号	4歳以上児	31,380	(39,940) +	290	(380) ×加算率		590 +	5×加算率	(8,560) +	(80×加算率)		
			3歳児	39,940	+	380	×加算率	+					8,560	80×加算率
	181人から210人まで	1号	4歳以上児	29,980	(38,540) +	280	(360) ×加算率		510 +	5×加算率	(8,560) +	(80×加算率)		
			3歳児	38,540	+	360	×加算率	+					8,560	80×加算率
	211人から240人まで	1号	4歳以上児	28,950	(37,510) +	270	(350) ×加算率		440 +	4×加算率	(8,560) +	(80×加算率)		
			3歳児	37,510	+	350	×加算率	+					8,560	80×加算率
	241人から270人まで	1号	4歳以上児	28,150	(36,710) +	260	(340) ×加算率		390 +	3×加算率	(8,560) +	(80×加算率)		
			3歳児	36,710	+	340	×加算率	+					8,560	80×加算率
	271人から300人まで	1号	4歳以上児	27,500	(36,060) +	250	(340) ×加算率		350 +	3×加算率	(8,560) +	(80×加算率)		
			3歳児	36,060	+	340	×加算率	+					8,560	80×加算率
	301人以上	1号	4歳以上児	25,420	(33,980) +	230	(320) ×加算率		320 +	3×加算率	(8,560) +	(80×加算率)		
			3歳児	33,980	+	320	×加算率	+					8,560	80×加算率

地域区分①	定員区分②	認定区分③	年齢区分④	4歳以上児配置改善加算　処遇改善等加算Ⅰ⑨		満3歳児対応加配加算(3歳児配置改善加算無し)　処遇改善等加算Ⅰ⑩		満3歳児対応加配加算(3歳児配置改善加算有り)　処遇改善等加算Ⅰ⑩'		講師配置加算　処遇改善等加算Ⅰ⑪	
20/100地域	15人まで	1号	4歳以上児	+ 3,420	+ 30×加算率					6,010	+ 60×加算率
			3　歳　児			+ 59,950	+ 590×加算率	+ 51,390	+ 510×加算率		
	16人から25人まで	1号	4歳以上児	+ 3,420	+ 30×加算率					3,600	+ 30×加算率
			3　歳　児			+ 59,950	+ 590×加算率	+ 51,390	+ 510×加算率		
	26人から35人まで	1号	4歳以上児	+ 3,420	+ 30×加算率					2,570	+ 20×加算率
			3　歳　児			+ 59,950	+ 590×加算率	+ 51,390	+ 510×加算率		
	36人から45人まで	1号	4歳以上児	+ 3,420	+ 30×加算率						
			3　歳　児			+ 59,950	+ 590×加算率	+ 51,390	+ 510×加算率	+ －	+ －
	46人から60人まで	1号	4歳以上児	+ 3,420	+ 30×加算率						
			3　歳　児			+ 59,950	+ 590×加算率	+ 51,390	+ 510×加算率		
	61人から75人まで	1号	4歳以上児	+ 3,420	+ 30×加算率						
			3　歳　児			+ 59,950	+ 590×加算率	+ 51,390	+ 510×加算率		
	76人から90人まで	1号	4歳以上児	+ 3,420	+ 30×加算率						
			3　歳　児			+ 59,950	+ 590×加算率	+ 51,390	+ 510×加算率		
	91人から105人まで	1号	4歳以上児	+ 3,420	+ 30×加算率						
			3　歳　児			+ 59,950	+ 590×加算率	+ 51,390	+ 510×加算率		
	106人から120人まで	1号	4歳以上児	+ 3,420	+ 30×加算率						
			3　歳　児			+ 59,950	+ 590×加算率	+ 51,390	+ 510×加算率	+ －	+ －
	121人から135人まで	1号	4歳以上児	+ 3,420	+ 30×加算率						
			3　歳　児			+ 59,950	+ 590×加算率	+ 51,390	+ 510×加算率	+ 660	+ 6×加算率
	136人から150人まで	1号	4歳以上児	+ 3,420	+ 30×加算率						
			3　歳　児			+ 59,950	+ 590×加算率	+ 51,390	+ 510×加算率	+ 600	+ 6×加算率
	151人から180人まで	1号	4歳以上児	+ 3,420	+ 30×加算率						
			3　歳　児			+ 59,950	+ 590×加算率	+ 51,390	+ 510×加算率	+ 500	+ 5×加算率
	181人から210人まで	1号	4歳以上児	+ 3,420	+ 30×加算率						
			3　歳　児			+ 59,950	+ 590×加算率	+ 51,390	+ 510×加算率	+ 430	+ 4×加算率
	211人から240人まで	1号	4歳以上児	+ 3,420	+ 30×加算率						
			3　歳　児			+ 59,950	+ 590×加算率	+ 51,390	+ 510×加算率	+ 370	+ 3×加算率
	241人から270人まで	1号	4歳以上児	+ 3,420	+ 30×加算率						
			3　歳　児			+ 59,950	+ 590×加算率	+ 51,390	+ 510×加算率	+ 330	+ 3×加算率
	271人から300人まで	1号	4歳以上児	+ 3,420	+ 30×加算率						
			3　歳　児			+ 59,950	+ 590×加算率	+ 51,390	+ 510×加算率	+ 300	+ 3×加算率
	301人以上	1号	4歳以上児	+ 3,420	+ 30×加算率						
			3　歳　児			+ 59,950	+ 590×加算率	+ 51,390	+ 510×加算率	+ 270	+ 2×加算率

地域区分①	定員区分②	認定区分③	年齢区分④	チーム保育加配加算 ※加配1人当たり単価	処遇改善等加算Ⅰ ⑫	通園送迎加算	処遇改善等加算Ⅰ ⑬
20/100 地域	15人まで	1号	4歳以上児 / 3歳児	+ 34,260×加配人数	+ 340×加算率×加配人数	+ 3,790	+ 30×加算率
	16人から25人まで	1号	4歳以上児 / 3歳児	+ 20,550×加配人数	+ 200×加算率×加配人数	+ 2,600	+ 20×加算率
	26人から35人まで	1号	4歳以上児 / 3歳児	+ 14,680×加配人数	+ 140×加算率×加配人数	+ 2,090	+ 20×加算率
	36人から45人まで	1号	4歳以上児 / 3歳児	+ 11,420×加配人数	+ 110×加算率×加配人数	+ 1,800	+ 10×加算率
	46人から60人まで	1号	4歳以上児 / 3歳児	+ 8,560×加配人数	+ 80×加算率×加配人数	+ 1,350	+ 10×加算率
	61人から75人まで	1号	4歳以上児 / 3歳児	+ 6,850×加配人数	+ 60×加算率×加配人数	+ 1,080	+ 10×加算率
	76人から90人まで	1号	4歳以上児 / 3歳児	+ 5,710×加配人数	+ 50×加算率×加配人数	+ 900	+ 9×加算率
	91人から105人まで	1号	4歳以上児 / 3歳児	+ 4,890×加配人数	+ 40×加算率×加配人数	+ 770	+ 7×加算率
	106人から120人まで	1号	4歳以上児 / 3歳児	+ 4,280×加配人数	+ 40×加算率×加配人数	+ 670	+ 6×加算率
	121人から135人まで	1号	4歳以上児 / 3歳児	+ 3,800×加配人数	+ 30×加算率×加配人数	+ 600	+ 6×加算率
	136人から150人まで	1号	4歳以上児 / 3歳児	+ 3,420×加配人数	+ 30×加算率×加配人数	+ 540	+ 5×加算率
	151人から180人まで	1号	4歳以上児 / 3歳児	+ 2,850×加配人数	+ 20×加算率×加配人数	+ 520	+ 5×加算率
	181人から210人まで	1号	4歳以上児 / 3歳児	+ 2,440×加配人数	+ 20×加算率×加配人数	+ 520	+ 5×加算率
	211人から240人まで	1号	4歳以上児 / 3歳児	+ 2,140×加配人数	+ 20×加算率×加配人数	+ 520	+ 5×加算率
	241人から270人まで	1号	4歳以上児 / 3歳児	+ 1,900×加配人数	+ 10×加算率×加配人数	+ 520	+ 5×加算率
	271人から300人まで	1号	4歳以上児 / 3歳児	+ 1,710×加配人数	+ 10×加算率×加配人数	+ 520	+ 5×加算率
	301人以上	1号	4歳以上児 / 3歳児	+ 1,550×加配人数	+ 10×加算率×加配人数	+ 520	+ 5×加算率

地域区分 ①	定員区分 ②	認定区分 ③	年齢区分 ④	給食実施加算（施設内調理）⑭	処遇改善等加算Ⅰ	給食実施加算（外部搬入）⑭'	処遇改善等加算Ⅰ
20/100 地域	15人まで	1号	4歳以上児 / 3歳児	+ 2,840 ×週当たり実施日数	+ 20 ×週当たり実施日数×加算率	+ 500 ×週当たり実施日数	+ 5 ×週当たり実施日数×加算率
	16人から25人まで	1号	4歳以上児 / 3歳児	+ 1,700 ×週当たり実施日数	+ 10 ×週当たり実施日数×加算率	+ 300 ×週当たり実施日数	+ 3 ×週当たり実施日数×加算率
	26人から35人まで	1号	4歳以上児 / 3歳児	+ 1,220 ×週当たり実施日数	+ 10 ×週当たり実施日数×加算率	+ 210 ×週当たり実施日数	+ 2 ×週当たり実施日数×加算率
	36人から45人まで	1号	4歳以上児 / 3歳児	+ 950 ×週当たり実施日数	+ 9 ×週当たり実施日数×加算率	+ 170 ×週当たり実施日数	+ 1 ×週当たり実施日数×加算率
	46人から60人まで	1号	4歳以上児 / 3歳児	+ 710 ×週当たり実施日数	+ 7 ×週当たり実施日数×加算率	+ 120 ×週当たり実施日数	+ 1 ×週当たり実施日数×加算率
	61人から75人まで	1号	4歳以上児 / 3歳児	+ 590 ×週当たり実施日数	+ 5 ×週当たり実施日数×加算率	+ 100 ×週当たり実施日数	+ 1 ×週当たり実施日数×加算率
	76人から90人まで	1号	4歳以上児 / 3歳児	+ 520 ×週当たり実施日数	+ 5 ×週当たり実施日数×加算率	+ 90 ×週当たり実施日数	+ 1 ×週当たり実施日数×加算率
	91人から105人まで	1号	4歳以上児 / 3歳児	+ 460 ×週当たり実施日数	+ 4 ×週当たり実施日数×加算率	+ 80 ×週当たり実施日数	+ 1 ×週当たり実施日数×加算率
	106人から120人まで	1号	4歳以上児 / 3歳児	+ 420 ×週当たり実施日数	+ 4 ×週当たり実施日数×加算率	+ 70 ×週当たり実施日数	+ 1 ×週当たり実施日数×加算率
	121人から135人まで	1号	4歳以上児 / 3歳児	+ 390 ×週当たり実施日数	+ 3 ×週当たり実施日数×加算率	+ 70 ×週当たり実施日数	+ 1 ×週当たり実施日数×加算率
	136人から150人まで	1号	4歳以上児 / 3歳児	+ 370 ×週当たり実施日数	+ 3 ×週当たり実施日数×加算率	+ 60 ×週当たり実施日数	+ 1 ×週当たり実施日数×加算率
	151人から180人まで	1号	4歳以上児 / 3歳児	+ 320 ×週当たり実施日数	+ 3 ×週当たり実施日数×加算率	+ 50 ×週当たり実施日数	+ 1 ×週当たり実施日数×加算率
	181人から210人まで	1号	4歳以上児 / 3歳児	+ 280 ×週当たり実施日数	+ 2 ×週当たり実施日数×加算率	+ 50 ×週当たり実施日数	+ 1 ×週当たり実施日数×加算率
	211人から240人まで	1号	4歳以上児 / 3歳児	+ 260 ×週当たり実施日数	+ 2 ×週当たり実施日数×加算率	+ 40 ×週当たり実施日数	+ 1 ×週当たり実施日数×加算率
	241人から270人まで	1号	4歳以上児 / 3歳児	+ 230 ×週当たり実施日数	+ 2 ×週当たり実施日数×加算率	+ 40 ×週当たり実施日数	+ 1 ×週当たり実施日数×加算率
	271人から300人まで	1号	4歳以上児 / 3歳児	+ 210 ×週当たり実施日数	+ 2 ×週当たり実施日数×加算率	+ 30 ×週当たり実施日数	+ 1 ×週当たり実施日数×加算率
	301人以上	1号	4歳以上児 / 3歳児	+ 190 ×週当たり実施日数	+ 1 ×週当たり実施日数×加算率	+ 30 ×週当たり実施日数	+ 1 ×週当たり実施日数×加算率

地域区分 ①	定員区分 ②	認定区分 ③	年齢区分 ④		外部監査費加算 ⑮		副食費徴収免除加算 ※副食費の徴収が免除される子どもの単価に加算 ⑯		年齢別配置基準を下回る場合 ⑰	定員を恒常的に超過する場合 ⑱
20/100地域	15人まで	1号	4歳以上児 / 3歳児	+	27,330	+	240 ×各月の給食実施日数	−	(34,260 +340×加算率)×人数	
	16人から25人まで	1号	4歳以上児 / 3歳児	+	16,800	+	240 ×各月の給食実施日数	−	(20,550 +200×加算率)×人数	
	26人から35人まで	1号	4歳以上児 / 3歳児	+	12,280	+	240 ×各月の給食実施日数	−	(14,680 +140×加算率)×人数	
	36人から45人まで	1号	4歳以上児 / 3歳児	+	9,770	+	240 ×各月の給食実施日数	−	(11,420 +110×加算率)×人数	
	46人から60人まで	1号	4歳以上児 / 3歳児	+	7,500	+	240 ×各月の給食実施日数	−	(8,560 +80×加算率)×人数	
	61人から75人まで	1号	4歳以上児 / 3歳児	+	6,130	+	240 ×各月の給食実施日数	−	(6,850 +60×加算率)×人数	
	76人から90人まで	1号	4歳以上児 / 3歳児	+	5,220	+	240 ×各月の給食実施日数	−	(5,710 +50×加算率)×人数	
	91人から105人まで	1号	4歳以上児 / 3歳児	+	4,660	+	240 ×各月の給食実施日数	−	(4,890 +40×加算率)×人数	
	106人から120人まで	1号	4歳以上児 / 3歳児	+	4,250	+	240 ×各月の給食実施日数	−	(4,280 +40×加算率)×人数	(⑤〜⑰（⑯を除く。）) ×別に定める調整率
	121人から135人まで	1号	4歳以上児 / 3歳児	+	3,920	+	240 ×各月の給食実施日数	−	(3,800 +30×加算率)×人数	
	136人から150人まで	1号	4歳以上児 / 3歳児	+	3,660	+	240 ×各月の給食実施日数	−	(3,420 +30×加算率)×人数	
	151人から180人まで	1号	4歳以上児 / 3歳児	+	3,160	+	240 ×各月の給食実施日数	−	(2,850 +20×加算率)×人数	
	181人から210人まで	1号	4歳以上児 / 3歳児	+	2,810	+	240 ×各月の給食実施日数	−	(2,440 +20×加算率)×人数	
	211人から240人まで	1号	4歳以上児 / 3歳児	+	2,540	+	240 ×各月の給食実施日数	−	(2,140 +20×加算率)×人数	
	241人から270人まで	1号	4歳以上児 / 3歳児	+	2,440	+	240 ×各月の給食実施日数	−	(1,900 +10×加算率)×人数	
	271人から300人まで	1号	4歳以上児 / 3歳児	+	2,360	+	240 ×各月の給食実施日数	−	(1,710 +10×加算率)×人数	
	301人以上	1号	4歳以上児 / 3歳児	+	2,150	+	240 ×各月の給食実施日数	−	(1,550 +10×加算率)×人数	

地域区分①	定員区分②	認定区分③	年齢区分④	基本分単価 （注）⑤	処遇改善等加算Ⅰ （注）⑥	副園長・教頭配置加算⑦	処遇改善等加算Ⅰ	３歳児配置改善加算⑧	処遇改善等加算Ⅰ
16/100 地域	15人まで	1号	4歳以上児	117,180　(125,480) ＋	1,150　(1,230) ×加算率	＋ 6,890	＋ 60×加算率	＋ (8,300)	(80×加算率)
			3歳児	125,480 ＋	1,230 ×加算率		8,300	＋ 8,300	80×加算率
	16人から25人まで	1号	4歳以上児	72,120　(80,420) ＋	700　(780) ×加算率	＋ 4,130	＋ 40×加算率	＋ (8,300)	(80×加算率)
			3歳児	80,420 ＋	780 ×加算率			＋ 8,300	80×加算率
	26人から35人まで	1号	4歳以上児	52,810　(61,110) ＋	500　(590) ×加算率	＋ 2,950	＋ 20×加算率	＋ (8,300)	(80×加算率)
			3歳児	61,110 ＋	590 ×加算率			＋ 8,300	80×加算率
	36人から45人まで	1号	4歳以上児	53,210　(61,510) ＋	510　(590) ×加算率	＋ 2,290	＋ 20×加算率	＋ (8,300)	(80×加算率)
			3歳児	61,510 ＋	590 ×加算率			＋ 8,300	80×加算率
	46人から60人まで	1号	4歳以上児	49,320　(57,620) ＋	470　(550) ×加算率	＋ 1,720	＋ 10×加算率	＋ (8,300)	(80×加算率)
			3歳児	57,620 ＋	550 ×加算率			＋ 8,300	80×加算率
	61人から75人まで	1号	4歳以上児	43,710　(52,010) ＋	410　(500) ×加算率	＋ 1,370	＋ 10×加算率	＋ (8,300)	(80×加算率)
			3歳児	52,010 ＋	500 ×加算率			＋ 8,300	80×加算率
	76人から90人まで	1号	4歳以上児	39,940　(48,240) ＋	380　(460) ×加算率	＋ 1,140	＋ 10×加算率	＋ (8,300)	(80×加算率)
			3歳児	48,240 ＋	460 ×加算率			＋ 8,300	80×加算率
	91人から105人まで	1号	4歳以上児	37,250　(45,550) ＋	350　(430) ×加算率	＋ 980	9×加算率	＋ (8,300)	(80×加算率)
			3歳児	45,550 ＋	430 ×加算率			＋ 8,300	80×加算率
	106人から120人まで	1号	4歳以上児	35,250　(43,550) ＋	330　(410) ×加算率	＋ 860	8×加算率	＋ (8,300)	(80×加算率)
			3歳児	43,550 ＋	410 ×加算率			＋ 8,300	80×加算率
	121人から135人まで	1号	4歳以上児	33,680　(41,980) ＋	310　(400) ×加算率	＋ 760	7×加算率	＋ (8,300)	(80×加算率)
			3歳児	41,980 ＋	400 ×加算率			＋ 8,300	80×加算率
	136人から150人まで	1号	4歳以上児	32,440　(40,740) ＋	300　(380) ×加算率	＋ 680	6×加算率	＋ (8,300)	(80×加算率)
			3歳児	40,740 ＋	380 ×加算率			＋ 8,300	80×加算率
	151人から180人まで	1号	4歳以上児	30,560　(38,860) ＋	280　(360) ×加算率	＋ 570	5×加算率	＋ (8,300)	(80×加算率)
			3歳児	38,860 ＋	360 ×加算率			＋ 8,300	80×加算率
	181人から210人まで	1号	4歳以上児	29,210　(37,510) ＋	270　(350) ×加算率	＋ 490	4×加算率	＋ (8,300)	(80×加算率)
			3歳児	37,510 ＋	350 ×加算率			＋ 8,300	80×加算率
	211人から240人まで	1号	4歳以上児	28,210　(36,510) ＋	260　(340) ×加算率	＋ 430	4×加算率	＋ (8,300)	(80×加算率)
			3歳児	36,510 ＋	340 ×加算率			＋ 8,300	80×加算率
	241人から270人まで	1号	4歳以上児	27,430　(35,730) ＋	250　(330) ×加算率	＋ 380	3×加算率	＋ (8,300)	(80×加算率)
			3歳児	35,730 ＋	330 ×加算率			＋ 8,300	80×加算率
	271人から300人まで	1号	4歳以上児	26,800　(35,100) ＋	240　(330) ×加算率	＋ 340	3×加算率	＋ (8,300)	(80×加算率)
			3歳児	35,100 ＋	330 ×加算率			＋ 8,300	80×加算率
	301人以上	1号	4歳以上児	24,790　(33,090) ＋	220　(310) ×加算率	＋ 310	3×加算率	＋ (8,300)	(80×加算率)
			3歳児	33,090 ＋	310 ×加算率			＋ 8,300	80×加算率

地域区分 ①	定員区分 ②	認定区分 ③	年齢区分 ④	4歳以上児配置改善加算 処遇改善等加算I ⑨		満3歳児対応加配加算（3歳児配置改善加算無し） 処遇改善等加算I ⑩		満3歳児対応加配加算（3歳児配置改善加算有り） 処遇改善等加算I ⑩'		講師配置加算 処遇改善等加算I ⑪	
16/100 地域	15人まで	1号	4歳以上児	+ 3,320	+ 30×加算率					6,010	+ 60×加算率
			3　歳　児			+ 58,120	+ 580×加算率	+ 49,820	+ 490×加算率		
	16人から25人まで	1号	4歳以上児	+ 3,320	+ 30×加算率					3,600	+ 30×加算率
			3　歳　児			+ 58,120	+ 580×加算率	+ 49,820	+ 490×加算率		
	26人から35人まで	1号	4歳以上児	+ 3,320	+ 30×加算率					2,570	+ 20×加算率
			3　歳　児			+ 58,120	+ 580×加算率	+ 49,820	+ 490×加算率		
	36人から45人まで	1号	4歳以上児	+ 3,320	+ 30×加算率					−	+ −
			3　歳　児			+ 58,120	+ 580×加算率	+ 49,820	+ 490×加算率		
	46人から60人まで	1号	4歳以上児	+ 3,320	+ 30×加算率					−	+ −
			3　歳　児			+ 58,120	+ 580×加算率	+ 49,820	+ 490×加算率		
	61人から75人まで	1号	4歳以上児	+ 3,320	+ 30×加算率					−	+ −
			3　歳　児			+ 58,120	+ 580×加算率	+ 49,820	+ 490×加算率		
	76人から90人まで	1号	4歳以上児	+ 3,320	+ 30×加算率					−	+ −
			3　歳　児			+ 58,120	+ 580×加算率	+ 49,820	+ 490×加算率		
	91人から105人まで	1号	4歳以上児	+ 3,320	+ 30×加算率					−	+ −
			3　歳　児			+ 58,120	+ 580×加算率	+ 49,820	+ 490×加算率		
	106人から120人まで	1号	4歳以上児	+ 3,320	+ 30×加算率					−	+ −
			3　歳　児			+ 58,120	+ 580×加算率	+ 49,820	+ 490×加算率		
	121人から135人まで	1号	4歳以上児	+ 3,320	+ 30×加算率					660	+ 6×加算率
			3　歳　児			+ 58,120	+ 580×加算率	+ 49,820	+ 490×加算率		
	136人から150人まで	1号	4歳以上児	+ 3,320	+ 30×加算率					600	+ 6×加算率
			3　歳　児			+ 58,120	+ 580×加算率	+ 49,820	+ 490×加算率		
	151人から180人まで	1号	4歳以上児	+ 3,320	+ 30×加算率					500	+ 5×加算率
			3　歳　児			+ 58,120	+ 580×加算率	+ 49,820	+ 490×加算率		
	181人から210人まで	1号	4歳以上児	+ 3,320	+ 30×加算率					430	+ 4×加算率
			3　歳　児			+ 58,120	+ 580×加算率	+ 49,820	+ 490×加算率		
	211人から240人まで	1号	4歳以上児	+ 3,320	+ 30×加算率					370	+ 3×加算率
			3　歳　児			+ 58,120	+ 580×加算率	+ 49,820	+ 490×加算率		
	241人から270人まで	1号	4歳以上児	+ 3,320	+ 30×加算率					330	+ 3×加算率
			3　歳　児			+ 58,120	+ 580×加算率	+ 49,820	+ 490×加算率		
	271人から300人まで	1号	4歳以上児	+ 3,320	+ 30×加算率					300	+ 3×加算率
			3　歳　児			+ 58,120	+ 580×加算率	+ 49,820	+ 490×加算率		
	301人以上	1号	4歳以上児	+ 3,320	+ 30×加算率					270	+ 2×加算率
			3　歳　児			+ 58,120	+ 580×加算率	+ 49,820	+ 490×加算率		

地域区分 ①	定員区分 ②	認定区分 ③	年齢区分 ④	チーム保育加配加算 ※加配1人当たり単価	処遇改善等加算Ⅰ ⑫	通園送迎加算	処遇改善等加算Ⅰ ⑬
16/100 地域	15人まで	1号	4歳以上児 / 3歳児	+ 33,210×加配人数	+ 330×加算率×加配人数	+ 3,790	+ 30×加算率
	16人から25人まで	1号	4歳以上児 / 3歳児	+ 19,920×加配人数	+ 190×加算率×加配人数	+ 2,600	+ 20×加算率
	26人から35人まで	1号	4歳以上児 / 3歳児	+ 14,230×加配人数	+ 140×加算率×加配人数	+ 2,090	+ 20×加算率
	36人から45人まで	1号	4歳以上児 / 3歳児	+ 11,070×加配人数	+ 110×加算率×加配人数	+ 1,800	+ 10×加算率
	46人から60人まで	1号	4歳以上児 / 3歳児	+ 8,300×加配人数	+ 80×加算率×加配人数	+ 1,350	+ 10×加算率
	61人から75人まで	1号	4歳以上児 / 3歳児	+ 6,640×加配人数	+ 60×加算率×加配人数	+ 1,080	+ 10×加算率
	76人から90人まで	1号	4歳以上児 / 3歳児	+ 5,530×加配人数	+ 50×加算率×加配人数	+ 900	+ 9×加算率
	91人から105人まで	1号	4歳以上児 / 3歳児	+ 4,740×加配人数	+ 40×加算率×加配人数	+ 770	+ 7×加算率
	106人から120人まで	1号	4歳以上児 / 3歳児	+ 4,150×加配人数	+ 40×加算率×加配人数	+ 670	+ 6×加算率
	121人から135人まで	1号	4歳以上児 / 3歳児	+ 3,690×加配人数	+ 30×加算率×加配人数	+ 600	+ 6×加算率
	136人から150人まで	1号	4歳以上児 / 3歳児	+ 3,320×加配人数	+ 30×加算率×加配人数	+ 540	+ 5×加算率
	151人から180人まで	1号	4歳以上児 / 3歳児	+ 2,760×加配人数	+ 20×加算率×加配人数	+ 520	+ 5×加算率
	181人から210人まで	1号	4歳以上児 / 3歳児	+ 2,370×加配人数	+ 20×加算率×加配人数	+ 520	+ 5×加算率
	211人から240人まで	1号	4歳以上児 / 3歳児	+ 2,070×加配人数	+ 20×加算率×加配人数	+ 520	+ 5×加算率
	241人から270人まで	1号	4歳以上児 / 3歳児	+ 1,840×加配人数	+ 10×加算率×加配人数	+ 520	+ 5×加算率
	271人から300人まで	1号	4歳以上児 / 3歳児	+ 1,660×加配人数	+ 10×加算率×加配人数	+ 520	+ 5×加算率
	301人以上	1号	4歳以上児 / 3歳児	+ 1,500×加配人数	+ 10×加算率×加配人数	+ 520	+ 5×加算率

地域区分 ①	定員区分 ②	認定区分 ③	年齢区分 ④		給食実施加算（施設内調理） ⑭	処遇改善等加算Ⅰ		給食実施加算（外部搬入） ⑭′	処遇改善等加算Ⅰ
16/100 地域	15人まで	1号	4歳以上児／3歳児	+	2,840 ×週当たり実施日数	+	20 ×週当たり実施日数×加算率	+	500 ×週当たり実施日数	+	5 ×週当たり実施日数×加算率
	16人から25人まで	1号	4歳以上児／3歳児	+	1,700 ×週当たり実施日数	+	10 ×週当たり実施日数×加算率	+	300 ×週当たり実施日数	+	3 ×週当たり実施日数×加算率
	26人から35人まで	1号	4歳以上児／3歳児	+	1,220 ×週当たり実施日数	+	10 ×週当たり実施日数×加算率	+	210 ×週当たり実施日数	+	2 ×週当たり実施日数×加算率
	36人から45人まで	1号	4歳以上児／3歳児	+	950 ×週当たり実施日数	+	9 ×週当たり実施日数×加算率	+	170 ×週当たり実施日数	+	1 ×週当たり実施日数×加算率
	46人から60人まで	1号	4歳以上児／3歳児	+	710 ×週当たり実施日数	+	7 ×週当たり実施日数×加算率	+	120 ×週当たり実施日数	+	1 ×週当たり実施日数×加算率
	61人から75人まで	1号	4歳以上児／3歳児	+	590 ×週当たり実施日数	+	5 ×週当たり実施日数×加算率	+	100 ×週当たり実施日数	+	1 ×週当たり実施日数×加算率
	76人から90人まで	1号	4歳以上児／3歳児	+	520 ×週当たり実施日数	+	5 ×週当たり実施日数×加算率	+	90 ×週当たり実施日数	+	1 ×週当たり実施日数×加算率
	91人から105人まで	1号	4歳以上児／3歳児	+	460 ×週当たり実施日数	+	4 ×週当たり実施日数×加算率	+	80 ×週当たり実施日数	+	1 ×週当たり実施日数×加算率
	106人から120人まで	1号	4歳以上児／3歳児	+	420 ×週当たり実施日数	+	4 ×週当たり実施日数×加算率	+	70 ×週当たり実施日数	+	1 ×週当たり実施日数×加算率
	121人から135人まで	1号	4歳以上児／3歳児	+	390 ×週当たり実施日数	+	3 ×週当たり実施日数×加算率	+	70 ×週当たり実施日数	+	1 ×週当たり実施日数×加算率
	136人から150人まで	1号	4歳以上児／3歳児	+	370 ×週当たり実施日数	+	3 ×週当たり実施日数×加算率	+	60 ×週当たり実施日数	+	1 ×週当たり実施日数×加算率
	151人から180人まで	1号	4歳以上児／3歳児	+	320 ×週当たり実施日数	+	3 ×週当たり実施日数×加算率	+	50 ×週当たり実施日数	+	1 ×週当たり実施日数×加算率
	181人から210人まで	1号	4歳以上児／3歳児	+	280 ×週当たり実施日数	+	2 ×週当たり実施日数×加算率	+	50 ×週当たり実施日数	+	1 ×週当たり実施日数×加算率
	211人から240人まで	1号	4歳以上児／3歳児	+	260 ×週当たり実施日数	+	2 ×週当たり実施日数×加算率	+	40 ×週当たり実施日数	+	1 ×週当たり実施日数×加算率
	241人から270人まで	1号	4歳以上児／3歳児	+	230 ×週当たり実施日数	+	2 ×週当たり実施日数×加算率	+	40 ×週当たり実施日数	+	1 ×週当たり実施日数×加算率
	271人から300人まで	1号	4歳以上児／3歳児	+	210 ×週当たり実施日数	+	2 ×週当たり実施日数×加算率	+	30 ×週当たり実施日数	+	1 ×週当たり実施日数×加算率
	301人以上	1号	4歳以上児／3歳児	+	190 ×週当たり実施日数	+	1 ×週当たり実施日数×加算率	+	30 ×週当たり実施日数	+	1 ×週当たり実施日数×加算率

地域区分①	定員区分②	認定区分③	年齢区分④	外部監査費加算⑮	副食費徴収免除加算※副食費の徴収が免除される子どもの単価に加算⑯	年齢別配置基準を下回る場合⑰	定員を恒常的に超過する場合⑱
16/100地域	15人まで	1号	4歳以上児 / 3歳児	＋ 27,330	＋ 240 ×各月の給食実施日数	－ (33,210＋330×加算率)×人数	
	16人から25人まで	1号	4歳以上児 / 3歳児	＋ 16,800	＋ 240 ×各月の給食実施日数	－ (19,920＋190×加算率)×人数	
	26人から35人まで	1号	4歳以上児 / 3歳児	＋ 12,280	＋ 240 ×各月の給食実施日数	－ (14,230＋140×加算率)×人数	
	36人から45人まで	1号	4歳以上児 / 3歳児	＋ 9,770	＋ 240 ×各月の給食実施日数	－ (11,070＋110×加算率)×人数	
	46人から60人まで	1号	4歳以上児 / 3歳児	＋ 7,500	＋ 240 ×各月の給食実施日数	－ (8,300＋80×加算率)×人数	
	61人から75人まで	1号	4歳以上児 / 3歳児	＋ 6,130	＋ 240 ×各月の給食実施日数	－ (6,640＋60×加算率)×人数	
	76人から90人まで	1号	4歳以上児 / 3歳児	＋ 5,220	＋ 240 ×各月の給食実施日数	－ (5,530＋50×加算率)×人数	
	91人から105人まで	1号	4歳以上児 / 3歳児	＋ 4,660	＋ 240 ×各月の給食実施日数	－ (4,740＋40×加算率)×人数	
	106人から120人まで	1号	4歳以上児 / 3歳児	＋ 4,250	＋ 240 ×各月の給食実施日数	－ (4,150＋40×加算率)×人数	(⑤～⑰（⑯を除く。）)×別に定める調整率
	121人から135人まで	1号	4歳以上児 / 3歳児	＋ 3,920	＋ 240 ×各月の給食実施日数	－ (3,690＋30×加算率)×人数	
	136人から150人まで	1号	4歳以上児 / 3歳児	＋ 3,660	＋ 240 ×各月の給食実施日数	－ (3,320＋30×加算率)×人数	
	151人から180人まで	1号	4歳以上児 / 3歳児	＋ 3,160	＋ 240 ×各月の給食実施日数	－ (2,760＋20×加算率)×人数	
	181人から210人まで	1号	4歳以上児 / 3歳児	＋ 2,810	＋ 240 ×各月の給食実施日数	－ (2,370＋20×加算率)×人数	
	211人から240人まで	1号	4歳以上児 / 3歳児	＋ 2,540	＋ 240 ×各月の給食実施日数	－ (2,070＋20×加算率)×人数	
	241人から270人まで	1号	4歳以上児 / 3歳児	＋ 2,440	＋ 240 ×各月の給食実施日数	－ (1,840＋10×加算率)×人数	
	271人から300人まで	1号	4歳以上児 / 3歳児	＋ 2,360	＋ 240 ×各月の給食実施日数	－ (1,660＋10×加算率)×人数	
	301人以上	1号	4歳以上児 / 3歳児	＋ 2,150	＋ 240 ×各月の給食実施日数	－ (1,510＋10×加算率)×人数	

地域区分 ①	定員区分 ②	認定区分 ③	年齢区分 ④	基本分単価 ⑤ （注）	処遇改善等加算Ⅰ ⑥ （注）	副園長・教頭配置加算 ⑦ 処遇改善等加算Ⅰ	3歳児配置改善加算 ⑧ 処遇改善等加算Ⅰ
15/100地域	15人まで	1号	4歳以上児	116,290 （124,520）	＋1,140 （1,220） ×加算率	＋6,830 60×加算率	＋（8,230）（80×加算率）
			3　歳　児	124,520	＋1,220 ×加算率		8,230 80×加算率
	16人から25人まで	1号	4歳以上児	71,590 （79,820）	＋690 （770） ×加算率	＋4,090 40×加算率	＋（8,230）（80×加算率）
			3　歳　児	79,820	＋770 ×加算率		8,230 80×加算率
	26人から35人まで	1号	4歳以上児	52,430 （60,660）	＋500 （580） ×加算率	＋2,920 20×加算率	＋（8,230）（80×加算率）
			3　歳　児	60,660	＋580 ×加算率		8,230 80×加算率
	36人から45人まで	1号	4歳以上児	52,830 （61,060）	＋500 （590） ×加算率	＋2,270 20×加算率	＋（8,230）（80×加算率）
			3　歳　児	61,060	＋590 ×加算率		8,230 80×加算率
	46人から60人まで	1号	4歳以上児	48,960 （57,190）	＋470 （550） ×加算率	＋1,700 10×加算率	＋（8,230）（80×加算率）
			3　歳　児	57,190	＋550 ×加算率		8,230 80×加算率
	61人から75人まで	1号	4歳以上児	43,400 （51,630）	＋410 （490） ×加算率	＋1,360 10×加算率	＋（8,230）（80×加算率）
			3　歳　児	51,630	＋490 ×加算率		8,230 80×加算率
	76人から90人まで	1号	4歳以上児	39,660 （47,890）	＋370 （450） ×加算率	＋1,130 10×加算率	＋（8,230）（80×加算率）
			3　歳　児	47,890	＋450 ×加算率		8,230 80×加算率
	91人から105人まで	1号	4歳以上児	36,990 （45,220）	＋350 （430） ×加算率	＋970 9×加算率	＋（8,230）（80×加算率）
			3　歳　児	45,220	＋430 ×加算率		8,230 80×加算率
	106人から120人まで	1号	4歳以上児	35,010 （43,240）	＋330 （410） ×加算率	＋850 8×加算率	＋（8,230）（80×加算率）
			3　歳　児	43,240	＋410 ×加算率		8,230 80×加算率
	121人から135人まで	1号	4歳以上児	33,450 （41,680）	＋310 （390） ×加算率	＋750 7×加算率	＋（8,230）（80×加算率）
			3　歳　児	41,680	＋390 ×加算率		8,230 80×加算率
	136人から150人まで	1号	4歳以上児	32,220 （40,450）	＋300 （380） ×加算率	＋680 6×加算率	＋（8,230）（80×加算率）
			3　歳　児	40,450	＋380 ×加算率		8,230 80×加算率
	151人から180人まで	1号	4歳以上児	30,360 （38,590）	＋280 （360） ×加算率	＋560 5×加算率	＋（8,230）（80×加算率）
			3　歳　児	38,590	＋360 ×加算率		8,230 80×加算率
	181人から210人まで	1号	4歳以上児	29,010 （37,240）	＋270 （350） ×加算率	＋480 4×加算率	＋（8,230）（80×加算率）
			3　歳　児	37,240	＋350 ×加算率		8,230 80×加算率
	211人から240人まで	1号	4歳以上児	28,020 （36,250）	＋260 （340） ×加算率	＋420 4×加算率	＋（8,230）（80×加算率）
			3　歳　児	36,250	＋340 ×加算率		8,230 80×加算率
	241人から270人まで	1号	4歳以上児	27,250 （35,480）	＋250 （330） ×加算率	＋370 3×加算率	＋（8,230）（80×加算率）
			3　歳　児	35,480	＋330 ×加算率		8,230 80×加算率
	271人から300人まで	1号	4歳以上児	26,630 （34,860）	＋240 （320） ×加算率	＋340 3×加算率	＋（8,230）（80×加算率）
			3　歳　児	34,860	＋320 ×加算率		8,230 80×加算率
	301人以上	1号	4歳以上児	24,630 （32,860）	＋220 （300） ×加算率	＋310 3×加算率	＋（8,230）（80×加算率）
			3　歳　児	32,860	＋300 ×加算率		8,230 80×加算率

地域区分 ①	定員区分 ②	認定区分 ③	年齢区分 ④	4歳以上児配置改善加算 処遇改善等加算Ⅰ ⑨	満3歳児対応加配加算(3歳児配置改善加算無し) 処遇改善等加算Ⅰ ⑩	満3歳児対応加配加算(3歳児配置改善加算有り) 処遇改善等加算Ⅰ ⑩'	講師配置加算 処遇改善等加算Ⅰ ⑪
15/100 地域	15人まで	1号	4歳以上児	+ 3,290 + 30×加算率			
			3 歳児		+ 57,660 + 570×加算率	+ 49,430 + 490×加算率	+ 6,010 + 60×加算率
	16人から25人まで	1号	4歳以上児	+ 3,290 + 30×加算率			
			3 歳児		+ 57,660 + 570×加算率	+ 49,430 + 490×加算率	+ 3,600 + 30×加算率
	26人から35人まで	1号	4歳以上児	+ 3,290 + 30×加算率			
			3 歳児		+ 57,660 + 570×加算率	+ 49,430 + 490×加算率	+ 2,570 + 20×加算率
	36人から45人まで	1号	4歳以上児	+ 3,290 + 30×加算率			
			3 歳児		+ 57,660 + 570×加算率	+ 49,430 + 490×加算率	+ − + −
	46人から60人まで	1号	4歳以上児	+ 3,290 + 30×加算率			
			3 歳児		+ 57,660 + 570×加算率	+ 49,430 + 490×加算率	+ − + −
	61人から75人まで	1号	4歳以上児	+ 3,290 + 30×加算率			
			3 歳児		+ 57,660 + 570×加算率	+ 49,430 + 490×加算率	+ − + −
	76人から90人まで	1号	4歳以上児	+ 3,290 + 30×加算率			
			3 歳児		+ 57,660 + 570×加算率	+ 49,430 + 490×加算率	+ − + −
	91人から105人まで	1号	4歳以上児	+ 3,290 + 30×加算率			
			3 歳児		+ 57,660 + 570×加算率	+ 49,430 + 490×加算率	+ − + −
	106人から120人まで	1号	4歳以上児	+ 3,290 + 30×加算率			
			3 歳児		+ 57,660 + 570×加算率	+ 49,430 + 490×加算率	+ − + −
	121人から135人まで	1号	4歳以上児	+ 3,290 + 30×加算率			
			3 歳児		+ 57,660 + 570×加算率	+ 49,430 + 490×加算率	+ 660 + 6×加算率
	136人から150人まで	1号	4歳以上児	+ 3,290 + 30×加算率			
			3 歳児		+ 57,660 + 570×加算率	+ 49,430 + 490×加算率	+ 600 + 6×加算率
	151人から180人まで	1号	4歳以上児	+ 3,290 + 30×加算率			
			3 歳児		+ 57,660 + 570×加算率	+ 49,430 + 490×加算率	+ 500 + 5×加算率
	181人から210人まで	1号	4歳以上児	+ 3,290 + 30×加算率			
			3 歳児		+ 57,660 + 570×加算率	+ 49,430 + 490×加算率	+ 430 + 4×加算率
	211人から240人まで	1号	4歳以上児	+ 3,290 + 30×加算率			
			3 歳児		+ 57,660 + 570×加算率	+ 49,430 + 490×加算率	+ 370 + 3×加算率
	241人から270人まで	1号	4歳以上児	+ 3,290 + 30×加算率			
			3 歳児		+ 57,660 + 570×加算率	+ 49,430 + 490×加算率	+ 330 + 3×加算率
	271人から300人まで	1号	4歳以上児	+ 3,290 + 30×加算率			
			3 歳児		+ 57,660 + 570×加算率	+ 49,430 + 490×加算率	+ 300 + 3×加算率
	301人以上	1号	4歳以上児	+ 3,290 + 30×加算率			
			3 歳児		+ 57,660 + 570×加算率	+ 49,430 + 490×加算率	+ 270 + 2×加算率

地域区分①	定員区分②	認定区分③	年齢区分④	チーム保育加配加算 ※加配1人当たり単価	処遇改善等加算Ⅰ ⑫	通園送迎加算	処遇改善等加算Ⅰ ⑬
15/100 地域	15人まで	1号	4歳以上児／3歳児	+ 32,950×加配人数	+ 320×加算率×加配人数	+ 3,790	+ 30×加算率
	16人から25人まで	1号	4歳以上児／3歳児	+ 19,770×加配人数	+ 190×加算率×加配人数	+ 2,600	+ 20×加算率
	26人から35人まで	1号	4歳以上児／3歳児	+ 14,120×加配人数	+ 140×加算率×加配人数	+ 2,090	+ 20×加算率
	36人から45人まで	1号	4歳以上児／3歳児	+ 10,980×加配人数	+ 100×加算率×加配人数	+ 1,800	+ 10×加算率
	46人から60人まで	1号	4歳以上児／3歳児	+ 8,230×加配人数	+ 80×加算率×加配人数	+ 1,350	+ 10×加算率
	61人から75人まで	1号	4歳以上児／3歳児	+ 6,590×加配人数	+ 60×加算率×加配人数	+ 1,080	+ 10×加算率
	76人から90人まで	1号	4歳以上児／3歳児	+ 5,490×加配人数	+ 50×加算率×加配人数	+ 900	+ 9×加算率
	91人から105人まで	1号	4歳以上児／3歳児	+ 4,700×加配人数	+ 40×加算率×加配人数	+ 770	+ 7×加算率
	106人から120人まで	1号	4歳以上児／3歳児	+ 4,110×加配人数	+ 40×加算率×加配人数	+ 670	+ 6×加算率
	121人から135人まで	1号	4歳以上児／3歳児	+ 3,660×加配人数	+ 30×加算率×加配人数	+ 600	+ 6×加算率
	136人から150人まで	1号	4歳以上児／3歳児	+ 3,290×加配人数	+ 30×加算率×加配人数	+ 540	+ 5×加算率
	151人から180人まで	1号	4歳以上児／3歳児	+ 2,740×加配人数	+ 20×加算率×加配人数	+ 520	+ 5×加算率
	181人から210人まで	1号	4歳以上児／3歳児	+ 2,350×加配人数	+ 20×加算率×加配人数	+ 520	+ 5×加算率
	211人から240人まで	1号	4歳以上児／3歳児	+ 2,050×加配人数	+ 20×加算率×加配人数	+ 520	+ 5×加算率
	241人から270人まで	1号	4歳以上児／3歳児	+ 1,830×加配人数	+ 10×加算率×加配人数	+ 520	+ 5×加算率
	271人から300人まで	1号	4歳以上児／3歳児	+ 1,640×加配人数	+ 10×加算率×加配人数	+ 520	+ 5×加算率
	301人以上	1号	4歳以上児／3歳児	+ 1,490×加配人数	+ 10×加算率×加配人数	+ 520	+ 5×加算率

地域区分 ①	定員区分 ②	認定区分 ③	年齢区分 ④	給食実施加算（施設内調理） ⑭		給食実施加算（外部搬入） ⑭'	
					処遇改善等加算Ⅰ		処遇改善等加算Ⅰ
15/100 地域	15人まで	1号	4歳以上児 / 3歳児	+ 2,840 ×週当たり実施日数	+ 20 ×週当たり実施日数×加算率	500 ×週当たり実施日数	+ 5 ×週当たり実施日数×加算率
	16人から25人まで	1号	4歳以上児 / 3歳児	+ 1,700 ×週当たり実施日数	+ 10 ×週当たり実施日数×加算率	300 ×週当たり実施日数	+ 3 ×週当たり実施日数×加算率
	26人から35人まで	1号	4歳以上児 / 3歳児	+ 1,220 ×週当たり実施日数	+ 10 ×週当たり実施日数×加算率	210 ×週当たり実施日数	+ 2 ×週当たり実施日数×加算率
	36人から45人まで	1号	4歳以上児 / 3歳児	+ 950 ×週当たり実施日数	+ 9 ×週当たり実施日数×加算率	170 ×週当たり実施日数	+ 1 ×週当たり実施日数×加算率
	46人から60人まで	1号	4歳以上児 / 3歳児	+ 710 ×週当たり実施日数	+ 7 ×週当たり実施日数×加算率	120 ×週当たり実施日数	+ 1 ×週当たり実施日数×加算率
	61人から75人まで	1号	4歳以上児 / 3歳児	+ 590 ×週当たり実施日数	+ 5 ×週当たり実施日数×加算率	100 ×週当たり実施日数	+ 1 ×週当たり実施日数×加算率
	76人から90人まで	1号	4歳以上児 / 3歳児	+ 520 ×週当たり実施日数	+ 5 ×週当たり実施日数×加算率	90 ×週当たり実施日数	+ 1 ×週当たり実施日数×加算率
	91人から105人まで	1号	4歳以上児 / 3歳児	+ 460 ×週当たり実施日数	+ 4 ×週当たり実施日数×加算率	80 ×週当たり実施日数	+ 1 ×週当たり実施日数×加算率
	106人から120人まで	1号	4歳以上児 / 3歳児	+ 420 ×週当たり実施日数	+ 4 ×週当たり実施日数×加算率	70 ×週当たり実施日数	+ 1 ×週当たり実施日数×加算率
	121人から135人まで	1号	4歳以上児 / 3歳児	+ 390 ×週当たり実施日数	+ 3 ×週当たり実施日数×加算率	70 ×週当たり実施日数	+ 1 ×週当たり実施日数×加算率
	136人から150人まで	1号	4歳以上児 / 3歳児	+ 370 ×週当たり実施日数	+ 3 ×週当たり実施日数×加算率	60 ×週当たり実施日数	+ 1 ×週当たり実施日数×加算率
	151人から180人まで	1号	4歳以上児 / 3歳児	+ 320 ×週当たり実施日数	+ 3 ×週当たり実施日数×加算率	50 ×週当たり実施日数	+ 1 ×週当たり実施日数×加算率
	181人から210人まで	1号	4歳以上児 / 3歳児	+ 280 ×週当たり実施日数	+ 2 ×週当たり実施日数×加算率	50 ×週当たり実施日数	+ 1 ×週当たり実施日数×加算率
	211人から240人まで	1号	4歳以上児 / 3歳児	+ 260 ×週当たり実施日数	+ 2 ×週当たり実施日数×加算率	40 ×週当たり実施日数	+ 1 ×週当たり実施日数×加算率
	241人から270人まで	1号	4歳以上児 / 3歳児	+ 230 ×週当たり実施日数	+ 2 ×週当たり実施日数×加算率	40 ×週当たり実施日数	+ 1 ×週当たり実施日数×加算率
	271人から300人まで	1号	4歳以上児 / 3歳児	+ 210 ×週当たり実施日数	+ 2 ×週当たり実施日数×加算率	30 ×週当たり実施日数	+ 1 ×週当たり実施日数×加算率
	301人以上	1号	4歳以上児 / 3歳児	+ 190 ×週当たり実施日数	+ 1 ×週当たり実施日数×加算率	30 ×週当たり実施日数	+ 1 ×週当たり実施日数×加算率

地域区分 ①	定員区分 ②	認定区分 ③	年齢区分 ④	外部監査費加算 ⑮	副食費徴収免除加算 ※副食費の徴収が免除される子どもの単価に加算 ⑯	年齢別配置基準を下回る場合 ⑰	定員を恒常的に超過する場合 ⑱
15/100 地域	15人まで	1号	4歳以上児 / 3歳児	+ 27,330	+ 240 ×各月の給食実施日数	− (32,950 +330×加算率)×人数	(⑤〜⑰（⑯を除く。）) ×別に定める調整率
	16人から25人まで	1号	4歳以上児 / 3歳児	+ 16,800	+ 240 ×各月の給食実施日数	− (19,770 +190×加算率)×人数	
	26人から35人まで	1号	4歳以上児 / 3歳児	+ 12,280	+ 240 ×各月の給食実施日数	− (14,120 +140×加算率)×人数	
	36人から45人まで	1号	4歳以上児 / 3歳児	+ 9,770	+ 240 ×各月の給食実施日数	− (10,980 +110×加算率)×人数	
	46人から60人まで	1号	4歳以上児 / 3歳児	+ 7,500	+ 240 ×各月の給食実施日数	− (8,230 +80×加算率)×人数	
	61人から75人まで	1号	4歳以上児 / 3歳児	+ 6,130	+ 240 ×各月の給食実施日数	− (6,590 +60×加算率)×人数	
	76人から90人まで	1号	4歳以上児 / 3歳児	+ 5,220	+ 240 ×各月の給食実施日数	− (5,490 +50×加算率)×人数	
	91人から105人まで	1号	4歳以上児 / 3歳児	+ 4,660	+ 240 ×各月の給食実施日数	− (4,700 +40×加算率)×人数	
	106人から120人まで	1号	4歳以上児 / 3歳児	+ 4,250	+ 240 ×各月の給食実施日数	− (4,110 +40×加算率)×人数	
	121人から135人まで	1号	4歳以上児 / 3歳児	+ 3,920	+ 240 ×各月の給食実施日数	− (3,660 +30×加算率)×人数	
	136人から150人まで	1号	4歳以上児 / 3歳児	+ 3,660	+ 240 ×各月の給食実施日数	− (3,290 +30×加算率)×人数	
	151人から180人まで	1号	4歳以上児 / 3歳児	+ 3,160	+ 240 ×各月の給食実施日数	− (2,740 +20×加算率)×人数	
	181人から210人まで	1号	4歳以上児 / 3歳児	+ 2,810	+ 240 ×各月の給食実施日数	− (2,350 +20×加算率)×人数	
	211人から240人まで	1号	4歳以上児 / 3歳児	+ 2,540	+ 240 ×各月の給食実施日数	− (2,060 +20×加算率)×人数	
	241人から270人まで	1号	4歳以上児 / 3歳児	+ 2,440	+ 240 ×各月の給食実施日数	− (1,830 +10×加算率)×人数	
	271人から300人まで	1号	4歳以上児 / 3歳児	+ 2,360	+ 240 ×各月の給食実施日数	− (1,640 +10×加算率)×人数	
	301人以上	1号	4歳以上児 / 3歳児	+ 2,150	+ 240 ×各月の給食実施日数	− (1,490 +10×加算率)×人数	

地域区分①	定員区分②	認定区分③	年齢区分④	基本分単価⑤	（注）	処遇改善等加算Ⅰ⑥	（注）		副園長・教頭配置加算⑦	処遇改善等加算Ⅰ	３歳児配置改善加算⑧	処遇改善等加算Ⅰ
12/100地域	15人まで	1号	4歳以上児	113,640	(121,680) +	1,110	(1,190)	×加算率	6,630 +	60×加算率 +	(8,040) +	(80×加算率)
			3歳児	121,680	+	1,190		×加算率			8,040	80×加算率
	16人から25人まで	1号	4歳以上児	69,990	(78,030) +	680	(760)	×加算率	3,980 +	30×加算率 +	(8,040) +	(80×加算率)
			3歳児	78,030	+	760		×加算率			8,040	80×加算率
	26人から35人まで	1号	4歳以上児	51,290	(59,330) +	490	(570)	×加算率	2,840 +	20×加算率 +	(8,040) +	(80×加算率)
			3歳児	59,330	+	570		×加算率			8,040	80×加算率
	36人から45人まで	1号	4歳以上児	51,680	(59,720) +	490	(570)	×加算率	2,210 +	20×加算率 +	(8,040) +	(80×加算率)
			3歳児	59,720	+	570		×加算率			8,040	80×加算率
	46人から60人まで	1号	4歳以上児	47,910	(55,950) +	450	(540)	×加算率	1,650 +	10×加算率 +	(8,040) +	(80×加算率)
			3歳児	55,950	+	540		×加算率			8,040	80×加算率
	61人から75人まで	1号	4歳以上児	42,480	(50,520) +	400	(480)	×加算率	1,320 +	10×加算率 +	(8,040) +	(80×加算率)
			3歳児	50,520	+	480		×加算率			8,040	80×加算率
	76人から90人まで	1号	4歳以上児	38,830	(46,870) +	360	(440)	×加算率	1,100 +	10×加算率 +	(8,040) +	(80×加算率)
			3歳児	46,870	+	440		×加算率			8,040	80×加算率
	91人から105人まで	1号	4歳以上児	36,220	(44,260) +	340	(420)	×加算率	940 +	9×加算率 +	(8,040) +	(80×加算率)
			3歳児	44,260	+	420		×加算率			8,040	80×加算率
	106人から120人まで	1号	4歳以上児	34,290	(42,330) +	320	(400)	×加算率	820 +	8×加算率 +	(8,040) +	(80×加算率)
			3歳児	42,330	+	400		×加算率			8,040	80×加算率
	121人から135人まで	1号	4歳以上児	32,760	(40,800) +	300	(380)	×加算率	730 +	7×加算率 +	(8,040) +	(80×加算率)
			3歳児	40,800	+	380		×加算率			8,040	80×加算率
	136人から150人まで	1号	4歳以上児	31,560	(39,600) +	290	(370)	×加算率	660 +	6×加算率 +	(8,040) +	(80×加算率)
			3歳児	39,600	+	370		×加算率			8,040	80×加算率
	151人から180人まで	1号	4歳以上児	29,750	(37,790) +	270	(350)	×加算率	550 +	5×加算率 +	(8,040) +	(80×加算率)
			3歳児	37,790	+	350		×加算率			8,040	80×加算率
	181人から210人まで	1号	4歳以上児	28,430	(36,470) +	260	(340)	×加算率	470 +	4×加算率 +	(8,040) +	(80×加算率)
			3歳児	36,470	+	340		×加算率			8,040	80×加算率
	211人から240人まで	1号	4歳以上児	27,460	(35,500) +	250	(330)	×加算率	410 +	4×加算率 +	(8,040) +	(80×加算率)
			3歳児	35,500	+	330		×加算率			8,040	80×加算率
	241人から270人まで	1号	4歳以上児	26,710	(34,750) +	240	(320)	×加算率	360 +	3×加算率 +	(8,040) +	(80×加算率)
			3歳児	34,750	+	320		×加算率			8,040	80×加算率
	271人から300人まで	1号	4歳以上児	26,100	(34,140) +	240	(320)	×加算率	330 +	3×加算率 +	(8,040) +	(80×加算率)
			3歳児	34,140	+	320		×加算率			8,040	80×加算率
	301人以上	1号	4歳以上児	24,150	(32,190) +	220	(300)	×加算率	300 +	3×加算率 +	(8,040) +	(80×加算率)
			3歳児	32,190	+	300		×加算率			8,040	80×加算率

地域区分 ①	定員区分 ②	認定区分 ③	年齢区分 ④	4歳以上児配置改善加算 処遇改善等加算Ⅰ ⑨		満3歳児対応加配加算(3歳児配置改善加算無し) 処遇改善等加算Ⅰ ⑩		満3歳児対応加配加算(3歳児配置改善加算有り) 処遇改善等加算Ⅰ ⑩'		講師配置加算 処遇改善等加算Ⅰ ⑪	
12/100 地域	15人まで	1号	4歳以上児	+3,210	+30×加算率					+6,010	+60×加算率
			3歳児			+56,290	+560×加算率	+48,250	+480×加算率		
	16人から25人まで	1号	4歳以上児	+3,210	+30×加算率					+3,600	+30×加算率
			3歳児			+56,290	+560×加算率	+48,250	+480×加算率		
	26人から35人まで	1号	4歳以上児	+3,210	+30×加算率					+2,570	+20×加算率
			3歳児			+56,290	+560×加算率	+48,250	+480×加算率		
	36人から45人まで	1号	4歳以上児	+3,210	+30×加算率					−	−
			3歳児			+56,290	+560×加算率	+48,250	+480×加算率		
	46人から60人まで	1号	4歳以上児	+3,210	+30×加算率					−	−
			3歳児			+56,290	+560×加算率	+48,250	+480×加算率		
	61人から75人まで	1号	4歳以上児	+3,210	+30×加算率					−	−
			3歳児			+56,290	+560×加算率	+48,250	+480×加算率		
	76人から90人まで	1号	4歳以上児	+3,210	+30×加算率					−	−
			3歳児			+56,290	+560×加算率	+48,250	+480×加算率		
	91人から105人まで	1号	4歳以上児	+3,210	+30×加算率					−	−
			3歳児			+56,290	+560×加算率	+48,250	+480×加算率		
	106人から120人まで	1号	4歳以上児	+3,210	+30×加算率					−	−
			3歳児			+56,290	+560×加算率	+48,250	+480×加算率		
	121人から135人まで	1号	4歳以上児	+3,210	+30×加算率					+660	+6×加算率
			3歳児			+56,290	+560×加算率	+48,250	+480×加算率		
	136人から150人まで	1号	4歳以上児	+3,210	+30×加算率					+600	+6×加算率
			3歳児			+56,290	+560×加算率	+48,250	+480×加算率		
	151人から180人まで	1号	4歳以上児	+3,210	+30×加算率					+500	+5×加算率
			3歳児			+56,290	+560×加算率	+48,250	+480×加算率		
	181人から210人まで	1号	4歳以上児	+3,210	+30×加算率					+430	+4×加算率
			3歳児			+56,290	+560×加算率	+48,250	+480×加算率		
	211人から240人まで	1号	4歳以上児	+3,210	+30×加算率					+370	+3×加算率
			3歳児			+56,290	+560×加算率	+48,250	+480×加算率		
	241人から270人まで	1号	4歳以上児	+3,210	+30×加算率					+330	+3×加算率
			3歳児			+56,290	+560×加算率	+48,250	+480×加算率		
	271人から300人まで	1号	4歳以上児	+3,210	+30×加算率					+300	+3×加算率
			3歳児			+56,290	+560×加算率	+48,250	+480×加算率		
	301人以上	1号	4歳以上児	+3,210	+30×加算率					+270	+2×加算率
			3歳児			+56,290	+560×加算率	+48,250	+480×加算率		

地域区分 ①	定員区分 ②	認定区分 ③	年齢区分 ④	チーム保育加配加算 ※加配1人当たり単価 ⑫	処遇改善等加算Ⅰ		通園送迎加算 ⑬	処遇改善等加算Ⅰ
12/100 地域	15人 まで	1号	4歳以上児 / 3歳児	+ 32,160×加配人数	+ 320×加算率×加配人数	+ 3,790	+	30×加算率
	16人 から 25人 まで	1号	4歳以上児 / 3歳児	+ 19,300×加配人数	+ 190×加算率×加配人数	+ 2,600	+	20×加算率
	26人 から 35人 まで	1号	4歳以上児 / 3歳児	+ 13,780×加配人数	+ 130×加算率×加配人数	+ 2,090	+	20×加算率
	36人 から 45人 まで	1号	4歳以上児 / 3歳児	+ 10,720×加配人数	+ 100×加算率×加配人数	+ 1,800	+	10×加算率
	46人 から 60人 まで	1号	4歳以上児 / 3歳児	+ 8,040×加配人数	+ 80×加算率×加配人数	+ 1,350	+	10×加算率
	61人 から 75人 まで	1号	4歳以上児 / 3歳児	+ 6,430×加配人数	+ 60×加算率×加配人数	+ 1,080	+	10×加算率
	76人 から 90人 まで	1号	4歳以上児 / 3歳児	+ 5,360×加配人数	+ 50×加算率×加配人数	+ 900	+	9×加算率
	91人 から 105人 まで	1号	4歳以上児 / 3歳児	+ 4,590×加配人数	+ 40×加算率×加配人数	+ 770	+	7×加算率
	106人 から 120人 まで	1号	4歳以上児 / 3歳児	+ 4,020×加配人数	+ 40×加算率×加配人数	+ 670	+	6×加算率
	121人 から 135人 まで	1号	4歳以上児 / 3歳児	+ 3,570×加配人数	+ 30×加算率×加配人数	+ 600	+	6×加算率
	136人 から 150人 まで	1号	4歳以上児 / 3歳児	+ 3,210×加配人数	+ 30×加算率×加配人数	+ 540	+	5×加算率
	151人 から 180人 まで	1号	4歳以上児 / 3歳児	+ 2,680×加配人数	+ 20×加算率×加配人数	+ 520	+	5×加算率
	181人 から 210人 まで	1号	4歳以上児 / 3歳児	+ 2,290×加配人数	+ 20×加算率×加配人数	+ 520	+	5×加算率
	211人 から 240人 まで	1号	4歳以上児 / 3歳児	+ 2,010×加配人数	+ 20×加算率×加配人数	+ 520	+	5×加算率
	241人 から 270人 まで	1号	4歳以上児 / 3歳児	+ 1,780×加配人数	+ 10×加算率×加配人数	+ 520	+	5×加算率
	271人 から 300人 まで	1号	4歳以上児 / 3歳児	+ 1,600×加配人数	+ 10×加算率×加配人数	+ 520	+	5×加算率
	301人 以上	1号	4歳以上児 / 3歳児	+ 1,460×加配人数	+ 10×加算率×加配人数	+ 520	+	5×加算率

地域区分 ①	定員区分 ②	認定区分 ③	年齢区分 ④	給食実施加算（施設内調理）	処遇改善等加算Ⅰ ⑭	給食実施加算（外部搬入）	処遇改善等加算Ⅰ ⑭'
12/100 地域	15人 まで	1号	4歳以上児 3歳児	+ 2,840 ×週当たり実施日数	+ 20 ×週当たり実施日数×加算率	500 ×週当たり実施日数	+ 5 ×週当たり実施日数×加算率
	16人 から 25人 まで	1号	4歳以上児 3歳児	+ 1,700 ×週当たり実施日数	+ 10 ×週当たり実施日数×加算率	300 ×週当たり実施日数	+ 3 ×週当たり実施日数×加算率
	26人 から 35人 まで	1号	4歳以上児 3歳児	+ 1,220 ×週当たり実施日数	+ 10 ×週当たり実施日数×加算率	210 ×週当たり実施日数	+ 2 ×週当たり実施日数×加算率
	36人 から 45人 まで	1号	4歳以上児 3歳児	+ 950 ×週当たり実施日数	+ 9 ×週当たり実施日数×加算率	170 ×週当たり実施日数	+ 1 ×週当たり実施日数×加算率
	46人 から 60人 まで	1号	4歳以上児 3歳児	+ 710 ×週当たり実施日数	+ 7 ×週当たり実施日数×加算率	120 ×週当たり実施日数	+ 1 ×週当たり実施日数×加算率
	61人 から 75人 まで	1号	4歳以上児 3歳児	+ 590 ×週当たり実施日数	+ 5 ×週当たり実施日数×加算率	100 ×週当たり実施日数	+ 1 ×週当たり実施日数×加算率
	76人 から 90人 まで	1号	4歳以上児 3歳児	+ 520 ×週当たり実施日数	+ 5 ×週当たり実施日数×加算率	90 ×週当たり実施日数	+ 1 ×週当たり実施日数×加算率
	91人 から 105人 まで	1号	4歳以上児 3歳児	+ 460 ×週当たり実施日数	+ 4 ×週当たり実施日数×加算率	80 ×週当たり実施日数	+ 1 ×週当たり実施日数×加算率
	106人 から 120人 まで	1号	4歳以上児 3歳児	+ 420 ×週当たり実施日数	+ 4 ×週当たり実施日数×加算率	70 ×週当たり実施日数	+ 1 ×週当たり実施日数×加算率
	121人 から 135人 まで	1号	4歳以上児 3歳児	+ 390 ×週当たり実施日数	+ 3 ×週当たり実施日数×加算率	70 ×週当たり実施日数	+ 1 ×週当たり実施日数×加算率
	136人 から 150人 まで	1号	4歳以上児 3歳児	+ 370 ×週当たり実施日数	+ 3 ×週当たり実施日数×加算率	60 ×週当たり実施日数	+ 1 ×週当たり実施日数×加算率
	151人 から 180人 まで	1号	4歳以上児 3歳児	+ 320 ×週当たり実施日数	+ 3 ×週当たり実施日数×加算率	50 ×週当たり実施日数	+ 1 ×週当たり実施日数×加算率
	181人 から 210人 まで	1号	4歳以上児 3歳児	+ 280 ×週当たり実施日数	+ 2 ×週当たり実施日数×加算率	50 ×週当たり実施日数	+ 1 ×週当たり実施日数×加算率
	211人 から 240人 まで	1号	4歳以上児 3歳児	+ 260 ×週当たり実施日数	+ 2 ×週当たり実施日数×加算率	40 ×週当たり実施日数	+ 1 ×週当たり実施日数×加算率
	241人 から 270人 まで	1号	4歳以上児 3歳児	+ 230 ×週当たり実施日数	+ 2 ×週当たり実施日数×加算率	40 ×週当たり実施日数	+ 1 ×週当たり実施日数×加算率
	271人 から 300人 まで	1号	4歳以上児 3歳児	+ 210 ×週当たり実施日数	+ 2 ×週当たり実施日数×加算率	30 ×週当たり実施日数	+ 1 ×週当たり実施日数×加算率
	301人 以上	1号	4歳以上児 3歳児	+ 190 ×週当たり実施日数	+ 1 ×週当たり実施日数×加算率	30 ×週当たり実施日数	+ 1 ×週当たり実施日数×加算率

地域区分①	定員区分②	認定区分③	年齢区分④	外部監査費加算⑮	副食費徴収免除加算 ※副食費の徴収が免除される子どもの単価に加算⑯	年齢別配置基準を下回る場合⑰	定員を恒常的に超過する場合⑱
12/100地域	15人まで	1号	4歳以上児 3歳児	+ 27,330	+ 240 ×各月の給食実施日数	− (32,160 ＋320×加算率)×人数	
	16人から25人まで	1号	4歳以上児 3歳児	+ 16,800	+ 240 ×各月の給食実施日数	− (19,300 ＋190×加算率)×人数	
	26人から35人まで	1号	4歳以上児 3歳児	+ 12,280	+ 240 ×各月の給食実施日数	− (13,780 ＋130×加算率)×人数	
	36人から45人まで	1号	4歳以上児 3歳児	+ 9,770	+ 240 ×各月の給食実施日数	− (10,720 ＋100×加算率)×人数	
	46人から60人まで	1号	4歳以上児 3歳児	+ 7,500	+ 240 ×各月の給食実施日数	− (8,040 ＋80×加算率)×人数	
	61人から75人まで	1号	4歳以上児 3歳児	+ 6,130	+ 240 ×各月の給食実施日数	− (6,430 ＋60×加算率)×人数	
	76人から90人まで	1号	4歳以上児 3歳児	+ 5,220	+ 240 ×各月の給食実施日数	− (5,360 ＋50×加算率)×人数	
	91人から105人まで	1号	4歳以上児 3歳児	+ 4,660	+ 240 ×各月の給食実施日数	− (4,590 ＋40×加算率)×人数	
	106人から120人まで	1号	4歳以上児 3歳児	+ 4,250	+ 240 ×各月の給食実施日数	− (4,020 ＋40×加算率)×人数	(⑤～⑰（⑯を除く。）) ×別に定める調整率
	121人から135人まで	1号	4歳以上児 3歳児	+ 3,920	+ 240 ×各月の給食実施日数	− (3,570 ＋30×加算率)×人数	
	136人から150人まで	1号	4歳以上児 3歳児	+ 3,660	+ 240 ×各月の給食実施日数	− (3,210 ＋30×加算率)×人数	
	151人から180人まで	1号	4歳以上児 3歳児	+ 3,160	+ 240 ×各月の給食実施日数	− (2,680 ＋20×加算率)×人数	
	181人から210人まで	1号	4歳以上児 3歳児	+ 2,810	+ 240 ×各月の給食実施日数	− (2,290 ＋20×加算率)×人数	
	211人から240人まで	1号	4歳以上児 3歳児	+ 2,540	+ 240 ×各月の給食実施日数	− (2,010 ＋20×加算率)×人数	
	241人から270人まで	1号	4歳以上児 3歳児	+ 2,440	+ 240 ×各月の給食実施日数	− (1,780 ＋10×加算率)×人数	
	271人から300人まで	1号	4歳以上児 3歳児	+ 2,360	+ 240 ×各月の給食実施日数	− (1,600 ＋10×加算率)×人数	
	301人以上	1号	4歳以上児 3歳児	+ 2,150	+ 240 ×各月の給食実施日数	− (1,460 ＋10×加算率)×人数	

① 地域区分	② 定員区分	③ 認定区分	④ 年齢区分	⑤ 基本分単価 (注)	⑥ 処遇改善等加算Ⅰ (注)	⑦ 副園長・教頭配置加算	処遇改善等加算Ⅰ	⑧ 3歳児配置改善加算	処遇改善等加算Ⅰ
10/100 地域	15人まで	1号	4歳以上児	111,870 (119,780)	+ 1,090 (1,170) ×加算率	+ 6,510	+ 60×加算率	+ (7,910)	(70×加算率)
			3 歳児	119,780	+ 1,170 ×加算率			7,910	70×加算率
	16人から25人まで	1号	4歳以上児	68,930 (76,840)	+ 670 (740) ×加算率	+ 3,900	+ 30×加算率	+ (7,910)	(70×加算率)
			3 歳児	76,840	+ 740 ×加算率			7,910	70×加算率
	26人から35人まで	1号	4歳以上児	50,530 (58,440)	+ 480 (560) ×加算率	+ 2,790	+ 20×加算率	(7,910)	(70×加算率)
			3 歳児	58,440	+ 560 ×加算率			7,910	70×加算率
	36人から45人まで	1号	4歳以上児	50,920 (58,830)	+ 480 (560) ×加算率	+ 2,170	+ 20×加算率	(7,910)	(70×加算率)
			3 歳児	58,830	+ 560 ×加算率			7,910	70×加算率
	46人から60人まで	1号	4歳以上児	47,200 (55,110)	+ 450 (530) ×加算率	+ 1,620	+ 10×加算率	(7,910)	(70×加算率)
			3 歳児	55,110	+ 530 ×加算率			7,910	70×加算率
	61人から75人まで	1号	4歳以上児	41,870 (49,780)	+ 390 (470) ×加算率	+ 1,300	+ 10×加算率	(7,910)	(70×加算率)
			3 歳児	49,780	+ 470 ×加算率			7,910	70×加算率
	76人から90人まで	1号	4歳以上児	38,270 (46,180)	+ 360 (440) ×加算率	+ 1,080	+ 10×加算率	(7,910)	(70×加算率)
			3 歳児	46,180	+ 440 ×加算率			7,910	70×加算率
	91人から105人まで	1号	4歳以上児	35,700 (43,610)	+ 330 (410) ×加算率	+ 930	+ 9×加算率	(7,910)	(70×加算率)
			3 歳児	43,610	+ 410 ×加算率			7,910	70×加算率
	106人から120人まで	1号	4歳以上児	33,800 (41,710)	+ 310 (390) ×加算率	+ 810	+ 8×加算率	(7,910)	(70×加算率)
			3 歳児	41,710	+ 390 ×加算率			7,910	70×加算率
	121人から135人まで	1号	4歳以上児	32,300 (40,210)	+ 300 (380) ×加算率	+ 720	+ 7×加算率	(7,910)	(70×加算率)
			3 歳児	40,210	+ 380 ×加算率			7,910	70×加算率
	136人から150人まで	1号	4歳以上児	31,120 (39,030)	+ 290 (370) ×加算率	+ 650	+ 6×加算率	(7,910)	(70×加算率)
			3 歳児	39,030	+ 370 ×加算率			7,910	70×加算率
	151人から180人まで	1号	4歳以上児	29,340 (37,250)	+ 270 (350) ×加算率	+ 540	+ 5×加算率	(7,910)	(70×加算率)
			3 歳児	37,250	+ 350 ×加算率			7,910	70×加算率
	181人から210人まで	1号	4歳以上児	28,040 (35,950)	+ 260 (340) ×加算率	+ 460	+ 4×加算率	(7,910)	(70×加算率)
			3 歳児	35,950	+ 340 ×加算率			7,910	70×加算率
	211人から240人まで	1号	4歳以上児	27,090 (35,000)	+ 250 (330) ×加算率	+ 400	+ 4×加算率	(7,910)	(70×加算率)
			3 歳児	35,000	+ 330 ×加算率			7,910	70×加算率
	241人から270人まで	1号	4歳以上児	26,350 (34,260)	+ 240 (320) ×加算率	+ 360	+ 3×加算率	(7,910)	(70×加算率)
			3 歳児	34,260	+ 320 ×加算率			7,910	70×加算率
	271人から300人まで	1号	4歳以上児	25,750 (33,660)	+ 230 (310) ×加算率	+ 320	+ 3×加算率	(7,910)	(70×加算率)
			3 歳児	33,660	+ 310 ×加算率			7,910	70×加算率
	301人以上	1号	4歳以上児	23,830 (31,740)	+ 210 (290) ×加算率	+ 290	+ 2×加算率	(7,910)	(70×加算率)
			3 歳児	31,740	+ 290 ×加算率			7,910	70×加算率

地域区分 ①	定員区分 ②	認定区分 ③	年齢区分 ④	4歳以上児配置改善加算 処遇改善等加算Ⅰ ⑨		満3歳児対応加配加算(3歳児配置改善加算無し) 処遇改善等加算Ⅰ ⑩		満3歳児対応加配加算(3歳児配置改善加算有り) 処遇改善等加算Ⅰ ⑩′		講師配置加算 処遇改善等加算Ⅰ ⑪	
10/100 地域	15人 まで	1号	4歳以上児	+ 3,160 +	30×加算率						
			3歳児			+ 55,370 +	550×加算率	+ 47,460 +	470×加算率	+ 6,010 +	60×加算率
	16人 から 25人 まで	1号	4歳以上児	+ 3,160 +	30×加算率						
			3歳児			+ 55,370 +	550×加算率	+ 47,460 +	470×加算率	+ 3,600 +	30×加算率
	26人 から 35人 まで	1号	4歳以上児	+ 3,160 +	30×加算率						
			3歳児			+ 55,370 +	550×加算率	+ 47,460 +	470×加算率	+ 2,570 +	20×加算率
	36人 から 45人 まで	1号	4歳以上児	+ 3,160 +	30×加算率						
			3歳児			+ 55,370 +	550×加算率	+ 47,460 +	470×加算率	− +	−
	46人 から 60人 まで	1号	4歳以上児	+ 3,160 +	30×加算率						
			3歳児			+ 55,370 +	550×加算率	+ 47,460 +	470×加算率	− +	−
	61人 から 75人 まで	1号	4歳以上児	+ 3,160 +	30×加算率						
			3歳児			+ 55,370 +	550×加算率	+ 47,460 +	470×加算率		
	76人 から 90人 まで	1号	4歳以上児	+ 3,160 +	30×加算率						
			3歳児			+ 55,370 +	550×加算率	+ 47,460 +	470×加算率		
	91人 から 105人 まで	1号	4歳以上児	+ 3,160 +	30×加算率						
			3歳児			+ 55,370 +	550×加算率	+ 47,460 +	470×加算率		
	106人 から 120人 まで	1号	4歳以上児	+ 3,160 +	30×加算率						
			3歳児			+ 55,370 +	550×加算率	+ 47,460 +	470×加算率	− +	−
	121人 から 135人 まで	1号	4歳以上児	+ 3,160 +	30×加算率						
			3歳児			+ 55,370 +	550×加算率	+ 47,460 +	470×加算率	+ 660	6×加算率
	136人 から 150人 まで	1号	4歳以上児	+ 3,160 +	30×加算率						
			3歳児			+ 55,370 +	550×加算率	+ 47,460 +	470×加算率	+ 600	6×加算率
	151人 から 180人 まで	1号	4歳以上児	+ 3,160 +	30×加算率						
			3歳児			+ 55,370 +	550×加算率	+ 47,460 +	470×加算率	+ 500	5×加算率
	181人 から 210人 まで	1号	4歳以上児	+ 3,160 +	30×加算率						
			3歳児			+ 55,370 +	550×加算率	+ 47,460 +	470×加算率	+ 430	4×加算率
	211人 から 240人 まで	1号	4歳以上児	+ 3,160 +	30×加算率						
			3歳児			+ 55,370 +	550×加算率	+ 47,460 +	470×加算率	+ 370	3×加算率
	241人 から 270人 まで	1号	4歳以上児	+ 3,160 +	30×加算率						
			3歳児			+ 55,370 +	550×加算率	+ 47,460 +	470×加算率	+ 330	3×加算率
	271人 から 300人 まで	1号	4歳以上児	+ 3,160 +	30×加算率						
			3歳児			+ 55,370 +	550×加算率	+ 47,460 +	470×加算率	+ 300	3×加算率
	301人 以上	1号	4歳以上児	+ 3,160 +	30×加算率						
			3歳児			+ 55,370 +	550×加算率	+ 47,460 +	470×加算率	+ 270	2×加算率

地域区分 ①	定員区分 ②	認定区分 ③	年齢区分 ④	チーム保育加配加算 ※加配1人当たり単価	処遇改善等加算Ⅰ ⑫	通園送迎加算	処遇改善等加算Ⅰ ⑬
10/100 地域	15人まで	1号	4歳以上児 / 3歳児	+ 31,640×加配人数	+ 310×加算率×加配人数	+ 3,790	+ 30×加算率
	16人から25人まで	1号	4歳以上児 / 3歳児	+ 18,980×加配人数	+ 180×加算率×加配人数	+ 2,600	+ 20×加算率
	26人から35人まで	1号	4歳以上児 / 3歳児	+ 13,560×加配人数	+ 130×加算率×加配人数	+ 2,090	+ 20×加算率
	36人から45人まで	1号	4歳以上児 / 3歳児	+ 10,540×加配人数	+ 100×加算率×加配人数	+ 1,800	+ 10×加算率
	46人から60人まで	1号	4歳以上児 / 3歳児	+ 7,910×加配人数	+ 70×加算率×加配人数	+ 1,350	+ 10×加算率
	61人から75人まで	1号	4歳以上児 / 3歳児	+ 6,320×加配人数	+ 60×加算率×加配人数	+ 1,080	+ 10×加算率
	76人から90人まで	1号	4歳以上児 / 3歳児	+ 5,270×加配人数	+ 50×加算率×加配人数	+ 900	+ 9×加算率
	91人から105人まで	1号	4歳以上児 / 3歳児	+ 4,520×加配人数	+ 40×加算率×加配人数	+ 770	+ 7×加算率
	106人から120人まで	1号	4歳以上児 / 3歳児	+ 3,950×加配人数	+ 30×加算率×加配人数	+ 670	+ 6×加算率
	121人から135人まで	1号	4歳以上児 / 3歳児	+ 3,510×加配人数	+ 30×加算率×加配人数	+ 600	+ 6×加算率
	136人から150人まで	1号	4歳以上児 / 3歳児	+ 3,160×加配人数	+ 30×加算率×加配人数	+ 540	+ 5×加算率
	151人から180人まで	1号	4歳以上児 / 3歳児	+ 2,630×加配人数	+ 20×加算率×加配人数	+ 520	+ 5×加算率
	181人から210人まで	1号	4歳以上児 / 3歳児	+ 2,260×加配人数	+ 20×加算率×加配人数	+ 520	+ 5×加算率
	211人から240人まで	1号	4歳以上児 / 3歳児	+ 1,970×加配人数	+ 10×加算率×加配人数	+ 520	+ 5×加算率
	241人から270人まで	1号	4歳以上児 / 3歳児	+ 1,750×加配人数	+ 10×加算率×加配人数	+ 520	+ 5×加算率
	271人から300人まで	1号	4歳以上児 / 3歳児	+ 1,580×加配人数	+ 10×加算率×加配人数	+ 520	+ 5×加算率
	301人以上	1号	4歳以上児 / 3歳児	+ 1,430×加配人数	+ 10×加算率×加配人数	+ 520	+ 5×加算率

地域区分 ①	定員区分 ②	認定区分 ③	年齢区分 ④	給食実施加算（施設内調理） ⑭	処遇改善等加算Ⅰ	給食実施加算（外部搬入） ⑭′	処遇改善等加算Ⅰ
10/100 地域	15人 まで	1号	4歳以上児 3　歳　児	＋2,840 ×週当たり実施日数	＋20 ×週当たり実施日数×加算率	＋500 ×週当たり実施日数	＋5 ×週当たり実施日数×加算率
	16人 から 25人 まで	1号	4歳以上児 3　歳　児	＋1,700 ×週当たり実施日数	＋10 ×週当たり実施日数×加算率	＋300 ×週当たり実施日数	＋3 ×週当たり実施日数×加算率
	26人 から 35人 まで	1号	4歳以上児 3　歳　児	＋1,220 ×週当たり実施日数	＋10 ×週当たり実施日数×加算率	＋210 ×週当たり実施日数	＋2 ×週当たり実施日数×加算率
	36人 から 45人 まで	1号	4歳以上児 3　歳　児	＋950 ×週当たり実施日数	＋9 ×週当たり実施日数×加算率	＋170 ×週当たり実施日数	＋1 ×週当たり実施日数×加算率
	46人 から 60人 まで	1号	4歳以上児 3　歳　児	＋710 ×週当たり実施日数	＋7 ×週当たり実施日数×加算率	＋120 ×週当たり実施日数	＋1 ×週当たり実施日数×加算率
	61人 から 75人 まで	1号	4歳以上児 3　歳　児	＋590 ×週当たり実施日数	＋5 ×週当たり実施日数×加算率	＋100 ×週当たり実施日数	＋1 ×週当たり実施日数×加算率
	76人 から 90人 まで	1号	4歳以上児 3　歳　児	＋520 ×週当たり実施日数	＋5 ×週当たり実施日数×加算率	＋90 ×週当たり実施日数	＋1 ×週当たり実施日数×加算率
	91人 から 105人 まで	1号	4歳以上児 3　歳　児	＋460 ×週当たり実施日数	＋4 ×週当たり実施日数×加算率	＋80 ×週当たり実施日数	＋1 ×週当たり実施日数×加算率
	106人 から 120人 まで	1号	4歳以上児 3　歳　児	＋420 ×週当たり実施日数	＋4 ×週当たり実施日数×加算率	＋70 ×週当たり実施日数	＋1 ×週当たり実施日数×加算率
	121人 から 135人 まで	1号	4歳以上児 3　歳　児	＋390 ×週当たり実施日数	＋3 ×週当たり実施日数×加算率	＋70 ×週当たり実施日数	＋1 ×週当たり実施日数×加算率
	136人 から 150人 まで	1号	4歳以上児 3　歳　児	＋370 ×週当たり実施日数	＋3 ×週当たり実施日数×加算率	＋60 ×週当たり実施日数	＋1 ×週当たり実施日数×加算率
	151人 から 180人 まで	1号	4歳以上児 3　歳　児	＋320 ×週当たり実施日数	＋3 ×週当たり実施日数×加算率	＋50 ×週当たり実施日数	＋1 ×週当たり実施日数×加算率
	181人 から 210人 まで	1号	4歳以上児 3　歳　児	＋280 ×週当たり実施日数	＋2 ×週当たり実施日数×加算率	＋50 ×週当たり実施日数	＋1 ×週当たり実施日数×加算率
	211人 から 240人 まで	1号	4歳以上児 3　歳　児	＋260 ×週当たり実施日数	＋2 ×週当たり実施日数×加算率	＋40 ×週当たり実施日数	＋1 ×週当たり実施日数×加算率
	241人 から 270人 まで	1号	4歳以上児 3　歳　児	＋230 ×週当たり実施日数	＋2 ×週当たり実施日数×加算率	＋40 ×週当たり実施日数	＋1 ×週当たり実施日数×加算率
	271人 から 300人 まで	1号	4歳以上児 3　歳　児	＋210 ×週当たり実施日数	＋2 ×週当たり実施日数×加算率	＋30 ×週当たり実施日数	＋1 ×週当たり実施日数×加算率
	301人 以上	1号	4歳以上児 3　歳　児	＋190 ×週当たり実施日数	＋1 ×週当たり実施日数×加算率	＋30 ×週当たり実施日数	＋1 ×週当たり実施日数×加算率

地域区分 ①	定員区分 ②	認定区分 ③	年齢区分 ④		外部監査費加算 ⑮		副食費徴収免除加算 ※副食費の徴収が免除される子どもの単価に加算 ⑯		年齢別配置基準を下回る場合 ⑰	定員を恒常的に超過する場合 ⑱
10/100 地域	15人まで	1号	4歳以上児	+	27,330	+	240 ×各月の給食実施日数	−	(31,640 +310×加算率)×人数	
			3 歳 児							
	16人から25人まで	1号	4歳以上児	+	16,800	+	240 ×各月の給食実施日数	−	(18,980 +190×加算率)×人数	
			3 歳 児							
	26人から35人まで	1号	4歳以上児	+	12,280	+	240 ×各月の給食実施日数	−	(13,560 +130×加算率)×人数	
			3 歳 児							
	36人から45人まで	1号	4歳以上児	+	9,770	+	240 ×各月の給食実施日数	−	(10,540 +100×加算率)×人数	
			3 歳 児							
	46人から60人まで	1号	4歳以上児	+	7,500	+	240 ×各月の給食実施日数	−	(7,910 +70×加算率)×人数	
			3 歳 児							
	61人から75人まで	1号	4歳以上児	+	6,130	+	240 ×各月の給食実施日数	−	(6,320 +60×加算率)×人数	
			3 歳 児							
	76人から90人まで	1号	4歳以上児	+	5,220	+	240 ×各月の給食実施日数	−	(5,270 +50×加算率)×人数	
			3 歳 児							
	91人から105人まで	1号	4歳以上児	+	4,660	+	240 ×各月の給食実施日数	−	(4,520 +40×加算率)×人数	
			3 歳 児							
	106人から120人まで	1号	4歳以上児	+	4,250	+	240 ×各月の給食実施日数	−	(3,950 +40×加算率)×人数	（⑤〜⑰（⑯を除く。））×別に定める調整率
			3 歳 児							
	121人から135人まで	1号	4歳以上児	+	3,920	+	240 ×各月の給食実施日数	−	(3,510 +30×加算率)×人数	
			3 歳 児							
	136人から150人まで	1号	4歳以上児	+	3,660	+	240 ×各月の給食実施日数	−	(3,160 +30×加算率)×人数	
			3 歳 児							
	151人から180人まで	1号	4歳以上児	+	3,160	+	240 ×各月の給食実施日数	−	(2,630 +20×加算率)×人数	
			3 歳 児							
	181人から210人まで	1号	4歳以上児	+	2,810	+	240 ×各月の給食実施日数	−	(2,260 +20×加算率)×人数	
			3 歳 児							
	211人から240人まで	1号	4歳以上児	+	2,540	+	240 ×各月の給食実施日数	−	(1,970 +20×加算率)×人数	
			3 歳 児							
	241人から270人まで	1号	4歳以上児	+	2,440	+	240 ×各月の給食実施日数	−	(1,750 +10×加算率)×人数	
			3 歳 児							
	271人から300人まで	1号	4歳以上児	+	2,360	+	240 ×各月の給食実施日数	−	(1,580 +10×加算率)×人数	
			3 歳 児							
	301人以上	1号	4歳以上児	+	2,150	+	240 ×各月の給食実施日数	−	(1,430 +10×加算率)×人数	
			3 歳 児							

地域区分①	定員区分②	認定区分③	年齢区分④	基本分単価⑤（注）	処遇改善等加算Ⅰ⑥（注）	副園長・教頭配置加算⑦	処遇改善等加算Ⅰ⑦	3歳児配置改善加算⑧	処遇改善等加算Ⅰ⑧
6/100地域	15人まで	1号	4歳以上児	108,320　(115,970)	＋ 1,060　(1,140) ×加算率	＋ 6,250	＋ 60×加算率	＋ (7,650)	(70×加算率)
			3　歳　児	115,970	＋ 1,140　×加算率			7,650	70×加算率
	16人から25人まで	1号	4歳以上児	66,810　(74,460)	＋ 640　(720) ×加算率	＋ 3,750	＋ 30×加算率	＋ (7,650)	(70×加算率)
			3　歳　児	74,460	＋ 720　×加算率			7,650	70×加算率
	26人から35人まで	1号	4歳以上児	49,010　(56,660)	＋ 470　(540) ×加算率	＋ 2,680	＋ 20×加算率	＋ (7,650)	(70×加算率)
			3　歳　児	56,660	＋ 540　×加算率			7,650	70×加算率
	36人から45人まで	1号	4歳以上児	49,390　(57,040)	＋ 470　(550) ×加算率	＋ 2,080	＋ 20×加算率	＋ (7,650)	(70×加算率)
			3　歳　児	57,040	＋ 550　×加算率			7,650	70×加算率
	46人から60人まで	1号	4歳以上児	45,790　(53,440)	＋ 430　(510) ×加算率	＋ 1,560	＋ 10×加算率	＋ (7,650)	(70×加算率)
			3　歳　児	53,440	＋ 510　×加算率			7,650	70×加算率
	61人から75人まで	1号	4歳以上児	40,630　(48,280)	＋ 380　(460) ×加算率	＋ 1,250	＋ 10×加算率	＋ (7,650)	(70×加算率)
			3　歳　児	48,280	＋ 460　×加算率			7,650	70×加算率
	76人から90人まで	1号	4歳以上児	37,160　(44,810)	＋ 350　(420) ×加算率	＋ 1,040	＋ 10×加算率	＋ (7,650)	(70×加算率)
			3　歳　児	44,810	＋ 420　×加算率			7,650	70×加算率
	91人から105人まで	1号	4歳以上児	34,670　(42,320)	＋ 320　(400) ×加算率	＋ 890	＋ 8×加算率	＋ (7,650)	(70×加算率)
			3　歳　児	42,320	＋ 400　×加算率			7,650	70×加算率
	106人から120人まで	1号	4歳以上児	32,840　(40,490)	＋ 300　(380) ×加算率	＋ 780	＋ 7×加算率	＋ (7,650)	(70×加算率)
			3　歳　児	40,490	＋ 380　×加算率			7,650	70×加算率
	121人から135人まで	1号	4歳以上児	31,380　(39,030)	＋ 290　(370) ×加算率	＋ 690	＋ 6×加算率	＋ (7,650)	(70×加算率)
			3　歳　児	39,030	＋ 370　×加算率			7,650	70×加算率
	136人から150人まで	1号	4歳以上児	30,250　(37,900)	＋ 280　(350) ×加算率	＋ 620	＋ 6×加算率	＋ (7,650)	(70×加算率)
			3　歳　児	37,900	＋ 350　×加算率			7,650	70×加算率
	151人から180人まで	1号	4歳以上児	28,520　(36,170)	＋ 260　(340) ×加算率	＋ 520	＋ 5×加算率	＋ (7,650)	(70×加算率)
			3　歳　児	36,170	＋ 340　×加算率			7,650	70×加算率
	181人から210人まで	1号	4歳以上児	27,270　(34,920)	＋ 250　(320) ×加算率	＋ 440	＋ 4×加算率	＋ (7,650)	(70×加算率)
			3　歳　児	34,920	＋ 320　×加算率			7,650	70×加算率
	211人から240人まで	1号	4歳以上児	26,340　(33,990)	＋ 240　(320) ×加算率	＋ 390	＋ 3×加算率	＋ (7,650)	(70×加算率)
			3　歳　児	33,990	＋ 320　×加算率			7,650	70×加算率
	241人から270人まで	1号	4歳以上児	25,630　(33,280)	＋ 230　(310) ×加算率	＋ 340	＋ 3×加算率	＋ (7,650)	(70×加算率)
			3　歳　児	33,280	＋ 310　×加算率			7,650	70×加算率
	271人から300人まで	1号	4歳以上児	25,050　(32,700)	＋ 230　(300) ×加算率	＋ 310	＋ 3×加算率	＋ (7,650)	(70×加算率)
			3　歳　児	32,700	＋ 300　×加算率			7,650	70×加算率
	301人以上	1号	4歳以上児	23,200　(30,850)	＋ 210　(280) ×加算率	＋ 280	＋ 2×加算率	＋ (7,650)	(70×加算率)
			3　歳　児	30,850	＋ 280　×加算率			7,650	70×加算率

地域区分 ①	定員区分 ②	認定区分 ③	年齢区分 ④	4歳以上児配置改善加算（処遇改善等加算Ⅰ）⑨	満3歳児対応加配加算（3歳児配置改善加算無し）（処遇改善等加算Ⅰ）⑩	満3歳児対応加配加算（3歳児配置改善加算有り）（処遇改善等加算Ⅰ）⑩'	講師配置加算（処遇改善等加算Ⅰ）⑪
6/100地域	15人まで	1号	4歳以上児	＋3,060＋30×加算率			＋6,010＋60×加算率
			3　歳　児		＋53,540＋530×加算率	＋45,890＋450×加算率	
	16人から25人まで	1号	4歳以上児	＋3,060＋30×加算率			＋3,600＋30×加算率
			3　歳　児		＋53,540＋530×加算率	＋45,890＋450×加算率	
	26人から35人まで	1号	4歳以上児	＋3,060＋30×加算率			＋2,570＋20×加算率
			3　歳　児		＋53,540＋530×加算率	＋45,890＋450×加算率	
	36人から45人まで	1号	4歳以上児	＋3,060＋30×加算率			＋−＋−
			3　歳　児		＋53,540＋530×加算率	＋45,890＋450×加算率	
	46人から60人まで	1号	4歳以上児	＋3,060＋30×加算率			＋＋
			3　歳　児		＋53,540＋530×加算率	＋45,890＋450×加算率	
	61人から75人まで	1号	4歳以上児	＋3,060＋30×加算率			＋＋
			3　歳　児		＋53,540＋530×加算率	＋45,890＋450×加算率	
	76人から90人まで	1号	4歳以上児	＋3,060＋30×加算率			＋−＋−
			3　歳　児		＋53,540＋530×加算率	＋45,890＋450×加算率	
	91人から105人まで	1号	4歳以上児	＋3,060＋30×加算率			＋−＋−
			3　歳　児		＋53,540＋530×加算率	＋45,890＋450×加算率	
	106人から120人まで	1号	4歳以上児	＋3,060＋30×加算率			＋−＋−
			3　歳　児		＋53,540＋530×加算率	＋45,890＋450×加算率	
	121人から135人まで	1号	4歳以上児	＋3,060＋30×加算率			＋660＋6×加算率
			3　歳　児		＋53,540＋530×加算率	＋45,890＋450×加算率	
	136人から150人まで	1号	4歳以上児	＋3,060＋30×加算率			＋600＋6×加算率
			3　歳　児		＋53,540＋530×加算率	＋45,890＋450×加算率	
	151人から180人まで	1号	4歳以上児	＋3,060＋30×加算率			＋500＋5×加算率
			3　歳　児		＋53,540＋530×加算率	＋45,890＋450×加算率	
	181人から210人まで	1号	4歳以上児	＋3,060＋30×加算率			＋430＋4×加算率
			3　歳　児		＋53,540＋530×加算率	＋45,890＋450×加算率	
	211人から240人まで	1号	4歳以上児	＋3,060＋30×加算率			＋370＋3×加算率
			3　歳　児		＋53,540＋530×加算率	＋45,890＋450×加算率	
	241人から270人まで	1号	4歳以上児	＋3,060＋30×加算率			＋330＋3×加算率
			3　歳　児		＋53,540＋530×加算率	＋45,890＋450×加算率	
	271人から300人まで	1号	4歳以上児	＋3,060＋30×加算率			＋300＋3×加算率
			3　歳　児		＋53,540＋530×加算率	＋45,890＋450×加算率	
	301人以上	1号	4歳以上児	＋3,060＋30×加算率			＋270＋2×加算率
			3　歳　児		＋53,540＋530×加算率	＋45,890＋450×加算率	

地域区分①	定員区分②	認定区分③	年齢区分④	チーム保育加配加算 ※加配1人当たり単価		通園送迎加算	
					処遇改善等加算Ⅰ ⑫		処遇改善等加算Ⅰ ⑬
6/100地域	15人まで	1号	4歳以上児／3歳児	+ 30,590×加配人数	+ 300×加算率×加配人数	3,790	+ 30×加算率
	16人から25人まで	1号	4歳以上児／3歳児	+ 18,350×加配人数	+ 180×加算率×加配人数	2,600	+ 20×加算率
	26人から35人まで	1号	4歳以上児／3歳児	+ 13,110×加配人数	+ 130×加算率×加配人数	2,090	+ 20×加算率
	36人から45人まで	1号	4歳以上児／3歳児	+ 10,190×加配人数	+ 100×加算率×加配人数	1,800	+ 10×加算率
	46人から60人まで	1号	4歳以上児／3歳児	+ 7,640×加配人数	+ 70×加算率×加配人数	1,350	+ 10×加算率
	61人から75人まで	1号	4歳以上児／3歳児	+ 6,110×加配人数	+ 60×加算率×加配人数	1,080	+ 10×加算率
	76人から90人まで	1号	4歳以上児／3歳児	+ 5,090×加配人数	+ 50×加算率×加配人数	900	+ 9×加算率
	91人から105人まで	1号	4歳以上児／3歳児	+ 4,370×加配人数	+ 40×加算率×加配人数	770	+ 7×加算率
	106人から120人まで	1号	4歳以上児／3歳児	+ 3,820×加配人数	+ 30×加算率×加配人数	670	+ 6×加算率
	121人から135人まで	1号	4歳以上児／3歳児	+ 3,390×加配人数	+ 30×加算率×加配人数	600	+ 6×加算率
	136人から150人まで	1号	4歳以上児／3歳児	+ 3,050×加配人数	+ 30×加算率×加配人数	540	+ 5×加算率
	151人から180人まで	1号	4歳以上児／3歳児	+ 2,540×加配人数	+ 20×加算率×加配人数	520	+ 5×加算率
	181人から210人まで	1号	4歳以上児／3歳児	+ 2,180×加配人数	+ 20×加算率×加配人数	520	+ 5×加算率
	211人から240人まで	1号	4歳以上児／3歳児	+ 1,910×加配人数	+ 10×加算率×加配人数	520	+ 5×加算率
	241人から270人まで	1号	4歳以上児／3歳児	+ 1,690×加配人数	+ 10×加算率×加配人数	520	+ 5×加算率
	271人から300人まで	1号	4歳以上児／3歳児	+ 1,520×加配人数	+ 10×加算率×加配人数	520	+ 5×加算率
	301人以上	1号	4歳以上児／3歳児	+ 1,390×加配人数	+ 10×加算率×加配人数	520	+ 5×加算率

地域区分①	定員区分②	認定区分③	年齢区分④	給食実施加算（施設内調理）	処遇改善等加算Ⅰ ⑭	給食実施加算（外部搬入）	処遇改善等加算Ⅰ ⑭'
6/100地域	15人まで	1号	4歳以上児 / 3歳児	+ 2,840 ×週当たり実施日数	+ 20 ×週当たり実施日数×加算率	+ 500 ×週当たり実施日数	+ 5 ×週当たり実施日数×加算率
	16人から25人まで	1号	4歳以上児 / 3歳児	+ 1,700 ×週当たり実施日数	+ 10 ×週当たり実施日数×加算率	+ 300 ×週当たり実施日数	+ 3 ×週当たり実施日数×加算率
	26人から35人まで	1号	4歳以上児 / 3歳児	+ 1,220 ×週当たり実施日数	+ 10 ×週当たり実施日数×加算率	+ 210 ×週当たり実施日数	+ 2 ×週当たり実施日数×加算率
	36人から45人まで	1号	4歳以上児 / 3歳児	+ 950 ×週当たり実施日数	+ 9 ×週当たり実施日数×加算率	+ 170 ×週当たり実施日数	+ 1 ×週当たり実施日数×加算率
	46人から60人まで	1号	4歳以上児 / 3歳児	+ 710 ×週当たり実施日数	+ 7 ×週当たり実施日数×加算率	+ 120 ×週当たり実施日数	+ 1 ×週当たり実施日数×加算率
	61人から75人まで	1号	4歳以上児 / 3歳児	+ 590 ×週当たり実施日数	+ 5 ×週当たり実施日数×加算率	+ 100 ×週当たり実施日数	+ 1 ×週当たり実施日数×加算率
	76人から90人まで	1号	4歳以上児 / 3歳児	+ 520 ×週当たり実施日数	+ 5 ×週当たり実施日数×加算率	+ 90 ×週当たり実施日数	+ 1 ×週当たり実施日数×加算率
	91人から105人まで	1号	4歳以上児 / 3歳児	+ 460 ×週当たり実施日数	+ 4 ×週当たり実施日数×加算率	+ 80 ×週当たり実施日数	+ 1 ×週当たり実施日数×加算率
	106人から120人まで	1号	4歳以上児 / 3歳児	+ 420 ×週当たり実施日数	+ 4 ×週当たり実施日数×加算率	+ 70 ×週当たり実施日数	+ 1 ×週当たり実施日数×加算率
	121人から135人まで	1号	4歳以上児 / 3歳児	+ 390 ×週当たり実施日数	+ 3 ×週当たり実施日数×加算率	+ 70 ×週当たり実施日数	+ 1 ×週当たり実施日数×加算率
	136人から150人まで	1号	4歳以上児 / 3歳児	+ 370 ×週当たり実施日数	+ 3 ×週当たり実施日数×加算率	+ 60 ×週当たり実施日数	+ 1 ×週当たり実施日数×加算率
	151人から180人まで	1号	4歳以上児 / 3歳児	+ 320 ×週当たり実施日数	+ 3 ×週当たり実施日数×加算率	+ 50 ×週当たり実施日数	+ 1 ×週当たり実施日数×加算率
	181人から210人まで	1号	4歳以上児 / 3歳児	+ 280 ×週当たり実施日数	+ 2 ×週当たり実施日数×加算率	+ 50 ×週当たり実施日数	+ 1 ×週当たり実施日数×加算率
	211人から240人まで	1号	4歳以上児 / 3歳児	+ 260 ×週当たり実施日数	+ 2 ×週当たり実施日数×加算率	+ 40 ×週当たり実施日数	+ 1 ×週当たり実施日数×加算率
	241人から270人まで	1号	4歳以上児 / 3歳児	+ 230 ×週当たり実施日数	+ 2 ×週当たり実施日数×加算率	+ 40 ×週当たり実施日数	+ 1 ×週当たり実施日数×加算率
	271人から300人まで	1号	4歳以上児 / 3歳児	+ 210 ×週当たり実施日数	+ 2 ×週当たり実施日数×加算率	+ 30 ×週当たり実施日数	+ 1 ×週当たり実施日数×加算率
	301人以上	1号	4歳以上児 / 3歳児	+ 190 ×週当たり実施日数	+ 1 ×週当たり実施日数×加算率	+ 30 ×週当たり実施日数	+ 1 ×週当たり実施日数×加算率

地域区分 ①	定員区分 ②	認定区分 ③	年齢区分 ④	外部監査費加算 ⑮	副食費徴収免除加算 ※副食費の徴収が免除される子どもの単価に加算 ⑯	年齢別配置基準を下回る場合 ⑰	定員を恒常的に超過する場合 ⑱
	15人まで	1号	4歳以上児 / 3歳児	＋ 27,330	＋ 240 ×各月の給食実施日数	－ (30,590 ＋300×加算率)×人数	
	16人から25人まで	1号	4歳以上児 / 3歳児	＋ 16,800	＋ 240 ×各月の給食実施日数	－ (18,350 ＋180×加算率)×人数	
	26人から35人まで	1号	4歳以上児 / 3歳児	＋ 12,280	＋ 240 ×各月の給食実施日数	－ (13,110 ＋130×加算率)×人数	
	36人から45人まで	1号	4歳以上児 / 3歳児	＋ 9,770	＋ 240 ×各月の給食実施日数	－ (10,200 ＋100×加算率)×人数	
	46人から60人まで	1号	4歳以上児 / 3歳児	＋ 7,500	＋ 240 ×各月の給食実施日数	－ (7,650 ＋70×加算率)×人数	
	61人から75人まで	1号	4歳以上児 / 3歳児	＋ 6,130	＋ 240 ×各月の給食実施日数	－ (6,120 ＋60×加算率)×人数	
	76人から90人まで	1号	4歳以上児 / 3歳児	＋ 5,220	＋ 240 ×各月の給食実施日数	－ (5,100 ＋50×加算率)×人数	
	91人から105人まで	1号	4歳以上児 / 3歳児	＋ 4,660	＋ 240 ×各月の給食実施日数	－ (4,370 ＋40×加算率)×人数	
6/100 地域	106人から120人まで	1号	4歳以上児 / 3歳児	＋ 4,250	＋ 240 ×各月の給食実施日数	－ (3,820 ＋30×加算率)×人数	(⑤〜⑰（⑯を除く。））×別に定める調整率
	121人から135人まで	1号	4歳以上児 / 3歳児	＋ 3,920	＋ 240 ×各月の給食実施日数	－ (3,400 ＋30×加算率)×人数	
	136人から150人まで	1号	4歳以上児 / 3歳児	＋ 3,660	＋ 240 ×各月の給食実施日数	－ (3,060 ＋30×加算率)×人数	
	151人から180人まで	1号	4歳以上児 / 3歳児	＋ 3,160	＋ 240 ×各月の給食実施日数	－ (2,550 ＋20×加算率)×人数	
	181人から210人まで	1号	4歳以上児 / 3歳児	＋ 2,810	＋ 240 ×各月の給食実施日数	－ (2,180 ＋20×加算率)×人数	
	211人から240人まで	1号	4歳以上児 / 3歳児	＋ 2,540	＋ 240 ×各月の給食実施日数	－ (1,910 ＋10×加算率)×人数	
	241人から270人まで	1号	4歳以上児 / 3歳児	＋ 2,440	＋ 240 ×各月の給食実施日数	－ (1,700 ＋10×加算率)×人数	
	271人から300人まで	1号	4歳以上児 / 3歳児	＋ 2,360	＋ 240 ×各月の給食実施日数	－ (1,530 ＋10×加算率)×人数	
	301人以上	1号	4歳以上児 / 3歳児	＋ 2,150	＋ 240 ×各月の給食実施日数	－ (1,390 ＋10×加算率)×人数	

地域区分①	定員区分②	認定区分③	年齢区分④	基本分単価（注）⑤		処遇改善等加算Ⅰ（注）⑥		副園長・教頭配置加算⑦	処遇改善等加算Ⅰ	3歳児配置改善加算⑧	処遇改善等加算Ⅰ
3/100地域	15人まで	1号	4歳以上児	105,670	(113,120) +	1,030	(1,110) ×加算率	+6,060 +	60×加算率	+ (7,450)	(70×加算率)
			3歳児	113,120	+	1,110	×加算率		7,450	+ 7,450	70×加算率
	16人から25人まで	1号	4歳以上児	65,210	(72,660) +	630	(700) ×加算率	+3,630 +	30×加算率	+ (7,450)	(70×加算率)
			3歳児	72,660	+	700	×加算率			+ 7,450	70×加算率
	26人から35人まで	1号	4歳以上児	47,880	(55,330) +	450	(530) ×加算率	+2,590 +	20×加算率	+ (7,450)	(70×加算率)
			3歳児	55,330	+	530	×加算率			+ 7,450	70×加算率
	36人から45人まで	1号	4歳以上児	48,240	(55,690) +	460	(530) ×加算率	+2,020 +	20×加算率	+ (7,450)	(70×加算率)
			3歳児	55,690	+	530	×加算率			+ 7,450	70×加算率
	46人から60人まで	1号	4歳以上児	44,740	(52,190) +	420	(500) ×加算率	+1,510 +	10×加算率	+ (7,450)	(70×加算率)
			3歳児	52,190	+	500	×加算率			+ 7,450	70×加算率
	61人から75人まで	1号	4歳以上児	39,710	(47,160) +	370	(450) ×加算率	+1,210 +	10×加算率	+ (7,450)	(70×加算率)
			3歳児	47,160	+	450	×加算率			+ 7,450	70×加算率
	76人から90人まで	1号	4歳以上児	36,320	(43,770) +	340	(410) ×加算率	+1,010 +	10×加算率	+ (7,450)	(70×加算率)
			3歳児	43,770	+	410	×加算率			+ 7,450	70×加算率
	91人から105人まで	1号	4歳以上児	33,900	(41,350) +	310	(390) ×加算率	+860 +	8×加算率	+ (7,450)	(70×加算率)
			3歳児	41,350	+	390	×加算率			+ 7,450	70×加算率
	106人から120人まで	1号	4歳以上児	32,110	(39,560) +	300	(370) ×加算率	+750 +	7×加算率	+ (7,450)	(70×加算率)
			3歳児	39,560	+	370	×加算率			+ 7,450	70×加算率
	121人から135人まで	1号	4歳以上児	30,700	(38,150) +	280	(360) ×加算率	+670 +	6×加算率	+ (7,450)	(70×加算率)
			3歳児	38,150	+	360	×加算率			+ 7,450	70×加算率
	136人から150人まで	1号	4歳以上児	29,590	(37,040) +	270	(350) ×加算率	+600 +	6×加算率	+ (7,450)	(70×加算率)
			3歳児	37,040	+	350	×加算率			+ 7,450	70×加算率
	151人から180人まで	1号	4歳以上児	27,900	(35,350) +	250	(330) ×加算率	+500 +	5×加算率	+ (7,450)	(70×加算率)
			3歳児	35,350	+	330	×加算率			+ 7,450	70×加算率
	181人から210人まで	1号	4歳以上児	26,690	(34,140) +	240	(320) ×加算率	+430 +	4×加算率	+ (7,450)	(70×加算率)
			3歳児	34,140	+	320	×加算率			+ 7,450	70×加算率
	211人から240人まで	1号	4歳以上児	25,790	(33,240) +	230	(310) ×加算率	+370 +	3×加算率	+ (7,450)	(70×加算率)
			3歳児	33,240	+	310	×加算率			+ 7,450	70×加算率
	241人から270人まで	1号	4歳以上児	25,090	(32,540) +	230	(300) ×加算率	+330 +	3×加算率	+ (7,450)	(70×加算率)
			3歳児	32,540	+	300	×加算率			+ 7,450	70×加算率
	271人から300人まで	1号	4歳以上児	24,530	(31,980) +	220	(300) ×加算率	+300 +	3×加算率	+ (7,450)	(70×加算率)
			3歳児	31,980	+	300	×加算率			+ 7,450	70×加算率
	301人以上	1号	4歳以上児	22,720	(30,170) +	200	(280) ×加算率	+270 +	2×加算率	+ (7,450)	(70×加算率)
			3歳児	30,170	+	280	×加算率			+ 7,450	70×加算率

地域区分 ①	定員区分 ②	認定区分 ③	年齢区分 ④	4歳以上児配置改善加算 処遇改善等加算Ⅰ ⑨		満3歳児対応加配加算(3歳児配置改善加算無し) 処遇改善等加算Ⅰ ⑩		満3歳児対応加配加算(3歳児配置改善加算有り) 処遇改善等加算Ⅰ ⑩′		講師配置加算 処遇改善等加算Ⅰ ⑪	
3/100 地域	15人まで	1号	4歳以上児	+ 2,980	+ 20×加算率					+ 6,010	60×加算率
			3歳児			+ 52,170	520×加算率	+ 44,720	440×加算率		
	16人から25人まで	1号	4歳以上児	+ 2,980	+ 20×加算率					+ 3,600	30×加算率
			3歳児			+ 52,170	520×加算率	+ 44,720	440×加算率		
	26人から35人まで	1号	4歳以上児	+ 2,980	+ 20×加算率					+ 2,570	20×加算率
			3歳児			+ 52,170	520×加算率	+ 44,720	440×加算率		
	36人から45人まで	1号	4歳以上児	+ 2,980	+ 20×加算率					+ －	－
			3歳児			+ 52,170	520×加算率	+ 44,720	440×加算率		
	46人から60人まで	1号	4歳以上児	+ 2,980	+ 20×加算率					+ －	－
			3歳児			+ 52,170	520×加算率	+ 44,720	440×加算率		
	61人から75人まで	1号	4歳以上児	+ 2,980	+ 20×加算率					+ －	－
			3歳児			+ 52,170	520×加算率	+ 44,720	440×加算率		
	76人から90人まで	1号	4歳以上児	+ 2,980	+ 20×加算率					+ －	－
			3歳児			+ 52,170	520×加算率	+ 44,720	440×加算率		
	91人から105人まで	1号	4歳以上児	+ 2,980	+ 20×加算率					+ －	－
			3歳児			+ 52,170	520×加算率	+ 44,720	440×加算率		
	106人から120人まで	1号	4歳以上児	+ 2,980	+ 20×加算率					+ －	－
			3歳児			+ 52,170	520×加算率	+ 44,720	440×加算率		
	121人から135人まで	1号	4歳以上児	+ 2,980	+ 20×加算率					+ 660	6×加算率
			3歳児			+ 52,170	520×加算率	+ 44,720	440×加算率		
	136人から150人まで	1号	4歳以上児	+ 2,980	+ 20×加算率					+ 600	6×加算率
			3歳児			+ 52,170	520×加算率	+ 44,720	440×加算率		
	151人から180人まで	1号	4歳以上児	+ 2,980	+ 20×加算率					+ 500	5×加算率
			3歳児			+ 52,170	520×加算率	+ 44,720	440×加算率		
	181人から210人まで	1号	4歳以上児	+ 2,980	+ 20×加算率					+ 430	4×加算率
			3歳児			+ 52,170	520×加算率	+ 44,720	440×加算率		
	211人から240人まで	1号	4歳以上児	+ 2,980	+ 20×加算率					+ 370	3×加算率
			3歳児			+ 52,170	520×加算率	+ 44,720	440×加算率		
	241人から270人まで	1号	4歳以上児	+ 2,980	+ 20×加算率					+ 330	3×加算率
			3歳児			+ 52,170	520×加算率	+ 44,720	440×加算率		
	271人から300人まで	1号	4歳以上児	+ 2,980	+ 20×加算率					+ 300	3×加算率
			3歳児			+ 52,170	520×加算率	+ 44,720	440×加算率		
	301人以上	1号	4歳以上児	+ 2,980	+ 20×加算率					+ 270	2×加算率
			3歳児			+ 52,170	520×加算率	+ 44,720	440×加算率		

地域区分①	定員区分②	認定区分③	年齢区分④	チーム保育加配加算 ※加配1人当たり単価	処遇改善等加算Ⅰ ⑫	通園送迎加算	処遇改善等加算Ⅰ ⑬
3/100 地域	15人まで	1号	4歳以上児 / 3歳児	+ 29,810×加配人数	+ 290×加算率×加配人数	+ 3,790	+ 30×加算率
	16人から25人まで	1号	4歳以上児 / 3歳児	+ 17,880×加配人数	+ 170×加算率×加配人数	+ 2,600	+ 20×加算率
	26人から35人まで	1号	4歳以上児 / 3歳児	+ 12,770×加配人数	+ 120×加算率×加配人数	+ 2,090	+ 20×加算率
	36人から45人まで	1号	4歳以上児 / 3歳児	+ 9,930×加配人数	+ 90×加算率×加配人数	+ 1,800	+ 10×加算率
	46人から60人まで	1号	4歳以上児 / 3歳児	+ 7,450×加配人数	+ 70×加算率×加配人数	+ 1,350	+ 10×加算率
	61人から75人まで	1号	4歳以上児 / 3歳児	+ 5,960×加配人数	+ 50×加算率×加配人数	+ 1,080	+ 10×加算率
	76人から90人まで	1号	4歳以上児 / 3歳児	+ 4,960×加配人数	+ 40×加算率×加配人数	+ 900	+ 9×加算率
	91人から105人まで	1号	4歳以上児 / 3歳児	+ 4,250×加配人数	+ 40×加算率×加配人数	+ 770	+ 7×加算率
	106人から120人まで	1号	4歳以上児 / 3歳児	+ 3,720×加配人数	+ 30×加算率×加配人数	+ 670	+ 6×加算率
	121人から135人まで	1号	4歳以上児 / 3歳児	+ 3,310×加配人数	+ 30×加算率×加配人数	+ 600	+ 6×加算率
	136人から150人まで	1号	4歳以上児 / 3歳児	+ 2,980×加配人数	+ 20×加算率×加配人数	+ 540	+ 5×加算率
	151人から180人まで	1号	4歳以上児 / 3歳児	+ 2,480×加配人数	+ 20×加算率×加配人数	+ 520	+ 5×加算率
	181人から210人まで	1号	4歳以上児 / 3歳児	+ 2,120×加配人数	+ 20×加算率×加配人数	+ 520	+ 5×加算率
	211人から240人まで	1号	4歳以上児 / 3歳児	+ 1,860×加配人数	+ 10×加算率×加配人数	+ 520	+ 5×加算率
	241人から270人まで	1号	4歳以上児 / 3歳児	+ 1,650×加配人数	+ 10×加算率×加配人数	+ 520	+ 5×加算率
	271人から300人まで	1号	4歳以上児 / 3歳児	+ 1,490×加配人数	+ 10×加算率×加配人数	+ 520	+ 5×加算率
	301人以上	1号	4歳以上児 / 3歳児	+ 1,350×加配人数	+ 10×加算率×加配人数	+ 520	+ 5×加算率

地域区分 ①	定員区分 ②	認定区分 ③	年齢区分 ④	給食実施加算（施設内調理）	処遇改善等加算Ⅰ ⑭	給食実施加算（外部搬入）	処遇改善等加算Ⅰ ⑭'
3/100 地域	15人まで	1号	4歳以上児 / 3歳児	+ 2,840 ×週当たり実施日数	+ 20 ×週当たり実施日数×加算率	+ 500 ×週当たり実施日数	+ 5 ×週当たり実施日数×加算率
	16人から25人まで	1号	4歳以上児 / 3歳児	+ 1,700 ×週当たり実施日数	+ 10 ×週当たり実施日数×加算率	+ 300 ×週当たり実施日数	+ 3 ×週当たり実施日数×加算率
	26人から35人まで	1号	4歳以上児 / 3歳児	+ 1,220 ×週当たり実施日数	+ 10 ×週当たり実施日数×加算率	+ 210 ×週当たり実施日数	+ 2 ×週当たり実施日数×加算率
	36人から45人まで	1号	4歳以上児 / 3歳児	+ 950 ×週当たり実施日数	+ 9 ×週当たり実施日数×加算率	+ 170 ×週当たり実施日数	+ 1 ×週当たり実施日数×加算率
	46人から60人まで	1号	4歳以上児 / 3歳児	+ 710 ×週当たり実施日数	+ 7 ×週当たり実施日数×加算率	+ 120 ×週当たり実施日数	+ 1 ×週当たり実施日数×加算率
	61人から75人まで	1号	4歳以上児 / 3歳児	+ 590 ×週当たり実施日数	+ 5 ×週当たり実施日数×加算率	+ 100 ×週当たり実施日数	+ 1 ×週当たり実施日数×加算率
	76人から90人まで	1号	4歳以上児 / 3歳児	+ 520 ×週当たり実施日数	+ 5 ×週当たり実施日数×加算率	+ 90 ×週当たり実施日数	+ 1 ×週当たり実施日数×加算率
	91人から105人まで	1号	4歳以上児 / 3歳児	+ 460 ×週当たり実施日数	+ 4 ×週当たり実施日数×加算率	+ 80 ×週当たり実施日数	+ 1 ×週当たり実施日数×加算率
	106人から120人まで	1号	4歳以上児 / 3歳児	+ 420 ×週当たり実施日数	+ 4 ×週当たり実施日数×加算率	+ 70 ×週当たり実施日数	+ 1 ×週当たり実施日数×加算率
	121人から135人まで	1号	4歳以上児 / 3歳児	+ 390 ×週当たり実施日数	+ 3 ×週当たり実施日数×加算率	+ 70 ×週当たり実施日数	+ 1 ×週当たり実施日数×加算率
	136人から150人まで	1号	4歳以上児 / 3歳児	+ 370 ×週当たり実施日数	+ 3 ×週当たり実施日数×加算率	+ 60 ×週当たり実施日数	+ 1 ×週当たり実施日数×加算率
	151人から180人まで	1号	4歳以上児 / 3歳児	+ 320 ×週当たり実施日数	+ 3 ×週当たり実施日数×加算率	+ 50 ×週当たり実施日数	+ 1 ×週当たり実施日数×加算率
	181人から210人まで	1号	4歳以上児 / 3歳児	+ 280 ×週当たり実施日数	+ 2 ×週当たり実施日数×加算率	+ 50 ×週当たり実施日数	+ 1 ×週当たり実施日数×加算率
	211人から240人まで	1号	4歳以上児 / 3歳児	+ 260 ×週当たり実施日数	+ 2 ×週当たり実施日数×加算率	+ 40 ×週当たり実施日数	+ 1 ×週当たり実施日数×加算率
	241人から270人まで	1号	4歳以上児 / 3歳児	+ 230 ×週当たり実施日数	+ 2 ×週当たり実施日数×加算率	+ 40 ×週当たり実施日数	+ 1 ×週当たり実施日数×加算率
	271人から300人まで	1号	4歳以上児 / 3歳児	+ 210 ×週当たり実施日数	+ 2 ×週当たり実施日数×加算率	+ 30 ×週当たり実施日数	+ 1 ×週当たり実施日数×加算率
	301人以上	1号	4歳以上児 / 3歳児	+ 190 ×週当たり実施日数	+ 1 ×週当たり実施日数×加算率	+ 30 ×週当たり実施日数	+ 1 ×週当たり実施日数×加算率

地域区分 ①	定員区分 ②	認定区分 ③	年齢区分 ④		外部監査費加算 ⑮		副食費徴収免除加算 ※副食費の徴収が免除される子どもの単価に加算 ⑯	年齢別配置基準を下回る場合 ⑰	定員を恒常的に超過する場合 ⑱
	15人まで	1号	4歳以上児 / 3歳児	+	27,330	+	240 ×各月の給食実施日数	(29,810 +290×加算率)×人数	
	16人から25人まで	1号	4歳以上児 / 3歳児	+	16,800	+	240 ×各月の給食実施日数	(17,880 +170×加算率)×人数	
	26人から35人まで	1号	4歳以上児 / 3歳児	+	12,280	+	240 ×各月の給食実施日数	(12,770 +120×加算率)×人数	
	36人から45人まで	1号	4歳以上児 / 3歳児	+	9,770	+	240 ×各月の給食実施日数	(9,930 +90×加算率)×人数	
	46人から60人まで	1号	4歳以上児 / 3歳児	+	7,500	+	240 ×各月の給食実施日数	(7,450 +70×加算率)×人数	
	61人から75人まで	1号	4歳以上児 / 3歳児	+	6,130	+	240 ×各月の給食実施日数	(5,960 +60×加算率)×人数	
	76人から90人まで	1号	4歳以上児 / 3歳児	+	5,220	+	240 ×各月の給食実施日数	(4,960 +50×加算率)×人数	
	91人から105人まで	1号	4歳以上児 / 3歳児	+	4,660	+	240 ×各月の給食実施日数	(4,250 +40×加算率)×人数	
3/100地域	106人から120人まで	1号	4歳以上児 / 3歳児	+	4,250	+	240 ×各月の給食実施日数	(3,720 +30×加算率)×人数	(⑤～⑰（⑯を除く。）) ×別に定める調整率
	121人から135人まで	1号	4歳以上児 / 3歳児	+	3,920	+	240 ×各月の給食実施日数	(3,310 +30×加算率)×人数	
	136人から150人まで	1号	4歳以上児 / 3歳児	+	3,660	+	240 ×各月の給食実施日数	(2,980 +30×加算率)×人数	
	151人から180人まで	1号	4歳以上児 / 3歳児	+	3,160	+	240 ×各月の給食実施日数	(2,480 +20×加算率)×人数	
	181人から210人まで	1号	4歳以上児 / 3歳児	+	2,810	+	240 ×各月の給食実施日数	(2,130 +20×加算率)×人数	
	211人から240人まで	1号	4歳以上児 / 3歳児	+	2,540	+	240 ×各月の給食実施日数	(1,860 +10×加算率)×人数	
	241人から270人まで	1号	4歳以上児 / 3歳児	+	2,440	+	240 ×各月の給食実施日数	(1,650 +10×加算率)×人数	
	271人から300人まで	1号	4歳以上児 / 3歳児	+	2,360	+	240 ×各月の給食実施日数	(1,490 +10×加算率)×人数	
	301人以上	1号	4歳以上児 / 3歳児	+	2,150	+	240 ×各月の給食実施日数	(1,350 +10×加算率)×人数	

地域区分 ①	定員区分 ②	認定区分 ③	年齢区分 ④	基本分単価 （注）⑤		処遇改善等加算Ⅰ （注）⑥			副園長・教頭配置加算 ⑦		処遇改善等加算Ⅰ	3歳児配置改善加算 ⑧	処遇改善等加算Ⅰ
その他地域	15人まで	1号	4歳以上児	103,010	(110,260)	+	1,010	(1,080) ×加算率	+	5,870	+	50×加算率	+	(7,250)	(70×加算率)
			3 歳 児	110,260		+	1,080	×加算率					7,250	70×加算率
	16人から25人まで	1号	4歳以上児	63,620	(70,870)		610	(680) ×加算率	+	3,520	+	30×加算率	+	(7,250)	(70×加算率)
			3 歳 児	70,870		+	680	×加算率					7,250	70×加算率
	26人から35人まで	1号	4歳以上児	46,740	(53,990)		440	(520) ×加算率	+	2,510	+	20×加算率	+	(7,250)	(70×加算率)
			3 歳 児	53,990		+	520	×加算率					7,250	70×加算率
	36人から45人まで	1号	4歳以上児	47,100	(54,350)	+	450	(520) ×加算率	+	1,950	+	10×加算率	+	(7,250)	(70×加算率)
			3 歳 児	54,350		+	520	×加算率					7,250	70×加算率
	46人から60人まで	1号	4歳以上児	43,680	(50,930)	+	410	(490) ×加算率	+	1,460	+	10×加算率	+	(7,250)	(70×加算率)
			3 歳 児	50,930		+	490	×加算率					7,250	70×加算率
	61人から75人まで	1号	4歳以上児	38,790	(46,040)	+	360	(440) ×加算率	+	1,170	+	10×加算率	+	(7,250)	(70×加算率)
			3 歳 児	46,040		+	440	×加算率					7,250	70×加算率
	76人から90人まで	1号	4歳以上児	35,490	(42,740)	+	330	(400) ×加算率	+	970	+	9×加算率	+	(7,250)	(70×加算率)
			3 歳 児	42,740		+	400	×加算率					7,250	70×加算率
	91人から105人まで	1号	4歳以上児	33,130	(40,380)	+	310	(380) ×加算率	+	830	+	8×加算率	+	(7,250)	(70×加算率)
			3 歳 児	40,380		+	380	×加算率					7,250	70×加算率
	106人から120人まで	1号	4歳以上児	31,390	(38,640)	+	290	(360) ×加算率	+	730	+	7×加算率	+	(7,250)	(70×加算率)
			3 歳 児	38,640		+	360	×加算率					7,250	70×加算率
	121人から135人まで	1号	4歳以上児	30,010	(37,260)	+	280	(350) ×加算率	+	650	+	6×加算率	+	(7,250)	(70×加算率)
			3 歳 児	37,260		+	350	×加算率					7,250	70×加算率
	136人から150人まで	1号	4歳以上児	28,930	(36,180)	+	270	(340) ×加算率	+	580	+	5×加算率	+	(7,250)	(70×加算率)
			3 歳 児	36,180		+	340	×加算率					7,250	70×加算率
	151人から180人まで	1号	4歳以上児	27,290	(34,540)	+	250	(320) ×加算率	+	480	+	4×加算率	+	(7,250)	(70×加算率)
			3 歳 児	34,540		+	320	×加算率					7,250	70×加算率
	181人から210人まで	1号	4歳以上児	26,100	(33,350)	+	240	(310) ×加算率	+	410	+	4×加算率	+	(7,250)	(70×加算率)
			3 歳 児	33,350		+	310	×加算率					7,250	70×加算率
	211人から240人まで	1号	4歳以上児	25,230	(32,480)	+	230	(300) ×加算率	+	360	+	3×加算率	+	(7,250)	(70×加算率)
			3 歳 児	32,480		+	300	×加算率					7,250	70×加算率
	241人から270人まで	1号	4歳以上児	24,550	(31,800)	+	220	(290) ×加算率	+	320	+	3×加算率	+	(7,250)	(70×加算率)
			3 歳 児	31,800		+	290	×加算率					7,250	70×加算率
	271人から300人まで	1号	4歳以上児	24,000	(31,250)	+	220	(290) ×加算率	+	290	+	2×加算率	+	(7,250)	(70×加算率)
			3 歳 児	31,250		+	290	×加算率					7,250	70×加算率
	301人以上	1号	4歳以上児	22,240	(29,490)	+	200	(270) ×加算率	+	260	+	2×加算率	+	(7,250)	(70×加算率)
			3 歳 児	29,490		+	270	×加算率					7,250	70×加算率

地域区分 ①	定員区分 ②	認定区分 ③	年齢区分 ④	4歳以上児配置改善加算 処遇改善等加算I ⑨	満3歳児対応加配加算（3歳児配置改善加算無し） 処遇改善等加算I ⑩	満3歳児対応加配加算（3歳児配置改善加算有り） 処遇改善等加算I ⑩'	講師配置加算 処遇改善等加算I ⑪
その他地域	15人まで	1号	4歳以上児	+ 2,900 + 20×加算率			6,010 + 60×加算率
			3歳児		+ 50,800 + 500×加算率	+ 43,550 + 430×加算率	
	16人から25人まで	1号	4歳以上児	+ 2,900 + 20×加算率			3,600 + 30×加算率
			3歳児		+ 50,800 + 500×加算率	+ 43,550 + 430×加算率	
	26人から35人まで	1号	4歳以上児	+ 2,900 + 20×加算率			2,570 + 20×加算率
			3歳児		+ 50,800 + 500×加算率	+ 43,550 + 430×加算率	
	36人から45人まで	1号	4歳以上児	+ 2,900 + 20×加算率			− + −
			3歳児		+ 50,800 + 500×加算率	+ 43,550 + 430×加算率	
	46人から60人まで	1号	4歳以上児	+ 2,900 + 20×加算率			− + −
			3歳児		+ 50,800 + 500×加算率	+ 43,550 + 430×加算率	
	61人から75人まで	1号	4歳以上児	+ 2,900 + 20×加算率			− + −
			3歳児		+ 50,800 + 500×加算率	+ 43,550 + 430×加算率	
	76人から90人まで	1号	4歳以上児	+ 2,900 + 20×加算率			− + −
			3歳児		+ 50,800 + 500×加算率	+ 43,550 + 430×加算率	
	91人から105人まで	1号	4歳以上児	+ 2,900 + 20×加算率			− + −
			3歳児		+ 50,800 + 500×加算率	+ 43,550 + 430×加算率	
	106人から120人まで	1号	4歳以上児	+ 2,900 + 20×加算率			− + −
			3歳児		+ 50,800 + 500×加算率	+ 43,550 + 430×加算率	
	121人から135人まで	1号	4歳以上児	+ 2,900 + 20×加算率			660 + 6×加算率
			3歳児		+ 50,800 + 500×加算率	+ 43,550 + 430×加算率	
	136人から150人まで	1号	4歳以上児	+ 2,900 + 20×加算率			600 + 6×加算率
			3歳児		+ 50,800 + 500×加算率	+ 43,550 + 430×加算率	
	151人から180人まで	1号	4歳以上児	+ 2,900 + 20×加算率			500 + 5×加算率
			3歳児		+ 50,800 + 500×加算率	+ 43,550 + 430×加算率	
	181人から210人まで	1号	4歳以上児	+ 2,900 + 20×加算率			430 + 4×加算率
			3歳児		+ 50,800 + 500×加算率	+ 43,550 + 430×加算率	
	211人から240人まで	1号	4歳以上児	+ 2,900 + 20×加算率			370 + 3×加算率
			3歳児		+ 50,800 + 500×加算率	+ 43,550 + 430×加算率	
	241人から270人まで	1号	4歳以上児	+ 2,900 + 20×加算率			330 + 3×加算率
			3歳児		+ 50,800 + 500×加算率	+ 43,550 + 430×加算率	
	271人から300人まで	1号	4歳以上児	+ 2,900 + 20×加算率			300 + 3×加算率
			3歳児		+ 50,800 + 500×加算率	+ 43,550 + 430×加算率	
	301人以上	1号	4歳以上児	+ 2,900 + 20×加算率			270 + 2×加算率
			3歳児		+ 50,800 + 500×加算率	+ 43,550 + 430×加算率	

地域区分 ①	定員区分 ②	認定区分 ③	年齢区分 ④	チーム保育加配加算 ※加配1人当たり単価 ⑫		処遇改善等加算Ⅰ	通園送迎加算 ⑬		処遇改善等加算Ⅰ
	15人まで	1号	4歳以上児	+	29,020×加配人数	+ 290×加算率×加配人数	3,790	+	30×加算率
			3歳児						
	16人から25人まで	1号	4歳以上児	+	17,410×加配人数	+ 170×加算率×加配人数	2,600	+	20×加算率
			3歳児						
	26人から35人まで	1号	4歳以上児	+	12,440×加配人数	+ 120×加算率×加配人数	2,090	+	20×加算率
			3歳児						
	36人から45人まで	1号	4歳以上児	+	9,670×加配人数	+ 90×加算率×加配人数	1,800	+	10×加算率
			3歳児						
	46人から60人まで	1号	4歳以上児	+	7,250×加配人数	+ 70×加算率×加配人数	1,350	+	10×加算率
			3歳児						
	61人から75人まで	1号	4歳以上児	+	5,800×加配人数	+ 50×加算率×加配人数	1,080	+	10×加算率
			3歳児						
	76人から90人まで	1号	4歳以上児	+	4,830×加配人数	+ 40×加算率×加配人数	900	+	9×加算率
			3歳児						
	91人から105人まで	1号	4歳以上児	+	4,140×加配人数	+ 40×加算率×加配人数	770	+	7×加算率
			3歳児						
その他地域	106人から120人まで	1号	4歳以上児	+	3,620×加配人数	+ 30×加算率×加配人数	670	+	6×加算率
			3歳児						
	121人から135人まで	1号	4歳以上児	+	3,220×加配人数	+ 30×加算率×加配人数	600	+	6×加算率
			3歳児						
	136人から150人まで	1号	4歳以上児	+	2,900×加配人数	+ 20×加算率×加配人数	540	+	5×加算率
			3歳児						
	151人から180人まで	1号	4歳以上児	+	2,410×加配人数	+ 20×加算率×加配人数	520	+	5×加算率
			3歳児						
	181人から210人まで	1号	4歳以上児	+	2,070×加配人数	+ 20×加算率×加配人数	520	+	5×加算率
			3歳児						
	211人から240人まで	1号	4歳以上児	+	1,810×加配人数	+ 10×加算率×加配人数	520	+	5×加算率
			3歳児						
	241人から270人まで	1号	4歳以上児	+	1,610×加配人数	+ 10×加算率×加配人数	520	+	5×加算率
			3歳児						
	271人から300人まで	1号	4歳以上児	+	1,450×加配人数	+ 10×加算率×加配人数	520	+	5×加算率
			3歳児						
	301人以上	1号	4歳以上児	+	1,310×加配人数	+ 10×加算率×加配人数	520	+	5×加算率
			3歳児						

地域区分①	定員区分②	認定区分③	年齢区分④	給食実施加算（施設内調理）⑭	処遇改善等加算Ⅰ	給食実施加算（外部搬入）⑭′	処遇改善等加算Ⅰ
その他地域	15人まで	1号	4歳以上児 / 3歳児	+ 2,840 ×週当たり実施日数	+ 20 ×週当たり実施日数×加算率	500 ×週当たり実施日数	+ 5 ×週当たり実施日数×加算率
	16人から25人まで	1号	4歳以上児 / 3歳児	+ 1,700 ×週当たり実施日数	+ 10 ×週当たり実施日数×加算率	300 ×週当たり実施日数	+ 3 ×週当たり実施日数×加算率
	26人から35人まで	1号	4歳以上児 / 3歳児	+ 1,220 ×週当たり実施日数	+ 10 ×週当たり実施日数×加算率	210 ×週当たり実施日数	+ 2 ×週当たり実施日数×加算率
	36人から45人まで	1号	4歳以上児 / 3歳児	+ 950 ×週当たり実施日数	+ 9 ×週当たり実施日数×加算率	170 ×週当たり実施日数	+ 1 ×週当たり実施日数×加算率
	46人から60人まで	1号	4歳以上児 / 3歳児	+ 710 ×週当たり実施日数	+ 7 ×週当たり実施日数×加算率	120 ×週当たり実施日数	+ 1 ×週当たり実施日数×加算率
	61人から75人まで	1号	4歳以上児 / 3歳児	+ 590 ×週当たり実施日数	+ 5 ×週当たり実施日数×加算率	100 ×週当たり実施日数	+ 1 ×週当たり実施日数×加算率
	76人から90人まで	1号	4歳以上児 / 3歳児	+ 520 ×週当たり実施日数	+ 5 ×週当たり実施日数×加算率	90 ×週当たり実施日数	+ 1 ×週当たり実施日数×加算率
	91人から105人まで	1号	4歳以上児 / 3歳児	+ 460 ×週当たり実施日数	+ 4 ×週当たり実施日数×加算率	80 ×週当たり実施日数	+ 1 ×週当たり実施日数×加算率
	106人から120人まで	1号	4歳以上児 / 3歳児	+ 420 ×週当たり実施日数	+ 4 ×週当たり実施日数×加算率	70 ×週当たり実施日数	+ 1 ×週当たり実施日数×加算率
	121人から135人まで	1号	4歳以上児 / 3歳児	+ 390 ×週当たり実施日数	+ 3 ×週当たり実施日数×加算率	70 ×週当たり実施日数	+ 1 ×週当たり実施日数×加算率
	136人から150人まで	1号	4歳以上児 / 3歳児	+ 370 ×週当たり実施日数	+ 3 ×週当たり実施日数×加算率	60 ×週当たり実施日数	+ 1 ×週当たり実施日数×加算率
	151人から180人まで	1号	4歳以上児 / 3歳児	+ 320 ×週当たり実施日数	+ 3 ×週当たり実施日数×加算率	50 ×週当たり実施日数	+ 1 ×週当たり実施日数×加算率
	181人から210人まで	1号	4歳以上児 / 3歳児	+ 280 ×週当たり実施日数	+ 2 ×週当たり実施日数×加算率	50 ×週当たり実施日数	+ 1 ×週当たり実施日数×加算率
	211人から240人まで	1号	4歳以上児 / 3歳児	+ 260 ×週当たり実施日数	+ 2 ×週当たり実施日数×加算率	40 ×週当たり実施日数	+ 1 ×週当たり実施日数×加算率
	241人から270人まで	1号	4歳以上児 / 3歳児	+ 230 ×週当たり実施日数	+ 2 ×週当たり実施日数×加算率	40 ×週当たり実施日数	+ 1 ×週当たり実施日数×加算率
	271人から300人まで	1号	4歳以上児 / 3歳児	+ 210 ×週当たり実施日数	+ 2 ×週当たり実施日数×加算率	30 ×週当たり実施日数	+ 1 ×週当たり実施日数×加算率
	301人以上	1号	4歳以上児 / 3歳児	+ 190 ×週当たり実施日数	+ 1 ×週当たり実施日数×加算率	30 ×週当たり実施日数	+ 1 ×週当たり実施日数×加算率

地域区分 ①	定員区分 ②	認定区分 ③	年齢区分 ④	外部監査費 加算 ⑮	副食費徴収 免除加算 ※副食費の徴収が免除される 子どもの単価に加算 ⑯	年齢別配置基準を 下回る場合 ⑰	定員を恒常的に 超過する場合 ⑱
その他地域	15人まで	1号	4歳以上児 3歳児	＋ 27,330	＋ 240 ×各月の給食実施日数	－ (29,020 ＋290×加算率)×人数	
	16人から25人まで	1号	4歳以上児 3歳児	＋ 16,800	＋ 240 ×各月の給食実施日数	－ (17,410 ＋170×加算率)×人数	
	26人から35人まで	1号	4歳以上児 3歳児	＋ 12,280	＋ 240 ×各月の給食実施日数	－ (12,440 ＋120×加算率)×人数	
	36人から45人まで	1号	4歳以上児 3歳児	＋ 9,770	＋ 240 ×各月の給食実施日数	－ (9,670 ＋90×加算率)×人数	
	46人から60人まで	1号	4歳以上児 3歳児	＋ 7,500	＋ 240 ×各月の給食実施日数	－ (7,250 ＋70×加算率)×人数	
	61人から75人まで	1号	4歳以上児 3歳児	＋ 6,130	＋ 240 ×各月の給食実施日数	－ (5,800 ＋50×加算率)×人数	
	76人から90人まで	1号	4歳以上児 3歳児	＋ 5,220	＋ 240 ×各月の給食実施日数	－ (4,830 ＋40×加算率)×人数	
	91人から105人まで	1号	4歳以上児 3歳児	＋ 4,660	＋ 240 ×各月の給食実施日数	－ (4,140 ＋40×加算率)×人数	
	106人から120人まで	1号	4歳以上児 3歳児	＋ 4,250	＋ 240 ×各月の給食実施日数	－ (3,620 ＋30×加算率)×人数	(⑤～⑰（⑯を除く。）) ×別に定める調整率
	121人から135人まで	1号	4歳以上児 3歳児	＋ 3,920	＋ 240 ×各月の給食実施日数	－ (3,220 ＋30×加算率)×人数	
	136人から150人まで	1号	4歳以上児 3歳児	＋ 3,660	＋ 240 ×各月の給食実施日数	－ (2,900 ＋20×加算率)×人数	
	151人から180人まで	1号	4歳以上児 3歳児	＋ 3,160	＋ 240 ×各月の給食実施日数	－ (2,410 ＋20×加算率)×人数	
	181人から210人まで	1号	4歳以上児 3歳児	＋ 2,810	＋ 240 ×各月の給食実施日数	－ (2,070 ＋20×加算率)×人数	
	211人から240人まで	1号	4歳以上児 3歳児	＋ 2,540	＋ 240 ×各月の給食実施日数	－ (1,810 ＋10×加算率)×人数	
	241人から270人まで	1号	4歳以上児 3歳児	＋ 2,440	＋ 240 ×各月の給食実施日数	－ (1,610 ＋10×加算率)×人数	
	271人から300人まで	1号	4歳以上児 3歳児	＋ 2,360	＋ 240 ×各月の給食実施日数	－ (1,450 ＋10×加算率)×人数	
	301人以上	1号	4歳以上児 3歳児	＋ 2,150	＋ 240 ×各月の給食実施日数	－ (1,310 ＋10×加算率)×人数	

加算部分2

主幹教諭等専任加算　⑲	基本額　　　　　処遇改善等加算Ⅰ （　112,750　＋　1,120×加算率　） 　　　　　÷各月初日の利用子ども数	※各月初日の利用子どもの単価に加算
子育て支援活動費加算　⑳	基本額　　　　　処遇改善等加算Ⅰ （　4,050　＋　40×加算率　） 　　　　　÷各月初日の利用子ども数	※各月初日の利用子どもの単価に加算

療育支援加算　㉑	A	基本額　　　　　処遇改善等加算Ⅰ （　38,150　＋　380×加算率　） 　　　　　÷各月初日の利用子ども数	※以下の区分に応じて、各月初日の利用子どもの単価に加算 　A：特別児童扶養手当支給対象児童受入施設 　B：それ以外の障害児受入施設
	B	基本額　　　　　処遇改善等加算Ⅰ （　25,430　＋　250×加算率　） 　　　　　÷各月初日の利用子ども数	

事務職員配置加算　㉒	基本額　　　　　処遇改善等加算Ⅰ （　81,400　＋　810×加算率　） 　　　　　÷各月初日の利用子ども数	※各月初日の利用子どもの単価に加算
指導充実加配加算　㉓	基本額　　　　　処遇改善等加算Ⅰ （　86,100　＋　860×加算率　） 　　　　　÷各月初日の利用子ども数	※各月初日の利用子どもの単価に加算
事務負担対応加配加算　㉔	基本額　　　　　処遇改善等加算Ⅰ （　72,280　＋　720×加算率　） 　　　　　÷各月初日の利用子ども数	※各月初日の利用子どもの単価に加算

処遇改善等加算Ⅱ　㉕	以下の加算を合算した額を各月初日の利用子ども数で除した額 ・処遇改善等加算Ⅱ－①　　51,590　×人数A ・処遇改善等加算Ⅱ－②　　6,450　×人数B	※1　各月初日の利用子どもの単価に加算 ※2　人数A及び人数Bについては、別に定める
処遇改善等加算Ⅲ　㉖	11,610　×　加算Ⅲ算定対象人数 　　　　　÷各月初日の利用子ども数	※1　各月初日の利用子どもの単価に加算 ※2　加算Ⅲ算定対象人数については、別に定める

冷暖房費加算　㉗	1　級　地　1,900 2　級　地　1,690 3　級　地　1,670	4　級　地　1,320 その他地域　120	※以下の区分に応じて、各月の単価に加算 　1級地から4級地：国家公務員の寒冷地手当に関する法律（昭和 　　　24年法律第200号）第1条第1号及び第 　　　2号に掲げる地域 　その他地域：1級地から4級地以外の地域

施設関係者評価加算　㉘	A	310,610÷3月初日の利用子ども数	※以下の区分に応じて、3月初日の利用子どもの単価に加算 A：公開保育の取組と組み合わせて施設関係者評価を実施する施設 B：それ以外の施設
	B	60,520÷3月初日の利用子ども数	

除雪費加算　㉙	6,270	※3月初日の利用子どもの単価に加算
降灰除去費加算　㉚	162,470÷3月初日の利用子ども数	※3月初日の利用子どもの単価に加算
施設機能強化推進費加算　㉛	160,000（限度額）÷3月初日の利用子ども数	※3月初日の利用子どもの単価に加算

小学校接続加算　㉜	要件Ⅰ～Ⅱを満たす場合	40,380÷3月初日の利用子ども数	※3月初日の利用子どもの単価に加算
	要件Ⅰ～Ⅲを満たす場合	317,130÷3月初日の利用子ども数	

栄養管理加算　㉝	A	基本額　　　　　処遇改善等加算Ⅰ （　67,650　＋　670×加算率　） 　　　　　÷各月初日の利用子ども数	※以下の区分の応じて、各月初日の利用子どもの単価に加算 A：Bを除き栄養士を雇用契約等により配置している施設
	B	基本額　　　　　処遇改善等加算Ⅰ （　50,000　＋　500×加算率　） 　　　　　÷各月初日の利用子ども数	B：基本分単価及び他の加算の認定に当たって求められる職員（施設内の調理設備を使用して調理を行う給食実施加算の適用施設において雇用等される調理員を含む。）が栄養士を兼務している施設
	C	基本額 10,000　÷各月初日の利用子ども数	C：A又はBを除き、栄養士を嘱託等している施設

第三者評価受審加算　㉞	150,000÷3月初日の利用子ども数	※3月初日の利用子どもの単価に加算

（注）年度の初日の前日における満年齢に応じて月額を調整

○定員を恒常的に超過する場合に係る別に定める調整率　幼稚園（教育標準時間認定）

地域区分	定員区分	認定区分	年齢区分	利用子ども数																
				15人まで	16人から25人まで	26人から35人まで	36人から45人まで	46人から60人まで	61人から75人まで	76人から90人まで	91人から105人まで	106人から120人まで	121人から135人まで	136人から150人まで	151人から180人まで	181人から210人まで	211人から240人まで	241人から270人まで	271人から300人まで	301人以上
20/100地域	15人まで	1号	4歳以上児		62/100	46/100	45/100	42/100	38/100	35/100	33/100	31/100	30/100	29/100	27/100	26/100	25/100	25/100	24/100	22/100
			3歳児																	
	16人から25人まで	1号	4歳以上児			74/100	73/100	68/100	61/100	56/100	52/100	50/100	48/100	46/100	44/100	42/100	41/100	40/100	39/100	36/100
			3歳児																	
	26人から35人まで	1号	4歳以上児				99/100	92/100	82/100	75/100	71/100	67/100	65/100	63/100	60/100	57/100	55/100	54/100	53/100	49/100
			3歳児																	
	36人から45人まで	1号	4歳以上児					93/100	83/100	76/100	72/100	68/100	65/100	63/100	60/100	58/100	56/100	54/100	53/100	50/100
			3歳児																	
	46人から60人まで	1号	4歳以上児						89/100	82/100	77/100	73/100	70/100	68/100	65/100	62/100	60/100	58/100	57/100	53/100
			3歳児																	
	61人から75人まで	1号	4歳以上児							92/100	86/100	82/100	79/100	77/100	73/100	70/100	68/100	66/100	64/100	60/100
			3歳児																	
	76人から90人まで	1号	4歳以上児								94/100	89/100	86/100	83/100	79/100	76/100	74/100	71/100	70/100	65/100
			3歳児																	
	91人から105人まで	1号	4歳以上児									95/100	91/100	88/100	84/100	81/100	78/100	76/100	74/100	69/100
			3歳児																	
	106人から120人まで	1号	4歳以上児										96/100	93/100	88/100	85/100	82/100	80/100	78/100	73/100
			3歳児																	
	121人から135人まで	1号	4歳以上児											97/100	92/100	88/100	86/100	83/100	82/100	76/100
			3歳児																	
	136人から150人まで	1号	4歳以上児												95/100	91/100	88/100	86/100	84/100	78/100
			3歳児																	
	151人から180人まで	1号	4歳以上児													96/100	93/100	90/100	89/100	82/100
			3歳児																	
	181人から210人まで	1号	4歳以上児														97/100	94/100	92/100	86/100
			3歳児																	
	211人から240人まで	1号	4歳以上児															97/100	95/100	88/100
			3歳児																	
	241人から270人まで	1号	4歳以上児																98/100	91/100
			3歳児																	
	271人から300人まで	1号	4歳以上児																	93/100
			3歳児																	
	301人以上	1号	4歳以上児																	
			3歳児																	

地域区分	定員区分	認定区分	年齢区分	利用子ども数																
				15人まで	16人から25人まで	26人から35人まで	36人から45人まで	46人から60人まで	61人から75人まで	76人から90人まで	91人から105人まで	106人から120人まで	121人から135人まで	136人から150人まで	151人から180人まで	181人から210人まで	211人から240人まで	241人から270人まで	271人から300人まで	301人以上
16/100 地域	15人まで	1号	4歳以上児		62/100	46/100	45/100	42/100	38/100	35/100	33/100	31/100	30/100	29/100	27/100	26/100	25/100	25/100	24/100	22/100
			3歳児																	
	16人から25人まで	1号	4歳以上児			74/100	73/100	68/100	61/100	56/100	52/100	50/100	48/100	46/100	44/100	42/100	41/100	40/100	39/100	36/100
			3歳児																	
	26人から35人まで	1号	4歳以上児				99/100	92/100	82/100	75/100	71/100	67/100	65/100	63/100	60/100	57/100	55/100	54/100	53/100	49/100
			3歳児																	
	36人から45人まで	1号	4歳以上児					93/100	83/100	76/100	72/100	68/100	65/100	63/100	60/100	58/100	56/100	54/100	53/100	50/100
			3歳児																	
	46人から60人まで	1号	4歳以上児						89/100	82/100	77/100	73/100	70/100	68/100	65/100	62/100	60/100	58/100	57/100	53/100
			3歳児																	
	61人から75人まで	1号	4歳以上児							92/100	86/100	82/100	79/100	77/100	73/100	70/100	68/100	66/100	64/100	60/100
			3歳児																	
	76人から90人まで	1号	4歳以上児								94/100	89/100	86/100	83/100	79/100	76/100	74/100	71/100	70/100	65/100
			3歳児																	
	91人から105人まで	1号	4歳以上児									95/100	91/100	88/100	84/100	81/100	78/100	76/100	74/100	69/100
			3歳児																	
	106人から120人まで	1号	4歳以上児										96/100	93/100	88/100	85/100	82/100	80/100	78/100	73/100
			3歳児																	
	121人から135人まで	1号	4歳以上児											97/100	92/100	88/100	86/100	83/100	82/100	76/100
			3歳児																	
	136人から150人まで	1号	4歳以上児												95/100	91/100	88/100	86/100	84/100	78/100
			3歳児																	
	151人から180人まで	1号	4歳以上児													96/100	93/100	90/100	89/100	82/100
			3歳児																	
	181人から210人まで	1号	4歳以上児														97/100	94/100	92/100	86/100
			3歳児																	
	211人から240人まで	1号	4歳以上児															97/100	95/100	88/100
			3歳児																	
	241人から270人まで	1号	4歳以上児																98/100	91/100
			3歳児																	
	271人から300人まで	1号	4歳以上児																	93/100
			3歳児																	
	301人以上	1号	4歳以上児																	
			3歳児																	

地域区分	定員区分	認定区分	年齢区分	利用子ども数																
				15人まで	16人から25人まで	26人から35人まで	36人から45人まで	46人から60人まで	61人から75人まで	76人から90人まで	91人から105人まで	106人から120人まで	121人から135人まで	136人から150人まで	151人から180人まで	181人から210人まで	211人から240人まで	241人から270人まで	271人から300人まで	301人以上
15/100地域	15人まで	1号	4歳以上児		62/100	46/100	45/100	42/100	38/100	35/100	33/100	31/100	30/100	29/100	27/100	26/100	25/100	25/100	24/100	22/100
			3歳児																	
	16人から25人まで	1号	4歳以上児			74/100	73/100	68/100	61/100	56/100	52/100	50/100	48/100	46/100	44/100	42/100	41/100	40/100	39/100	36/100
			3歳児																	
	26人から35人まで	1号	4歳以上児				99/100	92/100	82/100	75/100	71/100	67/100	65/100	63/100	60/100	57/100	55/100	54/100	53/100	49/100
			3歳児																	
	36人から45人まで	1号	4歳以上児					93/100	83/100	76/100	72/100	68/100	65/100	63/100	60/100	58/100	56/100	54/100	53/100	50/100
			3歳児																	
	46人から60人まで	1号	4歳以上児						89/100	82/100	77/100	73/100	70/100	68/100	65/100	62/100	60/100	58/100	57/100	53/100
			3歳児																	
	61人から75人まで	1号	4歳以上児							92/100	86/100	82/100	79/100	77/100	73/100	70/100	68/100	66/100	64/100	60/100
			3歳児																	
	76人から90人まで	1号	4歳以上児								94/100	89/100	86/100	83/100	79/100	76/100	74/100	71/100	70/100	65/100
			3歳児																	
	91人から105人まで	1号	4歳以上児									95/100	91/100	88/100	84/100	81/100	78/100	76/100	74/100	69/100
			3歳児																	
	106人から120人まで	1号	4歳以上児										96/100	93/100	88/100	85/100	82/100	80/100	78/100	73/100
			3歳児																	
	121人から135人まで	1号	4歳以上児											97/100	92/100	88/100	86/100	83/100	82/100	76/100
			3歳児																	
	136人から150人まで	1号	4歳以上児												95/100	91/100	88/100	86/100	84/100	78/100
			3歳児																	
	151人から180人まで	1号	4歳以上児													96/100	93/100	90/100	89/100	82/100
			3歳児																	
	181人から210人まで	1号	4歳以上児														97/100	94/100	92/100	86/100
			3歳児																	
	211人から240人まで	1号	4歳以上児															97/100	95/100	88/100
			3歳児																	
	241人から270人まで	1号	4歳以上児																98/100	91/100
			3歳児																	
	271人から300人まで	1号	4歳以上児																	93/100
			3歳児																	
	301人以上	1号	4歳以上児																	
			3歳児																	

地域区分	定員区分	認定区分	年齢区分	利用子ども数																
				15人まで	16人から25人まで	26人から35人まで	36人から45人まで	46人から60人まで	61人から75人まで	76人から90人まで	91人から105人まで	106人から120人まで	121人から135人まで	136人から150人まで	151人から180人まで	181人から210人まで	211人から240人まで	241人から270人まで	271人から300人まで	301人以上
12/100地域	15人まで	1号	4歳以上児／3歳児		62/100	46/100	45/100	42/100	38/100	35/100	33/100	31/100	30/100	29/100	27/100	26/100	25/100	25/100	24/100	23/100
	16人から25人まで	1号	4歳以上児／3歳児			74/100	73/100	68/100	61/100	56/100	52/100	50/100	48/100	46/100	44/100	42/100	41/100	40/100	39/100	37/100
	26人から35人まで	1号	4歳以上児／3歳児				99/100	92/100	82/100	75/100	71/100	67/100	65/100	63/100	60/100	57/100	55/100	54/100	53/100	50/100
	36人から45人まで	1号	4歳以上児／3歳児					93/100	83/100	76/100	72/100	68/100	65/100	63/100	60/100	58/100	56/100	55/100	54/100	50/100
	46人から60人まで	1号	4歳以上児／3歳児						89/100	82/100	77/100	73/100	70/100	68/100	65/100	62/100	60/100	59/100	58/100	54/100
	61人から75人まで	1号	4歳以上児／3歳児							92/100	86/100	82/100	79/100	77/100	73/100	70/100	68/100	66/100	65/100	60/100
	76人から90人まで	1号	4歳以上児／3歳児								94/100	89/100	86/100	83/100	79/100	76/100	74/100	72/100	71/100	66/100
	91人から105人まで	1号	4歳以上児／3歳児									95/100	91/100	88/100	84/100	81/100	78/100	77/100	75/100	70/100
	106人から120人まで	1号	4歳以上児／3歳児										96/100	93/100	88/100	85/100	82/100	81/100	79/100	74/100
	121人から135人まで	1号	4歳以上児／3歳児											97/100	92/100	88/100	86/100	84/100	82/100	77/100
	136人から150人まで	1号	4歳以上児／3歳児												95/100	91/100	88/100	87/100	85/100	79/100
	151人から180人まで	1号	4歳以上児／3歳児													96/100	93/100	91/100	89/100	83/100
	181人から210人まで	1号	4歳以上児／3歳児														97/100	95/100	93/100	87/100
	211人から240人まで	1号	4歳以上児／3歳児															98/100	96/100	89/100
	241人から270人まで	1号	4歳以上児／3歳児																98/100	91/100
	271人から300人まで	1号	4歳以上児／3歳児																	93/100
	301人以上	1号	4歳以上児／3歳児																	

地域区分	定員区分	認定区分	年齢区分	利用子ども数 15人まで	16人から25人まで	26人から35人まで	36人から45人まで	46人から60人まで	61人から75人まで	76人から90人まで	91人から105人まで	106人から120人まで	121人から135人まで	136人から150人まで	151人から180人まで	181人から210人まで	211人から240人まで	241人から270人まで	271人から300人まで	301人以上
10/100地域	15人まで	1号	4歳以上児 / 3歳児		62/100	46/100	45/100	42/100	38/100	35/100	33/100	31/100	30/100	29/100	27/100	26/100	25/100	25/100	24/100	23/100
	16人から25人まで	1号	4歳以上児 / 3歳児			74/100	73/100	68/100	61/100	56/100	52/100	50/100	48/100	46/100	44/100	42/100	41/100	40/100	39/100	37/100
	26人から35人まで	1号	4歳以上児 / 3歳児				99/100	92/100	82/100	75/100	71/100	67/100	65/100	63/100	60/100	57/100	55/100	54/100	53/100	50/100
	36人から45人まで	1号	4歳以上児 / 3歳児					93/100	83/100	76/100	72/100	68/100	65/100	63/100	60/100	58/100	56/100	55/100	54/100	50/100
	46人から60人まで	1号	4歳以上児 / 3歳児						89/100	82/100	77/100	73/100	70/100	68/100	65/100	62/100	60/100	59/100	58/100	54/100
	61人から75人まで	1号	4歳以上児 / 3歳児							92/100	86/100	82/100	79/100	77/100	73/100	70/100	68/100	66/100	65/100	60/100
	76人から90人まで	1号	4歳以上児 / 3歳児								94/100	89/100	86/100	83/100	79/100	76/100	74/100	72/100	71/100	66/100
	91人から105人まで	1号	4歳以上児 / 3歳児									95/100	91/100	88/100	84/100	81/100	78/100	77/100	75/100	70/100
	106人から120人まで	1号	4歳以上児 / 3歳児										96/100	93/100	88/100	85/100	82/100	81/100	79/100	74/100
	121人から135人まで	1号	4歳以上児 / 3歳児											97/100	92/100	88/100	86/100	84/100	82/100	77/100
	136人から150人まで	1号	4歳以上児 / 3歳児												95/100	91/100	88/100	87/100	85/100	79/100
	151人から180人まで	1号	4歳以上児 / 3歳児													96/100	93/100	91/100	89/100	83/100
	181人から210人まで	1号	4歳以上児 / 3歳児														97/100	95/100	93/100	87/100
	211人から240人まで	1号	4歳以上児 / 3歳児															98/100	96/100	89/100
	241人から270人まで	1号	4歳以上児 / 3歳児																98/100	91/100
	271人から300人まで	1号	4歳以上児 / 3歳児																	93/100
	301人以上	1号	4歳以上児 / 3歳児																	

地域区分	定員区分	認定区分	年齢区分	15人まで	16人から25人まで	26人から35人まで	36人から45人まで	46人から60人まで	61人から75人まで	76人から90人まで	91人から105人まで	106人から120人まで	121人から135人まで	136人から150人まで	151人から180人まで	181人から210人まで	211人から240人まで	241人から270人まで	271人から300人まで	301人以上
6/100地域	15人まで	1号	4歳以上児 / 3歳児		63/100	47/100	46/100	43/100	38/100	35/100	33/100	31/100	30/100	29/100	28/100	27/100	26/100	25/100	25/100	23/100
	16人から25人まで	1号	4歳以上児 / 3歳児			74/100	73/100	68/100	61/100	56/100	52/100	50/100	48/100	46/100	44/100	42/100	41/100	40/100	39/100	37/100
	26人から35人まで	1号	4歳以上児 / 3歳児				99/100	92/100	82/100	75/100	71/100	67/100	65/100	63/100	60/100	57/100	55/100	54/100	53/100	50/100
	36人から45人まで	1号	4歳以上児 / 3歳児					93/100	83/100	76/100	72/100	68/100	65/100	63/100	60/100	58/100	56/100	55/100	54/100	50/100
	46人から60人まで	1号	4歳以上児 / 3歳児						89/100	82/100	77/100	73/100	70/100	68/100	65/100	62/100	60/100	59/100	58/100	54/100
	61人から75人まで	1号	4歳以上児 / 3歳児							92/100	86/100	82/100	79/100	77/100	73/100	70/100	68/100	66/100	65/100	60/100
	76人から90人まで	1号	4歳以上児 / 3歳児								94/100	89/100	86/100	83/100	79/100	76/100	74/100	72/100	71/100	66/100
	91人から105人まで	1号	4歳以上児 / 3歳児									95/100	91/100	88/100	84/100	81/100	78/100	77/100	75/100	70/100
	106人から120人まで	1号	4歳以上児 / 3歳児										96/100	93/100	88/100	85/100	82/100	81/100	79/100	74/100
	121人から135人まで	1号	4歳以上児 / 3歳児											97/100	92/100	88/100	86/100	84/100	82/100	77/100
	136人から150人まで	1号	4歳以上児 / 3歳児												95/100	91/100	88/100	87/100	85/100	79/100
	151人から180人まで	1号	4歳以上児 / 3歳児													96/100	93/100	91/100	89/100	83/100
	181人から210人まで	1号	4歳以上児 / 3歳児														97/100	95/100	93/100	87/100
	211人から240人まで	1号	4歳以上児 / 3歳児															98/100	96/100	89/100
	241人から270人まで	1号	4歳以上児 / 3歳児																98/100	91/100
	271人から300人まで	1号	4歳以上児 / 3歳児																	93/100
	301人以上	1号	4歳以上児 / 3歳児																	

地域区分	定員区分	認定区分	年齢区分	利用子ども数																
				15人まで	16人から25人まで	26人から35人まで	36人から45人まで	46人から60人まで	61人から75人まで	76人から90人まで	91人から105人まで	106人から120人まで	121人から135人まで	136人から150人まで	151人から180人まで	181人から210人まで	211人から240人まで	241人から270人まで	271人から300人まで	301人以上
3/100 地域	15人まで	1号	4歳以上児 / 3歳児		63/100	47/100	46/100	43/100	38/100	35/100	33/100	31/100	30/100	29/100	28/100	27/100	26/100	25/100	25/100	23/100
	16人から25人まで	1号	4歳以上児 / 3歳児			74/100	73/100	68/100	61/100	56/100	52/100	50/100	48/100	46/100	44/100	42/100	41/100	40/100	39/100	37/100
	26人から35人まで	1号	4歳以上児 / 3歳児				99/100	92/100	82/100	75/100	71/100	67/100	65/100	63/100	60/100	57/100	55/100	54/100	53/100	50/100
	36人から45人まで	1号	4歳以上児 / 3歳児					93/100	83/100	76/100	72/100	68/100	65/100	63/100	60/100	58/100	56/100	55/100	54/100	50/100
	46人から60人まで	1号	4歳以上児 / 3歳児						89/100	82/100	77/100	73/100	70/100	68/100	65/100	62/100	60/100	59/100	58/100	54/100
	61人から75人まで	1号	4歳以上児 / 3歳児							92/100	86/100	82/100	79/100	77/100	73/100	70/100	68/100	66/100	65/100	60/100
	76人から90人まで	1号	4歳以上児 / 3歳児								94/100	89/100	86/100	83/100	79/100	76/100	74/100	72/100	71/100	66/100
	91人から105人まで	1号	4歳以上児 / 3歳児									95/100	91/100	88/100	84/100	81/100	78/100	77/100	75/100	70/100
	106人から120人まで	1号	4歳以上児 / 3歳児										96/100	93/100	88/100	85/100	82/100	81/100	79/100	74/100
	121人から135人まで	1号	4歳以上児 / 3歳児											97/100	92/100	88/100	86/100	84/100	82/100	77/100
	136人から150人まで	1号	4歳以上児 / 3歳児												95/100	91/100	88/100	87/100	85/100	79/100
	151人から180人まで	1号	4歳以上児 / 3歳児													96/100	93/100	91/100	89/100	83/100
	181人から210人まで	1号	4歳以上児 / 3歳児														97/100	95/100	93/100	87/100
	211人から240人まで	1号	4歳以上児 / 3歳児															98/100	96/100	89/100
	241人から270人まで	1号	4歳以上児 / 3歳児																98/100	91/100
	271人から300人まで	1号	4歳以上児 / 3歳児																	93/100
	301人以上	1号	4歳以上児 / 3歳児																	

地域区分	定員区分	認定区分	年齢区分	利用子ども数																
				15人まで	16人から25人まで	26人から35人まで	36人から45人まで	46人から60人まで	61人から75人まで	76人から90人まで	91人から105人まで	106人から120人まで	121人から135人まで	136人から150人まで	151人から180人まで	181人から210人まで	211人から240人まで	241人から270人まで	271人から300人まで	301人以上
その他地域	15人まで	1号	4歳以上児 / 3歳児		63/100	47/100	46/100	43/100	38/100	35/100	33/100	31/100	30/100	29/100	28/100	27/100	26/100	25/100	25/100	23/100
	16人から25人まで	1号	4歳以上児 / 3歳児			74/100	73/100	68/100	61/100	56/100	52/100	50/100	48/100	46/100	44/100	42/100	41/100	40/100	39/100	37/100
	26人から35人まで	1号	4歳以上児 / 3歳児				99/100	92/100	82/100	75/100	71/100	67/100	65/100	63/100	60/100	57/100	55/100	54/100	53/100	50/100
	36人から45人まで	1号	4歳以上児 / 3歳児					93/100	83/100	76/100	72/100	68/100	65/100	63/100	60/100	58/100	56/100	55/100	54/100	50/100
	46人から60人まで	1号	4歳以上児 / 3歳児						89/100	82/100	77/100	73/100	70/100	68/100	65/100	62/100	60/100	59/100	58/100	54/100
	61人から75人まで	1号	4歳以上児 / 3歳児							92/100	86/100	82/100	79/100	77/100	73/100	70/100	68/100	66/100	65/100	60/100
	76人から90人まで	1号	4歳以上児 / 3歳児								94/100	89/100	86/100	83/100	79/100	76/100	74/100	72/100	71/100	66/100
	91人から105人まで	1号	4歳以上児 / 3歳児									95/100	91/100	88/100	84/100	81/100	78/100	77/100	75/100	70/100
	106人から120人まで	1号	4歳以上児 / 3歳児										96/100	93/100	88/100	85/100	82/100	81/100	79/100	74/100
	121人から135人まで	1号	4歳以上児 / 3歳児											97/100	92/100	88/100	86/100	84/100	82/100	77/100
	136人から150人まで	1号	4歳以上児 / 3歳児												95/100	91/100	88/100	87/100	85/100	79/100
	151人から180人まで	1号	4歳以上児 / 3歳児													96/100	93/100	91/100	89/100	83/100
	181人から210人まで	1号	4歳以上児 / 3歳児														97/100	95/100	93/100	87/100
	211人から240人まで	1号	4歳以上児 / 3歳児															98/100	96/100	89/100
	241人から270人まで	1号	4歳以上児 / 3歳児																98/100	91/100
	271人から300人まで	1号	4歳以上児 / 3歳児																	93/100
	301人以上	1号	4歳以上児 / 3歳児																	

○保育所（保育認定）

地域区分①	定員区分②	認定区分③	年齢区分④	保育標準時間認定 基本分単価⑥	(注)	保育短時間認定 基本分単価⑥	(注)	処遇改善等加算Ⅰ 保育標準時間認定⑦	(注)	処遇改善等加算Ⅰ 保育短時間認定⑦	(注)	3歳児配置改善加算	処遇改善等加算Ⅰ⑧
20/100地域	20人	2号	4歳以上児	132,240	(140,530)	104,470	(112,760)	+ 1,300 ×加算率	(1,380)	1,020 ×加算率	(1,100)	+ (8,290)	(80×加算率)
			3歳児	140,530	(207,150)	112,760	(179,380)	+ 1,380 ×加算率	(1,950)	1,100 ×加算率	(1,670)	8,290	80×加算率
		3号	1、2歳児	207,150	(290,080)	179,380	(262,310)	+ 1,950 ×加算率	(2,780)	1,670 ×加算率	(2,500)		
			乳児	290,080		262,310		+ 2,780 ×加算率		2,500 ×加算率			
	21人から30人まで	2号	4歳以上児	95,300	(103,590)	76,790	(85,080)	+ 930 ×加算率	(1,010)	740 ×加算率	(820)	+ (8,290)	(80×加算率)
			3歳児	103,590	(170,210)	85,080	(151,700)	+ 1,010 ×加算率	(1,580)	820 ×加算率	(1,400)	8,290	80×加算率
		3号	1、2歳児	170,210	(253,140)	151,700	(234,630)	+ 1,580 ×加算率	(2,410)	1,400 ×加算率	(2,230)		
			乳児	253,140		234,630		+ 2,410 ×加算率		2,230 ×加算率			
	31人から40人まで	2号	4歳以上児	77,240	(85,530)	63,360	(71,650)	+ 750 ×加算率	(830)	610 ×加算率	(690)	+ (8,290)	(80×加算率)
			3歳児	85,530	(152,150)	71,650	(138,270)	+ 830 ×加算率	(1,400)	690 ×加算率	(1,260)	8,290	80×加算率
		3号	1、2歳児	152,150	(235,080)	138,270	(221,200)	+ 1,400 ×加算率	(2,230)	1,260 ×加算率	(2,090)		
			乳児	235,080		221,200		+ 2,230 ×加算率		2,090 ×加算率			
	41人から50人まで	2号	4歳以上児	72,520	(80,810)	61,410	(69,700)	+ 700 ×加算率	(780)	590 ×加算率	(670)	+ (8,290)	(80×加算率)
			3歳児	80,810	(147,430)	69,700	(136,320)	+ 780 ×加算率	(1,350)	670 ×加算率	(1,240)	8,290	80×加算率
		3号	1、2歳児	147,430	(230,360)	136,320	(219,250)	+ 1,350 ×加算率	(2,180)	1,240 ×加算率	(2,070)		
			乳児	230,360		219,250		+ 2,180 ×加算率		2,070 ×加算率			
	51人から60人まで	2号	4歳以上児	63,540	(71,830)	54,290	(62,580)	+ 610 ×加算率	(690)	520 ×加算率	(600)	+ (8,290)	(80×加算率)
			3歳児	71,830	(138,450)	62,580	(129,200)	+ 690 ×加算率	(1,260)	600 ×加算率	(1,170)	8,290	80×加算率
		3号	1、2歳児	138,450	(221,380)	129,200	(212,130)	+ 1,260 ×加算率	(2,090)	1,170 ×加算率	(2,000)		
			乳児	221,380		212,130		+ 2,090 ×加算率		2,000 ×加算率			
	61人から70人まで	2号	4歳以上児	57,210	(65,500)	49,280	(57,570)	+ 550 ×加算率	(630)	470 ×加算率	(550)	+ (8,290)	(80×加算率)
			3歳児	65,500	(132,120)	57,570	(124,190)	+ 630 ×加算率	(1,200)	550 ×加算率	(1,120)	8,290	80×加算率
		3号	1、2歳児	132,120	(215,050)	124,190	(207,120)	+ 1,200 ×加算率	(2,030)	1,120 ×加算率	(1,950)		
			乳児	215,050		207,120		+ 2,030 ×加算率		1,950 ×加算率			
	71人から80人まで	2号	4歳以上児	52,520	(60,810)	45,580	(53,870)	+ 500 ×加算率	(580)	430 ×加算率	(510)	+ (8,290)	(80×加算率)
			3歳児	60,810	(127,430)	53,870	(120,490)	+ 580 ×加算率	(1,150)	510 ×加算率	(1,080)	8,290	80×加算率
		3号	1、2歳児	127,430	(210,360)	120,490	(203,420)	+ 1,150 ×加算率	(1,980)	1,080 ×加算率	(1,910)		
			乳児	210,360		203,420		+ 1,980 ×加算率		1,910 ×加算率			
	81人から90人まで	2号	4歳以上児	48,820	(57,110)	42,650	(50,940)	+ 460 ×加算率	(540)	400 ×加算率	(480)	+ (8,290)	(80×加算率)
			3歳児	57,110	(123,730)	50,940	(117,560)	+ 540 ×加算率	(1,120)	480 ×加算率	(1,060)	8,290	80×加算率
		3号	1、2歳児	123,730	(206,660)	117,560	(200,490)	+ 1,120 ×加算率	(1,950)	1,060 ×加算率	(1,890)		
			乳児	206,660		200,490		+ 1,950 ×加算率		1,890 ×加算率			
	91人から100人まで	2号	4歳以上児	42,100	(50,390)	36,550	(44,840)	+ 400 ×加算率	(480)	340 ×加算率	(420)	+ (8,290)	(80×加算率)
			3歳児	50,390	(117,010)	44,840	(111,460)	+ 480 ×加算率	(1,050)	420 ×加算率	(990)	8,290	80×加算率
		3号	1、2歳児	117,010	(199,940)	111,460	(194,390)	+ 1,050 ×加算率	(1,880)	990 ×加算率	(1,820)		
			乳児	199,940		194,390		+ 1,880 ×加算率		1,820 ×加算率			
	101人から110人まで	2号	4歳以上児	40,070	(48,360)	35,020	(43,310)	+ 380 ×加算率	(460)	330 ×加算率	(410)	+ (8,290)	(80×加算率)
			3歳児	48,360	(114,980)	43,310	(109,930)	+ 460 ×加算率	(1,030)	410 ×加算率	(980)	8,290	80×加算率
		3号	1、2歳児	114,980	(197,910)	109,930	(192,860)	+ 1,030 ×加算率	(1,860)	980 ×加算率	(1,810)		
			乳児	197,910		192,860		+ 1,860 ×加算率		1,810 ×加算率			
	111人から120人まで	2号	4歳以上児	38,330	(46,620)	33,700	(41,990)	+ 360 ×加算率	(440)	310 ×加算率	(390)	+ (8,290)	(80×加算率)
			3歳児	46,620	(113,240)	41,990	(108,610)	+ 440 ×加算率	(1,010)	390 ×加算率	(970)	8,290	80×加算率
		3号	1、2歳児	113,240	(196,170)	108,610	(191,540)	+ 1,010 ×加算率	(1,840)	970 ×加算率	(1,800)		
			乳児	196,170		191,540		+ 1,840 ×加算率		1,800 ×加算率			
	121人から130人まで	2号	4歳以上児	36,860	(45,150)	32,580	(40,870)	+ 340 ×加算率	(420)	300 ×加算率	(380)	+ (8,290)	(80×加算率)
			3歳児	45,150	(111,770)	40,870	(107,490)	+ 420 ×加算率	(1,000)	380 ×加算率	(950)	8,290	80×加算率
		3号	1、2歳児	111,770	(194,700)	107,490	(190,420)	+ 1,000 ×加算率	(1,830)	950 ×加算率	(1,780)		
			乳児	194,700		190,420		+ 1,830 ×加算率		1,780 ×加算率			
	131人から140人まで	2号	4歳以上児	35,630	(43,920)	31,660	(39,950)	+ 330 ×加算率	(410)	290 ×加算率	(370)	+ (8,290)	(80×加算率)
			3歳児	43,920	(110,540)	39,950	(106,570)	+ 410 ×加算率	(990)	370 ×加算率	(950)	8,290	80×加算率
		3号	1、2歳児	110,540	(193,470)	106,570	(189,500)	+ 990 ×加算率	(1,820)	950 ×加算率	(1,780)		
			乳児	193,470		189,500		+ 1,820 ×加算率		1,780 ×加算率			
	141人から150人まで	2号	4歳以上児	34,540	(42,830)	30,840	(39,130)	+ 320 ×加算率	(400)	280 ×加算率	(360)	+ (8,290)	(80×加算率)
			3歳児	42,830	(109,450)	39,130	(105,750)	+ 400 ×加算率	(970)	360 ×加算率	(940)	8,290	80×加算率
		3号	1、2歳児	109,450	(192,380)	105,750	(188,680)	+ 970 ×加算率	(1,800)	940 ×加算率	(1,770)		
			乳児	192,380		188,680		+ 1,800 ×加算率		1,770 ×加算率			
	151人から160人まで	2号	4歳以上児	34,490	(42,780)	31,020	(39,310)	+ 320 ×加算率	(400)	290 ×加算率	(370)	+ (8,290)	(80×加算率)
			3歳児	42,780	(109,400)	39,310	(105,930)	+ 400 ×加算率	(970)	370 ×加算率	(940)	8,290	80×加算率
		3号	1、2歳児	109,400	(192,330)	105,930	(188,860)	+ 970 ×加算率	(1,800)	940 ×加算率	(1,770)		
			乳児	192,330		188,860		+ 1,800 ×加算率		1,770 ×加算率			
	161人から170人まで	2号	4歳以上児	33,620	(41,910)	30,350	(38,640)	+ 310 ×加算率	(390)	280 ×加算率	(360)	+ (8,290)	(80×加算率)
			3歳児	41,910	(108,530)	38,640	(105,260)	+ 390 ×加算率	(970)	360 ×加算率	(930)	8,290	80×加算率
		3号	1、2歳児	108,530	(191,460)	105,260	(188,190)	+ 970 ×加算率	(1,800)	930 ×加算率	(1,760)		
			乳児	191,460		188,190		+ 1,800 ×加算率		1,760 ×加算率			
	171人以上	2号	4歳以上児	32,820	(41,110)	29,740	(38,030)	+ 300 ×加算率	(380)	270 ×加算率	(350)	+ (8,290)	(80×加算率)
			3歳児	41,110	(107,730)	38,030	(104,650)	+ 380 ×加算率	(960)	350 ×加算率	(930)	8,290	80×加算率
		3号	1、2歳児	107,730	(190,660)	104,650	(187,580)	+ 960 ×加算率	(1,790)	930 ×加算率	(1,760)		
			乳児	190,660		187,580		+ 1,790 ×加算率		1,760 ×加算率			

地域区分 ①	定員区分 ②	認定区分 ③	年齢区分 ④	4歳以上児配置改善加算 ⑨	処遇改善等加算Ⅰ	休日保育加算 ⑩	処遇改善等加算Ⅰ	夜間保育加算（注）⑪	処遇改善等加算Ⅰ
20/100地域	20人	2号	4歳以上児	+ 3,310	+ 30×加算率			+ 31,010	
			3歳児					[29,180]	+ 230×加算率
		3号	1、2歳児					+ 29,180	
			乳児						
	21人から30人まで	2号	4歳以上児	+ 3,310	+ 30×加算率			+ 23,110	
			3歳児					[21,280]	+ 150×加算率
		3号	1、2歳児					+ 21,280	
			乳児						
	31人から40人まで	2号	4歳以上児	+ 3,310	+ 30×加算率			+ 19,160	
			3歳児					[17,330]	+ 110×加算率
		3号	1、2歳児					+ 17,330	
			乳児						
	41人から50人まで	2号	4歳以上児	+ 3,310	+ 30×加算率			+ 16,790	
			3歳児					[14,960]	+ 90×加算率
		3号	1、2歳児					+ 14,960	
			乳児						
	51人から60人まで	2号	4歳以上児	+ 3,310	+ 30×加算率			+ 15,210	
			3歳児					[13,380]	+ 70×加算率
		3号	1、2歳児					+ 13,380	
			乳児						
	61人から70人まで	2号	4歳以上児	+ 3,310	+ 30×加算率			+ 14,080	
			3歳児					[12,250]	+ 60×加算率
		3号	1、2歳児					+ 12,250	
			乳児						
	71人から80人まで	2号	4歳以上児	+ 3,310	+ 30×加算率			+ 13,230	
			3歳児					[11,400]	+ 50×加算率
		3号	1、2歳児					+ 11,400	
			乳児						
	81人から90人まで	2号	4歳以上児	+ 3,310	+ 30×加算率			+ 12,570	
			3歳児					[10,740]	+ 50×加算率
		3号	1、2歳児					+ 10,740	
			乳児						
	91人から100人まで	2号	4歳以上児	+ 3,310	+ 30×加算率				
			3歳児						
		3号	1、2歳児						
			乳児						
	101人から110人まで	2号	4歳以上児	+ 3,310	+ 30×加算率				
			3歳児						
		3号	1、2歳児						
			乳児						
	111人から120人まで	2号	4歳以上児	+ 3,310	+ 30×加算率				
			3歳児						
		3号	1、2歳児						
			乳児						
	121人から130人まで	2号	4歳以上児	+ 3,310	+ 30×加算率				
			3歳児						
		3号	1、2歳児						
			乳児						
	131人から140人まで	2号	4歳以上児	+ 3,310	+ 30×加算率				
			3歳児						
		3号	1、2歳児						
			乳児						
	141人から150人まで	2号	4歳以上児	+ 3,310	+ 30×加算率				
			3歳児						
		3号	1、2歳児						
			乳児						
	151人から160人まで	2号	4歳以上児	+ 3,310	+ 30×加算率				
			3歳児						
		3号	1、2歳児						
			乳児						
	161人から170人まで	2号	4歳以上児	+ 3,310	+ 30×加算率				
			3歳児						
		3号	1、2歳児						
			乳児						
	171人以上	2号	4歳以上児	+ 3,310	+ 30×加算率				
			3歳児						
		3号	1、2歳児						
			乳児						

休日保育加算 ⑩（休日保育の年間延べ利用子ども数）

休日保育の年間延べ利用子ども数		処遇改善等加算Ⅰ 休日保育の年間延べ利用子ども数	
～　210人	280,600	～　210人	2,800×加算率
211人～　279人	300,700	211人～　279人	3,000×加算率
280人～　349人	340,900	280人～　349人	3,400×加算率
350人～　419人	381,200	350人～　419人	3,810×加算率
420人～　489人	421,400	420人～　489人	4,210×加算率
490人～　559人	461,700	490人～　559人	4,610×加算率
560人～　629人	501,900	560人～　629人	5,010×加算率
630人～　699人	542,200	630人～　699人	5,420×加算率
700人～　769人	582,400	700人～　769人	5,820×加算率
770人～　839人	622,700	770人～　839人	6,220×加算率
840人～　909人	662,900	840人～　909人	6,620×加算率
910人～　979人	703,200	910人～　979人	7,030×加算率
980人～1,049人	743,400	980人～1,049人	7,430×加算率
1,050人～	783,700	1,050人～	7,830×加算率

+ 〔　〕 ÷ 各月初日の利用子ども数

地域区分①	定員区分②	認定区分③	年齢区分④	減価償却費加算 加算額 標準⑫	減価償却費加算 加算額 都市部⑫	賃借料加算 地域	賃借料加算 加算額 標準⑬	賃借料加算 加算額 都市部⑬	チーム保育推進加算⑭	処遇改善等加算Ⅰ	副食費徴収免除加算⑮	分園の場合⑯
20/100地域	20人	2号	4歳以上児	+8,500	9,400	a地域	+15,800	17,600	+24,880×加配人数	+240×加算率×加配人数	+4,800	
			3歳児			b地域	8,700	9,700				
		3号	1、2歳児			c地域	7,600	8,400				
			乳児			d地域	6,800	7,500				
	21人から30人まで	2号	4歳以上児	+5,900	6,500	a地域	+10,900	12,200	+16,580×加配人数	+160×加算率×加配人数	+4,800	
			3歳児			b地域	6,000	6,700				
		3号	1、2歳児			c地域	5,200	5,800				
			乳児			d地域	4,700	5,200				
	31人から40人まで	2号	4歳以上児	+5,200	5,700	a地域	+9,800	10,900	+12,440×加配人数	+120×加算率×加配人数	+4,800	
			3歳児			b地域	5,400	6,000				
		3号	1、2歳児			c地域	4,700	5,200				
			乳児			d地域	4,200	4,600				
	41人から50人まで	2号	4歳以上児	+4,700	5,200	a地域	+8,800	9,800	+9,950×加配人数	+90×加算率×加配人数	+4,800	
			3歳児			b地域	4,800	5,400				
		3号	1、2歳児			c地域	4,200	4,700				
			乳児			d地域	3,800	4,200				
	51人から60人まで	2号	4歳以上児	+3,900	4,300	a地域	+7,200	8,100	+8,290×加配人数	+80×加算率×加配人数	+4,800	
			3歳児			b地域	4,000	4,400				
		3号	1、2歳児			c地域	3,500	3,800				
			乳児			d地域	3,100	3,400				
	61人から70人まで	2号	4歳以上児	+3,300	3,700	a地域	+6,300	7,100	+7,100×加配人数	+70×加算率×加配人数	+4,800	
			3歳児			b地域	3,500	3,900				
		3号	1、2歳児			c地域	3,000	3,400				
			乳児			d地域	2,700	3,000				
	71人から80人まで	2号	4歳以上児	+3,800	4,200	a地域	+7,100	7,900	+6,220×加配人数	+60×加算率×加配人数	+4,800	
			3歳児			b地域	3,900	4,300				
		3号	1、2歳児			c地域	3,400	3,800				
			乳児			d地域	3,000	3,400				
	81人から90人まで	2号	4歳以上児	+3,400	3,700	a地域	+6,300	7,100	+5,520×加配人数	+50×加算率×加配人数	+4,800	
			3歳児			b地域	3,500	3,900				
		3号	1、2歳児			c地域	3,000	3,400				
			乳児			d地域	2,700	3,000				
	91人から100人まで	2号	4歳以上児	+3,000	3,400	a地域	+5,500	6,200	+4,970×加配人数	+40×加算率×加配人数	+4,800	((⑥+⑦) × 10/100
			3歳児			b地域	3,000	3,400				
		3号	1、2歳児			c地域	2,600	2,900				
			乳児			d地域	2,400	2,600				
	101人から110人まで	2号	4歳以上児	+3,300	3,700	a地域	+6,100	6,800	+4,520×加配人数	+40×加算率×加配人数	+4,800	
			3歳児			b地域	3,300	3,700				
		3号	1、2歳児			c地域	2,900	3,200				
			乳児			d地域	2,600	2,900				
	111人から120人まで	2号	4歳以上児	+3,000	3,400	a地域	+5,500	6,200	+4,140×加配人数	+40×加算率×加配人数	+4,800	
			3歳児			b地域	3,000	3,400				
		3号	1、2歳児			c地域	2,600	2,900				
			乳児			d地域	2,400	2,600				
	121人から130人まで	2号	4歳以上児	+2,800	3,100	a地域	+5,100	5,700	+3,820×加配人数	+30×加算率×加配人数	+4,800	
			3歳児			b地域	2,800	3,100				
		3号	1、2歳児			c地域	2,400	2,700				
			乳児			d地域	2,200	2,400				
	131人から140人まで	2号	4歳以上児	+3,000	3,300	a地域	+5,500	6,200	+3,550×加配人数	+30×加算率×加配人数	+4,800	
			3歳児			b地域	3,000	3,400				
		3号	1、2歳児			c地域	2,600	2,900				
			乳児			d地域	2,400	2,600				
	141人から150人まで	2号	4歳以上児	+2,800	3,100	a地域	+5,400	6,000	+3,310×加配人数	+30×加算率×加配人数	+4,800	
			3歳児			b地域	2,900	3,300				
		3号	1、2歳児			c地域	2,500	2,800				
			乳児			d地域	2,300	2,500				
	151人から160人まで	2号	4歳以上児	+2,600	2,900	a地域	+4,800	5,400	+3,110×加配人数	+30×加算率×加配人数	+4,800	
			3歳児			b地域	2,600	2,900				
		3号	1、2歳児			c地域	2,300	2,500				
			乳児			d地域	2,000	2,300				
	161人から170人まで	2号	4歳以上児	+2,800	3,100	a地域	+5,400	6,000	+2,920×加配人数	+20×加算率×加配人数	+4,800	
			3歳児			b地域	2,900	3,300				
		3号	1、2歳児			c地域	2,500	2,800				
			乳児			d地域	2,300	2,500				
	171人以上	2号	4歳以上児	+2,700	2,900	a地域	+4,800	5,400	+2,760×加配人数	+20×加算率×加配人数	+4,800	
			3歳児			b地域	2,600	2,900				
		3号	1、2歳児			c地域	2,300	2,500				
			乳児			d地域	2,000	2,300				

※副食費徴収免除加算：副食費の徴収が免除される子どもの単価に加算

地域区分 ①	定員区分 ②	認定区分 ③	年齢区分 ④	施設長を配置していない場合 / 処遇改善等加算Ⅰ ⑰	土曜日に閉所する場合 — 月に1日土曜日を閉所する場合 ⑱	月に2日土曜日を閉所する場合	月に3日以上土曜日を閉所する場合	全ての土曜日を閉所する場合	定員を恒常的に超過する場合 ⑲
20/100地域	20人	2号	4歳以上児 / 3歳児	− 28,200 + 280×加算率	−(⑥+⑦+⑧+⑨+⑪) × 1/100	(⑥+⑦+⑧+⑨+⑪) × 3/100	(⑥+⑦+⑧+⑨+⑪) × 4/100	(⑥+⑦+⑧+⑨+⑪) × 5/100	
		3号	1、2歳児 / 乳児						
	21人から30人まで	2号	4歳以上児 / 3歳児	− 18,800 + 180×加算率	−(⑥+⑦+⑧+⑨+⑪) × 1/100	(⑥+⑦+⑧+⑨+⑪) × 3/100	(⑥+⑦+⑧+⑨+⑪) × 4/100	(⑥+⑦+⑧+⑨+⑪) × 5/100	
		3号	1、2歳児 / 乳児						
	31人から40人まで	2号	4歳以上児 / 3歳児	− 14,100 + 140×加算率	−(⑥+⑦+⑧+⑨+⑪) × 1/100	(⑥+⑦+⑧+⑨+⑪) × 3/100	(⑥+⑦+⑧+⑨+⑪) × 4/100	(⑥+⑦+⑧+⑨+⑪) × 5/100	
		3号	1、2歳児 / 乳児						
	41人から50人まで	2号	4歳以上児 / 3歳児	− 11,280 + 110×加算率	−(⑥+⑦+⑧+⑨+⑪) × 1/100	(⑥+⑦+⑧+⑨+⑪) × 3/100	(⑥+⑦+⑧+⑨+⑪) × 4/100	(⑥+⑦+⑧+⑨+⑪) × 6/100	
		3号	1、2歳児 / 乳児						
	51人から60人まで	2号	4歳以上児 / 3歳児	− 9,400 + 90×加算率	−(⑥+⑦+⑧+⑨+⑪) × 1/100	(⑥+⑦+⑧+⑨+⑪) × 3/100	(⑥+⑦+⑧+⑨+⑪) × 4/100	(⑥+⑦+⑧+⑨+⑪) × 6/100	
		3号	1、2歳児 / 乳児						
	61人から70人まで	2号	4歳以上児 / 3歳児	− 8,050 + 80×加算率	−(⑥+⑦+⑧+⑨+⑪) × 1/100	(⑥+⑦+⑧+⑨+⑪) × 3/100	(⑥+⑦+⑧+⑨+⑪) × 4/100	(⑥+⑦+⑧+⑨+⑪) × 6/100	
		3号	1、2歳児 / 乳児						
	71人から80人まで	2号	4歳以上児 / 3歳児	− 7,050 + 70×加算率	−(⑥+⑦+⑧+⑨+⑪) × 1/100	(⑥+⑦+⑧+⑨+⑪) × 3/100	(⑥+⑦+⑧+⑨+⑪) × 4/100	(⑥+⑦+⑧+⑨+⑪) × 6/100	
		3号	1、2歳児 / 乳児						
	81人から90人まで	2号	4歳以上児 / 3歳児	− 6,260 + 60×加算率	−(⑥+⑦+⑧+⑨+⑪) × 1/100	(⑥+⑦+⑧+⑨+⑪) × 3/100	(⑥+⑦+⑧+⑨+⑪) × 4/100	(⑥+⑦+⑧+⑨+⑪) × 6/100	
		3号	1、2歳児 / 乳児						
	91人から100人まで	2号	4歳以上児 / 3歳児	− 5,640 + 50×加算率	−(⑥+⑦+⑧+⑨+⑪) × 1/100	(⑥+⑦+⑧+⑨+⑪) × 3/100	(⑥+⑦+⑧+⑨+⑪) × 4/100	(⑥+⑦+⑧+⑨+⑪) × 6/100	(⑥～⑱（⑮を除く。）) ×別に定める調整率
		3号	1、2歳児 / 乳児						
	101人から110人まで	2号	4歳以上児 / 3歳児	− 5,120 + 50×加算率	−(⑥+⑦+⑧+⑨+⑪) × 1/100	(⑥+⑦+⑧+⑨+⑪) × 3/100	(⑥+⑦+⑧+⑨+⑪) × 4/100	(⑥+⑦+⑧+⑨+⑪) × 6/100	
		3号	1、2歳児 / 乳児						
	111人から120人まで	2号	4歳以上児 / 3歳児	− 4,700 + 40×加算率	−(⑥+⑦+⑧+⑨+⑪) × 1/100	(⑥+⑦+⑧+⑨+⑪) × 3/100	(⑥+⑦+⑧+⑨+⑪) × 4/100	(⑥+⑦+⑧+⑨+⑪) × 6/100	
		3号	1、2歳児 / 乳児						
	121人から130人まで	2号	4歳以上児 / 3歳児	− 4,330 + 40×加算率	−(⑥+⑦+⑧+⑨+⑪) × 1/100	(⑥+⑦+⑧+⑨+⑪) × 3/100	(⑥+⑦+⑧+⑨+⑪) × 4/100	(⑥+⑦+⑧+⑨+⑪) × 6/100	
		3号	1、2歳児 / 乳児						
	131人から140人まで	2号	4歳以上児 / 3歳児	− 4,020 + 40×加算率	−(⑥+⑦+⑧+⑨+⑪) × 1/100	(⑥+⑦+⑧+⑨+⑪) × 3/100	(⑥+⑦+⑧+⑨+⑪) × 4/100	(⑥+⑦+⑧+⑨+⑪) × 6/100	
		3号	1、2歳児 / 乳児						
	141人から150人まで	2号	4歳以上児 / 3歳児	− 3,760 + 30×加算率	−(⑥+⑦+⑧+⑨+⑪) × 1/100	(⑥+⑦+⑧+⑨+⑪) × 3/100	(⑥+⑦+⑧+⑨+⑪) × 4/100	(⑥+⑦+⑧+⑨+⑪) × 6/100	
		3号	1、2歳児 / 乳児						
	151人から160人まで	2号	4歳以上児 / 3歳児	− 3,520 + 30×加算率	−(⑥+⑦+⑧+⑨+⑪) × 1/100	(⑥+⑦+⑧+⑨+⑪) × 3/100	(⑥+⑦+⑧+⑨+⑪) × 4/100	(⑥+⑦+⑧+⑨+⑪) × 6/100	
		3号	1、2歳児 / 乳児						
	161人から170人まで	2号	4歳以上児 / 3歳児	− 3,310 + 30×加算率	−(⑥+⑦+⑧+⑨+⑪) × 1/100	(⑥+⑦+⑧+⑨+⑪) × 3/100	(⑥+⑦+⑧+⑨+⑪) × 4/100	(⑥+⑦+⑧+⑨+⑪) × 6/100	
		3号	1、2歳児 / 乳児						
	171人以上	2号	4歳以上児 / 3歳児	− 3,130 + 30×加算率	−(⑥+⑦+⑧+⑨+⑪) × 1/100	(⑥+⑦+⑧+⑨+⑪) × 3/100	(⑥+⑦+⑧+⑨+⑪) × 4/100	(⑥+⑦+⑧+⑨+⑪) × 6/100	
		3号	1、2歳児 / 乳児						

地域区分①	定員区分②	認定区分③	年齢区分④	保育必要量区分⑤ 保育標準時間認定 基本分単価⑥(注)	保育短時間認定 基本分単価⑥(注)		処遇改善等加算Ⅰ 保育標準時間認定(注)⑦	保育短時間認定(注)⑦		3歳児配置改善加算 処遇改善等加算Ⅰ⑧
16/100 地域	20人	2号	4歳以上児	128,580 (136,620)	101,560 (109,600)	+	1,260 (1,340) ×加算率	990 (1,070) ×加算率	+	(8,040) + (80×加算率)
			3歳児	136,620 (201,490)	109,600 (174,470)	+	1,340 (1,890) ×加算率	1,070 (1,620) ×加算率	+	8,040 + 80×加算率
		3号	1、2歳児	201,490 (281,930)	174,470 (254,910)	+	1,890 (2,690) ×加算率	1,620 (2,420) ×加算率		
			乳児	281,930	254,910	+	2,690 ×加算率	2,420 ×加算率		
	21人 から 30人 まで	2号	4歳以上児	92,670 (100,710)	74,660 (82,700)	+	900 (980) ×加算率	720 (800) ×加算率	+	(8,040) + (80×加算率)
			3歳児	100,710 (165,580)	82,700 (147,570)	+	980 (1,540) ×加算率	800 (1,360) ×加算率	+	8,040 + 80×加算率
		3号	1、2歳児	165,580 (246,020)	147,570 (228,010)	+	1,540 (2,340) ×加算率	1,360 (2,160) ×加算率		
			乳児	246,020	228,010	+	2,340 ×加算率	2,160 ×加算率		
	31人 から 40人 まで	2号	4歳以上児	75,080 (83,120)	61,570 (69,610)	+	730 (810) ×加算率	590 (670) ×加算率	+	(8,040) + (80×加算率)
			3歳児	83,120 (147,990)	69,610 (134,480)	+	810 (1,360) ×加算率	670 (1,220) ×加算率	+	8,040 + 80×加算率
		3号	1、2歳児	147,990 (228,430)	134,480 (214,920)	+	1,360 (2,160) ×加算率	1,220 (2,020) ×加算率		
			乳児	228,430	214,920	+	2,160 ×加算率	2,020 ×加算率		
	41人 から 50人 まで	2号	4歳以上児	70,490 (78,530)	59,680 (67,720)	+	680 (760) ×加算率	570 (650) ×加算率	+	(8,040) + (80×加算率)
			3歳児	78,530 (143,400)	67,720 (132,590)	+	760 (1,310) ×加算率	650 (1,210) ×加算率	+	8,040 + 80×加算率
		3号	1、2歳児	143,400 (223,840)	132,590 (213,030)	+	1,310 (2,110) ×加算率	1,210 (2,010) ×加算率		
			乳児	223,840	213,030	+	2,110 ×加算率	2,010 ×加算率		
	51人 から 60人 まで	2号	4歳以上児	61,770 (69,810)	52,760 (60,800)	+	590 (670) ×加算率	500 (580) ×加算率	+	(8,040) + (80×加算率)
			3歳児	69,810 (134,680)	60,800 (125,670)	+	670 (1,230) ×加算率	580 (1,140) ×加算率	+	8,040 + 80×加算率
		3号	1、2歳児	134,680 (215,120)	125,670 (206,110)	+	1,230 (2,030) ×加算率	1,140 (1,940) ×加算率		
			乳児	215,120	206,110	+	2,030 ×加算率	1,940 ×加算率		
	61人 から 70人 まで	2号	4歳以上児	55,610 (63,650)	47,900 (55,940)	+	530 (610) ×加算率	450 (530) ×加算率	+	(8,040) + (80×加算率)
			3歳児	63,650 (128,520)	55,940 (120,810)	+	610 (1,170) ×加算率	530 (1,090) ×加算率	+	8,040 + 80×加算率
		3号	1、2歳児	128,520 (208,960)	120,810 (201,250)	+	1,170 (1,970) ×加算率	1,090 (1,890) ×加算率		
			乳児	208,960	201,250	+	1,970 ×加算率	1,890 ×加算率		
	71人 から 80人 まで	2号	4歳以上児	51,060 (59,100)	44,310 (52,350)	+	490 (570) ×加算率	420 (500) ×加算率	+	(8,040) + (80×加算率)
			3歳児	59,100 (123,970)	52,350 (117,220)	+	570 (1,120) ×加算率	500 (1,050) ×加算率	+	8,040 + 80×加算率
		3号	1、2歳児	123,970 (204,410)	117,220 (197,660)	+	1,120 (1,920) ×加算率	1,050 (1,850) ×加算率		
			乳児	204,410	197,660	+	1,920 ×加算率	1,850 ×加算率		
	81人 から 90人 まで	2号	4歳以上児	47,470 (55,510)	41,460 (49,500)	+	450 (530) ×加算率	390 (470) ×加算率	+	(8,040) + (80×加算率)
			3歳児	55,510 (120,380)	49,500 (114,370)	+	530 (1,080) ×加算率	470 (1,020) ×加算率	+	8,040 + 80×加算率
		3号	1、2歳児	120,380 (200,820)	114,370 (194,810)	+	1,080 (1,880) ×加算率	1,020 (1,820) ×加算率		
			乳児	200,820	194,810	+	1,880 ×加算率	1,820 ×加算率		
	91人 から 100人 まで	2号	4歳以上児	40,990 (49,030)	35,590 (43,630)	+	390 (470) ×加算率	330 (410) ×加算率	+	(8,040) + (80×加算率)
			3歳児	49,030 (113,900)	43,630 (108,500)	+	470 (1,020) ×加算率	410 (960) ×加算率	+	8,040 + 80×加算率
		3号	1、2歳児	113,900 (194,340)	108,500 (188,940)	+	1,020 (1,820) ×加算率	960 (1,760) ×加算率		
			乳児	194,340	188,940	+	1,820 ×加算率	1,760 ×加算率		
	101人 から 110人 まで	2号	4歳以上児	39,010 (47,050)	34,090 (42,130)	+	370 (450) ×加算率	320 (400) ×加算率	+	(8,040) + (80×加算率)
			3歳児	47,050 (111,920)	42,130 (107,000)	+	450 (1,000) ×加算率	400 (950) ×加算率	+	8,040 + 80×加算率
		3号	1、2歳児	111,920 (192,360)	107,000 (187,440)	+	1,000 (1,800) ×加算率	950 (1,750) ×加算率		
			乳児	192,360	187,440	+	1,800 ×加算率	1,750 ×加算率		
	111人 から 120人 まで	2号	4歳以上児	37,310 (45,350)	32,810 (40,850)	+	350 (430) ×加算率	300 (380) ×加算率	+	(8,040) + (80×加算率)
			3歳児	45,350 (110,220)	40,850 (105,720)	+	430 (980) ×加算率	380 (940) ×加算率	+	8,040 + 80×加算率
		3号	1、2歳児	110,220 (190,660)	105,720 (186,160)	+	980 (1,780) ×加算率	940 (1,740) ×加算率		
			乳児	190,660	186,160	+	1,780 ×加算率	1,740 ×加算率		
	121人 から 130人 まで	2号	4歳以上児	35,880 (43,920)	31,730 (39,770)	+	330 (410) ×加算率	290 (370) ×加算率	+	(8,040) + (80×加算率)
			3歳児	43,920 (108,790)	39,770 (104,640)	+	410 (970) ×加算率	370 (930) ×加算率	+	8,040 + 80×加算率
		3号	1、2歳児	108,790 (189,230)	104,640 (185,080)	+	970 (1,770) ×加算率	930 (1,730) ×加算率		
			乳児	189,230	185,080	+	1,770 ×加算率	1,730 ×加算率		
	131人 から 140人 まで	2号	4歳以上児	34,690 (42,730)	30,830 (38,870)	+	320 (400) ×加算率	280 (360) ×加算率	+	(8,040) + (80×加算率)
			3歳児	42,730 (107,600)	38,870 (103,740)	+	400 (960) ×加算率	360 (920) ×加算率	+	8,040 + 80×加算率
		3号	1、2歳児	107,600 (188,040)	103,740 (184,180)	+	960 (1,760) ×加算率	920 (1,720) ×加算率		
			乳児	188,040	184,180	+	1,760 ×加算率	1,720 ×加算率		
	141人 から 150人 まで	2号	4歳以上児	33,630 (41,670)	30,030 (38,070)	+	310 (390) ×加算率	280 (360) ×加算率	+	(8,040) + (80×加算率)
			3歳児	41,670 (106,540)	38,070 (102,940)	+	390 (950) ×加算率	360 (910) ×加算率	+	8,040 + 80×加算率
		3号	1、2歳児	106,540 (186,980)	102,940 (183,380)	+	950 (1,750) ×加算率	910 (1,710) ×加算率		
			乳児	186,980	183,380	+	1,750 ×加算率	1,710 ×加算率		
	151人 から 160人 まで	2号	4歳以上児	33,610 (41,650)	30,230 (38,270)	+	310 (390) ×加算率	280 (360) ×加算率	+	(8,040) + (80×加算率)
			3歳児	41,650 (106,520)	38,270 (103,140)	+	390 (940) ×加算率	360 (910) ×加算率	+	8,040 + 80×加算率
		3号	1、2歳児	106,520 (186,960)	103,140 (183,580)	+	940 (1,740) ×加算率	910 (1,710) ×加算率		
			乳児	186,960	183,580	+	1,740 ×加算率	1,710 ×加算率		
	161人 から 170人 まで	2号	4歳以上児	32,760 (40,800)	29,580 (37,620)	+	300 (380) ×加算率	270 (350) ×加算率	+	(8,040) + (80×加算率)
			3歳児	40,800 (105,670)	37,620 (102,490)	+	380 (940) ×加算率	350 (900) ×加算率	+	8,040 + 80×加算率
		3号	1、2歳児	105,670 (186,110)	102,490 (182,930)	+	940 (1,740) ×加算率	900 (1,700) ×加算率		
			乳児	186,110	182,930	+	1,740 ×加算率	1,700 ×加算率		
	171人 以上	2号	4歳以上児	31,980 (40,020)	28,980 (37,020)	+	300 (380) ×加算率	270 (350) ×加算率	+	(8,040) + (80×加算率)
			3歳児	40,020 (104,890)	37,020 (101,890)	+	380 (930) ×加算率	350 (900) ×加算率	+	8,040 + 80×加算率
		3号	1、2歳児	104,890 (185,330)	101,890 (182,330)	+	930 (1,730) ×加算率	900 (1,700) ×加算率		
			乳児	185,330	182,330	+	1,730 ×加算率	1,700 ×加算率		

地域区分 ①	定員区分 ②	認定区分 ③	年齢区分 ④	4歳以上児配置改善加算／処遇改善等加算Ⅰ ⑨	休日保育加算／処遇改善等加算Ⅰ ⑩	夜間保育加算（注）⑪／処遇改善等加算Ⅰ
16/100地域	20人	2号	4歳以上児 / 3歳児	+ 3,210 + 30×加算率		+ 31,010 ／ 29,180 ／ + 230×加算率
		3号	1、2歳児 / 乳児			+ 29,180
	21人から30人まで	2号	4歳以上児 / 3歳児	+ 3,210 + 30×加算率		+ 23,110 ／ 21,280 ／ + 150×加算率
		3号	1、2歳児 / 乳児			+ 21,280
	31人から40人まで	2号	4歳以上児 / 3歳児	+ 3,210 + 30×加算率		+ 19,160 ／ 17,330 ／ + 110×加算率
		3号	1、2歳児 / 乳児			+ 17,330
	41人から50人まで	2号	4歳以上児 / 3歳児	+ 3,210 + 30×加算率	休日保育の年間延べ利用子ども数 ～　210人　273,500	+ 16,790 ／ 14,960 ／ + 90×加算率
		3号	1、2歳児 / 乳児			+ 14,960
	51人から60人まで	2号	4歳以上児 / 3歳児	+ 3,210 + 30×加算率	211人～279人　293,000	+ 15,210 ／ 13,380 ／ + 70×加算率
		3号	1、2歳児 / 乳児			+ 13,380
	61人から70人まで	2号	4歳以上児 / 3歳児	+ 3,210 + 30×加算率	280人～349人　332,100	+ 14,080 ／ 12,250 ／ + 60×加算率
		3号	1、2歳児 / 乳児			+ 12,250
	71人から80人まで	2号	4歳以上児 / 3歳児	+ 3,210 + 30×加算率	350人～419人　371,200	+ 13,230 ／ 11,400 ／ + 50×加算率
		3号	1、2歳児 / 乳児			+ 11,400
	81人から90人まで	2号	4歳以上児 / 3歳児	+ 3,210 + 30×加算率	420人～489人　410,200	+ 12,570 ／ 10,740 ／ + 50×加算率
		3号	1、2歳児 / 乳児			+ 10,740
	91人から100人まで	2号	4歳以上児 / 3歳児	+ 3,210 + 30×加算率	490人～559人　449,300	
		3号	1、2歳児 / 乳児	+	560人～629人　488,400	
	101人から110人まで	2号	4歳以上児 / 3歳児	+ 3,210 + 30×加算率	630人～699人　527,500	
		3号	1、2歳児 / 乳児			
	111人から120人まで	2号	4歳以上児 / 3歳児	+ 3,210 + 30×加算率	700人～769人　566,600	
		3号	1、2歳児 / 乳児			
	121人から130人まで	2号	4歳以上児 / 3歳児	+ 3,210 + 30×加算率	770人～839人　605,700	
		3号	1、2歳児 / 乳児			
	131人から140人まで	2号	4歳以上児 / 3歳児	+ 3,210 + 30×加算率	840人～909人　644,700	
		3号	1、2歳児 / 乳児			
	141人から150人まで	2号	4歳以上児 / 3歳児	+ 3,210 + 30×加算率	910人～979人　683,800	
		3号	1、2歳児 / 乳児		980人～1,049人　722,900	
	151人から160人まで	2号	4歳以上児 / 3歳児	+ 3,210 + 30×加算率	1,050人～　762,000	
		3号	1、2歳児 / 乳児			
	161人から170人まで	2号	4歳以上児 / 3歳児	+ 3,210 + 30×加算率		
		3号	1、2歳児 / 乳児			
	171人以上	2号	4歳以上児 / 3歳児	+ 3,210 + 30×加算率		
		3号	1、2歳児 / 乳児			

休日保育加算 処遇改善等加算Ⅰ ⑩（右欄）
休日保育の年間延べ利用子ども数
～　210人　2,730×加算率
211人～279人　2,930×加算率
280人～349人　3,320×加算率
350人～419人　3,710×加算率
420人～489人　4,100×加算率
490人～559人　4,490×加算率
560人～629人　4,880×加算率
630人～699人　5,270×加算率
700人～769人　5,660×加算率
770人～839人　6,050×加算率
840人～909人　6,440×加算率
910人～979人　6,830×加算率
980人～1,049人　7,220×加算率
1,050人～　7,620×加算率

÷ 各月初日の利用子ども数

887

地域区分①	定員区分②	認定区分③	年齢区分④	減価償却費加算 加算額⑫ 標準	都市部	賃借料加算 加算額⑬ 標準	都市部	チーム保育推進加算⑭	処遇改善等加算Ⅰ	副食費徴収免除加算⑮ ※副食費の徴収が免除される子どもの単価に加算	分園の場合⑯
16/100地域	20人	2号	4歳以上児	+8,500	9,400	a地域 +15,800	17,600	24,130×加配人数	+240×加算率×加配人数	+4,800	
			3歳児			b地域 8,700	9,700				
		3号	1、2歳児			c地域 7,600	8,400				
			乳児			d地域 6,800	7,500				
	21人から30人まで	2号	4歳以上児	+5,900	6,500	a地域 +10,900	12,200	16,080×加配人数	+160×加算率×加配人数	+4,800	
			3歳児			b地域 6,000	6,700				
		3号	1、2歳児			c地域 5,200	5,800				
			乳児			d地域 4,700	5,200				
	31人から40人まで	2号	4歳以上児	+5,200	5,700	a地域 +9,800	10,900	12,060×加配人数	+120×加算率×加配人数	+4,800	
			3歳児			b地域 5,400	6,000				
		3号	1、2歳児			c地域 4,700	5,200				
			乳児			d地域 4,200	4,600				
	41人から50人まで	2号	4歳以上児	+4,700	5,200	a地域 +8,800	9,800	9,650×加配人数	+90×加算率×加配人数	+4,800	
			3歳児			b地域 4,800	5,400				
		3号	1、2歳児			c地域 4,200	4,700				
			乳児			d地域 3,800	4,200				
	51人から60人まで	2号	4歳以上児	+3,900	4,300	a地域 +7,200	8,100	8,040×加配人数	+80×加算率×加配人数	+4,800	
			3歳児			b地域 4,000	4,400				
		3号	1、2歳児			c地域 3,500	3,800				
			乳児			d地域 3,100	3,400				
	61人から70人まで	2号	4歳以上児	+3,300	3,700	a地域 +6,300	7,100	6,890×加配人数	+60×加算率×加配人数	+4,800	
			3歳児			b地域 3,500	3,900				
		3号	1、2歳児			c地域 3,000	3,400				
			乳児			d地域 2,700	3,000				
	71人から80人まで	2号	4歳以上児	+3,800	4,200	a地域 +7,100	7,900	6,030×加配人数	+60×加算率×加配人数	+4,800	
			3歳児			b地域 3,900	4,300				
		3号	1、2歳児			c地域 3,400	3,800				
			乳児			d地域 3,000	3,400				
	81人から90人まで	2号	4歳以上児	+3,400	3,700	a地域 +6,300	7,100	5,360×加配人数	+50×加算率×加配人数	+4,800	
			3歳児			b地域 3,500	3,900				
		3号	1、2歳児			c地域 3,000	3,400				
			乳児			d地域 2,700	3,000				
	91人から100人まで	2号	4歳以上児	+3,000	3,400	a地域 +5,500	6,200	4,820×加配人数	+40×加算率×加配人数	+4,800	(⑥+⑦) ×10/100
			3歳児			b地域 3,000	3,400				
		3号	1、2歳児			c地域 2,600	2,900				
			乳児			d地域 2,400	2,600				
	101人から110人まで	2号	4歳以上児	+3,300	3,700	a地域 +6,100	6,800	4,380×加配人数	+40×加算率×加配人数	+4,800	
			3歳児			b地域 3,300	3,700				
		3号	1、2歳児			c地域 2,900	3,200				
			乳児			d地域 2,600	2,900				
	111人から120人まで	2号	4歳以上児	+3,000	3,400	a地域 +5,500	6,200	4,020×加配人数	+40×加算率×加配人数	+4,800	
			3歳児			b地域 3,000	3,400				
		3号	1、2歳児			c地域 2,600	2,900				
			乳児			d地域 2,400	2,600				
	121人から130人まで	2号	4歳以上児	+2,800	3,100	a地域 +5,100	5,700	3,710×加配人数	+30×加算率×加配人数	+4,800	
			3歳児			b地域 2,800	3,100				
		3号	1、2歳児			c地域 2,400	2,700				
			乳児			d地域 2,200	2,400				
	131人から140人まで	2号	4歳以上児	+3,000	3,300	a地域 +5,500	6,200	3,440×加配人数	+30×加算率×加配人数	+4,800	
			3歳児			b地域 3,000	3,400				
		3号	1、2歳児			c地域 2,600	2,900				
			乳児			d地域 2,400	2,600				
	141人から150人まで	2号	4歳以上児	+2,800	3,100	a地域 +5,400	6,000	3,210×加配人数	+30×加算率×加配人数	+4,800	
			3歳児			b地域 2,900	3,300				
		3号	1、2歳児			c地域 2,500	2,800				
			乳児			d地域 2,300	2,500				
	151人から160人まで	2号	4歳以上児	+2,600	2,900	a地域 +4,800	5,400	3,010×加配人数	+30×加算率×加配人数	+4,800	
			3歳児			b地域 2,600	2,900				
		3号	1、2歳児			c地域 2,300	2,500				
			乳児			d地域 2,000	2,300				
	161人から170人まで	2号	4歳以上児	+2,800	3,100	a地域 +5,400	6,000	2,830×加配人数	+20×加算率×加配人数	+4,800	
			3歳児			b地域 2,900	3,300				
		3号	1、2歳児			c地域 2,500	2,800				
			乳児			d地域 2,300	2,500				
	171人以上	2号	4歳以上児	+2,700	2,900	a地域 +4,800	5,400	2,680×加配人数	+20×加算率×加配人数	+4,800	
			3歳児			b地域 2,600	2,900				
		3号	1、2歳児			c地域 2,300	2,500				
			乳児			d地域 2,000	2,300				

①地域区分	②定員区分	③認定区分	④年齢区分	施設長を配置していない場合	⑰処遇改善等加算Ⅰ	土曜日に閉所する場合				⑲定員を恒常的に超過する場合
						月に1日土曜日を閉所する場合	月に2日土曜日を閉所する場合	月に3日以上土曜日を閉所する場合	全ての土曜日を閉所する場合	
16/100地域	20人	2号	4歳以上児	− 27,260 +	270×加算率 −	(⑥+⑦+⑧+⑨+⑪) ×1/100	(⑥+⑦+⑧+⑨+⑪) ×3/100	(⑥+⑦+⑧+⑨+⑪) ×4/100	(⑥+⑦+⑧+⑨+⑪) ×5/100	
			3歳児							
		3号	1、2歳児							
			乳児							
	21人から30人まで	2号	4歳以上児	− 18,170 +	180×加算率 −	(⑥+⑦+⑧+⑨+⑪) ×1/100	(⑥+⑦+⑧+⑨+⑪) ×3/100	(⑥+⑦+⑧+⑨+⑪) ×4/100	(⑥+⑦+⑧+⑨+⑪) ×5/100	
			3歳児							
		3号	1、2歳児							
			乳児							
	31人から40人まで	2号	4歳以上児	− 13,630 +	130×加算率 −	(⑥+⑦+⑧+⑨+⑪) ×1/100	(⑥+⑦+⑧+⑨+⑪) ×3/100	(⑥+⑦+⑧+⑨+⑪) ×4/100	(⑥+⑦+⑧+⑨+⑪) ×5/100	
			3歳児							
		3号	1、2歳児							
			乳児							
	41人から50人まで	2号	4歳以上児	− 10,900 +	100×加算率 −	(⑥+⑦+⑧+⑨+⑪) ×1/100	(⑥+⑦+⑧+⑨+⑪) ×3/100	(⑥+⑦+⑧+⑨+⑪) ×4/100	(⑥+⑦+⑧+⑨+⑪) ×6/100	
			3歳児							
		3号	1、2歳児							
			乳児							
	51人から60人まで	2号	4歳以上児	− 9,080 +	90×加算率 −	(⑥+⑦+⑧+⑨+⑪) ×1/100	(⑥+⑦+⑧+⑨+⑪) ×3/100	(⑥+⑦+⑧+⑨+⑪) ×4/100	(⑥+⑦+⑧+⑨+⑪) ×6/100	
			3歳児							
		3号	1、2歳児							
			乳児							
	61人から70人まで	2号	4歳以上児	− 7,790 +	70×加算率 −	(⑥+⑦+⑧+⑨+⑪) ×1/100	(⑥+⑦+⑧+⑨+⑪) ×3/100	(⑥+⑦+⑧+⑨+⑪) ×4/100	(⑥+⑦+⑧+⑨+⑪) ×6/100	
			3歳児							
		3号	1、2歳児							
			乳児							
	71人から80人まで	2号	4歳以上児	− 6,810 +	60×加算率 −	(⑥+⑦+⑧+⑨+⑪) ×1/100	(⑥+⑦+⑧+⑨+⑪) ×3/100	(⑥+⑦+⑧+⑨+⑪) ×4/100	(⑥+⑦+⑧+⑨+⑪) ×6/100	
			3歳児							
		3号	1、2歳児							
			乳児							
	81人から90人まで	2号	4歳以上児	− 6,050 +	60×加算率 −	(⑥+⑦+⑧+⑨+⑪) ×1/100	(⑥+⑦+⑧+⑨+⑪) ×3/100	(⑥+⑦+⑧+⑨+⑪) ×4/100	(⑥+⑦+⑧+⑨+⑪) ×6/100	
			3歳児							
		3号	1、2歳児							
			乳児							
	91人から100人まで	2号	4歳以上児	− 5,450 +	50×加算率 −	(⑥+⑦+⑧+⑨+⑪) ×1/100	(⑥+⑦+⑧+⑨+⑪) ×3/100	(⑥+⑦+⑧+⑨+⑪) ×4/100	(⑥+⑦+⑧+⑨+⑪) ×6/100	(⑥〜⑱（⑮を除く。）) ×別に定める調整率
			3歳児							
		3号	1、2歳児							
			乳児							
	101人から110人まで	2号	4歳以上児	− 4,950 +	40×加算率 −	(⑥+⑦+⑧+⑨+⑪) ×1/100	(⑥+⑦+⑧+⑨+⑪) ×3/100	(⑥+⑦+⑧+⑨+⑪) ×4/100	(⑥+⑦+⑧+⑨+⑪) ×6/100	
			3歳児							
		3号	1、2歳児							
			乳児							
	111人から120人まで	2号	4歳以上児	− 4,540 +	40×加算率 −	(⑥+⑦+⑧+⑨+⑪) ×1/100	(⑥+⑦+⑧+⑨+⑪) ×3/100	(⑥+⑦+⑧+⑨+⑪) ×4/100	(⑥+⑦+⑧+⑨+⑪) ×6/100	
			3歳児							
		3号	1、2歳児							
			乳児							
	121人から130人まで	2号	4歳以上児	− 4,190 +	40×加算率 −	(⑥+⑦+⑧+⑨+⑪) ×1/100	(⑥+⑦+⑧+⑨+⑪) ×3/100	(⑥+⑦+⑧+⑨+⑪) ×4/100	(⑥+⑦+⑧+⑨+⑪) ×6/100	
			3歳児							
		3号	1、2歳児							
			乳児							
	131人から140人まで	2号	4歳以上児	− 3,890 +	30×加算率 −	(⑥+⑦+⑧+⑨+⑪) ×1/100	(⑥+⑦+⑧+⑨+⑪) ×3/100	(⑥+⑦+⑧+⑨+⑪) ×4/100	(⑥+⑦+⑧+⑨+⑪) ×6/100	
			3歳児							
		3号	1、2歳児							
			乳児							
	141人から150人まで	2号	4歳以上児	− 3,630 +	30×加算率 −	(⑥+⑦+⑧+⑨+⑪) ×2/100	(⑥+⑦+⑧+⑨+⑪) ×3/100	(⑥+⑦+⑧+⑨+⑪) ×5/100	(⑥+⑦+⑧+⑨+⑪) ×6/100	
			3歳児							
		3号	1、2歳児							
			乳児							
	151人から160人まで	2号	4歳以上児	− 3,400 +	30×加算率 −	(⑥+⑦+⑧+⑨+⑪) ×2/100	(⑥+⑦+⑧+⑨+⑪) ×3/100	(⑥+⑦+⑧+⑨+⑪) ×5/100	(⑥+⑦+⑧+⑨+⑪) ×6/100	
			3歳児							
		3号	1、2歳児							
			乳児							
	161人から170人まで	2号	4歳以上児	− 3,200 +	30×加算率 −	(⑥+⑦+⑧+⑨+⑪) ×2/100	(⑥+⑦+⑧+⑨+⑪) ×3/100	(⑥+⑦+⑧+⑨+⑪) ×5/100	(⑥+⑦+⑧+⑨+⑪) ×6/100	
			3歳児							
		3号	1、2歳児							
			乳児							
	171人以上	2号	4歳以上児	− 3,020 +	30×加算率 −	(⑥+⑦+⑧+⑨+⑪) ×2/100	(⑥+⑦+⑧+⑨+⑪) ×3/100	(⑥+⑦+⑧+⑨+⑪) ×5/100	(⑥+⑦+⑧+⑨+⑪) ×6/100	
			3歳児							
		3号	1、2歳児							
			乳児							

地域区分 ①	定員区分 ②	認定区分 ③	年齢区分 ④	保育標準時間認定 基本分単価 ⑥	(注)	保育短時間認定 基本分単価 ⑥	(注)		処遇改善等加算Ⅰ 保育標準時間認定 ⑦	(注)		処遇改善等加算Ⅰ 保育短時間認定 ⑦	(注)		3歳児配置改善加算		処遇改善等加算Ⅰ ⑧
15/100地域	20人	2号	4歳以上児	127,660	(135,640)	100,840	(108,820)	+	1,250	(1,320)	×加算率	980	(1,050)	×加算率	+	(7,980)	+	(70×加算率)
			3歳児	135,640	(200,070)	108,820	(173,250)	+	1,320	(1,880)	×加算率	1,050	(1,610)	×加算率	+	7,980	70×加算率
		3号	1、2歳児	200,070	(279,890)	173,250	(253,070)	+	1,880	(2,680)	×加算率	1,610	(2,410)	×加算率			
			乳児	279,890		253,070		+	2,680		×加算率	2,410		×加算率			
	21人から30人まで	2号	4歳以上児	92,010	(99,990)	74,130	(82,110)	+	900	(970)	×加算率	720	(790)	×加算率	+	(7,980)	+	(70×加算率)
			3歳児	99,990	(164,420)	82,110	(146,540)	+	970	(1,520)	×加算率	790	(1,340)	×加算率	+	7,980	70×加算率
		3号	1、2歳児	164,420	(244,240)	146,540	(226,360)	+	1,520	(2,320)	×加算率	1,340	(2,140)	×加算率			
			乳児	244,240		226,360		+	2,320		×加算率	2,140		×加算率			
	31人から40人まで	2号	4歳以上児	74,540	(82,520)	61,130	(69,110)	+	720	(790)	×加算率	590	(660)	×加算率	+	(7,980)	+	(70×加算率)
			3歳児	82,520	(146,950)	69,110	(133,540)	+	790	(1,340)	×加算率	660	(1,210)	×加算率	+	7,980	70×加算率
		3号	1、2歳児	146,950	(226,770)	133,540	(213,360)	+	1,340	(2,140)	×加算率	1,210	(2,010)	×加算率			
			乳児	226,770		213,360		+	2,140		×加算率	2,010		×加算率			
	41人から50人まで	2号	4歳以上児	69,980	(77,960)	59,250	(67,230)	+	680	(750)	×加算率	570	(640)	×加算率	+	(7,980)	+	(70×加算率)
			3歳児	77,960	(142,390)	67,230	(131,660)	+	750	(1,300)	×加算率	640	(1,190)	×加算率	+	7,980	70×加算率
		3号	1、2歳児	142,390	(222,210)	131,660	(211,480)	+	1,300	(2,100)	×加算率	1,190	(1,990)	×加算率			
			乳児	222,210		211,480		+	2,100		×加算率	1,990		×加算率			
	51人から60人まで	2号	4歳以上児	61,320	(69,300)	52,380	(60,360)	+	590	(660)	×加算率	500	(570)	×加算率	+	(7,980)	+	(70×加算率)
			3歳児	69,300	(133,730)	60,360	(124,790)	+	660	(1,210)	×加算率	570	(1,120)	×加算率	+	7,980	70×加算率
		3号	1、2歳児	133,730	(213,550)	124,790	(204,610)	+	1,210	(2,010)	×加算率	1,120	(1,920)	×加算率			
			乳児	213,550		204,610		+	2,010		×加算率	1,920		×加算率			
	61人から70人まで	2号	4歳以上児	55,220	(63,200)	47,550	(55,530)	+	530	(600)	×加算率	450	(520)	×加算率	+	(7,980)	+	(70×加算率)
			3歳児	63,200	(127,630)	55,530	(119,960)	+	600	(1,150)	×加算率	520	(1,070)	×加算率	+	7,980	70×加算率
		3号	1、2歳児	127,630	(207,450)	119,960	(199,780)	+	1,150	(1,950)	×加算率	1,070	(1,870)	×加算率			
			乳児	207,450		199,780		+	1,950		×加算率	1,870		×加算率			
	71人から80人まで	2号	4歳以上児	50,700	(58,680)	43,990	(51,970)	+	480	(550)	×加算率	420	(490)	×加算率	+	(7,980)	+	(70×加算率)
			3歳児	58,680	(123,110)	51,970	(116,400)	+	550	(1,110)	×加算率	490	(1,040)	×加算率	+	7,980	70×加算率
		3号	1、2歳児	123,110	(202,930)	116,400	(196,220)	+	1,110	(1,910)	×加算率	1,040	(1,840)	×加算率			
			乳児	202,930		196,220		+	1,910		×加算率	1,840		×加算率			
	81人から90人まで	2号	4歳以上児	47,130	(55,110)	41,170	(49,150)	+	450	(520)	×加算率	390	(460)	×加算率	+	(7,980)	+	(70×加算率)
			3歳児	55,110	(119,540)	49,150	(113,580)	+	520	(1,070)	×加算率	460	(1,010)	×加算率	+	7,980	70×加算率
		3号	1、2歳児	119,540	(199,360)	113,580	(193,400)	+	1,070	(1,870)	×加算率	1,010	(1,810)	×加算率			
			乳児	199,360		193,400		+	1,870		×加算率	1,810		×加算率			
	91人から100人まで	2号	4歳以上児	40,710	(48,690)	35,340	(43,320)	+	380	(450)	×加算率	330	(400)	×加算率	+	(7,980)	+	(70×加算率)
			3歳児	48,690	(113,120)	43,320	(107,750)	+	450	(1,010)	×加算率	400	(950)	×加算率	+	7,980	70×加算率
		3号	1、2歳児	113,120	(192,940)	107,750	(187,570)	+	1,010	(1,810)	×加算率	950	(1,750)	×加算率			
			乳児	192,940		187,570		+	1,810		×加算率	1,750		×加算率			
	101人から110人まで	2号	4歳以上児	38,740	(46,720)	33,860	(41,840)	+	360	(430)	×加算率	310	(380)	×加算率	+	(7,980)	+	(70×加算率)
			3歳児	46,720	(111,150)	41,840	(106,270)	+	430	(990)	×加算率	380	(940)	×加算率	+	7,980	70×加算率
		3号	1、2歳児	111,150	(190,970)	106,270	(186,090)	+	990	(1,790)	×加算率	940	(1,740)	×加算率			
			乳児	190,970		186,090		+	1,790		×加算率	1,740		×加算率			
	111人から120人まで	2号	4歳以上児	37,060	(45,040)	32,590	(40,570)	+	350	(420)	×加算率	300	(370)	×加算率	+	(7,980)	+	(70×加算率)
			3歳児	45,040	(109,470)	40,570	(105,000)	+	420	(970)	×加算率	370	(920)	×加算率	+	7,980	70×加算率
		3号	1、2歳児	109,470	(189,290)	105,000	(184,820)	+	970	(1,770)	×加算率	920	(1,720)	×加算率			
			乳児	189,290		184,820		+	1,770		×加算率	1,720		×加算率			
	121人から130人まで	2号	4歳以上児	35,640	(43,620)	31,510	(39,490)	+	330	(400)	×加算率	290	(360)	×加算率	+	(7,980)	+	(70×加算率)
			3歳児	43,620	(108,050)	39,490	(103,920)	+	400	(960)	×加算率	360	(910)	×加算率	+	7,980	70×加算率
		3号	1、2歳児	108,050	(187,870)	103,920	(183,740)	+	960	(1,760)	×加算率	910	(1,710)	×加算率			
			乳児	187,870		183,740		+	1,760		×加算率	1,710		×加算率			
	131人から140人まで	2号	4歳以上児	34,450	(42,430)	30,620	(38,600)	+	320	(390)	×加算率	280	(350)	×加算率	+	(7,980)	+	(70×加算率)
			3歳児	42,430	(106,860)	38,600	(103,030)	+	390	(940)	×加算率	350	(910)	×加算率	+	7,980	70×加算率
		3号	1、2歳児	106,860	(186,680)	103,030	(182,850)	+	940	(1,740)	×加算率	910	(1,710)	×加算率			
			乳児	186,680		182,850		+	1,740		×加算率	1,710		×加算率			
	141人から150人まで	2号	4歳以上児	33,400	(41,380)	29,830	(37,810)	+	310	(380)	×加算率	270	(340)	×加算率	+	(7,980)	+	(70×加算率)
			3歳児	41,380	(105,810)	37,810	(102,240)	+	380	(930)	×加算率	340	(900)	×加算率	+	7,980	70×加算率
		3号	1、2歳児	105,810	(185,630)	102,240	(182,060)	+	930	(1,730)	×加算率	900	(1,700)	×加算率			
			乳児	185,630		182,060		+	1,730		×加算率	1,700		×加算率			
	151人から160人まで	2号	4歳以上児	33,380	(41,360)	30,030	(38,010)	+	310	(380)	×加算率	280	(350)	×加算率	+	(7,980)	+	(70×加算率)
			3歳児	41,360	(105,790)	38,010	(102,440)	+	380	(930)	×加算率	350	(900)	×加算率	+	7,980	70×加算率
		3号	1、2歳児	105,790	(185,610)	102,440	(182,260)	+	930	(1,730)	×加算率	900	(1,700)	×加算率			
			乳児	185,610		182,260		+	1,730		×加算率	1,700		×加算率			
	161人から170人まで	2号	4歳以上児	32,540	(40,520)	29,390	(37,370)	+	300	(370)	×加算率	270	(340)	×加算率	+	(7,980)	+	(70×加算率)
			3歳児	40,520	(104,950)	37,370	(101,800)	+	370	(920)	×加算率	340	(890)	×加算率	+	7,980	70×加算率
		3号	1、2歳児	104,950	(184,770)	101,800	(181,620)	+	920	(1,720)	×加算率	890	(1,690)	×加算率			
			乳児	184,770		181,620		+	1,720		×加算率	1,690		×加算率			
	171人以上	2号	4歳以上児	31,750	(39,750)	28,790	(36,770)	+	290	(360)	×加算率	260	(330)	×加算率	+	(7,980)	+	(70×加算率)
			3歳児	39,750	(104,180)	36,770	(101,200)	+	360	(920)	×加算率	330	(890)	×加算率	+	7,980	70×加算率
		3号	1、2歳児	104,180	(184,000)	101,200	(181,020)	+	920	(1,720)	×加算率	890	(1,690)	×加算率			
			乳児	184,000		181,020		+	1,720		×加算率	1,690		×加算率			

地域区分①	定員区分②	認定区分③	年齢区分④	4歳以上児配置改善加算 処遇改善等加算I⑨	休日保育加算 処遇改善等加算I⑩	夜間保育加算（注）⑪	処遇改善等加算I
	20人	2号	4歳以上児	+ 3,190 + 30×加算率		+ 31,010 / 29,180	+ 230×加算率
			3歳児				
		3号	1、2歳児			+ 29,180	
			乳児				
	21人から30人まで	2号	4歳以上児	+ 3,190 + 30×加算率		+ 23,110 / 21,280	+ 150×加算率
			3歳児				
		3号	1、2歳児			+ 21,280	
			乳児				
	31人から40人まで	2号	4歳以上児	+ 3,190 + 30×加算率		+ 19,160 / 17,330	+ 110×加算率
			3歳児				
		3号	1、2歳児			+ 17,330	
			乳児				
	41人から50人まで	2号	4歳以上児	+ 3,190 + 30×加算率	休日保育の年間延べ利用子ども数 ～210人 271,600	休日保育の年間延べ利用子ども数 ～210人 2,710×加算率	+ 16,790 / 14,960	+ 90×加算率
			3歳児				
		3号	1、2歳児			+ 14,960	
			乳児				
	51人から60人まで	2号	4歳以上児	+ 3,190 + 30×加算率	211人～279人 291,100	211人～279人 2,910×加算率	+ 15,210 / 13,380	+ 70×加算率
			3歳児				
		3号	1、2歳児			+ 13,380	
			乳児				
	61人から70人まで	2号	4歳以上児	+ 3,190 + 30×加算率	280人～349人 330,200	280人～349人 3,300×加算率	+ 14,080 / 12,250	+ 60×加算率
			3歳児				
		3号	1、2歳児			+ 12,250	
			乳児				
	71人から80人まで	2号	4歳以上児	+ 3,190 + 30×加算率	350人～419人 369,300	350人～419人 3,690×加算率	+ 13,230 / 11,400	+ 50×加算率
			3歳児				
		3号	1、2歳児			+ 11,400	
			乳児				
	81人から90人まで	2号	4歳以上児	+ 3,190 + 30×加算率	420人～489人 408,300	420人～489人 4,080×加算率	+ 12,570 / 10,740	+ 50×加算率
			3歳児				
		3号	1、2歳児			+ 10,740	
			乳児		490人～559人 447,400	490人～559人 4,470×加算率		
15/100地域	91人から100人まで	2号	4歳以上児	+	560人～629人 486,500	560人～629人 4,860×加算率 ÷ 各月初日の利用子ども数		
			3歳児				
		3号	1、2歳児				
			乳児				
	101人から110人まで	2号	4歳以上児	+ 3,190 + 30×加算率	630人～699人 525,600	630人～699人 5,250×加算率		
			3歳児				
		3号	1、2歳児				
			乳児		700人～769人 564,700	700人～769人 5,640×加算率		
	111人から120人まで	2号	4歳以上児	+ 3,190 + 30×加算率				
			3歳児				
		3号	1、2歳児		770人～839人 603,800	770人～839人 6,030×加算率		
			乳児				
	121人から130人まで	2号	4歳以上児	+ 3,190 + 30×加算率	840人～909人 642,800	840人～909人 6,420×加算率		
			3歳児				
		3号	1、2歳児				
			乳児		910人～979人 681,900	910人～979人 6,810×加算率		
	131人から140人まで	2号	4歳以上児	+ 3,190 + 30×加算率				
			3歳児				
		3号	1、2歳児		980人～1,049人 721,000	980人～1,049人 7,210×加算率		
			乳児				
	141人から150人まで	2号	4歳以上児	+ 3,190 + 30×加算率	1,050人～ 760,100	1,050人～ 7,600×加算率		
			3歳児				
		3号	1、2歳児				
			乳児				
	151人から160人まで	2号	4歳以上児	+ 3,190 + 30×加算率				
			3歳児				
		3号	1、2歳児				
			乳児				
	161人から170人まで	2号	4歳以上児	+ 3,190 + 30×加算率				
			3歳児				
		3号	1、2歳児				
			乳児				
	171人以上	2号	4歳以上児	+ 3,190 + 30×加算率				
			3歳児				
		3号	1、2歳児				
			乳児				

地域区分①	定員区分②	認定区分③	年齢区分④	減価償却費加算 加算額 標準⑫	都市部	賃借料加算 加算額 標準⑬	都市部	チーム保育推進加算⑭	処遇改善等加算Ⅰ	副食費徴収免除加算⑮	分園の場合⑯
15/100地域	20人	2号	4歳以上児	+ 8,500	9,400	a地域 15,800	17,600	+ 23,940×加配人数	+ 230×加算率×加配人数	+ 4,800	
			3歳児			b地域 8,700	9,700				
		3号	1、2歳児			c地域 7,600	8,400				
			乳児			d地域 6,800	7,500				
	21人から30人まで	2号	4歳以上児	+ 5,900	6,500	a地域 10,900	12,200	+ 15,960×加配人数	+ 150×加算率×加配人数	+ 4,800	
			3歳児			b地域 6,000	6,700				
		3号	1、2歳児			c地域 5,200	5,800				
			乳児			d地域 4,700	5,200				
	31人から40人まで	2号	4歳以上児	+ 5,200	5,700	a地域 9,800	10,900	+ 11,970×加配人数	+ 110×加算率×加配人数	+ 4,800	
			3歳児			b地域 5,400	6,000				
		3号	1、2歳児			c地域 4,700	5,200				
			乳児			d地域 4,200	4,600				
	41人から50人まで	2号	4歳以上児	+ 4,700	5,200	a地域 8,800	9,800	+ 9,570×加配人数	+ 90×加算率×加配人数	+ 4,800	
			3歳児			b地域 4,800	5,400				
		3号	1、2歳児			c地域 4,200	4,600				
			乳児			d地域 3,800	4,200				
	51人から60人まで	2号	4歳以上児	+ 3,900	4,300	a地域 7,200	8,100	+ 7,980×加配人数	+ 70×加算率×加配人数	+ 4,800	
			3歳児			b地域 4,000	4,400				
		3号	1、2歳児			c地域 3,500	3,800				
			乳児			d地域 3,100	3,400				
	61人から70人まで	2号	4歳以上児	+ 3,300	3,700	a地域 6,300	7,100	+ 6,840×加配人数	+ 60×加算率×加配人数	+ 4,800	
			3歳児			b地域 3,500	3,900				
		3号	1、2歳児			c地域 3,000	3,400				
			乳児			d地域 2,700	3,000				
	71人から80人まで	2号	4歳以上児	+ 3,800	4,200	a地域 7,100	7,900	+ 5,980×加配人数	+ 50×加算率×加配人数	+ 4,800	
			3歳児			b地域 3,900	4,300				
		3号	1、2歳児			c地域 3,400	3,800				
			乳児			d地域 3,000	3,400				
	81人から90人まで	2号	4歳以上児	+ 3,400	3,700	a地域 6,300	7,100	+ 5,320×加配人数	+ 50×加算率×加配人数	+ 4,800	
			3歳児			b地域 3,500	3,900				
		3号	1、2歳児			c地域 3,000	3,400				
			乳児			d地域 2,700	3,000				
	91人から100人まで	2号	4歳以上児	+ 3,000	3,400	a地域 5,500	6,200	+ 4,780×加配人数	+ 40×加算率×加配人数	+ 4,800	((⑥+⑦) − ×10/100
			3歳児			b地域 3,000	3,400				
		3号	1、2歳児			c地域 2,600	2,900				
			乳児			d地域 2,400	2,600				
	101人から110人まで	2号	4歳以上児	+ 3,300	3,700	a地域 6,100	6,800	+ 4,350×加配人数	+ 40×加算率×加配人数	+ 4,800	
			3歳児			b地域 3,300	3,700				
		3号	1、2歳児			c地域 2,900	3,200				
			乳児			d地域 2,600	2,900				
	111人から120人まで	2号	4歳以上児	+ 3,000	3,400	a地域 5,500	6,200	+ 3,990×加配人数	+ 30×加算率×加配人数	+ 4,800	
			3歳児			b地域 3,000	3,400				
		3号	1、2歳児			c地域 2,600	2,900				
			乳児			d地域 2,400	2,600				
	121人から130人まで	2号	4歳以上児	+ 2,800	3,100	a地域 5,100	5,700	+ 3,680×加配人数	+ 30×加算率×加配人数	+ 4,800	
			3歳児			b地域 2,800	3,100				
		3号	1、2歳児			c地域 2,400	2,700				
			乳児			d地域 2,200	2,400				
	131人から140人まで	2号	4歳以上児	+ 3,000	3,300	a地域 5,500	6,200	+ 3,420×加配人数	+ 30×加算率×加配人数	+ 4,800	
			3歳児			b地域 3,000	3,400				
		3号	1、2歳児			c地域 2,600	2,900				
			乳児			d地域 2,400	2,600				
	141人から150人まで	2号	4歳以上児	+ 2,800	3,100	a地域 5,400	6,000	+ 3,190×加配人数	+ 30×加算率×加配人数	+ 4,800	
			3歳児			b地域 2,900	3,300				
		3号	1、2歳児			c地域 2,500	2,800				
			乳児			d地域 2,300	2,500				
	151人から160人まで	2号	4歳以上児	+ 2,600	2,900	a地域 4,800	5,400	+ 2,990×加配人数	+ 20×加算率×加配人数	+ 4,800	
			3歳児			b地域 2,600	2,900				
		3号	1、2歳児			c地域 2,300	2,500				
			乳児			d地域 2,000	2,300				
	161人から170人まで	2号	4歳以上児	+ 2,800	3,100	a地域 5,400	6,000	+ 2,810×加配人数	+ 20×加算率×加配人数	+ 4,800	
			3歳児			b地域 2,900	3,300				
		3号	1、2歳児			c地域 2,500	2,800				
			乳児			d地域 2,300	2,500				
	171人以上	2号	4歳以上児	+ 2,700	2,900	a地域 4,800	5,400	+ 2,660×加配人数	+ 20×加算率×加配人数	+ 4,800	
			3歳児			b地域 2,600	2,900				
		3号	1、2歳児			c地域 2,300	2,500				
			乳児			d地域 2,000	2,300				

地域区分 ①	定員区分 ②	認定区分 ③	年齢区分 ④	施設長を配置していない場合　処遇改善等加算Ⅰ ⑰	土曜日に閉所する場合 ⑱ 月に1日土曜日を閉所する場合	月に2日土曜日を閉所する場合	月に3日以上土曜日を閉所する場合	全ての土曜日を閉所する場合	定員を恒常的に超過する場合 ⑲
15/100 地域	20人	2号	4歳以上児	27,030 ＋ 270×加算率	（⑥＋⑦＋⑧＋⑨＋⑪）－ ×1/100	（⑥＋⑦＋⑧＋⑨＋⑪） ×3/100	（⑥＋⑦＋⑧＋⑨＋⑪） ×4/100	（⑥＋⑦＋⑧＋⑨＋⑪） ×5/100	
			3 歳 児						
		3号	1、2歳児						
			乳 児						
	21人から30人まで	2号	4歳以上児	18,020 ＋ 180×加算率	（⑥＋⑦＋⑧＋⑨＋⑪）－ ×1/100	（⑥＋⑦＋⑧＋⑨＋⑪） ×3/100	（⑥＋⑦＋⑧＋⑨＋⑪） ×4/100	（⑥＋⑦＋⑧＋⑨＋⑪） ×5/100	
			3 歳 児						
		3号	1、2歳児						
			乳 児						
	31人から40人まで	2号	4歳以上児	13,510 ＋ 130×加算率	（⑥＋⑦＋⑧＋⑨＋⑪）－ ×1/100	（⑥＋⑦＋⑧＋⑨＋⑪） ×3/100	（⑥＋⑦＋⑧＋⑨＋⑪） ×4/100	（⑥＋⑦＋⑧＋⑨＋⑪） ×5/100	
			3 歳 児						
		3号	1、2歳児						
			乳 児						
	41人から50人まで	2号	4歳以上児	10,810 ＋ 100×加算率	（⑥＋⑦＋⑧＋⑨＋⑪）－ ×1/100	（⑥＋⑦＋⑧＋⑨＋⑪） ×3/100	（⑥＋⑦＋⑧＋⑨＋⑪） ×4/100	（⑥＋⑦＋⑧＋⑨＋⑪） ×6/100	
			3 歳 児						
		3号	1、2歳児						
			乳 児						
	51人から60人まで	2号	4歳以上児	9,010 ＋ 90×加算率	（⑥＋⑦＋⑧＋⑨＋⑪）－ ×1/100	（⑥＋⑦＋⑧＋⑨＋⑪） ×3/100	（⑥＋⑦＋⑧＋⑨＋⑪） ×4/100	（⑥＋⑦＋⑧＋⑨＋⑪） ×6/100	
			3 歳 児						
		3号	1、2歳児						
			乳 児						
	61人から70人まで	2号	4歳以上児	7,720 ＋ 70×加算率	（⑥＋⑦＋⑧＋⑨＋⑪）－ ×1/100	（⑥＋⑦＋⑧＋⑨＋⑪） ×3/100	（⑥＋⑦＋⑧＋⑨＋⑪） ×4/100	（⑥＋⑦＋⑧＋⑨＋⑪） ×6/100	
			3 歳 児						
		3号	1、2歳児						
			乳 児						
	71人から80人まで	2号	4歳以上児	6,750 ＋ 60×加算率	（⑥＋⑦＋⑧＋⑨＋⑪）－ ×1/100	（⑥＋⑦＋⑧＋⑨＋⑪） ×3/100	（⑥＋⑦＋⑧＋⑨＋⑪） ×4/100	（⑥＋⑦＋⑧＋⑨＋⑪） ×6/100	
			3 歳 児						
		3号	1、2歳児						
			乳 児						
	81人から90人まで	2号	4歳以上児	6,000 ＋ 60×加算率	（⑥＋⑦＋⑧＋⑨＋⑪）－ ×1/100	（⑥＋⑦＋⑧＋⑨＋⑪） ×3/100	（⑥＋⑦＋⑧＋⑨＋⑪） ×4/100	（⑥＋⑦＋⑧＋⑨＋⑪） ×6/100	
			3 歳 児						
		3号	1、2歳児						
			乳 児						
	91人から100人まで	2号	4歳以上児	5,400 ＋ 50×加算率	（⑥＋⑦＋⑧＋⑨＋⑪）－ ×2/100	（⑥＋⑦＋⑧＋⑨＋⑪） ×3/100	（⑥＋⑦＋⑧＋⑨＋⑪） ×5/100	（⑥＋⑦＋⑧＋⑨＋⑪） ×6/100	（⑥〜⑱（⑮を除く。）） ×別に定める調整率
			3 歳 児						
		3号	1、2歳児						
			乳 児						
	101人から110人まで	2号	4歳以上児	4,910 ＋ 40×加算率	（⑥＋⑦＋⑧＋⑨＋⑪）－ ×2/100	（⑥＋⑦＋⑧＋⑨＋⑪） ×3/100	（⑥＋⑦＋⑧＋⑨＋⑪） ×5/100	（⑥＋⑦＋⑧＋⑨＋⑪） ×6/100	
			3 歳 児						
		3号	1、2歳児						
			乳 児						
	111人から120人まで	2号	4歳以上児	4,500 ＋ 40×加算率	（⑥＋⑦＋⑧＋⑨＋⑪）－ ×2/100	（⑥＋⑦＋⑧＋⑨＋⑪） ×3/100	（⑥＋⑦＋⑧＋⑨＋⑪） ×5/100	（⑥＋⑦＋⑧＋⑨＋⑪） ×6/100	
			3 歳 児						
		3号	1、2歳児						
			乳 児						
	121人から130人まで	2号	4歳以上児	4,150 ＋ 40×加算率	（⑥＋⑦＋⑧＋⑨＋⑪）－ ×2/100	（⑥＋⑦＋⑧＋⑨＋⑪） ×3/100	（⑥＋⑦＋⑧＋⑨＋⑪） ×5/100	（⑥＋⑦＋⑧＋⑨＋⑪） ×6/100	
			3 歳 児						
		3号	1、2歳児						
			乳 児						
	131人から140人まで	2号	4歳以上児	3,860 ＋ 30×加算率	（⑥＋⑦＋⑧＋⑨＋⑪）－ ×2/100	（⑥＋⑦＋⑧＋⑨＋⑪） ×3/100	（⑥＋⑦＋⑧＋⑨＋⑪） ×5/100	（⑥＋⑦＋⑧＋⑨＋⑪） ×6/100	
			3 歳 児						
		3号	1、2歳児						
			乳 児						
	141人から150人まで	2号	4歳以上児	3,600 ＋ 30×加算率	（⑥＋⑦＋⑧＋⑨＋⑪）－ ×2/100	（⑥＋⑦＋⑧＋⑨＋⑪） ×3/100	（⑥＋⑦＋⑧＋⑨＋⑪） ×5/100	（⑥＋⑦＋⑧＋⑨＋⑪） ×6/100	
			3 歳 児						
		3号	1、2歳児						
			乳 児						
	151人から160人まで	2号	4歳以上児	3,370 ＋ 30×加算率	（⑥＋⑦＋⑧＋⑨＋⑪）－ ×2/100	（⑥＋⑦＋⑧＋⑨＋⑪） ×3/100	（⑥＋⑦＋⑧＋⑨＋⑪） ×5/100	（⑥＋⑦＋⑧＋⑨＋⑪） ×6/100	
			3 歳 児						
		3号	1、2歳児						
			乳 児						
	161人から170人まで	2号	4歳以上児	3,180 ＋ 30×加算率	（⑥＋⑦＋⑧＋⑨＋⑪）－ ×2/100	（⑥＋⑦＋⑧＋⑨＋⑪） ×3/100	（⑥＋⑦＋⑧＋⑨＋⑪） ×5/100	（⑥＋⑦＋⑧＋⑨＋⑪） ×6/100	
			3 歳 児						
		3号	1、2歳児						
			乳 児						
	171人以上	2号	4歳以上児	3,000 ＋ 30×加算率	（⑥＋⑦＋⑧＋⑨＋⑪）－ ×2/100	（⑥＋⑦＋⑧＋⑨＋⑪） ×3/100	（⑥＋⑦＋⑧＋⑨＋⑪） ×5/100	（⑥＋⑦＋⑧＋⑨＋⑪） ×6/100	
			3 歳 児						
		3号	1、2歳児						
			乳 児						

地域区分①	定員区分②	認定区分③	年齢区分④	保育必要量区分⑤ 保育標準時間認定 基本分単価⑥	(注)	保育短時間認定 基本分単価⑤	(注)	処遇改善等加算Ⅰ 保育標準時間認定(注)⑦	(注)		保育短時間認定(注)⑦	(注)		3歳児配置改善加算 処遇改善等加算Ⅰ⑧
12/100地域	20人	2号	4歳以上児	124,920	(132,710)	98,650	(106,440)	+ 1,220	(1,290)	×加算率	960	(1,030)	×加算率	+ (7,790) (70×加算率)
			3歳児	132,710	(195,840)	106,440	(169,570)	+ 1,290	(1,840)	×加算率	1,030	(1,580)	×加算率	+ 7,790　70×加算率
		3号	1、2歳児	195,840	(273,780)	169,570	(247,510)	+ 1,840	(2,620)	×加算率	1,580	(2,360)	×加算率	
			乳児	273,780		247,510		+ 2,620		×加算率	2,360		×加算率	
	21人から30人まで	2号	4歳以上児	90,040	(97,830)	72,530	(80,320)	+ 880	(950)	×加算率	700	(770)	×加算率	+ (7,790) (70×加算率)
			3歳児	97,830	(160,960)	80,320	(143,450)	+ 950	(1,490)	×加算率	770	(1,310)	×加算率	+ 7,790　70×加算率
		3号	1、2歳児	160,960	(238,900)	143,450	(221,390)	+ 1,490	(2,270)	×加算率	1,310	(2,090)	×加算率	
			乳児	238,900		221,390		+ 2,270		×加算率	2,090		×加算率	
	31人から40人まで	2号	4歳以上児	72,920	(80,710)	59,790	(67,580)	+ 700	(770)	×加算率	570	(640)	×加算率	+ (7,790) (70×加算率)
			3歳児	80,710	(143,840)	67,580	(130,710)	+ 770	(1,320)	×加算率	640	(1,190)	×加算率	+ 7,790　70×加算率
		3号	1、2歳児	143,840	(221,780)	130,710	(208,650)	+ 1,320	(2,100)	×加算率	1,190	(1,970)	×加算率	
			乳児	221,780		208,650		+ 2,100		×加算率	1,970		×加算率	
	41人から50人まで	2号	4歳以上児	68,450	(76,240)	57,950	(65,740)	+ 660	(730)	×加算率	560	(630)	×加算率	+ (7,790) (70×加算率)
			3歳児	76,240	(139,370)	65,740	(128,870)	+ 730	(1,270)	×加算率	630	(1,170)	×加算率	+ 7,790　70×加算率
		3号	1、2歳児	139,370	(217,310)	128,870	(206,810)	+ 1,270	(2,050)	×加算率	1,170	(1,950)	×加算率	
			乳児	217,310		206,810		+ 2,050		×加算率	1,950		×加算率	
	51人から60人まで	2号	4歳以上児	59,990	(67,780)	51,230	(59,020)	+ 580	(650)	×加算率	490	(560)	×加算率	+ (7,790) (70×加算率)
			3歳児	67,780	(130,910)	59,020	(122,150)	+ 650	(1,190)	×加算率	560	(1,100)	×加算率	+ 7,790　70×加算率
		3号	1、2歳児	130,910	(208,850)	122,150	(200,090)	+ 1,190	(1,970)	×加算率	1,100	(1,880)	×加算率	
			乳児	208,850		200,090		+ 1,970		×加算率	1,880		×加算率	
	61人から70人まで	2号	4歳以上児	54,020	(61,810)	46,520	(54,310)	+ 520	(590)	×加算率	440	(510)	×加算率	+ (7,790) (70×加算率)
			3歳児	61,810	(124,940)	54,310	(117,440)	+ 590	(1,130)	×加算率	510	(1,050)	×加算率	+ 7,790　70×加算率
		3号	1、2歳児	124,940	(202,880)	117,440	(195,380)	+ 1,130	(1,910)	×加算率	1,050	(1,830)	×加算率	
			乳児	202,880		195,380		+ 1,910		×加算率	1,830		×加算率	
	71人から80人まで	2号	4歳以上児	49,600	(57,390)	43,040	(50,830)	+ 470	(540)	×加算率	410	(480)	×加算率	+ (7,790) (70×加算率)
			3歳児	57,390	(120,520)	50,830	(113,960)	+ 540	(1,080)	×加算率	480	(1,020)	×加算率	+ 7,790　70×加算率
		3号	1、2歳児	120,520	(198,460)	113,960	(191,900)	+ 1,080	(1,860)	×加算率	1,020	(1,800)	×加算率	
			乳児	198,460		191,900		+ 1,860		×加算率	1,800		×加算率	
	81人から90人まで	2号	4歳以上児	46,120	(53,910)	40,280	(48,070)	+ 440	(510)	×加算率	380	(450)	×加算率	+ (7,790) (70×加算率)
			3歳児	53,910	(117,040)	48,070	(111,200)	+ 510	(1,050)	×加算率	450	(990)	×加算率	+ 7,790　70×加算率
		3号	1、2歳児	117,040	(194,980)	111,200	(189,140)	+ 1,050	(1,830)	×加算率	990	(1,770)	×加算率	
			乳児	194,980		189,140		+ 1,830		×加算率	1,770		×加算率	
	91人から100人まで	2号	4歳以上児	39,870	(47,660)	34,620	(42,410)	+ 370	(440)	×加算率	320	(390)	×加算率	+ (7,790) (70×加算率)
			3歳児	47,660	(110,790)	42,410	(105,540)	+ 440	(990)	×加算率	390	(940)	×加算率	+ 7,790　70×加算率
		3号	1、2歳児	110,790	(188,730)	105,540	(183,480)	+ 990	(1,770)	×加算率	940	(1,720)	×加算率	
			乳児	188,730		183,480		+ 1,770		×加算率	1,720		×加算率	
	101人から110人まで	2号	4歳以上児	37,950	(45,740)	33,170	(40,960)	+ 360	(430)	×加算率	310	(380)	×加算率	+ (7,790) (70×加算率)
			3歳児	45,740	(108,870)	40,960	(104,090)	+ 430	(970)	×加算率	380	(920)	×加算率	+ 7,790　70×加算率
		3号	1、2歳児	108,870	(186,810)	104,090	(182,030)	+ 970	(1,750)	×加算率	920	(1,700)	×加算率	
			乳児	186,810		182,030		+ 1,750		×加算率	1,700		×加算率	
	111人から120人まで	2号	4歳以上児	36,300	(44,090)	31,920	(39,710)	+ 340	(410)	×加算率	290	(360)	×加算率	+ (7,790) (70×加算率)
			3歳児	44,090	(107,220)	39,710	(102,840)	+ 410	(950)	×加算率	360	(910)	×加算率	+ 7,790　70×加算率
		3号	1、2歳児	107,220	(185,160)	102,840	(180,780)	+ 950	(1,730)	×加算率	910	(1,690)	×加算率	
			乳児	185,160		180,780		+ 1,730		×加算率	1,690		×加算率	
	121人から130人まで	2号	4歳以上児	34,910	(42,700)	30,870	(38,660)	+ 320	(390)	×加算率	280	(350)	×加算率	+ (7,790) (70×加算率)
			3歳児	42,700	(105,830)	38,660	(101,790)	+ 390	(940)	×加算率	350	(900)	×加算率	+ 7,790　70×加算率
		3号	1、2歳児	105,830	(183,770)	101,790	(179,730)	+ 940	(1,720)	×加算率	900	(1,680)	×加算率	
			乳児	183,770		179,730		+ 1,720		×加算率	1,680		×加算率	
	131人から140人まで	2号	4歳以上児	33,740	(41,540)	30,000	(37,790)	+ 310	(380)	×加算率	280	(350)	×加算率	+ (7,790) (70×加算率)
			3歳児	41,540	(104,670)	37,790	(100,920)	+ 380	(930)	×加算率	350	(890)	×加算率	+ 7,790　70×加算率
		3号	1、2歳児	104,670	(182,610)	100,920	(178,860)	+ 930	(1,710)	×加算率	890	(1,670)	×加算率	
			乳児	182,610		178,860		+ 1,710		×加算率	1,670		×加算率	
	141人から150人まで	2号	4歳以上児	32,720	(40,510)	29,220	(37,010)	+ 300	(370)	×加算率	270	(340)	×加算率	+ (7,790) (70×加算率)
			3歳児	40,510	(103,640)	37,010	(100,140)	+ 370	(920)	×加算率	340	(880)	×加算率	+ 7,790　70×加算率
		3号	1、2歳児	103,640	(181,580)	100,140	(178,080)	+ 920	(1,700)	×加算率	880	(1,660)	×加算率	
			乳児	181,580		178,080		+ 1,700		×加算率	1,660		×加算率	
	151人から160人まで	2号	4歳以上児	32,720	(40,510)	29,440	(37,230)	+ 300	(370)	×加算率	270	(340)	×加算率	+ (7,790) (70×加算率)
			3歳児	40,510	(103,640)	37,230	(100,360)	+ 370	(920)	×加算率	340	(880)	×加算率	+ 7,790　70×加算率
		3号	1、2歳児	103,640	(181,580)	100,360	(178,300)	+ 920	(1,700)	×加算率	880	(1,660)	×加算率	
			乳児	181,580		178,300		+ 1,700		×加算率	1,660		×加算率	
	161人から170人まで	2号	4歳以上児	31,900	(39,690)	28,810	(36,600)	+ 290	(360)	×加算率	260	(330)	×加算率	+ (7,790) (70×加算率)
			3歳児	39,690	(102,820)	36,600	(99,730)	+ 360	(910)	×加算率	330	(880)	×加算率	+ 7,790　70×加算率
		3号	1、2歳児	102,820	(180,760)	99,730	(177,670)	+ 910	(1,690)	×加算率	880	(1,660)	×加算率	
			乳児	180,760		177,670		+ 1,690		×加算率	1,660		×加算率	
	171人以上	2号	4歳以上児	31,140	(38,930)	28,220	(36,010)	+ 290	(360)	×加算率	260	(330)	×加算率	+ (7,790) (70×加算率)
			3歳児	38,930	(102,060)	36,010	(99,140)	+ 360	(900)	×加算率	330	(870)	×加算率	+ 7,790　70×加算率
		3号	1、2歳児	102,060	(180,000)	99,140	(177,080)	+ 900	(1,680)	×加算率	870	(1,650)	×加算率	
			乳児	180,000		177,080		+ 1,680		×加算率	1,650		×加算率	

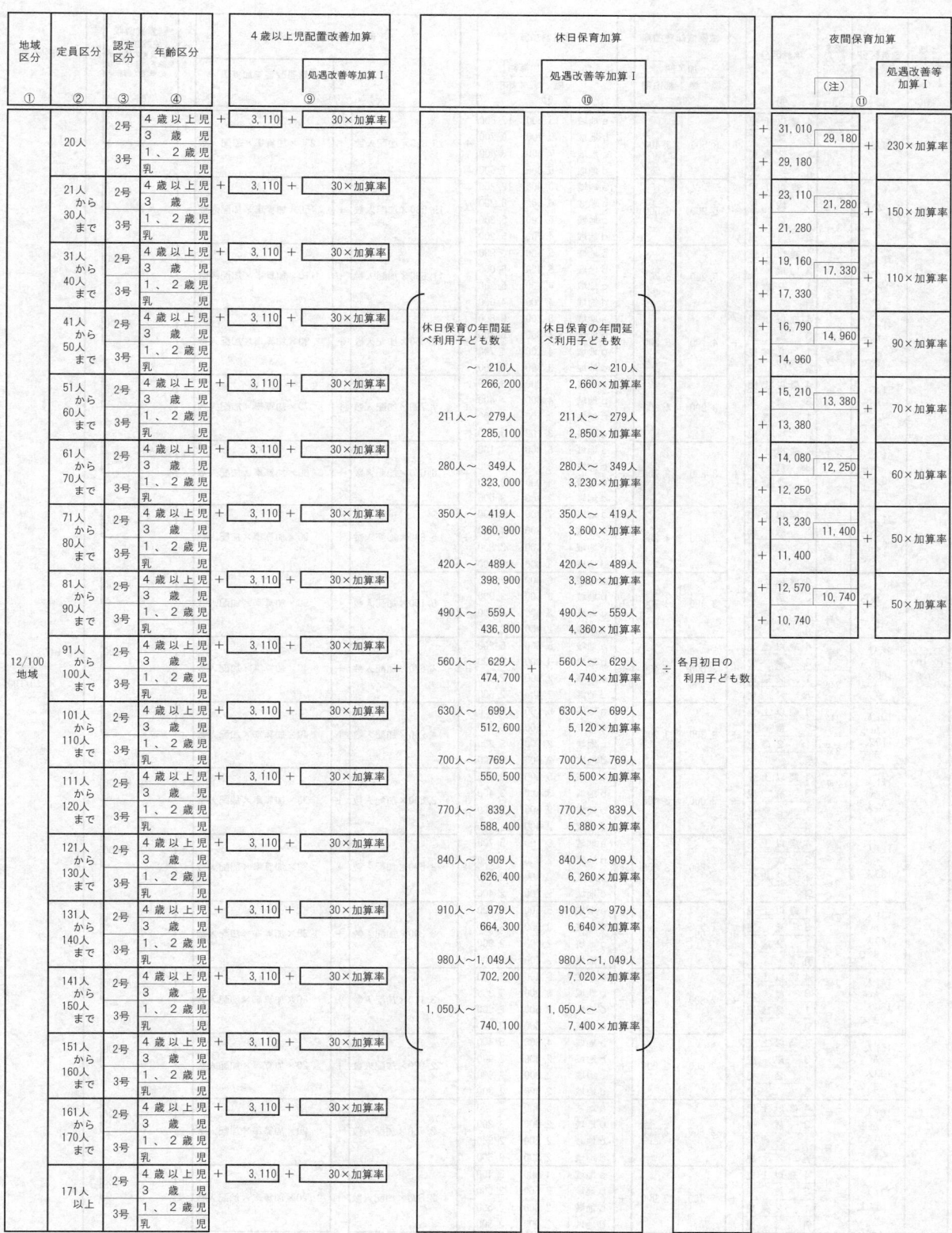

地域 区分 ①	定員区分 ②	認定 区分 ③	年齢区分 ④	4歳以上児配置改善加算 処遇改善等加算Ⅰ ⑨		休日保育加算 処遇改善等加算Ⅰ ⑩			夜間保育加算 （注） ⑪		処遇改善等 加算Ⅰ
12/100 地域	20人	2号	4歳以上児	+ 3,110	+ 30×加算率				+ 31,010 29,180	+ 29,180	230×加算率
			3歳児								
		3号	1、2歳児						+ 29,180		
			乳児								
	21人 から 30人 まで	2号	4歳以上児	+ 3,110	+ 30×加算率				+ 23,110 21,280	+ 21,280	150×加算率
			3歳児								
		3号	1、2歳児						+ 21,280		
			乳児								
	31人 から 40人 まで	2号	4歳以上児	+ 3,110	+ 30×加算率				+ 19,160 17,330	+ 17,330	110×加算率
			3歳児								
		3号	1、2歳児						+ 17,330		
			乳児								
	41人 から 50人 まで	2号	4歳以上児	+ 3,110	+ 30×加算率	休日保育の年間延 べ利用子ども数	休日保育の年間延 べ利用子ども数		+ 16,790 14,960	+ 14,960	90×加算率
			3歳児								
		3号	1、2歳児			～　210人 266,200	～　210人 2,660×加算率		+ 14,960		
			乳児								
	51人 から 60人 まで	2号	4歳以上児	+ 3,110	+ 30×加算率	211人～　279人 285,100	211人～　279人 2,850×加算率		+ 15,210 13,380	+ 13,380	70×加算率
			3歳児								
		3号	1、2歳児						+ 13,380		
			乳児								
	61人 から 70人 まで	2号	4歳以上児	+ 3,110	+ 30×加算率	280人～　349人 323,000	280人～　349人 3,230×加算率		+ 14,080 12,250	+ 12,250	60×加算率
			3歳児								
		3号	1、2歳児						+ 12,250		
			乳児								
	71人 から 80人 まで	2号	4歳以上児	+ 3,110	+ 30×加算率	350人～　419人 360,900	350人～　419人 3,600×加算率		+ 13,230 11,400	+ 11,400	50×加算率
			3歳児								
		3号	1、2歳児			420人～　489人 398,900	420人～　489人 3,980×加算率		+ 11,400		
			乳児								
	81人 から 90人 まで	2号	4歳以上児	+ 3,110	+ 30×加算率	490人～　559人 436,800	490人～　559人 4,360×加算率		+ 12,570 10,740	+ 10,740	50×加算率
			3歳児								
		3号	1、2歳児						+ 10,740		
			乳児								
	91人 から 100人 まで	2号	4歳以上児			560人～　629人 474,700	560人～　629人 4,740×加算率	各月初日の 利用子ども数			
			3歳児	+				÷			
		3号	1、2歳児								
			乳児								
	101人 から 110人 まで	2号	4歳以上児	+ 3,110	+ 30×加算率	630人～　699人 512,600	630人～　699人 5,120×加算率				
			3歳児								
		3号	1、2歳児								
			乳児			700人～　769人 550,500	700人～　769人 5,500×加算率				
	111人 から 120人 まで	2号	4歳以上児	+ 3,110	+ 30×加算率						
			3歳児			770人～　839人 588,400	770人～　839人 5,880×加算率				
		3号	1、2歳児								
			乳児								
	121人 から 130人 まで	2号	4歳以上児	+ 3,110	+ 30×加算率	840人～　909人 626,400	840人～　909人 6,260×加算率				
			3歳児								
		3号	1、2歳児								
			乳児								
	131人 から 140人 まで	2号	4歳以上児	+ 3,110	+ 30×加算率	910人～　979人 664,300	910人～　979人 6,640×加算率				
			3歳児								
		3号	1、2歳児			980人～1,049人 702,200	980人～1,049人 7,020×加算率				
			乳児								
	141人 から 150人 まで	2号	4歳以上児	+ 3,110	+ 30×加算率	1,050人～ 740,100	1,050人～ 7,400×加算率				
			3歳児								
		3号	1、2歳児								
			乳児								
	151人 から 160人 まで	2号	4歳以上児	+ 3,110	+ 30×加算率						
			3歳児								
		3号	1、2歳児								
			乳児								
	161人 から 170人 まで	2号	4歳以上児	+ 3,110	+ 30×加算率						
			3歳児								
		3号	1、2歳児								
			乳児								
	171人 以上	2号	4歳以上児	+ 3,110	+ 30×加算率						
			3歳児								
		3号	1、2歳児								
			乳児								

地域区分①	定員区分②	認定区分③	年齢区分④	減価償却費加算 加算額⑫ 標準	減価償却費加算 加算額⑫ 都市部	賃借料加算⑬ 地域	賃借料加算 加算額⑬ 標準	賃借料加算 加算額⑬ 都市部	チーム保育推進加算⑭	処遇改善等加算Ⅰ⑭	副食費徴収免除加算⑮（※副食費の徴収が免除される子どもの単価に加算）	分園の場合⑯
12/100地域	20人	2号	4歳以上児	+8,500	9,400	a地域	+15,800	17,600	+23,380×加配人数	+230×加算率×加配人数	+4,800	
			3歳児			b地域	8,700	9,700				
		3号	1、2歳児			c地域	7,600	8,400				
			乳児			d地域	6,800	7,500				
	21人から30人まで	2号	4歳以上児	+5,900	6,500	a地域	+10,900	12,200	+15,580×加配人数	+150×加算率×加配人数	+4,800	
			3歳児			b地域	6,000	6,700				
		3号	1、2歳児			c地域	5,200	5,800				
			乳児			d地域	4,700	5,200				
	31人から40人まで	2号	4歳以上児	+5,200	5,700	a地域	+9,800	10,900	+11,690×加配人数	+110×加算率×加配人数	+4,800	
			3歳児			b地域	5,400	6,000				
		3号	1、2歳児			c地域	4,700	5,200				
			乳児			d地域	4,400	4,600				
	41人から50人まで	2号	4歳以上児	+4,700	5,200	a地域	+8,800	9,800	+9,350×加配人数	+90×加算率×加配人数	+4,800	
			3歳児			b地域	4,800	5,400				
		3号	1、2歳児			c地域	4,200	4,700				
			乳児			d地域	3,800	4,200				
	51人から60人まで	2号	4歳以上児	+3,900	4,300	a地域	+7,200	8,100	+7,790×加配人数	+70×加算率×加配人数	+4,800	
			3歳児			b地域	4,000	4,400				
		3号	1、2歳児			c地域	3,500	3,800				
			乳児			d地域	3,100	3,400				
	61人から70人まで	2号	4歳以上児	+3,300	3,700	a地域	+6,300	7,100	+6,680×加配人数	+60×加算率×加配人数	+4,800	
			3歳児			b地域	3,500	3,900				
		3号	1、2歳児			c地域	3,000	3,400				
			乳児			d地域		3,000				
	71人から80人まで	2号	4歳以上児	+3,800	4,200	a地域	+7,100	7,900	+5,840×加配人数	+50×加算率×加配人数	+4,800	
			3歳児			b地域	3,900	4,300				
		3号	1、2歳児			c地域	3,400	3,800				
			乳児			d地域		3,400				
	81人から90人まで	2号	4歳以上児	+3,400	3,700	a地域	+6,300	7,100	+5,190×加配人数	+50×加算率×加配人数	+4,800	
			3歳児			b地域	3,500	3,900				
		3号	1、2歳児			c地域	3,000	3,400				
			乳児			d地域	2,700	3,000				
	91人から100人まで	2号	4歳以上児	+3,000	3,400	a地域	+5,500	6,200	+4,670×加配人数	+40×加算率×加配人数	+4,800	（⑥+⑦）－×10/100
			3歳児			b地域	3,000	3,400				
		3号	1、2歳児			c地域	2,600	2,900				
			乳児			d地域	2,400	2,600				
	101人から110人まで	2号	4歳以上児	+3,300	3,700	a地域	+6,100	6,800	+4,250×加配人数	+40×加算率×加配人数	+4,800	
			3歳児			b地域	3,300	3,700				
		3号	1、2歳児			c地域	2,900	3,200				
			乳児			d地域	2,600	2,900				
	111人から120人まで	2号	4歳以上児	+3,000	3,400	a地域	+5,500	6,200	+3,890×加配人数	+30×加算率×加配人数	+4,800	
			3歳児			b地域	3,000	3,400				
		3号	1、2歳児			c地域	2,600	2,900				
			乳児			d地域	2,400	2,600				
	121人から130人まで	2号	4歳以上児	+2,800	3,100	a地域	+5,100	5,700	+3,590×加配人数	+30×加算率×加配人数	+4,800	
			3歳児			b地域	2,800	3,100				
		3号	1、2歳児			c地域	2,400	2,700				
			乳児			d地域	2,200	2,400				
	131人から140人まで	2号	4歳以上児	+3,000	3,300	a地域	+5,500	6,200	+3,340×加配人数	+30×加算率×加配人数	+4,800	
			3歳児			b地域	3,000	3,400				
		3号	1、2歳児			c地域	2,600	2,900				
			乳児			d地域	2,400	2,600				
	141人から150人まで	2号	4歳以上児	+2,800	3,100	a地域	+5,400	6,000	+3,110×加配人数	+30×加算率×加配人数	+4,800	
			3歳児			b地域	2,900	3,300				
		3号	1、2歳児			c地域	2,500	2,800				
			乳児			d地域	2,300	2,500				
	151人から160人まで	2号	4歳以上児	+2,600	2,900	a地域	+4,800	5,400	+2,920×加配人数	+20×加算率×加配人数	+4,800	
			3歳児			b地域	2,600	2,900				
		3号	1、2歳児			c地域	2,200	2,500				
			乳児			d地域	2,000	2,300				
	161人から170人まで	2号	4歳以上児	+2,800	3,100	a地域	+5,400	6,000	+2,750×加配人数	+20×加算率×加配人数	+4,800	
			3歳児			b地域	2,900	3,300				
		3号	1、2歳児			c地域	2,500	2,800				
			乳児			d地域	2,300	2,500				
	171人以上	2号	4歳以上児	+2,700	2,900	a地域	+4,800	5,400	+2,590×加配人数	+20×加算率×加配人数	+4,800	
			3歳児			b地域	2,600	2,900				
		3号	1、2歳児			c地域	2,300	2,500				
			乳児			d地域	2,000	2,300				

地域区分 ①	定員区分 ②	認定区分 ③	年齢区分 ④	施設長を配置していない場合 処遇改善等加算Ⅰ ⑰	土曜日に閉所する場合 ⑱ 月に1日土曜日を閉所する場合	月に2日土曜日を閉所する場合	月に3日以上土曜日を閉所する場合	全ての土曜日を閉所する場合	定員を恒常的に超過する場合 ⑲
12/100 地域	20人	2号 / 3号	4歳以上児 / 3歳児 / 1、2歳児 / 乳児	26,330 ＋ 260×加算率	(⑥＋⑦＋⑧＋⑨＋⑪)×1/100	(⑥＋⑦＋⑧＋⑨＋⑪)×3/100	(⑥＋⑦＋⑧＋⑨＋⑪)×4/100	(⑥＋⑦＋⑧＋⑨＋⑪)×5/100	
	21人から30人まで	2号 / 3号	4歳以上児 / 3歳児 / 1、2歳児 / 乳児	17,550 ＋ 170×加算率	(⑥＋⑦＋⑧＋⑨＋⑪)×1/100	(⑥＋⑦＋⑧＋⑨＋⑪)×3/100	(⑥＋⑦＋⑧＋⑨＋⑪)×4/100	(⑥＋⑦＋⑧＋⑨＋⑪)×5/100	
	31人から40人まで	2号 / 3号	4歳以上児 / 3歳児 / 1、2歳児 / 乳児	13,160 ＋ 130×加算率	(⑥＋⑦＋⑧＋⑨＋⑪)×1/100	(⑥＋⑦＋⑧＋⑨＋⑪)×3/100	(⑥＋⑦＋⑧＋⑨＋⑪)×4/100	(⑥＋⑦＋⑧＋⑨＋⑪)×5/100	
	41人から50人まで	2号 / 3号	4歳以上児 / 3歳児 / 1、2歳児 / 乳児	10,530 ＋ 100×加算率	(⑥＋⑦＋⑧＋⑨＋⑪)×1/100	(⑥＋⑦＋⑧＋⑨＋⑪)×3/100	(⑥＋⑦＋⑧＋⑨＋⑪)×4/100	(⑥＋⑦＋⑧＋⑨＋⑪)×6/100	
	51人から60人まで	2号 / 3号	4歳以上児 / 3歳児 / 1、2歳児 / 乳児	8,770 ＋ 80×加算率	(⑥＋⑦＋⑧＋⑨＋⑪)×1/100	(⑥＋⑦＋⑧＋⑨＋⑪)×3/100	(⑥＋⑦＋⑧＋⑨＋⑪)×4/100	(⑥＋⑦＋⑧＋⑨＋⑪)×6/100	
	61人から70人まで	2号 / 3号	4歳以上児 / 3歳児 / 1、2歳児 / 乳児	7,520 ＋ 70×加算率	(⑥＋⑦＋⑧＋⑨＋⑪)×1/100	(⑥＋⑦＋⑧＋⑨＋⑪)×3/100	(⑥＋⑦＋⑧＋⑨＋⑪)×4/100	(⑥＋⑦＋⑧＋⑨＋⑪)×6/100	
	71人から80人まで	2号 / 3号	4歳以上児 / 3歳児 / 1、2歳児 / 乳児	6,580 ＋ 60×加算率	(⑥＋⑦＋⑧＋⑨＋⑪)×2/100	(⑥＋⑦＋⑧＋⑨＋⑪)×3/100	(⑥＋⑦＋⑧＋⑨＋⑪)×5/100	(⑥＋⑦＋⑧＋⑨＋⑪)×6/100	
	81人から90人まで	2号 / 3号	4歳以上児 / 3歳児 / 1、2歳児 / 乳児	5,850 ＋ 50×加算率	(⑥＋⑦＋⑧＋⑨＋⑪)×2/100	(⑥＋⑦＋⑧＋⑨＋⑪)×3/100	(⑥＋⑦＋⑧＋⑨＋⑪)×5/100	(⑥＋⑦＋⑧＋⑨＋⑪)×6/100	
	91人から100人まで	2号 / 3号	4歳以上児 / 3歳児 / 1、2歳児 / 乳児	5,260 ＋ 50×加算率	(⑥＋⑦＋⑧＋⑨＋⑪)×2/100	(⑥＋⑦＋⑧＋⑨＋⑪)×3/100	(⑥＋⑦＋⑧＋⑨＋⑪)×5/100	(⑥＋⑦＋⑧＋⑨＋⑪)×6/100	(⑥～⑱（⑮を除く。）)×別に定める調整率
	101人から110人まで	2号 / 3号	4歳以上児 / 3歳児 / 1、2歳児 / 乳児	4,780 ＋ 40×加算率	(⑥＋⑦＋⑧＋⑨＋⑪)×2/100	(⑥＋⑦＋⑧＋⑨＋⑪)×3/100	(⑥＋⑦＋⑧＋⑨＋⑪)×5/100	(⑥＋⑦＋⑧＋⑨＋⑪)×6/100	
	111人から120人まで	2号 / 3号	4歳以上児 / 3歳児 / 1、2歳児 / 乳児	4,380 ＋ 40×加算率	(⑥＋⑦＋⑧＋⑨＋⑪)×2/100	(⑥＋⑦＋⑧＋⑨＋⑪)×3/100	(⑥＋⑦＋⑧＋⑨＋⑪)×5/100	(⑥＋⑦＋⑧＋⑨＋⑪)×6/100	
	121人から130人まで	2号 / 3号	4歳以上児 / 3歳児 / 1、2歳児 / 乳児	4,050 ＋ 40×加算率	(⑥＋⑦＋⑧＋⑨＋⑪)×2/100	(⑥＋⑦＋⑧＋⑨＋⑪)×3/100	(⑥＋⑦＋⑧＋⑨＋⑪)×5/100	(⑥＋⑦＋⑧＋⑨＋⑪)×6/100	
	131人から140人まで	2号 / 3号	4歳以上児 / 3歳児 / 1、2歳児 / 乳児	3,760 ＋ 30×加算率	(⑥＋⑦＋⑧＋⑨＋⑪)×2/100	(⑥＋⑦＋⑧＋⑨＋⑪)×3/100	(⑥＋⑦＋⑧＋⑨＋⑪)×5/100	(⑥＋⑦＋⑧＋⑨＋⑪)×6/100	
	141人から150人まで	2号 / 3号	4歳以上児 / 3歳児 / 1、2歳児 / 乳児	3,510 ＋ 30×加算率	(⑥＋⑦＋⑧＋⑨＋⑪)×2/100	(⑥＋⑦＋⑧＋⑨＋⑪)×3/100	(⑥＋⑦＋⑧＋⑨＋⑪)×5/100	(⑥＋⑦＋⑧＋⑨＋⑪)×6/100	
	151人から160人まで	2号 / 3号	4歳以上児 / 3歳児 / 1、2歳児 / 乳児	3,290 ＋ 30×加算率	(⑥＋⑦＋⑧＋⑨＋⑪)×2/100	(⑥＋⑦＋⑧＋⑨＋⑪)×3/100	(⑥＋⑦＋⑧＋⑨＋⑪)×5/100	(⑥＋⑦＋⑧＋⑨＋⑪)×6/100	
	161人から170人まで	2号 / 3号	4歳以上児 / 3歳児 / 1、2歳児 / 乳児	3,090 ＋ 30×加算率	(⑥＋⑦＋⑧＋⑨＋⑪)×2/100	(⑥＋⑦＋⑧＋⑨＋⑪)×3/100	(⑥＋⑦＋⑧＋⑨＋⑪)×5/100	(⑥＋⑦＋⑧＋⑨＋⑪)×6/100	
	171人以上	2号 / 3号	4歳以上児 / 3歳児 / 1、2歳児 / 乳児	2,920 ＋ 20×加算率	(⑥＋⑦＋⑧＋⑨＋⑪)×2/100	(⑥＋⑦＋⑧＋⑨＋⑪)×3/100	(⑥＋⑦＋⑧＋⑨＋⑪)×5/100	(⑥＋⑦＋⑧＋⑨＋⑪)×6/100	

地域区分①	定員区分②	認定区分③	年齢区分④	保育標準時間認定 基本分単価⑥	(注)	保育短時間認定 基本分単価⑥	(注)	処遇改善等加算Ⅰ 保育標準時間認定⑦	(注)	処遇改善等加算Ⅰ 保育短時間認定⑦	(注)	3歳児配置改善加算	処遇改善等加算Ⅰ⑧
10/100地域	20人	2号	4歳以上児	123,090	(130,750)	97,200	(104,860) +	1,210	(1,280) ×加算率	950	(1,020) ×加算率 +		
		2号	3歳児	130,750	(193,010)	104,860	(167,120) +	1,280	(1,810) ×加算率	1,020	(1,550) ×加算率 +	(7,660) 7,660 +	(70×加算率) 70×加算率
		3号	1、2歳児	193,010	(269,700)	167,120	(243,810) +	1,810	(2,580) ×加算率	1,550	(2,320) ×加算率		
		3号	乳児	269,700		243,810	+	2,580	×加算率	2,320	×加算率		
	21人から30人まで	2号	4歳以上児	88,730	(96,390)	71,470	(79,130) +	860	(930) ×加算率	690	(760) ×加算率 +		
		2号	3歳児	96,390	(158,650)	79,130	(141,390) +	930	(1,470) ×加算率	760	(1,290) ×加算率 +	(7,660) 7,660 +	(70×加算率) 70×加算率
		3号	1、2歳児	158,650	(235,340)	141,390	(218,080) +	1,470	(2,240) ×加算率	1,290	(2,060) ×加算率		
		3号	乳児	235,340		218,080	+	2,240	×加算率	2,060	×加算率		
	31人から40人まで	2号	4歳以上児	71,840	(79,500)	58,890	(66,550) +	690	(760) ×加算率	560	(630) ×加算率 +		
		2号	3歳児	79,500	(141,760)	66,550	(128,810) +	760	(1,300) ×加算率	630	(1,170) ×加算率 +	(7,660) 7,660 +	(70×加算率) 70×加算率
		3号	1、2歳児	141,760	(218,450)	128,810	(205,500) +	1,300	(2,070) ×加算率	1,170	(1,940) ×加算率		
		3号	乳児	218,450		205,500	+	2,070	×加算率	1,940	×加算率		
	41人から50人まで	2号	4歳以上児	67,440	(75,100)	57,080	(64,740) +	650	(720) ×加算率	550	(620) ×加算率 +		
		2号	3歳児	75,100	(137,360)	64,740	(127,000) +	720	(1,250) ×加算率	620	(1,150) ×加算率 +	(7,660) 7,660 +	(70×加算率) 70×加算率
		3号	1、2歳児	137,360	(214,050)	127,000	(203,690) +	1,250	(2,020) ×加算率	1,150	(1,920) ×加算率		
		3号	乳児	214,050		203,690	+	2,020	×加算率	1,920	×加算率		
	51人から60人まで	2号	4歳以上児	59,100	(66,760)	50,470	(58,130) +	570	(640) ×加算率	480	(550) ×加算率 +		
		2号	3歳児	66,760	(129,020)	58,130	(120,390) +	640	(1,170) ×加算率	550	(1,080) ×加算率 +	(7,660) 7,660 +	(70×加算率) 70×加算率
		3号	1、2歳児	129,020	(205,710)	120,390	(197,080) +	1,170	(1,940) ×加算率	1,080	(1,850) ×加算率		
		3号	乳児	205,710		197,080	+	1,940	×加算率	1,850	×加算率		
	61人から70人まで	2号	4歳以上児	53,230	(60,890)	45,830	(53,490) +	510	(580) ×加算率	430	(500) ×加算率 +		
		2号	3歳児	60,890	(123,150)	53,490	(115,750) +	580	(1,110) ×加算率	500	(1,040) ×加算率 +	(7,660) 7,660 +	(70×加算率) 70×加算率
		3号	1、2歳児	123,150	(199,840)	115,750	(192,440) +	1,110	(1,880) ×加算率	1,040	(1,810) ×加算率		
		3号	乳児	199,840		192,440	+	1,880	×加算率	1,810	×加算率		
	71人から80人まで	2号	4歳以上児	48,870	(56,530)	42,400	(50,060) +	460	(530) ×加算率	400	(470) ×加算率 +		
		2号	3歳児	56,530	(118,790)	50,060	(112,320) +	530	(1,070) ×加算率	470	(1,000) ×加算率 +	(7,660) 7,660 +	(70×加算率) 70×加算率
		3号	1、2歳児	118,790	(195,480)	112,320	(189,010) +	1,070	(1,840) ×加算率	1,000	(1,770) ×加算率		
		3号	乳児	195,480		189,010	+	1,840	×加算率	1,770	×加算率		
	81人から90人まで	2号	4歳以上児	45,440	(53,100)	39,690	(47,350) +	430	(500) ×加算率	370	(440) ×加算率 +		
		2号	3歳児	53,100	(115,360)	47,350	(109,610) +	500	(1,030) ×加算率	440	(980) ×加算率 +	(7,660) 7,660 +	(70×加算率) 70×加算率
		3号	1、2歳児	115,360	(192,050)	109,610	(186,300) +	1,030	(1,800) ×加算率	980	(1,750) ×加算率		
		3号	乳児	192,050		186,300	+	1,800	×加算率	1,750	×加算率		
	91人から100人まで	2号	4歳以上児	39,320	(46,980)	34,140	(41,800) +	370	(440) ×加算率	320	(390) ×加算率 +		
		2号	3歳児	46,980	(109,240)	41,800	(104,060) +	440	(970) ×加算率	390	(920) ×加算率 +	(7,660) 7,660 +	(70×加算率) 70×加算率
		3号	1、2歳児	109,240	(185,930)	104,060	(180,750) +	970	(1,740) ×加算率	920	(1,690) ×加算率		
		3号	乳児	185,930		180,750	+	1,740	×加算率	1,690	×加算率		
	101人から110人まで	2号	4歳以上児	37,420	(45,080)	32,710	(40,370) +	350	(420) ×加算率	300	(370) ×加算率 +		
		2号	3歳児	45,080	(107,340)	40,370	(102,630) +	420	(950) ×加算率	370	(910) ×加算率 +	(7,660) 7,660 +	(70×加算率) 70×加算率
		3号	1、2歳児	107,340	(184,030)	102,630	(179,320) +	950	(1,720) ×加算率	910	(1,680) ×加算率		
		3号	乳児	184,030		179,320	+	1,720	×加算率	1,680	×加算率		
	111人から120人まで	2号	4歳以上児	35,790	(43,450)	31,480	(39,140) +	330	(400) ×加算率	290	(360) ×加算率 +		
		2号	3歳児	43,450	(105,710)	39,140	(101,400) +	400	(940) ×加算率	360	(890) ×加算率 +	(7,660) 7,660 +	(70×加算率) 70×加算率
		3号	1、2歳児	105,710	(182,400)	101,400	(178,090) +	940	(1,710) ×加算率	890	(1,660) ×加算率		
		3号	乳児	182,400		178,090	+	1,710	×加算率	1,660	×加算率		
	121人から130人まで	2号	4歳以上児	34,420	(42,080)	30,440	(38,100) +	320	(390) ×加算率	280	(350) ×加算率 +		
		2号	3歳児	42,080	(104,340)	38,100	(100,360) +	390	(920) ×加算率	350	(880) ×加算率 +	(7,660) 7,660 +	(70×加算率) 70×加算率
		3号	1、2歳児	104,340	(181,030)	100,360	(177,050) +	920	(1,690) ×加算率	880	(1,650) ×加算率		
		3号	乳児	181,030		177,050	+	1,690	×加算率	1,650	×加算率		
	131人から140人まで	2号	4歳以上児	33,280	(40,940)	29,580	(37,240) +	310	(380) ×加算率	270	(340) ×加算率 +		
		2号	3歳児	40,940	(103,200)	37,240	(99,500) +	380	(910) ×加算率	340	(870) ×加算率 +	(7,660) 7,660 +	(70×加算率) 70×加算率
		3号	1、2歳児	103,200	(179,890)	99,500	(176,190) +	910	(1,680) ×加算率	870	(1,640) ×加算率		
		3号	乳児	179,890		176,190	+	1,680	×加算率	1,640	×加算率		
	141人から150人まで	2号	4歳以上児	32,270	(39,930)	28,810	(36,470) +	300	(370) ×加算率	260	(330) ×加算率 +		
		2号	3歳児	39,930	(102,190)	36,470	(98,730) +	370	(900) ×加算率	330	(870) ×加算率 +	(7,660) 7,660 +	(70×加算率) 70×加算率
		3号	1、2歳児	102,190	(178,880)	98,730	(175,420) +	900	(1,670) ×加算率	870	(1,640) ×加算率		
		3号	乳児	178,880		175,420	+	1,670	×加算率	1,640	×加算率		
	151人から160人まで	2号	4歳以上児	32,280	(39,940)	29,040	(36,700) +	300	(370) ×加算率	270	(340) ×加算率 +		
		2号	3歳児	39,940	(102,200)	36,700	(98,960) +	370	(900) ×加算率	340	(870) ×加算率 +	(7,660) 7,660 +	(70×加算率) 70×加算率
		3号	1、2歳児	102,200	(178,890)	98,960	(175,650) +	900	(1,670) ×加算率	870	(1,640) ×加算率		
		3号	乳児	178,890		175,650	+	1,670	×加算率	1,640	×加算率		
	161人から170人まで	2号	4歳以上児	31,460	(39,120)	28,420	(36,080) +	290	(360) ×加算率	260	(330) ×加算率 +		
		2号	3歳児	39,120	(101,380)	36,080	(98,340) +	360	(890) ×加算率	330	(860) ×加算率 +	(7,660) 7,660 +	(70×加算率) 70×加算率
		3号	1、2歳児	101,380	(178,070)	98,340	(175,030) +	890	(1,660) ×加算率	860	(1,630) ×加算率		
		3号	乳児	178,070		175,030	+	1,660	×加算率	1,630	×加算率		
	171人以上	2号	4歳以上児	30,720	(38,380)	27,840	(35,500) +	280	(350) ×加算率	250	(320) ×加算率 +		
		2号	3歳児	38,380	(100,640)	35,500	(97,760) +	350	(890) ×加算率	320	(860) ×加算率 +	(7,660) 7,660 +	(70×加算率) 70×加算率
		3号	1、2歳児	100,640	(177,330)	97,760	(174,450) +	890	(1,660) ×加算率	860	(1,630) ×加算率		
		3号	乳児	177,330		174,450	+	1,660	×加算率	1,630	×加算率		

地域区分 ①	定員区分 ②	認定区分 ③	年齢区分 ④	4歳以上児配置改善加算 処遇改善等加算I ⑨		休日保育加算 ⑩				夜間保育加算 （注） ⑪		処遇改善等 加算I
	20人	2号	4歳以上児	+ 3,060	+ 30×加算率					+ 31,010 / 29,180		+ 230×加算率
			3 歳 児									
		3号	1、2歳児							+ 29,180		
			乳　　児									
	21人から30人まで	2号	4歳以上児	+ 3,060	+ 30×加算率					+ 23,110 / 21,280		+ 150×加算率
			3 歳 児									
		3号	1、2歳児							+ 21,280		
			乳　　児									
	31人から40人まで	2号	4歳以上児	+ 3,060	+ 30×加算率					+ 19,160 / 17,330		+ 110×加算率
			3 歳 児									
		3号	1、2歳児							+ 17,330		
			乳　　児									
	41人から50人まで	2号	4歳以上児	+ 3,060	+ 30×加算率	休日保育の年間延べ利用子ども数		休日保育の年間延べ利用子ども数		+ 16,790 / 14,960		+ 90×加算率
			3 歳 児			～　210人 262,600		～　210人 2,620×加算率				
		3号	1、2歳児							+ 14,960		
			乳　　児									
	51人から60人まで	2号	4歳以上児	+ 3,060	+ 30×加算率	211人～279人 281,200		211人～279人 2,810×加算率		+ 15,210 / 13,380		+ 70×加算率
			3 歳 児									
		3号	1、2歳児							+ 13,380		
			乳　　児									
	61人から70人まで	2号	4歳以上児	+ 3,060	+ 30×加算率	280人～349人 318,600		280人～349人 3,180×加算率		+ 14,080 / 12,250		+ 60×加算率
			3 歳 児									
		3号	1、2歳児							+ 12,250		
			乳　　児									
	71人から80人まで	2号	4歳以上児	+ 3,060	+ 30×加算率	350人～419人 355,900		350人～419人 3,550×加算率		+ 13,230 / 11,400		+ 50×加算率
			3 歳 児									
		3号	1、2歳児							+ 11,400		
			乳　　児			420人～489人 393,200		420人～489人 3,930×加算率				
	81人から90人まで	2号	4歳以上児	+ 3,060	+ 30×加算率					+ 12,570 / 10,740		+ 50×加算率
			3 歳 児			490人～559人 430,600		490人～559人 4,300×加算率				
		3号	1、2歳児							+ 10,740		
10/100 地域			乳　　児									
	91人から100人まで	2号	4歳以上児	+ 3,060	+ 30×加算率	+ 560人～629人 467,900		× 560人～629人 4,670×加算率		÷ 各月初日の利用子ども数		
			3 歳 児									
		3号	1、2歳児			630人～699人 505,200		630人～699人 5,050×加算率				
			乳　　児									
	101人から110人まで	2号	4歳以上児	+ 3,060	+ 30×加算率	700人～769人 542,600		700人～769人 5,420×加算率				
			3 歳 児									
		3号	1、2歳児									
			乳　　児			770人～839人 579,900		770人～839人 5,790×加算率				
	111人から120人まで	2号	4歳以上児	+ 3,060	+ 30×加算率							
			3 歳 児			840人～909人 617,200		840人～909人 6,170×加算率				
		3号	1、2歳児									
			乳　　児									
	121人から130人まで	2号	4歳以上児	+ 3,060	+ 30×加算率	910人～979人 654,600		910人～979人 6,540×加算率				
			3 歳 児									
		3号	1、2歳児			980人～1,049人 691,900		980人～1,049人 6,910×加算率				
			乳　　児									
	131人から140人まで	2号	4歳以上児	+ 3,060	+ 30×加算率	1,050人～ 729,200		1,050人～ 7,290×加算率				
			3 歳 児									
		3号	1、2歳児									
			乳　　児									
	141人から150人まで	2号	4歳以上児	+ 3,060	+ 30×加算率							
			3 歳 児									
		3号	1、2歳児									
			乳　　児									
	151人から160人まで	2号	4歳以上児	+ 3,060	+ 30×加算率							
			3 歳 児									
		3号	1、2歳児									
			乳　　児									
	161人から170人まで	2号	4歳以上児	+ 3,060	+ 30×加算率							
			3 歳 児									
		3号	1、2歳児									
			乳　　児									
	171人以上	2号	4歳以上児	+ 3,060	+ 30×加算率							
			3 歳 児									
		3号	1、2歳児									
			乳　　児									

地域区分 ①	定員区分 ②	認定区分 ③	年齢区分 ④	減価償却費加算 加算額 標準 ⑫	減価償却費加算 加算額 都市部 ⑫	賃借料加算	賃借料加算 加算額 標準 ⑬	賃借料加算 加算額 都市部 ⑬	チーム保育推進加算 ⑭	処遇改善等加算Ⅰ ⑭	副食費徴収免除加算 ※副食費の徴収が免除される子どもの単価に加算 ⑮	分園の場合 ⑯
10/100地域	20人	2号	4歳以上児／3歳児	+ 8,500	9,400	a地域／b地域／c地域／d地域	15,800／8,700／7,600／6,800	17,600／9,700／8,400／7,500	+ 23,000×加配人数	+ 230×加算率×加配人数	+ 4,800	
		3号	1、2歳児／乳児									
	21人から30人まで	2号	4歳以上児／3歳児	+ 5,900	6,500	a地域／b地域／c地域／d地域	10,900／6,000／5,200／4,700	12,200／6,700／5,800／5,200	+ 15,330×加配人数	+ 150×加算率×加配人数	+ 4,800	
		3号	1、2歳児／乳児									
	31人から40人まで	2号	4歳以上児／3歳児	+ 5,200	5,700	a地域／b地域／c地域／d地域	9,800／5,400／4,700／4,200	10,900／6,000／5,200／4,600	+ 11,500×加配人数	+ 110×加算率×加配人数	+ 4,800	
		3号	1、2歳児／乳児									
	41人から50人まで	2号	4歳以上児／3歳児	+ 4,700	5,200	a地域／b地域／c地域／d地域	8,800／4,800／4,200／3,800	9,800／5,400／4,700／4,200	+ 9,200×加配人数	+ 90×加算率×加配人数	+ 4,800	
		3号	1、2歳児／乳児									
	51人から60人まで	2号	4歳以上児／3歳児	+ 3,900	4,300	a地域／b地域／c地域／d地域	7,200／4,000／3,500／3,100	8,100／4,400／3,800／3,400	+ 7,660×加配人数	+ 70×加算率×加配人数	+ 4,800	
		3号	1、2歳児／乳児									
	61人から70人まで	2号	4歳以上児／3歳児	+ 3,300	3,700	a地域／b地域／c地域／d地域	6,300／3,500／3,100／2,700	7,100／3,900／3,400／3,000	+ 6,570×加配人数	+ 60×加算率×加配人数	+ 4,800	
		3号	1、2歳児／乳児									
	71人から80人まで	2号	4歳以上児／3歳児	+ 3,800	4,200	a地域／b地域／c地域／d地域	7,100／3,900／3,400／3,000	7,900／4,300／3,800／3,400	+ 5,750×加配人数	+ 50×加算率×加配人数	+ 4,800	
		3号	1、2歳児／乳児									
	81人から90人まで	2号	4歳以上児／3歳児	+ 3,400	3,700	a地域／b地域／c地域／d地域	6,300／3,500／3,000／2,700	7,100／3,900／3,400／3,000	+ 5,110×加配人数	+ 50×加算率×加配人数	+ 4,800	
		3号	1、2歳児／乳児									
	91人から100人まで	2号	4歳以上児／3歳児	+ 3,000	3,400	a地域／b地域／c地域／d地域	5,500／3,000／2,600／2,400	6,200／3,400／2,900／2,600	+ 4,600×加配人数	+ 40×加算率×加配人数	+ 4,800	(⑥+⑦) × 10/100
		3号	1、2歳児／乳児									
	101人から110人まで	2号	4歳以上児／3歳児	+ 3,300	3,700	a地域／b地域／c地域／d地域	6,100／3,300／2,900／2,600	6,800／3,700／3,200／2,900	+ 4,180×加配人数	+ 40×加算率×加配人数	+ 4,800	
		3号	1、2歳児／乳児									
	111人から120人まで	2号	4歳以上児／3歳児	+ 3,000	3,400	a地域／b地域／c地域／d地域	5,500／3,000／2,600／2,400	6,200／3,400／2,900／2,600	+ 3,830×加配人数	+ 30×加算率×加配人数	+ 4,800	
		3号	1、2歳児／乳児									
	121人から130人まで	2号	4歳以上児／3歳児	+ 2,800	3,100	a地域／b地域／c地域／d地域	5,100／2,800／2,400／2,200	5,700／3,100／2,700／2,400	+ 3,530×加配人数	+ 30×加算率×加配人数	+ 4,800	
		3号	1、2歳児／乳児									
	131人から140人まで	2号	4歳以上児／3歳児	+ 3,000	3,300	a地域／b地域／c地域／d地域	5,500／3,000／2,600／2,400	6,200／3,400／2,900／2,600	+ 3,280×加配人数	+ 30×加算率×加配人数	+ 4,800	
		3号	1、2歳児／乳児									
	141人から150人まで	2号	4歳以上児／3歳児	+ 2,800	3,100	a地域／b地域／c地域／d地域	5,400／2,900／2,500／2,300	6,000／3,300／2,800／2,500	+ 3,060×加配人数	+ 30×加算率×加配人数	+ 4,800	
		3号	1、2歳児／乳児									
	151人から160人まで	2号	4歳以上児／3歳児	+ 2,600	2,900	a地域／b地域／c地域／d地域	4,800／2,600／2,300／2,000	5,400／2,900／2,500／2,300	+ 2,870×加配人数	+ 20×加算率×加配人数	+ 4,800	
		3号	1、2歳児／乳児									
	161人から170人まで	2号	4歳以上児／3歳児	+ 2,800	3,100	a地域／b地域／c地域／d地域	5,400／2,900／2,500／2,300	6,000／3,300／2,800／2,500	+ 2,700×加配人数	+ 20×加算率×加配人数	+ 4,800	
		3号	1、2歳児／乳児									
	171人以上	2号	4歳以上児／3歳児	+ 2,700	2,900	a地域／b地域／c地域／d地域	4,800／2,600／2,300／2,000	5,400／2,900／2,500／2,300	+ 2,550×加配人数	+ 20×加算率×加配人数	+ 4,800	
		3号	1、2歳児／乳児									

① 地域区分	② 定員区分	③ 認定区分	④ 年齢区分	施設長を配置していない場合	⑰ 処遇改善等加算Ⅰ	⑱ 月に1日土曜日を閉所する場合	⑱ 月に2日土曜日を閉所する場合	⑱ 月に3日以上土曜日を閉所する場合	⑱ 全ての土曜日を閉所する場合	⑲ 定員を恒常的に超過する場合
10/100 地域	20人	2号	4歳以上児 / 3歳児	25,860 +	250×加算率	−(⑥+⑦+⑧+⑨+⑪) × 1/100	(⑥+⑦+⑧+⑨+⑪) × 3/100	(⑥+⑦+⑧+⑨+⑪) × 4/100	(⑥+⑦+⑧+⑨+⑪) × 5/100	(⑥〜⑱ (⑮を除く。)) × 別に定める調整率
		3号	1、2歳児 / 乳児							
	21人から30人まで	2号	4歳以上児 / 3歳児	17,240 +	170×加算率	−(⑥+⑦+⑧+⑨+⑪) × 1/100	(⑥+⑦+⑧+⑨+⑪) × 3/100	(⑥+⑦+⑧+⑨+⑪) × 4/100	(⑥+⑦+⑧+⑨+⑪) × 6/100	
		3号	1、2歳児 / 乳児							
	31人から40人まで	2号	4歳以上児 / 3歳児	12,930 +	120×加算率	−(⑥+⑦+⑧+⑨+⑪) × 1/100	(⑥+⑦+⑧+⑨+⑪) × 3/100	(⑥+⑦+⑧+⑨+⑪) × 4/100	(⑥+⑦+⑧+⑨+⑪) × 6/100	
		3号	1、2歳児 / 乳児							
	41人から50人まで	2号	4歳以上児 / 3歳児	10,340 +	100×加算率	−(⑥+⑦+⑧+⑨+⑪) × 1/100	(⑥+⑦+⑧+⑨+⑪) × 3/100	(⑥+⑦+⑧+⑨+⑪) × 4/100	(⑥+⑦+⑧+⑨+⑪) × 6/100	
		3号	1、2歳児 / 乳児							
	51人から60人まで	2号	4歳以上児 / 3歳児	8,620 +	80×加算率	−(⑥+⑦+⑧+⑨+⑪) × 2/100	(⑥+⑦+⑧+⑨+⑪) × 3/100	(⑥+⑦+⑧+⑨+⑪) × 5/100	(⑥+⑦+⑧+⑨+⑪) × 6/100	
		3号	1、2歳児 / 乳児							
	61人から70人まで	2号	4歳以上児 / 3歳児	7,390 +	70×加算率	−(⑥+⑦+⑧+⑨+⑪) × 2/100	(⑥+⑦+⑧+⑨+⑪) × 3/100	(⑥+⑦+⑧+⑨+⑪) × 5/100	(⑥+⑦+⑧+⑨+⑪) × 6/100	
		3号	1、2歳児 / 乳児							
	71人から80人まで	2号	4歳以上児 / 3歳児	6,460 +	60×加算率	−(⑥+⑦+⑧+⑨+⑪) × 2/100	(⑥+⑦+⑧+⑨+⑪) × 3/100	(⑥+⑦+⑧+⑨+⑪) × 5/100	(⑥+⑦+⑧+⑨+⑪) × 6/100	
		3号	1、2歳児 / 乳児							
	81人から90人まで	2号	4歳以上児 / 3歳児	5,740 +	50×加算率	−(⑥+⑦+⑧+⑨+⑪) × 2/100	(⑥+⑦+⑧+⑨+⑪) × 3/100	(⑥+⑦+⑧+⑨+⑪) × 5/100	(⑥+⑦+⑧+⑨+⑪) × 6/100	
		3号	1、2歳児 / 乳児							
	91人から100人まで	2号	4歳以上児 / 3歳児	5,170 +	50×加算率	−(⑥+⑦+⑧+⑨+⑪) × 2/100	(⑥+⑦+⑧+⑨+⑪) × 3/100	(⑥+⑦+⑧+⑨+⑪) × 5/100	(⑥+⑦+⑧+⑨+⑪) × 6/100	
		3号	1、2歳児 / 乳児							
	101人から110人まで	2号	4歳以上児 / 3歳児	4,700 +	40×加算率	−(⑥+⑦+⑧+⑨+⑪) × 2/100	(⑥+⑦+⑧+⑨+⑪) × 3/100	(⑥+⑦+⑧+⑨+⑪) × 5/100	(⑥+⑦+⑧+⑨+⑪) × 6/100	
		3号	1、2歳児 / 乳児							
	111人から120人まで	2号	4歳以上児 / 3歳児	4,310 +	40×加算率	−(⑥+⑦+⑧+⑨+⑪) × 2/100	(⑥+⑦+⑧+⑨+⑪) × 3/100	(⑥+⑦+⑧+⑨+⑪) × 5/100	(⑥+⑦+⑧+⑨+⑪) × 6/100	
		3号	1、2歳児 / 乳児							
	121人から130人まで	2号	4歳以上児 / 3歳児	3,970 +	30×加算率	−(⑥+⑦+⑧+⑨+⑪) × 2/100	(⑥+⑦+⑧+⑨+⑪) × 3/100	(⑥+⑦+⑧+⑨+⑪) × 5/100	(⑥+⑦+⑧+⑨+⑪) × 6/100	
		3号	1、2歳児 / 乳児							
	131人から140人まで	2号	4歳以上児 / 3歳児	3,690 +	30×加算率	−(⑥+⑦+⑧+⑨+⑪) × 2/100	(⑥+⑦+⑧+⑨+⑪) × 3/100	(⑥+⑦+⑧+⑨+⑪) × 5/100	(⑥+⑦+⑧+⑨+⑪) × 6/100	
		3号	1、2歳児 / 乳児							
	141人から150人まで	2号	4歳以上児 / 3歳児	3,440 +	30×加算率	−(⑥+⑦+⑧+⑨+⑪) × 2/100	(⑥+⑦+⑧+⑨+⑪) × 3/100	(⑥+⑦+⑧+⑨+⑪) × 5/100	(⑥+⑦+⑧+⑨+⑪) × 6/100	
		3号	1、2歳児 / 乳児							
	151人から160人まで	2号	4歳以上児 / 3歳児	3,230 +	30×加算率	−(⑥+⑦+⑧+⑨+⑪) × 2/100	(⑥+⑦+⑧+⑨+⑪) × 3/100	(⑥+⑦+⑧+⑨+⑪) × 5/100	(⑥+⑦+⑧+⑨+⑪) × 6/100	
		3号	1、2歳児 / 乳児							
	161人から170人まで	2号	4歳以上児 / 3歳児	3,040 +	30×加算率	−(⑥+⑦+⑧+⑨+⑪) × 2/100	(⑥+⑦+⑧+⑨+⑪) × 3/100	(⑥+⑦+⑧+⑨+⑪) × 5/100	(⑥+⑦+⑧+⑨+⑪) × 6/100	
		3号	1、2歳児 / 乳児							
	171人以上	2号	4歳以上児 / 3歳児	2,870 +	20×加算率	−(⑥+⑦+⑧+⑨+⑪) × 2/100	(⑥+⑦+⑧+⑨+⑪) × 3/100	(⑥+⑦+⑧+⑨+⑪) × 5/100	(⑥+⑦+⑧+⑨+⑪) × 6/100	
		3号	1、2歳児 / 乳児							

①地域区分	②定員区分	③認定区分	④年齢区分	⑤保育必要量区分 保育標準時間認定 基本分単価⑥	(注)⑥	保育短時間認定 基本分単価⑥	(注)⑥		処遇改善等加算Ⅰ 保育標準時間認定 (注)⑦			保育短時間認定 (注)⑦				3歳児配置改善加算⑧		処遇改善等加算Ⅰ⑧
6/100地域	20人	2号	4歳以上児	119,430	(126,850)	94,290	(101,710)	+	1,170	(1,240)	×加算率	920	(990)	×加算率	+	(7,420)	+	(70×加算率)
			3歳児	126,850	(187,350)	101,710	(162,210)	+	1,240	(1,750)	×加算率	990	(1,500)	×加算率	+	7,420		70×加算率
		3号	1、2歳児	187,350	(261,550)	162,210	(236,410)	+	1,750	(2,490)	×加算率	1,500	(2,240)	×加算率				
			乳児	261,550		236,410		+	2,490		×加算率	2,240		×加算率				
	21人から30人まで	2号	4歳以上児	86,100	(93,520)	69,340	(76,760)	+	840	(910)	×加算率	670	(740)	×加算率	+	(7,420)	+	(70×加算率)
			3歳児	93,520	(154,020)	76,760	(137,260)	+	910	(1,420)	×加算率	740	(1,250)	×加算率	+	7,420		70×加算率
		3号	1、2歳児	154,020	(228,220)	137,260	(211,460)	+	1,420	(2,160)	×加算率	1,250	(1,990)	×加算率				
			乳児	228,220		211,460		+	2,160		×加算率	1,990		×加算率				
	31人から40人まで	2号	4歳以上児	69,680	(77,100)	57,110	(64,530)	+	670	(740)	×加算率	550	(620)	×加算率	+	(7,420)	+	(70×加算率)
			3歳児	77,100	(137,600)	64,530	(125,030)	+	740	(1,260)	×加算率	620	(1,130)	×加算率	+	7,420		70×加算率
		3号	1、2歳児	137,600	(211,800)	125,030	(199,230)	+	1,260	(2,000)	×加算率	1,130	(1,870)	×加算率				
			乳児	211,800		199,230		+	2,000		×加算率	1,870		×加算率				
	41人から50人まで	2号	4歳以上児	65,400	(72,820)	55,350	(62,770)	+	630	(700)	×加算率	530	(600)	×加算率	+	(7,420)	+	(70×加算率)
			3歳児	72,820	(133,320)	62,770	(123,270)	+	700	(1,210)	×加算率	600	(1,110)	×加算率	+	7,420		70×加算率
		3号	1、2歳児	133,320	(207,520)	123,270	(197,470)	+	1,210	(1,950)	×加算率	1,110	(1,850)	×加算率				
			乳児	207,520		197,470		+	1,950		×加算率	1,850		×加算率				
	51人から60人まで	2号	4歳以上児	57,330	(64,750)	48,940	(56,360)	+	550	(620)	×加算率	470	(540)	×加算率	+	(7,420)	+	(70×加算率)
			3歳児	64,750	(125,250)	56,360	(116,860)	+	620	(1,130)	×加算率	540	(1,050)	×加算率	+	7,420		70×加算率
		3号	1、2歳児	125,250	(199,450)	116,860	(191,060)	+	1,130	(1,870)	×加算率	1,050	(1,790)	×加算率				
			乳児	199,450		191,060		+	1,870		×加算率	1,790		×加算率				
	61人から70人まで	2号	4歳以上児	51,630	(59,050)	44,450	(51,870)	+	490	(560)	×加算率	420	(490)	×加算率	+	(7,420)	+	(70×加算率)
			3歳児	59,050	(119,550)	51,870	(112,370)	+	560	(1,080)	×加算率	490	(1,000)	×加算率	+	7,420		70×加算率
		3号	1、2歳児	119,550	(193,750)	112,370	(186,570)	+	1,080	(1,820)	×加算率	1,000	(1,740)	×加算率				
			乳児	193,750		186,570		+	1,820		×加算率	1,740		×加算率				
	71人から80人まで	2号	4歳以上児	47,420	(54,840)	41,130	(48,550)	+	450	(520)	×加算率	390	(460)	×加算率	+	(7,420)	+	(70×加算率)
			3歳児	54,840	(115,340)	48,550	(109,050)	+	520	(1,030)	×加算率	460	(970)	×加算率	+	7,420		70×加算率
		3号	1、2歳児	115,340	(189,540)	109,050	(183,250)	+	1,030	(1,770)	×加算率	970	(1,710)	×加算率				
			乳児	189,540		183,250		+	1,770		×加算率	1,710		×加算率				
	81人から90人まで	2号	4歳以上児	44,090	(51,510)	38,500	(45,920)	+	420	(490)	×加算率	360	(430)	×加算率	+	(7,420)	+	(70×加算率)
			3歳児	51,510	(112,010)	45,920	(106,420)	+	490	(1,000)	×加算率	430	(940)	×加算率	+	7,420		70×加算率
		3号	1、2歳児	112,010	(186,210)	106,420	(180,620)	+	1,000	(1,740)	×加算率	940	(1,680)	×加算率				
			乳児	186,210		180,620		+	1,740		×加算率	1,680		×加算率				
	91人から100人まで	2号	4歳以上児	38,200	(45,620)	33,170	(40,590)	+	360	(430)	×加算率	310	(380)	×加算率	+	(7,420)	+	(70×加算率)
			3歳児	45,620	(106,120)	40,590	(101,090)	+	430	(940)	×加算率	380	(890)	×加算率	+	7,420		70×加算率
		3号	1、2歳児	106,120	(180,320)	101,090	(175,290)	+	940	(1,680)	×加算率	890	(1,630)	×加算率				
			乳児	180,320		175,290		+	1,680		×加算率	1,630		×加算率				
	101人から110人まで	2号	4歳以上児	36,360	(43,780)	31,780	(39,200)	+	340	(410)	×加算率	290	(360)	×加算率	+	(7,420)	+	(70×加算率)
			3歳児	43,780	(104,280)	39,200	(99,700)	+	410	(920)	×加算率	360	(880)	×加算率	+	7,420		70×加算率
		3号	1、2歳児	104,280	(178,480)	99,700	(173,900)	+	920	(1,660)	×加算率	880	(1,620)	×加算率				
			乳児	178,480		173,900		+	1,660		×加算率	1,620		×加算率				
	111人から120人まで	2号	4歳以上児	34,780	(42,200)	30,590	(38,010)	+	320	(390)	×加算率	280	(350)	×加算率	+	(7,420)	+	(70×加算率)
			3歳児	42,200	(102,700)	38,010	(98,510)	+	390	(910)	×加算率	350	(860)	×加算率	+	7,420		70×加算率
		3号	1、2歳児	102,700	(176,900)	98,510	(172,710)	+	910	(1,650)	×加算率	860	(1,600)	×加算率				
			乳児	176,900		172,710		+	1,650		×加算率	1,600		×加算率				
	121人から130人まで	2号	4歳以上児	33,450	(40,870)	29,580	(37,000)	+	310	(380)	×加算率	270	(340)	×加算率	+	(7,420)	+	(70×加算率)
			3歳児	40,870	(101,370)	37,000	(97,500)	+	380	(890)	×加算率	340	(850)	×加算率	+	7,420		70×加算率
		3号	1、2歳児	101,370	(175,570)	97,500	(171,700)	+	890	(1,630)	×加算率	850	(1,590)	×加算率				
			乳児	175,570		171,700		+	1,630		×加算率	1,590		×加算率				
	131人から140人まで	2号	4歳以上児	32,340	(39,760)	28,750	(36,170)	+	300	(370)	×加算率	260	(330)	×加算率	+	(7,420)	+	(70×加算率)
			3歳児	39,760	(99,260)	36,170	(96,670)	+	370	(880)	×加算率	330	(850)	×加算率	+	7,420		70×加算率
		3号	1、2歳児	100,260	(174,460)	96,670	(170,870)	+	880	(1,620)	×加算率	850	(1,590)	×加算率				
			乳児	174,460		170,870		+	1,620		×加算率	1,590		×加算率				
	141人から150人まで	2号	4歳以上児	31,360	(38,780)	28,000	(35,420)	+	290	(360)	×加算率	260	(330)	×加算率	+	(7,420)	+	(70×加算率)
			3歳児	38,780	(99,280)	35,420	(95,920)	+	360	(870)	×加算率	330	(840)	×加算率	+	7,420		70×加算率
		3号	1、2歳児	99,280	(173,480)	95,920	(170,120)	+	870	(1,610)	×加算率	840	(1,580)	×加算率				
			乳児	173,480		170,120		+	1,610		×加算率	1,580		×加算率				
	151人から160人まで	2号	4歳以上児	31,400	(38,820)	28,250	(35,670)	+	290	(360)	×加算率	260	(330)	×加算率	+	(7,420)	+	(70×加算率)
			3歳児	38,820	(99,320)	35,670	(96,170)	+	360	(870)	×加算率	330	(840)	×加算率	+	7,420		70×加算率
		3号	1、2歳児	99,320	(173,520)	96,170	(170,370)	+	870	(1,610)	×加算率	840	(1,580)	×加算率				
			乳児	173,520		170,370		+	1,610		×加算率	1,580		×加算率				
	161人から170人まで	2号	4歳以上児	30,600	(38,020)	27,640	(35,060)	+	280	(350)	×加算率	250	(320)	×加算率	+	(7,420)	+	(70×加算率)
			3歳児	38,020	(98,520)	35,060	(95,560)	+	350	(860)	×加算率	320	(840)	×加算率	+	7,420		70×加算率
		3号	1、2歳児	98,520	(172,720)	95,560	(169,760)	+	860	(1,600)	×加算率	840	(1,580)	×加算率				
			乳児	172,720		169,760		+	1,600		×加算率	1,580		×加算率				
	171人以上	2号	4歳以上児	29,840	(37,300)	27,080	(34,500)	+	270	(340)	×加算率	250	(320)	×加算率	+	(7,420)	+	(70×加算率)
			3歳児	37,300	(97,800)	34,500	(95,000)	+	340	(860)	×加算率	320	(830)	×加算率	+	7,420		70×加算率
		3号	1、2歳児	97,800	(172,000)	95,000	(169,200)	+	860	(1,600)	×加算率	830	(1,570)	×加算率				
			乳児	172,000		169,200		+	1,600		×加算率	1,570		×加算率				

地域区分①	定員区分②	認定区分③	年齢区分④	4歳以上児配置改善加算 処遇改善等加算Ⅰ ⑨	夜間保育加算 （注）⑪	夜間保育加算 処遇改善等加算Ⅰ
6/100 地域	20人	2号	4歳以上児 3歳児	＋ 2,960 ＋ 20×加算率	＋ 31,010　29,180	＋ 230×加算率
		3号	1、2歳児 乳児		＋ 29,180	
	21人 から 30人 まで	2号	4歳以上児 3歳児	＋ 2,960 ＋ 20×加算率	＋ 23,110　21,280	＋ 150×加算率
		3号	1、2歳児 乳児		＋ 21,280	
	31人 から 40人 まで	2号	4歳以上児 3歳児	＋ 2,960 ＋ 20×加算率	＋ 19,160　17,330	＋ 110×加算率
		3号	1、2歳児 乳児		＋ 17,330	
	41人 から 50人 まで	2号	4歳以上児 3歳児	＋ 2,960 ＋ 20×加算率	＋ 16,790　14,960	＋ 90×加算率
		3号	1、2歳児 乳児		＋ 14,960	
	51人 から 60人 まで	2号	4歳以上児 3歳児	＋ 2,960 ＋ 20×加算率	＋ 15,210　13,380	＋ 70×加算率
		3号	1、2歳児 乳児		＋ 13,380	
	61人 から 70人 まで	2号	4歳以上児 3歳児	＋ 2,960 ＋ 20×加算率	＋ 14,080　12,250	＋ 60×加算率
		3号	1、2歳児 乳児		＋ 12,250	
	71から 80人 まで	2号	4歳以上児 3歳児	＋ 2,960 ＋ 20×加算率	＋ 13,230　11,400	＋ 50×加算率
		3号	1、2歳児 乳児		＋ 11,400	
	81から 90人 まで	2号	4歳以上児 3歳児	＋ 2,960 ＋ 20×加算率	＋ 12,570　10,740	＋ 50×加算率
		3号	1、2歳児 乳児		＋ 10,740	
	91人 から 100人 まで	2号	4歳以上児 3歳児	＋ 2,960 ＋ 20×加算率		
		3号	1、2歳児 乳児			
	101人 から 110人 まで	2号	4歳以上児 3歳児	＋ 2,960 ＋ 20×加算率		
		3号	1、2歳児 乳児			
	111人 から 120人 まで	2号	4歳以上児 3歳児	＋ 2,960 ＋ 20×加算率		
		3号	1、2歳児 乳児			
	121人 から 130人 まで	2号	4歳以上児 3歳児	＋ 2,960 ＋ 20×加算率		
		3号	1、2歳児 乳児			
	131人 から 140人 まで	2号	4歳以上児 3歳児	＋ 2,960 ＋ 20×加算率		
		3号	1、2歳児 乳児			
	141人 から 150人 まで	2号	4歳以上児 3歳児	＋ 2,960 ＋ 20×加算率		
		3号	1、2歳児 乳児			
	151人 から 160人 まで	2号	4歳以上児 3歳児	＋ 2,960 ＋ 20×加算率		
		3号	1、2歳児 乳児			
	161人 から 170人 まで	2号	4歳以上児 3歳児	＋ 2,960 ＋ 20×加算率		
		3号	1、2歳児 乳児			
	171人 以上	2号	4歳以上児 3歳児	＋ 2,960 ＋ 20×加算率		
		3号	1、2歳児 乳児			

休日保育加算

休日保育の年間延べ利用子ども数	処遇改善等加算Ⅰ ⑩ 休日保育の年間延べ利用子ども数
～　210人　　255,500	～　210人　　2,550×加算率
211人～　279人　　273,500	211人～　279人　　2,730×加算率
280人～　349人　　309,700	280人～　349人　　3,090×加算率
350人～　419人　　345,900	350人～　419人　　3,450×加算率
420人～　489人　　382,000	420人～　489人　　3,820×加算率
490人～　559人　　418,200	490人～　559人　　4,180×加算率
560人～　629人　　454,400	560人～　629人　　4,540×加算率
630人～　699人　　490,500	630人～　699人　　4,900×加算率
700人～　769人　　526,700	700人～　769人　　5,260×加算率
770人～　839人　　562,900	770人～　839人　　5,620×加算率
840人～　909人　　599,000	840人～　909人　　5,990×加算率
910人～　979人　　635,200	910人～　979人　　6,350×加算率
980人～1,049人　　671,400	980人～1,049人　　6,710×加算率
1,050人～　　707,500	1,050人～　　7,070×加算率

＋ … ÷ 各月初日の利用子ども数

地域区分①	定員区分②	認定区分③	年齢区分④	減価償却費加算⑫ 標準	都市部	賃借料加算⑬ 加算額	標準	都市部	チーム保育推進加算⑭	処遇改善等加算Ⅰ	副食費徴収免除加算⑮	分園の場合⑯
6/100 地域	20人	2号	4歳以上児	+ 8,500	9,400	a地域	15,800	17,600	+ 22,250×加配人数	+ 220×加算率×加配人数	+ 4,800	
			3歳児			b地域	8,700	9,700				
		3号	1、2歳児			c地域	7,600	8,400				
			乳児			d地域	6,800	7,500				
	21人から30人まで	2号	4歳以上児	+ 5,900	6,500	a地域	10,900	12,200	+ 14,830×加配人数	+ 140×加算率×加配人数	+ 4,800	
			3歳児			b地域	6,000	6,700				
		3号	1、2歳児			c地域	5,200	5,800				
			乳児			d地域	4,700	5,200				
	31人から40人まで	2号	4歳以上児	+ 5,200	5,700	a地域	9,800	10,900	+ 11,120×加配人数	+ 110×加算率×加配人数	+ 4,800	
			3歳児			b地域	5,400	6,000				
		3号	1、2歳児			c地域	4,700	5,200				
			乳児			d地域	4,200	4,600				
	41人から50人まで	2号	4歳以上児	+ 4,700	5,200	a地域	8,800	9,800	+ 8,900×加配人数	+ 80×加算率×加配人数	+ 4,800	
			3歳児			b地域	4,800	5,400				
		3号	1、2歳児			c地域	4,200	4,700				
			乳児			d地域	3,800	4,200				
	51人から60人まで	2号	4歳以上児	+ 3,900	4,300	a地域	7,200	8,100	+ 7,410×加配人数	+ 70×加算率×加配人数	+ 4,800	
			3歳児			b地域	4,000	4,400				
		3号	1、2歳児			c地域	3,500	3,800				
			乳児			d地域	3,100	3,400				
	61人から70人まで	2号	4歳以上児	+ 3,300	3,700	a地域	6,300	7,100	+ 6,350×加配人数	+ 60×加算率×加配人数	+ 4,800	
			3歳児			b地域	3,500	3,900				
		3号	1、2歳児			c地域	3,000	3,400				
			乳児			d地域	2,700	3,000				
	71人から80人まで	2号	4歳以上児	+ 3,800	4,200	a地域	7,100	7,900	+ 5,560×加配人数	+ 50×加算率×加配人数	+ 4,800	
			3歳児			b地域	3,900	4,300				
		3号	1、2歳児			c地域	3,400	3,800				
			乳児			d地域	3,000	3,400				
	81人から90人まで	2号	4歳以上児	+ 3,400	3,700	a地域	6,300	7,100	+ 4,940×加配人数	+ 40×加算率×加配人数	+ 4,800	
			3歳児			b地域	3,500	3,900				
		3号	1、2歳児			c地域	3,000	3,400				
			乳児			d地域	2,700	3,000				
	91人から100人まで	2号	4歳以上児	+ 3,000	3,400	a地域	5,500	6,200	+ 4,450×加配人数	+ 40×加算率×加配人数	+ 4,800	(⑥+⑦) − × 10/100
			3歳児			b地域	3,000	3,400				
		3号	1、2歳児			c地域	2,600	2,900				
			乳児			d地域	2,400	2,600				
	101人から110人まで	2号	4歳以上児	+ 3,300	3,700	a地域	6,100	6,800	+ 4,040×加配人数	+ 40×加算率×加配人数	+ 4,800	
			3歳児			b地域	3,300	3,700				
		3号	1、2歳児			c地域	2,900	3,200				
			乳児			d地域	2,600	2,900				
	111人から120人まで	2号	4歳以上児	+ 3,000	3,400	a地域	5,500	6,200	+ 3,700×加配人数	+ 30×加算率×加配人数	+ 4,800	
			3歳児			b地域	3,000	3,400				
		3号	1、2歳児			c地域	2,600	2,900				
			乳児			d地域	2,400	2,600				
	121人から130人まで	2号	4歳以上児	+ 2,800	3,100	a地域	5,100	5,700	+ 3,420×加配人数	+ 30×加算率×加配人数	+ 4,800	
			3歳児			b地域	2,800	3,100				
		3号	1、2歳児			c地域	2,400	2,700				
			乳児			d地域	2,200	2,400				
	131人から140人まで	2号	4歳以上児	+ 3,000	3,300	a地域	5,500	6,200	+ 3,170×加配人数	+ 30×加算率×加配人数	+ 4,800	
			3歳児			b地域	3,000	3,400				
		3号	1、2歳児			c地域	2,600	2,900				
			乳児			d地域	2,400	2,600				
	141人から150人まで	2号	4歳以上児	+ 2,800	3,100	a地域	5,400	6,000	+ 2,960×加配人数	+ 20×加算率×加配人数	+ 4,800	
			3歳児			b地域	2,900	3,300				
		3号	1、2歳児			c地域	2,500	2,800				
			乳児			d地域	2,300	2,500				
	151人から160人まで	2号	4歳以上児	+ 2,600	2,900	a地域	4,800	5,400	+ 2,780×加配人数	+ 20×加算率×加配人数	+ 4,800	
			3歳児			b地域	2,600	2,900				
		3号	1、2歳児			c地域	2,300	2,500				
			乳児			d地域	2,100	2,300				
	161人から170人まで	2号	4歳以上児	+ 2,800	3,100	a地域	5,400	6,000	+ 2,610×加配人数	+ 20×加算率×加配人数	+ 4,800	
			3歳児			b地域	2,900	3,300				
		3号	1、2歳児			c地域	2,500	2,800				
			乳児			d地域	2,300	2,500				
	171人以上	2号	4歳以上児	+ 2,700	2,900	a地域	4,800	5,400	+ 2,470×加配人数	+ 20×加算率×加配人数	+ 4,800	
			3歳児			b地域	2,600	2,900				
		3号	1、2歳児			c地域	2,300	2,500				
			乳児			d地域	2,000	2,300				

※副食費徴収免除加算：副食費の徴収が免除される子どもの単価に加算

地域区分①	定員区分②	認定区分③	年齢区分④	施設長を配置していない場合　処遇改善等加算Ⅰ⑰	土曜日に閉所する場合 月に1日土曜日を閉所する場合	土曜日に閉所する場合 月に2日土曜日を閉所する場合	土曜日に閉所する場合 月に3日以上土曜日を閉所する場合	土曜日に閉所する場合 全ての土曜日を閉所する場合⑱	定員を恒常的に超過する場合⑲
6/100地域	20人	2号	4歳以上児／3歳児	－24,920＋240×加算率	(⑥+⑦+⑧+⑨+⑪)×1/100	(⑥+⑦+⑧+⑨+⑪)×3/100	(⑥+⑦+⑧+⑨+⑪)×4/100	(⑥+⑦+⑧+⑨+⑪)×5/100	
		3号	1、2歳児／乳児						
	21人から30人まで	2号	4歳以上児／3歳児	－16,610＋160×加算率	(⑥+⑦+⑧+⑨+⑪)×1/100	(⑥+⑦+⑧+⑨+⑪)×3/100	(⑥+⑦+⑧+⑨+⑪)×4/100	(⑥+⑦+⑧+⑨+⑪)×6/100	
		3号	1、2歳児／乳児						
	31人から40人まで	2号	4歳以上児／3歳児	－12,460＋120×加算率	(⑥+⑦+⑧+⑨+⑪)×2/100	(⑥+⑦+⑧+⑨+⑪)×3/100	(⑥+⑦+⑧+⑨+⑪)×4/100	(⑥+⑦+⑧+⑨+⑪)×6/100	
		3号	1、2歳児／乳児						
	41人から50人まで	2号	4歳以上児／3歳児	－9,970＋90×加算率	(⑥+⑦+⑧+⑨+⑪)×2/100	(⑥+⑦+⑧+⑨+⑪)×3/100	(⑥+⑦+⑧+⑨+⑪)×5/100	(⑥+⑦+⑧+⑨+⑪)×6/100	
		3号	1、2歳児／乳児						
	51人から60人まで	2号	4歳以上児／3歳児	－8,300＋80×加算率	(⑥+⑦+⑧+⑨+⑪)×2/100	(⑥+⑦+⑧+⑨+⑪)×3/100	(⑥+⑦+⑧+⑨+⑪)×5/100	(⑥+⑦+⑧+⑨+⑪)×6/100	
		3号	1、2歳児／乳児						
	61人から70人まで	2号	4歳以上児／3歳児	－7,120＋70×加算率	(⑥+⑦+⑧+⑨+⑪)×2/100	(⑥+⑦+⑧+⑨+⑪)×3/100	(⑥+⑦+⑧+⑨+⑪)×5/100	(⑥+⑦+⑧+⑨+⑪)×6/100	(⑥～⑱（⑮を除く。））×別に定める調整率
		3号	1、2歳児／乳児						
	71人から80人まで	2号	4歳以上児／3歳児	－6,230＋60×加算率	(⑥+⑦+⑧+⑨+⑪)×2/100	(⑥+⑦+⑧+⑨+⑪)×3/100	(⑥+⑦+⑧+⑨+⑪)×5/100	(⑥+⑦+⑧+⑨+⑪)×6/100	
		3号	1、2歳児／乳児						
	81人から90人まで	2号	4歳以上児／3歳児	－5,530＋50×加算率	(⑥+⑦+⑧+⑨+⑪)×2/100	(⑥+⑦+⑧+⑨+⑪)×3/100	(⑥+⑦+⑧+⑨+⑪)×5/100	(⑥+⑦+⑧+⑨+⑪)×6/100	
		3号	1、2歳児／乳児						
	91人から100人まで	2号	4歳以上児／3歳児	－4,980＋40×加算率	(⑥+⑦+⑧+⑨+⑪)×2/100	(⑥+⑦+⑧+⑨+⑪)×3/100	(⑥+⑦+⑧+⑨+⑪)×5/100	(⑥+⑦+⑧+⑨+⑪)×6/100	
		3号	1、2歳児／乳児						
	101人から110人まで	2号	4歳以上児／3歳児	－4,530＋40×加算率	(⑥+⑦+⑧+⑨+⑪)×2/100	(⑥+⑦+⑧+⑨+⑪)×3/100	(⑥+⑦+⑧+⑨+⑪)×5/100	(⑥+⑦+⑧+⑨+⑪)×6/100	
		3号	1、2歳児／乳児						
	111人から120人まで	2号	4歳以上児／3歳児	－4,150＋40×加算率	(⑥+⑦+⑧+⑨+⑪)×2/100	(⑥+⑦+⑧+⑨+⑪)×3/100	(⑥+⑦+⑧+⑨+⑪)×5/100	(⑥+⑦+⑧+⑨+⑪)×6/100	
		3号	1、2歳児／乳児						
	121人から130人まで	2号	4歳以上児／3歳児	－3,830＋30×加算率	(⑥+⑦+⑧+⑨+⑪)×2/100	(⑥+⑦+⑧+⑨+⑪)×3/100	(⑥+⑦+⑧+⑨+⑪)×5/100	(⑥+⑦+⑧+⑨+⑪)×6/100	
		3号	1、2歳児／乳児						
	131人から140人まで	2号	4歳以上児／3歳児	－3,560＋30×加算率	(⑥+⑦+⑧+⑨+⑪)×2/100	(⑥+⑦+⑧+⑨+⑪)×3/100	(⑥+⑦+⑧+⑨+⑪)×5/100	(⑥+⑦+⑧+⑨+⑪)×6/100	
		3号	1、2歳児／乳児						
	141人から150人まで	2号	4歳以上児／3歳児	－3,320＋30×加算率	(⑥+⑦+⑧+⑨+⑪)×2/100	(⑥+⑦+⑧+⑨+⑪)×3/100	(⑥+⑦+⑧+⑨+⑪)×5/100	(⑥+⑦+⑧+⑨+⑪)×6/100	
		3号	1、2歳児／乳児						
	151人から160人まで	2号	4歳以上児／3歳児	－3,110＋30×加算率	(⑥+⑦+⑧+⑨+⑪)×2/100	(⑥+⑦+⑧+⑨+⑪)×3/100	(⑥+⑦+⑧+⑨+⑪)×5/100	(⑥+⑦+⑧+⑨+⑪)×7/100	
		3号	1、2歳児／乳児						
	161人から170人まで	2号	4歳以上児／3歳児	－2,930＋20×加算率	(⑥+⑦+⑧+⑨+⑪)×2/100	(⑥+⑦+⑧+⑨+⑪)×3/100	(⑥+⑦+⑧+⑨+⑪)×5/100	(⑥+⑦+⑧+⑨+⑪)×7/100	
		3号	1、2歳児／乳児						
	171人以上	2号	4歳以上児／3歳児	－2,760＋20×加算率	(⑥+⑦+⑧+⑨+⑪)×2/100	(⑥+⑦+⑧+⑨+⑪)×3/100	(⑥+⑦+⑧+⑨+⑪)×5/100	(⑥+⑦+⑧+⑨+⑪)×7/100	
		3号	1、2歳児／乳児						

①地域区分	②定員区分	③認定区分	④年齢区分	保育必要量区分⑤ 保育標準時間認定 基本分単価⑤(注)	保育必要量区分⑤ 保育短時間認定 基本分単価⑥(注)		処遇改善等加算Ⅰ 保育標準時間認定(注)⑦	処遇改善等加算Ⅰ 保育短時間認定(注)⑦		3歳児配置改善加算 処遇改善等加算Ⅰ⑧
3/100地域	20人	2号	4歳以上児	116,690 (123,920)	92,110 (99,340)	+	1,140 (1,210) ×加算率	900 (970) ×加算率	+	(7,230) (70×加算率)
		2号	3歳児	123,920 (183,110)	99,340 (158,530)	+	1,210 (1,710) ×加算率	970 (1,460) ×加算率	+	7,230 70×加算率
		3号	1、2歳児	183,110 (255,440)	158,530 (230,860)	+	1,710 (2,440) ×加算率	1,460 (2,190) ×加算率		
		3号	乳児	255,440	230,860	+	2,440 ×加算率	2,190 ×加算率		
	21人から30人まで	2号	4歳以上児	84,130 (91,360)	67,740 (74,970)	+	820 (890) ×加算率	650 (720) ×加算率	+	(7,230) (70×加算率)
		2号	3歳児	91,360 (150,550)	74,970 (134,160)	+	890 (1,380) ×加算率	720 (1,220) ×加算率	+	7,230 70×加算率
		3号	1、2歳児	150,550 (222,880)	134,160 (206,490)	+	1,380 (2,110) ×加算率	1,220 (1,950) ×加算率		
		3号	乳児	222,880	206,490	+	2,110 ×加算率	1,950 ×加算率		
	31人から40人まで	2号	4歳以上児	68,050 (75,280)	55,760 (62,990)	+	660 (730) ×加算率	530 (600) ×加算率	+	(7,230) (70×加算率)
		2号	3歳児	75,280 (134,470)	62,990 (122,180)	+	730 (1,220) ×加算率	600 (1,100) ×加算率	+	7,230 70×加算率
		3号	1、2歳児	134,470 (206,800)	122,180 (194,510)	+	1,220 (1,950) ×加算率	1,100 (1,830) ×加算率		
		3号	乳児	206,800	194,510	+	1,950 ×加算率	1,830 ×加算率		
	41人から50人まで	2号	4歳以上児	63,880 (71,110)	54,050 (61,280)	+	610 (680) ×加算率	520 (590) ×加算率	+	(7,230) (70×加算率)
		2号	3歳児	71,110 (130,300)	61,280 (120,470)	+	680 (1,180) ×加算率	590 (1,080) ×加算率	+	7,230 70×加算率
		3号	1、2歳児	130,300 (202,630)	120,470 (192,800)	+	1,180 (1,910) ×加算率	1,080 (1,810) ×加算率		
		3号	乳児	202,630	192,800	+	1,910 ×加算率	1,810 ×加算率		
	51人から60人まで	2号	4歳以上児	55,990 (63,220)	47,800 (55,030)	+	540 (610) ×加算率	450 (520) ×加算率	+	(7,230) (70×加算率)
		2号	3歳児	63,220 (122,410)	55,030 (114,220)	+	610 (1,100) ×加算率	520 (1,020) ×加算率	+	7,230 70×加算率
		3号	1、2歳児	122,410 (194,740)	114,220 (186,550)	+	1,100 (1,830) ×加算率	1,020 (1,750) ×加算率		
		3号	乳児	194,740	186,550	+	1,830 ×加算率	1,750 ×加算率		
	61人から70人まで	2号	4歳以上児	50,440 (57,670)	43,410 (50,640)	+	480 (550) ×加算率	410 (480) ×加算率	+	(7,230) (70×加算率)
		2号	3歳児	57,670 (116,860)	50,640 (109,830)	+	550 (1,040) ×加算率	480 (970) ×加算率	+	7,230 70×加算率
		3号	1、2歳児	116,860 (189,190)	109,830 (182,160)	+	1,040 (1,770) ×加算率	970 (1,700) ×加算率		
		3号	乳児	189,190	182,160	+	1,770 ×加算率	1,700 ×加算率		
	71人から80人まで	2号	4歳以上児	46,320 (53,550)	40,180 (47,410)	+	440 (510) ×加算率	380 (450) ×加算率	+	(7,230) (70×加算率)
		2号	3歳児	53,550 (112,740)	47,410 (106,600)	+	510 (1,000) ×加算率	450 (940) ×加算率	+	7,230 70×加算率
		3号	1、2歳児	112,740 (185,070)	106,600 (178,930)	+	1,000 (1,730) ×加算率	940 (1,670) ×加算率		
		3号	乳児	185,070	178,930	+	1,730 ×加算率	1,670 ×加算率		
	81人から90人まで	2号	4歳以上児	43,080 (50,310)	37,610 (44,840)	+	410 (480) ×加算率	350 (420) ×加算率	+	(7,230) (70×加算率)
		2号	3歳児	50,310 (109,500)	44,840 (104,030)	+	480 (970) ×加算率	420 (920) ×加算率	+	7,230 70×加算率
		3号	1、2歳児	109,500 (181,830)	104,030 (176,360)	+	970 (1,700) ×加算率	920 (1,650) ×加算率		
		3号	乳児	181,830	176,360	+	1,700 ×加算率	1,650 ×加算率		
	91人から100人まで	2号	4歳以上児	37,360 (44,590)	32,450 (39,680)	+	350 (420) ×加算率	300 (370) ×加算率	+	(7,230) (70×加算率)
		2号	3歳児	44,590 (103,780)	39,680 (98,870)	+	420 (910) ×加算率	370 (860) ×加算率	+	7,230 70×加算率
		3号	1、2歳児	103,780 (176,110)	98,870 (171,200)	+	910 (1,640) ×加算率	860 (1,590) ×加算率		
		3号	乳児	176,110	171,200	+	1,640 ×加算率	1,590 ×加算率		
	101人から110人まで	2号	4歳以上児	35,560 (42,790)	31,090 (38,320)	+	330 (400) ×加算率	290 (360) ×加算率	+	(7,230) (70×加算率)
		2号	3歳児	42,790 (101,980)	38,320 (97,510)	+	400 (890) ×加算率	360 (850) ×加算率	+	7,230 70×加算率
		3号	1、2歳児	101,980 (174,310)	97,510 (169,840)	+	890 (1,620) ×加算率	850 (1,580) ×加算率		
		3号	乳児	174,310	169,840	+	1,620 ×加算率	1,580 ×加算率		
	111人から120人まで	2号	4歳以上児	34,020 (41,250)	29,920 (37,150)	+	320 (390) ×加算率	270 (340) ×加算率	+	(7,230) (70×加算率)
		2号	3歳児	41,250 (100,440)	37,150 (96,340)	+	390 (880) ×加算率	340 (840) ×加算率	+	7,230 70×加算率
		3号	1、2歳児	100,440 (172,770)	96,340 (168,670)	+	880 (1,610) ×加算率	840 (1,570) ×加算率		
		3号	乳児	172,770	168,670	+	1,610 ×加算率	1,570 ×加算率		
	121人から130人まで	2号	4歳以上児	32,720 (39,950)	28,940 (36,170)	+	300 (370) ×加算率	270 (340) ×加算率	+	(7,230) (70×加算率)
		2号	3歳児	39,950 (99,140)	36,170 (95,360)	+	370 (870) ×加算率	340 (830) ×加算率	+	7,230 70×加算率
		3号	1、2歳児	99,140 (171,470)	95,360 (167,690)	+	870 (1,600) ×加算率	830 (1,560) ×加算率		
		3号	乳児	171,470	167,690	+	1,600 ×加算率	1,560 ×加算率		
	131人から140人まで	2号	4歳以上児	31,630 (38,860)	28,120 (35,350)	+	290 (360) ×加算率	260 (330) ×加算率	+	(7,230) (70×加算率)
		2号	3歳児	38,860 (98,050)	35,350 (94,540)	+	360 (860) ×加算率	330 (820) ×加算率	+	7,230 70×加算率
		3号	1、2歳児	98,050 (170,380)	94,540 (166,870)	+	860 (1,590) ×加算率	820 (1,550) ×加算率		
		3号	乳児	170,380	166,870	+	1,590 ×加算率	1,550 ×加算率		
	141人から150人まで	2号	4歳以上児	30,670 (37,900)	27,400 (34,630)	+	280 (350) ×加算率	250 (320) ×加算率	+	(7,230) (70×加算率)
		2号	3歳児	37,900 (97,090)	34,630 (93,820)	+	350 (850) ×加算率	320 (810) ×加算率	+	7,230 70×加算率
		3号	1、2歳児	97,090 (169,420)	93,820 (166,150)	+	850 (1,580) ×加算率	810 (1,540) ×加算率		
		3号	乳児	169,420	166,150	+	1,580 ×加算率	1,540 ×加算率		
	151人から160人まで	2号	4歳以上児	30,730 (37,960)	27,660 (34,890)	+	280 (350) ×加算率	250 (320) ×加算率	+	(7,230) (70×加算率)
		2号	3歳児	37,960 (97,150)	34,890 (94,080)	+	350 (850) ×加算率	320 (820) ×加算率	+	7,230 70×加算率
		3号	1、2歳児	97,150 (169,480)	94,080 (166,410)	+	850 (1,580) ×加算率	820 (1,550) ×加算率		
		3号	乳児	169,480	166,410	+	1,580 ×加算率	1,550 ×加算率		
	161人から170人まで	2号	4歳以上児	29,960 (37,190)	27,060 (34,290)	+	280 (350) ×加算率	250 (320) ×加算率	+	(7,230) (70×加算率)
		2号	3歳児	37,190 (96,380)	34,290 (93,480)	+	350 (840) ×加算率	320 (810) ×加算率	+	7,230 70×加算率
		3号	1、2歳児	96,380 (168,710)	93,480 (165,810)	+	840 (1,570) ×加算率	810 (1,540) ×加算率		
		3号	乳児	168,710	165,810	+	1,570 ×加算率	1,540 ×加算率		
	171人以上	2号	4歳以上児	29,250 (36,480)	26,510 (33,740)	+	270 (340) ×加算率	240 (310) ×加算率	+	(7,230) (70×加算率)
		2号	3歳児	36,480 (95,670)	33,740 (92,930)	+	340 (830) ×加算率	310 (800) ×加算率	+	7,230 70×加算率
		3号	1、2歳児	95,670 (168,000)	92,930 (165,260)	+	830 (1,560) ×加算率	800 (1,530) ×加算率		
		3号	乳児	168,000	165,260	+	1,560 ×加算率	1,530 ×加算率		

地域区分①：3/100地域

定員区分②	認定区分③	年齢区分④	4歳以上児配置改善加算／処遇改善等加算I ⑨	夜間保育加算（注）⑪	夜間保育加算／処遇改善等加算I
20人	2号	4歳以上児	+ 2,890 + 20×加算率	+ 31,010　29,180	+ 230×加算率
		3歳児			
	3号	1、2歳児		+ 29,180	
		乳児			
21人から30人まで	2号	4歳以上児	+ 2,890 + 20×加算率	+ 23,110　21,280	+ 150×加算率
		3歳児			
	3号	1、2歳児		+ 21,280	
		乳児			
31人から40人まで	2号	4歳以上児	+ 2,890 + 20×加算率	+ 19,160　17,330	+ 110×加算率
		3歳児			
	3号	1、2歳児		+ 17,330	
		乳児			
41人から50人まで	2号	4歳以上児	+ 2,890 + 20×加算率	+ 16,790　14,960	+ 90×加算率
		3歳児			
	3号	1、2歳児		+ 14,960	
		乳児			
51人から60人まで	2号	4歳以上児	+ 2,890 + 20×加算率	+ 15,210　13,380	+ 70×加算率
		3歳児			
	3号	1、2歳児		+ 13,380	
		乳児			
61人から70人まで	2号	4歳以上児	+ 2,890 + 20×加算率	+ 14,080　12,250	+ 60×加算率
		3歳児			
	3号	1、2歳児		+ 12,250	
		乳児			
71人から80人まで	2号	4歳以上児	+ 2,890 + 20×加算率	+ 13,230　11,400	+ 50×加算率
		3歳児			
	3号	1、2歳児		+ 11,400	
		乳児			
81人から90人まで	2号	4歳以上児	+ 2,890 + 20×加算率	+ 12,570　10,740	+ 50×加算率
		3歳児			
	3号	1、2歳児		+ 10,740	
		乳児			
91人から100人まで	2号	4歳以上児	+ 2,890 + 20×加算率		
		3歳児			
	3号	1、2歳児			
		乳児			
101人から110人まで	2号	4歳以上児	+ 2,890 + 20×加算率		
		3歳児			
	3号	1、2歳児			
		乳児			
111人から120人まで	2号	4歳以上児	+ 2,890 + 20×加算率		
		3歳児			
	3号	1、2歳児			
		乳児			
121人から130人まで	2号	4歳以上児	+ 2,890 + 20×加算率		
		3歳児			
	3号	1、2歳児			
		乳児			
131人から140人まで	2号	4歳以上児	+ 2,890 + 20×加算率		
		3歳児			
	3号	1、2歳児			
		乳児			
141人から150人まで	2号	4歳以上児	+ 2,890 + 20×加算率		
		3歳児			
	3号	1、2歳児			
		乳児			
151人から160人まで	2号	4歳以上児	+ 2,890 + 20×加算率		
		3歳児			
	3号	1、2歳児			
		乳児			
161人から170人まで	2号	4歳以上児	+ 2,890 + 20×加算率		
		3歳児			
	3号	1、2歳児			
		乳児			
171人以上	2号	4歳以上児	+ 2,890 + 20×加算率		
		3歳児			
	3号	1、2歳児			
		乳児			

休日保育加算 ⑩（全定員区分共通）

（＋ ［休日保育加算額＋処遇改善等加算I額］ ÷ 各月初日の利用子ども数）

休日保育の年間延べ利用子ども数	休日保育加算	休日保育の年間延べ利用子ども数	処遇改善等加算I
～ 210人	250,000	～ 210人	2,500×加算率
211人～ 279人	267,700	211人～ 279人	2,670×加算率
280人～ 349人	303,300	280人～ 349人	3,030×加算率
350人～ 419人	338,900	350人～ 419人	3,380×加算率
420人～ 489人	374,500	420人～ 489人	3,740×加算率
490人～ 559人	410,100	490人～ 559人	4,100×加算率
560人～ 629人	445,700	560人～ 629人	4,450×加算率
630人～ 699人	481,200	630人～ 699人	4,810×加算率
700人～ 769人	516,800	700人～ 769人	5,160×加算率
770人～ 839人	552,400	770人～ 839人	5,520×加算率
840人～ 909人	588,000	840人～ 909人	5,880×加算率
910人～ 979人	623,600	910人～ 979人	6,230×加算率
980人～1,049人	659,200	980人～1,049人	6,590×加算率
1,050人～	694,700	1,050人～	6,940×加算率

地域区分①	定員区分②	認定区分③	年齢区分④	減価償却費加算 加算額⑫		賃借料加算 加算額⑬			チーム保育推進加算⑭	処遇改善等加算Ⅰ	副食費徴収免除加算⑮ ※副食費の徴収が免除される子どもの単価に加算	分園の場合⑯
				標準	都市部		標準	都市部				
3/100 地域	20人	2号	4歳以上児	+ 8,500	9,400	a地域	15,800	17,600	+ 21,690×加配人数	+ 210×加算率×加配人数	+ 4,800	
			3歳児			b地域	8,700	9,700				
		3号	1、2歳児			c地域	7,600	8,400				
			乳児			d地域	6,800	7,500				
	21人から30人まで	2号	4歳以上児	+ 5,900	6,500	a地域	10,900	12,200	+ 14,460×加配人数	+ 140×加算率×加配人数	+ 4,800	
			3歳児			b地域	6,000	6,700				
		3号	1、2歳児			c地域	5,200	5,800				
			乳児			d地域	4,700	5,200				
	31人から40人まで	2号	4歳以上児	+ 5,200	5,700	a地域	9,800	10,900	+ 10,840×加配人数	+ 100×加算率×加配人数	+ 4,800	
			3歳児			b地域	5,400	6,000				
		3号	1、2歳児			c地域	4,600	5,200				
			乳児			d地域	4,200	4,600				
	41人から50人まで	2号	4歳以上児	+ 4,700	5,200	a地域	8,800	9,800	+ 8,670×加配人数	+ 80×加算率×加配人数	+ 4,800	
			3歳児			b地域	4,800	5,400				
		3号	1、2歳児			c地域	4,000	4,700				
			乳児			d地域	3,800	4,200				
	51人から60人まで	2号	4歳以上児	+ 3,900	4,300	a地域	7,200	8,100	+ 7,230×加配人数	+ 70×加算率×加配人数	+ 4,800	
			3歳児			b地域	4,000	4,400				
		3号	1、2歳児			c地域	3,500	3,800				
			乳児			d地域	3,100	3,400				
	61人から70人まで	2号	4歳以上児	+ 3,300	3,700	a地域	6,300	7,100	+ 6,190×加配人数	+ 60×加算率×加配人数	+ 4,800	
			3歳児			b地域	3,500	3,900				
		3号	1、2歳児			c地域	3,000	3,400				
			乳児			d地域	2,700	3,000				
	71人から80人まで	2号	4歳以上児	+ 3,800	4,200	a地域	7,100	7,900	+ 5,420×加配人数	+ 50×加算率×加配人数	+ 4,800	
			3歳児			b地域	3,900	4,300				
		3号	1、2歳児			c地域	3,400	3,800				
			乳児			d地域	3,000	3,400				
	81人から90人まで	2号	4歳以上児	+ 3,400	3,700	a地域	6,300	7,100	+ 4,820×加配人数	+ 40×加算率×加配人数	+ 4,800	
			3歳児			b地域	3,500	3,900				
		3号	1、2歳児			c地域	3,000	3,400				
			乳児			d地域	2,700	3,000				
	91人から100人まで	2号	4歳以上児	+ 3,000	3,400	a地域	5,500	6,200	+ 4,330×加配人数	+ 40×加算率×加配人数	+ 4,800	(⑥+⑦) － × 10/100
			3歳児			b地域	3,000	3,400				
		3号	1、2歳児			c地域	2,600	2,900				
			乳児			d地域	2,400	2,600				
	101人から110人まで	2号	4歳以上児	+ 3,300	3,700	a地域	6,100	6,800	+ 3,940×加配人数	+ 30×加算率×加配人数	+ 4,800	
			3歳児			b地域	3,300	3,700				
		3号	1、2歳児			c地域	2,900	3,200				
			乳児			d地域	2,600	2,900				
	111人から120人まで	2号	4歳以上児	+ 3,000	3,400	a地域	5,500	6,200	+ 3,610×加配人数	+ 30×加算率×加配人数	+ 4,800	
			3歳児			b地域	3,000	3,400				
		3号	1、2歳児			c地域	2,600	2,900				
			乳児			d地域	2,400	2,600				
	121人から130人まで	2号	4歳以上児	+ 2,800	3,100	a地域	5,100	5,700	+ 3,330×加配人数	+ 30×加算率×加配人数	+ 4,800	
			3歳児			b地域	2,800	3,100				
		3号	1、2歳児			c地域	2,400	2,700				
			乳児			d地域	2,200	2,400				
	131人から140人まで	2号	4歳以上児	+ 3,000	3,300	a地域	5,500	6,200	+ 3,090×加配人数	+ 30×加算率×加配人数	+ 4,800	
			3歳児			b地域	3,000	3,400				
		3号	1、2歳児			c地域	2,600	2,900				
			乳児			d地域	2,400	2,600				
	141人から150人まで	2号	4歳以上児	+ 2,800	3,100	a地域	5,400	6,000	+ 2,890×加配人数	+ 20×加算率×加配人数	+ 4,800	
			3歳児			b地域	2,900	3,300				
		3号	1、2歳児			c地域	2,500	2,800				
			乳児			d地域	2,300	2,500				
	151人から160人まで	2号	4歳以上児	+ 2,600	2,900	a地域	4,800	5,400	+ 2,710×加配人数	+ 20×加算率×加配人数	+ 4,800	
			3歳児			b地域	2,600	2,900				
		3号	1、2歳児			c地域	2,300	2,500				
			乳児			d地域	2,000	2,300				
	161人から170人まで	2号	4歳以上児	+ 2,800	3,100	a地域	5,400	6,000	+ 2,550×加配人数	+ 20×加算率×加配人数	+ 4,800	
			3歳児			b地域	2,900	3,300				
		3号	1、2歳児			c地域	2,500	2,800				
			乳児			d地域	2,300	2,500				
	171人以上	2号	4歳以上児	+ 2,700	2,900	a地域	4,800	5,400	+ 2,410×加配人数	+ 20×加算率×加配人数	+ 4,800	
			3歳児			b地域	2,600	2,900				
		3号	1、2歳児			c地域	2,300	2,500				
			乳児			d地域	2,000	2,300				

地域区分①	定員区分②	認定区分③	年齢区分④	施設長を配置していない場合 処遇改善等加算Ⅰ ⑰	土曜日に閉所する場合 ⑱ 月に1日土曜日を閉所する場合	月に2日土曜日を閉所する場合	月に3日以上土曜日を閉所する場合	全ての土曜日を閉所する場合	定員を恒常的に超過する場合 ⑲
3/100 地域	20人	2号	4歳以上児 / 3歳児	$-$ 24,220 $+$ 240×加算率	$-$ (⑥+⑦+⑧+⑨+⑪)×1/100	(⑥+⑦+⑧+⑨+⑪)×3/100	(⑥+⑦+⑧+⑨+⑪)×4/100	(⑥+⑦+⑧+⑨+⑪)×6/100	
		3号	1、2歳児						
	21人から30人まで	2号	4歳以上児 / 3歳児	$-$ 16,150 $+$ 160×加算率	$-$ (⑥+⑦+⑧+⑨+⑪)×2/100	(⑥+⑦+⑧+⑨+⑪)×3/100	(⑥+⑦+⑧+⑨+⑪)×5/100	(⑥+⑦+⑧+⑨+⑪)×6/100	
		3号	1、2歳児						
	31人から40人まで	2号	4歳以上児 / 3歳児	$-$ 12,110 $+$ 120×加算率	$-$ (⑥+⑦+⑧+⑨+⑪)×2/100	(⑥+⑦+⑧+⑨+⑪)×3/100	(⑥+⑦+⑧+⑨+⑪)×5/100	(⑥+⑦+⑧+⑨+⑪)×6/100	
		3号	1、2歳児 / 乳児						
	41人から50人まで	2号	4歳以上児 / 3歳児	$-$ 9,690 $+$ 90×加算率	$-$ (⑥+⑦+⑧+⑨+⑪)×2/100	(⑥+⑦+⑧+⑨+⑪)×3/100	(⑥+⑦+⑧+⑨+⑪)×5/100	(⑥+⑦+⑧+⑨+⑪)×6/100	
		3号	1、2歳児 / 乳児						
	51人から60人まで	2号	4歳以上児 / 3歳児	$-$ 8,070 $+$ 80×加算率	$-$ (⑥+⑦+⑧+⑨+⑪)×2/100	(⑥+⑦+⑧+⑨+⑪)×3/100	(⑥+⑦+⑧+⑨+⑪)×5/100	(⑥+⑦+⑧+⑨+⑪)×6/100	
		3号	1、2歳児 / 乳児						
	61人から70人まで	2号	4歳以上児 / 3歳児	$-$ 6,920 $+$ 60×加算率	$-$ (⑥+⑦+⑧+⑨+⑪)×2/100	(⑥+⑦+⑧+⑨+⑪)×3/100	(⑥+⑦+⑧+⑨+⑪)×5/100	(⑥+⑦+⑧+⑨+⑪)×6/100	
		3号	1、2歳児 / 乳児						
	71人から80人まで	2号	4歳以上児 / 3歳児	$-$ 6,050 $+$ 60×加算率	$-$ (⑥+⑦+⑧+⑨+⑪)×2/100	(⑥+⑦+⑧+⑨+⑪)×3/100	(⑥+⑦+⑧+⑨+⑪)×5/100	(⑥+⑦+⑧+⑨+⑪)×6/100	
		3号	1、2歳児 / 乳児						
	81人から90人まで	2号	4歳以上児 / 3歳児	$-$ 5,380 $+$ 50×加算率	$-$ (⑥+⑦+⑧+⑨+⑪)×2/100	(⑥+⑦+⑧+⑨+⑪)×3/100	(⑥+⑦+⑧+⑨+⑪)×5/100	(⑥+⑦+⑧+⑨+⑪)×6/100	
		3号	1、2歳児 / 乳児						
	91人から100人まで	2号	4歳以上児 / 3歳児	$-$ 4,840 $+$ 40×加算率	$-$ (⑥+⑦+⑧+⑨+⑪)×2/100	(⑥+⑦+⑧+⑨+⑪)×3/100	(⑥+⑦+⑧+⑨+⑪)×5/100	(⑥+⑦+⑧+⑨+⑪)×7/100	(⑥～⑱（⑮を除く。））×別に定める調整率
		3号	1、2歳児 / 乳児						
	101人から110人まで	2号	4歳以上児 / 3歳児	$-$ 4,400 $+$ 40×加算率	$-$ (⑥+⑦+⑧+⑨+⑪)×2/100	(⑥+⑦+⑧+⑨+⑪)×3/100	(⑥+⑦+⑧+⑨+⑪)×5/100	(⑥+⑦+⑧+⑨+⑪)×7/100	
		3号	1、2歳児 / 乳児						
	111人から120人まで	2号	4歳以上児 / 3歳児	$-$ 4,030 $+$ 40×加算率	$-$ (⑥+⑦+⑧+⑨+⑪)×2/100	(⑥+⑦+⑧+⑨+⑪)×3/100	(⑥+⑦+⑧+⑨+⑪)×5/100	(⑥+⑦+⑧+⑨+⑪)×7/100	
		3号	1、2歳児 / 乳児						
	121人から130人まで	2号	4歳以上児 / 3歳児	$-$ 3,720 $+$ 30×加算率	$-$ (⑥+⑦+⑧+⑨+⑪)×2/100	(⑥+⑦+⑧+⑨+⑪)×3/100	(⑥+⑦+⑧+⑨+⑪)×5/100	(⑥+⑦+⑧+⑨+⑪)×7/100	
		3号	1、2歳児 / 乳児						
	131人から140人まで	2号	4歳以上児 / 3歳児	$-$ 3,460 $+$ 30×加算率	$-$ (⑥+⑦+⑧+⑨+⑪)×2/100	(⑥+⑦+⑧+⑨+⑪)×3/100	(⑥+⑦+⑧+⑨+⑪)×5/100	(⑥+⑦+⑧+⑨+⑪)×7/100	
		3号	1、2歳児 / 乳児						
	141人から150人まで	2号	4歳以上児 / 3歳児	$-$ 3,230 $+$ 30×加算率	$-$ (⑥+⑦+⑧+⑨+⑪)×2/100	(⑥+⑦+⑧+⑨+⑪)×3/100	(⑥+⑦+⑧+⑨+⑪)×5/100	(⑥+⑦+⑧+⑨+⑪)×7/100	
		3号	1、2歳児 / 乳児						
	151人から160人まで	2号	4歳以上児 / 3歳児	$-$ 3,020 $+$ 30×加算率	$-$ (⑥+⑦+⑧+⑨+⑪)×2/100	(⑥+⑦+⑧+⑨+⑪)×3/100	(⑥+⑦+⑧+⑨+⑪)×5/100	(⑥+⑦+⑧+⑨+⑪)×7/100	
		3号	1、2歳児 / 乳児						
	161人から170人まで	2号	4歳以上児 / 3歳児	$-$ 2,850 $+$ 20×加算率	$-$ (⑥+⑦+⑧+⑨+⑪)×2/100	(⑥+⑦+⑧+⑨+⑪)×3/100	(⑥+⑦+⑧+⑨+⑪)×5/100	(⑥+⑦+⑧+⑨+⑪)×7/100	
		3号	1、2歳児 / 乳児						
	171人以上	2号	4歳以上児 / 3歳児	$-$ 2,690 $+$ 20×加算率	$-$ (⑥+⑦+⑧+⑨+⑪)×2/100	(⑥+⑦+⑧+⑨+⑪)×3/100	(⑥+⑦+⑧+⑨+⑪)×5/100	(⑥+⑦+⑧+⑨+⑪)×7/100	
		3号	1、2歳児 / 乳児						

地域区分①	定員区分②	認定区分③	年齢区分④	保育必要量区分⑤ 保育標準時間認定 基本分単価⑥(注)	保育必要量区分⑤ 保育短時間認定 基本分単価⑥(注)	処遇改善等加算Ⅰ 保育標準時間認定 ⑦(注)	処遇改善等加算Ⅰ 保育短時間認定 ⑦(注)	3歳児配置改善加算 処遇改善等加算Ⅰ ⑧
その他地域	20人	2号	4歳以上児	113,950 (120,990)	89,930 (96,970) +	1,120 (1,190) ×加算率	880 (950) ×加算率 +	(7,040) 7,040 +
		2号	3　歳　児	120,990 (178,870)	96,970 (154,850)	1,190 (1,670) ×加算率	950 (1,430) ×加算率 +	(70×加算率) 70×加算率
		3号	1、2歳児	178,870 (249,330)	154,850 (225,310) +	1,670 (2,370) ×加算率	1,430 (2,130) ×加算率	
			乳　　児	249,330	225,310 +	2,370 ×加算率	2,130 ×加算率	
	21人から30人まで	2号	4歳以上児	82,160 (89,200)	66,150 (73,190) +	800 (870) ×加算率	640 (710) ×加算率 +	(7,040) 7,040 +
		2号	3　歳　児	89,200 (147,080)	73,190 (131,070)	870 (1,350) ×加算率	710 (1,190) ×加算率 +	(70×加算率) 70×加算率
		3号	1、2歳児	147,080 (217,540)	131,070 (201,530) +	1,350 (2,050) ×加算率	1,190 (1,890) ×加算率	
			乳　　児	217,540	201,530 +	2,050 ×加算率	1,890 ×加算率	
	31人から40人まで	2号	4歳以上児	66,430 (73,470)	54,420 (61,460) +	640 (710) ×加算率	520 (590) ×加算率 +	(7,040) 7,040 +
		2号	3　歳　児	73,470 (131,350)	61,460 (119,340)	710 (1,190) ×加算率	590 (1,070) ×加算率 +	(70×加算率) 70×加算率
		3号	1、2歳児	131,350 (201,810)	119,340 (189,800) +	1,190 (1,890) ×加算率	1,070 (1,770) ×加算率	
			乳　　児	201,810	189,800 +	1,890 ×加算率	1,770 ×加算率	
	41人から50人まで	2号	4歳以上児	62,350 (69,390)	52,750 (59,790) +	600 (670) ×加算率	500 (570) ×加算率 +	(7,040) 7,040 +
		2号	3　歳　児	69,390 (127,270)	59,790 (117,670)	670 (1,150) ×加算率	570 (1,060) ×加算率 +	(70×加算率) 70×加算率
		3号	1、2歳児	127,270 (197,730)	117,670 (188,130) +	1,150 (1,850) ×加算率	1,060 (1,760) ×加算率	
			乳　　児	197,730	188,130 +	1,850 ×加算率	1,760 ×加算率	
	51人から60人まで	2号	4歳以上児	54,660 (61,700)	46,650 (53,690) +	520 (590) ×加算率	440 (510) ×加算率 +	(7,040) 7,040 +
		2号	3　歳　児	61,700 (119,580)	53,690 (111,570)	590 (1,080) ×加算率	510 (1,000) ×加算率 +	(70×加算率) 70×加算率
		3号	1、2歳児	119,580 (190,040)	111,570 (182,030) +	1,080 (1,780) ×加算率	1,000 (1,700) ×加算率	
			乳　　児	190,040	182,030 +	1,780 ×加算率	1,700 ×加算率	
	61人から70人まで	2号	4歳以上児	49,240 (56,280)	42,380 (49,420) +	470 (540) ×加算率	400 (470) ×加算率 +	(7,040) 7,040 +
		2号	3　歳　児	56,280 (114,160)	49,420 (107,300)	540 (1,020) ×加算率	470 (950) ×加算率 +	(70×加算率) 70×加算率
		3号	1、2歳児	114,160 (184,620)	107,300 (177,760) +	1,020 (1,720) ×加算率	950 (1,650) ×加算率	
			乳　　児	184,620	177,760 +	1,720 ×加算率	1,650 ×加算率	
	71人から80人まで	2号	4歳以上児	45,230 (52,270)	39,230 (46,270) +	430 (500) ×加算率	370 (440) ×加算率 +	(7,040) 7,040 +
		2号	3　歳　児	52,270 (110,150)	46,270 (104,150)	500 (980) ×加算率	440 (920) ×加算率 +	(70×加算率) 70×加算率
		3号	1、2歳児	110,150 (180,610)	104,150 (174,610) +	980 (1,680) ×加算率	920 (1,620) ×加算率	
			乳　　児	180,610	174,610 +	1,680 ×加算率	1,620 ×加算率	
	81人から90人まで	2号	4歳以上児	42,060 (49,100)	36,730 (43,770) +	400 (470) ×加算率	340 (410) ×加算率 +	(7,040) 7,040 +
		2号	3　歳　児	49,100 (106,980)	43,770 (101,650)	470 (950) ×加算率	410 (900) ×加算率 +	(70×加算率) 70×加算率
		3号	1、2歳児	106,980 (177,440)	101,650 (172,110) +	950 (1,650) ×加算率	900 (1,600) ×加算率	
			乳　　児	177,440	172,110 +	1,650 ×加算率	1,600 ×加算率	
	91人から100人まで	2号	4歳以上児	36,530 (43,570)	31,720 (38,760) +	340 (410) ×加算率	290 (360) ×加算率 +	(7,040) 7,040 +
		2号	3　歳　児	43,570 (101,450)	38,760 (96,640)	410 (890) ×加算率	360 (850) ×加算率 +	(70×加算率) 70×加算率
		3号	1、2歳児	101,450 (171,910)	96,640 (167,100) +	890 (1,590) ×加算率	850 (1,550) ×加算率	
			乳　　児	171,910	167,100 +	1,590 ×加算率	1,550 ×加算率	
	101人から110人まで	2号	4歳以上児	34,770 (41,810)	30,400 (37,440) +	320 (390) ×加算率	280 (350) ×加算率 +	(7,040) 7,040 +
		2号	3　歳　児	41,810 (99,690)	37,440 (95,320)	390 (880) ×加算率	350 (830) ×加算率 +	(70×加算率) 70×加算率
		3号	1、2歳児	99,690 (170,150)	95,320 (165,780) +	880 (1,580) ×加算率	830 (1,530) ×加算率	
			乳　　児	170,150	165,780 +	1,580 ×加算率	1,530 ×加算率	
	111人から120人まで	2号	4歳以上児	33,260 (40,300)	29,260 (36,300) +	310 (380) ×加算率	270 (340) ×加算率 +	(7,040) 7,040 +
		2号	3　歳　児	40,300 (98,180)	36,300 (94,180)	380 (860) ×加算率	340 (820) ×加算率 +	(70×加算率) 70×加算率
		3号	1、2歳児	98,180 (168,640)	94,180 (164,640) +	860 (1,560) ×加算率	820 (1,520) ×加算率	
			乳　　児	168,640	164,640 +	1,560 ×加算率	1,520 ×加算率	
	121人から130人まで	2号	4歳以上児	31,990 (39,030)	28,300 (35,340) +	300 (370) ×加算率	260 (330) ×加算率 +	(7,040) 7,040 +
		2号	3　歳　児	39,030 (96,910)	35,340 (93,220)	370 (850) ×加算率	330 (810) ×加算率 +	(70×加算率) 70×加算率
		3号	1、2歳児	96,910 (167,370)	93,220 (163,680) +	850 (1,550) ×加算率	810 (1,510) ×加算率	
			乳　　児	167,370	163,680 +	1,550 ×加算率	1,510 ×加算率	
	131人から140人まで	2号	4歳以上児	30,930 (37,970)	27,500 (34,540) +	290 (360) ×加算率	250 (320) ×加算率 +	(7,040) 7,040 +
		2号	3　歳　児	37,970 (95,850)	34,540 (92,420)	360 (840) ×加算率	320 (800) ×加算率 +	(70×加算率) 70×加算率
		3号	1、2歳児	95,850 (166,310)	92,420 (162,880) +	840 (1,540) ×加算率	800 (1,500) ×加算率	
			乳　　児	166,310	162,880 +	1,540 ×加算率	1,500 ×加算率	
	141人から150人まで	2号	4歳以上児	29,990 (37,030)	26,790 (33,830) +	280 (350) ×加算率	240 (310) ×加算率 +	(7,040) 7,040 +
		2号	3　歳　児	37,030 (94,910)	33,830 (91,710)	350 (830) ×加算率	310 (800) ×加算率 +	(70×加算率) 70×加算率
		3号	1、2歳児	94,910 (165,370)	91,710 (162,170) +	830 (1,530) ×加算率	800 (1,500) ×加算率	
			乳　　児	165,370	162,170 +	1,530 ×加算率	1,500 ×加算率	
	151人から160人まで	2号	4歳以上児	30,070 (37,110)	27,070 (34,110) +	280 (350) ×加算率	250 (320) ×加算率 +	(7,040) 7,040 +
		2号	3　歳　児	37,110 (94,990)	34,110 (91,990)	350 (830) ×加算率	320 (800) ×加算率 +	(70×加算率) 70×加算率
		3号	1、2歳児	94,990 (165,450)	91,990 (162,450) +	830 (1,530) ×加算率	800 (1,500) ×加算率	
			乳　　児	165,450	162,450 +	1,530 ×加算率	1,500 ×加算率	
	161人から170人まで	2号	4歳以上児	29,310 (36,350)	26,480 (33,520) +	270 (340) ×加算率	240 (310) ×加算率 +	(7,040) 7,040 +
		2号	3　歳　児	36,350 (94,230)	33,520 (91,400)	340 (820) ×加算率	310 (790) ×加算率 +	(70×加算率) 70×加算率
		3号	1、2歳児	94,230 (164,690)	91,400 (161,860) +	820 (1,520) ×加算率	790 (1,490) ×加算率	
			乳　　児	164,690	161,860 +	1,520 ×加算率	1,490 ×加算率	
	171人以上	2号	4歳以上児	28,610 (35,650)	25,950 (32,990) +	260 (330) ×加算率	240 (310) ×加算率 +	(7,040) 7,040 +
		2号	3　歳　児	35,650 (93,530)	32,990 (90,870)	330 (820) ×加算率	310 (790) ×加算率 +	(70×加算率) 70×加算率
		3号	1、2歳児	93,530 (163,990)	90,870 (161,330) +	820 (1,520) ×加算率	790 (1,490) ×加算率	
			乳　　児	163,990	161,330 +	1,520 ×加算率	1,490 ×加算率	

地域区分①	定員区分②	認定区分③	年齢区分④	4歳以上児配置改善加算 処遇改善等加算Ⅰ⑨	夜間保育加算 （注） ⑪	処遇改善等加算Ⅰ
その他地域	20人	2号	4歳以上児	＋ 2,810 ＋ 20×加算率	＋ 31,010 / 29,180	＋ 230×加算率
			3 歳 児			
		3号	1、2歳児		＋ 29,180	
			乳　　児			
	21人から30人まで	2号	4歳以上児	＋ 2,810 ＋ 20×加算率	＋ 23,110 / 21,280	＋ 150×加算率
			3 歳 児			
		3号	1、2歳児		＋ 21,280	
			乳　　児			
	31人から40人まで	2号	4歳以上児	＋ 2,810 ＋ 20×加算率	＋ 19,160 / 17,330	＋ 110×加算率
			3 歳 児			
		3号	1、2歳児		＋ 17,330	
			乳　　児			
	41人から50人まで	2号	4歳以上児	＋ 2,810 ＋ 20×加算率	＋ 16,790 / 14,960	＋ 90×加算率
			3 歳 児			
		3号	1、2歳児		＋ 14,960	
			乳　　児			
	51人から60人まで	2号	4歳以上児	＋ 2,810 ＋ 20×加算率	＋ 15,210 / 13,380	＋ 70×加算率
			3 歳 児			
		3号	1、2歳児		＋ 13,380	
			乳　　児			
	61人から70人まで	2号	4歳以上児	＋ 2,810 ＋ 20×加算率	＋ 14,080 / 12,250	＋ 60×加算率
			3 歳 児			
		3号	1、2歳児		＋ 12,250	
			乳　　児			
	71人から80人まで	2号	4歳以上児	＋ 2,810 ＋ 20×加算率	＋ 13,230 / 11,400	＋ 50×加算率
			3 歳 児			
		3号	1、2歳児		＋ 11,400	
			乳　　児			
	81人から90人まで	2号	4歳以上児	＋ 2,810 ＋ 20×加算率	＋ 12,570 / 10,740	＋ 50×加算率
			3 歳 児			
		3号	1、2歳児		＋ 10,740	
			乳　　児			
	91人から100人まで	2号	4歳以上児	＋ 2,810 ＋ 20×加算率		
			3 歳 児			
		3号	1、2歳児			
			乳　　児			
	101人から110人まで	2号	4歳以上児	＋ 2,810 ＋ 20×加算率		
			3 歳 児			
		3号	1、2歳児			
			乳　　児			
	111人から120人まで	2号	4歳以上児	＋ 2,810 ＋ 20×加算率		
			3 歳 児			
		3号	1、2歳児			
			乳　　児			
	121人から130人まで	2号	4歳以上児	＋ 2,810 ＋ 20×加算率		
			3 歳 児			
		3号	1、2歳児			
			乳　　児			
	131人から140人まで	2号	4歳以上児	＋ 2,810 ＋ 20×加算率		
			3 歳 児			
		3号	1、2歳児			
			乳　　児			
	141人から150人まで	2号	4歳以上児	＋ 2,810 ＋ 20×加算率		
			3 歳 児			
		3号	1、2歳児			
			乳　　児			
	151人から160人まで	2号	4歳以上児	＋ 2,810 ＋ 20×加算率		
			3 歳 児			
		3号	1、2歳児			
			乳　　児			
	161人から170人まで	2号	4歳以上児	＋ 2,810 ＋ 20×加算率		
			3 歳 児			
		3号	1、2歳児			
			乳　　児			
	171人以上	2号	4歳以上児	＋ 2,810 ＋ 20×加算率		
			3 歳 児			
		3号	1、2歳児			
			乳　　児			

休日保育加算 ⑩（定員区分全体にわたる区分）

休日保育の年間延べ利用子ども数（休日保育加算）	休日保育の年間延べ利用子ども数（処遇改善等加算Ⅰ）
～　210人　244,700	～　210人　2,440×加算率
211人～279人　261,900	211人～279人　2,610×加算率
280人～349人　296,300	280人～349人　2,960×加算率
350人～419人　330,700	350人～419人　3,300×加算率
420人～489人　365,100	420人～489人　3,650×加算率
490人～559人　399,500	490人～559人　3,990×加算率
560人～629人　433,900	560人～629人　4,330×加算率
630人～699人　468,400	630人～699人　4,680×加算率
700人～769人　502,800	700人～769人　5,020×加算率
770人～839人　537,200	770人～839人　5,370×加算率
840人～909人　571,600	840人～909人　5,710×加算率
910人～979人　606,000	910人～979人　6,060×加算率
980人～1,049人　640,400	980人～1,049人　6,400×加算率
1,050人～　674,900	1,050人～　6,740×加算率

＋　…　＋　÷ 各月初日の利用子ども数

911

III　認定こども園　8　給付費

地域区分①	定員区分②	認定区分③	年齢区分④	減価償却費加算 加算額 標準⑫	都市部	賃借料加算 加算額 標準⑬	都市部	チーム保育推進加算⑭	処遇改善等加算I	副食費徴収免除加算⑮※副食費の徴収が免除される子どもの単価に加算	分園の場合⑯
その他地域	20人	2号	4歳以上児 / 3歳児	+ 8,500	9,400	+ a地域 15,800 / b地域 8,700 / c地域 7,600 / d地域 6,800	17,600 / 9,700 / 8,400 / 7,500	+ 21,130×加配人数	+ 210×加算率×加配人数	+ 4,800	
		3号	1、2歳児 / 乳児								
	21人から30人まで	2号	4歳以上児 / 3歳児	+ 5,900	6,500	+ a地域 10,900 / b地域 6,000 / c地域 5,200 / d地域 4,700	12,200 / 6,700 / 5,800 / 5,200	+ 14,090×加配人数	+ 140×加算率×加配人数	+ 4,800	
		3号	1、2歳児 / 乳児								
	31人から40人まで	2号	4歳以上児 / 3歳児	+ 5,200	5,700	+ a地域 9,800 / b地域 5,400 / c地域 4,700 / d地域 4,200	10,900 / 6,000 / 5,200 / 4,600	+ 10,560×加配人数	+ 100×加算率×加配人数	+ 4,800	
		3号	1、2歳児 / 乳児								
	41人から50人まで	2号	4歳以上児 / 3歳児	+ 4,700	5,200	+ a地域 8,800 / b地域 4,800 / c地域 4,200 / d地域 3,800	9,800 / 5,400 / 4,700 / 4,200	+ 8,450×加配人数	+ 80×加算率×加配人数	+ 4,800	
		3号	1、2歳児 / 乳児								
	51人から60人まで	2号	4歳以上児 / 3歳児	+ 3,900	4,300	+ a地域 7,200 / b地域 4,000 / c地域 3,500 / d地域 3,100	8,100 / 4,400 / 3,800 / 3,400	+ 7,040×加配人数	+ 70×加算率×加配人数	+ 4,800	
		3号	1、2歳児 / 乳児								
	61人から70人まで	2号	4歳以上児 / 3歳児	+ 3,300	3,700	+ a地域 6,300 / b地域 3,500 / c地域 3,000 / d地域 2,700	7,100 / 3,900 / 3,400 / 3,000	+ 6,030×加配人数	+ 60×加算率×加配人数	+ 4,800	
		3号	1、2歳児 / 乳児								
	71人から80人まで	2号	4歳以上児 / 3歳児	+ 3,800	4,200	+ a地域 7,100 / b地域 3,900 / c地域 3,400 / d地域 3,000	7,900 / 4,300 / 3,800 / 3,400	+ 5,280×加配人数	+ 50×加算率×加配人数	+ 4,800	
		3号	1、2歳児 / 乳児								
	81人から90人まで	2号	4歳以上児 / 3歳児	+ 3,400	3,700	+ a地域 6,300 / b地域 3,500 / c地域 3,000 / d地域 2,700	7,100 / 3,900 / 3,400 / 3,000	+ 4,690×加配人数	+ 40×加算率×加配人数	+ 4,800	
		3号	1、2歳児 / 乳児								
	91人から100人まで	2号	4歳以上児 / 3歳児	+ 3,000	3,400	+ a地域 5,500 / b地域 3,000 / c地域 2,600 / d地域 2,400	6,200 / 3,400 / 2,900 / 2,600	+ 4,220×加配人数	+ 40×加算率×加配人数	+ 4,800	(⑥+⑦) × 10/100
		3号	1、2歳児 / 乳児								
	101人から110人まで	2号	4歳以上児 / 3歳児	+ 3,300	3,700	+ a地域 6,100 / b地域 3,300 / c地域 2,900 / d地域 2,600	6,800 / 3,700 / 3,200 / 2,900	+ 3,840×加配人数	+ 30×加算率×加配人数	+ 4,800	
		3号	1、2歳児 / 乳児								
	111人から120人まで	2号	4歳以上児 / 3歳児	+ 3,000	3,400	+ a地域 5,500 / b地域 3,300 / c地域 2,600 / d地域 2,400	6,200 / 3,400 / 2,900 / 2,600	+ 3,520×加配人数	+ 30×加算率×加配人数	+ 4,800	
		3号	1、2歳児 / 乳児								
	121人から130人まで	2号	4歳以上児 / 3歳児	+ 2,800	3,100	+ a地域 5,100 / b地域 2,800 / c地域 2,400 / d地域 2,200	5,700 / 3,100 / 2,700 / 2,400	+ 3,250×加配人数	+ 30×加算率×加配人数	+ 4,800	
		3号	1、2歳児 / 乳児								
	131人から140人まで	2号	4歳以上児 / 3歳児	+ 3,000	3,300	+ a地域 5,500 / b地域 3,000 / c地域 2,600 / d地域 2,400	6,200 / 3,400 / 2,900 / 2,600	+ 3,010×加配人数	+ 30×加算率×加配人数	+ 4,800	
		3号	1、2歳児 / 乳児								
	141人から150人まで	2号	4歳以上児 / 3歳児	+ 2,800	3,100	+ a地域 5,400 / b地域 2,900 / c地域 2,500 / d地域 2,300	6,000 / 3,300 / 2,800 / 2,500	+ 2,810×加配人数	+ 20×加算率×加配人数	+ 4,800	
		3号	1、2歳児 / 乳児								
	151人から160人まで	2号	4歳以上児 / 3歳児	+ 2,600	2,900	+ a地域 4,800 / b地域 2,600 / c地域 2,300 / d地域 2,000	5,400 / 2,900 / 2,500 / 2,300	+ 2,640×加配人数	+ 20×加算率×加配人数	+ 4,800	
		3号	1、2歳児 / 乳児								
	161人から170人まで	2号	4歳以上児 / 3歳児	+ 2,800	3,100	+ a地域 5,400 / b地域 2,900 / c地域 2,500 / d地域 2,300	6,000 / 3,300 / 2,800 / 2,500	+ 2,480×加配人数	+ 20×加算率×加配人数	+ 4,800	
		3号	1、2歳児 / 乳児								
	171人以上	2号	4歳以上児 / 3歳児	+ 2,700	2,900	+ a地域 4,800 / b地域 2,600 / c地域 2,300 / d地域 2,000	5,400 / 2,900 / 2,500 / 2,300	+ 2,340×加配人数	+ 20×加算率×加配人数	+ 4,800	
		3号	1、2歳児 / 乳児								

地域区分 ①	定員区分 ②	認定区分 ③	年齢区分 ④	施設長を配置していない場合	処遇改善等加算Ⅰ ⑰	月に1日土曜日を閉所する場合 ⑱	月に2日土曜日を閉所する場合	月に3日以上土曜日を閉所する場合	全ての土曜日を閉所する場合	定員を恒常的に超過する場合 ⑲
その他地域	20人	2号	4歳以上児	23,520 +	230×加算率 −	(⑥+⑦+⑧+⑨+⑪) × 1/100	(⑥+⑦+⑧+⑨+⑪) × 3/100	(⑥+⑦+⑧+⑨+⑪) × 4/100	(⑥+⑦+⑧+⑨+⑪) × 6/100	
			3歳児							
		3号	1、2歳児							
			乳児							
	21人から30人まで	2号	4歳以上児	15,680 +	150×加算率 −	(⑥+⑦+⑧+⑨+⑪) × 2/100	(⑥+⑦+⑧+⑨+⑪) × 3/100	(⑥+⑦+⑧+⑨+⑪) × 5/100	(⑥+⑦+⑧+⑨+⑪) × 6/100	
			3歳児							
		3号	1、2歳児							
			乳児							
	31人から40人まで	2号	4歳以上児	11,760 +	110×加算率 −	(⑥+⑦+⑧+⑨+⑪) × 2/100	(⑥+⑦+⑧+⑨+⑪) × 3/100	(⑥+⑦+⑧+⑨+⑪) × 5/100	(⑥+⑦+⑧+⑨+⑪) × 6/100	
			3歳児							
		3号	1、2歳児							
			乳児							
	41人から50人まで	2号	4歳以上児	9,410 +	90×加算率 −	(⑥+⑦+⑧+⑨+⑪) × 2/100	(⑥+⑦+⑧+⑨+⑪) × 3/100	(⑥+⑦+⑧+⑨+⑪) × 5/100	(⑥+⑦+⑧+⑨+⑪) × 6/100	
			3歳児							
		3号	1、2歳児							
			乳児							
	51人から60人まで	2号	4歳以上児	7,840 +	70×加算率 −	(⑥+⑦+⑧+⑨+⑪) × 2/100	(⑥+⑦+⑧+⑨+⑪) × 3/100	(⑥+⑦+⑧+⑨+⑪) × 5/100	(⑥+⑦+⑧+⑨+⑪) × 6/100	
			3歳児							
		3号	1、2歳児							
			乳児							
	61人から70人まで	2号	4歳以上児	6,720 +	60×加算率 −	(⑥+⑦+⑧+⑨+⑪) × 2/100	(⑥+⑦+⑧+⑨+⑪) × 3/100	(⑥+⑦+⑧+⑨+⑪) × 5/100	(⑥+⑦+⑧+⑨+⑪) × 6/100	
			3歳児							
		3号	1、2歳児							
			乳児							
	71人から80人まで	2号	4歳以上児	5,880 +	50×加算率 −	(⑥+⑦+⑧+⑨+⑪) × 2/100	(⑥+⑦+⑧+⑨+⑪) × 3/100	(⑥+⑦+⑧+⑨+⑪) × 5/100	(⑥+⑦+⑧+⑨+⑪) × 7/100	
			3歳児							
		3号	1、2歳児							
			乳児							
	81人から90人まで	2号	4歳以上児	5,220 +	50×加算率 −	(⑥+⑦+⑧+⑨+⑪) × 2/100	(⑥+⑦+⑧+⑨+⑪) × 3/100	(⑥+⑦+⑧+⑨+⑪) × 5/100	(⑥+⑦+⑧+⑨+⑪) × 7/100	
			3歳児							
		3号	1、2歳児							
			乳児							
	91人から100人まで	2号	4歳以上児	4,700 +	40×加算率 −	(⑥+⑦+⑧+⑨+⑪) × 2/100	(⑥+⑦+⑧+⑨+⑪) × 3/100	(⑥+⑦+⑧+⑨+⑪) × 5/100	(⑥+⑦+⑧+⑨+⑪) × 7/100	(⑥~⑱（⑮を除く。）) ×別に定める調整率
			3歳児							
		3号	1、2歳児							
			乳児							
	101人から110人まで	2号	4歳以上児	4,270 +	40×加算率 −	(⑥+⑦+⑧+⑨+⑪) × 2/100	(⑥+⑦+⑧+⑨+⑪) × 3/100	(⑥+⑦+⑧+⑨+⑪) × 5/100	(⑥+⑦+⑧+⑨+⑪) × 7/100	
			3歳児							
		3号	1、2歳児							
			乳児							
	111人から120人まで	2号	4歳以上児	3,920 +	30×加算率 −	(⑥+⑦+⑧+⑨+⑪) × 2/100	(⑥+⑦+⑧+⑨+⑪) × 3/100	(⑥+⑦+⑧+⑨+⑪) × 5/100	(⑥+⑦+⑧+⑨+⑪) × 7/100	
			3歳児							
		3号	1、2歳児							
			乳児							
	121人から130人まで	2号	4歳以上児	3,610 +	30×加算率 −	(⑥+⑦+⑧+⑨+⑪) × 2/100	(⑥+⑦+⑧+⑨+⑪) × 3/100	(⑥+⑦+⑧+⑨+⑪) × 5/100	(⑥+⑦+⑧+⑨+⑪) × 7/100	
			3歳児							
		3号	1、2歳児							
			乳児							
	131人から140人まで	2号	4歳以上児	3,360 +	30×加算率 −	(⑥+⑦+⑧+⑨+⑪) × 2/100	(⑥+⑦+⑧+⑨+⑪) × 3/100	(⑥+⑦+⑧+⑨+⑪) × 5/100	(⑥+⑦+⑧+⑨+⑪) × 7/100	
			3歳児							
		3号	1、2歳児							
			乳児							
	141人から150人まで	2号	4歳以上児	3,130 +	30×加算率 −	(⑥+⑦+⑧+⑨+⑪) × 2/100	(⑥+⑦+⑧+⑨+⑪) × 3/100	(⑥+⑦+⑧+⑨+⑪) × 5/100	(⑥+⑦+⑧+⑨+⑪) × 7/100	
			3歳児							
		3号	1、2歳児							
			乳児							
	151人から160人まで	2号	4歳以上児	2,940 +	20×加算率 −	(⑥+⑦+⑧+⑨+⑪) × 2/100	(⑥+⑦+⑧+⑨+⑪) × 3/100	(⑥+⑦+⑧+⑨+⑪) × 5/100	(⑥+⑦+⑧+⑨+⑪) × 7/100	
			3歳児							
		3号	1、2歳児							
			乳児							
	161人から170人まで	2号	4歳以上児	2,760 +	20×加算率 −	(⑥+⑦+⑧+⑨+⑪) × 2/100	(⑥+⑦+⑧+⑨+⑪) × 3/100	(⑥+⑦+⑧+⑨+⑪) × 5/100	(⑥+⑦+⑧+⑨+⑪) × 7/100	
			3歳児							
		3号	1、2歳児							
			乳児							
	171人以上	2号	4歳以上児	2,610 +	20×加算率 −	(⑥+⑦+⑧+⑨+⑪) × 2/100	(⑥+⑦+⑧+⑨+⑪) × 3/100	(⑥+⑦+⑧+⑨+⑪) × 5/100	(⑥+⑦+⑧+⑨+⑪) × 7/100	
			3歳児							
		3号	1、2歳児							
			乳児							

加算部分2

			基本額	処遇改善等加算		※各月初日の利用子どもの単価に加算
主任保育士専任加算	⑳		（　267,930　+	2,670×加算率　） ÷各月初日の利用子ども数		※各月初日の利用子どもの単価に加算

療育支援加算	㉑	A	基本額 （　52,030　+	処遇改善等加算 520×加算率　） ÷各月初日の利用子ども数	※以下の区分に応じて、各月初日の利用子どもの単価に加算 　A：特別児童扶養手当支給対象児童受入施設 　B：それ以外の障害児受入施設
		B	基本額 34,680　+	処遇改善等加算 340×加算率　） ÷各月初日の利用子ども数	

事務職員雇上費加算	㉒	基本額 （　48,100　+	処遇改善等加算 480×加算率　） ÷各月初日の利用子ども数	※各月初日の利用子どもの単価に加算

処遇改善等加算Ⅱ	㉓	以下の加算を合算した額を各月初日の利用子ども数で除した額 ・処遇改善等加算Ⅱ－①　49,010 × 人数A ・処遇改善等加算Ⅱ－②　6,130 × 人数B	※1　各月初日の利用子どもの単価に加算 ※2　人数A及び人数Bについては、別に定める

処遇改善等加算Ⅲ	㉔	11,030　×　加算Ⅲ算定対象人数 ÷各月初日の利用子ども数	※1　各月初日の利用子どもの単価に加算 ※2　加算Ⅲ算定対象人数については、別に定める

冷暖房費加算	㉕	1　級　地　1,900	4　級　地　1,320	※以下の区分に応じて、各月の単価に加算 　1級地から4級地：国家公務員の寒冷地手当に関する法律（昭和24年法律第200号）第1条第1号及び第2号に掲げる地域 　その他地域：1級地から4級地以外の地域
		2　級　地　1,690	その他地域　120	
		3　級　地　1,670		

除雪費加算	㉖	6,270	※3月初日の利用子どもの単価に加算

降灰除去費加算	㉗	162,470÷3月初日の利用子ども数	※3月初日の利用子どもの単価に加算

高齢者等活躍促進加算	㉘	400時間以上 800時間未満	476,000 ÷3月初日の利用子ども数	※加算額は、高齢者等の年間総雇用時間数を基に区分 ※3月初日の利用子どもの単価に加算
		800時間以上1200時間未満	793,000 ÷3月初日の利用子ども数	
		1200時間以上	1,111,000 ÷3月初日の利用子ども数	

施設機能強化推進費加算	㉙	160,000（限度額）÷3月初日の利用子ども数	※3月初日の利用子どもの単価に加算

小学校接続加算	㉚	要件Ⅰ～Ⅱを満たす場合	40,380÷3月初日の利用子ども数	※3月初日の利用子どもの単価に加算
		要件Ⅰ～Ⅲを満たす場合	317,130÷3月初日の利用子ども数	

栄養管理加算	㉛	A	基本額 （　79,950　+	処遇改善等加算Ⅰ 790×加算率　） ÷各月初日の利用子ども数	※以下の区分に応じて、各月初日の利用子どもの単価に加算 　A：Bを除き栄養士を雇用契約等により配置している施設 　B：基本分単価及び他の加算の認定に当たって求められる職員が栄養士を兼務している施設 　C：A又はBを除き、栄養士を嘱託等している施設
		B	基本額 （　50,000　+	処遇改善等加算Ⅰ 500×加算率　） ÷各月初日の利用子ども数	
		C	基本額 10,000　÷各月初日の利用子ども数		

第三者評価受審加算	㉜	150,000÷3月初日の利用子ども数	※3月初日の利用子どもの単価に加算

（　注　）年度の初日の前日における満年齢に応じて月額を調整

○定員を恒常的に超過する場合に係る別に定める調整率　保育所（保育認定）

地域区分	定員区分	認定区分	年齢区分	20人まで	21人から30人まで	31人から40人まで	41人から50人まで	51人から60人まで	61人から70人まで	71人から80人まで	81人から90人まで	91人から100人まで	101人から110人まで	111人から120人まで	121人から130人まで	131人から140人まで	141人から150人まで	151人から160人まで	161人から170人まで	171人以上
20/100地域	20人	2号	4歳以上児		78/100	68/100	65/100	60/100	56/100	54/100	51/100	47/100	46/100	45/100	44/100	44/100	43/100	43/100	42/100	42/100
			3歳児																	
		3号	1、2歳児																	
			乳児																	
	21人から30人まで	2号	4歳以上児			87/100	84/100	77/100	72/100	69/100	66/100	61/100	59/100	58/100	57/100	56/100	55/100	55/100	54/100	54/100
			3歳児																	
		3号	1、2歳児																	
			乳児																	
	31人から40人まで	2号	4歳以上児				96/100	88/100	83/100	79/100	76/100	70/100	68/100	67/100	66/100	64/100	64/100	63/100	62/100	62/100
			3歳児																	
		3号	1、2歳児																	
			乳児																	
	41人から50人まで	2号	4歳以上児					92/100	86/100	82/100	79/100	73/100	71/100	70/100	68/100	67/100	66/100	66/100	65/100	64/100
			3歳児																	
		3号	1、2歳児																	
			乳児																	
	51人から60人まで	2号	4歳以上児						94/100	89/100	86/100	79/100	77/100	76/100	74/100	73/100	72/100	71/100	71/100	70/100
			3歳児																	
		3号	1、2歳児																	
			乳児																	
	61人から70人まで	2号	4歳以上児							95/100	91/100	84/100	82/100	81/100	79/100	77/100	77/100	76/100	75/100	74/100
			3歳児																	
		3号	1、2歳児																	
			乳児																	
	71人から80人まで	2号	4歳以上児								96/100	88/100	87/100	85/100	83/100	81/100	81/100	80/100	79/100	78/100
			3歳児																	
		3号	1、2歳児																	
			乳児																	
	81人から90人まで	2号	4歳以上児									92/100	90/100	88/100	87/100	85/100	84/100	83/100	82/100	82/100
			3歳児																	
		3号	1、2歳児																	
			乳児																	
	91人から100人まで	2号	4歳以上児										98/100	96/100	94/100	92/100	91/100	90/100	89/100	89/100
			3歳児																	
		3号	1、2歳児																	
			乳児																	
	101人から110人まで	2号	4歳以上児											98/100	96/100	94/100	93/100	92/100	91/100	90/100
			3歳児																	
		3号	1、2歳児																	
			乳児																	
	111人から120人まで	2号	4歳以上児												98/100	96/100	95/100	94/100	93/100	92/100
			3歳児																	
		3号	1、2歳児																	
			乳児																	
	121人から130人まで	2号	4歳以上児													98/100	97/100	96/100	95/100	94/100
			3歳児																	
		3号	1、2歳児																	
			乳児																	
	131人から140人まで	2号	4歳以上児														99/100	98/100	97/100	96/100
			3歳児																	
		3号	1、2歳児																	
			乳児																	
	141人から150人まで	2号	4歳以上児															99/100	98/100	97/100
			3歳児																	
		3号	1、2歳児																	
			乳児																	
	151人から160人まで	2号	4歳以上児																99/100	98/100
			3歳児																	
		3号	1、2歳児																	
			乳児																	
	161人から170人まで	2号	4歳以上児																	99/100
			3歳児																	
		3号	1、2歳児																	
			乳児																	
	171人以上	2号	4歳以上児																	
			3歳児																	
		3号	1、2歳児																	
			乳児																	

地域区分	定員区分	認定区分	年齢区分	利用子ども数																
				20人まで	21人から30人まで	31人から40人まで	41人から50人まで	51人から60人まで	61人から70人まで	71人から80人まで	81人から90人まで	91人から100人まで	101人から110人まで	111人から120人まで	121人から130人まで	131人から140人まで	141人から150人まで	151人から160人まで	161人から170人まで	171人以上
16/100地域	20人	2号	4歳以上児 / 3歳児		78/100	68/100	65/100	60/100	56/100	54/100	51/100	47/100	46/100	45/100	44/100	43/100	43/100	42/100	42/100	41/100
		3号	1、2歳児 / 乳児																	
	21人から30人まで	2号	4歳以上児 / 3歳児			87/100	84/100	77/100	72/100	69/100	66/100	61/100	59/100	58/100	56/100	55/100	55/100	54/100	54/100	53/100
		3号	1、2歳児 / 乳児																	
	31人から40人まで	2号	4歳以上児 / 3歳児				96/100	88/100	83/100	79/100	76/100	70/100	68/100	66/100	65/100	64/100	63/100	62/100	62/100	61/100
		3号	1、2歳児 / 乳児																	
	41人から50人まで	2号	4歳以上児 / 3歳児					92/100	86/100	82/100	79/100	73/100	70/100	69/100	68/100	66/100	66/100	65/100	64/100	64/100
		3号	1、2歳児 / 乳児																	
	51人から60人まで	2号	4歳以上児 / 3歳児						94/100	89/100	86/100	79/100	77/100	75/100	73/100	72/100	71/100	71/100	70/100	69/100
		3号	1、2歳児 / 乳児																	
	61人から70人まで	2号	4歳以上児 / 3歳児							95/100	91/100	84/100	81/100	80/100	78/100	77/100	76/100	75/100	74/100	74/100
		3号	1、2歳児 / 乳児																	
	71人から80人まで	2号	4歳以上児 / 3歳児								96/100	88/100	86/100	84/100	82/100	81/100	80/100	79/100	78/100	77/100
		3号	1、2歳児 / 乳児																	
	81人から90人まで	2号	4歳以上児 / 3歳児									92/100	89/100	87/100	86/100	84/100	83/100	82/100	81/100	81/100
		3号	1、2歳児 / 乳児																	
	91人から100人まで	2号	4歳以上児 / 3歳児										97/100	95/100	93/100	91/100	90/100	89/100	89/100	88/100
		3号	1、2歳児 / 乳児																	
	101人から110人まで	2号	4歳以上児 / 3歳児											98/100	96/100	94/100	93/100	92/100	91/100	90/100
		3号	1、2歳児 / 乳児																	
	111人から120人まで	2号	4歳以上児 / 3歳児												98/100	96/100	95/100	94/100	93/100	92/100
		3号	1、2歳児 / 乳児																	
	121人から130人まで	2号	4歳以上児 / 3歳児													98/100	97/100	96/100	95/100	94/100
		3号	1、2歳児 / 乳児																	
	131人から140人まで	2号	4歳以上児 / 3歳児														99/100	98/100	97/100	96/100
		3号	1、2歳児 / 乳児																	
	141人から150人まで	2号	4歳以上児 / 3歳児															99/100	98/100	97/100
		3号	1、2歳児 / 乳児																	
	151人から160人まで	2号	4歳以上児 / 3歳児																99/100	98/100
		3号	1、2歳児 / 乳児																	
	161人から170人まで	2号	4歳以上児 / 3歳児																	99/100
		3号	1、2歳児 / 乳児																	
	171人以上	2号	4歳以上児 / 3歳児																	
		3号	1、2歳児 / 乳児																	

地域区分	定員区分	認定区分	年齢区分	利用子ども数																
				20人まで	21人から30人まで	31人から40人まで	41人から50人まで	51人から60人まで	61人から70人まで	71人から80人まで	81人から90人まで	91人から100人まで	101人から110人まで	111人から120人まで	121人から130人まで	131人から140人まで	141人から150人まで	151人から160人まで	161人から170人まで	171人以上
15/100 地域	20人	2号 / 3号（4歳以上児・3歳児・1、2歳児・乳児）			78/100	68/100	65/100	60/100	56/100	54/100	51/100	47/100	46/100	45/100	44/100	43/100	43/100	42/100	42/100	41/100
	21人から30人まで	2号 / 3号（4歳以上児・3歳児・1、2歳児・乳児）				87/100	84/100	77/100	72/100	69/100	66/100	61/100	59/100	58/100	56/100	55/100	55/100	54/100	54/100	53/100
	31人から40人まで	2号 / 3号（4歳以上児・3歳児・1、2歳児・乳児）					96/100	88/100	83/100	79/100	76/100	70/100	68/100	66/100	65/100	64/100	63/100	62/100	62/100	61/100
	41人から50人まで	2号 / 3号（4歳以上児・3歳児・1、2歳児・乳児）						92/100	86/100	82/100	79/100	73/100	70/100	69/100	68/100	66/100	66/100	65/100	64/100	64/100
	51人から60人まで	2号 / 3号（4歳以上児・3歳児・1、2歳児・乳児）							94/100	89/100	86/100	79/100	77/100	75/100	73/100	72/100	71/100	71/100	70/100	69/100
	61人から70人まで	2号 / 3号（4歳以上児・3歳児・1、2歳児・乳児）								95/100	91/100	84/100	81/100	80/100	78/100	77/100	76/100	75/100	74/100	74/100
	71人から80人まで	2号 / 3号（4歳以上児・3歳児・1、2歳児・乳児）									96/100	88/100	86/100	84/100	82/100	81/100	80/100	79/100	78/100	77/100
	81人から90人まで	2号 / 3号（4歳以上児・3歳児・1、2歳児・乳児）										92/100	89/100	87/100	86/100	84/100	83/100	82/100	81/100	81/100
	91人から100人まで	2号 / 3号（4歳以上児・3歳児・1、2歳児・乳児）											97/100	95/100	93/100	91/100	90/100	89/100	89/100	88/100
	101人から110人まで	2号 / 3号（4歳以上児・3歳児・1、2歳児・乳児）												98/100	96/100	94/100	93/100	92/100	91/100	90/100
	111人から120人まで	2号 / 3号（4歳以上児・3歳児・1、2歳児・乳児）													98/100	96/100	95/100	94/100	93/100	92/100
	121人から130人まで	2号 / 3号（4歳以上児・3歳児・1、2歳児・乳児）														98/100	97/100	96/100	95/100	94/100
	131人から140人まで	2号 / 3号（4歳以上児・3歳児・1、2歳児・乳児）															99/100	98/100	97/100	96/100
	141人から150人まで	2号 / 3号（4歳以上児・3歳児・1、2歳児・乳児）																99/100	98/100	97/100
	151人から160人まで	2号 / 3号（4歳以上児・3歳児・1、2歳児・乳児）																	99/100	98/100
	161人から170人まで	2号 / 3号（4歳以上児・3歳児・1、2歳児・乳児）																		99/100
	171人以上	2号 / 3号（4歳以上児・3歳児・1、2歳児・乳児）																		

地域区分	定員区分	認定区分	年齢区分	利用子ども数 20人まで	21人から30人まで	31人から40人まで	41人から50人まで	51人から60人まで	61人から70人まで	71人から80人まで	81人から90人まで	91人から100人まで	101人から110人まで	111人から120人まで	121人から130人まで	131人から140人まで	141人から150人まで	151人から160人まで	161人から170人まで	171人以上
12/100地域	20人	2号	4歳以上児		78/100	68/100	65/100	60/100	56/100	54/100	51/100	47/100	46/100	45/100	44/100	44/100	43/100	43/100	42/100	42/100
			3　歳　児																	
		3号	1、2歳児																	
			乳　　児																	
	21人から30人まで	2号	4歳以上児			87/100	84/100	77/100	72/100	69/100	66/100	61/100	59/100	58/100	57/100	56/100	55/100	55/100	54/100	54/100
			3　歳　児																	
		3号	1、2歳児																	
			乳　　児																	
	31人から40人まで	2号	4歳以上児				96/100	88/100	83/100	79/100	76/100	70/100	68/100	67/100	66/100	64/100	64/100	63/100	62/100	62/100
			3　歳　児																	
		3号	1、2歳児																	
			乳　　児																	
	41人から50人まで	2号	4歳以上児					92/100	86/100	82/100	79/100	73/100	71/100	70/100	68/100	67/100	66/100	66/100	65/100	64/100
			3　歳　児																	
		3号	1、2歳児																	
			乳　　児																	
	51人から60人まで	2号	4歳以上児						94/100	89/100	86/100	79/100	77/100	76/100	74/100	73/100	72/100	71/100	71/100	70/100
			3　歳　児																	
		3号	1、2歳児																	
			乳　　児																	
	61人から70人まで	2号	4歳以上児							95/100	91/100	84/100	82/100	81/100	79/100	77/100	77/100	76/100	75/100	74/100
			3　歳　児																	
		3号	1、2歳児																	
			乳　　児																	
	71人から80人まで	2号	4歳以上児								96/100	88/100	87/100	85/100	83/100	81/100	81/100	80/100	79/100	78/100
			3　歳　児																	
		3号	1、2歳児																	
			乳　　児																	
	81人から90人まで	2号	4歳以上児									92/100	90/100	88/100	87/100	85/100	84/100	83/100	82/100	82/100
			3　歳　児																	
		3号	1、2歳児																	
			乳　　児																	
	91人から100人まで	2号	4歳以上児										98/100	96/100	94/100	92/100	91/100	90/100	89/100	89/100
			3　歳　児																	
		3号	1、2歳児																	
			乳　　児																	
	101人から110人まで	2号	4歳以上児											98/100	96/100	94/100	93/100	92/100	91/100	90/100
			3　歳　児																	
		3号	1、2歳児																	
			乳　　児																	
	111人から120人まで	2号	4歳以上児												98/100	96/100	95/100	94/100	93/100	92/100
			3　歳　児																	
		3号	1、2歳児																	
			乳　　児																	
	121人から130人まで	2号	4歳以上児													98/100	97/100	96/100	95/100	94/100
			3　歳　児																	
		3号	1、2歳児																	
			乳　　児																	
	131人から140人まで	2号	4歳以上児														99/100	98/100	97/100	96/100
			3　歳　児																	
		3号	1、2歳児																	
			乳　　児																	
	141人から150人まで	2号	4歳以上児															99/100	98/100	97/100
			3　歳　児																	
		3号	1、2歳児																	
			乳　　児																	
	151人から160人まで	2号	4歳以上児																99/100	98/100
			3　歳　児																	
		3号	1、2歳児																	
			乳　　児																	
	161人から170人まで	2号	4歳以上児																	99/100
			3　歳　児																	
		3号	1、2歳児																	
			乳　　児																	
	171人以上	2号	4歳以上児																	
			3　歳　児																	
		3号	1、2歳児																	
			乳　　児																	

地域区分	定員区分	認定区分	年齢区分	20人まで	21人から30人まで	31人から40人まで	41人から50人まで	51人から60人まで	61人から70人まで	71人から80人まで	81人から90人まで	91人から100人まで	101人から110人まで	111人から120人まで	121人から130人まで	131人から140人まで	141人から150人まで	151人から160人まで	161人から170人まで	171人以上
10/100 地域	20人	2号	4歳以上児 / 3歳児		78/100	68/100	65/100	60/100	56/100	54/100	51/100	47/100	46/100	45/100	44/100	43/100	43/100	42/100	42/100	41/100
		3号	1、2歳児 / 乳児																	
	21人から30人まで	2号	4歳以上児 / 3歳児			87/100	84/100	77/100	72/100	69/100	66/100	61/100	59/100	58/100	56/100	55/100	55/100	54/100	54/100	53/100
		3号	1、2歳児 / 乳児																	
	31人から40人まで	2号	4歳以上児 / 3歳児				96/100	88/100	83/100	79/100	76/100	70/100	68/100	66/100	65/100	64/100	63/100	62/100	62/100	61/100
		3号	1、2歳児 / 乳児																	
	41人から50人まで	2号	4歳以上児 / 3歳児					92/100	86/100	82/100	79/100	73/100	70/100	69/100	68/100	66/100	66/100	65/100	64/100	64/100
		3号	1、2歳児 / 乳児																	
	51人から60人まで	2号	4歳以上児 / 3歳児						94/100	89/100	86/100	79/100	77/100	75/100	73/100	72/100	71/100	71/100	70/100	69/100
		3号	1、2歳児 / 乳児																	
	61人から70人まで	2号	4歳以上児 / 3歳児							95/100	91/100	84/100	81/100	80/100	78/100	77/100	76/100	75/100	74/100	74/100
		3号	1、2歳児 / 乳児																	
	71人から80人まで	2号	4歳以上児 / 3歳児								96/100	88/100	86/100	84/100	82/100	81/100	80/100	79/100	78/100	77/100
		3号	1、2歳児 / 乳児																	
	81人から90人まで	2号	4歳以上児 / 3歳児									92/100	89/100	87/100	86/100	84/100	83/100	82/100	81/100	81/100
		3号	1、2歳児 / 乳児																	
	91人から100人まで	2号	4歳以上児 / 3歳児										97/100	95/100	93/100	91/100	90/100	89/100	89/100	88/100
		3号	1、2歳児 / 乳児																	
	101人から110人まで	2号	4歳以上児 / 3歳児											98/100	96/100	94/100	93/100	92/100	91/100	90/100
		3号	1、2歳児 / 乳児																	
	111人から120人まで	2号	4歳以上児 / 3歳児												98/100	96/100	95/100	94/100	93/100	92/100
		3号	1、2歳児 / 乳児																	
	121人から130人まで	2号	4歳以上児 / 3歳児													98/100	97/100	96/100	95/100	94/100
		3号	1、2歳児 / 乳児																	
	131人から140人まで	2号	4歳以上児 / 3歳児														99/100	98/100	97/100	96/100
		3号	1、2歳児 / 乳児																	
	141人から150人まで	2号	4歳以上児 / 3歳児															99/100	98/100	97/100
		3号	1、2歳児 / 乳児																	
	151人から160人まで	2号	4歳以上児 / 3歳児																99/100	98/100
		3号	1、2歳児 / 乳児																	
	161人から170人まで	2号	4歳以上児 / 3歳児																	99/100
		3号	1、2歳児 / 乳児																	
	171人以上	2号	4歳以上児 / 3歳児																	
		3号	1、2歳児 / 乳児																	

地域区分	定員区分	認定区分	年齢区分	利用子ども数																
				20人まで	21人から30人まで	31人から40人まで	41人から50人まで	51人から60人まで	61人から70人まで	71人から80人まで	81人から90人まで	91人から100人まで	101人から110人まで	111人から120人まで	121人から130人まで	131人から140人まで	141人から150人まで	151人から160人まで	161人から170人まで	171人以上
6/100地域	20人	2号	4歳以上児		79/100	69/100	66/100	61/100	57/100	54/100	52/100	48/100	47/100	46/100	45/100	44/100	44/100	43/100	43/100	42/100
			3歳児																	
		3号	1、2歳児																	
			乳児																	
	21人から30人まで	2号	4歳以上児			87/100	84/100	77/100	72/100	69/100	66/100	61/100	59/100	58/100	57/100	56/100	55/100	55/100	54/100	54/100
			3歳児																	
		3号	1、2歳児																	
			乳児																	
	31人から40人まで	2号	4歳以上児				96/100	88/100	83/100	79/100	76/100	70/100	68/100	67/100	66/100	64/100	64/100	63/100	62/100	62/100
			3歳児																	
		3号	1、2歳児																	
			乳児																	
	41人から50人まで	2号	4歳以上児					92/100	86/100	82/100	79/100	73/100	71/100	70/100	68/100	67/100	66/100	66/100	65/100	64/100
			3歳児																	
		3号	1、2歳児																	
			乳児																	
	51人から60人まで	2号	4歳以上児						94/100	89/100	86/100	79/100	77/100	76/100	74/100	73/100	72/100	71/100	71/100	70/100
			3歳児																	
		3号	1、2歳児																	
			乳児																	
	61人から70人まで	2号	4歳以上児							95/100	91/100	84/100	82/100	81/100	79/100	77/100	77/100	76/100	75/100	74/100
			3歳児																	
		3号	1、2歳児																	
			乳児																	
	71人から80人まで	2号	4歳以上児								96/100	88/100	87/100	85/100	83/100	81/100	81/100	80/100	79/100	78/100
			3歳児																	
		3号	1、2歳児																	
			乳児																	
	81人から90人まで	2号	4歳以上児									92/100	90/100	88/100	87/100	85/100	84/100	83/100	82/100	82/100
			3歳児																	
		3号	1、2歳児																	
			乳児																	
	91人から100人まで	2号	4歳以上児										98/100	96/100	94/100	92/100	91/100	90/100	89/100	89/100
			3歳児																	
		3号	1、2歳児																	
			乳児																	
	101人から110人まで	2号	4歳以上児											98/100	96/100	94/100	93/100	92/100	91/100	90/100
			3歳児																	
		3号	1、2歳児																	
			乳児																	
	111人から120人まで	2号	4歳以上児												98/100	96/100	95/100	94/100	93/100	92/100
			3歳児																	
		3号	1、2歳児																	
			乳児																	
	121人から130人まで	2号	4歳以上児													98/100	97/100	96/100	95/100	94/100
			3歳児																	
		3号	1、2歳児																	
			乳児																	
	131人から140人まで	2号	4歳以上児														99/100	98/100	97/100	96/100
			3歳児																	
		3号	1、2歳児																	
			乳児																	
	141人から150人まで	2号	4歳以上児															99/100	98/100	97/100
			3歳児																	
		3号	1、2歳児																	
			乳児																	
	151人から160人まで	2号	4歳以上児																99/100	98/100
			3歳児																	
		3号	1、2歳児																	
			乳児																	
	161人から170人まで	2号	4歳以上児																	99/100
			3歳児																	
		3号	1、2歳児																	
			乳児																	
	171人以上	2号	4歳以上児																	
			3歳児																	
		3号	1、2歳児																	
			乳児																	

地域区分: 3/100地域（全定員区分に共通）

定員区分	認定区分	年齢区分	20人まで	21人から30人まで	31人から40人まで	41人から50人まで	51人から60人まで	61人から70人まで	71人から80人まで	81人から90人まで	91人から100人まで	101人から110人まで	111人から120人まで	121人から130人まで	131人から140人まで	141人から150人まで	151人から160人まで	161人から170人まで	171人以上
20人	2号 / 3号	4歳以上児 / 3歳児 / 1・2歳児 / 乳児		79/100	68/100	65/100	60/100	56/100	54/100	51/100	48/100	47/100	46/100	45/100	44/100	44/100	43/100	43/100	42/100
21人から30人まで	2号 / 3号	4歳以上児 / 3歳児 / 1・2歳児 / 乳児			86/100	83/100	76/100	71/100	68/100	65/100	61/100	59/100	58/100	57/100	56/100	55/100	55/100	54/100	54/100
31人から40人まで	2号 / 3号	4歳以上児 / 3歳児 / 1・2歳児 / 乳児				96/100	88/100	83/100	79/100	76/100	70/100	69/100	68/100	66/100	65/100	64/100	64/100	63/100	62/100
41人から50人まで	2号 / 3号	4歳以上児 / 3歳児 / 1・2歳児 / 乳児					92/100	86/100	82/100	79/100	73/100	72/100	70/100	69/100	68/100	67/100	66/100	66/100	65/100
51人から60人まで	2号 / 3号	4歳以上児 / 3歳児 / 1・2歳児 / 乳児						94/100	89/100	86/100	80/100	78/100	77/100	75/100	74/100	73/100	72/100	71/100	71/100
61人から70人まで	2号 / 3号	4歳以上児 / 3歳児 / 1・2歳児 / 乳児							95/100	91/100	85/100	83/100	81/100	80/100	78/100	77/100	77/100	76/100	75/100
71人から80人まで	2号 / 3号	4歳以上児 / 3歳児 / 1・2歳児 / 乳児								96/100	89/100	87/100	86/100	84/100	82/100	82/100	81/100	80/100	79/100
81人から90人まで	2号 / 3号	4歳以上児 / 3歳児 / 1・2歳児 / 乳児									93/100	91/100	89/100	88/100	86/100	85/100	84/100	83/100	82/100
91人から100人まで	2号 / 3号	4歳以上児 / 3歳児 / 1・2歳児 / 乳児										98/100	96/100	94/100	92/100	91/100	90/100	89/100	89/100
101人から110人まで	2号 / 3号	4歳以上児 / 3歳児 / 1・2歳児 / 乳児											98/100	96/100	94/100	93/100	92/100	91/100	90/100
111人から120人まで	2号 / 3号	4歳以上児 / 3歳児 / 1・2歳児 / 乳児												98/100	96/100	95/100	94/100	93/100	92/100
121人から130人まで	2号 / 3号	4歳以上児 / 3歳児 / 1・2歳児 / 乳児													98/100	97/100	96/100	95/100	94/100
131人から140人まで	2号 / 3号	4歳以上児 / 3歳児 / 1・2歳児 / 乳児														99/100	98/100	97/100	96/100
141人から150人まで	2号 / 3号	4歳以上児 / 3歳児 / 1・2歳児 / 乳児															99/100	98/100	97/100
151人から160人まで	2号 / 3号	4歳以上児 / 3歳児 / 1・2歳児 / 乳児																99/100	98/100
161人から170人まで	2号 / 3号	4歳以上児 / 3歳児 / 1・2歳児 / 乳児																	99/100
171人以上	2号 / 3号	4歳以上児 / 3歳児 / 1・2歳児 / 乳児																	

地域区分	定員区分	認定区分	年齢区分	利用子ども数																
				20人まで	21人から30人まで	31人から40人まで	41人から50人まで	51人から60人まで	61人から70人まで	71人から80人まで	81人から90人まで	91人から100人まで	101人から110人まで	111人から120人まで	121人から130人まで	131人から140人まで	141人から150人まで	151人から160人まで	161人から170人まで	171人以上
その他地域	20人	2号	4歳以上児　3歳児		79/100	68/100	65/100	60/100	56/100	54/100	51/100	48/100	47/100	46/100	45/100	44/100	44/100	43/100	43/100	42/100
		3号	1、2歳児　乳児																	
	21人から30人まで	2号	4歳以上児　3歳児			86/100	83/100	76/100	71/100	68/100	65/100	61/100	59/100	58/100	57/100	56/100	55/100	55/100	54/100	54/100
		3号	1、2歳児　乳児																	
	31人から40人まで	2号	4歳以上児　3歳児				96/100	88/100	83/100	79/100	76/100	70/100	69/100	68/100	66/100	65/100	64/100	64/100	63/100	62/100
		3号	1、2歳児　乳児																	
	41人から50人まで	2号	4歳以上児　3歳児					92/100	86/100	82/100	79/100	73/100	72/100	70/100	69/100	68/100	67/100	66/100	66/100	65/100
		3号	1、2歳児　乳児																	
	51人から60人まで	2号	4歳以上児　3歳児						94/100	89/100	86/100	80/100	78/100	77/100	75/100	74/100	73/100	72/100	71/100	71/100
		3号	1、2歳児　乳児																	
	61人から70人まで	2号	4歳以上児　3歳児							95/100	91/100	85/100	83/100	81/100	80/100	78/100	77/100	77/100	76/100	75/100
		3号	1、2歳児　乳児																	
	71人から80人まで	2号	4歳以上児　3歳児								96/100	89/100	87/100	86/100	84/100	82/100	82/100	81/100	80/100	79/100
		3号	1、2歳児　乳児																	
	81人から90人まで	2号	4歳以上児　3歳児									93/100	91/100	89/100	88/100	86/100	85/100	84/100	83/100	82/100
		3号	1、2歳児　乳児																	
	91人から100人まで	2号	4歳以上児　3歳児										98/100	96/100	94/100	92/100	91/100	90/100	89/100	89/100
		3号	1、2歳児　乳児																	
	101人から110人まで	2号	4歳以上児　3歳児											98/100	96/100	94/100	93/100	92/100	91/100	90/100
		3号	1、2歳児　乳児																	
	111人から120人まで	2号	4歳以上児　3歳児												98/100	96/100	95/100	94/100	93/100	92/100
		3号	1、2歳児　乳児																	
	121人から130人まで	2号	4歳以上児　3歳児													98/100	97/100	96/100	95/100	94/100
		3号	1、2歳児　乳児																	
	131人から140人まで	2号	4歳以上児　3歳児														99/100	98/100	97/100	96/100
		3号	1、2歳児　乳児																	
	141人から150人まで	2号	4歳以上児　3歳児															99/100	98/100	97/100
		3号	1、2歳児　乳児																	
	151人から160人まで	2号	4歳以上児　3歳児																99/100	98/100
		3号	1、2歳児　乳児																	
	161人から170人まで	2号	4歳以上児　3歳児																	99/100
		3号	1、2歳児　乳児																	
	171人以上	2号	4歳以上児　3歳児																	
		3号	1、2歳児　乳児																	

○認定こども園（教育標準時間認定）

地域区分 ①	定員区分 ②	認定区分 ③	年齢区分 ④	基本分単価 ⑤ (注)		処遇改善等加算Ⅰ ⑥ (注)		副園長・教頭配置加算 ⑦	処遇改善等加算Ⅰ	学級編制調整加配加算 ※1号・2号の利用定員の合計が36人以上300人以下の場合に加算 ⑧	処遇改善等加算Ⅰ
20/100地域	15人まで	1号	4歳以上児	91,380	(99,940)	+ 890	(980) ×加算率	7,150	+ 70×加算率	34,260	+ 340×加算率
			3歳児	99,940		+ 980	×加算率				
	16人から25人まで	1号	4歳以上児	56,640	(65,200)	+ 540	(630) ×加算率	4,290	+ 40×加算率	20,550	+ 200×加算率
			3歳児	65,200		+ 630	×加算率				
	26人から35人まで	1号	4歳以上児	44,240	(52,800)	+ 420	(500) ×加算率	3,060	+ 30×加算率	14,680	+ 140×加算率
			3歳児	52,800		+ 500	×加算率				
	36人から45人まで	1号	4歳以上児	39,270	(47,830)	+ 370	(450) ×加算率	2,380	+ 20×加算率	11,420	+ 110×加算率
			3歳児	47,830		+ 450	×加算率				
	46人から60人まで	1号	4歳以上児	34,860	(43,420)	+ 320	(410) ×加算率	1,780	+ 10×加算率	8,560	+ 80×加算率
			3歳児	43,420		+ 410	×加算率				
	61人から75人まで	1号	4歳以上児	32,250	(40,810)	+ 300	(380) ×加算率	1,430	+ 10×加算率	6,850	+ 60×加算率
			3歳児	40,810		+ 380	×加算率				
	76人から90人まで	1号	4歳以上児	30,470	(39,030)	+ 280	(370) ×加算率	1,190	+ 10×加算率	5,710	+ 50×加算率
			3歳児	39,030		+ 370	×加算率				
	91人から105人まで	1号	4歳以上児	29,880	(38,440)	+ 270	(360) ×加算率	1,020	+ 10×加算率	4,890	+ 40×加算率
			3歳児	38,440		+ 360	×加算率				
	106人から120人まで	1号	4歳以上児	28,870	(37,430)	+ 260	(350) ×加算率	890	+ 8×加算率	4,280	+ 40×加算率
			3歳児	37,430		+ 350	×加算率				
	121人から135人まで	1号	4歳以上児	28,070	(36,630)	+ 260	(340) ×加算率	790	+ 7×加算率	3,800	+ 30×加算率
			3歳児	36,630		+ 340	×加算率				
	136人から150人まで	1号	4歳以上児	27,440	(36,000)	+ 250	(340) ×加算率	710	+ 7×加算率	3,420	+ 30×加算率
			3歳児	36,000		+ 340	×加算率				
	151人から180人まで	1号	4歳以上児	26,490	(35,050)	+ 240	(330) ×加算率	590	+ 5×加算率	2,850	+ 20×加算率
			3歳児	35,050		+ 330	×加算率				
	181人から210人まで	1号	4歳以上児	25,790	(34,350)	+ 230	(320) ×加算率	510	+ 5×加算率	2,440	+ 20×加算率
			3歳児	34,350		+ 320	×加算率				
	211人から240人まで	1号	4歳以上児	25,280	(33,840)	+ 230	(310) ×加算率	440	+ 4×加算率	2,140	+ 20×加算率
			3歳児	33,840		+ 310	×加算率				
	241人から270人まで	1号	4歳以上児	24,880	(33,440)	+ 220	(310) ×加算率	390	+ 3×加算率	1,900	+ 10×加算率
			3歳児	33,440		+ 310	×加算率				
	271人から300人まで	1号	4歳以上児	24,560	(33,120)	+ 220	(310) ×加算率	350	+ 3×加算率	1,710	+ 10×加算率
			3歳児	33,120		+ 310	×加算率				
	301人以上	1号	4歳以上児	24,310	(32,870)	+ 220	(300) ×加算率	320	+ 3×加算率		
			3歳児	32,870		+ 300	×加算率				

地域区分 ①	定員区分 ②	認定区分 ③	年齢区分 ④	3歳児配置改善加算 ⑨	処遇改善等加算Ⅰ	4歳以上児配置改善加算 ⑩	処遇改善等加算Ⅰ	満3歳児対応加配加算（3歳児配置改善加算無し）⑪	処遇改善等加算Ⅰ	満3歳児対応加配加算（3歳児配置改善加算有り）⑪′	処遇改善等加算Ⅰ	講師配置加算 ⑫	処遇改善等加算Ⅰ
20/100地域	15人まで	1号	4歳以上児	+ (8,560)	(80×加算率) +	3,420 +	30×加算率					6,010 +	60×加算率
			3　歳　児	+ 8,560	80×加算率			+ 59,950 +	590×加算率 +	51,390 +	510×加算率		
	16人から25人まで	1号	4歳以上児	+ (8,560)	(80×加算率) +	3,420 +	30×加算率					3,600 +	30×加算率
			3　歳　児	+ 8,560	80×加算率			+ 59,950 +	590×加算率 +	51,390 +	510×加算率		
	26人から35人まで	1号	4歳以上児	+ (8,560)	(80×加算率) +	3,420 +	30×加算率					2,570 +	20×加算率
			3　歳　児	+ 8,560	80×加算率			+ 59,950 +	590×加算率 +	51,390 +	510×加算率		
	36人から45人まで	1号	4歳以上児	+ (8,560)	(80×加算率) +	3,420 +	30×加算率					− +	−
			3　歳　児	+ 8,560	80×加算率			+ 59,950 +	590×加算率 +	51,390 +	510×加算率		
	46人から60人まで	1号	4歳以上児	+ (8,560)	(80×加算率) +	3,420 +	30×加算率					− +	−
			3　歳　児	+ 8,560	80×加算率			+ 59,950 +	590×加算率 +	51,390 +	510×加算率		
	61人から75人まで	1号	4歳以上児	+ (8,560)	(80×加算率) +	3,420 +	30×加算率					− +	−
			3　歳　児	+ 8,560	80×加算率			+ 59,950 +	590×加算率 +	51,390 +	510×加算率		
	76人から90人まで	1号	4歳以上児	+ (8,560)	(80×加算率) +	3,420 +	30×加算率					− +	−
			3　歳　児	+ 8,560	80×加算率			+ 59,950 +	590×加算率 +	51,390 +	510×加算率		
	91人から105人まで	1号	4歳以上児	+ (8,560)	(80×加算率) +	3,420 +	30×加算率					− +	−
			3　歳　児	+ 8,560	80×加算率			+ 59,950 +	590×加算率 +	51,390 +	510×加算率		
	106人から120人まで	1号	4歳以上児	+ (8,560)	(80×加算率) +	3,420 +	30×加算率					− +	−
			3　歳　児	+ 8,560	80×加算率			+ 59,950 +	590×加算率 +	51,390 +	510×加算率		
	121人から135人まで	1号	4歳以上児	+ (8,560)	(80×加算率) +	3,420 +	30×加算率					660 +	6×加算率
			3　歳　児	+ 8,560	80×加算率			+ 59,950 +	590×加算率 +	51,390 +	510×加算率		
	136人から150人まで	1号	4歳以上児	+ (8,560)	(80×加算率) +	3,420 +	30×加算率					600 +	6×加算率
			3　歳　児	+ 8,560	80×加算率			+ 59,950 +	590×加算率 +	51,390 +	510×加算率		
	151人から180人まで	1号	4歳以上児	+ (8,560)	(80×加算率) +	3,420 +	30×加算率					500 +	5×加算率
			3　歳　児	+ 8,560	80×加算率			+ 59,950 +	590×加算率 +	51,390 +	510×加算率		
	181人から210人まで	1号	4歳以上児	+ (8,560)	(80×加算率) +	3,420 +	30×加算率					430 +	4×加算率
			3　歳　児	+ 8,560	80×加算率			+ 59,950 +	590×加算率 +	51,390 +	510×加算率		
	211人から240人まで	1号	4歳以上児	+ (8,560)	(80×加算率) +	3,420 +	30×加算率					370 +	3×加算率
			3　歳　児	+ 8,560	80×加算率			+ 59,950 +	590×加算率 +	51,390 +	510×加算率		
	241人から270人まで	1号	4歳以上児	+ (8,560)	(80×加算率) +	3,420 +	30×加算率					330 +	3×加算率
			3　歳　児	+ 8,560	80×加算率			+ 59,950 +	590×加算率 +	51,390 +	510×加算率		
	271人から300人まで	1号	4歳以上児	+ (8,560)	(80×加算率) +	3,420 +	30×加算率					300 +	3×加算率
			3　歳　児	+ 8,560	80×加算率			+ 59,950 +	590×加算率 +	51,390 +	510×加算率		
	301人以上	1号	4歳以上児	+ (8,560)	(80×加算率) +	3,420 +	30×加算率					270 +	2×加算率
			3　歳　児	+ 8,560	80×加算率			+ 59,950 +	590×加算率 +	51,390 +	510×加算率		

地域区分 ①	定員区分 ②	認定区分 ③	年齢区分 ④	チーム保育加配加算 ※1号・2号の利用定員合計に応じて利用子どもの単価に加算 処遇改善等加算Ⅰ ⑬		通園送迎加算 処遇改善等加算Ⅰ ⑭		給食実施加算（施設内調理） 処遇改善等加算Ⅰ ⑮	
20/100 地域	15人 まで	1号	4歳以上児 / 3歳児	～ 15人 34,260×加配人数	＋ 340×加算率×加配人数	3,790	＋ 30×加算率	2,840 ×週当たり実施日数	＋ 20 ×週当たり実施日数×加算率
	16人 から 25人 まで	1号	4歳以上児 / 3歳児	16人～ 25人 20,550×加配人数	＋ 200×加算率×加配人数	2,600	＋ 20×加算率	1,700 ×週当たり実施日数	＋ 10 ×週当たり実施日数×加算率
	26人 から 35人 まで	1号	4歳以上児 / 3歳児	26人～ 35人 14,680×加配人数	＋ 140×加算率×加配人数	2,090	＋ 20×加算率	1,220 ×週当たり実施日数	＋ 10 ×週当たり実施日数×加算率
	36人 から 45人 まで	1号	4歳以上児 / 3歳児	36人～ 45人 11,420×加配人数	＋ 110×加算率×加配人数	1,800	＋ 10×加算率	950 ×週当たり実施日数	＋ 9 ×週当たり実施日数×加算率
	46人 から 60人 まで	1号	4歳以上児 / 3歳児	46人～ 60人 8,560×加配人数	＋ 80×加算率×加配人数	1,350	＋ 10×加算率	710 ×週当たり実施日数	＋ 7 ×週当たり実施日数×加算率
	61人 から 75人 まで	1号	4歳以上児 / 3歳児	61人～ 75人 6,850×加配人数	＋ 60×加算率×加配人数	1,080	＋ 10×加算率	590 ×週当たり実施日数	＋ 5 ×週当たり実施日数×加算率
	76人 から 90人 まで	1号	4歳以上児 / 3歳児	76人～ 90人 5,710×加配人数	＋ 50×加算率×加配人数	900	＋ 9×加算率	520 ×週当たり実施日数	＋ 5 ×週当たり実施日数×加算率
	91人 から 105人 まで	1号	4歳以上児 / 3歳児	91人～ 105人 4,890×加配人数	＋ 40×加算率×加配人数	770	＋ 7×加算率	460 ×週当たり実施日数	＋ 4 ×週当たり実施日数×加算率
	106人 から 120人 まで	1号	4歳以上児 / 3歳児	106人～ 120人 4,280×加配人数	＋ 40×加算率×加配人数	670	＋ 6×加算率	420 ×週当たり実施日数	＋ 4 ×週当たり実施日数×加算率
	121人 から 135人 まで	1号	4歳以上児 / 3歳児	121人～ 135人 3,800×加配人数	＋ 30×加算率×加配人数	600	＋ 6×加算率	390 ×週当たり実施日数	＋ 3 ×週当たり実施日数×加算率
	136人 から 150人 まで	1号	4歳以上児 / 3歳児	136人～ 150人 3,420×加配人数	＋ 30×加算率×加配人数	540	＋ 5×加算率	370 ×週当たり実施日数	＋ 3 ×週当たり実施日数×加算率
	151人 から 180人 まで	1号	4歳以上児 / 3歳児	151人～ 180人 2,850×加配人数	＋ 20×加算率×加配人数	520	＋ 5×加算率	320 ×週当たり実施日数	＋ 3 ×週当たり実施日数×加算率
	181人 から 210人 まで	1号	4歳以上児 / 3歳児	181人～ 210人 2,440×加配人数	＋ 20×加算率×加配人数	520	＋ 5×加算率	280 ×週当たり実施日数	＋ 2 ×週当たり実施日数×加算率
	211人 から 240人 まで	1号	4歳以上児 / 3歳児	211人～ 240人 2,140×加配人数	＋ 20×加算率×加配人数	520	＋ 5×加算率	260 ×週当たり実施日数	＋ 2 ×週当たり実施日数×加算率
	241人 から 270人 まで	1号	4歳以上児 / 3歳児	241人～ 270人 1,900×加配人数	＋ 10×加算率×加配人数	520	＋ 5×加算率	230 ×週当たり実施日数	＋ 2 ×週当たり実施日数×加算率
	271人 から 300人 まで	1号	4歳以上児 / 3歳児	271人～ 300人 1,710×加配人数	＋ 10×加算率×加配人数	520	＋ 5×加算率	210 ×週当たり実施日数	＋ 2 ×週当たり実施日数×加算率
	301人 以上	1号	4歳以上児 / 3歳児	301人～ 1,550×加配人数	＋ 10×加算率×加配人数	520	＋ 5×加算率	190 ×週当たり実施日数	＋ 1 ×週当たり実施日数×加算率

925

地域区分①	定員区分②	認定区分③	年齢区分④	給食実施加算（外部搬入）⑮'	処遇改善等加算Ⅰ	外部監査費加算 ※認定こども園全体の利用定員の区分に応じて加算 ※3月分の単価に加算 ⑯	副食費徴収免除加算 ※副食費の徴収が免除される子どもの単価に加算 ⑰	主幹教諭等の専任化により子育て支援の取り組みを実施していない場合⑱
20/100 地域	15人まで	1号	4歳以上児 / 3歳児	+ 500 ×週当たり実施日数	+ 5 ×週当たり実施日数×加算率	～ 15人 27,330	+ 240 ×各月の給食実施日数	− (7,780 +70×加算率)
	16人から25人まで	1号	4歳以上児 / 3歳児	+ 300 ×週当たり実施日数	+ 3 ×週当たり実施日数×加算率	16人～ 25人 16,800	+ 240 ×各月の給食実施日数	− (4,670 +40×加算率)
	26人から35人まで	1号	4歳以上児 / 3歳児	+ 210 ×週当たり実施日数	+ 2 ×週当たり実施日数×加算率	26人～ 35人 12,280	+ 240 ×各月の給食実施日数	− (3,330 +30×加算率)
	36人から45人まで	1号	4歳以上児 / 3歳児	+ 170 ×週当たり実施日数	+ 1 ×週当たり実施日数×加算率	36人～ 45人 9,770	+ 240 ×各月の給食実施日数	− (2,590 +20×加算率)
	46人から60人まで	1号	4歳以上児 / 3歳児	+ 120 ×週当たり実施日数	+ 1 ×週当たり実施日数×加算率	46人～ 60人 7,500	+ 240 ×各月の給食実施日数	− (1,940 +10×加算率)
	61人から75人まで	1号	4歳以上児 / 3歳児	+ 100 ×週当たり実施日数	+ 1 ×週当たり実施日数×加算率	61人～ 75人 6,130	+ 240 ×各月の給食実施日数	− (1,550 +10×加算率)
	76人から90人まで	1号	4歳以上児 / 3歳児	+ 90 ×週当たり実施日数	+ 1 ×週当たり実施日数×加算率	76人～ 90人 5,220	+ 240 ×各月の給食実施日数	− (1,290 +10×加算率)
	91人から105人まで	1号	4歳以上児 / 3歳児	+ 80 ×週当たり実施日数	+ 1 ×週当たり実施日数×加算率	91人～ 105人 4,660	+ 240 ×各月の給食実施日数	− (1,110 +10×加算率)
	106人から120人まで	1号	4歳以上児 / 3歳児	+ 70 ×週当たり実施日数	+ 1 ×週当たり実施日数×加算率	106人～ 120人 4,250	+ 240 ×各月の給食実施日数	− (970 +10×加算率)
	121人から135人まで	1号	4歳以上児 / 3歳児	+ 70 ×週当たり実施日数	+ 1 ×週当たり実施日数×加算率	121人～ 135人 3,920	+ 240 ×各月の給食実施日数	− (860 +9×加算率)
	136人から150人まで	1号	4歳以上児 / 3歳児	+ 60 ×週当たり実施日数	+ 1 ×週当たり実施日数×加算率	136人～ 150人 3,660	+ 240 ×各月の給食実施日数	− (770 +8×加算率)
	151人から180人まで	1号	4歳以上児 / 3歳児	+ 50 ×週当たり実施日数	+ 1 ×週当たり実施日数×加算率	151人～ 180人 3,160	+ 240 ×各月の給食実施日数	− (640 +6×加算率)
	181人から210人まで	1号	4歳以上児 / 3歳児	+ 50 ×週当たり実施日数	+ 1 ×週当たり実施日数×加算率	181人～ 210人 2,810	+ 240 ×各月の給食実施日数	− (550 +6×加算率)
	211人から240人まで	1号	4歳以上児 / 3歳児	+ 40 ×週当たり実施日数	+ 1 ×週当たり実施日数×加算率	211人～ 240人 2,540	+ 240 ×各月の給食実施日数	− (480 +5×加算率)
	241人から270人まで	1号	4歳以上児 / 3歳児	+ 40 ×週当たり実施日数	+ 1 ×週当たり実施日数×加算率	241人～ 270人 2,440	+ 240 ×各月の給食実施日数	− (430 +4×加算率)
	271人から300人まで	1号	4歳以上児 / 3歳児	+ 30 ×週当たり実施日数	+ 1 ×週当たり実施日数×加算率	271人～ 300人 2,360	+ 240 ×各月の給食実施日数	− (380 +4×加算率)
	301人以上	1号	4歳以上児 / 3歳児	+ 30 ×週当たり実施日数	+ 1 ×週当たり実施日数×加算率	301人～ 2,150	+ 240 ×各月の給食実施日数	− (350 +4×加算率)

地域区分 ①	定員区分 ②	認定区分 ③	年齢区分 ④	年齢別配置基準を下回る場合 ⑲	配置基準上求められる職員資格を有しない場合 ⑳	定員を恒常的に超過する場合 ㉑
20/100地域	15人まで	1号	4歳以上児	（34,260 +340×加算率）×人数	（25,970 +260×加算率）×人数	
			3歳児			
	16人から25人まで	1号	4歳以上児	（20,550 +200×加算率）×人数	（15,580 +150×加算率）×人数	
			3歳児			
	26人から35人まで	1号	4歳以上児	（14,680 +140×加算率）×人数	（11,130 +110×加算率）×人数	
			3歳児			
	36人から45人まで	1号	4歳以上児	（11,420 +110×加算率）×人数	（8,650 +80×加算率）×人数	
			3歳児			
	46人から60人まで	1号	4歳以上児	（8,560 +80×加算率）×人数	（6,490 +60×加算率）×人数	
			3歳児			
	61人から75人まで	1号	4歳以上児	（6,850 +60×加算率）×人数	（5,190 +50×加算率）×人数	
			3歳児			
	76人から90人まで	1号	4歳以上児	（5,710 +50×加算率）×人数	（4,320 +40×加算率）×人数	
			3歳児			
	91人から105人まで	1号	4歳以上児	（4,890 +40×加算率）×人数	（3,710 +30×加算率）×人数	
			3歳児			
	106人から120人まで	1号	4歳以上児	（4,280 +40×加算率）×人数	（3,240 +30×加算率）×人数	（⑤～⑳（⑰を除く。））×別に定める調整率
			3歳児			
	121人から135人まで	1号	4歳以上児	（3,800 +30×加算率）×人数	（2,880 +20×加算率）×人数	
			3歳児			
	136人から150人まで	1号	4歳以上児	（3,420 +30×加算率）×人数	（2,590 +20×加算率）×人数	
			3歳児			
	151人から180人まで	1号	4歳以上児	（2,850 +20×加算率）×人数	（2,160 +20×加算率）×人数	
			3歳児			
	181人から210人まで	1号	4歳以上児	（2,440 +20×加算率）×人数	（1,850 +10×加算率）×人数	
			3歳児			
	211人から240人まで	1号	4歳以上児	（2,140 +20×加算率）×人数	（1,620 +10×加算率）×人数	
			3歳児			
	241人から270人まで	1号	4歳以上児	（1,900 +10×加算率）×人数	（1,440 +10×加算率）×人数	
			3歳児			
	271人から300人まで	1号	4歳以上児	（1,710 +10×加算率）×人数	（1,290 +10×加算率）×人数	
			3歳児			
	301人以上	1号	4歳以上児	（1,550 +10×加算率）×人数	（1,180 +10×加算率）×人数	
			3歳児			

①地域区分	②定員区分	③認定区分	④年齢区分	⑤基本分単価 (注)	⑥処遇改善等加算Ⅰ (注)	⑦副園長・教頭配置加算	処遇改善等加算Ⅰ	⑧学級編制調整加配加算 ※1号・2号の利用定員の合計が36人以上300人以下の場合に加算	処遇改善等加算Ⅰ
16/100 地域	15人まで	1号	4歳以上児	88,990 (97,290)	+ 870 (950) ×加算率	6,890	+ 60×加算率	33,210	+ 330×加算率
			3 歳 児	97,290	+ 950 ×加算率				
	16人から25人まで	1号	4歳以上児	55,200 (63,500)	+ 530 (610) ×加算率	4,130	+ 40×加算率	19,920	+ 190×加算率
			3 歳 児	63,500	+ 610 ×加算率				
	26人から35人まで	1号	4歳以上児	43,140 (51,440)	+ 410 (490) ×加算率	2,950	+ 20×加算率	14,230	+ 140×加算率
			3 歳 児	51,440	+ 490 ×加算率				
	36人から45人まで	1号	4歳以上児	38,300 (46,600)	+ 360 (440) ×加算率	2,290	+ 20×加算率	11,070	+ 110×加算率
			3 歳 児	46,600	+ 440 ×加算率				
	46人から60人まで	1号	4歳以上児	34,000 (42,300)	+ 320 (400) ×加算率	1,720	+ 10×加算率	8,300	+ 80×加算率
			3 歳 児	42,300	+ 400 ×加算率				
	61人から75人まで	1号	4歳以上児	31,460 (39,760)	+ 290 (370) ×加算率	1,370	+ 10×加算率	6,640	+ 60×加算率
			3 歳 児	39,760	+ 370 ×加算率				
	76人から90人まで	1号	4歳以上児	29,730 (38,030)	+ 270 (360) ×加算率	1,140	+ 10×加算率	5,530	+ 50×加算率
			3 歳 児	38,030	+ 360 ×加算率				
	91人から105人まで	1号	4歳以上児	29,160 (37,460)	+ 270 (350) ×加算率	980	+ 9×加算率	4,740	+ 40×加算率
			3 歳 児	37,460	+ 350 ×加算率				
	106人から120人まで	1号	4歳以上児	28,180 (36,480)	+ 260 (340) ×加算率	860	+ 8×加算率	4,150	+ 40×加算率
			3 歳 児	36,480	+ 340 ×加算率				
	121人から135人まで	1号	4歳以上児	27,390 (35,690)	+ 250 (330) ×加算率	760	+ 7×加算率	3,690	+ 30×加算率
			3 歳 児	35,690	+ 330 ×加算率				
	136人から150人まで	1号	4歳以上児	26,780 (35,080)	+ 240 (330) ×加算率	680	+ 6×加算率	3,320	+ 30×加算率
			3 歳 児	35,080	+ 330 ×加算率				
	151人から180人まで	1号	4歳以上児	25,850 (34,150)	+ 230 (320) ×加算率	570	+ 5×加算率	2,760	+ 20×加算率
			3 歳 児	34,150	+ 320 ×加算率				
	181人から210人まで	1号	4歳以上児	25,170 (33,470)	+ 230 (310) ×加算率	490	+ 4×加算率	2,370	+ 20×加算率
			3 歳 児	33,470	+ 310 ×加算率				
	211人から240人まで	1号	4歳以上児	24,670 (32,970)	+ 220 (310) ×加算率	430	+ 4×加算率	2,070	+ 20×加算率
			3 歳 児	32,970	+ 310 ×加算率				
	241人から270人まで	1号	4歳以上児	24,280 (32,580)	+ 220 (300) ×加算率	380	+ 3×加算率	1,840	+ 10×加算率
			3 歳 児	32,580	+ 300 ×加算率				
	271人から300人まで	1号	4歳以上児	23,970 (32,270)	+ 220 (300) ×加算率	340	+ 3×加算率	1,660	+ 10×加算率
			3 歳 児	32,270	+ 300 ×加算率				
	301人以上	1号	4歳以上児	23,720 (32,020)	+ 210 (300) ×加算率	310	+ 3×加算率		
			3 歳 児	32,020	+ 300 ×加算率				

特定教育・保育等に要する費用算定基準等　認定こども園（教育標準時間認定）

地域区分①	定員区分②	認定区分③	年齢区分④	3歳児配置改善加算⑨	処遇改善等加算Ⅰ	4歳以上児配置改善加算⑩	処遇改善等加算Ⅰ	満3歳児対応加配加算（3歳児配置改善加算無し）⑪	処遇改善等加算Ⅰ	満3歳児対応加配加算（3歳児配置改善加算有り）⑪′	処遇改善等加算Ⅰ	講師配置加算⑫	処遇改善等加算Ⅰ
16/100地域	15人まで	1号	4歳以上児	+ (8,300)	(80×加算率)	+ 3,320	+ 30×加算率					6,010	+ 60×加算率
			3 歳 児	+ 8,300	80×加算率			+ 58,120	+ 580×加算率	+ 49,820	490×加算率		
	16人から25人まで	1号	4歳以上児	+ (8,300)	(80×加算率)	+ 3,320	+ 30×加算率					3,600	+ 30×加算率
			3 歳 児	+ 8,300	80×加算率			+ 58,120	+ 580×加算率	+ 49,820	490×加算率		
	26人から35人まで	1号	4歳以上児	+ (8,300)	(80×加算率)	+ 3,320	+ 30×加算率					2,570	+ 20×加算率
			3 歳 児	+ 8,300	80×加算率			+ 58,120	+ 580×加算率	+ 49,820	490×加算率		
	36人から45人まで	1号	4歳以上児	+ (8,300)	(80×加算率)	+ 3,320	+ 30×加算率					−	−
			3 歳 児	+ 8,300	80×加算率			+ 58,120	+ 580×加算率	+ 49,820	490×加算率		
	46人から60人まで	1号	4歳以上児	+ (8,300)	(80×加算率)	+ 3,320	+ 30×加算率					−	−
			3 歳 児	+ 8,300	80×加算率			+ 58,120	+ 580×加算率	+ 49,820	490×加算率		
	61人から75人まで	1号	4歳以上児	+ (8,300)	(80×加算率)	+ 3,320	+ 30×加算率					−	−
			3 歳 児	+ 8,300	80×加算率			+ 58,120	+ 580×加算率	+ 49,820	490×加算率		
	76人から90人まで	1号	4歳以上児	+ (8,300)	(80×加算率)	+ 3,320	+ 30×加算率					−	−
			3 歳 児	+ 8,300	80×加算率			+ 58,120	+ 580×加算率	+ 49,820	490×加算率		
	91人から105人まで	1号	4歳以上児	+ (8,300)	(80×加算率)	+ 3,320	+ 30×加算率					−	−
			3 歳 児	+ 8,300	80×加算率			+ 58,120	+ 580×加算率	+ 49,820	490×加算率		
	106人から120人まで	1号	4歳以上児	+ (8,300)	(80×加算率)	+ 3,320	+ 30×加算率					−	−
			3 歳 児	+ 8,300	80×加算率			+ 58,120	+ 580×加算率	+ 49,820	490×加算率		
	121人から135人まで	1号	4歳以上児	+ (8,300)	(80×加算率)	+ 3,320	+ 30×加算率					660	+ 6×加算率
			3 歳 児	+ 8,300	80×加算率			+ 58,120	+ 580×加算率	+ 49,820	490×加算率		
	136人から150人まで	1号	4歳以上児	+ (8,300)	(80×加算率)	+ 3,320	+ 30×加算率					600	+ 6×加算率
			3 歳 児	+ 8,300	80×加算率			+ 58,120	+ 580×加算率	+ 49,820	490×加算率		
	151人から180人まで	1号	4歳以上児	+ (8,300)	(80×加算率)	+ 3,320	+ 30×加算率					500	+ 5×加算率
			3 歳 児	+ 8,300	80×加算率			+ 58,120	+ 580×加算率	+ 49,820	490×加算率		
	181人から210人まで	1号	4歳以上児	+ (8,300)	(80×加算率)	+ 3,320	+ 30×加算率					430	+ 4×加算率
			3 歳 児	+ 8,300	80×加算率			+ 58,120	+ 580×加算率	+ 49,820	490×加算率		
	211人から240人まで	1号	4歳以上児	+ (8,300)	(80×加算率)	+ 3,320	+ 30×加算率					370	+ 3×加算率
			3 歳 児	+ 8,300	80×加算率			+ 58,120	+ 580×加算率	+ 49,820	490×加算率		
	241人から270人まで	1号	4歳以上児	+ (8,300)	(80×加算率)	+ 3,320	+ 30×加算率					330	+ 3×加算率
			3 歳 児	+ 8,300	80×加算率			+ 58,120	+ 580×加算率	+ 49,820	490×加算率		
	271人から300人まで	1号	4歳以上児	+ (8,300)	(80×加算率)	+ 3,320	+ 30×加算率					300	+ 3×加算率
			3 歳 児	+ 8,300	80×加算率			+ 58,120	+ 580×加算率	+ 49,820	490×加算率		
	301人以上	1号	4歳以上児	+ (8,300)	(80×加算率)	+ 3,320	+ 30×加算率					270	+ 2×加算率
			3 歳 児	+ 8,300	80×加算率			+ 58,120	+ 580×加算率	+ 49,820	490×加算率		

地域区分 ①	定員区分 ②	認定区分 ③	年齢区分 ④	チーム保育加配加算 ※1号・2号の利用定員合計に応じて利用子どもの単価に加算 ⑬	処遇改善等加算Ⅰ	通園送迎加算 ⑭	処遇改善等加算Ⅰ	給食実施加算（施設内調理）⑮	処遇改善等加算Ⅰ
16/100 地域	15人まで	1号	4歳以上児 / 3歳児	〜　15人 33,210×加配人数	＋ 330×加算率×加配人数	＋ 3,790	＋ 30×加算率	＋ 2,840 ×週当たり実施日数	＋ 20 ×週当たり実施日数×加算率
	16人から25人まで	1号	4歳以上児 / 3歳児	16人〜　25人 19,920×加配人数	＋ 190×加算率×加配人数	＋ 2,600	＋ 20×加算率	＋ 1,700 ×週当たり実施日数	＋ 10 ×週当たり実施日数×加算率
	26人から35人まで	1号	4歳以上児 / 3歳児	26人〜　35人 14,230×加配人数	＋ 140×加算率×加配人数	＋ 2,090	＋ 20×加算率	＋ 1,220 ×週当たり実施日数	＋ 10 ×週当たり実施日数×加算率
	36人から45人まで	1号	4歳以上児 / 3歳児	36人〜　45人 11,070×加配人数	＋ 110×加算率×加配人数	＋ 1,800	＋ 10×加算率	＋ 950 ×週当たり実施日数	＋ 9 ×週当たり実施日数×加算率
	46人から60人まで	1号	4歳以上児 / 3歳児	46人〜　60人 8,300×加配人数	＋ 80×加算率×加配人数	＋ 1,350	＋ 10×加算率	＋ 710 ×週当たり実施日数	＋ 7 ×週当たり実施日数×加算率
	61人から75人まで	1号	4歳以上児 / 3歳児	61人〜　75人 6,640×加配人数	＋ 60×加算率×加配人数	＋ 1,080	＋ 10×加算率	＋ 590 ×週当たり実施日数	＋ 5 ×週当たり実施日数×加算率
	76人から90人まで	1号	4歳以上児 / 3歳児	76人〜　90人 5,530×加配人数	＋ 50×加算率×加配人数	＋ 900	＋ 9×加算率	＋ 520 ×週当たり実施日数	＋ 5 ×週当たり実施日数×加算率
	91人から105人まで	1号	4歳以上児 / 3歳児	91人〜　105人 4,740×加配人数	＋ 40×加算率×加配人数	＋ 770	＋ 7×加算率	＋ 460 ×週当たり実施日数	＋ 4 ×週当たり実施日数×加算率
	106人から120人まで	1号	4歳以上児 / 3歳児	106人〜　120人 4,150×加配人数	＋ 40×加算率×加配人数	＋ 670	＋ 6×加算率	＋ 420 ×週当たり実施日数	＋ 4 ×週当たり実施日数×加算率
	121人から135人まで	1号	4歳以上児 / 3歳児	121人〜　135人 3,690×加配人数	＋ 30×加算率×加配人数	＋ 600	＋ 6×加算率	＋ 390 ×週当たり実施日数	＋ 3 ×週当たり実施日数×加算率
	136人から150人まで	1号	4歳以上児 / 3歳児	136人〜　150人 3,320×加配人数	＋ 30×加算率×加配人数	＋ 540	＋ 5×加算率	＋ 370 ×週当たり実施日数	＋ 3 ×週当たり実施日数×加算率
	151人から180人まで	1号	4歳以上児 / 3歳児	151人〜　180人 2,760×加配人数	＋ 20×加算率×加配人数	＋ 520	＋ 5×加算率	＋ 320 ×週当たり実施日数	＋ 3 ×週当たり実施日数×加算率
	181人から210人まで	1号	4歳以上児 / 3歳児	181人〜　210人 2,370×加配人数	＋ 20×加算率×加配人数	＋ 520	＋ 5×加算率	＋ 280 ×週当たり実施日数	＋ 2 ×週当たり実施日数×加算率
	211人から240人まで	1号	4歳以上児 / 3歳児	211人〜　240人 2,070×加配人数	＋ 20×加算率×加配人数	＋ 520	＋ 5×加算率	＋ 260 ×週当たり実施日数	＋ 2 ×週当たり実施日数×加算率
	241人から270人まで	1号	4歳以上児 / 3歳児	241人〜　270人 1,840×加配人数	＋ 10×加算率×加配人数	＋ 520	＋ 5×加算率	＋ 230 ×週当たり実施日数	＋ 2 ×週当たり実施日数×加算率
	271人から300人まで	1号	4歳以上児 / 3歳児	271人〜　300人 1,660×加配人数	＋ 10×加算率×加配人数	＋ 520	＋ 5×加算率	＋ 210 ×週当たり実施日数	＋ 2 ×週当たり実施日数×加算率
	301人以上	1号	4歳以上児 / 3歳児	301人〜 1,500×加配人数	＋ 10×加算率×加配人数	＋ 520	＋ 5×加算率	＋ 190 ×週当たり実施日数	＋ 1 ×週当たり実施日数×加算率

地域区分 ①	定員区分 ②	認定区分 ③	年齢区分 ④	給食実施加算（外部搬入） ⑮	処遇改善等加算Ⅰ ⑮'	外部監査費加算 ※認定こども園全体の利用定員の区分に応じて加算 ※3月分の単価に加算 ⑯	副食費徴収免除加算 ※副食費の徴収が免除される子どもの単価に加算 ⑰	主幹教諭等の専任化により子育て支援の取り組みを実施していない場合 ⑱
16/100 地域	15人まで	1号	4歳以上児 / 3歳児	+ 500 ×週当たり実施日数	+ 5 ×週当たり実施日数×加算率	～ 15人 27,330	+ 240 ×各月の給食実施日数	－ (7,780 +70×加算率)
	16人から25人まで	1号	4歳以上児 / 3歳児	+ 300 ×週当たり実施日数	+ 3 ×週当たり実施日数×加算率	16人～ 25人 16,800	+ 240 ×各月の給食実施日数	－ (4,670 +40×加算率)
	26人から35人まで	1号	4歳以上児 / 3歳児	+ 210 ×週当たり実施日数	+ 2 ×週当たり実施日数×加算率	26人～ 35人 12,280	+ 240 ×各月の給食実施日数	－ (3,330 +30×加算率)
	36人から45人まで	1号	4歳以上児 / 3歳児	+ 170 ×週当たり実施日数	+ 1 ×週当たり実施日数×加算率	36人～ 45人 9,770	+ 240 ×各月の給食実施日数	－ (2,590 +20×加算率)
	46人から60人まで	1号	4歳以上児 / 3歳児	+ 120 ×週当たり実施日数	+ 1 ×週当たり実施日数×加算率	46人～ 60人 7,500	+ 240 ×各月の給食実施日数	－ (1,940 +10×加算率)
	61人から75人まで	1号	4歳以上児 / 3歳児	+ 100 ×週当たり実施日数	+ 1 ×週当たり実施日数×加算率	61人～ 75人 6,130	+ 240 ×各月の給食実施日数	－ (1,550 +10×加算率)
	76人から90人まで	1号	4歳以上児 / 3歳児	+ 90 ×週当たり実施日数	+ 1 ×週当たり実施日数×加算率	76人～ 90人 5,220	+ 240 ×各月の給食実施日数	－ (1,290 +10×加算率)
	91人から105人まで	1号	4歳以上児 / 3歳児	+ 80 ×週当たり実施日数	+ 1 ×週当たり実施日数×加算率	91人～ 105人 4,660	+ 240 ×各月の給食実施日数	－ (1,110 +10×加算率)
	106人から120人まで	1号	4歳以上児 / 3歳児	+ 70 ×週当たり実施日数	+ 1 ×週当たり実施日数×加算率	106人～ 120人 4,250	+ 240 ×各月の給食実施日数	－ (970 +10×加算率)
	121人から135人まで	1号	4歳以上児 / 3歳児	+ 70 ×週当たり実施日数	+ 1 ×週当たり実施日数×加算率	121人～ 135人 3,920	+ 240 ×各月の給食実施日数	－ (860 +9×加算率)
	136人から150人まで	1号	4歳以上児 / 3歳児	+ 60 ×週当たり実施日数	+ 1 ×週当たり実施日数×加算率	136人～ 150人 3,660	+ 240 ×各月の給食実施日数	－ (770 +8×加算率)
	151人から180人まで	1号	4歳以上児 / 3歳児	+ 50 ×週当たり実施日数	+ 1 ×週当たり実施日数×加算率	151人～ 180人 3,160	+ 240 ×各月の給食実施日数	－ (640 +6×加算率)
	181人から210人まで	1号	4歳以上児 / 3歳児	+ 50 ×週当たり実施日数	+ 1 ×週当たり実施日数×加算率	181人～ 210人 2,810	+ 240 ×各月の給食実施日数	－ (550 +6×加算率)
	211人から240人まで	1号	4歳以上児 / 3歳児	+ 40 ×週当たり実施日数	+ 1 ×週当たり実施日数×加算率	211人～ 240人 2,540	+ 240 ×各月の給食実施日数	－ (480 +5×加算率)
	241人から270人まで	1号	4歳以上児 / 3歳児	+ 40 ×週当たり実施日数	+ 1 ×週当たり実施日数×加算率	241人～ 270人 2,440	+ 240 ×各月の給食実施日数	－ (430 +4×加算率)
	271人から300人まで	1号	4歳以上児 / 3歳児	+ 30 ×週当たり実施日数	+ 1 ×週当たり実施日数×加算率	271人～ 300人 2,360	+ 240 ×各月の給食実施日数	－ (380 +4×加算率)
	301人以上	1号	4歳以上児 / 3歳児	+ 30 ×週当たり実施日数	+ 1 ×週当たり実施日数×加算率	301人～ 2,150	+ 240 ×各月の給食実施日数	－ (350 +4×加算率)

地域区分①	定員区分②	認定区分③	年齢区分④	年齢別配置基準を下回る場合⑲	配置基準上求められる職員資格を有しない場合⑳	定員を恒常的に超過する場合㉑
16/100 地域	15人まで	1号	4歳以上児 / 3歳児	−(33,210 +330×加算率)×人数	−(24,920 +240×加算率)×人数	
	16人から25人まで	1号	4歳以上児 / 3歳児	−(19,920 +190×加算率)×人数	−(14,950 +150×加算率)×人数	
	26人から35人まで	1号	4歳以上児 / 3歳児	−(14,230 +140×加算率)×人数	−(10,680 +100×加算率)×人数	
	36人から45人まで	1号	4歳以上児 / 3歳児	−(11,070 +110×加算率)×人数	−(8,310 +80×加算率)×人数	
	46人から60人まで	1号	4歳以上児 / 3歳児	−(8,300 +80×加算率)×人数	−(6,230 +60×加算率)×人数	
	61人から75人まで	1号	4歳以上児 / 3歳児	−(6,640 +60×加算率)×人数	−(4,980 +50×加算率)×人数	
	76人から90人まで	1号	4歳以上児 / 3歳児	−(5,530 +50×加算率)×人数	−(4,150 +40×加算率)×人数	
	91人から105人まで	1号	4歳以上児 / 3歳児	−(4,740 +40×加算率)×人数	−(3,560 +30×加算率)×人数	
	106人から120人まで	1号	4歳以上児 / 3歳児	−(4,150 +40×加算率)×人数	−(3,110 +30×加算率)×人数	(⑤〜⑳（⑰を除く。））×別に定める調整率
	121人から135人まで	1号	4歳以上児 / 3歳児	−(3,690 +30×加算率)×人数	−(2,770 +20×加算率)×人数	
	136人から150人まで	1号	4歳以上児 / 3歳児	−(3,320 +30×加算率)×人数	−(2,490 +20×加算率)×人数	
	151人から180人まで	1号	4歳以上児 / 3歳児	−(2,760 +20×加算率)×人数	−(2,070 +20×加算率)×人数	
	181人から210人まで	1号	4歳以上児 / 3歳児	−(2,370 +20×加算率)×人数	−(1,780 +10×加算率)×人数	
	211人から240人まで	1号	4歳以上児 / 3歳児	−(2,070 +20×加算率)×人数	−(1,550 +10×加算率)×人数	
	241人から270人まで	1号	4歳以上児 / 3歳児	−(1,840 +10×加算率)×人数	−(1,380 +10×加算率)×人数	
	271人から300人まで	1号	4歳以上児 / 3歳児	−(1,660 +10×加算率)×人数	−(1,240 +10×加算率)×人数	
	301人以上	1号	4歳以上児 / 3歳児	−(1,510 +10×加算率)×人数	−(1,130 +10×加算率)×人数	

①地域区分	②定員区分	③認定区分	④年齢区分	⑤基本分単価（注）	⑥処遇改善等加算Ⅰ（注）	⑦副園長・教頭配置加算	⑦処遇改善等加算Ⅰ	⑧学級編制調整加配加算 ※1号・2号の利用定員の合計が36人以上300人以下の場合に加算	⑧処遇改善等加算Ⅰ
15/100地域	15人まで	1号	4歳以上児	88,390 （96,620）	＋ 860 （940）×加算率	＋ 6,830	＋ 60×加算率	＋ 32,950	＋ 320×加算率
			3歳児	96,620	＋ 940 ×加算率				
	16人から25人まで	1号	4歳以上児	54,840 （63,070）	＋ 520 （610）×加算率	＋ 4,090	＋ 40×加算率	＋ 19,770	＋ 190×加算率
			3歳児	63,070	＋ 610 ×加算率				
	26人から35人まで	1号	4歳以上児	42,860 （51,090）	＋ 400 （490）×加算率	＋ 2,920	＋ 20×加算率	＋ 14,120	＋ 140×加算率
			3歳児	51,090	＋ 490 ×加算率				
	36人から45人まで	1号	4歳以上児	38,060 （46,290）	＋ 360 （440）×加算率	＋ 2,270	＋ 20×加算率	＋ 10,980	＋ 100×加算率
			3歳児	46,290	＋ 440 ×加算率				
	46人から60人まで	1号	4歳以上児	33,780 （42,010）	＋ 310 （400）×加算率	＋ 1,700	＋ 10×加算率	＋ 8,230	＋ 80×加算率
			3歳児	42,010	＋ 400 ×加算率				
	61人から75人まで	1号	4歳以上児	31,260 （39,490）	＋ 290 （370）×加算率	＋ 1,360	＋ 10×加算率	＋ 6,590	＋ 60×加算率
			3歳児	39,490	＋ 370 ×加算率				
	76人から90人まで	1号	4歳以上児	29,540 （37,770）	＋ 270 （350）×加算率	＋ 1,130	＋ 10×加算率	＋ 5,490	＋ 50×加算率
			3歳児	37,770	＋ 350 ×加算率				
	91人から105人まで	1号	4歳以上児	28,990 （37,220）	＋ 270 （350）×加算率	＋ 970	＋ 9×加算率	＋ 4,700	＋ 40×加算率
			3歳児	37,220	＋ 350 ×加算率				
	106人から120人まで	1号	4歳以上児	28,010 （36,240）	＋ 260 （340）×加算率	＋ 850	＋ 8×加算率	＋ 4,110	＋ 40×加算率
			3歳児	36,240	＋ 340 ×加算率				
	121人から135人まで	1号	4歳以上児	27,220 （35,450）	＋ 250 （330）×加算率	＋ 750	＋ 7×加算率	＋ 3,660	＋ 30×加算率
			3歳児	35,450	＋ 330 ×加算率				
	136人から150人まで	1号	4歳以上児	26,620 （34,850）	＋ 240 （320）×加算率	＋ 680	＋ 6×加算率	＋ 3,290	＋ 30×加算率
			3歳児	34,850	＋ 320 ×加算率				
	151人から180人まで	1号	4歳以上児	25,690 （33,920）	＋ 230 （310）×加算率	＋ 560	＋ 5×加算率	＋ 2,740	＋ 20×加算率
			3歳児	33,920	＋ 310 ×加算率				
	181人から210人まで	1号	4歳以上児	25,010 （33,240）	＋ 230 （310）×加算率	＋ 480	＋ 4×加算率	＋ 2,350	＋ 20×加算率
			3歳児	33,240	＋ 310 ×加算率				
	211人から240人まで	1号	4歳以上児	24,520 （32,750）	＋ 220 （300）×加算率	＋ 420	＋ 4×加算率	＋ 2,050	＋ 20×加算率
			3歳児	32,750	＋ 300 ×加算率				
	241人から270人まで	1号	4歳以上児	24,130 （32,360）	＋ 220 （300）×加算率	＋ 370	＋ 3×加算率	＋ 1,830	＋ 10×加算率
			3歳児	32,360	＋ 300 ×加算率				
	271人から300人まで	1号	4歳以上児	23,830 （32,060）	＋ 210 （300）×加算率	＋ 340	＋ 3×加算率	＋ 1,640	＋ 10×加算率
			3歳児	32,060	＋ 300 ×加算率				
	301人以上	1号	4歳以上児	23,570 （31,800）	＋ 210 （290）×加算率	＋ 310	＋ 3×加算率		
			3歳児	31,800	＋ 290 ×加算率				

① 地域区分	② 定員区分	③ 認定区分	④ 年齢区分	⑨ 3歳児配置改善加算 処遇改善等加算Ⅰ		⑩ 4歳以上児配置改善加算 処遇改善等加算Ⅰ		⑪ 満3歳児対応加配加算(3歳児配置改善加算無し) 処遇改善等加算Ⅰ		⑪' 満3歳児対応加配加算(3歳児配置改善加算有り) 処遇改善等加算Ⅰ		⑫ 講師配置加算 処遇改善等加算Ⅰ	
15/100 地域	15人まで	1号	4歳以上児	+(8,230)	(80×加算率)	+3,290	30×加算率					6,010	+60×加算率
			3　歳　児	+8,230	80×加算率			+57,660	570×加算率	+49,430	490×加算率		
	16人から25人まで	1号	4歳以上児	+(8,230)	(80×加算率)	+3,290	30×加算率					3,600	+30×加算率
			3　歳　児	+8,230	80×加算率			+57,660	570×加算率	+49,430	490×加算率		
	26人から35人まで	1号	4歳以上児	+(8,230)	(80×加算率)	+3,290	30×加算率					2,570	+20×加算率
			3　歳　児	+8,230	80×加算率			+57,660	570×加算率	+49,430	490×加算率		
	36人から45人まで	1号	4歳以上児	+(8,230)	(80×加算率)	+3,290	30×加算率					−	+　−
			3　歳　児	+8,230	80×加算率			+57,660	570×加算率	+49,430	490×加算率		
	46人から60人まで	1号	4歳以上児	+(8,230)	(80×加算率)	+3,290	30×加算率					−	+　−
			3　歳　児	+8,230	80×加算率			+57,660	570×加算率	+49,430	490×加算率		
	61人から75人まで	1号	4歳以上児	+(8,230)	(80×加算率)	+3,290	30×加算率					−	+　−
			3　歳　児	+8,230	80×加算率			+57,660	570×加算率	+49,430	490×加算率		
	76人から90人まで	1号	4歳以上児	+(8,230)	(80×加算率)	+3,290	30×加算率					−	+　−
			3　歳　児	+8,230	80×加算率			+57,660	570×加算率	+49,430	490×加算率		
	91人から105人まで	1号	4歳以上児	+(8,230)	(80×加算率)	+3,290	30×加算率						
			3　歳　児	+8,230	80×加算率			+57,660	570×加算率	+49,430	490×加算率		
	106人から120人まで	1号	4歳以上児	+(8,230)	(80×加算率)	+3,290	30×加算率						
			3　歳　児	+8,230	80×加算率			+57,660	570×加算率	+49,430	490×加算率		
	121人から135人まで	1号	4歳以上児	+(8,230)	(80×加算率)	+3,290	30×加算率					660	+6×加算率
			3　歳　児	+8,230	80×加算率			+57,660	570×加算率	+49,430	490×加算率		
	136人から150人まで	1号	4歳以上児	+(8,230)	(80×加算率)	+3,290	30×加算率					600	+6×加算率
			3　歳　児	+8,230	80×加算率			+57,660	570×加算率	+49,430	490×加算率		
	151人から180人まで	1号	4歳以上児	+(8,230)	(80×加算率)	+3,290	30×加算率					500	+5×加算率
			3　歳　児	+8,230	80×加算率			+57,660	570×加算率	+49,430	490×加算率		
	181人から210人まで	1号	4歳以上児	+(8,230)	(80×加算率)	+3,290	30×加算率					430	+4×加算率
			3　歳　児	+8,230	80×加算率			+57,660	570×加算率	+49,430	490×加算率		
	211人から240人まで	1号	4歳以上児	+(8,230)	(80×加算率)	+3,290	30×加算率					370	+3×加算率
			3　歳　児	+8,230	80×加算率			+57,660	570×加算率	+49,430	490×加算率		
	241人から270人まで	1号	4歳以上児	+(8,230)	(80×加算率)	+3,290	30×加算率					330	+3×加算率
			3　歳　児	+8,230	80×加算率			+57,660	570×加算率	+49,430	490×加算率		
	271人から300人まで	1号	4歳以上児	+(8,230)	(80×加算率)	+3,290	30×加算率					300	+3×加算率
			3　歳　児	+8,230	80×加算率			+57,660	570×加算率	+49,430	490×加算率		
	301人以上	1号	4歳以上児	+(8,230)	(80×加算率)	+3,290	30×加算率					270	+2×加算率
			3　歳　児	+8,230	80×加算率			+57,660	570×加算率	+49,430	490×加算率		

特定教育・保育等に要する費用算定基準等　**認定こども園（教育標準時間認定）**

地域区分①	定員区分②	認定区分③	年齢区分④	チーム保育加配加算 ※1号・2号の利用定員合計に応じて利用子どもの単価に加算⑬	処遇改善等加算Ⅰ	通園送迎加算⑭	処遇改善等加算Ⅰ	給食実施加算（施設内調理）⑮	処遇改善等加算Ⅰ
15/100 地域	15人まで	1号	4歳以上児 / 3歳児	～ 15人 32,950×加配人数 +	320×加算率×加配人数	3,790 +	30×加算率 +	2,840 ×週当たり実施日数 +	20 ×週当たり実施日数×加算率
	16人から25人まで	1号	4歳以上児 / 3歳児	16人～ 25人 19,770×加配人数 +	190×加算率×加配人数	2,600 +	20×加算率 +	1,700 ×週当たり実施日数 +	10 ×週当たり実施日数×加算率
	26人から35人まで	1号	4歳以上児 / 3歳児	26人～ 35人 14,120×加配人数 +	140×加算率×加配人数	2,090 +	20×加算率 +	1,220 ×週当たり実施日数 +	10 ×週当たり実施日数×加算率
	36人から45人まで	1号	4歳以上児 / 3歳児	36人～ 45人 10,980×加配人数 +	100×加算率×加配人数	1,800 +	10×加算率 +	950 ×週当たり実施日数 +	9 ×週当たり実施日数×加算率
	46人から60人まで	1号	4歳以上児 / 3歳児	46人～ 60人 8,230×加配人数 +	80×加算率×加配人数	1,350 +	10×加算率 +	710 ×週当たり実施日数 +	7 ×週当たり実施日数×加算率
	61人から75人まで	1号	4歳以上児 / 3歳児	61人～ 75人 6,590×加配人数 +	60×加算率×加配人数	1,080 +	10×加算率 +	590 ×週当たり実施日数 +	5 ×週当たり実施日数×加算率
	76人から90人まで	1号	4歳以上児 / 3歳児	76人～ 90人 5,490×加配人数 +	50×加算率×加配人数	900 +	9×加算率 +	520 ×週当たり実施日数 +	5 ×週当たり実施日数×加算率
	91人から105人まで	1号	4歳以上児 / 3歳児	91人～ 105人 4,700×加配人数 +	40×加算率×加配人数	770 +	7×加算率 +	460 ×週当たり実施日数 +	4 ×週当たり実施日数×加算率
	106人から120人まで	1号	4歳以上児 / 3歳児	106人～ 120人 4,110×加配人数 +	40×加算率×加配人数	670 +	6×加算率 +	420 ×週当たり実施日数 +	4 ×週当たり実施日数×加算率
	121人から135人まで	1号	4歳以上児 / 3歳児	121人～ 135人 3,660×加配人数 +	30×加算率×加配人数	600 +	6×加算率 +	390 ×週当たり実施日数 +	3 ×週当たり実施日数×加算率
	136人から150人まで	1号	4歳以上児 / 3歳児	136人～ 150人 3,290×加配人数 +	30×加算率×加配人数	540 +	5×加算率 +	370 ×週当たり実施日数 +	3 ×週当たり実施日数×加算率
	151人から180人まで	1号	4歳以上児 / 3歳児	151人～ 180人 2,740×加配人数 +	20×加算率×加配人数	520 +	5×加算率 +	320 ×週当たり実施日数 +	3 ×週当たり実施日数×加算率
	181人から210人まで	1号	4歳以上児 / 3歳児	181人～ 210人 2,350×加配人数 +	20×加算率×加配人数	520 +	5×加算率 +	280 ×週当たり実施日数 +	2 ×週当たり実施日数×加算率
	211人から240人まで	1号	4歳以上児 / 3歳児	211人～ 240人 2,050×加配人数 +	20×加算率×加配人数	520 +	5×加算率 +	260 ×週当たり実施日数 +	2 ×週当たり実施日数×加算率
	241人から270人まで	1号	4歳以上児 / 3歳児	241人～ 270人 1,830×加配人数 +	10×加算率×加配人数	520 +	5×加算率 +	230 ×週当たり実施日数 +	2 ×週当たり実施日数×加算率
	271人から300人まで	1号	4歳以上児 / 3歳児	271人～ 300人 1,640×加配人数 +	10×加算率×加配人数	520 +	5×加算率 +	210 ×週当たり実施日数 +	2 ×週当たり実施日数×加算率
	301人以上	1号	4歳以上児 / 3歳児	301人～ 1,490×加配人数 +	10×加算率×加配人数	520 +	5×加算率 +	190 ×週当たり実施日数 +	1 ×週当たり実施日数×加算率

地域区分 ①	定員区分 ②	認定区分 ③	年齢区分 ④	給食実施加算（外部搬入）⑮′	処遇改善等加算Ⅰ	外部監査費加算 ※認定こども園全体の利用定員の区分に応じて加算 ※3月分の単価に加算 ⑯	副食費徴収免除加算 ※副食費の徴収が免除される子どもの単価に加算 ⑰	主幹教諭等の専任化により子育て支援の取り組みを実施していない場合 ⑱
15/100 地域	15人まで	1号	4歳以上児 / 3歳児	500 ×週当たり実施日数 +	5 ×週当たり実施日数×加算率	〜　15人 27,330	240 ×各月の給食実施日数	(7,780 +70×加算率)
	16人から25人まで	1号	4歳以上児 / 3歳児	300 ×週当たり実施日数 +	3 ×週当たり実施日数×加算率	16人〜　25人 16,800	240 ×各月の給食実施日数	(4,670 +40×加算率)
	26人から35人まで	1号	4歳以上児 / 3歳児	210 ×週当たり実施日数 +	2 ×週当たり実施日数×加算率	26人〜　35人 12,280	240 ×各月の給食実施日数	(3,330 +30×加算率)
	36人から45人まで	1号	4歳以上児 / 3歳児	170 ×週当たり実施日数 +	1 ×週当たり実施日数×加算率	36人〜　45人 9,770	240 ×各月の給食実施日数	(2,590 +20×加算率)
	46人から60人まで	1号	4歳以上児 / 3歳児	120 ×週当たり実施日数 +	1 ×週当たり実施日数×加算率	46人〜　60人 7,500	240 ×各月の給食実施日数	(1,940 +10×加算率)
	61人から75人まで	1号	4歳以上児 / 3歳児	100 ×週当たり実施日数 +	1 ×週当たり実施日数×加算率	61人〜　75人 6,130	240 ×各月の給食実施日数	(1,550 +10×加算率)
	76人から90人まで	1号	4歳以上児 / 3歳児	90 ×週当たり実施日数 +	1 ×週当たり実施日数×加算率	76人〜　90人 5,220	240 ×各月の給食実施日数	(1,290 +10×加算率)
	91人から105人まで	1号	4歳以上児 / 3歳児	80 ×週当たり実施日数 +	1 ×週当たり実施日数×加算率	91人〜　105人 4,660	240 ×各月の給食実施日数	(1,110 +10×加算率)
	106人から120人まで	1号	4歳以上児 / 3歳児	70 ×週当たり実施日数 +	1 ×週当たり実施日数×加算率 +	106人〜　120人 4,250	240 ×各月の給食実施日数	(970 +10×加算率)
	121人から135人まで	1号	4歳以上児 / 3歳児	70 ×週当たり実施日数 +	1 ×週当たり実施日数×加算率	121人〜　135人 3,920	240 ×各月の給食実施日数	(860 +9×加算率)
	136人から150人まで	1号	4歳以上児 / 3歳児	60 ×週当たり実施日数 +	1 ×週当たり実施日数×加算率	136人〜　150人 3,660	240 ×各月の給食実施日数	(770 +8×加算率)
	151人から180人まで	1号	4歳以上児 / 3歳児	50 ×週当たり実施日数 +	1 ×週当たり実施日数×加算率	151人〜　180人 3,160	240 ×各月の給食実施日数	(640 +6×加算率)
	181人から210人まで	1号	4歳以上児 / 3歳児	50 ×週当たり実施日数 +	1 ×週当たり実施日数×加算率	181人〜　210人 2,810	240 ×各月の給食実施日数	(550 +6×加算率)
	211人から240人まで	1号	4歳以上児 / 3歳児	40 ×週当たり実施日数 +	1 ×週当たり実施日数×加算率	211人〜　240人 2,540	240 ×各月の給食実施日数	(480 +5×加算率)
	241人から270人まで	1号	4歳以上児 / 3歳児	40 ×週当たり実施日数 +	1 ×週当たり実施日数×加算率	241人〜　270人 2,440	240 ×各月の給食実施日数	(430 +4×加算率)
	271人から300人まで	1号	4歳以上児 / 3歳児	30 ×週当たり実施日数 +	1 ×週当たり実施日数×加算率	271人〜　300人 2,360	240 ×各月の給食実施日数	(380 +4×加算率)
	301人以上	1号	4歳以上児 / 3歳児	30 ×週当たり実施日数 +	1 ×週当たり実施日数×加算率	301人〜 2,150	240 ×各月の給食実施日数	(350 +4×加算率)

地域区分	定員区分	認定区分	年齢区分	年齢別配置基準を下回る場合	配置基準上求められる職員資格を有しない場合	定員を恒常的に超過する場合	
①	②	③	④	⑲	⑳	㉑	
15/100地域	15人まで	1号	4歳以上児 3歳児	（32,950 ＋330×加算率）×人数	（24,660 ＋240×加算率）×人数		
	16人から25人まで	1号	4歳以上児 3歳児	（19,770 ＋190×加算率）×人数	（14,800 ＋140×加算率）×人数		
	26人から35人まで	1号	4歳以上児 3歳児	（14,120 ＋140×加算率）×人数	（10,570 ＋100×加算率）×人数		
	36人から45人まで	1号	4歳以上児 3歳児	（10,980 ＋110×加算率）×人数	（8,220 ＋80×加算率）×人数		
	46人から60人まで	1号	4歳以上児 3歳児	（8,230 ＋80×加算率）×人数	（6,160 ＋60×加算率）×人数		
	61人から75人まで	1号	4歳以上児 3歳児	（6,590 ＋60×加算率）×人数	（4,930 ＋40×加算率）×人数		
	76人から90人まで	1号	4歳以上児 3歳児	（5,490 ＋50×加算率）×人数	（4,110 ＋40×加算率）×人数		
	91人から105人まで	1号	4歳以上児 3歳児	（4,700 ＋40×加算率）×人数	（3,520 ＋30×加算率）×人数	（⑤～⑳（⑰を除く。）） ×別に定める調整率	
	106人から120人まで	1号	4歳以上児 3歳児	（4,110 ＋40×加算率）×人数	（3,080 ＋30×加算率）×人数		
	121人から135人まで	1号	4歳以上児 3歳児	（3,660 ＋30×加算率）×人数	（2,740 ＋20×加算率）×人数		
	136人から150人まで	1号	4歳以上児 3歳児	（3,290 ＋30×加算率）×人数	（2,460 ＋20×加算率）×人数		
	151人から180人まで	1号	4歳以上児 3歳児	（2,740 ＋20×加算率）×人数	（2,050 ＋20×加算率）×人数		
	181人から210人まで	1号	4歳以上児 3歳児	（2,350 ＋20×加算率）×人数	（1,760 ＋10×加算率）×人数		
	211人から240人まで	1号	4歳以上児 3歳児	（2,060 ＋20×加算率）×人数	（1,540 ＋10×加算率）×人数		
	241人から270人まで	1号	4歳以上児 3歳児	（1,830 ＋10×加算率）×人数	（1,370 ＋10×加算率）×人数		
	271人から300人まで	1号	4歳以上児 3歳児	（1,640 ＋10×加算率）×人数	（1,230 ＋10×加算率）×人数		
	301人以上	1号	4歳以上児 3歳児	（1,490 ＋10×加算率）×人数	（1,120 ＋10×加算率）×人数		

地域区分①	定員区分②	認定区分③	年齢区分④	基本分単価⑤ (注)		処遇改善等加算Ⅰ⑥ (注)		副園長・教頭配置加算⑦	処遇改善等加算Ⅰ	学級編制調整加配加算⑧ ※1号・2号の利用定員の合計が36人以上300人以下の場合に加算	処遇改善等加算Ⅰ
12/100地域	15人まで	1号	4歳以上児	86,590	(94,630) +	840 (920)	×加算率				
			3歳児	94,630	+	920	×加算率	6,630 +	60×加算率 +	32,160 +	320×加算率
	16人から25人まで	1号	4歳以上児	53,770	(61,810) +	510 (590)	×加算率				
			3歳児	61,810	+	590	×加算率	3,980 +	30×加算率 +	19,300 +	190×加算率
	26人から35人まで	1号	4歳以上児	42,030	(50,070) +	400 (480)	×加算率				
			3歳児	50,070	+	480	×加算率	2,840 +	20×加算率 +	13,780 +	130×加算率
	36人から45人まで	1号	4歳以上児	37,330	(45,370) +	350 (430)	×加算率				
			3歳児	45,370	+	430	×加算率	2,210 +	20×加算率 +	10,720 +	100×加算率
	46人から60人まで	1号	4歳以上児	33,130	(41,170) +	310 (390)	×加算率				
			3歳児	41,170	+	390	×加算率	1,650 +	10×加算率 +	8,040 +	80×加算率
	61人から75人まで	1号	4歳以上児	30,660	(38,700) +	280 (360)	×加算率				
			3歳児	38,700	+	360	×加算率	1,320 +	10×加算率 +	6,430 +	60×加算率
	76人から90人まで	1号	4歳以上児	28,980	(37,020) +	270 (350)	×加算率				
			3歳児	37,020	+	350	×加算率	1,100 +	10×加算率 +	5,360 +	50×加算率
	91人から105人まで	1号	4歳以上児	28,450	(36,490) +	260 (340)	×加算率				
			3歳児	36,490	+	340	×加算率	940 +	9×加算率 +	4,590 +	40×加算率
	106人から120人まで	1号	4歳以上児	27,490	(35,530) +	250 (330)	×加算率				
			3歳児	35,530	+	330	×加算率	820 +	8×加算率 +	4,020 +	40×加算率
	121人から135人まで	1号	4歳以上児	26,720	(34,760) +	240 (320)	×加算率				
			3歳児	34,760	+	320	×加算率	730 +	7×加算率 +	3,570 +	30×加算率
	136人から150人まで	1号	4歳以上児	26,120	(34,160) +	240 (320)	×加算率				
			3歳児	34,160	+	320	×加算率	660 +	6×加算率 +	3,210 +	30×加算率
	151人から180人まで	1号	4歳以上児	25,210	(33,250) +	230 (310)	×加算率				
			3歳児	33,250	+	310	×加算率	550 +	5×加算率 +	2,680 +	20×加算率
	181人から210人まで	1号	4歳以上児	24,550	(32,590) +	220 (300)	×加算率				
			3歳児	32,590	+	300	×加算率	470 +	4×加算率 +	2,290 +	20×加算率
	211人から240人まで	1号	4歳以上児	24,060	(32,100) +	220 (300)	×加算率				
			3歳児	32,100	+	300	×加算率	410 +	4×加算率 +	2,010 +	20×加算率
	241人から270人まで	1号	4歳以上児	23,690	(31,730) +	210 (290)	×加算率				
			3歳児	31,730	+	290	×加算率	360 +	3×加算率 +	1,780 +	10×加算率
	271人から300人まで	1号	4歳以上児	23,380	(31,420) +	210 (290)	×加算率				
			3歳児	31,420	+	290	×加算率	330 +	3×加算率 +	1,600 +	10×加算率
	301人以上	1号	4歳以上児	23,140	(31,180) +	210 (290)	×加算率				
			3歳児	31,180	+	290	×加算率	300 +	3×加算率		

特定教育・保育等に要する費用算定基準等　認定こども園（教育標準時間認定）

地域区分①	定員区分②	認定区分③	年齢区分④	3歳児配置改善加算⑨ 処遇改善等加算Ⅰ		4歳以上児配置改善加算⑩ 処遇改善等加算Ⅰ		満3歳児対応加配加算（3歳児配置改善加算無し）⑪ 処遇改善等加算Ⅰ		満3歳児対応加配加算（3歳児配置改善加算有り）⑪' 処遇改善等加算Ⅰ		講師配置加算⑫ 処遇改善等加算Ⅰ	
12/100 地域	15人まで	1号	4歳以上児	+(8,040)	(80×加算率)	+ 3,210	30×加算率					6,010 +	60×加算率
			3　歳　児	+ 8,040	80×加算率			+ 56,290	560×加算率	+ 48,250	480×加算率		
	16人から25人まで	1号	4歳以上児	+(8,040)	(80×加算率)	+ 3,210	30×加算率					3,600 +	30×加算率
			3　歳　児	+ 8,040	80×加算率			+ 56,290	560×加算率	+ 48,250	480×加算率		
	26人から35人まで	1号	4歳以上児	+(8,040)	(80×加算率)	+ 3,210	30×加算率					2,570 +	20×加算率
			3　歳　児	+ 8,040	80×加算率			+ 56,290	560×加算率	+ 48,250	480×加算率		
	36人から45人まで	1号	4歳以上児	+(8,040)	(80×加算率)	+ 3,210	30×加算率					− +	−
			3　歳　児	+ 8,040	80×加算率			+ 56,290	560×加算率	+ 48,250	480×加算率		
	46人から60人まで	1号	4歳以上児	+(8,040)	(80×加算率)	+ 3,210	30×加算率					− +	−
			3　歳　児	+ 8,040	80×加算率			+ 56,290	560×加算率	+ 48,250	480×加算率		
	61人から75人まで	1号	4歳以上児	+(8,040)	(80×加算率)	+ 3,210	30×加算率					− +	−
			3　歳　児	+ 8,040	80×加算率			+ 56,290	560×加算率	+ 48,250	480×加算率		
	76人から90人まで	1号	4歳以上児	+(8,040)	(80×加算率)	+ 3,210	30×加算率					− +	−
			3　歳　児	+ 8,040	80×加算率			+ 56,290	560×加算率	+ 48,250	480×加算率		
	91人から105人まで	1号	4歳以上児	+(8,040)	(80×加算率)	+ 3,210	30×加算率					+	
			3　歳　児	+ 8,040	80×加算率			+ 56,290	560×加算率	+ 48,250	480×加算率		
	106人から120人まで	1号	4歳以上児	+(8,040)	(80×加算率)	+ 3,210	30×加算率					− +	−
			3　歳　児	+ 8,040	80×加算率			+ 56,290	560×加算率	+ 48,250	480×加算率		
	121人から135人まで	1号	4歳以上児	+(8,040)	(80×加算率)	+ 3,210	30×加算率					660 +	6×加算率
			3　歳　児	+ 8,040	80×加算率			+ 56,290	560×加算率	+ 48,250	480×加算率		
	136人から150人まで	1号	4歳以上児	+(8,040)	(80×加算率)	+ 3,210	30×加算率					600 +	6×加算率
			3　歳　児	+ 8,040	80×加算率			+ 56,290	560×加算率	+ 48,250	480×加算率		
	151人から180人まで	1号	4歳以上児	+(8,040)	(80×加算率)	+ 3,210	30×加算率					500 +	5×加算率
			3　歳　児	+ 8,040	80×加算率			+ 56,290	560×加算率	+ 48,250	480×加算率		
	181人から210人まで	1号	4歳以上児	+(8,040)	(80×加算率)	+ 3,210	30×加算率					430 +	4×加算率
			3　歳　児	+ 8,040	80×加算率			+ 56,290	560×加算率	+ 48,250	480×加算率		
	211人から240人まで	1号	4歳以上児	+(8,040)	(80×加算率)	+ 3,210	30×加算率					370 +	3×加算率
			3　歳　児	+ 8,040	80×加算率			+ 56,290	560×加算率	+ 48,250	480×加算率		
	241人から270人まで	1号	4歳以上児	+(8,040)	(80×加算率)	+ 3,210	30×加算率					330 +	3×加算率
			3　歳　児	+ 8,040	80×加算率			+ 56,290	560×加算率	+ 48,250	480×加算率		
	271人から300人まで	1号	4歳以上児	+(8,040)	(80×加算率)	+ 3,210	30×加算率					300 +	3×加算率
			3　歳　児	+ 8,040	80×加算率			+ 56,290	560×加算率	+ 48,250	480×加算率		
	301人以上	1号	4歳以上児	+(8,040)	(80×加算率)	+ 3,210	30×加算率					270 +	2×加算率
			3　歳　児	+ 8,040	80×加算率			+ 56,290	560×加算率	+ 48,250	480×加算率		

地域区分①	定員区分②	認定区分③	年齢区分④	チーム保育加配加算 ※1号・2号の利用定員合計に応じて利用子どもの単価に加算⑬	処遇改善等加算Ⅰ	通園送迎加算⑭	処遇改善等加算Ⅰ	給食実施加算（施設内調理）⑮	処遇改善等加算Ⅰ
12/100地域	15人まで	1号	4歳以上児 / 3歳児	～　15人 32,160×加配人数 +	320×加算率×加配人数 +	3,790 +	30×加算率 +	2,840 ×週当たり実施日数 +	20 ×週当たり実施日数×加算率
	16人から25人まで	1号	4歳以上児 / 3歳児	16人～　25人 19,300×加配人数 +	190×加算率×加配人数 +	2,600 +	20×加算率 +	1,700 ×週当たり実施日数 +	10 ×週当たり実施日数×加算率
	26人から35人まで	1号	4歳以上児 / 3歳児	26人～　35人 13,780×加配人数 +	130×加算率×加配人数 +	2,090 +	20×加算率 +	1,220 ×週当たり実施日数 +	10 ×週当たり実施日数×加算率
	36人から45人まで	1号	4歳以上児 / 3歳児	36人～　45人 10,720×加配人数 +	100×加算率×加配人数 +	1,800 +	10×加算率 +	950 ×週当たり実施日数 +	9 ×週当たり実施日数×加算率
	46人から60人まで	1号	4歳以上児 / 3歳児	46人～　60人 8,040×加配人数 +	80×加算率×加配人数 +	1,350 +	10×加算率 +	710 ×週当たり実施日数 +	7 ×週当たり実施日数×加算率
	61人から75人まで	1号	4歳以上児 / 3歳児	61人～　75人 6,430×加配人数 +	60×加算率×加配人数 +	1,080 +	10×加算率 +	590 ×週当たり実施日数 +	5 ×週当たり実施日数×加算率
	76人から90人まで	1号	4歳以上児 / 3歳児	76人～　90人 5,360×加配人数 +	50×加算率×加配人数 +	900 +	9×加算率 +	520 ×週当たり実施日数 +	5 ×週当たり実施日数×加算率
	91人から105人まで	1号	4歳以上児 / 3歳児	91人～　105人 4,590×加配人数 +	40×加算率×加配人数 +	770 +	7×加算率 +	460 ×週当たり実施日数 +	4 ×週当たり実施日数×加算率
	106人から120人まで	1号	4歳以上児 / 3歳児	106人～　120人 4,020×加配人数 +	40×加算率×加配人数 +	670 +	6×加算率 +	420 ×週当たり実施日数 +	4 ×週当たり実施日数×加算率
	121人から135人まで	1号	4歳以上児 / 3歳児	121人～　135人 3,570×加配人数 +	30×加算率×加配人数 +	600 +	6×加算率 +	390 ×週当たり実施日数 +	3 ×週当たり実施日数×加算率
	136人から150人まで	1号	4歳以上児 / 3歳児	136人～　150人 3,210×加配人数 +	30×加算率×加配人数 +	540 +	5×加算率 +	370 ×週当たり実施日数 +	3 ×週当たり実施日数×加算率
	151人から180人まで	1号	4歳以上児 / 3歳児	151人～　180人 2,680×加配人数 +	20×加算率×加配人数 +	520 +	5×加算率 +	320 ×週当たり実施日数 +	3 ×週当たり実施日数×加算率
	181人から210人まで	1号	4歳以上児 / 3歳児	181人～　210人 2,290×加配人数 +	20×加算率×加配人数 +	520 +	5×加算率 +	280 ×週当たり実施日数 +	2 ×週当たり実施日数×加算率
	211人から240人まで	1号	4歳以上児 / 3歳児	211人～　240人 2,010×加配人数 +	20×加算率×加配人数 +	520 +	5×加算率 +	260 ×週当たり実施日数 +	2 ×週当たり実施日数×加算率
	241人から270人まで	1号	4歳以上児 / 3歳児	241人～　270人 1,780×加配人数 +	10×加算率×加配人数 +	520 +	5×加算率 +	230 ×週当たり実施日数 +	2 ×週当たり実施日数×加算率
	271人から300人まで	1号	4歳以上児 / 3歳児	271人～　300人 1,600×加配人数 +	10×加算率×加配人数 +	520 +	5×加算率 +	210 ×週当たり実施日数 +	2 ×週当たり実施日数×加算率
	301人以上	1号	4歳以上児 / 3歳児	301人～ 1,460×加配人数 +	10×加算率×加配人数 +	520 +	5×加算率 +	190 ×週当たり実施日数 +	1 ×週当たり実施日数×加算率

地域区分 ①	定員区分 ②	認定区分 ③	年齢区分 ④	給食実施加算（外部搬入）⑮'	処遇改善等加算Ⅰ	外部監査費加算 ※認定こども園全体の利用定員の区分に応じて加算 ※3月分の単価に加算 ⑯	副食費徴収免除加算 ※副食費の徴収が免除される子どもの単価に加算 ⑰	主幹教諭等の専任化により子育て支援の取り組みを実施していない場合 ⑱
12/100地域	15人まで	1号	4歳以上児 / 3歳児	500 ×週当たり実施日数	+ 5 ×週当たり実施日数×加算率	～ 15人 27,330	+ 240 ×各月の給食実施日数	(7,780 +70×加算率)
	16人から25人まで	1号	4歳以上児 / 3歳児	300 ×週当たり実施日数	+ 3 ×週当たり実施日数×加算率	16人～ 25人 16,800	+ 240 ×各月の給食実施日数	(4,670 +40×加算率)
	26人から35人まで	1号	4歳以上児 / 3歳児	210 ×週当たり実施日数	+ 2 ×週当たり実施日数×加算率	26人～ 35人 12,280	+ 240 ×各月の給食実施日数	(3,330 +30×加算率)
	36人から45人まで	1号	4歳以上児 / 3歳児	170 ×週当たり実施日数	+ 1 ×週当たり実施日数×加算率	36人～ 45人 9,770	+ 240 ×各月の給食実施日数	(2,590 +20×加算率)
	46人から60人まで	1号	4歳以上児 / 3歳児	120 ×週当たり実施日数	+ 1 ×週当たり実施日数×加算率	46人～ 60人 7,500	+ 240 ×各月の給食実施日数	(1,940 +10×加算率)
	61人から75人まで	1号	4歳以上児 / 3歳児	100 ×週当たり実施日数	+ 1 ×週当たり実施日数×加算率	61人～ 75人 6,130	+ 240 ×各月の給食実施日数	(1,550 +10×加算率)
	76人から90人まで	1号	4歳以上児 / 3歳児	90 ×週当たり実施日数	+ 1 ×週当たり実施日数×加算率	76人～ 90人 5,220	+ 240 ×各月の給食実施日数	(1,290 +10×加算率)
	91人から105人まで	1号	4歳以上児 / 3歳児	80 ×週当たり実施日数	+ 1 ×週当たり実施日数×加算率	91人～ 105人 4,660	+ 240 ×各月の給食実施日数	(1,110 +10×加算率)
	106人から120人まで	1号	4歳以上児 / 3歳児	70 ×週当たり実施日数	+ 1 ×週当たり実施日数×加算率	106人～ 120人 4,250	+ 240 ×各月の給食実施日数	(970 +10×加算率)
	121人から135人まで	1号	4歳以上児 / 3歳児	70 ×週当たり実施日数	+ 1 ×週当たり実施日数×加算率	121人～ 135人 3,920	+ 240 ×各月の給食実施日数	(860 +9×加算率)
	136人から150人まで	1号	4歳以上児 / 3歳児	60 ×週当たり実施日数	+ 1 ×週当たり実施日数×加算率	136人～ 150人 3,660	+ 240 ×各月の給食実施日数	(770 +8×加算率)
	151人から180人まで	1号	4歳以上児 / 3歳児	50 ×週当たり実施日数	+ 1 ×週当たり実施日数×加算率	151人～ 180人 3,160	+ 240 ×各月の給食実施日数	(640 +6×加算率)
	181人から210人まで	1号	4歳以上児 / 3歳児	50 ×週当たり実施日数	+ 1 ×週当たり実施日数×加算率	181人～ 210人 2,810	+ 240 ×各月の給食実施日数	(550 +6×加算率)
	211人から240人まで	1号	4歳以上児 / 3歳児	40 ×週当たり実施日数	+ 1 ×週当たり実施日数×加算率	211人～ 240人 2,540	+ 240 ×各月の給食実施日数	(480 +5×加算率)
	241人から270人まで	1号	4歳以上児 / 3歳児	40 ×週当たり実施日数	+ 1 ×週当たり実施日数×加算率	241人～ 270人 2,440	+ 240 ×各月の給食実施日数	(430 +4×加算率)
	271人から300人まで	1号	4歳以上児 / 3歳児	30 ×週当たり実施日数	+ 1 ×週当たり実施日数×加算率	271人～ 300人 2,360	+ 240 ×各月の給食実施日数	(380 +4×加算率)
	301人以上	1号	4歳以上児 / 3歳児	30 ×週当たり実施日数	+ 1 ×週当たり実施日数×加算率	301人～ 2,150	+ 240 ×各月の給食実施日数	(350 +4×加算率)

地域区分 ①	定員区分 ②	認定区分 ③	年齢区分 ④	年齢別配置基準を下回る場合 ⑲	配置基準上求められる職員資格を有しない場合 ⑳	定員を恒常的に超過する場合 ㉑
12/100 地域	15人まで	1号	4歳以上児 / 3歳児	△ (32,160 +320×加算率)×人数	△ (23,880 +230×加算率)×人数	
	16人から25人まで	1号	4歳以上児 / 3歳児	△ (19,300 +190×加算率)×人数	△ (14,330 +140×加算率)×人数	
	26人から35人まで	1号	4歳以上児 / 3歳児	△ (13,780 +130×加算率)×人数	△ (10,230 +100×加算率)×人数	
	36人から45人まで	1号	4歳以上児 / 3歳児	△ (10,720 +100×加算率)×人数	△ (7,960 +80×加算率)×人数	
	46人から60人まで	1号	4歳以上児 / 3歳児	△ (8,040 +80×加算率)×人数	△ (5,970 +60×加算率)×人数	
	61人から75人まで	1号	4歳以上児 / 3歳児	△ (6,430 +60×加算率)×人数	△ (4,770 +40×加算率)×人数	
	76人から90人まで	1号	4歳以上児 / 3歳児	△ (5,360 +50×加算率)×人数	△ (3,980 +40×加算率)×人数	
	91人から105人まで	1号	4歳以上児 / 3歳児	△ (4,590 +40×加算率)×人数	△ (3,410 +30×加算率)×人数	
	106人から120人まで	1号	4歳以上児 / 3歳児	△ (4,020 +40×加算率)×人数	△ (2,980 +30×加算率)×人数	(⑤〜⑳（⑰を除く。））×別に定める調整率
	121人から135人まで	1号	4歳以上児 / 3歳児	△ (3,570 +30×加算率)×人数	△ (2,650 +20×加算率)×人数	
	136人から150人まで	1号	4歳以上児 / 3歳児	△ (3,210 +30×加算率)×人数	△ (2,380 +20×加算率)×人数	
	151人から180人まで	1号	4歳以上児 / 3歳児	△ (2,680 +20×加算率)×人数	△ (1,990 +20×加算率)×人数	
	181人から210人まで	1号	4歳以上児 / 3歳児	△ (2,290 +20×加算率)×人数	△ (1,700 +10×加算率)×人数	
	211人から240人まで	1号	4歳以上児 / 3歳児	△ (2,010 +20×加算率)×人数	△ (1,490 +10×加算率)×人数	
	241人から270人まで	1号	4歳以上児 / 3歳児	△ (1,780 +10×加算率)×人数	△ (1,320 +10×加算率)×人数	
	271人から300人まで	1号	4歳以上児 / 3歳児	△ (1,600 +10×加算率)×人数	△ (1,190 +10×加算率)×人数	
	301人以上	1号	4歳以上児 / 3歳児	△ (1,460 +10×加算率)×人数	△ (1,080 +10×加算率)×人数	

地域区分①	定員区分②	認定区分③	年齢区分④	基本分単価 （注）⑤		処遇改善等加算Ⅰ （注）⑥		副園長・教頭配置加算⑦	処遇改善等加算Ⅰ	学級編制調整加配加算 ※1号・2号の利用定員の合計が36人以上300人以下の場合に加算⑧	処遇改善等加算Ⅰ
10/100地域	15人まで	1号	4歳以上児	85,390	(93,300) +	830	(910) ×加算率	+ 6,510 +	60×加算率	+ 31,640 +	310×加算率
			3歳児	93,300		910	×加算率				
	16人から25人まで	1号	4歳以上児	53,050	(60,960) +	510	(590) ×加算率	+ 3,900 +	30×加算率	+ 18,980 +	180×加算率
			3歳児	60,960		590	×加算率				
	26人から35人まで	1号	4歳以上児	41,480	(49,390) +	390	(470) ×加算率	+ 2,790 +	20×加算率	+ 13,560 +	130×加算率
			3歳児	49,390		470	×加算率				
	36人から45人まで	1号	4歳以上児	36,840	(44,750) +	340	(420) ×加算率	+ 2,170 +	20×加算率	+ 10,540 +	100×加算率
			3歳児	44,750		420	×加算率				
	46人から60人まで	1号	4歳以上児	32,700	(40,610) +	300	(380) ×加算率	+ 1,620 +	10×加算率	+ 7,910 +	70×加算率
			3歳児	40,610		380	×加算率				
	61人から75人まで	1号	4歳以上児	30,270	(38,180) +	280	(360) ×加算率	+ 1,300 +	10×加算率	+ 6,320 +	60×加算率
			3歳児	38,180		360	×加算率				
	76人から90人まで	1号	4歳以上児	28,600	(36,510) +	260	(340) ×加算率	+ 1,080 +	10×加算率	+ 5,270 +	50×加算率
			3歳児	36,510		340	×加算率				
	91人から105人まで	1号	4歳以上児	28,090	(36,000) +	260	(340) ×加算率	+ 930 +	9×加算率	+ 4,520 +	40×加算率
			3歳児	36,000		340	×加算率				
	106人から120人まで	1号	4歳以上児	27,140	(35,050) +	250	(330) ×加算率	+ 810 +	8×加算率	+ 3,950 +	30×加算率
			3歳児	35,050		330	×加算率				
	121人から135人まで	1号	4歳以上児	26,380	(34,290) +	240	(320) ×加算率	+ 720 +	7×加算率	+ 3,510 +	30×加算率
			3歳児	34,290		320	×加算率				
	136人から150人まで	1号	4歳以上児	25,800	(33,710) +	230	(310) ×加算率	+ 650 +	6×加算率	+ 3,160 +	30×加算率
			3歳児	33,710		310	×加算率				
	151人から180人まで	1号	4歳以上児	24,900	(32,810) +	220	(300) ×加算率	+ 540 +	5×加算率	+ 2,630 +	20×加算率
			3歳児	32,810		300	×加算率				
	181人から210人まで	1号	4歳以上児	24,240	(32,150) +	220	(300) ×加算率	+ 460 +	4×加算率	+ 2,260 +	20×加算率
			3歳児	32,150		300	×加算率				
	211人から240人まで	1号	4歳以上児	23,760	(31,670) +	210	(290) ×加算率	+ 400 +	4×加算率	+ 1,970 +	10×加算率
			3歳児	31,670		290	×加算率				
	241人から270人まで	1号	4歳以上児	23,390	(31,300) +	210	(290) ×加算率	+ 360 +	3×加算率	+ 1,750 +	10×加算率
			3歳児	31,300		290	×加算率				
	271人から300人まで	1号	4歳以上児	23,090	(31,000) +	210	(290) ×加算率	+ 320 +	3×加算率	+ 1,580 +	10×加算率
			3歳児	31,000		290	×加算率				
	301人以上	1号	4歳以上児	22,840	(30,750) +	200	(280) ×加算率	+ 290 +	2×加算率		
			3歳児	30,750		280	×加算率				

地域区分①	定員区分②	認定区分③	年齢区分④	3歳児配置改善加算 処遇改善等加算Ⅰ ⑨		4歳以上児配置改善加算 処遇改善等加算Ⅰ ⑩		満3歳児対応加配加算（3歳児配置改善加算無し）処遇改善等加算Ⅰ ⑪		満3歳児対応加配加算（3歳児配置改善加算有り）処遇改善等加算Ⅰ ⑪'		講師配置加算 処遇改善等加算Ⅰ ⑫	
10/100 地域	15人 まで	1号	4歳以上児	+ (7,910)	+ (70×加算率)	3,160 +	30×加算率					6,010 +	60×加算率
			3 歳 児	+ 7,910	70×加算率			+ 55,370 +	550×加算率	47,460 +	470×加算率		
	16から25人 まで	1号	4歳以上児	+ (7,910)	(70×加算率) +	3,160 +	30×加算率					3,600 +	30×加算率
			3 歳 児	+ 7,910	70×加算率			+ 55,370 +	550×加算率	47,460 +	470×加算率		
	26から35人 まで	1号	4歳以上児	+ (7,910)	(70×加算率) +	3,160 +	30×加算率					2,570 +	20×加算率
			3 歳 児	+ 7,910	70×加算率			+ 55,370 +	550×加算率	47,460 +	470×加算率		
	36から45人 まで	1号	4歳以上児	+ (7,910)	(70×加算率) +	3,160 +	30×加算率					− +	−
			3 歳 児	+ 7,910	70×加算率			+ 55,370 +	550×加算率	47,460 +	470×加算率		
	46から60人 まで	1号	4歳以上児	+ (7,910)	(70×加算率) +	3,160 +	30×加算率					− +	−
			3 歳 児	+ 7,910	70×加算率			+ 55,370 +	550×加算率	47,460 +	470×加算率		
	61から75人 まで	1号	4歳以上児	+ (7,910)	(70×加算率) +	3,160 +	30×加算率					− +	−
			3 歳 児	+ 7,910	70×加算率			+ 55,370 +	550×加算率	47,460 +	470×加算率		
	76から90人 まで	1号	4歳以上児	+ (7,910)	(70×加算率) +	3,160 +	30×加算率					− +	−
			3 歳 児	+ 7,910	70×加算率			+ 55,370 +	550×加算率	47,460 +	470×加算率		
	91から105人 まで	1号	4歳以上児	+ (7,910)	(70×加算率) +	3,160 +	30×加算率					− +	−
			3 歳 児	+ 7,910	70×加算率			+ 55,370 +	550×加算率	47,460 +	470×加算率		
	106から120人 まで	1号	4歳以上児	+ (7,910)	(70×加算率) +	3,160 +	30×加算率					− +	−
			3 歳 児	+ 7,910	70×加算率			+ 55,370 +	550×加算率	47,460 +	470×加算率		
	121から135人 まで	1号	4歳以上児	+ (7,910)	(70×加算率) +	3,160 +	30×加算率					660 +	6×加算率
			3 歳 児	+ 7,910	70×加算率			+ 55,370 +	550×加算率	47,460 +	470×加算率		
	136から150人 まで	1号	4歳以上児	+ (7,910)	(70×加算率) +	3,160 +	30×加算率					600 +	6×加算率
			3 歳 児	+ 7,910	70×加算率			+ 55,370 +	550×加算率	47,460 +	470×加算率		
	151から180人 まで	1号	4歳以上児	+ (7,910)	(70×加算率) +	3,160 +	30×加算率					500 +	5×加算率
			3 歳 児	+ 7,910	70×加算率			+ 55,370 +	550×加算率	47,460 +	470×加算率		
	181から210人 まで	1号	4歳以上児	+ (7,910)	(70×加算率) +	3,160 +	30×加算率					430 +	4×加算率
			3 歳 児	+ 7,910	70×加算率			+ 55,370 +	550×加算率	47,460 +	470×加算率		
	211から240人 まで	1号	4歳以上児	+ (7,910)	(70×加算率) +	3,160 +	30×加算率					370 +	3×加算率
			3 歳 児	+ 7,910	70×加算率			+ 55,370 +	550×加算率	47,460 +	470×加算率		
	241から270人 まで	1号	4歳以上児	+ (7,910)	(70×加算率) +	3,160 +	30×加算率					330 +	3×加算率
			3 歳 児	+ 7,910	70×加算率			+ 55,370 +	550×加算率	47,460 +	470×加算率		
	271から300人 まで	1号	4歳以上児	+ (7,910)	(70×加算率) +	3,160 +	30×加算率					300 +	3×加算率
			3 歳 児	+ 7,910	70×加算率			+ 55,370 +	550×加算率	47,460 +	470×加算率		
	301人 以上	1号	4歳以上児	+ (7,910)	(70×加算率) +	3,160 +	30×加算率					270 +	2×加算率
			3 歳 児	+ 7,910	70×加算率			+ 55,370 +	550×加算率	47,460 +	470×加算率		

特定教育・保育等に要する費用算定基準等　認定こども園（教育標準時間認定）

地域区分①	定員区分②	認定区分③	年齢区分④	チーム保育加配加算 ※1号・2号の利用定員合計に応じて利用子どもの単価に加算⑬		処遇改善等加算Ⅰ	通園送迎加算⑭	処遇改善等加算Ⅰ	給食実施加算（施設内調理）⑮	処遇改善等加算Ⅰ
10/100地域	15人まで	1号	4歳以上児／3歳児	～ 15人 31,640×加配人数	+	310×加算率×加配人数	+ 3,790	+ 30×加算率	+ 2,840×週当たり実施日数	+ 20×週当たり実施日数×加算率
	16人から25人まで	1号	4歳以上児／3歳児	16人～ 25人 18,980×加配人数	+	180×加算率×加配人数	+ 2,600	+ 20×加算率	+ 1,700×週当たり実施日数	+ 10×週当たり実施日数×加算率
	26人から35人まで	1号	4歳以上児／3歳児	26人～ 35人 13,560×加配人数	+	130×加算率×加配人数	+ 2,090	+ 20×加算率	+ 1,220×週当たり実施日数	+ 10×週当たり実施日数×加算率
	36人から45人まで	1号	4歳以上児／3歳児	36人～ 45人 10,540×加配人数	+	100×加算率×加配人数	+ 1,800	+ 10×加算率	+ 950×週当たり実施日数	+ 9×週当たり実施日数×加算率
	46人から60人まで	1号	4歳以上児／3歳児	46人～ 60人 7,910×加配人数	+	70×加算率×加配人数	+ 1,350	+ 10×加算率	+ 710×週当たり実施日数	+ 7×週当たり実施日数×加算率
	61人から75人まで	1号	4歳以上児／3歳児	61人～ 75人 6,320×加配人数	+	60×加算率×加配人数	+ 1,080	+ 10×加算率	+ 590×週当たり実施日数	+ 5×週当たり実施日数×加算率
	76人から90人まで	1号	4歳以上児／3歳児	76人～ 90人 5,270×加配人数	+	50×加算率×加配人数	+ 900	+ 9×加算率	+ 520×週当たり実施日数	+ 5×週当たり実施日数×加算率
	91人から105人まで	1号	4歳以上児／3歳児	91人～ 105人 4,520×加配人数	+	40×加算率×加配人数	+ 770	+ 7×加算率	+ 460×週当たり実施日数	+ 4×週当たり実施日数×加算率
	106人から120人まで	1号	4歳以上児／3歳児	＋ 106人～ 120人 3,950×加配人数	+	30×加算率×加配人数	+ 670	+ 6×加算率	+ 420×週当たり実施日数	+ 4×週当たり実施日数×加算率
	121人から135人まで	1号	4歳以上児／3歳児	121人～ 135人 3,510×加配人数	+	30×加算率×加配人数	+ 600	+ 6×加算率	+ 390×週当たり実施日数	+ 3×週当たり実施日数×加算率
	136人から150人まで	1号	4歳以上児／3歳児	136人～ 150人 3,160×加配人数	+	30×加算率×加配人数	+ 540	+ 5×加算率	+ 370×週当たり実施日数	+ 3×週当たり実施日数×加算率
	151人から180人まで	1号	4歳以上児／3歳児	151人～ 180人 2,630×加配人数	+	20×加算率×加配人数	+ 520	+ 5×加算率	+ 320×週当たり実施日数	+ 3×週当たり実施日数×加算率
	181人から210人まで	1号	4歳以上児／3歳児	181人～ 210人 2,260×加配人数	+	20×加算率×加配人数	+ 520	+ 5×加算率	+ 280×週当たり実施日数	+ 2×週当たり実施日数×加算率
	211人から240人まで	1号	4歳以上児／3歳児	211人～ 240人 1,970×加配人数	+	10×加算率×加配人数	+ 520	+ 5×加算率	+ 260×週当たり実施日数	+ 2×週当たり実施日数×加算率
	241人から270人まで	1号	4歳以上児／3歳児	241人～ 270人 1,750×加配人数	+	10×加算率×加配人数	+ 520	+ 5×加算率	+ 230×週当たり実施日数	+ 2×週当たり実施日数×加算率
	271人から300人まで	1号	4歳以上児／3歳児	271人～ 300人 1,580×加配人数	+	10×加算率×加配人数	+ 520	+ 5×加算率	+ 210×週当たり実施日数	+ 2×週当たり実施日数×加算率
	301人以上	1号	4歳以上児／3歳児	301人～ 1,430×加配人数	+	10×加算率×加配人数	+ 520	+ 5×加算率	+ 190×週当たり実施日数	+ 1×週当たり実施日数×加算率

地域区分①	定員区分②	認定区分③	年齢区分④	給食実施加算（外部搬入）⑮′	処遇改善等加算Ⅰ	外部監査費加算 ※認定こども園全体の利用定員の区分に応じて加算 ※3月分の単価に加算 ⑯	副食費徴収免除加算 ※副食費の徴収が免除される子どもの単価に加算 ⑰	主幹教諭等の専任化により子育て支援の取り組みを実施していない場合 ⑱
	15人まで	1号	4歳以上児／3歳児	+ 500×週当たり実施日数	+ 5×週当たり実施日数×加算率	～ 15人 27,330	+ 240×各月の給食実施日数	− (7,780 +70×加算率)
	16人から25人まで	1号	4歳以上児／3歳児	+ 300×週当たり実施日数	+ 3×週当たり実施日数×加算率	16人～ 25人 16,800	+ 240×各月の給食実施日数	− (4,670 +40×加算率)
	26人から35人まで	1号	4歳以上児／3歳児	+ 210×週当たり実施日数	+ 2×週当たり実施日数×加算率	26人～ 35人 12,280	+ 240×各月の給食実施日数	− (3,330 +30×加算率)
	36人から45人まで	1号	4歳以上児／3歳児	+ 170×週当たり実施日数	+ 1×週当たり実施日数×加算率	36人～ 45人 9,770	+ 240×各月の給食実施日数	− (2,590 +20×加算率)
	46人から60人まで	1号	4歳以上児／3歳児	+ 120×週当たり実施日数	+ 1×週当たり実施日数×加算率	46人～ 60人 7,500	+ 240×各月の給食実施日数	− (1,940 +10×加算率)
	61人から75人まで	1号	4歳以上児／3歳児	+ 100×週当たり実施日数	+ 1×週当たり実施日数×加算率	61人～ 75人 6,130	+ 240×各月の給食実施日数	− (1,550 +10×加算率)
	76人から90人まで	1号	4歳以上児／3歳児	+ 90×週当たり実施日数	+ 1×週当たり実施日数×加算率	76人～ 90人 5,220	+ 240×各月の給食実施日数	− (1,290 +10×加算率)
	91人から105人まで	1号	4歳以上児／3歳児	+ 80×週当たり実施日数	+ 1×週当たり実施日数×加算率	91人～ 105人 4,660	+ 240×各月の給食実施日数	− (1,110 +10×加算率)
10/100 地域	106人から120人まで	1号	4歳以上児／3歳児	+ 70×週当たり実施日数	+ 1×週当たり実施日数×加算率	106人～ 120人 4,250	+ 240×各月の給食実施日数	− (970 +10×加算率)
	121人から135人まで	1号	4歳以上児／3歳児	+ 70×週当たり実施日数	+ 1×週当たり実施日数×加算率	121人～ 135人 3,920	+ 240×各月の給食実施日数	− (860 +9×加算率)
	136人から150人まで	1号	4歳以上児／3歳児	+ 60×週当たり実施日数	+ 1×週当たり実施日数×加算率	136人～ 150人 3,660	+ 240×各月の給食実施日数	− (770 +8×加算率)
	151人から180人まで	1号	4歳以上児／3歳児	+ 50×週当たり実施日数	+ 1×週当たり実施日数×加算率	151人～ 180人 3,160	+ 240×各月の給食実施日数	− (640 +6×加算率)
	181人から210人まで	1号	4歳以上児／3歳児	+ 50×週当たり実施日数	+ 1×週当たり実施日数×加算率	181人～ 210人 2,810	+ 240×各月の給食実施日数	− (550 +6×加算率)
	211人から240人まで	1号	4歳以上児／3歳児	+ 40×週当たり実施日数	+ 1×週当たり実施日数×加算率	211人～ 240人 2,540	+ 240×各月の給食実施日数	− (480 +5×加算率)
	241人から270人まで	1号	4歳以上児／3歳児	+ 40×週当たり実施日数	+ 1×週当たり実施日数×加算率	241人～ 270人 2,440	+ 240×各月の給食実施日数	− (430 +4×加算率)
	271人から300人まで	1号	4歳以上児／3歳児	+ 30×週当たり実施日数	+ 1×週当たり実施日数×加算率	271人～ 300人 2,360	+ 240×各月の給食実施日数	− (380 +4×加算率)
	301人以上	1号	4歳以上児／3歳児	+ 30×週当たり実施日数	+ 1×週当たり実施日数×加算率	301人～ 2,150	+ 240×各月の給食実施日数	− (350 +4×加算率)

地域区分①	定員区分②	認定区分③	年齢区分④	年齢別配置基準を下回る場合⑲	配置基準上求められる職員資格を有しない場合⑳	定員を恒常的に超過する場合㉑
10/100地域	15人まで	1号	4歳以上児 3歳児	(31,640 　+310×加算率)×人数	(23,360 　+230×加算率)×人数	(⑤〜⑳（⑰を除く。）) ×別に定める調整率
	16人から25人まで	1号	4歳以上児 3歳児	(18,980 　+190×加算率)×人数	(14,010 　+140×加算率)×人数	
	26人から35人まで	1号	4歳以上児 3歳児	(13,560 　+130×加算率)×人数	(10,010 　+100×加算率)×人数	
	36人から45人まで	1号	4歳以上児 3歳児	(10,540 　+100×加算率)×人数	(7,780 　+70×加算率)×人数	
	46人から60人まで	1号	4歳以上児 3歳児	(7,910 　+70×加算率)×人数	(5,840 　+50×加算率)×人数	
	61人から75人まで	1号	4歳以上児 3歳児	(6,320 　+60×加算率)×人数	(4,670 　+40×加算率)×人数	
	76人から90人まで	1号	4歳以上児 3歳児	(5,270 　+50×加算率)×人数	(3,890 　+30×加算率)×人数	
	91人から105人まで	1号	4歳以上児 3歳児	(4,520 　+40×加算率)×人数	(3,330 　+30×加算率)×人数	
	106人から120人まで	1号	4歳以上児 3歳児	(3,950 　+40×加算率)×人数	(2,920 　+20×加算率)×人数	
	121人から135人まで	1号	4歳以上児 3歳児	(3,510 　+30×加算率)×人数	(2,590 　+20×加算率)×人数	
	136人から150人まで	1号	4歳以上児 3歳児	(3,160 　+30×加算率)×人数	(2,330 　+20×加算率)×人数	
	151人から180人まで	1号	4歳以上児 3歳児	(2,630 　+20×加算率)×人数	(1,940 　+10×加算率)×人数	
	181人から210人まで	1号	4歳以上児 3歳児	(2,260 　+20×加算率)×人数	(1,660 　+10×加算率)×人数	
	211人から240人まで	1号	4歳以上児 3歳児	(1,970 　+20×加算率)×人数	(1,460 　+10×加算率)×人数	
	241人から270人まで	1号	4歳以上児 3歳児	(1,750 　+10×加算率)×人数	(1,290 　+10×加算率)×人数	
	271人から300人まで	1号	4歳以上児 3歳児	(1,580 　+10×加算率)×人数	(1,160 　+10×加算率)×人数	
	301人以上	1号	4歳以上児 3歳児	(1,430 　+10×加算率)×人数	(1,060 　+10×加算率)×人数	

①地域区分	②定員区分	③認定区分	④年齢区分	⑤基本分単価 (注)		⑥処遇改善等加算Ⅰ (注)			⑦副園長・教頭配置加算		処遇改善等加算Ⅰ	⑧学級編制調整加配加算 ※1号・2号の利用定員の合計が36人以上300人以下の場合に加算		処遇改善等加算Ⅰ
6/100地域	15人まで	1号	4歳以上児	82,990	(90,640) +	810	(880)	×加算率	6,250	+	60×加算率	+ 30,590	+	300×加算率
			3歳児	90,640	+	880		×加算率						
	16人から25人まで	1号	4歳以上児	51,610	(59,260) +	490	(570)	×加算率	3,750	+	30×加算率	+ 18,350	+	180×加算率
			3歳児	59,260	+	570		×加算率						
	26人から35人まで	1号	4歳以上児	40,380	(48,030) +	380	(460)	×加算率	2,680	+	20×加算率	+ 13,110	+	130×加算率
			3歳児	48,030	+	460		×加算率						
	36人から45人まで	1号	4歳以上児	35,870	(43,520) +	330	(410)	×加算率	2,080	+	20×加算率	+ 10,190	+	100×加算率
			3歳児	43,520	+	410		×加算率						
	46人から60人まで	1号	4歳以上児	31,840	(39,490) +	290	(370)	×加算率	1,560	+	10×加算率	+ 7,640	+	70×加算率
			3歳児	39,490	+	370		×加算率						
	61人から75人まで	1号	4歳以上児	29,470	(37,120) +	270	(350)	×加算率	1,250	+	10×加算率	+ 6,110	+	60×加算率
			3歳児	37,120	+	350		×加算率						
	76人から90人まで	1号	4歳以上児	27,860	(35,510) +	250	(330)	×加算率	1,040	+	10×加算率	+ 5,090	+	50×加算率
			3歳児	35,510	+	330		×加算率						
	91人から105人まで	1号	4歳以上児	27,370	(35,020) +	250	(330)	×加算率	890	+	8×加算率	+ 4,370	+	40×加算率
			3歳児	35,020	+	330		×加算率						
	106人から120人まで	1号	4歳以上児	26,450	(34,100) +	240	(320)	×加算率	780	+	7×加算率	+ 3,820	+	30×加算率
			3歳児	34,100	+	320		×加算率						
	121人から135人まで	1号	4歳以上児	25,710	(33,360) +	230	(310)	×加算率	690	+	6×加算率	+ 3,390	+	30×加算率
			3歳児	33,360	+	310		×加算率						
	136人から150人まで	1号	4歳以上児	25,140	(32,790) +	230	(300)	×加算率	620	+	6×加算率	+ 3,050	+	30×加算率
			3歳児	32,790	+	300		×加算率						
	151人から180人まで	1号	4歳以上児	24,260	(31,910) +	220	(290)	×加算率	520	+	5×加算率	+ 2,540	+	20×加算率
			3歳児	31,910	+	290		×加算率						
	181人から210人まで	1号	4歳以上児	23,620	(31,270) +	210	(290)	×加算率	440	+	4×加算率	+ 2,180	+	20×加算率
			3歳児	31,270	+	290		×加算率						
	211人から240人まで	1号	4歳以上児	23,150	(30,800) +	210	(280)	×加算率	390	+	3×加算率	+ 1,910	+	10×加算率
			3歳児	30,800	+	280		×加算率						
	241人から270人まで	1号	4歳以上児	22,790	(30,440) +	200	(280)	×加算率	340	+	3×加算率	+ 1,690	+	10×加算率
			3歳児	30,440	+	280		×加算率						
	271人から300人まで	1号	4歳以上児	22,500	(30,150) +	200	(280)	×加算率	310	+	3×加算率	+ 1,520	+	10×加算率
			3歳児	30,150	+	280		×加算率						
	301人以上	1号	4歳以上児	22,260	(29,910) +	200	(270)	×加算率	280	+	2×加算率			
			3歳児	29,910	+	270		×加算率						

特定教育・保育等に要する費用算定基準等　認定こども園（教育標準時間認定）

地域区分 ①	定員区分 ②	認定区分 ③	年齢区分 ④	3歳児配置改善加算 ⑨	処遇改善等加算Ⅰ	4歳以上児配置改善加算 ⑩	処遇改善等加算Ⅰ	満3歳児対応加配加算（3歳児配置改善加算無し）⑪	処遇改善等加算Ⅰ	満3歳児対応加配加算（3歳児配置改善加算有り）⑪′	処遇改善等加算Ⅰ	講師配置加算 ⑫	処遇改善等加算Ⅰ
6/100 地域	15人 まで	1号	4歳以上児	+ (7,650)	+ (70×加算率)	+ 3,060	+ 30×加算率					6,010	+ 60×加算率
			3 歳 児	+ 7,650	70×加算率			+ 53,540	+ 530×加算率	45,890	+ 450×加算率		
	16人 から 25人 まで	1号	4歳以上児	+ (7,650)	+ (70×加算率)	+ 3,060	+ 30×加算率					3,600	+ 30×加算率
			3 歳 児	+ 7,650	70×加算率			+ 53,540	+ 530×加算率	45,890	+ 450×加算率		
	26人 から 35人 まで	1号	4歳以上児	+ (7,650)	+ (70×加算率)	+ 3,060	+ 30×加算率					2,570	+ 20×加算率
			3 歳 児	+ 7,650	70×加算率			+ 53,540	+ 530×加算率	45,890	+ 450×加算率		
	36人 から 45人 まで	1号	4歳以上児	+ (7,650)	+ (70×加算率)	+ 3,060	+ 30×加算率					−	−
			3 歳 児	+ 7,650	70×加算率			+ 53,540	+ 530×加算率	45,890	+ 450×加算率		
	46人 から 60人 まで	1号	4歳以上児	+ (7,650)	+ (70×加算率)	+ 3,060	+ 30×加算率					−	−
			3 歳 児	+ 7,650	70×加算率			+ 53,540	+ 530×加算率	45,890	+ 450×加算率		
	61人 から 75人 まで	1号	4歳以上児	+ (7,650)	+ (70×加算率)	+ 3,060	+ 30×加算率					−	−
			3 歳 児	+ 7,650	70×加算率			+ 53,540	+ 530×加算率	45,890	+ 450×加算率		
	76人 から 90人 まで	1号	4歳以上児	+ (7,650)	+ (70×加算率)	+ 3,060	+ 30×加算率					−	−
			3 歳 児	+ 7,650	70×加算率			+ 53,540	+ 530×加算率	45,890	+ 450×加算率		
	91人 から 105人 まで	1号	4歳以上児	+ (7,650)	+ (70×加算率)	+ 3,060	+ 30×加算率					−	−
			3 歳 児	+ 7,650	70×加算率			+ 53,540	+ 530×加算率	45,890	+ 450×加算率		
	106人 から 120人 まで	1号	4歳以上児	+ (7,650)	+ (70×加算率)	+ 3,060	+ 30×加算率					−	−
			3 歳 児	+ 7,650	70×加算率			+ 53,540	+ 530×加算率	45,890	+ 450×加算率		
	121人 から 135人 まで	1号	4歳以上児	+ (7,650)	+ (70×加算率)	+ 3,060	+ 30×加算率					660	+ 6×加算率
			3 歳 児	+ 7,650	70×加算率			+ 53,540	+ 530×加算率	45,890	+ 450×加算率		
	136人 から 150人 まで	1号	4歳以上児	+ (7,650)	+ (70×加算率)	+ 3,060	+ 30×加算率					600	+ 6×加算率
			3 歳 児	+ 7,650	70×加算率			+ 53,540	+ 530×加算率	45,890	+ 450×加算率		
	151人 から 180人 まで	1号	4歳以上児	+ (7,650)	+ (70×加算率)	+ 3,060	+ 30×加算率					500	+ 5×加算率
			3 歳 児	+ 7,650	70×加算率			+ 53,540	+ 530×加算率	45,890	+ 450×加算率		
	181人 から 210人 まで	1号	4歳以上児	+ (7,650)	+ (70×加算率)	+ 3,060	+ 30×加算率					430	+ 4×加算率
			3 歳 児	+ 7,650	70×加算率			+ 53,540	+ 530×加算率	45,890	+ 450×加算率		
	211人 から 240人 まで	1号	4歳以上児	+ (7,650)	+ (70×加算率)	+ 3,060	+ 30×加算率					370	+ 3×加算率
			3 歳 児	+ 7,650	70×加算率			+ 53,540	+ 530×加算率	45,890	+ 450×加算率		
	241人 から 270人 まで	1号	4歳以上児	+ (7,650)	+ (70×加算率)	+ 3,060	+ 30×加算率					330	+ 3×加算率
			3 歳 児	+ 7,650	70×加算率			+ 53,540	+ 530×加算率	45,890	+ 450×加算率		
	271人 から 300人 まで	1号	4歳以上児	+ (7,650)	+ (70×加算率)	+ 3,060	+ 30×加算率					300	+ 3×加算率
			3 歳 児	+ 7,650	70×加算率			+ 53,540	+ 530×加算率	45,890	+ 450×加算率		
	301人 以上	1号	4歳以上児	+ (7,650)	+ (70×加算率)	+ 3,060	+ 30×加算率					270	+ 2×加算率
			3 歳 児	+ 7,650	70×加算率			+ 53,540	+ 530×加算率	45,890	+ 450×加算率		

地域区分①	定員区分②	認定区分③	年齢区分④	チーム保育加配加算 ※1号・2号の利用定員合計に応じて利用子どもの単価に加算⑬		通園送迎加算⑭		給食実施加算（施設内調理）⑮	
					処遇改善等加算Ⅰ		処遇改善等加算Ⅰ		処遇改善等加算Ⅰ
6/100地域	15人まで	1号	4歳以上児 3歳児	～　15人 30,590×加配人数 ＋	300×加算率×加配人数	3,790 ＋	30×加算率	2,840 ×週当たり実施日数 ＋	20 ×週当たり実施日数×加算率
	16人から25人まで	1号	4歳以上児 3歳児	16人～　25人 18,350×加配人数 ＋	180×加算率×加配人数	2,600 ＋	20×加算率	1,700 ×週当たり実施日数 ＋	10 ×週当たり実施日数×加算率
	26人から35人まで	1号	4歳以上児 3歳児	26人～　35人 13,110×加配人数 ＋	130×加算率×加配人数	2,090 ＋	20×加算率	1,220 ×週当たり実施日数 ＋	10 ×週当たり実施日数×加算率
	36人から45人まで	1号	4歳以上児 3歳児	36人～　45人 10,190×加配人数 ＋	100×加算率×加配人数	1,800 ＋	10×加算率	950 ×週当たり実施日数 ＋	9 ×週当たり実施日数×加算率
	46人から60人まで	1号	4歳以上児 3歳児	46人～　60人 7,640×加配人数 ＋	70×加算率×加配人数	1,350 ＋	10×加算率	710 ×週当たり実施日数 ＋	7 ×週当たり実施日数×加算率
	61人から75人まで	1号	4歳以上児 3歳児	61人～　75人 6,110×加配人数 ＋	60×加算率×加配人数	1,080 ＋	10×加算率	590 ×週当たり実施日数 ＋	5 ×週当たり実施日数×加算率
	76人から90人まで	1号	4歳以上児 3歳児	76人～　90人 5,090×加配人数 ＋	50×加算率×加配人数	900 ＋	9×加算率	520 ×週当たり実施日数 ＋	5 ×週当たり実施日数×加算率
	91人から105人まで	1号	4歳以上児 3歳児	91人～　105人 4,370×加配人数 ＋	40×加算率×加配人数	770 ＋	7×加算率	460 ×週当たり実施日数 ＋	4 ×週当たり実施日数×加算率
	106人から120人まで ＋	1号	4歳以上児 3歳児	106人～　120人 3,820×加配人数 ＋	30×加算率×加配人数	670 ＋	6×加算率	420 ×週当たり実施日数 ＋	4 ×週当たり実施日数×加算率
	121人から135人まで	1号	4歳以上児 3歳児	121人～　135人 3,390×加配人数 ＋	30×加算率×加配人数	600 ＋	6×加算率	390 ×週当たり実施日数 ＋	3 ×週当たり実施日数×加算率
	136人から150人まで	1号	4歳以上児 3歳児	136人～　150人 3,050×加配人数 ＋	30×加算率×加配人数	540 ＋	5×加算率	370 ×週当たり実施日数 ＋	3 ×週当たり実施日数×加算率
	151人から180人まで	1号	4歳以上児 3歳児	151人～　180人 2,540×加配人数 ＋	20×加算率×加配人数	520 ＋	5×加算率	320 ×週当たり実施日数 ＋	3 ×週当たり実施日数×加算率
	181人から210人まで	1号	4歳以上児 3歳児	181人～　210人 2,180×加配人数 ＋	20×加算率×加配人数	520 ＋	5×加算率	280 ×週当たり実施日数 ＋	2 ×週当たり実施日数×加算率
	211人から240人まで	1号	4歳以上児 3歳児	211人～　240人 1,910×加配人数 ＋	10×加算率×加配人数	520 ＋	5×加算率	260 ×週当たり実施日数 ＋	2 ×週当たり実施日数×加算率
	241人から270人まで	1号	4歳以上児 3歳児	241人～　270人 1,690×加配人数 ＋	10×加算率×加配人数	520 ＋	5×加算率	230 ×週当たり実施日数 ＋	2 ×週当たり実施日数×加算率
	271人から300人まで	1号	4歳以上児 3歳児	271人～　300人 1,520×加配人数 ＋	10×加算率×加配人数	520 ＋	5×加算率	210 ×週当たり実施日数 ＋	2 ×週当たり実施日数×加算率
	301人以上	1号	4歳以上児 3歳児	301人～ 1,390×加配人数 ＋	10×加算率×加配人数	520 ＋	5×加算率	190 ×週当たり実施日数 ＋	1 ×週当たり実施日数×加算率

特定教育・保育等に要する費用算定基準等　認定こども園（教育標準時間認定）

地域区分 ①	定員区分 ②	認定区分 ③	年齢区分 ④	給食実施加算（外部搬入） ⑮'	処遇改善等加算Ⅰ	外部監査費加算 ※認定こども園全体の利用定員の区分に応じて加算 ※3月分の単価に加算 ⑯	副食費徴収免除加算 ※副食費の徴収が免除される子どもの単価に加算 ⑰	主幹教諭等の専任化により子育て支援の取り組みを実施していない場合 ⑱
6/100 地域	15人 まで	1号	4歳以上児 / 3歳児	+ 500 ×週当たり実施日数	+ 5 ×週当たり実施日数×加算率	～ 15人 27,330	+ 240 ×各月の給食実施日数	− (7,780 +70×加算率)
	16人 から 25人 まで	1号	4歳以上児 / 3歳児	+ 300 ×週当たり実施日数	+ 3 ×週当たり実施日数×加算率	16人～ 25人 16,800	+ 240 ×各月の給食実施日数	− (4,670 +40×加算率)
	26人 から 35人 まで	1号	4歳以上児 / 3歳児	+ 210 ×週当たり実施日数	+ 2 ×週当たり実施日数×加算率	26人～ 35人 12,280	+ 240 ×各月の給食実施日数	− (3,330 +30×加算率)
	36人 から 45人 まで	1号	4歳以上児 / 3歳児	+ 170 ×週当たり実施日数	+ 1 ×週当たり実施日数×加算率	36人～ 45人 9,770	+ 240 ×各月の給食実施日数	− (2,590 +20×加算率)
	46人 から 60人 まで	1号	4歳以上児 / 3歳児	+ 120 ×週当たり実施日数	+ 1 ×週当たり実施日数×加算率	46人～ 60人 7,500	+ 240 ×各月の給食実施日数	− (1,940 +10×加算率)
	61人 から 75人 まで	1号	4歳以上児 / 3歳児	+ 100 ×週当たり実施日数	+ 1 ×週当たり実施日数×加算率	61人～ 75人 6,130	+ 240 ×各月の給食実施日数	− (1,550 +10×加算率)
	76人 から 90人 まで	1号	4歳以上児 / 3歳児	+ 90 ×週当たり実施日数	+ 1 ×週当たり実施日数×加算率	76人～ 90人 5,220	+ 240 ×各月の給食実施日数	− (1,290 +10×加算率)
	91人 から 105人 まで	1号	4歳以上児 / 3歳児	+ 80 ×週当たり実施日数	+ 1 ×週当たり実施日数×加算率	91人～ 105人 4,660	+ 240 ×各月の給食実施日数	− (1,110 +10×加算率)
	106人 から 120人 まで	1号	4歳以上児 / 3歳児	+ 70 ×週当たり実施日数	+ 1 ×週当たり実施日数×加算率	106人～ 120人 4,250	+ 240 ×各月の給食実施日数	− (970 +10×加算率)
	121人 から 135人 まで	1号	4歳以上児 / 3歳児	+ 70 ×週当たり実施日数	+ 1 ×週当たり実施日数×加算率	121人～ 135人 3,920	+ 240 ×各月の給食実施日数	− (860 +9×加算率)
	136人 から 150人 まで	1号	4歳以上児 / 3歳児	+ 60 ×週当たり実施日数	+ 1 ×週当たり実施日数×加算率	136人～ 150人 3,660	+ 240 ×各月の給食実施日数	− (770 +8×加算率)
	151人 から 180人 まで	1号	4歳以上児 / 3歳児	+ 50 ×週当たり実施日数	+ 1 ×週当たり実施日数×加算率	151人～ 180人 3,160	+ 240 ×各月の給食実施日数	− (640 +6×加算率)
	181人 から 210人 まで	1号	4歳以上児 / 3歳児	+ 50 ×週当たり実施日数	+ 1 ×週当たり実施日数×加算率	181人～ 210人 2,810	+ 240 ×各月の給食実施日数	− (550 +6×加算率)
	211人 から 240人 まで	1号	4歳以上児 / 3歳児	+ 40 ×週当たり実施日数	+ 1 ×週当たり実施日数×加算率	211人～ 240人 2,540	+ 240 ×各月の給食実施日数	− (480 +5×加算率)
	241人 から 270人 まで	1号	4歳以上児 / 3歳児	+ 40 ×週当たり実施日数	+ 1 ×週当たり実施日数×加算率	241人～ 270人 2,440	+ 240 ×各月の給食実施日数	− (430 +4×加算率)
	271人 から 300人 まで	1号	4歳以上児 / 3歳児	+ 30 ×週当たり実施日数	+ 1 ×週当たり実施日数×加算率	271人～ 300人 2,360	+ 240 ×各月の給食実施日数	− (380 +4×加算率)
	301人 以上	1号	4歳以上児 / 3歳児	+ 30 ×週当たり実施日数	+ 1 ×週当たり実施日数×加算率	301人～ 2,150	+ 240 ×各月の給食実施日数	− (350 +4×加算率)

地域区分	定員区分	認定区分	年齢区分	年齢別配置基準を下回る場合	配置基準上求められる職員資格を有しない場合	定員を恒常的に超過する場合
①	②	③	④	⑲	⑳	㉑
6/100地域	15人まで	1号	4歳以上児 / 3歳児	(30,590 +300×加算率)×人数	(22,310 +220×加算率)×人数	
	16人から25人まで	1号	4歳以上児 / 3歳児	(18,350 +180×加算率)×人数	(13,380 +130×加算率)×人数	
	26人から35人まで	1号	4歳以上児 / 3歳児	(13,110 +130×加算率)×人数	(9,560 +90×加算率)×人数	
	36人から45人まで	1号	4歳以上児 / 3歳児	(10,200 +100×加算率)×人数	(7,430 +70×加算率)×人数	
	46人から60人まで	1号	4歳以上児 / 3歳児	(7,650 +70×加算率)×人数	(5,570 +50×加算率)×人数	
	61人から75人まで	1号	4歳以上児 / 3歳児	(6,120 +60×加算率)×人数	(4,460 +40×加算率)×人数	
	76人から90人まで	1号	4歳以上児 / 3歳児	(5,100 +50×加算率)×人数	(3,710 +30×加算率)×人数	
	91人から105人まで	1号	4歳以上児 / 3歳児	(4,370 +40×加算率)×人数	(3,180 +30×加算率)×人数	
	106人から120人まで	1号	4歳以上児 / 3歳児	(3,820 +30×加算率)×人数	(2,780 +20×加算率)×人数	(⑤〜⑳（⑰を除く。）） ×別に定める調整率
	121人から135人まで	1号	4歳以上児 / 3歳児	(3,400 +30×加算率)×人数	(2,470 +20×加算率)×人数	
	136人から150人まで	1号	4歳以上児 / 3歳児	(3,060 +30×加算率)×人数	(2,230 +20×加算率)×人数	
	151人から180人まで	1号	4歳以上児 / 3歳児	(2,550 +20×加算率)×人数	(1,850 +10×加算率)×人数	
	181人から210人まで	1号	4歳以上児 / 3歳児	(2,180 +20×加算率)×人数	(1,590 +10×加算率)×人数	
	211人から240人まで	1号	4歳以上児 / 3歳児	(1,910 +10×加算率)×人数	(1,390 +10×加算率)×人数	
	241人から270人まで	1号	4歳以上児 / 3歳児	(1,700 +10×加算率)×人数	(1,240 +10×加算率)×人数	
	271人から300人まで	1号	4歳以上児 / 3歳児	(1,530 +10×加算率)×人数	(1,110 +10×加算率)×人数	
	301人以上	1号	4歳以上児 / 3歳児	(1,390 +10×加算率)×人数	(1,010 +10×加算率)×人数	

地域区分①	定員区分②	認定区分③	年齢区分④	基本分単価（注）⑤	処遇改善等加算Ⅰ（注）⑥	副園長・教頭配置加算⑦	処遇改善等加算Ⅰ	学級編制調整加配加算 ※1号・2号の利用定員の合計が36人以上300人以下の場合に加算⑧	処遇改善等加算Ⅰ
	15人まで	1号	4歳以上児	81,200 (88,650) +	790 (860) ×加算率	+6,060 +	60×加算率	+29,810 +	290×加算率
			3歳児	88,650 +	860 ×加算率				
	16人から25人まで	1号	4歳以上児	50,530 (57,980) +	480 (560) ×加算率	+3,630 +	30×加算率	+17,880 +	170×加算率
			3歳児	57,980 +	560 ×加算率				
	26人から35人まで	1号	4歳以上児	39,550 (47,000) +	370 (450) ×加算率	+2,590 +	20×加算率	+12,770 +	120×加算率
			3歳児	47,000 +	450 ×加算率				
	36人から45人まで	1号	4歳以上児	35,140 (42,590) +	330 (400) ×加算率	+2,020 +	20×加算率	+9,930 +	90×加算率
			3歳児	42,590 +	400 ×加算率				
	46人から60人まで	1号	4歳以上児	31,200 (38,650) +	290 (360) ×加算率	+1,510 +	10×加算率	+7,450 +	70×加算率
			3歳児	38,650 +	360 ×加算率				
	61人から75人まで	1号	4歳以上児	28,880 (36,330) +	260 (340) ×加算率	+1,210 +	10×加算率	+5,960 +	50×加算率
			3歳児	36,330 +	340 ×加算率				
	76人から90人まで	1号	4歳以上児	27,290 (34,740) +	250 (320) ×加算率	+1,010 +	10×加算率	+4,960 +	40×加算率
			3歳児	34,740 +	320 ×加算率				
	91人から105人まで	1号	4歳以上児	26,840 (34,290) +	240 (320) ×加算率	+860 +	8×加算率	+4,250 +	40×加算率
			3歳児	34,290 +	320 ×加算率				
3/100地域	106人から120人まで	1号	4歳以上児	25,930 (33,380) +	240 (310) ×加算率	+750 +	7×加算率	+3,720 +	30×加算率
			3歳児	33,380 +	310 ×加算率				
	121人から135人まで	1号	4歳以上児	25,200 (32,650) +	230 (300) ×加算率	+670 +	6×加算率	+3,310 +	30×加算率
			3歳児	32,650 +	300 ×加算率				
	136人から150人まで	1号	4歳以上児	24,640 (32,090) +	220 (300) ×加算率	+600 +	6×加算率	+2,980 +	20×加算率
			3歳児	32,090 +	300 ×加算率				
	151人から180人まで	1号	4歳以上児	23,780 (31,230) +	210 (290) ×加算率	+500 +	5×加算率	+2,480 +	20×加算率
			3歳児	31,230 +	290 ×加算率				
	181人から210人まで	1号	4歳以上児	23,150 (30,600) +	210 (280) ×加算率	+430 +	4×加算率	+2,120 +	20×加算率
			3歳児	30,600 +	280 ×加算率				
	211人から240人まで	1号	4歳以上児	22,700 (30,150) +	200 (280) ×加算率	+370 +	3×加算率	+1,860 +	10×加算率
			3歳児	30,150 +	280 ×加算率				
	241人から270人まで	1号	4歳以上児	22,340 (29,790) +	200 (270) ×加算率	+330 +	3×加算率	+1,650 +	10×加算率
			3歳児	29,790 +	270 ×加算率				
	271人から300人まで	1号	4歳以上児	22,050 (29,500) +	200 (270) ×加算率	+300 +	3×加算率	+1,490 +	10×加算率
			3歳児	29,500 +	270 ×加算率				
	301人以上	1号	4歳以上児	21,820 (29,270) +	190 (270) ×加算率	+270 +	2×加算率		
			3歳児	29,270 +	270 ×加算率				

地域区分①	定員区分②	認定区分③	年齢区分④	3歳児配置改善加算⑨	処遇改善等加算Ⅰ	4歳以上児配置改善加算⑩	処遇改善等加算Ⅰ	満3歳児対応加配加算(3歳児配置改善加算無し)⑪	処遇改善等加算Ⅰ	満3歳児対応加配加算(3歳児配置改善加算有り)⑪′	処遇改善等加算Ⅰ	講師配置加算⑫	処遇改善等加算Ⅰ
3/100地域	15人まで	1号	4歳以上児	+ (7,450)	(70×加算率)	+ 2,980	+ 20×加算率					6,010	
			3歳児	+ 7,450	70×加算率			+ 52,170	+ 520×加算率	+ 44,720	+ 440×加算率	+	60×加算率
	16人から25人まで	1号	4歳以上児	+ (7,450)	(70×加算率)	+ 2,980	+ 20×加算率					3,600	
			3歳児	+ 7,450	70×加算率			+ 52,170	+ 520×加算率	+ 44,720	+ 440×加算率	+	30×加算率
	26人から35人まで	1号	4歳以上児	+ (7,450)	(70×加算率)	+ 2,980	+ 20×加算率					2,570	
			3歳児	+ 7,450	70×加算率			+ 52,170	+ 520×加算率	+ 44,720	+ 440×加算率	+	20×加算率
	36人から45人まで	1号	4歳以上児	+ (7,450)	(70×加算率)	+ 2,980	+ 20×加算率					−	
			3歳児	+ 7,450	70×加算率			+ 52,170	+ 520×加算率	+ 44,720	+ 440×加算率	+	−
	46人から60人まで	1号	4歳以上児	+ (7,450)	(70×加算率)	+ 2,980	+ 20×加算率						
			3歳児	+ 7,450	70×加算率			+ 52,170	+ 520×加算率	+ 44,720	+ 440×加算率	+	
	61人から75人まで	1号	4歳以上児	+ (7,450)	(70×加算率)	+ 2,980	+ 20×加算率					−	
			3歳児	+ 7,450	70×加算率			+ 52,170	+ 520×加算率	+ 44,720	+ 440×加算率	+	−
	76人から90人まで	1号	4歳以上児	+ (7,450)	(70×加算率)	+ 2,980	+ 20×加算率					−	
			3歳児	+ 7,450	70×加算率			+ 52,170	+ 520×加算率	+ 44,720	+ 440×加算率	+	−
	91人から105人まで	1号	4歳以上児	+ (7,450)	(70×加算率)	+ 2,980	+ 20×加算率					−	
			3歳児	+ 7,450	70×加算率			+ 52,170	+ 520×加算率	+ 44,720	+ 440×加算率	+	−
	106人から120人まで	1号	4歳以上児	+ (7,450)	(70×加算率)	+ 2,980	+ 20×加算率					−	
			3歳児	+ 7,450	70×加算率			+ 52,170	+ 520×加算率	+ 44,720	+ 440×加算率	+	−
	121人から135人まで	1号	4歳以上児	+ (7,450)	(70×加算率)	+ 2,980	+ 20×加算率					660	
			3歳児	+ 7,450	70×加算率			+ 52,170	+ 520×加算率	+ 44,720	+ 440×加算率	+	6×加算率
	136人から150人まで	1号	4歳以上児	+ (7,450)	(70×加算率)	+ 2,980	+ 20×加算率					600	
			3歳児	+ 7,450	70×加算率			+ 52,170	+ 520×加算率	+ 44,720	+ 440×加算率	+	6×加算率
	151人から180人まで	1号	4歳以上児	+ (7,450)	(70×加算率)	+ 2,980	+ 20×加算率					500	
			3歳児	+ 7,450	70×加算率			+ 52,170	+ 520×加算率	+ 44,720	+ 440×加算率	+	5×加算率
	181人から210人まで	1号	4歳以上児	+ (7,450)	(70×加算率)	+ 2,980	+ 20×加算率					430	
			3歳児	+ 7,450	70×加算率			+ 52,170	+ 520×加算率	+ 44,720	+ 440×加算率	+	4×加算率
	211人から240人まで	1号	4歳以上児	+ (7,450)	(70×加算率)	+ 2,980	+ 20×加算率					370	
			3歳児	+ 7,450	70×加算率			+ 52,170	+ 520×加算率	+ 44,720	+ 440×加算率	+	3×加算率
	241人から270人まで	1号	4歳以上児	+ (7,450)	(70×加算率)	+ 2,980	+ 20×加算率					330	
			3歳児	+ 7,450	70×加算率			+ 52,170	+ 520×加算率	+ 44,720	+ 440×加算率	+	3×加算率
	271人から300人まで	1号	4歳以上児	+ (7,450)	(70×加算率)	+ 2,980	+ 20×加算率					300	
			3歳児	+ 7,450	70×加算率			+ 52,170	+ 520×加算率	+ 44,720	+ 440×加算率	+	3×加算率
	301人以上	1号	4歳以上児	+ (7,450)	(70×加算率)	+ 2,980	+ 20×加算率					270	
			3歳児	+ 7,450	70×加算率			+ 52,170	+ 520×加算率	+ 44,720	+ 440×加算率	+	2×加算率

地域区分 ①	定員区分 ②	認定区分 ③	年齢区分 ④	チーム保育加配加算 ※1号・2号の利用定員合計に応じて利用子どもの単価に加算	処遇改善等加算Ⅰ ⑬	通園送迎加算	処遇改善等加算Ⅰ ⑭	給食実施加算（施設内調理）	処遇改善等加算Ⅰ ⑮
3/100 地域	15人まで	1号	4歳以上児 3歳児	～15人 29,810×加配人数 +	290×加算率×加配人数	3,790 +	30×加算率	2,840 ×週当たり実施日数 +	20 ×週当たり実施日数×加算率
	16人から25人まで	1号	4歳以上児 3歳児	16人～25人 17,880×加配人数 +	170×加算率×加配人数	2,600 +	20×加算率	1,700 ×週当たり実施日数 +	10 ×週当たり実施日数×加算率
	26人から35人まで	1号	4歳以上児 3歳児	26人～35人 12,770×加配人数 +	120×加算率×加配人数	2,090 +	20×加算率	1,220 ×週当たり実施日数 +	10 ×週当たり実施日数×加算率
	36人から45人まで	1号	4歳以上児 3歳児	36人～45人 9,930×加配人数 +	90×加算率×加配人数	1,800 +	10×加算率	950 ×週当たり実施日数 +	9 ×週当たり実施日数×加算率
	46人から60人まで	1号	4歳以上児 3歳児	46人～60人 7,450×加配人数 +	70×加算率×加配人数	1,350 +	10×加算率	710 ×週当たり実施日数 +	7 ×週当たり実施日数×加算率
	61人から75人まで	1号	4歳以上児 3歳児	61人～75人 5,960×加配人数 +	50×加算率×加配人数	1,080 +	10×加算率	590 ×週当たり実施日数 +	5 ×週当たり実施日数×加算率
	76人から90人まで	1号	4歳以上児 3歳児	76人～90人 4,960×加配人数 +	40×加算率×加配人数	900 +	9×加算率	520 ×週当たり実施日数 +	5 ×週当たり実施日数×加算率
	91人から105人まで	1号	4歳以上児 3歳児	91人～105人 4,250×加配人数 +	40×加算率×加配人数	770 +	7×加算率	460 ×週当たり実施日数 +	4 ×週当たり実施日数×加算率
	106人から120人まで +	1号	4歳以上児 3歳児	106人～120人 3,720×加配人数 +	30×加算率×加配人数	670 +	6×加算率	420 ×週当たり実施日数 +	4 ×週当たり実施日数×加算率
	121人から135人まで	1号	4歳以上児 3歳児	121人～135人 3,310×加配人数 +	30×加算率×加配人数	600 +	6×加算率	390 ×週当たり実施日数 +	3 ×週当たり実施日数×加算率
	136人から150人まで	1号	4歳以上児 3歳児	136人～150人 2,980×加配人数 +	20×加算率×加配人数	540 +	5×加算率	370 ×週当たり実施日数 +	3 ×週当たり実施日数×加算率
	151人から180人まで	1号	4歳以上児 3歳児	151人～180人 2,480×加配人数 +	20×加算率×加配人数	520 +	5×加算率	320 ×週当たり実施日数 +	3 ×週当たり実施日数×加算率
	181人から210人まで	1号	4歳以上児 3歳児	181人～210人 2,120×加配人数 +	20×加算率×加配人数	520 +	5×加算率	280 ×週当たり実施日数 +	2 ×週当たり実施日数×加算率
	211人から240人まで	1号	4歳以上児 3歳児	211人～240人 1,860×加配人数 +	10×加算率×加配人数	520 +	5×加算率	260 ×週当たり実施日数 +	2 ×週当たり実施日数×加算率
	241人から270人まで	1号	4歳以上児 3歳児	241人～270人 1,650×加配人数 +	10×加算率×加配人数	520 +	5×加算率	230 ×週当たり実施日数 +	2 ×週当たり実施日数×加算率
	271人から300人まで	1号	4歳以上児 3歳児	271人～300人 1,490×加配人数 +	10×加算率×加配人数	520 +	5×加算率	210 ×週当たり実施日数 +	2 ×週当たり実施日数×加算率
	301人以上	1号	4歳以上児 3歳児	301人～ 1,350×加配人数 +	10×加算率×加配人数	520 +	5×加算率	190 ×週当たり実施日数 +	1 ×週当たり実施日数×加算率

地域区分①	定員区分②	認定区分③	年齢区分④	給食実施加算（外部搬入）⑮'	処遇改善等加算Ⅰ	外部監査費加算 ※認定こども園全体の利用定員の区分に応じて加算 ※3月分の単価に加算 ⑯	副食費徴収免除加算 ※副食費の徴収が免除される子どもの単価に加算 ⑰	主幹教諭等の専任化により子育て支援の取り組みを実施していない場合 ⑱
3/100 地域	15人 まで	1号	4歳以上児 / 3歳児	500 ×週当たり実施日数 +	5 ×週当たり実施日数×加算率	〜 15人 27,330 +	240 ×各月の給食実施日数 −	(7,780 +70×加算率)
	16人から25人まで	1号	4歳以上児 / 3歳児	300 ×週当たり実施日数 +	3 ×週当たり実施日数×加算率	16人〜 25人 16,800 +	240 ×各月の給食実施日数 −	(4,670 +40×加算率)
	26人から35人まで	1号	4歳以上児 / 3歳児	210 ×週当たり実施日数 +	2 ×週当たり実施日数×加算率	26人〜 35人 12,280 +	240 ×各月の給食実施日数 −	(3,330 +30×加算率)
	36人から45人まで	1号	4歳以上児 / 3歳児	170 ×週当たり実施日数 +	1 ×週当たり実施日数×加算率	36人〜 45人 9,770 +	240 ×各月の給食実施日数 −	(2,590 +20×加算率)
	46人から60人まで	1号	4歳以上児 / 3歳児	120 ×週当たり実施日数 +	1 ×週当たり実施日数×加算率	46人〜 60人 7,500 +	240 ×各月の給食実施日数 −	(1,940 +10×加算率)
	61人から75人まで	1号	4歳以上児 / 3歳児	100 ×週当たり実施日数 +	1 ×週当たり実施日数×加算率	61人〜 75人 6,130 +	240 ×各月の給食実施日数 −	(1,550 +10×加算率)
	76人から90人まで	1号	4歳以上児 / 3歳児	90 ×週当たり実施日数 +	1 ×週当たり実施日数×加算率	76人〜 90人 5,220 +	240 ×各月の給食実施日数 −	(1,290 +10×加算率)
	91人から105人まで	1号	4歳以上児 / 3歳児	80 ×週当たり実施日数 +	1 ×週当たり実施日数×加算率	91人〜 105人 4,660 +	240 ×各月の給食実施日数 −	(1,110 +10×加算率)
	106人から120人まで	1号	4歳以上児 / 3歳児	70 ×週当たり実施日数 +	1 ×週当たり実施日数×加算率 +	106人〜 120人 4,250 +	240 ×各月の給食実施日数 −	(970 +10×加算率)
	121人から135人まで	1号	4歳以上児 / 3歳児	70 ×週当たり実施日数 +	1 ×週当たり実施日数×加算率	121人〜 135人 3,920 +	240 ×各月の給食実施日数 −	(860 +9×加算率)
	136人から150人まで	1号	4歳以上児 / 3歳児	60 ×週当たり実施日数 +	1 ×週当たり実施日数×加算率	136人〜 150人 3,660 +	240 ×各月の給食実施日数 −	(770 +8×加算率)
	151人から180人まで	1号	4歳以上児 / 3歳児	50 ×週当たり実施日数 +	1 ×週当たり実施日数×加算率	151人〜 180人 3,160 +	240 ×各月の給食実施日数 −	(640 +6×加算率)
	181人から210人まで	1号	4歳以上児 / 3歳児	50 ×週当たり実施日数 +	1 ×週当たり実施日数×加算率	181人〜 210人 2,810 +	240 ×各月の給食実施日数 −	(550 +6×加算率)
	211人から240人まで	1号	4歳以上児 / 3歳児	40 ×週当たり実施日数 +	1 ×週当たり実施日数×加算率	211人〜 240人 2,540 +	240 ×各月の給食実施日数 −	(480 +5×加算率)
	241人から270人まで	1号	4歳以上児 / 3歳児	40 ×週当たり実施日数 +	1 ×週当たり実施日数×加算率	241人〜 270人 2,440 +	240 ×各月の給食実施日数 −	(430 +4×加算率)
	271人から300人まで	1号	4歳以上児 / 3歳児	30 ×週当たり実施日数 +	1 ×週当たり実施日数×加算率	271人〜 300人 2,360 +	240 ×各月の給食実施日数 −	(380 +4×加算率)
	301人以上	1号	4歳以上児 / 3歳児	30 ×週当たり実施日数 +	1 ×週当たり実施日数×加算率	301人〜 2,150 +	240 ×各月の給食実施日数 −	(350 +4×加算率)

地域区分 ①	定員区分 ②	認定区分 ③	年齢区分 ④	年齢別配置基準を下回る場合 ⑲	配置基準上求められる職員資格を有しない場合 ⑳	定員を恒常的に超過する場合 ㉑
3/100 地域	15人まで	1号	4歳以上児 / 3歳児	(29,810 +290×加算率)×人数	(21,520 +210×加算率)×人数	
	16人から25人まで	1号	4歳以上児 / 3歳児	(17,880 +170×加算率)×人数	(12,910 +120×加算率)×人数	
	26人から35人まで	1号	4歳以上児 / 3歳児	(12,770 +120×加算率)×人数	(9,220 +90×加算率)×人数	
	36人から45人まで	1号	4歳以上児 / 3歳児	(9,930 +90×加算率)×人数	(7,170 +70×加算率)×人数	
	46人から60人まで	1号	4歳以上児 / 3歳児	(7,450 +70×加算率)×人数	(5,380 +50×加算率)×人数	
	61人から75人まで	1号	4歳以上児 / 3歳児	(5,960 +60×加算率)×人数	(4,300 +40×加算率)×人数	
	76人から90人まで	1号	4歳以上児 / 3歳児	(4,960 +50×加算率)×人数	(3,580 +30×加算率)×人数	
	91人から105人まで	1号	4歳以上児 / 3歳児	(4,250 +40×加算率)×人数	(3,070 +30×加算率)×人数	
	106人から120人まで	1号	4歳以上児 / 3歳児	(3,720 +30×加算率)×人数	(2,690 +20×加算率)×人数	(⑤〜⑳（⑰を除く。）） ×別に定める調整率
	121人から135人まで	1号	4歳以上児 / 3歳児	(3,310 +30×加算率)×人数	(2,390 +20×加算率)×人数	
	136人から150人まで	1号	4歳以上児 / 3歳児	(2,980 +30×加算率)×人数	(2,150 +20×加算率)×人数	
	151人から180人まで	1号	4歳以上児 / 3歳児	(2,480 +20×加算率)×人数	(1,790 +10×加算率)×人数	
	181人から210人まで	1号	4歳以上児 / 3歳児	(2,130 +20×加算率)×人数	(1,530 +10×加算率)×人数	
	211人から240人まで	1号	4歳以上児 / 3歳児	(1,860 +10×加算率)×人数	(1,340 +10×加算率)×人数	
	241人から270人まで	1号	4歳以上児 / 3歳児	(1,650 +10×加算率)×人数	(1,190 +10×加算率)×人数	
	271人から300人まで	1号	4歳以上児 / 3歳児	(1,490 +10×加算率)×人数	(1,070 +10×加算率)×人数	
	301人以上	1号	4歳以上児 / 3歳児	(1,350 +10×加算率)×人数	(970 +9×加算率)×人数	

地域区分 ①	定員区分 ②	認定区分 ③	年齢区分 ④	基本分単価 （注） ⑤		処遇改善等加算Ⅰ （注） ⑥			副園長・教頭配置加算 ⑦		処遇改善等加算Ⅰ		学級編制調整加配加算 ※1号・2号の利用定員の合計が36人以上300人以下の場合に加算 ⑧		処遇改善等加算Ⅰ
その他地域	15人まで	1号	4歳以上児	79,400	(86,650) +	770	(840)	×加算率	+	5,870	+	50×加算率	+	29,020	+	290×加算率
			3歳児	86,650	+	840		×加算率							
	16人から25人まで	1号	4歳以上児	49,450	(56,700) +	470	(540)	×加算率	+	3,520	+	30×加算率	+	17,410	+	170×加算率
			3歳児	56,700	+	540		×加算率							
	26人から35人まで	1号	4歳以上児	38,720	(45,970) +	360	(440)	×加算率	+	2,510	+	20×加算率	+	12,440	+	120×加算率
			3歳児	45,970	+	440		×加算率							
	36人から45人まで	1号	4歳以上児	34,410	(41,660) +	320	(390)	×加算率	+	1,950	+	10×加算率	+	9,670	+	90×加算率
			3歳児	41,660	+	390		×加算率							
	46人から60人まで	1号	4歳以上児	30,550	(37,800) +	280	(350)	×加算率	+	1,460	+	10×加算率	+	7,250	+	70×加算率
			3歳児	37,800	+	350		×加算率							
	61人から75人まで	1号	4歳以上児	28,280	(35,530) +	260	(330)	×加算率	+	1,170	+	10×加算率	+	5,800	+	50×加算率
			3歳児	35,530	+	330		×加算率							
	76人から90人まで	1号	4歳以上児	26,730	(33,980) +	240	(320)	×加算率	+	970	+	9×加算率	+	4,830	+	40×加算率
			3歳児	33,980	+	320		×加算率							
	91人から105人まで	1号	4歳以上児	26,300	(33,550) +	240	(310)	×加算率	+	830	+	8×加算率	+	4,140	+	40×加算率
			3歳児	33,550	+	310		×加算率							
	106人から120人まで	1号	4歳以上児	25,410	(32,660) +	230	(300)	×加算率	+	730	+	7×加算率	+	3,620	+	30×加算率
			3歳児	32,660	+	300		×加算率							
	121人から135人まで	1号	4歳以上児	24,700	(31,950) +	220	(300)	×加算率	+	650	+	6×加算率	+	3,220	+	30×加算率
			3歳児	31,950	+	300		×加算率							
	136人から150人まで	1号	4歳以上児	24,150	(31,400) +	220	(290)	×加算率	+	580	+	5×加算率	+	2,900	+	20×加算率
			3歳児	31,400	+	290		×加算率							
	151人から180人まで	1号	4歳以上児	23,310	(30,560) +	210	(280)	×加算率	+	480	+	4×加算率	+	2,410	+	20×加算率
			3歳児	30,560	+	280		×加算率							
	181人から210人まで	1号	4歳以上児	22,690	(29,940) +	200	(280)	×加算率	+	410	+	4×加算率	+	2,070	+	20×加算率
			3歳児	29,940	+	280		×加算率							
	211人から240人まで	1号	4歳以上児	22,240	(29,490) +	200	(270)	×加算率	+	360	+	3×加算率	+	1,810	+	10×加算率
			3歳児	29,490	+	270		×加算率							
	241人から270人まで	1号	4歳以上児	21,890	(29,140) +	190	(270)	×加算率	+	320	+	3×加算率	+	1,610	+	10×加算率
			3歳児	29,140	+	270		×加算率							
	271人から300人まで	1号	4歳以上児	21,610	(28,860) +	190	(260)	×加算率	+	290	+	2×加算率	+	1,450	+	10×加算率
			3歳児	28,860	+	260		×加算率							
	301人以上	1号	4歳以上児	21,380	(28,630) +	190	(260)	×加算率	+	260	+	2×加算率			
			3歳児	28,630	+	260		×加算率							

特定教育・保育等に要する費用算定基準等　認定こども園（教育標準時間認定）

①地域区分	②定員区分	③認定区分	④年齢区分	⑨3歳児配置改善加算	(処遇改善等加算Ⅰ)	⑩4歳以上児配置改善加算	(処遇改善等加算Ⅰ)	⑪満3歳児対応加配加算（3歳児配置改善加算無し）	(処遇改善等加算Ⅰ)	⑪'満3歳児対応加配加算（3歳児配置改善加算有り）	(処遇改善等加算Ⅰ)	⑫講師配置加算	(処遇改善等加算Ⅰ)
その他地域	15人まで	1号	4歳以上児	+(7,250)	+(70×加算率)	+2,900	+20×加算率					6,010	+60×加算率
			3歳児	+7,250	70×加算率			+50,800	+500×加算率	+43,550	+430×加算率		
	16人から25人まで	1号	4歳以上児	+(7,250)	+(70×加算率)	+2,900	+20×加算率					3,600	+30×加算率
			3歳児	+7,250	70×加算率			+50,800	+500×加算率	+43,550	+430×加算率		
	26人から35人まで	1号	4歳以上児	+(7,250)	+(70×加算率)	+2,900	+20×加算率					2,570	+20×加算率
			3歳児	+7,250	70×加算率			+50,800	+500×加算率	+43,550	+430×加算率		
	36人から45人まで	1号	4歳以上児	+(7,250)	+(70×加算率)	+2,900	+20×加算率					−	−
			3歳児	+7,250	70×加算率			+50,800	+500×加算率	+43,550	+430×加算率		
	46人から60人まで	1号	4歳以上児	+(7,250)	+(70×加算率)	+2,900	+20×加算率					−	−
			3歳児	+7,250	70×加算率			+50,800	+500×加算率	+43,550	+430×加算率		
	61人から75人まで	1号	4歳以上児	+(7,250)	+(70×加算率)	+2,900	+20×加算率					−	−
			3歳児	+7,250	70×加算率			+50,800	+500×加算率	+43,550	+430×加算率		
	76人から90人まで	1号	4歳以上児	+(7,250)	+(70×加算率)	+2,900	+20×加算率					−	−
			3歳児	+7,250	70×加算率			+50,800	+500×加算率	+43,550	+430×加算率		
	91人から105人まで	1号	4歳以上児	+(7,250)	+(70×加算率)	+2,900	+20×加算率					−	−
			3歳児	+7,250	70×加算率			+50,800	+500×加算率	+43,550	+430×加算率		
	106人から120人まで	1号	4歳以上児	+(7,250)	+(70×加算率)	+2,900	+20×加算率					−	−
			3歳児	+7,250	70×加算率			+50,800	+500×加算率	+43,550	+430×加算率		
	121人から135人まで	1号	4歳以上児	+(7,250)	+(70×加算率)	+2,900	+20×加算率					660	+6×加算率
			3歳児	+7,250	70×加算率			+50,800	+500×加算率	+43,550	+430×加算率		
	136人から150人まで	1号	4歳以上児	+(7,250)	+(70×加算率)	+2,900	+20×加算率					600	+6×加算率
			3歳児	+7,250	70×加算率			+50,800	+500×加算率	+43,550	+430×加算率		
	151人から180人まで	1号	4歳以上児	+(7,250)	+(70×加算率)	+2,900	+20×加算率					500	+5×加算率
			3歳児	+7,250	70×加算率			+50,800	+500×加算率	+43,550	+430×加算率		
	181人から210人まで	1号	4歳以上児	+(7,250)	+(70×加算率)	+2,900	+20×加算率					430	+4×加算率
			3歳児	+7,250	70×加算率			+50,800	+500×加算率	+43,550	+430×加算率		
	211人から240人まで	1号	4歳以上児	+(7,250)	+(70×加算率)	+2,900	+20×加算率					370	+3×加算率
			3歳児	+7,250	70×加算率			+50,800	+500×加算率	+43,550	+430×加算率		
	241人から270人まで	1号	4歳以上児	+(7,250)	+(70×加算率)	+2,900	+20×加算率					330	+3×加算率
			3歳児	+7,250	70×加算率			+50,800	+500×加算率	+43,550	+430×加算率		
	271人から300人まで	1号	4歳以上児	+(7,250)	+(70×加算率)	+2,900	+20×加算率					300	+3×加算率
			3歳児	+7,250	70×加算率			+50,800	+500×加算率	+43,550	+430×加算率		
	301人以上	1号	4歳以上児	+(7,250)	+(70×加算率)	+2,900	+20×加算率					270	+2×加算率
			3歳児	+7,250	70×加算率			+50,800	+500×加算率	+43,550	+430×加算率		

地域区分①	定員区分②	認定区分③	年齢区分④	チーム保育加配加算 ※1号・2号の利用定員合計に応じて利用子どもの単価に加算⑬	処遇改善等加算Ⅰ	通園送迎加算⑭	処遇改善等加算Ⅰ	給食実施加算（施設内調理）⑮	処遇改善等加算Ⅰ
その他地域	15人まで	1号	4歳以上児 / 3歳児	～　15人 29,020×加配人数 +	290×加算率×加配人数 +	3,790 +	30×加算率 +	2,840 ×週当たり実施日数 +	20 ×週当たり実施日数×加算率
	16人から25人まで	1号	4歳以上児 / 3歳児	16人～　25人 17,410×加配人数 +	170×加算率×加配人数 +	2,600 +	20×加算率 +	1,700 ×週当たり実施日数 +	10 ×週当たり実施日数×加算率
	26人から35人まで	1号	4歳以上児 / 3歳児	26人～　35人 12,440×加配人数 +	120×加算率×加配人数 +	2,090 +	20×加算率 +	1,220 ×週当たり実施日数 +	10 ×週当たり実施日数×加算率
	36人から45人まで	1号	4歳以上児 / 3歳児	36人～　45人 9,670×加配人数 +	90×加算率×加配人数 +	1,800 +	10×加算率 +	950 ×週当たり実施日数 +	9 ×週当たり実施日数×加算率
	46人から60人まで	1号	4歳以上児 / 3歳児	46人～　60人 7,250×加配人数 +	70×加算率×加配人数 +	1,350 +	10×加算率 +	710 ×週当たり実施日数 +	7 ×週当たり実施日数×加算率
	61人から75人まで	1号	4歳以上児 / 3歳児	61人～　75人 5,800×加配人数 +	50×加算率×加配人数 +	1,080 +	10×加算率 +	590 ×週当たり実施日数 +	5 ×週当たり実施日数×加算率
	76人から90人まで	1号	4歳以上児 / 3歳児	76人～　90人 4,830×加配人数 +	40×加算率×加配人数 +	900 +	9×加算率 +	520 ×週当たり実施日数 +	5 ×週当たり実施日数×加算率
	91人から105人まで	1号	4歳以上児 / 3歳児	91人～　105人 4,140×加配人数 +	40×加算率×加配人数 +	770 +	7×加算率 +	460 ×週当たり実施日数 +	4 ×週当たり実施日数×加算率
	106人から120人まで	1号	4歳以上児 / 3歳児	106人～　120人 3,620×加配人数 +	30×加算率×加配人数 +	670 +	6×加算率 +	420 ×週当たり実施日数 +	4 ×週当たり実施日数×加算率
	121人から135人まで	1号	4歳以上児 / 3歳児	121人～　135人 3,220×加配人数 +	30×加算率×加配人数 +	600 +	6×加算率 +	390 ×週当たり実施日数 +	3 ×週当たり実施日数×加算率
	136人から150人まで	1号	4歳以上児 / 3歳児	136人～　150人 2,900×加配人数 +	20×加算率×加配人数 +	540 +	5×加算率 +	370 ×週当たり実施日数 +	3 ×週当たり実施日数×加算率
	151人から180人まで	1号	4歳以上児 / 3歳児	151人～　180人 2,410×加配人数 +	20×加算率×加配人数 +	520 +	5×加算率 +	320 ×週当たり実施日数 +	3 ×週当たり実施日数×加算率
	181人から210人まで	1号	4歳以上児 / 3歳児	181人～　210人 2,070×加配人数 +	20×加算率×加配人数 +	520 +	5×加算率 +	280 ×週当たり実施日数 +	2 ×週当たり実施日数×加算率
	211人から240人まで	1号	4歳以上児 / 3歳児	211人～　240人 1,810×加配人数 +	10×加算率×加配人数 +	520 +	5×加算率 +	260 ×週当たり実施日数 +	2 ×週当たり実施日数×加算率
	241人から270人まで	1号	4歳以上児 / 3歳児	241人～　270人 1,610×加配人数 +	10×加算率×加配人数 +	520 +	5×加算率 +	230 ×週当たり実施日数 +	2 ×週当たり実施日数×加算率
	271人から300人まで	1号	4歳以上児 / 3歳児	271人～　300人 1,450×加配人数 +	10×加算率×加配人数 +	520 +	5×加算率 +	210 ×週当たり実施日数 +	2 ×週当たり実施日数×加算率
	301人以上	1号	4歳以上児 / 3歳児	301人～ 1,310×加配人数 +	10×加算率×加配人数 +	520 +	5×加算率 +	190 ×週当たり実施日数 +	1 ×週当たり実施日数×加算率

地域区分①	定員区分②	認定区分③	年齢区分④	給食実施加算（外部搬入） ⑮'	処遇改善等加算Ⅰ	外部監査費加算 ※認定こども園全体の利用定員の区分に応じて加算 ※3月分の単価に加算 ⑯	副食費徴収免除加算 ※副食費の徴収が免除される子どもの単価に加算 ⑰	主幹教諭等の専任化により子育て支援の取り組みを実施していない場合 ⑱
その他地域	15人まで	1号	4歳以上児／3歳児	500×週当たり実施日数	+ 5×週当たり実施日数×加算率	〜 15人 27,330	+ 240×各月の給食実施日数	− (7,780＋70×加算率)
	16人から25人まで	1号	4歳以上児／3歳児	300×週当たり実施日数	+ 3×週当たり実施日数×加算率	16人〜 25人 16,800	+ 240×各月の給食実施日数	− (4,670＋40×加算率)
	26人から35人まで	1号	4歳以上児／3歳児	210×週当たり実施日数	+ 2×週当たり実施日数×加算率	26人〜 35人 12,280	+ 240×各月の給食実施日数	− (3,330＋30×加算率)
	36人から45人まで	1号	4歳以上児／3歳児	170×週当たり実施日数	+ 1×週当たり実施日数×加算率	36人〜 45人 9,770	+ 240×各月の給食実施日数	− (2,590＋20×加算率)
	46人から60人まで	1号	4歳以上児／3歳児	120×週当たり実施日数	+ 1×週当たり実施日数×加算率	46人〜 60人 7,500	+ 240×各月の給食実施日数	− (1,940＋10×加算率)
	61人から75人まで	1号	4歳以上児／3歳児	100×週当たり実施日数	+ 1×週当たり実施日数×加算率	61人〜 75人 6,130	+ 240×各月の給食実施日数	− (1,550＋10×加算率)
	76人から90人まで	1号	4歳以上児／3歳児	90×週当たり実施日数	+ 1×週当たり実施日数×加算率	76人〜 90人 5,220	+ 240×各月の給食実施日数	− (1,290＋10×加算率)
	91人から105人まで	1号	4歳以上児／3歳児	80×週当たり実施日数	+ 1×週当たり実施日数×加算率	91人〜 105人 4,660	+ 240×各月の給食実施日数	− (1,110＋10×加算率)
	106人から120人まで	1号	4歳以上児／3歳児	70×週当たり実施日数	+ 1×週当たり実施日数×加算率	106人〜 120人 4,250	+ 240×各月の給食実施日数	− (970＋10×加算率)
	121人から135人まで	1号	4歳以上児／3歳児	70×週当たり実施日数	+ 1×週当たり実施日数×加算率	121人〜 135人 3,920	+ 240×各月の給食実施日数	− (860＋9×加算率)
	136人から150人まで	1号	4歳以上児／3歳児	60×週当たり実施日数	+ 1×週当たり実施日数×加算率	136人〜 150人 3,660	+ 240×各月の給食実施日数	− (770＋8×加算率)
	151人から180人まで	1号	4歳以上児／3歳児	50×週当たり実施日数	+ 1×週当たり実施日数×加算率	151人〜 180人 3,160	+ 240×各月の給食実施日数	− (640＋6×加算率)
	181人から210人まで	1号	4歳以上児／3歳児	50×週当たり実施日数	+ 1×週当たり実施日数×加算率	181人〜 210人 2,810	+ 240×各月の給食実施日数	− (550＋6×加算率)
	211人から240人まで	1号	4歳以上児／3歳児	40×週当たり実施日数	+ 1×週当たり実施日数×加算率	211人〜 240人 2,540	+ 240×各月の給食実施日数	− (480＋5×加算率)
	241人から270人まで	1号	4歳以上児／3歳児	40×週当たり実施日数	+ 1×週当たり実施日数×加算率	241人〜 270人 2,440	+ 240×各月の給食実施日数	− (430＋4×加算率)
	271人から300人まで	1号	4歳以上児／3歳児	30×週当たり実施日数	+ 1×週当たり実施日数×加算率	271人〜 300人 2,360	+ 240×各月の給食実施日数	− (380＋4×加算率)
	301人以上	1号	4歳以上児／3歳児	30×週当たり実施日数	+ 1×週当たり実施日数×加算率	301人〜 2,150	+ 240×各月の給食実施日数	− (350＋4×加算率)

地域区分 ①	定員区分 ②	認定区分 ③	年齢区分 ④	年齢別配置基準を下回る場合 ⑲	配置基準上求められる職員資格を有しない場合 ⑳	定員を恒常的に超過する場合 ㉑
その他地域	15人まで	1号	4歳以上児 / 3歳児	－（29,020＋290×加算率）×人数	－（20,740＋200×加算率）×人数	
	16人から25人まで	1号	4歳以上児 / 3歳児	（17,410＋170×加算率）×人数	（12,440＋120×加算率）×人数	
	26人から35人まで	1号	4歳以上児 / 3歳児	（12,440＋120×加算率）×人数	（8,890＋80×加算率）×人数	
	36人から45人まで	1号	4歳以上児 / 3歳児	（9,670＋90×加算率）×人数	（6,910＋60×加算率）×人数	
	46人から60人まで	1号	4歳以上児 / 3歳児	（7,250＋70×加算率）×人数	（5,180＋50×加算率）×人数	
	61人から75人まで	1号	4歳以上児 / 3歳児	（5,800＋50×加算率）×人数	（4,140＋40×加算率）×人数	
	76人から90人まで	1号	4歳以上児 / 3歳児	（4,830＋40×加算率）×人数	（3,450＋30×加算率）×人数	
	91人から105人まで	1号	4歳以上児 / 3歳児	（4,140＋40×加算率）×人数	（2,960＋30×加算率）×人数	
	106人から120人まで	1号	4歳以上児 / 3歳児	（3,620＋30×加算率）×人数	（2,590＋20×加算率）×人数	（⑤～⑳（⑰を除く。））×別に定める調整率
	121人から135人まで	1号	4歳以上児 / 3歳児	（3,220＋30×加算率）×人数	（2,300＋20×加算率）×人数	
	136人から150人まで	1号	4歳以上児 / 3歳児	（2,900＋20×加算率）×人数	（2,070＋20×加算率）×人数	
	151人から180人まで	1号	4歳以上児 / 3歳児	（2,410＋20×加算率）×人数	（1,720＋10×加算率）×人数	
	181人から210人まで	1号	4歳以上児 / 3歳児	（2,070＋20×加算率）×人数	（1,480＋10×加算率）×人数	
	211人から240人まで	1号	4歳以上児 / 3歳児	（1,810＋10×加算率）×人数	（1,290＋10×加算率）×人数	
	241人から270人まで	1号	4歳以上児 / 3歳児	（1,610＋10×加算率）×人数	（1,150＋10×加算率）×人数	
	271人から300人まで	1号	4歳以上児 / 3歳児	（1,450＋10×加算率）×人数	（1,030＋10×加算率）×人数	
	301人以上	1号	4歳以上児 / 3歳児	（1,310＋10×加算率）×人数	（940＋9×加算率）×人数	

加算部分2

		基本額	処遇改善等加算Ⅰ	
療育支援加算 ㉒	A	（　19,070　＋	190×加算率　）	※以下の区分に応じて、各月初日の利用子どもの単価に加算 　A：特別児童扶養手当支給対象児童受入施設 　B：それ以外の障害児受入施設
		÷各月初日の利用子ども数		
		基本額	処遇改善等加算Ⅰ	
	B	（　12,710　＋	120×加算率　）	
		÷各月初日の利用子ども数		

	基本額	処遇改善等加算Ⅰ	
事務職員配置加算 ㉓	（　81,400　＋	810×加算率　）	※認定こども園全体（1号～3号）の利用定員が91人以上の場合に各月初日の利用子どもの単価に加算
	÷各月初日の利用子ども数		

	基本額	処遇改善等加算Ⅰ	
指導充実加配加算 ㉔	（　86,100　＋	860×加算率　）	※各月初日の利用子どもの単価に加算
	÷各月初日の利用子ども数		

	基本額	処遇改善等加算Ⅰ	
事務負担対応加配加算 ㉕	（　72,280　＋	720×加算率　）	※各月初日の利用子どもの単価に加算
	÷各月初日の利用子ども数		

	以下の加算を合算した額を各月初日の利用子ども数で除した額	
処遇改善等加算Ⅱ ㉖	・処遇改善等加算Ⅱ－①　　50,300　×　人数A　×　1/2 ・処遇改善等加算Ⅱ－②　　6,290　×　人数B　×　1/2	※1　各月初日の利用子どもの単価に加算 ※2　人数A及び人数Bについては、別に定める

処遇改善等加算Ⅲ ㉗	11,320　×　加算Ⅲ算定対象人数　×　1/2 ÷各月初日の利用子ども数	※1　各月初日の利用子どもの単価に加算 ※2　加算Ⅲ算定対象人数については、別に定める

冷暖房費加算 ㉘	1　級　地	1,900	4　級　地	1,320	※以下の区分に応じて、各月の単価に加算 　1級地から4級地：国家公務員の寒冷地手当に関する法律（昭和24年法律第200号）第1条第1号及び第2号に掲げる地域 　その他地域：1級地から4級地以外の地域
	2　級　地	1,690	その他地域	120	
	3　級　地	1,670			

施設関係者評価加算 ㉙	A	155,310÷3月初日の利用子ども数
	B	30,260÷3月初日の利用子ども数

※以下の区分に応じて、3月初日の利用子どもの単価に加算
　A：公開保育の取組と組み合わせて施設関係者評価を実施する施設
　B：それ以外の施設

除雪費加算 ㉚	6,270	※3月初日の利用子どもの単価に加算

降灰除去費加算 ㉛	81,230÷3月初日の利用子ども数	※3月初日の利用子どもの単価に加算

施設機能強化推進費加算 ㉜	80,000（限度額）÷3月初日の利用子ども数	※3月初日の利用子どもの単価に加算

小学校接続加算 ㉝	要件Ⅰ～Ⅱを満たす場合	20,190÷3月初日の利用子ども数	※3月初日の利用子どもの単価に加算
	要件Ⅰ～Ⅲを満たす場合	158,570÷3月初日の利用子ども数	

第三者評価受審加算 ㉞	75,000÷3月初日の利用子ども数	※3月初日の利用子どもの単価に加算

（　注　）年度の初日の前日における満年齢に応じて月額を調整

○定員を恒常的に超過する場合に係る別に定める調整率　認定こども園（教育標準時間認定）

地域区分	定員区分	認定区分	年齢区分	15人まで	16人から25人まで	26人から35人まで	36人から45人まで	46人から60人まで	61人から75人まで	76人から90人まで	91人から105人まで	106人から120人まで	121人から135人まで	136人から150人まで	151人から180人まで	181人から210人まで	211人から240人まで	241人から270人まで	271人から300人まで	301人以上
20/100地域	15人まで	1号	4歳以上児 / 3歳児		63/100	50/100	44/100	40/100	37/100	35/100	35/100	33/100	32/100	32/100	31/100	30/100	30/100	29/100	29/100	29/100
	16人から25人まで	1号	4歳以上児 / 3歳児			79/100	70/100	63/100	59/100	56/100	55/100	53/100	52/100	51/100	49/100	48/100	47/100	47/100	46/100	46/100
	26人から35人まで	1号	4歳以上児 / 3歳児				89/100	80/100	74/100	71/100	69/100	67/100	65/100	64/100	62/100	61/100	60/100	59/100	58/100	58/100
	36人から45人まで	1号	4歳以上児 / 3歳児					90/100	84/100	80/100	78/100	76/100	73/100	72/100	70/100	68/100	67/100	66/100	66/100	65/100
	46人から60人まで	1号	4歳以上児 / 3歳児						93/100	88/100	87/100	84/100	81/100	80/100	77/100	76/100	74/100	74/100	73/100	72/100
	61人から75人まで	1号	4歳以上児 / 3歳児							95/100	93/100	90/100	88/100	86/100	83/100	82/100	80/100	79/100	78/100	78/100
	76人から90人まで	1号	4歳以上児 / 3歳児								98/100	95/100	92/100	90/100	88/100	86/100	84/100	83/100	83/100	82/100
	91人から105人まで	1号	4歳以上児 / 3歳児									97/100	94/100	92/100	89/100	88/100	86/100	85/100	84/100	83/100
	106人から120人まで	1号	4歳以上児 / 3歳児										97/100	95/100	92/100	90/100	89/100	88/100	87/100	86/100
	121人から135人まで	1号	4歳以上児 / 3歳児											98/100	95/100	93/100	91/100	90/100	89/100	89/100
	136人から150人まで	1号	4歳以上児 / 3歳児												97/100	95/100	93/100	92/100	91/100	90/100
	151人から180人まで	1号	4歳以上児 / 3歳児													98/100	96/100	95/100	94/100	93/100
	181人から210人まで	1号	4歳以上児 / 3歳児														98/100	97/100	96/100	95/100
	211人から240人まで	1号	4歳以上児 / 3歳児															99/100	98/100	97/100
	241人から270人まで	1号	4歳以上児 / 3歳児																99/100	98/100
	271人から300人まで	1号	4歳以上児 / 3歳児																	99/100
	301人以上	1号	4歳以上児 / 3歳児																	

特定教育・保育等に要する費用算定基準等　認定こども園（教育標準時間認定）

地域区分	定員区分	認定区分	年齢区分	利用子ども数																
				15人まで	16人から25人まで	26人から35人まで	36人から45人まで	46人から60人まで	61人から75人まで	76人から90人まで	91人から105人まで	106人から120人まで	121人から135人まで	136人から150人まで	151人から180人まで	181人から210人まで	211人から240人まで	241人から270人まで	271人から300人まで	301人以上
16/100地域	15人まで	1号	4歳以上児		63/100	50/100	44/100	40/100	37/100	35/100	35/100	33/100	32/100	32/100	31/100	30/100	30/100	29/100	29/100	29/100
			3 歳 児																	
	16人から25人まで	1号	4歳以上児			79/100	70/100	63/100	59/100	56/100	55/100	53/100	52/100	51/100	49/100	48/100	47/100	47/100	46/100	46/100
			3 歳 児																	
	26人から35人まで	1号	4歳以上児				89/100	80/100	74/100	71/100	69/100	67/100	65/100	64/100	62/100	61/100	60/100	59/100	58/100	58/100
			3 歳 児																	
	36人から45人まで	1号	4歳以上児					90/100	84/100	80/100	78/100	76/100	73/100	72/100	70/100	68/100	67/100	66/100	66/100	65/100
			3 歳 児																	
	46人から60人まで	1号	4歳以上児						93/100	88/100	87/100	84/100	81/100	80/100	77/100	76/100	74/100	74/100	73/100	72/100
			3 歳 児																	
	61人から75人まで	1号	4歳以上児							95/100	93/100	90/100	88/100	86/100	83/100	82/100	80/100	79/100	78/100	78/100
			3 歳 児																	
	76人から90人まで	1号	4歳以上児								98/100	95/100	92/100	90/100	88/100	86/100	84/100	83/100	83/100	82/100
			3 歳 児																	
	91人から105人まで	1号	4歳以上児									97/100	94/100	92/100	89/100	88/100	86/100	85/100	84/100	83/100
			3 歳 児																	
	106人から120人まで	1号	4歳以上児										97/100	95/100	92/100	90/100	89/100	88/100	87/100	86/100
			3 歳 児																	
	121人から135人まで	1号	4歳以上児											98/100	95/100	93/100	91/100	90/100	89/100	89/100
			3 歳 児																	
	136人から150人まで	1号	4歳以上児												97/100	95/100	93/100	92/100	91/100	90/100
			3 歳 児																	
	151人から180人まで	1号	4歳以上児													98/100	96/100	95/100	94/100	93/100
			3 歳 児																	
	181人から210人まで	1号	4歳以上児														98/100	97/100	96/100	95/100
			3 歳 児																	
	211人から240人まで	1号	4歳以上児															99/100	98/100	97/100
			3 歳 児																	
	241人から270人まで	1号	4歳以上児																99/100	98/100
			3 歳 児																	
	271人から300人まで	1号	4歳以上児																	99/100
			3 歳 児																	
	301人以上	1号	4歳以上児																	
			3 歳 児																	

965

地域区分	定員区分	認定区分	年齢区分	利用子ども数																
				15人まで	16人から25人まで	26人から35人まで	36人から45人まで	46人から60人まで	61人から75人まで	76人から90人まで	91人から105人まで	106人から120人まで	121人から135人まで	136人から150人まで	151人から180人まで	181人から210人まで	211人から240人まで	241人から270人まで	271人から300人まで	301人以上
15/100 地域	15人まで	1号	4歳以上児 / 3歳児		63/100	50/100	44/100	40/100	37/100	35/100	35/100	33/100	32/100	32/100	31/100	30/100	30/100	29/100	29/100	29/100
	16人から25人まで	1号	4歳以上児 / 3歳児			79/100	70/100	63/100	59/100	56/100	55/100	53/100	52/100	51/100	49/100	48/100	47/100	47/100	46/100	46/100
	26人から35人まで	1号	4歳以上児 / 3歳児				89/100	80/100	74/100	71/100	69/100	67/100	65/100	64/100	62/100	61/100	60/100	59/100	58/100	58/100
	36人から45人まで	1号	4歳以上児 / 3歳児					90/100	84/100	80/100	78/100	76/100	73/100	72/100	70/100	68/100	67/100	66/100	66/100	65/100
	46人から60人まで	1号	4歳以上児 / 3歳児						93/100	88/100	87/100	84/100	81/100	80/100	77/100	76/100	74/100	74/100	73/100	72/100
	61人から75人まで	1号	4歳以上児 / 3歳児							95/100	93/100	90/100	88/100	86/100	83/100	82/100	80/100	79/100	78/100	78/100
	76人から90人まで	1号	4歳以上児 / 3歳児								98/100	95/100	92/100	90/100	88/100	86/100	84/100	83/100	83/100	82/100
	91人から105人まで	1号	4歳以上児 / 3歳児									97/100	94/100	92/100	89/100	88/100	86/100	85/100	84/100	83/100
	106人から120人まで	1号	4歳以上児 / 3歳児										97/100	95/100	92/100	90/100	89/100	88/100	87/100	86/100
	121人から135人まで	1号	4歳以上児 / 3歳児											98/100	95/100	93/100	91/100	90/100	89/100	89/100
	136人から150人まで	1号	4歳以上児 / 3歳児												97/100	95/100	93/100	92/100	91/100	90/100
	151人から180人まで	1号	4歳以上児 / 3歳児													98/100	96/100	95/100	94/100	93/100
	181人から210人まで	1号	4歳以上児 / 3歳児														98/100	97/100	96/100	95/100
	211人から240人まで	1号	4歳以上児 / 3歳児															99/100	98/100	97/100
	241人から270人まで	1号	4歳以上児 / 3歳児																99/100	98/100
	271人から300人まで	1号	4歳以上児 / 3歳児																	99/100
	301人以上	1号	4歳以上児 / 3歳児																	

地域区分	定員区分	認定区分	年齢区分	利用子ども数																
				15人まで	16人から25人まで	26人から35人まで	36人から45人まで	46人から60人まで	61人から75人まで	76人から90人まで	91人から105人まで	106人から120人まで	121人から135人まで	136人から150人まで	151人から180人まで	181人から210人まで	211人から240人まで	241人から270人まで	271人から300人まで	301人以上
12/100 地域	15人まで	1号	4歳以上児		63/100	50/100	44/100	39/100	37/100	35/100	34/100	33/100	32/100	31/100	31/100	30/100	29/100	29/100	29/100	28/100
			3歳児																	
	16人から25人まで	1号	4歳以上児			79/100	70/100	63/100	58/100	55/100	54/100	53/100	51/100	50/100	48/100	47/100	47/100	46/100	46/100	45/100
			3歳児																	
	26人から35人まで	1号	4歳以上児				89/100	79/100	74/100	70/100	69/100	67/100	65/100	63/100	61/100	60/100	59/100	58/100	58/100	57/100
			3歳児																	
	36人から45人まで	1号	4歳以上児					89/100	83/100	79/100	77/100	75/100	73/100	71/100	69/100	68/100	66/100	66/100	65/100	64/100
			3歳児																	
	46人から60人まで	1号	4歳以上児						93/100	88/100	87/100	84/100	81/100	80/100	77/100	76/100	74/100	74/100	73/100	72/100
			3歳児																	
	61人から75人まで	1号	4歳以上児							95/100	93/100	90/100	88/100	86/100	83/100	82/100	80/100	79/100	78/100	78/100
			3歳児																	
	76人から90人まで	1号	4歳以上児								98/100	95/100	92/100	90/100	88/100	86/100	84/100	83/100	83/100	82/100
			3歳児																	
	91人から105人まで	1号	4歳以上児									97/100	94/100	92/100	89/100	88/100	86/100	85/100	84/100	83/100
			3歳児																	
	106人から120人まで	1号	4歳以上児										97/100	95/100	92/100	90/100	89/100	88/100	87/100	86/100
			3歳児																	
	121人から135人まで	1号	4歳以上児											98/100	95/100	93/100	91/100	90/100	89/100	89/100
			3歳児																	
	136人から150人まで	1号	4歳以上児												97/100	95/100	93/100	92/100	91/100	90/100
			3歳児																	
	151人から180人まで	1号	4歳以上児													98/100	96/100	95/100	94/100	93/100
			3歳児																	
	181人から210人まで	1号	4歳以上児														98/100	97/100	96/100	95/100
			3歳児																	
	211人から240人まで	1号	4歳以上児															99/100	98/100	97/100
			3歳児																	
	241人から270人まで	1号	4歳以上児																99/100	98/100
			3歳児																	
	271人から300人まで	1号	4歳以上児																	99/100
			3歳児																	
	301人以上	1号	4歳以上児																	
			3歳児																	

地域区分	定員区分	認定区分	年齢区分	利用子ども数																
				15人まで	16人から25人まで	26人から35人まで	36人から45人まで	46人から60人まで	61人から75人まで	76人から90人まで	91人から105人まで	106人から120人まで	121人から135人まで	136人から150人まで	151人から180人まで	181人から210人まで	211人から240人まで	241人から270人まで	271人から300人まで	301人以上
10/100 地域	15人まで	1号	4歳以上児／3歳児		63/100	50/100	44/100	40/100	37/100	35/100	35/100	33/100	32/100	32/100	31/100	30/100	30/100	29/100	29/100	29/100
	16人から25人まで	1号	4歳以上児／3歳児			79/100	70/100	63/100	59/100	56/100	55/100	53/100	52/100	51/100	49/100	48/100	47/100	47/100	46/100	46/100
	26人から35人まで	1号	4歳以上児／3歳児				89/100	80/100	74/100	71/100	69/100	67/100	65/100	64/100	62/100	61/100	60/100	59/100	58/100	58/100
	36人から45人まで	1号	4歳以上児／3歳児					90/100	84/100	80/100	78/100	76/100	73/100	72/100	70/100	68/100	67/100	66/100	66/100	65/100
	46人から60人まで	1号	4歳以上児／3歳児						93/100	88/100	87/100	84/100	81/100	80/100	77/100	76/100	74/100	74/100	73/100	72/100
	61人から75人まで	1号	4歳以上児／3歳児							95/100	93/100	90/100	88/100	86/100	83/100	82/100	80/100	79/100	78/100	78/100
	76人から90人まで	1号	4歳以上児／3歳児								98/100	95/100	92/100	90/100	88/100	86/100	84/100	83/100	83/100	82/100
	91人から105人まで	1号	4歳以上児／3歳児									97/100	94/100	92/100	89/100	88/100	86/100	85/100	84/100	83/100
	106人から120人まで	1号	4歳以上児／3歳児										97/100	95/100	92/100	90/100	89/100	88/100	87/100	86/100
	121人から135人まで	1号	4歳以上児／3歳児											98/100	95/100	93/100	91/100	90/100	89/100	89/100
	136人から150人まで	1号	4歳以上児／3歳児												97/100	95/100	93/100	92/100	91/100	90/100
	151人から180人まで	1号	4歳以上児／3歳児													98/100	96/100	95/100	94/100	93/100
	181人から210人まで	1号	4歳以上児／3歳児														98/100	97/100	96/100	95/100
	211人から240人まで	1号	4歳以上児／3歳児															99/100	98/100	97/100
	241人から270人まで	1号	4歳以上児／3歳児																99/100	98/100
	271人から300人まで	1号	4歳以上児／3歳児																	99/100
	301人以上	1号	4歳以上児／3歳児																	

特定教育・保育等に要する費用算定基準等　認定こども園（教育標準時間認定）

地域区分	定員区分	認定区分	年齢区分	15人まで	16人から25人まで	26人から35人まで	36人から45人まで	46人から60人まで	61人から75人まで	76人から90人まで	91人から105人まで	106人から120人まで	121人から135人まで	136人から150人まで	151人から180人まで	181人から210人まで	211人から240人まで	241人から270人まで	271人から300人まで	301人以上
6/100地域	15人まで	1号	4歳以上児 / 3歳児		63/100	50/100	44/100	40/100	37/100	35/100	35/100	33/100	32/100	32/100	31/100	30/100	30/100	29/100	29/100	29/100
	16人から25人まで	1号	4歳以上児 / 3歳児			79/100	70/100	63/100	59/100	56/100	55/100	53/100	52/100	51/100	49/100	48/100	47/100	47/100	46/100	46/100
	26人から35人まで	1号	4歳以上児 / 3歳児				89/100	80/100	74/100	71/100	69/100	67/100	65/100	64/100	62/100	61/100	60/100	59/100	58/100	58/100
	36人から45人まで	1号	4歳以上児 / 3歳児					90/100	84/100	80/100	78/100	76/100	73/100	72/100	70/100	68/100	67/100	66/100	66/100	65/100
	46人から60人まで	1号	4歳以上児 / 3歳児						93/100	88/100	87/100	84/100	81/100	80/100	77/100	76/100	74/100	74/100	73/100	72/100
	61人から75人まで	1号	4歳以上児 / 3歳児							95/100	93/100	90/100	88/100	86/100	83/100	82/100	80/100	79/100	78/100	78/100
	76人から90人まで	1号	4歳以上児 / 3歳児								98/100	95/100	92/100	90/100	88/100	86/100	84/100	83/100	83/100	82/100
	91人から105人まで	1号	4歳以上児 / 3歳児									97/100	94/100	92/100	89/100	88/100	86/100	85/100	84/100	83/100
	106人から120人まで	1号	4歳以上児 / 3歳児										97/100	95/100	92/100	90/100	89/100	88/100	87/100	86/100
	121人から135人まで	1号	4歳以上児 / 3歳児											98/100	95/100	93/100	91/100	90/100	89/100	89/100
	136人から150人まで	1号	4歳以上児 / 3歳児												97/100	95/100	93/100	92/100	91/100	90/100
	151人から180人まで	1号	4歳以上児 / 3歳児													97/100	95/100	93/100	92/100	91/100	90/100
	181人から210人まで	1号	4歳以上児 / 3歳児														98/100	96/100	95/100	94/100	93/100
	211人から240人まで	1号	4歳以上児 / 3歳児															98/100	97/100	96/100	95/100
	241人から270人まで	1号	4歳以上児 / 3歳児																99/100	98/100	97/100
	271人から300人まで	1号	4歳以上児 / 3歳児																	99/100	98/100
	301人以上	1号	4歳以上児 / 3歳児																		99/100
	301人以上	1号	4歳以上児 / 3歳児																		

地域区分	定員区分	認定区分	年齢区分	15人まで	16人から25人まで	26人から35人まで	36人から45人まで	46人から60人まで	61人から75人まで	76人から90人まで	91人から105人まで	106人から120人まで	121人から135人まで	136人から150人まで	151人から180人まで	181人から210人まで	211人から240人まで	241人から270人まで	271人から300人まで	301人以上
	15人まで	1号	4歳以上児		63/100	50/100	45/100	40/100	37/100	36/100	35/100	34/100	33/100	32/100	31/100	31/100	30/100	30/100	29/100	29/100
			3歳児																	
	16人から25人まで	1号	4歳以上児			79/100	71/100	64/100	60/100	57/100	55/100	54/100	52/100	51/100	50/100	49/100	48/100	47/100	47/100	46/100
			3歳児																	
	26人から35人まで	1号	4歳以上児				90/100	81/100	75/100	72/100	70/100	68/100	66/100	65/100	63/100	61/100	60/100	60/100	59/100	58/100
			3歳児																	
	36人から45人まで	1号	4歳以上児					90/100	84/100	80/100	78/100	76/100	73/100	72/100	70/100	68/100	67/100	66/100	66/100	65/100
			3歳児																	
	46人から60人まで	1号	4歳以上児						93/100	88/100	87/100	84/100	81/100	80/100	77/100	76/100	74/100	74/100	73/100	72/100
			3歳児																	
	61人から75人まで	1号	4歳以上児							95/100	93/100	90/100	88/100	86/100	83/100	82/100	80/100	79/100	78/100	78/100
			3歳児																	
	76人から90人まで	1号	4歳以上児								98/100	95/100	92/100	90/100	88/100	86/100	84/100	83/100	83/100	82/100
			3歳児																	
	91人から105人まで	1号	4歳以上児									97/100	94/100	92/100	89/100	88/100	86/100	85/100	84/100	83/100
			3歳児																	
3/100地域	106人から120人まで	1号	4歳以上児										97/100	95/100	92/100	90/100	89/100	88/100	87/100	86/100
			3歳児																	
	121人から135人まで	1号	4歳以上児											98/100	95/100	93/100	91/100	90/100	89/100	89/100
			3歳児																	
	136人から150人まで	1号	4歳以上児												97/100	95/100	93/100	92/100	91/100	90/100
			3歳児																	
	151人から180人まで	1号	4歳以上児													98/100	96/100	95/100	94/100	93/100
			3歳児																	
	181人から210人まで	1号	4歳以上児														98/100	97/100	96/100	95/100
			3歳児																	
	211人から240人まで	1号	4歳以上児															99/100	98/100	97/100
			3歳児																	
	241人から270人まで	1号	4歳以上児																99/100	98/100
			3歳児																	
	271人から300人まで	1号	4歳以上児																	99/100
			3歳児																	
	301人以上	1号	4歳以上児																	
			3歳児																	

地域区分	定員区分	認定区分	年齢区分	15人まで	16人から25人まで	26人から35人まで	36人から45人まで	46人から60人まで	61人から75人まで	76人から90人まで	91人から105人まで	106人から120人まで	121人から135人まで	136人から150人まで	151人から180人まで	181人から210人まで	211人から240人まで	241人から270人まで	271人から300人まで	301人以上
その他地域	15人まで	1号	4歳以上児 / 3歳児		63/100	50/100	45/100	40/100	37/100	36/100	35/100	34/100	33/100	33/100	32/100	31/100	30/100	30/100	30/100	29/100
	16人から25人まで	1号	4歳以上児 / 3歳児			79/100	71/100	64/100	60/100	57/100	56/100	54/100	53/100	52/100	50/100	49/100	48/100	48/100	47/100	47/100
	26人から35人まで	1号	4歳以上児 / 3歳児				90/100	81/100	75/100	72/100	71/100	69/100	67/100	65/100	63/100	62/100	61/100	60/100	60/100	59/100
	36人から45人まで	1号	4歳以上児 / 3歳児					90/100	84/100	80/100	79/100	76/100	74/100	73/100	70/100	69/100	68/100	67/100	66/100	66/100
	46人から60人まで	1号	4歳以上児 / 3歳児						93/100	88/100	87/100	85/100	82/100	81/100	78/100	77/100	75/100	74/100	74/100	73/100
	61人から75人まで	1号	4歳以上児 / 3歳児							95/100	94/100	91/100	88/100	87/100	84/100	82/100	81/100	80/100	79/100	78/100
	76人から90人まで	1号	4歳以上児 / 3歳児								99/100	96/100	93/100	91/100	89/100	87/100	85/100	84/100	83/100	83/100
	91人から105人まで	1号	4歳以上児 / 3歳児									97/100	94/100	92/100	89/100	88/100	86/100	85/100	84/100	83/100
	106人から120人まで	1号	4歳以上児 / 3歳児										97/100	95/100	92/100	90/100	89/100	88/100	87/100	86/100
	121人から135人まで	1号	4歳以上児 / 3歳児											98/100	95/100	93/100	91/100	90/100	89/100	89/100
	136人から150人まで	1号	4歳以上児 / 3歳児												97/100	95/100	93/100	92/100	91/100	90/100
	151人から180人まで	1号	4歳以上児 / 3歳児													98/100	96/100	95/100	94/100	93/100
	181人から210人まで	1号	4歳以上児 / 3歳児														98/100	97/100	96/100	95/100
	211人から240人まで	1号	4歳以上児 / 3歳児															99/100	98/100	97/100
	241人から270人まで	1号	4歳以上児 / 3歳児																99/100	98/100
	271人から300人まで	1号	4歳以上児 / 3歳児																	99/100
	301人以上	1号	4歳以上児 / 3歳児																	

○認定こども園（保育認定）

地域区分①	定員区分②	認定区分③	年齢区分④	保育標準時間認定 基本分単価⑥ (注1)	保育短時間認定 基本分単価⑥ (注1)	処遇改善等加算Ⅰ 保育標準時間認定⑦ (注1)	保育短時間認定⑦ (注1)	3歳児配置改善加算 処遇改善等加算Ⅰ⑧
20/100地域	10人まで	2号	4歳以上児	257,000 (265,290)	201,480 (209,770) +	2,550 (2,630) ×加算率	1,990 (2,070) ×加算率 +	(8,290) (80×加算率)
			3歳児	265,290 (331,910)	209,770 (276,390)	2,630 (3,200) ×加算率	2,070 (2,640) ×加算率 +	8,290 80×加算率
		3号	1、2歳児	331,910 (414,840)	276,390 (359,320) +	3,200 (4,030) ×加算率	2,640 (3,470) ×加算率	
			乳児	414,840	359,320	4,030 ×加算率	3,470 ×加算率	
	11人から20人まで	2号	4歳以上児	139,410 (147,700)	111,650 (119,940)	1,370 (1,450) ×加算率	1,090 (1,170) ×加算率 +	(8,290) (80×加算率)
			3歳児	147,700 (214,320)	119,940 (186,560)	1,450 (2,020) ×加算率	1,170 (1,750) ×加算率 +	8,290 80×加算率
		3号	1、2歳児	214,320 (297,250)	186,560 (269,490) +	2,020 (2,850) ×加算率	1,750 (2,580) ×加算率	
			乳児	297,250	269,490	2,850 ×加算率	2,580 ×加算率	
	21人から30人まで	2号	4歳以上児	100,080 (108,370)	81,570 (89,860)	980 (1,060) ×加算率	790 (870) ×加算率 +	(8,290) (80×加算率)
			3歳児	108,370 (174,990)	89,860 (156,480)	1,060 (1,630) ×加算率	870 (1,440) ×加算率 +	8,290 80×加算率
		3号	1、2歳児	174,990 (257,920)	156,480 (239,410) +	1,630 (2,460) ×加算率	1,440 (2,270) ×加算率	
			乳児	257,920	239,410	2,460 ×加算率	2,270 ×加算率	
	31人から40人まで	2号	4歳以上児	80,830 (89,120)	66,950 (75,240)	780 (860) ×加算率	650 (730) ×加算率 +	(8,290) (80×加算率)
			3歳児	89,120 (155,740)	75,240 (141,860)	860 (1,440) ×加算率	730 (1,300) ×加算率 +	8,290 80×加算率
		3号	1、2歳児	155,740 (238,670)	141,860 (224,790) +	1,440 (2,270) ×加算率	1,300 (2,130) ×加算率	
			乳児	238,670	224,790	2,270 ×加算率	2,130 ×加算率	
	41人から50人まで	2号	4歳以上児	75,390 (83,680)	64,280 (72,570)	730 (810) ×加算率	620 (700) ×加算率 +	(8,290) (80×加算率)
			3歳児	83,680 (150,300)	72,570 (139,190)	810 (1,380) ×加算率	700 (1,270) ×加算率 +	8,290 80×加算率
		3号	1、2歳児	150,300 (233,230)	139,190 (222,120) +	1,380 (2,210) ×加算率	1,270 (2,100) ×加算率	
			乳児	233,230	222,120	2,210 ×加算率	2,100 ×加算率	
	51人から60人まで	2号	4歳以上児	65,930 (74,220)	56,680 (64,970)	640 (720) ×加算率	540 (620) ×加算率 +	(8,290) (80×加算率)
			3歳児	74,220 (140,840)	64,970 (131,590)	720 (1,290) ×加算率	620 (1,200) ×加算率 +	8,290 80×加算率
		3号	1、2歳児	140,840 (223,770)	131,590 (214,520) +	1,290 (2,120) ×加算率	1,200 (2,030) ×加算率	
			乳児	223,770	214,520	2,120 ×加算率	2,030 ×加算率	
	61人から70人まで	2号	4歳以上児	59,260 (67,550)	51,330 (59,620)	570 (650) ×加算率	490 (570) ×加算率 +	(8,290) (80×加算率)
			3歳児	67,550 (134,170)	59,620 (126,240)	650 (1,220) ×加算率	570 (1,140) ×加算率 +	8,290 80×加算率
		3号	1、2歳児	134,170 (217,100)	126,240 (209,170) +	1,220 (2,050) ×加算率	1,140 (1,970) ×加算率	
			乳児	217,100	209,170	2,050 ×加算率	1,970 ×加算率	
	71人から80人まで	2号	4歳以上児	54,310 (62,600)	47,370 (55,660)	520 (600) ×加算率	450 (530) ×加算率 +	(8,290) (80×加算率)
			3歳児	62,600 (129,220)	55,660 (122,280)	600 (1,170) ×加算率	530 (1,100) ×加算率 +	8,290 80×加算率
		3号	1、2歳児	129,220 (212,150)	122,280 (205,210) +	1,170 (2,000) ×加算率	1,100 (1,930) ×加算率	
			乳児	212,150	205,210	2,000 ×加算率	1,930 ×加算率	
	81人から90人まで	2号	4歳以上児	50,410 (58,700)	44,240 (52,530)	480 (560) ×加算率	420 (500) ×加算率 +	(8,290) (80×加算率)
			3歳児	58,700 (125,320)	52,530 (119,150)	560 (1,130) ×加算率	500 (1,070) ×加算率 +	8,290 80×加算率
		3号	1、2歳児	125,320 (208,250)	119,150 (202,080) +	1,130 (1,960) ×加算率	1,070 (1,900) ×加算率	
			乳児	208,250	202,080	1,960 ×加算率	1,900 ×加算率	
	91人から100人まで	2号	4歳以上児	43,540 (51,830)	37,990 (46,280)	410 (490) ×加算率	360 (440) ×加算率 +	(8,290) (80×加算率)
			3歳児	51,830 (118,450)	46,280 (112,900)	490 (1,060) ×加算率	440 (1,010) ×加算率 +	8,290 80×加算率
		3号	1、2歳児	118,450 (201,380)	112,900 (195,830) +	1,060 (1,890) ×加算率	1,010 (1,840) ×加算率	
			乳児	201,380	195,830	1,890 ×加算率	1,840 ×加算率	
	101人から110人まで	2号	4歳以上児	41,370 (49,660)	36,320 (44,610)	390 (470) ×加算率	340 (420) ×加算率 +	(8,290) (80×加算率)
			3歳児	49,660 (116,280)	44,610 (111,230)	470 (1,040) ×加算率	420 (990) ×加算率 +	8,290 80×加算率
		3号	1、2歳児	116,280 (199,210)	111,230 (194,160) +	1,040 (1,870) ×加算率	990 (1,820) ×加算率	
			乳児	199,210	194,160	1,870 ×加算率	1,820 ×加算率	
	111人から120人まで	2号	4歳以上児	39,520 (47,810)	34,900 (43,190)	370 (450) ×加算率	320 (400) ×加算率 +	(8,290) (80×加算率)
			3歳児	47,810 (114,430)	43,190 (109,810)	450 (1,020) ×加算率	400 (980) ×加算率 +	8,290 80×加算率
		3号	1、2歳児	114,430 (197,360)	109,810 (192,740) +	1,020 (1,850) ×加算率	980 (1,810) ×加算率	
			乳児	197,360	192,740	1,850 ×加算率	1,810 ×加算率	
	121人から130人まで	2号	4歳以上児	37,960 (46,250)	33,690 (41,980)	360 (440) ×加算率	310 (390) ×加算率 +	(8,290) (80×加算率)
			3歳児	46,250 (112,870)	41,980 (108,600)	440 (1,010) ×加算率	390 (970) ×加算率 +	8,290 80×加算率
		3号	1、2歳児	112,870 (195,800)	108,600 (191,530) +	1,010 (1,840) ×加算率	970 (1,800) ×加算率	
			乳児	195,800	191,530	1,840 ×加算率	1,800 ×加算率	
	131人から140人まで	2号	4歳以上児	36,650 (44,940)	32,690 (40,980)	340 (420) ×加算率	300 (380) ×加算率 +	(8,290) (80×加算率)
			3歳児	44,940 (111,560)	40,980 (107,600)	420 (1,000) ×加算率	380 (960) ×加算率 +	8,290 80×加算率
		3号	1、2歳児	111,560 (194,490)	107,600 (190,530) +	1,000 (1,830) ×加算率	960 (1,790) ×加算率	
			乳児	194,490	190,530	1,830 ×加算率	1,790 ×加算率	
	141人から150人まで	2号	4歳以上児	35,500 (43,790)	31,800 (40,090)	330 (410) ×加算率	290 (370) ×加算率 +	(8,290) (80×加算率)
			3歳児	43,790 (110,410)	40,090 (106,710)	410 (980) ×加算率	370 (950) ×加算率 +	8,290 80×加算率
		3号	1、2歳児	110,410 (193,340)	106,710 (189,640) +	980 (1,810) ×加算率	950 (1,780) ×加算率	
			乳児	193,340	189,640	1,810 ×加算率	1,780 ×加算率	
	151人から160人まで	2号	4歳以上児	35,390 (43,680)	31,920 (40,210)	330 (410) ×加算率	290 (370) ×加算率 +	(8,290) (80×加算率)
			3歳児	43,680 (110,300)	40,210 (106,830)	410 (980) ×加算率	370 (950) ×加算率 +	8,290 80×加算率
		3号	1、2歳児	110,300 (193,230)	106,830 (189,760) +	980 (1,810) ×加算率	950 (1,780) ×加算率	
			乳児	193,230	189,760	1,810 ×加算率	1,780 ×加算率	
	161人から170人まで	2号	4歳以上児	34,460 (42,750)	31,200 (39,490)	320 (400) ×加算率	290 (370) ×加算率 +	(8,290) (80×加算率)
			3歳児	42,750 (109,370)	39,490 (106,110)	400 (970) ×加算率	370 (940) ×加算率 +	8,290 80×加算率
		3号	1、2歳児	109,370 (192,300)	106,110 (189,040) +	970 (1,800) ×加算率	940 (1,770) ×加算率	
			乳児	192,300	189,040	1,800 ×加算率	1,770 ×加算率	
	171人以上	2号	4歳以上児	33,620 (41,910)	30,540 (38,830)	310 (390) ×加算率	280 (360) ×加算率 +	(8,290) (80×加算率)
			3歳児	41,910 (108,530)	38,830 (105,450)	390 (970) ×加算率	360 (930) ×加算率 +	8,290 80×加算率
		3号	1、2歳児	108,530 (191,460)	105,450 (188,380) +	970 (1,800) ×加算率	930 (1,760) ×加算率	
			乳児	191,460	188,380	1,800 ×加算率	1,760 ×加算率	

地域区分①	定員区分②	認定区分③	年齢区分④	4歳以上児配置改善加算 ⑨	処遇改善等加算Ⅰ ⑨	夜間保育加算（注1）⑪	処遇改善等加算Ⅰ ⑪
20/100 地域	10人まで	2号	4歳以上児 / 3歳児	+ 3,310	+ 30×加算率	+ 54,720 ／ 52,890	+ 470×加算率
		3号	1、2歳児 / 乳児			+ 52,890	
	11人から20人まで	2号	4歳以上児 / 3歳児	+ 3,310	+ 30×加算率	+ 31,010 ／ 29,180	+ 230×加算率
		3号	1、2歳児 / 乳児			+ 29,180	
	21人から30人まで	2号	4歳以上児 / 3歳児	+ 3,310	+ 30×加算率	+ 23,110 ／ 21,280	+ 150×加算率
		3号	1、2歳児 / 乳児			+ 21,280	
	31人から40人まで	2号	4歳以上児 / 3歳児	+ 3,310	+ 30×加算率	+ 19,160 ／ 17,330	+ 110×加算率
		3号	1、2歳児 / 乳児			+ 17,330	
	41人から50人まで	2号	4歳以上児 / 3歳児	+ 3,310	+ 30×加算率	+ 16,790 ／ 14,960	+ 90×加算率
		3号	1、2歳児 / 乳児			+ 14,960	
	51人から60人まで	2号	4歳以上児 / 3歳児	+ 3,310	+ 30×加算率	+ 15,210 ／ 13,380	+ 70×加算率
		3号	1、2歳児 / 乳児			+ 13,380	
	61人から70人まで	2号	4歳以上児 / 3歳児	+ 3,310	+ 30×加算率	+ 14,080 ／ 12,250	+ 60×加算率
		3号	1、2歳児 / 乳児			+ 12,250	
	71人から80人まで	2号	4歳以上児 / 3歳児	+ 3,310	+ 30×加算率	+ 13,230 ／ 11,400	+ 50×加算率
		3号	1、2歳児 / 乳児			+ 11,400	
	81人から90人まで	2号	4歳以上児 / 3歳児	+ 3,310	+ 30×加算率	+ 12,570 ／ 10,740	+ 50×加算率
		3号	1、2歳児 / 乳児			+ 10,740	
	91人から100人まで	2号	4歳以上児 / 3歳児	+ 3,310	+ 30×加算率		
		3号	1、2歳児 / 乳児				
	101人から110人まで	2号	4歳以上児 / 3歳児	+ 3,310	+ 30×加算率		
		3号	1、2歳児 / 乳児				
	111人から120人まで	2号	4歳以上児 / 3歳児	+ 3,310	+ 30×加算率		
		3号	1、2歳児 / 乳児				
	121人から130人まで	2号	4歳以上児 / 3歳児	+ 3,310	+ 30×加算率		
		3号	1、2歳児 / 乳児				
	131人から140人まで	2号	4歳以上児 / 3歳児	+ 3,310	+ 30×加算率		
		3号	1、2歳児 / 乳児				
	141人から150人まで	2号	4歳以上児 / 3歳児	+ 3,310	+ 30×加算率		
		3号	1、2歳児 / 乳児				
	151人から160人まで	2号	4歳以上児 / 3歳児	+ 3,310	+ 30×加算率		
		3号	1、2歳児 / 乳児				
	161人から170人まで	2号	4歳以上児 / 3歳児	+ 3,310	+ 30×加算率		
		3号	1、2歳児 / 乳児				
	171人以上	2号	4歳以上児 / 3歳児	+ 3,310	+ 30×加算率		
		3号	1、2歳児 / 乳児				

休日保育加算 ⑩（処遇改善等加算Ⅰ）

休日保育の年間延べ利用子ども数

休日保育の年間延べ利用子ども数	（左欄）	休日保育の年間延べ利用子ども数	×加算率
～　210人	280,600	211人～　279人	2,800×加算率
211人～　279人	300,700	211人～　279人	3,000×加算率
280人～　349人	340,900	280人～　349人	3,400×加算率
350人～　419人	381,200	350人～　419人	3,810×加算率
420人～　489人	421,400	420人～　489人	4,210×加算率
490人～　559人	461,700	490人～　559人	4,610×加算率
560人～　629人	501,900	560人～　629人	5,010×加算率
630人～　699人	542,200	630人～　699人	5,420×加算率
700人～　769人	582,400	700人～　769人	5,820×加算率
770人～　839人	622,700	770人～　839人	6,220×加算率
840人～　909人	662,900	840人～　909人	6,620×加算率
910人～　979人	703,200	910人～　979人	7,030×加算率
980人～1,049人	743,400	980人～1,049人	7,430×加算率
1,050人～	783,700	1,050人～	7,830×加算率

（休日保育加算）＋（処遇改善等加算Ⅰ）÷ 各月初日の利用子ども数

地域区分 ①	定員区分 ②	認定区分 ③	年齢区分 ④	チーム保育加配加算 ※1号・2号の利用定員合計に応じて2号利用子どもの単価に加算 ⑫	処遇改善等加算Ⅰ ⑫	減価償却費加算 認可施設 標準 ⑬	認可 都市部	機能部分 標準	機能 都市部	賃借料加算 認可施設 標準 ⑭	認可 都市部	機能部分 標準	機能 都市部
20/100 地域	10人まで	2号	4歳以上児 / 3歳児	～ 15人 34,260×加配人数	+ 340×加算率×加配人数	17,100	18,800	11,900	11,900	a地域 31,600 b地域 17,400 c地域 15,200 d地域 13,600	35,200 19,400 16,900 15,100	22,100 12,200 10,600 9,500	22,100 12,200 10,600 9,500
		3号	1・2歳児 / 乳児										
	11人から20人まで	2号	4歳以上児 / 3歳児	16人～ 25人 20,550×加配人数	+ 200×加算率×加配人数	8,500	9,400	5,900	5,900	a地域 15,800 b地域 8,700 c地域 7,600 d地域 6,800	17,600 9,700 8,400 7,500	11,000 6,100 5,300 4,700	11,000 6,100 5,300 4,700
		3号	1・2歳児 / 乳児										
	21人から30人まで	2号	4歳以上児 / 3歳児	26人～ 35人 14,680×加配人数	+ 140×加算率×加配人数	5,900	6,500	4,100	4,100	a地域 10,900 b地域 6,000 c地域 5,200 d地域 4,700	12,200 6,700 5,800 5,200	7,600 4,200 3,600 3,300	7,600 4,200 3,600 3,300
		3号	1・2歳児 / 乳児										
	31人から40人まで	2号	4歳以上児 / 3歳児	36人～ 45人 11,420×加配人数	+ 110×加算率×加配人数	5,200	5,700	3,600	3,600	a地域 9,800 b地域 5,400 c地域 4,700 d地域 4,200	10,900 6,000 5,200 4,600	6,800 3,700 3,300 2,900	6,800 3,700 3,300 2,900
		3号	1・2歳児 / 乳児										
	41人から50人まで	2号	4歳以上児 / 3歳児	46人～ 60人 8,560×加配人数	+ 80×加算率×加配人数	4,700	5,200	3,300	3,300	a地域 8,800 b地域 4,800 c地域 4,200 d地域 3,800	9,800 5,400 4,700 4,200	6,100 3,400 2,900 2,600	6,100 3,400 2,900 2,600
		3号	1・2歳児 / 乳児										
	51人から60人まで	2号	4歳以上児 / 3歳児	61人～ 75人 6,850×加配人数	+ 60×加算率×加配人数	3,900	4,300	2,700	2,700	a地域 7,200 b地域 4,000 c地域 3,500 d地域 3,100	8,100 4,400 3,800 3,400	5,100 2,800 2,400 2,100	5,100 2,800 2,400 2,100
		3号	1・2歳児 / 乳児										
	61人から70人まで	2号	4歳以上児 / 3歳児	76人～ 90人 5,710×加配人数	+ 50×加算率×加配人数	3,300	3,700	2,300	2,300	a地域 6,300 b地域 3,500 c地域 3,000 d地域 2,700	7,100 3,900 3,400 3,000	4,400 2,400 2,100 1,900	4,400 2,400 2,100 1,900
		3号	1・2歳児 / 乳児										
	71人から80人まで	2号	4歳以上児 / 3歳児	91人～ 105人 4,890×加配人数	+ 40×加算率×加配人数	3,800	4,200	2,700	2,700	a地域 7,100 b地域 3,900 c地域 3,400 d地域 3,000	7,900 4,300 3,800 3,400	4,900 2,700 2,300 2,100	4,900 2,700 2,300 2,100
		3号	1・2歳児 / 乳児										
	81人から90人まで	2号	4歳以上児 / 3歳児	106人～ 120人 4,280×加配人数	+ 40×加算率×加配人数	3,400	3,700	2,400	2,400	a地域 6,300 b地域 3,500 c地域 3,000 d地域 2,700	7,100 3,900 3,400 3,000	4,400 2,400 2,100 1,900	4,400 2,400 2,100 1,900
		3号	1・2歳児 / 乳児										
	91人から100人まで	2号	4歳以上児 / 3歳児	121人～ 135人 3,800×加配人数	+ 30×加算率×加配人数	3,000	3,400	2,100	2,100	a地域 5,500 b地域 3,000 c地域 2,600 d地域 2,400	6,200 3,400 2,900 2,600	3,900 2,100 1,800 1,600	3,900 2,100 1,800 1,600
		3号	1・2歳児 / 乳児										
	101人から110人まで	2号	4歳以上児 / 3歳児	136人～ 150人 3,420×加配人数	+ 30×加算率×加配人数	3,300	3,700	2,300	2,300	a地域 6,100 b地域 3,300 c地域 2,900 d地域 2,600	6,800 3,700 3,200 2,900	4,200 2,300 2,000 1,800	4,200 2,300 2,000 1,800
		3号	1・2歳児 / 乳児										
	111人から120人まで	2号	4歳以上児 / 3歳児	151人～ 180人 2,850×加配人数	+ 20×加算率×加配人数	3,000	3,400	2,100	2,100	a地域 5,500 b地域 3,000 c地域 2,600 d地域 2,400	6,200 3,400 2,900 2,600	3,900 2,100 1,800 1,600	3,900 2,100 1,800 1,600
		3号	1・2歳児 / 乳児										
	121人から130人まで	2号	4歳以上児 / 3歳児	181人～ 210人 2,440×加配人数	+ 20×加算率×加配人数	2,800	3,100	2,000	2,000	a地域 5,100 b地域 2,800 c地域 2,400 d地域 2,200	5,700 3,100 2,700 2,400	3,500 1,900 1,700 1,500	3,500 1,900 1,700 1,500
		3号	1・2歳児 / 乳児										
	131人から140人まで	2号	4歳以上児 / 3歳児	211人～ 240人 2,140×加配人数	+ 20×加算率×加配人数	3,000	3,300	2,000	2,000	a地域 5,500 b地域 3,000 c地域 2,600 d地域 2,400	6,200 3,400 2,900 2,600	3,900 2,100 1,800 1,600	3,900 2,100 1,800 1,600
		3号	1・2歳児 / 乳児										
	141人から150人まで	2号	4歳以上児 / 3歳児	241人～ 270人 1,900×加配人数	+ 10×加算率×加配人数	2,800	3,100	2,000	2,000	a地域 5,400 b地域 2,900 c地域 2,500 d地域 2,300	6,000 3,300 2,800 2,500	3,700 2,000 1,800 1,600	3,700 2,000 1,800 1,600
		3号	1・2歳児 / 乳児										
	151人から160人まで	2号	4歳以上児 / 3歳児	271人～ 300人 1,710×加配人数	+ 10×加算率×加配人数	2,600	2,900	1,800	1,800	a地域 4,800 b地域 2,600 c地域 2,300 d地域 2,000	5,400 2,900 2,500 2,300	3,400 1,800 1,600 1,400	3,400 1,800 1,600 1,400
		3号	1・2歳児 / 乳児										
	161人から170人まで	2号	4歳以上児 / 3歳児	301人～ 1,550×加配人数	+ 10×加算率×加配人数	2,800	3,100	2,000	2,000	a地域 5,400 b地域 2,900 c地域 2,500 d地域 2,300	6,000 3,300 2,800 2,500	3,700 2,000 1,800 1,600	3,700 2,000 1,800 1,600
		3号	1・2歳児 / 乳児										
	171人以上	2号	4歳以上児 / 3歳児		+ 2,700	2,900	1,900	1,900		a地域 4,800 b地域 2,600 c地域 2,300 d地域 2,000	5,400 2,900 2,500 2,300	3,400 1,800 1,600 1,400	3,400 1,800 1,600 1,400
		3号	1・2歳児 / 乳児										

外部監査費加算 ⑮

認定こども園全体の利用定員

利用定員	加算額
～ 15人	27,330
16人～ 25人	16,800
26人～ 35人	12,280
36人～ 45人	9,770
46人～ 60人	7,500
61人～ 75人	6,130
76人～ 90人	5,220
91人～ 105人	4,660
106人～ 120人	4,250
121人～ 135人	3,920
136人～ 150人	3,660
151人～ 180人	3,160
181人～ 210人	2,810
211人～ 240人	2,540
241人～ 270人	2,440
271人～ 300人	2,360
301人～	2,150

※3月分の単価に加算

特定教育・保育等に要する費用算定基準等　認定こども園（保育認定）

①地域区分	②定員区分	③認定区分	④年齢区分	⑯副食費徴収免除加算 ※副食費の徴収が免除される子どもの単価に加算	⑰1号認定こどもの利用定員を設定しない場合／処遇改善等加算Ⅰ	⑱分園の場合	⑲土曜日に閉所する場合 月に1日土曜日を閉所する場合	月に2日土曜日を閉所する場合	月に3日以上土曜日を閉所する場合	全ての土曜日を閉所する場合
20/100地域	10人まで	2号	4歳以上児／3歳児	+ 4,800	+ 22,440 ＋ 220×加算率		− (6+7+8+9+⑪) × 1/100	(6+7+8+9+⑪) × 2/100	(6+7+8+9+⑪) × 3/100	(6+7+8+9+⑪) × 4/100
		3号	1、2歳児／乳児							
	11人から20人まで	2号	4歳以上児／3歳児	+ 4,800	+ 11,220 ＋ 110×加算率		− (6+7+8+9+⑪) × 1/100	(6+7+8+9+⑪) × 2/100	(6+7+8+9+⑪) × 4/100	(6+7+8+9+⑪) × 5/100
		3号	1、2歳児／乳児							
	21人から30人まで	2号	4歳以上児／3歳児	+ 4,800	+ 7,480 ＋ 70×加算率		− (6+7+8+9+⑪) × 1/100	(6+7+8+9+⑪) × 3/100	(6+7+8+9+⑪) × 4/100	(6+7+8+9+⑪) × 5/100
		3号	1、2歳児／乳児							
	31人から40人まで	2号	4歳以上児／3歳児	+ 4,800	+ 5,610 ＋ 50×加算率		− (6+7+8+9+⑪) × 1/100	(6+7+8+9+⑪) × 3/100	(6+7+8+9+⑪) × 4/100	(6+7+8+9+⑪) × 5/100
		3号	1、2歳児／乳児							
	41人から50人まで	2号	4歳以上児／3歳児	+ 4,800	+ 4,490 ＋ 40×加算率		− (6+7+8+9+⑪) × 1/100	(6+7+8+9+⑪) × 3/100	(6+7+8+9+⑪) × 4/100	(6+7+8+9+⑪) × 5/100
		3号	1、2歳児／乳児							
	51人から60人まで	2号	4歳以上児／3歳児	+ 4,800	+ 3,740 ＋ 30×加算率		− (6+7+8+9+⑪) × 1/100	(6+7+8+9+⑪) × 3/100	(6+7+8+9+⑪) × 4/100	(6+7+8+9+⑪) × 5/100
		3号	1、2歳児／乳児							
	61人から70人まで	2号	4歳以上児／3歳児	+ 4,800	+ 3,200 ＋ 30×加算率		− (6+7+8+9+⑪) × 1/100	(6+7+8+9+⑪) × 3/100	(6+7+8+9+⑪) × 4/100	(6+7+8+9+⑪) × 6/100
		3号	1、2歳児／乳児							
	71人から80人まで	2号	4歳以上児／3歳児	+ 4,800	+ 2,810 ＋ 20×加算率		− (6+7+8+9+⑪) × 1/100	(6+7+8+9+⑪) × 3/100	(6+7+8+9+⑪) × 4/100	(6+7+8+9+⑪) × 6/100
		3号	1、2歳児／乳児							
	81人から90人まで	2号	4歳以上児／3歳児	+ 4,800	+ 2,490 ＋ 20×加算率		− (6+7+8+9+⑪) × 1/100	(6+7+8+9+⑪) × 3/100	(6+7+8+9+⑪) × 4/100	(6+7+8+9+⑪) × 6/100
		3号	1、2歳児／乳児							
	91人から100人まで	2号	4歳以上児／3歳児	+ 4,800	+ 2,240 ＋ 20×加算率	(6+7) × 10/100	− (6+7+8+9+⑪) × 1/100	(6+7+8+9+⑪) × 3/100	(6+7+8+9+⑪) × 4/100	(6+7+8+9+⑪) × 6/100
		3号	1、2歳児／乳児							
	101人から110人まで	2号	4歳以上児／3歳児	+ 4,800	+ 2,040 ＋ 20×加算率		− (6+7+8+9+⑪) × 1/100	(6+7+8+9+⑪) × 3/100	(6+7+8+9+⑪) × 4/100	(6+7+8+9+⑪) × 6/100
		3号	1、2歳児／乳児							
	111人から120人まで	2号	4歳以上児／3歳児	+ 4,800	+ 1,870 ＋ 10×加算率		− (6+7+8+9+⑪) × 1/100	(6+7+8+9+⑪) × 3/100	(6+7+8+9+⑪) × 4/100	(6+7+8+9+⑪) × 6/100
		3号	1、2歳児／乳児							
	121人から130人まで	2号	4歳以上児／3歳児	+ 4,800	+ 1,720 ＋ 10×加算率		− (6+7+8+9+⑪) × 1/100	(6+7+8+9+⑪) × 3/100	(6+7+8+9+⑪) × 4/100	(6+7+8+9+⑪) × 6/100
		3号	1、2歳児／乳児							
	131人から140人まで	2号	4歳以上児／3歳児	+ 4,800	+ 1,600 ＋ 10×加算率		− (6+7+8+9+⑪) × 1/100	(6+7+8+9+⑪) × 3/100	(6+7+8+9+⑪) × 4/100	(6+7+8+9+⑪) × 6/100
		3号	1、2歳児／乳児							
	141人から150人まで	2号	4歳以上児／3歳児	+ 4,800	+ 1,490 ＋ 10×加算率		− (6+7+8+9+⑪) × 1/100	(6+7+8+9+⑪) × 3/100	(6+7+8+9+⑪) × 4/100	(6+7+8+9+⑪) × 6/100
		3号	1、2歳児／乳児							
	151人から160人まで	2号	4歳以上児／3歳児	+ 4,800	+ 1,400 ＋ 10×加算率		− (6+7+8+9+⑪) × 1/100	(6+7+8+9+⑪) × 3/100	(6+7+8+9+⑪) × 4/100	(6+7+8+9+⑪) × 6/100
		3号	1、2歳児／乳児							
	161人から170人まで	2号	4歳以上児／3歳児	+ 4,800	+ 1,320 ＋ 10×加算率		− (6+7+8+9+⑪) × 1/100	(6+7+8+9+⑪) × 3/100	(6+7+8+9+⑪) × 4/100	(6+7+8+9+⑪) × 6/100
		3号	1、2歳児／乳児							
	171人以上	2号	4歳以上児／3歳児	+ 4,800	+ 1,240 ＋ 10×加算率		− (6+7+8+9+⑪) × 1/100	(6+7+8+9+⑪) × 3/100	(6+7+8+9+⑪) × 4/100	(6+7+8+9+⑪) × 6/100
		3号	1、2歳児／乳児							

地域区分 ①	定員区分 ②	認定区分 ③	年齢区分 ④	主幹教諭等の専任化により子育て支援の取り組みを実施していない場合 ⑳	年齢別配置基準を下回る場合 ㉑	配置基準上求められる職員資格を有しない場合 ㉒	定員を恒常的に超過する場合 ㉓
20/100地域	10人まで	2号	4歳以上児／3歳児	(13,290 +130×加算率)	(49,760 +490×加算率) ×人数	(33,010 +330×加算率) ×人数	
		3号	1、2歳児／乳児				
	11人から20人まで	2号	4歳以上児／3歳児	(6,640 +60×加算率)	(24,880 +240×加算率) ×人数	(16,500 +160×加算率) ×人数	
		3号	1、2歳児／乳児				
	21人から30人まで	2号	4歳以上児／3歳児	(4,430 +40×加算率)	(16,580 +160×加算率) ×人数	(11,000 +110×加算率) ×人数	
		3号	1、2歳児／乳児				
	31人から40人まで	2号	4歳以上児／3歳児	(3,320 +30×加算率)	(12,440 +120×加算率) ×人数	(8,250 +80×加算率) ×人数	
		3号	1、2歳児／乳児				
	41人から50人まで	2号	4歳以上児／3歳児	(2,650 +20×加算率)	(9,950 +100×加算率) ×人数	(6,600 +60×加算率) ×人数	
		3号	1、2歳児／乳児				
	51人から60人まで	2号	4歳以上児／3歳児	(2,210 +20×加算率)	(8,290 +80×加算率) ×人数	(5,500 +50×加算率) ×人数	
		3号	1、2歳児／乳児				
	61人から70人まで	2号	4歳以上児／3歳児	(1,890 +10×加算率)	(7,100 +70×加算率) ×人数	(4,710 +40×加算率) ×人数	
		3号	1、2歳児／乳児				
	71人から80人まで	2号	4歳以上児／3歳児	(1,660 +10×加算率)	(6,220 +60×加算率) ×人数	(4,120 +40×加算率) ×人数	
		3号	1、2歳児／乳児				
	81人から90人まで	2号	4歳以上児／3歳児	(1,470 +10×加算率)	(5,520 +50×加算率) ×人数	(3,660 +30×加算率) ×人数	(⑥~㉒（⑯を除く。）) ×別に定める調整率
		3号	1、2歳児／乳児				
	91人から100人まで	2号	4歳以上児／3歳児	(1,330 +10×加算率)	(4,970 +50×加算率) ×人数	(3,300 +30×加算率) ×人数	
		3号	1、2歳児／乳児				
	101人から110人まで	2号	4歳以上児／3歳児	(1,200 +10×加算率)	(4,520 +40×加算率) ×人数	(3,000 +30×加算率) ×人数	
		3号	1、2歳児／乳児				
	111人から120人まで	2号	4歳以上児／3歳児	(1,100 +10×加算率)	(4,140 +40×加算率) ×人数	(2,750 +20×加算率) ×人数	
		3号	1、2歳児／乳児				
	121人から130人まで	2号	4歳以上児／3歳児	(1,020 +10×加算率)	(3,820 +30×加算率) ×人数	(2,540 +20×加算率) ×人数	
		3号	1、2歳児／乳児				
	131人から140人まで	2号	4歳以上児／3歳児	(950 +10×加算率)	(3,550 +30×加算率) ×人数	(2,350 +20×加算率) ×人数	
		3号	1、2歳児／乳児				
	141人から150人まで	2号	4歳以上児／3歳児	(880 +9×加算率)	(3,310 +30×加算率) ×人数	(2,200 +20×加算率) ×人数	
		3号	1、2歳児／乳児				
	151人から160人まで	2号	4歳以上児／3歳児	(830 +8×加算率)	(3,110 +30×加算率) ×人数	(2,060 +20×加算率) ×人数	
		3号	1、2歳児／乳児				
	161人から170人まで	2号	4歳以上児／3歳児	(780 +8×加算率)	(2,920 +20×加算率) ×人数	(1,940 +10×加算率) ×人数	
		3号	1、2歳児／乳児				
	171人以上	2号	4歳以上児／3歳児	(730 +7×加算率)	(2,760 +20×加算率) ×人数	(1,830 +10×加算率) ×人数	
		3号	1、2歳児／乳児				

地域区分 ①	定員区分 ②	認定区分 ③	年齢区分 ④	保育必要量区分 ⑤ 保育標準時間認定 基本分単価 ⑥ (注1)		保育短時間認定 基本分単価 ⑥ (注1)			処遇改善等加算Ⅰ 保育標準時間認定 (注1) ⑦		保育短時間認定 (注1) ⑦			3歳児配置改善加算 処遇改善等 加算Ⅰ ⑧		
16/100 地域	10人まで	2号	4歳以上児	250,480	(258,520)	196,450	(204,490)	+	2,480	(2,560) ×加算率	1,940	(2,020) ×加算率	+	(8,040)	+	(80×加算率)
			3歳児	258,520	(323,390)	204,490	(269,360)	+	2,560	(3,110) ×加算率	2,020	(2,570) ×加算率	+	8,040	+	80×加算率
		3号	1、2歳児	323,390	(403,830)	269,360	(349,800)	+	3,110	(3,910) ×加算率	2,570	(3,370) ×加算率				
			乳児	403,830		349,800		+	3,910	×加算率	3,370	×加算率				
	11人から20人まで	2号	4歳以上児	135,860	(143,900)	108,840	(116,880)	+	1,330	(1,410) ×加算率	1,060	(1,140) ×加算率	+	(8,040)	+	(80×加算率)
			3歳児	143,900	(208,770)	116,880	(181,750)	+	1,410	(1,970) ×加算率	1,140	(1,700) ×加算率	+	8,040	+	80×加算率
		3号	1、2歳児	208,770	(289,210)	181,750	(262,190)	+	1,970	(2,770) ×加算率	1,700	(2,500) ×加算率				
			乳児	289,210		262,190		+	2,770	×加算率	2,500	×加算率				
	21人から30人まで	2号	4歳以上児	97,520	(105,560)	79,510	(87,550)	+	950	(1,030) ×加算率	770	(850) ×加算率	+	(8,040)	+	(80×加算率)
			3歳児	105,560	(170,430)	87,550	(152,420)	+	1,030	(1,580) ×加算率	850	(1,400) ×加算率	+	8,040	+	80×加算率
		3号	1、2歳児	170,430	(250,870)	152,420	(232,860)	+	1,580	(2,380) ×加算率	1,400	(2,200) ×加算率				
			乳児	250,870		232,860		+	2,380	×加算率	2,200	×加算率				
	31人から40人まで	2号	4歳以上児	78,720	(86,760)	65,210	(73,250)	+	760	(840) ×加算率	630	(710) ×加算率	+	(8,040)	+	(80×加算率)
			3歳児	86,760	(151,630)	73,250	(138,120)	+	840	(1,400) ×加算率	710	(1,260) ×加算率	+	8,040	+	80×加算率
		3号	1、2歳児	151,630	(232,070)	138,120	(218,560)	+	1,400	(2,200) ×加算率	1,260	(2,060) ×加算率				
			乳児	232,070		218,560		+	2,200	×加算率	2,060	×加算率				
	41人から50人まで	2号	4歳以上児	73,400	(81,440)	62,590	(70,630)	+	710	(790) ×加算率	600	(680) ×加算率	+	(8,040)	+	(80×加算率)
			3歳児	81,440	(146,310)	70,630	(135,500)	+	790	(1,340) ×加算率	680	(1,230) ×加算率	+	8,040	+	80×加算率
		3号	1、2歳児	146,310	(226,750)	135,500	(215,940)	+	1,340	(2,140) ×加算率	1,230	(2,030) ×加算率				
			乳児	226,750		215,940		+	2,140	×加算率	2,030	×加算率				
	51人から60人まで	2号	4歳以上児	64,190	(72,230)	55,190	(63,230)	+	620	(700) ×加算率	530	(610) ×加算率	+	(8,040)	+	(80×加算率)
			3歳児	72,230	(137,100)	63,230	(128,100)	+	700	(1,250) ×加算率	610	(1,160) ×加算率	+	8,040	+	80×加算率
		3号	1、2歳児	137,100	(217,540)	128,100	(208,540)	+	1,250	(2,050) ×加算率	1,160	(1,960) ×加算率				
			乳児	217,540		208,540		+	2,050	×加算率	1,960	×加算率				
	61人から70人まで	2号	4歳以上児	57,690	(65,730)	49,980	(58,020)	+	550	(630) ×加算率	480	(560) ×加算率	+	(8,040)	+	(80×加算率)
			3歳児	65,730	(130,600)	58,020	(122,890)	+	630	(1,190) ×加算率	560	(1,110) ×加算率	+	8,040	+	80×加算率
		3号	1、2歳児	130,600	(211,040)	122,890	(203,330)	+	1,190	(1,990) ×加算率	1,110	(1,910) ×加算率				
			乳児	211,040		203,330		+	1,990	×加算率	1,910	×加算率				
	71人から80人まで	2号	4歳以上児	52,880	(60,920)	46,130	(54,170)	+	500	(580) ×加算率	440	(520) ×加算率	+	(8,040)	+	(80×加算率)
			3歳児	60,920	(125,790)	54,170	(119,040)	+	580	(1,140) ×加算率	520	(1,070) ×加算率	+	8,040	+	80×加算率
		3号	1、2歳児	125,790	(206,230)	119,040	(199,480)	+	1,140	(1,940) ×加算率	1,070	(1,870) ×加算率				
			乳児	206,230		199,480		+	1,940	×加算率	1,870	×加算率				
	81人から90人まで	2号	4歳以上児	49,080	(57,120)	43,080	(51,120)	+	470	(550) ×加算率	410	(490) ×加算率	+	(8,040)	+	(80×加算率)
			3歳児	57,120	(121,990)	51,120	(115,990)	+	550	(1,100) ×加算率	490	(1,040) ×加算率	+	8,040	+	80×加算率
		3号	1、2歳児	121,990	(202,430)	115,990	(196,430)	+	1,100	(1,900) ×加算率	1,040	(1,840) ×加算率				
			乳児	202,430		196,430		+	1,900	×加算率	1,840	×加算率				
	91人から100人まで	2号	4歳以上児	42,440	(50,480)	37,040	(45,080)	+	400	(480) ×加算率	350	(430) ×加算率	+	(8,040)	+	(80×加算率)
			3歳児	50,480	(115,350)	45,080	(109,950)	+	480	(1,030) ×加算率	430	(980) ×加算率	+	8,040	+	80×加算率
		3号	1、2歳児	115,350	(195,790)	109,950	(190,390)	+	1,030	(1,830) ×加算率	980	(1,780) ×加算率				
			乳児	195,790		190,390		+	1,830	×加算率	1,780	×加算率				
	101人から110人まで	2号	4歳以上児	40,330	(48,370)	35,420	(43,460)	+	380	(460) ×加算率	330	(410) ×加算率	+	(8,040)	+	(80×加算率)
			3歳児	48,370	(113,240)	43,460	(108,330)	+	460	(1,010) ×加算率	410	(960) ×加算率	+	8,040	+	80×加算率
		3号	1、2歳児	113,240	(193,680)	108,330	(188,770)	+	1,010	(1,810) ×加算率	960	(1,760) ×加算率				
			乳児	193,680		188,770		+	1,810	×加算率	1,760	×加算率				
	111人から120人まで	2号	4歳以上児	38,530	(46,570)	34,020	(42,060)	+	360	(440) ×加算率	320	(400) ×加算率	+	(8,040)	+	(80×加算率)
			3歳児	46,570	(111,440)	42,060	(106,930)	+	440	(990) ×加算率	400	(950) ×加算率	+	8,040	+	80×加算率
		3号	1、2歳児	111,440	(191,880)	106,930	(187,370)	+	990	(1,790) ×加算率	950	(1,750) ×加算率				
			乳児	191,880		187,370		+	1,790	×加算率	1,750	×加算率				
	121人から130人まで	2号	4歳以上児	37,000	(45,040)	32,850	(40,890)	+	350	(430) ×加算率	300	(380) ×加算率	+	(8,040)	+	(80×加算率)
			3歳児	45,040	(109,910)	40,890	(105,760)	+	430	(980) ×加算率	380	(940) ×加算率	+	8,040	+	80×加算率
		3号	1、2歳児	109,910	(190,350)	105,760	(186,200)	+	980	(1,780) ×加算率	940	(1,740) ×加算率				
			乳児	190,350		186,200		+	1,780	×加算率	1,740	×加算率				
	131人から140人まで	2号	4歳以上児	35,730	(43,770)	31,870	(39,910)	+	330	(410) ×加算率	290	(370) ×加算率	+	(8,040)	+	(80×加算率)
			3歳児	43,770	(108,640)	39,910	(104,780)	+	410	(970) ×加算率	370	(930) ×加算率	+	8,040	+	80×加算率
		3号	1、2歳児	108,640	(189,080)	104,780	(185,220)	+	970	(1,770) ×加算率	930	(1,730) ×加算率				
			乳児	189,080		185,220		+	1,770	×加算率	1,730	×加算率				
	141人から150人まで	2号	4歳以上児	34,600	(42,640)	31,000	(39,040)	+	320	(400) ×加算率	290	(370) ×加算率	+	(8,040)	+	(80×加算率)
			3歳児	42,640	(107,510)	39,040	(103,910)	+	400	(950) ×加算率	370	(920) ×加算率	+	8,040	+	80×加算率
		3号	1、2歳児	107,510	(187,950)	103,910	(184,350)	+	950	(1,750) ×加算率	920	(1,720) ×加算率				
			乳児	187,950		184,350		+	1,750	×加算率	1,720	×加算率				
	151人から160人まで	2号	4歳以上児	34,520	(42,560)	31,140	(39,180)	+	320	(400) ×加算率	290	(370) ×加算率	+	(8,040)	+	(80×加算率)
			3歳児	42,560	(107,430)	39,180	(104,050)	+	400	(950) ×加算率	370	(920) ×加算率	+	8,040	+	80×加算率
		3号	1、2歳児	107,430	(187,870)	104,050	(184,490)	+	950	(1,750) ×加算率	920	(1,720) ×加算率				
			乳児	187,870		184,490		+	1,750	×加算率	1,720	×加算率				
	161人から170人まで	2号	4歳以上児	33,610	(41,650)	30,440	(38,480)	+	310	(390) ×加算率	280	(360) ×加算率	+	(8,040)	+	(80×加算率)
			3歳児	41,650	(106,520)	38,480	(103,350)	+	390	(950) ×加算率	360	(910) ×加算率	+	8,040	+	80×加算率
		3号	1、2歳児	106,520	(186,960)	103,350	(183,790)	+	950	(1,750) ×加算率	910	(1,710) ×加算率				
			乳児	186,960		183,790		+	1,750	×加算率	1,710	×加算率				
	171人以上	2号	4歳以上児	32,790	(40,830)	29,790	(37,830)	+	300	(380) ×加算率	270	(350) ×加算率	+	(8,040)	+	(80×加算率)
			3歳児	40,830	(105,700)	37,830	(102,700)	+	380	(940) ×加算率	350	(910) ×加算率	+	8,040	+	80×加算率
		3号	1、2歳児	105,700	(186,140)	102,700	(183,140)	+	940	(1,740) ×加算率	910	(1,710) ×加算率				
			乳児	186,140		183,140		+	1,740	×加算率	1,710	×加算率				

① 地域区分	② 定員区分	③ 認定区分	④ 年齢区分	4歳以上児配置改善加算 処遇改善等加算Ⅰ ⑨	夜間保育加算 (注1) ⑪	処遇改善等加算Ⅰ
16/100 地域	10人まで	2号	4歳以上児 / 3歳児	+ 3,210 ＋ 30×加算率	＋ 54,720 ／ 52,890	＋ 470×加算率
		3号	1、2歳児 / 乳児		＋ 52,890	
	11人から20人まで	2号	4歳以上児 / 3歳児	+ 3,210 ＋ 30×加算率	＋ 31,010 ／ 29,180	＋ 230×加算率
		3号	1、2歳児 / 乳児		＋ 29,180	
	21人から30人まで	2号	4歳以上児 / 3歳児	+ 3,210 ＋ 30×加算率	＋ 23,110 ／ 21,280	＋ 150×加算率
		3号	1、2歳児 / 乳児		＋ 21,280	
	31人から40人まで	2号	4歳以上児 / 3歳児	+ 3,210 ＋ 30×加算率	＋ 19,160 ／ 17,330	＋ 110×加算率
		3号	1、2歳児 / 乳児		＋ 17,330	
	41人から50人まで	2号	4歳以上児 / 3歳児	+ 3,210 ＋ 30×加算率	＋ 16,790 ／ 14,960	＋ 90×加算率
		3号	1、2歳児 / 乳児		＋ 14,960	
	51人から60人まで	2号	4歳以上児 / 3歳児	+ 3,210 ＋ 30×加算率	＋ 15,210 ／ 13,380	＋ 70×加算率
		3号	1、2歳児 / 乳児		＋ 13,380	
	61人から70人まで	2号	4歳以上児 / 3歳児	+ 3,210 ＋ 30×加算率	＋ 14,080 ／ 12,250	＋ 60×加算率
		3号	1、2歳児 / 乳児		＋ 12,250	
	71人から80人まで	2号	4歳以上児 / 3歳児	+ 3,210 ＋ 30×加算率	＋ 13,230 ／ 11,400	＋ 50×加算率
		3号	1、2歳児 / 乳児		＋ 11,400	
	81人から90人まで	2号	4歳以上児 / 3歳児	+ 3,210 ＋ 30×加算率	＋ 12,570 ／ 10,740	＋ 50×加算率
		3号	1、2歳児 / 乳児		＋ 10,740	
	91人から100人まで	2号	4歳以上児 / 3歳児	+ 3,210 ＋ 30×加算率		
		3号	1、2歳児 / 乳児			
	101人から110人まで	2号	4歳以上児 / 3歳児	+ 3,210 ＋ 30×加算率		
		3号	1、2歳児 / 乳児			
	111人から120人まで	2号	4歳以上児 / 3歳児	+ 3,210 ＋ 30×加算率		
		3号	1、2歳児 / 乳児			
	121人から130人まで	2号	4歳以上児 / 3歳児	+ 3,210 ＋ 30×加算率		
		3号	1、2歳児 / 乳児			
	131人から140人まで	2号	4歳以上児 / 3歳児	+ 3,210 ＋ 30×加算率		
		3号	1、2歳児 / 乳児			
	141人から150人まで	2号	4歳以上児 / 3歳児	+ 3,210 ＋ 30×加算率		
		3号	1、2歳児 / 乳児			
	151人から160人まで	2号	4歳以上児 / 3歳児	+ 3,210 ＋ 30×加算率		
		3号	1、2歳児 / 乳児			
	161人から170人まで	2号	4歳以上児 / 3歳児	+ 3,210 ＋ 30×加算率		
		3号	1、2歳児 / 乳児			
	171人以上	2号	4歳以上児 / 3歳児	+ 3,210 ＋ 30×加算率		
		3号	1、2歳児 / 乳児			

休日保育加算 ⑩（＋）

休日保育の年間延べ利用子ども数

利用子ども数	金額	処遇改善等加算Ⅰ（休日保育の年間延べ利用子ども数）
〜 210人	273,500	〜 210人　2,730×加算率
211人〜 279人	293,000	211人〜 279人　2,930×加算率
280人〜 349人	332,100	280人〜 349人　3,320×加算率
350人〜 419人	371,200	350人〜 419人　3,710×加算率
420人〜 489人	410,200	420人〜 489人　4,100×加算率
490人〜 559人	449,300	490人〜 559人　4,490×加算率
560人〜 629人	488,400	560人〜 629人　4,880×加算率
630人〜 699人	527,500	630人〜 699人　5,270×加算率
700人〜 769人	566,600	700人〜 769人　5,660×加算率
770人〜 839人	605,700	770人〜 839人　6,050×加算率
840人〜 909人	644,700	840人〜 909人　6,440×加算率
910人〜 979人	683,800	910人〜 979人　6,830×加算率
980人〜1,049人	722,900	980人〜1,049人　7,220×加算率
1,050人〜	762,000	1,050人〜　7,620×加算率

（＋）各月初日の利用子ども数（÷）

地域区分 ①	定員区分 ②	認定区分 ③	年齢区分 ④	チーム保育加配加算 ※1号・2号の利用定員合計に応じて2号利用子どもの単価に加算	処遇改善等加算Ⅰ ⑫	減価償却費加算 加算額 認可施設 標準	都市部	機能部分 標準	都市部 ⑬	賃借料加算 加算額 認可施設 標準	都市部	機能部分 標準	都市部 ⑭	外部監査費加算 ⑮
16/100 地域	10人まで	2号	4歳以上児	〜15人 33,210×加配人数	330×加算率×加配人数	17,100	18,800	11,900	11,900	a地域 31,600	35,200	22,100	22,100	
		2号	3歳児							b地域 17,400	19,400	12,200	12,200	
		3号	1、2歳児							c地域 15,200	16,900	10,600	10,600	
			乳児							d地域 13,600	15,100	9,500	9,500	
	11人から20人まで	2号	4歳以上児	16人〜25人 19,920×加配人数	190×加算率×加配人数	8,500	9,400	5,900	5,900	a地域 15,800	17,600	11,000	11,000	
		2号	3歳児							b地域 8,700	9,700	6,100	6,100	
		3号	1、2歳児							c地域 7,600	8,400	5,300	5,300	
			乳児							d地域 6,800	7,500	4,700	4,700	
	21人から30人まで	2号	4歳以上児	26人〜35人 14,230×加配人数	140×加算率×加配人数	5,900	6,500	4,100	4,100	a地域 10,900	12,200	7,600	7,600	認定こども園全体の利用定員
		2号	3歳児							b地域 6,000	6,700	4,200	4,200	
		3号	1、2歳児							c地域 5,200	5,800	3,600	3,600	
			乳児							d地域 4,700	5,200	3,300	3,300	
	31人から40人まで	2号	4歳以上児	36人〜45人 11,070×加配人数	110×加算率×加配人数	5,200	5,700	3,600	3,600	a地域 9,800	10,900	6,800	6,800	〜15人 27,330
		2号	3歳児							b地域 5,400	6,000	3,700	3,700	
		3号	1、2歳児							c地域 4,700	5,200	3,300	3,300	16人〜25人 16,800
			乳児							d地域 4,200	4,800	2,900	2,900	
	41人から50人まで	2号	4歳以上児	46人〜60人 8,300×加配人数	80×加算率×加配人数	4,700	5,200	3,300	3,300	a地域 8,800	9,800	6,100	6,100	26人〜35人 12,280
		2号	3歳児							b地域 4,800	5,400	3,400	3,400	
		3号	1、2歳児							c地域 4,200	4,700	2,900	2,900	36人〜45人 9,770
			乳児							d地域 3,800	4,200	2,600	2,600	
	51人から60人まで	2号	4歳以上児	61人〜75人 6,640×加配人数	60×加算率×加配人数	3,900	4,300	2,700	2,700	a地域 7,200	8,100	5,100	5,100	46人〜60人 7,500
		2号	3歳児							b地域 4,000	4,400	2,800	2,800	
		3号	1、2歳児							c地域 3,500	3,800	2,400	2,400	61人〜75人 6,130
			乳児							d地域 3,100	3,400	2,100	2,100	
	61人から70人まで	2号	4歳以上児	76人〜90人 5,530×加配人数	50×加算率×加配人数	3,300	3,700	2,300	2,300	a地域 6,300	7,100	4,400	4,400	76人〜90人 5,220
		2号	3歳児							b地域 3,500	3,900	2,400	2,400	
		3号	1、2歳児							c地域 3,000	3,400	2,100	2,100	
			乳児							d地域 2,700	3,000	1,900	1,900	
	71人から80人まで	2号	4歳以上児	91人〜105人 4,740×加配人数	40×加算率×加配人数	3,800	4,200	2,700	2,700	a地域 7,100	7,900	4,900	4,900	91人〜105人 4,660
		2号	3歳児							b地域 3,900	4,300	2,700	2,700	
		3号	1、2歳児							c地域 3,400	3,800	2,300	2,300	
			乳児							d地域 3,000	3,400	2,100	2,100	
	81人から90人まで	2号	4歳以上児	106人〜120人 4,150×加配人数	40×加算率×加配人数	3,400	3,700	2,400	2,400	a地域 6,300	7,100	4,400	4,400	106人〜120人 4,250
		2号	3歳児							b地域 3,500	3,900	2,400	2,400	
		3号	1、2歳児							c地域 3,000	3,400	2,100	2,100	
			乳児							d地域 2,700	3,000	1,900	1,900	
	91人から100人まで	2号	4歳以上児	121人〜135人 3,690×加配人数	30×加算率×加配人数	3,000	3,400	2,100	2,100	a地域 5,500	6,200	3,900	3,900	121人〜135人 3,920
		2号	3歳児							b地域 3,000	3,400	2,100	2,100	
		3号	1、2歳児							c地域 2,600	2,900	1,800	1,800	
			乳児							d地域 2,400	2,600	1,600	1,600	
	101人から110人まで	2号	4歳以上児	136人〜150人 3,320×加配人数	30×加算率×加配人数	3,300	3,700	2,300	2,300	a地域 6,100	6,800	4,200	4,200	136人〜150人 3,660
		2号	3歳児							b地域 3,300	3,700	2,300	2,300	
		3号	1、2歳児							c地域 2,900	3,200	2,000	2,000	
			乳児							d地域 2,600	2,900	1,800	1,800	
	111人から120人まで	2号	4歳以上児	151人〜180人 2,760×加配人数	20×加算率×加配人数	3,000	3,400	2,100	2,100	a地域 5,600	6,200	3,900	3,900	151人〜180人 3,160
		2号	3歳児							b地域 3,000	3,400	2,100	2,100	
		3号	1、2歳児							c地域 2,600	3,000	1,800	1,800	
			乳児							d地域 2,400	2,600	1,600	1,600	
	121人から130人まで	2号	4歳以上児	181人〜210人 2,370×加配人数	20×加算率×加配人数	2,800	3,100	2,000	2,000	a地域 5,100	5,700	3,500	3,500	181人〜210人 2,810
		2号	3歳児							b地域 2,800	3,100	1,900	1,900	
		3号	1、2歳児							c地域 2,400	2,700	1,700	1,700	
			乳児							d地域 2,200	2,400	1,500	1,500	211人〜240人 2,540
	131人から140人まで	2号	4歳以上児	211人〜240人 2,070×加配人数	20×加算率×加配人数	3,000	3,300	2,100	2,100	a地域 5,500	6,200	3,900	3,900	
		2号	3歳児							b地域 3,000	3,400	2,100	2,100	
		3号	1、2歳児							c地域 2,600	2,900	1,800	1,800	241人〜270人 2,440
			乳児							d地域 2,400	2,600	1,600	1,600	
	141人から150人まで	2号	4歳以上児	241人〜270人 1,840×加配人数	10×加算率×加配人数	2,800	3,100	2,000	2,000	a地域 5,400	6,000	3,700	3,700	271人〜300人 2,360
		2号	3歳児							b地域 2,900	3,300	2,000	2,000	
		3号	1、2歳児							c地域 2,500	2,800	1,800	1,800	
			乳児							d地域 2,200	2,500	1,600	1,600	301人〜 2,150
	151人から160人まで	2号	4歳以上児	271人〜300人 1,660×加配人数	10×加算率×加配人数	2,600	2,900	1,800	1,800	a地域 4,800	5,400	3,400	3,400	
		2号	3歳児							b地域 2,600	2,900	1,800	1,800	
		3号	1、2歳児							c地域 2,300	2,500	1,600	1,600	
			乳児							d地域 2,000	2,300	1,400	1,400	
	161人から170人まで	2号	4歳以上児	301人〜 1,500×加配人数	10×加算率×加配人数	2,800	3,100	2,000	2,000	a地域 5,400	6,000	3,700	3,700	※3月分の単価に加算
		2号	3歳児							b地域 2,900	3,300	2,000	2,000	
		3号	1、2歳児							c地域 2,500	2,800	1,800	1,800	
			乳児							d地域 2,300	2,500	1,600	1,600	
	171人以上	2号	4歳以上児			2,700	2,900	1,900	1,900	a地域 4,800	5,400	3,400	3,400	
		2号	3歳児							b地域 2,600	2,900	1,800	1,800	
		3号	1、2歳児							c地域 2,300	2,500	1,600	1,600	
			乳児							d地域 2,000	2,300	1,400	1,400	

地域区分①	定員区分②	認定区分③	年齢区分④	副食費徴収免除加算⑯※副食費の徴収が免除される子どもの単価に加算	1号認定こどもの利用定員を設定しない場合 処遇改善等加算Ⅰ⑰	分園の場合⑱	土曜日に閉所する場合⑲ 月に1日土曜日を閉所する場合	月に2日土曜日を閉所する場合	月に3日以上土曜日を閉所する場合	全ての土曜日を閉所する場合
16/100地域	10人まで	2号 3号	4歳以上児 3歳児 1、2歳児 乳児	＋ 4,800	＋ 22,240 ＋ 220×加算率	－	(⑥+⑦+⑧+⑨+⑪)× 1/100	(⑥+⑦+⑧+⑨+⑪)× 2/100	(⑥+⑦+⑧+⑨+⑪)× 3/100	(⑥+⑦+⑧+⑨+⑪)× 5/100
	11人から20人まで	2号 3号	4歳以上児 3歳児 1、2歳児 乳児	＋ 4,800	＋ 11,110 ＋ 110×加算率	－	(⑥+⑦+⑧+⑨+⑪)× 1/100	(⑥+⑦+⑧+⑨+⑪)× 3/100	(⑥+⑦+⑧+⑨+⑪)× 4/100	(⑥+⑦+⑧+⑨+⑪)× 5/100
	21人から30人まで	2号 3号	4歳以上児 3歳児 1、2歳児 乳児	＋ 4,800	＋ 7,410 ＋ 70×加算率	－	(⑥+⑦+⑧+⑨+⑪)× 1/100	(⑥+⑦+⑧+⑨+⑪)× 3/100	(⑥+⑦+⑧+⑨+⑪)× 4/100	(⑥+⑦+⑧+⑨+⑪)× 5/100
	31人から40人まで	2号 3号	4歳以上児 3歳児 1、2歳児 乳児	＋ 4,800	＋ 5,560 ＋ 50×加算率	－	(⑥+⑦+⑧+⑨+⑪)× 1/100	(⑥+⑦+⑧+⑨+⑪)× 3/100	(⑥+⑦+⑧+⑨+⑪)× 4/100	(⑥+⑦+⑧+⑨+⑪)× 5/100
	41人から50人まで	2号 3号	4歳以上児 3歳児 1、2歳児 乳児	＋ 4,800	＋ 4,440 ＋ 40×加算率	－	(⑥+⑦+⑧+⑨+⑪)× 1/100	(⑥+⑦+⑧+⑨+⑪)× 3/100	(⑥+⑦+⑧+⑨+⑪)× 4/100	(⑥+⑦+⑧+⑨+⑪)× 5/100
	51人から60人まで	2号 3号	4歳以上児 3歳児 1、2歳児 乳児	＋ 4,800	＋ 3,700 ＋ 30×加算率	－	(⑥+⑦+⑧+⑨+⑪)× 1/100	(⑥+⑦+⑧+⑨+⑪)× 3/100	(⑥+⑦+⑧+⑨+⑪)× 4/100	(⑥+⑦+⑧+⑨+⑪)× 6/100
	61人から70人まで	2号 3号	4歳以上児 3歳児 1、2歳児 乳児	＋ 4,800	＋ 3,170 ＋ 30×加算率	－	(⑥+⑦+⑧+⑨+⑪)× 1/100	(⑥+⑦+⑧+⑨+⑪)× 3/100	(⑥+⑦+⑧+⑨+⑪)× 4/100	(⑥+⑦+⑧+⑨+⑪)× 6/100
	71人から80人まで	2号 3号	4歳以上児 3歳児 1、2歳児 乳児	＋ 4,800	＋ 2,780 ＋ 20×加算率	－	(⑥+⑦+⑧+⑨+⑪)× 1/100	(⑥+⑦+⑧+⑨+⑪)× 3/100	(⑥+⑦+⑧+⑨+⑪)× 4/100	(⑥+⑦+⑧+⑨+⑪)× 6/100
	81人から90人まで	2号 3号	4歳以上児 3歳児 1、2歳児 乳児	＋ 4,800	＋ 2,470 ＋ 20×加算率	(⑥+⑦)× 10/100	(⑥+⑦+⑧+⑨+⑪)× 1/100	(⑥+⑦+⑧+⑨+⑪)× 3/100	(⑥+⑦+⑧+⑨+⑪)× 4/100	(⑥+⑦+⑧+⑨+⑪)× 6/100
	91人から100人まで	2号 3号	4歳以上児 3歳児 1、2歳児 乳児	＋ 4,800	＋ 2,220 ＋ 20×加算率		(⑥+⑦+⑧+⑨+⑪)× 1/100	(⑥+⑦+⑧+⑨+⑪)× 3/100	(⑥+⑦+⑧+⑨+⑪)× 4/100	(⑥+⑦+⑧+⑨+⑪)× 6/100
	101人から110人まで	2号 3号	4歳以上児 3歳児 1、2歳児 乳児	＋ 4,800	＋ 2,020 ＋ 20×加算率	－	(⑥+⑦+⑧+⑨+⑪)× 1/100	(⑥+⑦+⑧+⑨+⑪)× 3/100	(⑥+⑦+⑧+⑨+⑪)× 4/100	(⑥+⑦+⑧+⑨+⑪)× 6/100
	111人から120人まで	2号 3号	4歳以上児 3歳児 1、2歳児 乳児	＋ 4,800	＋ 1,850 ＋ 10×加算率	－	(⑥+⑦+⑧+⑨+⑪)× 1/100	(⑥+⑦+⑧+⑨+⑪)× 3/100	(⑥+⑦+⑧+⑨+⑪)× 4/100	(⑥+⑦+⑧+⑨+⑪)× 6/100
	121人から130人まで	2号 3号	4歳以上児 3歳児 1、2歳児 乳児	＋ 4,800	＋ 1,710 ＋ 10×加算率	－	(⑥+⑦+⑧+⑨+⑪)× 1/100	(⑥+⑦+⑧+⑨+⑪)× 3/100	(⑥+⑦+⑧+⑨+⑪)× 4/100	(⑥+⑦+⑧+⑨+⑪)× 6/100
	131人から140人まで	2号 3号	4歳以上児 3歳児 1、2歳児 乳児	＋ 4,800	＋ 1,590 ＋ 10×加算率	－	(⑥+⑦+⑧+⑨+⑪)× 1/100	(⑥+⑦+⑧+⑨+⑪)× 3/100	(⑥+⑦+⑧+⑨+⑪)× 4/100	(⑥+⑦+⑧+⑨+⑪)× 6/100
	141人から150人まで	2号 3号	4歳以上児 3歳児 1、2歳児 乳児	＋ 4,800	＋ 1,480 ＋ 10×加算率	－	(⑥+⑦+⑧+⑨+⑪)× 1/100	(⑥+⑦+⑧+⑨+⑪)× 3/100	(⑥+⑦+⑧+⑨+⑪)× 4/100	(⑥+⑦+⑧+⑨+⑪)× 6/100
	151人から160人まで	2号 3号	4歳以上児 3歳児 1、2歳児 乳児	＋ 4,800	＋ 1,390 ＋ 10×加算率	－	(⑥+⑦+⑧+⑨+⑪)× 2/100	(⑥+⑦+⑧+⑨+⑪)× 3/100	(⑥+⑦+⑧+⑨+⑪)× 5/100	(⑥+⑦+⑧+⑨+⑪)× 6/100
	161人から170人まで	2号 3号	4歳以上児 3歳児 1、2歳児 乳児	＋ 4,800	＋ 1,300 ＋ 10×加算率	－	(⑥+⑦+⑧+⑨+⑪)× 2/100	(⑥+⑦+⑧+⑨+⑪)× 3/100	(⑥+⑦+⑧+⑨+⑪)× 5/100	(⑥+⑦+⑧+⑨+⑪)× 6/100
	171人以上	2号 3号	4歳以上児 3歳児 1、2歳児 乳児	＋ 4,800	＋ 1,230 ＋ 10×加算率	－	(⑥+⑦+⑧+⑨+⑪)× 2/100	(⑥+⑦+⑧+⑨+⑪)× 3/100	(⑥+⑦+⑧+⑨+⑪)× 5/100	(⑥+⑦+⑧+⑨+⑪)× 6/100

地域区分 ①	定員区分 ②	認定区分 ③	年齢区分 ④	主幹教諭等の専任化により子育て支援の取り組みを実施していない場合 ⑳	年齢別配置基準を下回る場合 ㉑	配置基準上求められる職員資格を有しない場合 ㉒	定員を恒常的に超過する場合 ㉓
16/100地域	10人まで	2号	4歳以上児 / 3歳児	(13,290 +130×加算率)	(48,260 +480×加算率) ×人数	(31,510 +310×加算率) ×人数	
		3号	1、2歳児 / 乳児				
	11人から20人まで	2号	4歳以上児 / 3歳児	(6,640 +60×加算率)	(24,130 +240×加算率) ×人数	(15,750 +150×加算率) ×人数	
		3号	1、2歳児 / 乳児				
	21人から30人まで	2号	4歳以上児 / 3歳児	(4,430 +40×加算率)	(16,080 +160×加算率) ×人数	(10,500 +100×加算率) ×人数	
		3号	1、2歳児 / 乳児				
	31人から40人まで	2号	4歳以上児 / 3歳児	(3,320 +30×加算率)	(12,060 +120×加算率) ×人数	(7,880 +70×加算率) ×人数	
		3号	1、2歳児 / 乳児				
	41人から50人まで	2号	4歳以上児 / 3歳児	(2,650 +20×加算率)	(9,650 +90×加算率) ×人数	(6,300 +60×加算率) ×人数	
		3号	1、2歳児 / 乳児				
	51人から60人まで	2号	4歳以上児 / 3歳児	(2,210 +20×加算率)	(8,040 +80×加算率) ×人数	(5,250 +50×加算率) ×人数	
		3号	1、2歳児 / 乳児				
	61人から70人まで	2号	4歳以上児 / 3歳児	(1,890 +10×加算率)	(6,890 +60×加算率) ×人数	(4,500 +40×加算率) ×人数	
		3号	1、2歳児 / 乳児				
	71人から80人まで	2号	4歳以上児 / 3歳児	(1,660 +10×加算率)	(6,030 +60×加算率) ×人数	(3,940 +30×加算率) ×人数	
		3号	1、2歳児 / 乳児				
	81人から90人まで	2号	4歳以上児 / 3歳児	(1,470 +10×加算率)	(5,360 +50×加算率) ×人数	(3,500 +30×加算率) ×人数	(⑥~㉒（⑯を除く。）) ×別に定める調整率
		3号	1、2歳児 / 乳児				
	91人から100人まで	2号	4歳以上児 / 3歳児	(1,330 +10×加算率)	(4,820 +40×加算率) ×人数	(3,150 +30×加算率) ×人数	
		3号	1、2歳児 / 乳児				
	101人から110人まで	2号	4歳以上児 / 3歳児	(1,200 +10×加算率)	(4,380 +40×加算率) ×人数	(2,860 +20×加算率) ×人数	
		3号	1、2歳児 / 乳児				
	111人から120人まで	2号	4歳以上児 / 3歳児	(1,100 +10×加算率)	(4,020 +40×加算率) ×人数	(2,620 +20×加算率) ×人数	
		3号	1、2歳児 / 乳児				
	121人から130人まで	2号	4歳以上児 / 3歳児	(1,020 +10×加算率)	(3,710 +30×加算率) ×人数	(2,420 +20×加算率) ×人数	
		3号	1、2歳児 / 乳児				
	131人から140人まで	2号	4歳以上児 / 3歳児	(950 +10×加算率)	(3,440 +30×加算率) ×人数	(2,250 +20×加算率) ×人数	
		3号	1、2歳児 / 乳児				
	141人から150人まで	2号	4歳以上児 / 3歳児	(880 +9×加算率)	(3,210 +30×加算率) ×人数	(2,100 +20×加算率) ×人数	
		3号	1、2歳児 / 乳児				
	151人から160人まで	2号	4歳以上児 / 3歳児	(830 +8×加算率)	(3,010 +30×加算率) ×人数	(1,970 +20×加算率) ×人数	
		3号	1、2歳児 / 乳児				
	161人から170人まで	2号	4歳以上児 / 3歳児	(780 +8×加算率)	(2,830 +20×加算率) ×人数	(1,850 +10×加算率) ×人数	
		3号	1、2歳児 / 乳児				
	171人以上	2号	4歳以上児 / 3歳児	(730 +7×加算率)	(2,680 +20×加算率) ×人数	(1,750 +10×加算率) ×人数	
		3号	1、2歳児 / 乳児				

地域区分①	定員区分②	認定区分③	年齢区分④	保育必要量区分⑤ 保育標準時間認定 基本分単価(注1)⑥	保育短時間認定 基本分単価(注1)⑥	処遇改善等加算Ⅰ 保育標準時間認定(注1)⑦	保育短時間認定(注1)⑦	3歳児配置改善加算	処遇改善等加算Ⅰ⑧
15/100 地域	10人まで	2号	4歳以上児	248,850 (256,830)	195,200 (203,180) +	2,460 (2,530) ×加算率	1,930 (2,000) ×加算率 +	(7,980) +	(70×加算率)
			3歳児	256,830 (321,260)	203,180 (267,610) +	2,530 (3,090) ×加算率	2,000 (2,550) ×加算率 +	7,980 +	70×加算率
		3号	1、2歳児	321,260 (401,080)	267,610 (347,430) +	3,090 (3,890) ×加算率	2,550 (3,350) ×加算率		
			乳児	401,080	347,430 +	3,890 ×加算率	3,350 ×加算率		
	11人から20人まで	2号	4歳以上児	134,970 (142,950)	108,140 (116,120) +	1,330 (1,400) ×加算率	1,060 (1,130) ×加算率 +	(7,980) +	(70×加算率)
			3歳児	142,950 (207,380)	116,120 (180,550) +	1,400 (1,950) ×加算率	1,130 (1,680) ×加算率 +	7,980 +	70×加算率
		3号	1、2歳児	207,380 (287,200)	180,550 (260,370) +	1,950 (2,750) ×加算率	1,680 (2,480) ×加算率		
			乳児	287,200	260,370 +	2,750 ×加算率	2,480 ×加算率		
	21人から30人まで	2号	4歳以上児	96,880 (104,860)	79,000 (86,980) +	940 (1,010) ×加算率	770 (840) ×加算率 +	(7,980) +	(70×加算率)
			3歳児	104,860 (169,290)	86,980 (151,410) +	1,010 (1,570) ×加算率	840 (1,390) ×加算率 +	7,980 +	70×加算率
		3号	1、2歳児	169,290 (249,110)	151,410 (231,230) +	1,570 (2,370) ×加算率	1,390 (2,190) ×加算率		
			乳児	249,110	231,230 +	2,370 ×加算率	2,190 ×加算率		
	31人から40人まで	2号	4歳以上児	78,190 (86,170)	64,780 (72,760) +	760 (830) ×加算率	620 (690) ×加算率 +	(7,980) +	(70×加算率)
			3歳児	86,170 (150,600)	72,760 (137,190) +	830 (1,380) ×加算率	690 (1,250) ×加算率 +	7,980 +	70×加算率
		3号	1、2歳児	150,600 (230,420)	137,190 (217,010) +	1,380 (2,180) ×加算率	1,250 (2,050) ×加算率		
			乳児	230,420	217,010 +	2,180 ×加算率	2,050 ×加算率		
	41人から50人まで	2号	4歳以上児	72,900 (80,880)	62,170 (70,150) +	700 (770) ×加算率	600 (670) ×加算率 +	(7,980) +	(70×加算率)
			3歳児	80,880 (145,310)	70,150 (134,580) +	770 (1,330) ×加算率	670 (1,220) ×加算率 +	7,980 +	70×加算率
		3号	1、2歳児	145,310 (225,130)	134,580 (214,400) +	1,330 (2,130) ×加算率	1,220 (2,020) ×加算率		
			乳児	225,130	214,400 +	2,130 ×加算率	2,020 ×加算率		
	51人から60人まで	2号	4歳以上児	63,760 (71,740)	54,810 (62,790) +	610 (680) ×加算率	520 (590) ×加算率 +	(7,980) +	(70×加算率)
			3歳児	71,740 (136,170)	62,790 (127,220) +	680 (1,240) ×加算率	590 (1,150) ×加算率 +	7,980 +	70×加算率
		3号	1、2歳児	136,170 (215,990)	127,220 (207,040) +	1,240 (2,040) ×加算率	1,150 (1,950) ×加算率		
			乳児	215,990	207,040 +	2,040 ×加算率	1,950 ×加算率		
	61人から70人まで	2号	4歳以上児	57,300 (65,280)	49,640 (57,620) +	550 (620) ×加算率	470 (540) ×加算率 +	(7,980) +	(70×加算率)
			3歳児	65,280 (129,710)	57,620 (122,050) +	620 (1,170) ×加算率	540 (1,100) ×加算率 +	7,980 +	70×加算率
		3号	1、2歳児	129,710 (209,530)	122,050 (201,870) +	1,170 (1,970) ×加算率	1,100 (1,900) ×加算率		
			乳児	209,530	201,870 +	1,970 ×加算率	1,900 ×加算率		
	71人から80人まで	2号	4歳以上児	52,520 (60,500)	45,820 (53,800) +	500 (570) ×加算率	430 (500) ×加算率 +	(7,980) +	(70×加算率)
			3歳児	60,500 (124,930)	53,800 (118,230) +	570 (1,120) ×加算率	500 (1,060) ×加算率 +	7,980 +	70×加算率
		3号	1、2歳児	124,930 (204,750)	118,230 (198,050) +	1,120 (1,920) ×加算率	1,060 (1,860) ×加算率		
			乳児	204,750	198,050 +	1,920 ×加算率	1,860 ×加算率		
	81人から90人まで	2号	4歳以上児	48,750 (56,730)	42,790 (50,770) +	460 (530) ×加算率	400 (470) ×加算率 +	(7,980) +	(70×加算率)
			3歳児	56,730 (121,160)	50,770 (115,200) +	530 (1,090) ×加算率	470 (1,030) ×加算率 +	7,980 +	70×加算率
		3号	1、2歳児	121,160 (200,980)	115,200 (195,020) +	1,090 (1,890) ×加算率	1,030 (1,830) ×加算率		
			乳児	200,980	195,020 +	1,890 ×加算率	1,830 ×加算率		
	91人から100人まで	2号	4歳以上児	42,170 (50,150)	36,800 (44,780) +	400 (470) ×加算率	340 (410) ×加算率 +	(7,980) +	(70×加算率)
			3歳児	50,150 (114,580)	44,780 (109,210) +	470 (1,020) ×加算率	410 (970) ×加算率 +	7,980 +	70×加算率
		3号	1、2歳児	114,580 (194,400)	109,210 (189,030) +	1,020 (1,820) ×加算率	970 (1,770) ×加算率		
			乳児	194,400	189,030 +	1,820 ×加算率	1,770 ×加算率		
	101人から110人まで	2号	4歳以上児	40,070 (48,050)	35,190 (43,170) +	380 (450) ×加算率	330 (400) ×加算率 +	(7,980) +	(70×加算率)
			3歳児	48,050 (112,480)	43,170 (107,600) +	450 (1,000) ×加算率	400 (950) ×加算率 +	7,980 +	70×加算率
		3号	1、2歳児	112,480 (192,300)	107,600 (187,420) +	1,000 (1,800) ×加算率	950 (1,750) ×加算率		
			乳児	192,300	187,420 +	1,800 ×加算率	1,750 ×加算率		
	111人から120人まで	2号	4歳以上児	38,280 (46,260)	33,810 (41,790) +	360 (430) ×加算率	310 (380) ×加算率 +	(7,980) +	(70×加算率)
			3歳児	46,260 (110,690)	41,790 (106,220) +	430 (980) ×加算率	380 (940) ×加算率 +	7,980 +	70×加算率
		3号	1、2歳児	110,690 (190,510)	106,220 (186,040) +	980 (1,780) ×加算率	940 (1,740) ×加算率		
			乳児	190,510	186,040 +	1,780 ×加算率	1,740 ×加算率		
	121人から130人まで	2号	4歳以上児	36,760 (44,740)	32,640 (40,620) +	340 (410) ×加算率	300 (370) ×加算率 +	(7,980) +	(70×加算率)
			3歳児	44,740 (109,170)	40,620 (105,050) +	410 (970) ×加算率	370 (930) ×加算率 +	7,980 +	70×加算率
		3号	1、2歳児	109,170 (188,990)	105,050 (184,870) +	970 (1,770) ×加算率	930 (1,730) ×加算率		
			乳児	188,990	184,870 +	1,770 ×加算率	1,730 ×加算率		
	131人から140人まで	2号	4歳以上児	35,500 (43,480)	31,670 (39,650) +	330 (400) ×加算率	290 (360) ×加算率 +	(7,980) +	(70×加算率)
			3歳児	43,480 (107,910)	39,650 (104,080) +	400 (950) ×加算率	360 (920) ×加算率 +	7,980 +	70×加算率
		3号	1、2歳児	107,910 (187,730)	104,080 (183,900) +	950 (1,750) ×加算率	920 (1,720) ×加算率		
			乳児	187,730	183,900 +	1,750 ×加算率	1,720 ×加算率		
	141人から150人まで	2号	4歳以上児	34,380 (42,360)	30,800 (38,780) +	320 (390) ×加算率	280 (350) ×加算率 +	(7,980) +	(70×加算率)
			3歳児	42,360 (106,790)	38,780 (103,210) +	390 (940) ×加算率	350 (910) ×加算率 +	7,980 +	70×加算率
		3号	1、2歳児	106,790 (186,610)	103,210 (183,030) +	940 (1,740) ×加算率	910 (1,710) ×加算率		
			乳児	186,610	183,030 +	1,740 ×加算率	1,710 ×加算率		
	151人から160人まで	2号	4歳以上児	34,300 (42,280)	30,940 (38,920) +	320 (390) ×加算率	290 (360) ×加算率 +	(7,980) +	(70×加算率)
			3歳児	42,280 (106,710)	38,920 (103,350) +	390 (940) ×加算率	360 (910) ×加算率 +	7,980 +	70×加算率
		3号	1、2歳児	106,710 (186,530)	103,350 (183,170) +	940 (1,740) ×加算率	910 (1,710) ×加算率		
			乳児	186,530	183,170 +	1,740 ×加算率	1,710 ×加算率		
	161人から170人まで	2号	4歳以上児	33,400 (41,380)	30,240 (38,220) +	310 (380) ×加算率	280 (350) ×加算率 +	(7,980) +	(70×加算率)
			3歳児	41,380 (105,810)	38,220 (102,650) +	380 (930) ×加算率	350 (900) ×加算率 +	7,980 +	70×加算率
		3号	1、2歳児	105,810 (185,630)	102,650 (182,470) +	930 (1,730) ×加算率	900 (1,700) ×加算率		
			乳児	185,630	182,470 +	1,730 ×加算率	1,700 ×加算率		
	171人以上	2号	4歳以上児	32,580 (40,560)	29,600 (37,580) +	300 (370) ×加算率	270 (340) ×加算率 +	(7,980) +	(70×加算率)
			3歳児	40,560 (104,990)	37,580 (102,010) +	370 (920) ×加算率	340 (890) ×加算率 +	7,980 +	70×加算率
		3号	1、2歳児	104,990 (184,810)	102,010 (181,830) +	920 (1,720) ×加算率	890 (1,690) ×加算率		
			乳児	184,810	181,830 +	1,720 ×加算率	1,690 ×加算率		

① 地域区分	② 定員区分	③ 認定区分	④ 年齢区分	4歳以上児配置改善加算	処遇改善等加算I ⑨	夜間保育加算 (注1) ⑪	処遇改善等加算I
15/100 地域	10人まで	2号	4歳以上児／3歳児	+ 3,190	+ 30×加算率	+ 54,720 ／ 52,890	+ 470×加算率
		3号	1、2歳児／乳児			+ 52,890	
	11人から20人まで	2号	4歳以上児／3歳児	+ 3,190	+ 30×加算率	+ 31,010 ／ 29,180	+ 230×加算率
		3号	1、2歳児／乳児			+ 29,180	
	21人から30人まで	2号	4歳以上児／3歳児	+ 3,190	+ 30×加算率	+ 23,110 ／ 21,280	+ 150×加算率
		3号	1、2歳児／乳児			+ 21,280	
	31人から40人まで	2号	4歳以上児／3歳児	+ 3,190	+ 30×加算率	+ 19,160 ／ 17,330	+ 110×加算率
		3号	1、2歳児／乳児			+ 17,330	
	41人から50人まで	2号	4歳以上児／3歳児	+ 3,190	+ 30×加算率	+ 16,790 ／ 14,960	+ 90×加算率
		3号	1、2歳児／乳児			+ 14,960	
	51人から60人まで	2号	4歳以上児／3歳児	+ 3,190	+ 30×加算率	+ 15,210 ／ 13,380	+ 70×加算率
		3号	1、2歳児／乳児			+ 13,380	
	61人から70人まで	2号	4歳以上児／3歳児	+ 3,190	+ 30×加算率	+ 14,080 ／ 12,250	+ 60×加算率
		3号	1、2歳児／乳児			+ 12,250	
	71人から80人まで	2号	4歳以上児／3歳児	+ 3,190	+ 30×加算率	+ 13,230 ／ 11,400	+ 50×加算率
		3号	1、2歳児／乳児			+ 11,400	
	81人から90人まで	2号	4歳以上児／3歳児	+ 3,190	+ 30×加算率	+ 12,570 ／ 10,740	+ 50×加算率
		3号	1、2歳児／乳児			+ 10,740	
	91人から100人まで	2号	4歳以上児／3歳児	+ 3,190	+ 30×加算率		
		3号	1、2歳児／乳児				
	101人から110人まで	2号	4歳以上児／3歳児	+ 3,190	+ 30×加算率		
		3号	1、2歳児／乳児				
	111人から120人まで	2号	4歳以上児／3歳児	+ 3,190	+ 30×加算率		
		3号	1、2歳児／乳児				
	121人から130人まで	2号	4歳以上児／3歳児	+ 3,190	+ 30×加算率		
		3号	1、2歳児／乳児				
	131人から140人まで	2号	4歳以上児／3歳児	+ 3,190	+ 30×加算率		
		3号	1、2歳児／乳児				
	141人から150人まで	2号	4歳以上児／3歳児	+ 3,190	+ 30×加算率		
		3号	1、2歳児／乳児				
	151人から160人まで	2号	4歳以上児／3歳児	+ 3,190	+ 30×加算率		
		3号	1、2歳児／乳児				
	161人から170人まで	2号	4歳以上児／3歳児	+ 3,190	+ 30×加算率		
		3号	1、2歳児／乳児				
	171人以上	2号	4歳以上児／3歳児	+ 3,190	+ 30×加算率		
		3号	1、2歳児／乳児				

休日保育加算 ⑩

休日保育の年間延べ利用子ども数	（加算額）	休日保育の年間延べ利用子ども数	処遇改善等加算I
～ 210人	271,600	～ 210人	2,710×加算率
211人～ 279人	291,100	211人～ 279人	2,910×加算率
280人～ 349人	330,200	280人～ 349人	3,300×加算率
350人～ 419人	369,300	350人～ 419人	3,690×加算率
420人～ 489人	408,300	420人～ 489人	4,080×加算率
490人～ 559人	447,400	490人～ 559人	4,470×加算率
560人～ 629人	486,500	560人～ 629人	4,860×加算率
630人～ 699人	525,600	630人～ 699人	5,250×加算率
700人～ 769人	564,700	700人～ 769人	5,640×加算率
770人～ 839人	603,800	770人～ 839人	6,030×加算率
840人～ 909人	642,800	840人～ 909人	6,420×加算率
910人～ 979人	681,900	910人～ 979人	6,810×加算率
980人～1,049人	721,000	980人～1,049人	7,210×加算率
1,050人～	760,100	1,050人～	7,600×加算率

＋　（各月初日の利用子ども数　÷　……）

983

地域区分①	定員区分②	認定区分③	年齢区分④	チーム保育加配加算※1号・2号の利用定員合計に応じて2号利用子どもの単価に加算	処遇改善等加算Ⅰ ⑫	減価償却費加算 認可施設 標準 ⑬	認可施設 都市部	機能部分 標準	機能部分 都市部	賃借料加算 地域	認可施設 標準 ⑭	認可施設 都市部	機能部分 標準	機能部分 都市部	外部監査費加算 ⑮
	10人まで	2号	4歳以上児	〜15人 32,950×加配人数	320×加算率×加配人数	17,100	18,800	11,900	11,900	a地域	31,600	35,200	22,100	22,100	
			3歳児							b地域	17,400	19,400	12,200	12,200	
		3号	1、2歳児							c地域	15,200	16,900	10,600	10,600	
			乳児							d地域	13,600	15,100	9,500	9,500	
	11人から20人まで	2号	4歳以上児	16人〜25人 19,770×加配人数	190×加算率×加配人数	8,500	9,400	5,900	5,900	a地域	15,800	17,600	11,000	11,000	
			3歳児							b地域	8,700	9,700	6,100	6,100	
		3号	1、2歳児							c地域	7,600	8,400	5,300	5,300	
			乳児							d地域	6,800	7,500	4,700	4,700	
	21人から30人まで	2号	4歳以上児	26人〜35人 14,120×加配人数	140×加算率×加配人数	5,900	6,500	4,100	4,100	a地域	10,900	12,200	7,600	7,600	認定こども園全体の利用定員 〜15人 27,330
			3歳児							b地域	6,000	6,700	4,200	4,200	
		3号	1、2歳児							c地域	5,200	5,800	3,600	3,600	
			乳児							d地域	4,700	5,200	3,300	3,300	
	31人から40人まで	2号	4歳以上児	36人〜45人 10,980×加配人数	100×加算率×加配人数	5,200	5,700	3,600	3,600	a地域	9,800	10,900	6,800	6,800	16人〜25人 16,800
			3歳児							b地域	5,400	6,000	3,700	3,700	
		3号	1、2歳児							c地域	4,700	5,200	3,300	3,300	
			乳児							d地域	4,200	4,600	2,900	2,900	
	41人から50人まで	2号	4歳以上児	46人〜60人 8,230×加配人数	80×加算率×加配人数	4,700	5,200	3,300	3,300	a地域	8,800	9,800	6,100	6,100	26人〜35人 12,280
			3歳児							b地域	4,800	5,400	3,400	3,400	
		3号	1、2歳児							c地域	4,200	4,700	2,900	2,900	
			乳児							d地域	3,800	4,200	2,600	2,600	
	51人から60人まで	2号	4歳以上児	61人〜75人 6,590×加配人数	60×加算率×加配人数	3,900	4,300	2,700	2,700	a地域	7,200	8,100	5,100	5,100	36人〜45人 9,770
			3歳児							b地域	4,000	4,400	2,800	2,800	
		3号	1、2歳児							c地域	3,500	3,800	2,400	2,400	
			乳児							d地域	3,100	3,400	2,100	2,100	
	61人から70人まで	2号	4歳以上児	76人〜90人 5,490×加配人数	50×加算率×加配人数	3,300	3,700	2,300	2,300	a地域	6,300	7,100	4,400	4,400	46人〜60人 7,500
			3歳児							b地域	3,500	3,900	2,400	2,400	
		3号	1、2歳児							c地域	3,000	3,400	2,100	2,100	
			乳児							d地域	2,700	3,000	1,900	1,900	
	71人から80人まで	2号	4歳以上児	91人〜105人 4,700×加配人数	40×加算率×加配人数	3,800	4,200	2,700	2,700	a地域	7,100	7,900	4,900	4,900	61人〜75人 6,130
			3歳児							b地域	3,900	4,300	2,700	2,700	
		3号	1、2歳児							c地域	3,400	3,800	2,300	2,300	76人〜90人 5,220
			乳児							d地域	3,000	3,400	2,100	2,100	
15/100 地域	81人から90人まで	2号	4歳以上児	106人〜120人 4,110×加配人数	40×加算率×加配人数	3,400	3,700	2,400	2,400	a地域	6,300	7,100	4,400	4,400	91人〜105人 4,660
			3歳児							b地域	3,500	3,900	2,400	2,400	
		3号	1、2歳児							c地域	3,000	3,400	2,100	2,100	
			乳児							d地域	2,700	3,000	1,900	1,900	
	91人から100人まで	2号	4歳以上児	121人〜135人 3,660×加配人数	30×加算率×加配人数	3,000	3,400	2,100	2,100	a地域	5,500	6,200	3,900	3,900	106人〜120人 4,250
			3歳児							b地域	3,000	3,400	2,100	2,100	
		3号	1、2歳児							c地域	2,600	2,900	1,800	1,800	
			乳児							d地域	2,400	2,600	1,600	1,600	
	101人から110人まで	2号	4歳以上児	136人〜150人 3,290×加配人数	30×加算率×加配人数	3,300	3,700	2,300	2,300	a地域	6,100	6,800	4,200	4,200	121人〜135人 3,920
			3歳児							b地域	3,300	3,700	2,300	2,300	
		3号	1、2歳児							c地域	2,900	3,200	2,000	2,000	
			乳児							d地域	2,600	2,900	1,800	1,800	
	111人から120人まで	2号	4歳以上児	151人〜180人 2,740×加配人数	20×加算率×加配人数	3,000	3,400	2,100	2,100	a地域	5,500	6,200	3,900	3,900	136人〜150人 3,660
			3歳児							b地域	3,000	3,400	2,100	2,100	
		3号	1、2歳児							c地域	2,600	2,900	1,800	1,800	
			乳児							d地域	2,400	2,600	1,600	1,600	
	121人から130人まで	2号	4歳以上児	181人〜210人 2,350×加配人数	20×加算率×加配人数	2,800	3,100	2,000	2,000	a地域	5,100	5,700	3,500	3,500	151人〜180人 3,160
			3歳児							b地域	2,800	3,100	1,900	1,900	
		3号	1、2歳児							c地域	2,400	2,700	1,700	1,700	
			乳児							d地域	2,200	2,400	1,500	1,500	
	131人から140人まで	2号	4歳以上児	211人〜240人 2,050×加配人数	20×加算率×加配人数	3,000	3,300	2,100	2,100	a地域	5,500	6,200	3,900	3,900	181人〜210人 2,810
			3歳児							b地域	3,000	3,400	2,100	2,100	
		3号	1、2歳児							c地域	2,600	2,900	1,800	1,800	211人〜240人 2,540
			乳児							d地域	2,400	2,600	1,600	1,600	
	141人から150人まで	2号	4歳以上児	241人〜270人 1,830×加配人数	10×加算率×加配人数	2,800	3,100	2,000	2,000	a地域	5,400	6,000	3,700	3,700	241人〜270人 2,440
			3歳児							b地域	2,900	3,300	2,000	2,000	
		3号	1、2歳児							c地域	2,500	2,800	1,800	1,800	
			乳児							d地域	2,300	2,500	1,600	1,600	
	151人から160人まで	2号	4歳以上児	271人〜300人 1,640×加配人数	10×加算率×加配人数	2,600	2,900	1,800	1,800	a地域	4,800	5,400	3,400	3,400	271人〜300人 2,360
			3歳児							b地域	2,600	2,900	1,800	1,800	
		3号	1、2歳児							c地域	2,300	2,500	1,600	1,600	
			乳児							d地域	2,000	2,300	1,400	1,400	
	161人から170人まで	2号	4歳以上児	301人〜 1,490×加配人数	10×加算率×加配人数	2,800	3,100	2,000	2,000	a地域	5,400	6,000	3,700	3,700	301人〜 2,150
			3歳児							b地域	2,900	3,300	2,000	2,000	
		3号	1、2歳児							c地域	2,500	2,800	1,800	1,800	
			乳児							d地域	2,300	2,500	1,600	1,600	
	171人以上	2号	4歳以上児			2,700	2,900	1,900	1,900	a地域	4,800	5,400	3,400	3,400	※3月分の単価に加算
			3歳児							b地域	2,600	2,900	1,800	1,800	
		3号	1、2歳児							c地域	2,300	2,500	1,600	1,600	
			乳児							d地域	2,000	2,300	1,400	1,400	

地域区分 ①	定員区分 ②	認定区分 ③	年齢区分 ④	副食費徴収免除加算 ※副食費の徴収が免除される子どもの単価に加算 ⑯	1号認定こどもの利用定員を設定しない場合 処遇改善等加算Ⅰ ⑰	分園の場合 ⑱	土曜日に閉所する場合			
							月に1日土曜日を閉所する場合	月に2日土曜日を閉所する場合	月に3日以上土曜日を閉所する場合	全ての土曜日を閉所する場合 ⑲
15/100 地域	10人 まで	2号	4歳以上児 3歳児	+ 4,800	22,180 + 220×加算率	−	((6+⑦+⑧+⑨+⑪) × 1/100	((6+⑦+⑧+⑨+⑪) × 2/100	((6+⑦+⑧+⑨+⑪) × 3/100	((6+⑦+⑧+⑨+⑪) × 5/100
		3号	1、2歳児 乳児							
	11人から20人まで	2号	4歳以上児 3歳児	+ 4,800	+ 11,090 + 110×加算率	−	((6+⑦+⑧+⑨+⑪) × 1/100	((6+⑦+⑧+⑨+⑪) × 3/100	((6+⑦+⑧+⑨+⑪) × 4/100	((6+⑦+⑧+⑨+⑪) × 5/100
		3号	1、2歳児 乳児							
	21人から30人まで	2号	4歳以上児 3歳児	+ 4,800	+ 7,390 + 70×加算率	−	((6+⑦+⑧+⑨+⑪) × 1/100	((6+⑦+⑧+⑨+⑪) × 3/100	((6+⑦+⑧+⑨+⑪) × 4/100	((6+⑦+⑧+⑨+⑪) × 5/100
		3号	1、2歳児 乳児							
	31人から40人まで	2号	4歳以上児 3歳児	+ 4,800	+ 5,540 + 50×加算率	−	((6+⑦+⑧+⑨+⑪) × 1/100	((6+⑦+⑧+⑨+⑪) × 3/100	((6+⑦+⑧+⑨+⑪) × 4/100	((6+⑦+⑧+⑨+⑪) × 5/100
		3号	1、2歳児 乳児							
	41人から50人まで	2号	4歳以上児 3歳児	+ 4,800	+ 4,430 + 40×加算率	−	((6+⑦+⑧+⑨+⑪) × 1/100	((6+⑦+⑧+⑨+⑪) × 3/100	((6+⑦+⑧+⑨+⑪) × 4/100	((6+⑦+⑧+⑨+⑪) × 5/100
		3号	1、2歳児 乳児							
	51人から60人まで	2号	4歳以上児 3歳児	+ 4,800	+ 3,690 + 30×加算率	−	((6+⑦+⑧+⑨+⑪) × 1/100	((6+⑦+⑧+⑨+⑪) × 3/100	((6+⑦+⑧+⑨+⑪) × 4/100	((6+⑦+⑧+⑨+⑪) × 6/100
		3号	1、2歳児 乳児							
	61人から70人まで	2号	4歳以上児 3歳児	+ 4,800	+ 3,170 + 30×加算率	−	((6+⑦+⑧+⑨+⑪) × 1/100	((6+⑦+⑧+⑨+⑪) × 3/100	((6+⑦+⑧+⑨+⑪) × 4/100	((6+⑦+⑧+⑨+⑪) × 6/100
		3号	1、2歳児 乳児							
	71人から80人まで	2号	4歳以上児 3歳児	+ 4,800	+ 2,770 + 20×加算率	−	((6+⑦+⑧+⑨+⑪) × 1/100	((6+⑦+⑧+⑨+⑪) × 3/100	((6+⑦+⑧+⑨+⑪) × 4/100	((6+⑦+⑧+⑨+⑪) × 6/100
		3号	1、2歳児 乳児							
	81人から90人まで	2号	4歳以上児 3歳児	+ 4,800	+ 2,460 + 20×加算率		((6+⑦+⑧+⑨+⑪) × 1/100	((6+⑦+⑧+⑨+⑪) × 3/100	((6+⑦+⑧+⑨+⑪) × 4/100	((6+⑦+⑧+⑨+⑪) × 6/100
		3号	1、2歳児 乳児			(6+⑦) × 10/100				
	91人から100人まで	2号	4歳以上児 3歳児	+ 4,800	+ 2,220 + 20×加算率	−	((6+⑦+⑧+⑨+⑪) × 1/100	((6+⑦+⑧+⑨+⑪) × 3/100	((6+⑦+⑧+⑨+⑪) × 4/100	((6+⑦+⑧+⑨+⑪) × 6/100
		3号	1、2歳児 乳児							
	101人から110人まで	2号	4歳以上児 3歳児	+ 4,800	+ 2,020 + 20×加算率	−	((6+⑦+⑧+⑨+⑪) × 1/100	((6+⑦+⑧+⑨+⑪) × 3/100	((6+⑦+⑧+⑨+⑪) × 4/100	((6+⑦+⑧+⑨+⑪) × 6/100
		3号	1、2歳児 乳児							
	111人から120人まで	2号	4歳以上児 3歳児	+ 4,800	+ 1,840 + 10×加算率	−	((6+⑦+⑧+⑨+⑪) × 1/100	((6+⑦+⑧+⑨+⑪) × 3/100	((6+⑦+⑧+⑨+⑪) × 4/100	((6+⑦+⑧+⑨+⑪) × 6/100
		3号	1、2歳児 乳児							
	121人から130人まで	2号	4歳以上児 3歳児	+ 4,800	+ 1,700 + 10×加算率	−	((6+⑦+⑧+⑨+⑪) × 2/100	((6+⑦+⑧+⑨+⑪) × 3/100	((6+⑦+⑧+⑨+⑪) × 5/100	((6+⑦+⑧+⑨+⑪) × 6/100
		3号	1、2歳児 乳児							
	131人から140人まで	2号	4歳以上児 3歳児	+ 4,800	+ 1,580 + 10×加算率	−	((6+⑦+⑧+⑨+⑪) × 2/100	((6+⑦+⑧+⑨+⑪) × 3/100	((6+⑦+⑧+⑨+⑪) × 5/100	((6+⑦+⑧+⑨+⑪) × 6/100
		3号	1、2歳児 乳児							
	141人から150人まで	2号	4歳以上児 3歳児	+ 4,800	+ 1,480 + 10×加算率	−	((6+⑦+⑧+⑨+⑪) × 2/100	((6+⑦+⑧+⑨+⑪) × 3/100	((6+⑦+⑧+⑨+⑪) × 5/100	((6+⑦+⑧+⑨+⑪) × 6/100
		3号	1、2歳児 乳児							
	151人から160人まで	2号	4歳以上児 3歳児	+ 4,800	+ 1,380 + 10×加算率	−	((6+⑦+⑧+⑨+⑪) × 2/100	((6+⑦+⑧+⑨+⑪) × 3/100	((6+⑦+⑧+⑨+⑪) × 5/100	((6+⑦+⑧+⑨+⑪) × 6/100
		3号	1、2歳児 乳児							
	161人から170人まで	2号	4歳以上児 3歳児	+ 4,800	+ 1,310 + 10×加算率	−	((6+⑦+⑧+⑨+⑪) × 2/100	((6+⑦+⑧+⑨+⑪) × 3/100	((6+⑦+⑧+⑨+⑪) × 5/100	((6+⑦+⑧+⑨+⑪) × 6/100
		3号	1、2歳児 乳児							
	171人以上	2号	4歳以上児 3歳児	+ 4,800	+ 1,230 + 10×加算率	−	((6+⑦+⑧+⑨+⑪) × 2/100	((6+⑦+⑧+⑨+⑪) × 3/100	((6+⑦+⑧+⑨+⑪) × 5/100	((6+⑦+⑧+⑨+⑪) × 6/100
		3号	1、2歳児 乳児							

地域区分①	定員区分②	認定区分③	年齢区分④	主幹教諭等の専任化により子育て支援の取り組みを実施していない場合⑳	年齢別配置基準を下回る場合㉑	配置基準上求められる職員資格を有しない場合㉒	定員を恒常的に超過する場合㉓
15/100地域	10人まで	2号	4歳以上児 3歳児	(13,290 +130×加算率)	(47,880 +470×加算率) ×人数	(31,140 +310×加算率) ×人数	
		3号	1、2歳児 乳児				
	11人から20人まで	2号	4歳以上児 3歳児	(6,640 +60×加算率)	(23,940 +230×加算率) ×人数	(15,570 +150×加算率) ×人数	
		3号	1、2歳児 乳児				
	21人から30人まで	2号	4歳以上児 3歳児	(4,430 +40×加算率)	(15,960 +160×加算率) ×人数	(10,380 +100×加算率) ×人数	
		3号	1、2歳児 乳児				
	31人から40人まで	2号	4歳以上児 3歳児	(3,320 +30×加算率)	(11,970 +120×加算率) ×人数	(7,780 +70×加算率) ×人数	
		3号	1、2歳児 乳児				
	41人から50人まで	2号	4歳以上児 3歳児	(2,650 +20×加算率)	(9,570 +90×加算率) ×人数	(6,220 +60×加算率) ×人数	
		3号	1、2歳児 乳児				
	51人から60人まで	2号	4歳以上児 3歳児	(2,210 +20×加算率)	(7,980 +80×加算率) ×人数	(5,190 +50×加算率) ×人数	
		3号	1、2歳児 乳児				
	61人から70人まで	2号	4歳以上児 3歳児	(1,890 +10×加算率)	(6,840 +60×加算率) ×人数	(4,440 +40×加算率) ×人数	
		3号	1、2歳児 乳児				
	71人から80人まで	2号	4歳以上児 3歳児	(1,660 +10×加算率)	(5,980 +60×加算率) ×人数	(3,890 +30×加算率) ×人数	
		3号	1、2歳児 乳児				
	81人から90人まで	2号	4歳以上児 3歳児	(1,470 +10×加算率)	(5,320 +50×加算率) ×人数	(3,460 +30×加算率) ×人数	(⑥～㉒（⑯を除く。）） ×別に定める調整率
		3号	1、2歳児 乳児				
	91人から100人まで	2号	4歳以上児 3歳児	(1,330 +10×加算率)	(4,780 +40×加算率) ×人数	(3,110 +30×加算率) ×人数	
		3号	1、2歳児 乳児				
	101人から110人まで	2号	4歳以上児 3歳児	(1,200 +10×加算率)	(4,350 +40×加算率) ×人数	(2,830 +20×加算率) ×人数	
		3号	1、2歳児 乳児				
	111人から120人まで	2号	4歳以上児 3歳児	(1,100 +10×加算率)	(3,990 +40×加算率) ×人数	(2,590 +20×加算率) ×人数	
		3号	1、2歳児 乳児				
	121人から130人まで	2号	4歳以上児 3歳児	(1,020 +10×加算率)	(3,680 +30×加算率) ×人数	(2,390 +20×加算率) ×人数	
		3号	1、2歳児 乳児				
	131人から140人まで	2号	4歳以上児 3歳児	(950 +10×加算率)	(3,420 +30×加算率) ×人数	(2,220 +20×加算率) ×人数	
		3号	1、2歳児 乳児				
	141人から150人まで	2号	4歳以上児 3歳児	(880 +9×加算率)	(3,190 +30×加算率) ×人数	(2,070 +20×加算率) ×人数	
		3号	1、2歳児 乳児				
	151人から160人まで	2号	4歳以上児 3歳児	(830 +8×加算率)	(2,990 +30×加算率) ×人数	(1,940 +10×加算率) ×人数	
		3号	1、2歳児 乳児				
	161人から170人まで	2号	4歳以上児 3歳児	(780 +8×加算率)	(2,810 +20×加算率) ×人数	(1,830 +10×加算率) ×人数	
		3号	1、2歳児 乳児				
	171人以上	2号	4歳以上児 3歳児	(730 +7×加算率)	(2,660 +20×加算率) ×人数	(1,730 +10×加算率) ×人数	
		3号	1、2歳児 乳児				

地域区分 ①	定員区分 ②	認定区分 ③	年齢区分 ④	保育必要量区分 ⑤ 保育標準時間認定 基本分単価 ⑥（注1）	保育短時間認定 基本分単価 ⑥（注1）	処遇改善等加算Ⅰ 保育標準時間認定 （注1）⑦	保育短時間認定 （注1）⑦	3歳児配置改善加算 処遇改善等加算Ⅰ ⑧	
12/100 地域	10人まで	2号	4歳以上児	243,960 (251,750)	191,430 (199,220)	+ 2,420 (2,490) ×加算率	1,890 (1,960) ×加算率	+ (7,790)	+ (70×加算率)
		2号	3歳児	251,750 (314,880)	199,220 (262,350)	2,490 (3,030) ×加算率	1,960 (2,500) ×加算率	7,790	70×加算率
		3号	1、2歳児	314,880 (392,820)	262,350 (340,290)	3,030 (3,810) ×加算率	2,500 (3,280) ×加算率		
		3号	乳児	392,820	340,290	3,810 ×加算率	3,280 ×加算率		
	11人から20人まで	2号	4歳以上児	132,300 (140,090)	106,040 (113,830)	+ 1,300 (1,370) ×加算率	1,040 (1,110) ×加算率	+ (7,790)	+ (70×加算率)
		2号	3歳児	140,090 (203,220)	113,830 (176,960)	1,370 (1,910) ×加算率	1,110 (1,650) ×加算率	7,790	70×加算率
		3号	1、2歳児	203,220 (281,160)	176,960 (254,900)	1,910 (2,690) ×加算率	1,650 (2,430) ×加算率		
		3号	乳児	281,160	254,900	2,690 ×加算率	2,430 ×加算率		
	21人から30人まで	2号	4歳以上児	94,960 (102,750)	77,450 (85,240)	+ 930 (1,000) ×加算率	750 (820) ×加算率	+ (7,790)	+ (70×加算率)
		2号	3歳児	102,750 (165,880)	85,240 (148,370)	1,000 (1,540) ×加算率	820 (1,360) ×加算率	7,790	70×加算率
		3号	1、2歳児	165,880 (243,820)	148,370 (226,310)	1,540 (2,320) ×加算率	1,360 (2,140) ×加算率		
		3号	乳児	243,820	226,310	2,320 ×加算率	2,140 ×加算率		
	31人から40人まで	2号	4歳以上児	76,610 (84,400)	63,480 (71,270)	+ 740 (810) ×加算率	610 (680) ×加算率	+ (7,790)	+ (70×加算率)
		2号	3歳児	84,400 (147,530)	71,270 (134,400)	810 (1,360) ×加算率	680 (1,220) ×加算率	7,790	70×加算率
		3号	1、2歳児	147,530 (225,470)	134,400 (212,340)	1,360 (2,140) ×加算率	1,220 (2,000) ×加算率		
		3号	乳児	225,470	212,340	2,140 ×加算率	2,000 ×加算率		
	41人から50人まで	2号	4歳以上児	71,410 (79,200)	60,900 (68,690)	+ 690 (760) ×加算率	580 (650) ×加算率	+ (7,790)	+ (70×加算率)
		2号	3歳児	79,200 (142,330)	68,690 (131,820)	760 (1,300) ×加算率	650 (1,200) ×加算率	7,790	70×加算率
		3号	1、2歳児	142,330 (220,270)	131,820 (209,760)	1,300 (2,080) ×加算率	1,200 (1,980) ×加算率		
		3号	乳児	220,270	209,760	2,080 ×加算率	1,980 ×加算率		
	51人から60人まで	2号	4歳以上児	62,450 (70,240)	53,700 (61,490)	+ 600 (670) ×加算率	510 (580) ×加算率	+ (7,790)	+ (70×加算率)
		2号	3歳児	70,240 (133,370)	61,490 (124,620)	670 (1,210) ×加算率	580 (1,130) ×加算率	7,790	70×加算率
		3号	1、2歳児	133,370 (211,310)	124,620 (202,560)	1,210 (1,990) ×加算率	1,130 (1,910) ×加算率		
		3号	乳児	211,310	202,560	1,990 ×加算率	1,910 ×加算率		
	61人から70人まで	2号	4歳以上児	56,130 (63,920)	48,630 (56,420)	+ 540 (610) ×加算率	460 (530) ×加算率	+ (7,790)	+ (70×加算率)
		2号	3歳児	63,920 (127,050)	56,420 (119,550)	610 (1,150) ×加算率	530 (1,080) ×加算率	7,790	70×加算率
		3号	1、2歳児	127,050 (204,990)	119,550 (197,490)	1,150 (1,930) ×加算率	1,080 (1,860) ×加算率		
		3号	乳児	204,990	197,490	1,930 ×加算率	1,860 ×加算率		
	71人から80人まで	2号	4歳以上児	51,450 (59,240)	44,880 (52,670)	+ 490 (560) ×加算率	420 (490) ×加算率	+ (7,790)	+ (70×加算率)
		2号	3歳児	59,240 (122,370)	52,670 (115,800)	560 (1,100) ×加算率	490 (1,040) ×加算率	7,790	70×加算率
		3号	1、2歳児	122,370 (200,310)	115,800 (193,740)	1,100 (1,880) ×加算率	1,040 (1,820) ×加算率		
		3号	乳児	200,310	193,740	1,880 ×加算率	1,820 ×加算率		
	81人から90人まで	2号	4歳以上児	47,760 (55,550)	41,920 (49,710)	+ 450 (520) ×加算率	390 (460) ×加算率	+ (7,790)	+ (70×加算率)
		2号	3歳児	55,550 (118,680)	49,710 (112,840)	520 (1,070) ×加算率	460 (1,010) ×加算率	7,790	70×加算率
		3号	1、2歳児	118,680 (196,620)	112,840 (190,780)	1,070 (1,850) ×加算率	1,010 (1,790) ×加算率		
		3号	乳児	196,620	190,780	1,850 ×加算率	1,790 ×加算率		
	91人から100人まで	2号	4歳以上児	41,350 (49,140)	36,100 (43,890)	+ 390 (460) ×加算率	340 (410) ×加算率	+ (7,790)	+ (70×加算率)
		2号	3歳児	49,140 (112,270)	43,890 (107,020)	460 (1,000) ×加算率	410 (950) ×加算率	7,790	70×加算率
		3号	1、2歳児	112,270 (190,210)	107,020 (184,960)	1,000 (1,780) ×加算率	950 (1,730) ×加算率		
		3号	乳児	190,210	184,960	1,780 ×加算率	1,730 ×加算率		
	101人から110人まで	2号	4歳以上児	39,290 (47,080)	34,510 (42,300)	+ 370 (440) ×加算率	320 (390) ×加算率	+ (7,790)	+ (70×加算率)
		2号	3歳児	47,080 (110,210)	42,300 (105,430)	440 (980) ×加算率	390 (930) ×加算率	7,790	70×加算率
		3号	1、2歳児	110,210 (188,150)	105,430 (183,370)	980 (1,760) ×加算率	930 (1,710) ×加算率		
		3号	乳児	188,150	183,370	1,760 ×加算率	1,710 ×加算率		
	111人から120人まで	2号	4歳以上児	37,530 (45,320)	33,150 (40,940)	+ 350 (420) ×加算率	310 (380) ×加算率	+ (7,790)	+ (70×加算率)
		2号	3歳児	45,320 (108,450)	40,940 (104,070)	420 (960) ×加算率	380 (920) ×加算率	7,790	70×加算率
		3号	1、2歳児	108,450 (186,390)	104,070 (182,010)	960 (1,740) ×加算率	920 (1,700) ×加算率		
		3号	乳児	186,390	182,010	1,740 ×加算率	1,700 ×加算率		
	121人から130人まで	2号	4歳以上児	36,050 (43,840)	32,000 (39,790)	+ 340 (410) ×加算率	300 (370) ×加算率	+ (7,790)	+ (70×加算率)
		2号	3歳児	43,840 (106,970)	39,790 (102,920)	410 (950) ×加算率	370 (910) ×加算率	7,790	70×加算率
		3号	1、2歳児	106,970 (184,910)	102,920 (180,860)	950 (1,730) ×加算率	910 (1,690) ×加算率		
		3号	乳児	184,910	180,860	1,730 ×加算率	1,690 ×加算率		
	131人から140人まで	2号	4歳以上児	34,800 (42,590)	31,050 (38,840)	+ 320 (390) ×加算率	290 (360) ×加算率	+ (7,790)	+ (70×加算率)
		2号	3歳児	42,590 (105,720)	38,840 (101,970)	390 (940) ×加算率	360 (900) ×加算率	7,790	70×加算率
		3号	1、2歳児	105,720 (183,660)	101,970 (179,910)	940 (1,720) ×加算率	900 (1,680) ×加算率		
		3号	乳児	183,660	179,910	1,720 ×加算率	1,680 ×加算率		
	141人から150人まで	2号	4歳以上児	33,710 (41,500)	30,200 (37,990)	+ 310 (380) ×加算率	280 (350) ×加算率	+ (7,790)	+ (70×加算率)
		2号	3歳児	41,500 (104,630)	37,990 (101,120)	380 (930) ×加算率	350 (890) ×加算率	7,790	70×加算率
		3号	1、2歳児	104,630 (182,570)	101,120 (179,060)	930 (1,710) ×加算率	890 (1,670) ×加算率		
		3号	乳児	182,570	179,060	1,710 ×加算率	1,670 ×加算率		
	151人から160人まで	2号	4歳以上児	33,640 (41,430)	30,360 (38,150)	+ 310 (380) ×加算率	280 (350) ×加算率	+ (7,790)	+ (70×加算率)
		2号	3歳児	41,430 (104,560)	38,150 (101,280)	380 (930) ×加算率	350 (890) ×加算率	7,790	70×加算率
		3号	1、2歳児	104,560 (182,500)	101,280 (179,220)	930 (1,710) ×加算率	890 (1,670) ×加算率		
		3号	乳児	182,500	179,220	1,710 ×加算率	1,670 ×加算率		
	161人から170人まで	2号	4歳以上児	32,760 (40,550)	29,670 (37,460)	+ 300 (370) ×加算率	270 (340) ×加算率	+ (7,790)	+ (70×加算率)
		2号	3歳児	40,550 (103,680)	37,460 (100,590)	370 (920) ×加算率	340 (890) ×加算率	7,790	70×加算率
		3号	1、2歳児	103,680 (181,620)	100,590 (178,530)	920 (1,700) ×加算率	890 (1,670) ×加算率		
		3号	乳児	181,620	178,530	1,700 ×加算率	1,670 ×加算率		
	171人以上	2号	4歳以上児	31,960 (39,750)	29,040 (36,830)	+ 300 (370) ×加算率	270 (340) ×加算率	+ (7,790)	+ (70×加算率)
		2号	3歳児	39,750 (102,880)	36,830 (99,960)	370 (910) ×加算率	340 (880) ×加算率	7,790	70×加算率
		3号	1、2歳児	102,880 (180,820)	99,960 (177,900)	910 (1,690) ×加算率	880 (1,660) ×加算率		
		3号	乳児	180,820	177,900	1,690 ×加算率	1,660 ×加算率		

地域区分 ①	定員区分 ②	認定区分 ③	年齢区分 ④	4歳以上児配置改善加算 処遇改善等加算Ⅰ　⑨	休日保育加算 処遇改善等加算Ⅰ　⑩	夜間保育加算 (注1)　⑪	夜間保育加算 処遇改善等加算Ⅰ
12/100地域	10人まで	2号	4歳以上児	+ 3,110 + 30×加算率		+ 54,720 ┐ 52,890	
			3 歳 児				+ 470×加算率
		3号	1、2歳児			+ 52,890 ┘	
			乳　児				
	11人から20人まで	2号	4歳以上児	+ 3,110 + 30×加算率		+ 31,010 ┐ 29,180	+ 230×加算率
			3 歳 児				
		3号	1、2歳児			+ 29,180 ┘	
			乳　児				
	21人から30人まで	2号	4歳以上児	+ 3,110 + 30×加算率		+ 23,110 ┐ 21,280	+ 150×加算率
			3 歳 児				
		3号	1、2歳児			+ 21,280 ┘	
			乳　児				
	31人から40人まで	2号	4歳以上児	+ 3,110 + 30×加算率		+ 19,160 ┐ 17,330	+ 110×加算率
			3 歳 児				
		3号	1、2歳児			+ 17,330 ┘	
			乳　児				
	41人から50人まで	2号	4歳以上児	+ 3,110 + 30×加算率		+ 16,790 ┐ 14,960	+ 90×加算率
			3 歳 児				
		3号	1、2歳児			+ 14,960 ┘	
			乳　児				
	51人から60人まで	2号	4歳以上児	+ 3,110 + 30×加算率		+ 15,210 ┐ 13,380	+ 70×加算率
			3 歳 児				
		3号	1、2歳児			+ 13,380 ┘	
			乳　児				
	61人から70人まで	2号	4歳以上児	+ 3,110 + 30×加算率		+ 14,080 ┐ 12,250	+ 60×加算率
			3 歳 児				
		3号	1、2歳児			+ 12,250 ┘	
			乳　児				
	71人から80人まで	2号	4歳以上児	+ 3,110 + 30×加算率		+ 13,230 ┐ 11,400	+ 50×加算率
			3 歳 児				
		3号	1、2歳児			+ 11,400 ┘	
			乳　児				
	81人から90人まで	2号	4歳以上児	+ 3,110 + 30×加算率		+ 12,570 ┐ 10,740	+ 50×加算率
			3 歳 児				
		3号	1、2歳児			+ 10,740 ┘	
			乳　児				
	91人から100人まで	2号	4歳以上児	+ 3,110 + 30×加算率			
			3 歳 児				
		3号	1、2歳児				
			乳　児				
	101人から110人まで	2号	4歳以上児	+ 3,110 + 30×加算率			
			3 歳 児				
		3号	1、2歳児				
			乳　児				
	111人から120人まで	2号	4歳以上児	+ 3,110 + 30×加算率			
			3 歳 児				
		3号	1、2歳児				
			乳　児				
	121人から130人まで	2号	4歳以上児	+ 3,110 + 30×加算率			
			3 歳 児				
		3号	1、2歳児				
			乳　児				
	131人から140人まで	2号	4歳以上児	+ 3,110 + 30×加算率			
			3 歳 児				
		3号	1、2歳児				
			乳　児				
	141人から150人まで	2号	4歳以上児	+ 3,110 + 30×加算率			
			3 歳 児				
		3号	1、2歳児				
			乳　児				
	151人から160人まで	2号	4歳以上児	+ 3,110 + 30×加算率			
			3 歳 児				
		3号	1、2歳児				
			乳　児				
	161人から170人まで	2号	4歳以上児	+ 3,110 + 30×加算率			
			3 歳 児				
		3号	1、2歳児				
			乳　児				
	171人以上	2号	4歳以上児	+ 3,110 + 30×加算率			
			3 歳 児				
		3号	1、2歳児				
			乳　児				

休日保育加算（⑩） ＋

休日保育の年間延べ利用子ども数		休日保育の年間延べ利用子ども数（処遇改善等加算Ⅰ）	
～　210人	266,200	～　210人	2,660×加算率
211人～279人	285,100	211人～279人	2,850×加算率
280人～349人	323,000	280人～349人	3,230×加算率
350人～419人	360,900	350人～419人	3,600×加算率
420人～489人	398,900	420人～489人	3,980×加算率
490人～559人	436,800	490人～559人	4,360×加算率
560人～629人	474,700	560人～629人	4,740×加算率
630人～699人	512,600	630人～699人	5,120×加算率
700人～769人	550,500	700人～769人	5,500×加算率
770人～839人	588,400	770人～839人	5,880×加算率
840人～909人	626,400	840人～909人	6,260×加算率
910人～979人	664,300	910人～979人	6,640×加算率
980人～1,049人	702,200	980人～1,049人	7,020×加算率
1,050人～	740,100	1,050人～	7,400×加算率

÷　各月初日の利用子ども数

特定教育・保育等に要する費用算定基準等　認定こども園（保育認定）

地域区分①	定員区分②	認定区分③	年齢区分④	チーム保育加配加算 ※1号・2号の利用定員合計に応じて2号利用子どもの単価に加算 処遇改善等加算Ⅰ⑫		減価償却費加算 加算額⑬ 認可施設 標準	都市部	機能部分 標準	都市部	賃借料加算 加算額⑭ 認可施設 標準	都市部	機能部分 標準	都市部	外部監査費加算⑮
12/100 地域	10人まで	2号	4歳以上児 3歳児	〜 15人 32,160×加配人数	+ 320×加算率×加配人数	+17,100	18,800	11,900	11,900	a地域 31,600 b地域 17,400 c地域 15,200 d地域 13,600	35,200 19,400 16,900 15,100	22,100 12,200 10,600 9,500	22,100 12,200 10,600 9,500	認定こども園全体の利用定員
		3号	1、2歳児 乳児											
	11人から20人まで	2号	4歳以上児 3歳児	16人〜 25人 19,300×加配人数	+ 190×加算率×加配人数	+8,500	9,400	5,900	5,900	a地域 15,800 b地域 8,700 c地域 7,600 d地域 6,800	17,600 9,700 8,400 7,500	11,000 6,100 5,300 4,700	11,000 6,100 5,300 4,700	〜 15人 27,330
		3号	1、2歳児 乳児											
	21人から30人まで	2号	4歳以上児 3歳児	26人〜 35人 13,780×加配人数	+ 130×加算率×加配人数	+5,900	6,500	4,100	4,100	a地域 10,900 b地域 6,000 c地域 5,200 d地域 4,700	12,200 6,700 5,800 5,200	7,600 4,200 3,600 3,300	7,600 4,200 3,600 3,300	16人〜 25人 16,800
		3号	1、2歳児 乳児											
	31人から40人まで	2号	4歳以上児 3歳児	36人〜 45人 10,720×加配人数	+ 100×加算率×加配人数	+5,200	5,700	3,600	3,600	a地域 9,800 b地域 5,400 c地域 4,700 d地域 4,200	10,900 6,000 5,200 4,600	6,800 3,700 3,300 2,900	6,800 3,700 3,300 2,900	26人〜 35人 12,280
		3号	1、2歳児 乳児											
	41人から50人まで	2号	4歳以上児 3歳児	46人〜 60人 8,040×加配人数	+ 80×加算率×加配人数	+4,700	5,200	3,300	3,300	a地域 8,800 b地域 4,800 c地域 4,200 d地域 3,800	9,800 5,400 4,700 4,200	6,100 3,400 2,900 2,600	6,100 3,400 2,900 2,600	36人〜 45人 9,770
		3号	1、2歳児 乳児											
	51人から60人まで	2号	4歳以上児 3歳児	61人〜 75人 6,430×加配人数	+ 60×加算率×加配人数	+3,900	4,300	2,700	2,700	a地域 7,200 b地域 4,000 c地域 3,500 d地域 3,100	8,100 4,400 3,800 3,400	5,100 2,800 2,400 2,100	5,100 2,800 2,400 2,100	46人〜 60人 7,500
		3号	1、2歳児 乳児											
	61人から70人まで	2号	4歳以上児 3歳児	76人〜 90人 5,360×加配人数	+ 50×加算率×加配人数	+3,300	3,700	2,300	2,300	a地域 6,300 b地域 3,500 c地域 3,000 d地域 2,700	7,100 3,900 3,400 3,000	4,400 2,400 2,100 1,900	4,400 2,400 2,100 1,900	61人〜 75人 6,130
		3号	1、2歳児 乳児											
	71人から80人まで	2号	4歳以上児 3歳児	91人〜 105人 4,590×加配人数	+ 40×加算率×加配人数	+3,800	4,200	2,700	2,700	a地域 7,100 b地域 3,900 c地域 3,400 d地域 3,000	7,900 4,300 3,800 3,400	4,900 2,700 2,300 2,100	4,900 2,700 2,300 2,100	76人〜 90人 5,220
		3号	1、2歳児 乳児											
	81人から90人まで	2号	4歳以上児 3歳児	106人〜 120人 4,020×加配人数	+ 40×加算率×加配人数	+3,400	3,700	2,400	2,400	a地域 6,300 b地域 3,500 c地域 3,000 d地域 2,700	7,100 3,900 3,400 3,000	4,400 2,400 2,100 1,900	4,400 2,400 2,100 1,900	91人〜 105人 4,660
		3号	1、2歳児 乳児											
	91人から100人まで	2号	4歳以上児 3歳児	121人〜 135人 3,570×加配人数	+ 30×加算率×加配人数	+3,000	3,400	2,100	2,100	a地域 5,500 b地域 3,000 c地域 2,600 d地域 2,400	6,200 3,400 2,900 2,600	3,900 2,100 1,800 1,600	3,900 2,100 1,800 1,600	106人〜 120人 4,250
		3号	1、2歳児 乳児											
	101人から110人まで	2号	4歳以上児 3歳児	136人〜 150人 3,210×加配人数	+ 30×加算率×加配人数	+3,300	3,700	2,300	2,300	a地域 6,100 b地域 3,300 c地域 2,900 d地域 2,600	6,800 3,700 3,200 2,900	4,200 2,300 2,000 1,800	4,200 2,300 2,000 1,800	121人〜 135人 3,920
		3号	1、2歳児 乳児											
	111人から120人まで	2号	4歳以上児 3歳児	151人〜 180人 2,680×加配人数	+ 20×加算率×加配人数	+3,000	3,400	2,100	2,100	a地域 5,500 b地域 3,000 c地域 2,600 d地域 2,400	6,200 3,400 2,900 2,600	3,900 2,100 1,800 1,600	3,900 2,100 1,800 1,600	136人〜 150人 3,660
		3号	1、2歳児 乳児											
	121人から130人まで	2号	4歳以上児 3歳児	181人〜 210人 2,290×加配人数	+ 20×加算率×加配人数	+2,800	3,100	2,000	2,000	a地域 5,100 b地域 2,800 c地域 2,400 d地域 2,200	5,700 3,100 2,700 2,400	3,500 1,900 1,700 1,500	3,500 1,900 1,700 1,500	151人〜 180人 3,160
		3号	1、2歳児 乳児											
	131人から140人まで	2号	4歳以上児 3歳児	211人〜 240人 2,010×加配人数	+ 20×加算率×加配人数	+3,000	3,300	2,100	2,100	a地域 5,500 b地域 3,000 c地域 2,600 d地域 2,400	6,200 3,400 2,900 2,600	3,900 2,100 1,800 1,600	3,900 2,100 1,800 1,600	181人〜 210人 2,810
		3号	1、2歳児 乳児											
	141人から150人まで	2号	4歳以上児 3歳児	241人〜 270人 1,780×加配人数	+ 10×加算率×加配人数	+2,800	3,100	2,000	2,000	a地域 5,400 b地域 2,900 c地域 2,500 d地域 2,300	6,000 3,300 2,800 2,500	3,700 2,000 1,800 1,600	3,700 2,000 1,800 1,600	211人〜 240人 2,540
		3号	1、2歳児 乳児											
	151人から160人まで	2号	4歳以上児 3歳児	271人〜 300人 1,600×加配人数	+ 10×加算率×加配人数	+2,600	2,900	1,800	1,800	a地域 4,800 b地域 2,600 c地域 2,300 d地域 2,100	5,400 2,900 2,500 2,300	3,400 1,800 1,600 1,400	3,400 1,800 1,600 1,400	241人〜 270人 2,440
		3号	1、2歳児 乳児											
	161人から170人まで	2号	4歳以上児 3歳児	301人〜 1,460×加配人数	+ 10×加算率×加配人数	+2,800	3,100	2,000	2,000	a地域 5,400 b地域 2,900 c地域 2,500 d地域 2,300	6,000 3,300 2,800 2,500	3,700 2,000 1,800 1,600	3,700 2,000 1,800 1,600	271人〜 300人 2,360
		3号	1、2歳児 乳児											
	171人以上	2号	4歳以上児 3歳児			+2,700	2,900	1,900	1,900	a地域 4,800 b地域 2,600 c地域 2,300 d地域 2,000	5,400 2,900 2,500 2,300	3,400 1,800 1,600 1,400	3,400 1,800 1,600 1,400	301人〜 2,150 ※3月分の単価に加算
		3号	1、2歳児 乳児											

989

①地域区分	②定員区分	③認定区分	④年齢区分	⑯副食費徴収免除加算 ※副食費の徴収が免除される子どもの単価に加算	⑰1号認定こどもの利用定員を設定しない場合	⑰処遇改善等加算Ⅰ	⑱分園の場合	⑲月に1日土曜日を閉所する場合	⑲月に2日土曜日を閉所する場合	⑲月に3日以上土曜日を閉所する場合	⑲全ての土曜日を閉所する場合
12/100地域	10人まで	2号	4歳以上児／3歳児	+4,800	+22,020	+220×加算率		−(⑥+⑦+⑧+⑨+⑪)×1/100	−(⑥+⑦+⑧+⑨+⑪)×2/100	−(⑥+⑦+⑧+⑨+⑪)×4/100	−(⑥+⑦+⑧+⑨+⑪)×5/100
		3号	1、2歳児／乳児								
	11人から20人まで	2号	4歳以上児／3歳児	+4,800	+11,010	+110×加算率		−(⑥+⑦+⑧+⑨+⑪)×1/100	−(⑥+⑦+⑧+⑨+⑪)×3/100	−(⑥+⑦+⑧+⑨+⑪)×4/100	−(⑥+⑦+⑧+⑨+⑪)×5/100
		3号	1、2歳児／乳児								
	21人から30人まで	2号	4歳以上児／3歳児	+4,800	+7,350	+70×加算率		−(⑥+⑦+⑧+⑨+⑪)×1/100	−(⑥+⑦+⑧+⑨+⑪)×3/100	−(⑥+⑦+⑧+⑨+⑪)×4/100	−(⑥+⑦+⑧+⑨+⑪)×5/100
		3号	1、2歳児／乳児								
	31人から40人まで	2号	4歳以上児／3歳児	+4,800	+5,500	+50×加算率		−(⑥+⑦+⑧+⑨+⑪)×1/100	−(⑥+⑦+⑧+⑨+⑪)×3/100	−(⑥+⑦+⑧+⑨+⑪)×4/100	−(⑥+⑦+⑧+⑨+⑪)×5/100
		3号	1、2歳児／乳児								
	41人から50人まで	2号	4歳以上児／3歳児	+4,800	+4,400	+40×加算率		−(⑥+⑦+⑧+⑨+⑪)×1/100	−(⑥+⑦+⑧+⑨+⑪)×3/100	−(⑥+⑦+⑧+⑨+⑪)×4/100	−(⑥+⑦+⑧+⑨+⑪)×6/100
		3号	1、2歳児／乳児								
	51人から60人まで	2号	4歳以上児／3歳児	+4,800	+3,670	+30×加算率		−(⑥+⑦+⑧+⑨+⑪)×1/100	−(⑥+⑦+⑧+⑨+⑪)×3/100	−(⑥+⑦+⑧+⑨+⑪)×4/100	−(⑥+⑦+⑧+⑨+⑪)×6/100
		3号	1、2歳児／乳児								
	61人から70人まで	2号	4歳以上児／3歳児	+4,800	+3,140	+30×加算率		−(⑥+⑦+⑧+⑨+⑪)×1/100	−(⑥+⑦+⑧+⑨+⑪)×3/100	−(⑥+⑦+⑧+⑨+⑪)×4/100	−(⑥+⑦+⑧+⑨+⑪)×6/100
		3号	1、2歳児／乳児								
	71人から80人まで	2号	4歳以上児／3歳児	+4,800	+2,750	+20×加算率		−(⑥+⑦+⑧+⑨+⑪)×1/100	−(⑥+⑦+⑧+⑨+⑪)×3/100	−(⑥+⑦+⑧+⑨+⑪)×4/100	−(⑥+⑦+⑧+⑨+⑪)×6/100
		3号	1、2歳児／乳児								
	81人から90人まで	2号	4歳以上児／3歳児	+4,800	+2,440	+20×加算率	(⑥+⑦)×10/100	−(⑥+⑦+⑧+⑨+⑪)×1/100	−(⑥+⑦+⑧+⑨+⑪)×3/100	−(⑥+⑦+⑧+⑨+⑪)×4/100	−(⑥+⑦+⑧+⑨+⑪)×6/100
		3号	1、2歳児／乳児								
	91人から100人まで	2号	4歳以上児／3歳児	+4,800	+2,200	+20×加算率		−(⑥+⑦+⑧+⑨+⑪)×2/100	−(⑥+⑦+⑧+⑨+⑪)×3/100	−(⑥+⑦+⑧+⑨+⑪)×5/100	−(⑥+⑦+⑧+⑨+⑪)×6/100
		3号	1、2歳児／乳児								
	101人から110人まで	2号	4歳以上児／3歳児	+4,800	+2,000	+20×加算率		−(⑥+⑦+⑧+⑨+⑪)×2/100	−(⑥+⑦+⑧+⑨+⑪)×3/100	−(⑥+⑦+⑧+⑨+⑪)×5/100	−(⑥+⑦+⑧+⑨+⑪)×6/100
		3号	1、2歳児／乳児								
	111人から120人まで	2号	4歳以上児／3歳児	+4,800	+1,840	+10×加算率		−(⑥+⑦+⑧+⑨+⑪)×2/100	−(⑥+⑦+⑧+⑨+⑪)×3/100	−(⑥+⑦+⑧+⑨+⑪)×5/100	−(⑥+⑦+⑧+⑨+⑪)×6/100
		3号	1、2歳児／乳児								
	121人から130人まで	2号	4歳以上児／3歳児	+4,800	+1,690	+10×加算率		−(⑥+⑦+⑧+⑨+⑪)×2/100	−(⑥+⑦+⑧+⑨+⑪)×3/100	−(⑥+⑦+⑧+⑨+⑪)×5/100	−(⑥+⑦+⑧+⑨+⑪)×6/100
		3号	1、2歳児／乳児								
	131人から140人まで	2号	4歳以上児／3歳児	+4,800	+1,580	+10×加算率		−(⑥+⑦+⑧+⑨+⑪)×2/100	−(⑥+⑦+⑧+⑨+⑪)×3/100	−(⑥+⑦+⑧+⑨+⑪)×5/100	−(⑥+⑦+⑧+⑨+⑪)×6/100
		3号	1、2歳児／乳児								
	141人から150人まで	2号	4歳以上児／3歳児	+4,800	+1,460	+10×加算率		−(⑥+⑦+⑧+⑨+⑪)×2/100	−(⑥+⑦+⑧+⑨+⑪)×3/100	−(⑥+⑦+⑧+⑨+⑪)×5/100	−(⑥+⑦+⑧+⑨+⑪)×6/100
		3号	1、2歳児／乳児								
	151人から160人まで	2号	4歳以上児／3歳児	+4,800	+1,380	+10×加算率		−(⑥+⑦+⑧+⑨+⑪)×2/100	−(⑥+⑦+⑧+⑨+⑪)×3/100	−(⑥+⑦+⑧+⑨+⑪)×5/100	−(⑥+⑦+⑧+⑨+⑪)×6/100
		3号	1、2歳児／乳児								
	161人から170人まで	2号	4歳以上児／3歳児	+4,800	+1,300	+10×加算率		−(⑥+⑦+⑧+⑨+⑪)×2/100	−(⑥+⑦+⑧+⑨+⑪)×3/100	−(⑥+⑦+⑧+⑨+⑪)×5/100	−(⑥+⑦+⑧+⑨+⑪)×6/100
		3号	1、2歳児／乳児								
	171人以上	2号	4歳以上児／3歳児	+4,800	+1,220	+10×加算率		−(⑥+⑦+⑧+⑨+⑪)×2/100	−(⑥+⑦+⑧+⑨+⑪)×3/100	−(⑥+⑦+⑧+⑨+⑪)×5/100	−(⑥+⑦+⑧+⑨+⑪)×6/100
		3号	1、2歳児／乳児								

地域区分①	定員区分②	認定区分③	年齢区分④	主幹教諭等の専任化により子育て支援の取り組みを実施していない場合⑳	年齢別配置基準を下回る場合㉑	配置基準上求められる職員資格を有しない場合㉒	定員を恒常的に超過する場合㉓
12/100地域	10人まで	2号	4歳以上児 3　歳　児	(13, 290 +130×加算率)	(46, 760 +460×加算率) ×人数	(30, 020 +300×加算率) ×人数	
		3号	1、2歳児 乳　　児				
	11人から20人まで	2号	4歳以上児 3　歳　児	(6, 640 +60×加算率)	(23, 380 +230×加算率) ×人数	(15, 010 +150×加算率) ×人数	
		3号	1、2歳児 乳　　児				
	21人から30人まで	2号	4歳以上児 3　歳　児	(4, 430 +40×加算率)	(15, 580 +150×加算率) ×人数	(10, 000 +100×加算率) ×人数	
		3号	1、2歳児 乳　　児				
	31人から40人まで	2号	4歳以上児 3　歳　児	(3, 320 +30×加算率)	(11, 690 +110×加算率) ×人数	(7, 500 +70×加算率) ×人数	
		3号	1、2歳児 乳　　児				
	41人から50人まで	2号	4歳以上児 3　歳　児	(2, 650 +20×加算率)	(9, 350 +90×加算率) ×人数	(6, 000 +60×加算率) ×人数	
		3号	1、2歳児 乳　　児				
	51人から60人まで	2号	4歳以上児 3　歳　児	(2, 210 +20×加算率)	(7, 790 +70×加算率) ×人数	(5, 000 +50×加算率) ×人数	
		3号	1、2歳児 乳　　児				
	61人から70人まで	2号	4歳以上児 3　歳　児	(1, 890 +10×加算率)	(6, 680 +60×加算率) ×人数	(4, 280 +40×加算率) ×人数	
		3号	1、2歳児 乳　　児				
	71人から80人まで	2号	4歳以上児 3　歳　児	(1, 660 +10×加算率)	(5, 840 +50×加算率) ×人数	(3, 750 +30×加算率) ×人数	
		3号	1、2歳児 乳　　児				
	81人から90人まで	2号	4歳以上児 3　歳　児	(1, 470 +10×加算率)	(5, 190 +50×加算率) ×人数	(3, 330 +30×加算率) ×人数	(⑥〜㉒（⑯を除く。）） ×別に定める調整率
		3号	1、2歳児 乳　　児				
	91人から100人まで	2号	4歳以上児 3　歳　児	(1, 330 +10×加算率)	(4, 670 +40×加算率) ×人数	(3, 000 +30×加算率) ×人数	
		3号	1、2歳児 乳　　児				
	101人から110人まで	2号	4歳以上児 3　歳　児	(1, 200 +10×加算率)	(4, 250 +40×加算率) ×人数	(2, 720 +20×加算率) ×人数	
		3号	1、2歳児 乳　　児				
	111人から120人まで	2号	4歳以上児 3　歳　児	(1, 100 +10×加算率)	(3, 890 +30×加算率) ×人数	(2, 500 +20×加算率) ×人数	
		3号	1、2歳児 乳　　児				
	121人から130人まで	2号	4歳以上児 3　歳　児	(1, 020 +10×加算率)	(3, 590 +30×加算率) ×人数	(2, 300 +20×加算率) ×人数	
		3号	1、2歳児 乳　　児				
	131人から140人まで	2号	4歳以上児 3　歳　児	(950 +10×加算率)	(3, 340 +30×加算率) ×人数	(2, 140 +20×加算率) ×人数	
		3号	1、2歳児 乳　　児				
	141人から150人まで	2号	4歳以上児 3　歳　児	(880 +9×加算率)	(3, 110 +30×加算率) ×人数	(2, 000 +20×加算率) ×人数	
		3号	1、2歳児 乳　　児				
	151人から160人まで	2号	4歳以上児 3　歳　児	(830 +8×加算率)	(2, 920 +20×加算率) ×人数	(1, 870 +10×加算率) ×人数	
		3号	1、2歳児 乳　　児				
	161人から170人まで	2号	4歳以上児 3　歳　児	(780 +8×加算率)	(2, 750 +20×加算率) ×人数	(1, 760 +10×加算率) ×人数	
		3号	1、2歳児 乳　　児				
	171人以上	2号	4歳以上児 3　歳　児	(730 +7×加算率)	(2, 590 +20×加算率) ×人数	(1, 660 +10×加算率) ×人数	
		3号	1、2歳児 乳　　児				

地域区分①	定員区分②	認定区分③	年齢区分④	保育標準時間認定 基本分単価（注1）⑥	保育短時間認定 基本分単価（注1）⑥		処遇改善等加算Ⅰ 保育標準時間認定（注1）⑦	処遇改善等加算Ⅰ 保育短時間認定（注1）⑦		3歳児配置改善加算 処遇改善等加算Ⅰ⑧
10/100 地域	10人まで	2号	4歳以上児	240,700 (248,360)	188,920 (196,580)	+	2,380 (2,450) ×加算率	1,860 (1,930) ×加算率	+	(7,660) + (70×加算率)
		2号	3 歳 児	248,360 (310,620)	196,580 (258,840)	+	2,450 (2,990) ×加算率	1,930 (2,470) ×加算率	+	7,660 + 70×加算率
		3号	1、2歳児	310,620 (387,310)	258,840 (335,530)	+	2,990 (3,760) ×加算率	2,470 (3,240) ×加算率		
			乳 児	387,310	335,530	+	3,760 ×加算率	3,240 ×加算率		
	11人から20人まで	2号	4歳以上児	130,530 (138,190)	104,640 (112,300)	+	1,280 (1,350) ×加算率	1,020 (1,090) ×加算率	+	(7,660) + (70×加算率)
		2号	3 歳 児	138,190 (200,450)	112,300 (174,560)	+	1,350 (1,880) ×加算率	1,090 (1,630) ×加算率	+	7,660 + 70×加算率
		3号	1、2歳児	200,450 (277,140)	174,560 (251,250)	+	1,880 (2,650) ×加算率	1,630 (2,400) ×加算率		
			乳 児	277,140	251,250	+	2,650 ×加算率	2,400 ×加算率		
	21人から30人まで	2号	4歳以上児	93,690 (101,350)	76,430 (84,090)	+	910 (980) ×加算率	740 (810) ×加算率	+	(7,660) + (70×加算率)
		2号	3 歳 児	101,350 (163,610)	84,090 (146,350)	+	980 (1,520) ×加算率	810 (1,340) ×加算率	+	7,660 + 70×加算率
		3号	1、2歳児	163,610 (240,300)	146,350 (223,040)	+	1,520 (2,290) ×加算率	1,340 (2,110) ×加算率		
			乳 児	240,300	223,040	+	2,290 ×加算率	2,110 ×加算率		
	31人から40人まで	2号	4歳以上児	75,560 (83,220)	62,610 (70,270)	+	730 (800) ×加算率	600 (670) ×加算率	+	(7,660) + (70×加算率)
		2号	3 歳 児	83,220 (145,480)	70,270 (132,530)	+	800 (1,330) ×加算率	670 (1,210) ×加算率	+	7,660 + 70×加算率
		3号	1、2歳児	145,480 (222,170)	132,530 (209,220)	+	1,330 (2,100) ×加算率	1,210 (1,980) ×加算率		
			乳 児	222,170	209,220	+	2,100 ×加算率	1,980 ×加算率		
	41人から50人まで	2号	4歳以上児	70,410 (78,070)	60,060 (67,720)	+	680 (750) ×加算率	580 (650) ×加算率	+	(7,660) + (70×加算率)
		2号	3 歳 児	78,070 (140,330)	67,720 (129,980)	+	750 (1,280) ×加算率	650 (1,180) ×加算率	+	7,660 + 70×加算率
		3号	1、2歳児	140,330 (217,020)	129,980 (206,670)	+	1,280 (2,050) ×加算率	1,180 (1,950) ×加算率		
			乳 児	217,020	206,670	+	2,050 ×加算率	1,950 ×加算率		
	51人から60人まで	2号	4歳以上児	61,580 (69,240)	52,950 (60,610)	+	590 (660) ×加算率	510 (580) ×加算率	+	(7,660) + (70×加算率)
		2号	3 歳 児	69,240 (131,500)	60,610 (122,870)	+	660 (1,190) ×加算率	580 (1,110) ×加算率	+	7,660 + 70×加算率
		3号	1、2歳児	131,500 (208,190)	122,870 (199,560)	+	1,190 (1,960) ×加算率	1,110 (1,880) ×加算率		
			乳 児	208,190	199,560	+	1,960 ×加算率	1,880 ×加算率		
	61人から70人まで	2号	4歳以上児	55,350 (63,010)	47,950 (55,610)	+	530 (600) ×加算率	460 (530) ×加算率	+	(7,660) + (70×加算率)
		2号	3 歳 児	63,010 (125,270)	55,610 (117,870)	+	600 (1,130) ×加算率	530 (1,060) ×加算率	+	7,660 + 70×加算率
		3号	1、2歳児	125,270 (201,960)	117,870 (194,560)	+	1,130 (1,900) ×加算率	1,060 (1,830) ×加算率		
			乳 児	201,960	194,560	+	1,900 ×加算率	1,830 ×加算率		
	71人から80人まで	2号	4歳以上児	50,730 (58,390)	44,260 (51,920)	+	480 (550) ×加算率	420 (490) ×加算率	+	(7,660) + (70×加算率)
		2号	3 歳 児	58,390 (120,650)	51,920 (114,180)	+	550 (1,090) ×加算率	490 (1,020) ×加算率	+	7,660 + 70×加算率
		3号	1、2歳児	120,650 (197,340)	114,180 (190,870)	+	1,090 (1,860) ×加算率	1,020 (1,790) ×加算率		
			乳 児	197,340	190,870	+	1,860 ×加算率	1,790 ×加算率		
	81人から90人まで	2号	4歳以上児	47,090 (54,750)	41,340 (49,000)	+	450 (520) ×加算率	390 (460) ×加算率	+	(7,660) + (70×加算率)
		2号	3 歳 児	54,750 (117,010)	49,000 (111,260)	+	520 (1,050) ×加算率	460 (990) ×加算率	+	7,660 + 70×加算率
		3号	1、2歳児	117,010 (193,700)	111,260 (187,950)	+	1,050 (1,820) ×加算率	990 (1,760) ×加算率		
			乳 児	193,700	187,950	+	1,820 ×加算率	1,760 ×加算率		
	91人から100人まで	2号	4歳以上児	40,800 (48,460)	35,620 (43,280)	+	380 (450) ×加算率	330 (400) ×加算率	+	(7,660) + (70×加算率)
		2号	3 歳 児	48,460 (110,720)	43,280 (105,540)	+	450 (990) ×加算率	400 (940) ×加算率	+	7,660 + 70×加算率
		3号	1、2歳児	110,720 (187,410)	105,540 (182,230)	+	990 (1,760) ×加算率	940 (1,710) ×加算率		
			乳 児	187,410	182,230	+	1,760 ×加算率	1,710 ×加算率		
	101人から110人まで	2号	4歳以上児	38,770 (46,430)	34,060 (41,720)	+	360 (430) ×加算率	320 (390) ×加算率	+	(7,660) + (70×加算率)
		2号	3 歳 児	46,430 (108,690)	41,720 (103,980)	+	430 (970) ×加算率	390 (920) ×加算率	+	7,660 + 70×加算率
		3号	1、2歳児	108,690 (185,380)	103,980 (180,670)	+	970 (1,740) ×加算率	920 (1,690) ×加算率		
			乳 児	185,380	180,670	+	1,740 ×加算率	1,690 ×加算率		
	111人から120人まで	2号	4歳以上児	37,030 (44,690)	32,720 (40,380)	+	350 (420) ×加算率	300 (370) ×加算率	+	(7,660) + (70×加算率)
		2号	3 歳 児	44,690 (106,950)	40,380 (102,640)	+	420 (950) ×加算率	370 (910) ×加算率	+	7,660 + 70×加算率
		3号	1、2歳児	106,950 (183,640)	102,640 (179,330)	+	950 (1,720) ×加算率	910 (1,680) ×加算率		
			乳 児	183,640	179,330	+	1,720 ×加算率	1,680 ×加算率		
	121人から130人まで	2号	4歳以上児	35,570 (43,230)	31,580 (39,240)	+	330 (400) ×加算率	290 (360) ×加算率	+	(7,660) + (70×加算率)
		2号	3 歳 児	43,230 (105,490)	39,240 (101,500)	+	400 (930) ×加算率	360 (890) ×加算率	+	7,660 + 70×加算率
		3号	1、2歳児	105,490 (182,180)	101,500 (178,190)	+	930 (1,700) ×加算率	890 (1,660) ×加算率		
			乳 児	182,180	178,190	+	1,700 ×加算率	1,660 ×加算率		
	131人から140人まで	2号	4歳以上児	34,340 (42,000)	30,640 (38,300)	+	320 (390) ×加算率	280 (350) ×加算率	+	(7,660) + (70×加算率)
		2号	3 歳 児	42,000 (104,260)	38,300 (100,560)	+	390 (920) ×加算率	350 (890) ×加算率	+	7,660 + 70×加算率
		3号	1、2歳児	104,260 (180,950)	100,560 (177,250)	+	920 (1,690) ×加算率	890 (1,660) ×加算率		
			乳 児	180,950	177,250	+	1,690 ×加算率	1,660 ×加算率		
	141人から150人まで	2号	4歳以上児	33,260 (40,920)	29,810 (37,470)	+	310 (380) ×加算率	270 (340) ×加算率	+	(7,660) + (70×加算率)
		2号	3 歳 児	40,920 (103,180)	37,470 (99,730)	+	380 (910) ×加算率	340 (880) ×加算率	+	7,660 + 70×加算率
		3号	1、2歳児	103,180 (179,870)	99,730 (176,420)	+	910 (1,680) ×加算率	880 (1,650) ×加算率		
			乳 児	179,870	176,420	+	1,680 ×加算率	1,650 ×加算率		
	151人から160人まで	2号	4歳以上児	33,210 (40,870)	29,970 (37,630)	+	310 (380) ×加算率	280 (350) ×加算率	+	(7,660) + (70×加算率)
		2号	3 歳 児	40,870 (103,130)	37,630 (99,890)	+	380 (910) ×加算率	350 (880) ×加算率	+	7,660 + 70×加算率
		3号	1、2歳児	103,130 (179,820)	99,890 (176,580)	+	910 (1,680) ×加算率	880 (1,650) ×加算率		
			乳 児	179,820	176,580	+	1,680 ×加算率	1,650 ×加算率		
	161人から170人まで	2号	4歳以上児	32,340 (40,000)	29,290 (36,950)	+	300 (370) ×加算率	270 (340) ×加算率	+	(7,660) + (70×加算率)
		2号	3 歳 児	40,000 (102,260)	36,950 (99,210)	+	370 (900) ×加算率	340 (870) ×加算率	+	7,660 + 70×加算率
		3号	1、2歳児	102,260 (178,950)	99,210 (175,900)	+	900 (1,670) ×加算率	870 (1,640) ×加算率		
			乳 児	178,950	175,900	+	1,670 ×加算率	1,640 ×加算率		
	171人以上	2号	4歳以上児	31,550 (39,210)	28,670 (36,330)	+	290 (360) ×加算率	260 (330) ×加算率	+	(7,660) + (70×加算率)
		2号	3 歳 児	39,210 (101,470)	36,330 (98,590)	+	360 (890) ×加算率	330 (870) ×加算率	+	7,660 + 70×加算率
		3号	1、2歳児	101,470 (178,160)	98,590 (175,280)	+	890 (1,660) ×加算率	870 (1,640) ×加算率		
			乳 児	178,160	175,280	+	1,660 ×加算率	1,640 ×加算率		

地域区分①	定員区分②	認定区分③	年齢区分④	4歳以上児配置改善加算　処遇改善等加算Ⅰ⑨		夜間保育加算　(注1)⑪		処遇改善等加算Ⅰ
	10人まで	2号	4歳以上児 / 3歳児	+ 3,060	+ [30×加算率]	+ 54,720	52,890	+ 470×加算率
		3号	乳児			+ 52,890		
	11人から20人まで	2号	4歳以上児 / 3歳児	+ 3,060	+ [30×加算率]	+ 31,010	29,180	+ 230×加算率
		3号	1、2歳児 / 乳児			+ 29,180		
	21人から30人まで	2号	4歳以上児 / 3歳児	+ 3,060	+ [30×加算率]	+ 23,110	21,280	+ 150×加算率
		3号	1、2歳児 / 乳児			+ 21,280		
	31人から40人まで	2号	4歳以上児 / 3歳児	+ 3,060	+ [30×加算率]	+ 19,160	17,330	+ 110×加算率
		3号	1、2歳児 / 乳児			+ 17,330		
	41人から50人まで	2号	4歳以上児 / 3歳児	+ 3,060	+ [30×加算率]	+ 16,790	14,960	+ 90×加算率
		3号	1、2歳児 / 乳児			+ 14,960		
	51人から60人まで	2号	4歳以上児 / 3歳児	+ 3,060	+ [30×加算率]	+ 15,210	13,380	+ 70×加算率
		3号	1、2歳児 / 乳児			+ 13,380		
	61人から70人まで	2号	4歳以上児 / 3歳児	+ 3,060	+ [30×加算率]	+ 14,080	12,250	+ 60×加算率
		3号	1、2歳児 / 乳児			+ 12,250		
	71人から80人まで	2号	4歳以上児 / 3歳児	+ 3,060	+ [30×加算率]	+ 13,230	11,400	+ 50×加算率
		3号	1、2歳児 / 乳児			+ 11,400		
10/100 地域	81人から90人まで	2号	4歳以上児 / 3歳児	+ 3,060	+ [30×加算率]	+ 12,570	10,740	+ 50×加算率
		3号	1、2歳児 / 乳児			+ 10,740		
	91人から100人まで	2号	4歳以上児 / 3歳児	+ 3,060	+ [30×加算率]			
		3号	1、2歳児 / 乳児					
	101人から110人まで	2号	4歳以上児 / 3歳児	+ 3,060	+ [30×加算率]			
		3号	1、2歳児 / 乳児					
	111人から120人まで	2号	4歳以上児 / 3歳児	+ 3,060	+ [30×加算率]			
		3号	1、2歳児 / 乳児					
	121人から130人まで	2号	4歳以上児 / 3歳児	+ 3,060	+ [30×加算率]			
		3号	1、2歳児 / 乳児					
	131人から140人まで	2号	4歳以上児 / 3歳児	+ 3,060	+ [30×加算率]			
		3号	1、2歳児 / 乳児					
	141人から150人まで	2号	4歳以上児 / 3歳児	+ 3,060	+ [30×加算率]			
		3号	1、2歳児 / 乳児					
	151人から160人まで	2号	4歳以上児 / 3歳児	+ 3,060	+ [30×加算率]			
		3号	1、2歳児 / 乳児					
	161人から170人まで	2号	4歳以上児 / 3歳児	+ 3,060	+ [30×加算率]			
		3号	1、2歳児 / 乳児					
	171人以上	2号	4歳以上児 / 3歳児	+ 3,060	+ [30×加算率]			
		3号	1、2歳児 / 乳児					

休日保育加算⑩　処遇改善等加算Ⅰ

各月初日の利用子ども数 ÷

休日保育の年間延べ利用子ども数	休日保育の年間延べ利用子ども数
～ 210人　262,600	～ 210人　2,620×加算率
211人～ 279人　281,200	211人～ 279人　2,810×加算率
280人～ 349人　318,600	280人～ 349人　3,180×加算率
350人～ 419人　355,900	350人～ 419人　3,550×加算率
420人～ 489人　393,200	420人～ 489人　3,930×加算率
490人～ 559人　430,600	490人～ 559人　4,300×加算率
560人～ 629人　467,900	560人～ 629人　4,670×加算率
630人～ 699人　505,200	630人～ 699人　5,050×加算率
700人～ 769人　542,600	700人～ 769人　5,420×加算率
770人～ 839人　579,900	770人～ 839人　5,790×加算率
840人～ 909人　617,200	840人～ 909人　6,170×加算率
910人～ 979人　654,600	910人～ 979人　6,540×加算率
980人～1,049人　691,900	980人～1,049人　6,910×加算率
1,050人～　729,200	1,050人～　7,290×加算率

チーム保育加配加算・減価償却費加算・賃借料加算・外部監査費加算

地域区分① ＝ 10/100地域

チーム保育加配加算 ※1号・2号の利用定員合計に応じて2号利用子どもの単価に加算

定員区分②	認定区分③	年齢区分④	チーム保育加配加算 基本⑫	処遇改善等加算Ⅰ	減価償却費加算 認可標準⑬	認可都市部	機能標準	機能都市部	賃借料 地域	賃借 認可標準⑭	認可都市部	機能標準	機能都市部
10人まで	2号	4歳以上児	～15人 31,640×加配人数	310×加算率×加配人数	17,100	18,800	11,900	11,900	a地域	31,600	35,200	22,100	22,100
		3歳児							b地域	17,400	19,400	12,200	12,200
	3号	1、2歳児							c地域	15,200	16,900	10,600	10,600
		乳児							d地域	13,600	15,100	9,500	9,500
11人から20人まで	2号	4歳以上児	16人～25人 18,980×加配人数	180×加算率×加配人数	8,500	9,400	5,900	5,900	a地域	15,800	17,600	11,000	11,000
		3歳児							b地域	8,700	9,700	6,100	6,100
	3号	1、2歳児							c地域	7,600	8,400	5,300	5,300
		乳児							d地域	6,800	7,500	4,700	4,700
21人から30人まで	2号	4歳以上児	26人～35人 13,560×加配人数	130×加算率×加配人数	5,900	6,500	4,100	4,100	a地域	10,900	12,200	7,600	7,600
		3歳児							b地域	6,000	6,700	4,200	4,200
	3号	1、2歳児							c地域	5,200	5,800	3,600	3,600
		乳児							d地域	4,700	5,200	3,300	3,300
31人から40人まで	2号	4歳以上児	36人～45人 10,540×加配人数	100×加算率×加配人数	5,200	5,700	3,600	3,600	a地域	9,800	10,900	6,800	6,800
		3歳児							b地域	5,400	6,000	3,700	3,700
	3号	1、2歳児							c地域	4,700	5,200	3,300	3,300
		乳児							d地域	4,200	4,600	2,900	2,900
41人から50人まで	2号	4歳以上児	46人～60人 7,910×加配人数	70×加算率×加配人数	4,700	5,200	3,300	3,300	a地域	8,800	9,800	6,100	6,100
		3歳児							b地域	5,000	5,400	3,400	3,400
	3号	1、2歳児							c地域	4,200	4,700	2,900	2,900
		乳児							d地域	3,800	4,200	2,600	2,600
51人から60人まで	2号	4歳以上児	61人～75人 6,320×加配人数	60×加算率×加配人数	3,900	4,300	2,700	2,700	a地域	7,200	8,100	5,100	5,100
		3歳児							b地域	4,000	4,400	2,800	2,800
	3号	1、2歳児							c地域	3,500	3,800	2,400	2,400
		乳児							d地域	3,100	3,400	2,100	2,100
61人から70人まで	2号	4歳以上児	76人～90人 5,270×加配人数	50×加算率×加配人数	3,300	3,700	2,300	2,300	a地域	6,300	7,100	4,400	4,400
		3歳児							b地域	3,500	3,900	2,400	2,400
	3号	1、2歳児							c地域	3,000	3,400	2,100	2,100
		乳児							d地域	2,700	3,000	1,900	1,900
71人から80人まで	2号	4歳以上児	91人～105人 4,520×加配人数	40×加算率×加配人数	3,800	4,200	2,700	2,700	a地域	7,100	7,900	4,900	4,900
		3歳児							b地域	3,900	4,300	2,700	2,700
	3号	1、2歳児							c地域	3,400	3,800	2,300	2,300
		乳児							d地域	3,000	3,400	2,100	2,100
81人から90人まで	2号	4歳以上児	106人～120人 3,950×加配人数	30×加算率×加配人数	3,400	3,800	2,400	2,400	a地域	6,300	7,100	4,400	4,400
		3歳児							b地域	3,500	3,900	2,400	2,400
	3号	1、2歳児							c地域	3,000	3,400	2,100	2,100
		乳児							d地域	2,700	3,000	1,900	1,900
91人から100人まで	2号	4歳以上児	121人～135人 3,510×加配人数	30×加算率×加配人数	3,000	3,400	2,100	2,100	a地域	5,500	6,200	3,900	3,900
		3歳児							b地域	3,000	3,400	2,100	2,100
	3号	1、2歳児							c地域	2,600	2,900	1,800	1,800
		乳児							d地域	2,400	2,600	1,600	1,600
101人から110人まで	2号	4歳以上児	136人～150人 3,160×加配人数	30×加算率×加配人数	3,300	3,700	2,300	2,300	a地域	6,100	6,800	4,200	4,200
		3歳児							b地域	3,300	3,700	2,300	2,300
	3号	1、2歳児							c地域	2,900	3,200	2,000	2,000
		乳児							d地域	2,600	2,900	1,800	1,800
111人から120人まで	2号	4歳以上児	151人～180人 2,630×加配人数	20×加算率×加配人数	3,000	3,400	2,100	2,100	a地域	5,500	6,200	3,900	3,900
		3歳児							b地域	3,000	3,400	2,100	2,100
	3号	1、2歳児							c地域	2,600	2,900	1,800	1,800
		乳児							d地域	2,400	2,600	1,600	1,600
121人から130人まで	2号	4歳以上児	181人～210人 2,260×加配人数	20×加算率×加配人数	2,800	3,100	2,000	2,000	a地域	5,100	5,700	3,500	3,500
		3歳児							b地域	2,800	3,100	1,900	1,900
	3号	1、2歳児							c地域	2,400	2,700	1,700	1,700
		乳児							d地域	2,200	2,400	1,500	1,500
131人から140人まで	2号	4歳以上児	211人～240人 1,970×加配人数	10×加算率×加配人数	3,000	3,300	2,100	2,100	a地域	5,500	6,200	3,900	3,900
		3歳児							b地域	3,000	3,400	2,100	2,100
	3号	1、2歳児							c地域	2,600	2,900	1,800	1,800
		乳児							d地域	2,400	2,600	1,600	1,600
141人から150人まで	2号	4歳以上児	241人～270人 1,750×加配人数	10×加算率×加配人数	2,800	3,100	2,000	2,000	a地域	5,400	6,000	3,700	3,700
		3歳児							b地域	2,900	3,300	2,000	2,000
	3号	1、2歳児							c地域	2,500	2,800	1,800	1,800
		乳児							d地域	2,300	2,500	1,600	1,600
151人から160人まで	2号	4歳以上児	271人～300人 1,580×加配人数	10×加算率×加配人数	2,600	2,900	1,800	1,800	a地域	4,800	5,400	3,400	3,400
		3歳児							b地域	2,600	2,900	1,800	1,800
	3号	1、2歳児							c地域	2,300	2,500	1,600	1,600
		乳児							d地域	2,000	2,300	1,400	1,400
161人から170人まで	2号	4歳以上児	301人～ 1,430×加配人数	10×加算率×加配人数	2,800	3,100	2,000	2,000	a地域	5,400	6,000	3,700	3,700
		3歳児							b地域	2,900	3,300	2,000	2,000
	3号	1、2歳児							c地域	2,500	2,800	1,800	1,800
		乳児							d地域	2,300	2,500	1,600	1,600
171人以上	2号	4歳以上児			2,700	2,900	1,900	1,900	a地域	4,800	5,400	3,400	3,400
		3歳児							b地域	2,600	2,900	1,800	1,800
	3号	1、2歳児							c地域	2,300	2,500	1,600	1,600
		乳児							d地域	2,000	2,300	1,400	1,400

外部監査費加算⑮（認定こども園全体の利用定員）

利用定員	加算額
～15人	27,330
16人～25人	16,800
26人～35人	12,280
36人～45人	9,770
46人～60人	7,500
61人～75人	6,130
76人～90人	5,220
91人～105人	4,660
106人～120人	4,250
121人～135人	3,920
136人～150人	3,660
151人～180人	3,160
181人～210人	2,810
211人～240人	2,540
241人～270人	2,440
271人～300人	2,360
301人～	2,150

※3月分の単価に加算

地域区分 ①	定員区分 ②	認定区分 ③	年齢区分 ④	副食費徴収免除加算 ⑯ ※副食費の徴収が免除される子どもの単価に加算	1号認定こどもの利用定員を設定しない場合（処遇改善等加算Ⅰ ⑰）	分園の場合 ⑱	土曜日に閉所する場合 ⑲ 月に1日土曜日を閉所する場合	月に2日土曜日を閉所する場合	月に3日以上土曜日を閉所する場合	全ての土曜日を閉所する場合
10/100 地域	10人まで	2号	4歳以上児／3歳児	+ 4,800	+ 21,920 + 210×加算率		(⑥+⑦+⑧+⑨+⑪) × 1/100	(⑥+⑦+⑧+⑨+⑪) × 2/100	(⑥+⑦+⑧+⑨+⑪) × 4/100	(⑥+⑦+⑧+⑨+⑪) × 5/100
		3号	1、2歳児／乳児							
	11人から20人まで	2号	4歳以上児／3歳児	+ 4,800	+ 10,950 + 100×加算率		(⑥+⑦+⑧+⑨+⑪) × 1/100	(⑥+⑦+⑧+⑨+⑪) × 3/100	(⑥+⑦+⑧+⑨+⑪) × 4/100	(⑥+⑦+⑧+⑨+⑪) × 5/100
		3号	1、2歳児／乳児							
	21人から30人まで	2号	4歳以上児／3歳児	+ 4,800	+ 7,300 + 70×加算率		(⑥+⑦+⑧+⑨+⑪) × 1/100	(⑥+⑦+⑧+⑨+⑪) × 3/100	(⑥+⑦+⑧+⑨+⑪) × 4/100	(⑥+⑦+⑧+⑨+⑪) × 5/100
		3号	1、2歳児／乳児							
	31人から40人まで	2号	4歳以上児／3歳児	+ 4,800	+ 5,480 + 50×加算率		(⑥+⑦+⑧+⑨+⑪) × 1/100	(⑥+⑦+⑧+⑨+⑪) × 3/100	(⑥+⑦+⑧+⑨+⑪) × 4/100	(⑥+⑦+⑧+⑨+⑪) × 5/100
		3号	1、2歳児／乳児							
	41人から50人まで	2号	4歳以上児／3歳児	+ 4,800	+ 4,380 + 40×加算率		(⑥+⑦+⑧+⑨+⑪) × 1/100	(⑥+⑦+⑧+⑨+⑪) × 3/100	(⑥+⑦+⑧+⑨+⑪) × 4/100	(⑥+⑦+⑧+⑨+⑪) × 5/100
		3号	1、2歳児／乳児							
	51人から60人まで	2号	4歳以上児／3歳児	+ 4,800	+ 3,650 + 30×加算率		(⑥+⑦+⑧+⑨+⑪) × 1/100	(⑥+⑦+⑧+⑨+⑪) × 3/100	(⑥+⑦+⑧+⑨+⑪) × 4/100	(⑥+⑦+⑧+⑨+⑪) × 6/100
		3号	1、2歳児／乳児							
	61人から70人まで	2号	4歳以上児／3歳児	+ 4,800	+ 3,130 + 30×加算率		(⑥+⑦+⑧+⑨+⑪) × 1/100	(⑥+⑦+⑧+⑨+⑪) × 3/100	(⑥+⑦+⑧+⑨+⑪) × 4/100	(⑥+⑦+⑧+⑨+⑪) × 6/100
		3号	1、2歳児／乳児							
	71人から80人まで	2号	4歳以上児／3歳児	+ 4,800	+ 2,740 + 20×加算率		(⑥+⑦+⑧+⑨+⑪) × 2/100	(⑥+⑦+⑧+⑨+⑪) × 3/100	(⑥+⑦+⑧+⑨+⑪) × 5/100	(⑥+⑦+⑧+⑨+⑪) × 6/100
		3号	1、2歳児／乳児							
	81人から90人まで	2号	4歳以上児／3歳児	+ 4,800	+ 2,430 + 20×加算率		(⑥+⑦+⑧+⑨+⑪) × 2/100	(⑥+⑦+⑧+⑨+⑪) × 3/100	(⑥+⑦+⑧+⑨+⑪) × 5/100	(⑥+⑦+⑧+⑨+⑪) × 6/100
		3号	1、2歳児／乳児			(⑥+⑦) × 10/100				
	91人から100人まで	2号	4歳以上児／3歳児	+ 4,800	+ 2,190 + 20×加算率		(⑥+⑦+⑧+⑨+⑪) × 2/100	(⑥+⑦+⑧+⑨+⑪) × 3/100	(⑥+⑦+⑧+⑨+⑪) × 5/100	(⑥+⑦+⑧+⑨+⑪) × 6/100
		3号	1、2歳児／乳児							
	101人から110人まで	2号	4歳以上児／3歳児	+ 4,800	+ 1,990 + 10×加算率		(⑥+⑦+⑧+⑨+⑪) × 2/100	(⑥+⑦+⑧+⑨+⑪) × 3/100	(⑥+⑦+⑧+⑨+⑪) × 5/100	(⑥+⑦+⑧+⑨+⑪) × 6/100
		3号	1、2歳児／乳児							
	111人から120人まで	2号	4歳以上児／3歳児	+ 4,800	+ 1,830 + 10×加算率		(⑥+⑦+⑧+⑨+⑪) × 2/100	(⑥+⑦+⑧+⑨+⑪) × 3/100	(⑥+⑦+⑧+⑨+⑪) × 5/100	(⑥+⑦+⑧+⑨+⑪) × 6/100
		3号	1、2歳児／乳児							
	121人から130人まで	2号	4歳以上児／3歳児	+ 4,800	+ 1,680 + 10×加算率		(⑥+⑦+⑧+⑨+⑪) × 2/100	(⑥+⑦+⑧+⑨+⑪) × 3/100	(⑥+⑦+⑧+⑨+⑪) × 5/100	(⑥+⑦+⑧+⑨+⑪) × 6/100
		3号	1、2歳児／乳児							
	131人から140人まで	2号	4歳以上児／3歳児	+ 4,800	+ 1,570 + 10×加算率		(⑥+⑦+⑧+⑨+⑪) × 2/100	(⑥+⑦+⑧+⑨+⑪) × 3/100	(⑥+⑦+⑧+⑨+⑪) × 5/100	(⑥+⑦+⑧+⑨+⑪) × 6/100
		3号	1、2歳児／乳児							
	141人から150人まで	2号	4歳以上児／3歳児	+ 4,800	+ 1,460 + 10×加算率		(⑥+⑦+⑧+⑨+⑪) × 2/100	(⑥+⑦+⑧+⑨+⑪) × 3/100	(⑥+⑦+⑧+⑨+⑪) × 5/100	(⑥+⑦+⑧+⑨+⑪) × 6/100
		3号	1、2歳児／乳児							
	151人から160人まで	2号	4歳以上児／3歳児	+ 4,800	+ 1,370 + 10×加算率		(⑥+⑦+⑧+⑨+⑪) × 2/100	(⑥+⑦+⑧+⑨+⑪) × 3/100	(⑥+⑦+⑧+⑨+⑪) × 5/100	(⑥+⑦+⑧+⑨+⑪) × 6/100
		3号	1、2歳児／乳児							
	161人から170人まで	2号	4歳以上児／3歳児	+ 4,800	+ 1,290 + 10×加算率		(⑥+⑦+⑧+⑨+⑪) × 2/100	(⑥+⑦+⑧+⑨+⑪) × 3/100	(⑥+⑦+⑧+⑨+⑪) × 5/100	(⑥+⑦+⑧+⑨+⑪) × 6/100
		3号	1、2歳児／乳児							
	171人以上	2号	4歳以上児／3歳児	+ 4,800	+ 1,210 + 10×加算率		(⑥+⑦+⑧+⑨+⑪) × 2/100	(⑥+⑦+⑧+⑨+⑪) × 3/100	(⑥+⑦+⑧+⑨+⑪) × 5/100	(⑥+⑦+⑧+⑨+⑪) × 6/100
		3号	1、2歳児／乳児							

地域区分①	定員区分②	認定区分③	年齢区分④	主幹教諭等の専任化により子育て支援の取り組みを実施していない場合⑳	年齢別配置基準を下回る場合㉑	配置基準上求められる職員資格を有しない場合㉒	定員を恒常的に超過する場合㉓
10/100地域	10人まで	2号	4歳以上児 / 3歳児	−(13,290 +130×加算率)	−(46,010 +460×加算率)×人数	−(29,270 +290×加算率)×人数	
		3号	1、2歳児 / 乳児				
	11人から20人まで	2号	4歳以上児 / 3歳児	−(6,640 +60×加算率)	−(23,000 +230×加算率)×人数	−(14,630 +140×加算率)×人数	
		3号	1、2歳児 / 乳児				
	21人から30人まで	2号	4歳以上児 / 3歳児	−(4,430 +40×加算率)	−(15,330 +150×加算率)×人数	−(9,750 +90×加算率)×人数	
		3号	1、2歳児 / 乳児				
	31人から40人まで	2号	4歳以上児 / 3歳児	−(3,320 +30×加算率)	−(11,500 +110×加算率)×人数	−(7,310 +70×加算率)×人数	
		3号	1、2歳児 / 乳児				
	41人から50人まで	2号	4歳以上児 / 3歳児	−(2,650 +20×加算率)	−(9,200 +90×加算率)×人数	−(5,850 +50×加算率)×人数	
		3号	1、2歳児 / 乳児				
	51人から60人まで	2号	4歳以上児 / 3歳児	−(2,210 +20×加算率)	−(7,660 +70×加算率)×人数	−(4,870 +40×加算率)×人数	
		3号	1、2歳児 / 乳児				
	61人から70人まで	2号	4歳以上児 / 3歳児	−(1,890 +10×加算率)	−(6,570 +60×加算率)×人数	−(4,180 +40×加算率)×人数	
		3号	1、2歳児 / 乳児				
	71人から80人まで	2号	4歳以上児 / 3歳児	−(1,660 +10×加算率)	−(5,750 +50×加算率)×人数	−(3,650 +30×加算率)×人数	
		3号	1、2歳児 / 乳児				
	81人から90人まで	2号	4歳以上児 / 3歳児	−(1,470 +10×加算率)	−(5,110 +50×加算率)×人数	−(3,250 +30×加算率)×人数	(⑤〜㉒（⑯を除く。）) ×別に定める調整率
		3号	1、2歳児 / 乳児				
	91人から100人まで	2号	4歳以上児 / 3歳児	−(1,330 +10×加算率)	−(4,600 +40×加算率)×人数	−(2,920 +20×加算率)×人数	
		3号	1、2歳児 / 乳児				
	101人から110人まで	2号	4歳以上児 / 3歳児	−(1,200 +10×加算率)	−(4,180 +40×加算率)×人数	−(2,660 +20×加算率)×人数	
		3号	1、2歳児 / 乳児				
	111人から120人まで	2号	4歳以上児 / 3歳児	−(1,100 +10×加算率)	−(3,830 +30×加算率)×人数	−(2,430 +20×加算率)×人数	
		3号	1、2歳児 / 乳児				
	121人から130人まで	2号	4歳以上児 / 3歳児	−(1,020 +10×加算率)	−(3,540 +30×加算率)×人数	−(2,250 +20×加算率)×人数	
		3号	1、2歳児 / 乳児				
	131人から140人まで	2号	4歳以上児 / 3歳児	−(950 +10×加算率)	−(3,280 +30×加算率)×人数	−(2,090 +20×加算率)×人数	
		3号	1、2歳児 / 乳児				
	141人から150人まで	2号	4歳以上児 / 3歳児	−(880 +9×加算率)	−(3,060 +30×加算率)×人数	−(1,950 +20×加算率)×人数	
		3号	1、2歳児 / 乳児				
	151人から160人まで	2号	4歳以上児 / 3歳児	−(830 +8×加算率)	−(2,870 +20×加算率)×人数	−(1,830 +10×加算率)×人数	
		3号	1、2歳児 / 乳児				
	161人から170人まで	2号	4歳以上児 / 3歳児	−(780 +8×加算率)	−(2,700 +20×加算率)×人数	−(1,720 +10×加算率)×人数	
		3号	1、2歳児 / 乳児				
	171人以上	2号	4歳以上児 / 3歳児	−(730 +7×加算率)	−(2,550 +20×加算率)×人数	−(1,620 +10×加算率)×人数	
		3号	1、2歳児 / 乳児				

地域区分 ①	定員区分 ②	認定区分 ③	年齢区分 ④	保育必要量区分 ⑤ 保育標準時間認定 基本分単価（注1）⑥	保育必要量区分 ⑤ 保育短時間認定 基本分単価（注1）⑥	処遇改善等加算Ⅰ 保育標準時間認定（注1）⑦	処遇改善等加算Ⅰ 保育短時間認定（注1）⑦	3歳児配置改善加算 処遇改善等加算Ⅰ ⑧
6/100地域	10人まで	2号	4歳以上児	234,180 (241,600)	183,900 (191,320) +	2,320 (2,390) ×加算率	1,810 (1,880) ×加算率 +	(7,420) (70×加算率)
			3歳児	241,600 (302,100)	191,320 (251,820) +	2,390 (2,900) ×加算率	1,880 (2,400) ×加算率	7,420 70×加算率
		3号	1、2歳児	302,100 (376,300)	251,820 (326,020) +	2,900 (3,640) ×加算率	2,400 (3,140) ×加算率	
			乳児	376,300	326,020 +	3,640 ×加算率	3,140 ×加算率	
	11人から20人まで	2号	4歳以上児	126,970 (134,390)	101,830 (109,250) +	1,250 (1,320) ×加算率	990 (1,060) ×加算率 +	(7,420) (70×加算率)
			3歳児	134,390 (194,890)	109,250 (169,750) +	1,320 (1,830) ×加算率	1,060 (1,580) ×加算率	7,420 70×加算率
		3号	1、2歳児	194,890 (269,090)	169,750 (243,950) +	1,830 (2,570) ×加算率	1,580 (2,320) ×加算率	
			乳児	269,090	243,950 +	2,570 ×加算率	2,320 ×加算率	
	21人から30人まで	2号	4歳以上児	91,130 (98,550)	74,370 (81,790) +	890 (960) ×加算率	720 (790) ×加算率 +	(7,420) (70×加算率)
			3歳児	98,550 (159,050)	81,790 (142,290) +	960 (1,470) ×加算率	790 (1,300) ×加算率	7,420 70×加算率
		3号	1、2歳児	159,050 (233,250)	142,290 (216,490) +	1,470 (2,210) ×加算率	1,300 (2,040) ×加算率	
			乳児	233,250	216,490 +	2,210 ×加算率	2,040 ×加算率	
	31人から40人まで	2号	4歳以上児	73,450 (80,870)	60,880 (68,300) +	710 (780) ×加算率	580 (650) ×加算率 +	(7,420) (70×加算率)
			3歳児	80,870 (141,370)	68,300 (128,800) +	780 (1,290) ×加算率	650 (1,170) ×加算率	7,420 70×加算率
		3号	1、2歳児	141,370 (215,570)	128,800 (203,000) +	1,290 (2,030) ×加算率	1,170 (1,910) ×加算率	
			乳児	215,570	203,000 +	2,030 ×加算率	1,910 ×加算率	
	41人から50人まで	2号	4歳以上児	68,420 (75,840)	58,360 (65,780) +	660 (730) ×加算率	560 (630) ×加算率 +	(7,420) (70×加算率)
			3歳児	75,840 (136,340)	65,780 (126,280) +	730 (1,240) ×加算率	630 (1,140) ×加算率	7,420 70×加算率
		3号	1、2歳児	136,340 (210,540)	126,280 (200,480) +	1,240 (1,980) ×加算率	1,140 (1,880) ×加算率	
			乳児	210,540	200,480 +	1,980 ×加算率	1,880 ×加算率	
	51人から60人まで	2号	4歳以上児	59,840 (67,260)	51,460 (58,880) +	570 (640) ×加算率	490 (560) ×加算率 +	(7,420) (70×加算率)
			3歳児	67,260 (127,760)	58,880 (119,380) +	640 (1,160) ×加算率	560 (1,070) ×加算率	7,420 70×加算率
		3号	1、2歳児	127,760 (201,960)	119,380 (193,580) +	1,160 (1,900) ×加算率	1,070 (1,810) ×加算率	
			乳児	201,960	193,580 +	1,900 ×加算率	1,810 ×加算率	
	61人から70人まで	2号	4歳以上児	53,790 (61,210)	46,600 (54,020) +	510 (580) ×加算率	440 (510) ×加算率 +	(7,420) (70×加算率)
			3歳児	61,210 (121,710)	54,020 (114,520) +	580 (1,100) ×加算率	510 (1,020) ×加算率	7,420 70×加算率
		3号	1、2歳児	121,710 (195,910)	114,520 (188,720) +	1,100 (1,840) ×加算率	1,020 (1,760) ×加算率	
			乳児	195,910	188,720 +	1,840 ×加算率	1,760 ×加算率	
	71人から80人まで	2号	4歳以上児	49,300 (56,720)	43,020 (50,440) +	470 (540) ×加算率	410 (480) ×加算率 +	(7,420) (70×加算率)
			3歳児	56,720 (117,220)	50,440 (110,940) +	540 (1,050) ×加算率	480 (990) ×加算率	7,420 70×加算率
		3号	1、2歳児	117,220 (191,420)	110,940 (185,140) +	1,050 (1,790) ×加算率	990 (1,730) ×加算率	
			乳児	191,420	185,140 +	1,790 ×加算率	1,730 ×加算率	
	81人から90人まで	2号	4歳以上児	45,760 (53,180)	40,180 (47,600) +	430 (500) ×加算率	380 (450) ×加算率 +	(7,420) (70×加算率)
			3歳児	53,180 (113,680)	47,600 (108,100) +	500 (1,020) ×加算率	450 (960) ×加算率	7,420 70×加算率
		3号	1、2歳児	113,680 (187,880)	108,100 (182,300) +	1,020 (1,760) ×加算率	960 (1,700) ×加算率	
			乳児	187,880	182,300 +	1,760 ×加算率	1,700 ×加算率	
	91人から100人まで	2号	4歳以上児	39,710 (47,130)	34,680 (42,100) +	370 (440) ×加算率	320 (390) ×加算率 +	(7,420) (70×加算率)
			3歳児	47,130 (107,630)	42,100 (102,600) +	440 (960) ×加算率	390 (910) ×加算率	7,420 70×加算率
		3号	1、2歳児	107,630 (181,830)	102,600 (176,800) +	960 (1,700) ×加算率	910 (1,650) ×加算率	
			乳児	181,830	176,800 +	1,700 ×加算率	1,650 ×加算率	
	101人から110人まで	2号	4歳以上児	37,730 (45,150)	33,160 (40,580) +	350 (420) ×加算率	310 (380) ×加算率 +	(7,420) (70×加算率)
			3歳児	45,150 (105,650)	40,580 (101,080) +	420 (940) ×加算率	380 (890) ×加算率	7,420 70×加算率
		3号	1、2歳児	105,650 (179,850)	101,080 (175,280) +	940 (1,680) ×加算率	890 (1,630) ×加算率	
			乳児	179,850	175,280 +	1,680 ×加算率	1,630 ×加算率	
	111人から120人まで	2号	4歳以上児	36,040 (43,460)	31,850 (39,270) +	340 (410) ×加算率	290 (360) ×加算率 +	(7,420) (70×加算率)
			3歳児	43,460 (103,960)	39,270 (99,770) +	410 (920) ×加算率	360 (880) ×加算率	7,420 70×加算率
		3号	1、2歳児	103,960 (178,160)	99,770 (173,970) +	920 (1,660) ×加算率	880 (1,620) ×加算率	
			乳児	178,160	173,970 +	1,660 ×加算率	1,620 ×加算率	
	121人から130人まで	2号	4歳以上児	34,610 (42,030)	30,740 (38,160) +	320 (390) ×加算率	280 (350) ×加算率 +	(7,420) (70×加算率)
			3歳児	42,030 (102,530)	38,160 (98,660) +	390 (910) ×加算率	350 (870) ×加算率	7,420 70×加算率
		3号	1、2歳児	102,530 (176,730)	98,660 (172,860) +	910 (1,650) ×加算率	870 (1,610) ×加算率	
			乳児	176,730	172,860 +	1,650 ×加算率	1,610 ×加算率	
	131人から140人まで	2号	4歳以上児	33,420 (40,840)	29,830 (37,250) +	310 (380) ×加算率	270 (340) ×加算率 +	(7,420) (70×加算率)
			3歳児	40,840 (101,340)	37,250 (97,750) +	380 (890) ×加算率	340 (860) ×加算率	7,420 70×加算率
		3号	1、2歳児	101,340 (175,540)	97,750 (171,950) +	890 (1,630) ×加算率	860 (1,600) ×加算率	
			乳児	175,540	171,950 +	1,630 ×加算率	1,600 ×加算率	
	141人から150人まで	2号	4歳以上児	32,360 (39,780)	29,010 (36,430) +	300 (370) ×加算率	270 (340) ×加算率 +	(7,420) (70×加算率)
			3歳児	39,780 (100,280)	36,430 (96,930) +	370 (880) ×加算率	340 (850) ×加算率	7,420 70×加算率
		3号	1、2歳児	100,280 (174,480)	96,930 (171,130) +	880 (1,620) ×加算率	850 (1,590) ×加算率	
			乳児	174,480	171,130 +	1,620 ×加算率	1,590 ×加算率	
	151人から160人まで	2号	4歳以上児	32,340 (39,760)	29,200 (36,620) +	300 (370) ×加算率	270 (340) ×加算率 +	(7,420) (70×加算率)
			3歳児	39,760 (100,260)	36,620 (97,120) +	370 (880) ×加算率	340 (850) ×加算率	7,420 70×加算率
		3号	1、2歳児	100,260 (174,460)	97,120 (171,320) +	880 (1,620) ×加算率	850 (1,590) ×加算率	
			乳児	174,460	171,320 +	1,620 ×加算率	1,590 ×加算率	
	161人から170人まで	2号	4歳以上児	31,490 (38,910)	28,530 (35,950) +	290 (360) ×加算率	260 (330) ×加算率 +	(7,420) (70×加算率)
			3歳児	38,910 (99,410)	35,950 (96,450) +	360 (870) ×加算率	330 (840) ×加算率	7,420 70×加算率
		3号	1、2歳児	99,410 (173,610)	96,450 (170,650) +	870 (1,610) ×加算率	840 (1,580) ×加算率	
			乳児	173,610	170,650 +	1,610 ×加算率	1,580 ×加算率	
	171人以上	2号	4歳以上児	30,720 (38,140)	27,920 (35,340) +	280 (350) ×加算率	250 (320) ×加算率 +	(7,420) (70×加算率)
			3歳児	38,140 (98,640)	35,340 (95,840) +	350 (870) ×加算率	320 (840) ×加算率	7,420 70×加算率
		3号	1、2歳児	98,640 (172,840)	95,840 (170,040) +	870 (1,610) ×加算率	840 (1,580) ×加算率	
			乳児	172,840	170,040 +	1,610 ×加算率	1,580 ×加算率	

地域区分①	定員区分②	認定区分③	年齢区分④	4歳以上児配置改善加算 処遇改善等加算Ⅰ ⑨	休日保育加算 処遇改善等加算Ⅰ ⑩	夜間保育加算 (注1) ⑪	夜間保育加算 処遇改善等加算Ⅰ
6/100 地域	10人まで	2号	4歳以上児 3歳児	＋ 2,960 ＋ 20×加算率		＋ 54,720 / 52,890	＋ 470×加算率
		3号	1、2歳児 乳児			＋ 52,890	
	11人から20人まで	2号	4歳以上児 3歳児	＋ 2,960 ＋ 20×加算率		＋ 31,010 / 29,180	＋ 230×加算率
		3号	1、2歳児 乳児			＋ 29,180	
	21人から30人まで	2号	4歳以上児 3歳児	＋ 2,960 ＋ 20×加算率		＋ 23,110 / 21,280	＋ 150×加算率
		3号	1、2歳児 乳児			＋ 21,280	
	31人から40人まで	2号	4歳以上児 3歳児	＋ 2,960 ＋ 20×加算率		＋ 19,160 / 17,330	＋ 110×加算率
		3号	1、2歳児 乳児			＋ 17,330	
	41人から50人まで	2号	4歳以上児 3歳児	＋ 2,960 ＋ 20×加算率		＋ 16,790 / 14,960	＋ 90×加算率
		3号	1、2歳児 乳児			＋ 14,960	
	51人から60人まで	2号	4歳以上児 3歳児	＋ 2,960 ＋ 20×加算率		＋ 15,210 / 13,380	＋ 70×加算率
		3号	1、2歳児 乳児			＋ 13,380	
	61人から70人まで	2号	4歳以上児 3歳児	＋ 2,960 ＋ 20×加算率		＋ 14,080 / 12,250	＋ 60×加算率
		3号	1、2歳児 乳児			＋ 12,250	
	71人から80人まで	2号	4歳以上児 3歳児	＋ 2,960 ＋ 20×加算率		＋ 13,230 / 11,400	＋ 50×加算率
		3号	1、2歳児 乳児			＋ 11,400	
	81人から90人まで	2号	4歳以上児 3歳児	＋ 2,960 ＋ 20×加算率		＋ 12,570 / 10,740	＋ 50×加算率
		3号	1、2歳児 乳児			＋ 10,740	
	91人から100人まで	2号	4歳以上児 3歳児	＋ 2,960 ＋ 20×加算率			
		3号	1、2歳児 乳児				
	101人から110人まで	2号	4歳以上児 3歳児	＋ 2,960 ＋ 20×加算率			
		3号	1、2歳児 乳児				
	111人から120人まで	2号	4歳以上児 3歳児	＋ 2,960 ＋ 20×加算率			
		3号	1、2歳児 乳児				
	121人から130人まで	2号	4歳以上児 3歳児	＋ 2,960 ＋ 20×加算率			
		3号	1、2歳児 乳児				
	131人から140人まで	2号	4歳以上児 3歳児	＋ 2,960 ＋ 20×加算率			
		3号	1、2歳児 乳児				
	141人から150人まで	2号	4歳以上児 3歳児	＋ 2,960 ＋ 20×加算率			
		3号	1、2歳児 乳児				
	151人から160人まで	2号	4歳以上児 3歳児	＋ 2,960 ＋ 20×加算率			
		3号	1、2歳児 乳児				
	161人から170人まで	2号	4歳以上児 3歳児	＋ 2,960 ＋ 20×加算率			
		3号	1、2歳児 乳児				
	171人以上	2号	4歳以上児 3歳児	＋ 2,960 ＋ 20×加算率			
		3号	1、2歳児 乳児				

休日保育加算 ⑩（＋〔　〕÷　各月初日の利用子ども数）

休日保育の年間延べ利用子ども数	休日保育の年間延べ利用子ども数（処遇改善等加算Ⅰ）
〜 210人　255,500	〜 210人　2,550×加算率
211人〜279人　273,500	211人〜279人　2,730×加算率
280人〜349人　309,700	280人〜349人　3,090×加算率
350人〜419人　345,900	350人〜419人　3,450×加算率
420人〜489人　382,000	420人〜489人　3,820×加算率
490人〜559人　418,200	490人〜559人　4,180×加算率
560人〜629人　454,400	560人〜629人　4,540×加算率
630人〜699人　490,500	630人〜699人　4,900×加算率
700人〜769人　526,700	700人〜769人　5,260×加算率
770人〜839人　562,900	770人〜839人　5,620×加算率
840人〜909人　599,000	840人〜909人　5,990×加算率
910人〜979人　635,200	910人〜979人　6,350×加算率
980人〜1,049人　671,400	980人〜1,049人　6,710×加算率
1,050人〜　707,500	1,050人〜　7,070×加算率

地域区分 ①	定員区分 ②	認定区分 ③	年齢区分 ④	チーム保育加配加算 ※1号・2号の利用定員合計に応じて2号利用子どもの単価に加算（⑫）	処遇改善等加算I	減価償却費加算（⑬）認可施設 標準	認可施設 都市部	機能部分 標準	機能部分 都市部	賃借料加算（⑭）	認可施設 標準	認可施設 都市部	機能部分 標準	機能部分 都市部
6/100地域	10人まで	2号／3号	4歳以上児・3歳児／1、2歳児	～15人 30,590×加配人数 +	300×加算率×加配人数 +	17,100	18,800	11,900	11,900 +	a地域	31,600	35,200	22,100	22,100
										b地域	17,400	19,400	12,200	12,200
										c地域	15,200	16,900	10,600	10,600
										d地域	13,600	15,100	9,500	9,500
	11人から20人まで	2号／3号	4歳以上児・3歳児／1、2歳児・乳児	16人～25人 18,350×加配人数 +	180×加算率×加配人数 +	8,500	9,400	5,900	5,900 +	a地域	15,800	17,600	11,000	11,000
										b地域	8,700	9,700	6,100	6,100
										c地域	7,600	8,400	5,300	5,300
										d地域	6,800	7,500	4,700	4,700
	21人から30人まで	2号／3号	4歳以上児・3歳児／1、2歳児・乳児	26人～35人 13,110×加配人数 +	130×加算率×加配人数 +	5,900	6,500	4,100	4,100 +	a地域	10,900	12,200	7,600	7,600
										b地域	6,000	6,700	4,200	4,200
										c地域	5,200	5,800	3,600	3,600
										d地域	4,700	5,200	3,300	3,300
	31人から40人まで	2号／3号	4歳以上児・3歳児／1、2歳児	36人～45人 10,190×加配人数 +	100×加算率×加配人数 +	5,200	5,700	3,600	3,600 +	a地域	9,800	10,900	6,800	6,800
										b地域	5,400	6,000	3,700	3,700
										c地域	4,700	5,200	3,300	3,300
										d地域	4,200	4,600	2,900	2,900
	41人から50人まで	2号／3号	4歳以上児・3歳児／1、2歳児	46人～60人 7,640×加配人数 +	70×加算率×加配人数 +	4,700	5,200	3,300	3,300 +	a地域	8,800	9,800	6,100	6,100
										b地域	4,800	5,400	3,400	3,400
										c地域	4,200	4,700	2,900	2,900
										d地域	3,800	4,200	2,600	2,600
	51人から60人まで	2号／3号	4歳以上児・3歳児／1、2歳児	61人～75人 6,110×加配人数 +	60×加算率×加配人数 +	3,900	4,300	2,700	2,700 +	a地域	7,200	8,100	5,100	5,100
										b地域	4,000	4,400	2,800	2,800
										c地域	3,500	3,900	2,400	2,400
										d地域	3,100	3,400	2,100	2,100
	61人から70人まで	2号／3号	4歳以上児・3歳児／1、2歳児・乳児	76人～90人 5,090×加配人数 +	50×加算率×加配人数 +	3,300	3,700	2,300	2,300 +	a地域	6,300	7,100	4,400	4,400
										b地域	3,500	3,900	2,400	2,400
										c地域	3,000	3,400	2,100	2,100
										d地域	2,700	3,000	1,900	1,900
	71人から80人まで	2号／3号	4歳以上児・3歳児／1、2歳児・乳児	91人～105人 4,370×加配人数 +	40×加算率×加配人数 +	3,800	4,200	2,700	2,700 +	a地域	7,100	7,900	4,900	4,900
										b地域	3,900	4,300	2,700	2,700
										c地域	3,400	3,800	2,300	2,300
										d地域	3,000	3,400	2,100	2,100
	81人から90人まで	2号／3号	4歳以上児・3歳児／1、2歳児・乳児	106人～120人 3,820×加配人数 +	30×加算率×加配人数 +	3,400	3,700	2,400	2,400 +	a地域	6,300	7,100	4,400	4,400
										b地域	3,500	3,900	2,400	2,400
										c地域	3,000	3,400	2,100	2,100
										d地域	2,700	3,000	1,900	1,900
	91人から100人まで	2号／3号	4歳以上児・3歳児／1、2歳児	121人～135人 3,390×加配人数 +	30×加算率×加配人数 +	3,000	3,400	2,100	2,100 +	a地域	5,500	6,200	3,900	3,900
										b地域	3,000	3,400	2,100	2,100
										c地域	2,600	2,900	1,800	1,800
										d地域	2,400	2,600	1,600	1,600
	101人から110人まで	2号／3号	4歳以上児・3歳児／1、2歳児	136人～150人 3,050×加配人数 +	30×加算率×加配人数 +	3,300	3,700	2,300	2,300 +	a地域	6,100	6,800	4,200	4,200
										b地域	3,300	3,700	2,300	2,300
										c地域	2,900	3,200	2,000	2,000
										d地域	2,600	2,900	1,800	1,800
	111人から120人まで	2号／3号	4歳以上児・3歳児／1、2歳児・乳児	151人～180人 2,540×加配人数 +	20×加算率×加配人数 +	3,000	3,400	2,100	2,100 +	a地域	5,500	6,200	3,900	3,900
										b地域	3,000	3,400	2,100	2,100
										c地域	2,600	2,900	1,800	1,800
										d地域	2,400	2,600	1,600	1,600
	121人から130人まで	2号／3号	4歳以上児・3歳児／1、2歳児	181人～210人 2,180×加配人数 +	20×加算率×加配人数 +	2,800	3,100	2,000	2,000 +	a地域	5,100	5,700	3,500	3,500
										b地域	2,800	3,100	1,900	1,900
										c地域	2,400	2,700	1,700	1,700
										d地域	2,200	2,400	1,500	1,500
	131人から140人まで	2号／3号	4歳以上児・3歳児／1、2歳児	211人～240人 1,910×加配人数 +	10×加算率×加配人数 +	3,000	3,300	2,100	2,100 +	a地域	5,500	6,200	3,900	3,900
										b地域	3,000	3,400	2,100	2,100
										c地域	2,600	2,900	1,800	1,800
										d地域	2,400	2,600	1,600	1,600
	141人から150人まで	2号／3号	4歳以上児・3歳児／1、2歳児	241人～270人 1,690×加配人数 +	10×加算率×加配人数 +	2,800	3,100	2,000	2,000 +	a地域	5,400	6,000	3,700	3,700
										b地域	2,900	3,300	2,000	2,000
										c地域	2,500	2,800	1,800	1,800
										d地域	2,300	2,500	1,600	1,600
	151人から160人まで	2号／3号	4歳以上児・3歳児／1、2歳児	271人～300人 1,520×加配人数 +	10×加算率×加配人数 +	2,600	2,900	1,800	1,800 +	a地域	4,800	5,400	3,400	3,400
										b地域	2,600	2,900	1,800	1,800
										c地域	2,300	2,500	1,600	1,600
										d地域	2,000	2,300	1,400	1,400
	161人から170人まで	2号／3号	4歳以上児・3歳児／1、2歳児	301人～ 1,390×加配人数 +	10×加算率×加配人数 +	2,800	3,100	2,000	2,000 +	a地域	5,400	6,000	3,700	3,700
										b地域	2,900	3,300	2,000	2,000
										c地域	2,500	2,800	1,800	1,800
										d地域	2,300	2,500	1,600	1,600
	171人以上	2号／3号	4歳以上児・3歳児／1、2歳児・乳児		+	2,700	2,900	1,900	1,900 +	a地域	4,800	5,400	3,400	3,400
										b地域	2,600	2,900	1,800	1,800
										c地域	2,300	2,500	1,600	1,600
										d地域	2,000	2,300	1,400	1,400

外部監査費加算（⑮）　認定こども園全体の利用定員

利用定員	単価
～　15人	27,330
16人～　25人	16,800
26人～　35人	12,280
36人～　45人	9,770
46人～　60人	7,500
61人～　75人	6,130
76人～　90人	5,220
91人～105人	4,660
106人～120人	4,250
121人～135人	3,920
136人～150人	3,660
151人～180人	3,160
181人～210人	2,810
211人～240人	2,540
241人～270人	2,440
271人～300人	2,360
301人～	2,150

※3月分の単価に加算

999

地域区分①	定員区分②	認定区分③	年齢区分④	副食費徴収免除加算⑯ ※副食費の徴収が免除される子どもの単価に加算	1号認定こどもの利用定員を設定しない場合 / 処遇改善等加算Ⅰ⑰	分園の場合⑱	土曜日に閉所する場合⑲ 月に1日土曜日を閉所する場合	月に2日土曜日を閉所する場合	月に3日以上土曜日を閉所する場合	全ての土曜日を閉所する場合
6/100地域	10人まで	2号	4歳以上児／3歳児	+ 4,800	+ 21,700 ＋ 210×加算率		−(⑥+⑦+⑧+⑨+⑪) × 1/100	−(⑥+⑦+⑧+⑨+⑪) × 2/100	−(⑥+⑦+⑧+⑨+⑪) × 4/100	−(⑥+⑦+⑧+⑨+⑪) × 5/100
		3号	1、2歳児／乳児							
	11人から20人まで	2号	4歳以上児／3歳児	+ 4,800	+ 10,860 ＋ 100×加算率		−(⑥+⑦+⑧+⑨+⑪) × 1/100	−(⑥+⑦+⑧+⑨+⑪) × 3/100	−(⑥+⑦+⑧+⑨+⑪) × 4/100	−(⑥+⑦+⑧+⑨+⑪) × 5/100
		3号	1、2歳児／乳児							
	21人から30人まで	2号	4歳以上児／3歳児	+ 4,800	+ 7,230 ＋ 70×加算率		−(⑥+⑦+⑧+⑨+⑪) × 1/100	−(⑥+⑦+⑧+⑨+⑪) × 3/100	−(⑥+⑦+⑧+⑨+⑪) × 4/100	−(⑥+⑦+⑧+⑨+⑪) × 5/100
		3号	1、2歳児／乳児							
	31人から40人まで	2号	4歳以上児／3歳児	+ 4,800	+ 5,420 ＋ 50×加算率		−(⑥+⑦+⑧+⑨+⑪) × 1/100	−(⑥+⑦+⑧+⑨+⑪) × 3/100	−(⑥+⑦+⑧+⑨+⑪) × 4/100	−(⑥+⑦+⑧+⑨+⑪) × 5/100
		3号	1、2歳児／乳児							
	41人から50人まで	2号	4歳以上児／3歳児	+ 4,800	+ 4,340 ＋ 40×加算率		−(⑥+⑦+⑧+⑨+⑪) × 2/100	−(⑥+⑦+⑧+⑨+⑪) × 3/100	−(⑥+⑦+⑧+⑨+⑪) × 5/100	−(⑥+⑦+⑧+⑨+⑪) × 6/100
		3号	1、2歳児／乳児							
	51人から60人まで	2号	4歳以上児／3歳児	+ 4,800	+ 3,620 ＋ 30×加算率		−(⑥+⑦+⑧+⑨+⑪) × 2/100	−(⑥+⑦+⑧+⑨+⑪) × 3/100	−(⑥+⑦+⑧+⑨+⑪) × 5/100	−(⑥+⑦+⑧+⑨+⑪) × 6/100
		3号	1、2歳児／乳児							
	61人から70人まで	2号	4歳以上児／3歳児	+ 4,800	+ 3,100 ＋ 30×加算率		−(⑥+⑦+⑧+⑨+⑪) × 2/100	−(⑥+⑦+⑧+⑨+⑪) × 3/100	−(⑥+⑦+⑧+⑨+⑪) × 5/100	−(⑥+⑦+⑧+⑨+⑪) × 6/100
		3号	1、2歳児／乳児							
	71人から80人まで	2号	4歳以上児／3歳児	+ 4,800	+ 2,710 ＋ 20×加算率		−(⑥+⑦+⑧+⑨+⑪) × 2/100	−(⑥+⑦+⑧+⑨+⑪) × 3/100	−(⑥+⑦+⑧+⑨+⑪) × 5/100	−(⑥+⑦+⑧+⑨+⑪) × 6/100
		3号	1、2歳児／乳児							
	81人から90人まで	2号	4歳以上児／3歳児	+ 4,800	+ 2,410 ＋ 20×加算率	(⑥+⑦) × 10/100	−(⑥+⑦+⑧+⑨+⑪) × 2/100	−(⑥+⑦+⑧+⑨+⑪) × 3/100	−(⑥+⑦+⑧+⑨+⑪) × 5/100	−(⑥+⑦+⑧+⑨+⑪) × 6/100
		3号	1、2歳児／乳児							
	91人から100人まで	2号	4歳以上児／3歳児	+ 4,800	+ 2,170 ＋ 20×加算率		−(⑥+⑦+⑧+⑨+⑪) × 2/100	−(⑥+⑦+⑧+⑨+⑪) × 3/100	−(⑥+⑦+⑧+⑨+⑪) × 5/100	−(⑥+⑦+⑧+⑨+⑪) × 6/100
		3号	1、2歳児／乳児							
	101人から110人まで	2号	4歳以上児／3歳児	+ 4,800	+ 1,970 ＋ 10×加算率		−(⑥+⑦+⑧+⑨+⑪) × 2/100	−(⑥+⑦+⑧+⑨+⑪) × 3/100	−(⑥+⑦+⑧+⑨+⑪) × 5/100	−(⑥+⑦+⑧+⑨+⑪) × 6/100
		3号	1、2歳児／乳児							
	111人から120人まで	2号	4歳以上児／3歳児	+ 4,800	+ 1,810 ＋ 10×加算率		−(⑥+⑦+⑧+⑨+⑪) × 2/100	−(⑥+⑦+⑧+⑨+⑪) × 3/100	−(⑥+⑦+⑧+⑨+⑪) × 5/100	−(⑥+⑦+⑧+⑨+⑪) × 6/100
		3号	1、2歳児／乳児							
	121人から130人まで	2号	4歳以上児／3歳児	+ 4,800	+ 1,670 ＋ 10×加算率		−(⑥+⑦+⑧+⑨+⑪) × 2/100	−(⑥+⑦+⑧+⑨+⑪) × 3/100	−(⑥+⑦+⑧+⑨+⑪) × 5/100	−(⑥+⑦+⑧+⑨+⑪) × 6/100
		3号	1、2歳児／乳児							
	131人から140人まで	2号	4歳以上児／3歳児	+ 4,800	+ 1,550 ＋ 10×加算率		−(⑥+⑦+⑧+⑨+⑪) × 2/100	−(⑥+⑦+⑧+⑨+⑪) × 3/100	−(⑥+⑦+⑧+⑨+⑪) × 5/100	−(⑥+⑦+⑧+⑨+⑪) × 6/100
		3号	1、2歳児／乳児							
	141人から150人まで	2号	4歳以上児／3歳児	+ 4,800	+ 1,450 ＋ 10×加算率		−(⑥+⑦+⑧+⑨+⑪) × 2/100	−(⑥+⑦+⑧+⑨+⑪) × 3/100	−(⑥+⑦+⑧+⑨+⑪) × 5/100	−(⑥+⑦+⑧+⑨+⑪) × 6/100
		3号	1、2歳児／乳児							
	151人から160人まで	2号	4歳以上児／3歳児	+ 4,800	+ 1,350 ＋ 10×加算率		−(⑥+⑦+⑧+⑨+⑪) × 2/100	−(⑥+⑦+⑧+⑨+⑪) × 3/100	−(⑥+⑦+⑧+⑨+⑪) × 5/100	−(⑥+⑦+⑧+⑨+⑪) × 7/100
		3号	1、2歳児／乳児							
	161人から170人まで	2号	4歳以上児／3歳児	+ 4,800	+ 1,280 ＋ 10×加算率		−(⑥+⑦+⑧+⑨+⑪) × 2/100	−(⑥+⑦+⑧+⑨+⑪) × 3/100	−(⑥+⑦+⑧+⑨+⑪) × 5/100	−(⑥+⑦+⑧+⑨+⑪) × 7/100
		3号	1、2歳児／乳児							
	171人以上	2号	4歳以上児／3歳児	+ 4,800	+ 1,200 ＋ 10×加算率		−(⑥+⑦+⑧+⑨+⑪) × 2/100	−(⑥+⑦+⑧+⑨+⑪) × 3/100	−(⑥+⑦+⑧+⑨+⑪) × 5/100	−(⑥+⑦+⑧+⑨+⑪) × 7/100
		3号	1、2歳児／乳児							

地域区分	定員区分	認定区分	年齢区分	主幹教諭等の専任化により子育て支援の取り組みを実施していない場合	年齢別配置基準を下回る場合	配置基準上求められる職員資格を有しない場合	定員を恒常的に超過する場合
①	②	③	④	⑳	㉑	㉒	㉓
6/100 地域	10人まで	2号	4歳以上児 3　歳　児	(13,290 +130×加算率)	(44,510 +440×加算率) ×人数	(27,770 +270×加算率) ×人数	
		3号	1、2歳児 乳　　児				
	11人から20人まで	2号	4歳以上児 3　歳　児	(6,640 +60×加算率)	(22,250 +220×加算率) ×人数	(13,880 +130×加算率) ×人数	
		3号	1、2歳児 乳　　児				
	21人から30人まで	2号	4歳以上児 3　歳　児	(4,430 +40×加算率)	(14,840 +140×加算率) ×人数	(9,250 +90×加算率) ×人数	
		3号	1、2歳児 乳　　児				
	31人から40人まで	2号	4歳以上児 3　歳　児	(3,320 +30×加算率)	(11,130 +110×加算率) ×人数	(6,940 +60×加算率) ×人数	
		3号	1、2歳児 乳　　児				
	41人から50人まで	2号	4歳以上児 3　歳　児	(2,650 +20×加算率)	(8,900 +80×加算率) ×人数	(5,550 +50×加算率) ×人数	
		3号	1、2歳児 乳　　児				
	51人から60人まで	2号	4歳以上児 3　歳　児	(2,210 +20×加算率)	(7,420 +70×加算率) ×人数	(4,620 +40×加算率) ×人数	
		3号	1、2歳児 乳　　児				
	61人から70人まで	2号	4歳以上児 3　歳　児	(1,890 +10×加算率)	(6,360 +60×加算率) ×人数	(3,960 +40×加算率) ×人数	
		3号	1、2歳児 乳　　児				
	71人から80人まで	2号	4歳以上児 3　歳　児	(1,660 +10×加算率)	(5,560 +50×加算率) ×人数	(3,470 +30×加算率) ×人数	
		3号	1、2歳児 乳　　児				
	81人から90人まで	2号	4歳以上児 3　歳　児	(1,470 +10×加算率)	(4,940 +40×加算率) ×人数	(3,080 +30×加算率) ×人数	(⑥～㉒（⑯を除く。）） ×別に定める調整率
		3号	1、2歳児 乳　　児				
	91人から100人まで	2号	4歳以上児 3　歳　児	(1,330 +10×加算率)	(4,450 +40×加算率) ×人数	(2,770 +20×加算率) ×人数	
		3号	1、2歳児 乳　　児				
	101人から110人まで	2号	4歳以上児 3　歳　児	(1,200 +10×加算率)	(4,040 +40×加算率) ×人数	(2,520 +20×加算率) ×人数	
		3号	1、2歳児 乳　　児				
	111人から120人まで	2号	4歳以上児 3　歳　児	(1,100 +10×加算率)	(3,710 +30×加算率) ×人数	(2,310 +20×加算率) ×人数	
		3号	1、2歳児 乳　　児				
	121人から130人まで	2号	4歳以上児 3　歳　児	(1,020 +10×加算率)	(3,420 +30×加算率) ×人数	(2,130 +20×加算率) ×人数	
		3号	1、2歳児 乳　　児				
	131人から140人まで	2号	4歳以上児 3　歳　児	(950 +10×加算率)	(3,180 +30×加算率) ×人数	(1,980 +20×加算率) ×人数	
		3号	1、2歳児 乳　　児				
	141人から150人まで	2号	4歳以上児 3　歳　児	(880 +9×加算率)	(2,960 +30×加算率) ×人数	(1,850 +10×加算率) ×人数	
		3号	1、2歳児 乳　　児				
	151人から160人まで	2号	4歳以上児 3　歳　児	(830 +8×加算率)	(2,780 +20×加算率) ×人数	(1,730 +10×加算率) ×人数	
		3号	1、2歳児 乳　　児				
	161人から170人まで	2号	4歳以上児 3　歳　児	(780 +8×加算率)	(2,610 +20×加算率) ×人数	(1,630 +10×加算率) ×人数	
		3号	1、2歳児 乳　　児				
	171人以上	2号	4歳以上児 3　歳　児	(730 +7×加算率)	(2,470 +20×加算率) ×人数	(1,540 +10×加算率) ×人数	
		3号	1、2歳児 乳　　児				

地域区分①	定員区分②	認定区分③	年齢区分④	保育必要量区分⑤ 保育標準時間認定 基本分単価（注1）⑥	保育短時間認定 基本分単価（注1）⑥		処遇改善等加算Ⅰ 保育標準時間認定（注1）⑦	保育短時間認定（注1）⑦		3歳児配置改善加算 処遇改善等加算Ⅰ⑧
3/100地域	10人まで	2号	4歳以上児	229,290 (236,520)	180,130 (187,360)	+	2,270 (2,340) ×加算率	1,780 (1,850) ×加算率	+	(7,230) + (70×加算率)
			3歳児	236,520 (295,710)	187,360 (246,550)	+	2,340 (2,830) ×加算率	1,850 (2,340) ×加算率	+	7,230 + 70×加算率
		3号	1、2歳児	295,710 (368,040)	246,550 (318,880)	+	2,830 (3,560) ×加算率	2,340 (3,070) ×加算率		
			乳児	368,040	318,880	+	3,560 ×加算率	3,070 ×加算率		
	11人から20人まで	2号	4歳以上児	124,310 (131,540)	99,730 (106,960)	+	1,220 (1,290) ×加算率	970 (1,040) ×加算率	+	(7,230) + (70×加算率)
			3歳児	131,540 (190,730)	106,960 (166,150)	+	1,290 (1,780) ×加算率	1,040 (1,540) ×加算率	+	7,230 + 70×加算率
		3号	1、2歳児	190,730 (263,060)	166,150 (238,480)	+	1,780 (2,510) ×加算率	1,540 (2,270) ×加算率		
			乳児	263,060	238,480	+	2,510 ×加算率	2,270 ×加算率		
	21人から30人まで	2号	4歳以上児	89,210 (96,440)	72,820 (80,050)	+	870 (940) ×加算率	700 (770) ×加算率	+	(7,230) + (70×加算率)
			3歳児	96,440 (155,630)	80,050 (139,240)	+	940 (1,430) ×加算率	770 (1,270) ×加算率	+	7,230 + 70×加算率
		3号	1、2歳児	155,630 (227,960)	139,240 (211,570)	+	1,430 (2,160) ×加算率	1,270 (2,000) ×加算率		
			乳児	227,960	211,570	+	2,160 ×加算率	2,000 ×加算率		
	31人から40人まで	2号	4歳以上児	71,860 (79,090)	59,570 (66,800)	+	690 (760) ×加算率	570 (640) ×加算率	+	(7,230) + (70×加算率)
			3歳児	79,090 (138,280)	66,800 (125,990)	+	760 (1,260) ×加算率	640 (1,130) ×加算率	+	7,230 + 70×加算率
		3号	1、2歳児	138,280 (210,610)	125,990 (198,320)	+	1,260 (1,990) ×加算率	1,130 (1,860) ×加算率		
			乳児	210,610	198,320	+	1,990 ×加算率	1,860 ×加算率		
	41人から50人まで	2号	4歳以上児	66,930 (74,160)	57,100 (64,330)	+	650 (720) ×加算率	550 (620) ×加算率	+	(7,230) + (70×加算率)
			3歳児	74,160 (133,350)	64,330 (123,520)	+	720 (1,210) ×加算率	620 (1,110) ×加算率	+	7,230 + 70×加算率
		3号	1、2歳児	133,350 (205,680)	123,520 (195,850)	+	1,210 (1,940) ×加算率	1,110 (1,840) ×加算率		
			乳児	205,680	195,850	+	1,940 ×加算率	1,840 ×加算率		
	51人から60人まで	2号	4歳以上児	58,530 (65,760)	50,340 (57,570)	+	560 (630) ×加算率	480 (550) ×加算率	+	(7,230) + (70×加算率)
			3歳児	65,760 (124,950)	57,570 (116,760)	+	630 (1,120) ×加算率	550 (1,040) ×加算率	+	7,230 + 70×加算率
		3号	1、2歳児	124,950 (197,280)	116,760 (189,090)	+	1,120 (1,850) ×加算率	1,040 (1,770) ×加算率		
			乳児	197,280	189,090	+	1,850 ×加算率	1,770 ×加算率		
	61人から70人まで	2号	4歳以上児	52,610 (59,840)	45,590 (52,820)	+	500 (570) ×加算率	430 (500) ×加算率	+	(7,230) + (70×加算率)
			3歳児	59,840 (119,030)	52,820 (112,010)	+	570 (1,070) ×加算率	500 (990) ×加算率	+	7,230 + 70×加算率
		3号	1、2歳児	119,030 (191,360)	112,010 (184,340)	+	1,070 (1,800) ×加算率	990 (1,720) ×加算率		
			乳児	191,360	184,340	+	1,800 ×加算率	1,720 ×加算率		
	71人から80人まで	2号	4歳以上児	48,230 (55,460)	42,080 (49,310)	+	460 (530) ×加算率	400 (470) ×加算率	+	(7,230) + (70×加算率)
			3歳児	55,460 (114,650)	49,310 (108,500)	+	530 (1,020) ×加算率	470 (960) ×加算率	+	7,230 + 70×加算率
		3号	1、2歳児	114,650 (186,980)	108,500 (180,830)	+	1,020 (1,750) ×加算率	960 (1,690) ×加算率		
			乳児	186,980	180,830	+	1,750 ×加算率	1,690 ×加算率		
	81人から90人まで	2号	4歳以上児	44,520 (52,000)	39,310 (46,540)	+	420 (490) ×加算率	370 (440) ×加算率	+	(7,230) + (70×加算率)
			3歳児	52,000 (111,190)	46,540 (105,730)	+	490 (990) ×加算率	440 (930) ×加算率	+	7,230 + 70×加算率
		3号	1、2歳児	111,190 (183,520)	105,730 (178,060)	+	990 (1,720) ×加算率	930 (1,660) ×加算率		
			乳児	183,520	178,060	+	1,720 ×加算率	1,660 ×加算率		
	91人から100人まで	2号	4歳以上児	38,890 (46,120)	33,970 (41,200)	+	360 (430) ×加算率	320 (390) ×加算率	+	(7,230) + (70×加算率)
			3歳児	46,120 (105,310)	41,200 (100,390)	+	430 (930) ×加算率	390 (880) ×加算率	+	7,230 + 70×加算率
		3号	1、2歳児	105,310 (177,640)	100,390 (172,720)	+	930 (1,660) ×加算率	880 (1,610) ×加算率		
			乳児	177,640	172,720	+	1,660 ×加算率	1,610 ×加算率		
	101人から110人まで	2号	4歳以上児	36,950 (44,180)	32,480 (39,710)	+	350 (420) ×加算率	300 (370) ×加算率	+	(7,230) + (70×加算率)
			3歳児	44,180 (103,370)	39,710 (98,900)	+	420 (910) ×加算率	370 (860) ×加算率	+	7,230 + 70×加算率
		3号	1、2歳児	103,370 (175,700)	98,900 (171,230)	+	910 (1,640) ×加算率	860 (1,590) ×加算率		
			乳児	175,700	171,230	+	1,640 ×加算率	1,590 ×加算率		
	111人から120人まで	2号	4歳以上児	35,290 (42,520)	31,190 (38,420)	+	330 (400) ×加算率	290 (360) ×加算率	+	(7,230) + (70×加算率)
			3歳児	42,520 (101,710)	38,420 (97,610)	+	400 (890) ×加算率	360 (850) ×加算率	+	7,230 + 70×加算率
		3号	1、2歳児	101,710 (174,040)	97,610 (169,940)	+	890 (1,620) ×加算率	850 (1,580) ×加算率		
			乳児	174,040	169,940	+	1,620 ×加算率	1,580 ×加算率		
	121人から130人まで	2号	4歳以上児	33,890 (41,120)	30,110 (37,340)	+	310 (380) ×加算率	280 (350) ×加算率	+	(7,230) + (70×加算率)
			3歳児	41,120 (100,310)	37,340 (96,530)	+	380 (880) ×加算率	350 (840) ×加算率	+	7,230 + 70×加算率
		3号	1、2歳児	100,310 (172,640)	96,530 (168,860)	+	880 (1,610) ×加算率	840 (1,570) ×加算率		
			乳児	172,640	168,860	+	1,610 ×加算率	1,570 ×加算率		
	131人から140人まで	2号	4歳以上児	32,720 (39,950)	29,210 (36,440)	+	300 (370) ×加算率	270 (340) ×加算率	+	(7,230) + (70×加算率)
			3歳児	39,950 (99,140)	36,440 (95,630)	+	370 (870) ×加算率	340 (830) ×加算率	+	7,230 + 70×加算率
		3号	1、2歳児	99,140 (171,470)	95,630 (167,960)	+	870 (1,600) ×加算率	830 (1,560) ×加算率		
			乳児	171,470	167,960	+	1,600 ×加算率	1,560 ×加算率		
	141人から150人まで	2号	4歳以上児	31,690 (38,920)	28,410 (35,640)	+	290 (360) ×加算率	260 (330) ×加算率	+	(7,230) + (70×加算率)
			3歳児	38,920 (98,110)	35,640 (94,830)	+	360 (860) ×加算率	330 (820) ×加算率	+	7,230 + 70×加算率
		3号	1、2歳児	98,110 (170,440)	94,830 (167,160)	+	860 (1,590) ×加算率	820 (1,550) ×加算率		
			乳児	170,440	167,160	+	1,590 ×加算率	1,550 ×加算率		
	151人から160人まで	2号	4歳以上児	31,680 (38,910)	28,610 (35,840)	+	290 (360) ×加算率	260 (330) ×加算率	+	(7,230) + (70×加算率)
			3歳児	38,910 (98,100)	35,840 (95,030)	+	360 (860) ×加算率	330 (830) ×加算率	+	7,230 + 70×加算率
		3号	1、2歳児	98,100 (170,430)	95,030 (167,360)	+	860 (1,590) ×加算率	830 (1,560) ×加算率		
			乳児	170,430	167,360	+	1,590 ×加算率	1,560 ×加算率		
	161人から170人まで	2号	4歳以上児	30,850 (38,080)	27,960 (35,190)	+	280 (350) ×加算率	260 (330) ×加算率	+	(7,230) + (70×加算率)
			3歳児	38,080 (97,270)	35,190 (94,380)	+	350 (850) ×加算率	330 (820) ×加算率	+	7,230 + 70×加算率
		3号	1、2歳児	97,270 (169,600)	94,380 (166,710)	+	850 (1,580) ×加算率	820 (1,550) ×加算率		
			乳児	169,600	166,710	+	1,580 ×加算率	1,550 ×加算率		
	171人以上	2号	4歳以上児	30,090 (37,320)	27,360 (34,590)	+	280 (350) ×加算率	250 (320) ×加算率	+	(7,230) + (70×加算率)
			3歳児	37,320 (96,510)	34,590 (93,780)	+	350 (840) ×加算率	320 (810) ×加算率	+	7,230 + 70×加算率
		3号	1、2歳児	96,510 (168,840)	93,780 (166,110)	+	840 (1,570) ×加算率	810 (1,540) ×加算率		
			乳児	168,840	166,110	+	1,570 ×加算率	1,540 ×加算率		

地域区分①	定員区分②	認定区分③	年齢区分④	4歳以上児配置改善加算 処遇改善等加算I ⑨	休日保育加算 処遇改善等加算I ⑩		夜間保育加算 (注1) ⑪	処遇改善等加算I
3/100 地域	10人まで	2号	4歳以上児 / 3歳児	+ 2,890 + 20×加算率			+ 54,720 / 52,890	+ 470×加算率
		3号	1、2歳児 / 乳児				+ 52,890	
	11人から20人まで	2号	4歳以上児 / 3歳児	+ 2,890 + 20×加算率			+ 31,010 / 29,180	+ 230×加算率
		3号	1、2歳児 / 乳児				+ 29,180	
	21人から30人まで	2号	4歳以上児 / 3歳児	+ 2,890 + 20×加算率			+ 23,110 / 21,280	+ 150×加算率
		3号	1、2歳児 / 乳児		休日保育の年間延べ利用子ども数	休日保育の年間延べ利用子ども数	+ 21,280	
	31人から40人まで	2号	4歳以上児 / 3歳児	+ 2,890 + 20×加算率	～ 210人 250,000	～ 210人 2,500×加算率	+ 19,160 / 17,330	+ 110×加算率
		3号	1、2歳児 / 乳児		211人～ 279人 267,700	211人～ 279人 2,670×加算率	+ 17,330	
	41人から50人まで	2号	4歳以上児 / 3歳児	+ 2,890 + 20×加算率	280人～ 349人 303,300	280人～ 349人 3,030×加算率	+ 16,790 / 14,960	+ 90×加算率
		3号	1、2歳児 / 乳児		350人～ 419人 338,900	350人～ 419人 3,380×加算率	+ 14,960	
	51人から60人まで	2号	4歳以上児 / 3歳児	+ 2,890 + 20×加算率	420人～ 489人 374,500	420人～ 489人 3,740×加算率	+ 15,210 / 13,380	+ 70×加算率
		3号	1、2歳児 / 乳児		490人～ 559人 410,100	490人～ 559人 4,100×加算率	+ 13,380	
	61人から70人まで	2号	4歳以上児 / 3歳児	+ 2,890 + 20×加算率	560人～ 629人 445,700	560人～ 629人 4,450×加算率	+ 14,080 / 12,250	+ 60×加算率
		3号	1、2歳児 / 乳児				+ 12,250	
	71人から80人まで	2号	4歳以上児 / 3歳児	+ 2,890 + 20×加算率	+ 630人～ 699人 481,200	+ 630人～ 699人 4,810×加算率 ÷	+ 13,230 / 11,400	+ 50×加算率
		3号	1、2歳児 / 乳児				+ 11,400	
	81人から90人まで	2号	4歳以上児 / 3歳児	+ 2,890 + 20×加算率	700人～ 769人 516,800	700人～ 769人 5,160×加算率	+ 12,570 / 10,740	+ 50×加算率
		3号	1、2歳児 / 乳児			各月初日の利用子ども数	+ 10,740	
	91人から100人まで	2号	4歳以上児 / 3歳児	+ 2,890 + 20×加算率	770人～ 839人 552,400	770人～ 839人 5,520×加算率		
		3号	1、2歳児 / 乳児					
	101人から110人まで	2号	4歳以上児 / 3歳児	+ 2,890 + 20×加算率	840人～ 909人 588,000	840人～ 909人 5,880×加算率		
		3号	1、2歳児 / 乳児					
	111人から120人まで	2号	4歳以上児 / 3歳児	+ 2,890 + 20×加算率	910人～ 979人 623,600	910人～ 979人 6,230×加算率		
		3号	1、2歳児 / 乳児					
	121人から130人まで	2号	4歳以上児 / 3歳児	+ 2,890 + 20×加算率	980人～1,049人 659,200	980人～1,049人 6,590×加算率		
		3号	1、2歳児 / 乳児					
	131人から140人まで	2号	4歳以上児 / 3歳児	+ 2,890 + 20×加算率	1,050人～ 694,700	1,050人～ 6,940×加算率		
		3号	1、2歳児 / 乳児					
	141人から150人まで	2号	4歳以上児 / 3歳児	+ 2,890 + 20×加算率				
		3号	1、2歳児 / 乳児					
	151人から160人まで	2号	4歳以上児 / 3歳児	+ 2,890 + 20×加算率				
		3号	1、2歳児 / 乳児					
	161人から170人まで	2号	4歳以上児 / 3歳児	+ 2,890 + 20×加算率				
		3号	1、2歳児 / 乳児					
	171人以上	2号	4歳以上児 / 3歳児	+ 2,890 + 20×加算率				
		3号	1、2歳児 / 乳児					

1003

地域区分①：3/100地域

チーム保育加配加算 ※1号・2号の利用定員合計に応じて2号利用子どもの単価に加算（⑫ 処遇改善等加算Ⅰ）

定員区分②	認定区分③／年齢区分④	チーム保育（加配単価）	処遇改善等加算Ⅰ	減価償却費加算⑬ 認可施設 標準	認可施設 都市部	機能部分 標準	機能部分 都市部	賃借料加算⑭ 地域	認可施設 標準	認可施設 都市部	機能部分 標準	機能部分 都市部
10人まで	2号：4歳以上児／3歳児　3号：1・2歳児／乳児	～15人 29,810×加配人数	+290×加算率×加配人数	+17,100	18,800	11,900	11,900	a地域	31,600	35,200	22,100	22,100
								b地域	17,400	19,400	12,200	12,200
								c地域	15,200	16,900	10,600	10,600
								d地域	13,600	15,100	9,500	9,500
11人から20人まで	2号：4歳以上児／3歳児　3号：1・2歳児／乳児	16人～25人 17,880×加配人数	+170×加算率×加配人数	+8,500	9,400	5,900	5,900	a地域	15,800	17,600	11,000	11,000
								b地域	8,700	9,700	6,100	6,100
								c地域	7,600	8,400	5,300	5,300
								d地域	6,800	7,500	4,700	4,700
21人から30人まで	2号：4歳以上児／3歳児　3号：1・2歳児／乳児	26人～35人 12,770×加配人数	+120×加算率×加配人数	+5,900	6,500	4,100	4,100	a地域	10,900	12,200	7,600	7,600
								b地域	6,000	6,700	4,200	4,200
								c地域	5,200	5,800	3,600	3,600
								d地域	4,700	5,200	3,300	3,300
31人から40人まで	2号：4歳以上児／3歳児　3号：1・2歳児／乳児	36人～45人 9,930×加配人数	+90×加算率×加配人数	+5,200	5,700	3,600	3,600	a地域	9,800	10,900	6,800	6,800
								b地域	5,400	6,000	3,700	3,700
								c地域	4,700	5,200	3,300	3,300
								d地域	4,200	4,600	2,900	2,900
41人から50人まで	2号：4歳以上児／3歳児　3号：1・2歳児／乳児	46人～60人 7,450×加配人数	+70×加算率×加配人数	+4,700	5,200	3,300	3,300	a地域	8,800	9,800	6,100	6,100
								b地域	4,800	5,400	3,400	3,400
								c地域	4,200	4,700	2,900	2,900
								d地域	3,800	4,200	2,600	2,600
51人から60人まで	2号：4歳以上児／3歳児　3号：1・2歳児／乳児	61人～75人 5,960×加配人数	+50×加算率×加配人数	+3,900	4,300	2,700	2,700	a地域	7,200	8,100	5,100	5,100
								b地域	4,000	4,400	2,800	2,800
								c地域	3,500	3,800	2,400	2,400
								d地域	3,100	3,400	2,100	2,100
61人から70人まで	2号：4歳以上児／3歳児　3号：1・2歳児／乳児	76人～90人 4,960×加配人数	+40×加算率×加配人数	+3,300	3,700	2,300	2,300	a地域	6,300	7,100	4,400	4,400
								b地域	3,500	3,900	2,400	2,400
								c地域	3,000	3,400	2,100	2,100
								d地域	2,700	3,000	1,900	1,900
71人から80人まで	2号：4歳以上児／3歳児　3号：1・2歳児／乳児	91人～105人 4,250×加配人数	+40×加算率×加配人数	+3,800	4,200	2,700	2,700	a地域	7,100	7,900	4,900	4,900
								b地域	3,900	4,300	2,700	2,700
								c地域	3,400	3,800	2,300	2,300
								d地域	3,000	3,400	2,100	2,100
81人から90人まで	2号：4歳以上児／3歳児　3号：1・2歳児／乳児	106人～120人 3,720×加配人数	+30×加算率×加配人数	+3,400	3,700	2,400	2,400	a地域	6,300	7,100	4,400	4,400
								b地域	3,500	3,900	2,400	2,400
								c地域	3,000	3,400	2,100	2,100
								d地域	2,700	3,000	1,900	1,900
91人から100人まで	2号：4歳以上児／3歳児　3号：1・2歳児／乳児	121人～135人 3,310×加配人数	+30×加算率×加配人数	+3,000	3,400	2,100	2,100	a地域	5,500	6,200	3,900	3,900
								b地域	3,000	3,400	2,100	2,100
								c地域	2,600	2,900	1,800	1,800
								d地域	2,400	2,600	1,600	1,600
101人から110人まで	2号：4歳以上児／3歳児　3号：1・2歳児／乳児	136人～150人 2,980×加配人数	+20×加算率×加配人数	+3,300	3,700	2,300	2,300	a地域	6,100	6,800	4,200	4,200
								b地域	3,300	3,700	2,300	2,300
								c地域	2,900	3,200	2,000	2,000
								d地域	2,600	2,900	1,800	1,800
111人から120人まで	2号：4歳以上児／3歳児　3号：1・2歳児／乳児	151人～180人 2,480×加配人数	+20×加算率×加配人数	+3,000	3,400	2,100	2,100	a地域	5,500	6,200	3,900	3,900
								b地域	3,000	3,400	2,100	2,100
								c地域	2,600	2,900	1,800	1,800
								d地域	2,400	2,600	1,600	1,600
121人から130人まで	2号：4歳以上児／3歳児　3号：1・2歳児／乳児	181人～210人 2,120×加配人数	+20×加算率×加配人数	+2,800	3,100	2,000	2,000	a地域	5,100	5,700	3,500	3,500
								b地域	2,800	3,100	1,900	1,900
								c地域	2,400	2,700	1,700	1,700
								d地域	2,200	2,400	1,500	1,500
131人から140人まで	2号：4歳以上児／3歳児　3号：1・2歳児／乳児	211人～240人 1,860×加配人数	+10×加算率×加配人数	+3,000	3,300	2,100	2,100	a地域	5,500	6,200	3,900	3,900
								b地域	3,000	3,400	2,100	2,100
								c地域	2,600	2,900	1,800	1,800
								d地域	2,400	2,600	1,600	1,600
141人から150人まで	2号：4歳以上児／3歳児　3号：1・2歳児／乳児	241人～270人 1,650×加配人数	+10×加算率×加配人数	+2,800	3,100	2,000	2,000	a地域	5,400	6,000	3,700	3,700
								b地域	2,900	3,300	2,000	2,000
								c地域	2,500	2,800	1,800	1,800
								d地域	2,300	2,500	1,600	1,600
151人から160人まで	2号：4歳以上児／3歳児　3号：1・2歳児／乳児	271人～300人 1,490×加配人数	+10×加算率×加配人数	+2,600	2,900	1,800	1,800	a地域	4,800	5,400	3,400	3,400
								b地域	2,600	2,900	1,800	1,800
								c地域	2,300	2,500	1,600	1,600
								d地域	2,100	2,300	1,400	1,400
161人から170人まで	2号：4歳以上児／3歳児　3号：1・2歳児／乳児	301人～ 1,350×加配人数	+10×加算率×加配人数	+2,800	3,100	2,000	2,000	a地域	5,400	6,000	3,700	3,700
								b地域	2,900	3,300	2,000	2,000
								c地域	2,500	2,800	1,800	1,800
								d地域	2,300	2,500	1,600	1,600
171人以上	2号：4歳以上児／3歳児　3号：1・2歳児／乳児			+2,700	2,900	1,900	1,900	a地域	4,800	5,400	3,400	3,400
								b地域	2,600	2,900	1,800	1,800
								c地域	2,300	2,500	1,600	1,600
								d地域	2,000	2,300	1,400	1,400

外部監査費加算⑮　認定こども園全体の利用定員

利用定員	加算額
～15人	27,330
16人～25人	16,800
26人～35人	12,280
36人～45人	9,770
46人～60人	7,500
61人～75人	6,130
76人～90人	5,220
91人～105人	4,660
106人～120人	4,250
121人～135人	3,920
136人～150人	3,660
151人～180人	3,160
181人～210人	2,810
211人～240人	2,540
241人～270人	2,440
271人～300人	2,360
301人～	2,150

※3月分の単価に加算

①地域区分	②定員区分	③認定区分	④年齢区分	⑯副食費徴収免除加算 ※副食費の徴収が免除される子どもの単価に加算	⑰1号認定こどもの利用定員を設定しない場合	⑰処遇改善等加算Ⅰ	⑱分園の場合	⑲月に1日土曜日を閉所する場合	⑲月に2日土曜日を閉所する場合	⑲月に3日以上土曜日を閉所する場合	⑲全ての土曜日を閉所する場合
3/100地域	10人まで	2号	4歳以上児 3歳児	+ 4,800	+ 21,550	+ 210×加算率		−(⑥+⑦+⑧+⑨+⑪)×1/100	−(⑥+⑦+⑧+⑨+⑪)×2/100	−(⑥+⑦+⑧+⑨+⑪)×4/100	−(⑥+⑦+⑧+⑨+⑪)×5/100
		3号	1、2歳児 乳児								
	11人から20人まで	2号	4歳以上児 3歳児	+ 4,800	+ 10,770	+ 100×加算率		−(⑥+⑦+⑧+⑨+⑪)×1/100	−(⑥+⑦+⑧+⑨+⑪)×3/100	−(⑥+⑦+⑧+⑨+⑪)×4/100	−(⑥+⑦+⑧+⑨+⑪)×5/100
		3号	1、2歳児 乳児								
	21人から30人まで	2号	4歳以上児 3歳児	+ 4,800	+ 7,180	+ 70×加算率		−(⑥+⑦+⑧+⑨+⑪)×1/100	−(⑥+⑦+⑧+⑨+⑪)×3/100	−(⑥+⑦+⑧+⑨+⑪)×4/100	−(⑥+⑦+⑧+⑨+⑪)×5/100
		3号	1、2歳児 乳児								
	31人から40人まで	2号	4歳以上児 3歳児	+ 4,800	+ 5,390	+ 50×加算率		−(⑥+⑦+⑧+⑨+⑪)×2/100	−(⑥+⑦+⑧+⑨+⑪)×3/100	−(⑥+⑦+⑧+⑨+⑪)×4/100	−(⑥+⑦+⑧+⑨+⑪)×5/100
		3号	1、2歳児 乳児								
	41人から50人まで	2号	4歳以上児 3歳児	+ 4,800	+ 4,300	+ 40×加算率		−(⑥+⑦+⑧+⑨+⑪)×2/100	−(⑥+⑦+⑧+⑨+⑪)×3/100	−(⑥+⑦+⑧+⑨+⑪)×5/100	−(⑥+⑦+⑧+⑨+⑪)×6/100
		3号	1、2歳児 乳児								
	51人から60人まで	2号	4歳以上児 3歳児	+ 4,800	+ 3,590	+ 30×加算率		−(⑥+⑦+⑧+⑨+⑪)×2/100	−(⑥+⑦+⑧+⑨+⑪)×3/100	−(⑥+⑦+⑧+⑨+⑪)×5/100	−(⑥+⑦+⑧+⑨+⑪)×6/100
		3号	1、2歳児 乳児								
	61人から70人まで	2号	4歳以上児 3歳児	+ 4,800	+ 3,080	+ 30×加算率		−(⑥+⑦+⑧+⑨+⑪)×2/100	−(⑥+⑦+⑧+⑨+⑪)×3/100	−(⑥+⑦+⑧+⑨+⑪)×5/100	−(⑥+⑦+⑧+⑨+⑪)×6/100
		3号	1、2歳児 乳児								
	71人から80人まで	2号	4歳以上児 3歳児	+ 4,800	+ 2,690	+ 20×加算率		−(⑥+⑦+⑧+⑨+⑪)×2/100	−(⑥+⑦+⑧+⑨+⑪)×3/100	−(⑥+⑦+⑧+⑨+⑪)×5/100	−(⑥+⑦+⑧+⑨+⑪)×6/100
		3号	1、2歳児 乳児								
	81人から90人まで	2号	4歳以上児 3歳児	+ 4,800	+ 2,390	+ 20×加算率	(⑥+⑦)×10/100	−(⑥+⑦+⑧+⑨+⑪)×2/100	−(⑥+⑦+⑧+⑨+⑪)×3/100	−(⑥+⑦+⑧+⑨+⑪)×5/100	−(⑥+⑦+⑧+⑨+⑪)×6/100
		3号	1、2歳児 乳児								
	91人から100人まで	2号	4歳以上児 3歳児	+ 4,800	+ 2,150	+ 20×加算率		−(⑥+⑦+⑧+⑨+⑪)×2/100	−(⑥+⑦+⑧+⑨+⑪)×3/100	−(⑥+⑦+⑧+⑨+⑪)×5/100	−(⑥+⑦+⑧+⑨+⑪)×7/100
		3号	1、2歳児 乳児								
	101人から110人まで	2号	4歳以上児 3歳児	+ 4,800	+ 1,950	+ 10×加算率		−(⑥+⑦+⑧+⑨+⑪)×2/100	−(⑥+⑦+⑧+⑨+⑪)×3/100	−(⑥+⑦+⑧+⑨+⑪)×5/100	−(⑥+⑦+⑧+⑨+⑪)×7/100
		3号	1、2歳児 乳児								
	111人から120人まで	2号	4歳以上児 3歳児	+ 4,800	+ 1,800	+ 10×加算率		−(⑥+⑦+⑧+⑨+⑪)×2/100	−(⑥+⑦+⑧+⑨+⑪)×3/100	−(⑥+⑦+⑧+⑨+⑪)×5/100	−(⑥+⑦+⑧+⑨+⑪)×7/100
		3号	1、2歳児 乳児								
	121人から130人まで	2号	4歳以上児 3歳児	+ 4,800	+ 1,660	+ 10×加算率		−(⑥+⑦+⑧+⑨+⑪)×2/100	−(⑥+⑦+⑧+⑨+⑪)×3/100	−(⑥+⑦+⑧+⑨+⑪)×5/100	−(⑥+⑦+⑧+⑨+⑪)×7/100
		3号	1、2歳児 乳児								
	131人から140人まで	2号	4歳以上児 3歳児	+ 4,800	+ 1,540	+ 10×加算率		−(⑥+⑦+⑧+⑨+⑪)×2/100	−(⑥+⑦+⑧+⑨+⑪)×3/100	−(⑥+⑦+⑧+⑨+⑪)×5/100	−(⑥+⑦+⑧+⑨+⑪)×7/100
		3号	1、2歳児 乳児								
	141人から150人まで	2号	4歳以上児 3歳児	+ 4,800	+ 1,430	+ 10×加算率		−(⑥+⑦+⑧+⑨+⑪)×2/100	−(⑥+⑦+⑧+⑨+⑪)×3/100	−(⑥+⑦+⑧+⑨+⑪)×5/100	−(⑥+⑦+⑧+⑨+⑪)×7/100
		3号	1、2歳児 乳児								
	151人から160人まで	2号	4歳以上児 3歳児	+ 4,800	+ 1,350	+ 10×加算率		−(⑥+⑦+⑧+⑨+⑪)×2/100	−(⑥+⑦+⑧+⑨+⑪)×3/100	−(⑥+⑦+⑧+⑨+⑪)×5/100	−(⑥+⑦+⑧+⑨+⑪)×7/100
		3号	1、2歳児 乳児								
	161人から170人まで	2号	4歳以上児 3歳児	+ 4,800	+ 1,270	+ 10×加算率		−(⑥+⑦+⑧+⑨+⑪)×2/100	−(⑥+⑦+⑧+⑨+⑪)×3/100	−(⑥+⑦+⑧+⑨+⑪)×5/100	−(⑥+⑦+⑧+⑨+⑪)×7/100
		3号	1、2歳児 乳児								
	171人以上	2号	4歳以上児 3歳児	+ 4,800	+ 1,200	+ 10×加算率		−(⑥+⑦+⑧+⑨+⑪)×2/100	−(⑥+⑦+⑧+⑨+⑪)×3/100	−(⑥+⑦+⑧+⑨+⑪)×5/100	−(⑥+⑦+⑧+⑨+⑪)×7/100
		3号	1、2歳児 乳児								

地域区分 ①	定員区分 ②	認定区分 ③	年齢区分 ④	主幹教諭等の専任化により子育て支援の取り組みを実施していない場合 ⑳	年齢別配置基準を下回る場合 ㉑	配置基準上求められる職員資格を有しない場合 ㉒	定員を恒常的に超過する場合 ㉓
3/100 地域	10人 まで	2号	4歳以上児 3　歳　児	(13,290 +130×加算率)	(43,390 +430×加算率) ×人数	(26,650 +260×加算率)	
		3号	1、2歳児 乳　　児				
	11人 から 20人 まで	2号	4歳以上児 3　歳　児	(6,640 +60×加算率)	(21,690 +210×加算率) ×人数	(13,320 +130×加算率)	
		3号	1、2歳児 乳　　児				
	21人 から 30人 まで	2号	4歳以上児 3　歳　児	(4,430 +40×加算率)	(14,460 +140×加算率) ×人数	(8,880 +80×加算率)	
		3号	1、2歳児 乳　　児				
	31人 から 40人 まで	2号	4歳以上児 3　歳　児	(3,320 +30×加算率)	(10,840 +100×加算率) ×人数	(6,660 +60×加算率)	
		3号	1、2歳児 乳　　児				
	41人 から 50人 まで	2号	4歳以上児 3　歳　児	(2,650 +20×加算率)	(8,670 +80×加算率) ×人数	(5,330 +50×加算率)	
		3号	1、2歳児 乳　　児				
	51人 から 60人 まで	2号	4歳以上児 3　歳　児	(2,210 +20×加算率)	(7,230 +70×加算率) ×人数	(4,440 +40×加算率)	
		3号	1、2歳児 乳　　児				
	61人 から 70人 まで	2号	4歳以上児 3　歳　児	(1,890 +10×加算率)	(6,190 +60×加算率) ×人数	(3,800 +30×加算率)	
		3号	1、2歳児 乳　　児				
	71人 から 80人 まで	2号	4歳以上児 3　歳　児	(1,660 +10×加算率)	(5,420 +50×加算率) ×人数	(3,330 +30×加算率)	
		3号	1、2歳児 乳　　児				
	81人 から 90人 まで	2号	4歳以上児 3　歳　児	(1,470 +10×加算率)	(4,820 +40×加算率) ×人数	(2,960 +30×加算率)	((⑥～㉒（⑯を除く。)) ×別に定める調整率
		3号	1、2歳児 乳　　児				
	91人 から 100人 まで	2号	4歳以上児 3　歳　児	(1,330 +10×加算率)	(4,330 +40×加算率) ×人数	(2,660 +20×加算率)	
		3号	1、2歳児 乳　　児				
	101人 から 110人 まで	2号	4歳以上児 3　歳　児	(1,200 +10×加算率)	(3,940 +30×加算率) ×人数	(2,420 +20×加算率)	
		3号	1、2歳児 乳　　児				
	111人 から 120人 まで	2号	4歳以上児 3　歳　児	(1,100 +10×加算率)	(3,610 +30×加算率) ×人数	(2,220 +20×加算率)	
		3号	1、2歳児 乳　　児				
	121人 から 130人 まで	2号	4歳以上児 3　歳　児	(1,020 +10×加算率)	(3,330 +30×加算率) ×人数	(2,050 +20×加算率)	
		3号	1、2歳児 乳　　児				
	131人 から 140人 まで	2号	4歳以上児 3　歳　児	(950 +10×加算率)	(3,100 +30×加算率) ×人数	(1,900 +10×加算率)	
		3号	1、2歳児 乳　　児				
	141人 から 150人 まで	2号	4歳以上児 3　歳　児	(880 +9×加算率)	(2,890 +20×加算率) ×人数	(1,770 +10×加算率)	
		3号	1、2歳児 乳　　児				
	151人 から 160人 まで	2号	4歳以上児 3　歳　児	(830 +8×加算率)	(2,710 +20×加算率) ×人数	(1,660 +10×加算率)	
		3号	1、2歳児 乳　　児				
	161人 から 170人 まで	2号	4歳以上児 3　歳　児	(780 +8×加算率)	(2,550 +20×加算率) ×人数	(1,560 +10×加算率)	
		3号	1、2歳児 乳　　児				
	171人 以上	2号	4歳以上児 3　歳　児	(730 +7×加算率)	(2,410 +20×加算率) ×人数	(1,480 +10×加算率)	
		3号	1、2歳児 乳　　児				

地域区分①	定員区分②	認定区分③	年齢区分④	保育必要量区分⑤ 保育標準時間認定 基本分単価(注1)⑥	保育短時間認定 基本分単価(注1)⑥	処遇改善等加算Ⅰ 保育標準時間認定(注1)⑦	保育短時間認定(注1)⑦	3歳児配置改善加算 処遇改善等加算Ⅰ⑧
その他地域	10人まで	2号	4歳以上児	224,400 (231,440)	176,360 (183,400) +	2,220 (2,290) ×加算率	1,740 (1,810) ×加算率 +	(7,040) + (70×加算率)
		2号	3歳児	231,440 (289,320)	183,400 (241,280)	2,290 (2,770) ×加算率	1,810 (2,290) ×加算率	7,040 + 70×加算率
		3号	1、2歳児	289,320 (359,780)	241,280 (311,740)	2,770 (3,470) ×加算率	2,290 (2,990) ×加算率	
		3号	乳児	359,780	311,740	3,470 ×加算率	2,990 ×加算率	
	11人から20人まで	2号	4歳以上児	121,640 (128,680)	97,630 (104,670) +	1,190 (1,260) ×加算率	950 (1,020) ×加算率 +	(7,040) + (70×加算率)
		2号	3歳児	128,680 (186,560)	104,670 (162,550)	1,260 (1,750) ×加算率	1,020 (1,510) ×加算率	7,040 + 70×加算率
		3号	1、2歳児	186,560 (257,020)	162,550 (233,010)	1,750 (2,450) ×加算率	1,510 (2,210) ×加算率	
		3号	乳児	257,020	233,010	2,450 ×加算率	2,210 ×加算率	
	21人から30人まで	2号	4歳以上児	87,290 (94,330)	71,280 (78,320) +	850 (920) ×加算率	690 (760) ×加算率 +	(7,040) + (70×加算率)
		2号	3歳児	94,330 (152,210)	78,320 (136,200)	920 (1,400) ×加算率	760 (1,240) ×加算率	7,040 + 70×加算率
		3号	1、2歳児	152,210 (222,670)	136,200 (206,660)	1,400 (2,100) ×加算率	1,240 (1,940) ×加算率	
		3号	乳児	222,670	206,660	2,100 ×加算率	1,940 ×加算率	
	31人から40人まで	2号	4歳以上児	70,280 (77,320)	58,270 (65,310) +	680 (750) ×加算率	560 (630) ×加算率 +	(7,040) + (70×加算率)
		2号	3歳児	77,320 (135,200)	65,310 (123,190)	750 (1,230) ×加算率	630 (1,110) ×加算率	7,040 + 70×加算率
		3号	1、2歳児	135,200 (205,660)	123,190 (193,650)	1,230 (1,930) ×加算率	1,110 (1,810) ×加算率	
		3号	乳児	205,660	193,650	1,930 ×加算率	1,810 ×加算率	
	41人から50人まで	2号	4歳以上児	65,430 (72,470)	55,830 (62,870) +	630 (700) ×加算率	530 (600) ×加算率 +	(7,040) + (70×加算率)
		2号	3歳児	72,470 (130,350)	62,870 (120,750)	700 (1,180) ×加算率	600 (1,090) ×加算率	7,040 + 70×加算率
		3号	1、2歳児	130,350 (200,810)	120,750 (191,210)	1,180 (1,880) ×加算率	1,090 (1,790) ×加算率	
		3号	乳児	200,810	191,210	1,880 ×加算率	1,790 ×加算率	
	51人から60人まで	2号	4歳以上児	57,230 (64,270)	49,220 (56,260) +	550 (620) ×加算率	470 (540) ×加算率 +	(7,040) + (70×加算率)
		2号	3歳児	64,270 (122,150)	56,260 (114,140)	620 (1,100) ×加算率	540 (1,020) ×加算率	7,040 + 70×加算率
		3号	1、2歳児	122,150 (192,610)	114,140 (184,600)	1,100 (1,800) ×加算率	1,020 (1,720) ×加算率	
		3号	乳児	192,610	184,600	1,800 ×加算率	1,720 ×加算率	
	61人から70人まで	2号	4歳以上児	51,440 (58,480)	44,580 (51,620) +	490 (560) ×加算率	420 (490) ×加算率 +	(7,040) + (70×加算率)
		2号	3歳児	58,480 (116,360)	51,620 (109,500)	560 (1,040) ×加算率	490 (970) ×加算率	7,040 + 70×加算率
		3号	1、2歳児	116,360 (186,820)	109,500 (179,960)	1,040 (1,740) ×加算率	970 (1,670) ×加算率	
		3号	乳児	186,820	179,960	1,740 ×加算率	1,670 ×加算率	
	71人から80人まで	2号	4歳以上児	47,150 (54,190)	41,150 (48,190) +	450 (520) ×加算率	390 (460) ×加算率 +	(7,040) + (70×加算率)
		2号	3歳児	54,190 (112,070)	48,190 (106,070)	520 (1,000) ×加算率	460 (940) ×加算率	7,040 + 70×加算率
		3号	1、2歳児	112,070 (182,530)	106,070 (176,530)	1,000 (1,700) ×加算率	940 (1,640) ×加算率	
		3号	乳児	182,530	176,530	1,700 ×加算率	1,640 ×加算率	
	81人から90人まで	2号	4歳以上児	43,770 (50,810)	38,440 (45,480) +	410 (480) ×加算率	360 (430) ×加算率 +	(7,040) + (70×加算率)
		2号	3歳児	50,810 (108,690)	45,480 (103,360)	480 (970) ×加算率	430 (910) ×加算率	7,040 + 70×加算率
		3号	1、2歳児	108,690 (179,150)	103,360 (173,820)	970 (1,670) ×加算率	910 (1,610) ×加算率	
		3号	乳児	179,150	173,820	1,670 ×加算率	1,610 ×加算率	
	91人から100人まで	2号	4歳以上児	38,070 (45,110)	33,260 (40,300) +	360 (430) ×加算率	310 (380) ×加算率 +	(7,040) + (70×加算率)
		2号	3歳児	45,110 (102,990)	40,300 (98,180)	430 (910) ×加算率	380 (860) ×加算率	7,040 + 70×加算率
		3号	1、2歳児	102,990 (173,450)	98,180 (168,640)	910 (1,610) ×加算率	860 (1,560) ×加算率	
		3号	乳児	173,450	168,640	1,610 ×加算率	1,560 ×加算率	
	101人から110人まで	2号	4歳以上児	36,160 (43,200)	31,800 (38,840) +	340 (410) ×加算率	290 (360) ×加算率 +	(7,040) + (70×加算率)
		2号	3歳児	43,200 (101,080)	38,840 (96,720)	410 (890) ×加算率	360 (850) ×加算率	7,040 + 70×加算率
		3号	1、2歳児	101,080 (171,540)	96,720 (167,180)	890 (1,590) ×加算率	850 (1,550) ×加算率	
		3号	乳児	171,540	167,180	1,590 ×加算率	1,550 ×加算率	
	111人から120人まで	2号	4歳以上児	34,540 (41,580)	30,540 (37,580) +	320 (390) ×加算率	280 (350) ×加算率 +	(7,040) + (70×加算率)
		2号	3歳児	41,580 (99,460)	37,580 (95,460)	390 (870) ×加算率	350 (830) ×加算率	7,040 + 70×加算率
		3号	1、2歳児	99,460 (169,920)	95,460 (165,920)	870 (1,570) ×加算率	830 (1,530) ×加算率	
		3号	乳児	169,920	165,920	1,570 ×加算率	1,530 ×加算率	
	121人から130人まで	2号	4歳以上児	33,170 (40,210)	29,480 (36,520) +	310 (380) ×加算率	270 (340) ×加算率 +	(7,040) + (70×加算率)
		2号	3歳児	40,210 (98,090)	36,520 (94,400)	380 (860) ×加算率	340 (820) ×加算率	7,040 + 70×加算率
		3号	1、2歳児	98,090 (168,550)	94,400 (164,860)	860 (1,560) ×加算率	820 (1,520) ×加算率	
		3号	乳児	168,550	164,860	1,560 ×加算率	1,520 ×加算率	
	131人から140人まで	2号	4歳以上児	32,030 (39,070)	28,600 (35,640) +	300 (370) ×加算率	260 (330) ×加算率 +	(7,040) + (70×加算率)
		2号	3歳児	39,070 (96,950)	35,640 (93,520)	370 (850) ×加算率	330 (810) ×加算率	7,040 + 70×加算率
		3号	1、2歳児	96,950 (167,410)	93,520 (163,980)	850 (1,550) ×加算率	810 (1,510) ×加算率	
		3号	乳児	167,410	163,980	1,550 ×加算率	1,510 ×加算率	
	141人から150人まで	2号	4歳以上児	31,020 (38,060)	27,810 (34,850) +	290 (360) ×加算率	250 (320) ×加算率 +	(7,040) + (70×加算率)
		2号	3歳児	38,060 (95,940)	34,850 (92,730)	360 (840) ×加算率	320 (810) ×加算率	7,040 + 70×加算率
		3号	1、2歳児	95,940 (166,400)	92,730 (163,190)	840 (1,540) ×加算率	810 (1,510) ×加算率	
		3号	乳児	166,400	163,190	1,540 ×加算率	1,510 ×加算率	
	151人から160人まで	2号	4歳以上児	31,030 (38,070)	28,030 (35,070) +	290 (360) ×加算率	260 (330) ×加算率 +	(7,040) + (70×加算率)
		2号	3歳児	38,070 (95,950)	35,070 (92,950)	360 (840) ×加算率	330 (810) ×加算率	7,040 + 70×加算率
		3号	1、2歳児	95,950 (166,410)	92,950 (163,410)	840 (1,540) ×加算率	810 (1,510) ×加算率	
		3号	乳児	166,410	163,410	1,540 ×加算率	1,510 ×加算率	
	161人から170人まで	2号	4歳以上児	30,210 (37,250)	27,390 (34,430) +	280 (350) ×加算率	250 (320) ×加算率 +	(7,040) + (70×加算率)
		2号	3歳児	37,250 (95,130)	34,430 (92,310)	350 (830) ×加算率	320 (800) ×加算率	7,040 + 70×加算率
		3号	1、2歳児	95,130 (165,590)	92,310 (162,770)	830 (1,530) ×加算率	800 (1,500) ×加算率	
		3号	乳児	165,590	162,770	1,530 ×加算率	1,500 ×加算率	
	171人以上	2号	4歳以上児	29,470 (36,510)	26,800 (33,840) +	270 (340) ×加算率	240 (310) ×加算率 +	(7,040) + (70×加算率)
		2号	3歳児	36,510 (94,390)	33,840 (91,720)	340 (820) ×加算率	310 (800) ×加算率	7,040 + 70×加算率
		3号	1、2歳児	94,390 (164,850)	91,720 (162,180)	820 (1,520) ×加算率	800 (1,500) ×加算率	
		3号	乳児	164,850	162,180	1,520 ×加算率	1,500 ×加算率	

地域区分 ①	定員区分 ②	認定区分 ③	年齢区分 ④	4歳以上児配置改善加算	処遇改善等加算Ⅰ ⑨	夜間保育加算 (注1) ⑪	処遇改善等加算Ⅰ
その他地域	10人まで	2号	4歳以上児	+2,810	+20×加算率	+54,720 ／ 52,890	+470×加算率
			3　歳　児				
		3号	1、2歳児			+52,890	
			乳　　児				
	11人から20人まで	2号	4歳以上児	+2,810	+20×加算率	+31,010 ／ 29,180	+230×加算率
			3　歳　児				
		3号	1、2歳児			+29,180	
			乳　　児				
	21人から30人まで	2号	4歳以上児	+2,810	+20×加算率	+23,110 ／ 21,280	+150×加算率
			3　歳　児				
		3号	1、2歳児			+21,280	
			乳　　児				
	31人から40人まで	2号	4歳以上児	+2,810	+20×加算率	+19,160 ／ 17,330	+110×加算率
			3　歳　児				
		3号	1、2歳児			+17,330	
			乳　　児				
	41人から50人まで	2号	4歳以上児	+2,810	+20×加算率	+16,790 ／ 14,960	+90×加算率
			3　歳　児				
		3号	1、2歳児			+14,960	
			乳　　児				
	51人から60人まで	2号	4歳以上児	+2,810	+20×加算率	+15,210 ／ 13,380	+70×加算率
			3　歳　児				
		3号	1、2歳児			+13,380	
			乳　　児				
	61人から70人まで	2号	4歳以上児	+2,810	+20×加算率	+14,080 ／ 12,250	+60×加算率
			3　歳　児				
		3号	1、2歳児			+12,250	
			乳　　児				
	71人から80人まで	2号	4歳以上児	+2,810	+20×加算率	+13,230 ／ 11,400	+50×加算率
			3　歳　児				
		3号	1、2歳児			+11,400	
			乳　　児				
	81人から90人まで	2号	4歳以上児	+2,810	+20×加算率	+12,570 ／ 10,740	+50×加算率
			3　歳　児				
		3号	1、2歳児			+10,740	
			乳　　児				
	91人から100人まで	2号	4歳以上児	+2,810	+20×加算率		
			3　歳　児				
		3号	1、2歳児				
			乳　　児				
	101人から110人まで	2号	4歳以上児	+2,810	+20×加算率		
			3　歳　児				
		3号	1、2歳児				
			乳　　児				
	111人から120人まで	2号	4歳以上児	+2,810	+20×加算率		
			3　歳　児				
		3号	1、2歳児				
			乳　　児				
	121人から130人まで	2号	4歳以上児	+2,810	+20×加算率		
			3　歳　児				
		3号	1、2歳児				
			乳　　児				
	131人から140人まで	2号	4歳以上児	+2,810	+20×加算率		
			3　歳　児				
		3号	1、2歳児				
			乳　　児				
	141人から150人まで	2号	4歳以上児	+2,810	+20×加算率		
			3　歳　児				
		3号	1、2歳児				
			乳　　児				
	151人から160人まで	2号	4歳以上児	+2,810	+20×加算率		
			3　歳　児				
		3号	1、2歳児				
			乳　　児				
	161人から170人まで	2号	4歳以上児	+2,810	+20×加算率		
			3　歳　児				
		3号	1、2歳児				
			乳　　児				
	171人以上	2号	4歳以上児	+2,810	+20×加算率		
			3　歳　児				
		3号	1、2歳児				
			乳　　児				

休日保育加算 ⑩

休日保育の年間延べ利用子ども数（基本分）　／　処遇改善等加算Ⅰ（休日保育の年間延べ利用子ども数）

休日保育の年間延べ利用子ども数	基本分	処遇改善等加算Ⅰ
～　210人	244,700	2,440×加算率
211人～279人	261,900	2,610×加算率
280人～349人	296,300	2,960×加算率
350人～419人	330,700	3,300×加算率
420人～489人	365,100	3,650×加算率
490人～559人	399,500	3,990×加算率
560人～629人	433,900	4,330×加算率
630人～699人	468,400	4,680×加算率
700人～769人	502,800	5,020×加算率
770人～839人	537,200	5,370×加算率
840人～909人	571,600	5,710×加算率
910人～979人	606,000	6,060×加算率
980人～1,049人	640,400	6,400×加算率
1,050人～	674,900	6,740×加算率

（休日保育加算）　＋　…　÷　各月初日の利用子ども数

特定教育・保育等に要する費用算定基準等　認定こども園（保育認定）

地域区分 ①	定員区分 ②	認定区分 ③	年齢区分 ④	チーム保育加配加算 ※1号・2号の利用定員合計に応じて2号利用子どもの単価に加算	処遇改善等加算Ⅰ ⑫	減価償却費加算 加算額 ⑬ 認可施設 標準	都市部	機能部分 標準	都市部	賃借料加算 加算額 ⑭ 認可施設 標準	都市部	機能部分 標準	都市部	外部監査費加算 ⑮
その他地域	10人まで	2号	4歳以上児／3歳児	～15人 29,020×加配人数	+290×加算率×加配人数	+17,100	18,800	11,900	11,900	a地域 +31,600	35,200	22,100	22,100	
		3号	1、2歳児／乳児							b地域 17,400	19,400	12,200	12,200	
										c地域 15,200	16,900	10,600	10,600	
										d地域 13,600	15,100	9,500	9,500	
	11人から20人まで	2号	4歳以上児／3歳児	16人～25人 17,410×加配人数	+170×加算率×加配人数	+8,500	9,400	5,900	5,900	a地域 15,800	17,600	11,000	11,000	
		3号	1、2歳児／乳児							b地域 8,700	9,700	6,100	6,100	
										c地域 7,600	8,400	5,300	5,300	
										d地域 6,800	7,500	4,700	4,700	
	21人から30人まで	2号	4歳以上児／3歳児	26人～35人 12,440×加配人数	+120×加算率×加配人数	+5,900	6,500	4,100	4,100	a地域 10,900	12,200	7,600	7,600	認定こども園全体の利用定員 ～15人 27,330
		3号	1、2歳児／乳児							b地域 6,000	6,700	4,200	4,200	
										c地域 5,200	5,800	3,600	3,600	
										d地域 4,700	5,200	3,300	3,300	
	31人から40人まで	2号	4歳以上児／3歳児	36人～45人 9,670×加配人数	+90×加算率×加配人数	+5,200	5,700	3,600	3,600	a地域 9,800	10,900	6,800	6,800	16人～25人 16,800
		3号	1、2歳児／乳児							b地域 5,400	6,000	3,700	3,700	
										c地域 4,700	5,200	3,300	3,300	
										d地域 4,200	4,600	2,900	2,900	
	41人から50人まで	2号	4歳以上児／3歳児	46人～60人 7,250×加配人数	+70×加算率×加配人数	+4,700	5,200	3,300	3,300	a地域 8,800	9,800	6,100	6,100	26人～35人 12,280
		3号	1、2歳児／乳児							b地域 4,800	5,400	3,400	3,400	
										c地域 4,200	4,700	2,900	2,900	
										d地域 3,800	4,200	2,600	2,600	
	51人から60人まで	2号	4歳以上児／3歳児	61人～75人 5,800×加配人数	+50×加算率×加配人数	+3,900	4,300	2,700	2,700	a地域 7,200	8,100	5,100	5,100	36人～45人 9,770
		3号	1、2歳児／乳児							b地域 4,000	4,400	2,800	2,800	
										c地域 3,500	3,800	2,400	2,400	
										d地域 3,100	3,400	2,100	2,100	
	61人から70人まで	2号	4歳以上児／3歳児	76人～90人 4,830×加配人数	+40×加算率×加配人数	+3,300	3,700	2,300	2,300	a地域 6,300	7,100	4,400	4,400	46人～60人 7,500
		3号	1、2歳児／乳児							b地域 3,500	3,900	2,400	2,400	
										c地域 3,000	3,400	2,100	2,100	
										d地域 2,700	3,000	1,900	1,900	
	71人から80人まで	2号	4歳以上児／3歳児	91人～105人 4,140×加配人数	+40×加算率×加配人数	+3,800	4,200	2,700	2,700	a地域 7,100	7,900	4,900	4,900	61人～75人 6,130
		3号	1、2歳児／乳児							b地域 3,900	4,300	2,700	2,700	
										c地域 3,400	3,800	2,300	2,300	
										d地域 3,000	3,300	2,100	2,100	
	81人から90人まで	2号	4歳以上児／3歳児	106人～120人 3,620×加配人数	+30×加算率×加配人数	+3,400	3,700	2,400	2,400	a地域 6,300	7,100	4,400	4,400	76人～90人 5,220
		3号	1、2歳児／乳児							b地域 3,500	3,900	2,400	2,400	
										c地域 3,000	3,400	2,100	2,100	
										d地域 2,700	3,000	1,900	1,900	
	91人から100人まで	2号	4歳以上児／3歳児	121人～135人 3,220×加配人数	+30×加算率×加配人数	+3,000	3,400	2,100	2,100	a地域 5,500	6,200	3,900	3,900	91人～105人 4,660
		3号	1、2歳児／乳児							b地域 3,000	3,400	2,100	2,100	
										c地域 2,600	2,900	1,800	1,800	
										d地域 2,400	2,600	1,600	1,600	
	101人から110人まで	2号	4歳以上児／3歳児	136人～150人 2,900×加配人数	+20×加算率×加配人数	+3,300	3,700	2,300	2,300	a地域 6,100	6,800	4,200	4,200	106人～120人 4,250
		3号	1、2歳児／乳児							b地域 3,300	3,700	2,300	2,300	
										c地域 2,900	3,200	2,000	2,000	
										d地域 2,600	2,900	1,800	1,800	
	111人から120人まで	2号	4歳以上児／3歳児	151人～180人 2,410×加配人数	+20×加算率×加配人数	+3,000	3,400	2,100	2,100	a地域 5,500	6,200	3,900	3,900	121人～135人 3,920
		3号	1、2歳児／乳児							b地域 3,000	3,400	2,100	2,100	
										c地域 2,600	2,900	1,800	1,800	
										d地域 2,400	2,600	1,600	1,600	
	121人から130人まで	2号	4歳以上児／3歳児	181人～210人 2,070×加配人数	+20×加算率×加配人数	+2,800	3,100	2,000	2,000	a地域 5,100	5,700	3,500	3,500	136人～150人 3,660
		3号	1、2歳児／乳児							b地域 2,800	3,100	1,900	1,900	
										c地域 2,400	2,700	1,700	1,700	
										d地域 2,200	2,400	1,500	1,500	
	131人から140人まで	2号	4歳以上児／3歳児	211人～240人 1,810×加配人数	+10×加算率×加配人数	+3,000	3,300	2,100	2,100	a地域 5,500	6,200	3,900	3,900	151人～180人 3,160
		3号	1、2歳児／乳児							b地域 3,000	3,400	2,100	2,100	
										c地域 2,600	2,900	1,800	1,800	
										d地域 2,400	2,600	1,600	1,600	
	141人から150人まで	2号	4歳以上児／3歳児	241人～270人 1,610×加配人数	+10×加算率×加配人数	+2,800	3,100	2,000	2,000	a地域 5,400	6,000	3,700	3,700	181人～210人 2,810
		3号	1、2歳児／乳児							b地域 2,900	3,300	2,000	2,000	
										c地域 2,500	2,800	1,800	1,800	
										d地域 2,300	2,500	1,600	1,600	
	151人から160人まで	2号	4歳以上児／3歳児	271人～300人 1,450×加配人数	+10×加算率×加配人数	+2,600	2,900	1,800	1,800	a地域 4,800	5,400	3,400	3,400	211人～240人 2,540
		3号	1、2歳児／乳児							b地域 2,600	2,900	1,800	1,800	
										c地域 2,300	2,500	1,600	1,600	
										d地域 2,000	2,300	1,400	1,400	
	161人から170人まで	2号	4歳以上児／3歳児	301人～ 1,310×加配人数	+10×加算率×加配人数	+2,800	3,100	2,000	2,000	a地域 5,400	6,000	3,700	3,700	241人～270人 2,440
		3号	1、2歳児／乳児							b地域 2,900	3,300	2,000	2,000	
										c地域 2,500	2,800	1,800	1,800	
										d地域 2,300	2,500	1,600	1,600	
	171人以上	2号	4歳以上児／3歳児			+2,700	2,900	1,900	1,900	a地域 4,800	5,400	3,400	3,400	271人～300人 2,360
		3号	1、2歳児／乳児							b地域 2,600	2,900	1,800	1,800	301人～ 2,150
										c地域 2,300	2,500	1,600	1,600	
										d地域 2,000	2,300	1,400	1,400	※3月分の単価に加算

地域区分 ①	定員区分 ②	認定区分 ③	年齢区分 ④	副食費徴収免除加算 ⑯ ※副食費の徴収が免除される子どもの単価に加算	1号認定こどもの利用定員を設定しない場合 処遇改善等加算Ⅰ ⑰	分園の場合 ⑱	土曜日に閉所する場合 ⑲ 月に1日土曜日を閉所する場合	月に2日土曜日を閉所する場合	月に3日以上土曜日を閉所する場合	全ての土曜日を閉所する場合
その他地域	10人まで	2号	4歳以上児 3歳児	＋ 4,800	＋ 21,390 ＋ 210×加算率	－	(⑥＋⑦＋⑧＋⑨＋⑪) × 1/100	(⑥＋⑦＋⑧＋⑨＋⑪) × 3/100	(⑥＋⑦＋⑧＋⑨＋⑪) × 4/100	(⑥＋⑦＋⑧＋⑨＋⑪) × 5/100
		3号	1、2歳児 乳児							
	11人から20人まで	2号	4歳以上児 3歳児	＋ 4,800	＋ 10,690 ＋ 100×加算率	－	(⑥＋⑦＋⑧＋⑨＋⑪) × 1/100	(⑥＋⑦＋⑧＋⑨＋⑪) × 3/100	(⑥＋⑦＋⑧＋⑨＋⑪) × 4/100	(⑥＋⑦＋⑧＋⑨＋⑪) × 5/100
		3号	1、2歳児 乳児							
	21人から30人まで	2号	4歳以上児 3歳児	＋ 4,800	＋ 7,130 ＋ 70×加算率	－	(⑥＋⑦＋⑧＋⑨＋⑪) × 2/100	(⑥＋⑦＋⑧＋⑨＋⑪) × 3/100	(⑥＋⑦＋⑧＋⑨＋⑪) × 4/100	(⑥＋⑦＋⑧＋⑨＋⑪) × 6/100
		3号	1、2歳児 乳児							
	31人から40人まで	2号	4歳以上児 3歳児	＋ 4,800	＋ 5,350 ＋ 50×加算率	－	(⑥＋⑦＋⑧＋⑨＋⑪) × 2/100	(⑥＋⑦＋⑧＋⑨＋⑪) × 3/100	(⑥＋⑦＋⑧＋⑨＋⑪) × 4/100	(⑥＋⑦＋⑧＋⑨＋⑪) × 5/100
		3号	1、2歳児 乳児							
	41人から50人まで	2号	4歳以上児 3歳児	＋ 4,800	＋ 4,280 ＋ 40×加算率	－	(⑥＋⑦＋⑧＋⑨＋⑪) × 2/100	(⑥＋⑦＋⑧＋⑨＋⑪) × 3/100	(⑥＋⑦＋⑧＋⑨＋⑪) × 5/100	(⑥＋⑦＋⑧＋⑨＋⑪) × 6/100
		3号	1、2歳児 乳児							
	51人から60人まで	2号	4歳以上児 3歳児	＋ 4,800	＋ 3,560 ＋ 30×加算率	－	(⑥＋⑦＋⑧＋⑨＋⑪) × 2/100	(⑥＋⑦＋⑧＋⑨＋⑪) × 3/100	(⑥＋⑦＋⑧＋⑨＋⑪) × 5/100	(⑥＋⑦＋⑧＋⑨＋⑪) × 6/100
		3号	1、2歳児 乳児							
	61人から70人まで	2号	4歳以上児 3歳児	＋ 4,800	＋ 3,060 ＋ 30×加算率	－	(⑥＋⑦＋⑧＋⑨＋⑪) × 2/100	(⑥＋⑦＋⑧＋⑨＋⑪) × 3/100	(⑥＋⑦＋⑧＋⑨＋⑪) × 5/100	(⑥＋⑦＋⑧＋⑨＋⑪) × 6/100
		3号	1、2歳児 乳児							
	71人から80人まで	2号	4歳以上児 3歳児	＋ 4,800	＋ 2,670 ＋ 20×加算率	－	(⑥＋⑦＋⑧＋⑨＋⑪) × 2/100	(⑥＋⑦＋⑧＋⑨＋⑪) × 3/100	(⑥＋⑦＋⑧＋⑨＋⑪) × 5/100	(⑥＋⑦＋⑧＋⑨＋⑪) × 6/100
		3号	1、2歳児 乳児							
	81人から90人まで	2号	4歳以上児 3歳児	＋ 4,800	＋ 2,370 ＋ 20×加算率	－ (⑥＋⑦) × 10/100	(⑥＋⑦＋⑧＋⑨＋⑪) × 2/100	(⑥＋⑦＋⑧＋⑨＋⑪) × 3/100	(⑥＋⑦＋⑧＋⑨＋⑪) × 5/100	(⑥＋⑦＋⑧＋⑨＋⑪) × 6/100
		3号	1、2歳児 乳児							
	91人から100人まで	2号	4歳以上児 3歳児	＋ 4,800	＋ 2,140 ＋ 20×加算率	－	(⑥＋⑦＋⑧＋⑨＋⑪) × 2/100	(⑥＋⑦＋⑧＋⑨＋⑪) × 3/100	(⑥＋⑦＋⑧＋⑨＋⑪) × 5/100	(⑥＋⑦＋⑧＋⑨＋⑪) × 7/100
		3号	1、2歳児 乳児							
	101人から110人まで	2号	4歳以上児 3歳児	＋ 4,800	＋ 1,940 ＋ 10×加算率	－	(⑥＋⑦＋⑧＋⑨＋⑪) × 2/100	(⑥＋⑦＋⑧＋⑨＋⑪) × 3/100	(⑥＋⑦＋⑧＋⑨＋⑪) × 5/100	(⑥＋⑦＋⑧＋⑨＋⑪) × 7/100
		3号	1、2歳児 乳児							
	111人から120人まで	2号	4歳以上児 3歳児	＋ 4,800	＋ 1,780 ＋ 10×加算率	－	(⑥＋⑦＋⑧＋⑨＋⑪) × 2/100	(⑥＋⑦＋⑧＋⑨＋⑪) × 3/100	(⑥＋⑦＋⑧＋⑨＋⑪) × 5/100	(⑥＋⑦＋⑧＋⑨＋⑪) × 7/100
		3号	1、2歳児 乳児							
	121人から130人まで	2号	4歳以上児 3歳児	＋ 4,800	＋ 1,640 ＋ 10×加算率	－	(⑥＋⑦＋⑧＋⑨＋⑪) × 2/100	(⑥＋⑦＋⑧＋⑨＋⑪) × 3/100	(⑥＋⑦＋⑧＋⑨＋⑪) × 5/100	(⑥＋⑦＋⑧＋⑨＋⑪) × 7/100
		3号	1、2歳児 乳児							
	131人から140人まで	2号	4歳以上児 3歳児	＋ 4,800	＋ 1,530 ＋ 10×加算率	－	(⑥＋⑦＋⑧＋⑨＋⑪) × 2/100	(⑥＋⑦＋⑧＋⑨＋⑪) × 3/100	(⑥＋⑦＋⑧＋⑨＋⑪) × 5/100	(⑥＋⑦＋⑧＋⑨＋⑪) × 7/100
		3号	1、2歳児 乳児							
	141人から150人まで	2号	4歳以上児 3歳児	＋ 4,800	＋ 1,420 ＋ 10×加算率	－	(⑥＋⑦＋⑧＋⑨＋⑪) × 2/100	(⑥＋⑦＋⑧＋⑨＋⑪) × 3/100	(⑥＋⑦＋⑧＋⑨＋⑪) × 5/100	(⑥＋⑦＋⑧＋⑨＋⑪) × 7/100
		3号	1、2歳児 乳児							
	151人から160人まで	2号	4歳以上児 3歳児	＋ 4,800	＋ 1,340 ＋ 10×加算率	－	(⑥＋⑦＋⑧＋⑨＋⑪) × 2/100	(⑥＋⑦＋⑧＋⑨＋⑪) × 3/100	(⑥＋⑦＋⑧＋⑨＋⑪) × 5/100	(⑥＋⑦＋⑧＋⑨＋⑪) × 7/100
		3号	1、2歳児 乳児							
	161人から170人まで	2号	4歳以上児 3歳児	＋ 4,800	＋ 1,260 ＋ 10×加算率	－	(⑥＋⑦＋⑧＋⑨＋⑪) × 2/100	(⑥＋⑦＋⑧＋⑨＋⑪) × 3/100	(⑥＋⑦＋⑧＋⑨＋⑪) × 5/100	(⑥＋⑦＋⑧＋⑨＋⑪) × 7/100
		3号	1、2歳児 乳児							
	171人以上	2号	4歳以上児 3歳児	＋ 4,800	＋ 1,190 ＋ 10×加算率	－	(⑥＋⑦＋⑧＋⑨＋⑪) × 2/100	(⑥＋⑦＋⑧＋⑨＋⑪) × 3/100	(⑥＋⑦＋⑧＋⑨＋⑪) × 5/100	(⑥＋⑦＋⑧＋⑨＋⑪) × 7/100
		3号	1、2歳児 乳児							

地域区分 ①	定員区分 ②	認定区分 ③	年齢区分 ④	主幹教諭等の専任化により子育て支援の取り組みを実施していない場合 ⑳	年齢別配置基準を下回る場合 ㉑	配置基準上求められる職員資格を有しない場合 ㉒	定員を恒常的に超過する場合 ㉓
その他地域	10人まで	2号	4歳以上児／3歳児	(13,290 +130×加算率)	(42,270 +420×加算率)×人数	(25,520 +250×加算率)×人数	
		3号	1、2歳児／乳児				
	11人から20人まで	2号	4歳以上児／3歳児	(6,640 +60×加算率)	(21,130 +210×加算率)×人数	(12,760 +120×加算率)×人数	
		3号	1、2歳児／乳児				
	21人から30人まで	2号	4歳以上児／3歳児	(4,430 +40×加算率)	(14,090 +140×加算率)×人数	(8,500 +80×加算率)×人数	
		3号	1、2歳児／乳児				
	31人から40人まで	2号	4歳以上児／3歳児	(3,320 +30×加算率)	(10,560 +100×加算率)×人数	(6,380 +60×加算率)×人数	
		3号	1、2歳児／乳児				
	41人から50人まで	2号	4歳以上児／3歳児	(2,650 +20×加算率)	(8,450 +80×加算率)×人数	(5,100 +50×加算率)×人数	
		3号	1、2歳児／乳児				
	51人から60人まで	2号	4歳以上児／3歳児	(2,210 +20×加算率)	(7,040 +70×加算率)×人数	(4,250 +40×加算率)×人数	
		3号	1、2歳児／乳児				
	61人から70人まで	2号	4歳以上児／3歳児	(1,890 +10×加算率)	(6,030 +60×加算率)×人数	(3,640 +30×加算率)×人数	
		3号	1、2歳児／乳児				
	71人から80人まで	2号	4歳以上児／3歳児	(1,660 +10×加算率)	(5,280 +50×加算率)×人数	(3,190 +30×加算率)×人数	
		3号	1、2歳児／乳児				
	81人から90人まで	2号	4歳以上児／3歳児	(1,470 +10×加算率)	(4,690 +40×加算率)×人数	(2,830 +20×加算率)×人数	(⑥～㉒（⑯を除く。））×別に定める調整率
		3号	1、2歳児／乳児				
	91人から100人まで	2号	4歳以上児／3歳児	(1,330 +10×加算率)	(4,220 +40×加算率)×人数	(2,550 +20×加算率)×人数	
		3号	1、2歳児／乳児				
	101人から110人まで	2号	4歳以上児／3歳児	(1,200 +10×加算率)	(3,840 +30×加算率)×人数	(2,320 +20×加算率)×人数	
		3号	1、2歳児／乳児				
	111人から120人まで	2号	4歳以上児／3歳児	(1,100 +10×加算率)	(3,520 +30×加算率)×人数	(2,120 +20×加算率)×人数	
		3号	1、2歳児／乳児				
	121人から130人まで	2号	4歳以上児／3歳児	(1,020 +10×加算率)	(3,250 +30×加算率)×人数	(1,960 +20×加算率)×人数	
		3号	1、2歳児／乳児				
	131人から140人まで	2号	4歳以上児／3歳児	(950 +10×加算率)	(3,010 +30×加算率)×人数	(1,820 +10×加算率)×人数	
		3号	1、2歳児／乳児				
	141人から150人まで	2号	4歳以上児／3歳児	(880 +9×加算率)	(2,810 +20×加算率)×人数	(1,700 +10×加算率)×人数	
		3号	1、2歳児／乳児				
	151人から160人まで	2号	4歳以上児／3歳児	(830 +8×加算率)	(2,640 +20×加算率)×人数	(1,590 +10×加算率)×人数	
		3号	1、2歳児／乳児				
	161人から170人まで	2号	4歳以上児／3歳児	(780 +8×加算率)	(2,480 +20×加算率)×人数	(1,500 +10×加算率)×人数	
		3号	1、2歳児／乳児				
	171人以上	2号	4歳以上児／3歳児	(730 +7×加算率)	(2,340 +20×加算率)×人数	(1,410 +10×加算率)×人数	
		3号	1、2歳児／乳児				

加算部分2

療育支援加算^(注2)	㉔	A	基本額　　　処遇改善等加算Ⅰ （　　26,010　＋　　260×加算率　　） ÷各月初日の利用子ども数	※以下の区分に応じて、各月初日の利用子どもの単価に加算 　A：特別児童扶養手当支給対象児童受入施設 　B：それ以外の障害児受入施設
		B	基本額　　　処遇改善等加算Ⅰ （　　17,340　＋　　170×加算率　　） ÷各月初日の利用子ども数	

処遇改善等加算Ⅱ^(注2)	㉕	以下の加算を合算した額を各月初日の利用子ども数で除した額 ・処遇改善等加算Ⅱ－①　50,300　×　人数A　×　1/2 ・処遇改善等加算Ⅱ－②　　6,290　×　人数B　×　1/2	※1　各月初日の利用子どもの単価に加算 ※2　人数A及び人数Bについては、別に定める

処遇改善等加算Ⅲ^(注2)	㉖	11,320　　×　　加算Ⅲ算定対象人数　×　1/2 ÷各月初日の利用子ども数	※1　各月初日の利用子どもの単価に加算 ※2　加算Ⅲ算定対象人数については、別に定める

冷暖房費加算	㉗	1　級　地　　1,900　4　級　地　　1,320 2　級　地　　1,690　その他地域　　120 3　級　地　　1,670	※以下の区分に応じて、各月の単価に加算 　1級地から4級地：国家公務員の寒冷地手当に関する法律（昭和24年法律第200号）第1条第1号及び第2号に掲げる地域 　その他地域：1級地から4級地以外の地域

施設関係者評価加算^(注2)	㉘	A	155,310÷3月初日の利用子ども数	※以下の区分に応じて、3月初日の利用子どもの単価に加算 　A：公開保育の取組と組み合わせて施設関係者評価を実施する施設 　B：それ以外の施設
		B	30,260÷3月初日の利用子ども数	

除雪費加算	㉙	6,270	※3月初日の利用子どもの単価に加算

降灰除去費加算^(注2)	㉚	81,230÷3月初日の利用子ども数	※3月初日の利用子どもの単価に加算

高齢者等活躍促進加算	㉛	400時間以上　800時間未満　476,000 ÷3月初日の利用子ども数 800時間以上1200時間未満　793,000 ÷3月初日の利用子ども数 1200時間以上　1,111,000 ÷3月初日の利用子ども数	※加算額は、高齢者等の年間総雇用時間数を基に区分 ※3月初日の利用子どもの単価に加算

施設機能強化推進費加算^(注2)	㉜	80,000（限度額）÷3月初日の利用子ども数	※3月初日の利用子どもの単価に加算

小学校接続加算^(注2)	㉝	要件Ⅰ～Ⅱを満たす場合　20,190÷3月初日の利用子ども数 要件Ⅰ～Ⅲを満たす場合　158,570÷3月初日の利用子ども数	※3月初日の利用子どもの単価に加算

栄養管理加算	㉞	A	基本額　　　処遇改善等加算Ⅰ （　　79,950　＋　　790×加算率　　） ÷各月初日の利用子ども数	※以下の区分に応じて、各月初日の利用子どもの単価に加算 　A：Bを除き栄養士を雇用契約等により配置している施設 　B：基本分単価及び他の加算の認定に当たって求められる職員が栄養士を兼務している施設 　C：A又はBを除き、栄養士を嘱託等している施設
		B	基本額　　　処遇改善等加算Ⅰ （　　50,000　＋　　500×加算率　　） ÷各月初日の利用子ども数	
		C	基本額 10,000　÷各月初日の利用子ども数	

第三者評価受審加算^(注2)	㉟	75,000÷3月初日の利用子ども数	※3月初日の利用子どもの単価に加算

（注　）年度の初日の前日における満年齢に応じて月額を調整

（注2）1号認定こどもの利用定員を設定しない場合の調整を受ける場合、それぞれの額に「2」を乗じて算定

○定員を恒常的に超過する場合に係る別に定める調整率　認定こども園（保育認定）

地域区分：20/100地域　　認定区分：2号（4歳以上児・3歳児）、3号（1・2歳児・乳児）

定員区分	10人まで	11人から20人まで	21人から30人まで	31人から40人まで	41人から50人まで	51人から60人まで	61人から70人まで	71人から80人まで	81人から90人まで	91人から100人まで	101人から110人まで	111人から120人まで	121人から130人まで	131人から140人まで	141人から150人まで	151人から160人まで	161人から170人まで	171人以上
10人まで		61/100	48/100	42/100	40/100	37/100	35/100	33/100	32/100	29/100	29/100	28/100	27/100	27/100	27/100	26/100	26/100	26/100
11人から20人まで			79/100	69/100	66/100	61/100	57/100	54/100	52/100	48/100	47/100	46/100	45/100	44/100	44/100	43/100	43/100	42/100
21人から30人まで				87/100	84/100	77/100	72/100	69/100	66/100	61/100	59/100	58/100	57/100	56/100	55/100	55/100	54/100	54/100
31人から40人まで					96/100	88/100	83/100	79/100	76/100	70/100	68/100	67/100	66/100	64/100	64/100	63/100	62/100	62/100
41人から50人まで						92/100	86/100	82/100	79/100	73/100	71/100	70/100	68/100	67/100	66/100	66/100	65/100	64/100
51人から60人まで							94/100	89/100	86/100	79/100	77/100	76/100	74/100	73/100	72/100	71/100	71/100	70/100
61人から70人まで								95/100	91/100	84/100	82/100	81/100	79/100	77/100	77/100	76/100	75/100	74/100
71人から80人まで									96/100	88/100	87/100	85/100	83/100	81/100	81/100	80/100	79/100	78/100
81人から90人まで										92/100	90/100	88/100	87/100	85/100	84/100	83/100	82/100	82/100
91人から100人まで											98/100	96/100	94/100	92/100	91/100	90/100	89/100	89/100
101人から110人まで												98/100	96/100	94/100	93/100	92/100	91/100	90/100
111人から120人まで													98/100	96/100	95/100	94/100	93/100	92/100
121人から130人まで														98/100	97/100	96/100	95/100	94/100
131人から140人まで															99/100	98/100	97/100	96/100
141人から150人まで																99/100	98/100	97/100
151人から160人まで																	99/100	98/100
161人から170人まで																		99/100
171人以上																		

地域区分	定員区分	認定区分	年齢区分	10人まで	11人から20人まで	21人から30人まで	31人から40人まで	41人から50人まで	51人から60人まで	61人から70人まで	71人から80人まで	81人から90人まで	91人から100人まで	101人から110人まで	111人から120人まで	121人から130人まで	131人から140人まで	141人から150人まで	151人から160人まで	161人から170人まで	171人以上
16/100 地域	10人まで	2号	4歳以上児																		
			3歳児		61/100	48/100	42/100	40/100	37/100	35/100	33/100	32/100	30/100	29/100	28/100	28/100	27/100	27/100	27/100	26/100	26/100
		3号	1、2歳児																		
			乳児																		
	11人から20人まで	2号	4歳以上児																		
			3歳児			79/100	69/100	66/100	61/100	57/100	54/100	52/100	48/100	47/100	46/100	46/100	45/100	44/100	44/100	43/100	43/100
		3号	1、2歳児																		
			乳児																		
	21人から30人まで	2号	4歳以上児																		
			3歳児				87/100	84/100	77/100	72/100	69/100	66/100	61/100	60/100	59/100	58/100	57/100	56/100	55/100	55/100	54/100
		3号	1、2歳児																		
			乳児																		
	31人から40人まで	2号	4歳以上児																		
			3歳児					96/100	88/100	83/100	79/100	76/100	70/100	69/100	68/100	66/100	65/100	64/100	64/100	63/100	62/100
		3号	1、2歳児																		
			乳児																		
	41人から50人まで	2号	4歳以上児																		
			3歳児						92/100	86/100	82/100	79/100	73/100	72/100	70/100	69/100	68/100	67/100	66/100	66/100	65/100
		3号	1、2歳児																		
			乳児																		
	51人から60人まで	2号	4歳以上児																		
			3歳児							94/100	89/100	86/100	80/100	78/100	77/100	75/100	74/100	73/100	72/100	71/100	71/100
		3号	1、2歳児																		
			乳児																		
	61人から70人まで	2号	4歳以上児																		
			3歳児								95/100	91/100	85/100	83/100	81/100	80/100	78/100	77/100	77/100	76/100	75/100
		3号	1、2歳児																		
			乳児																		
	71人から80人まで	2号	4歳以上児																		
			3歳児									96/100	89/100	87/100	86/100	84/100	82/100	82/100	81/100	80/100	79/100
		3号	1、2歳児																		
			乳児																		
	81人から90人まで	2号	4歳以上児																		
			3歳児										93/100	91/100	89/100	88/100	86/100	85/100	84/100	83/100	82/100
		3号	1、2歳児																		
			乳児																		
	91人から100人まで	2号	4歳以上児																		
			3歳児											98/100	96/100	94/100	92/100	91/100	90/100	89/100	89/100
		3号	1、2歳児																		
			乳児																		
	101人から110人まで	2号	4歳以上児																		
			3歳児												98/100	96/100	94/100	93/100	92/100	91/100	90/100
		3号	1、2歳児																		
			乳児																		
	111人から120人まで	2号	4歳以上児																		
			3歳児													98/100	96/100	95/100	94/100	93/100	92/100
		3号	1、2歳児																		
			乳児																		
	121人から130人まで	2号	4歳以上児																		
			3歳児														98/100	97/100	96/100	95/100	94/100
		3号	1、2歳児																		
			乳児																		
	131人から140人まで	2号	4歳以上児																		
			3歳児															99/100	98/100	97/100	96/100
		3号	1、2歳児																		
			乳児																		
	141人から150人まで	2号	4歳以上児																		
			3歳児																99/100	98/100	97/100
		3号	1、2歳児																		
			乳児																		
	151人から160人まで	2号	4歳以上児																		
			3歳児																	99/100	98/100
		3号	1、2歳児																		
			乳児																		
	161人から170人まで	2号	4歳以上児																		
			3歳児																		99/100
		3号	1、2歳児																		
			乳児																		
	171人以上	2号	4歳以上児																		
			3歳児																		
		3号	1、2歳児																		
			乳児																		

地域区分	定員区分	認定区分	年齢区分	利用子ども数																	
				10人まで	11人から20人まで	21人から30人まで	31人から40人まで	41人から50人まで	51人から60人まで	61人から70人まで	71人から80人まで	81人から90人まで	91人から100人まで	101人から110人まで	111人から120人まで	121人から130人まで	131人から140人まで	141人から150人まで	151人から160人まで	161人から170人まで	171人以上
15/100地域	10人まで	2号	4歳以上児		61/100	48/100	42/100	40/100	37/100	35/100	33/100	32/100	30/100	29/100	28/100	28/100	27/100	27/100	27/100	26/100	26/100
			3歳児																		
		3号	1、2歳児																		
			乳児																		
	11人から20人まで	2号	4歳以上児			79/100	69/100	66/100	61/100	57/100	54/100	52/100	48/100	47/100	46/100	46/100	45/100	44/100	44/100	43/100	43/100
			3歳児																		
		3号	1、2歳児																		
			乳児																		
	21人から30人まで	2号	4歳以上児				87/100	84/100	77/100	72/100	69/100	66/100	61/100	60/100	59/100	58/100	57/100	56/100	55/100	55/100	54/100
			3歳児																		
		3号	1、2歳児																		
			乳児																		
	31人から40人まで	2号	4歳以上児					96/100	88/100	83/100	79/100	76/100	70/100	69/100	68/100	66/100	65/100	64/100	64/100	63/100	62/100
			3歳児																		
		3号	1、2歳児																		
			乳児																		
	41人から50人まで	2号	4歳以上児						92/100	86/100	82/100	79/100	73/100	72/100	70/100	69/100	68/100	67/100	66/100	66/100	65/100
			3歳児																		
		3号	1、2歳児																		
			乳児																		
	51人から60人まで	2号	4歳以上児							94/100	89/100	86/100	80/100	78/100	77/100	75/100	74/100	73/100	72/100	71/100	71/100
			3歳児																		
		3号	1、2歳児																		
			乳児																		
	61人から70人まで	2号	4歳以上児								95/100	91/100	85/100	83/100	81/100	80/100	78/100	77/100	77/100	76/100	75/100
			3歳児																		
		3号	1、2歳児																		
			乳児																		
	71人から80人まで	2号	4歳以上児									96/100	89/100	87/100	86/100	84/100	82/100	82/100	81/100	80/100	79/100
			3歳児																		
		3号	1、2歳児																		
			乳児																		
	81人から90人まで	2号	4歳以上児										93/100	91/100	89/100	88/100	86/100	85/100	84/100	83/100	82/100
			3歳児																		
		3号	1、2歳児																		
			乳児																		
	91人から100人まで	2号	4歳以上児											98/100	96/100	94/100	92/100	91/100	90/100	89/100	89/100
			3歳児																		
		3号	1、2歳児																		
			乳児																		
	101人から110人まで	2号	4歳以上児												98/100	96/100	94/100	93/100	92/100	91/100	90/100
			3歳児																		
		3号	1、2歳児																		
			乳児																		
	111人から120人まで	2号	4歳以上児													98/100	96/100	95/100	94/100	93/100	92/100
			3歳児																		
		3号	1、2歳児																		
			乳児																		
	121人から130人まで	2号	4歳以上児														98/100	97/100	96/100	95/100	94/100
			3歳児																		
		3号	1、2歳児																		
			乳児																		
	131人から140人まで	2号	4歳以上児															99/100	98/100	97/100	96/100
			3歳児																		
		3号	1、2歳児																		
			乳児																		
	141人から150人まで	2号	4歳以上児																99/100	98/100	97/100
			3歳児																		
		3号	1、2歳児																		
			乳児																		
	151人から160人まで	2号	4歳以上児																	99/100	98/100
			3歳児																		
		3号	1、2歳児																		
			乳児																		
	161人から170人まで	2号	4歳以上児																		99/100
			3歳児																		
		3号	1、2歳児																		
			乳児																		
	171人以上	2号	4歳以上児																		
			3歳児																		
		3号	1、2歳児																		
			乳児																		

地域区分	定員区分	認定区分	年齢区分	利用子ども数																	
				10人まで	11人から20人まで	21人から30人まで	31人から40人まで	41人から50人まで	51人から60人まで	61人から70人まで	71人から80人まで	81人から90人まで	91人から100人まで	101人から110人まで	111人から120人まで	121人から130人まで	131人から140人まで	141人から150人まで	151人から160人まで	161人から170人まで	171人以上
12/100 地域	10人まで	2号	4歳以上児／3歳児		61/100	48/100	42/100	40/100	37/100	35/100	33/100	32/100	30/100	29/100	28/100	28/100	27/100	27/100	27/100	26/100	26/100
		3号	1、2歳児／乳児																		
	11人から20人まで	2号	4歳以上児／3歳児			79/100	69/100	66/100	61/100	57/100	54/100	52/100	48/100	47/100	46/100	46/100	45/100	44/100	44/100	43/100	43/100
		3号	1、2歳児／乳児																		
	21人から30人まで	2号	4歳以上児／3歳児				87/100	84/100	77/100	72/100	69/100	66/100	61/100	60/100	59/100	58/100	57/100	56/100	55/100	55/100	54/100
		3号	1、2歳児／乳児																		
	31人から40人まで	2号	4歳以上児／3歳児					96/100	88/100	83/100	79/100	76/100	70/100	69/100	68/100	66/100	65/100	64/100	64/100	63/100	62/100
		3号	1、2歳児／乳児																		
	41人から50人まで	2号	4歳以上児／3歳児						92/100	86/100	82/100	79/100	73/100	72/100	70/100	69/100	68/100	67/100	66/100	66/100	65/100
		3号	1、2歳児／乳児																		
	51人から60人まで	2号	4歳以上児／3歳児							94/100	89/100	86/100	80/100	78/100	77/100	75/100	74/100	73/100	72/100	71/100	71/100
		3号	1、2歳児／乳児																		
	61人から70人まで	2号	4歳以上児／3歳児								95/100	91/100	85/100	83/100	81/100	80/100	78/100	77/100	77/100	76/100	75/100
		3号	1、2歳児／乳児																		
	71人から80人まで	2号	4歳以上児／3歳児									96/100	89/100	87/100	86/100	84/100	82/100	82/100	81/100	80/100	79/100
		3号	1、2歳児／乳児																		
	81人から90人まで	2号	4歳以上児／3歳児										93/100	91/100	89/100	88/100	86/100	85/100	84/100	83/100	82/100
		3号	1、2歳児／乳児																		
	91人から100人まで	2号	4歳以上児／3歳児											98/100	96/100	94/100	92/100	91/100	90/100	89/100	89/100
		3号	1、2歳児／乳児																		
	101人から110人まで	2号	4歳以上児／3歳児												98/100	96/100	94/100	93/100	92/100	91/100	90/100
		3号	1、2歳児／乳児																		
	111人から120人まで	2号	4歳以上児／3歳児													98/100	96/100	95/100	94/100	93/100	92/100
		3号	1、2歳児／乳児																		
	121人から130人まで	2号	4歳以上児／3歳児														98/100	97/100	96/100	95/100	94/100
		3号	1、2歳児／乳児																		
	131人から140人まで	2号	4歳以上児／3歳児															99/100	98/100	97/100	96/100
		3号	1、2歳児／乳児																		
	141人から150人まで	2号	4歳以上児／3歳児																99/100	98/100	97/100
		3号	1、2歳児／乳児																		
	151人から160人まで	2号	4歳以上児／3歳児																	99/100	98/100
		3号	1、2歳児／乳児																		
	161人から170人まで	2号	4歳以上児／3歳児																		99/100
		3号	1、2歳児／乳児																		
	171人以上	2号	4歳以上児／3歳児																		
		3号	1、2歳児／乳児																		

地域区分	定員区分	認定区分	年齢区分	10人まで	11人から20人まで	21人から30人まで	31人から40人まで	41人から50人まで	51人から60人まで	61人から70人まで	71人から80人まで	81人から90人まで	91人から100人まで	101人から110人まで	111人から120人まで	121人から130人まで	131人から140人まで	141人から150人まで	151人から160人まで	161人から170人まで	171人以上
10/100 地域	10人まで	2号	4歳以上児		61/100	48/100	42/100	40/100	37/100	35/100	33/100	32/100	30/100	29/100	28/100	28/100	27/100	27/100	27/100	26/100	26/100
			3歳児																		
		3号	1、2歳児																		
			乳児																		
	11人から20人まで	2号	4歳以上児			79/100	69/100	66/100	61/100	57/100	54/100	52/100	48/100	47/100	46/100	46/100	45/100	44/100	44/100	43/100	43/100
			3歳児																		
		3号	1、2歳児																		
			乳児																		
	21人から30人まで	2号	4歳以上児				87/100	84/100	77/100	72/100	69/100	66/100	61/100	60/100	59/100	58/100	57/100	56/100	55/100	55/100	54/100
			3歳児																		
		3号	1、2歳児																		
			乳児																		
	31人から40人まで	2号	4歳以上児					96/100	88/100	83/100	79/100	76/100	70/100	69/100	68/100	68/100	65/100	64/100	64/100	63/100	62/100
			3歳児																		
		3号	1、2歳児																		
			乳児																		
	41人から50人まで	2号	4歳以上児						92/100	86/100	82/100	79/100	73/100	72/100	70/100	69/100	68/100	67/100	66/100	66/100	65/100
			3歳児																		
		3号	1、2歳児																		
			乳児																		
	51人から60人まで	2号	4歳以上児							94/100	89/100	86/100	80/100	78/100	77/100	75/100	74/100	73/100	72/100	71/100	71/100
			3歳児																		
		3号	1、2歳児																		
			乳児																		
	61人から70人まで	2号	4歳以上児								95/100	91/100	85/100	83/100	81/100	80/100	78/100	77/100	77/100	76/100	75/100
			3歳児																		
		3号	1、2歳児																		
			乳児																		
	71人から80人まで	2号	4歳以上児									96/100	89/100	87/100	86/100	84/100	82/100	82/100	81/100	80/100	79/100
			3歳児																		
		3号	1、2歳児																		
			乳児																		
	81人から90人まで	2号	4歳以上児										93/100	91/100	89/100	88/100	86/100	85/100	84/100	83/100	82/100
			3歳児																		
		3号	1、2歳児																		
			乳児																		
	91人から100人まで	2号	4歳以上児											98/100	96/100	94/100	92/100	91/100	90/100	89/100	89/100
			3歳児																		
		3号	1、2歳児																		
			乳児																		
	101人から110人まで	2号	4歳以上児												98/100	96/100	94/100	93/100	92/100	91/100	90/100
			3歳児																		
		3号	1、2歳児																		
			乳児																		
	111人から120人まで	2号	4歳以上児													98/100	96/100	95/100	94/100	93/100	92/100
			3歳児																		
		3号	1、2歳児																		
			乳児																		
	121人から130人まで	2号	4歳以上児														98/100	97/100	96/100	95/100	94/100
			3歳児																		
		3号	1、2歳児																		
			乳児																		
	131人から140人まで	2号	4歳以上児															99/100	98/100	97/100	96/100
			3歳児																		
		3号	1、2歳児																		
			乳児																		
	141人から150人まで	2号	4歳以上児																99/100	98/100	97/100
			3歳児																		
		3号	1、2歳児																		
			乳児																		
	151人から160人まで	2号	4歳以上児																	99/100	98/100
			3歳児																		
		3号	1、2歳児																		
			乳児																		
	161人から170人まで	2号	4歳以上児																		99/100
			3歳児																		
		3号	1、2歳児																		
			乳児																		
	171人以上	2号	4歳以上児																		
			3歳児																		
		3号	1、2歳児																		
			乳児																		

地域区分	定員区分	認定区分	年齢区分	10人まで	11人から20人まで	21人から30人まで	31人から40人まで	41人から50人まで	51人から60人まで	61人から70人まで	71人から80人まで	81人から90人まで	91人から100人まで	101人から110人まで	111人から120人まで	121人から130人まで	131人から140人まで	141人から150人まで	151人から160人まで	161人から170人まで	171人以上
6/100地域	10人まで	2号	4歳以上児 / 3歳児		61/100	48/100	42/100	40/100	37/100	35/100	33/100	32/100	30/100	29/100	28/100	28/100	27/100	27/100	27/100	26/100	26/100
		3号	1、2歳児 / 乳児																		
	11人から20人まで	2号	4歳以上児 / 3歳児			79/100	69/100	66/100	61/100	57/100	54/100	52/100	48/100	47/100	46/100	46/100	45/100	44/100	44/100	43/100	43/100
		3号	1、2歳児 / 乳児																		
	21人から30人まで	2号	4歳以上児 / 3歳児				87/100	84/100	77/100	72/100	69/100	66/100	61/100	60/100	59/100	58/100	57/100	56/100	55/100	55/100	54/100
		3号	1、2歳児 / 乳児																		
	31人から40人まで	2号	4歳以上児 / 3歳児					96/100	88/100	83/100	79/100	76/100	70/100	69/100	68/100	66/100	65/100	64/100	64/100	63/100	62/100
		3号	1、2歳児 / 乳児																		
	41人から50人まで	2号	4歳以上児 / 3歳児						92/100	86/100	82/100	79/100	73/100	72/100	70/100	69/100	68/100	67/100	66/100	66/100	65/100
		3号	1、2歳児 / 乳児																		
	51人から60人まで	2号	4歳以上児 / 3歳児							94/100	89/100	86/100	80/100	78/100	77/100	75/100	74/100	73/100	72/100	71/100	71/100
		3号	1、2歳児 / 乳児																		
	61人から70人まで	2号	4歳以上児 / 3歳児								95/100	91/100	85/100	83/100	81/100	80/100	78/100	77/100	77/100	76/100	75/100
		3号	1、2歳児 / 乳児																		
	71人から80人まで	2号	4歳以上児 / 3歳児									96/100	89/100	87/100	86/100	84/100	82/100	82/100	81/100	80/100	79/100
		3号	1、2歳児 / 乳児																		
	81人から90人まで	2号	4歳以上児 / 3歳児										93/100	91/100	89/100	88/100	86/100	85/100	84/100	83/100	82/100
		3号	1、2歳児 / 乳児																		
	91人から100人まで	2号	4歳以上児 / 3歳児											98/100	96/100	94/100	92/100	91/100	90/100	89/100	89/100
		3号	1、2歳児 / 乳児																		
	101人から110人まで	2号	4歳以上児 / 3歳児												98/100	96/100	94/100	93/100	92/100	91/100	90/100
		3号	1、2歳児 / 乳児																		
	111人から120人まで	2号	4歳以上児 / 3歳児													98/100	96/100	95/100	94/100	93/100	92/100
		3号	1、2歳児 / 乳児																		
	121人から130人まで	2号	4歳以上児 / 3歳児														98/100	97/100	96/100	95/100	94/100
		3号	1、2歳児 / 乳児																		
	131人から140人まで	2号	4歳以上児 / 3歳児															99/100	98/100	97/100	96/100
		3号	1、2歳児 / 乳児																		
	141人から150人まで	2号	4歳以上児 / 3歳児																99/100	98/100	97/100
		3号	1、2歳児 / 乳児																		
	151人から160人まで	2号	4歳以上児 / 3歳児																	99/100	98/100
		3号	1、2歳児 / 乳児																		
	161人から170人まで	2号	4歳以上児 / 3歳児																		99/100
		3号	1、2歳児 / 乳児																		
	171人以上	2号	4歳以上児 / 3歳児																		
		3号	1、2歳児 / 乳児																		

地域区分	定員区分	認定区分	年齢区分	利用子ども数																	
				10人まで	11人から20人まで	21人から30人まで	31人から40人まで	41人から50人まで	51人から60人まで	61人から70人まで	71人から80人まで	81人から90人まで	91人から100人まで	101人から110人まで	111人から120人まで	121人から130人まで	131人から140人まで	141人から150人まで	151人から160人まで	161人から170人まで	171人以上
3/100 地域	10人まで	2号	4歳以上児		61/100	48/100	42/100	40/100	37/100	35/100	33/100	32/100	30/100	29/100	28/100	28/100	27/100	27/100	27/100	26/100	26/100
			3 歳 児																		
		3号	1、2歳児																		
			乳 児																		
	11人から20人まで	2号	4歳以上児			79/100	69/100	66/100	61/100	57/100	54/100	52/100	48/100	47/100	46/100	46/100	45/100	44/100	44/100	43/100	43/100
			3 歳 児																		
		3号	1、2歳児																		
			乳 児																		
	21人から30人まで	2号	4歳以上児				87/100	84/100	77/100	72/100	69/100	66/100	61/100	60/100	59/100	58/100	57/100	56/100	55/100	55/100	54/100
			3 歳 児																		
		3号	1、2歳児																		
			乳 児																		
	31人から40人まで	2号	4歳以上児					96/100	88/100	83/100	79/100	76/100	70/100	69/100	68/100	66/100	65/100	64/100	64/100	63/100	62/100
			3 歳 児																		
		3号	1、2歳児																		
			乳 児																		
	41人から50人まで	2号	4歳以上児						92/100	86/100	82/100	79/100	73/100	72/100	70/100	69/100	68/100	67/100	66/100	66/100	65/100
			3 歳 児																		
		3号	1、2歳児																		
			乳 児																		
	51人から60人まで	2号	4歳以上児							94/100	89/100	86/100	80/100	78/100	77/100	75/100	74/100	73/100	72/100	71/100	71/100
			3 歳 児																		
		3号	1、2歳児																		
			乳 児																		
	61人から70人まで	2号	4歳以上児								95/100	91/100	85/100	83/100	81/100	80/100	78/100	77/100	77/100	76/100	75/100
			3 歳 児																		
		3号	1、2歳児																		
			乳 児																		
	71人から80人まで	2号	4歳以上児									96/100	89/100	87/100	86/100	84/100	82/100	82/100	81/100	80/100	79/100
			3 歳 児																		
		3号	1、2歳児																		
			乳 児																		
	81人から90人まで	2号	4歳以上児										93/100	91/100	89/100	88/100	86/100	85/100	84/100	83/100	82/100
			3 歳 児																		
		3号	1、2歳児																		
			乳 児																		
	91人から100人まで	2号	4歳以上児											98/100	96/100	94/100	92/100	91/100	90/100	89/100	89/100
			3 歳 児																		
		3号	1、2歳児																		
			乳 児																		
	101人から110人まで	2号	4歳以上児												98/100	96/100	94/100	93/100	92/100	91/100	90/100
			3 歳 児																		
		3号	1、2歳児																		
			乳 児																		
	111人から120人まで	2号	4歳以上児													98/100	96/100	95/100	94/100	93/100	92/100
			3 歳 児																		
		3号	1、2歳児																		
			乳 児																		
	121人から130人まで	2号	4歳以上児														98/100	97/100	96/100	95/100	94/100
			3 歳 児																		
		3号	1、2歳児																		
			乳 児																		
	131人から140人まで	2号	4歳以上児															99/100	98/100	97/100	96/100
			3 歳 児																		
		3号	1、2歳児																		
			乳 児																		
	141人から150人まで	2号	4歳以上児																99/100	98/100	97/100
			3 歳 児																		
		3号	1、2歳児																		
			乳 児																		
	151人から160人まで	2号	4歳以上児																	99/100	98/100
			3 歳 児																		
		3号	1、2歳児																		
			乳 児																		
	161人から170人まで	2号	4歳以上児																		99/100
			3 歳 児																		
		3号	1、2歳児																		
			乳 児																		
	171人以上	2号	4歳以上児																		
			3 歳 児																		
		3号	1、2歳児																		
			乳 児																		

利用子ども数の列（5列目以降）は「利用子ども数」の区分を表す。

地域区分	定員区分	認定区分	年齢区分	10人まで	11人から20人まで	21人から30人まで	31人から40人まで	41人から50人まで	51人から60人まで	61人から70人まで	71人から80人まで	81人から90人まで	91人から100人まで	101人から110人まで	111人から120人まで	121人から130人まで	131人から140人まで	141人から150人まで	151人から160人まで	161人から170人まで	171人以上
その他地域	10人まで	2号	4歳以上児		61/100	48/100	42/100	40/100	37/100	35/100	33/100	32/100	30/100	29/100	28/100	28/100	27/100	27/100	27/100	26/100	26/100
			3歳児																		
		3号	1、2歳児																		
			乳児																		
	11人から20人まで	2号	4歳以上児			79/100	69/100	66/100	61/100	57/100	54/100	52/100	48/100	47/100	46/100	46/100	45/100	44/100	44/100	43/100	43/100
			3歳児																		
		3号	1、2歳児																		
			乳児																		
	21人から30人まで	2号	4歳以上児				87/100	84/100	77/100	72/100	69/100	66/100	61/100	60/100	59/100	58/100	57/100	56/100	55/100	55/100	54/100
			3歳児																		
		3号	1、2歳児																		
			乳児																		
	31人から40人まで	2号	4歳以上児					96/100	88/100	83/100	79/100	76/100	70/100	69/100	68/100	67/100	66/100	65/100	64/100	64/100	62/100
			3歳児																		
		3号	1、2歳児																		
			乳児																		
	41人から50人まで	2号	4歳以上児						92/100	86/100	82/100	79/100	73/100	72/100	70/100	69/100	68/100	67/100	66/100	66/100	65/100
			3歳児																		
		3号	1、2歳児																		
			乳児																		
	51人から60人まで	2号	4歳以上児							94/100	89/100	86/100	80/100	78/100	77/100	75/100	74/100	73/100	72/100	71/100	71/100
			3歳児																		
		3号	1、2歳児																		
			乳児																		
	61人から70人まで	2号	4歳以上児								95/100	91/100	85/100	83/100	81/100	80/100	78/100	77/100	77/100	76/100	75/100
			3歳児																		
		3号	1、2歳児																		
			乳児																		
	71人から80人まで	2号	4歳以上児									96/100	89/100	87/100	86/100	84/100	82/100	82/100	81/100	80/100	79/100
			3歳児																		
		3号	1、2歳児																		
			乳児																		
	81人から90人まで	2号	4歳以上児										93/100	91/100	89/100	88/100	86/100	85/100	84/100	83/100	82/100
			3歳児																		
		3号	1、2歳児																		
			乳児																		
	91人から100人まで	2号	4歳以上児											98/100	96/100	94/100	92/100	91/100	90/100	89/100	89/100
			3歳児																		
		3号	1、2歳児																		
			乳児																		
	101人から110人まで	2号	4歳以上児												98/100	96/100	94/100	93/100	92/100	91/100	90/100
			3歳児																		
		3号	1、2歳児																		
			乳児																		
	111人から120人まで	2号	4歳以上児													98/100	96/100	95/100	94/100	93/100	92/100
			3歳児																		
		3号	1、2歳児																		
			乳児																		
	121人から130人まで	2号	4歳以上児														98/100	97/100	96/100	95/100	94/100
			3歳児																		
		3号	1、2歳児																		
			乳児																		
	131人から140人まで	2号	4歳以上児															99/100	98/100	97/100	96/100
			3歳児																		
		3号	1、2歳児																		
			乳児																		
	141人から150人まで	2号	4歳以上児																99/100	98/100	97/100
			3歳児																		
		3号	1、2歳児																		
			乳児																		
	151人から160人まで	2号	4歳以上児																	99/100	98/100
			3歳児																		
		3号	1、2歳児																		
			乳児																		
	161人から170人まで	2号	4歳以上児																		99/100
			3歳児																		
		3号	1、2歳児																		
			乳児																		
	171人以上	2号	4歳以上児																		
			3歳児																		
		3号	1、2歳児																		
			乳児																		

別表第3
○家庭的保育事業（保育認定）

地域区分 ①	認定区分 ②	保育必要量区分 ③	基本分単価 ④	処遇改善等加算Ⅰ ⑤	資格保有者加算 ⑥	処遇改善等加算Ⅰ ⑥	家庭的保育補助者加算 ⑦		処遇改善等加算Ⅰ ⑦	家庭的保育支援加算 ⑧	障害児保育加算 ⑨ ※特別な支援が必要な利用子どもの単価に加算	処遇改善等加算Ⅰ ⑨
20/100 地域	3号	保育標準時間認定	184,550 +	1,750 ×加算率 +	5,800 +	50×加算率 +	利用子どもが4人以上の場合 29,380	+	290×加算率 +	56,360 +	36,730 +	360 ×加算率
		保育短時間認定					利用子どもが3人以下の場合 24,930	+	240×加算率	50,600		
16/100 地域	3号	保育標準時間認定	181,010 +	1,710 ×加算率 +	5,610 +	50×加算率 +	利用子どもが4人以上の場合 29,380	+	290×加算率 +	54,870 +	36,730 +	360 ×加算率
		保育短時間認定					利用子どもが3人以下の場合 24,930	+	240×加算率	49,100		
15/100 地域	3号	保育標準時間認定	180,120 +	1,700 ×加算率 +	5,560 +	50×加算率 +	利用子どもが4人以上の場合 29,380	+	290×加算率 +	54,490 +	36,730 +	360 ×加算率
		保育短時間認定					利用子どもが3人以下の場合 24,930	+	240×加算率	48,730		
12/100 地域	3号	保育標準時間認定	177,460 +	1,680 ×加算率 +	5,410 +	50×加算率 +	利用子どもが4人以上の場合 29,380	+	290×加算率 +	53,370 +	36,730 +	360 ×加算率
		保育短時間認定					利用子どもが3人以下の場合 24,930	+	240×加算率	47,600		
10/100 地域	3号	保育標準時間認定	175,680 +	1,660 ×加算率 +	5,320 +	50×加算率 +	利用子どもが4人以上の場合 29,380	+	290×加算率 +	52,620 +	36,730 +	360 ×加算率
		保育短時間認定					利用子どもが3人以下の場合 24,930	+	240×加算率	46,850		
6/100 地域	3号	保育標準時間認定	172,130 +	1,620 ×加算率 +	5,120 +	50×加算率 +	利用子どもが4人以上の場合 29,380	+	290×加算率 +	51,120 +	36,730 +	360 ×加算率
		保育短時間認定					利用子どもが3人以下の場合 24,930	+	240×加算率	45,360		
3/100 地域	3号	保育標準時間認定	169,470 +	1,600 ×加算率 +	4,980 +	40×加算率 +	利用子どもが4人以上の場合 29,380	+	290×加算率 +	50,000 +	36,730 +	360 ×加算率
		保育短時間認定					利用子どもが3人以下の場合 24,930	+	240×加算率	44,240		
その他地域	3号	保育標準時間認定	166,810 +	1,570 ×加算率 +	4,830 +	40×加算率 +	利用子どもが4人以上の場合 29,380	+	290×加算率 +	48,880 +	36,730 +	360 ×加算率
		保育短時間認定					利用子どもが3人以下の場合 24,930	+	240×加算率	43,110		

地域区分 ①	認定区分 ②	保育必要量区分 ③	減価償却費加算 加算額 ⑩ 標準	都市部	賃借料加算 加算額 ⑪ 標準	都市部	連携施設を設定しない場合 ⑫	食事の搬入について自園調理又は連携施設等からの搬入以外の方法による場合 ⑬	土曜日に閉所する場合 ⑭ 月に1日土曜日を閉所する場合	月に2日土曜日を閉所する場合	月に3日以上土曜日を閉所する場合	全ての土曜日を閉所する場合
20/100 地域	3号	保育標準時間認定	+ 9,800	10,700	+ A地域 46,400 / B地域 25,600	51,600 / 28,400	－ 6,350	－（④+⑤+⑧）×18/100	1,340	2,680	4,010	5,350
		保育短時間認定			C地域 22,300 / D地域 20,000	24,800 / 22,200		－（④+⑤+⑧）×18/100	1,100	2,190	3,290	4,390
16/100 地域	3号	保育標準時間認定	+ 9,800	10,700	+ A地域 46,400 / B地域 25,600	51,600 / 28,400	－ 6,350	－（④+⑤+⑧）×18/100	1,340	2,680	4,010	5,350
		保育短時間認定			C地域 22,300 / D地域 20,000	24,800 / 22,200		－（④+⑤+⑧）×19/100	1,100	2,190	3,290	4,390
15/100 地域	3号	保育標準時間認定	+ 9,800	10,700	+ A地域 46,400 / B地域 25,600	51,600 / 28,400	－ 6,350	－（④+⑤+⑧）×18/100	1,340	2,680	4,010	5,350
		保育短時間認定			C地域 22,300 / D地域 20,000	24,800 / 22,200		－（④+⑤+⑧）×19/100	1,100	2,190	3,290	4,390
12/100 地域	3号	保育標準時間認定	+ 9,800	10,700	+ A地域 46,400 / B地域 25,600	51,600 / 28,400	－ 6,350	－（④+⑤+⑧）×19/100	1,340	2,680	4,010	5,350
		保育短時間認定			C地域 22,300 / D地域 20,000	24,800 / 22,200		－（④+⑤+⑧）×19/100	1,100	2,190	3,290	4,390
10/100 地域	3号	保育標準時間認定	+ 9,800	10,700	+ A地域 46,400 / B地域 25,600	51,600 / 28,400	－ 6,350	－（④+⑤+⑧）×19/100	1,340	2,680	4,010	5,350
		保育短時間認定			C地域 22,300 / D地域 20,000	24,800 / 22,200		－（④+⑤+⑧）×19/100	1,100	2,190	3,290	4,390
6/100 地域	3号	保育標準時間認定	+ 9,800	10,700	+ A地域 46,400 / B地域 25,600	51,600 / 28,400	－ 6,350	－（④+⑤+⑧）×19/100	1,340	2,680	4,010	5,350
		保育短時間認定			C地域 22,300 / D地域 20,000	24,800 / 22,200		－（④+⑤+⑧）×20/100	1,100	2,190	3,290	4,390
3/100 地域	3号	保育標準時間認定	+ 9,800	10,700	+ A地域 46,400 / B地域 25,600	51,600 / 28,400	－ 6,350	－（④+⑤+⑧）×20/100	1,340	2,680	4,010	5,350
		保育短時間認定			C地域 22,300 / D地域 20,000	24,800 / 22,200		－（④+⑤+⑧）×20/100	1,100	2,190	3,290	4,390
その他 地域	3号	保育標準時間認定	+ 9,800	10,700	+ A地域 46,400 / B地域 25,600	51,600 / 28,400	－ 6,350	－（④+⑤+⑧）×20/100	1,340	2,680	4,010	5,350
		保育短時間認定			C地域 22,300 / D地域 20,000	24,800 / 22,200		－（④+⑤+⑧）×21/100	1,100	2,190	3,290	4,390

加算部分2

処遇改善等加算Ⅱ ⑮	A：処遇改善加算Ⅱ－① 　　49,010　÷　各月初日の利用子ども数 B：処遇改善加算Ⅱ－② 　　6,130　÷　各月初日の利用子ども数	※1　各月初日の利用子どもの単価に加算 ※2　A若しくはBのいずれかとする

処遇改善等加算Ⅲ ⑯	11,030　×　　加算Ⅲ算定対象人数 　　　　　　÷各月初日の利用子ども数	※1　各月初日の利用子どもの単価に加算 ※2　加算Ⅲ算定対象人数については、別に定める

冷暖房費加算 ⑰	1　級　地	1,900	4　級　地	1,320
	2　級　地	1,690	その他地域	120
	3　級　地	1,670		

※以下の区分に応じて、各月の単価に加算
　1級地から4級地：国家公務員の寒冷地手当に関する法律（昭和24年法律第200号）第1条第1号及び第2号に掲げる地域
　その他地域：1級地から4級地以外の地域

除雪費加算 ⑱	6,270	※3月初日の利用子どもの単価に加算

降灰除去費加算 ⑲	162,470÷3月初日の利用子ども数	※3月初日の利用子どもの単価に加算

施設機能強化推進費加算 ⑳	160,000（限度額）÷3月初日の利用子ども数	※3月初日の利用子どもの単価に加算

栄養管理加算 ㉑	A 　基本額　　　処遇改善等加算Ⅰ （　79,950　＋　790×加算率　） 　　　　　　　÷各月初日の利用子ども数 B 　基本額　　　処遇改善等加算Ⅰ （　50,000　＋　500×加算率　） 　　　　　　　÷各月初日の利用子ども数 C 　基本額 　10,000　÷各月初日の利用子ども数	※以下の区分に応じて、各月初日の利用子どもの単価に加算 A：Bを除き栄養士を雇用契約等により配置している施設 B：基本分単価及び他の加算の認定に当たって求められる職員が栄養士を兼務している施設 C：A又はBを除き、栄養士を嘱託等している施設

第三者評価受審加算 ㉒	150,000÷3月初日の利用子ども数	※3月初日の利用子どもの単価に加算

○小規模保育事業（A型）（保育認定）

地域区分①	定員区分②	認定区分③	年齢区分④	保育必要量区分⑤ 保育標準時間認定 基本分単価⑥（注）		保育短時間認定 基本分単価⑥（注）			処遇改善等加算Ⅰ 保育標準時間認定（注）⑦			保育短時間認定（注）⑦		
20/100 地域	6人から12人まで	3号	1、2歳児	222,690	(305,920)	217,880	(301,110)	+	2,110	(2,940)	×加算率	2,060	(2,890)	×加算率
			乳児	305,920		301,110		+	2,940		×加算率	2,890		×加算率
	13人から19人まで	3号	1、2歳児	175,530	(258,760)	172,490	(255,720)	+	1,640	(2,470)	×加算率	1,610	(2,440)	×加算率
			乳児	258,760		255,720		+	2,470		×加算率	2,440		×加算率
16/100 地域	6人から12人まで	3号	1、2歳児	217,180	(297,910)	212,370	(293,100)	+	2,060	(2,860)	×加算率	2,010	(2,810)	×加算率
			乳児	297,910		293,100		+	2,860		×加算率	2,810		×加算率
	13人から19人まで	3号	1、2歳児	171,120	(251,850)	168,090	(248,820)	+	1,590	(2,390)	×加算率	1,560	(2,360)	×加算率
			乳児	251,850		248,820		+	2,390		×加算率	2,360		×加算率
15/100 地域	6人から12人まで	3号	1、2歳児	215,800	(295,900)	211,000	(291,100)	+	2,040	(2,840)	×加算率	1,990	(2,790)	×加算率
			乳児	295,900		291,100		+	2,840		×加算率	2,790		×加算率
	13人から19人まで	3号	1、2歳児	170,020	(250,120)	166,990	(247,090)	+	1,580	(2,380)	×加算率	1,550	(2,350)	×加算率
			乳児	250,120		247,090		+	2,380		×加算率	2,350		×加算率
12/100 地域	6人から12人まで	3号	1、2歳児	211,670	(289,900)	206,860	(285,090)	+	2,000	(2,780)	×加算率	1,950	(2,730)	×加算率
			乳児	289,900		285,090		+	2,780		×加算率	2,730		×加算率
	13人から19人まで	3号	1、2歳児	166,720	(244,950)	163,680	(241,910)	+	1,550	(2,330)	×加算率	1,520	(2,300)	×加算率
			乳児	244,950		241,910		+	2,330		×加算率	2,300		×加算率

地域区分 ①	定員区分 ②	認定区分 ③	年齢区分 ④	障害児保育加算 ※特別な支援が必要な利用子どもの単価に加算 （注） ⑨		処遇改善等加算Ⅰ （注）		休日保育加算 ⑩		処遇改善等加算Ⅰ	
20/100 地域	6人から12人まで	3号	1、2歳児	+ 166,460	(83,230)	+ 1,660	(830) ×加算率	休日保育の年間延べ利用子ども数 　　　　　～　　210人　　280,300 　211人～　279人　　300,400 　280人～　349人　　340,600 　350人～　419人　　380,900 　420人～　489人　　421,100 　490人～　559人　　461,400 　560人～　629人　　501,600 　630人～　699人　　541,900 　700人～　769人　　582,100 　770人～　839人　　622,400 　840人～　909人　　662,600 　910人～　979人　　702,900 　980人～1,049人　　743,100 1,050人～　　　　　783,400	2,800×加算率 3,000×加算率 3,400×加算率 3,800×加算率 4,210×加算率 4,610×加算率 5,010×加算率 5,410×加算率 5,820×加算率 6,220×加算率 6,620×加算率 7,020×加算率 7,430×加算率 7,830×加算率	+	各月初日の利用子ども数
			乳児	+ 83,230		+ 830	×加算率			÷	
	13人から19人まで	3号	1、2歳児	+ 166,460	(83,230)	+ 1,660	(830) ×加算率				
			乳児	+ 83,230		+ 830	×加算率				
16/100 地域	6人から12人まで	3号	1、2歳児	+ 161,460	(80,730)	+ 1,610	(800) ×加算率	休日保育の年間延べ利用子ども数 　　　　　～　　210人　　273,100 　211人～　279人　　292,600 　280人～　349人　　331,700 　350人～　419人　　370,800 　420人～　489人　　409,800 　490人～　559人　　448,900 　560人～　629人　　488,000 　630人～　699人　　527,100 　700人～　769人　　566,200 　770人～　839人　　605,300 　840人～　909人　　644,300 　910人～　979人　　683,400 　980人～1,049人　　722,500 1,050人～　　　　　761,600	2,730×加算率 2,920×加算率 3,310×加算率 3,700×加算率 4,090×加算率 4,480×加算率 4,880×加算率 5,270×加算率 5,660×加算率 6,050×加算率 6,440×加算率 6,830×加算率 7,220×加算率 7,610×加算率	+	各月初日の利用子ども数
			乳児	+ 80,730		+ 800	×加算率			÷	
	13人から19人まで	3号	1、2歳児	+ 161,460	(80,730)	+ 1,610	(800) ×加算率				
			乳児	+ 80,730		+ 800	×加算率				
15/100 地域	6人から12人まで	3号	1、2歳児	+ 160,210	(80,100)	+ 1,600	(800) ×加算率	休日保育の年間延べ利用子ども数 　　　　　～　　210人　　271,300 　211人～　279人　　290,800 　280人～　349人　　329,900 　350人～　419人　　369,000 　420人～　489人　　408,000 　490人～　559人　　447,100 　560人～　629人　　486,200 　630人～　699人　　525,300 　700人～　769人　　564,400 　770人～　839人　　603,500 　840人～　909人　　642,500 　910人～　979人　　681,600 　980人～1,049人　　720,700 1,050人～　　　　　759,800	2,710×加算率 2,900×加算率 3,290×加算率 3,690×加算率 4,080×加算率 4,470×加算率 4,860×加算率 5,250×加算率 5,640×加算率 6,030×加算率 6,420×加算率 6,810×加算率 7,200×加算率 7,590×加算率	+	各月初日の利用子ども数
			乳児	+ 80,100		+ 800	×加算率			÷	
	13人から19人まで	3号	1、2歳児	+ 160,210	(80,100)	+ 1,600	(800) ×加算率				
			乳児	+ 80,100		+ 800	×加算率				
12/100 地域	6人から12人まで	3号	1、2歳児	+ 156,460	(78,230)	+ 1,560	(780) ×加算率	休日保育の年間延べ利用子ども数 　　　　　～　　210人　　266,000 　211人～　279人　　284,900 　280人～　349人　　322,800 　350人～　419人　　360,700 　420人～　489人　　398,700 　490人～　559人　　436,600 　560人～　629人　　474,500 　630人～　699人　　512,400 　700人～　769人　　550,300 　770人～　839人　　588,200 　840人～　909人　　626,200 　910人～　979人　　664,100 　980人～1,049人　　702,000 1,050人～　　　　　739,900	2,660×加算率 2,840×加算率 3,220×加算率 3,600×加算率 3,980×加算率 4,360×加算率 4,740×加算率 5,120×加算率 5,500×加算率 5,880×加算率 6,260×加算率 6,640×加算率 7,020×加算率 7,390×加算率	+	各月初日の利用子ども数
			乳児	+ 78,230		+ 780	×加算率			÷	
	13人から19人まで	3号	1、2歳児	+ 156,460	(78,230)	+ 1,560	(780) ×加算率				
			乳児	+ 78,230		+ 780	×加算率				

地域区分①	定員区分②	認定区分③	年齢区分④	夜間保育加算⑪	処遇改善等加算Ⅰ⑪	減価償却費加算 加算額 標準⑫	都市部⑫	賃借料加算 加算額⑬	標準⑬	都市部⑬	連携施設を設定しない場合⑭	食事の搬入について自園調理又は連携施設等からの搬入以外の方法による場合⑮	管理者を配置していない場合⑯	処遇改善等加算Ⅰ⑯
20/100地域	6人から12人まで	3号	1，2歳児 / 乳児	＋ 44,990	＋ 390 ×加算率	＋ 3,200	3,500	＋ a地域	20,300	22,600	－ 2,110	－ (⑥＋⑦＋⑪) × 8/100	40,990	＋ 400×加算率
								b地域	11,200	12,400				
								c地域	9,700	10,800				
								d地域	8,700	9,700				
	13人から19人まで	3号	1，2歳児 / 乳児	＋ 30,430	＋ 240 ×加算率	＋ 2,000	2,200	＋ a地域	25,700	28,600	－ 1,330	－ (⑥＋⑦＋⑪) × 8/100	25,890	＋ 250×加算率
								b地域	14,200	15,700				
								c地域	12,300	13,700				
								d地域	11,000	12,300				
16/100地域	6人から12人まで	3号	1，2歳児 / 乳児	＋ 44,990	＋ 390 ×加算率	＋ 3,200	3,500	＋ a地域	20,300	22,600	－ 2,110	－ (⑥＋⑦＋⑪) × 9/100	39,430	＋ 390×加算率
								b地域	11,200	12,400				
								c地域	9,700	10,800				
								d地域	8,700	9,700				
	13人から19人まで	3号	1，2歳児 / 乳児	＋ 30,430	＋ 240 ×加算率	＋ 2,000	2,200	＋ a地域	25,700	28,600	－ 1,330	－ (⑥＋⑦＋⑪) × 8/100	24,900	＋ 240×加算率
								b地域	14,200	15,700				
								c地域	12,300	13,700				
								d地域	11,000	12,300				
15/100地域	6人から12人まで	3号	1，2歳児 / 乳児	＋ 44,990	＋ 390 ×加算率	＋ 3,200	3,500	＋ a地域	20,300	22,600	－ 2,110	－ (⑥＋⑦＋⑪) × 9/100	39,040	＋ 390×加算率
								b地域	11,200	12,400				
								c地域	9,700	10,800				
								d地域	8,700	9,700				
	13人から19人まで	3号	1，2歳児 / 乳児	＋ 30,430	＋ 240 ×加算率	＋ 2,000	2,200	＋ a地域	25,700	28,600	－ 1,330	－ (⑥＋⑦＋⑪) × 8/100	24,660	＋ 240×加算率
								b地域	14,200	15,700				
								c地域	12,300	13,700				
								d地域	11,000	12,300				
12/100地域	6人から12人まで	3号	1，2歳児 / 乳児	＋ 44,990	＋ 390 ×加算率	＋ 3,200	3,500	＋ a地域	20,300	22,600	－ 2,110	－ (⑥＋⑦＋⑪) × 9/100	37,870	＋ 370×加算率
								b地域	11,200	12,400				
								c地域	9,700	10,800				
								d地域	8,700	9,700				
	13人から19人まで	3号	1，2歳児 / 乳児	＋ 30,430	＋ 240 ×加算率	＋ 2,000	2,200	＋ a地域	25,700	28,600	－ 1,330	－ (⑥＋⑦＋⑪) × 9/100	23,920	＋ 230×加算率
								b地域	14,200	15,700				
								c地域	12,300	13,700				
								d地域	11,000	12,300				

地域区分 ①	定員区分 ②	認定区分 ③	年齢区分 ④	土曜日に閉所する場合 ⑰				定員を恒常的に超過する場合 ⑱
				月に1日土曜日を閉所する場合	月に2日土曜日を閉所する場合	月に3日以上土曜日を閉所する場合	全ての土曜日を閉所する場合	
20/100地域	6人から12人まで	3号	1、2歳児 ／ 乳児	(⑥+⑦+⑨+⑪)×1/100	(⑥+⑦+⑨+⑪)×3/100	(⑥+⑦+⑨+⑪)×4/100	(⑥+⑦+⑨+⑪)×6/100	(⑥～⑰)×80/100
	13人から19人まで	3号	1、2歳児 ／ 乳児	(⑥+⑦+⑨+⑪)×2/100	(⑥+⑦+⑨+⑪)×3/100	(⑥+⑦+⑨+⑪)×5/100	(⑥+⑦+⑨+⑪)×6/100	(離島その他の地域)各月初日の利用子ども数 20人～30人 (⑥～⑰)×80/100 31人～40人 (⑥～⑰)×75/100 41人～ (⑥～⑰)×70/100
16/100地域	6人から12人まで	3号	1、2歳児 ／ 乳児	(⑥+⑦+⑨+⑪)×2/100	(⑥+⑦+⑨+⑪)×3/100	(⑥+⑦+⑨+⑪)×5/100	(⑥+⑦+⑨+⑪)×6/100	(⑥～⑰)×80/100
	13人から19人まで	3号	1、2歳児 ／ 乳児	(⑥+⑦+⑨+⑪)×2/100	(⑥+⑦+⑨+⑪)×3/100	(⑥+⑦+⑨+⑪)×5/100	(⑥+⑦+⑨+⑪)×6/100	(離島その他の地域)各月初日の利用子ども数 20人～30人 (⑥～⑰)×80/100 31人～40人 (⑥～⑰)×75/100 41人～ (⑥～⑰)×70/100
15/100地域	6人から12人まで	3号	1、2歳児 ／ 乳児	(⑥+⑦+⑨+⑪)×2/100	(⑥+⑦+⑨+⑪)×3/100	(⑥+⑦+⑨+⑪)×5/100	(⑥+⑦+⑨+⑪)×6/100	(⑥～⑰)×80/100
	13人から19人まで	3号	1、2歳児 ／ 乳児	(⑥+⑦+⑨+⑪)×2/100	(⑥+⑦+⑨+⑪)×3/100	(⑥+⑦+⑨+⑪)×5/100	(⑥+⑦+⑨+⑪)×6/100	(離島その他の地域)各月初日の利用子ども数 20人～30人 (⑥～⑰)×80/100 31人～40人 (⑥～⑰)×75/100 41人～ (⑥～⑰)×70/100
12/100地域	6人から12人まで	3号	1、2歳児 ／ 乳児	(⑥+⑦+⑨+⑪)×2/100	(⑥+⑦+⑨+⑪)×3/100	(⑥+⑦+⑨+⑪)×5/100	(⑥+⑦+⑨+⑪)×6/100	(⑥～⑰)×80/100
	13人から19人まで	3号	1、2歳児 ／ 乳児	(⑥+⑦+⑨+⑪)×2/100	(⑥+⑦+⑨+⑪)×3/100	(⑥+⑦+⑨+⑪)×5/100	(⑥+⑦+⑨+⑪)×6/100	(離島その他の地域)各月初日の利用子ども数 20人～30人 (⑥～⑰)×80/100 31人～40人 (⑥～⑰)×75/100 41人～ (⑥～⑰)×70/100

地域区分 ①	定員区分 ②	認定区分 ③	年齢区分 ④	保育必要量区分⑤ 保育標準時間認定 基本分単価 ⑥	（注）	保育短時間認定 基本分単価 ⑥	（注）		処遇改善等加算Ⅰ 保育標準時間認定 （注）⑦		保育短時間認定 （注）⑦	
10/100 地域	6人から12人まで	3号	1、2歳児	208,910	(285,890)	204,110	(281,090)	+	1,970 (2,730) ×加算率		1,920 (2,680) ×加算率	
			乳児	285,890		281,090		+	2,730 ×加算率		2,680 ×加算率	
	13人から19人まで	3号	1、2歳児	164,510	(241,490)	161,480	(238,460)	+	1,530 (2,290) ×加算率		1,500 (2,260) ×加算率	
			乳児	241,490		238,460		+	2,290 ×加算率		2,260 ×加算率	
6/100 地域	6人から12人まで	3号	1、2歳児	203,400	(277,880)	198,590	(273,070)	+	1,920 (2,660) ×加算率		1,870 (2,610) ×加算率	
			乳児	277,880		273,070		+	2,660 ×加算率		2,610 ×加算率	
	13人から19人まで	3号	1、2歳児	160,110	(234,590)	157,080	(231,560)	+	1,480 (2,220) ×加算率		1,450 (2,190) ×加算率	
			乳児	234,590		231,560		+	2,220 ×加算率		2,190 ×加算率	
3/100 地域	6人から12人まで	3号	1、2歳児	199,270	(271,870)	194,460	(267,060)	+	1,880 (2,600) ×加算率		1,830 (2,550) ×加算率	
			乳児	271,870		267,060		+	2,600 ×加算率		2,550 ×加算率	
	13人から19人まで	3号	1、2歳児	156,810	(229,410)	153,770	(226,370)	+	1,450 (2,170) ×加算率		1,420 (2,140) ×加算率	
			乳児	229,410		226,370		+	2,170 ×加算率		2,140 ×加算率	
その他 地域	6人から12人まで	3号	1、2歳児	195,130	(265,860)	190,330	(261,060)	+	1,830 (2,530) ×加算率		1,790 (2,490) ×加算率	
			乳児	265,860		261,060		+	2,530 ×加算率		2,490 ×加算率	
	13人から19人まで	3号	1、2歳児	153,500	(224,230)	150,470	(221,200)	+	1,420 (2,120) ×加算率		1,390 (2,090) ×加算率	
			乳児	224,230		221,200		+	2,120 ×加算率		2,090 ×加算率	

地域区分①	定員区分②	認定区分③	年齢区分④	障害児保育加算 ※特別な支援が必要な利用子どもの単価に加算 （注）⑨	処遇改善等加算Ⅰ （注）	休日保育加算 休日保育の年間延べ利用子ども数	処遇改善等加算Ⅰ ⑩	
10/100地域	6人から12人まで	3号	1、2歳児	+ 153,960 (76,980)	+ 1,530 (760) ×加算率	～210人　262,400 211人～279人　281,000 280人～349人　318,400 350人～419人　355,700 420人～489人　393,000 490人～559人　430,400 560人～629人　467,700 630人～699人　505,000 700人～769人　542,400 770人～839人　579,700 840人～909人　617,000 910人～979人　654,400 980人～1,049人　691,700 1,050人～　729,000	2,620×加算率 2,810×加算率 3,180×加算率 3,550×加算率 3,930×加算率 4,300×加算率 4,670×加算率 5,050×加算率 5,420×加算率 5,790×加算率 6,170×加算率 6,540×加算率 6,910×加算率 7,290×加算率	÷各月初日の利用子ども数
			乳児	+ 76,980	+ 760 ×加算率			
	13人から19人まで	3号	1、2歳児	+ 153,960 (76,980)	+ 1,530 (760) ×加算率			
			乳児	+ 76,980	+ 760 ×加算率			
6/100地域	6人から12人まで	3号	1、2歳児	+ 148,960 (74,480)	+ 1,480 (740) ×加算率	～210人　255,100 211人～279人　273,100 280人～349人　309,300 350人～419人　345,500 420人～489人　381,600 490人～559人　417,800 560人～629人　454,000 630人～699人　490,100 700人～769人　526,300 770人～839人　562,500 840人～909人　598,600 910人～979人　634,800 980人～1,049人　671,000 1,050人～　707,100	2,550×加算率 2,730×加算率 3,090×加算率 3,450×加算率 3,810×加算率 4,170×加算率 4,540×加算率 4,900×加算率 5,260×加算率 5,620×加算率 5,980×加算率 6,340×加算率 6,710×加算率 7,070×加算率	÷各月初日の利用子ども数
			乳児	+ 74,480	+ 740 ×加算率			
	13人から19人まで	3号	1、2歳児	+ 148,960 (74,480)	+ 1,480 (740) ×加算率			
			乳児	+ 74,480	+ 740 ×加算率			
3/100地域	6人から12人まで	3号	1、2歳児	+ 145,200 (72,600)	+ 1,450 (720) ×加算率	～210人　249,800 211人～279人　267,500 280人～349人　303,100 350人～419人　338,700 420人～489人　374,300 490人～559人　409,900 560人～629人　445,500 630人～699人　481,000 700人～769人　516,600 770人～839人　552,200 840人～909人　587,800 910人～979人　623,400 980人～1,049人　659,000 1,050人～　694,500	2,490×加算率 2,670×加算率 3,030×加算率 3,380×加算率 3,740×加算率 4,090×加算率 4,450×加算率 4,810×加算率 5,160×加算率 5,520×加算率 5,870×加算率 6,230×加算率 6,590×加算率 6,940×加算率	÷各月初日の利用子ども数
			乳児	+ 72,600	+ 720 ×加算率			
	13人から19人まで	3号	1、2歳児	+ 145,200 (72,600)	+ 1,450 (720) ×加算率			
			乳児	+ 72,600	+ 720 ×加算率			
その他地域	6人から12人まで	3号	1、2歳児	+ 141,460 (70,730)	+ 1,410 (700) ×加算率	～210人　244,400 211人～349人　261,600 280人～349人　296,000 350人～419人　330,400 420人～489人　364,800 490人～559人　399,200 560人～629人　433,600 630人～699人　468,100 700人～769人　502,500 770人～839人　536,900 840人～909人　571,300 910人～979人　605,700 980人～1,049人　640,100 1,050人～　674,600	2,440×加算率 2,610×加算率 2,960×加算率 3,300×加算率 3,640×加算率 3,990×加算率 4,330×加算率 4,680×加算率 5,020×加算率 5,360×加算率 5,710×加算率 6,050×加算率 6,400×加算率 6,740×加算率	÷各月初日の利用子ども数
			乳児	+ 70,730	+ 700 ×加算率			
	13人から19人まで	3号	1、2歳児	+ 141,460 (70,730)	+ 1,410 (700) ×加算率			
			乳児	+ 70,730	+ 700 ×加算率			

地域区分 ①	定員区分 ②	認定区分 ③	年齢区分 ④	夜間保育加算 ⑪	処遇改善等加算Ⅰ	減価償却費加算 加算額 標準 ⑫	都市部	賃借料加算 加算額 標準 ⑬	都市部	連携施設を設定しない場合 ⑭	食事の搬入について自園調理又は連携施設等からの搬入以外の方法による場合 ⑮	管理者を配置していない場合 ⑯	処遇改善等加算Ⅰ
10/100 地域	6人から12人まで	3号	1、2歳児 / 乳児	44,990	+390×加算率	+3,200	3,500	a地域 20,300 / b地域 11,200 / c地域 9,700 / d地域 8,700	22,600 / 12,400 / 10,800 / 9,700	−2,110	−(⑥+⑦+⑪)×9/100	−37,090	+370×加算率
	13人から19人まで	3号	1、2歳児 / 乳児	30,430	+240×加算率	+2,000	2,200	a地域 25,700 / b地域 14,200 / c地域 12,300 / d地域 11,000	28,600 / 15,700 / 13,700 / 12,300	−1,330	−(⑥+⑦+⑪)×9/100	−23,420	+230×加算率
6/100 地域	6人から12人まで	3号	1、2歳児 / 乳児	44,990	+390×加算率	+3,200	3,500	a地域 20,300 / b地域 11,200 / c地域 9,700 / d地域 8,700	22,600 / 12,400 / 10,800 / 9,700	−2,110	−(⑥+⑦+⑪)×9/100	−35,530	+350×加算率
	13人から19人まで	3号	1、2歳児 / 乳児	30,430	+240×加算率	+2,000	2,200	a地域 25,700 / b地域 14,200 / c地域 12,300 / d地域 11,000	28,600 / 15,700 / 13,700 / 12,300	−1,330	−(⑥+⑦+⑪)×9/100	−22,440	+220×加算率
3/100 地域	6人から12人まで	3号	1、2歳児 / 乳児	44,990	+390×加算率	+3,200	3,500	a地域 20,300 / b地域 11,200 / c地域 9,700 / d地域 8,700	22,600 / 12,400 / 10,800 / 9,700	−2,110	−(⑥+⑦+⑪)×10/100	−34,360	+340×加算率
	13人から19人まで	3号	1、2歳児 / 乳児	30,430	+240×加算率	+2,000	2,200	a地域 25,700 / b地域 14,200 / c地域 12,300 / d地域 11,000	28,600 / 15,700 / 13,700 / 12,300	−1,330	−(⑥+⑦+⑪)×9/100	−21,700	+210×加算率
その他地域	6人から12人まで	3号	1、2歳児 / 乳児	44,990	+390×加算率	+3,200	3,500	a地域 20,300 / b地域 11,200 / c地域 9,700 / d地域 8,700	22,600 / 12,400 / 10,800 / 9,700	−2,110	−(⑥+⑦+⑪)×10/100	−33,190	+330×加算率
	13人から19人まで	3号	1、2歳児 / 乳児	30,430	+240×加算率	+2,000	2,200	a地域 25,700 / b地域 14,200 / c地域 12,300 / d地域 11,000	28,600 / 15,700 / 13,700 / 12,300	−1,330	−(⑥+⑦+⑪)×9/100	−20,960	+200×加算率

地域区分 ①	定員区分 ②	認定区分 ③	年齢区分 ④	土曜日に閉所する場合				定員を恒常的に超過する場合 ⑱
				月に1日土曜日を閉所する場合	月に2日土曜日を閉所する場合	月に3日以上土曜日を閉所する場合	全ての土曜日を閉所する場合 ⑰	
10/100 地域	6人から12人まで	3号	1、2歳児 ― 乳児	(⑥+⑦ +⑨+⑪) × 2/100	(⑥+⑦ +⑨+⑪) × 3/100	(⑥+⑦ +⑨+⑪) × 5/100	(⑥+⑦ +⑨+⑪) × 6/100	(⑥～⑰) × 80/100
	13人から19人まで	3号	1、2歳児 ― 乳児	(⑥+⑦ +⑨+⑪) × 2/100	(⑥+⑦ +⑨+⑪) × 3/100	(⑥+⑦ +⑨+⑪) × 5/100	(⑥+⑦ +⑨+⑪) × 6/100	(離島その他の地域) 各月初日の利用子ども数 20人～30人 (⑥～⑰)× 80/100 31人～40人 (⑥～⑰)× 75/100 41人～ (⑥～⑰)× 70/100
6/100 地域	6人から12人まで	3号	1、2歳児 ― 乳児	(⑥+⑦ +⑨+⑪) × 2/100	(⑥+⑦ +⑨+⑪) × 3/100	(⑥+⑦ +⑨+⑪) × 5/100	(⑥+⑦ +⑨+⑪) × 7/100	(⑥～⑰) × 80/100
	13人から19人まで	3号	1、2歳児 ― 乳児	(⑥+⑦ +⑨+⑪) × 2/100	(⑥+⑦ +⑨+⑪) × 3/100	(⑥+⑦ +⑨+⑪) × 5/100	(⑥+⑦ +⑨+⑪) × 7/100	(離島その他の地域) 各月初日の利用子ども数 20人～30人 (⑥～⑰)× 80/100 31人～40人 (⑥～⑰)× 75/100 41人～ (⑥～⑰)× 70/100
3/100 地域	6人から12人まで	3号	1、2歳児 ― 乳児	(⑥+⑦ +⑨+⑪) × 2/100	(⑥+⑦ +⑨+⑪) × 3/100	(⑥+⑦ +⑨+⑪) × 5/100	(⑥+⑦ +⑨+⑪) × 7/100	(⑥～⑰) × 80/100
	13人から19人まで	3号	1、2歳児 ― 乳児	(⑥+⑦ +⑨+⑪) × 2/100	(⑥+⑦ +⑨+⑪) × 3/100	(⑥+⑦ +⑨+⑪) × 5/100	(⑥+⑦ +⑨+⑪) × 7/100	(離島その他の地域) 各月初日の利用子ども数 20人～30人 (⑥～⑰)× 80/100 31人～40人 (⑥～⑰)× 75/100 41人～ (⑥～⑰)× 70/100
その他 地域	6人から12人まで	3号	1、2歳児 ― 乳児	(⑥+⑦ +⑨+⑪) × 2/100	(⑥+⑦ +⑨+⑪) × 3/100	(⑥+⑦ +⑨+⑪) × 5/100	(⑥+⑦ +⑨+⑪) × 7/100	(⑥～⑰) × 80/100
	13人から19人まで	3号	1、2歳児 ― 乳児	(⑥+⑦ +⑨+⑪) × 2/100	(⑥+⑦ +⑨+⑪) × 3/100	(⑥+⑦ +⑨+⑪) × 5/100	(⑥+⑦ +⑨+⑪) × 7/100	(離島その他の地域) 各月初日の利用子ども数 20人～30人 (⑥～⑰)× 80/100 31人～40人 (⑥～⑰)× 75/100 41人～ (⑥～⑰)× 70/100

加算部分2

処遇改善等加算Ⅱ　⑲	以下の加算を合算した額を各月初日の利用子ども数で除した額 ・処遇改善等加算Ⅱ－①　49,010 × 人数A ・処遇改善等加算Ⅱ－②　6,130 × 人数B	※1　各月初日の利用子どもの単価に加算 ※2　人数A及び人数Bについては、別に定める	

処遇改善等加算Ⅲ　⑳	11,030　×　加算Ⅲ算定対象人数 ÷各月初日の利用子ども数	※1　各月初日の利用子どもの単価に加算 ※2　加算Ⅲ算定対象人数については、別に定める

冷暖房費加算　㉑	1　級　地	1,900	4　級　地	1,320	※以下の区分に応じて、各月の単価に加算 　1級地から4級地：国家公務員の寒冷地手当に関する法律（昭和24年法律第200号）第1条第1号及び第2号に掲げる地域 　その　他　地　域：1級地から4級地以外の地域
	2　級　地	1,690	その他地域	120	
	3　級　地	1,670			

除雪費加算　㉒	6,270	※3月初日の利用子どもの単価に加算

降灰除去費加算　㉓	162,470÷3月初日の利用子ども数	※3月初日の利用子どもの単価に加算

施設機能強化推進費加算　㉔	160,000（限度額）÷3月初日の利用子ども数	※3月初日の利用子どもの単価に加算

栄養管理加算　㉕	A	基本額　　　処遇改善等加算Ⅰ （　79,950　＋　790×加算率　） ÷各月初日の利用子ども数	※以下の区分に応じて、各月初日の利用子どもの単価に加算 　A：Bを除き栄養士を雇用契約等により配置している施設 　B：基本分単価及び他の加算の認定に当たって求められる職員が栄養士を兼務している施設 　C：A又はBを除き、栄養士を嘱託等している施設
	B	基本額　　　処遇改善等加算Ⅰ （　50,000　＋　500×加算率　） ÷各月初日の利用子ども数	
	C	基本額 10,000 ÷各月初日の利用子ども数	

第三者評価受審加算　㉖	150,000÷3月初日の利用子ども数	※3月初日の利用子どもの単価に加算

（注）年度の初日の前日における満年齢に応じて月額を調整

○小規模保育事業（B型）（保育認定）

地域区分①	定員区分②	認定区分③	年齢区分④	保育必要量区分⑤ 保育標準時間認定 基本分単価 ⑥（注）	保育必要量区分⑤ 保育短時間認定 基本分単価 ⑥（注）		処遇改善等加算Ⅰ 保育標準時間認定 （注）⑦		処遇改善等加算Ⅰ 保育短時間認定 （注）⑦	
20/100 地域	6人から12人まで	3号	1、2歳児	194,120 （258,300）	189,320 （253,500）	＋	1,820 （2,460）	×加算率	1,780 （2,420）	×加算率
			乳児	258,300	253,500	＋	2,460	×加算率	2,420	×加算率
	13人から19人まで	3号	1、2歳児	150,390 （214,570）	147,360 （211,540）	＋	1,390 （2,030）	×加算率	1,360 （2,000）	×加算率
			乳児	214,570	211,540	＋	2,030	×加算率	2,000	×加算率
16/100 地域	6人から12人まで	3号	1、2歳児	190,490 （253,420）	185,680 （248,610）	＋	1,790 （2,410）	×加算率	1,740 （2,360）	×加算率
			乳児	253,420	248,610	＋	2,410	×加算率	2,360	×加算率
	13人から19人まで	3号	1、2歳児	147,640 （210,570）	144,600 （207,530）	＋	1,360 （1,980）	×加算率	1,330 （1,950）	×加算率
			乳児	210,570	207,530	＋	1,980	×加算率	1,950	×加算率
15/100 地域	6人から12人まで	3号	1、2歳児	189,580 （252,200）	184,780 （247,400）	＋	1,780 （2,400）	×加算率	1,730 （2,350）	×加算率
			乳児	252,200	247,400	＋	2,400	×加算率	2,350	×加算率
	13人から19人まで	3号	1、2歳児	146,950 （209,570）	143,920 （206,540）	＋	1,350 （1,970）	×加算率	1,320 （1,940）	×加算率
			乳児	209,570	206,540	＋	1,970	×加算率	1,940	×加算率
12/100 地域	6人から12人まで	3号	1、2歳児	186,850 （248,530）	182,050 （243,730）	＋	1,750 （2,360）	×加算率	1,700 （2,310）	×加算率
			乳児	248,530	243,730	＋	2,360	×加算率	2,310	×加算率
	13人から19人まで	3号	1、2歳児	144,880 （206,560）	141,850 （203,530）	＋	1,330 （1,940）	×加算率	1,300 （1,910）	×加算率
			乳児	206,560	203,530	＋	1,940	×加算率	1,910	×加算率

地域区分①②	定員区分②	認定区分③	年齢区分④	保育士比率向上加算 (注)⑧		処遇改善等加算Ⅰ (注)		障害児保育加算 ※特別な支援が必要な利用子どもの単価に加算 (注)⑨		処遇改善等加算Ⅰ (注)	
20/100 地域	6人から12人まで	3号	1、2歳児	+ 14,280	(23,810)	+ 140	(230) ×加算率	+ 128,370	(64,180)	+ 1,280	(640) ×加算率
			乳児	+ 23,810		+ 230	×加算率	+ 64,180		+ 640	×加算率
	13人から19人まで	3号	1、2歳児	+ 12,620	(22,150)	+ 120	(210) ×加算率	+ 128,370	(64,180)	+ 1,280	(640) ×加算率
			乳児	+ 22,150		+ 210	×加算率	+ 64,180		+ 640	×加算率
16/100 地域	6人から12人まで	3号	1、2歳児	+ 13,340	(22,240)	+ 130	(220) ×加算率	+ 125,870	(62,930)	+ 1,250	(620) ×加算率
			乳児	+ 22,240		+ 220	×加算率	+ 62,930		+ 620	×加算率
	13人から19人まで	3号	1、2歳児	+ 11,790	(20,690)	+ 120	(210) ×加算率	+ 125,870	(62,930)	+ 1,250	(620) ×加算率
			乳児	+ 20,690		+ 210	×加算率	+ 62,930		+ 620	×加算率
15/100 地域	6人から12人まで	3号	1、2歳児	+ 13,110	(21,850)	+ 130	(220) ×加算率	+ 125,250	(62,620)	+ 1,250	(620) ×加算率
			乳児	+ 21,850		+ 220	×加算率	+ 62,620		+ 620	×加算率
	13人から19人まで	3号	1、2歳児	+ 11,580	(20,320)	+ 120	(210) ×加算率	+ 125,250	(62,620)	+ 1,250	(620) ×加算率
			乳児	+ 20,320		+ 210	×加算率	+ 62,620		+ 620	×加算率
12/100 地域	6人から12人まで	3号	1、2歳児	+ 12,400	(20,680)	+ 130	(210) ×加算率	+ 123,370	(61,680)	+ 1,230	(610) ×加算率
			乳児	+ 20,680		+ 210	×加算率	+ 61,680		+ 610	×加算率
	13人から19人まで	3号	1、2歳児	+ 10,970	(19,250)	+ 110	(190) ×加算率	+ 123,370	(61,680)	+ 1,230	(610) ×加算率
			乳児	+ 19,250		+ 190	×加算率	+ 61,680		+ 610	×加算率

①地域区分	②定員区分	③認定区分	④年齢区分	休日保育加算 休日保育の年間延べ利用子ども数	⑩処遇改善等加算Ⅰ	夜間保育加算	⑪処遇改善等加算Ⅰ	減価償却費加算 加算額 標準	都市部
20/100地域	6人から12人まで	3号	1、2歳児／乳児	～210人　207,000／211人～279人　221,200／280人～349人　249,800／350人～419人　278,400／420人～489人　307,000／490人～559人　335,600／560人～629人　364,200／630人～699人　392,700／700人～769人　421,300／770人～839人　449,900／840人～909人　478,500／910人～979人　507,100／980人～1,049人　535,700／1,050人～　564,200 ÷各月初日の利用子ども数	2,070×加算率／2,210×加算率／2,490×加算率／2,780×加算率／3,070×加算率／3,350×加算率／3,640×加算率／3,920×加算率／4,210×加算率／4,490×加算率／4,780×加算率／5,070×加算率／5,350×加算率／5,640×加算率	+44,990	+390×加算率	+3,200	3,500
	13人から19人まで	3号	1、2歳児／乳児			+30,430	+240×加算率	+2,000	2,200
16/100地域	6人から12人まで	3号	1、2歳児／乳児	～210人　203,400／211人～279人　217,400／280人～349人　245,400／350人～419人　273,400／420人～489人　301,400／490人～559人　329,400／560人～629人　357,400／630人～699人　385,400／700人～769人　413,400／770人～839人　441,400／840人～909人　469,400／910人～979人　497,400／980人～1,049人　525,400／1,050人～　553,400 ÷各月初日の利用子ども数	2,030×加算率／2,170×加算率／2,450×加算率／2,730×加算率／3,010×加算率／3,290×加算率／3,570×加算率／3,850×加算率／4,130×加算率／4,410×加算率／4,690×加算率／4,970×加算率／5,250×加算率／5,530×加算率	+44,990	+390×加算率	+3,200	3,500
	13人から19人まで	3号	1、2歳児／乳児			+30,430	+240×加算率	+2,000	2,200
15/100地域	6人から12人まで	3号	1、2歳児／乳児	～210人　202,500／211人～279人　216,200／280人～349人　243,600／350人～419人　271,000／420人～489人　298,400／490人～559人　325,800／560人～629人　353,200／630人～699人　380,700／700人～769人　408,100／770人～839人　435,500／840人～909人　462,900／910人～979人　490,300／980人～1,049人　517,700／1,050人～　545,200 ÷各月初日の利用子ども数	2,020×加算率／2,160×加算率／2,430×加算率／2,710×加算率／2,980×加算率／3,250×加算率／3,530×加算率／3,800×加算率／4,080×加算率／4,350×加算率／4,620×加算率／4,900×加算率／5,170×加算率／5,450×加算率	+44,990	+390×加算率	+3,200	3,500
	13人から19人まで	3号	1、2歳児／乳児			+30,430	+240×加算率	+2,000	2,200
12/100地域	6人から12人まで	3号	1、2歳児／乳児	～210人　199,800／211人～279人　213,500／280人～349人　240,900／350人～419人　268,300／420人～489人　295,700／490人～559人　323,100／560人～629人　350,500／630人～699人　378,000／700人～769人　405,400／770人～839人　432,800／840人～909人　460,200／910人～979人　487,600／980人～1,049人　515,000／1,050人～　542,500 ÷各月初日の利用子ども数	1,990×加算率／2,130×加算率／2,400×加算率／2,680×加算率／2,950×加算率／3,230×加算率／3,500×加算率／3,780×加算率／4,050×加算率／4,320×加算率／4,600×加算率／4,870×加算率／5,150×加算率／5,420×加算率	+44,990	+390×加算率	+3,200	3,500
	13人から19人まで	3号	1、2歳児／乳児			+30,430	+240×加算率	+2,000	2,200

地域区分 ①	定員区分 ②	認定区分 ③	年齢区分 ④	賃借料加算 加算額 標準 ⑬	都市部	連携施設を設定しない場合 ⑭	食事の搬入について自園調理又は連携施設等からの搬入以外の方法による場合 ⑮	管理者を配置していない場合	処遇改善等加算Ⅰ ⑯
20/100 地域	6人から12人まで	3号	1、2歳児 ─ 乳児	a地域 20,300 / b地域 11,200 / c地域 9,700 / d地域 8,700	a地域 22,600 / b地域 12,400 / c地域 10,800 / d地域 9,700	− 2,110	((⑥+⑦+⑪)×10/100)	− 40,990 +	400×加算率
	13人から19人まで	3号	1、2歳児 ─ 乳児	a地域 25,700 / b地域 14,200 / c地域 12,300 / d地域 11,000	a地域 28,600 / b地域 15,700 / c地域 13,700 / d地域 12,300	− 1,330	((⑥+⑦+⑪)×10/100)	− 25,890 +	250×加算率
16/100 地域	6人から12人まで	3号	1、2歳児 ─ 乳児	a地域 20,300 / b地域 11,200 / c地域 9,700 / d地域 8,700	a地域 22,600 / b地域 12,400 / c地域 10,800 / d地域 9,700	− 2,110	((⑥+⑦+⑪)×10/100)	− 39,430 +	390×加算率
	13人から19人まで	3号	1、2歳児 ─ 乳児	a地域 25,700 / b地域 14,200 / c地域 12,300 / d地域 11,000	a地域 28,600 / b地域 15,700 / c地域 13,700 / d地域 12,300	− 1,330	((⑥+⑦+⑪)×10/100)	− 24,900 +	240×加算率
15/100 地域	6人から12人まで	3号	1、2歳児 ─ 乳児	a地域 20,300 / b地域 11,200 / c地域 9,700 / d地域 8,700	a地域 22,600 / b地域 12,400 / c地域 10,800 / d地域 9,700	− 2,110	((⑥+⑦+⑪)×10/100)	− 39,040 +	390×加算率
	13人から19人まで	3号	1、2歳児 ─ 乳児	a地域 25,700 / b地域 14,200 / c地域 12,300 / d地域 11,000	a地域 28,600 / b地域 15,700 / c地域 13,700 / d地域 12,300	− 1,330	((⑥+⑦+⑪)×10/100)	− 24,660 +	240×加算率
12/100 地域	6人から12人まで	3号	1、2歳児 ─ 乳児	a地域 20,300 / b地域 11,200 / c地域 9,700 / d地域 8,700	a地域 22,600 / b地域 12,400 / c地域 10,800 / d地域 9,700	− 2,110	((⑥+⑦+⑪)×10/100)	− 37,870 +	370×加算率
	13人から19人まで	3号	1、2歳児 ─ 乳児	a地域 25,700 / b地域 14,200 / c地域 12,300 / d地域 11,000	a地域 28,600 / b地域 15,700 / c地域 13,700 / d地域 12,300	− 1,330	((⑥+⑦+⑪)×10/100)	− 23,920 +	230×加算率

地域区分 ①	定員区分 ②	認定区分 ③	年齢区分 ④	土曜日に閉所する場合				定員を恒常的に超過する場合 ⑱
				月に1日土曜日を閉所する場合	月に2日土曜日を閉所する場合	月に3日以上土曜日を閉所する場合	全ての土曜日を閉所する場合 ⑰	
20/100地域	6人から12人まで	3号	1、2歳児 ― 乳児	(⑥+⑦+⑨+⑪) × 2/100	(⑥+⑦+⑨+⑪) × 4/100	(⑥+⑦+⑨+⑪) × 6/100	(⑥+⑦+⑨+⑪) × 8/100	(⑥〜⑰) × 79/100
	13人から19人まで	3号	1、2歳児 ― 乳児	(⑥+⑦+⑨+⑪) × 2/100	(⑥+⑦+⑨+⑪) × 4/100	(⑥+⑦+⑨+⑪) × 7/100	(⑥+⑦+⑨+⑪) × 9/100	(離島その他の地域) 各月初日の利用子ども数 20人〜30人 (⑥〜⑰) × 80/100 31人〜40人 (⑥〜⑰) × 75/100 41人〜 (⑥〜⑰) × 70/100
16/100地域	6人から12人まで	3号	1、2歳児 ― 乳児	(⑥+⑦+⑨+⑪) × 2/100	(⑥+⑦+⑨+⑪) × 4/100	(⑥+⑦+⑨+⑪) × 6/100	(⑥+⑦+⑨+⑪) × 8/100	(⑥〜⑰) × 79/100
	13人から19人まで	3号	1、2歳児 ― 乳児	(⑥+⑦+⑨+⑪) × 2/100	(⑥+⑦+⑨+⑪) × 4/100	(⑥+⑦+⑨+⑪) × 7/100	(⑥+⑦+⑨+⑪) × 9/100	(離島その他の地域) 各月初日の利用子ども数 20人〜30人 (⑥〜⑰) × 80/100 31人〜40人 (⑥〜⑰) × 75/100 41人〜 (⑥〜⑰) × 70/100
15/100地域	6人から12人まで	3号	1、2歳児 ― 乳児	(⑥+⑦+⑨+⑪) × 2/100	(⑥+⑦+⑨+⑪) × 4/100	(⑥+⑦+⑨+⑪) × 6/100	(⑥+⑦+⑨+⑪) × 9/100	(⑥〜⑰) × 79/100
	13人から19人まで	3号	1、2歳児 ― 乳児	(⑥+⑦+⑨+⑪) × 2/100	(⑥+⑦+⑨+⑪) × 4/100	(⑥+⑦+⑨+⑪) × 7/100	(⑥+⑦+⑨+⑪) × 9/100	(離島その他の地域) 各月初日の利用子ども数 20人〜30人 (⑥〜⑰) × 80/100 31人〜40人 (⑥〜⑰) × 75/100 41人〜 (⑥〜⑰) × 70/100
12/100地域	6人から12人まで	3号	1、2歳児 ― 乳児	(⑥+⑦+⑨+⑪) × 2/100	(⑥+⑦+⑨+⑪) × 4/100	(⑥+⑦+⑨+⑪) × 6/100	(⑥+⑦+⑨+⑪) × 9/100	(⑥〜⑰) × 79/100
	13人から19人まで	3号	1、2歳児 ― 乳児	(⑥+⑦+⑨+⑪) × 2/100	(⑥+⑦+⑨+⑪) × 5/100	(⑥+⑦+⑨+⑪) × 7/100	(⑥+⑦+⑨+⑪) × 9/100	(離島その他の地域) 各月初日の利用子ども数 20人〜30人 (⑥〜⑰) × 80/100 31人〜40人 (⑥〜⑰) × 75/100 41人〜 (⑥〜⑰) × 70/100

地域区分 ①	定員区分 ②	認定区分 ③	年齢区分 ④	保育必要量区分⑤					処遇改善等加算Ⅰ					
				保育標準時間認定		保育短時間認定			保育標準時間認定			保育短時間認定		
				基本分単価 （注）⑥		基本分単価 ⑥ （注）			（注）⑦			（注）⑦		
10/100 地域	6人から12人まで	3号	1、2歳児	185,030	(246,090)	180,230	(241,290)	＋	1,730	(2,340)	×加算率	1,690	(2,300)	×加算率
			乳児	246,090		241,290		＋	2,340		×加算率	2,300		×加算率
	13人から19人まで	3号	1、2歳児	143,510	(204,570)	140,470	(201,530)	＋	1,320	(1,930)	×加算率	1,290	(1,900)	×加算率
			乳児	204,570		201,530		＋	1,930		×加算率	1,900		×加算率
6/100 地域	6人から12人まで	3号	1、2歳児	181,400	(241,210)	176,590	(236,400)	＋	1,700	(2,290)	×加算率	1,650	(2,240)	×加算率
			乳児	241,210		236,400		＋	2,290		×加算率	2,240		×加算率
	13人から19人まで	3号	1、2歳児	140,750	(200,560)	137,720	(197,530)	＋	1,290	(1,880)	×加算率	1,260	(1,850)	×加算率
			乳児	200,560		197,530		＋	1,880		×加算率	1,850		×加算率
3/100 地域	6人から12人まで	3号	1、2歳児	178,670	(237,540)	173,870	(232,740)	＋	1,670	(2,250)	×加算率	1,620	(2,200)	×加算率
			乳児	237,540		232,740		＋	2,250		×加算率	2,200		×加算率
	13人から19人まで	3号	1、2歳児	138,690	(197,560)	135,650	(194,520)	＋	1,270	(1,850)	×加算率	1,240	(1,820)	×加算率
			乳児	197,560		194,520		＋	1,850		×加算率	1,820		×加算率
その他 地域	6人から12人まで	3号	1、2歳児	175,950	(233,880)	171,140	(229,070)	＋	1,640	(2,210)	×加算率	1,590	(2,160)	×加算率
			乳児	233,880		229,070		＋	2,210		×加算率	2,160		×加算率
	13人から19人まで	3号	1、2歳児	136,620	(194,550)	133,590	(191,520)	＋	1,250	(1,820)	×加算率	1,220	(1,790)	×加算率
			乳児	194,550		191,520		＋	1,820		×加算率	1,790		×加算率

地域区分 ①	定員区分 ②	認定区分 ③	年齢区分 ④	保育士比率向上加算（注）⑧		処遇改善等加算Ⅰ（注）			障害児保育加算 ※特別な支援が必要な利用子どもの単価に加算（注）⑨		処遇改善等加算Ⅰ（注）		
10/100 地域	6人から12人まで	3号	1、2歳児	+	11,940 (19,900)	+	110 (190)	×加算率	+	122,120 (61,060)	+ 1,220 (610)	×加算率
			乳児	+	19,900	+	190	×加算率	+	61,060	+ 610	×加算率
	13人から19人まで	3号	1、2歳児	+	10,550 (18,510)	+	100 (180)	×加算率	+	122,120 (61,060)	+ 1,220 (610)	×加算率
			乳児	+	18,510	+	180	×加算率	+	61,060	+ 610	×加算率
6/100 地域	6人から12人まで	3号	1、2歳児	+	11,000 (18,330)	+	110 (190)	×加算率	+	119,620 (59,810)	+ 1,190 (590)	×加算率
			乳児	+	18,330	+	190	×加算率	+	59,810	+ 590	×加算率
	13人から19人まで	3号	1、2歳児	+	9,720 (17,050)	+	100 (180)	×加算率	+	119,620 (59,810)	+ 1,190 (590)	×加算率
			乳児	+	17,050	+	180	×加算率	+	59,810	+ 590	×加算率
3/100 地域	6人から12人まで	3号	1、2歳児	+	10,290 (17,160)	+	100 (170)	×加算率	+	117,750 (58,870)	+ 1,170 (580)	×加算率
			乳児	+	17,160	+	170	×加算率	+	58,870	+ 580	×加算率
	13人から19人まで	3号	1、2歳児	+	9,100 (15,970)	+	90 (160)	×加算率	+	117,750 (58,870)	+ 1,170 (580)	×加算率
			乳児	+	15,970	+	160	×加算率	+	58,870	+ 580	×加算率
その他地域	6人から12人まで	3号	1、2歳児	+	9,590 (15,990)	+	100 (170)	×加算率	+	115,870 (57,930)	+ 1,150 (570)	×加算率
			乳児	+	15,990	+	170	×加算率	+	57,930	+ 570	×加算率
	13人から19人まで	3号	1、2歳児	+	8,480 (14,880)	+	80 (150)	×加算率	+	115,870 (57,930)	+ 1,150 (570)	×加算率
			乳児	+	14,880	+	150	×加算率	+	57,930	+ 570	×加算率

地域区分 ①	定員区分 ②	認定区分 ③	年齢区分 ④	休日保育加算		休日保育加算 処遇改善等加算Ⅰ ⑩			夜間保育加算		夜間保育加算 処遇改善等加算Ⅰ ⑪		減価償却費加算 加算額 標準 ⑫	減価償却費加算 加算額 都市部 ⑫
10/100 地域	6人から12人まで	3号	1、2歳児 / 乳児	休日保育の年間延べ利用子ども数 〜 210人 198,000 211人〜 279人 211,400 280人〜 349人 238,200 350人〜 419人 265,000 420人〜 489人 291,900 490人〜 559人 318,700 560人〜 629人 345,500	+	1,980×加算率 2,110×加算率 2,380×加算率 2,650×加算率 2,910×加算率 3,180×加算率 3,450×加算率	+	各月初日の利用子ども数	÷	44,990	+	390×加算率	+	3,200	3,500
	13人から19人まで	3号	1、2歳児 / 乳児	630人〜 699人 372,400 700人〜 769人 399,200 770人〜 839人 426,000 840人〜 909人 452,900 910人〜 979人 479,700 980人〜1,049人 506,500 1,050人〜 533,400		3,720×加算率 3,990×加算率 4,260×加算率 4,520×加算率 4,790×加算率 5,060×加算率 5,330×加算率	+			30,430	+	240×加算率	+	2,000	2,200
6/100 地域	6人から12人まで	3号	1、2歳児 / 乳児	休日保育の年間延べ利用子ども数 〜 210人 194,500 211人〜 279人 207,600 280人〜 349人 233,800 350人〜 419人 260,100 420人〜 489人 286,300 490人〜 559人 312,600 560人〜 629人 338,800	+	1,940×加算率 2,070×加算率 2,330×加算率 2,600×加算率 2,860×加算率 3,120×加算率 3,380×加算率	+	各月初日の利用子ども数	÷	44,990	+	390×加算率	+	3,200	3,500
	13人から19人まで	3号	1、2歳児 / 乳児	630人〜 699人 365,100 700人〜 769人 391,300 770人〜 839人 417,600 840人〜 909人 443,800 910人〜 979人 470,100 980人〜1,049人 496,300 1,050人〜 522,600		3,650×加算率 3,910×加算率 4,170×加算率 4,430×加算率 4,700×加算率 4,960×加算率 5,220×加算率	+			30,430	+	240×加算率	+	2,000	2,200
3/100 地域	6人から12人まで	3号	1、2歳児 / 乳児	休日保育の年間延べ利用子ども数 〜 210人 191,700 211人〜 279人 204,500 280人〜 349人 230,200 350人〜 419人 255,800 420人〜 489人 281,500 490人〜 559人 307,200 560人〜 629人 332,800	+	1,910×加算率 2,040×加算率 2,300×加算率 2,550×加算率 2,810×加算率 3,070×加算率 3,320×加算率	+	各月初日の利用子ども数	÷	44,990	+	390×加算率	+	3,200	3,500
	13人から19人まで	3号	1、2歳児 / 乳児	630人〜 699人 358,500 700人〜 769人 384,200 770人〜 839人 409,800 840人〜 909人 435,500 910人〜 979人 461,200 980人〜1,049人 486,800 1,050人〜 512,500		3,580×加算率 3,840×加算率 4,090×加算率 4,350×加算率 4,610×加算率 4,860×加算率 5,120×加算率	+			30,430	+	240×加算率	+	2,000	2,200
その他 地域	6人から12人まで	3号	1、2歳児 / 乳児	休日保育の年間延べ利用子ども数 〜 210人 189,000 211人〜 279人 201,800 280人〜 349人 227,500 350人〜 419人 253,100 420人〜 489人 278,800 490人〜 559人 304,500 560人〜 629人 330,100	+	1,890×加算率 2,010×加算率 2,270×加算率 2,530×加算率 2,780×加算率 3,040×加算率 3,300×加算率	+	各月初日の利用子ども数	÷	44,990	+	390×加算率	+	3,200	3,500
	13人から19人まで	3号	1、2歳児 / 乳児	630人〜 699人 355,800 700人〜 769人 381,500 770人〜 839人 407,100 840人〜 909人 432,800 910人〜 979人 458,500 980人〜1,049人 484,100 1,050人〜 509,800		3,550×加算率 3,810×加算率 4,070×加算率 4,320×加算率 4,580×加算率 4,840×加算率 5,090×加算率	+			30,430	+	240×加算率	+	2,000	2,200

地域区分 ①	定員区分 ②	認定区分 ③	年齢区分 ④	賃借料加算 加算額 標準 ⑬	賃借料加算 加算額 都市部 ⑬	連携施設を設定しない場合 ⑭	食事の搬入について自園調理又は連携施設等からの搬入以外の方法による場合 ⑮	管理者を配置していない場合 ⑯	処遇改善等加算Ⅰ ⑯
10/100地域	6人から12人まで	3号	1、2歳児／乳児	a地域 20,300	22,600				
				b地域 11,200	12,400	−2,110	−（⑥＋⑦＋⑪）×10/100	−37,090	＋370×加算率
				c地域 9,700	10,800				
				d地域 8,700	9,700				
	13人から19人まで	3号	1、2歳児／乳児	a地域 25,700	28,600				
				b地域 14,200	15,700	−1,330	−（⑥＋⑦＋⑪）×10/100	−23,420	＋230×加算率
				c地域 12,300	13,700				
				d地域 11,000	12,300				
6/100地域	6人から12人まで	3号	1、2歳児／乳児	a地域 20,300	22,600				
				b地域 11,200	12,400	−2,110	−（⑥＋⑦＋⑪）×11/100	−35,530	＋350×加算率
				c地域 9,700	10,800				
				d地域 8,700	9,700				
	13人から19人まで	3号	1、2歳児／乳児	a地域 25,700	28,600				
				b地域 14,200	15,700	−1,330	−（⑥＋⑦＋⑪）×10/100	−22,440	＋220×加算率
				c地域 12,300	13,700				
				d地域 11,000	12,300				
3/100地域	6人から12人まで	3号	1、2歳児／乳児	a地域 20,300	22,600				
				b地域 11,200	12,400	−2,110	−（⑥＋⑦＋⑪）×11/100	−34,360	＋340×加算率
				c地域 9,700	10,800				
				d地域 8,700	9,700				
	13人から19人まで	3号	1、2歳児／乳児	a地域 25,700	28,600				
				b地域 14,200	15,700	−1,330	−（⑥＋⑦＋⑪）×10/100	−21,700	＋210×加算率
				c地域 12,300	13,700				
				d地域 11,000	12,300				
その他地域	6人から12人まで	3号	1、2歳児／乳児	a地域 20,300	22,600				
				b地域 11,200	12,400	−2,110	−（⑥＋⑦＋⑪）×11/100	−33,190	＋330×加算率
				c地域 9,700	10,800				
				d地域 8,700	9,700				
	13人から19人まで	3号	1、2歳児／乳児	a地域 25,700	28,600				
				b地域 14,200	15,700	−1,330	−（⑥＋⑦＋⑪）×10/100	−20,960	＋200×加算率
				c地域 12,300	13,700				
				d地域 11,000	12,300				

地域区分①	定員区分②	認定区分③	年齢区分④	土曜日に閉所する場合⑰				定員を恒常的に超過する場合⑱
				月に1日土曜日を閉所する場合	月に2日土曜日を閉所する場合	月に3日以上土曜日を閉所する場合	全ての土曜日を閉所する場合	
10/100地域	6人から12人まで	3号	1、2歳児 ― 乳児	(⑥+⑦+⑨+⑪) × 2/100	(⑥+⑦+⑨+⑪) × 4/100	(⑥+⑦+⑨+⑪) × 7/100	(⑥+⑦+⑨+⑪) × 9/100	(⑥〜⑰) × 79/100
	13人から19人まで	3号	1、2歳児 ― 乳児	(⑥+⑦+⑨+⑪) × 2/100	(⑥+⑦+⑨+⑪) × 5/100	(⑥+⑦+⑨+⑪) × 7/100	(⑥+⑦+⑨+⑪) × 9/100	(離島その他の地域)各月初日の利用子ども数 20人〜30人 (⑥〜⑰)× 80/100 31人〜40人 (⑥〜⑰)× 75/100 41人〜 (⑥〜⑰)× 70/100
6/100地域	6人から12人まで	3号	1、2歳児 ― 乳児	(⑥+⑦+⑨+⑪) × 2/100	(⑥+⑦+⑨+⑪) × 4/100	(⑥+⑦+⑨+⑪) × 7/100	(⑥+⑦+⑨+⑪) × 9/100	(⑥〜⑰) × 79/100
	13人から19人まで	3号	1、2歳児 ― 乳児	(⑥+⑦+⑨+⑪) × 2/100	(⑥+⑦+⑨+⑪) × 5/100	(⑥+⑦+⑨+⑪) × 7/100	(⑥+⑦+⑨+⑪) × 9/100	(離島その他の地域)各月初日の利用子ども数 20人〜30人 (⑥〜⑰)× 80/100 31人〜40人 (⑥〜⑰)× 75/100 41人〜 (⑥〜⑰)× 70/100
3/100地域	6人から12人まで	3号	1、2歳児 ― 乳児	(⑥+⑦+⑨+⑪) × 2/100	(⑥+⑦+⑨+⑪) × 5/100	(⑥+⑦+⑨+⑪) × 7/100	(⑥+⑦+⑨+⑪) × 9/100	(⑥〜⑰) × 79/100
	13人から19人まで	3号	1、2歳児 ― 乳児	(⑥+⑦+⑨+⑪) × 2/100	(⑥+⑦+⑨+⑪) × 5/100	(⑥+⑦+⑨+⑪) × 7/100	(⑥+⑦+⑨+⑪) × 9/100	(離島その他の地域)各月初日の利用子ども数 20人〜30人 (⑥〜⑰)× 80/100 31人〜40人 (⑥〜⑰)× 75/100 41人〜 (⑥〜⑰)× 70/100
その他地域	6人から12人まで	3号	1、2歳児 ― 乳児	(⑥+⑦+⑨+⑪) × 2/100	(⑥+⑦+⑨+⑪) × 5/100	(⑥+⑦+⑨+⑪) × 7/100	(⑥+⑦+⑨+⑪) × 9/100	(⑥〜⑰) × 79/100
	13人から19人まで	3号	1、2歳児 ― 乳児	(⑥+⑦+⑨+⑪) × 2/100	(⑥+⑦+⑨+⑪) × 5/100	(⑥+⑦+⑨+⑪) × 7/100	(⑥+⑦+⑨+⑪) × 10/100	(離島その他の地域)各月初日の利用子ども数 20人〜30人 (⑥〜⑰)× 80/100 31人〜40人 (⑥〜⑰)× 75/100 41人〜 (⑥〜⑰)× 70/100

加算部分２

処遇改善等加算Ⅱ ⑲	以下の加算を合算した額を各月初日の利用子ども数で除した額 ・処遇改善等加算Ⅱ－①　49,010 × 人数Ａ ・処遇改善等加算Ⅱ－②　6,130 × 人数Ｂ	※１　各月初日の利用子どもの単価に加算 ※２　人数Ａ及び人数Ｂについては、別に定める
処遇改善等加算Ⅲ ⑳	11,030　×　加算Ⅲ算定対象人数 ÷各月初日の利用子ども数	※１　各月初日の利用子どもの単価に加算 ※２　加算Ⅲ算定対象人数については、別に定める
冷暖房費加算 ㉑	1　級　地　1,900　4　級　地　1,320 2　級　地　1,690　その他地域　120 3　級　地　1,670	※以下の区分に応じて、各月の単価に加算 　１級地から４級地：国家公務員の寒冷地手当に関する法律（昭和 　　　　　　　　　　24年法律第200号）第１条第１号及び第 　　　　　　　　　　２号に掲げる地域 　その他地域：１級地から４級地以外の地域
除雪費加算 ㉒	6,270	※３月初日の利用子どもの単価に加算
降灰除去費加算 ㉓	162,470÷３月初日の利用子ども数	※３月初日の利用子どもの単価に加算
施設機能強化推進費加算 ㉔	160,000（限度額）÷３月初日の利用子ども数	※３月初日の利用子どもの単価に加算
栄養管理加算 ㉕	Ａ（　基本額　79,950　＋　処遇改善等加算Ⅰ　790×加算率　） ÷各月初日の利用子ども数 Ｂ（　基本額　50,000　＋　処遇改善等加算Ⅰ　500×加算率　） ÷各月初日の利用子ども数 Ｃ　基本額　10,000 ÷各月初日の利用子ども数	※以下の区分に応じて、各月初日の利用子どもの単価に加算 　Ａ：Ｂを除き栄養士を雇用契約等により配置している施設 　Ｂ：基本分単価及び他の加算の認定に当たって求められる 　　　職員が栄養士を兼務している施設 　Ｃ：Ａ又はＢを除き、栄養士を嘱託等している施設
第三者評価受審加算 ㉖	150,000÷３月初日の利用子ども数	※３月初日の利用子どもの単価に加算

（注）年度の初日の前日における満年齢に応じて月額を調整

○小規模保育事業（Ｃ型）（保育認定）

地域区分①	定員区分②	認定区分③	保育必要量区分④ 保育標準時間認定 基本分単価⑤	保育短時間認定 基本分単価⑤		処遇改善等加算Ⅰ 保育標準時間認定⑥	保育短時間認定⑥		資格保有者加算	処遇改善等加算Ⅰ		障害児保育加算 ※特別な支援が必要な利用子どもの単価に加算	処遇改善等加算Ⅰ⑧
20/100地域	6人から10人まで	3号	218,840	213,070	+	2,070×加算率	2,010×加算率	+	1人　2,320　2人以上　4,640	20×加算率　40×加算率	+	47,610	＋470×加算率
	11人から15人まで	3号	192,270	188,430	+	1,810×加算率	1,770×加算率	+	1人　1,540　2人　3,080　3人以上　4,620	10×加算率　20×加算率　30×加算率	+	47,610	＋470×加算率
16/100地域	6人から10人まで	3号	214,100	208,330	+	2,020×加算率	1,970×加算率	+	1人　2,240　2人以上　4,480	20×加算率　40×加算率	+	46,190	＋460×加算率
	11人から15人まで	3号	188,170	184,320	+	1,760×加算率	1,730×加算率	+	1人　1,490　2人　2,980　3人以上　4,470	10×加算率　20×加算率　30×加算率	+	46,190	＋460×加算率
15/100地域	6人から10人まで	3号	212,920	207,150	+	2,010×加算率	1,950×加算率	+	1人　2,220　2人以上　4,440	20×加算率　40×加算率	+	45,830	＋450×加算率
	11人から15人まで	3号	187,140	183,300	+	1,750×加算率	1,720×加算率	+	1人　1,480　2人　2,960　3人以上　4,440	10×加算率　20×加算率　30×加算率	+	45,830	＋450×加算率
12/100地域	6人から10人まで	3号	209,360	203,600	+	1,980×加算率	1,920×加算率	+	1人　2,160　2人以上　4,320	20×加算率　40×加算率	+	44,770	＋440×加算率
	11人から15人まで	3号	184,060	180,220	+	1,720×加算率	1,690×加算率	+	1人　1,440　2人　2,880　3人以上　4,320	10×加算率　20×加算率　30×加算率	+	44,770	＋440×加算率
10/100地域	6人から10人まで	3号	206,990	201,230	+	1,950×加算率	1,900×加算率	+	1人　2,120　2人以上　4,240	20×加算率　40×加算率	+	44,060	＋440×加算率
	11人から15人まで	3号	182,010	178,160	+	1,700×加算率	1,660×加算率	+	1人　1,410　2人　2,820　3人以上　4,230	10×加算率　20×加算率　30×加算率	+	44,060	＋440×加算率
6/100地域	6人から10人まで	3号	202,260	196,490	+	1,910×加算率	1,850×加算率	+	1人　2,050　2人以上　4,100	20×加算率　40×加算率	+	42,630	＋420×加算率
	11人から15人まで	3号	177,900	174,060	+	1,660×加算率	1,620×加算率	+	1人　1,360　2人　2,720　3人以上　4,080	10×加算率　20×加算率　30×加算率	+	42,630	＋420×加算率
3/100地域	6人から10人まで	3号	198,700	192,940	+	1,870×加算率	1,810×加算率	+	1人　1,990　2人以上　3,980	10×加算率　20×加算率	+	41,570	＋410×加算率
	11人から15人まで	3号	174,820	170,980	+	1,630×加算率	1,590×加算率	+	1人　1,320　2人　2,640　3人以上　3,960	10×加算率　20×加算率　30×加算率	+	41,570	＋410×加算率
その他地域	6人から10人まで	3号	195,150	189,380	+	1,830×加算率	1,780×加算率	+	1人　1,930　2人以上　3,860	10×加算率　20×加算率	+	40,500	＋400×加算率
	11人から15人まで	3号	171,740	167,900	+	1,600×加算率	1,560×加算率	+	1人　1,290　2人　2,580　3人以上　3,870	10×加算率　20×加算率　30×加算率	+	40,500	＋400×加算率

地域区分①	定員区分②	認定区分③	減価償却費加算 加算額 標準⑨	都市部	賃借料加算 加算額 地域⑩	標準	都市部	連携施設を設定しない場合⑪	食事の搬入について自園調理又は連携施設等からの搬入以外の方法による場合⑫	管理者を配置していない場合 処遇改善等加算Ⅰ⑬
20/100地域	6人から10人まで	3号	+　3,900	4,300	+ a地域	21,000	23,400	−　2,540	−（⑤+⑥）×7/100	−49,190　+　490×加算率
					b地域	11,600	12,900			
					c地域	10,100	11,200			
					d地域	9,000	10,000			
	11人から15人まで	3号	+　2,600	2,800	+ a地域	28,300	31,500	−　1,690	−（⑤+⑥）×7/100	−32,790　+　320×加算率
					b地域	15,600	17,300			
					c地域	13,600	15,100			
					d地域	12,200	13,500			
16/100地域	6人から10人まで	3号	+　3,900	4,300	+ a地域	21,000	23,400	−　2,540	−（⑤+⑥）×8/100	−47,320　+　470×加算率
					b地域	11,600	12,900			
					c地域	10,100	11,200			
					d地域	9,000	10,000			
	11人から15人まで	3号	+　2,600	2,800	+ a地域	28,300	31,500	−　1,690	−（⑤+⑥）×7/100	−31,540　+　310×加算率
					b地域	15,600	17,300			
					c地域	13,600	15,100			
					d地域	12,200	13,500			
15/100地域	6人から10人まで	3号	+　3,900	4,300	+ a地域	21,000	23,400	−　2,540	−（⑤+⑥）×8/100	−46,850　+　460×加算率
					b地域	11,600	12,900			
					c地域	10,100	11,200			
					d地域	9,000	10,000			
	11人から15人まで	3号	+　2,600	2,800	+ a地域	28,300	31,500	−　1,690	−（⑤+⑥）×7/100	−31,230　+　310×加算率
					b地域	15,600	17,300			
					c地域	13,600	15,100			
					d地域	12,200	13,500			
12/100地域	6人から10人まで	3号	+　3,900	4,300	+ a地域	21,000	23,400	−　2,540	−（⑤+⑥）×8/100	−45,450　+　450×加算率
					b地域	11,600	12,900			
					c地域	10,100	11,200			
					d地域	9,000	10,000			
	11人から15人まで	3号	+　2,600	2,800	+ a地域	28,300	31,500	−　1,690	−（⑤+⑥）×7/100	−30,300　+　300×加算率
					b地域	15,600	17,300			
					c地域	13,600	15,100			
					d地域	12,200	13,500			
10/100地域	6人から10人まで	3号	+　3,900	4,300	+ a地域	21,000	23,400	−　2,540	−（⑤+⑥）×8/100	−44,510　+　440×加算率
					b地域	11,600	12,900			
					c地域	10,100	11,200			
					d地域	9,000	10,000			
	11人から15人まで	3号	+　2,600	2,800	+ a地域	28,300	31,500	−　1,690	−（⑤+⑥）×7/100	−29,670　+　290×加算率
					b地域	15,600	17,300			
					c地域	13,600	15,100			
					d地域	12,200	13,500			
6/100地域	6人から10人まで	3号	+　3,900	4,300	+ a地域	21,000	23,400	−　2,540	−（⑤+⑥）×8/100	−42,640　+　420×加算率
					b地域	11,600	12,900			
					c地域	10,100	11,200			
					d地域	9,000	10,000			
	11人から15人まで	3号	+　2,600	2,800	+ a地域	28,300	31,500	−　1,690	−（⑤+⑥）×8/100	−28,420　+　280×加算率
					b地域	15,600	17,300			
					c地域	13,600	15,100			
					d地域	12,200	13,500			
3/100地域	6人から10人まで	3号	+　3,900	4,300	+ a地域	21,000	23,400	−　2,540	−（⑤+⑥）×8/100	−41,230　+　410×加算率
					b地域	11,600	12,900			
					c地域	10,100	11,200			
					d地域	9,000	10,000			
	11人から15人まで	3号	+　2,600	2,800	+ a地域	28,300	31,500	−　1,690	−（⑤+⑥）×8/100	−27,490　+　270×加算率
					b地域	15,600	17,300			
					c地域	13,600	15,100			
					d地域	12,200	13,500			
その他地域	6人から10人まで	3号	+　3,900	4,300	+ a地域	21,000	23,400	−　2,540	−（⑤+⑥）×8/100	−39,830　+　390×加算率
					b地域	11,600	12,900			
					c地域	10,100	11,200			
					d地域	9,000	10,000			
	11人から15人まで	3号	+　2,600	2,800	+ a地域	28,300	31,500	−　1,690	−（⑤+⑥）×8/100	−26,550　+　260×加算率
					b地域	15,600	17,300			
					c地域	13,600	15,100			
					d地域	12,200	13,500			

地域区分①	定員区分②	認定区分③	土曜日に閉所する場合⑭				定員を恒常的に超過する場合⑮
			月に1日土曜日を閉所する場合	月に2日土曜日を閉所する場合	月に3日以上土曜日を閉所する場合	全ての土曜日を閉所する場合	
20/100地域	6人から10人まで	3号	—	(⑤+⑥+⑧) × 2/100	(⑤+⑥+⑧) × 4/100	(⑤+⑥+⑧) × 6/100	(⑤+⑥+⑧) × 7/100	(⑤〜⑭) × 88/100
	11人から15人まで	3号	—	(⑤+⑥+⑧) × 2/100	(⑤+⑥+⑧) × 4/100	(⑤+⑥+⑧) × 6/100	(⑤+⑥+⑧) × 8/100	
16/100地域	6人から10人まで	3号	(⑤+⑥+⑧) × 2/100	(⑤+⑥+⑧) × 4/100	(⑤+⑥+⑧) × 6/100	(⑤+⑥+⑧) × 8/100	(⑤〜⑭) × 88/100
	11人から15人まで	3号	(⑤+⑥+⑧) × 2/100	(⑤+⑥+⑧) × 4/100	(⑤+⑥+⑧) × 6/100	(⑤+⑥+⑧) × 8/100	
15/100地域	6人から10人まで	3号	(⑤+⑥+⑧) × 2/100	(⑤+⑥+⑧) × 4/100	(⑤+⑥+⑧) × 6/100	(⑤+⑥+⑧) × 8/100	(⑤〜⑭) × 88/100
	11人から15人まで	3号	(⑤+⑥+⑧) × 2/100	(⑤+⑥+⑧) × 4/100	(⑤+⑥+⑧) × 6/100	(⑤+⑥+⑧) × 8/100	
12/100地域	6人から10人まで	3号	(⑤+⑥+⑧) × 2/100	(⑤+⑥+⑧) × 4/100	(⑤+⑥+⑧) × 6/100	(⑤+⑥+⑧) × 8/100	(⑤〜⑭) × 88/100
	11人から15人まで	3号	(⑤+⑥+⑧) × 2/100	(⑤+⑥+⑧) × 4/100	(⑤+⑥+⑧) × 6/100	(⑤+⑥+⑧) × 8/100	
10/100地域	6人から10人まで	3号	(⑤+⑥+⑧) × 2/100	(⑤+⑥+⑧) × 4/100	(⑤+⑥+⑧) × 6/100	(⑤+⑥+⑧) × 8/100	(⑤〜⑭) × 88/100
	11人から15人まで	3号	(⑤+⑥+⑧) × 2/100	(⑤+⑥+⑧) × 4/100	(⑤+⑥+⑧) × 6/100	(⑤+⑥+⑧) × 8/100	
6/100地域	6人から10人まで	3号	(⑤+⑥+⑧) × 2/100	(⑤+⑥+⑧) × 4/100	(⑤+⑥+⑧) × 6/100	(⑤+⑥+⑧) × 8/100	(⑤〜⑭) × 88/100
	11人から15人まで	3号	(⑤+⑥+⑧) × 2/100	(⑤+⑥+⑧) × 4/100	(⑤+⑥+⑧) × 6/100	(⑤+⑥+⑧) × 9/100	
3/100地域	6人から10人まで	3号	(⑤+⑥+⑧) × 2/100	(⑤+⑥+⑧) × 4/100	(⑤+⑥+⑧) × 6/100	(⑤+⑥+⑧) × 8/100	(⑤〜⑭) × 88/100
	11人から15人まで	3号	(⑤+⑥+⑧) × 2/100	(⑤+⑥+⑧) × 4/100	(⑤+⑥+⑧) × 7/100	(⑤+⑥+⑧) × 9/100	
その他地域	6人から10人まで	3号	(⑤+⑥+⑧) × 2/100	(⑤+⑥+⑧) × 4/100	(⑤+⑥+⑧) × 6/100	(⑤+⑥+⑧) × 8/100	(⑤〜⑭) × 88/100
	11人から15人まで	3号	(⑤+⑥+⑧) × 2/100	(⑤+⑥+⑧) × 4/100	(⑤+⑥+⑧) × 7/100	(⑤+⑥+⑧) × 9/100	

加算部分2

処遇改善等加算Ⅱ	⑯	以下の加算を合算した額を各月初日の利用子ども数で除した額 ・処遇改善等加算Ⅱ－①　　49,010 × 人数Ａ ・処遇改善等加算Ⅱ－②　　6,130 × 人数Ｂ	※1　各月初日の利用子どもの単価に加算 ※2　人数Ａ及び人数Ｂについては、別に定める

処遇改善等加算Ⅲ	⑰	11,030　×　　加算Ⅲ算定対象人数 　　　　　÷各月初日の利用子ども数	※1　各月初日の利用子どもの単価に加算 ※2　加算Ⅲ算定対象人数については、別に定める

冷暖房費加算	⑱	1　級　地　　1,900　4　級　地　　1,320 2　級　地　　1,690　その他地域　　120 3　級　地　　1,670	※以下の区分に応じて、各月の単価に加算 　1級地から4級地：国家公務員の寒冷地手当に関する法律（昭和 　　　　　　　　　24年法律第200号）第1条第1号及び第 　　　　　　　　　2号に掲げる地域 　その他地域：1級地から4級地以外の地域

除雪費加算	⑲	6,270	※3月初日の利用子どもの単価に加算

降灰除去費加算	⑳	162,470÷3月初日の利用子ども数	※3月初日の利用子どもの単価に加算

施設機能強化推進費加算	㉑	160,000（限度額）÷3月初日の利用子ども数	※3月初日の利用子どもの単価に加算

栄養管理加算	㉒	A	基本額　　　　　処遇改善等加算Ⅰ （　79,950　＋　790×加算率　） 　　　　　　　　÷各月初日の利用子ども数	※以下の区分に応じて、各月初日の利用子どもの単価に加算 　A：Bを除き栄養士を雇用契約等により配置している施設 　B：基本分単価及び他の加算の認定に当たって求められる 　　　職員が栄養士を兼務している施設 　C：A又はBを除き、栄養士を嘱託等している施設
		B	基本額　　　　　処遇改善等加算Ⅰ （　50,000　＋　500×加算率　） 　　　　　　　　÷各月初日の利用子ども数	
		C	基本額 10,000 ÷各月初日の利用子ども数	

第三者評価受審加算	㉓	150,000÷3月初日の利用子ども数	※3月初日の利用子どもの単価に加算

○事業所内保育事業（定員19人以下（小規模保育事業Ａ型の基準が適用される事業所））（保育認定）

地域区分 ①	定員区分 ②	認定区分 ③	年齢区分 ④	保育必要量区分⑤ 保育標準時間認定 基本分単価（注）⑥		保育短時間認定 基本分単価（注）⑤		従業員枠の子どもの場合 ⑦	処遇改善等加算Ⅰ 保育標準時間認定（注）⑧		保育短時間認定（注）⑧	
20/100 地域	5人まで	3号	1・2歳児	401,910	(485,140)	390,370	(473,600)		+ 3,900 (4,730)	×加算率	3,790 (4,620)	×加算率
			乳児	485,140		473,600			+ 4,730	×加算率	4,620	×加算率
	6人から12人まで	3号	1・2歳児	222,690	(305,920)	217,880	(301,110)	⑥×84/100	+ 2,110 (2,940)	×加算率	2,060 (2,890)	×加算率
			乳児	305,920		301,110			+ 2,940	×加算率	2,890	×加算率
	13人から19人まで	3号	1・2歳児	175,530	(258,760)	172,490	(255,720)		+ 1,640 (2,470)	×加算率	1,610 (2,440)	×加算率
			乳児	258,760		255,720			+ 2,470	×加算率	2,440	×加算率
16/100 地域	5人まで	3号	1・2歳児	392,190	(472,920)	380,660	(461,390)		+ 3,810 (4,610)	×加算率	3,690 (4,490)	×加算率
			乳児	472,920		461,390			+ 4,610	×加算率	4,490	×加算率
	6人から12人まで	3号	1・2歳児	217,180	(297,910)	212,370	(293,100)	⑥×84/100	+ 2,060 (2,860)	×加算率	2,010 (2,810)	×加算率
			乳児	297,910		293,100			+ 2,860	×加算率	2,810	×加算率
	13人から19人まで	3号	1・2歳児	171,120	(251,850)	168,090	(248,820)		+ 1,590 (2,390)	×加算率	1,560 (2,360)	×加算率
			乳児	251,850		248,820			+ 2,390	×加算率	2,360	×加算率
15/100 地域	5人まで	3号	1・2歳児	389,760	(469,860)	378,230	(458,330)		+ 3,780 (4,580)	×加算率	3,670 (4,470)	×加算率
			乳児	469,860		458,330			+ 4,580	×加算率	4,470	×加算率
	6人から12人まで	3号	1・2歳児	215,800	(295,900)	211,000	(291,100)	⑥×84/100	+ 2,040 (2,840)	×加算率	1,990 (2,790)	×加算率
			乳児	295,900		291,100			+ 2,840	×加算率	2,790	×加算率
	13人から19人まで	3号	1・2歳児	170,020	(250,120)	166,990	(247,090)		+ 1,580 (2,380)	×加算率	1,550 (2,350)	×加算率
			乳児	250,120		247,090			+ 2,380	×加算率	2,350	×加算率
12/100 地域	5人まで	3号	1・2歳児	382,470	(460,700)	370,940	(449,170)		+ 3,710 (4,490)	×加算率	3,590 (4,370)	×加算率
			乳児	460,700		449,170			+ 4,490	×加算率	4,370	×加算率
	6人から12人まで	3号	1・2歳児	211,670	(289,900)	206,860	(285,090)	⑥×84/100	+ 2,000 (2,780)	×加算率	1,950 (2,730)	×加算率
			乳児	289,900		285,090			+ 2,780	×加算率	2,730	×加算率
	13人から19人まで	3号	1・2歳児	166,720	(244,950)	163,680	(241,910)		+ 1,550 (2,330)	×加算率	1,520 (2,300)	×加算率
			乳児	244,950		241,910			+ 2,330	×加算率	2,300	×加算率

障害児保育加算・夜間保育加算

※障害児保育加算：特別な支援が必要な利用子どもの単価に加算（処遇改善等加算Ⅰ）⑩
※夜間保育加算（処遇改善等加算Ⅰ）⑫

地域区分①	定員区分②	認定区分③	年齢区分④	障害児保育加算 (注)	処遇改善等加算Ⅰ (注)		夜間保育加算	処遇改善等加算Ⅰ
20/100地域	5人まで	3号	1、2歳児	+ 166,460 (83,230)	1,660 (830) ×加算率		+ 100,310	940×加算率
			乳児	+ 83,230	830 ×加算率			
	6人から12人まで	3号	1、2歳児	+ 166,460 (83,230)	1,660 (830) ×加算率		+ 44,990	390×加算率
			乳児	+ 83,230	830 ×加算率			
	13人から19人まで	3号	1、2歳児	+ 166,460 (83,230)	1,660 (830) ×加算率		+ 30,430	240×加算率
			乳児	+ 83,230	830 ×加算率			
16/100地域	5人まで	3号	1、2歳児	+ 161,460 (80,730)	1,610 (800) ×加算率		+ 100,310	940×加算率
			乳児	+ 80,730	800 ×加算率			
	6人から12人まで	3号	1、2歳児	+ 161,460 (80,730)	1,610 (800) ×加算率		+ 44,990	390×加算率
			乳児	+ 80,730	800 ×加算率			
	13人から19人まで	3号	1、2歳児	+ 161,460 (80,730)	1,610 (800) ×加算率		+ 30,430	240×加算率
			乳児	+ 80,730	800 ×加算率			
15/100地域	5人まで	3号	1、2歳児	+ 160,210 (80,100)	1,600 (800) ×加算率		+ 100,310	940×加算率
			乳児	+ 80,100	800 ×加算率			
	6人から12人まで	3号	1、2歳児	+ 160,210 (80,100)	1,600 (800) ×加算率		+ 44,990	390×加算率
			乳児	+ 80,100	800 ×加算率			
	13人から19人まで	3号	1、2歳児	+ 160,210 (80,100)	1,600 (800) ×加算率		+ 30,430	240×加算率
			乳児	+ 80,100	800 ×加算率			
12/100地域	5人まで	3号	1、2歳児	+ 156,460 (78,230)	1,560 (780) ×加算率		+ 100,310	940×加算率
			乳児	+ 78,230	780 ×加算率			
	6人から12人まで	3号	1、2歳児	+ 156,460 (78,230)	1,560 (780) ×加算率		+ 44,990	390×加算率
			乳児	+ 78,230	780 ×加算率			
	13人から19人まで	3号	1、2歳児	+ 156,460 (78,230)	1,560 (780) ×加算率		+ 30,430	240×加算率
			乳児	+ 78,230	780 ×加算率			

休日保育加算 ⑪（処遇改善等加算Ⅰ）

各地域区分ごとに＋、÷各月初日の利用子ども数

20/100地域　休日保育の年間延べ利用子ども数

利用子ども数	単価	処遇改善等加算Ⅰ
～210人	280,600	2,800×加算率
211人～279人	300,700	3,000×加算率
280人～349人	340,900	3,400×加算率
350人～419人	381,200	3,810×加算率
420人～489人	421,400	4,210×加算率
490人～559人	461,700	4,610×加算率
560人～629人	501,900	5,010×加算率
630人～699人	542,400	5,420×加算率
700人～769人	582,400	5,820×加算率
770人～839人	622,900	6,220×加算率
840人～909人	662,900	6,620×加算率
910人～979人	703,200	7,030×加算率
980人～1,049人	743,400	7,430×加算率
1,050人～	783,700	7,830×加算率

16/100地域　休日保育の年間延べ利用子ども数

利用子ども数	単価	処遇改善等加算Ⅰ
～210人	273,500	2,730×加算率
211人～279人	293,000	2,930×加算率
280人～349人	332,100	3,320×加算率
350人～419人	371,200	3,710×加算率
420人～489人	410,400	4,100×加算率
490人～559人	449,300	4,490×加算率
560人～629人	488,400	4,880×加算率
630人～699人	527,500	5,270×加算率
700人～769人	566,600	5,660×加算率
770人～839人	605,700	6,050×加算率
840人～909人	644,700	6,440×加算率
910人～979人	683,800	6,830×加算率
980人～1,049人	722,900	7,220×加算率
1,050人～	762,000	7,620×加算率

15/100地域　休日保育の年間延べ利用子ども数

利用子ども数	単価	処遇改善等加算Ⅰ
～210人	271,600	2,710×加算率
211人～279人	291,100	2,910×加算率
280人～349人	330,200	3,300×加算率
350人～419人	369,300	3,690×加算率
420人～489人	408,300	4,080×加算率
490人～559人	447,400	4,470×加算率
560人～629人	486,500	4,860×加算率
630人～699人	525,600	5,250×加算率
700人～769人	564,700	5,640×加算率
770人～839人	603,800	6,030×加算率
840人～909人	642,800	6,420×加算率
910人～979人	681,900	6,810×加算率
980人～1,049人	721,000	7,210×加算率
1,050人～	760,100	7,600×加算率

12/100地域　休日保育の年間延べ利用子ども数

利用子ども数	単価	処遇改善等加算Ⅰ
～210人	266,200	2,660×加算率
211人～279人	285,100	2,850×加算率
280人～349人	323,000	3,230×加算率
350人～419人	360,900	3,600×加算率
420人～489人	398,900	3,980×加算率
490人～559人	436,800	4,360×加算率
560人～629人	474,700	4,740×加算率
630人～699人	512,600	5,120×加算率
700人～769人	550,500	5,500×加算率
770人～839人	588,400	5,880×加算率
840人～909人	626,400	6,260×加算率
910人～979人	664,300	6,640×加算率
980人～1,049人	702,200	7,020×加算率
1,050人～	740,100	7,400×加算率

Ⅲ　認定こども園　8　給付費

地域区分 ①	定員区分 ②	認定区分 ③	年齢区分 ④	減価償却費加算 加算額 標準／都市部 ⑬		賃借料加算 加算額 標準／都市部 ⑭			連携施設を設定しない場合 ⑮	食事の提供について自園調理又は連携施設等からの搬入以外の方法による場合 ⑯	管理者を配置していない場合	処遇改善等加算Ⅰ ⑰
20/100地域	5人まで	3号	1、2歳児／乳児	＋ 7,700	8,500	＋	a地域 28,800 / b地域 15,900 / c地域 13,800 / d地域 12,400	32,100 / 17,700 / 15,400 / 13,800	5,080	─ (⑥(⑦)＋⑧+⑫)× 9/100	─ 98,380	＋ 980×加算率
	6人から12人まで	3号	1、2歳児／乳児	＋ 3,200	3,500	＋	a地域 14,400 / b地域 7,900 / c地域 6,900 / d地域 6,200	16,100 / 8,800 / 7,700 / 6,900	2,110	─ (⑥(⑦)＋⑧+⑫)× 8/100	─ 40,990	＋ 400×加算率
	13人から19人まで	3号	1、2歳児／乳児	＋ 2,000	2,200	＋	a地域 18,300 / b地域 10,100 / c地域 8,800 / d地域 7,900	20,400 / 11,200 / 9,800 / 8,700	1,330	─ (⑥(⑦)＋⑧+⑫)× 8/100	─ 25,890	＋ 250×加算率
16/100地域	5人まで	3号	1、2歳児／乳児	＋ 7,700	8,500	＋	a地域 28,800 / b地域 15,900 / c地域 13,800 / d地域 12,400	32,100 / 17,700 / 15,400 / 13,800	5,080	─ (⑥(⑦)＋⑧+⑫)× 9/100	─ 94,640	＋ 940×加算率
	6人から12人まで	3号	1、2歳児／乳児	＋ 3,200	3,500	＋	a地域 14,400 / b地域 7,900 / c地域 6,900 / d地域 6,200	16,100 / 8,800 / 7,700 / 6,900	2,110	─ (⑥(⑦)＋⑧+⑫)× 8/100	─ 39,430	＋ 390×加算率
	13人から19人まで	3号	1、2歳児／乳児	＋ 2,000	2,200	＋	a地域 18,300 / b地域 10,100 / c地域 8,800 / d地域 7,900	20,400 / 11,200 / 9,800 / 8,700	1,330	─ (⑥(⑦)＋⑧+⑫)× 8/100	─ 24,900	＋ 240×加算率
15/100地域	5人まで	3号	1、2歳児／乳児	＋ 7,700	8,500	＋	a地域 28,800 / b地域 15,900 / c地域 13,800 / d地域 12,400	32,100 / 17,700 / 15,400 / 13,800	5,080	─ (⑥(⑦)＋⑧+⑫)× 9/100	─ 93,710	＋ 930×加算率
	6人から12人まで	3号	1、2歳児／乳児	＋ 3,200	3,500	＋	a地域 14,400 / b地域 7,900 / c地域 6,900 / d地域 6,200	16,100 / 8,800 / 7,700 / 6,900	2,110	─ (⑥(⑦)＋⑧+⑫)× 9/100	─ 39,040	＋ 390×加算率
	13人から19人まで	3号	1、2歳児／乳児	＋ 2,000	2,200	＋	a地域 18,300 / b地域 10,100 / c地域 8,800 / d地域 7,900	20,400 / 11,200 / 9,800 / 8,700	1,330	─ (⑥(⑦)＋⑧+⑫)× 8/100	─ 24,660	＋ 240×加算率
12/100地域	5人まで	3号	1、2歳児／乳児	＋ 7,700	8,500	＋	a地域 28,800 / b地域 15,900 / c地域 13,800 / d地域 12,400	32,100 / 17,700 / 15,400 / 13,800	5,080	─ (⑥(⑦)＋⑧+⑫)× 9/100	─ 90,900	＋ 900×加算率
	6人から12人まで	3号	1、2歳児／乳児	＋ 3,200	3,500	＋	a地域 14,400 / b地域 7,900 / c地域 6,900 / d地域 6,200	16,100 / 8,800 / 7,700 / 6,900	2,110	─ (⑥(⑦)＋⑧+⑫)× 9/100	─ 37,870	＋ 370×加算率
	13人から19人まで	3号	1、2歳児／乳児	＋ 2,000	2,200	＋	a地域 18,300 / b地域 10,100 / c地域 8,800 / d地域 7,900	20,400 / 11,200 / 9,800 / 8,700	1,330	─ (⑥(⑦)＋⑧+⑫)× 8/100	─ 23,920	＋ 230×加算率

地域区分①	定員区分②	認定区分③	年齢区分④	土曜日に閉所する場合⑱				定員を恒常的に超過する場合⑲	
				月に1日土曜日を閉所する場合	月に2日土曜日を閉所する場合	月に3日以上土曜日を閉所する場合	全ての土曜日を閉所する場合	利用子ども数が6人から12人までの場合	利用子ども数が13人を超える場合
20/100地域	5人まで	3号	1，2歳児／乳児	(⑥(⑦)+⑧+⑩+⑫) × 1/100	(⑥(⑦)+⑧+⑩+⑫) × 3/100	(⑥(⑦)+⑧+⑩+⑫) × 4/100	(⑥(⑦)+⑧+⑩+⑫) × 6/100	(⑥～⑱) × 57/100	(⑥～⑱) × 46/100
	6人から12人まで	3号	1，2歳児／乳児	(⑥(⑦)+⑧+⑩+⑫) × 1/100	(⑥(⑦)+⑧+⑩+⑫) × 3/100	(⑥(⑦)+⑧+⑩+⑫) × 4/100	(⑥(⑦)+⑧+⑩+⑫) × 6/100		(⑥～⑱) × 80/100
	13人から19人まで	3号	1，2歳児／乳児	(⑥(⑦)+⑧+⑩+⑫) × 2/100	(⑥(⑦)+⑧+⑩+⑫) × 3/100	(⑥(⑦)+⑧+⑩+⑫) × 5/100	(⑥(⑦)+⑧+⑩+⑫) × 6/100		
16/100地域	5人まで	3号	1，2歳児／乳児	(⑥(⑦)+⑧+⑩+⑫) × 1/100	(⑥(⑦)+⑧+⑩+⑫) × 3/100	(⑥(⑦)+⑧+⑩+⑫) × 4/100	(⑥(⑦)+⑧+⑩+⑫) × 6/100	(⑥～⑱) × 57/100	(⑥～⑱) × 46/100
	6人から12人まで	3号	1，2歳児／乳児	(⑥(⑦)+⑧+⑩+⑫) × 2/100	(⑥(⑦)+⑧+⑩+⑫) × 3/100	(⑥(⑦)+⑧+⑩+⑫) × 4/100	(⑥(⑦)+⑧+⑩+⑫) × 6/100		(⑥～⑱) × 80/100
	13人から19人まで	3号	1，2歳児／乳児	(⑥(⑦)+⑧+⑩+⑫) × 2/100	(⑥(⑦)+⑧+⑩+⑫) × 3/100	(⑥(⑦)+⑧+⑩+⑫) × 5/100	(⑥(⑦)+⑧+⑩+⑫) × 6/100		
15/100地域	5人まで	3号	1，2歳児／乳児	(⑥(⑦)+⑧+⑩+⑫) × 1/100	(⑥(⑦)+⑧+⑩+⑫) × 3/100	(⑥(⑦)+⑧+⑩+⑫) × 4/100	(⑥(⑦)+⑧+⑩+⑫) × 6/100	(⑥～⑱) × 57/100	(⑥～⑱) × 46/100
	6人から12人まで	3号	1，2歳児／乳児	(⑥(⑦)+⑧+⑩+⑫) × 2/100	(⑥(⑦)+⑧+⑩+⑫) × 3/100	(⑥(⑦)+⑧+⑩+⑫) × 5/100	(⑥(⑦)+⑧+⑩+⑫) × 6/100		(⑥～⑱) × 80/100
	13人から19人まで	3号	1，2歳児／乳児	(⑥(⑦)+⑧+⑩+⑫) × 2/100	(⑥(⑦)+⑧+⑩+⑫) × 3/100	(⑥(⑦)+⑧+⑩+⑫) × 5/100	(⑥(⑦)+⑧+⑩+⑫) × 6/100		
12/100地域	5人まで	3号	1，2歳児／乳児	(⑥(⑦)+⑧+⑩+⑫) × 1/100	(⑥(⑦)+⑧+⑩+⑫) × 3/100	(⑥(⑦)+⑧+⑩+⑫) × 4/100	(⑥(⑦)+⑧+⑩+⑫) × 6/100	(⑥～⑱) × 57/100	(⑥～⑱) × 46/100
	6人から12人まで	3号	1，2歳児／乳児	(⑥(⑦)+⑧+⑩+⑫) × 2/100	(⑥(⑦)+⑧+⑩+⑫) × 3/100	(⑥(⑦)+⑧+⑩+⑫) × 5/100	(⑥(⑦)+⑧+⑩+⑫) × 6/100		(⑥～⑱) × 80/100
	13人から19人まで	3号	1，2歳児／乳児	(⑥(⑦)+⑧+⑩+⑫) × 2/100	(⑥(⑦)+⑧+⑩+⑫) × 3/100	(⑥(⑦)+⑧+⑩+⑫) × 5/100	(⑥(⑦)+⑧+⑩+⑫) × 6/100		

地域区分①	定員区分②	認定区分③	年齢区分④	保育必要量区分⑤ 保育標準時間認定 基本分単価⑥	(注)⑥	保育短時間認定 基本分単価⑥	(注)⑥	従業員枠の子どもの場合⑦	処遇改善等加算Ⅰ 保育標準時間認定 (注)⑧		保育短時間認定 (注)⑧	
10/100地域	5人まで	3号	1、2歳児	377,620	(454,600)	366,080	(443,060)	+	3,660　(4,420)	×加算率	3,540　(4,300)	×加算率
			乳児	454,600		443,060		+	4,420	×加算率	4,300	×加算率
	6人から12人まで	3号	1、2歳児	208,910	(285,890)	204,110	(281,090)	⑥×84/100	1,970　(2,730)	×加算率	1,920　(2,680)	×加算率
			乳児	285,890		281,090		+	2,730	×加算率	2,680	×加算率
	13人から19人まで	3号	1、2歳児	164,510	(241,490)	161,480	(238,460)	+	1,530　(2,290)	×加算率	1,500　(2,260)	×加算率
			乳児	241,490		238,460		+	2,290	×加算率	2,260	×加算率
6/100地域	5人まで	3号	1、2歳児	367,900	(442,380)	356,370	(430,850)	+	3,560　(4,300)	×加算率	3,450　(4,190)	×加算率
			乳児	442,380		430,850		+	4,300	×加算率	4,190	×加算率
	6人から12人まで	3号	1、2歳児	203,400	(277,880)	198,590	(273,070)	⑥×84/100	1,920　(2,660)	×加算率	1,870　(2,610)	×加算率
			乳児	277,880		273,070		+	2,660	×加算率	2,610	×加算率
	13人から19人まで	3号	1、2歳児	160,110	(234,590)	157,080	(231,560)	+	1,480　(2,220)	×加算率	1,450　(2,190)	×加算率
			乳児	234,590		231,560		+	2,220	×加算率	2,190	×加算率
3/100地域	5人まで	3号	1、2歳児	360,610	(433,210)	349,080	(421,680)	+	3,490　(4,210)	×加算率	3,370　(4,090)	×加算率
			乳児	433,210		421,680		+	4,210	×加算率	4,090	×加算率
	6人から12人まで	3号	1、2歳児	199,270	(271,870)	194,460	(267,060)	⑥×84/100	1,880　(2,600)	×加算率	1,830　(2,550)	×加算率
			乳児	271,870		267,060		+	2,600	×加算率	2,550	×加算率
	13人から19人まで	3号	1、2歳児	156,810	(229,410)	153,770	(226,370)	+	1,450　(2,170)	×加算率	1,420　(2,140)	×加算率
			乳児	229,410		226,370		+	2,170	×加算率	2,140	×加算率
その他地域	5人まで	3号	1、2歳児	353,320	(424,050)	341,790	(412,520)	+	3,420　(4,120)	×加算率	3,300　(4,000)	×加算率
			乳児	424,050		412,520		+	4,120	×加算率	4,000	×加算率
	6人から12人まで	3号	1、2歳児	195,130	(265,860)	190,330	(261,060)	⑥×84/100	1,830　(2,530)	×加算率	1,790　(2,490)	×加算率
			乳児	265,860		261,060		+	2,530	×加算率	2,490	×加算率
	13人から19人まで	3号	1、2歳児	153,500	(224,230)	150,470	(221,200)	+	1,420　(2,120)	×加算率	1,390　(2,090)	×加算率
			乳児	224,230		221,200		+	2,120	×加算率	2,090	×加算率

特定教育・保育等に要する費用算定基準等　事業所内保育事業（定員19人以下（小規模保育事業Ａ型の基準が適用される事業所））（保育認定）

地域区分①	定員区分②	認定区分③	年齢区分④	障害児保育加算 ※特別な支援が必要な利用子どもの単価に加算 (注)⑩	処遇改善等加算Ⅰ (注)	休日保育加算⑪	処遇改善等加算Ⅰ		夜間保育加算⑫	処遇改善等加算Ⅰ
10/100地域	5人まで	3号	1、2歳児	+ 153,960 (76,980)	1,530 (760) ×加算率	休日保育の年間延べ利用子ども数 ～210人　262,600 211人～279人　281,200 280人～349人　318,600 350人～419人　355,900 420人～489人　393,200 490人～559人　430,600 560人～629人　467,900 630人～699人　505,200 700人～769人　542,600 770人～839人　579,900 840人～909人　617,200 910人～979人　654,600 980人～1,049人　691,900 1,050人～　729,200	2,620×加算率 2,810×加算率 3,180×加算率 3,550×加算率 3,930×加算率 4,300×加算率 4,670×加算率 5,050×加算率 5,420×加算率 5,790×加算率 6,170×加算率 6,540×加算率 6,910×加算率 7,290×加算率	÷ 各月初日の利用子ども数	+ 100,310	+ 940×加算率
			乳児	+ 76,980	760 ×加算率					
	6人から12人まで	3号	1、2歳児	+ 153,960 (76,980)	1,530 (760) ×加算率				+ 44,990	+ 390×加算率
			乳児	+ 76,980	760 ×加算率					
	13人から19人まで	3号	1、2歳児	+ 153,960 (76,980)	1,530 (760) ×加算率				+ 30,430	+ 240×加算率
			乳児	+ 76,980	760 ×加算率					
6/100地域	5人まで	3号	1、2歳児	+ 148,960 (74,480)	1,480 (740) ×加算率	休日保育の年間延べ利用子ども数 ～210人　255,500 211人～279人　273,500 280人～349人　309,700 350人～419人　345,900 420人～489人　382,000 490人～559人　418,200 560人～629人　454,400 630人～699人　490,500 700人～769人　526,700 770人～839人　562,900 840人～909人　599,000 910人～979人　635,200 980人～1,049人　671,400 1,050人～　707,500	2,550×加算率 2,730×加算率 3,090×加算率 3,450×加算率 3,820×加算率 4,180×加算率 4,540×加算率 4,900×加算率 5,260×加算率 5,620×加算率 5,990×加算率 6,350×加算率 6,710×加算率 7,070×加算率	÷ 各月初日の利用子ども数	+ 100,310	+ 940×加算率
			乳児	+ 74,480	740 ×加算率					
	6人から12人まで	3号	1、2歳児	+ 148,960 (74,480)	1,480 (740) ×加算率				+ 44,990	+ 390×加算率
			乳児	+ 74,480	740 ×加算率					
	13人から19人まで	3号	1、2歳児	+ 148,960 (74,480)	1,480 (740) ×加算率				+ 30,430	+ 240×加算率
			乳児	+ 74,480	740 ×加算率					
3/100地域	5人まで	3号	1、2歳児	+ 145,200 (72,600)	1,450 (720) ×加算率	休日保育の年間延べ利用子ども数 ～210人　250,000 211人～279人　267,700 280人～349人　303,300 350人～419人　338,900 420人～489人　374,500 490人～559人　410,100 560人～629人　445,700 630人～699人　481,200 700人～769人　516,800 770人～839人　552,400 840人～909人　588,000 910人～979人　623,600 980人～1,049人　659,200 1,050人～　694,700	2,500×加算率 2,670×加算率 3,030×加算率 3,380×加算率 3,740×加算率 4,100×加算率 4,450×加算率 4,810×加算率 5,160×加算率 5,520×加算率 5,880×加算率 6,230×加算率 6,590×加算率 6,940×加算率	÷ 各月初日の利用子ども数	+ 100,310	+ 940×加算率
			乳児	+ 72,600	720 ×加算率					
	6人から12人まで	3号	1、2歳児	+ 145,200 (72,600)	1,450 (720) ×加算率				+ 44,990	+ 390×加算率
			乳児	+ 72,600	720 ×加算率					
	13人から19人まで	3号	1、2歳児	+ 145,200 (72,600)	1,450 (720) ×加算率				+ 30,430	+ 240×加算率
			乳児	+ 72,600	720 ×加算率					
その他地域	5人まで	3号	1、2歳児	+ 141,460 (70,730)	1,410 (700) ×加算率	休日保育の年間延べ利用子ども数 ～210人　244,700 211人～279人　261,900 280人～349人　296,300 350人～419人　330,700 420人～489人　365,100 490人～559人　399,500 560人～629人　433,900 630人～699人　468,400 700人～769人　502,800 770人～839人　537,200 840人～909人　571,600 910人～979人　606,000 980人～1,049人　640,400 1,050人～　674,900	2,440×加算率 2,610×加算率 2,960×加算率 3,300×加算率 3,650×加算率 3,990×加算率 4,330×加算率 4,680×加算率 5,020×加算率 5,370×加算率 5,710×加算率 6,060×加算率 6,400×加算率 6,740×加算率	÷ 各月初日の利用子ども数	+ 100,310	+ 940×加算率
			乳児	+ 70,730	700 ×加算率					
	6人から12人まで	3号	1、2歳児	+ 141,460 (70,730)	1,410 (700) ×加算率				+ 44,990	+ 390×加算率
			乳児	+ 70,730	700 ×加算率					
	13人から19人まで	3号	1、2歳児	+ 141,460 (70,730)	1,410 (700) ×加算率				+ 30,430	+ 240×加算率
			乳児	+ 70,730	700 ×加算率					

地域区分①	定員区分②	認定区分③	年齢区分④	減価償却費加算 加算額⑬ 標準	都市部	賃借料加算 加算額⑭	標準	都市部	連携施設を設定しない場合⑮	食事の提供について自園調理又は連携施設等からの搬入以外の方法による場合⑯	管理者を配置していない場合 処遇改善等加算Ⅰ⑰
10/100地域	5人まで	3号	1、2歳児 / 乳児	+ 7,700	8,500	+ a地域	28,800	32,100	− 5,080	(⑥(⑦)+⑧+⑫) × 10/100	89,030 + 890×加算率
						b地域	15,900	17,700			
						c地域	13,800	15,400			
						d地域	12,400	13,800			
	6人から12人まで	3号	1、2歳児 / 乳児	+ 3,200	3,500	+ a地域	14,400	16,100	− 2,110	(⑥(⑦)+⑧+⑫) × 9/100	37,090 + 370×加算率
						b地域	7,900	8,800			
						c地域	6,900	7,700			
						d地域	6,200	6,900			
	13人から19人まで	3号	1、2歳児 / 乳児	+ 2,000	2,200	+ a地域	18,300	20,400	− 1,330	(⑥(⑦)+⑧+⑫) × 9/100	23,420 + 230×加算率
						b地域	10,100	11,200			
						c地域	8,800	9,800			
						d地域	7,900	8,700			
6/100地域	5人まで	3号	1、2歳児 / 乳児	+ 7,700	8,500	+ a地域	28,800	32,100	− 5,080	(⑥(⑦)+⑧+⑫) × 10/100	85,280 + 850×加算率
						b地域	15,900	17,700			
						c地域	13,800	15,400			
						d地域	12,400	13,800			
	6人から12人まで	3号	1、2歳児 / 乳児	+ 3,200	3,500	+ a地域	14,400	16,100	− 2,110	(⑥(⑦)+⑧+⑫) × 9/100	35,530 + 350×加算率
						b地域	7,900	8,800			
						c地域	6,900	7,700			
						d地域	6,200	6,900			
	13人から19人まで	3号	1、2歳児 / 乳児	+ 2,000	2,200	+ a地域	18,300	20,400	− 1,330	(⑥(⑦)+⑧+⑫) × 9/100	22,440 + 220×加算率
						b地域	10,100	11,200			
						c地域	8,800	9,800			
						d地域	7,900	8,700			
3/100地域	5人まで	3号	1、2歳児 / 乳児	+ 7,700	8,500	+ a地域	28,800	32,100	− 5,080	(⑥(⑦)+⑧+⑫) × 10/100	82,470 + 820×加算率
						b地域	15,900	17,700			
						c地域	13,800	15,400			
						d地域	12,400	13,800			
	6人から12人まで	3号	1、2歳児 / 乳児	+ 3,200	3,500	+ a地域	14,400	16,100	− 2,110	(⑥(⑦)+⑧+⑫) × 10/100	34,360 + 340×加算率
						b地域	7,900	8,800			
						c地域	6,900	7,700			
						d地域	6,200	6,900			
	13人から19人まで	3号	1、2歳児 / 乳児	+ 2,000	2,200	+ a地域	18,300	20,400	− 1,330	(⑥(⑦)+⑧+⑫) × 9/100	21,700 + 210×加算率
						b地域	10,100	11,200			
						c地域	8,800	9,800			
						d地域	7,900	8,700			
その他地域	5人まで	3号	1、2歳児 / 乳児	+ 7,700	8,500	+ a地域	28,800	32,100	− 5,080	(⑥(⑦)+⑧+⑫) × 10/100	79,670 + 790×加算率
						b地域	15,900	17,700			
						c地域	13,800	15,400			
						d地域	12,400	13,800			
	6人から12人まで	3号	1、2歳児 / 乳児	+ 3,200	3,500	+ a地域	14,400	16,100	− 2,110	(⑥(⑦)+⑧+⑫) × 10/100	33,190 + 330×加算率
						b地域	7,900	8,800			
						c地域	6,900	7,700			
						d地域	6,200	6,900			
	13人から19人まで	3号	1、2歳児 / 乳児	+ 2,000	2,200	+ a地域	18,300	20,400	− 1,330	(⑥(⑦)+⑧+⑫) × 9/100	20,960 + 200×加算率
						b地域	10,100	11,200			
						c地域	8,800	9,800			
						d地域	7,900	8,700			

地域区分①	定員区分②	認定区分③	年齢区分④	土曜日に閉所する場合 ⑱				定員を恒常的に超過する場合 ⑲	
				月に1日土曜日を閉所する場合	月に2日土曜日を閉所する場合	月に3日以上土曜日を閉所する場合	全ての土曜日を閉所する場合	利用子ども数が6人から12人までの場合	利用子ども数が13人を超える場合
10/100地域	5人まで	3号	1.2歳児 ─ 乳児	$(⑥(⑦)+⑧+⑩+⑫) \times 1/100$	$(⑥(⑦)+⑧+⑩+⑫) \times 3/100$	$(⑥(⑦)+⑧+⑩+⑫) \times 4/100$	$(⑥(⑦)+⑧+⑩+⑫) \times 6/100$	$(⑥～⑱) \times 57/100$	$(⑥～⑱) \times 46/100$
	6人から12人まで	3号	1.2歳児 ─ 乳児	$(⑥(⑦)+⑧+⑩+⑫) \times 2/100$	$(⑥(⑦)+⑧+⑩+⑫) \times 3/100$	$(⑥(⑦)+⑧+⑩+⑫) \times 5/100$	$(⑥(⑦)+⑧+⑩+⑫) \times 6/100$		$(⑥～⑱) \times 80/100$
	13人から19人まで	3号	1.2歳児 ─ 乳児	$(⑥(⑦)+⑧+⑩+⑫) \times 2/100$	$(⑥(⑦)+⑧+⑩+⑫) \times 3/100$	$(⑥(⑦)+⑧+⑩+⑫) \times 5/100$	$(⑥(⑦)+⑧+⑩+⑫) \times 6/100$		
6/100地域	5人まで	3号	1.2歳児 ─ 乳児	$(⑥(⑦)+⑧+⑩+⑫) \times 2/100$	$(⑥(⑦)+⑧+⑩+⑫) \times 3/100$	$(⑥(⑦)+⑧+⑩+⑫) \times 5/100$	$(⑥(⑦)+⑧+⑩+⑫) \times 6/100$	$(⑥～⑱) \times 57/100$	$(⑥～⑱) \times 46/100$
	6人から12人まで	3号	1.2歳児 ─ 乳児	$(⑥(⑦)+⑧+⑩+⑫) \times 2/100$	$(⑥(⑦)+⑧+⑩+⑫) \times 3/100$	$(⑥(⑦)+⑧+⑩+⑫) \times 5/100$	$(⑥(⑦)+⑧+⑩+⑫) \times 7/100$		$(⑥～⑱) \times 80/100$
	13人から19人まで	3号	1.2歳児 ─ 乳児	$(⑥(⑦)+⑧+⑩+⑫) \times 2/100$	$(⑥(⑦)+⑧+⑩+⑫) \times 3/100$	$(⑥(⑦)+⑧+⑩+⑫) \times 5/100$	$(⑥(⑦)+⑧+⑩+⑫) \times 7/100$		
3/100地域	5人まで	3号	1.2歳児 ─ 乳児	$(⑥(⑦)+⑧+⑩+⑫) \times 2/100$	$(⑥(⑦)+⑧+⑩+⑫) \times 3/100$	$(⑥(⑦)+⑧+⑩+⑫) \times 5/100$	$(⑥(⑦)+⑧+⑩+⑫) \times 6/100$	$(⑥～⑱) \times 57/100$	$(⑥～⑱) \times 46/100$
	6人から12人まで	3号	1.2歳児 ─ 乳児	$(⑥(⑦)+⑧+⑩+⑫) \times 2/100$	$(⑥(⑦)+⑧+⑩+⑫) \times 3/100$	$(⑥(⑦)+⑧+⑩+⑫) \times 5/100$	$(⑥(⑦)+⑧+⑩+⑫) \times 7/100$		$(⑥～⑱) \times 80/100$
	13人から19人まで	3号	1.2歳児 ─ 乳児	$(⑥(⑦)+⑧+⑩+⑫) \times 2/100$	$(⑥(⑦)+⑧+⑩+⑫) \times 3/100$	$(⑥(⑦)+⑧+⑩+⑫) \times 5/100$	$(⑥(⑦)+⑧+⑩+⑫) \times 7/100$		
その他地域	5人まで	3号	1.2歳児 ─ 乳児	$(⑥(⑦)+⑧+⑩+⑫) \times 2/100$	$(⑥(⑦)+⑧+⑩+⑫) \times 3/100$	$(⑥(⑦)+⑧+⑩+⑫) \times 5/100$	$(⑥(⑦)+⑧+⑩+⑫) \times 6/100$	$(⑥～⑱) \times 57/100$	$(⑥～⑱) \times 46/100$
	6人から12人まで	3号	1.2歳児 ─ 乳児	$(⑥(⑦)+⑧+⑩+⑫) \times 2/100$	$(⑥(⑦)+⑧+⑩+⑫) \times 3/100$	$(⑥(⑦)+⑧+⑩+⑫) \times 5/100$	$(⑥(⑦)+⑧+⑩+⑫) \times 7/100$		$(⑥～⑱) \times 80/100$
	13人から19人まで	3号	1.2歳児 ─ 乳児	$(⑥(⑦)+⑧+⑩+⑫) \times 2/100$	$(⑥(⑦)+⑧+⑩+⑫) \times 3/100$	$(⑥(⑦)+⑧+⑩+⑫) \times 5/100$	$(⑥(⑦)+⑧+⑩+⑫) \times 7/100$		

加算部分2

処遇改善等加算Ⅱ	⑳	（算式1） 　以下の加算を合算した額を各月初日の利用子ども数で除した額とする。 ・処遇改善等加算Ⅱ－①　49,010 × 人数A ・処遇改善等加算Ⅱ－②　6,130 × 人数B （算式2） A：処遇改善等加算Ⅱ－① 　　49,010 ÷ 各月初日の利用子ども数 B：処遇改善等加算Ⅱ－② 　　6,130 ÷ 各月初日の利用子ども数	※1　各月初日の利用子どもの単価に加算 ※2　人数A及び人数Bについては、別に定める ※3　利用定員が6人以上の場合には（算式1）を適用し、利用定員が5人以下の場合には（算式2）のA若しくはBのいずれかとする

処遇改善等加算Ⅲ	㉑	11,030　×　　加算Ⅲ算定対象人数 ÷各月初日の利用子ども数	※1　各月初日の利用子どもの単価に加算 ※2　加算Ⅲ算定対象人数については、別に定める

冷暖房費加算	㉒	1　級　地　1,900　｜　4　級　地　1,320 2　級　地　1,690　｜　その他地域　　120 3　級　地　1,670	※以下の区分に応じて、各月の単価に加算 　1級地から4級地：国家公務員の寒冷地手当に関する法律（昭和24年法律第200号）第1条第1号及び第2号に掲げる地域 　その　他　地　域：1級地から4級地以外の地域

除雪費加算	㉓	6,270	※3月初日の利用子どもの単価に加算

降灰除去費加算	㉔	162,470÷3月初日の利用子ども数	※3月初日の利用子どもの単価に加算

施設機能強化推進費加算	㉕	160,000（限度額）÷3月初日の利用子ども数	※3月初日の利用子どもの単価に加算

栄養管理加算	㉖	A	基本額　　　　　処遇改善等加算Ⅰ （　79,950　+　790×加算率　　） 　　　　÷各月初日の利用子ども数	※以下の区分に応じて、各月初日の利用子どもの単価に加算 　A：Bを除き栄養士を雇用契約等により配置している施設 　B：基本分単価及び他の加算の認定に当たって求められる職員が栄養士を兼務している施設 　C：A又はBを除き、栄養士を嘱託等している施設
		B	基本額　　　　　処遇改善等加算Ⅰ （　50,000　+　500×加算率　　） 　　　　÷各月初日の利用子ども数	
		C	基本額 10,000 ÷各月初日の利用子ども数	

第三者評価受審加算	㉗	150,000÷3月初日の利用子ども数	※3月初日の利用子どもの単価に加算

（注）年度の初日の前日における満年齢に応じて月額を調整

○事業所内保育事業（定員19人以下（小規模保育事業Ｂ型の基準が適用される事業所））（保育認定）

地域区分①	定員区分②	認定区分③	年齢区分④	保育必要量区分⑤ 保育標準時間認定 基本分単価⑥ (注)	保育短時間認定 基本分単価⑥ (注)	従業員枠の子どもの場合⑦		処遇改善等加算Ⅰ 保育標準時間認定 (注)⑧	保育短時間認定 (注)⑧
20/100地域	5人まで	3号	1、2歳児	359,240　(423,420)	347,710　(411,890)	⑥×84/100	＋	3,480　(4,120) ×加算率	3,360　(4,000) ×加算率
			乳児	423,420	411,890		＋	4,120　×加算率	4,000　×加算率
	6人から12人まで	3号	1、2歳児	194,120　(258,300)	189,320　(253,500)		＋	1,820　(2,460) ×加算率	1,780　(2,420) ×加算率
			乳児	258,300	253,500		＋	2,460　×加算率	2,420　×加算率
	13人から19人まで	3号	1、2歳児	150,390　(214,570)	147,360　(211,540)		＋	1,390　(2,030) ×加算率	1,360　(2,000) ×加算率
			乳児	214,570	211,540		＋	2,030　×加算率	2,000　×加算率
16/100地域	5人まで	3号	1、2歳児	352,290　(415,220)	340,760　(403,690)	⑥×84/100	＋	3,410　(4,030) ×加算率	3,290　(3,910) ×加算率
			乳児	415,220	403,690		＋	4,030　×加算率	3,910　×加算率
	6人から12人まで	3号	1、2歳児	190,490　(253,420)	185,680　(248,610)		＋	1,790　(2,410) ×加算率	1,740　(2,360) ×加算率
			乳児	253,420	248,610		＋	2,410　×加算率	2,360　×加算率
	13人から19人まで	3号	1、2歳児	147,640　(210,570)	144,600　(207,530)		＋	1,360　(1,980) ×加算率	1,330　(1,950) ×加算率
			乳児	210,570	207,530		＋	1,980　×加算率	1,950　×加算率
15/100地域	5人まで	3号	1、2歳児	350,550　(413,170)	339,020　(401,640)	⑥×84/100	＋	3,390　(4,010) ×加算率	3,270　(3,890) ×加算率
			乳児	413,170	401,640		＋	4,010　×加算率	3,890　×加算率
	6人から12人まで	3号	1、2歳児	189,580　(252,200)	184,780　(247,400)		＋	1,780　(2,400) ×加算率	1,730　(2,350) ×加算率
			乳児	252,200	247,400		＋	2,400　×加算率	2,350　×加算率
	13人から19人まで	3号	1、2歳児	146,950　(209,570)	143,920　(206,540)		＋	1,350　(1,970) ×加算率	1,320　(1,940) ×加算率
			乳児	209,570	206,540		＋	1,970　×加算率	1,940　×加算率
12/100地域	5人まで	3号	1、2歳児	345,340　(407,020)	333,810　(395,490)	⑥×84/100	＋	3,340　(3,950) ×加算率	3,220　(3,830) ×加算率
			乳児	407,020	395,490		＋	3,950　×加算率	3,830　×加算率
	6人から12人まで	3号	1、2歳児	186,850　(248,530)	182,050　(243,730)		＋	1,750　(2,360) ×加算率	1,700　(2,310) ×加算率
			乳児	248,530	243,730		＋	2,360　×加算率	2,310　×加算率
	13人から19人まで	3号	1、2歳児	144,880　(206,560)	141,850　(203,530)		＋	1,330　(1,940) ×加算率	1,300　(1,910) ×加算率
			乳児	206,560	203,530		＋	1,940　×加算率	1,910　×加算率

地域区分 ①	定員区分 ②	認定区分 ③	年齢区分 ④	保育士比率向上加算					障害児保育加算 ※特別な支援が必要な利用子どもの単価に加算				
					(注)	⑨	処遇改善等加算Ⅰ (注)			(注)	⑩	処遇改善等加算Ⅰ (注)	
20/100地域	5人まで	3号	1、2歳児	+	22,080	(31,610)	220	(310)	×加算率	+	128,370	(64,180)	1,280	(640)	×加算率
			乳児	+	31,610		310		×加算率	+	64,180		640		×加算率
	6人から12人まで	3号	1、2歳児	+	14,280	(23,810)	140	(230)	×加算率	+	128,370	(64,180)	1,280	(640)	×加算率
			乳児	+	23,810		230		×加算率	+	64,180		640		×加算率
	13人から19人まで	3号	1、2歳児	+	12,620	(22,150)	120	(210)	×加算率	+	128,370	(64,180)	1,280	(640)	×加算率
			乳児	+	22,150		210		×加算率	+	64,180		640		×加算率
16/100地域	5人まで	3号	1、2歳児	+	20,660	(29,560)	200	(290)	×加算率	+	125,870	(62,930)	1,250	(620)	×加算率
			乳児	+	29,560		290		×加算率	+	62,930		620		×加算率
	6人から12人まで	3号	1、2歳児	+	13,340	(22,240)	130	(220)	×加算率	+	125,870	(62,930)	1,250	(620)	×加算率
			乳児	+	22,240		220		×加算率	+	62,930		620		×加算率
	13人から19人まで	3号	1、2歳児	+	11,790	(20,690)	120	(210)	×加算率	+	125,870	(62,930)	1,250	(620)	×加算率
			乳児	+	20,690		210		×加算率	+	62,930		620		×加算率
15/100地域	5人まで	3号	1、2歳児	+	20,310	(29,050)	200	(290)	×加算率	+	125,250	(62,620)	1,250	(620)	×加算率
			乳児	+	29,050		290		×加算率	+	62,620		620		×加算率
	6人から12人まで	3号	1、2歳児	+	13,110	(21,850)	130	(220)	×加算率	+	125,250	(62,620)	1,250	(620)	×加算率
			乳児	+	21,850		220		×加算率	+	62,620		620		×加算率
	13人から19人まで	3号	1、2歳児	+	11,580	(20,320)	120	(210)	×加算率	+	125,250	(62,620)	1,250	(620)	×加算率
			乳児	+	20,320		210		×加算率	+	62,620		620		×加算率
12/100地域	5人まで	3号	1、2歳児	+	19,250	(27,530)	190	(270)	×加算率	+	123,370	(61,680)	1,230	(610)	×加算率
			乳児	+	27,530		270		×加算率	+	61,680		610		×加算率
	6人から12人まで	3号	1、2歳児	+	12,400	(20,680)	130	(210)	×加算率	+	123,370	(61,680)	1,230	(610)	×加算率
			乳児	+	20,680		210		×加算率	+	61,680		610		×加算率
	13人から19人まで	3号	1、2歳児	+	10,970	(19,250)	110	(190)	×加算率	+	123,370	(61,680)	1,230	(610)	×加算率
			乳児	+	19,250		190		×加算率	+	61,680		610		×加算率

地域区分①	定員区分②	認定区分③	年齢区分④	休日保育加算 処遇改善等加算Ⅰ ⑪			夜間保育加算 処遇改善等加算Ⅰ ⑫		減価償却費加算 加算額⑬ 標準	都市部
20/100地域	5人まで	3号	1，2歳児 乳児	休日保育の年間延べ利用子ども数			＋ 100，310	＋ 940×加算率	＋ 7，700	8，500
	6人から12人まで	3号	1，2歳児 乳児	～ 210人 207，200 211人～ 279人 221，400 280人～ 349人 250，000 350人～ 419人 278，600 420人～ 489人 307，200 490人～ 559人 335，800 560人～ 629人 364，400 630人～ 699人 392，900 700人～ 769人 421，500 770人～ 839人 450，100 840人～ 909人 478，700 910人～ 979人 507，300 980人～1，049人 535，900 1，050人～ 564，400	＋	2，070×加算率 2，210×加算率 2，500×加算率 2，780×加算率 3，070×加算率 3，350×加算率 3，640×加算率 3，920×加算率 4，210×加算率 4，500×加算率 4，780×加算率 5，070×加算率 5，350×加算率 5，640×加算率 ÷ 各月初日の利用子ども数	＋ 44，990	＋ 390×加算率	＋ 3，200	3，500
	13人から19人まで	3号	1，2歳児 乳児				＋ 30，430	＋ 240×加算率	＋ 2，000	2，200
16/100地域	5人まで	3号	1，2歳児 乳児	休日保育の年間延べ利用子ども数			＋ 100，310	＋ 940×加算率	＋ 7，700	8，500
	6人から12人まで	3号	1，2歳児 乳児	～ 210人 203，500 211人～ 279人 217，500 280人～ 349人 245，500 350人～ 419人 273，500 420人～ 489人 301，500 490人～ 559人 329，500 560人～ 629人 357，500 630人～ 699人 385，500 700人～ 769人 413，500 770人～ 839人 441，500 840人～ 909人 469，500 910人～ 979人 497，500 980人～1，049人 525，500 1，050人～ 553，500	＋	2，030×加算率 2，170×加算率 2，450×加算率 2，730×加算率 3，010×加算率 3，290×加算率 3，570×加算率 3，850×加算率 4，130×加算率 4，410×加算率 4，690×加算率 4，970×加算率 5，250×加算率 5，530×加算率 ÷ 各月初日の利用子ども数	＋ 44，990	＋ 390×加算率	＋ 3，200	3，500
	13人から19人まで	3号	1，2歳児 乳児				＋ 30，430	＋ 240×加算率	＋ 2，000	2，200
15/100地域	5人まで	3号	1，2歳児 乳児	休日保育の年間延べ利用子ども数			＋ 100，310	＋ 940×加算率	＋ 7，700	8，500
	6人から12人まで	3号	1，2歳児 乳児	～ 210人 202，700 211人～ 279人 216，400 280人～ 349人 243，800 350人～ 419人 271，200 420人～ 489人 298，600 490人～ 559人 326，000 560人～ 629人 353，400 630人～ 699人 380，900 700人～ 769人 408，300 770人～ 839人 435，700 840人～ 909人 463，100 910人～ 979人 490，500 980人～1，049人 517，900 1，050人～ 545，400	＋	2，020×加算率 2，160×加算率 2，430×加算率 2，710×加算率 2，980×加算率 3，260×加算率 3，530×加算率 3，800×加算率 4，080×加算率 4，350×加算率 4，630×加算率 4，900×加算率 5，170×加算率 5，450×加算率 ÷ 各月初日の利用子ども数	＋ 44，990	＋ 390×加算率	＋ 3，200	3，500
	13人から19人まで	3号	1，2歳児 乳児				＋ 30，430	＋ 240×加算率	＋ 2，000	2，200
12/100地域	5人まで	3号	1，2歳児 乳児	休日保育の年間延べ利用子ども数			＋ 100，310	＋ 940×加算率	＋ 7，700	8，500
	6人から12人まで	3号	1，2歳児 乳児	～ 210人 200，000 211人～ 279人 213，700 280人～ 349人 241，100 350人～ 419人 268，500 420人～ 489人 295，900 490人～ 559人 323，300 560人～ 629人 350，700 630人～ 699人 378，200 700人～ 769人 405，600 770人～ 839人 433，000 840人～ 909人 460，400 910人～ 979人 487，800 980人～1，049人 515，200 1，050人～ 542，700	＋	2，000×加算率 2，130×加算率 2，410×加算率 2，680×加算率 2，950×加算率 3，230×加算率 3，500×加算率 3，780×加算率 4，050×加算率 4，330×加算率 4，600×加算率 4，870×加算率 5，150×加算率 5，420×加算率 ÷ 各月初日の利用子ども数	＋ 44，990	＋ 390×加算率	＋ 3，200	3，500
	13人から19人まで	3号	1，2歳児 乳児				＋ 30，430	＋ 240×加算率	＋ 2，000	2，200

地域区分 ①	定員区分 ②	認定区分 ③	年齢区分 ④	賃借料加算 加算額 標準 ⑭	賃借料加算 加算額 都市部 ⑭	連携施設を設定しない場合 ⑮	食事の提供について自園調理又は連携施設等からの搬入以外の方法による場合 ⑯
20/100 地域	5人まで	3号	1、2歳児 / 乳児 +	a 地域 28,800 b 地域 15,900 c 地域 13,800 d 地域 12,400	32,100 17,700 15,400 13,800	− 5,080 −	((⑥(⑦) +⑧+⑫) × 10/100
20/100 地域	6人から12人まで	3号	1、2歳児 / 乳児 +	a 地域 14,400 b 地域 7,900 c 地域 6,900 d 地域 6,200	16,100 8,800 7,700 6,900	− 2,110 −	((⑥(⑦) +⑧+⑫) × 10/100
20/100 地域	13人から19人まで	3号	1、2歳児 / 乳児 +	a 地域 18,300 b 地域 10,100 c 地域 8,800 d 地域 7,900	20,400 11,200 9,800 8,700	− 1,330 −	((⑥(⑦) +⑧+⑫) × 10/100
16/100 地域	5人まで	3号	1、2歳児 / 乳児 +	a 地域 28,800 b 地域 15,900 c 地域 13,800 d 地域 12,400	32,100 17,700 15,400 13,800	− 5,080 −	((⑥(⑦) +⑧+⑫) × 10/100
16/100 地域	6人から12人まで	3号	1、2歳児 / 乳児 +	a 地域 14,400 b 地域 7,900 c 地域 6,900 d 地域 6,200	16,100 8,800 7,700 6,900	− 2,110 −	((⑥(⑦) +⑧+⑫) × 10/100
16/100 地域	13人から19人まで	3号	1、2歳児 / 乳児 +	a 地域 18,300 b 地域 10,100 c 地域 8,800 d 地域 7,900	20,400 11,200 9,800 8,700	− 1,330 −	((⑥(⑦) +⑧+⑫) × 10/100
15/100 地域	5人まで	3号	1、2歳児 / 乳児 +	a 地域 28,800 b 地域 15,900 c 地域 13,800 d 地域 12,400	32,100 17,700 15,400 13,800	− 5,080 −	((⑥(⑦) +⑧+⑫) × 10/100
15/100 地域	6人から12人まで	3号	1、2歳児 / 乳児 +	a 地域 14,400 b 地域 7,900 c 地域 6,900 d 地域 6,200	16,100 8,800 7,700 6,900	− 2,110 −	((⑥(⑦) +⑧+⑫) × 10/100
15/100 地域	13人から19人まで	3号	1、2歳児 / 乳児 +	a 地域 18,300 b 地域 10,100 c 地域 8,800 d 地域 7,900	20,400 11,200 9,800 8,700	− 1,330 −	((⑥(⑦) +⑧+⑫) × 10/100
12/100 地域	5人まで	3号	1、2歳児 / 乳児 +	a 地域 28,800 b 地域 15,900 c 地域 13,800 d 地域 12,400	32,100 17,700 15,400 13,800	− 5,080 −	((⑥(⑦) +⑧+⑫) × 11/100
12/100 地域	6人から12人まで	3号	1、2歳児 / 乳児 +	a 地域 14,400 b 地域 7,900 c 地域 6,900 d 地域 6,200	16,100 8,800 7,700 6,900	− 2,110 −	((⑥(⑦) +⑧+⑫) × 10/100
12/100 地域	13人から19人まで	3号	1、2歳児 / 乳児 +	a 地域 18,300 b 地域 10,100 c 地域 8,800 d 地域 7,900	20,400 11,200 9,800 8,700	− 1,330 −	((⑥(⑦) +⑧+⑫) × 10/100

地域区分 ①	定員区分 ②	認定区分 ③	年齢区分 ④	管理者を設置していない場合 ⑰	処遇改善等加算Ⅰ	月に1日土曜日を閉所する場合 ⑱	月に2日土曜日を閉所する場合	月に3日以上土曜日を閉所する場合	全ての土曜日を閉所する場合	利用子ども数が6人から12人までの場合 ⑲	利用子ども数が13人を超える場合
20/100地域	5人まで	3号	1、2歳児 / 乳児	98,380	+ 980×加算率	(⑥(⑦)+⑧+⑩+⑫) ×2/100	(⑥(⑦)+⑧+⑩+⑫) ×4/100	(⑥(⑦)+⑧+⑩+⑫) ×6/100	(⑥(⑦)+⑧+⑩+⑫) ×7/100	(⑥〜⑱) ×56/100	(⑥〜⑱) ×31/100
	6人から12人まで	3号	1、2歳児 / 乳児	40,990	+ 400×加算率	(⑥(⑦)+⑧+⑩+⑫) ×2/100	(⑥(⑦)+⑧+⑩+⑫) ×4/100	(⑥(⑦)+⑧+⑩+⑫) ×6/100	(⑥(⑦)+⑧+⑩+⑫) ×8/100		(⑥〜⑱) ×79/100
	13人から19人まで	3号	1、2歳児 / 乳児	25,890	+ 250×加算率	(⑥(⑦)+⑧+⑩+⑫) ×2/100	(⑥(⑦)+⑧+⑩+⑫) ×4/100	(⑥(⑦)+⑧+⑩+⑫) ×7/100	(⑥(⑦)+⑧+⑩+⑫) ×9/100		
16/100地域	5人まで	3号	1、2歳児 / 乳児	94,640	+ 940×加算率	(⑥(⑦)+⑧+⑩+⑫) ×2/100	(⑥(⑦)+⑧+⑩+⑫) ×4/100	(⑥(⑦)+⑧+⑩+⑫) ×6/100	(⑥(⑦)+⑧+⑩+⑫) ×8/100	(⑥〜⑱) ×56/100	(⑥〜⑱) ×31/100
	6人から12人まで	3号	1、2歳児 / 乳児	39,430	+ 390×加算率	(⑥(⑦)+⑧+⑩+⑫) ×2/100	(⑥(⑦)+⑧+⑩+⑫) ×4/100	(⑥(⑦)+⑧+⑩+⑫) ×6/100	(⑥(⑦)+⑧+⑩+⑫) ×8/100		(⑥〜⑱) ×79/100
	13人から19人まで	3号	1、2歳児 / 乳児	24,900	+ 240×加算率	(⑥(⑦)+⑧+⑩+⑫) ×2/100	(⑥(⑦)+⑧+⑩+⑫) ×4/100	(⑥(⑦)+⑧+⑩+⑫) ×7/100	(⑥(⑦)+⑧+⑩+⑫) ×9/100		
15/100地域	5人まで	3号	1、2歳児 / 乳児	93,710	+ 930×加算率	(⑥(⑦)+⑧+⑩+⑫) ×2/100	(⑥(⑦)+⑧+⑩+⑫) ×4/100	(⑥(⑦)+⑧+⑩+⑫) ×6/100	(⑥(⑦)+⑧+⑩+⑫) ×8/100	(⑥〜⑱) ×56/100	(⑥〜⑱) ×31/100
	6人から12人まで	3号	1、2歳児 / 乳児	39,040	+ 390×加算率	(⑥(⑦)+⑧+⑩+⑫) ×2/100	(⑥(⑦)+⑧+⑩+⑫) ×4/100	(⑥(⑦)+⑧+⑩+⑫) ×6/100	(⑥(⑦)+⑧+⑩+⑫) ×9/100		(⑥〜⑱) ×79/100
	13人から19人まで	3号	1、2歳児 / 乳児	24,660	+ 240×加算率	(⑥(⑦)+⑧+⑩+⑫) ×2/100	(⑥(⑦)+⑧+⑩+⑫) ×4/100	(⑥(⑦)+⑧+⑩+⑫) ×7/100	(⑥(⑦)+⑧+⑩+⑫) ×9/100		
12/100地域	5人まで	3号	1、2歳児 / 乳児	90,900	+ 900×加算率	(⑥(⑦)+⑧+⑩+⑫) ×2/100	(⑥(⑦)+⑧+⑩+⑫) ×4/100	(⑥(⑦)+⑧+⑩+⑫) ×6/100	(⑥(⑦)+⑧+⑩+⑫) ×8/100	(⑥〜⑱) ×56/100	(⑥〜⑱) ×31/100
	6人から12人まで	3号	1、2歳児 / 乳児	37,870	+ 370×加算率	(⑥(⑦)+⑧+⑩+⑫) ×2/100	(⑥(⑦)+⑧+⑩+⑫) ×4/100	(⑥(⑦)+⑧+⑩+⑫) ×6/100	(⑥(⑦)+⑧+⑩+⑫) ×9/100		(⑥〜⑱) ×79/100
	13人から19人まで	3号	1、2歳児 / 乳児	23,920	+ 230×加算率	(⑥(⑦)+⑧+⑩+⑫) ×2/100	(⑥(⑦)+⑧+⑩+⑫) ×5/100	(⑥(⑦)+⑧+⑩+⑫) ×7/100	(⑥(⑦)+⑧+⑩+⑫) ×9/100		

地域区分①	定員区分②	認定区分③	年齢区分④	保育必要量区分⑤ 保育標準時間認定 基本分単価⑥	（注）	保育必要量区分⑤ 保育短時間認定 基本分単価⑥	（注）	従業員枠の子どもの場合⑦	処遇改善等加算Ⅰ 保育標準時間認定 （注）⑧		処遇改善等加算Ⅰ 保育短時間認定 （注）⑧	
10/100地域	5人まで	3号	1，2歳児	341,860	(402,920)	330,330	(391,390)	+	3,300 (3,910)	×加算率	3,190 (3,800)	×加算率
			乳児	402,920		391,390		+	3,910	×加算率	3,800	×加算率
	6人から12人まで	3号	1，2歳児	185,030	(246,090)	180,230	(241,290)	+	1,730 (2,340)	×加算率	1,690 (2,300)	×加算率
			乳児	246,090		241,290		⑥×84/100　+	2,340	×加算率	2,300	×加算率
	13人から19人まで	3号	1，2歳児	143,510	(204,570)	140,470	(201,530)	+	1,320 (1,930)	×加算率	1,290 (1,900)	×加算率
			乳児	204,570		201,530		+	1,930	×加算率	1,900	×加算率
6/100地域	5人まで	3号	1，2歳児	334,910	(394,720)	323,380	(383,190)	+	3,230 (3,820)	×加算率	3,120 (3,710)	×加算率
			乳児	394,720		383,190		+	3,820	×加算率	3,710	×加算率
	6人から12人まで	3号	1，2歳児	181,400	(241,210)	176,590	(236,400)	+	1,700 (2,290)	×加算率	1,650 (2,240)	×加算率
			乳児	241,210		236,400		⑥×84/100　+	2,290	×加算率	2,240	×加算率
	13人から19人まで	3号	1，2歳児	140,750	(200,560)	137,720	(197,530)	+	1,290 (1,880)	×加算率	1,260 (1,850)	×加算率
			乳児	200,560		197,530		+	1,880	×加算率	1,850	×加算率
3/100地域	5人まで	3号	1，2歳児	329,700	(388,570)	318,170	(377,040)	+	3,180 (3,760)	×加算率	3,060 (3,640)	×加算率
			乳児	388,570		377,040		+	3,760	×加算率	3,640	×加算率
	6人から12人まで	3号	1，2歳児	178,670	(237,540)	173,870	(232,740)	+	1,670 (2,250)	×加算率	1,620 (2,200)	×加算率
			乳児	237,540		232,740		⑥×84/100　+	2,250	×加算率	2,200	×加算率
	13人から19人まで	3号	1，2歳児	138,690	(197,560)	135,650	(194,520)	+	1,270 (1,850)	×加算率	1,240 (1,820)	×加算率
			乳児	197,560		194,520		+	1,850	×加算率	1,820	×加算率
その他地域	5人まで	3号	1，2歳児	324,490	(382,420)	312,960	(370,890)	+	3,130 (3,700)	×加算率	3,010 (3,580)	×加算率
			乳児	382,420		370,890		+	3,700	×加算率	3,580	×加算率
	6人から12人まで	3号	1，2歳児	175,950	(233,880)	171,140	(229,070)	+	1,640 (2,210)	×加算率	1,590 (2,160)	×加算率
			乳児	233,880		229,070		⑥×84/100　+	2,210	×加算率	2,160	×加算率
	13人から19人まで	3号	1，2歳児	136,620	(194,550)	133,590	(191,520)	+	1,250 (1,820)	×加算率	1,220 (1,790)	×加算率
			乳児	194,550		191,520		+	1,820	×加算率	1,790	×加算率

特定教育・保育等に要する費用算定基準等　事業所内保育事業（定員19人以下〔小規模保育事業Ｂ型の基準が適用される事業所〕）（保育認定）

地域区分①	定員区分②	認定区分③	年齢区分④	保育士比率向上加算			処遇改善等加算Ⅰ ⑨			障害児保育加算 ※特別な支援が必要な利用子どもの単価に加算			処遇改善等加算Ⅰ ⑩		
					(注)			(注)			(注)			(注)	
10/100地域	5人まで	3号	1、2歳児	+	18,550	(26,510)	180	(260)	×加算率	+	122,120	(61,060)	1,220	(610)	×加算率
			乳児	+	26,510		260		×加算率	+	61,060		610		×加算率
	6人から12人まで	3号	1、2歳児	+	11,940	(19,900)	110	(190)	×加算率	+	122,120	(61,060)	1,220	(610)	×加算率
			乳児	+	19,900		190		×加算率	+	61,060		610		×加算率
	13人から19人まで	3号	1、2歳児	+	10,550	(18,510)	100	(180)	×加算率	+	122,120	(61,060)	1,220	(610)	×加算率
			乳児	+	18,510		180		×加算率	+	61,060		610		×加算率
6/100地域	5人まで	3号	1、2歳児	+	17,130	(24,460)	170	(250)	×加算率	+	119,620	(59,810)	1,190	(590)	×加算率
			乳児	+	24,460		250		×加算率	+	59,810		590		×加算率
	6人から12人まで	3号	1、2歳児	+	11,000	(18,330)	110	(190)	×加算率	+	119,620	(59,810)	1,190	(590)	×加算率
			乳児	+	18,330		190		×加算率	+	59,810		590		×加算率
	13人から19人まで	3号	1、2歳児	+	9,720	(17,050)	100	(180)	×加算率	+	119,620	(59,810)	1,190	(590)	×加算率
			乳児	+	17,050		180		×加算率	+	59,810		590		×加算率
3/100地域	5人まで	3号	1、2歳児	+	16,070	(22,940)	160	(230)	×加算率	+	117,750	(58,870)	1,170	(580)	×加算率
			乳児	+	22,940		230		×加算率	+	58,870		580		×加算率
	6人から12人まで	3号	1、2歳児	+	10,290	(17,160)	100	(170)	×加算率	+	117,750	(58,870)	1,170	(580)	×加算率
			乳児	+	17,160		170		×加算率	+	58,870		580		×加算率
	13人から19人まで	3号	1、2歳児	+	9,100	(15,970)	90	(160)	×加算率	+	117,750	(58,870)	1,170	(580)	×加算率
			乳児	+	15,970		160		×加算率	+	58,870		580		×加算率
その他地域	5人まで	3号	1、2歳児	+	15,000	(21,400)	150	(220)	×加算率	+	115,870	(57,930)	1,150	(570)	×加算率
			乳児	+	21,400		220		×加算率	+	57,930		570		×加算率
	6人から12人まで	3号	1、2歳児	+	9,590	(15,990)	100	(170)	×加算率	+	115,870	(57,930)	1,150	(570)	×加算率
			乳児	+	15,990		170		×加算率	+	57,930		570		×加算率
	13人から19人まで	3号	1、2歳児	+	8,480	(14,880)	80	(150)	×加算率	+	115,870	(57,930)	1,150	(570)	×加算率
			乳児	+	14,880		150		×加算率	+	57,930		570		×加算率

①地域区分	②定員区分	③認定区分	④年齢区分	休日保育加算 ⑪	処遇改善等加算Ⅰ		夜間保育加算	⑫ 処遇改善等加算Ⅰ	減価償却費加算 ⑬ 加算額 標準	都市部
10/100地域	5人まで	3号	1、2歳児 / 乳児	＋ 休日保育の年間延べ利用子ども数 ～ 210人　198,200 211人～ 279人　211,600 280人～ 349人　238,400 350人～ 419人　265,200 420人～ 489人　292,100 490人～ 559人　318,900 560人～ 629人　345,700 630人～ 699人　372,600 700人～ 769人　399,400 770人～ 839人　426,200 840人～ 909人　453,100 910人～ 979人　479,900 980人～1,049人　506,700 1,050人～　533,600	＋ 1,980×加算率 2,110×加算率 2,380×加算率 2,650×加算率 2,920×加算率 3,180×加算率 3,450×加算率 3,720×加算率 3,990×加算率 4,260×加算率 4,530×加算率 4,790×加算率 5,060×加算率 5,330×加算率	÷ 各月初日の利用子ども数	＋ 100,310	＋ 940×加算率	＋ 7,700	8,500
	6人から12人まで	3号	1、2歳児 / 乳児				＋ 44,990	＋ 390×加算率	＋ 3,200	3,500
	13人から19人まで	3号	1、2歳児 / 乳児				＋ 30,430	＋ 240×加算率	＋ 2,000	2,200
6/100地域	5人まで	3号	1、2歳児 / 乳児	＋ 休日保育の年間延べ利用子ども数 ～ 210人　194,600 211人～ 279人　207,700 280人～ 349人　233,900 350人～ 419人　260,200 420人～ 489人　286,400 490人～ 559人　312,700 560人～ 629人　338,900 630人～ 699人　365,200 700人～ 769人　391,400 770人～ 839人　417,700 840人～ 909人　443,900 910人～ 979人　470,200 980人～1,049人　496,400 1,050人～　522,700	＋ 1,940×加算率 2,070×加算率 2,330×加算率 2,600×加算率 2,860×加算率 3,120×加算率 3,380×加算率 3,650×加算率 3,910×加算率 4,170×加算率 4,430×加算率 4,700×加算率 4,960×加算率 5,220×加算率	÷ 各月初日の利用子ども数	＋ 100,310	＋ 940×加算率	＋ 7,700	8,500
	6人から12人まで	3号	1、2歳児 / 乳児				＋ 44,990	＋ 390×加算率	＋ 3,200	3,500
	13人から19人まで	3号	1、2歳児 / 乳児				＋ 30,430	＋ 240×加算率	＋ 2,000	2,200
3/100地域	5人まで	3号	1、2歳児 / 乳児	＋ 休日保育の年間延べ利用子ども数 ～ 210人　191,900 211人～ 279人　204,700 280人～ 349人　230,400 350人～ 419人　256,000 420人～ 489人　281,700 490人～ 559人　307,400 560人～ 629人　333,000 630人～ 699人　358,700 700人～ 769人　384,400 770人～ 839人　410,000 840人～ 909人　435,700 910人～ 979人　461,400 980人～1,049人　487,000 1,050人～　512,700	＋ 1,910×加算率 2,040×加算率 2,300×加算率 2,560×加算率 2,810×加算率 3,070×加算率 3,330×加算率 3,580×加算率 3,840×加算率 4,100×加算率 4,350×加算率 4,610×加算率 4,870×加算率 5,120×加算率	÷ 各月初日の利用子ども数	＋ 100,310	＋ 940×加算率	＋ 7,700	8,500
	6人から12人まで	3号	1、2歳児 / 乳児				＋ 44,990	＋ 390×加算率	＋ 3,200	3,500
	13人から19人まで	3号	1、2歳児 / 乳児				＋ 30,430	＋ 240×加算率	＋ 2,000	2,200
その他地域	5人まで	3号	1、2歳児 / 乳児	＋ 休日保育の年間延べ利用子ども数 ～ 210人　189,200 211人～ 279人　202,000 280人～ 349人　227,700 350人～ 419人　253,300 420人～ 489人　279,000 490人～ 559人　304,700 560人～ 629人　330,300 630人～ 699人　356,000 700人～ 769人　381,700 770人～ 839人　407,300 840人～ 909人　433,000 910人～ 979人　458,700 980人～1,049人　484,300 1,050人～　510,000	＋ 1,890×加算率 2,020×加算率 2,270×加算率 2,530×加算率 2,790×加算率 3,040×加算率 3,300×加算率 3,560×加算率 3,810×加算率 4,070×加算率 4,330×加算率 4,580×加算率 4,840×加算率 5,100×加算率	÷ 各月初日の利用子ども数	＋ 100,310	＋ 940×加算率	＋ 7,700	8,500
	6人から12人まで	3号	1、2歳児 / 乳児				＋ 44,990	＋ 390×加算率	＋ 3,200	3,500
	13人から19人まで	3号	1、2歳児 / 乳児				＋ 30,430	＋ 240×加算率	＋ 2,000	2,200

地域区分 ①	定員区分 ②	認定区分 ③	年齢区分 ④		賃借料加算 加算額 標準 ⑭	都市部	連携施設を設定しない場合 ⑮	食事の提供について自園調理又は連携施設等からの搬入以外の方法による場合 ⑯
10/100地域	5人まで	3号	1、2歳児／乳児	+	a地域 28,800	32,100	－ 5,080	－ (⑥(⑦)+⑧+⑫)×11/100
					b地域 15,900	17,700		
					c地域 13,800	15,400		
					d地域 12,400	13,800		
	6人から12人まで	3号	1、2歳児／乳児	+	a地域 14,400	16,100	－ 2,110	－ (⑥(⑦)+⑧+⑫)×10/100
					b地域 7,900	8,800		
					c地域 6,900	7,700		
					d地域 6,200	6,900		
	13人から19人まで	3号	1、2歳児／乳児	+	a地域 18,300	20,400	－ 1,330	－ (⑥(⑦)+⑧+⑫)×10/100
					b地域 10,100	11,200		
					c地域 8,800	9,800		
					d地域 7,900	8,700		
6/100地域	5人まで	3号	1、2歳児／乳児	+	a地域 28,800	32,100	－ 5,080	－ (⑥(⑦)+⑧+⑫)×11/100
					b地域 15,900	17,700		
					c地域 13,800	15,400		
					d地域 12,400	13,800		
	6人から12人まで	3号	1、2歳児／乳児	+	a地域 14,400	16,100	－ 2,110	－ (⑥(⑦)+⑧+⑫)×11/100
					b地域 7,900	8,800		
					c地域 6,900	7,700		
					d地域 6,200	6,900		
	13人から19人まで	3号	1、2歳児／乳児	+	a地域 18,300	20,400	－ 1,330	－ (⑥(⑦)+⑧+⑫)×10/100
					b地域 10,100	11,200		
					c地域 8,800	9,800		
					d地域 7,900	8,700		
3/100地域	5人まで	3号	1、2歳児／乳児	+	a地域 28,800	32,100	－ 5,080	－ (⑥(⑦)+⑧+⑫)×11/100
					b地域 15,900	17,700		
					c地域 13,800	15,400		
					d地域 12,400	13,800		
	6人から12人まで	3号	1、2歳児／乳児	+	a地域 14,400	16,100	－ 2,110	－ (⑥(⑦)+⑧+⑫)×11/100
					b地域 7,900	8,800		
					c地域 6,900	7,700		
					d地域 6,200	6,900		
	13人から19人まで	3号	1、2歳児／乳児	+	a地域 18,300	20,400	－ 1,330	－ (⑥(⑦)+⑧+⑫)×10/100
					b地域 10,100	11,200		
					c地域 8,800	9,800		
					d地域 7,900	8,700		
その他地域	5人まで	3号	1、2歳児／乳児	+	a地域 28,800	32,100	－ 5,080	－ (⑥(⑦)+⑧+⑫)×11/100
					b地域 15,900	17,700		
					c地域 13,800	15,400		
					d地域 12,400	13,800		
	6人から12人まで	3号	1、2歳児／乳児	+	a地域 14,400	16,100	－ 2,110	－ (⑥(⑦)+⑧+⑫)×11/100
					b地域 7,900	8,800		
					c地域 6,900	7,700		
					d地域 6,200	6,900		
	13人から19人まで	3号	1、2歳児／乳児	+	a地域 18,300	20,400	－ 1,330	－ (⑥(⑦)+⑧+⑫)×10/100
					b地域 10,100	11,200		
					c地域 8,800	9,800		
					d地域 7,900	8,700		

地域区分①	定員区分②	認定区分③	年齢区分④	管理者を設置していない場合 処遇改善等加算Ⅰ⑰	土曜日に閉所する場合⑱ 月に1日土曜日を閉所する場合	月に2日土曜日を閉所する場合	月に3日以上土曜日を閉所する場合	全ての土曜日を閉所する場合	定員を恒常的に超過する場合⑲ 利用子ども数が6人から12人までの場合	利用子ども数が13人を超える場合
10/100地域	5人まで	3号	1、2歳児 ／ 乳児	− 89,030 ＋ 890×加算率	(⑥(⑦)＋⑧＋⑩＋⑫)×2/100	(⑥(⑦)＋⑧＋⑩＋⑫)×4/100	(⑥(⑦)＋⑧＋⑩＋⑫)×6/100	(⑥(⑦)＋⑧＋⑩＋⑫)×8/100	(⑥～⑱)×56/100	(⑥～⑱)×31/100
	6人から12人まで	3号	1、2歳児 ／ 乳児	− 37,090 ＋ 370×加算率	(⑥(⑦)＋⑧＋⑩＋⑫)×2/100	(⑥(⑦)＋⑧＋⑩＋⑫)×4/100	(⑥(⑦)＋⑧＋⑩＋⑫)×7/100	(⑥(⑦)＋⑧＋⑩＋⑫)×9/100		(⑥～⑱)×79/100
	13人から19人まで	3号	1、2歳児 ／ 乳児	− 23,420 ＋ 230×加算率	(⑥(⑦)＋⑧＋⑩＋⑫)×2/100	(⑥(⑦)＋⑧＋⑩＋⑫)×5/100	(⑥(⑦)＋⑧＋⑩＋⑫)×7/100	(⑥(⑦)＋⑧＋⑩＋⑫)×9/100		
6/100地域	5人まで	3号	1、2歳児 ／ 乳児	− 85,280 ＋ 850×加算率	(⑥(⑦)＋⑧＋⑩＋⑫)×2/100	(⑥(⑦)＋⑧＋⑩＋⑫)×4/100	(⑥(⑦)＋⑧＋⑩＋⑫)×6/100	(⑥(⑦)＋⑧＋⑩＋⑫)×8/100	(⑥～⑱)×56/100	(⑥～⑱)×31/100
	6人から12人まで	3号	1、2歳児 ／ 乳児	− 35,530 ＋ 350×加算率	(⑥(⑦)＋⑧＋⑩＋⑫)×2/100	(⑥(⑦)＋⑧＋⑩＋⑫)×4/100	(⑥(⑦)＋⑧＋⑩＋⑫)×7/100	(⑥(⑦)＋⑧＋⑩＋⑫)×9/100		(⑥～⑱)×79/100
	13人から19人まで	3号	1、2歳児 ／ 乳児	− 22,440 ＋ 220×加算率	(⑥(⑦)＋⑧＋⑩＋⑫)×2/100	(⑥(⑦)＋⑧＋⑩＋⑫)×5/100	(⑥(⑦)＋⑧＋⑩＋⑫)×7/100	(⑥(⑦)＋⑧＋⑩＋⑫)×9/100		
3/100地域	5人まで	3号	1、2歳児 ／ 乳児	− 82,470 ＋ 820×加算率	(⑥(⑦)＋⑧＋⑩＋⑫)×2/100	(⑥(⑦)＋⑧＋⑩＋⑫)×4/100	(⑥(⑦)＋⑧＋⑩＋⑫)×6/100	(⑥(⑦)＋⑧＋⑩＋⑫)×8/100	(⑥～⑱)×56/100	(⑥～⑱)×31/100
	6人から12人まで	3号	1、2歳児 ／ 乳児	− 34,360 ＋ 340×加算率	(⑥(⑦)＋⑧＋⑩＋⑫)×2/100	(⑥(⑦)＋⑧＋⑩＋⑫)×5/100	(⑥(⑦)＋⑧＋⑩＋⑫)×7/100	(⑥(⑦)＋⑧＋⑩＋⑫)×9/100		(⑥～⑱)×79/100
	13人から19人まで	3号	1、2歳児 ／ 乳児	− 21,700 ＋ 210×加算率	(⑥(⑦)＋⑧＋⑩＋⑫)×2/100	(⑥(⑦)＋⑧＋⑩＋⑫)×5/100	(⑥(⑦)＋⑧＋⑩＋⑫)×7/100	(⑥(⑦)＋⑧＋⑩＋⑫)×9/100		
その他地域	5人まで	3号	1、2歳児 ／ 乳児	− 79,670 ＋ 790×加算率	(⑥(⑦)＋⑧＋⑩＋⑫)×2/100	(⑥(⑦)＋⑧＋⑩＋⑫)×4/100	(⑥(⑦)＋⑧＋⑩＋⑫)×6/100	(⑥(⑦)＋⑧＋⑩＋⑫)×8/100	(⑥～⑱)×56/100	(⑥～⑱)×31/100
	6人から12人まで	3号	1、2歳児 ／ 乳児	− 33,190 ＋ 330×加算率	(⑥(⑦)＋⑧＋⑩＋⑫)×2/100	(⑥(⑦)＋⑧＋⑩＋⑫)×5/100	(⑥(⑦)＋⑧＋⑩＋⑫)×7/100	(⑥(⑦)＋⑧＋⑩＋⑫)×9/100		(⑥～⑱)×79/100
	13人から19人まで	3号	1、2歳児 ／ 乳児	− 20,960 ＋ 200×加算率	(⑥(⑦)＋⑧＋⑩＋⑫)×2/100	(⑥(⑦)＋⑧＋⑩＋⑫)×5/100	(⑥(⑦)＋⑧＋⑩＋⑫)×7/100	(⑥(⑦)＋⑧＋⑩＋⑫)×10/100		

加算部分2

処遇改善等加算Ⅱ　⑳	（算式1） 　以下の加算を合算した額を各月初日の利用子ども数で除した額とする。 ・処遇改善等加算Ⅱ－①　　49,010 × 人数A ・処遇改善等加算Ⅱ－②　　6,130 × 人数B （算式2） A：処遇改善等加算Ⅱ－① 　　　49,010 ÷ 各月初日の利用子ども数 B：処遇改善等加算Ⅱ－② 　　　6,130 ÷ 各月初日の利用子ども数	※1　各月初日の利用子どもの単価に加算 ※2　人数A及び人数Bについては、別に定める ※3　利用定員が6人以上の場合には（算式1）を適用し、利用定員が5人以下の場合には（算式2）のA若しくはBのいずれかとする

処遇改善等加算Ⅲ　㉑	11,030　　×　　加算Ⅲ算定対象人数 ÷各月初日の利用子ども数	※1　各月初日の利用子どもの単価に加算 ※2　加算Ⅲ算定対象人数については、別に定める

冷暖房費加算　㉒	1　級　地　　1,900	4　級　地　　1,320	※以下の区分に応じて、各月の単価に加算 　1級地から4級地：国家公務員の寒冷地手当に関する法律（昭和24年法律第200号）第1条第1号及び第2号に掲げる地域 　その他地域：1級地から4級地以外の地域	
	2　級　地　　1,690	その他地域　　120		
	3　級　地　　1,670			

除雪費加算　㉓	6,270	※3月初日の利用子どもの単価に加算

降灰除去費加算　㉔	162,470÷3月初日の利用子ども数	※3月初日の利用子どもの単価に加算

施設機能強化推進費加算　㉕	160,000（限度額）÷3月初日の利用子ども数	※3月初日の利用子どもの単価に加算

栄養管理加算　㉖	A（　基本額　　処遇改善等加算Ⅰ 　　　79,950　＋　790×加算率　　） 　　　　　　　÷各月初日の利用子ども数	※以下の区分に応じて、各月初日の利用子どもの単価に加算 　A：Bを除き栄養士を雇用契約等により配置している施設 　B：基本分単価及び他の加算の認定に当たって求められる職員が栄養士を兼務している施設 　C：A又はBを除き、栄養士を嘱託等している施設
	B（　基本額　　処遇改善等加算Ⅰ 　　　50,000　＋　500×加算率　　） 　　　　　　　÷各月初日の利用子ども数	
	C　基本額 　　10,000 ÷各月初日の利用子ども数	

第三者評価受審加算　㉗	150,000÷3月初日の利用子ども数	※3月初日の利用子どもの単価に加算

（注）年度の初日の前日における満年齢に応じて月額を調整

Ⅲ 認定こども園　8　給付費

○事業所内保育事業（定員20人以上）（保育認定）

地域区分①	定員区分②	認定区分③	年齢区分④	保育必要量区分⑤ 保育標準時間認定 基本分単価⑥（注）	保育短時間認定 基本分単価⑥（注）	従業員枠の子どもの場合⑦	処遇改善等加算Ⅰ 保育標準時間認定（注）⑧	保育短時間認定（注）⑧
20/100地域	20人から30人まで	3号	1、2歳児	171,050（253,980）	152,540（235,470）	+	1,580（2,410）×加算率	1,400（2,230）×加算率
			乳児	253,980	235,470	+	2,410　×加算率	2,230　×加算率
	31人から40人まで	3号	1、2歳児	152,780（235,710）	138,900（221,830）	+	1,400（2,230）×加算率	1,260（2,090）×加算率
			乳児	235,710	221,830	+	2,230　×加算率	2,090　×加算率
	41人から50人まで	3号	1、2歳児	147,930（230,860）	136,820（219,750）	⑥×84/100	1,350（2,180）×加算率	1,240（2,070）×加算率
			乳児	230,860	219,750	+	2,180　×加算率	2,070　×加算率
	51人から60人まで	3号	1、2歳児	138,870（221,800）	129,620（212,550）	+	1,260（2,090）×加算率	1,170（2,000）×加算率
			乳児	221,800	212,550	+	2,090　×加算率	2,000　×加算率
	61人から	3号	1、2歳児	132,480（215,410）	124,550（207,480）	+	1,200（2,030）×加算率	1,120（1,950）×加算率
			乳児	215,410	207,480	+	2,030　×加算率	1,950　×加算率
16/100地域	20人から30人まで	3号	1、2歳児	166,420（246,860）	148,410（228,850）	+	1,540（2,340）×加算率	1,360（2,160）×加算率
			乳児	246,860	228,850	+	2,340　×加算率	2,160　×加算率
	31人から40人まで	3号	1、2歳児	148,620（229,060）	135,110（215,550）	+	1,360（2,160）×加算率	1,220（2,020）×加算率
			乳児	229,060	215,550	+	2,160　×加算率	2,020　×加算率
	41人から50人まで	3号	1、2歳児	143,900（224,340）	133,090（213,530）	⑥×84/100	1,310（2,110）×加算率	1,210（2,010）×加算率
			乳児	224,340	213,530	+	2,110　×加算率	2,010　×加算率
	51人から60人まで	3号	1、2歳児	135,100（215,540）	126,090（206,530）	+	1,230（2,030）×加算率	1,140（1,940）×加算率
			乳児	215,540	206,530	+	2,030　×加算率	1,940　×加算率
	61人から	3号	1、2歳児	128,880（209,320）	121,170（201,610）	+	1,170（1,970）×加算率	1,090（1,890）×加算率
			乳児	209,320	201,610	+	1,970　×加算率	1,890　×加算率
15/100地域	20人から30人まで	3号	1、2歳児	165,260（245,080）	147,380（227,200）	+	1,520（2,320）×加算率	1,340（2,140）×加算率
			乳児	245,080	227,200	+	2,320　×加算率	2,140　×加算率
	31人から40人まで	3号	1、2歳児	147,580（227,400）	134,170（213,990）	+	1,340（2,140）×加算率	1,210（2,010）×加算率
			乳児	227,400	213,990	+	2,140　×加算率	2,010　×加算率
	41人から50人まで	3号	1、2歳児	142,890（222,710）	132,160（211,980）	⑥×84/100	1,300（2,100）×加算率	1,190（1,990）×加算率
			乳児	222,710	211,980	+	2,100　×加算率	1,990　×加算率
	51人から60人まで	3号	1、2歳児	134,150（213,970）	125,210（205,030）	+	1,210（2,010）×加算率	1,120（1,920）×加算率
			乳児	213,970	205,030	+	2,010　×加算率	1,920　×加算率
	61人から	3号	1、2歳児	127,990（207,810）	120,320（200,140）	+	1,150（1,950）×加算率	1,070（1,870）×加算率
			乳児	207,810	200,140	+	1,950　×加算率	1,870　×加算率
12/100地域	20人から30人まで	3号	1、2歳児	161,800（239,740）	144,290（222,230）	+	1,490（2,270）×加算率	1,310（2,090）×加算率
			乳児	239,740	222,230	+	2,270　×加算率	2,090　×加算率
	31人から40人まで	3号	1、2歳児	144,470（222,410）	131,340（209,280）	+	1,320（2,100）×加算率	1,190（1,970）×加算率
			乳児	222,410	209,280	+	2,100　×加算率	1,970　×加算率
	41人から50人まで	3号	1、2歳児	139,870（217,810）	129,370（207,310）	⑥×84/100	1,270（2,050）×加算率	1,170（1,950）×加算率
			乳児	217,810	207,310	+	2,050　×加算率	1,950　×加算率
	51人から60人まで	3号	1、2歳児	131,330（209,270）	122,570（200,510）	+	1,190（1,970）×加算率	1,100（1,880）×加算率
			乳児	209,270	200,510	+	1,970　×加算率	1,880　×加算率
	61人から	3号	1、2歳児	125,300（203,240）	117,800（195,740）	+	1,130（1,910）×加算率	1,050（1,830）×加算率
			乳児	203,240	195,740	+	1,910　×加算率	1,830　×加算率

地域区分①	定員区分②	認定区分③	年齢区分④	障害児保育加算 ※特別な支援が必要な利用子どもの単価に加算	処遇改善等加算Ⅰ ⑩	夜間保育加算 ⑫	処遇改善等加算Ⅰ
20/100地域	20人から30人まで	3号	1，2歳児	+ 166,460（83,230）	+ 1,660（830）×加算率	+ 21,280	+ 150×加算率
			乳児	+ 83,230	+ 830 ×加算率		
	31人から40人まで	3号	1，2歳児	+ 166,460（83,230）	+ 1,660（830）×加算率	+ 17,330	+ 110×加算率
			乳児	+ 83,230	+ 830 ×加算率		
	41人から50人まで	3号	1，2歳児	+ 166,460（83,230）	+ 1,660（830）×加算率	+ 14,960	+ 90×加算率
			乳児	+ 83,230	+ 830 ×加算率		
	51人から60人まで	3号	1，2歳児	+ 166,460（83,230）	+ 1,660（830）×加算率	+ 13,380	+ 70×加算率
			乳児	+ 83,230	+ 830 ×加算率		
	61人から	3号	1，2歳児	+ 166,460（83,230）	+ 1,660（830）×加算率	+ 12,250	+ 60×加算率
			乳児	+ 83,230	+ 830 ×加算率		

20/100地域　休日保育加算 ⑪

休日保育の年間延べ利用子ども数		処遇改善等加算Ⅰ	
～210人	280,600	2,800×加算率	÷各月初日の利用子ども数
211人～279人	300,700	3,000×加算率	
280人～349人	340,900	3,400×加算率	
350人～419人	381,200	3,810×加算率	
420人～489人	421,400	4,210×加算率	
490人～559人	461,700	4,610×加算率	
560人～629人	501,900	5,010×加算率	
630人～699人	542,200	5,420×加算率	
700人～769人	582,400	5,820×加算率	
770人～839人	622,700	6,220×加算率	
840人～909人	662,900	6,620×加算率	
910人～979人	703,200	7,030×加算率	
980人～1,049人	743,400	7,430×加算率	
1,050人～	783,700	7,830×加算率	

地域区分①	定員区分②	認定区分③	年齢区分④	障害児保育加算	処遇改善等加算Ⅰ ⑩	夜間保育加算 ⑫	処遇改善等加算Ⅰ
16/100地域	20人から30人まで	3号	1，2歳児	+ 161,460（80,730）	+ 1,610（800）×加算率	+ 21,280	+ 150×加算率
			乳児	+ 80,730	+ 800 ×加算率		
	31人から40人まで	3号	1，2歳児	+ 161,460（80,730）	+ 1,610（800）×加算率	+ 17,330	+ 110×加算率
			乳児	+ 80,730	+ 800 ×加算率		
	41人から50人まで	3号	1，2歳児	+ 161,460（80,730）	+ 1,610（800）×加算率	+ 14,960	+ 90×加算率
			乳児	+ 80,730	+ 800 ×加算率		
	51人から60人まで	3号	1，2歳児	+ 161,460（80,730）	+ 1,610（800）×加算率	+ 13,380	+ 70×加算率
			乳児	+ 80,730	+ 800 ×加算率		
	61人から	3号	1，2歳児	+ 161,460（80,730）	+ 1,610（800）×加算率	+ 12,250	+ 60×加算率
			乳児	+ 80,730	+ 800 ×加算率		

16/100地域　休日保育加算 ⑪

休日保育の年間延べ利用子ども数		処遇改善等加算Ⅰ	
～210人	273,500	2,730×加算率	÷各月初日の利用子ども数
211人～279人	293,000	2,930×加算率	
280人～349人	332,100	3,320×加算率	
350人～419人	371,200	3,710×加算率	
420人～489人	410,200	4,100×加算率	
490人～559人	449,300	4,490×加算率	
560人～629人	488,400	4,880×加算率	
630人～699人	527,500	5,270×加算率	
700人～769人	566,600	5,660×加算率	
770人～839人	605,700	6,050×加算率	
840人～909人	644,800	6,440×加算率	
910人～979人	683,800	6,830×加算率	
980人～1,049人	722,900	7,220×加算率	
1,050人～	762,000	7,620×加算率	

地域区分①	定員区分②	認定区分③	年齢区分④	障害児保育加算	処遇改善等加算Ⅰ ⑩	夜間保育加算 ⑫	処遇改善等加算Ⅰ
15/100地域	20人から30人まで	3号	1，2歳児	+ 160,210（80,100）	+ 1,600（800）×加算率	+ 21,280	+ 150×加算率
			乳児	+ 80,100	+ 800 ×加算率		
	31人から40人まで	3号	1，2歳児	+ 160,210（80,100）	+ 1,600（800）×加算率	+ 17,330	+ 110×加算率
			乳児	+ 80,100	+ 800 ×加算率		
	41人から50人まで	3号	1，2歳児	+ 160,210（80,100）	+ 1,600（800）×加算率	+ 14,960	+ 90×加算率
			乳児	+ 80,100	+ 800 ×加算率		
	51人から60人まで	3号	1，2歳児	+ 160,210（80,100）	+ 1,600（800）×加算率	+ 13,380	+ 70×加算率
			乳児	+ 80,100	+ 800 ×加算率		
	61人から	3号	1，2歳児	+ 160,210（80,100）	+ 1,600（800）×加算率	+ 12,250	+ 60×加算率
			乳児	+ 80,100	+ 800 ×加算率		

15/100地域　休日保育加算 ⑪

休日保育の年間延べ利用子ども数		処遇改善等加算Ⅰ	
～210人	271,600	2,710×加算率	÷各月初日の利用子ども数
211人～279人	291,100	2,910×加算率	
280人～349人	330,200	3,300×加算率	
350人～419人	369,300	3,690×加算率	
420人～489人	408,300	4,080×加算率	
490人～559人	447,400	4,470×加算率	
560人～629人	486,500	4,860×加算率	
630人～699人	525,600	5,250×加算率	
700人～769人	564,700	5,640×加算率	
770人～839人	603,800	6,030×加算率	
840人～909人	642,800	6,420×加算率	
910人～979人	681,900	6,810×加算率	
980人～1,049人	721,000	7,210×加算率	
1,050人～	760,100	7,600×加算率	

地域区分①	定員区分②	認定区分③	年齢区分④	障害児保育加算	処遇改善等加算Ⅰ ⑩	夜間保育加算 ⑫	処遇改善等加算Ⅰ
12/100地域	20人から30人まで	3号	1，2歳児	+ 156,460（78,230）	+ 1,560（780）×加算率	+ 21,280	+ 150×加算率
			乳児	+ 78,230	+ 780 ×加算率		
	31人から40人まで	3号	1，2歳児	+ 156,460（78,230）	+ 1,560（780）×加算率	+ 17,330	+ 110×加算率
			乳児	+ 78,230	+ 780 ×加算率		
	41人から50人まで	3号	1，2歳児	+ 156,460（78,230）	+ 1,560（780）×加算率	+ 14,960	+ 90×加算率
			乳児	+ 78,230	+ 780 ×加算率		
	51人から60人まで	3号	1，2歳児	+ 156,460（78,230）	+ 1,560（780）×加算率	+ 13,380	+ 70×加算率
			乳児	+ 78,230	+ 780 ×加算率		
	61人から	3号	1，2歳児	+ 156,460（78,230）	+ 1,560（780）×加算率	+ 12,250	+ 60×加算率
			乳児	+ 78,230	+ 780 ×加算率		

12/100地域　休日保育加算 ⑪

休日保育の年間延べ利用子ども数		処遇改善等加算Ⅰ	
～210人	266,500	2,660×加算率	÷各月初日の利用子ども数
211人～279人	285,100	2,850×加算率	
280人～349人	323,000	3,230×加算率	
350人～419人	360,900	3,600×加算率	
420人～489人	398,900	3,980×加算率	
490人～559人	436,800	4,360×加算率	
560人～629人	474,700	4,740×加算率	
630人～699人	512,600	5,120×加算率	
700人～769人	550,500	5,500×加算率	
770人～839人	588,400	5,880×加算率	
840人～909人	626,400	6,260×加算率	
910人～979人	664,300	6,640×加算率	
980人～1,049人	702,200	7,020×加算率	
1,050人～	740,100	7,400×加算率	

（注）障害児保育加算の（　）内の数値は、処遇改善等加算Ⅰに関する数値である。

地域区分①	定員区分②	認定区分③	年齢区分④	減価償却費加算 加算額 標準⑬	減価償却費加算 加算額 都市部	賃借料加算 加算額 地域⑭	賃借料加算 標準	賃借料加算 都市部	連携施設を設定しない場合⑮	食事の提供について自園調理又は連携施設等からの搬入以外の方法による場合⑯	管理者を設置していない場合 処遇改善等加算Ⅰ⑰
20/100地域	20人から30人まで	3号	1、2歳児 / 乳児	+ 5,900	6,500	+ a地域 b地域 c地域 d地域	10,600 5,800 5,100 4,500	11,800 6,500 5,600 5,000	− 840	− (⑥(⑦)+⑧+⑫)×12/100	− 18,800 + 180×加算率
	31人から40人まで	3号	1、2歳児 / 乳児	+ 5,200	5,700	+ a地域 b地域 c地域 d地域	9,400 5,200 4,500 4,000	10,500 5,700 5,000 4,500	− 630	− (⑥(⑦)+⑧+⑫)×11/100	− 14,100 + 140×加算率
	41人から50人まで	3号	1、2歳児 / 乳児	+ 4,700	5,200	+ a地域 b地域 c地域 d地域	8,400 4,600 4,000 3,600	9,400 5,100 4,500 4,000	− 500	− (⑥(⑦)+⑧+⑫)×15/100	− 11,280 + 110×加算率
	51人から60人まで	3号	1、2歳児 / 乳児	+ 3,900	4,300	+ a地域 b地域 c地域 d地域	7,100 3,900 3,400 3,000	7,900 4,300 3,800 3,400	− 420	− (⑥(⑦)+⑧+⑫)×14/100	− 9,400 + 90×加算率
	61人から	3号	1、2歳児 / 乳児	+ 3,300	3,700	+ a地域 b地域 c地域 d地域	6,100 3,300 2,900 2,600	6,800 3,700 3,200 2,900	− 360	− (⑥(⑦)+⑧+⑫)×13/100	− 8,050 + 80×加算率
16/100地域	20人から30人まで	3号	1、2歳児 / 乳児	+ 5,900	6,500	+ a地域 b地域 c地域 d地域	10,600 5,800 5,100 4,500	11,800 6,500 5,600 5,000	− 840	− (⑥(⑦)+⑧+⑫)×12/100	− 18,170 + 180×加算率
	31人から40人まで	3号	1、2歳児 / 乳児	+ 5,200	5,700	+ a地域 b地域 c地域 d地域	9,400 5,200 4,500 4,000	10,500 5,700 5,000 4,500	− 630	− (⑥(⑦)+⑧+⑫)×11/100	− 13,630 + 130×加算率
	41人から50人まで	3号	1、2歳児 / 乳児	+ 4,700	5,200	+ a地域 b地域 c地域 d地域	8,400 4,600 4,000 3,600	9,400 5,100 4,500 4,000	− 500	− (⑥(⑦)+⑧+⑫)×15/100	− 10,900 + 100×加算率
	51人から60人まで	3号	1、2歳児 / 乳児	+ 3,900	4,300	+ a地域 b地域 c地域 d地域	7,100 3,900 3,400 3,000	7,900 4,300 3,800 3,400	− 420	− (⑥(⑦)+⑧+⑫)×14/100	− 9,080 + 90×加算率
	61人から	3号	1、2歳児 / 乳児	+ 3,300	3,700	+ a地域 b地域 c地域 d地域	6,100 3,300 2,900 2,600	6,800 3,700 3,200 2,900	− 360	− (⑥(⑦)+⑧+⑫)×13/100	− 7,790 + 70×加算率
15/100地域	20人から30人まで	3号	1、2歳児 / 乳児	+ 5,900	6,500	+ a地域 b地域 c地域 d地域	10,600 5,800 5,100 4,500	11,800 6,500 5,600 5,000	− 840	− (⑥(⑦)+⑧+⑫)×12/100	− 18,020 + 180×加算率
	31人から40人まで	3号	1、2歳児 / 乳児	+ 5,200	5,700	+ a地域 b地域 c地域 d地域	9,400 5,200 4,500 4,000	10,500 5,700 5,000 4,500	− 630	− (⑥(⑦)+⑧+⑫)×11/100	− 13,510 + 130×加算率
	41人から50人まで	3号	1、2歳児 / 乳児	+ 4,700	5,200	+ a地域 b地域 c地域 d地域	8,400 4,600 4,000 3,600	9,400 5,100 4,500 4,000	− 500	− (⑥(⑦)+⑧+⑫)×15/100	− 10,810 + 100×加算率
	51人から60人まで	3号	1、2歳児 / 乳児	+ 3,900	4,300	+ a地域 b地域 c地域 d地域	7,100 3,900 3,400 3,000	7,900 4,300 3,800 3,400	− 420	− (⑥(⑦)+⑧+⑫)×14/100	− 9,010 + 90×加算率
	61人から	3号	1、2歳児 / 乳児	+ 3,300	3,700	+ a地域 b地域 c地域 d地域	6,100 3,300 2,900 2,600	6,800 3,700 3,200 2,900	− 360	− (⑥(⑦)+⑧+⑫)×13/100	− 7,720 + 70×加算率
12/100地域	20人から30人まで	3号	1、2歳児 / 乳児	+ 5,900	6,500	+ a地域 b地域 c地域 d地域	10,600 5,800 5,100 4,500	11,800 6,500 5,600 5,000	− 840	− (⑥(⑦)+⑧+⑫)×12/100	− 17,550 + 170×加算率
	31人から40人まで	3号	1、2歳児 / 乳児	+ 5,200	5,700	+ a地域 b地域 c地域 d地域	9,400 5,200 4,500 4,000	10,500 5,700 5,000 4,500	− 630	− (⑥(⑦)+⑧+⑫)×11/100	− 13,160 + 130×加算率
	41人から50人まで	3号	1、2歳児 / 乳児	+ 4,700	5,200	+ a地域 b地域 c地域 d地域	8,400 4,600 4,000 3,600	9,400 5,100 4,500 4,000	− 500	− (⑥(⑦)+⑧+⑫)×15/100	− 10,530 + 100×加算率
	51人から60人まで	3号	1、2歳児 / 乳児	+ 3,900	4,300	+ a地域 b地域 c地域 d地域	7,100 3,900 3,400 3,000	7,900 4,300 3,800 3,400	− 420	− (⑥(⑦)+⑧+⑫)×14/100	− 8,770 + 80×加算率
	61人から	3号	1、2歳児 / 乳児	+ 3,300	3,700	+ a地域 b地域 c地域 d地域	6,100 3,300 2,900 2,600	6,800 3,700 3,200 2,900	− 360	− (⑥(⑦)+⑧+⑫)×13/100	− 7,520 + 70×加算率

特定教育・保育等に要する費用算定基準等　事業所内保育事業（定員20人以上）（保育認定）

地域区分 ①	定員区分 ②	認定区分 ③	年齢区分 ④	土曜日に閉所する場合 ⑱				定員を恒常的に超過する場合 ⑲
				月に1日土曜日を閉所する場合	月に2日土曜日を閉所する場合	月に3日以上土曜日を閉所する場合	全ての土曜日を閉所する場合	
20/100地域	20人から30人まで	3号	1・2歳児 / 乳児	(⑥(⑦)+⑧+⑩+⑫) × 1/100	(⑥(⑦)+⑧+⑩+⑫) × 3/100	(⑥(⑦)+⑧+⑩+⑫) × 4/100	(⑥(⑦)+⑧+⑩+⑫) × 5/100	(⑥〜⑱) ×別に定める調整率
	31人から40人まで	3号	1・2歳児 / 乳児	(⑥(⑦)+⑧+⑩+⑫) × 1/100	(⑥(⑦)+⑧+⑩+⑫) × 3/100	(⑥(⑦)+⑧+⑩+⑫) × 4/100	(⑥(⑦)+⑧+⑩+⑫) × 5/100	
	41人から50人まで	3号	1・2歳児 / 乳児	(⑥(⑦)+⑧+⑩+⑫) × 1/100	(⑥(⑦)+⑧+⑩+⑫) × 3/100	(⑥(⑦)+⑧+⑩+⑫) × 4/100	(⑥(⑦)+⑧+⑩+⑫) × 6/100	
	51人から60人まで	3号	1・2歳児 / 乳児	(⑥(⑦)+⑧+⑩+⑫) × 1/100	(⑥(⑦)+⑧+⑩+⑫) × 3/100	(⑥(⑦)+⑧+⑩+⑫) × 4/100	(⑥(⑦)+⑧+⑩+⑫) × 6/100	
	61人から	3号	1・2歳児 / 乳児	(⑥(⑦)+⑧+⑩+⑫) × 1/100	(⑥(⑦)+⑧+⑩+⑫) × 3/100	(⑥(⑦)+⑧+⑩+⑫) × 4/100	(⑥(⑦)+⑧+⑩+⑫) × 6/100	
16/100地域	20人から30人まで	3号	1・2歳児 / 乳児	(⑥(⑦)+⑧+⑩+⑫) × 1/100	(⑥(⑦)+⑧+⑩+⑫) × 3/100	(⑥(⑦)+⑧+⑩+⑫) × 4/100	(⑥(⑦)+⑧+⑩+⑫) × 5/100	(⑥〜⑱) ×別に定める調整率
	31人から40人まで	3号	1・2歳児 / 乳児	(⑥(⑦)+⑧+⑩+⑫) × 1/100	(⑥(⑦)+⑧+⑩+⑫) × 3/100	(⑥(⑦)+⑧+⑩+⑫) × 4/100	(⑥(⑦)+⑧+⑩+⑫) × 5/100	
	41人から50人まで	3号	1・2歳児 / 乳児	(⑥(⑦)+⑧+⑩+⑫) × 1/100	(⑥(⑦)+⑧+⑩+⑫) × 3/100	(⑥(⑦)+⑧+⑩+⑫) × 4/100	(⑥(⑦)+⑧+⑩+⑫) × 6/100	
	51人から60人まで	3号	1・2歳児 / 乳児	(⑥(⑦)+⑧+⑩+⑫) × 1/100	(⑥(⑦)+⑧+⑩+⑫) × 3/100	(⑥(⑦)+⑧+⑩+⑫) × 4/100	(⑥(⑦)+⑧+⑩+⑫) × 6/100	
	61人から	3号	1・2歳児 / 乳児	(⑥(⑦)+⑧+⑩+⑫) × 1/100	(⑥(⑦)+⑧+⑩+⑫) × 3/100	(⑥(⑦)+⑧+⑩+⑫) × 4/100	(⑥(⑦)+⑧+⑩+⑫) × 6/100	
15/100地域	20人から30人まで	3号	1・2歳児 / 乳児	(⑥(⑦)+⑧+⑩+⑫) × 1/100	(⑥(⑦)+⑧+⑩+⑫) × 3/100	(⑥(⑦)+⑧+⑩+⑫) × 4/100	(⑥(⑦)+⑧+⑩+⑫) × 5/100	(⑥〜⑱) ×別に定める調整率
	31人から40人まで	3号	1・2歳児 / 乳児	(⑥(⑦)+⑧+⑩+⑫) × 1/100	(⑥(⑦)+⑧+⑩+⑫) × 3/100	(⑥(⑦)+⑧+⑩+⑫) × 4/100	(⑥(⑦)+⑧+⑩+⑫) × 5/100	
	41人から50人まで	3号	1・2歳児 / 乳児	(⑥(⑦)+⑧+⑩+⑫) × 1/100	(⑥(⑦)+⑧+⑩+⑫) × 3/100	(⑥(⑦)+⑧+⑩+⑫) × 4/100	(⑥(⑦)+⑧+⑩+⑫) × 6/100	
	51人から60人まで	3号	1・2歳児 / 乳児	(⑥(⑦)+⑧+⑩+⑫) × 1/100	(⑥(⑦)+⑧+⑩+⑫) × 3/100	(⑥(⑦)+⑧+⑩+⑫) × 4/100	(⑥(⑦)+⑧+⑩+⑫) × 6/100	
	61人から	3号	1・2歳児 / 乳児	(⑥(⑦)+⑧+⑩+⑫) × 1/100	(⑥(⑦)+⑧+⑩+⑫) × 3/100	(⑥(⑦)+⑧+⑩+⑫) × 4/100	(⑥(⑦)+⑧+⑩+⑫) × 6/100	
12/100地域	20人から30人まで	3号	1・2歳児 / 乳児	(⑥(⑦)+⑧+⑩+⑫) × 1/100	(⑥(⑦)+⑧+⑩+⑫) × 3/100	(⑥(⑦)+⑧+⑩+⑫) × 4/100	(⑥(⑦)+⑧+⑩+⑫) × 5/100	(⑥〜⑱) ×別に定める調整率
	31人から40人まで	3号	1・2歳児 / 乳児	(⑥(⑦)+⑧+⑩+⑫) × 1/100	(⑥(⑦)+⑧+⑩+⑫) × 3/100	(⑥(⑦)+⑧+⑩+⑫) × 4/100	(⑥(⑦)+⑧+⑩+⑫) × 5/100	
	41人から50人まで	3号	1・2歳児 / 乳児	(⑥(⑦)+⑧+⑩+⑫) × 1/100	(⑥(⑦)+⑧+⑩+⑫) × 3/100	(⑥(⑦)+⑧+⑩+⑫) × 4/100	(⑥(⑦)+⑧+⑩+⑫) × 6/100	
	51人から60人まで	3号	1・2歳児 / 乳児	(⑥(⑦)+⑧+⑩+⑫) × 1/100	(⑥(⑦)+⑧+⑩+⑫) × 3/100	(⑥(⑦)+⑧+⑩+⑫) × 4/100	(⑥(⑦)+⑧+⑩+⑫) × 6/100	
	61人から	3号	1・2歳児 / 乳児	(⑥(⑦)+⑧+⑩+⑫) × 1/100	(⑥(⑦)+⑧+⑩+⑫) × 3/100	(⑥(⑦)+⑧+⑩+⑫) × 4/100	(⑥(⑦)+⑧+⑩+⑫) × 6/100	

地域区分①	定員区分②	認定区分③	年齢区分④	保育必要量区分⑤ 保育標準時間認定 基本分単価⑥	(注)	保育短時間認定 基本分単価⑥	(注)	従業員枠の子どもの場合⑦		処遇改善等加算Ⅰ 保育標準時間認定 (注)⑧			保育短時間認定 (注)⑧		
10/100地域	20人から30人まで	3号	1・2歳児	159,490	(236,180)	142,230	(218,920)		+	1,470	(2,240)	×加算率	1,290	(2,060)	×加算率
			乳児	236,180		218,920			+	2,240		×加算率	2,060		×加算率
	31人から40人まで	3号	1・2歳児	142,390	(219,080)	129,440	(206,130)		+	1,300	(2,070)	×加算率	1,170	(1,940)	×加算率
			乳児	219,080		206,130			+	2,070		×加算率	1,940		×加算率
	41人から50人まで	3号	1・2歳児	137,860	(214,550)	127,500	(204,190)	⑥×84/100	+	1,250	(2,020)	×加算率	1,150	(1,920)	×加算率
			乳児	214,550		204,190			+	2,020		×加算率	1,920		×加算率
	51人から60人まで	3号	1・2歳児	129,440	(206,130)	120,810	(197,500)		+	1,170	(1,940)	×加算率	1,080	(1,850)	×加算率
			乳児	206,130		197,500			+	1,940		×加算率	1,850		×加算率
	61人から	3号	1・2歳児	123,510	(200,200)	116,110	(192,800)		+	1,110	(1,880)	×加算率	1,040	(1,810)	×加算率
			乳児	200,200		192,800			+	1,880		×加算率	1,810		×加算率
6/100地域	20人から30人まで	3号	1・2歳児	154,860	(229,060)	138,100	(212,300)		+	1,420	(2,160)	×加算率	1,250	(1,990)	×加算率
			乳児	229,060		212,300			+	2,160		×加算率	1,990		×加算率
	31人から40人まで	3号	1・2歳児	138,230	(212,430)	125,660	(199,860)		+	1,260	(2,000)	×加算率	1,130	(1,870)	×加算率
			乳児	212,430		199,860			+	2,000		×加算率	1,870		×加算率
	41人から50人まで	3号	1・2歳児	133,820	(208,020)	123,770	(197,970)	⑥×84/100	+	1,210	(1,950)	×加算率	1,110	(1,850)	×加算率
			乳児	208,020		197,970			+	1,950		×加算率	1,850		×加算率
	51人から60人まで	3号	1・2歳児	125,670	(199,870)	117,280	(191,480)		+	1,130	(1,870)	×加算率	1,050	(1,790)	×加算率
			乳児	199,870		191,480			+	1,870		×加算率	1,790		×加算率
	61人から	3号	1・2歳児	119,910	(194,110)	112,730	(186,930)		+	1,080	(1,820)	×加算率	1,000	(1,740)	×加算率
			乳児	194,110		186,930			+	1,820		×加算率	1,740		×加算率
3/100地域	20人から30人まで	3号	1・2歳児	151,390	(223,720)	135,000	(207,330)		+	1,380	(2,110)	×加算率	1,220	(1,950)	×加算率
			乳児	223,720		207,330			+	2,110		×加算率	1,950		×加算率
	31人から40人まで	3号	1・2歳児	135,100	(207,430)	122,810	(195,140)		+	1,220	(1,950)	×加算率	1,100	(1,830)	×加算率
			乳児	207,430		195,140			+	1,950		×加算率	1,830		×加算率
	41人から50人まで	3号	1・2歳児	130,800	(203,130)	120,970	(193,300)	⑥×84/100	+	1,180	(1,910)	×加算率	1,080	(1,810)	×加算率
			乳児	203,130		193,300			+	1,910		×加算率	1,810		×加算率
	51人から60人まで	3号	1・2歳児	122,830	(195,160)	114,640	(186,970)		+	1,100	(1,830)	×加算率	1,020	(1,750)	×加算率
			乳児	195,160		186,970			+	1,830		×加算率	1,750		×加算率
	61人から	3号	1・2歳児	117,220	(189,550)	110,190	(182,520)		+	1,040	(1,770)	×加算率	970	(1,700)	×加算率
			乳児	189,550		182,520			+	1,770		×加算率	1,700		×加算率
その他地域	20人から30人まで	3号	1・2歳児	147,920	(218,380)	131,910	(202,370)		+	1,350	(2,050)	×加算数	1,190	(1,890)	×加算数
			乳児	218,380		202,370			+	2,050		×加算数	1,890		×加算数
	31人から40人まで	3号	1・2歳児	131,980	(202,440)	119,970	(190,430)		+	1,190	(1,890)	×加算数	1,070	(1,770)	×加算数
			乳児	202,440		190,430			+	1,890		×加算数	1,770		×加算数
	41人から50人まで	3号	1・2歳児	127,770	(198,230)	118,170	(188,630)	⑥×84/100	+	1,150	(1,850)	×加算数	1,060	(1,760)	×加算数
			乳児	198,230		188,630			+	1,850		×加算数	1,760		×加算数
	51人から60人まで	3号	1・2歳児	120,000	(190,460)	111,990	(182,450)		+	1,080	(1,780)	×加算数	1,000	(1,700)	×加算数
			乳児	190,460		182,450			+	1,780		×加算数	1,700		×加算数
	61人から	3号	1・2歳児	114,520	(184,980)	107,660	(178,120)		+	1,020	(1,720)	×加算数	950	(1,650)	×加算数
			乳児	184,980		178,120			+	1,720		×加算数	1,650		×加算数

特定教育・保育等に要する費用算定基準等　事業所内保育事業（定員20人以上）（保育認定）

10/100 地域

定員区分	認定区分	年齢区分	障害児保育加算 (注) ⑩	処遇改善等加算Ⅰ (注)	夜間保育加算 ⑫	処遇改善等加算Ⅰ
20人から30人まで	3号	1,2歳児	+ 153,960 (76,980)	+ 1,530 (760) ×加算率	+ 21,280	+ 150×加算率
		乳児	+ 76,980	+ 760 ×加算率		
31人から40人まで	3号	1,2歳児	+ 153,960 (76,980)	+ 1,530 (760) ×加算率	+ 17,330	+ 110×加算率
		乳児	+ 76,980	+ 760 ×加算率		
41人から50人まで	3号	1,2歳児	+ 153,960 (76,980)	+ 1,530 (760) ×加算率	+ 14,960	+ 90×加算率
		乳児	+ 76,980	+ 760 ×加算率		
51人から60人まで	3号	1,2歳児	+ 153,960 (76,980)	+ 1,530 (760) ×加算率	+ 13,380	+ 70×加算率
		乳児	+ 76,980	+ 760 ×加算率		
61人から	3号	1,2歳児	+ 153,960 (76,980)	+ 1,530 (760) ×加算率	+ 12,250	+ 60×加算率
		乳児	+ 76,980	+ 760 ×加算率		

休日保育加算 ⑪　+ [休日保育の年間延べ利用子ども数] ÷ 各月初日の利用子ども数

休日保育の年間延べ利用子ども数		処遇改善等加算Ⅰ
～ 210人	262,600	2,620×加算率
211人～ 279人	281,200	2,810×加算率
280人～ 349人	318,600	3,180×加算率
350人～ 419人	355,900	3,550×加算率
420人～ 489人	393,200	3,930×加算率
490人～ 559人	430,600	4,300×加算率
560人～ 629人	467,900	4,670×加算率
630人～ 699人	505,200	5,050×加算率
700人～ 769人	542,600	5,420×加算率
770人～ 839人	579,900	5,790×加算率
840人～ 909人	617,200	6,170×加算率
910人～ 979人	654,600	6,540×加算率
980人～1,049人	691,900	6,910×加算率
1,050人～	729,200	7,290×加算率

6/100 地域

定員区分	認定区分	年齢区分	障害児保育加算 (注) ⑩	処遇改善等加算Ⅰ (注)	夜間保育加算 ⑫	処遇改善等加算Ⅰ
20人から30人まで	3号	1,2歳児	+ 148,960 (74,480)	+ 1,480 (740) ×加算率	+ 21,280	+ 150×加算率
		乳児	+ 74,480	+ 740 ×加算率		
31人から40人まで	3号	1,2歳児	+ 148,960 (74,480)	+ 1,480 (740) ×加算率	+ 17,330	+ 110×加算率
		乳児	+ 74,480	+ 740 ×加算率		
41人から50人まで	3号	1,2歳児	+ 148,960 (74,480)	+ 1,480 (740) ×加算率	+ 14,960	+ 90×加算率
		乳児	+ 74,480	+ 740 ×加算率		
51人から60人まで	3号	1,2歳児	+ 148,960 (74,480)	+ 1,480 (740) ×加算率	+ 13,380	+ 70×加算率
		乳児	+ 74,480	+ 740 ×加算率		
61人から	3号	1,2歳児	+ 148,960 (74,480)	+ 1,480 (740) ×加算率	+ 12,250	+ 60×加算率
		乳児	+ 74,480	+ 740 ×加算率		

休日保育加算 ⑪　+ [休日保育の年間延べ利用子ども数] ÷ 各月初日の利用子ども数

休日保育の年間延べ利用子ども数		処遇改善等加算Ⅰ
～ 210人	255,500	2,550×加算率
211人～ 279人	273,500	2,730×加算率
280人～ 349人	309,700	3,090×加算率
350人～ 419人	345,900	3,450×加算率
420人～ 489人	382,000	3,820×加算率
490人～ 559人	418,200	4,180×加算率
560人～ 629人	454,400	4,540×加算率
630人～ 699人	490,500	4,900×加算率
700人～ 769人	526,700	5,260×加算率
770人～ 839人	562,900	5,620×加算率
840人～ 909人	599,100	5,990×加算率
910人～ 979人	635,200	6,350×加算率
980人～1,049人	671,400	6,710×加算率
1,050人～	707,500	7,070×加算率

3/100 地域

定員区分	認定区分	年齢区分	障害児保育加算 (注) ⑩	処遇改善等加算Ⅰ (注)	夜間保育加算 ⑫	処遇改善等加算Ⅰ
20人から30人まで	3号	1,2歳児	+ 145,200 (72,600)	+ 1,450 (720) ×加算率	+ 21,280	+ 150×加算率
		乳児	+ 72,600	+ 720 ×加算率		
31人から40人まで	3号	1,2歳児	+ 145,200 (72,600)	+ 1,450 (720) ×加算率	+ 17,330	+ 110×加算率
		乳児	+ 72,600	+ 720 ×加算率		
41人から50人まで	3号	1,2歳児	+ 145,200 (72,600)	+ 1,450 (720) ×加算率	+ 14,960	+ 90×加算率
		乳児	+ 72,600	+ 720 ×加算率		
51人から60人まで	3号	1,2歳児	+ 145,200 (72,600)	+ 1,450 (720) ×加算率	+ 13,380	+ 70×加算率
		乳児	+ 72,600	+ 720 ×加算率		
61人から	3号	1,2歳児	+ 145,200 (72,600)	+ 1,450 (720) ×加算率	+ 12,250	+ 60×加算率
		乳児	+ 72,600	+ 720 ×加算率		

休日保育加算 ⑪　+ [休日保育の年間延べ利用子ども数] ÷ 各月初日の利用子ども数

休日保育の年間延べ利用子ども数		処遇改善等加算Ⅰ
～ 210人	250,000	2,500×加算率
211人～ 279人	267,700	2,670×加算率
280人～ 349人	303,300	3,030×加算率
350人～ 419人	338,900	3,380×加算率
420人～ 489人	374,500	3,740×加算率
490人～ 559人	410,100	4,100×加算率
560人～ 629人	445,700	4,450×加算率
630人～ 699人	481,200	4,810×加算率
700人～ 769人	516,800	5,160×加算率
770人～ 839人	552,400	5,520×加算率
840人～ 909人	588,000	5,880×加算率
910人～ 979人	623,600	6,230×加算率
980人～1,049人	659,200	6,590×加算率
1,050人～	694,700	6,940×加算率

その他 地域

定員区分	認定区分	年齢区分	障害児保育加算 (注) ⑩	処遇改善等加算Ⅰ (注)	夜間保育加算 ⑫	処遇改善等加算Ⅰ
20人から30人まで	3号	1,2歳児	+ 141,460 (70,730)	+ 1,410 (700) ×加算率	+ 21,280	+ 150×加算率
		乳児	+ 70,730	+ 700 ×加算率		
31人から40人まで	3号	1,2歳児	+ 141,460 (70,730)	+ 1,410 (700) ×加算率	+ 17,330	+ 110×加算率
		乳児	+ 70,730	+ 700 ×加算率		
41人から50人まで	3号	1,2歳児	+ 141,460 (70,730)	+ 1,410 (700) ×加算率	+ 14,960	+ 90×加算率
		乳児	+ 70,730	+ 700 ×加算率		
51人から60人まで	3号	1,2歳児	+ 141,460 (70,730)	+ 1,410 (700) ×加算率	+ 13,380	+ 70×加算率
		乳児	+ 70,730	+ 700 ×加算率		
61人から	3号	1,2歳児	+ 141,460 (70,730)	+ 1,410 (700) ×加算率	+ 12,250	+ 60×加算率
		乳児	+ 70,730	+ 700 ×加算率		

休日保育加算 ⑪　+ [休日保育の年間延べ利用子ども数] ÷ 各月初日の利用子ども数

休日保育の年間延べ利用子ども数		処遇改善等加算Ⅰ
～ 210人	244,700	2,440×加算率
211人～ 279人	261,900	2,610×加算率
280人～ 349人	296,300	2,960×加算率
350人～ 419人	330,700	3,300×加算率
420人～ 489人	365,100	3,650×加算率
490人～ 559人	399,500	3,990×加算率
560人～ 629人	433,900	4,330×加算率
630人～ 699人	468,400	4,680×加算率
700人～ 769人	502,800	5,020×加算率
770人～ 839人	537,200	5,370×加算率
840人～ 909人	571,600	5,710×加算率
910人～ 979人	606,000	6,060×加算率
980人～1,049人	640,400	6,400×加算率
1,050人～	674,900	6,740×加算率

障害児保育加算欄見出し：障害児保育加算　※特別な支援が必要な利用子どもの単価に加算　処遇改善等加算Ⅰ ⑩

地域区分 ①　定員区分 ②　認定区分 ③　年齢区分 ④

地域区分 ①	定員区分 ②	認定区分 ③	年齢区分 ④	減価償却費加算 加算額 標準 ⑬	都市部	賃借料加算 加算額 地域	標準 ⑭	都市部	連携施設を設定しない場合 ⑮	食事の提供について自園調理又は連携施設等からの搬入以外の方法による場合 ⑯	管理者を設置していない場合 ⑰	処遇改善等加算Ⅰ
10/100地域	20人から30人まで	3号	1、2歳児 / 乳児	+ 5,900	6,500	a地域	10,600	11,800	－ 840	(⑥(⑦)+⑧+⑫)×12/100	17,240	+ 170×加算率
						b地域	5,800	6,500				
						c地域	5,100	5,600				
						d地域	4,500	5,000				
	31人から40人まで	3号	1、2歳児 / 乳児	+ 5,200	5,700	a地域	9,400	10,500	－ 630	(⑥(⑦)+⑧+⑫)×11/100	12,930	+ 120×加算率
						b地域	5,200	5,700				
						c地域	4,500	5,000				
						d地域	4,000	4,500				
	41人から50人まで	3号	1、2歳児 / 乳児	+ 4,700	5,200	a地域	8,400	9,400	－ 500	(⑥(⑦)+⑧+⑫)×15/100	10,340	+ 100×加算率
						b地域	4,600	5,100				
						c地域	4,000	4,500				
						d地域	3,600	4,000				
	51人から60人まで	3号	1、2歳児 / 乳児	+ 3,900	4,300	a地域	7,100	7,900	－ 420	(⑥(⑦)+⑧+⑫)×14/100	8,620	+ 80×加算率
						b地域	3,900	4,300				
						c地域	3,400	3,800				
						d地域	3,000	3,400				
	61人から	3号	1、2歳児 / 乳児	+ 3,300	3,700	a地域	6,100	6,800	－ 360	(⑥(⑦)+⑧+⑫)×13/100	7,390	+ 70×加算率
						b地域	3,300	3,700				
						c地域	2,900	3,200				
						d地域	2,600	2,900				
6/100地域	20人から30人まで	3号	1、2歳児 / 乳児	+ 5,900	6,500	a地域	10,600	11,800	－ 840	(⑥(⑦)+⑧+⑫)×12/100	16,610	+ 160×加算率
						b地域	5,800	6,500				
						c地域	5,100	5,600				
						d地域	4,500	5,000				
	31人から40人まで	3号	1、2歳児 / 乳児	+ 5,200	5,700	a地域	9,400	10,500	－ 630	(⑥(⑦)+⑧+⑫)×11/100	12,460	+ 120×加算率
						b地域	5,200	5,700				
						c地域	4,500	5,000				
						d地域	4,000	4,500				
	41人から50人まで	3号	1、2歳児 / 乳児	+ 4,700	5,200	a地域	8,400	9,400	－ 500	(⑥(⑦)+⑧+⑫)×15/100	9,970	+ 90×加算率
						b地域	4,600	5,100				
						c地域	4,000	4,500				
						d地域	3,600	4,000				
	51人から60人まで	3号	1、2歳児 / 乳児	+ 3,900	4,300	a地域	7,100	7,900	－ 420	(⑥(⑦)+⑧+⑫)×14/100	8,300	+ 80×加算率
						b地域	3,900	4,300				
						c地域	3,400	3,800				
						d地域	3,000	3,400				
	61人から	3号	1、2歳児 / 乳児	+ 3,300	3,700	a地域	6,100	6,800	－ 360	(⑥(⑦)+⑧+⑫)×13/100	7,120	+ 70×加算率
						b地域	3,300	3,700				
						c地域	2,900	3,200				
						d地域	2,600	2,900				
3/100地域	20人から30人まで	3号	1、2歳児 / 乳児	+ 5,900	6,500	a地域	10,600	11,800	－ 840	(⑥(⑦)+⑧+⑫)×12/100	16,150	+ 160×加算率
						b地域	5,800	6,500				
						c地域	5,100	5,600				
						d地域	4,500	5,000				
	31人から40人まで	3号	1、2歳児 / 乳児	+ 5,200	5,700	a地域	9,400	10,500	－ 630	(⑥(⑦)+⑧+⑫)×12/100	12,110	+ 120×加算率
						b地域	5,200	5,700				
						c地域	4,500	5,000				
						d地域	4,000	4,500				
	41人から50人まで	3号	1、2歳児 / 乳児	+ 4,700	5,200	a地域	8,400	9,400	－ 500	(⑥(⑦)+⑧+⑫)×15/100	9,690	+ 90×加算率
						b地域	4,600	5,100				
						c地域	4,000	4,500				
						d地域	3,600	4,000				
	51人から60人まで	3号	1、2歳児 / 乳児	+ 3,900	4,300	a地域	7,100	7,900	－ 420	(⑥(⑦)+⑧+⑫)×14/100	8,070	+ 80×加算率
						b地域	3,900	4,300				
						c地域	3,400	3,800				
						d地域	3,000	3,400				
	61人から	3号	1、2歳児 / 乳児	+ 3,300	3,700	a地域	6,100	6,800	－ 360	(⑥(⑦)+⑧+⑫)×13/100	6,920	+ 60×加算率
						b地域	3,300	3,700				
						c地域	2,900	3,200				
						d地域	2,600	2,900				
その他地域	20人から30人まで	3号	1、2歳児 / 乳児	+ 5,900	6,500	a地域	10,600	11,800	－ 840	(⑥(⑦)+⑧+⑫)×12/100	15,680	+ 150×加算率
						b地域	5,800	6,500				
						c地域	5,100	5,600				
						d地域	4,500	5,000				
	31人から40人まで	3号	1、2歳児 / 乳児	+ 5,200	5,700	a地域	9,400	10,500	－ 630	(⑥(⑦)+⑧+⑫)×12/100	11,760	+ 110×加算率
						b地域	5,200	5,700				
						c地域	4,500	5,000				
						d地域	4,000	4,500				
	41人から50人まで	3号	1、2歳児 / 乳児	+ 4,700	5,200	a地域	8,400	9,400	－ 500	(⑥(⑦)+⑧+⑫)×16/100	9,410	+ 90×加算率
						b地域	4,600	5,100				
						c地域	4,000	4,500				
						d地域	3,600	4,000				
	51人から60人まで	3号	1、2歳児 / 乳児	+ 3,900	4,300	a地域	7,100	7,900	－ 420	(⑥(⑦)+⑧+⑫)×15/100	7,840	+ 70×加算率
						b地域	3,900	4,300				
						c地域	3,400	3,800				
						d地域	3,000	3,400				
	61人から	3号	1、2歳児 / 乳児	+ 3,300	3,700	a地域	6,100	6,800	－ 360	(⑥(⑦)+⑧+⑫)×14/100	6,720	+ 60×加算率
						b地域	3,300	3,700				
						c地域	2,900	3,200				
						d地域	2,600	2,900				

特定教育・保育等に要する費用算定基準等　事業所内保育事業（定員20人以上）（保育認定）

地域区分 ①	定員区分 ②	認定区分 ③	年齢区分 ④	土曜日に閉所する場合 ⑱ 月に1日土曜日を閉所する場合	月に2日土曜日を閉所する場合	月に3日以上土曜日を閉所する場合	全ての土曜日を閉所する場合	定員を恒常的に超過する場合 ⑲
10/100地域	20人から30人まで	3号	1、2歳児 / 乳児	((⑥(⑦)+⑧)+⑩+⑫) ×1/100	((⑥(⑦)+⑧)+⑩+⑫) ×3/100	((⑥(⑦)+⑧)+⑩+⑫) ×4/100	((⑥(⑦)+⑧)+⑩+⑫) ×6/100	(⑥～⑱) ×別に定める調整率
	31人から40人まで	3号	1、2歳児 / 乳児	((⑥(⑦)+⑧)+⑩+⑫) ×1/100	((⑥(⑦)+⑧)+⑩+⑫) ×3/100	((⑥(⑦)+⑧)+⑩+⑫) ×4/100	((⑥(⑦)+⑧)+⑩+⑫) ×5/100	
	41人から50人まで	3号	1、2歳児 / 乳児	((⑥(⑦)+⑧)+⑩+⑫) ×1/100	((⑥(⑦)+⑧)+⑩+⑫) ×3/100	((⑥(⑦)+⑧)+⑩+⑫) ×4/100	((⑥(⑦)+⑧)+⑩+⑫) ×6/100	
	51人から60人まで	3号	1、2歳児 / 乳児	((⑥(⑦)+⑧)+⑩+⑫) ×2/100	((⑥(⑦)+⑧)+⑩+⑫) ×3/100	((⑥(⑦)+⑧)+⑩+⑫) ×5/100	((⑥(⑦)+⑧)+⑩+⑫) ×6/100	
	61人から	3号	1、2歳児 / 乳児	((⑥(⑦)+⑧)+⑩+⑫) ×2/100	((⑥(⑦)+⑧)+⑩+⑫) ×3/100	((⑥(⑦)+⑧)+⑩+⑫) ×5/100	((⑥(⑦)+⑧)+⑩+⑫) ×6/100	
6/100地域	20人から30人まで	3号	1、2歳児 / 乳児	((⑥(⑦)+⑧)+⑩+⑫) ×1/100	((⑥(⑦)+⑧)+⑩+⑫) ×3/100	((⑥(⑦)+⑧)+⑩+⑫) ×4/100	((⑥(⑦)+⑧)+⑩+⑫) ×6/100	(⑥～⑱) ×別に定める調整率
	31人から40人まで	3号	1、2歳児 / 乳児	((⑥(⑦)+⑧)+⑩+⑫) ×2/100	((⑥(⑦)+⑧)+⑩+⑫) ×3/100	((⑥(⑦)+⑧)+⑩+⑫) ×4/100	((⑥(⑦)+⑧)+⑩+⑫) ×6/100	
	41人から50人まで	3号	1、2歳児 / 乳児	((⑥(⑦)+⑧)+⑩+⑫) ×2/100	((⑥(⑦)+⑧)+⑩+⑫) ×3/100	((⑥(⑦)+⑧)+⑩+⑫) ×5/100	((⑥(⑦)+⑧)+⑩+⑫) ×6/100	
	51人から60人まで	3号	1、2歳児 / 乳児	((⑥(⑦)+⑧)+⑩+⑫) ×2/100	((⑥(⑦)+⑧)+⑩+⑫) ×3/100	((⑥(⑦)+⑧)+⑩+⑫) ×5/100	((⑥(⑦)+⑧)+⑩+⑫) ×6/100	
	61人から	3号	1、2歳児 / 乳児	((⑥(⑦)+⑧)+⑩+⑫) ×2/100	((⑥(⑦)+⑧)+⑩+⑫) ×3/100	((⑥(⑦)+⑧)+⑩+⑫) ×5/100	((⑥(⑦)+⑧)+⑩+⑫) ×6/100	
3/100地域	20人から30人まで	3号	1、2歳児 / 乳児	((⑥(⑦)+⑧)+⑩+⑫) ×2/100	((⑥(⑦)+⑧)+⑩+⑫) ×3/100	((⑥(⑦)+⑧)+⑩+⑫) ×5/100	((⑥(⑦)+⑧)+⑩+⑫) ×6/100	(⑥～⑱) ×別に定める調整率
	31人から40人まで	3号	1、2歳児 / 乳児	((⑥(⑦)+⑧)+⑩+⑫) ×2/100	((⑥(⑦)+⑧)+⑩+⑫) ×3/100	((⑥(⑦)+⑧)+⑩+⑫) ×5/100	((⑥(⑦)+⑧)+⑩+⑫) ×6/100	
	41人から50人まで	3号	1、2歳児 / 乳児	((⑥(⑦)+⑧)+⑩+⑫) ×2/100	((⑥(⑦)+⑧)+⑩+⑫) ×3/100	((⑥(⑦)+⑧)+⑩+⑫) ×5/100	((⑥(⑦)+⑧)+⑩+⑫) ×6/100	
	51人から60人まで	3号	1、2歳児 / 乳児	((⑥(⑦)+⑧)+⑩+⑫) ×2/100	((⑥(⑦)+⑧)+⑩+⑫) ×3/100	((⑥(⑦)+⑧)+⑩+⑫) ×5/100	((⑥(⑦)+⑧)+⑩+⑫) ×6/100	
	61人から	3号	1、2歳児 / 乳児	((⑥(⑦)+⑧)+⑩+⑫) ×2/100	((⑥(⑦)+⑧)+⑩+⑫) ×3/100	((⑥(⑦)+⑧)+⑩+⑫) ×5/100	((⑥(⑦)+⑧)+⑩+⑫) ×6/100	
その他地域	20人から30人まで	3号	1、2歳児 / 乳児	((⑥(⑦)+⑧)+⑩+⑫) ×2/100	((⑥(⑦)+⑧)+⑩+⑫) ×3/100	((⑥(⑦)+⑧)+⑩+⑫) ×5/100	((⑥(⑦)+⑧)+⑩+⑫) ×6/100	(⑥～⑱) ×別に定める調整率
	31人から40人まで	3号	1、2歳児 / 乳児	((⑥(⑦)+⑧)+⑩+⑫) ×2/100	((⑥(⑦)+⑧)+⑩+⑫) ×3/100	((⑥(⑦)+⑧)+⑩+⑫) ×5/100	((⑥(⑦)+⑧)+⑩+⑫) ×6/100	
	41人から50人まで	3号	1、2歳児 / 乳児	((⑥(⑦)+⑧)+⑩+⑫) ×2/100	((⑥(⑦)+⑧)+⑩+⑫) ×3/100	((⑥(⑦)+⑧)+⑩+⑫) ×5/100	((⑥(⑦)+⑧)+⑩+⑫) ×6/100	
	51人から60人まで	3号	1、2歳児 / 乳児	((⑥(⑦)+⑧)+⑩+⑫) ×2/100	((⑥(⑦)+⑧)+⑩+⑫) ×3/100	((⑥(⑦)+⑧)+⑩+⑫) ×5/100	((⑥(⑦)+⑧)+⑩+⑫) ×6/100	
	61人から	3号	1、2歳児 / 乳児	((⑥(⑦)+⑧)+⑩+⑫) ×2/100	((⑥(⑦)+⑧)+⑩+⑫) ×3/100	((⑥(⑦)+⑧)+⑩+⑫) ×5/100	((⑥(⑦)+⑧)+⑩+⑫) ×6/100	

加算部分2

処遇改善等加算Ⅱ	⑳	以下の加算を合算した額を各月初日の利用子ども数で除した額 ・処遇改善等加算Ⅱ−①　　49,010 × 人数A ・処遇改善等加算Ⅱ−②　　6,130 × 人数B	※1　各月初日の利用子どもの単価に加算 ※2　人数A及び人数Bについては、別に定める
処遇改善等加算Ⅲ	㉑	11,030 　×　　　加算Ⅲ算定対象人数 ÷各月初日の利用子ども数	※1　各月初日の利用子どもの単価に加算 ※2　加算Ⅲ算定対象人数については、別に定める

冷暖房費加算	㉒	1　級　地	1,900	4　級　地	1,320	※以下の区分に応じて、各月の単価に加算 　1級地から4級地：国家公務員の寒冷地手当に関する法律（昭和 　　　　　　　　　24年法律第200号）第1条第1号及び第 　　　　　　　　　2号に掲げる地域 　その他地域：1級地から4級地以外の地域
		2　級　地	1,690	その他地域	120	
		3　級　地	1,670			

除雪費加算	㉓	6,270	※3月初日の利用子どもの単価に加算
降灰除去費加算	㉔	162,470÷3月初日の利用子ども数	※3月初日の利用子どもの単価に加算
施設機能強化推進費加算	㉕	160,000（限度額）÷3月初日の利用子ども数	※3月初日の利用子どもの単価に加算

栄養管理加算	㉖	A	基本額　　　　　処遇改善等加算Ⅰ （　79,950　+　　790×加算率　　） ÷各月初日の利用子ども数	※以下の区分に応じて、各月初日の利用子どもの単価に加算 　A：Bを除き栄養士を雇用契約等により配置している施設 　B：基本分単価及び他の加算の認定に当たって求められる 　　　職員が栄養士を兼務している施設 　C：A又はBを除き、栄養士を嘱託等している施設
		B	基本額　　　　　処遇改善等加算Ⅰ （　50,000　+　　500×加算率　　） ÷各月初日の利用子ども数	
		C	基本額 10,000 ÷各月初日の利用子ども数	

第三者評価受審加算	㉗	150,000÷3月初日の利用子ども数	※3月初日の利用子どもの単価に加算

（注）年度の初日の前日における満年齢に応じて月額を調整

○定員を恒常的に超過する場合に係る別に定める調整率　事業所内保育事業（定員20人以上）（保育認定）

地域区分	定員区分	認定区分	年齢区分	利用子ども数 20人から30人まで	31人から40人まで	41人から50人まで	51人から60人まで	61人から
20/100地域	20人から30人まで	3号	1、2歳児 / 乳児		91/100	89/100	85/100	81/100
	31人から40人まで	3号	1、2歳児 / 乳児			98/100	93/100	89/100
	41人から50人まで	3号	1、2歳児 / 乳児				95/100	91/100
	51人から60人まで	3号	1、2歳児 / 乳児					96/100
	61人から	3号	1、2歳児 / 乳児					
16/100地域	20人から30人まで	3号	1、2歳児 / 乳児		91/100	89/100	85/100	81/100
	31人から40人まで	3号	1、2歳児 / 乳児			98/100	93/100	89/100
	41人から50人まで	3号	1、2歳児 / 乳児				95/100	91/100
	51人から60人まで	3号	1、2歳児 / 乳児					96/100
	61人から	3号	1、2歳児 / 乳児					
15/100地域	20人から30人まで	3号	1、2歳児 / 乳児		91/100	89/100	85/100	81/100
	31人から40人まで	3号	1、2歳児 / 乳児			98/100	93/100	89/100
	41人から50人まで	3号	1、2歳児 / 乳児				95/100	91/100
	51人から60人まで	3号	1、2歳児 / 乳児					96/100
	61人から	3号	1、2歳児 / 乳児					
12/100地域	20人から30人まで	3号	1、2歳児 / 乳児		91/100	89/100	85/100	81/100
	31人から40人まで	3号	1、2歳児 / 乳児			98/100	93/100	89/100
	41人から50人まで	3号	1、2歳児 / 乳児				95/100	91/100
	51人から60人まで	3号	1、2歳児 / 乳児					96/100
	61人から	3号	1、2歳児 / 乳児					

地域区分	定員区分	認定区分	年齢区分	利用子ども数				
				20人から30人まで	31人から40人まで	41人から50人まで	51人から60人まで	61人から
10/100地域	20人から30人まで	3号	1、2歳児 / 乳児		91/100	89/100	85/100	81/100
	31人から40人まで	3号	1、2歳児 / 乳児			98/100	93/100	89/100
	41人から50人まで	3号	1、2歳児 / 乳児				95/100	91/100
	51人から60人まで	3号	1、2歳児 / 乳児					96/100
	61人から	3号	1、2歳児 / 乳児					
6/100地域	20人から30人まで	3号	1、2歳児 / 乳児		91/100	89/100	85/100	81/100
	31人から40人まで	3号	1、2歳児 / 乳児			98/100	93/100	89/100
	41人から50人まで	3号	1、2歳児 / 乳児				95/100	91/100
	51人から60人まで	3号	1、2歳児 / 乳児					96/100
	61人から	3号	1、2歳児 / 乳児					
3/100地域	20人から30人まで	3号	1、2歳児 / 乳児		91/100	89/100	85/100	81/100
	31人から40人まで	3号	1、2歳児 / 乳児			98/100	93/100	89/100
	41人から50人まで	3号	1、2歳児 / 乳児				95/100	91/100
	51人から60人まで	3号	1、2歳児 / 乳児					96/100
	61人から	3号	1、2歳児 / 乳児					
その他地域	20人から30人まで	3号	1、2歳児 / 乳児		91/100	89/100	85/100	81/100
	31人から40人まで	3号	1、2歳児 / 乳児			98/100	93/100	89/100
	41人から50人まで	3号	1、2歳児 / 乳児				95/100	91/100
	51人から60人まで	3号	1、2歳児 / 乳児					96/100
	61人から	3号	1、2歳児 / 乳児					

○居宅訪問型保育事業（保育認定）

地域区分 ①	認定区分 ②	保育必要量区分 ③	基本分単価 ④	処遇改善等加算Ⅰ ⑤	資格保有者加算 ⑥	処遇改善等加算Ⅰ ⑥	休日保育加算 ⑦	処遇改善等加算Ⅰ ⑦
20/100地域	3号	保育標準時間認定	526,540	+ 5,260×加算率				
	3号	保育短時間認定	468,890	+ 4,680×加算率	+ 23,220	+ 230×加算率	+ 20,790	+ 200×加算率
16/100地域	3号	保育標準時間認定	512,350	+ 5,120×加算率				
	3号	保育短時間認定	454,690	+ 4,540×加算率	+ 22,440	+ 220×加算率	+ 20,080	+ 200×加算率
15/100地域	3号	保育標準時間認定	508,800	+ 5,080×加算率				
	3号	保育短時間認定	451,140	+ 4,510×加算率	+ 22,250	+ 220×加算率	+ 19,920	+ 190×加算率
12/100地域	3号	保育標準時間認定	498,150	+ 4,980×加算率				
	3号	保育短時間認定	440,500	+ 4,400×加算率	+ 21,670	+ 210×加算率	+ 19,440	+ 190×加算率
10/100地域	3号	保育標準時間認定	491,060	+ 4,910×加算率				
	3号	保育短時間認定	433,400	+ 4,330×加算率	+ 21,280	+ 210×加算率	+ 19,060	+ 190×加算率
6/100地域	3号	保育標準時間認定	476,860	+ 4,760×加算率				
	3号	保育短時間認定	419,200	+ 4,190×加算率	+ 20,510	+ 200×加算率	+ 18,360	+ 180×加算率
3/100地域	3号	保育標準時間認定	466,220	+ 4,660×加算率				
	3号	保育短時間認定	408,560	+ 4,080×加算率	+ 19,930	+ 190×加算率	+ 17,870	+ 170×加算率
その他地域	3号	保育標準時間認定	455,570	+ 4,550×加算率				
	3号	保育短時間認定	397,910	+ 3,970×加算率	+ 19,350	+ 190×加算率	+ 17,330	+ 170×加算率

Ⅲ　認定こども園　8　給付費

地域区分 ①	認定区分 ②	保育必要量区分 ③	夜間保育加算	処遇改善等加算Ⅰ ⑧	連携施設加算 ⑨ 障害・疾病のある子どもを保育する場合	それ以外の場合	特定の日に保育を行わない場合 ⑩
20/100 地域	3号	保育標準時間認定	+ 48,120	+ 480×加算率			(④+⑤+⑧+⑨) ×8/100× 事業を行わない週当たり日数
	3号	保育短時間認定					(④+⑤+⑧+⑨) ×7/100× 事業を行わない週当たり日数
16/100 地域	3号	保育標準時間認定	+ 46,550	+ 460×加算率			(④+⑤+⑧+⑨) ×8/100× 事業を行わない週当たり日数
	3号	保育短時間認定					(④+⑤+⑧+⑨) ×7/100× 事業を行わない週当たり日数
15/100 地域	3号	保育標準時間認定	+ 46,200	+ 460×加算率			(④+⑤+⑧+⑨) ×8/100× 事業を行わない週当たり日数
	3号	保育短時間認定					(④+⑤+⑧+⑨) ×7/100× 事業を行わない週当たり日数
12/100 地域	3号	保育標準時間認定	+ 44,970	+ 440×加算率			(④+⑤+⑧+⑨) ×8/100× 事業を行わない週当たり日数
	3号	保育短時間認定					(④+⑤+⑧+⑨) ×7/100× 事業を行わない週当たり日数
10/100 地域	3号	保育標準時間認定	+ 44,100	+ 440×加算率	+ 43,490	25,400	(④+⑤+⑧+⑨) ×8/100× 事業を行わない週当たり日数
	3号	保育短時間認定					(④+⑤+⑧+⑨) ×7/100× 事業を行わない週当たり日数
6/100 地域	3号	保育標準時間認定	+ 42,520	+ 420×加算率			(④+⑤+⑧+⑨) ×8/100× 事業を行わない週当たり日数
	3号	保育短時間認定					(④+⑤+⑧+⑨) ×7/100× 事業を行わない週当たり日数
3/100 地域	3号	保育標準時間認定	+ 41,300	+ 410×加算率			(④+⑤+⑧+⑨) ×8/100× 事業を行わない週当たり日数
	3号	保育短時間認定					(④+⑤+⑧+⑨) ×7/100× 事業を行わない週当たり日数
その他 地域	3号	保育標準時間認定	+ 40,070	+ 400×加算率			(④+⑤+⑧+⑨) ×9/100× 事業を行わない週当たり日数
	3号	保育短時間認定					(④+⑤+⑧+⑨) ×8/100× 事業を行わない週当たり日数

処遇改善等加算Ⅱ ⑪	A：処遇改善等加算Ⅱ－① 49,010 ÷ 各月初日の利用子ども数	※1　各月初日の利用子どもの単価に加算 ※2　A若しくはBのいずれかとする
	B：処遇改善等加算Ⅱ－② 6,130 ÷ 各月初日の利用子ども数	

処遇改善等加算Ⅲ ⑫	11,030 × 加算Ⅲ算定対象人数 ÷ 各月初日の利用子ども数	※1　各月初日の利用子どもの単価に加算 ※2　加算Ⅲ算定対象人数については、別に定める

第三者評価受審加算 ⑬	150,000	※3月初日の利用子どもの単価に加算

◉内閣総理大臣が定める特例地域型保育給付費の支給に係る離島その他の地域の基準

〔平成27年3月31日〕
〔内閣府告示第47号〕

　子ども・子育て支援法第30条第1項第4号に規定する内閣総理大臣が定める基準は、交通条件及び自然的、経済的、文化的諸条件に恵まれない山間地、離島その他の地域であって、同法第27条第1項に規定する特定教育・保育及び同法第29条第1項に規定する特定地域型保育の確保が著しく困難な地域とする。

　　　附　則
　この告示は、平成27年4月1日から施行する。

○特定教育・保育等に要する費用の額の算定に関する基準等の実施上の留意事項について

〔令和5年5月19日　こ成保38・5文科初第483号
各都道府県知事宛　こども家庭庁成育・文部科
学省初等中等教育局長連名通知〕

注　令和6年3月29日こ成保192・5文科初第2,588号改正現在

「特定教育・保育、特別利用保育、特別利用教育、特定地域型保育、特別利用地域型保育、特定利用地域型保育及び特例保育に要する費用の額の算定に関する基準等の一部を改正する告示」（平成27年内閣府告示第49号。以下「告示」という。）の実施に伴う留意事項は下記のとおりであるので、十分御了知の上、各都道府県においては、貴管内の市町村（特別区を含む。以下同じ。）に対して遅滞なく周知を図られたい。

なお、本通知は令和5年4月1日より適用することとし、「特定教育・保育等に要する費用の額の算定に関する基準等の実施上の留意事項について」（平成28年8月23日付府子本第571号、28文科初第727号、雇児発0823第1号）は廃止する。

この通知の適用前に、旧通知に基づき実施した取り扱いについては、なお従前の例によることとする。

記

第1　公定価格の具体的な算定方法等

(1)　算定方法、加算の要件及び申請手続き等

　　特定教育・保育等に要する費用の額（以下「公定価格」という。）の算定に関する基準については、告示に定めるところであるが、具体的な算定方法、加算の要件及び申請手続き等については、別紙1から別紙10によること。

(2)　教育標準時間認定子どもに係る経過措置

　　教育標準時間認定子どもに係る施設型給付費等の額については、子ども・子育て支援法（平成24年法律第65号）附則第9条第1項第1号及び同項第2号イ及びロ並びに同項第3号イ及びロの規定により、国庫負担対象部分と地方単独費用部分に分かれるが、告示に定める別表第2等の額は、地方単独費用部分も含め、特定教育・保育に通常用する費用の額としての標準価格を示しているものであり、国庫負担対象部分は、この標準価格に1000分の749を乗じて得た額としている。

　　地方単独費用部分は地域の実情等を参酌して市町村が定めることとされているが、新制度の円滑な実施には、給付額が適正に設定されることが重要であり、また、標準価格は幼稚園等に求められる職員配置基準等を踏まえた必要な費用の実態に基づき、人件費の地域間格差も踏まえて設定した標準的な給付水準であること等を踏まえ、各市町村は、基本的に、この標準価格に基づき、各市町村において給付額を設定いただくようお願いしたいこと。

　　なお、地方財政措置についても、標準価格を基に設定する予定としていることから、こうしたことも十分に踏まえた対応とすること。

(3)　都道府県及び市町村が設置する特定教育・保育施設の公定価格

　　別紙1から別紙4及び別紙10については、都道府県及び市町村以外の者が設置する特定教育・保育施設（以下「私立施設」という。）に適用されるものであり、都道府県及び市町村が設置する特定教育・保育施設に係る公定価格については、私立施設に適用される公定価格の基準や地域の実情等を踏まえて、施設の設置主体である都道府県及び市町村が定めるものであること。

第2　月途中で利用を開始又は利用を終了した子ども等に係る公定価格の算定方法

(1)　月途中で利用を開始又は利用を終了した子どもに係る公定価格の算定方法

　　公定価格については、告示に定めるところにより各月の額を算定することになるが、月途中で利用を開始又は利用を終了した子どもに係る公定価格については、以下の算式1又は算式2を用いて、日割りにより算定すること。

　　算式1　月途中で利用を開始した子どもに係る公定価格の算定方法

　　　告示により算定された各月の公定価格×その月の月途中の利用開始日からの開所日数(注1)÷日数(注2)

　　算式2　月途中で利用を終了した子どもに係る公定価格の算定方法

　　　告示により算定された各月の公定価格(注1)×その月の月途中の利用終了日の前日までの開所日数(注1)÷日数(注2)

　　（注1）特定教育・保育施設又は特定地域型保育事業者が定める特定教

育・保育又は特定地域型保育の提供を行う日をいい、（注2）の「日数」を超える場合は「日数」とする。

（注2）教育標準時間認定子ども又は幼稚園から特別利用教育の提供を受ける保育認定子どもの場合　20日
上記以外の子どもの場合　25日

（注3）上記により算定して得た額に10円未満の端数がある場合は切り捨てる。

(2)　月途中で認定区分が変更した子どもに係る公定価格の算定方法

施設型給付等の支給を受けていた子どもが、保護者の就労状況等の変化により、認定区分が変更した場合については、変更した日の属する月の翌月（月初日に変更となった場合はその月）から適用する公定価格を変更すること。

なお、当該取扱は、認定区分の変更前後において、同一の施設・事業所を利用する場合に限るものであり、認定区分の変更と併せて利用する施設・事業所が異なる場合については、変更前後の施設・事業所において、それぞれ(1)により算定すること。

第3　施設型給付費等の支弁方法

(1)　施設・事業者からの請求

施設型給付費等については、毎月、施設・事業者から施設型給付費等の法定代理受領に係る請求書（私立保育所にあっては委託費に係る請求書）を徴して支弁すること。

なお、各施設の利用状況や加算の認定状況等を把握することにより、職権で支弁できる場合については、この請求を簡素化することができること。

また、施設型給付費等については、当該施設・事業所を利用する子どもの実人員に応じて支弁されるものであること。

(2)　支弁時期

各月初日に利用する子どもに係る施設型給付費等については、当月分は遅くともその月中に支弁すること。

また、月途中で利用を開始又は利用を終了した子どもに係る施設型給付費等については、翌月の支給時（翌月初日に利用する子どもに係る施設型給付等の支給時）に併せて支弁又は精算をすること。

第4　充足すべき職員数の算定方法について

公定価格における充足すべき職員数については、別紙1から別紙10に規定するところである。

(1)　基本分単価において充足すべき職員と各加算について

3歳児配置改善加算、4歳以上児配置改善加算、満3歳児対応加配加算、講師配置加算、チーム保育加配加算、主幹教諭等（主任保育士）専任加算、指導充実加配加算、チーム保育推進加算、学級編制調整加配加算、療育支援加算及び障害児保育加算の認定に当たっては、基本分単価において充足すべき年齢別配置基準職員数及び年齢別配置基準職員を補正する職員数を満たした上で、それぞれの加算において求める職員数を充足すること。また、事務職員雇上費加算、事務職員配置加算及び事務負担対応加配加算の認定に当たっては、基本分単価において充足すべき事務職員及び非常勤事務職員（注）を満たした上で、それぞれの加算において求める事務職員及び非常勤事務職員を充足すること。

職員数の充足状況の確認に際しては、当該施設・事業所の専任又は他の施設・事業所との兼務の状況を把握すること。兼務とされる職員については、機会を捉えて、勤務の実態を把握するようにすること。

また、施設・事業所において地域子ども・子育て支援事業等を実施している場合は、それらの事業等において求められる職員の配置を含めて充足状況を確認すること。

（注）園長等の職員が兼務する場合又は業務委託する場合は、配置は不要であること。

(2)　各加算の適用順位について

各加算の適用に優先順位はなく、各園の実情に応じて必要な加算を選択できること。また、3歳児配置改善加算、4歳以上児配置改善加算及び満3歳児対応加配加算の適用については、別添1の算式により算出された職員数を満たす場合に加算が適用されること。

(3)　常勤以外の職員配置について

常勤以外の職員を配置する場合については、下記の算式によって得た数値により充足状況を確認すること。なお、学級担任は原則常勤専任であることに留意すること。

算式　常勤以外の職員の1か月の勤務時間数の合計÷各施設・事業所の就業規則等で定めた常勤職員の1か月の勤務時間数＝常勤換算値

第5　虚偽等の場合の返還措置

　市町村長は、公定価格における充足すべき職員の配置状況や、各加算等の要件について、指導監督等を通じてその適合状況を把握すること。

　また、指導監督等の結果、施設・事業者が虚偽又は不正の手段により加算の認定等を受けていることが認められた場合には、既に支給された加算等の全部又は一部の返還措置を講じること。

別紙1（幼稚園（教育標準時間認定1号））

Ⅰ　地域区分等

1　地域区分（①）

　　利用する施設が所在する市町村ごとに定められた告示別表第1による区分を適用する。

2　定員区分（②）

　　利用する施設の教育標準時間認定子どもに係る利用定員の総和に応じた区分を適用する。

3　認定区分（③）

　　利用子どもの認定区分に応じた区分を適用する。

4　年齢区分（④）

　　利用子どもの満年齢に応じた区分を適用する。

　　なお、年度の初日の前日における満年齢に基づき区分した場合に、年齢区分が異なる場合は、適用される年齢区分における基本分単価（⑤）、処遇改善等加算Ⅰ（⑥）及び3歳児配置改善加算（⑧）の単価について、それぞれの「月額調整」欄に定める額に置き替えて適用するものとする。

Ⅱ　基本部分

1　基本分単価（⑤）

（1）　額の算定

　　　地域区分（①）、定員区分（②）、認定区分（③）、年齢区分（④）（以下「地域区分等」という。）に応じて定められた額とする。

（2）　基本分単価に含まれる職員構成

　　　基本分単価に含まれる職員構成は以下のとおりであることから、これを充足すること。

　（ア）　園長

　（イ）　教員（教諭等）

　　　基本分単価における必要教員数（園長及び幼稚園設置基準（昭和31年文部省令第32号）第5条第3項に規定する教員を除く。）は以下のⅰとⅱを合計した数であること。

　　　ⅰ　年齢別配置基準

　　　　　4歳以上児30人につき1人、3歳児及び満3歳児20人につき1人

　　　　　（注1）ここでいう「教員（教諭等）」とは、幼稚園教諭免許状を有する者を

いうこと（なお、副園長及び教頭については、この限りでない。）。

　　　　　（注2）ここでいう「4歳以上児」及び「3歳児」とは、年度の初日の前日における満年齢によるものであること。

　　　　　　また、「満3歳児」とは、年度の初日の前日における満年齢が2歳で、年度途中に満3歳に達し入園した者をいうこと。

　　　　　（注3）確認に当たっては以下の算式によること。

　　　　　　＜算式＞

　　　　　　　｛4歳以上児数×1／30（小数点第1位まで計算（小数点第2位以下切り捨て））｝＋｛3歳児及び満3歳児数×1／20（同）｝＝配置基準上教員数（小数点以下四捨五入）

　　　ⅱ　学級編制調整加配

　　　　　教育標準時間認定子どもに係る利用定員が36人以上300人以下の施設に1人

　（ウ）　その他

　　　ⅰ　事務職員及び非常勤事務職員

　　　　　（注）園長等の職員が兼務する場合又は業務委託する場合は、配置は不要であること。

　　　　　（注）非常勤事務職員については、週2日分の費用を算定。

　　　ⅱ　学校医、学校歯科医及び学校薬剤師

　　　　　（注）嘱託等で可。

Ⅲ　基本加算部分

1　処遇改善等加算Ⅰ（⑥）

（1）　加算の要件及び加算の認定

　　　加算の要件及び加算の認定は別に定めるところによる。

（2）　加算額の算定

　　　加算額は、地域区分等に応じた単価に、別に定めるところにより認定した加算率×100を乗じて得た額とする。

2　副園長・教頭配置加算（⑦）

（1）　加算の要件

　　　園長以外の教員として、次の要件を満たす副園長又は教頭を配置している施設に加算する。配置人数にかかわらず同額とする。

　　ⅰ　学校教育法（昭和22年法律第26号）第27条に規定する副園長又は教頭の職務をつかさどっていること。学級担任など教育・保育へ

の従事状況は問わない。

ii 学校教育法施行規則（昭和25年文部省令第11号）第23条において準用する第20条から第22条までに該当するものとして発令を受けていること。幼稚園教諭免許状を有さない場合も含む。

iii 当該施設に常時勤務する者であること。

iv 園長が専任でない施設において、幼稚園設置基準第5条第3項に規定する教員に該当しないこと。

(2) 加算の認定

㋐ 加算の認定は、施設が所在する市町村が行うこととし、新たに加算を認定するにあたっては、その施設の設置者からその旨の申請（施設名、加算の適用開始年月、副園長又は教頭となる者の氏名、年齢等を記載した履歴書等）を徴して(1)の要件への適合状況を確認すること。

㋑ 市町村は、加算の認定がされている施設について、申請又は指導監督等を通じてその状況を把握し、(1)の要件に適合しなくなった場合には、(1)の要件に適合しなくなった日の属する月の翌月（月の初日に(1)に適合しなくなった場合はその月）から加算の適用が無いものとすること。

(3) 加算額の算定

加算額は、地域区分等に応じた単価に、当該加算に係る処遇改善等加算Ⅰの単価に1の(2)で認定した加算率×100を乗じて得た額を加えた額とする。

3 3歳児配置改善加算（⑧）

(1) 加算の要件

Ⅱの1(2)㋑iの年齢別配置基準のうち、3歳児及び満3歳児に係る教員配置基準を3歳児及び満3歳児15人につき1人により実施する施設に加算する。なお、3歳児の実人数が15人を下回る場合であっても、以下の算式による配置基準上教員数を満たす場合は、加算が適用される。

＜算式＞

｛4歳以上児数×1／30（小数点第1位まで計算（小数点第2位以下切り捨て））｝＋｛3歳児及び満3歳児数×1／15（同）｝＝配置基準上教員数（小数点以下四捨五入）

(2) 加算の認定

㋐ 加算の認定は、施設が所在する市町村が行

うこととし、加算を認定するにあたっては、その施設の設置者からその旨の申請（施設名、加算の適用開始年月、利用子ども数（見込）、施設全体の常勤換算人数による配置教員数及び職員体制図等）を徴して確認すること。

㋑ 市町村は、加算の認定がされている施設について、申請又は指導監督等を通じてその状況を把握し、(1)の要件に適合しなくなった場合には、(1)の要件に適合しなくなった日の属する月の翌月（月の初日に(1)に適合しなくなった場合はその月）から加算の適用が無いものとすること。

(3) 加算額の算定

加算額は、地域区分等に応じた単価に、当該加算に係る処遇改善等加算Ⅰの単価に1の(2)で認定した加算率×100を乗じて得た額を加えた額とする。

4 4歳以上児配置改善加算（⑨）

(1) 加算の要件

Ⅱの1(2)㋑iの年齢別配置基準のうち、4歳以上児に係る教員配置基準を4歳以上児25人につき1人により実施する施設（チーム保育加配加算を算定している施設は除く。）に加算する。なお、4歳以上児が25人を下回る場合であっても、以下の算式による配置基準上教員数を満たす場合は、加算が適用される。

＜算式＞

｛4歳以上児数×1／25（小数点第1位まで計算（小数点第2位以下切り捨て））｝＋｛3歳児及び満3歳児数×1／20（同）｝＝配置基準上教員数（小数点以下四捨五入）

(2) 加算の認定

㋐ 加算の認定は、施設が所在する市町村が行うこととし、加算を認定するにあたっては、その施設の設置者からその旨の申請（施設名、加算の適用開始年月、利用子ども数（見込）、施設全体の常勤換算人数による配置教員数及び職員体制図等）を徴して確認すること。

㋑ 市町村は、加算の認定がされている施設について、申請又は指導監督等を通じてその状況を把握し、(1)の要件に適合しなくなった場合には、(1)の要件に適合しなくなった日の属する月の翌月（月の初日に(1)に適合しなくなった場合はその月）から加算の適用が無いものとすること。

(3) 加算額の算定

　　加算額は、地域区分等に応じた単価に、当該加算に係る処遇改善等加算Ⅰの単価に1の(2)で認定した加算率×100を乗じて得た額を加えた額とする。（年度の初日の前日における年齢が満3歳の子どもを除く）。

5　満3歳児対応加配加算（⑩又は⑩'）

(1) 加算の要件

　(ア) 3歳児配置改善加算の適用がない場合【⑩】

　　　Ⅱの1(2)(イ)ⅰの年齢別配置基準のうち、満3歳児に係る教員配置基準を満3歳児6人につき1人（満3歳児を除いた3歳児は20人につき1人）により実施する施設に加算する。

　　　なお、満3歳児の実人数が6人を下回る場合であっても、以下の算式による配置基準上教員数を満たす場合は、加算が適用される。

　　　＜算式＞

　　　　｛4歳以上児数×1／30（小数点第1位まで計算（小数点第2位以下切り捨て））｝＋｛3歳児数（満3歳児を除く）×1／20（同）｝＋｛満3歳児×1／6（同）｝＝配置基準上教員数（小数点以下四捨五入）

　(イ) 3歳児配置改善加算の適用がある場合【⑩'】

　　　Ⅱの1(2)(イ)ⅰの年齢別配置基準のうち、満3歳児に係る教員配置基準を満3歳児6人につき1人（満3歳児を除いた3歳児は15人につき1人）により実施する施設に加算する。

　　　なお、満3歳児の実人数が6人を下回る場合であっても、以下の算式による配置基準上教員数を満たす場合は、加算が適用される。

　　　＜算式＞

　　　　｛4歳以上児数×1／30（小数点第1位まで計算（小数点第2位以下切り捨て））｝＋｛3歳児数（満3歳児を除く）×1／15（同）｝＋｛満3歳児×1／6（同）｝＝配置基準上教員数（小数点以下四捨五入）

(2) 加算の認定

　(ア) 加算の認定は、施設が所在する市町村が行うこととし、加算を認定するにあたっては、その施設の設置者からその旨の申請（施設名、加算の適用開始年月、利用子ども数（見込）、施設全体の常勤換算人数による配置教員数及び職員体制図等）を徴して確認すること。

　(イ) 市町村は、加算の認定がされている施設について、申請又は指導監査等を通じてその状況を把握し、(1)の要件に適合しなくなった場合には、(1)の要件に適合しなくなった日の属する月の翌月（月の初日に(1)に適合しなくなった場合はその月）から加算の適用が無いものとすること。

(3) 加算額の算定

　　加算額は、地域区分等に応じた単価に、当該加算に係る処遇改善等加算Ⅰの単価に1の(2)で認定した加算率×100を乗じて得た額を加えた額とする。

6　講師配置加算（⑪）

(1) 加算の要件

　　基本分単価（⑤）及び他の加算等の認定に当たって求められる「必要教員数」を超えて、非常勤講師（幼稚園教諭免許状を有し、教諭等の発令を受けている者）を配置する利用定員が35人以下又は121人以上の施設に加算する。

(2) 加算の認定

　(ア) 加算の認定は、施設が所在する市町村が行うこととし、加算を認定するにあたっては、その施設の設置者からその旨の申請（施設名、加算の適用年月、利用子ども数（見込）、施設全体の常勤換算人数による配置教員数及び職員体制図等）を徴して確認すること。

　(イ) 市町村は、加算の認定がされている施設について、申請又は指導監督等を通じてその状況を把握し、(1)の要件に適合しなくなった場合には、(1)の要件に適合しなくなった日の属する月の翌月（月の初日に(1)に適合しなくなった場合はその月）から加算の適用が無いものとすること。

(3) 加算額の算定

　　加算額は、地域区分等に応じた単価に、当該加算に係る処遇改善等加算Ⅰの単価に1の(2)で認定した加算率×100を乗じて得た額を加えた額とする。

7　チーム保育加配加算（⑫）

(1) 加算の要件

　　基本分単価（⑤）及び他の加算等の認定に当たって求められる「必要教員数」を超えて、教員（幼稚園教諭の免許状を有するが教諭等の発令を受けていない教育補助者を含む。）を配置する施設において、副担任等の学級担任以外の教員を配置する、少人数の学級編制を行うなど、低年齢児を中心として小集団化したグループ教育を実施する場合に加算する。

なお、本加算の算定上の「加配人数」は、教育標準時間認定子どもに係る利用定員の区分ごとの上限人数^(注1)の範囲内で、「必要教員数」を超えて配置する教員数^(注2)とする。

（注1）教育標準時間認定子どもに係る利用定員の区分ごとの上限人数

45人以下：1人、46人以上150人以下：2人、151人以上240人以下：3人、241人以上270人以下：3.5人、271人以上300人以下：5人、301人以上450人以下：6人、451人以上：8人

（注2）「必要教員数」を超えて配置する教員数に応じ、以下のとおり取り扱うこととする。

① 常勤換算人数（小数点第2位以下切り捨て、小数点第1位四捨五入前）による配置教員数から必要教員数を減じて得た員数が3人未満の場合

小数点第1位を四捨五入した員数とする。

（例）2.3人の場合、2人

② 常勤換算人数（小数点第2位以下切り捨て、小数点第1位四捨五入前）による配置教員数から必要教員数を減じて得た員数が3人以上の場合

小数点第1位が1又は2のときは小数点第1位を切り捨て、小数点第1位が3又は4のときは小数点第1位を0.5とし、小数点第1位が5以上のときは小数点第1位を切り上げて得た員数とする。

（例）3.2人の場合→3人、3.4人の場合→3.5人、3.6人の場合→4人

(2) 加算の認定

(ア) 加算の認定は、施設が所在する市町村が行うこととし、加算を認定するにあたっては、その施設の設置者からその旨の申請（施設名、加算の適用年月、利用子ども数（見込）、施設全体の常勤換算人数による配置教員数及び職員体制図等）を徴して確認すること。

(イ) 市町村は、加算の認定がされている施設について、申請又は指導監督等を通じてその状況を把握し、(1)の要件に適合しなくなった場合には、(1)の要件に適合しなくなった日の属する月の翌月（月の初日に(1)に適合しなくなった場合はその月）から加算の適用が無いものとすること。

(3) 加算額の算定

加算額は、地域区分等に応じた単価に、当該加算に係る処遇改善等加算Ⅰの単価に1の(2)で認定した加算率×100を乗じて得た額を加えた額を基本額とし、当該基本額に(1)の「加配人数」を乗じて得た額とする。

8 通園送迎加算（⑬）

(1) 加算の要件

利用子どもの通園の便宜のため送迎を行う施設に加算する。

なお、年間に必要な経費を平準化して単価を設定しているため、通園送迎を利用していない園児についても同額を加算し、また、長期休業期間の単価にも加算するものとする。

(注) 送迎の実施方法（運転手を雇用して実施又は業務委託して実施等）は問わない。

(2) 加算の認定

(ア) 加算の認定は、施設が所在する市町村が行うこととし、加算を認定するにあたっては、その施設の設置者からその旨の申請（施設名、加算の適用年月、利用子ども数（見込）及び通園送迎の実施状況等が分かる資料等）を徴して確認すること。

(イ) 市町村は、加算の認定がされている施設について、申請又は指導監督等を通じてその状況を把握し、(1)の要件に適合しなくなった場合には、(1)の要件に適合しなくなった日の属する月の翌月（月の初日に(1)に適合しなくなった場合はその月）から加算の適用が無いものとすること。

(3) 加算額の算定

加算額は、地域区分等に応じた単価に、当該加算に係る処遇改善等加算Ⅰの単価に1の(2)で認定した加算率×100を乗じて得た額を加えた額とする。

9 給食実施加算（⑭）

(1) 加算の要件

給食を実施している施設に加算する。

本加算の算定上の「週当たり実施日数」は、修業期間中の平均的な月当たり実施日数を4（週）で除して算出（小数点第1位を四捨五入）することとし、子ども全員に給食を提供できる体制をとっている日を実施日とみなすものとする（保護者が弁当持参を希望するなどにより給食を利用しない子どもがいる場合も実施日に含む）。

なお、年間に必要な経費を平準化して単価を設定しているため、長期休業期間の単価にも加

算するものとする。

　（注）給食の実施方法（業務委託、外部搬入
　　　　等）は問わない。

(2)　加算の認定

　㋐　加算の認定は、施設が所在する市町村が行
　　うこととし、加算を認定するにあたっては、
　　その施設の設置者からその旨の申請（施設
　　名、加算の適用年月、利用子ども数（見込）
　　及び給食の実施状況・実施形態の別等が分か
　　る資料等）を徴して確認すること。

　㋑　市町村は、加算の認定がされている施設に
　　ついて、申請又は指導監督等を通じてその状
　　況を把握し、(1)の要件に適合しなくなった場
　　合には、(1)の要件に適合しなくなった日の属
　　する月の翌月（月の初日に(1)に適合しなく
　　なった場合はその月）から加算の適用が無い
　　ものとすること。

(3)　加算額の算定

　　加算額は、定員区分及び以下の給食の実施形
　　態の別に応じて定められた単価に、当該加算に
　　係る処遇改善等加算Ⅰの単価に1の(2)で認定し
　　た加算率×100を乗じて得た額を加えた額とす
　　る。

　㋐　施設内の調理設備を使用してきめ細かに調
　　理を行っている場合^(注1)

　㋑　施設外で調理して施設に搬入する方法によ
　　り給食を実施している場合^(注2)

　　　（注1）施設の職員が調理を行っている場合
　　　　　　のほか、安全・衛生面、栄養面、食育
　　　　　　等の観点から施設の管理者が業務上必
　　　　　　要な注意を果たし得るような体制及び
　　　　　　契約内容により、調理業務を第三者に
　　　　　　委託する場合を含む。

　　　（注2）搬入後に施設内において喫食温度ま
　　　　　　で加温し提供する場合を含む。

10　外部監査費加算　（⑮）

(1)　加算の要件

　　幼稚園を設置する学校法人等が、当年度の幼
　稚園の運営に係る会計について、公認会計士又
　は監査法人による監査（以下「外部監査」とい
　う。）を受ける場合に加算する。

　　外部監査の内容等については、幼稚園に係る
　私立学校振興助成法（昭和50年法律第61号）第
　14条第3項に規定する公認会計士又は監査法人
　の監査及びこれに準ずる公認会計士又は監査法
　人の監査と同等のものとする。

(2)　加算の認定

　㋐　加算の認定は、施設が所在する市町村が行

うこととし、加算を認定するにあたっては、
その施設の設置者からその旨の申請（施設
名、加算の適用年度、利用子ども数（見込）
及び外部監査の実施状況等が分かる資料等）
を徴して確認すること。

　㋑　当年度の3月時点で外部監査を実施するこ
　　とが確認できれば、当年度の3月分の単価に
　　加算する。（監査報告書の作成等の時期が翌
　　年度になる場合でも、監査実施契約が締結さ
　　れているなど、確実に外部監査が実施される
　　ことが確認できれば、当年度の3月分の単価
　　に加算する。）

　　　なお、監査報告書については、作成次第速
　　やかに、監査実施者から施設が所在する市町
　　村に提出すること。

(3)　加算額の算定

　　加算額は、利用定員に応じて定められた額と
　し、3月初日に利用する子どもの単価に加算す
　る。

11　副食費徴収免除加算　（⑯）

(1)　加算の要件

　　利用子どもの全てに副食の全てを提供する日
　（以下「給食実施日」という。）^(注1) があり、
　かつ、利用子どもである副食費徴収免除対象子
　ども^(注2) に副食の全てを提供する日がある施
　設に加算する。

　　　（注1）副食の提供状況については保護者への
　　　　　　意向聴取等により施設が把握している各月
　　　　　　初日における副食の提供予定による。ま
　　　　　　た、施設の都合によらずに副食の一部又は
　　　　　　全部の提供を要しない利用子どもについて
　　　　　　は副食の全てを提供しているものと見なす
　　　　　　ものとする。

　　　（注2）以下のいずれかに該当する子どもとし
　　　　　　て、副食費の徴収が免除されることについ
　　　　　　て市町村から通知がされた子どもとする。

　　　　①　特定教育・保育施設及び特定地域型保
　　　　　育事業並びに特定子ども・子育て支援施
　　　　　設等の運営に関する基準（平成26年内閣
　　　　　府令第39号。以下「特定教育・保育施設
　　　　　等運営基準」という。）第13条第4項第
　　　　　3号イの(1)又は(2)に規定する年収360万
　　　　　円未満相当世帯に属する子ども

　　　　②　特定教育・保育施設等運営基準第13条
　　　　　第4項第3号ロの(1)又は(2)に規定する第
　　　　　3子以降の子ども

　　　　③　保護者及び当該保護者と同一の世帯に
　　　　　属する者が子ども・子育て支援法施行令

（平成26年政令第213号）第15条の３第２項各号に規定する市町村民税を課されない者に準ずる者である子ども

(2) 加算の認定

(ア) 加算の認定は、施設が所在する市町村が月毎に行うこととし、加算の認定をするにあたっては、その施設の設置者からその旨の申請（施設名、加算の適用年月、副食の提供予定等）を徴して確認すること。

(イ) 市町村は、加算の認定がされている施設について、指導監督等を通じて副食の提供状況を把握し、申請内容と実績に乖離がある場合には、施設の設置者から理由を徴すること。

(3) 加算額の算定

加算額は、定められた額に、各月の給食実施日数 ^{（注）} を乗じて得た額とし、副食費徴収免除対象子どもについて加算する（算定して得た額に10円未満の端数がある場合は切り捨てる。）。

（注）20を超える場合には20とする。

IV 加減調整部分

1 年齢別配置基準を下回る場合（⑰）

(1) 調整の適用を受ける施設の要件

施設に配置する教員数が、Ⅱの１(2)(イ) ⅰ及びⅱで定める教員数を下回る場合に調整する。

本調整の算定上の「人数」は、必要教員数から配置教員数を減じて得た人数とする。

(2) 調整の適用を受ける施設の認定

(ア) 調整の適用を受ける施設の認定は、施設が所在する市町村が、Ⅱの１(2)で定める職員の充足状況の確認と併せて本調整の適用の有無を確認の上行うこと。

(イ) 市町村は、調整の適用を受ける施設について、申請又は指導監督等を通じてその状況を把握し、(1)の要件に適合しなくなった場合には、(1)の要件に適合しなくなった日の属する月の翌月（月の初日に(1)に適合しなくなった場合はその月）から調整の適用が無いものとすること。

(3) 調整額の算定

調整額は、地域区分等に応じた単価に、当該調整に係る処遇改善等加算Ⅰ相当の単価にⅢの１(2)で認定した加算率×100を乗じて得た額を加えた額を基本額とし、当該基本額に(1)の「人数」を乗じて得た額とする。

V 乗除調整部分

1 定員を恒常的に超過する場合（⑱）

(1) 調整の適用を受ける施設の要件

直前の連続する２年度間常に利用定員を超え

ており ^{（注1）}、かつ、各年度の年間平均在所率 ^{（注2）} が120％以上の状態にある施設に適用する。

なお、教育・保育の提供は利用定員の範囲内で行われることが原則であること。

また、上記の状態にある施設に対しては、利用定員の見直しに向けた指導を行うこと。

（注1）利用定員を超えて受け入れる場合の留意事項

利用定員を超えて受け入れる場合であっても、施設の設備又は職員数が、利用定員を超えて利用する子どもを含めた利用子ども数に照らし、幼稚園設置基準及び本通知等に定める基準を満たしていること。

（注2）年間平均在所率

当該年度内における各月の初日の利用子ども数の総和を各月の初日の利用定員の総和で除したものをいう。

(2) 調整の適用を受ける施設の認定

(ア) 調整の適用を受ける施設の認定は、施設が所在する市町村が施設の利用状況を確認の上行うこと。

(イ) ただし、子ども・子育て支援法による確認を受ける前から既に認可定員（収容定員）を超過していた私立幼稚園については、現行の都道府県の私学助成における補助金の交付額の減額の仕組み等による対応との整合性等を踏まえ、都道府県の判断により、子ども・子育て支援法の施行当初又は確認を受けた時から減算を適用することも可能とする。この場合の考え方及び手続は、平成26年10月17日付け事務連絡「認可定員を超過して園児を受け入れている私立幼稚園に係る子ども・子育て支援法に基づく確認等に関する留意事項について」によるものとする。

(ウ) 市町村は、調整の適用を受ける施設について、指導監督等を通じて利用定員の見直しが行われた場合又は地域における需要の動向等を踏まえて当該年度における年間平均在所率が120％以上の状態にならないものと認められる場合には、見直し等が行われた日の属する月の翌月（月の初日に(1)に適合しなくなった場合はその月）から調整の適用が無いものとすること。

(3) 適用される基本部分及び加減調整部分の額の調整方法

本調整措置が適用される施設における基本分

単価（⑤）から年齢別配置基準を下回る場合（⑰）（副食費徴収免除加算（⑯）を除く。）の額については、それぞれの額の総和に各月初日の利用子ども数の区分及び地域区分等に応じた調整率を乗じて得た額とする（算定して得た額に10円未満の端数がある場合は切り捨てる。）。

Ⅵ　特定加算部分

1　主幹教諭等専任加算（⑲）

（1）加算の要件

　　主幹教諭等（学校教育法第27条に規定する副園長、教頭、主幹教諭及び指導教諭をいう。以下同じ。）を指導計画の立案や地域の子育て支援活動等の業務に専任させるため、基本分単価（⑤）及び他の加算等の認定に当たって求められる「必要教員数」を超えて代替教員（非常勤講師等）を配置し、以下の事業等を複数実施する施設に加算する。

　　なお、主幹教諭等が学級担任を兼務することは適切ではなく、代理で行う場合であっても、1月を超えて兼務が継続している場合、加算は適用されないこと。

ⅰ　幼稚園型一時預かり事業（子ども・子育て支援交付金の交付に係る要件に適合しており、かつ、月の平均対象子どもが1人以上いるもの（年度当初から事業を開始する場合は5月において当該要件を満たしていることをもって4月から当該要件を満たしているものと取り扱う。）。私学助成の預かり保育推進事業、幼稚園長時間預かり保育支援事業、市町村の単独事業・自主事業（私学助成の国庫補助事業の対象に準ずる形態で実施されている場合に限る。）等により行う預かり保育を含む。ただし、当該要件を満たした月以降の各月においては、同一年度に限り、事業を実施する体制が取られていることをもって当該要件を満たしているものと取り扱う。）

ⅱ　一般型一時預かり事業（子ども・子育て支援交付金の交付に係る要件に適合しており、かつ、月の平均対象子どもが1人以上いるもの（年度当初から事業を開始する場合は5月において当該要件を満たしていることをもって4月から当該要件を満たしているものと取り扱う。）。私学助成の子育て支援活動の推進等により行う未就園児の保育、幼稚園型一時預かり事業により行う非在園児の預かり及びこれらと同等の要件を満たして実施しているもの。（ただし、当該要件を満たした月以降

の各月においては、同一年度に限り、事業を実施する体制が取られていることをもって当該要件を満たしているものと取り扱う。）

ⅲ　満3歳児に対する教育・保育の提供（月の初日において満3歳児が1人以上利用している月から年度を通じて当該要件を満たしているものとする。）

ⅳ　障害児（軽度障害児を含む。）（注）に対する教育・保育の提供（月の初日において障害児が1人以上利用している月から年度を通じて当該要件を満たしているものとする。）

　（注）市町村が認める障害児とし、身体障害者手帳等の交付の有無は問わない。医師による診断書や巡回支援専門員等障害に関する専門的知見を有する者による意見提出など障害の事実が把握可能な資料をもって確認しても差し支えない。

ⅴ　継続的な小学校との連携・接続に係る取組で以下の全ての要件を満たすもの（年度当初から当該取組を開始する場合は5月において計画により下記の要件を満たしていることをもって4月から年度を通じて当該要件を満たしているものと取り扱う。）

　（ア）小学校との連携・接続に関する業務分掌を明確にしていること。

　（イ）授業・行事、研究会・研修等の小学校との子ども及び教職員の交流活動を年度を通じて複数回実施していること。

　（ウ）小学校と協働して、5歳児から小学校1年生の2年間（2年以上を含む。）のカリキュラムを編成・実施していること（小学校との継続的な協議会の開催等により具体的な編成に着手していると認められる場合を含む。）。

ⅵ　都道府県及び市町村等の教育委員会又は幼児教育センターなど幼児教育施設に対して幼児教育の内容・指導方法等の指導助言等を行う部局、あるいは幼児教育アドバイザーなど地方自治体に所属して幼児教育の専門的な知見や豊富な実践経験に基づき幼児教育に関する指導助言等を行う者と連携して、園内研修を企画・実施していること。

（2）加算の認定

　（ア）加算の認定は、施設が所在する市町村が行うこととし、加算の認定をするにあたっては、その施設の設置者からその旨の申請（施設名、加算の適用年月、(1)のⅰからⅴの事業

等の実施状況等）を徴して確認すること。

(イ) 市町村は、加算の認定がされている施設について、申請又は指導監査等を通じてその状況を把握し、(1)の要件に適合しなくなった場合には、(1)の要件に適合しなくなった日の属する月の翌月（月の初日に(1)に適合しなくなった場合はその月）から加算の適用が無いものとすること。

(3) 加算額の算定

加算額は、基本額に、当該加算に係る処遇改善等加算Ⅰの単価にⅢの1(2)で認定した加算率×100を乗じて得た額を加えた額を、各月初日の利用子ども数で除して得た額とする。（算定して得た額に10円未満の端数がある場合は切り捨てる。）

2 子育て支援活動費加算（⑳）

(1) 加算の要件

主幹教諭等専任加算（⑲）の対象施設において、保護者や地域住民からの育児相談、地域の子育て支援活動等に取り組んでいる場合に加算する。

(2) 加算の認定

(ア) 加算の認定は、施設が所在する市町村が行うこととし、加算の認定をするにあたっては、その施設の設置者からその旨の申請（施設名、加算の適用年月、子育て支援活動等の実施状況等）を徴して確認すること。

(イ) 市町村は、加算の認定がされている施設について、申請又は指導監督等を通じてその状況を把握し、(1)の要件に適合しなくなった場合には、(1)の要件に適合しなくなった日の属する月の翌月（月の初日に(1)に適合しなくなった場合はその月）から加算の適用が無いものとすること。

(3) 加算額の算定

加算額は、基本額に、当該加算に係る処遇改善等加算Ⅰの単価にⅢの1(2)で認定した加算率×100を乗じて得た額を加えた額を、各月初日の利用子ども数で除して得た額とする（算定して得た額に10円未満の端数がある場合は切り捨てる。）。

3 療育支援加算（㉑）

(1) 加算の要件

主幹教諭等専任加算（⑲）の対象施設かつ障害児 [注1] を受け入れている [注2] 施設において、主幹教諭等を補助する者 [注3] を配置し、地域住民等の子どもの療育支援に取り組む場合

に加算する。

なお、当該加算が適用される施設においては、障害児施策との連携を図りつつ、障害児教育に関する専門性を活かして、地域住民や保護者からの育児相談等の療育支援に積極的に取り組むこと [注4] 。

(注1) 市町村が認める障害児とし、身体障害者手帳等の交付の有無は問わない。医師による診断書や巡回支援専門員等障害に関する専門的知見を有する者による意見提出など障害の事実が把握可能な資料をもって確認しても差し支えない。

(注2) 「障害児を受け入れている」とは、月の初日において障害児が1人以上利用していることをもって満たしているものとし、以降年度を通じて当該要件を満たしているものとすること。

(注3) 非常勤職員であって、資格の有無は問わない。

(注4) 取組の例示

・ 施設を利用する気になる段階の子どもを含む障害児について、障害児施策との連携により、早期の段階から専門的な支援へと結びつける。

・ 地域住民からの育児相談等に対応し、専門的な支援へと結びつける。

・ 補助者の活用により障害児施策との連携を図る。

・ 障害児施策との連携により、施設における障害児教育の専門性を強化し、障害児に対する支援の充実を図る。

(2) 加算の認定

(ア) 加算の認定は、施設が所在する市町村が行うこととし、加算の認定をするにあたっては、その施設の設置者からその旨の申請（施設名、加算の適用年月、対象の子ども等）を徴して確認すること。

(イ) 市町村は、加算の認定がされている施設について、申請又は指導監査等を通じてその状況を把握し、(1)の要件に適合しなくなった場合には、(1)の要件に適合しなくなった日の属する月の翌月（月の初日に(1)に適合しなくなった場合はその月）から加算の適用が無いものとすること。

(3) 加算額の算定

加算額は、特別児童扶養手当支給対象児童 [注] 受入施設又はそれ以外の障害児受入施設

の別に定められた基本額に、当該加算に係る処
遇改善等加算Ⅰの単価にⅢの1(2)で認定した加
算率×100を乗じて得た額を加えた額を、各月
初日の利用子ども数で除して得た額とする（算
定して得た額に10円未満の端数がある場合は切
り捨てる。）。
　　　(注) 特別児童扶養手当の支給要件に該当する
　　　　　 が所得制限により当該手当の支給がされて
　　　　　 いない児童を含む。
4　事務職員配置加算（㉒）
　(1)　加算の要件
　　　　基本分単価（⑤）において求められる事務職
　　　員及び非常勤事務職員 (注) を超えて、非常勤事
　　　務職員を配置する利用定員が91人以上の施設に
　　　加算する。
　　　(注) 園長等の職員が兼務する場合又は業務委
　　　　　 託をする場合は、配置は不要であること。
　(2)　加算の認定
　　　(ア)　加算の認定は、施設が所在する市町村が行
　　　　　 うこととし、加算の認定をするにあたって
　　　　　 は、その施設の設置者からその旨の申請（施
　　　　　 設名、加算の適用年月、利用子ども数（見
　　　　　 込）、職員の配置状況が記載された職員体制
　　　　　 図等）を徴して確認すること。
　　　(イ)　市町村は、加算の認定がされている施設に
　　　　　 ついて、申請又は指導監督等を通じてその状
　　　　　 況を把握し、(1)の要件に適合しなくなった場
　　　　　 合には、(1)の要件に適合しなくなった日の属
　　　　　 する月の翌月（月の初日に(1)に適合しなく
　　　　　 なった場合はその月）から加算の適用が無い
　　　　　 ものとすること。
　(3)　加算額の算定
　　　　加算額は、区分ごとの基本額に、当該加算に
　　　係る処遇改善等加算Ⅰの単価にⅢの1(2)で認定
　　　した加算率×100を乗じて得た額を加えた額
　　　を、各月初日の教育標準時間認定を受けた利用
　　　子ども数で除して得た額とする。（算定して得
　　　た額に10円未満の端数がある場合は切り捨て
　　　る。）
5　指導充実加配加算（㉓）
　(1)　加算の要件
　　　　基本分単価（⑤）及び他の加算等の認定に当
　　　たって求められる「必要教員数」を超えて、非
　　　常勤講師を配置する利用定員が271人以上の施
　　　設に加算する。
　(2)　加算の認定
　　　(ア)　加算の認定は、施設が所在する市町村が行

うこととし、加算を認定するにあたっては、
その施設の設置者からその旨の申請（施設
名、加算の適用年月、非常勤講師の配置が分
かる資料等）を徴して確認すること。
　　　(イ)　市町村は、加算の認定がされている施設に
　　　　　 ついて、申請又は指導監査等を通じてその状
　　　　　 況を把握し、(1)の要件に適合しなくなった場
　　　　　 合には、(1)の要件に適合しなくなった日の属
　　　　　 する月の翌月（月の初日に(1)に適合しなく
　　　　　 なった場合はその月）から加算の適用が無い
　　　　　 ものとすること。
　(3)　加算の算定
　　　　加算額は、基本額に、当該加算に係る処遇改
　　　善等加算Ⅰの単価にⅢの1(2)で認定した加算率
　　　×100を乗じて得た額を、各月初日の利用子ど
　　　も数で除して得た額とする（算定して得た額に
　　　10円未満の端数がある場合は切り捨てる。）。
6　事務負担対応加配加算（㉔）
　(1)　加算の要件
　　　　基本分単価（⑤）において求められる事務職
　　　員及び非常勤事務職員 (注) 並びに事務職員配置
　　　加算（㉒）において求められる非常勤事務職員
　　　を超えて、非常勤事務職員を配置する利用定員
　　　が271人以上の施設に加算する。
　　　(注) 園長等の職員が兼務する場合又は業務委
　　　　　 託をする場合は、配置は不要であること。
　(2)　加算の認定
　　　(ア)　加算の認定は、施設が所在する市町村が行
　　　　　 うこととし、加算を認定するにあたっては、
　　　　　 その施設の設置者からその旨の申請（施設
　　　　　 名、加算の適用年月、非常勤事務職員の配置
　　　　　 が分かる資料等）を徴して確認すること。
　　　(イ)　市町村は、加算の認定がされている施設に
　　　　　 ついて、申請又は指導監査等を通じてその状
　　　　　 況を把握し、(1)の要件に適合しなくなった場
　　　　　 合には、(1)の要件に適合しなくなった日の属
　　　　　 する月の翌月（月の初日に(1)に適合しなく
　　　　　 なった場合はその月）から加算の適用が無い
　　　　　 ものとすること。
　(3)　加算の算定
　　　　加算額は、基本額に、当該加算に係る処遇改
　　　善等加算Ⅰの単価にⅢの1(2)で認定した加算率
　　　×100を乗じて得た額を、各月初日の利用子ど
　　　も数で除して得た額とする（算定して得た額に
　　　10円未満の端数がある場合は切り捨てる。）。
7　処遇改善等加算Ⅱ（㉕）
　(1)　加算の要件及び加算の認定

加算の要件及び加算の認定は別に定めるところによる。

(2) 加算額の算定

加算額は、処遇改善等加算Ⅱ─①及びⅡ─②の別に定められる額にそれぞれ対象人数を乗じて得た額の合計を、各月初日の利用子ども数で除して得た額とする（算定して得た額に10円未満の端数がある場合は切り捨てる。）。

8 処遇改善等加算Ⅲ （26）

(1) 加算の要件及び加算の認定

加算の要件及び加算の認定は別に定めるところによる。

(2) 加算額の算定

加算額は、別に定める額に対象人数を乗じて得た額を、各月初日の利用子ども数で除して得た額とする（算定して得た額に10円未満の端数がある場合は切り捨てる。）。

9 冷暖房費加算 （27）

(1) 加算の要件

全ての施設に加算する。

(2) 加算額の算定

加算額は、以下の地域の区分に応じて定める額とする。

1級地	国家公務員の寒冷地手当に関する法律（昭和24年法律第200号）別表に規定する1級地をいう。
2級地	国家公務員の寒冷地手当に関する法律別表に規定する2級地をいう。
3級地	国家公務員の寒冷地手当に関する法律別表に規定する3級地をいう。
4級地	国家公務員の寒冷地手当に関する法律別表に規定する4級地をいう。
その他地域	上記以外の地域をいう。

10 施設関係者評価加算 （28）

(1) 加算の要件

学校教育法施行規則第39条において準用する第66条の規定による評価（以下「自己評価」という。）を実施するとともに、第67条の規定により保護者その他の幼稚園の関係者（幼稚園職員を除く。）による評価（以下「施設関係者評価」という。）を実施し、その結果をホームページ・広報誌への掲載、保護者への説明等により広く公表する場合に加算する。

施設関係者評価の内容等については、「幼稚園における学校評価ガイドライン」（これに準じて自治体が作成したものを含む。）に準拠し、自己評価の結果に基づき実施するとともに、授業・行事等の活動の公開、園長等との意見交換の確保などに配慮して実施するものとする。

(2) 加算の認定

加算の認定は、施設が所在する市町村が行うこととし、加算を認定するにあたっては、その施設の設置者からその旨の申請（施設名、加算の適用年度、自己評価の実施状況、施設関係者評価の実施状況、公開保育の実施状況が分かる資料等）を毎年12月末までに提出させ、必要な審査を行うこと。

(注) 評価者の委嘱や会議の開催予定等により、当年度に評価や結果の公表（評価報告書の作成が翌年度以降となるため、結果の公表が翌年度になる場合を含む。）が行われることが確認できる場合は本加算の対象とする。その場合、市町村は評価や結果の公表が確実に行われていることを事後に確認すること。

(3) 加算額の算定

加算額は、公開保育の取組と組み合わせて施設関係者評価を実施する施設（注）とそれ以外の施設の別に応じて定められた額を、3月初日の利用子ども数で除して得た額（算定して得た額に10円未満の端数がある場合は切り捨てる。）とし、3月初日に利用する子どもの単価に加算する。

(注) 幼児期の教育・保育に専門的知見を有する外部有識者の協力を得て、他の幼稚園・認定こども園・保育所の職員や地域の幼児教育関係者、小学校等の他校種の教員等を招いて行われる公開保育を実施するとともに、当該公開保育に施設関係者評価の評価者の全部又は一部を参加させ、その結果を踏まえて施設関係者評価を行う施設をいう。

11 除雪費加算 （29）

(1) 加算の要件

豪雪地帯対策特別措置法（昭和37年法律第73号）第2条第2項に規定する地域に所在する施設に加算する。

(2) 加算額の算定

加算額は、定められた額とし、3月初日に利用する子どもの単価に加算する。

12 降灰除去費加算 （30）

(1)　加算の要件

　　活動火山対策特別措置法（昭和48年法律第61号）第23条第1項に規定する降灰防除地域に所在する施設に加算する。

(2)　加算額の算定

　　加算額は、定められた額を、3月初日の利用子ども数で除して得た額（算定して得た額に10円未満の端数がある場合は切り捨てる。）とし、3月初日に利用する子どもの単価に加算する。

13　施設機能強化推進費加算（㉛）

(1)　加算の要件

　　施設における火災・地震等の災害時に備え、職員等の防災教育及び災害発生時の安全かつ、迅速な避難誘導体制を充実する等の施設の総合的な防災対策を図る取組^{（注1・注2・注3）}を行う施設で、以下の事業等を複数実施する施設に加算する。

　ⅰ　幼稚園型一時預かり事業（子ども・子育て支援交付金の交付に係る要件に適合しており、かつ、月の平均対象子どもが1人以上いるもの（年度当初から事業を開始する場合は5月において当該要件を満たしていることをもって4月から当該要件を満たしているものと取り扱う。）。私学助成の預かり保育推進事業、幼稚園長時間預かり保育支援事業、市町村の単独事業・自主事業（私学助成の国庫補助事業の対象に準ずる形態で実施されている場合に限る。）等により行う預かり保育を含む。ただし、当該要件を満たした月以降の各月においては、同一年度に限り、事業を実施する体制が取られていることをもって当該要件を満たしているものと取り扱う。）

　ⅱ　一般型一時預かり事業（子ども・子育て支援交付金の交付に係る要件に適合しており、かつ、月の平均対象子どもが1人以上いるもの（年度当初から事業を開始する場合は5月において当該要件を満たしていることをもって4月から当該要件を満たしているものと取り扱う。）。私学助成の子育て支援活動の推進等により行う未就園児の保育、幼稚園型一時預かり事業により行う非在園児の預かり及びこれらと同等の要件を満たして実施しているもの。（ただし、当該要件を満たした月以降の各月においては、同一年度に限り、事業を実施する体制が取られていることをもって当該要件を満たしているものと取り扱う。）

　ⅲ　満3歳児に対する教育・保育の提供（4月から11月までの各月初日を平均して満3歳児が1人以上利用していること。）

　ⅳ　障害児（軽度障害児を含む。）^{（注4）}に対する教育・保育の提供（4月から11月までの間に1人以上の障害児の利用があること。）

(注1)　取組の実施方法の例示

　ⅰ　地域住民等への防災支援協力体制の整備及び合同避難訓練等を実施する。

　ⅱ　職員等への防災教育、訓練の実施及び避難具の整備を促進する。

(注2)　取組に必要となる経費の額

　　取組に必要となる経費の総額が、概ね16万円以上見込まれること。

(注3)　支出対象経費

　　需用費（消耗品費、燃料費、印刷製本費、修繕費、食糧費（茶菓）、光熱水費、医療材料費）・役務費（通信運搬費）・旅費・謝金・備品購入費・原材料費・使用料及び賃借料・賃金・委託費（防災訓練及び避難具の整備等に要する特別の経費に限り、教育・保育の提供に当たって、通常要する費用は含まない。）

(注4)　市町村が認める障害児とし、身体障害者手帳等の交付の有無は問わない。医師による診断書や巡回支援専門員等障害に関する専門的知見を有する者による意見提出など障害の事実が把握可能な資料をもって確認しても差し支えない。

(2)　加算の認定

　　加算の認定は、施設が所在する市町村が行うこととし、加算の認定をするにあたっては、その施設の設置者からその旨の申請を毎年12月末までに提出させ、必要性及び経費等について必要な審査を行うこと。

(3)　加算額の算定

　　加算額は、定められた額を、3月初日の利用子ども数で除して得た額（算定して得た額に10円未満の端数がある場合は切り捨てる。）とし、3月初日に利用する子どもの単価に加算する。

(4)　実績の報告等

　　本加算の適用を受けた施設は、翌年4月末日までに実績報告書を市町村に提出すること。

　　なお、市町村は、本加算を行った施設について、監査時等に検証を行うこと。

14　小学校接続加算（㉜）

(1) 加算の要件

小学校との連携・接続について次に掲げる取組を行う施設に、(3)に定める通り加算する。

　i　小学校との連携・接続に関する業務分掌を明確にすること。

　ii　授業・行事、研究会・研修等の小学校との子ども及び教職員の交流活動を実施していること。

　iii　小学校と協働して、5歳児から小学校1年生の2年間（2年以上を含む。）のカリキュラムを編成・実施していること（小学校との継続的な協議会の開催等により具体的な編成に着手していると認められる場合を含む。）。

(2) 加算の認定

(ア) 加算の認定は、施設が所在する市町村が行うこととし、加算を認定するにあたっては、その施設の設置者からその旨の申請（施設名、加算の適用年度、小学校との連携・接続に係る取組等の実施状況等が分かる資料等）を徴して確認すること。

(イ) 当年度の3月時点で当該年度において上記の要件を満たす取組が確認できれば、当年度の3月分の単価に加算する。

(3) 加算額の算定

加算額は、以下に掲げる通りに要件を満たす場合に、それぞれに定められた額を、3月初日の利用子ども数で除して得た額（算定して得た額に10円未満の端数がある場合は切り捨てる。）とし、3月初日に利用する子どもの単価に加算する。

(ア) (1)のi及びiiのいずれの取組も実施している場合

(イ) (ア)に加えて、(1)iiiの取組を実施している場合

15 栄養管理加算 (㉝)

(1) 加算の要件

食事の提供にあたり、栄養士を活用^(注)して、栄養士から献立やアレルギー、アトピー等への助言、食育等に関する継続的な指導を受ける施設に加算する。

(注) 栄養士の活用に当たっては、雇用形態を問わず、嘱託する場合や、栄養教諭、学校栄養職員又は調理員として栄養士を雇用している場合も対象となる。

(2) 加算の認定

(ア) 加算の認定は、施設が所在する市町村が行

うこととし、加算を認定するにあたっては、その施設の設置者からその旨の申請（施設名、加算の適用年月、栄養士の活用状況・配置等の形態の別が確認できる書類等）を徴して確認すること。

(イ) 市町村は、加算の認定がされている施設について、申請又は指導監督等を通じてその状況を把握し、(1)の要件に適合しなくなった場合には、(1)の要件に適合しなくなった日の属する月の翌月（月初日に(1)に適合しなくなった場合はその月）から加算の適用がないものとすること。

(3) 加算額の算定

加算額は、以下に掲げる栄養士の配置等の形態の別に応じ、それぞれに定める計算式により算出された額（算定して得た額に10円未満の端数がある場合は切り捨てる。）とする。

(ア) 配置^(注1)　定められた基本額に当該加算に係る処遇改善等加算Ⅰの単価にⅢの1(2)で認定した加算率×100を乗じて得た額を加えた額を、各月初日の利用子ども数で除して得た額とする。

(イ) 兼務^(注2)　定められた基本額に当該加算に係る処遇改善等加算Ⅰの単価にⅢの1(2)で認定した加算率×100を乗じて得た額を加えた額を、各月初日の利用子ども数で除して得た額とする。

(ウ) 嘱託^(注3)　定められた基本額を、各月初日の利用子ども数で除して得た額とする。

(注1) 本加算に係る栄養士が雇用契約等により配置されている場合をいい、兼務に該当する場合を除く。

(注2) 基本分単価及び他の加算の認定に当たって求められる職員（給食実施加算（⑬）の適用施設（8(3)(ア)の場合に限る。）において雇用等される調理員を含む。）が本加算に係る栄養士としての業務を兼務している場合をいう。

(注3) 配置又は兼務に該当する場合を除き、本加算に係る栄養士としての業務を嘱託等する場合をいう。

16 第三者評価受審加算 (㉞)

(1) 加算の要件

「幼稚園における学校評価ガイドライン」等

に沿って、第三者評価を適切に実施することが可能であると市町村が認める第三者評価機関（又は評価者）による評価（行政が委託等により民間機関に行わせるものを含む。）を受審し、その結果をホームページ等により広く公表する施設に加算する。

(2) 加算の認定

加算の認定は、施設が所在する市町村が行うこととし、加算を認定するにあたっては、その施設の設置者からその旨の申請（施設名、加算の適用年度、受審状況が分かる資料等）を毎年12月末までに提出させ、必要な審査を行うこと。

(注1) 評価機関との間の契約書等により、当年度に第三者評価の受審や結果の公表（評価機関からの評価結果の提示が翌年度以降となるため、結果の公表が翌年度になる場合を含む。）が行われることが確認できる場合は本加算の対象とする。その場合、市町村は受審や結果の公表が確実に行われていることを事後に確認すること。

(注2) 第三者評価の受審は5年に一度程度を想定しており、加算適用年度から5年度間は再度の加算適用はできないこと。

(3) 加算額の算定

加算額は、定められた額を、3月初日の利用子ども数で除して得た額（算定して得た額に10円未満の端数がある場合は切り捨てる。）とし、3月初日に利用する子どもの単価に加算する。

別紙2（保育所（保育認定2・3号））

Ⅰ　地域区分等

1　地域区分（①）

利用する施設が所在する市町村ごとに定められた告示別表第1による区分を適用する。

2　定員区分（②）

利用する施設の利用定員の総和に応じた区分を適用する。

なお、分園を設置する施設に係る基本分単価（⑥）、処遇改善等加算Ⅰ（⑦）及び加減調整部分における施設長を配置していない場合（⑰）については、中心園と分園それぞれの利用定員の総和に応じた区分を適用する。

3　認定区分（③）

利用子どもの認定区分に応じた区分を適用する。

4　年齢区分（④）

利用子どもの満年齢に応じた区分を適用する。

なお、年度の初日の前日における満年齢に基づき区分した場合に、年齢区分が異なる場合は、適用される年齢区分における基本分単価（⑥）、処遇改善等加算Ⅰ（⑦）、3歳児配置改善加算（⑧）及び夜間保育加算（⑪）の単価について、それぞれの「月額調整」欄に定める額に置き替えて適用するものとする。

5　保育必要量区分（⑤）

利用子どもの保育必要量に応じた区分を適用する。

Ⅱ　基本部分

1　基本分単価（⑥）

(1) 額の算定

地域区分（①）、定員区分（②）、認定区分（③）、年齢区分（④）、保育必要量区分（⑤）（以下「地域区分等」という。）に応じて定められた額とする。

(2) 基本分単価に含まれる職員構成

基本分単価に含まれる職員構成は以下のとおりであることから、これを充足すること。

なお、分園は中心園の施設長のもと中心園と一体的に施設運営が行われるものとすること。その際、以下の職員（施設長を除く。）を充足すること。ただし、嘱託医については、中心園に配置していることから不要である。また、調理員等については、中心園等から給食を搬入する場合は、配置不要であること。

(ア) 保育士

基本分単価における必要保育士数は以下のⅰとⅱを合計した数であること。

また、これとは別に非常勤の保育士が配置されていること。

ⅰ　年齢別配置基準^(※)

4歳以上児30人につき1人、3歳児20人につき1人、1、2歳児6人につき1人、乳児3人につき1人

(注1) ここでいう「4歳以上児」、「3歳児」、「1、2歳児」及び「乳児」とは、年度の初日の前日における満年齢によるものであること。

(注2) 確認に当たっては以下の算式によること。

＜算式＞

｛4歳以上児数×1／30（小数点第1位まで計算（小数点第2位以下切り捨

て))} ＋ {３歳児数×１／20（同）} ＋ {１、２歳児数×１／６（同）} ＋ {乳児数×１／３（同）} ＝配置基準上保育士数（小数点以下四捨五入）

ⅱ　その他^{（※）}

a　利用定員90人以下の施設については１人

b　保育標準時間認定を受けた子どもが利用する施設については１人^{（注1）}

c　上記ⅰ及びⅱのａ、ｂの保育士１人当たり、研修代替保育士として年間３日分の費用を算定^{（注2）}

（注１）施設全体の利用定員に占める保育標準時間認定を受けた子どもの人数の割合が低い場合は非常勤の保育士としても差し支えないこと。

（注２）当該費用については、保育士が研修を受講する際の受講費用や、時間外における研修受講の際の時間外手当等に充当しても差し支えないこと。

（※）保育士には、児童福祉施設の設備及び運営に関する基準（昭和23年厚生省令第63号。以下「児童福祉施設設備運営基準」という。）附則第95条、第96条及び児童福祉施設最低基準の一部を改正する省令（平成10年厚生省令第51号）附則第２条に基づいて都道府県（指定都市及び中核市を含む。以下同じ。）が定める条例に基づき保育士とみなされた者を含む。

(イ)　その他

ⅰ　施設長

１人

（注）施設長は児童福祉事業等に２年以上従事した者又はこれと同等以上の能力を有すると認められる者で、常時実際にその施設の運営管理の業務に専従し、かつ委託費からの給与支出がある者とする。

＜児童福祉事業等に従事した者の例示＞

児童福祉施設の職員、幼稚園・小学校等における教諭、市町村等の公的機関において児童福祉に関する事務を取り扱う部局の職員、民生委員・児童委員の他、教育・保育施設又は地域型保育事業に移行した施設・事業所における移行前の認可外保育施設の職員等

＜同等以上の能力を有すると認められる者の例示＞

公的機関等の実施する施設長研修等を受講した者等

ⅱ　調理員等

利用定員40人以下の施設は１人、41人以上150人以下の施設は２人、151人以上の施設は３人（うち１人は非常勤）^{（注）}

（注）調理業務の全部を委託する場合、または搬入施設から食事を搬入する場合は、調理員を置かないことができる。

ⅲ　非常勤事務職員

（注）施設長等の職員が兼務する場合又は業務委託する場合は、配置は不要であること。

ⅳ　嘱託医・嘱託歯科医

Ⅲ　基本加算部分

１　処遇改善等加算Ⅰ（⑦）

(1)　加算の要件及び加算の認定

加算の要件及び加算の認定は別に定めるところによる。

(2)　加算額の算定

加算額は、地域区分等に応じた単価に、別に定めるところにより認定した加算率×100を乗じて得た額とする。

２　３歳児配置改善加算（⑧）

(1)　加算の要件

Ⅱの１(2)(ア)ⅰの年齢別配置基準のうち、３歳児に係る保育士配置基準を３歳児15人につき１人により実施する施設に加算する。なお、３歳児の実人数が15人を下回る場合であっても、以下の算式による配置基準上保育士数を満たす場合は、加算が適用される。

＜算式＞

{４歳以上児数×１／30（小数点第１位まで計算（小数点第２位以下切り捨て））} ＋ {３歳児数×１／15（同）} ＋ {１、２歳児数×１／６（同）} ＋ {乳児数×１／３（同）} ＝配置基準上保育士数（小数点以下四捨五入）

(2)　加算の認定

(ア)　加算の認定は、施設が所在する市町村長が行うこととし、加算の認定をするにあたっては、その施設の設置者からその旨の申請（施設名、加算の適用年月、利用子ども数（見込み）及び保育士の配置状況が記載された職員

体制図等）を徴して確認すること。

　（イ）　市町村長は、加算の認定がされている施設について、申請又は指導監督等を通じてその状況を把握し、(1)の要件に適合しなくなった場合には、(1)の要件に適合しなくなった日の属する月の翌月（月初日に(1)に適合しなくなった場合はその月）から加算の適用が無いものとすること。

　(3)　加算額の算定

　　　加算額は、地域区分等に応じた単価に、当該加算に係る処遇改善等加算Ⅰの単価に1の(2)で認定した加算率×100を乗じて得た額を加えた額とする（年度の初日の前日における年齢が満2歳の子どもを除く）。

3　4歳以上児配置改善加算（⑨）

　(1)　加算の要件

　　　Ⅱの1(2)（ア）ⅰの年齢別配置基準のうち、4歳以上児に係る保育士配置基準を4歳以上児25人につき1人により実施する施設（チーム保育推進加算を算定している施設は除く。）に加算する。なお、4歳以上児の実人数が25人を下回る場合であっても、以下の算式による配置基準上保育士数を満たす場合は、加算が適用される。

　　＜算式＞

　　　　｛4歳以上児数×1／25（小数点第1位まで計算（小数点第2位以下切り捨て））｝＋｛3歳児数×1／20（同）｝＋｛1、2歳児数×1／6（同）｝＋｛乳児数×1／3（同）｝＝配置基準上保育士数（小数点以下四捨五入）

　(2)　加算の認定

　　（ア）　加算の認定は、施設が所在する市町村長が行うこととし、加算の認定をするにあたっては、その施設の設置者からその旨の申請（施設名、加算の適用年月、利用子ども数（見込み）及び保育士の配置状況が記載された職員体制図等）を徴して確認すること。

　　（イ）　市町村長は、加算の認定がされている施設について、申請又は指導監督等を通じてその状況を把握し、(1)の要件に適合しなくなった場合には、(1)の要件に適合しなくなった日の属する月の翌月（月初日に(1)に適合しなくなった場合はその月）から加算の適用が無いものとすること。

　(3)　加算額の算定

　　　加算額は、地域区分等に応じた単価に、当該加算に係る処遇改善等加算Ⅰの単価に1の(2)で認定した加算率×100を乗じて得た額を加えた額とする。（年度の初日の前日における年齢が満3歳の子どもを除く）。

4　休日保育加算（⑩）

　(1)　加算の要件

　　　日曜日、国民の祝日及び休日（以下「休日等」という。）において、以下の要件を満たして、保育を実施する施設に加算する。

　　（ア）　休日等を含めて年間を通じて開所する施設（複数の特定教育・保育施設、地域型保育事業所（居宅訪問型保育事業所は除く。）又は企業主導型保育施設との共同により年間を通じて開所する施設（以下「共同実施施設」という。）を含む。）を市町村が指定して実施すること。

　　（イ）　児童福祉施設設備運営基準第33条の第2項及び附則第94条から第97条並びに児童福祉施設最低基準の一部を改正する省令附則第2条の規定に基づき、対象子どもの年齢及び人数に応じて、本事業を担当する保育士を配置すること。

　　（ウ）　対象となる子どもに対して、適宜、間食又は給食等を提供すること。

　　（エ）　対象となる子どもは、原則、休日等に常態的に保育を必要とする保育認定子どもであること。

　(2)　加算の認定

　　（ア）　加算の認定は、施設が所在する市町村長が行うこととし、加算の認定をするにあたっては、その施設の設置者からその旨の申請（施設名、加算の適用年月、休日等における保育士の配置状況が記載された職員体制図、(3)の加算額の算定に必要な利用子ども数の見込み及び数の根拠となる実績等）を徴して確認すること。

　　　　また、共同実施施設については、上記に加えて、複数の施設・事業所との共同により年間を通じて開所する場合の実施要綱や運営規程を徴して確認すること。

　　（イ）　市町村長は、加算の認定がされている施設について、申請又は指導監督等を通じてその状況を把握し、(1)の要件に適合しなくなった場合には、(1)の要件に適合しなくなった日の属する月の翌月（月初日に(1)に適合しなくなった場合はその月）から加算の適用が無いものとすること。

　(3)　加算額の算定

　　　加算額は、地域区分等及び以下により認定し

た休日等に保育を利用する年間の延べ利用子ども数（以下「休日延べ利用子ども数」という。）に応じた単価に、当該加算に係る処遇改善等加算Ⅰの単価に1の(2)で認定した加算率×100を乗じた額を加えて算出した額を、当該施設における各月初日の利用子ども数（休日等に保育を利用しない子どもを含む。）で除して得た額とする（算定して得た額に10円未満の端数がある場合は切り捨てる。）。

(ｱ) 市町村は、毎年度、休日保育加算の対象となる施設（以下「休日保育対象施設」という。）から、当該休日保育対象施設における休日延べ利用子ども数の見込みを徴収して認定を行うこと。

なお、複数の施設・事業所との共同により年間を通じて開所する場合は、実施する各施設・事業所の休日延べ利用子ども数の見込み数を徴収して認定を行うこと。

(ｲ) 休日延べ利用子ども数には、休日等に当該休日保育対象施設を利用する、休日保育対象施設以外の特定教育・保育施設又は特定地域型保育事業を利用する子どもを含むこと。

なお、当該休日保育対象施設が共同実施施設である場合は、休日延べ利用子ども数には、上記に加えて、共同する企業主導型保育施設を休日等に利用する、特定教育・保育施設又は特定地域型保育事業所を利用する子どもを含むこと。

(ｳ) 認定された休日延べ利用子ども数は、(2)の(ｲ)により、加算の適用が無くなった場合を除き、年間を通じて適用されること。そのため、認定に当たっては、前年度における実績等を踏まえて適正に審査されたいこと。

(4) 実績の報告等

本加算の適用を受けた施設は、翌年4月末日までに実績報告書を市町村長に提出すること。

5 夜間保育加算 （⑪）

(1) 加算の要件

夜間保育を実施する施設（「夜間保育所の設置認可等について（平成12年3月30日児発第298号厚生省児童家庭局長通知）」により設置認可された施設。）に加算する。

(2) 加算額の算定

加算額は、地域区分等に応じた単価に、当該加算に係る処遇改善等加算Ⅰの単価に1の(2)で認定した加算率×100を乗じて得た額を加えた額とする。

6 減価償却費加算 （⑫）

(1) 加算の要件

以下の要件全てに該当する施設に加算する。

(ｱ) 保育所の用に供する建物が自己所有であること（注1）

(ｲ) 建物を整備・改修又は取得する際に、建設資金又は購入資金が発生していること

(ｳ) 建物の整備・改修に当たって、施設整備費又は改修費等（以下「施設整備費等」という。）の国庫補助金の交付を受けていないこと（注2）

(ｴ) 賃借料加算 （⑬） の対象となっていないこと

（注1） 施設の一部が賃貸物件の場合は、自己所有の建物の延べ面積が施設全体の延べ面積の50％以上であること

（注2） 施設整備費等の国庫補助の交付を受けて建設した建物について、整備後一定年数が経過した後に、以下の要件全てに該当する改修等を行った場合には(ｳ)に該当することとして差し支えない。

① 老朽化等を理由として改修等が必要であったと市町村が認める場合

② 当該改修等に当たって、国庫補助の交付を受けていないこと

③ 1施設当たりの改修等に要した費用を2000で除して得た値が、建物全体の延面積に2を乗じて得た値を上回る場合で、かつ、改修等に要した費用が1000万円以上であること

(2) 加算の認定

(ｱ) 加算の認定は、施設が所在する市町村長が行うこととし、加算の認定をするにあたっては、その施設の設置者からその旨の申請（施設名、加算の適用年月、建物を整備・改修又は取得する際の契約書類等）を徴して確認すること。

(ｲ) 市町村長は、加算の認定がされている施設について、(1)の要件に適合しなくなった場合には、(1)の要件に適合しなくなった日の属する月の翌月（月初日に(1)に適合しなくなった場合はその月）から加算の適用が無いものとすること。

(3) 加算額の算定

加算額は、「標準」又は「都市部」の区分に応じて定められた額とする。なお、「標準」と

は都市部に該当する市町村以外の市町村をいい、「都市部」とは当年度又は前年度における4月1日現在の人口密度が1000人／km以上の市町村をいう。

7　賃借料加算（⑬）

(1)　加算の要件

以下の要件全てに該当する施設に加算する。

(ア)　保育所の用に供する建物が賃貸物件であること^(注)

(イ)　(ア)の賃貸物件に対する賃借料が発生していること

(ウ)　賃借料の国庫補助（「認可保育所等設置支援事業の実施について」（令和5年4月19日こ成保第15号こども家庭庁成育局長通知）に定める「都市部における保育所への賃借料等支援事業」による国庫補助を除く。）を受けた施設については、当該補助に係る残額が生じていないこと

(エ)　減価償却費加算（⑫）の対象となっていないこと

　　　(注)　施設の一部が自己所有の場合は、賃貸による建物の延べ面積が施設全体の延べ面積の50％以上であること

(2)　加算の認定

(ア)　加算の認定は、施設が所在する市町村長が行うこととし、加算の認定をするにあたっては、その施設の設置者からその旨の申請（施設名、加算の適用年月、賃貸契約書等）を徴して確認すること。

(イ)　市町村長は、加算の認定がされている施設について、(1)の要件に適合しなくなった場合には、(1)の要件に適合しなくなった日の属する月の翌月（月初日に(1)に適合しなくなった場合はその月）から加算の適用が無いものとすること。

(3)　加算額の算定

加算額は、以下の地域の区分ごとに定められた額とする。

区分		都道府県
A地域	標準	埼玉県　千葉県　東京都
	都市部	神奈川県
B地域	標準	静岡県　滋賀県　京都府
	都市部	大阪府　兵庫県　奈良県
C地域	標準	宮城県　茨城県　栃木県 群馬県　新潟県　石川県 長野県　愛知県　三重県

	都市部	和歌山県　鳥取県　岡山県 広島県　香川県　福岡県 沖縄県
D地域	標準	北海道　青森県　岩手県 秋田県　山形県　福島県 富山県　福井県　山梨県 岐阜県　島根県　山口県
	都市部	徳島県　愛媛県　高知県 佐賀県　長崎県　熊本県 大分県　宮崎県　鹿児島県

＊表中「都市部」とは当年度又は前年度における4月1日現在の人口密度が1000人／km以上の市町村をいい、「標準」とはそれ以外の市町村をいう。

8　チーム保育推進加算（⑭）

(1)　加算の要件

以下の要件全てに該当する施設に加算する。

なお、本加算の算定上の「加配人数」は、利用定員の区分ごとの上限人数^(注1)の範囲内で、「必要保育士数」を超えて配置する保育士の数^(注2)とする。

(ア)　「必要保育士数」（基本分単価（⑥）及び他の加算の認定に当たって求められる数）を超えて保育士を配置していること

(イ)　キャリアを積んだチームリーダーの位置付け等チーム保育体制を整備すること^(注3)

(ウ)　職員の平均経験年数が12年以上であること^(注4)

(エ)　当該加算による増収は、保育士の増員や、当該保育所全体の職員の賃金改善に充てること

　　(注1)　利用定員の区分ごとの上限人数

　　　　120人以下：1人、121人以上：2人

　　(注2)　常勤換算人数（小数点第2位以下切り捨て、小数点第1位四捨五入前）による配置保育士の数から「必要保育士数」を減じて得た数の小数点第1位を四捨五入した員数とする。

　　　　(例)　1.6人の場合、2人

　　(注3)　チーム保育体制の整備とは、Ⅱの1(2)(ア)ⅰの年齢別配置基準（3歳児配置改善加算が適用される場合には、その配置基準）を超えて、主に3～5歳児について複数保育士による保育体制の構築をいう。

　　(注4)　職員の平均経験年数については、処遇改善等加算Ⅰにおける職員1人当たりの平均経験年数をもって確認するこ

と。
(2) 加算の認定
(ア) 加算の認定は、施設が所在する市町村長が行うこととし、加算の認定をするにあたっては、その施設の設置者からその旨の申請を市町村長が定める期日までに提出させ、当該施設の申請内容について必要な審査を行い、必要と認めた場合は当該施設に速やかに通知すること。
(イ) 市町村長は、加算の認定がされている施設について、申請及び指導監督等を通じてその状況を把握し、(1)の要件に適合しなくなった場合には、(1)の要件に適合しなくなった日の属する月の翌月（月初日に(1)に適合しなくなった場合はその月）から加算の適用が無いものとすること。
(3) 加算額の算定
加算額は、地域区分等に応じた単価に、当該加算に係る処遇改善等加算Ⅰの単価に1の(2)で認定した加算率×100を乗じて得た額を基本額とし、当該基本額に加配人数を乗じて得た額とする。
(4) 実績の報告等
本加算の適用を受けた施設は、年度終了後速やかに実績報告書を市町村長に提出すること。
なお、加算額の実績と(1)の(エ)の要件に掲げる支出とを比較して差額が生じた場合には、翌年度において、その全額を一時金等により賃金改善に充てること。

9 副食費徴収免除加算 (⑮)
(1) 加算の要件
全ての施設に加算する。
(2) 加算額の算定
加算額は、定められた額とし、副食費徴収免除対象子ども^(注)に加算する。
(注) 以下のいずれかに該当する子どもとして、副食費の徴収が免除されることについて市町村から通知がされた子どもとする。
① 特定教育・保育施設及び特定地域型保育事業並びに特定子ども・子育て支援施設等の運営に関する基準（平成26年内閣府令第39号。以下「特定教育・保育施設等運営基準」という。）第13条第4項第3号イの(1)又は(2)に規定する年収360万円未満相当世帯に属する子ども
② 特定教育・保育施設等運営基準第13条第4項第3号ロの(1)又は(2)に規定する第

3子以降の子ども
③ 保護者及び当該保護者と同一の世帯に属する者が子ども・子育て支援法施行令（平成26年政令第213号）第15条の3第2項各号に規定する市町村民税を課されない者に準ずる者である子ども

Ⅳ 加減調整部分
1 分園の場合 (⑯)
(1) 調整の適用を受ける施設の要件
保育所の分園（「保育所分園の設置運営について（平成10年4月9日児発第302号厚生省児童家庭局長通知）」により設置された保育所分園。）に適用する。
(2) 調整額の算定
調整額は、分園に適用される基本分単価（⑯）及び処遇改善等加算Ⅰ（⑦）の額の合計に、地域区分等に応じた調整率を乗じて得た額とする（算定して得た額に10円未満の端数がある場合は切り捨てる。）。
2 施設長を配置していない場合 (⑰)
(1) 調整の適用を受ける施設の要件
Ⅱの1(2)の(イ)iの（注）の要件を満たす施設長を配置[※]していない施設に適用する。
※ 2以上の施設又は他の事業と兼務し、施設長として職務を行っていない者は欠員とみなされ、要件を満たす施設長を配置したこととはならないこと。
(2) 調整の適用を受ける施設の認定
(ア) 調整の適用を受ける施設の認定は、施設が所在する市町村長が行うこと。
(イ) 市町村長は、調整の適用を受ける施設について、申請又は指導監督等を通じてその状況を把握すること。
(3) 調整額の算定
調整額は、地域区分等に応じて定められた額とする。
3 土曜日に閉所する場合 (⑱)
(1) 調整の適用を受ける施設の要件
施設を利用する保育認定子どもについて、土曜日（国民の祝日及び休日を除く。以下同じ。）に係る保育の利用希望が無いなどの理由により、当該月の土曜日に閉所する日がある施設に適用する。
また、開所していても保育を提供していない場合は、閉所しているものとして取り扱うこと。
なお、他の特定教育・保育施設、地域型保育

事業所（居宅訪問型保育事業所は除く。）又は企業主導型保育施設と共同保育を実施することにより、施設を利用する保育認定子どもの土曜日における保育が確保されている場合には、土曜日に開所しているものとして取り扱うこと。

(2) 調整の適用を受ける施設の認定

　(ｱ) 調整の適用を受ける施設の認定は、施設が所在する市町村長が行うこととし、認定をするにあたっては、その施設の設置者からその旨の申請（施設名、調整の適用年月、土曜日に閉所することとなる理由等）を徴して確認すること。

　　なお、保育所については、原則として、土曜日を含む週6日間の開所が求められる施設であることから、土曜日に係る保育の利用希望があるにもかかわらず閉所する等の場合は、当該調整の適用と併せて、市町村において指導を行うこと。

　(ｲ) 市町村長は、調整の適用を受ける施設について、申請又は指導監督等を通じてその状況を把握すること。

(3) 調整額の算定

　　調整額は、適用される基本分単価（⑥）、処遇改善等加算Ⅰ（⑦）、3歳児配置改善加算（⑧）、4歳以上児配置改善加算（⑨）及び夜間保育加算（⑪）の額の合計に、地域区分等及び閉所日数（当該月の土曜日のうち閉所する日の数をいう。）に応じた調整率を乗じて得た額とする。（算定して得た額に10円未満の端数がある場合は切り捨てる。）

Ⅴ 乗除調整部分

1 定員を恒常的に超過する場合（⑲）

(1) 調整の適用を受ける施設の要件

　　直前の連続する5年度間常に利用定員を超えており[注1]、かつ、各年度の年間平均在所率[注2]が120％以上の状態にある施設に適用する。

　　なお、教育・保育の提供は利用定員の範囲内で行われることが原則であること。

　　また、上記の状態にある施設に対しては、利用定員の見直しに向けた指導を行うこと。

　(注1) 利用定員を超えて受け入れる場合の留意事項

　　　　利用定員を超えて受け入れる場合であっても、施設の設備又は職員数が、利用定員を超えて利用する子どもを含めた利用子ども数に照らし、児童福祉施設設

備運営基準及び本通知等に定める基準を満たしていること。

　(注2) 年間平均在所率

　　　　当該年度内における各月の初日の利用子ども数の総和を各月の初日の利用定員の総和で除したものをいう。

(2) 調整の適用を受ける施設の認定

　(ｱ) 調整の適用を受ける施設の認定は、施設が所在する市町村長が施設の利用状況を確認のうえ行うこととする。

　(ｲ) 市町村長は、調整の適用を受ける施設について、指導監督等を通じて利用定員の見直しが行われた場合又は地域における需要の動向等を踏まえて当該年度における年間平均在所率が120％以上の状態にならないものと認められる場合には、見直し等が行われた日の属する月の翌月（月初日に(1)に適合しなくなった場合はその月）から調整の適用が無いものとすること。

(3) 適用される基本部分及び加減調整部分の額の調整の方法

　　本調整措置が適用される施設における基本分単価（⑥）から土曜日に閉所する場合（⑱）（副食費徴収免除加算（⑮）を除く。）の額については、それぞれの額の総和に各月初日の利用子ども数の区分及び地域区分等に応じた調整率を乗じて得た額とする（算定して得た額に10円未満の端数がある場合は切り捨てる。）。

Ⅵ 特定加算部分

1 主任保育士専任加算（⑳）

(1) 加算の要件

　　主任保育士を保育計画の立案等の主任業務に専任させるため、基本分単価（⑥）及び他の加算等の認定に当たって求められる「必要保育士数」を超えて代替保育士[注1]を配置し、以下の事業等を複数実施する施設に加算する。

　　なお、当該加算が適用される施設においては、保護者や地域住民からの育児相談、地域の子育て支援活動等に積極的に取り組むこと。

　　なお、主任保育士がクラス担当を兼務することは適切ではなく、代理で行う場合であっても、1月を超えて兼務が継続している場合、加算は適用されないこと。

　i 延長保育事業（子ども・子育て支援交付金の交付に係る要件に適合するもの及びこれと同等の要件を満たして自主事業として実施しているもの。ただし、当該要件を満たした月以降の各月においては、同一年度内に限り、

事業を実施する体制が取られていることをもって当該要件を満たしているものと取り扱う。）

ii 一時預かり事業（一般型）（子ども・子育て支援交付金に係る要件に適合しており、かつ、月の平均対象子どもが１人以上いるもの（年度当初から事業を開始する場合は５月において当該要件を満たしていることをもって４月から当該要件を満たしているものと取り扱う。）。ただし、当該要件を満たした月以降の各月においては、同一年度に限り、事業を実施する体制が取られていることをもって当該要件を満たしているものと取り扱う。）

ただし、当分の間は平成21年６月３日雇児発第0603002号厚生労働省雇用均等・児童家庭局長通知「『保育対策等促進事業の実施について』の一部改正について」以前に定める一時保育促進事業の要件を満たしていると認められ、実施しているものも含むこととされること。

iii 病児保育事業（子ども・子育て支援交付金に係る要件に適合するもの及びこれと同等の要件を満たして自主事業として実施しているもの。）

iv 乳児が３人以上利用している施設（月の初日において乳児が３人以上利用している月から年度を通じて当該要件を満たしているものとする。）

また、①乳児の利用定員が３人以上あり、かつ、②乳児保育を実施する職員体制を維持し、③地域の親子が交流する場の提供や子育てに関する相談会を月２回以上開催している場合、前年度に要件を満たしていた月（令和５年度に特例の適用があった月を含む）については、乳児３人以上の利用の要件を満たしたものと取り扱う。

v 障害児（軽度障害児を含む。）(注2) が１人以上利用している施設（月の初日において障害児が１人以上利用している月から年度を通じて当該要件を満たしているものとする。）

(注１) 児童福祉施設設備運営基準附則第95条、第96条及び児童福祉施設最低基準の一部を改正する省令附則第２条により保育士とみなされる者を含む。

(注２) 市町村が認める障害児とし、身体障害者手帳等の交付の有無は問わない。医師による診断書や巡回支援専門員等障害に関する専門的知見を有する者による意見提出など障害の事実が把握可能な資料をもって確認しても差し支えない。

(2) 加算の認定

(ア) 加算の認定は、施設が所在する市町村長が行うこととし、加算の認定をするにあたっては、その施設の設置者からその旨の申請（施設名、加算の適用年月、育児相談・地域の子育て支援活動等の内容、事業等の実施状況等）を徴して確認すること。

(イ) 市町村長は、加算の認定がされている施設について、申請又は指導監督等を通じてその状況を把握し、(1)の要件に適合しなくなった場合には、(1)の要件に適合しなくなった日の属する月の翌月（月初日に(1)に適合しなくなった場合はその月）から加算の適用が無いものとすること。

(3) 加算額の算定

加算額は、基本額に、当該加算に係る処遇改善等加算Ⅰの単価にⅢの１(2)で認定した加算率×100を乗じて得た額を加えた額を、各月初日の利用子ども数で除して得た額とする（算定して得た額に10円未満の端数がある場合は切り捨てる。）。

2 療育支援加算 (㉑)

(1) 加算の要件

主任保育士専任加算 (⑳) の対象施設かつ障害児 (注1) を受け入れている (注2) 施設において、主任保育士を補助する者 (注3) を配置し、地域住民等の子どもの療育支援に取り組む場合に加算する。

なお、当該加算が適用される施設においては、障害児施策との連携を図りつつ、障害児保育に関する専門性を活かして、地域住民や保護者からの育児相談等の療育支援に積極的に取り組むこと (注4)。

(注１) 市町村が認める障害児とし、身体障害者手帳等の交付の有無は問わない。医師による診断書や巡回支援専門員等障害に関する専門的知見を有する者による意見提出など障害の事実が把握可能な資料をもって確認しても差し支えない。

(注２) 「障害児を受け入れている」とは、月の初日において障害児が１人以上利用していることをもって満たしているものと

し、以降年度を通じて当該要件を満たし
ているものとすること。

(注3) 非常勤職員であって、資格の有無は問
わない。

(注4) 取組の例示

・　施設を利用する気になる段階の子どもを
含む障害児について、障害児施策との連携
により、早期の段階から専門的な支援へと
結びつける。

・　地域住民からの育児相談等へ対応し、専
門的な支援へと結びつける。

・　補助者の活用により障害児施策との連携
を図る。

・　保育所等訪問支援事業における個別支援
計画の策定に当たっての連携役。

・　障害児施策との連携により、施設におけ
る障害児保育の専門性を強化し、障害児に
対する支援の充実を図る。

(2)　加算の認定

(ア)　加算の認定は、施設が所在する市町村長が
行うこととし、加算の認定をするにあたって
は、その施設の設置者からその旨の申請(施
設名、加算の適用年月、対象子ども等)を徴
して確認すること。

(イ)　市町村長は、加算の認定がされている施設
について、申請又は指導監督等を通じてその
状況を把握し、(1)の要件に適合しなくなった
場合には、(1)の要件に適合しなくなった日の
属する月の翌月(月初日に(1)に適合しなく
なった場合はその月)から加算の適用が無い
ものとすること。

(3)　加算額の算定

加算額は、特別児童扶養手当支給対象児
童(注)受入施設又はそれ以外の障害児受入施設
の別に定められた基本額に、当該加算に係る処
遇改善等加算Ⅰの単価にⅢの1(2)で認定した加
算率×100を乗じて得た額を加えた額を、各月
初日の利用子ども数で除して得た額とする(算
定して得た額に10円未満の端数がある場合は切
り捨てる。)。

(注)　特別児童扶養手当の支給要件に該当する
が所得制限により当該手当の支給がされて
いない児童を含む。

3　事務職員雇上費加算 (22)

(1)　加算の要件

事務職員を配置し、以下の事業等のいずれか
を実施する施設に加算する。

(注)　施設長等の職員が兼務する場合又は業務
委託する場合は、配置は不要であること。

ⅰ　延長保育事業(子ども・子育て支援交付金
の交付に係る要件に適合するもの及びこれと
同等の要件を満たして自主事業として実施し
ているもの。ただし、当該要件を満たした月
以降の各月においては、同一年度内に限り、
事業を実施する体制が取られていることを
もって当該要件を満たしているものと取り扱
う。)

ⅱ　一時預かり事業(一般型)(子ども・子育
て支援交付金に係る要件に適合しており、か
つ、月の平均対象子どもが1人以上いるもの
(年度当初から事業を開始する場合は5月に
おいて当該要件を満たしていることをもって
4月から当該要件を満たしているものと取り
扱う。)。ただし、当該要件を満たした月以降
の各月においては、同一年度に限り、事業を
実施する体制が取られていることをもって当
該要件を満たしているものと取り扱う。)

ただし、当分の間は平成21年6月3日雇児
発第0603002号厚生労働省雇用均等・児童家
庭局長通知「『保育対策等促進事業の実施に
ついて』の一部改正について」以前に定める
一時保育促進事業の要件を満たしていると認
められ、実施しているものも含むこととされ
ること。

ⅲ　病児保育事業(子ども・子育て支援交付金
に係る要件に適合するもの及びこれと同等の
要件を満たして自主事業として実施している
もの。)

ⅳ　乳児が3人以上利用している施設(月の初
日において乳児が3人以上利用している月か
ら年度を通じて当該要件を満たしているもの
とする。)

また、①乳児の利用定員が3人以上あり、
かつ、②乳児保育を実施する職員体制を維持
し、③地域の親子が交流する場の提供や子育
てに関する相談会を月2回以上開催している
場合、前年度に要件を満たしていた月につい
ては、乳児3人以上の利用の要件を満たした
ものと取り扱う。

ⅴ　障害児(軽度障害児を含む。)(注)が1人以
上利用している施設(月の初日において障害
児が1人以上利用している月から年度を通じ
て当該要件を満たしているものとする。)

(注)　市町村が認める障害児とし、身体障害

者手帳等の交付の有無は問わない。医師による診断書や巡回支援専門員等障害に関する専門的知見を有する者による意見提出など障害の事実が把握可能な資料をもって確認しても差し支えない。

(2) 加算の認定

(ア) 加算の認定は、施設が所在する市町村長が行うこととし、加算の認定をするにあたっては、その施設の設置者からその旨の申請（施設名、加算の適用年月、事業等の実施状況等）を徴して確認すること。

(イ) 市町村長は、加算の認定がされている施設について、申請又は指導監督等を通じてその状況を把握し、(1)の要件に適合しなくなった場合には、(1)の要件に適合しなくなった日の属する月の翌月（月初日に(1)に適合しなくなった場合はその月）から加算の適用が無いものとすること。

(3) 加算額の算定

加算額は、基本額に、当該加算に係る処遇改善等加算Ⅰの単価にⅢの1(2)で認定した加算率×100を乗じて得た額を加えた額を、各月初日の利用子ども数で除して得た額とする（算定して得た額に10円未満の端数がある場合は切り捨てる。）。

4 処遇改善等加算Ⅱ（㉓）

(1) 加算の要件及び加算の認定

加算の要件及び加算の認定は別に定めるところによる。

(2) 加算額の算定

加算額は、処遇改善等加算Ⅱ―①及びⅡ―②の別に定められる額にそれぞれ対象人数を乗じて得た額の合計を、各月初日の利用子ども数で除して得た額とする（算定して得た額に10円未満の端数がある場合は切り捨てる。）。

5 処遇改善等加算Ⅲ（㉔）

(1) 加算の要件及び加算の認定

加算の要件及び加算の認定は別に定めるところによる。

(2) 加算額の算定

加算額は、別に定める額に対象人数を乗じて得た額を、各月初日の利用子ども数で除して得た額とする（算定して得た額に10円未満の端数がある場合は切り捨てる。）。

6 冷暖房費加算（㉕）

(1) 加算の要件

全ての施設に加算する。

(2) 加算額の算定

加算額は、以下の地域の区分に応じて定める額とする。

1級地	国家公務員の寒冷地手当に関する法律（昭和24年法律第200号）別表に規定する1級地をいう。
2級地	国家公務員の寒冷地手当に関する法律別表に規定する2級地をいう。
3級地	国家公務員の寒冷地手当に関する法律別表に規定する3級地をいう。
4級地	国家公務員の寒冷地手当に関する法律別表に規定する4級地をいう。
その他地域	上記以外の地域をいう。

7 除雪費加算（㉖）

(1) 加算の要件

豪雪地帯対策特別措置法（昭和37年法律第73号）第2条第2項に規定する地域に所在する施設に加算する。

(2) 加算額の算定

加算額は、定められた額とし、3月初日に利用する子どもの単価に加算する。

8 降灰除去費加算（㉗）

(1) 加算の要件

活動火山対策特別措置法（昭和48年法律第61号）第23条第1項に規定する降灰防除地域に所在する施設に加算する。

(2) 加算額の算定

加算額は、定められた額を、3月初日の利用子ども数で除して得た額（算定して得た額に10円未満の端数がある場合は切り捨てる。）とし、3月初日に利用する子どもの単価に加算する。

9 高齢者等活躍促進加算（㉘）

(1) 加算の要件

高齢化社会の到来等に対応して、高齢者等ができるだけ働きやすい条件の整備を図り、また、高齢者等によるきめ細やかな利用子ども等の処遇の向上を図るため、以下の要件を満たす施設に加算する。

(ア) 高齢者等[注1]を職員配置基準以外に非常勤職員[注2]として雇用[注3]し、施設の業務の中で比較的高齢者等に適した業務[注4]を行わせ、かつ、当該年度中における高齢者等の総雇用人員の累積年間総雇用時間が、400

時間以上見込まれること。

　また、「特定就職困難者雇用開発助成金」等を受けている施設（受ける予定の施設を含む。）でその補助の対象となる職員は対象としないこと。

　なお、雇用形態は通年が望ましいが短期間でも雇用予定がはっきりしていて、利用子ども等の処遇の向上が期待される場合には、この加算対象として差し支えないこと。

（注1）　高齢者等の範囲
　ⅰ　当該年度の4月1日現在または、その年度の途中で雇用する場合はその雇用する時点において満60歳以上の者
　ⅱ　身体障害者（身体障害者福祉法（昭和24年法律第243号）に規定する身体障害者手帳を所持している者）
　ⅲ　知的障害者（知的障害者更生相談所、児童相談所等において知的障害者と判定された者で、都道府県知事が発行する療育手帳または判定書を所持している者）
　ⅳ　精神障害者（精神保健及び精神障害福祉法に関する法律（昭和25年法律第123号）に規定する精神障害者保健福祉手帳を所持している者）
　ⅴ　母子家庭の母及び父子家庭の父並びに寡婦（母子及び父子並びに寡婦福祉法（昭和39年法律第129号）に規定する母子家庭の母及び父子家庭の父並びに寡婦）
（注2）　非常勤職員の範囲
　　　　1日6時間未満又は月20日未満勤務の者を対象とする。
（注3）　雇用の範囲
　　　　雇用契約又は派遣契約による場合のみを対象とする。
（注4）　高齢者等が行う業務の内容の例示
　ⅰ　利用子ども等との話し相手、相談相手
　ⅱ　身の回りの世話（爪切り、洗面等）
　ⅲ　通院、買い物、散歩の付き添い
　ⅳ　クラブ活動の指導
　ⅴ　給食のあとかたづけ
　ⅵ　喫食の介助
　ⅶ　洗濯、清掃等の業務
　ⅷ　その他高齢者等に適した業務
　（イ）以下の事業等のうち、いずれかを実施していること。
　ⅰ　延長保育事業（子ども・子育て支援交付

金の交付に係る要件に適合するもの及びこれと同等の要件を満たして自主事業として実施しているもの。ただし、当該要件を満たした月以降の各月においては、同一年度内に限り、事業を実施する体制が取られていることをもって当該要件を満たしているものと取り扱う。）
　ⅱ　一時預かり事業（一般型）（子ども・子育て支援交付金に係る要件に適合しており、かつ、月の平均対象子どもが1人以上いるもの（年度当初から事業を開始する場合は5月において当該要件を満たしていることをもって4月から当該要件を満たしているものと取り扱う。）。ただし、当該要件を満たした月以降の各月においては、同一年度に限り、事業を実施する体制が取られていることをもって当該要件を満たしているものと取り扱う。）
　　　ただし、当分の間は平成21年6月3日雇児発第0603002号厚生労働省雇用均等・児童家庭局長通知「『保育対策等促進事業の実施について』の一部改正について」以前に定める一時保育促進事業の要件を満たしていると認められ、実施しているものも含むこととされること。
　ⅲ　病児保育事業（子ども・子育て支援交付金に係る要件に適合するもの及びこれと同等の要件を満たして自主事業として実施しているもの。）
　ⅳ　乳児が3人以上利用している施設（4月から11月までの各月初日を平均して乳児が3人以上利用していること。）
　　　また、①乳児の利用定員が3人以上あり、かつ、②乳児保育を実施する職員体制を維持し、③地域の親子が交流する場の提供や子育てに関する相談会を月2回以上開催している場合、前年度に要件を満たしていた場合については、乳児3人以上の利用の要件を満たしたものと取り扱う。
　ⅴ　障害児（軽度障害児を含む。）（注）が1人以上利用している施設（4月から11月までの間に1人以上の障害児の利用があること。）
　（注）市町村が認める障害児とし、身体障害者手帳等の交付の有無は問わない。医師による診断書や巡回支援専門員等障害に関する専門的知見を有する者に

よる意見提出など障害の事実が把握可能な資料をもって確認しても差し支えない。

(2) 加算の認定

加算の認定は、施設が所在する市町村長が行うこととし、加算の認定をするにあたっては、その施設の設置者からその旨の申請を毎年12月末までに提出させ、当該施設の申請内容について必要な審査を行い、必要と認めた場合は当該施設に速やかに通知すること。

なお、(3)の加算額の算定に必要な「年間総雇用時間数」の認定に当たっては、毎年度4月から11月までの実績及び12月から3月までの雇用計画を元に認定すること。

(3) 加算額の算定

加算額は、(2)で認定された「年間総雇用時間数」の区分に応じて定められた額を、3月初日の利用子ども数で除して得た額（算定して得た額に10円未満の端数がある場合は切り捨てる。）とし、3月初日に利用する子どもの単価に加算する。

(4) 実績の報告等

本加算の適用を受けた施設は、翌年4月末日までに実績報告書を市町村長に提出すること。

なお、次年度以降の加算の認定に当たっては、当該実績報告書を参考に決定すること。

また、市町村長は、本加算を行った施設について、検査時等に検証を行うこと。

10 施設機能強化推進費加算 (㉙)

(1) 加算の要件

施設における火災・地震等の災害時に備え、職員等の防災教育及び災害発生時の安全かつ、迅速な避難誘導体制を充実する等の施設の総合的な防災対策を図る取組 (注1・注2・注3) を行う施設で、以下の事業等を複数実施する施設に加算する。

i 延長保育事業（子ども・子育て支援交付金の交付に係る要件に適合するもの及びこれと同等の要件を満たして自主事業として実施しているもの。ただし、当該要件を満たした月以降の各月においては、同一年度内に限り、事業を実施する体制が取られていることをもって当該要件を満たしているものと取り扱う。）

ii 一時預かり事業（一般型）（子ども・子育て支援交付金に係る要件に適合しており、かつ、月の平均対象子どもが1人以上いるもの

（年度当初から事業を開始する場合は5月において当該要件を満たしていることをもって4月から当該要件を満たしているものと取り扱う。）。ただし、当該要件を満たした月以降の各月においては、同一年度に限り、事業を実施する体制が取られていることをもって当該要件を満たしているものと取り扱う。）

ただし、当分の間は平成21年6月3日雇児発第0603002号厚生労働省雇用均等・児童家庭局長通知「『保育対策等促進事業の実施について』の一部改正について」以前に定める一時保育促進事業の要件を満たしていると認められ、実施しているものも含むこととされること。

iii 病児保育事業（子ども・子育て支援交付金に係る要件に適合するもの及びこれと同等の要件を満たして自主事業として実施しているもの。）

iv 乳児が3人以上利用している施設（4月から11月までの各月初日を平均して乳児が3人以上利用していること。）

また、①乳児の利用定員が3人以上あり、かつ、②乳児保育を実施する職員体制を維持し、③地域の親子が交流する場の提供や子育てに関する相談会を月2回以上開催している場合、前年度に要件を満たしていた場合については、乳児3人以上の利用の要件を満たしたものと取り扱う。

v 障害児（軽度障害児を含む。）(注4) が1人以上利用している施設（4月から11月までの間に1人以上の障害児の利用があること。）

(注1) 取組の実施方法の例示

i 地域住民等への防災支援協力体制の整備及び合同避難訓練等を実施する。

ii 職員等への防災教育、訓練の実施及び避難具の整備を促進する。

(注2) 取組に必要となる経費の額

取組に必要となる経費の総額が、概ね16万円以上見込まれること。

(注3) 支出対象経費

需用費（消耗品費、燃料費、印刷製本費、修繕費、食糧費（茶菓）、光熱水費、医療材料費）・役務費（通信運搬費）・旅費・謝金・備品購入費・原材料費・使用料及び賃借料・賃金・委託費（防災訓練及び避難具の整備等に

要する特別の経費に限り、教育・保育
の提供に当たって、通常要する費用は
含まない。）

(注４)　市町村が認める障害児とし、身体障
害者手帳等の交付の有無は問わない。
医師による診断書や巡回支援専門員等
障害に関する専門的知見を有する者に
よる意見提出など障害の事実が把握可
能な資料をもって確認しても差し支え
ない。

(2)　加算の認定

加算の認定は、施設が所在する市町村長が行
うこととし、加算の認定をするにあたっては、
その施設の設置者からその旨の申請を毎年12月
末までに提出させ、必要性及び経費等について
必要な審査を行うこと。

(3)　加算額の算定

加算額は、定められた額を、３月初日の利用
子ども数で除して得た額（算定して得た額に10
円未満の端数がある場合は切り捨てる。）と
し、３月初日に利用する子どもの単価に加算す
る。

(4)　実績の報告等

本加算の適用を受けた施設は、翌年４月末日
までに実績報告書を市町村長に提出すること。

なお、市町村長は、本加算を行った施設につ
いて、検査時等に検証を行うこと。

11　小学校接続加算　（㉚）

(1)　加算の要件

小学校との連携・接続について次に掲げる取
組を行う施設に、(3)に定める通り加算する。

ⅰ　小学校との連携・接続の担当に関する業務
分掌を明確にすること。

ⅱ　授業・行事、研究会・研修等の小学校との
子ども及び教職員の交流活動を実施している
こと。

ⅲ　小学校と協働して、５歳児から小学校１年
生の２年間（２年以上を含む。）のカリキュ
ラムを編成・実施していること（小学校との
継続的な協議会の開催等により具体的な編成
に着手していると認められる場合を含む。）。

(2)　加算の認定

(ア)　加算の認定は、施設が所在する市町村長が
行うこととし、加算を認定するにあたって
は、その施設の設置者からその旨の申請（施
設名、加算の適用年度、小学校との連携・接
続に係る取組等の実施状況等が分かる資料

等）を徴して確認すること。

(イ)　当年度の３月時点で上記の要件を満たす取
組が確認できれば、当年度の３月分の単価に
加算する。

(3)　加算額の算定

加算額は、以下に掲げる通りに要件を満たす
場合に、それぞれに定められた額を、３月初日
の利用子ども数で除して得た額（算定して得た
額に10円未満の端数がある場合は切り捨てる。）
とし、３月初日に利用する子どもの単価に加算
する。

(ア)　(1)のⅰ及びⅱのいずれの取組も実施してい
る場合

(イ)　(ア)に加えて、(1)ⅲの取組を実施している場
合

12　栄養管理加算　（㉛）

(1)　加算の要件

食事の提供にあたり、栄養士を活用(注)し
て、栄養士から献立やアレルギー、アトピー等
への助言、食育等に関する継続的な指導を受け
る施設に加算する。

(注)　栄養士の活用に当たっては、雇用形態を
問わず、嘱託する場合や、調理員として栄
養士を雇用している場合も対象となる。

(2)　加算の認定

(ア)　加算の認定は、施設が所在する市町村長が
行うこととし、加算を認定するにあたって
は、その施設の設置者からその旨の申請（施
設名、加算の適用年月、栄養士の活用状況・
配置等の形態の別が確認できる書類等）を徴
して確認すること。

(イ)　市町村長は、加算の認定がされている施設
について、申請又は指導監督等を通じてその
状況を把握し、(1)の要件に適合しなくなった
場合には、(1)の要件に適合しなくなった日の
属する月の翌月（月初日に(1)に適合しなく
なった場合はその月）から加算の適用がない
ものとすること。

(3)　加算額の算定

加算額は、以下に掲げる栄養士の配置等の形
態の別に応じ、それぞれに定める計算式により
算出された額（算定して得た額に10円未満の端
数がある場合は切り捨てる。）とする。

(ア)　配置(注1)　定められた基本額に当該加算
に係る処遇改善等加算Ⅰの単価
にⅢの１(2)で認定した加算率×
100を乗じて得た額を加えた額

を、各月初日の利用子ども数で除して得た額とする。

(イ) 兼務(注2) 定められた基本額に当該加算に係る処遇改善等加算Ⅰの単価にⅢの1(2)で認定した加算率×100を乗じて得た額を加えた額を、各月初日の利用子ども数で除して得た額とする。

(ウ) 嘱託(注3) 定められた基本額を、各月初日の利用子ども数で除して得た額とする。

(注1) 本加算に係る栄養士が雇用契約等により配置されている場合をいい、兼務に該当する場合を除く。

(注2) 基本分単価及び他の加算の認定に当たって求められる職員が本加算に係る栄養士としての業務を兼務している場合をいう。

(注3) 配置又は兼務に該当する場合を除き、本加算に係る栄養士としての業務を嘱託等する場合をいう。

13 第三者評価受審加算 (㉜)

(1) 加算の要件

「福祉サービス第三者評価基準ガイドライン」等に沿って、第三者評価を適切に実施することが可能であると市町村が認める第三者機関による評価(行政が委託等により民間機関に行わせるものを含む。)を受審し、その結果をホームページ等により広く公表する施設に加算する。

(2) 加算の認定

加算の認定は、施設が所在する市町村長が行うこととし、加算を認定するにあたっては、その施設の設置者からその旨の申請(施設名、加算の適用年度、受審状況が分かる資料等)を毎年12月末までに提出させ、必要な審査を行うこと。

(注1) 評価機関との間の契約書等により、当年度に第三者評価の受審や結果の公表(評価機関からの評価結果の提示が翌年度以降となるため、結果の公表が翌年度になる場合を含む。)が行われることが確認できる場合は本加算の対象とする。その場合、市町村は受審や結果の公表が確実に行われていることを事後に確認すること。

(注2) 第三者評価の受審は5年に一度程度を

想定しており、加算適用年度から5年度間は再度の加算適用はできないこと。

(3) 加算額の算定

加算額は、定められた額を、3月初日の利用子ども数で除して得た額(算定して得た額に10円未満の端数がある場合は切り捨てる。)とし、3月初日に利用する子どもの単価に加算する。

別紙3 (認定こども園(教育標準時間認定1号))

Ⅰ 地域区分等

1 地域区分 (①)

利用する施設が所在する市町村ごとに定められた告示別表第1による区分を適用する。

2 定員区分 (②)

利用する施設の教育標準時間認定子どもに係る利用定員の総和に応じた区分を適用する。

3 認定区分 (③)

利用子どもの認定区分に応じた区分を適用する。

4 年齢区分 (④)

利用子どもの満年齢に応じた区分を適用する。

なお、年度の初日の前日における満年齢に基づき区分した場合に、年齢区分が異なる場合は、適用される年齢区分における基本分単価 (⑤)、処遇改善等加算Ⅰ (⑥) 及び3歳児配置改善加算 (⑨) の単価について、それぞれの「月額調整」欄に定める額に置き替えて適用するものとする。

Ⅱ 基本部分

1 基本分単価 (⑤)

(1) 額の算定

地域区分 (①)、定員区分 (②)、認定区分 (③)、年齢区分 (④) (以下「地域区分等」という。) に応じて定められた額とする。

(2) 基本分単価に含まれる職員構成

基本分単価(保育認定子どもに係る基本分単価を含む。)に含まれる職員構成は以下のとおりであることから、これを充足すること。

なお、分園は中心園の園長のもと中心園と一体的に施設運営が行われるものとすること。その際、以下の職員を充足すること。ただし、嘱託医(幼保連携型認定こども園にあっては学校医等)については、中心園に配置していることから不要である。また、調理員等については、中心園等から給食を搬入する場合は、配置不要であること。

(ア) 保育教諭等

基本分単価における必要保育教諭等の数（幼保連携型認定こども園の学級の編制、職員、設備及び運営に関する基準（平成26年内閣府・文部科学省・厚生労働省令第1号。以下「幼保連携型認定こども園設備運営基準」という。）第5条第3項の表備考第4号に規定する園長が専任でない場合に1名増加して配置する教員及び幼稚園設置基準（昭和31年文部省令第32号）第5条第3項に規定する教員を除く。）は以下のⅰとⅱを合計した数であること。

ⅰ　年齢別配置基準[※]

　4歳以上児30人につき1人、3歳児及び満3歳児20人につき1人、1、2歳児（保育認定子どもに限る。）6人につき1人、乳児3人につき1人

（注1）「保育教諭等」とは、幼保連携型認定こども園にあっては、幼稚園教諭免許状を有し、かつ、保育士としての登録を受けた者（令和7年3月31日までの間に限り、幼稚園教諭免許状のみを有する者又は保育士としての登録のみを受けた者を含む。）をいい、その他の認定こども園にあっては、幼稚園教諭免許状を有する者又は保育士としての登録を受けた者をいうこと（なお、副園長及び教頭については、この限りでない。）。

（注2）ここでいう「4歳以上児」、「3歳児」、「1、2歳児（保育認定子どもに限る。）」及び「乳児」とは、年度の初日の前日における満年齢によるものであること。

　また、「満3歳児」とは、以下の者をいうこと（当該年度内に限る。）。

・　教育標準時間認定を受けた子どものうち、年度の初日の前日における満年齢が2歳で年度途中に満3歳に達して入園した者

・　2歳児（保育認定子どもに限る。）が年度途中に満3歳に達した後、保育認定から教育標準時間認定に認定区分が変更となった者

（注3）確認に当たっては以下の算式によることとし、教育標準時間認定子ども及び保育認定子どもの人数の合計をもとに確認すること。

<算式>

　{4歳以上児数×1／30（小数点第1位まで計算（小数点第2位以下切り捨て））}＋{3歳児及び満3歳児数×1／20（同）}＋{1、2歳児数（保育認定を受けた子どもに限る。）×1／6（同）}＋{乳児数×1／3（同）}＝配置基準上保育教諭等数（小数点以下四捨五入）

（注4）基本分単価の費用の算定上、ⅰ年齢別配置基準の保育教諭等には主幹保育教諭等2人（教育標準時間認定子どもに係る分及び保育認定子どもに係る分でそれぞれ1人ずつ）を配置するための費用が含まれている。

　主幹保育教諭等2人又は1人の配置がなされていない場合は、「主幹保育教諭等の専任化により子育て支援の取組みを実施していない場合」の減額調整を行う必要があること。

　また、主幹保育教諭等が1人しか配置されていない場合は、教育標準時間認定又は保育認定のいずれか一方を減算調整すること。

　別紙4（認定こども園（保育認定2・3号））における「教育標準時間認定子どもの利用定員を設定しない場合（⑰）」の調整を受ける施設の場合については、主幹保育教諭等及び代替保育教諭は保育認定に係るそれぞれ1人ずつの配置があれば足りること。

　また、第4(1)に定める基本分単価において充足すべき職員と各加算に係る取扱いにおいては、主幹保育教諭等2人又は1人が配置されていない場合も、必要となる基本分単価において充足すべき年齢別配置基準職員数及び年齢別配置基準職員を補完する職員数を満たす場合は、基本分単価において充足すべき職員数を満たしていると取り扱って差し支えないこと。

ⅱ　その他[※]

a　保育認定子どもに係る利用定員が90人以下の施設については1人

b　保育標準時間認定を受けた子どもが利

用する施設については1人^(注1)

c 主幹保育教諭等（就学前の子どもに関する教育、保育等の総合的な提供の推進に関する法律第14条に規定する副園長、教頭及び主幹保育教諭・指導保育教諭（幼保連携型認定こども園以外の認定こども園においては、主幹教諭・指導教諭・主任保育士）をいう。以下同じ。）2人を専任化させるための代替保育教諭等を2人（うち1人は非常勤講師等でも可とする）^(注2)

d 上記 i 及び ii の a、b の保育教諭等1人当たり、研修代替保育教諭等として年間3日分の費用を算定（保育認定子どもの人数に係る保育教諭等に限る。）^(注3)

（注1）保育認定子どもに係る利用定員に占める保育標準時間認定を受けた子どもの人数の割合が低い場合は非常勤の講師としても差し支えないこと。

（注2）当該代替保育教諭等の配置により、主幹保育教諭等を教育・保育計画の立案や地域の子育て支援活動等の業務に専任させ、保護者や地域住民からの教育・育児相談、地域の子育て支援活動等に積極的に取り組むこと。

（注3）当該費用については、非常勤講師等の人件費、保育教諭等が研修を受講する際の受講費用又は時間外における研修受講の際の時間外手当等に充当しても差し支えないこと。

（※）保育教諭等には幼保連携型認定こども園設備運営基準附則第6条及び第7条等に基づいて都道府県等が定める条例に基づき配置される職員を含む。

(ｲ) その他

i 園長（施設長）

ii 調理員等
保育認定子どもに係る利用定員40人以下の施設は1人、41人以上150人以下の施設は2人、151人以上の施設は3人（うち1人は非常勤）

iii 事務職員及び非常勤事務職員
（注）施設長等の職員が兼務する場合又は業務委託する場合は、配置は不要であること。

（注）非常勤事務職員については、1人分の費用（教育標準時間認定子どもに係る利用定員が91人以上の施設に限る。）及び週2日分の費用を算定。

iv 学校医・学校歯科医・学校薬剤師（嘱託医・嘱託歯科医・嘱託薬剤師）

Ⅲ 基本加算部分

1 処遇改善等加算Ⅰ（⑥）

(1) 加算の要件及び加算の認定
加算の要件及び加算の認定は別に定めるところによる。

(2) 加算額の算定
加算額は、地域区分等に応じた単価に、別に定めるところにより認定した加算率×100を乗じて得た額とする。

2 副園長・教頭配置加算（⑦）

(1) 加算の要件
園長（施設長）以外の教員として、次の要件を満たす副園長又は教頭を配置している施設（保育所型認定こども園及び地方裁量型認定こども園においては、次の要件に準じて副園長又は教頭を配置している施設）に加算する。配置人数にかかわらず同額とする。

i 就学前の子どもに関する教育、保育等の総合的な提供の推進に関する法律（平成18年法律第77号。以下「認定こども園法」という。）第14条又は学校教育法（昭和22年法律第26号）第27条に規定する副園長又は教頭の職務をつかさどっていること。学級担任など教育・保育への従事状況は問わない。

ii 就学前の子どもに関する教育、保育等の総合的な提供の推進に関する法律施行規則（平成26年内閣府・文部科学省・厚生労働省令第2号。以下「認定こども園法施行規則」という。）第14条において準用する第13条又は学校教育法施行規則（昭和25年文部省令第11号）第23条において準用する第20条から第22条までに該当するものとして発令を受けていること。幼稚園教諭免許状を有さない場合も含む。

iii 当該施設に常時勤務する者であること。

iv 園長が専任でない施設において、幼保連携型認定こども園設備運営基準第5条第3項の表備考第4号に規定する園長が専任でない場合に1名増加して配置する教員又は幼稚園設置基準第5条第3項に規定する教員に該当しないこと。

(2) 加算の認定

　(ｱ) 加算の認定は、施設が所在する市町村が行うこととし、新たに加算を認定するにあたっては、その施設の設置者からその旨の申請（施設名、加算の適用開始年月、副園長又は教頭となる者の氏名、年齢、給与等を記載した履歴書、保育教諭等の配置状況が記載された職員体制図等）を徴して(1)の要件への適合状況を確認すること。

　(ｲ) 市町村は、加算の認定がされている施設について、申請又は指導監督等を通じてその状況を把握し、(1)の要件に適合しなくなった場合には、(1)の要件に適合しなくなった日の属する月の翌月（月の初日に(1)に適合しなくなった場合はその月）から加算の適用が無いものとすること。

(3) 加算額の算定

　加算額は、地域区分等に応じた単価に、当該加算に係る処遇改善等加算Ⅰの単価に1の(2)で認定した加算率×100を乗じて得た額を加えた額とする。

3　学級編制調整加配加算（⑧）

(1) 加算の要件

　全ての学級に専任の学級担任を配置できるよう、基本分単価（⑤）及び他の加算等の認定に当たって求められる「必要教員数」を超えて、保育教諭等を配置する教育標準時間認定子ども及び保育（2号）認定子どもに係る利用定員が36人以上300人以下の施設に加算する。

(2) 加算の認定

　(ｱ) 加算の認定は、施設が所在する市町村が行うこととし、加算を認定するにあたっては、その施設の設置者からその旨の申請（施設名、加算の適用年月、利用子ども数（見込）及び保育教諭等の配置状況が記載された職員体制図等）を徴して確認すること。

　(ｲ) 市町村は、加算の認定がされている施設について、申請又は指導監督等を通じてその状況を把握し、(1)の要件に適合しなくなった場合には、(1)の要件に適合しなくなった日の属する月の翌月（月の初日に(1)に適合しなくなった場合はその月）から加算の適用が無いものとすること。

(3) 加算額の算定

　加算額は、地域区分等に応じた単価に、当該加算に係る処遇改善等加算Ⅰの単価に1の(2)で認定した加算率×100を乗じて得た額を加えた額とする。

額とする。

4　3歳児配置改善加算（⑨）

(1) 加算の要件

　Ⅱの1(2)(ｱ)ⅰの年齢別配置基準のうち、3歳児及び満3歳児に係る保育教諭等の配置基準を3歳児及び満3歳児15人につき1人により実施する施設に加算する。なお、3歳児の実人数が15人を下回る場合であっても、以下の算式による配置基準上保育教諭等数を満たす場合は、加算が適用される。

＜算式＞

　　{4歳以上児数×1／30（小数点第1位まで計算（小数点第2位以下切り捨て））}＋{3歳児及び満3歳児数×1／15（同）}＋{1、2歳児数（保育認定を受けた子どもに限る。）×1／6（同）}＋{乳児数×1／3（同）}＝配置基準上保育教諭等数（小数点以下四捨五入）

(2) 加算の認定

　(ｱ) 加算の認定は、施設が所在する市町村が行うこととし、加算を認定するにあたっては、その施設の設置者からその旨の申請（施設名、加算の適用開始年月、利用子ども数（見込）、施設全体の常勤換算人数による配置保育教諭等の数及び職員体制図等）を徴して確認すること。

　(ｲ) 市町村は、加算の認定がされている施設について、申請又は指導監督等を通じてその状況を把握し、(1)の要件に適合しなくなった場合には、(1)の要件に適合しなくなった日の属する月の翌月（月の初日に(1)に適合しなくなった場合はその月）から加算の適用が無いものとすること。

(3) 加算額の算定

　加算額は、地域区分等に応じた単価に、当該加算に係る処遇改善等加算Ⅰの単価に1の(2)で認定した加算率×100を乗じて得た額を加えた額とする。

5　4歳以上児配置改善加算（⑩）

(1) 加算の要件

　Ⅱの1(2)(ｱ)ⅰの年齢別配置基準のうち、4歳以上児に係る保育教諭等の配置基準を4歳以上児25人につき1人により実施する施設（チーム保育加配加算を算定している施設は除く。）に加算する。なお、4歳以上児の実人数が25人を下回る場合であっても、以下の算式による配置基準上保育教諭等数を満たす場合は、加算が適

用される。
＜算式＞
　｛４歳以上児数×１／25（小数点第１位まで計算（小数点第２位以下切り捨て））｝＋｛３歳児及び満３歳児数×１／20（同）｝＋｛１、２歳児数（保育認定を受けた子どもに限る。）×１／６（同）｝＋｛乳児数×１／３（同）｝＝配置基準上保育教諭等数（小数点以下四捨五入）

(2) 加算の認定
(ア) 加算の認定は、施設が所在する市町村が行うこととし、加算を認定するにあたっては、その施設の設置者からその旨の申請（施設名、加算の適用開始年月、利用子ども数（見込）、施設全体の常勤換算人数による配置保育教諭等の数及び職員体制図等）を徴して確認すること。
(イ) 市町村は、加算の認定がされている施設について、申請又は指導監督等を通じてその状況を把握し、(1)の要件に適合しなくなった場合には、(1)の要件に適合しなくなった日の属する月の翌月（月の初日に(1)に適合しなくなった場合はその月）から加算の適用が無いものとすること。

(3) 加算額の算定
　加算額は、地域区分等に応じた単価に、当該加算に係る処遇改善等加算Ⅰの単価に１の(2)で認定した加算率×100を乗じて得た額を加えた額とする。（年度の初日の前日における年齢が満３歳の子どもを除く）。

6 満３歳児対応加配加算（⑪又は⑪'）
(1) 加算の要件
(ア) ３歳児配置改善加算の適用がない場合【⑪】
　Ⅱの１(2)(ア) i の年齢別配置基準のうち、満３歳児に係る保育教諭等の配置基準を満３歳児６人につき１人（満３歳児を除いた３歳児は20人につき１人）により実施する施設に加算する。なお、満３歳児の実人数が６人を下回る場合であっても、以下の算式による配置基準上保育教諭等数を満たす場合は、加算が適用される。
＜算式＞
　｛４歳以上児数×１／30（小数点第１位まで計算（小数点第２位以下切り捨て））｝＋｛３歳児数（満３歳児を除く）×１／20（同）｝＋｛満３歳児×１／６（同）｝＝配置基準上保育教諭等数（小数点以下四捨五

入）
(イ) ３歳児配置改善加算の適用がある場合【⑪'】
　Ⅱの１(2)(ア) i の年齢別配置基準のうち、満３歳児に係る保育教諭等の配置基準を満３歳児６人につき１人（満３歳児を除いた３歳児は15人につき１人）により実施する施設に加算する。なお、満３歳児の実人数が６人を下回る場合であっても、以下の算式による配置基準上保育教諭等数を満たす場合は、加算が適用される。
＜算式＞
　｛４歳以上児数×１／30（小数点第１位まで計算（小数点第２位以下切り捨て））｝＋｛３歳児数（満３歳児を除く）×１／15（同）｝＋｛満３歳児×１／６（同）｝＝配置基準上保育教諭等数（小数点以下四捨五入）

(2) 加算の認定
(ア) 加算の認定は、施設が所在する市町村が行うこととし、加算を認定するにあたっては、その施設の設置者からその旨の申請（施設名、加算の適用開始年月、利用子ども数（見込）、施設全体の常勤換算人数による配置保育教諭等の数及び職員体制図等）を徴して確認すること。
(イ) 市町村は、加算の認定がされている施設について、申請又は指導監督等を通じてその状況を把握し、(1)の要件に適合しなくなった場合には、(1)の要件に適合しなくなった日の属する月の翌月（月の初日に(1)に適合しなくなった場合はその月）から加算の適用が無いものとすること。

(3) 加算額の算定
　加算額は、利用する満３歳児に係る地域区分等に応じた単価に、当該加算に係る処遇改善等加算Ⅰの単価に１の(2)で認定した加算率×100を乗じて得た額を加えた額とする。

7 講師配置加算（⑫）
(1) 加算の要件
　基本分単価（⑤）及び他の加算等の認定に当たって求められる「必要教員数」を超えて、非常勤講師（幼稚園教諭免許状を有し、教諭等の発令を受けている者）を配置する教育標準時間認定子どもに係る利用定員が35人以下又は121人以上の施設に加算する。
(2) 加算の認定

(ア) 加算の認定は、施設が所在する市町村が行うこととし、加算を認定するにあたっては、その施設の設置者からその旨の申請（施設名、加算の適用年月、利用子ども数（見込）、施設全体の常勤換算人数による配置教員数及び職員体制図等）を徴して確認すること。

(イ) 市町村は、加算の認定がされている施設について、申請又は指導監督等を通じてその状況を把握し、(1)の要件に適合しなくなった場合には、(1)の要件に適合しなくなった日の属する月の翌月（月の初日に(1)に適合しなくなった場合はその月）から加算の適用が無いものとすること。

(3) 加算額の算定

加算額は、地域区分等に応じた単価に、当該加算に係る処遇改善等加算Ⅰの単価に1の(2)で認定した加算率×100を乗じて得た額を加えた額とする。

8 チーム保育加配加算（⑬）

(1) 加算の要件

基本分単価（⑤）及び他の加算等の認定に当たって求められる「必要保育教諭等の数」を超えて、保育教諭等（幼稚園教諭の免許状を有するが教諭等の発令を受けていない教育補助者を含む。）を配置する施設において、副担任等の学級担任以外の保育教諭等を配置する、少人数の学級編制を行うなど、3歳以上子ども（認定こども園全体の教育標準時間認定子ども及び保育認定子ども（4歳以上児及び3歳児に限る。）をいう。以下同じ。）に対し、低年齢児を中心として小集団化したグループ教育を実施する場合に加算する。

なお、本加算の算定上の「加配人数」は、3歳以上子どもに係る利用定員の区分ごとの上限人数(注1)の範囲内で、「必要保育教諭等の数」を超えて配置する保育教諭等の数(注2)とする。

(注1) 3歳以上子どもに係る利用定員の区分ごとの上限人数

45人以下：1人、46人以上150人以下：2人、151人以上240人以下：3人、241人以上270人以下：3.5人、271人以上300人以下：5人、301人以上450人以下：6人、451人以上：8人

(注2) 「必要保育教諭等の数」を超えて配置する保育教諭等の数に応じ、以下のとおり取り扱うこととする。

① 常勤換算人数（小数点第2位以下切

り捨て、小数点第1位四捨五入前）による配置保育教諭等の数から「必要保育教諭等の数」を減じて得た員数が3人未満の場合

小数点第1位を四捨五入した員数とする。

（例）2.3人の場合、2人

② 常勤換算人数（小数点第2位以下切り捨て、小数点第1位四捨五入前）による配置保育教諭等の数から「必要保育教諭等の数」を減じて得た員数が3人以上の場合

小数点第1位が1又は2のときは小数点第1位を切り捨て、小数点第1位が3又は4のときは小数点第1位を0.5とし、小数点第1位が5以上のときは小数点第1位を切り上げて得た員数とする。

（例）3.2人の場合→3人、3.4人の場合→3.5人、3.6人の場合→4人

(2) 加算の認定

(ア) 加算の認定は、施設が所在する市町村が行うこととし、加算を認定するにあたっては、その施設の設置者からその旨の申請（施設名、加算の適用開始年月、利用子ども数（見込）、施設全体の常勤換算人数による配置保育教諭等の数及び職員体制図等）を徴して確認すること。

(イ) 市町村は、加算の認定がされている施設について、申請又は指導監督等を通じてその状況を把握し、(1)の要件に適合しなくなった場合には、(1)の要件に適合しなくなった日の属する月の翌月（月の初日に(1)に適合しなくなった場合はその月）から加算の適用が無いものとすること。

(3) 加算額の算定

加算額は、地域区分及び3歳以上子どもの利用定員の区分に応じた単価に、当該加算に係る処遇改善等加算Ⅰの単価に1の(2)で認定した加算率×100を乗じて得た額を加えた額を基本額とし、当該基本額に加配人数を乗じて得た額とする。

9 通園送迎加算（⑭）

(1) 加算の要件

利用子どもの通園の便宜のため送迎を行う施設に加算する。

なお、年間に必要な経費を平準化して単価を

設定しているため、通園送迎を利用していない園児についても同額を加算し、また、長期休業期間の単価にも加算するものとする。

（注）送迎の実施方法（運転手を雇用して実施又は業務委託して実施等）は問わない。

(2) 加算の認定

(ア) 加算の認定は、施設が所在する市町村が行うこととし、加算を認定するにあたっては、その施設の設置者からその旨の申請（施設名、加算の適用開始年月、利用子ども数（見込）及び通園送迎の実施状況等が分かる資料等）を徴して確認すること。

(イ) 市町村は、加算の認定がされている施設について、申請又は指導監督等を通じてその状況を把握し、(1)の要件に適合しなくなった場合には、(1)の要件に適合しなくなった日の属する月の翌月（月の初日に(1)に適合しなくなった場合はその月）から加算の適用が無いものとすること。

(3) 加算額の算定

加算額は、地域区分等に応じた単価に、当該加算に係る処遇改善等加算Ⅰの単価に１の(2)で認定した加算率×100を乗じて得た額を加えた額とする。

10 給食実施加算（⑮）

(1) 加算の要件

給食を実施している施設に加算する。

本加算の算定上の「週当たり実施日数」は、修業期間中の平均的な月当たり実施日数を４（週）で除して算出（小数点第１位を四捨五入）することとし、子ども全員に給食を提供できる体制をとっている日を実施日とみなすものとする（保護者が弁当持参を希望するなどにより給食を利用しない子どもがいる場合も実施日に含む）。

なお、年間に必要な経費を平準化して単価を設定しているため、長期休業期間の単価にも加算するものとする。

（注）給食の実施方法（業務委託、外部搬入等）は問わない。

(2) 加算の認定

(ア) 加算の認定は、施設が所在する市町村が行うこととし、加算を認定するにあたっては、その施設の設置者からその旨の申請（施設名、加算の適用開始年月、利用子ども数（見込）及び給食の実施状況・実施形態の別等が分かる資料等）を徴して確認すること。

(イ) 市町村は、加算の認定がされている施設について、申請又は指導監督等を通じてその状況を把握し、(1)の要件に適合しなくなった場合には、(1)の要件に適合しなくなった日の属する月の翌月（月の初日に(1)に適合しなくなった場合はその月）から加算の適用が無いものとすること。

(3) 加算額の算定

加算額は、定員区分及び以下の給食の実施形態の別に応じて定められた単価に、当該加算に係る処遇改善等加算Ⅰの単価に１の(2)で認定した加算率×100を乗じて得た額を加えた額とする。

(ア) 施設内の調理設備を使用してきめ細かに調理を行っている場合 (注1)

(イ) 施設外で調理して施設に搬入する方法により給食を実施している場合 (注2)

（注１）施設の職員が調理を行っている場合のほか、安全・衛生面、栄養面、食育等の観点から施設の管理者が業務上必要な注意を果たし得るような体制及び契約内容により、調理業務を第三者に委託する場合を含む。

（注２）搬入後に施設内において喫食温度まで加温し提供する場合を含む。

11 外部監査費加算（⑯）

(1) 加算の要件

認定こども園を設置する学校法人等が、当年度の認定こども園の運営に係る会計について、公認会計士又は監査法人による監査（以下「外部監査」という。）を受ける場合に加算する。

外部監査の内容等については、幼稚園に係る私立学校振興助成法（昭和50年法律第61号）第14条第３項の規定に基づく公認会計士又は監査法人の監査及びこれに準ずる公認会計士又は監査法人の監査と同等のものとする。

(2) 加算の認定

(ア) 加算の認定は、施設が所在する市町村が行うこととし、加算を認定するにあたっては、その施設の設置者からその旨の申請（施設名、加算の適用開始年度、利用子ども数（見込）及び外部監査の実施状況等が分かる資料等）を徴して確認すること。

(イ) 当年度の３月時点で外部監査を実施することが確認できれば、当年度の３月分の単価に加算する（監査報告書の作成等の時期が翌年度になる場合でも、監査実施契約が締結され

ているなど、確実に外部監査が実施されることが確認できれば、当年度の3月分の単価に加算する）。

なお、監査報告書については、作成次第速やかに、監査実施者から施設が所在する市町村あて提出すること。

(3) 加算額の算定

加算額は、認定こども園全体の利用定員に応じて定められた額とし、3月初日に利用する子どもの単価に加算する。

12　副食費徴収免除加算（⑰）

(1) 加算の要件

利用子どもの全てに副食の全てを提供する日（以下「給食実施日」という。）(注1)があり、かつ、利用子どもである副食費徴収免除対象子ども(注2)に副食の全てを提供する日がある施設に加算する。

(注1) 副食の提供状況については保護者への意向聴取等により施設が把握している各月初日における副食の提供予定による。また、施設の都合によらずに副食の一部又は全部の提供を要しない利用子どもについては副食の全てを提供しているものと見なすものとする。

(注2) 以下のいずれかに該当する子どもとして、副食費の徴収が免除されることについて市町村から通知がされた子どもとする。

① 特定教育・保育施設及び特定地域型保育事業並びに特定子ども・子育て支援施設等の運営に関する基準（平成26年内閣府令第39号。以下「特定教育・保育施設等運営基準」という。）第13条第4項第3号イの(1)又は(2)に規定する年収360万円未満相当世帯に属する教育標準時間認定子ども

② 特定教育・保育施設等運営基準第13条第4項第3号ロの(1)又は(2)に規定する第3子以降の教育標準時間認定子ども

③ 保護者及び当該保護者と同一の世帯に属する者が子ども・子育て支援法施行令（平成26年政令第213号）第15条の3第2項各号に規定する市町村民税を課されない者に準ずる者である教育標準時間認定子ども

(2) 加算の認定

(ア) 加算の認定は、施設が所在する市町村長が月毎に行うこととし、加算の認定をするにあ

たっては、その施設の設置者からその旨の申請（施設名、加算の適用年月、副食の提供予定等）を徴して確認すること。

(イ) 市町村長は、加算の認定がされている施設について、指導監督等を通じて副食の提供状況を把握し、申請内容と実績に乖離がある場合には、施設の設置者から理由を徴すること。

(3) 加算額の算定

加算額は、定められた額に、各月の給食実施日数(注)を乗じて得た額とし、副食費徴収免除対象子どもについて加算する（算定して得た額に10円未満の端数がある場合は切り捨てる。）。

(注) 20を超える場合には20とする。

Ⅳ　加減調整部分

1　主幹保育教諭等の専任化により子育て支援の取組みを実施していない場合（⑱）

(1) 調整の適用を受ける施設の要件

以下の要件を満たさない施設に適用する。

(要件)

Ⅱの1(2)(ア)ⅰ（注4）の主幹保育教諭等1人を配置し、その主幹保育教諭等を教育・保育計画の立案や地域の子育て支援活動等の業務に専任させるためのⅡの1(2)(ア)ⅱcの代替保育教諭等を配置し、以下の事業等を複数実施すること。

また、保護者や地域住民からの教育・育児相談、地域の子育て支援活動等に積極的に取り組むこと。

認定こども園の基本分単価は、主幹保育教諭等がクラス担当等から離れて、指導計画の立案や子育て活動等に専任できるよう、代替保育教諭等の配置のための費用を算定していることから、主幹保育教諭等がクラス担当や学級担任を兼務することは適切ではなく、代理で行う場合であっても、1月を超えて兼務が継続している場合は減額調整を行うこと。

ⅰ 幼稚園型一時預かり事業（子ども・子育て支援交付金の交付に係る要件に適合しており、かつ、月の平均対象子どもが1人以上いるもの（年度当初から事業を開始する場合は5月において当該要件を満たしていることをもって4月から当該要件を満たしているものと取り扱う。）。私学助成の預かり保育推進事業、幼稚園長時間預かり保育支援事業、市町村の単独事業・自主事業（私学助成の国庫補助事業の対象に準ずる

形態で実施されている場合に限る。）等により行う預かり保育を含む。ただし、当該要件を満たした月以降の各月においては、同一年度に限り、事業を実施する体制が取られていることをもって当該要件を満たしているものと取り扱う。）

ⅱ　一般型一時預かり事業（子ども・子育て支援交付金の交付に係る要件に適合しており、かつ、月の平均対象子どもが１人以上いるもの（年度当初から事業を開始する場合は５月において当該要件を満たしていることをもって４月から当該要件を満たしているものと取り扱う。）。私学助成の子育て支援活動の推進等により行う未就園児の保育、幼稚園型一時預かり事業により行う非在園児の預かり及びこれらと同等の要件を満たして実施しているもの。ただし、当該要件を満たした月以降の各月においては、同一年度に限り、事業を実施する体制が取られていることをもって当該要件を満たしているものと取り扱う。）

ⅲ　満３歳児に対する教育・保育の提供（月の初日において満３歳児が１人以上利用している月から年度を通じて当該要件を満たしているものとする。）

ⅳ　障害児（軽度障害児を含む。）^(注)に対する教育・保育の提供（月の初日において障害児が１人以上利用している月から年度を通じて当該要件を満たしているものとする。）

（注）市町村が認める障害児とし、身体障害者手帳等の交付の有無は問わない。医師による診断書や巡回支援専門員等障害に関する専門的知見を有する者による意見提出など障害の事実が把握可能な資料をもって確認しても差し支えない。

ⅴ　継続的な小学校との連携・接続に係る取組で以下の全ての要件を満たすもの（年度当初から当該取組を開始する場合は５月において計画により下記の要件を満たしていることをもって４月から年度を通じて当該要件を満たしているものと取り扱う。）

（ア）小学校との連携・接続に関する業務分掌を明確にしていること。

（イ）授業・行事、研究会・研修等の小学校との子ども及び教職員の交流活動を年度を通じて複数回実施していること。

（ウ）小学校と協働して、５歳児から小学校１年生の２年間（２年以上を含む。）のカリキュラムを編成・実施していること（小学校との継続的な協議会の開催等により具体的な編成に着手していると認められる場合を含む。）。

ⅵ　都道府県及び市町村等の教育委員会又は幼児教育センターなど幼児教育施設に対して幼児教育の内容・指導方法等の指導助言等を行う部局、あるいは幼児教育アドバイザーなど地方自治体に所属して幼児教育の専門的な知見や豊富な実践経験に基づき幼児教育に関する指導助言等を行う者と連携して、園内研修を企画・実施していること。

(2)　調整の適用を受ける施設の認定

（ア）調整の適用を受ける施設の認定は、施設が所在する市町村が、Ⅱの１(2)で定める職員の充足状況の確認と併せて、施設の設置者から(1)の要件を満たしている旨の申請（施設名、調整の適用年月、主幹保育教諭等１人の配置、教育・育児相談・地域の子育て支援活動等の内容、(1)ⅰからⅴの事業等の実施状況等）を徴し、要件への適合状況を確認すること。

（イ）市町村は、調整の適用を受ける施設について、申請等を通じてその状況を把握し、(1)の要件に適合しなくなった場合には、(1)の要件に適合しなくなった日の属する月の翌月（月の初日に(1)に適合しなくなった場合はその月）から調整の適用が無いものとすること。

(3)　調整額の算定

調整額は、地域区分等に応じた単価に、当該調整額に係る処遇改善等加算Ⅰの単価にⅢの１(2)で認定した加算率×100を乗じて得た額を加えた額とする。

２　年齢別配置基準を下回る場合（⑲）

(1)　調整の適用を受ける施設の要件

施設に配置する保育教諭等の数が、Ⅱの１(2)（ア）ⅰ及びⅱで定める保育教諭等の数（ⅱのｃを除き、学級編制調整加配加算が適用される場合は、当該加算に係る保育教諭等１人を含む。）を下回る場合に調整する。

本調整の算定上の「人数」は、認定こども園全体の必要保育教諭等の数から実際に配置する保育教諭等の数を減じて得た数を２で除して得

た数とする。
(2) 調整の適用を受ける施設の認定
　(ア) 調整の適用を受ける施設の認定は、施設が所在する市町村が、Ⅱの1(2)で定める職員の充足状況の確認と併せて本調整の適用の有無を確認の上行うこと。
　(イ) 市町村は、調整の適用を受ける施設について、申請等を通じてその状況を把握し、(1)の要件に適合しなくなった場合には、(1)の要件に適合しなくなった日の属する月の翌月（月の初日に(1)に適合しなくなった場合はその月）から調整の適用が無いものとすること。
(3) 調整額の算定
　不足する保育教諭等の1人当たりの額は、地域区分等に応じた単価に、当該額に係る処遇改善等加算Ⅰの単価にⅢの1(2)で認定した加算率×100を乗じて得た額を加えた額とし、当該額に不足する「人数」を乗じて得た額を調整額とする。
3　配置基準上求められる職員資格を有しない場合（⑳）
(1) 調整の適用を受ける施設の要件
　Ⅱの1(2)(ア)で定める保育教諭等の数に含まれる教育・保育従事者のうち、幼稚園教諭免許又は保育士資格のいずれも有しない者がいる場合に調整する。
　本調整の算定上の「人数」は、上記の必要資格を有しない者の数を2で除して得た数とする。
(2) 調整の適用を受ける施設の認定
　(ア) 調整の適用を受ける施設の認定は、施設が所在する市町村が、Ⅱの1(2)で定める職員の充足状況の確認と併せて本調整の適用の有無を確認の上行うこと。
　(イ) 市町村は、調整の適用を受ける施設について、申請等を通じてその状況を把握し、(1)の要件に適合しなくなった場合には、(1)の要件に適合しなくなった日の属する月の翌月（月の初日に(1)に適合しなくなった場合はその月）から調整の適用が無いものとすること。
(3) 調整額の算定
　必要資格を有しない教育・保育従事者の1人当たりの額は、地域区分等に応じた単価に、当該額に係る処遇改善等加算Ⅰの単価にⅢの1(2)で認定した加算率×100を乗じて得た額を加えた額とし、当該額に必要資格を有しない教育・保育従事者の「人数」を乗じて得た額を調整額

とする。
Ⅴ　乗除調整部分
1　定員を恒常的に超過する場合（㉑）
(1) 調整の適用を受ける施設の要件
　直前の連続する2年度間常に利用定員を超えており(注1)、かつ、各年度の年間平均在所率(注2)が120％以上の状態にある施設に適用する。
　なお、教育・保育の提供は利用定員の範囲内で行われることが原則であること。
　また、上記の状態にある施設に対しては、利用定員の見直しに向けた指導を行うこと。
(注1) 利用定員を超えて受け入れる場合の留意事項
　利用定員を超えて受け入れる場合であっても、施設の設備又は職員数が、利用定員を超えて利用する子どもを含めた利用子ども数に照らし、幼保連携型認定こども園設備運営基準又は就学前の子どもに関する教育、保育等の総合的な提供の推進に関する法律第3条第2項及び第4項の規定に基づき内閣総理大臣、文部科学大臣及び厚生労働大臣が定める施設の設備及び運営に関する基準（平成26年内閣府・文部科学省・厚生労働省告示第2号）及び本通知等に定める基準を満たしていること。
(注2) 年間平均在所率
　当該年度内における各月の初日の教育標準時間認定を受けた利用子ども数の総和を各月の初日の教育標準時間認定に係る利用定員の総和で除したものをいう。
(2) 調整の適用を受ける施設の認定
　(ア) 調整の適用を受ける施設の認定は、施設が所在する市町村が施設の利用状況を確認のうえ行うこととする。
　(イ) ただし、子ども・子育て支援法（平成24年8月22日法律第65号。以下「支援法」という。）による確認を受ける前から既に認可定員（認定こども園を構成する幼稚園の収容定員を前提として定められた現行の認定こども園法第4条第1項第3号の利用定員又は満3歳以上の子どもに係る同項第4号の利用定員をいう。）を超過していた認定こども園については、現行の都道府県の私学助成における補助金の交付額の減額の仕組み等による対応との整合性等を踏まえ、都道府県の判断によ

り、支援法の施行当初又は確認を受けた時から減算を適用することも可能とする。この場合の考え方及び手続は、平成26年10月17日付け事務連絡「認可定員を超過して園児を受け入れている私立幼稚園に係る子ども・子育て支援法に基づく確認等に関する留意事項について」によるものとする。

(ウ) 市町村は、調整の適用を受ける施設について、指導監督等を通じて利用定員の見直しが行われた場合又は地域における需要の動向等を踏まえて当該年度における年間平均在所率が120％以上の状態にならないものと認められる場合には、見直し等が行われた日の属する月の翌月（月の初日に(1)に適合しなくなった場合はその月）から調整の適用が無いものとすること。

(3) 適用される基本部分及び加減調整部分の額の調整の方法

本調整措置が適用される施設における基本分単価（⑤）から配置基準上求められる職員資格を有しない場合（⑳）（副食費徴収免除加算（⑰）を除く。）の額については、それぞれの額の総和に各月初日の利用子ども数の区分及び地域区分等に応じた調整率を乗じて得た額とする（算定して得た額に10円未満の端数がある場合は切り捨てる。）。

VI 特定加算部分

1 療育支援加算（㉒）

(1) 加算の要件

障害児^(注1)を受け入れている^(注2)施設^(注3)において、主幹保育教諭等を補助する者^(注4)を配置し、地域住民等の子どもの療育支援に取り組む場合に加算する。

なお、主幹保育教諭等の専任化により子育て支援の取組みを実施していない場合（⑱）の調整が適用されている施設については、当該加算の対象とはならないこと。

また、当該加算が適用される施設においては、障害児施策との連携を図りつつ、障害児教育・保育に関する専門性を活かして、地域住民や保護者からの育児相談等の療育支援に積極的に取り組むこと^(注5)。

(注1) 市町村が認める障害児とし、身体障害者手帳等の交付の有無は問わない。医師による診断書や巡回支援専門員等障害に関する専門的知見を有する者による意見提出など障害の事実が把握可能な資料を

もって確認しても差し支えない。

(注2) 「障害児を受け入れている」とは、月の初日において障害児が1人以上利用していることをもって満たしているものとし、以降年度を通じて当該要件を満たしているものとすること。

(注3) 本加算の適用の有無は認定こども園全体（教育標準時間認定及び保育認定）を通じて行われるものであること。

(注4) 非常勤職員であって、資格の有無は問わない。

(注5) 取組の例示

・ 施設を利用する気になる段階の子どもを含む障害児について、障害児施策との連携により、早期の段階から専門的な支援へと結びつける。

・ 地域住民からの教育・育児相談等へ対応し、専門的な支援へと結びつける。

・ 補助者の活用により障害児施策との連携を図る。

・ 保育所等訪問支援事業における個別支援計画の策定に当たっての連携役

・ 障害児施策との連携により、施設における障害児教育・保育の専門性を強化し、障害児に対する支援を充実する。

(2) 加算の認定

(ア) 加算の認定は、施設が所在する市町村が行うこととし、加算の認定をするにあたっては、その施設の設置者からその旨の申請（施設名、加算の適用年月、対象子ども等）を徴して確認すること。

(イ) 市町村は、加算の認定がされている施設について、申請又は指導監督等を通じてその状況を把握し、(1)の要件に適合しなくなった場合には、(1)の要件に適合しなくなった日の属する月の翌月（月の初日に(1)に適合しなくなった場合はその月）から加算の適用が無いものとすること。

(3) 加算額の算定

加算額は、特別児童扶養手当支給対象児童^(注)受入施設又はそれ以外の障害児受入施設の別に定められた基本額に、当該加算に係る処遇改善等加算Ⅰの単価にⅢの1(2)で認定した加算率×100を乗じて得た額を加えた額を、各月初日の教育標準時間認定を受けた利用子ども数で除して得た額とする。（算定して得た額に10円未満の端数がある場合は切り捨てる。）

（注）特別児童扶養手当の支給要件に該当する
　　　が、所得制限により当該手当の支給がされ
　　　ていない児童を含む。

2　事務職員配置加算（㉓）

(1)　加算の要件

　　基本分単価（⑤）において求められる事務職
　員及び非常勤事務職員^(注)を超えて、非常勤事
　務職員を配置する認定こども園全体の利用定員
　が91人以上の施設に加算する。

（注）園長等の職員が兼務する場合又は業務委
　　　託をする場合は、配置は不要であること。

(2)　加算の認定

(ア)　加算の認定は、施設が所在する市町村が行
　うこととし、加算の認定をするにあたって
　は、その施設の設置者からその旨の申請（施
　設名、加算の適用年月、利用子ども数（見
　込）、職員の配置状況が記載された職員体制
　図等）を徴して確認すること。

(イ)　市町村は、加算の認定がされている施設に
　ついて、申請又は指導監督等を通じてその状
　況を把握し、(1)の要件に適合しなくなった場
　合には、(1)の要件に適合しなくなった日の属
　する月の翌月（月の初日に(1)に適合しなく
　なった場合はその月）から加算の適用が無い
　ものとすること。

(3)　加算額の算定

　　加算額は、区分ごとの基本額に、当該加算に
　係る処遇改善等加算Ⅰの単価にⅢの1(2)で認定
　した加算率×100を乗じて得た額を加えた額
　を、各月初日の教育標準時間認定を受けた利用
　子ども数で除して得た額とする。（算定して得
　た額に10円未満の端数がある場合は切り捨て
　る。）

3　指導充実加配加算（㉔）

(1)　加算の要件

　　基本分単価（⑤）及び他の加算等の認定に当
　たって求められる必要保育教諭等の数を超え
　て、非常勤講師を配置する教育標準時間認定子
　ども及び保育認定（2号）子どもに係る利用定
　員が271人以上の施設に加算する。

(2)　加算の認定

(ア)　加算の認定は、施設が所在する市町村が行
　うこととし、加算を認定するにあたっては、
　その施設の設置者からその旨の申請（施設
　名、加算の適用年月、非常勤講師の配置が分
　かる資料等）を徴して確認すること。

(イ)　市町村は、加算の認定がされている施設に

ついて、申請又は指導監査等を通じてその状
況を把握し、(1)の要件に適合しなくなった場
合には、(1)の要件に適合しなくなった日の属
する月の翌月（月の初日に(1)に適合しなく
なった場合はその月）から加算の適用が無い
ものとすること。

(3)　加算の算定

　　加算額は、基本額に、当該加算に係る処遇改
善等加算Ⅰの単価にⅢの1(2)で認定した加算率
×100を乗じて得た額を、各月初日の教育標準
時間認定を受けた利用子ども数で除して得た額
とする。（算定して得た額に10円未満の端数が
ある場合は切り捨てる。）

4　事務負担対応加配加算（㉕）

(1)　加算の要件

　　基本分単価（⑤）において求められる事務職
員及び非常勤事務職員^(注)並びに事務職員配置
加算（㉓）において求められる非常勤事務職員
を超えて、非常勤事務職員を配置する認定こど
も園全体の利用定員が271人以上の施設に加算
する。

（注）園長等の職員が兼務する場合又は業務委
　　　託をする場合は、配置は不要であること。

(2)　加算の認定

(ア)　加算の認定は、施設が所在する市町村が行
うこととし、加算を認定するにあたっては、
その施設の設置者からその旨の申請（施設
名、加算の適用年月、非常勤事務職員の配置
が分かる資料等）を徴して確認すること。

(イ)　市町村は、加算の認定がされている施設に
ついて、申請又は指導監査等を通じてその状
況を把握し、(1)の要件に適合しなくなった場
合には、(1)の要件に適合しなくなった日の属
する月の翌月（月の初日に(1)に適合しなく
なった場合はその月）から加算の適用が無い
ものとすること。

(3)　加算の算定

　　加算額は、基本額に、当該加算に係る処遇改
善等加算Ⅰの単価にⅢの1(2)で認定した加算率
×100を乗じて得た額を、各月初日の教育標準
時間認定を受けた利用子ども数で除して得た額
とする。（算定して得た額に10円未満の端数が
ある場合は切り捨てる。）

5　処遇改善等加算Ⅱ（㉖）

(1)　加算の要件及び加算の認定

　　加算の要件及び加算の認定は別に定めるとこ
ろによる。

(2) 加算額の算定

加算額は、処遇改善等加算Ⅱ—①及びⅡ—②の別に定められる額にそれぞれ対象人数を乗じて得た額の合計を、各月初日の教育標準時間認定を受けた利用子ども数で除して得た額とする（算定して得た額に10円未満の端数がある場合は切り捨てる。）。

6 処遇改善等加算Ⅲ（27）

(1) 加算の要件及び加算の認定

加算の要件及び加算の認定は別に定めるところによる。

(2) 加算額の算定

加算額は、別に定める額に対象人数を乗じて得た額を、各月初日の教育標準時間認定を受けた利用子ども数で除して得た額とする（算定して得た額に10円未満の端数がある場合は切り捨てる。）。

7 冷暖房費加算（28）

(1) 加算の要件

全ての施設に加算する。

(2) 加算額の算定

加算額は、以下の地域の区分に応じて定める額とする。

1級地	国家公務員の寒冷地手当に関する法律（昭和24年法律第200号）別表に規定する1級地をいう。
2級地	国家公務員の寒冷地手当に関する法律別表に規定する2級地をいう。
3級地	国家公務員の寒冷地手当に関する法律別表に規定する3級地をいう。
4級地	国家公務員の寒冷地手当に関する法律別表に規定する4級地をいう。
その他地域	上記以外の地域をいう。

8 施設関係者評価加算（29）

(1) 加算の要件

認定こども園法施行規則第23条又は学校教育法施行規則第39条において準用する第66条の規定による評価（以下「自己評価」という。）を実施するとともに、認定こども園法施行規則第24条又は学校教育法施行規則第39条において準用する第67条の規定に準じて、保護者その他の施設の関係者（施設職員を除く。）による評価（以下「施設関係者評価」という。）を実施し、その結果をホームページ・広報誌への掲載、保護者への説明等により広く公表する場合

に加算する。

施設関係者評価の内容等については、「幼稚園における学校評価ガイドライン」（これに準じて自治体が作成したものを含む。）に準拠し、自己評価の結果に基づき実施するとともに、授業・行事等の活動の公開、園長等との意見交換の確保などに配慮して実施するものとする。

（注）本加算の適用の有無は認定こども園全体（教育標準時間認定及び保育認定）を通じて行われるものであること。

(2) 加算の認定

加算の認定は、施設が所在する市町村が行うこととし、加算を認定するにあたっては、その施設の設置者からその旨の申請（施設名、加算の適用開始年度、自己評価の実施状況、施設関係者評価の実施状況、公開保育の実施状況が分かる資料等）を毎年12月末までに提出させ、必要な審査を行うこと。

（注）評価者の委嘱や会議の開催予定等により、当年度に評価や結果の公表（評価報告書の作成が翌年度以降となるため、結果の公表が翌年度になる場合を含む。）が行われることが確認できる場合は本加算の対象とする。その場合、市町村は評価や結果の公表が確実に行われていることを事後に確認すること。

(3) 加算額の算定

加算額は、公開保育の取組と組み合わせて施設関係者評価を実施する施設（注）とそれ以外の施設の別に応じて定められた額を、3月初日の教育標準時間認定を受けた利用子ども数で除して得た額（算定して得た額に10円未満の端数がある場合は切り捨てる。）とし、3月初日に利用する子どもの単価に加算する。

（注）幼児期の教育・保育に専門的知見を有する外部有識者の協力を得て、他の幼稚園・認定こども園・保育所の職員や地域の幼児教育関係者、小学校等の他校種の教員等を招いて行われる公開保育を実施するとともに、当該公開保育に施設関係者評価の評価者の全部又は一部を参加させ、その結果を踏まえて施設関係者評価を行う施設をいう。

9 除雪費加算（30）

(1) 加算の要件

豪雪地帯対策特別措置法（昭和37年法律第73

号）第2条第2項に規定する地域に所在する施設に加算する。

(2) 加算額の算定

加算額は、定められた額とし、3月初日に利用する子どもの単価に加算する。

10 降灰除去費加算 (㉛)

(1) 加算の要件

活動火山対策特別措置法（昭和48年法律第61号）第23条第1項に規定する降灰防除地域に所在する施設に加算する。

(2) 加算額の算定

加算額は、定められた額を、3月初日の教育標準時間認定を受けた利用子ども数で除して得た額（算定して得た額に10円未満の端数がある場合は切り捨てる。）とし、3月初日に利用する子どもの単価に加算する。

11 施設機能強化推進費加算 (㉜)

(1) 加算の要件

施設における火災・地震等の災害時に備え、職員等の防災教育及び災害発生時の安全かつ、迅速な避難誘導体制を充実する等の施設の総合的な防災対策を図る取組 (注1・注2・注3) を行う施設で、以下の事業等を複数実施する施設に加算する。

i 延長保育事業（子ども・子育て支援交付金の交付に係る要件に適合するもの及びこれと同等の要件を満たして自主事業として実施しているもの。ただし、当該要件を満たした月以降の各月においては、同一年度内に限り、事業を実施する体制が取られていることをもって当該要件を満たしているものと取り扱う。）

ii 幼稚園型一時預かり事業（子ども・子育て支援交付金の交付に係る要件に適合しており、かつ、月の平均対象子どもが1人以上いるもの（年度当初から事業を開始する場合は5月において当該要件を満たしていることをもって4月から当該要件を満たしているものと取り扱う。）。私学助成の預かり保育推進事業、幼稚園長時間預かり保育支援事業、市町村の単独事業・自主事業（私学助成の国庫補助事業の対象に準ずる形態で実施されている場合に限る。）等により行う預かり保育を含む。ただし、当該要件を満たした月以降の各月においては、同一年度に限り、事業を実施する体制が取られていることをもって当該要件を満たしているものと取り扱う。）

iii 一時預かり事業（一般型）（子ども・子育て支援交付金に係る要件に適合しており、かつ、月の平均対象子どもが1人以上いるもの（年度当初から事業を開始する場合は5月において当該要件を満たしていることをもって4月から当該要件を満たしているものと取り扱う。）。ただし、当該要件を満たした月以降の各月においては、同一年度に限り、事業を実施する体制が取られていることをもって当該要件を満たしているものと取り扱う。）

ただし、当分の間は平成21年6月3日雇児発第0603002号厚生労働省雇用均等・児童家庭局長通知「『保育対策等促進事業の実施について』の一部改正について」以前に定める一時保育促進事業の要件を満たしていると認められ、実施しているものも含むこととされること。また、私学助成の子育て支援活動の推進等により行う未就園児の保育、幼稚園型一時預かり事業により行う非在園児の預かり及びこれらと同等の要件を満たして実施しているもの。

iv 病児保育事業（子ども・子育て支援交付金の交付に係る要件に適合するもの及びこれと同等の要件を満たして自主事業として実施しているもの。）

v 満3歳児（教育標準時間認定子どもに限る。）に対する教育・保育の提供（4月から11月までの各月初日を平均して満3歳児が1人以上利用していること。）

vi 乳児に対する教育・保育の提供（4月から11月までの各月初日を平均して乳児が3人以上利用していること。）

また、①乳児の利用定員が3人以上あり、かつ、②乳児保育を実施する職員体制を維持し、③地域の親子が交流する場の提供や子育てに関する相談会を月2回以上開催している場合、前年度に要件を満たしていた場合については、乳児3人以上の利用の要件を満たしたものと取り扱う。

vii 障害児（軽度障害児を含む。）(注5) に対する教育・保育の提供（4月から11月までの間に1人以上の障害児の利用があること。）

(注1) 取組の実施方法の例示

i 地域住民等への防災支援協力体制の整備及び合同避難訓練等を実施する。

ii 職員等への防災教育、訓練の実施及び避難具の整備を促進する。

（注２）取組に必要となる経費の額

取組に必要となる経費の総額が、概ね16万円以上見込まれること。

（注３）支出対象経費

需用費（消耗品費、燃料費、印刷製本費、修繕費、食糧費（茶菓）、光熱水費、医療材料費）・役務費（通信運搬費）・旅費・謝金・備品購入費・原材料費・使用料及び賃借料・賃金・委託費（防災訓練及び避難具の整備等に要する特別の経費に限り、教育・保育の提供に当たって、通常要する費用は含まない。）

（注４）本加算の適用の有無は認定こども園全体（教育標準時間認定及び保育認定）を通じて行われるものであること。

（注５）市町村が認める障害児とし、身体障害者手帳等の交付の有無は問わない。医師による診断書や巡回支援専門員等障害に関する専門的知見を有する者による意見提出など障害の事実が把握可能な資料をもって確認しても差し支えない。

(2) 加算の認定

加算の認定は、施設が所在する市町村が行うこととし、加算の認定をするにあたっては、その施設の設置者からその旨の申請を毎年12月末までに提出させ、必要性及び経費等について必要な審査を行うこと。

(3) 加算額の算定

加算額は、定められた額を、３月初日の教育標準時間認定を受けた利用子ども数で除して得た額（算定して得た額に10円未満の端数がある場合は切り捨てる。）とし、３月初日に利用する子どもの単価に加算する。

(4) 実績の報告等

本加算の適用を受けた施設は、翌年４月末日までに実績報告書を市町村に提出すること。

なお、市町村は、本加算を行った施設について、検査時等に検証を行うこと。

12 小学校接続加算 （㉝）

(1) 加算の要件

小学校との連携・接続について次に掲げる取組を行う施設に、(3)に定める通り加算する。

（注）本加算の適用の有無は認定こども園全体（教育標準時間認定及び保育認定）を通じて行われるものであること。

i 小学校との連携・接続に関する業務分掌を明確にすること。

ii 授業・行事、研究会・研修等の小学校との子ども及び教職員の交流活動を実施していること。

iii 小学校と協働して、５歳児から小学校１年生の２年間（２年以上を含む。）のカリキュラムを編成・実施していること（小学校との継続的な協議会の開催等により具体的な編成に着手していると認められる場合を含む。）。

(2) 加算の認定

(ア) 加算の認定は、施設が所在する市町村長が行うこととし、加算を認定するにあたっては、その施設の設置者からその旨の申請（施設名、加算の適用年度、小学校との連携・接続に係る取組等の実施状況等が分かる資料等）を徴して確認すること。

(イ) 当年度の３月時点で上記の要件を満たす取組が確認できれば、当年度の３月分の単価に加算する。

(3) 加算額の算定

加算額は、以下に掲げる通りに要件を満たす場合に、それぞれに定められた額を、３月初日の教育標準時間認定を受けた利用子ども数で除して得た額（算定して得た額に10円未満の端数がある場合は切り捨てる。）とし、３月初日に利用する子どもの単価に加算する。

(ア) (1)のi及びiiのいずれの取組も実施している場合

(イ) (ア)に加えて、(1)iiiの取組を実施している場合

13 第三者評価受審加算 （㉞）

(1) 加算の要件

「幼稚園における学校評価ガイドライン」又は「福祉サービス第三者評価基準ガイドライン」等に沿って、第三者評価を適切に実施することが可能であると市町村が認める第三者評価機関（又は評価者）による評価（行政が委託等により民間機関に行わせるものを含む。）を受審し、その結果をホームページ等により広く公表する施設に加算する。

（注）本加算の適用の有無は認定こども園全体（教育標準時間認定及び保育認定）を通じて行われるものであること。

(2) 加算の認定

加算の認定は、施設が所在する市町村が行う

 こととし、加算を認定するにあたっては、その
施設の設置者からその旨の申請（施設名、加算
の適用開始年度、受審状況が分かる資料等）を
毎年12月末までに提出させ、必要な審査を行う
こと。

　　（注１）評価機関との間の契約書等により、当
　　　　　　年度に第三者評価の受審や結果の公表
　　　　　　（評価機関からの評価結果の提示が翌年
　　　　　　度以降となるため、結果の公表が翌年度
　　　　　　になる場合を含む。）が行われることが
　　　　　　確認できる場合は本加算の対象とする。
　　　　　　その場合、市町村は受審や結果の公表が
　　　　　　確実に行われていることを事後に確認す
　　　　　　ること。

　　（注２）第三者評価の受審は５年に一度程度を
　　　　　　想定しており、加算適用年度から５年度
　　　　　　間は再度の加算適用はできないこと。

　（3）加算額の算定

　　　加算額は、定められた額を、３月初日の教育
　　標準時間認定を受けた利用子ども数で除して得
　　た額（算定して得た額に10円未満の端数がある
　　場合は切り捨てる。）とし、３月初日に利用す
　　る子どもの単価に加算する。

別紙４（認定こども園（保育認定２・３号））

Ⅰ　地域区分等

　1　地域区分（①）

　　　利用する施設が所在する市町村ごとに定められ
　　た告示別表第１による区分を適用する。

　2　定員区分（②）

　　　利用する施設の保育認定子どもに係る利用定員
　　の総和に応じた区分を適用する。

　　　なお、分園を設置する施設に係る基本分単価
　　（⑥）及び処遇改善等加算Ⅰ（⑦）については、
　　中心園と分園それぞれの保育認定子どもに係る利
　　用定員の総和に応じた区分を適用する。

　3　認定区分（③）

　　　利用子どもの認定区分に応じた区分を適用す
　　る。

　4　年齢区分（④）

　　　利用子どもの満年齢に応じた区分を適用する。

　　　なお、年度の初日の前日における満年齢に基づ
　　き区分した場合に、年齢区分が異なる場合は、適
　　用される年齢区分における基本分単価（⑥）、処
　　遇改善等加算Ⅰ（⑦）、３歳児配置改善加算（⑧）
　　及び夜間保育加算（⑪）の単価について、それぞ
　　れの「月額調整」欄に定める額に置き換えて適用

するものとする。

　5　保育必要量区分（⑤）

　　　利用子どもの保育必要量に応じた区分を適用す
　　る。

Ⅱ　基本部分

　1　基本分単価（⑥）

　（1）額の算定

　　　地域区分（①）、定員区分（②）、認定区分
　　（③）、年齢区分（④）、保育必要量区分（⑤）
　　（以下「地域区分等」という。）に応じて定め
　　られた額とする。

　（2）基本分単価に含まれる職員構成

　　　基本分単価（教育標準時間認定子どもに係る
　　基本分単価を含む。）に含まれる職員構成は別
　　紙３のⅡ１（2）のとおりであることから、これを
　　充足すること。

Ⅲ　基本加算部分

　1　処遇改善等加算Ⅰ（⑦）

　（1）加算の要件及び加算の認定

　　　加算の要件及び加算の認定は別に定めるとこ
　　ろによる。

　（2）加算額の算定

　　　加算額は、地域区分等に応じた単価に、別に
　　定めるところにより認定した加算率×100を乗
　　じて得た額とする。

　2　３歳児配置改善加算（⑧）

　（1）加算の要件及び加算の認定

　　　加算の要件及び加算の認定は、別紙３のⅢの
　　４（1）及び（2）により行うこと。

　（2）加算額の算定

　　　加算額は、地域区分等に応じた単価に、当該
　　加算に係る処遇改善等加算Ⅰの単価に１の（2）で
　　認定した加算率×100を乗じて得た額を加えた
　　額とし、利用子ども（３歳児（年度の初日の前
　　日に満２歳であった者を除く。）に限る。）の単
　　価に加算する。

　3　４歳以上児配置改善加算（⑨）

　（1）加算の要件及び加算の認定

　　　加算の要件及び加算の認定は、別紙３のⅢの
　　５（1）及び（2）により行うこと。

　（2）加算額の算定

　　　加算額の算定は、別紙３のⅢの５（3）により行
　　うこと。

　4　休日保育加算（⑩）

　（1）加算の要件

　　　日曜日、国民の祝日及び休日（以下「休日
　　等」という。）において、以下の要件を満たし

て、保育を実施する施設に加算する。

(ｱ) 休日等を含めて年間を通じて開所する施設（複数の特定教育・保育施設、地域型保育事業所（居宅訪問型保育事業所は除く。）又は企業主導型保育施設との共同により年間を通じて開所する施設（以下「共同実施施設」という。）を含む。）を市町村が指定して実施すること。

(ｲ) 幼保連携型認定こども園にあっては幼保連携型認定こども園の学級の編制、職員、設備及び運営に関する基準（平成26年内閣府・文部科学省・厚生労働省令第1号。以下「幼保連携型認定こども園設備運営基準」という。）第5条第3項及び附則第5条から第8条、それ以外の認定こども園にあっては就学前の子どもに関する教育、保育等の総合的な提供の推進に関する法律第3条第2項及び第4項の規定に基づき内閣総理大臣、文部科学大臣及び厚生労働大臣が定める施設の設備及び運営に関する基準（平成26年内閣府・文部科学省・厚生労働省告示第2号。以下「認定こども園設備運営基準」という。）第2の一及び附則第3から第7の規定に基づき、対象子どもの年齢及び人数に応じて、本事業を担当する保育教諭等を配置すること。

(ｳ) 対象となる子どもに対して、適宜、間食又は給食等を提供すること。

(ｴ) 対象となる子どもは、原則、休日等に常態的に保育を必要とする保育認定子どもであること。

(2) 加算の認定

(ｱ) 加算の認定は、施設が所在する市町村長が行うこととし、加算の認定をするにあたっては、その施設の設置者からその旨の申請（施設名、加算の適用年月、休日等における保育教諭等の配置状況が記載された職員体制図、(3)の加算額の算定に必要な利用子ども数の見込み及び数の根拠となる実績等）を徴して確認すること。

また、共同実施施設については、上記に加えて複数の施設・事業所との共同により年間を通じて開所する場合の実施要綱や運営規程を徴して確認すること。

(ｲ) 市町村長は、加算の認定がされている施設について、申請又は指導監督等を通じてその状況を把握し、(1)の要件に適合しなくなった場合には、(1)の要件に適合しなくなった日の

属する月の翌月（月初日に(1)に適合しなくなった場合はその月）から加算の適用が無いものとすること。

(3) 加算額の算定

加算額は、地域区分等及び以下により認定した休日等に保育を利用する年間の延べ利用子ども数（以下「休日延べ利用子ども数」という。）に応じた単価に、当該加算に係る処遇改善等加算Ⅰの単価に1の(2)で認定した加算率×100を乗じた額を加えて算出した額を、当該施設における各月初日の利用子ども数（休日等に保育を利用しない子どもを含む。）で除して得た額とする（算定して得た額に10円未満の端数がある場合は切り捨てる。）。

(ｱ) 市町村は、毎年度、休日保育加算の対象となる施設（以下「休日保育対象施設」という。）から、当該休日保育対象施設における休日延べ利用子ども数の見込みを徴収して認定を行うこと。

なお、複数の施設・事業所との共同により年間を通じて開所する場合は、実施する各施設・事業所の休日延べ利用子ども数の見込み数を徴収して認定を行うこと。

(ｲ) 休日延べ利用子ども数には、休日等に当該休日保育対象施設を利用する、休日保育対象施設以外の特定教育・保育施設又は特定地域型保育事業を利用する子どもを含むこと。

なお、当該休日保育対象施設が共同実施施設である場合は、休日延べ利用子ども数には、上記に加えて、共同する企業主導型保育施設を休日等に利用する、特定教育・保育施設又は特定地域型保育事業所を利用する子どもを含むこと。

(ｳ) 認定された休日延べ利用子ども数は、(2)の(ｲ)により、加算の適用が無くなった場合を除き、年間を通じて適用されること。そのため、認定に当たっては、前年度における実績等を踏まえて適正に審査されたいこと。

(4) 実績の報告等

本加算の適用を受けた施設は、翌年4月末日までに実績報告書を市町村長に提出すること。

5 夜間保育加算（⑪）

(1) 加算の要件

保育所型認定こども園については、「夜間保育所の設置認可等について（平成12年3月30日児発第298号厚生省児童家庭局長通知）」により設置認可された施設、それ以外の認定こども園

については、以下の要件に適合するものとして市町村に認定された夜間保育を実施する施設に加算する。

　　(ア)　設置経営主体

　　　　夜間保育の場合は、生活面への対応や個別的な援助がより一層求められることから、保育に関し、長年の経験を有し、良好な成果をおさめているものであること。

　　(イ)　事業所

　　　　保育認定子どもに対して夜間保育を行う施設であること。

　　(ウ)　職員

　　　　施設長は、幼稚園教諭又は保育士の資格を有し、直接子どもの保育に従事することができる者を配置するよう努めること。

　　(エ)　設備及び備品

　　　　仮眠のための設備及びその他夜間保育のために必要な設備、備品を備えていること。

　　(オ)　開所時間

　　　　保育認定子どもに係る開所時間は原則として11時間とし、おおよそ午後10時までとすること。

　(2)　加算の認定

　　　加算の認定は、施設が所在する市町村長が行うこととし、加算の認定をするにあたっては、その施設の設置者からその旨の申請（事業所名、加算の適用年月、夜間における保育教諭等の配置状況が記載された職員体制図等）を徴して確認すること。

　(3)　加算額の算定

　　　加算額は、地域区分等に応じた単価に、当該加算に係る処遇改善等加算Ⅰの単価に1の(2)で認定した加算率×100を乗じて得た額を加えた額とする。

6　チーム保育加配加算（⑫）

　(1)　加算の要件及び加算の認定

　　　加算の要件及び加算の認定は、別紙3のⅢの8(1)及び(2)より行うこと。

　(2)　加算額の算定

　　　加算額は、別紙3のⅢの8(3)による額を、利用する4歳以上児及び3歳児の単価に加算する。

7　減価償却費加算（⑬）

　(1)　加算の要件

　　　以下の要件全てに該当する施設に加算する。

　　(ア)　認定こども園の用に供する建物が自己所有であること[注1]

　　(イ)　建物を整備・改修又は取得する際に、建設資金又は購入資金が発生していること

　　(ウ)　建物の整備・改修に当たって、施設整備費又は改修費等（以下「施設整備費等」という。）の国庫補助金の交付を受けていないこと[注2]

　　(エ)　賃借料加算（⑭）の対象となっていないこと

　　　（注1）施設の一部が賃貸物件の場合は、自己所有の建物の延べ面積が施設全体の延べ面積の50％以上であること

　　　（注2）施設整備費等の国庫補助の交付を受けて建設した建物について、整備後一定年数が経過した後に、以下の要件全てに該当する改修等を行った場合には(ウ)に該当することとして差し支えない。

　　　　①　老朽化等を理由として改修等が必要であったと市町村が認める場合

　　　　②　当該改修等に当たって、国庫補助の交付を受けていないこと

　　　　③　1施設当たりの改修等に要した費用を2000で除して得た値が、建物全体の延べ面積に2を乗じて得た値を上回る場合で、かつ、改修等に要した費用が1000万円以上であること

　(2)　加算の認定

　　(ア)　加算の認定は、施設が所在する市町村長が行うこととし、加算の認定をするにあたっては、その施設の設置者からその旨の申請（施設名、加算の適用年月、建物を整備・改修又は取得する際の契約書類等）を徴して確認すること。

　　(イ)　市町村長は、加算の認定がされている施設について、(1)の要件に適合しなくなった場合には、(1)の要件に適合しなくなった日の属する月の翌月（月初日に(1)に適合しなくなった場合はその月）から加算の適用が無いものとすること。

　(3)　加算額の算定

　　　加算額は、「標準」又は「都市部」の区分に応じて定められた額とする。なお、「標準」とは都市部に該当する市町村以外の市町村をいい、「都市部」とは当年度又は前年度における4月1日現在の人口密度が1000人／km²以上の市町村をいう。

8 賃借料加算（⑭）

(1) 加算の要件

以下の要件全てに該当する施設に加算する。

(ア) 認定こども園の用に供する建物が賃貸物件であること（注）

(イ) (ア)の賃貸物件に対する賃借料が発生していること

(ウ) 賃借料の国庫補助（「認可保育所等設置支援事業の実施について」（令和5年4月19日こ成保第15号こども家庭庁成育局長通知）に定める「都市部における保育所への賃借料等支援事業」による国庫補助を除く。）を受けた施設については、当該補助に係る残額が生じていないこと

(エ) 減価償却費加算（⑬）の対象となっていないこと

(注) 施設の一部が自己所有の場合は、賃貸による建物の延べ面積が施設全体の延べ面積の50％以上であること

(2) 加算の認定

(ア) 加算の認定は、施設が所在する市町村長が行うこととし、加算の認定をするにあたっては、その施設の設置者からその旨の申請（施設名、加算の適用年月、賃貸契約書等）を徴して確認すること。

(イ) 市町村長は、加算の認定がされている施設について、(1)の要件に適合しなくなった場合には、(1)の要件に適合しなくなった日の属する月の翌月（月初日に(1)に適合しなくなった場合はその月）から加算の適用が無いものとすること。

(3) 加算額の算定

加算額は、以下の地域の区分ごとに定められた額とする。

区分		都道府県
A地域	標準	埼玉県　千葉県　東京都
	都市部	神奈川県
B地域	標準	静岡県　滋賀県　京都府
	都市部	大阪府　兵庫県　奈良県
C地域	標準	宮城県　茨城県　栃木県 群馬県　新潟県　石川県 長野県　愛知県　三重県
	都市部	和歌山県　鳥取県　岡山県 広島県　香川県　福岡県 沖縄県

D地域	標準	北海道　青森県　岩手県 秋田県　山形県　福島県 富山県　福井県　山梨県 岐阜県　島根県　山口県
	都市部	徳島県　愛媛県　高知県 佐賀県　長崎県　熊本県 大分県　宮崎県　鹿児島県

＊表中「都市部」とは当年度又は前年度における4月1日現在の人口密度が1000人／km²以上の市町村をいい、「標準」とはそれ以外の市町村をいう。

9 外部監査費加算（⑮）

(1) 加算の要件及び加算の認定

加算の要件及び加算の認定は、別紙3のⅢの11(1)及び(2)により行うこと。

(2) 加算額の算定

加算額は、認定こども園全体の利用定員に応じて定められた額とし、3月初日に利用する子どもの単価に加算する。

10 副食費徴収免除加算（⑯）

(1) 加算の要件

全ての施設に加算する。

(2) 加算額の算定

加算額は、定められた額とし、副食費徴収免除対象子ども（注）に加算する。

(注) 以下のいずれかに該当する子どもとして、副食費の徴収が免除されることについて市町村から通知がされた子どもとする。

① 特定教育・保育施設及び特定地域型保育事業並びに特定子ども・子育て支援施設等の運営に関する基準（平成26年内閣府令第39号。以下「特定教育・保育施設等運営基準」という。）第13条第4項第3号イの(1)又は(2)に規定する年収360万円未満相当世帯に属する保育認定子ども

② 特定教育・保育施設等運営基準第13条第4項第3号ロの(1)又は(2)に規定する第3子以降の保育認定子ども

③ 保護者及び当該保護者と同一の世帯に属する者が子ども・子育て支援法施行令（平成26年政令第213号）第15条の3第2項各号に規定する市町村民税を課されない者に準ずる者である子ども

Ⅳ 加減調整部分

1 教育標準時間認定子どもの利用定員を設定しない場合（⑰）

(1)　調整の適用を受ける施設の要件

　　教育標準時間認定子どもの利用定員を設定しない幼保連携型認定こども園^(注)に適用する。

　(注)　教育標準時間認定子どもの利用定員は設定しているものの、利用子どもがいない場合においては、幼保連携型認定こども園に限らず適用する。

(2)　調整額の算定

　　調整額は、地域区分等に応じた単価に、当該調整額に係る処遇改善等加算Ⅰの単価にⅢの1(2)で認定した加算率×100を乗じて得た額を加えた額とする。

2　分園の場合（⑱）

(1)　調整の適用を受ける施設の要件

　　幼保連携型認定こども園又は保育所型認定こども園の分園（「保育所分園の設置運営について（平成10年4月9日児発第302号厚生省児童家庭局長通知）」により設置された分園（幼保連携型認定こども園にあっては、当該分園を設置する保育所が、幼保連携型認定こども園に移行した場合に限る。））に適用する。

(2)　調整額の算定

　　調整額は、分園に適用される基本分単価（⑥）及び処遇改善等加算Ⅰ（⑦）の額の合計に、地域区分等に応じた調整率を乗じて得た額とする（算定して得た額に10円未満の端数がある場合は切り捨てる。）。

3　土曜日に閉所する場合（⑲）

(1)　調整の適用を受ける施設の要件

　　施設を利用する保育認定子どもについて、土曜日（国民の祝日及び休日を除く。以下同じ。）に係る保育の利用希望が無いなどの理由により、当該月の土曜日に閉所する日がある施設に適用する。

　　また、開所していても保育を提供していない場合は、閉所しているものとして取り扱うこと。

　　なお、他の特定教育・保育施設、地域型保育事業所（居宅訪問型保育事業所は除く。）又は企業主導型保育施設と共同保育を実施することにより、施設を利用する保育認定子どもの土曜日における保育が確保されている場合には、土曜日に開所しているものとして取り扱うこと。

(2)　調整の適用を受ける施設の認定

(ア)　調整の適用を受ける施設の認定は、施設が所在する市町村長が行うこととし、認定をするにあたっては、その施設の設置者からその

旨の申請（施設名、調整の適用年月、土曜日に閉所することとなる理由等）を徴して確認すること。

　　なお、認定こども園については、原則として、土曜日を含む週6日間の開所が求められる施設であることから、土曜日に係る保育の利用希望があるにもかかわらず閉所する等の場合は、当該調整の適用と併せて、市町村において指導を行うこと。

(イ)　市町村長は、調整の適用を受ける施設について、申請又は指導監督等を通じてその状況を把握すること。

(3)　調整額の算定

　　調整額は、適用される基本分単価（⑥）、処遇改善等加算Ⅰ（⑦）、3歳児配置改善加算（⑧）、4歳以上児配置改善加算（⑨）及び夜間保育加算（⑪）の額の合計に、地域区分等及び閉所日数（当該月の土曜日のうち閉所する日の数をいう。）に応じた調整率を乗じて得た額とする（算定して得た額に10円未満の端数がある場合は切り捨てる。）。

4　主幹保育教諭等の専任化により子育て支援の取組みを実施していない場合（⑳）

(1)　調整の適用を受ける施設の要件

　　以下の要件を満たさない施設に適用する。

（要件）

　　別紙3のⅡの1(2)(ア)ⅰ（注4）の主幹保育教諭等1人を配置し、その主幹保育教諭等を教育・保育計画の立案等の業務に専任させるための別紙3のⅡの1(2)(ア)ⅱcの代替保育教諭等を配置し、以下の事業等を複数実施すること。

　　また、保護者や地域住民からの教育・育児相談、地域の子育て支援活動等に積極的に取り組むこと。

　　認定こども園の基本分単価は、主幹保育教諭等がクラス担当等から離れて、指導計画の立案や子育て活動等に専任できるよう、代替保育教諭等の配置のための費用を算定していることから、主幹保育教諭等がクラス担当や学級担任を兼務することは適切ではなく、代理で行う場合であっても、1月を超えて兼務が継続している場合は減算調整を行うこと。

ⅰ　延長保育事業（子ども・子育て支援交付金の交付に係る要件に適合するもの及びこれと同等の要件を満たして自主事業として実施しているもの。ただし、当該要件を満

たした月以降の各月においては、同一年度内に限り、事業を実施する体制が取られていることをもって当該要件を満たしているものと取り扱う。）

ii 一時預かり事業（一般型）（子ども・子育て支援交付金に係る要件に適合しており、かつ、月の平均対象子どもが１人以上いるもの（年度当初から事業を開始する場合は５月において当該要件を満たしていることをもって４月から当該要件を満たしているものと取り扱う。）。ただし、当該要件を満たした月以降の各月においては、同一年度内に限り、事業を実施する体制が取られていることをもって当該要件を満たしているものと取り扱う。）

ただし、当分の間は平成21年６月３日雇児発第0603002号厚生労働省雇用均等・児童家庭局長通知「『保育対策等促進事業の実施について』の一部改正について」以前に定める一時保育促進事業の要件を満たしていると認められ、実施しているものも含むこととされること。

iii 病児保育事業（子ども・子育て支援交付金に係る要件に適合するもの及びこれと同等の要件を満たして自主事業として実施しているもの。）

iv 乳児が３人以上利用している施設（月の初日において乳児が３人以上利用している月から年度を通じて当該要件を満たしているものとする。）

また、①乳児の利用定員が３人以上あり、かつ、②乳児保育を実施する職員体制を維持し、③地域の親子が交流する場の提供や子育てに関する相談会を月２回以上開催している場合、前年度に要件を満たしていた月（令和５年度に特例の適用があった月を含む。）については、乳児３人以上の利用の要件を満たしたものと取り扱う。

v 障害児（軽度障害児を含む。）(注) が１人以上利用している施設（月の初日において障害児が１人以上利用している月から年度を通じて当該要件を満たしているものとする。）

(注) 市町村が認める障害児とし、身体障害者手帳等の交付の有無は問わない。医師による診断書や巡回支援専門員等障害に関する専門的知見を有する者による意見提出など障害の事実が把握可能な資料をもって確認しても差し支えない。

(2) 調整の適用を受ける施設の認定

(ア) 調整の適用を受ける施設の認定は、施設が所在する市町村長が行うこととし、別紙３のⅡの１(2)で定める職員の充足状況の確認と併せて、施設の設置者から(1)の要件を満たしている旨の申請（施設名、調整の適用年月、主幹保育教諭等１人の配置、教育・育児相談・地域の子育て支援活動等の内容、(1) i から v の事業等の実施状況等）を徴し、要件への適合状況を確認すること。

(イ) 市町村長は、調整の適用を受ける施設について、申請等を通じてその状況を把握し、(1)の要件に適合しなくなった場合には、(1)の要件に適合しなくなった日の属する月の翌月（月初日に(1)に適合しなくなった場合はその月）から調整の適用が無いものとすること。

(3) 調整額の算定

調整額は、地域区分等に応じた単価に、当該調整額に係る処遇改善等加算Ⅰの単価にⅢの１(2)で認定した加算率×100を乗じて得た額を加えた額とする。

5 年齢別配置基準を下回る場合（㉑）

(1) 調整の適用を受ける施設の要件及び認定

調整の適用を受ける施設の要件及び認定は、別紙３のⅣの２(1)及び(2)により行うこと。

(2) 調整額の算定

不足する保育教諭等の１人当たりの額は、地域区分等に応じた単価に、当該額に係る処遇改善等加算Ⅰの単価にⅢの１(2)で認定した加算率×100を乗じて得た額を加えた額とし、当該額に不足する「人数」を乗じて得た額を調整額とする。

6 配置基準上求められる職員資格を有しない場合（㉒）

(1) 調整の適用を受ける施設の要件及び認定

調整の適用を受ける施設の要件及び認定は、別紙３のⅣの３(1)及び(2)により行うこと。

(2) 調整額の算定

必要資格を有しない教育・保育従事者の１人当たりの額は、地域区分等に応じた単価に、当該額に係る処遇改善等加算Ⅰの単価にⅢの１(2)で認定した加算率×100を乗じて得た額を加えた額とし、当該額に必要資格を有しない保育従事者の「人数」を乗じて得た額を調整額とす

る。

Ⅴ　乗除調整部分

1　定員を恒常的に超過する場合　(23)

(1)　調整の適用を受ける施設の要件

直前の連続する5年度間常に保育認定子どもに係る利用定員を超えており[注1]、かつ、各年度の年間平均在所率[注2]が120％以上の状態にある施設に適用する。

なお、教育・保育の提供は利用定員の範囲内で行われることが原則であること。

また、上記の状態にある施設に対しては、利用定員の見直しに向けた指導を行うこと。

(注1)　利用定員を超えて受け入れる場合の留意事項

利用定員を超えて受け入れる場合であっても、施設の設備又は職員数が、利用定員を超えて利用する子どもを含めた利用子ども数に照らし、幼保連携型認定こども園設備運営基準又は認定こども園設備運営基準及び本通知等に定める基準を満たしていること。

(注2)　年間平均在所率

当該年度内における各月の初日の保育認定を受けた利用子ども数の総和を各月の初日の保育認定に係る利用定員の総和で除したものをいう。

(2)　調整の適用を受ける施設の認定

(ア)　調整の適用を受ける施設の認定は、施設が所在する市町村長が施設の利用状況を確認のうえ行うこととする。

(イ)　市町村長は、調整の適用を受ける施設について、指導監督等を通じて利用定員の見直しが行われた場合又は地域における需要の動向等を踏まえて当該年度における年間平均在所率が120％以上の状態にならないものと認められる場合には、見直し等が行われた日の属する月の翌月（月初日に(1)に適合しなくなった場合はその月）から調整の適用が無いものとすること。

(3)　適用される基本部分及び加減調整部分の額の調整の方法

本調整措置が適用される施設における基本分単価（⑥）から配置基準上求められる職員資格を有しない場合（㉒）（副食費徴収免除加算（⑯）は除く。）の額については、それぞれの額の総和に各月初日の利用子ども数の区分及び

地域区分等に応じた調整率を乗じて得た額とする（算定して得た額に10円未満の端数がある場合は切り捨てる。）。

Ⅵ　特定加算部分

1　療育支援加算　(24)

(1)　加算の要件及び認定

加算の要件及び加算の認定は、別紙3のⅥの1(1)及び(2)により行うこと。

(2)　加算額の算定

加算額は、特別児童扶養手当支給対象児童受入施設[注]又はそれ以外の障害児受入施設の別に定められた基本額に、当該加算に係る処遇改善等加算Ⅰの単価にⅢの1(2)で認定した加算率×100を乗じて得た額を加えた額を、各月初日の保育認定を受けた利用子ども数で除して得た額とする。（算定して得た額に10円未満の端数がある場合は切り捨てる。）

(注)　特別児童扶養手当の支給要件に該当するが、所得制限により当該手当の支給がされていない児童を含む。

2　処遇改善等加算Ⅱ　(25)

(1)　加算の要件及び加算の認定

加算の要件及び加算の認定は別に定めるところによる。

(2)　加算額の算定

加算額は、処遇改善等加算Ⅱ—①及びⅡ—②の別に定められる額にそれぞれ対象人数を乗じて得た額の合計を、各月初日の保育認定を受けた利用子ども数で除して得た額とする（算定して得た額に10円未満の端数がある場合は切り捨てる。）。

3　処遇改善等加算Ⅲ　(26)

(1)　加算の要件及び加算の認定

加算の要件及び加算の認定は別に定めるところによる。

(2)　加算額の算定

加算額は、別に定める額に対象人数を乗じて得た額を、各月初日の保育認定を受けた利用子ども数で除して得た額とする（算定して得た額に10円未満の端数がある場合は切り捨てる。）。

4　冷暖房費加算　(27)

(1)　加算の要件

全ての施設に加算する。

(2)　加算額の算定

加算額は、以下の地域の区分に応じて定める額とする。

1級地	国家公務員の寒冷地手当に関する法律（昭和24年法律第200号）別表に規定する1級地をいう。
2級地	国家公務員の寒冷地手当に関する法律別表に規定する2級地をいう。
3級地	国家公務員の寒冷地手当に関する法律別表に規定する3級地をいう。
4級地	国家公務員の寒冷地手当に関する法律別表に規定する4級地をいう。
その他地域	上記以外の地域をいう。

5 施設関係者評価加算（㉘）

(1) 加算の要件及び認定

加算の要件及び加算の認定は、別紙3のⅥの8(1)及び(2)により行うこと。

(2) 加算額の算定

加算額は、公開保育の取組と組み合わせて施設関係者評価を実施する施設（注）とそれ以外の施設の別に応じて定められた額を、3月初日の保育認定を受けた利用子ども数で除して得た額（算定して得た額に10円未満の端数がある場合は切り捨てる。）とし、3月初日に利用する子どもの単価に加算する。

（注）幼児期の教育・保育に専門的知見を有する外部有識者の協力を得て、他の幼稚園・認定こども園・保育所の職員や地域の幼児教育関係者、小学校等の他校種の教員等を招いて行われる公開保育を実施するとともに、当該公開保育に施設関係者評価の評価者の全部又は一部を参加させ、その結果を踏まえて施設関係者評価を行う施設をいう。

6 除雪費加算（㉙）

(1) 加算の要件

豪雪地帯対策特別措置法（昭和37年法律第73号）第2条第2項に規定する地域に所在する施設に加算する。

(2) 加算額の算定

加算額は、定められた額とし、3月初日に利用する子どもの単価に加算する。

7 降灰除去費加算（㉚）

(1) 加算の要件

活動火山対策特別措置法（昭和48年法律第61号）第23条第1項に規定する降灰防除地域に所在する施設に加算する。

(2) 加算額の算定

加算額は、定められた額を、3月初日の保育認定を受けた利用子ども数で除して得た額（算定して得た額に10円未満の端数がある場合は切り捨てる。）とし、3月初日に利用する子どもの単価に加算する。

8 高齢者等活躍促進加算（㉛）

(1) 加算の要件

高齢化社会の到来等に対応して、高齢者等ができるだけ働きやすい条件の整備を図り、また、高齢者等によるきめ細やかな利用子ども等の処遇の向上を図るため、以下の要件を満たす施設に加算する。

(ア) 高齢者等（注1）を職員配置基準以外に非常勤職員（注2）として雇用（注3）し、施設の業務の中で比較的高齢者等に適した業務（注4）を行わせ、かつ、当該年度中における高齢者等の総雇用人員の累積年間総雇用時間が、400時間以上見込まれること。

また、「特定就職困難者雇用開発助成金」等を受けている施設（受ける予定の施設を含む。）でその補助の対象となる職員は対象としないこと。

なお、雇用形態は通年が望ましいが短期間でも雇用予定がはっきりしていて、利用子ども等の処遇の向上が期待される場合には、この加算対象として差し支えないこと。

（注1）高齢者等の範囲

i 当該年度の4月1日現在または、その年度の途中で雇用する場合はその雇用する時点において満60歳以上の者

ii 身体障害者（身体障害者福祉法（昭和24年法律第243号）に規定する身体障害者手帳を所持している者）

iii 知的障害者（知的障害者更生相談所、児童相談所等において知的障害者と判定された者で、都道府県知事が発行する療育手帳または判定書を所持している者）

iv 精神障害者（精神保健及び精神障害者福祉に関する法律（昭和25年法律第123号）に規定する精神障害者保健福祉手帳を所持している者）

v 母子家庭の母及び父子家庭の父並びに寡婦（母子及び父子並びに寡婦福祉法（昭和39年法律第129号）に規定する母

　　　　　　子家庭の母及び父子家庭の父並びに寡
　　　　　　婦）
　　　（注2）非常勤職員の範囲
　　　　　　1日6時間未満又は月20日未満勤務
　　　　　　の者を対象とする。
　　　（注3）雇用の範囲
　　　　　　雇用契約又は派遣契約による場合の
　　　　　　みを対象とする。
　　　（注4）高齢者等が行う業務の内容の例示
　　　　ⅰ　利用子ども等との話し相手、相談相手
　　　　ⅱ　身の回りの世話（爪切り、洗面等）
　　　　ⅲ　通院、買い物、散歩の付き添い
　　　　ⅳ　クラブ活動の指導
　　　　ⅴ　給食のあとかたづけ
　　　　ⅵ　喫食の介助
　　　　ⅶ　洗濯、清掃等の業務
　　　　ⅷ　その他高齢者等に適した業務
　（イ）以下の事業等のうち、いずれかを実施して
　　　いること。
　　　ⅰ　延長保育事業（子ども・子育て支援交付
　　　　金の交付に係る要件に適合するもの及びこ
　　　　れと同等の要件を満たして自主事業として
　　　　実施しているもの。ただし、当該要件を満
　　　　たした月以降の各月においては、同一年度
　　　　内に限り、事業を実施する体制が取られて
　　　　いることをもって当該要件を満たしている
　　　　ものと取り扱う。）
　　　ⅱ　一時預かり事業（一般型）（子ども・子
　　　　育て支援交付金に係る要件に適合してお
　　　　り、かつ、月の平均対象子どもが1人以上
　　　　いるもの（年度当初から事業を開始する場
　　　　合は5月において当該要件を満たしている
　　　　ことをもって4月から当該要件を満たして
　　　　いるものと取り扱う。）。ただし、当該要件
　　　　を満たした月以降の各月においては、同一
　　　　年度内に限り、事業を実施する体制が取ら
　　　　れていることをもって当該要件を満たして
　　　　いるものと取り扱う。）

　　　　ただし、当分の間は平成21年6月3日雇
　　　　児発第0603002号厚生労働省雇用均等・児
　　　　童家庭局長通知「『保育対策等促進事業の
　　　　実施について』の一部改正について」以前
　　　　に定める一時保育促進事業の要件を満たし
　　　　ていると認められ、実施しているものも含
　　　　むこととされること。
　　　ⅲ　病児保育事業（子ども・子育て支援交付
　　　　金に係る要件に適合するもの及びこれと同

　　　　等の要件を満たして自主事業として実施し
　　　　ているもの。）
　　　ⅳ　乳児が3人以上利用している施設（4月
　　　　から11月までの各月初日を平均して乳児が
　　　　3人以上利用していること。）
　　　　また、①乳児の利用定員が3人以上あ
　　　　り、かつ、②乳児保育を実施する職員体制
　　　　を維持し、③地域の親子が交流する場の提
　　　　供や子育てに関する相談会を月2回以上開
　　　　催している場合、前年度に要件を満たして
　　　　いた場合については、乳児3人以上の利用
　　　　の要件を満たしたものと取り扱う。
　　　ⅴ　障害児（軽度障害児を含む。）(注)が1人
　　　　以上利用している施設（4月から11月まで
　　　　の間に1人以上の障害児の利用があるこ
　　　　と。）
　　　（注）市町村が認める障害児とし、身体障
　　　　　　害者手帳等の交付の有無は問わない。
　　　　　　医師による診断書や巡回支援専門員等
　　　　　　障害に関する専門的知見を有する者に
　　　　　　よる意見提出など障害の事実が把握可
　　　　　　能な資料をもって確認しても差し支え
　　　　　　ない。
　(2)　加算の認定
　　　加算の認定は、施設が所在する市町村長が行
　　　うこととし、加算の認定をするにあたっては、
　　　その施設の設置者からその旨の申請を毎年12月
　　　末までに提出させ、当該施設の申請内容につい
　　　て必要な審査を行い、必要と認めた場合は当該
　　　施設に速やかに通知すること。
　　　なお、(3)の加算額の算定に必要な「年間総雇
　　　用時間数」の認定に当たっては、毎年度4月か
　　　ら11月までの実績及び12月から3月までの雇用
　　　計画を元に認定すること。
　(3)　加算額の算定
　　　加算額は、(2)で認定された「年間総雇用時間
　　　数」の区分に応じて定められた額を、3月初日
　　　の保育認定を受けた利用子ども数で除して得た
　　　額（算定して得た額に10円未満の端数がある場
　　　合は切り捨てる。）とし、3月初日に利用する
　　　子どもの単価に加算する。
　(4)　実績の報告等
　　　本加算の適用を受けた施設は、翌年4月末日
　　　までに実績報告書を市町村長に提出すること。
　　　なお、次年度以降の加算の認定に当たって
　　　は、当該実績報告書を参考に決定すること。
　　　また、市町村長は、本加算を行った施設につ

いて、検査時等に検証を行うこと。

9 施設機能強化推進費加算 (㉜)

(1) 加算の要件、認定及び実績の報告等

加算の要件、加算の認定及び実績の報告等は、別紙3のⅥの11(1)、(2)及び(4)により行うこと。

(2) 加算額の算定

加算額は、定められた額を、3月初日の保育認定を受けた利用子ども数で除して得た額（算定して得た額に10円未満の端数がある場合は切り捨てる。）とし、3月初日に利用する子どもの単価に加算する。

10 小学校接続加算 (㉝)

(1) 加算の要件及び認定

加算の要件及び加算の認定は、別紙3のⅥの12(1)及び(2)により行うこと。

(2) 加算額の算定

加算額は、以下に掲げる通りに要件を満たす場合に、それぞれに定められた額を、3月初日の保育認定を受けた利用子ども数で除して得た額（算定して得た額に10円未満の端数がある場合は切り捨てる。）とし、3月初日に利用する子どもの単価に加算する。

(ア) (1)のⅰ及びⅱのいずれの取組も実施している場合

(イ) (ア)に加えて、(1)ⅲの取組を実施している場合

11 栄養管理加算 (㉞)

(1) 加算の要件

食事の提供にあたり、栄養士を活用(注)して、栄養士から献立やアレルギー、アトピー等への助言、食育等に関する継続的な指導を受ける施設に加算する。

(注) 栄養士の活用に当たっては、雇用形態を問わず、嘱託する場合や、栄養教諭、学校栄養職員又は調理員として栄養士を雇用している場合も対象となる。

(2) 加算の認定

(ア) 加算の認定は、施設が所在する市町村長が行うこととし、加算を認定するにあたっては、その施設の設置者からその旨の申請（施設名、加算の適用年月、栄養士の活用状況・配置等の形態の別が確認できる書類等）を徴して確認すること。

(イ) 市町村長は、加算の認定がされている施設について、申請又は指導監督等を通じてその状況を把握し、(1)の要件に適合しなくなった

場合には、(1)の要件に適合しなくなった日の属する月の翌月（月初日に(1)に適合しなくなった場合はその月）から加算の適用がないものとすること。

(3) 加算額の算定

加算額は、以下に掲げる栄養士の配置等の形態の別に応じ、それぞれに定める計算式により算出された額（算定して得た額に10円未満の端数がある場合は切り捨てる。）とする。

(ア) 配置(注1) 定められた基本額に当該加算に係る処遇改善等加算Ⅰの単価にⅢの1(2)で認定した加算率×100を乗じて得た額を加えた額を、各月初日の利用子ども数で除して得た額とする。

(イ) 兼務(注2) 定められた基本額に当該加算に係る処遇改善等加算Ⅰの単価にⅢの1(2)で認定した加算率×100を乗じて得た額を加えた額を、各月初日の利用子ども数で除して得た額とする。

(ウ) 嘱託(注3) 定められた基本額を、各月初日の利用子ども数で除して得た額とする。

(注1) 本加算に係る栄養士が雇用契約等により配置されている場合をいい、兼務に該当する場合を除く。

(注2) 基本分単価及び他の加算の認定に当たって求められる職員（別紙3の給食実施加算 (⑭) の適用施設（9(3)(ア)の場合に限る。）において雇用等される調理員を含む。）が本加算に係る栄養士としての業務を兼務している場合をいう。

(注3) 配置又は兼務に該当する場合を除き、本加算に係る栄養士としての業務を嘱託等する場合をいう。

12 第三者評価受審加算 (㉟)

(1) 加算の要件

加算の要件及び加算の認定は、別紙3のⅥの13(1)及び(2)により行うこと。

(2) 加算額の算定

加算額は、定められた額を、3月初日の保育認定を受けた利用子ども数で除して得た額（算定して得た額に10円未満の端数がある場合は切り捨てる。）とし、3月初日に利用する子どもの単価に加算する。

別紙5（家庭的保育事業（保育認定3号））

Ⅰ　地域区分等

1　地域区分（①）

利用する事業所が所在する市町村ごとに定められた告示別表第1による区分を適用する。

2　認定区分（②）

利用子どもの認定区分に応じた区分を適用する。

3　保育必要量区分（③）

利用子どもの保育必要量に応じた区分を適用する。

Ⅱ　基本部分

1　基本分単価（④）

(1)　額の算定

地域区分（①）、認定区分（②）、保育必要量区分（③）（以下「地域区分等」という。）に応じて定められた額とする。

(2)　基本分単価に含まれる職員構成

基本分単価に含まれる職員構成は以下のとおりであることから、これを充足すること。

(ア)　保育従事者

基本分単価における必要保育従事者数は以下のⅰとⅱを合計した数であること。

ⅰ　家庭的保育者及び家庭的保育補助者

子ども3人につき家庭的保育者1人（家庭的保育補助者を配置する場合は子ども5人）

ⅱ　その他

上記ⅰの家庭的保育者及び家庭的保育補助者1人当たり、研修代替保育従事者として年間3日分の費用を算定[注]

（注）当該費用については、家庭的保育者及び家庭的保育補助者が研修を受講する際の受講費用や、時間外における研修受講の際の時間外手当等に充当しても差し支えないこと。

(イ)　その他

ⅰ　非常勤調理員等[注]

（注）調理業務の全部を委託する場合、または搬入施設から食事を搬入する場合は、調理員を置かないことができる。

ⅱ　非常勤事務職員[注1・2]

（注1）利用子どもが3人以下の場合で家庭的保育補助者加算（⑦）の適用を受ける事業所を除く。

（注2）家庭的保育者等が兼務する場合又

は業務委託する場合は、配置は不要であること。

ⅲ　嘱託医・嘱託歯科医

(3)　連携施設経費

基本分単価には、家庭的保育事業等の設備及び運営に関する基準（平成26年厚生労働省令第61号。以下「家庭的保育事業等設備運営基準」という。）第6条第1項に定める連携施設（同条第2項及び第4項第2号により市町村が連携施設の確保が著しく困難であると認める場合においては、それぞれ同条第3項及び第5項に定める連携協力を行う者を含む。本項、Ⅲ及びⅣの1において同じ。）に係る経費を算定していること。そのため、連携施設を設定していない事業所については、Ⅳの1による調整が行われること。

Ⅲ　基本加算部分

1　処遇改善等加算Ⅰ（⑤）

(1)　加算の要件及び加算の認定

加算の要件及び加算の認定は別に定めるところによる。

(2)　加算額の算定

加算額は、地域区分等に応じた単価に、別に定めるところにより認定した加算率×100を乗じて得た額とする。

2　資格保有者加算（⑥）

(1)　加算の要件

家庭的保育者が保育士資格、看護師免許又は准看護師免許を有する事業所に加算する。

(2)　加算の認定

加算の認定は、事業所が所在する市町村長が行うこととし、新たに加算の認定をするにあたっては、その事業所の設置者からその旨の申請（事業所名、加算の適用年月、家庭的保育者の有する保育士証、看護師免許証又は准看護師免許証の写し等）を徴して(1)の要件への適合状況を確認すること。

(3)　加算額の算定

加算額は、地域区分等に応じた単価に、当該加算に係る処遇改善等加算Ⅰの単価に1の(2)で認定した加算率×100を乗じて得た額を加えた額とする。

3　家庭的保育補助者加算（⑦）

(1)　加算の要件

家庭的保育補助者を配置[注]する事業所に加算する。

（注）非常勤の調理員（食事の提供について自

園調理又は連携施設等からの搬入以外の方法による場合（⑬）の調整の適用を受ける事業所を除く。）とは別途、家庭的保育補助者の配置が必要。

(2) 加算の認定

(ア) 加算の認定は、事業所が所在する市町村長が行うこととし、新たに加算の認定をするにあたっては、その事業所の設置者からその旨の申請（事業所名、加算の適用年月、対象子ども、家庭的保育補助者等の配置状況が記載された職員体制図等）を徴して(1)の要件への適合状況を確認すること。

(イ) 市町村長は、加算の認定がされている事業所について、申請又は指導監督等を通じてその状況を把握し、(1)の要件に適合しなくなった場合には、(1)の要件に適合しなくなった日の属する月の翌月（月初日に(1)に適合しなくなった場合はその月）から加算の適用が無いものとすること。

(3) 加算額の算定

加算額は、地域区分等及び各月初日の利用子どもの人数に応じた単価に、当該加算に係る処遇改善等加算Ⅰの単価に１の(2)で認定した加算率×100を乗じて得た額を加えた額とする。

4 家庭的保育支援加算（⑧）

(1) 加算の要件

家庭的保育支援者^(注1)又は連携施設^(注2)から代替保育等の特別な支援^(注3)を受けて保育を実施する事業所に加算する。

(注1) 家庭的保育支援者は、以下の要件を満たして市町村の認定を受け、家庭的保育者又は家庭的保育補助者に対する指導・支援を行う者とする。

なお、家庭的保育支援者は、専任の者を、原則として連携施設に配置すること。

また、家庭的保育支援者の配置は、家庭的保育者３人から15人に対し１人の配置を標準とすること。

① 保育士であり10年以上の保育所における勤務又は家庭的保育の経験を有し、一定の研修を修了した者であること。

② 心身ともに健全であること。

③ 乳幼児の保育についての理解及び熱意並びに乳幼児に対する豊かな愛情を有していること。

④ 乳幼児の保育に関し虐対等の問題が無いと認められること。

⑤ 児童福祉法及び児童売春、児童ポルノに係る行為等の処罰及び児童の保護等に関する法律の規定により、罰金以上の刑に処せられたことが無いこと。

(注2) 連携施設は以下の要件を満たして市町村の認定を受け、家庭的保育者又は家庭的保育補助者に対する指導・支援を行うものとする。

① 連携施設であること。

② 乳幼児の育児・保育に関する相談・指導について知識及び経験を有するとともに、児童福祉施策について知識を有している専任の保育士等（以下「担当者」という。）を配置すること。担当者は家庭的保育支援者に求められる要件を満たした者であること。

(注3) 家庭的保育支援者又は連携施設は以下の支援又は業務を行うこととする。

① 事業所の求めに応じて、緊急時においても相談・連絡を受ける体制を整備すること。

② 保育標準時間認定を受けた子ども等への保育や延長保育、家庭的保育者が病気、研修参加又は休暇等を取得する場合等に、当該家庭的保育者に代わって乳幼児の保育を行うこと。その場合は必要に応じて家庭的保育支援者又は担当者が連携施設まで送迎を行うこと。

③ 家庭的保育事業の実施場所を訪問等することにより、保育の状況把握に努めるとともに、家庭的保育者の相談に応じ、必要な指導・援助を行うこと。

④ 家庭的保育者が保育する乳幼児を定期的に連携施設に招いたり、乳幼児の健康診断を連携施設の利用子どもとともに行うなどの連携を図るとともに、家庭的保育者に対し、連携施設や地域の行事に関する情報を提供し、当該行事に参加するよう勧めること。

⑤ 家庭的保育者の居宅等における保育の状況を把握するため、家庭的保育支援者又は担当者は少なくとも３か月に１回以上、さらに、家庭的保育者の状況に応じて、必要な都度、訪問させる

こと。また、その状況等について市町村との情報共有を図ること。

(2) 加算の認定

(ア) 加算の認定は、事業所が所在する市町村長が行うこととし、新たに加算の認定をするにあたっては、その事業所の設置者からその旨の申請（事業所名、加算の適用年月、家庭的保育支援者又は担当者の氏名、経歴及び支援の内容等が確認できるもの等）を徴して(1)の要件への適合状況を確認すること。

(イ) 市町村長は、加算の認定がされている事業所について、申請又は指導監督等を通じてその状況を把握し、(1)の要件に適合しなくなった場合には、(1)の要件に適合しなくなった日の属する月の翌月（月初日に(1)に適合しなくなった場合はその月）から加算の適用が無いものとすること。

(3) 加算額の算定

加算額は、地域区分等に応じて定められた額とする。

5　障害児保育加算（⑨）

(1) 加算の要件

障害児（軽度障害児を含む。）^(注)を受け入れる事業所において、当該障害児に係る家庭的保育者及び家庭的保育補助者の配置基準を障害児2人につき1人とする場合に加算する。

その際の計算に当たっては、配置する家庭的保育補助者数が、以下の算式により得た「必要補助者数」以上になること。

(注)　市町村が認める障害児とし、身体障害者手帳等の交付の有無は問わない。医師による診断書や巡回支援専門員等障害に関する専門的知見を有する者による意見提出など障害の事実が把握可能な資料をもって確認して差し支えない。

＜算式＞

{利用子ども数（障害児を除く）×1／5（小数点第1位まで計算）} + {障害児数×1／2（〃）}＝必要補助者数（小数点第1位を切り上げ）

(2) 加算の認定

(ア) 加算の認定は、事業所が所在する市町村長が行うこととし、新たに加算の認定をするにあたっては、その事業所の設置者からその旨の申請（事業所名、加算の適用年月、対象子ども、利用子ども数（見込み）及び家庭的保育補助者等の配置状況が記載された職員体制

図等）を徴して(1)の要件への適合状況を確認すること。

(イ) 市町村長は、加算の認定がされている事業所について、申請又は指導監督等を通じてその状況を把握し、(1)の要件に適合しなくなった場合には、(1)の要件に適合しなくなった日の属する月の翌月（月初日に(1)に適合しなくなった場合はその月）から加算の適用が無いものとすること。

(3) 加算額の算定

加算額は、地域区分等に応じた単価に、当該加算に係る処遇改善等加算Ⅰの単価に1の(2)で認定した加算率×100を乗じて得た額を加えた額とする。

6　減価償却費加算（⑩）

(1) 加算の要件

以下の要件全てに該当する事業所に加算する。

(ア) 家庭的保育事業の用に供する建物が自己所有であること^(注1)

(イ) 建物を整備・改修又は取得する際に、建設資金又は購入資金が発生していること

(ウ) 建物の整備・改修に当たって、改修費等の国庫補助金の交付を受けていないこと^(注2)

(エ) 賃借料加算（⑪）の対象となっていないこと

(注1)　事業所の一部が賃貸物件の場合は、自己所有の建物の延べ面積が事業所全体の延べ面積の50％以上であること

(注2)　改修費等の国庫補助の交付を受けて建設・改修した建物について、整備後一定年数が経過した後に、以下の要件全てに該当する改修等を行った場合には(ウ)に該当することとして差し支えない。

① 老朽化等を理由として改修等が必要であったと市町村が認める場合

② 当該改修等に当たって、国庫補助の交付を受けていないこと

③ 1事業所当たりの改修等に要した費用を2000で除して得た値が、建物全体の延面積に2を乗じて得た値を上回る場合で、かつ、改修等に要した費用が1000万円以上であること

(2) 加算の認定

(ア) 加算の認定は、事業所が所在する市町村長が行うこととし、加算の認定をするにあたっ

ては、その事業所の設置者からその旨の申請（事業所名、加算の適用年月、建物を整備・改修又は取得する際の契約書類等）を徴して確認すること。

(イ) 市町村長は、加算の認定がされている事業所について、(1)の要件に適合しなくなった場合には、(1)の要件に適合しなくなった日の属する月の翌月（月初日に(1)に適合しなくなった場合はその月）から加算の適用が無いものとすること。

(3) 加算額の算定

加算額は、「標準」又は「都市部」の区分に応じて定められた額とする。なお、「標準」とは都市部に該当する市町村以外の市町村をいい、「都市部」とは当年度又は前年度における4月1日現在の人口密度が1000人／㎢以上の市町村をいう。

7 賃借料加算（⑪）

(1) 加算の要件

以下の要件全てに該当する事業所に加算する。

(ア) 家庭的保育事業の用に供する建物が賃貸物件であること(注)

(イ) (ア)の賃貸物件に対する賃借料が発生していること

(ウ) 賃借料の国庫補助（「認可保育所等設置支援事業の実施について」（令和5年4月19日こ成保第15号こども家庭庁成育局長通知）に定める「都市部における保育所への賃借料等支援事業」による国庫補助を除く。）を受けた事業所については、当該補助に係る残額が生じていないこと

(エ) 減価償却費加算（⑩）の対象となっていないこと

(注) 事業所の一部が自己所有の場合は、賃貸による建物の延べ面積が事業所全体の延べ面積の50％以上であること

(2) 加算の認定

(ア) 加算の認定は、事業所が所在する市町村長が行うこととし、加算の認定をするにあたっては、その事業所の設置者からその旨の申請（事業所名、加算の適用年月、賃貸契約書等）を徴して確認すること。

(イ) 市町村長は、加算の認定がされている事業所について、(1)の要件に適合しなくなった場合には、(1)の要件に適合しなくなった日の属する月の翌月（月初日に(1)に適合しなくなっ

た場合はその月）から加算の適用が無いものとすること。

(3) 加算額の算定

加算額は、以下の地域の区分ごとに定められた額とする。

区分		都道府県
A地域	標　準	埼玉県　千葉県　東京都
	都市部	神奈川県
B地域	標　準	静岡県　滋賀県　京都府
	都市部	大阪府　兵庫県　奈良県
C地域	標　準	宮城県　茨城県　栃木県 群馬県　新潟県　石川県 長野県　愛知県　三重県
	都市部	和歌山県　鳥取県　岡山県 広島県　香川県　福岡県 沖縄県
D地域	標　準	北海道　青森県　岩手県 秋田県　山形県　福島県 富山県　福井県　山梨県 岐阜県　島根県　山口県
	都市部	徳島県　愛媛県　高知県 佐賀県　長崎県　熊本県 大分県　宮崎県　鹿児島県

＊表中「都市部」とは当年度又は前年度における4月1日現在の人口密度が1000人／㎢以上の市町村をいい、「標準」とはそれ以外の市町村をいう。

IV 加減調整部分

1 連携施設を設定していない場合（⑫）

(1) 調整の適用を受ける事業所の要件

連携施設を設定しない事業所に適用する。

(2) 調整の適用を受ける事業所の認定

(ア) 調整の適用を受ける事業所の認定は、事業所が所在する市町村長が連携施設の設定状況を確認のうえ行うこととする。

(イ) 市町村長は、調整の適用を受ける事業所について、申請等を通じてその状況を把握し、(1)の要件に適合しなくなった場合には、(1)の要件に適合しなくなった日の属する月の翌月（月初日に(1)に適合しなくなった場合はその月）から調整の適用が無いものとすること。

(3) 調整額の算定

調整額は、地域区分等に応じて定められた額とする。

2 食事の提供について自園調理又は連携施設等か

らの搬入以外の方法による場合（⑬）

(1) 調整の適用を受ける事業所の要件

　食事の提供に当たり、事業所において調理する方法又は家庭的保育事業等設備運営基準第16条第2項各号に定める搬入施設から搬入する方法以外の方法による事業所に適用する。

(2) 調整の適用を受ける事業所の認定

　㋐ 調整の適用を受ける事業所の認定は、事業所が所在する市町村長が食事の提供状況を確認のうえ行うこととする。

　㋑ 市町村長は、調整の適用を受ける事業所について、申請等を通じてその状況を把握し、(1)の要件に適合しなくなった場合には、(1)の要件に適合しなくなった日の属する月の翌月（月初日に(1)に適合しなくなった場合はその月）から調整の適用が無いものとすること。

(3) 調整額の算定

　調整額は、適用される基本分単価（④）、処遇改善等加算Ⅰ（⑤）及び家庭的保育支援加算（⑧）の額の合計に、地域区分等に応じた調整率を乗じて得た額とする。（算定して得た額に10円未満の端数がある場合は切り捨てる。）

3　土曜日に閉所する場合（⑭）

(1) 調整の適用を受ける事業所の要件

　事業所を利用する保育認定子どもについて、土曜日（国民の祝日及び休日を除く。以下同じ。）に係る保育の利用希望が無いなどの理由により、当該月の土曜日に閉所する日がある施設に適用する。

　また、開所していても保育を提供していない場合は、閉所しているものとして取り扱うこと。

　なお、他の特定教育・保育施設、地域型保育事業所（居宅訪問型保育事業所は除く。）又は企業主導型保育施設と共同保育を実施することにより、事業所を利用する保育認定子どもの土曜日における保育が確保されている場合には、土曜日に閉所しているものとして取り扱うこと。

(2) 調整の適用を受ける事業所の認定

　㋐ 調整の適用を受ける事業所の認定は、事業所が所在する市町村長が行うこととし、認定をするにあたっては、その事業所の設置者からその旨の申請（事業所名、調整の適用年月、土曜日に閉所することとなる理由等）を徴して確認すること。

　㋑ 市町村長は、調整の適用を受ける事業所に

ついて、申請又は指導監督等を通じてその状況を把握すること。

(3) 調整額の算定

　調整額は、地域区分等及び閉所日数（当該月の土曜日のうち閉所する日の数をいう。）に応じて定められた額とする。

Ⅴ　特定加算部分

1　処遇改善等加算Ⅱ（⑮）

(1) 加算の要件及び加算の認定

　加算の要件及び加算の認定は別に定めるところによる。

(2) 加算額の算定

　加算額は、処遇改善等加算Ⅱ―①又はⅡ―②の別に定められる額を各月初日の利用子ども数で除して得た額とする（算定して得た額に10円未満の端数がある場合は切り捨てる。）。

2　処遇改善等加算Ⅲ（⑯）

(1) 加算の要件及び加算の認定

　加算の要件及び加算の認定は別に定めるところによる。

(2) 加算額の算定

　加算額は、別に定める額に対象人数を乗じて得た額を、各月初日の利用子ども数で除して得た額とする（算定して得た額に10円未満の端数がある場合は切り捨てる。）。

3　冷暖房費加算（⑰）

(1) 加算の要件

　全ての事業所に加算する。

(2) 加算額の算定

　加算額は、以下の地域の区分に応じて定める額とする。

1級地	国家公務員の寒冷地手当に関する法律（昭和24年法律第200号）別表に規定する1級地をいう。
2級地	国家公務員の寒冷地手当に関する法律別表に規定する2級地をいう。
3級地	国家公務員の寒冷地手当に関する法律別表に規定する3級地をいう。
4級地	国家公務員の寒冷地手当に関する法律別表に規定する4級地をいう。
その他地域	上記以外の地域をいう。

4　除雪費加算（⑱）

(1) 加算の要件

　豪雪地帯対策特別措置法（昭和37年法律第73

号）第2条第2項に規定する地域に所在する事業所に加算する。

(2) 加算額の算定

加算額は、定められた額とし、3月初日に利用する子どもの単価に加算する。

5 降灰除去費加算（⑲）

(1) 加算の要件

活動火山対策特別措置法（昭和48年法律第61号）第23条第1項に規定する降灰防除地域に所在する事業所に加算する。

(2) 加算額の算定

加算額は、定められた額を、3月初日の利用子ども数で除して得た額（算定して得た額に10円未満の端数がある場合は切り捨てる。）とし、3月初日に利用する子どもの単価に加算する。

6 施設機能強化推進費加算（⑳）

(1) 加算の要件

事業所における火災・地震等の災害時に備え、職員等の防災教育及び災害発生時の安全かつ、迅速な避難誘導体制を充実する等の事業所の総合的な防災対策を図る取組(注1・注2・注3)を行う事業所で、以下の事業等を複数実施する事業所に加算する。

i 延長保育事業（子ども・子育て支援交付金の交付に係る要件に適合するもの及びこれと同等の要件を満たして自主事業として実施しているもの。ただし、当該要件を満たした月以降の各月においては、同一年度内に限り、事業を実施する体制が取られていることをもって当該要件を満たしているものと取り扱う。）

ii 一時預かり事業（一般型）（子ども・子育て支援交付金に係る要件に適合しており、かつ、月の平均対象子どもが1人以上いるもの（年度当初から事業を開始する場合は5月において当該要件を満たしていることをもって4月から当該要件を満たしているものと取り扱う。）。ただし、当該要件を満たした月以降の各月においては、同一年度内に限り、事業を実施する体制が取られていることをもって当該要件を満たしているものと取り扱う。）

ただし、当分の間は平成21年6月3日雇児発第0603002号厚生労働省雇用均等・児童家庭局長通知「『保育対策等促進事業の実施について』の一部改正について」以前に定める一時保育促進事業の要件を満たしていると認

められ、実施しているものも含むこととされること。

iii 病児保育事業（子ども・子育て支援交付金に係る要件に適合するもの及びこれと同等の要件を満たして自主事業として実施しているもの。）

iv 乳児が3人以上利用している施設（4月から11月までの各月初日を平均して乳児が3人以上利用していること。）

また、①乳児の利用定員が3人以上あり、かつ、②乳児保育を実施する職員体制を維持し、③地域の親子が交流する場の提供や子育てに関する相談会を月2回以上開催している場合、前年度に要件を満たしていた場合については、乳児3人以上の利用の要件を満たしたものと取り扱う。

v 障害児（軽度障害児を含む。）(注4)が1人以上利用している施設（4月から11月までの間に1人以上の障害児の利用があること。）

(注1) 取組の実施方法の例示

i 地域住民等への防災支援協力体制の整備及び合同避難訓練等を実施する。

ii 職員等への防災教育、訓練の実施及び避難具の整備を促進する。

(注2) 取組に必要となる経費の額

取組に必要となる経費の総額が、概ね16万円以上見込まれること。

(注3) 支出対象経費

需用費（消耗品費、燃料費、印刷製本費、修繕費、食糧費（茶菓）、光熱水費、医療材料費）・役務費（通信運搬費）・旅費・謝金・備品購入費・原材料費・使用料及び賃借料・賃金・委託費（防災訓練及び避難具の整備等に要する特別の経費に限り、保育の提供に当たって、通常要する費用は含まない。）

(注4) 市町村が認める障害児とし、身体障害者手帳等の交付の有無は問わない。医師による診断書や巡回支援専門員等障害に関する専門的知見を有する者による意見提出など障害の事実が把握可能な資料をもって確認しても差し支えない。

(2) 加算の認定

加算の認定は、事業所が所在する市町村長が行うこととし、加算の認定をするにあたって

は、その事業所の設置者からその旨の申請を毎年12月末までに提出させ、必要性及び経費等について必要な審査を行うこと。

(3) 加算額の算定

加算額は、定められた額を、3月初日の利用子ども数で除して得た額（算定して得た額に10円未満の端数がある場合は切り捨てる。）とし、3月初日に利用する子どもの単価に加算する。

(4) 実績の報告等

本加算の適用を受けた事業所は、翌年4月末日までに実績報告書を市町村長に提出すること。

なお、市町村長は、本加算を行った事業所について、検査時等に検証を行うこと。

7 栄養管理加算 (㉑)

(1) 加算の要件

食事の提供にあたり、栄養士を活用[注]して、栄養士から献立やアレルギー、アトピー等への助言、食育等に関する継続的な指導を受ける事業所に加算する。

(注) 栄養士の活用に当たっては、雇用形態を問わず、嘱託する場合や、調理員として栄養士を雇用している場合も対象となる。

(2) 加算の認定

(ア) 加算の認定は、事業所が所在する市町村長が行うこととし、加算を認定するにあたっては、その事業所の設置者からその旨の申請（事業所名、加算の適用年月、栄養士の活用状況・配置等の形態の別が確認できる書類等）を徴して確認すること。

(イ) 市町村長は、加算の認定がされている事業所について、申請又は指導監督等を通じてその状況を把握し、(1)の要件に適合しなくなった場合には、(1)の要件に適合しなくなった日の属する月の翌月（月初日に(1)に適合しなくなった場合はその月）から加算の適用がないものとすること。

(3) 加算額の算定

加算額は、以下に掲げる栄養士の配置等の形態の別に応じ、それぞれに定める計算式により算出された額（算定して得た額に10円未満の端数がある場合は切り捨てる。）とする。

(ア) 配置[注1]　定められた基本額に当該加算に係る処遇改善等加算Ⅰの単価にⅢの1(2)で設定した加算率×100を乗じて得た額を加えた額

を、各月初日の利用子ども数で除して得た額とする。

(イ) 兼務[注2]　定められた基本額に当該加算に係る処遇改善等加算Ⅰの単価にⅢの1(2)で設定した加算率×100を乗じて得た額を加えた額を、各月初日の利用子ども数で除して得た額とする。

(ウ) 嘱託[注3]　定められた基本額を、各月初日の利用子ども数で除して得た額とする。

(注1) 本加算に係る栄養士が雇用契約等により配置されている場合をいい、兼務に該当する場合を除く。

(注2) 基本分単価及び他の加算の認定に当たって求められる職員が本加算に係る栄養士としての業務を兼務している場合をいう。

(注3) 配置又は兼務に該当する場合を除き、本加算に係る栄養士としての業務を嘱託等する場合をいう。

8 第三者評価受審加算 (㉒)

(1) 加算の要件

「福祉サービス第三者評価基準ガイドライン」等に沿って、第三者評価を適切に実施することが可能であると市町村が認める第三者機関による評価（行政が委託等により民間機関に行わせるものを含む。）を受審し、その結果をホームページ等により広く公表する事業所に加算する。

(2) 加算の認定

加算の認定は、事業所が所在する市町村長が行うこととし、加算を認定するにあたっては、その事業所の設置者からその旨の申請（事業所名、加算の適用年度、受審状況が分かる資料等）を毎年12月末までに提出させ、必要な審査を行うこと。

(注1) 評価機関との間の契約書等により、当年度に第三者評価の受審や結果の公表（評価機関からの評価結果の提示が翌年度以降となるため、結果の公表が翌年度になる場合を含む。）が行われることが確認できる場合は本加算の対象とする。その場合、市町村は受審や結果の公表が確実に行われていることを事後に確認すること。

(注2) 第三者評価の受審は5年に一度程度を

想定しており、加算適用年度から５年度間は再度の加算適用はできないこと。

(3) 加算額の算定

加算額は、定められた額を、３月初日の利用子ども数で除して得た額（算定して得た額に10円未満の端数がある場合は切り捨てる。）とし、３月初日に利用する子どもの単価に加算する。

別紙６（小規模保育事業Ａ型・Ｂ型（保育認定３号））

Ⅰ 地域区分等

1 地域区分（①）

利用する事業所が所在する市町村ごとに定められた告示別表第１による区分を適用する。

2 定員区分（②）

利用する事業所の利用定員の総和に応じた区分を適用する。

3 認定区分（③）

利用子どもの認定区分に応じた区分を適用する。

4 年齢区分（④）

利用子どもの満年齢に応じた区分を適用する。

なお、年齢区分が年度の初日の前日における満年齢に基づき区分した場合に、年齢区分が異なる場合は、適用される年齢区分における基本分単価（⑥）、処遇改善等加算Ⅰ（⑦）、保育士比率向上加算（⑧）、障害児保育加算（⑨）及び夜間保育加算（⑪）の単価について、それぞれの「月額調整」欄に定める額に置き替えて適用するものとする。

5 保育必要量区分（⑤）

利用子どもの保育必要量に応じた区分を適用する。

Ⅱ 基本部分

1 基本分単価（⑥）

(1) 額の算定

地域区分（①）、定員区分（②）、認定区分（③）、年齢区分（④）、保育必要量区分（⑤）（以下「地域区分等」という。）に応じて定められた額とする。

(2) 基本分単価に含まれる職員構成

基本分単価に含まれる職員構成は以下のとおりであることから、これを充足すること。

(ア) 保育従事者（※）

基本分単価における必要保育従事者数は以下のⅰとⅱを合計した数であること。

また、これとは別に非常勤の保育従事者

（小規模保育事業Ａ型にあっては保育士）が配置されていること。

ⅰ 年齢別配置基準（※）

a 小規模保育事業Ａ型

１、２歳児６人につき１人、乳児３人につき１人、左記に加えて１人

上記はすべて保育士であること。

(注１) ここでいう「１、２歳児」、「乳児」とは、年度の初日の前日における満年齢によるものであること。

(注２) 確認に当たっては以下の算式によること。

＜算式＞

{１、２歳児数×１／６（小数点第１位まで計算（小数点第２位以下切り捨て））｝＋{乳児数×１／３（同）｝＋１＝配置基準上保育士数（小数点以下四捨五入）

b 小規模保育事業Ｂ型

１、２歳児６人につき１人、乳児３人につき１人、左記に加えて１人

上記のうち、１／２以上は保育士であること。

(注１) ここでいう「１、２歳児」、「乳児」とは、年度の初日の前日における満年齢によるものであること。

(注２) 確認に当たっては以下の算式１（保育従事者数）、算式２（保育士数）によること。

＜算式１＞

{１、２歳児数×１／６（小数点第１位まで計算（小数点第２位以下切り捨て））｝＋{乳児数×１／３（同）｝＋１＝配置基準上保育従事者数（小数点以下四捨五入）

＜算式２＞

配置基準上保育従事者数×１／２＝配置基準上保育士数（小数点以下四捨五入）

ⅱ その他（※）

a 保育標準時間認定を受けた子どもが利用する事業所については非常勤保育従事者１人（小規模保育事業Ａ型にあっては保育士）

b 上記ⅰの保育従事者１人当たり、研修

代替保育従事者として年間3日分の費用を算定^(注)

（注）当該費用については、保育従事者が研修を受講する際の受講費用や、時間外における研修受講の際の時間外手当等に充当しても差し支えないこと。

（※）小規模保育事業A型における保育士には、家庭的保育事業等の設備及び運営に関する基準（平成26年厚生労働省令第61号。以下「家庭的保育事業等設備運営基準」という。）第29条第3項並びに附則第7条及び第8条に基づいて市町村が定める条例に基づき保育士とみなされた者を含む。

（※）小規模保育事業B型における保育士には、家庭的保育事業等設備運営基準第31条第3項に基づいて市町村が定める条例に基づき保育士とみなされた者を含む。

（イ）その他

ⅰ　管理者

1人

（注）管理者は児童福祉事業等に2年以上従事した者又はこれと同等以上の能力を有すると認められる者で、常時実際にその事業所の運営管理の業務に専従し、かつ給付費からの給与支出がある者とする。

＜児童福祉事業等に従事した者の例示＞

児童福祉施設の職員、幼稚園・小学校等における教諭、市町村等の公的機関において児童福祉に関する事務を取り扱う部局の職員、民生委員・児童委員の他、教育・保育施設又は地域型保育事業に移行した施設・事業所における移行前の認可外保育施設の職員等

＜同等以上の能力を有すると認められる者の例示＞

公的機関等の実施する施設長研修等を受講した者等

ⅱ　非常勤調理員等^(注)

（注）調理業務の全部を委託する場合、または搬入施設から食事を搬入する場合は、調理員を置かないことができる。

ⅲ　非常勤事務職員^(注)

（注）管理者等の職員が兼務する場合又は

業務委託する場合は、配置は不要であること。

ⅳ　嘱託医・嘱託歯科医

（3）連携施設経費

基本分単価には、家庭的保育事業等設備運営基準第6条第1項に定める連携施設（同条第2項及び第4項第2号により市町村が連携施設の確保が著しく困難であると認める場合においては、それぞれ同条第3項及び第5項に定める連携協力を行う者を含む。本項及びⅣの1において同じ。）に係る経費を算定していること。そのため、連携施設を設定していない事業所については、Ⅳの1による調整が行われること。

Ⅲ　基本加算部分

1　処遇改善等加算Ⅰ（⑦）

（1）加算の要件及び加算の認定

加算の要件及び加算の認定は別に定めるところによる。

（2）加算額の算定

加算額は、地域区分等に応じた単価に、別に定めるところにより認定した加算率×100を乗じて得た額とする。

2　保育士比率向上加算（⑧）＜小規模保育事業B型＞

（1）加算の要件

Ⅱの1(2)(ア)ⅰbの年齢別配置基準について、保育士資格を有する者の占める割合が3／4以上となる事業所に加算する。

その際の計算に当たっては、以下の算式によること。

＜算式＞

配置基準上保育従事者数（小数点以下四捨五入）×3／4＝必要保育士数（小数点以下四捨五入）

（2）加算の認定

（ア）加算の認定は、事業所が所在する市町村長が行うこととし、新たに加算の認定をするにあたっては、その事業所の設置者からその旨の申請（事業所名、加算の適用年月、利用子ども数（見込み）及び保育従事者の配置状況が記載された職員体制図等）を徴して(1)の要件への適合状況を確認すること。

（イ）市町村長は、加算の認定がされている事業所について、申請又は指導監督等を通じてその状況を把握し、(1)の要件に適合しなくなった場合には、(1)の要件に適合しなくなった日の属する月の翌月（月初日に(1)に適合しなく

なった場合はその月）から加算の適用が無いものとすること。

(3) 加算額の算定

加算額は、地域区分等に応じた単価に、当該加算に係る処遇改善等加算Ⅰの単価に１の(2)で認定した加算率×100を乗じて得た額を加えた額とする。

3 障害児保育加算（⑨）

(1) 加算の要件

障害児（軽度障害児を含む。）(注) を受け入れる事業所において、当該障害児に係る保育従事者の配置基準を障害児２人につき１人とする場合に加算する。

その際の計算に当たっては、Ⅱの１(2)(ア) i の年齢別配置基準について、以下の算式に置き替えて算定すること。

(注) 市町村が認める障害児とし、身体障害者手帳等の交付の有無は問わない。医師による診断書や巡回支援専門員等障害に関する専門的知見を有する者による意見提出など障害の事実が把握可能な資料をもって確認して差し支えない。

＜算式＞

{１、２歳児数（障害児を除く）×１／６（小数点第１位まで計算（小数点第２位以下切り捨て））} ＋ {乳児数（同）×１／３（同）} ＋ {障害児数×１／２（同）} ＋１
＝配置基準上保育士・保育従事者数（小数点以下四捨五入）

(2) 加算の認定

(ア) 加算の認定は、事業所が所在する市町村長が行うこととし、新たに加算の認定をするにあたっては、その事業所の設置者からその旨の申請（事業所名、加算の適用年月、対象子ども、利用子ども数（見込み）及び保育従事者の配置状況が記載された職員体制図等）を徴して(1)の要件への適合状況を確認すること。

(イ) 市町村長は、加算の認定がされている事業所について、申請又は指導監督等を通じてその状況を把握し、(1)の要件に適合しなくなった場合には、(1)の要件に適合しなくなった日の属する月の翌月（月初日に(1)に適合しなくなった場合はその月）から加算の適用が無いものとすること。

(3) 加算額の算定

加算額は、対象となる子どもの地域区分等に応じた単価に、当該加算に係る処遇改善等加算Ⅰの単価に１の(2)で認定した加算率×100を乗じて得た額を加えた額とする。

4 休日保育加算（⑩）

(1) 加算の要件

日曜日、国民の祝日及び休日（以下「休日等」という。）において、以下の要件を満たして、保育を実施する事業所に加算する。

(ア) 休日等を含めて年間を通じて開所する事業所（複数の特定教育・保育施設、地域型保育事業所（居宅訪問型保育事業は除く。）又は企業主導型保育施設との共同により年間を通じて開所する事業所（以下「共同実施事業所」という。）を含む。）を市町村が指定して実施すること。

(イ) 家庭的保育事業等設備運営基準第29条第２項及び第３項並びに附則第６条から第９条（Ａ型）又は第31条第２項（Ｂ型）の規定に基づき、対象子どもの年齢及び人数に応じて、本事業を担当する保育従事者を配置すること。

(ウ) 対象となる子どもに対して、適宜、間食又は給食等を提供すること。

(エ) 対象となる子どもは、原則、休日等に常態的に保育を必要とする保育認定子どもであること。

(2) 加算の認定

(ア) 加算の認定は、事業所が所在する市町村長が行うこととし、加算の認定をするにあたっては、その事業所の設置者からその旨の申請（事業所名、加算の適用年月、休日等における保育従事者の配置状況が記載された職員体制図、(3)の加算額の算定に必要な利用子ども数の見込み及び数の根拠となる実績等）を徴して確認すること。

また、共同実施事業所については、上記に加えて複数の施設・事業所との共同により年間を通じて開所する場合の実施要綱や運営規程を徴して確認すること。

(イ) 市町村長は、加算の認定がされている事業所について、申請又は指導監督等を通じてその状況を把握し、(1)の要件に適合しなくなった場合には、(1)の要件に適合しなくなった日の属する月の翌月（月初日に(1)に適合しなくなった場合はその月）から加算の適用が無いものとすること。

(3) 加算額の算定

加算額は、地域区分等及び以下により認定した休日等に保育を利用する年間の延べ利用子ども数（以下、「休日延べ利用子ども数」という。）に応じた単価に、当該加算に係る処遇改善等加算Ⅰの単価に1の(2)で認定した加算率×100を乗じた額を加えて算出した額を、当該事業所における各月初日の利用子ども数（休日等に保育を利用しない子どもを含む。）で除して得た額とする。（算定して得た額に10円未満の端数がある場合は切り捨てる。）

(ア)　市町村は、毎年度、休日保育加算の対象となる事業所（以下、「休日保育対象事業所」という。）から、当該休日保育対象事業所における休日延べ利用子ども数の見込みを徴収して認定を行うこと。

なお、複数の施設・事業所との共同により年間を通じて開所する場合は、実施する各施設・事業所の休日延べ利用子ども数の見込み数を徴収して認定を行うこと。

(イ)　休日延べ利用子ども数には、休日等に当該休日保育対象事業所を利用する、休日保育対象事業所以外の特定教育・保育施設又は特定地域型保育事業を利用する子どもを含むこと。

なお、当該休日保育対象事業所が共同実施事業所である場合は、休日延べ利用子ども数には、上記に加えて、共同する企業主導型保育施設を休日等に利用する、特定教育・保育施設又は特定地域型保育事業所を利用する子どもを含むこと。

(ウ)　認定された休日延べ利用子ども数は、(2)の(イ)により、加算の適用が無くなった場合を除き、年間を通じて適用されること。そのため、認定に当たっては、前年度における実績等を踏まえて適正に審査されたいこと。

(4)　実績の報告等

本加算の適用を受けた事業所は、翌年4月末日までに実績報告書を市町村長に提出すること。

5　夜間保育加算（⑪）

(1)　加算の要件

以下の要件に適合するものとして市町村に認定された夜間保育を実施する事業所に加算する。

(ア)　設置経営主体

夜間保育の場合は、生活面への対応や個別的な援助がより一層求められることから、保育に関し、長年の経験を有し、良好な成果をおさめているものであること。

(イ)　事業所

夜間保育を行う事業所であること。

(ウ)　職員

管理者は、保育士の資格を有し、直接子どもの保育に従事することができる者を配置するよう努めること。

(エ)　設備及び備品

仮眠のための設備及びその他夜間保育のために必要な設備、備品を備えていること。

(オ)　開所時間

開所時間は原則として11時間とし、おおよそ午後10時までとすること。

(2)　加算の認定

加算の認定は、事業所が所在する市町村長が行うこととし、加算の認定をするにあたっては、その事業所の設置者からその旨の申請（事業所名、加算の適用年月、夜間における保育従事者の配置状況が記載された職員体制図等）を徴して確認すること。

(3)　加算額の算定

加算額は、地域区分等に応じた単価に、当該加算に係る処遇改善等加算Ⅰの単価に1の(2)で認定した加算率×100を乗じて得た額を加えた額とする。

6　減価償却費加算（⑫）

(1)　加算の要件

以下の要件全てに該当する事業所に加算する。

(ア)　小規模保育事業の用に供する建物が自己所有であること(注1)

(イ)　建物を整備・改修又は取得する際に、建設資金又は購入資金が発生していること

(ウ)　建物の整備・改修に当たって、施設整備費又は改修費等（以下「施設整備費等」という。）の国庫補助金の交付を受けていないこと(注2)

(エ)　賃借料加算（⑬）の対象となっていないこと

(注1)　事業所の一部が賃貸物件の場合は、自己所有の建物の延べ面積が事業所全体の延べ面積の50％以上であること

(注2)　施設整備費等の国庫補助の交付を受けて建設・改修した建物について、整備後一定年数が経過した後に、以下の要件全てに該当する改修等を行った場

合には(ｳ)に該当することとして差し支えない。

① 老朽化等を理由として改修等が必要であったと市町村が認める場合

② 当該改修等に当たって、国庫補助の交付を受けていないこと

③ 1事業所当たりの改修等に要した費用を2000で除して得た値が、建物全体の延べ面積に2を乗じて得た値を上回る場合で、かつ、改修等に要した費用が1000万円以上であること

(2) 加算の認定

(ｱ) 加算の認定は、事業所が所在する市町村長が行うこととし、加算の認定をするにあたっては、その事業所の設置者からその旨の申請（事業所名、加算の適用年月、建物を整備・改修又は取得する際の契約書類等）を徴して確認すること。

(ｲ) 市町村長は、加算の認定がされている事業所について、(1)の要件に適合しなくなった場合には、(1)の要件に適合しなくなった日の属する月の翌月（月初日に(1)に適合しなくなった場合はその月）から加算の適用が無いものとすること。

(3) 加算額の算定

加算額は、「標準」又は「都市部」の区分に応じて定められた額とする。なお、「標準」とは都市部に該当する市町村以外の市町村をいい、「都市部」とは当年度又は前年度における4月1日現在の人口密度が1000人／㎢以上の市町村をいう。

7 賃借料加算（⑬）

(1) 加算の要件

以下の要件全てに該当する事業所に加算する。

(ｱ) 小規模保育事業の用に供する建物が賃貸物件であること(注)

(ｲ) (ｱ)の賃貸物件に対する賃借料が発生していること

(ｳ) 賃借料の国庫補助（「認可保育所等設置支援事業の実施について」（令和5年4月19日こ成保第15号こども家庭庁成育局長通知）に定める「都市部における保育所への賃借料等支援事業」による国庫補助を除く。）を受けた事業所については、当該補助に係る残額が生じていないこと

(ｴ) 減価償却費加算（⑫）の対象となっていな

いこと

(注) 事業所の一部が自己所有の場合は、賃貸による建物の延べ面積が事業所全体の延べ面積の50％以上であること

(2) 加算の認定

(ｱ) 加算の認定は、事業所が所在する市町村長が行うこととし、加算の認定をするにあたっては、その事業所の設置者からその旨の申請（事業所名、加算の適用年月、賃貸契約書等）を徴して確認すること。

(ｲ) 市町村長は、加算の認定がされている事業所について、(1)の要件に適合しなくなった場合には、(1)の要件に適合しなくなった日の属する月の翌月（月初日に(1)に適合しなくなった場合はその月）から加算の適用が無いものとすること。

(3) 加算額の算定

加算額は、以下の地域の区分ごとに定められた額とする。

区分		都道府県
A地域	標準	埼玉県　千葉県　東京都
	都市部	神奈川県
B地域	標準	静岡県　滋賀県　京都府
	都市部	大阪府　兵庫県　奈良県
C地域	標準	宮城県　茨城県　栃木県　群馬県　新潟県　石川県　長野県　愛知県　三重県　和歌山県　鳥取県　岡山県
	都市部	広島県　香川県　福岡県　沖縄県
D地域	標準	北海道　青森県　岩手県　秋田県　山形県　福島県　富山県　福井県　山梨県　岐阜県　島根県　山口県　徳島県　愛媛県　高知県
	都市部	佐賀県　長崎県　熊本県　大分県　宮崎県　鹿児島県

＊表中「都市部」とは当年度又は前年度における4月1日現在の人口密度が1000人／㎢以上の市町村をいい、「標準」とはそれ以外の市町村をいう。

Ⅳ 加減調整部分

1 連携施設を設定していない場合（⑭）

(1) 調整の適用を受ける事業所の要件

連携施設を設定しない事業所に適用する。

(2)　調整の適用を受ける事業所の認定

　(ｱ)　調整の適用を受ける事業所の認定は、事業所が所在する市町村長が連携施設の設定状況を確認のうえ行うこととする。

　(ｲ)　市町村長は、調整の適用を受ける事業所について、申請等を通じてその状況を把握し、(1)の要件に適合しなくなった場合には、(1)の要件に適合しなくなった日の属する月の翌月（月初日に(1)に適合しなくなった場合はその月）から調整の適用が無いものとすること。

(3)　調整額の算定

　調整額は、地域区分等に応じて定められた額とする。

2　食事の提供について自園調理又は連携施設等からの搬入以外の方法による場合（⑮）

(1)　調整の適用を受ける事業所の要件

　食事の提供に当たり、事業所において調理する方法又は家庭的保育事業等設備運営基準第16条第2項各号に定める搬入施設から搬入する方法以外の方法による事業所に適用する。

(2)　調整の適用を受ける事業所の認定

　(ｱ)　調整の適用を受ける事業所の認定は、事業所が所在する市町村長が食事の提供状況を確認のうえ行うこととする。

　(ｲ)　市町村長は、調整の適用を受ける事業所について、申請等を通じてその状況を把握し、(1)の要件に適合しなくなった場合には、(1)の要件に適合しなくなった日の属する月の翌月（月初日に(1)に適合しなくなった場合はその月）から調整の適用が無いものとすること。

(3)　調整額の算定

　調整額は、適用される基本分単価（⑥）、処遇改善等加算Ⅰ（⑦）及び夜間保育加算（⑪）の額の合計に、地域区分等に応じた調整率を乗じて得た額とする。（算定して得た額に10円未満の端数がある場合は切り捨てる。）

3　管理者を配置していない場合（⑯）

(1)　調整の適用を受ける事業所の要件

　Ⅱの1(2)の(ｲ)ⅰの（注1）の要件を満たす管理者を配置※していない事業所に適用する。

　※　2以上の事業所又は他の事業と兼務し、管理者として職務を行っていない者は欠員とみなされ、要件を満たす管理者を配置したこととはならないこと。

(2)　調整の適用を受ける事業所の認定

　(ｱ)　調整の適用を受ける施設の認定は、事業所が所在する市町村長が行うこと。

　(ｲ)　市町村長は、調整の適用を受ける事業所について、申請又は指導監督等を通じてその状況を把握すること。

(3)　調整額の算定

　調整額は、地域区分等に応じて定められた額とする。

4　土曜日に閉所する場合（⑰）

(1)　調整の適用を受ける事業所の要件

　事業所を利用する保育認定子どもについて、土曜日（国民の祝日及び休日を除く。以下同じ。）に係る保育の利用希望が無いなどの理由により、当該月の土曜日に閉所する日がある施設に適用する。

　また、開所していても保育を提供していない場合は、閉所しているものとして取り扱うこと。

　なお、他の特定教育・保育施設、地域型保育事業所（居宅訪問型保育事業所は除く。）又は企業主導型保育施設と共同保育を実施することにより、事業所を利用する保育認定子どもの土曜日における保育が確保されている場合には、土曜日に開所しているものとして取り扱うこと。

(2)　調整の適用を受ける事業所の認定

　(ｱ)　調整の適用を受ける事業所の認定は、事業所が所在する市町村長が行うこととし、認定をするにあたっては、その事業所の設置者からその旨の申請（事業所名、調整の適用年月、土曜日に閉所することとなる理由等）を徴して確認すること。

　なお、小規模保育事業については、原則として、土曜日を含む週6日間の開所が求められる事業であることから、土曜日に係る保育の利用希望があるにもかかわらず閉所する等の場合は、当該調整の適用と併せて、市町村において指導を行うこと。

　(ｲ)　市町村長は、調整の適用を受ける事業所について、申請又は指導監督等を通じてその状況を把握すること。

(3)　調整額の算定

　調整額は、適用される基本分単価（⑥）、処遇改善等加算Ⅰ（⑦）、障害児保育加算（⑨）及び夜間保育加算（⑪）の額の合計に、地域区分等及び閉所日数（当該月の土曜日のうち閉所する日の数をいう。）に応じた調整率を乗じて得た額とする。（算定して得た額に10円未満の端数がある場合は切り捨てる。）

V　乗除調整部分
1　定員を恒常的に超過する場合（⑱）
　(1)　調整の適用を受ける事業所の要件
　　　次の(ア)又は(イ)に該当する事業所に適用する。
　　(ア)　直前の連続する5年度間常に利用定員を超えており（注1）、かつ、各年度の年間平均在所率（注2）が120％以上（令和2年度以降のいずれかの年度の4月1日時点の待機児童数が1人以上である市町村に所在する事業所であって、同一の敷地又は隣接する敷地に所在する幼稚園の設備を活用して小規模保育事業を実施するもの（以下本項において「特定事業所」という。）にあっては133％以上）の状態にある事業所に適用する。
　　　　なお、教育・保育の提供は利用定員の範囲内で行われることが原則であること。
　　　　また、上記の状態にある施設に対しては、利用定員の見直しに向けた指導を行うこと。
　　　　なお、小規模保育事業は定員19人以下の事業であるが、(イ)に該当する地域に所在する事業所を除き、定員を超えて22人まで（特定事業所にあっては25人まで）の受け入れが可能であること。
　　　(注1)　利用定員を超えて受け入れる場合の留意事項
　　　　　利用定員を超えて受け入れる場合であっても、事業所の設備又は職員数が、利用定員を超えて利用する子どもを含めた利用子ども数に照らし、家庭的保育事業等設備運営基準及び本通知等に定める基準を満たしていること。
　　　(注2)　年間平均在所率
　　　　　当該年度内における各月の初日の利用子ども数の総和を各月の初日の利用定員の総和で除したものをいう。
　　(イ)　子ども・子育て支援法（平成24年法律第65号）第30条第1項第4号に定める離島その他の地域に所在する定員19人を超えて子どもを受け入れる事業所に適用する。
　(2)　調整の適用を受ける事業所の認定
　　(ア)　調整の適用を受ける事業所の認定は、事業所が所在する市町村長が事業所の利用状況を確認のうえ行うこととする。
　　(イ)　市町村長は、調整の適用を受ける事業所について、指導監督等を通じて利用定員の見直しが行われた場合又は地域における需要の動向等を踏まえて当該年度における年間平均在

所率が120％以上の状態にならないものと認められる場合には、見直し等が行われた日の属する月の翌月（月初日に(1)に適合しなくなった場合はその月）から調整の適用が無いものとすること。
　(3)　適用される基本部分及び加減調整部分の額の調整の方法
　　(ア)　(1)の(ア)に該当する事業所
　　　　本調整措置が適用される事業所における基本分単価（⑥）から土曜日に閉所する場合（⑰）の額については、それぞれの額の総和に地域区分等に応じた調整率を乗じて得た額とする。（算定して得た額に10円未満の端数がある場合は切り捨てる。）
　　(イ)　(1)の(イ)に該当する事業所
　　　　本調整措置が適用される事業所における基本分単価（⑥）から土曜日に閉所する場合（⑰）の額については、それぞれの額の総和に地域区分等及び各月初日の利用子ども数に応じた調整率を乗じて得た額とする。（算定して得た額に10円未満の端数がある場合は切り捨てる。）
VI　特定加算部分
1　処遇改善等加算II（⑲）
　(1)　加算の要件及び加算の認定
　　　加算の要件及び加算の認定は別に定めるところによる。
　(2)　加算額の算定
　　　加算額は、処遇改善等加算II―①及びII―②の別に定められる額にそれぞれ対象人数を乗じて得た額の合計を、各月初日の利用子ども数で除して得た額とする（算定して得た額に10円未満の端数がある場合は切り捨てる。）。
2　処遇改善等加算III（⑳）
　(1)　加算の要件及び加算の認定
　　　加算の要件及び加算の認定は別に定めるところによる。
　(2)　加算額の算定
　　　加算額は、別に定める額に対象人数を乗じて得た額を、各月初日の利用子ども数で除して得た額とする（算定して得た額に10円未満の端数がある場合は切り捨てる。）。
3　冷暖房費加算（㉑）
　(1)　加算の要件
　　　全ての事業所に加算する。
　(2)　加算額の算定
　　　加算額は、以下の地域の区分に応じて定める

額とする。

1級地	国家公務員の寒冷地手当に関する法律（昭和24年法律第200号）別表に規定する1級地をいう。	
2級地	国家公務員の寒冷地手当に関する法律別表に規定する2級地をいう。	
3級地	国家公務員の寒冷地手当に関する法律別表に規定する3級地をいう。	
4級地	国家公務員の寒冷地手当に関する法律別表に規定する4級地をいう。	
その他地域	上記以外の地域をいう。	

4　除雪費加算（㉒）

　(1)　加算の要件

　　豪雪地帯対策特別措置法（昭和37年法律第73号）第2条第2項に規定する地域に所在する事業所に加算する。

　(2)　加算額の算定

　　加算額は、定められた額とし、3月初日に利用する子どもの単価に加算する。

5　降灰除去費加算（㉓）

　(1)　加算の要件

　　活動火山対策特別措置法（昭和48年法律第61号）第23条第1項に規定する降灰防除地域に所在する事業所に加算する。

　(2)　加算額の算定

　　加算額は、定められた額を、3月初日の利用子ども数で除して得た額（算定して得た額に10円未満の端数がある場合は切り捨てる。）とし、3月初日に利用する子どもの単価に加算する。

6　施設機能強化推進費加算（㉔）

　(1)　加算の要件

　　事業所における火災・地震等の災害時に備え、職員等の防災教育及び災害発生時の安全かつ、迅速な避難誘導体制を充実する等の事業所の総合的な防災対策を図る取組（注1・注2・注3）を行う事業所で、以下の事業等を複数実施する事業所に加算する。

　　ⅰ　延長保育事業（子ども・子育て支援交付金の交付に係る要件に適合するもの及びこれと同等の要件を満たして自主事業として実施しているもの。ただし、当該要件を満たした月以降の各月においては、同一年度内に限り、事業を実施する体制が取られていることをもって当該要件を満たしているものと取り扱

う。）

　　ⅱ　一時預かり事業（一般型）（子ども・子育て支援交付金に係る要件に適合しており、かつ、月の平均対象子どもが1人以上いるもの（年度当初から事業を開始する場合は5月において当該要件を満たしていることをもって4月から当該要件を満たしているものと取り扱う。）。ただし、当該要件を満たした月以降の各月においては、同一年度内に限り、事業を実施する体制が取られていることをもって当該要件を満たしているものと取り扱う。）

　　　ただし、当分の間は平成21年6月3日雇児発第0603002号厚生労働省雇用均等・児童家庭局長通知「『保育対策等促進事業の実施について』の一部改正について」以前に定める一時保育促進事業の要件を満たしていると認められ、実施しているものも含むこととされること

　　ⅲ　病児保育事業（子ども・子育て支援交付金に係る要件に適合するもの及びこれと同等の要件を満たして自主事業として実施しているもの。）

　　ⅳ　乳児が3人以上利用している施設（4月から11月までの各月初日を平均して乳児が3人以上利用していること。）

　　　また、①乳児の利用定員が3人以上あり、かつ、②乳児保育を実施する職員体制を維持し、③地域の親子が交流する場の提供や子育てに関する相談会を月2回以上開催している場合、前年度に要件を満たしていた場合については、乳児3人以上の利用の要件を満たしたものと取り扱う。

　　ⅴ　障害児（軽度障害児を含む。）（注4）が1人以上利用している施設（4月から11月までの間に1人以上の障害児の利用があること。）

　　（注1）取組の実施方法の例示

　　　ⅰ　地域住民等への防災支援協力体制の整備及び合同避難訓練等を実施する。

　　　ⅱ　職員等への防災教育、訓練の実施及び避難具の整備を促進する。

　　（注2）取組に必要となる経費の額

　　　　取組に必要となる経費の総額が、概ね16万円以上見込まれること。

　　（注3）支出対象経費

　　　　需用費（消耗品費、燃料費、印刷製本費、修繕費、食糧費（茶菓）、光熱水費、医療材料費）・役務費（通信運

搬費）・旅費・謝金・備品購入費・原材料費・使用料及び賃借料・賃金・委託費（防災訓練及び避難具の整備等に要する特別の経費に限り、保育の提供に当たって、通常要する費用は含まない。）

(注4) 市町村が認める障害児とし、身体障害者手帳等の交付の有無は問わない。医師による診断書や巡回支援専門員等障害に関する専門的知見を有する者による意見提出など障害の事実が把握可能な資料をもって確認しても差し支えない。

(2) 加算の認定

加算の認定は、事業所が所在する市町村長が行うこととし、加算の認定をするにあたっては、その事業所の設置者からその旨の申請を毎年12月末までに提出させ、必要性及び経費等について必要な審査を行うこと。

(3) 加算額の算定

加算額は、定められた額を、3月初日の利用子ども数で除して得た額（算定して得た額に10円未満の端数がある場合は切り捨てる。）とし、3月初日に利用する子どもの単価に加算する。

(4) 実績の報告等

本加算の適用を受けた事業所は、翌年4月末日までに実績報告書を市町村長に提出すること。

なお、市町村長は、本加算を行った事業所について、検査時等に検証を行うこと。

7 栄養管理加算 (㉕)

(1) 加算の要件

食事の提供にあたり、栄養士を活用^(注)して、栄養士から献立やアレルギー、アトピー等への助言、食育等に関する継続的な指導を受ける事業所に加算する。

(注) 栄養士の活用に当たっては、雇用形態を問わず、嘱託する場合や、調理員として栄養士を雇用している場合も対象となる。

(2) 加算の認定

(ア) 加算の認定は、事業所が所在する市町村長が行うこととし、加算を認定するにあたっては、その事業所の設置者からその旨の申請（事業所名、加算の適用年月、栄養士の活用状況・配置等の形態の別が確認できる書類等）を徴して確認すること。

(イ) 市町村長は、加算の認定がされている事業所について、申請又は指導監督等を通じてその状況を把握し、(1)の要件に適合しなくなった場合には、(1)の要件に適合しなくなった日の属する月の翌月（月初日に(1)に適合しなくなった場合はその月）から加算の適用がないものとすること。

(3) 加算額の算定

加算額は、以下に掲げる栄養士の配置等の形態の別に応じ、それぞれに定める計算式により算出された額（算定して得た額に10円未満の端数がある場合は切り捨てる。）とする。

(ア) 配置^(注1) 定められた基本額に当該加算に係る処遇改善等加算Ⅰの単価にⅢの1(2)で設定した加算率×100を乗じて得た額を加えた額を、各月初日の利用子ども数で除して得た額とする。

(イ) 兼務^(注2) 定められた基本額に当該加算に係る処遇改善等加算Ⅰの単価にⅢの1(2)で設定した加算率×100を乗じて得た額を加えた額を、各月初日の利用子ども数で除して得た額とする。

(ウ) 嘱託^(注3) 定められた基本額を、各月初日の利用子ども数で除して得た額とする。

(注1) 本加算に係る栄養士が雇用契約等により配置されている場合をいい、兼務に該当する場合を除く。

(注2) 基本分単価及び他の加算の認定に当たって求められる職員が本加算に係る栄養士としての業務を兼務している場合をいう。

(注3) 配置又は兼務に該当する場合を除き、本加算に係る栄養士としての業務を嘱託等する場合をいう。

8 第三者評価受審加算 (㉖)

(1) 加算の要件

「福祉サービス第三者評価基準ガイドライン」等に沿って、第三者評価を適切に実施することが可能であると市町村が認める第三者機関による評価（行政が委託等により民間機関に行わせるものを含む。）を受審し、その結果をホームページ等により広く公表する事業所に加算する。

(2) 加算の認定

加算の認定は、事業所が所在する市町村長が行うこととし、加算を認定するにあたっては、その事業所の設置者からその旨の申請（事業所名、加算の適用年度、受審状況が分かる資料等）を毎年12月末までに提出させ、必要な審査を行うこと。

(注1) 評価機関との間の契約書等により、当年度に第三者評価の受審や結果の公表（評価機関からの評価結果の提示が翌年度以降となるため、結果の公表が翌年度になる場合を含む。）が行われることが確認できる場合は本加算の対象とする。その場合、市町村は受審や結果の公表が確実に行われていることを事後に確認すること。

(注2) 第三者評価の受審は5年に一度程度を想定しており、加算適用年度から5年度間は再度の加算適用はできないこと。

(3) 加算額の算定

加算額は、定められた額を、3月初日の利用子ども数で除して得た額（算定して得た額に10円未満の端数がある場合は切り捨てる。）とし、3月初日に利用する子どもの単価に加算する。

別紙7（小規模保育事業C型（保育認定3号））

Ⅰ　地域区分等

1　地域区分（①）

利用する事業所が所在する市町村ごとに定められた告示別表第1による区分を適用する。

2　定員区分（②）

利用する事業所の利用定員の総和に応じた区分を適用する。

3　認定区分（③）

利用子どもの認定区分に応じた区分を適用する。

4　保育必要量区分（④）

利用必要量に応じた区分を適用する。

Ⅱ　基本部分

1　基本分単価（⑤）

(1) 額の算定

地域区分（①）、定員区分（②）、認定区分（③）、保育必要量区分（④）（以下「地域区分等」という。）に応じて定められた額とする。

(2) 基本分単価に含まれる職員構成

基本分単価に含まれる職員構成は以下のとおりであることから、これを充足すること。

(ア) 保育従事者

基本分単価における必要保育従事者数は以下のiとiiを合計した数であること。

また、これとは別に非常勤の保育従事者が配置されていること。

i　家庭的保育者及び家庭的保育補助者

子ども3人につき家庭的保育者1人（家庭的保育補助者を配置する場合は子ども5人）

ii　その他

a　保育標準時間認定を受けた子どもが利用する事業所については非常勤保育従事者1人

b　上記iの家庭的保育者及び家庭的保育補助者1人当たり、研修代替保育従事者として年間3日分の費用を算定^(注)

(注) 当該費用については、家庭的保育者及び家庭的保育補助者が研修を受講する際の受講費用や、時間外における研修受講の際の時間外手当等に充当しても差し支えないこと。

(イ) その他

i　管理者

1人

(注) 管理者は児童福祉事業等に2年以上従事した者又はこれと同等以上の能力を有すると認められる者で、常時実際にその事業所の運営管理の業務に専従し、かつ給付費からの給与支出がある者とする。

＜児童福祉事業等に従事した者の例示＞

児童福祉施設の職員、幼稚園・小学校等における教諭、市町村等の公的機関において児童福祉に関する事務を取り扱う部局の職員、民生委員・児童委員の他、教育・保育施設又は地域型保育事業に移行した施設・事業所における移行前の認可外保育施設の職員等

＜同等以上の能力を有すると認められる者の例示＞

公的機関等の実施する施設長研修等を受講した者等

ii　非常勤調理員等^(注1・2)

(注1) グループのうちいずれかの利用子どもが3人以下の場合は家庭的保育補助者が兼ねることができること。

(注2) 調理業務の全部を委託する場合、

　　　　または搬入施設から食事を搬入する
　　　　場合は、調理員を置かないことがで
　　　　きる。
　　iii　非常勤事務職員
　　　（注）管理者等の職員が兼務する場合又は
　　　　　業務委託する場合は、配置は不要であ
　　　　　ること。
　　iv　嘱託医・嘱託歯科医
　(3)　連携施設経費
　　　基本分単価には、家庭的保育事業等の設備及
　　び運営に関する基準（平成26年厚生労働省令第
　　61号。以下「家庭的保育事業等設備運営基準」
　　という。）第6条第1項に定める連携施設（同
　　条第2項及び第4項第2号により市町村が連携
　　施設の確保が著しく困難であると認める場合に
　　おいては、それぞれ同条第3項及び第5項に定
　　める連携協力を行う者を含む。本項及びIVの1
　　において同じ。）に係る経費を算定しているこ
　　と。そのため、連携施設を設定していない事業
　　所については、IVの1による調整が行われるこ
　　と。
III　基本加算部分
1　処遇改善等加算I（⑥）
　(1)　加算の要件及び加算の認定
　　　加算の要件及び加算の認定は別に定めるとこ
　　ろによる。
　(2)　加算額の算定
　　　加算額は、地域区分等に応じた単価に、別に
　　定めるところにより認定した加算率×100を乗
　　じて得た額とする。
2　資格保有者加算（⑦）
　(1)　加算の要件
　　　保育士資格、看護師免許又は准看護師免許を
　　有する家庭的保育者を配置する事業所に加算す
　　る。
　(2)　加算の認定
　　　(ア)　加算の認定は、事業所が所在する市町村長
　　　が行うこととし、新たに加算の認定をするに
　　　あたっては、その事業所の設置者からその旨
　　　の申請（事業所名、加算の適用年月、家庭的
　　　保育者の有する保育士証、看護師免許証又は
　　　准看護師免許証の写し等）を徴して(1)の要件
　　　への適合状況を確認すること。
　　　(イ)　市町村長は、加算の認定がされている事業
　　　所について、申請等を通じてその状況を把握
　　　し、(1)の要件に適合しなくなった場合には、
　　　(1)の要件に適合しなくなった日の属する月の

　　翌月（月初日に(1)に適合しなくなった場合は
　　その月）から加算の適用が無いものとするこ
　　と。
　(3)　加算額の算定
　　　加算額は、地域区分等及び資格保有者の人数
　　に応じた単価に、当該加算に係る処遇改善等加
　　算Iの単価に1の(2)で認定した加算率×100を
　　乗じて得た額を加えた額とする。
3　障害児保育加算（⑧）
　(1)　加算の要件
　　　障害児（軽度障害児を含む。）（注）を受け入れ
　　る事業所において、当該障害児に係る家庭的保
　　育者及び家庭的保育補助者の配置基準を障害児
　　2人につき1人とする場合に加算する。
　　　その際の計算に当たっては、各グループに配
　　置する家庭的保育補助者数が、以下の算式によ
　　り得た「必要補助者数」以上になること。
　　（注）市町村が認める障害児とし、身体障害者
　　　　手帳等の交付の有無は問わない。医師によ
　　　　る診断書や巡回支援専門員等障害に関する
　　　　専門的知見を有する者による意見提出など
　　　　障害の事実が把握可能な資料をもって確認
　　　　して差し支えない。
　　＜算式＞
　　　　｛グループの利用子ども数（障害児を除く）
　　　　×1／5（小数点第1位まで計算）｝＋｛障
　　　　害児数×1／2（〃）｝＝必要補助者数（小
　　　　数点第1位を切り上げ）
　(2)　加算の認定
　　　(ア)　加算の認定は、事業所が所在する市町村長
　　　が行うこととし、新たに加算の認定をするに
　　　あたっては、その事業所の設置者からその旨
　　　の申請（事業所名、加算の適用年月、対象子
　　　ども、各グループの利用子ども数（見込み）
　　　及び家庭的保育補助者等の配置状況が記載さ
　　　れた職員体制図等）を徴して(1)の要件への適
　　　合状況を確認すること。
　　　(イ)　市町村長は、加算の認定がされている事業
　　　所について、申請又は指導監督等を通じてそ
　　　の状況を把握し、(1)の要件に適合しなくなっ
　　　た場合には、(1)の要件に適合しなくなった日
　　　の属する月の翌月（月初日に(1)に適合しなく
　　　なった場合はその月）から加算の適用が無い
　　　ものとすること。
　(3)　加算額の算定
　　　加算額は、対象となる子どもの地域区分等に
　　応じた単価に、当該加算に係る処遇改善等加算

Ⅰの単価に1の(2)で認定した加算率×100を乗じて得た額を加えた額とする。

4　減価償却費加算（⑨）

(1)　加算の要件

以下の要件全てに該当する事業所に加算する。

(ア)　小規模保育事業の用に供する建物が自己所有であること^(注1)

(イ)　建物を整備・改修又は取得する際に、建設資金又は購入資金が発生していること

(ウ)　建物の整備・改修に当たって、施設整備費又は改修費等（以下「施設整備費等」という。）の国庫補助金の交付を受けていないこと^(注2)

(エ)　賃借料加算（⑩）の対象となっていないこと

（注1）事業所の一部が賃貸物件の場合は、自己所有の建物の延べ面積が事業所全体の延べ面積の50％以上であること

（注2）施設整備費等の国庫補助の交付を受けて建設・改修した建物について、整備後一定年数が経過した後に、以下の要件全てに該当する改修等を行った場合には(ウ)に該当することとして差し支えない。

① 老朽化等を理由として改修等が必要であったと市町村が認める場合

② 当該改修等に当たって、国庫補助の交付を受けていないこと

③ 1事業所当たりの改修等に要した費用を2000で除して得た値が、建物全体の延面積に2を乗じて得た値を上回る場合で、かつ、改修等に要した費用が1000万円以上であること

(2)　加算の認定

(ア)　加算の認定は、事業所が所在する市町村長が行うこととし、加算の認定をするにあたっては、その事業所の設置者からその旨の申請（事業所名、加算の適用年月、建物を整備・改修又は取得する際の契約書類等）を徴して確認すること。

(イ)　市町村長は、加算の認定がされている事業所について、(1)の要件に適合しなくなった場合には、(1)の要件に適合しなくなった日の属する月の翌月（月初日に(1)に適合しなくなった場合はその月）から加算の適用が無いものとすること。

(3)　加算額の算定

加算額は、「標準」又は「都市部」の区分に応じて定められた額とする。なお、「標準」とは都市部に該当する市町村以外の市町村をいい、「都市部」とは当年度又は前年度における4月1日現在の人口密度が1000人／㎢以上の市町村をいう。

5　賃借料加算（⑩）

(1)　加算の要件

以下の要件全てに該当する事業所に加算する。

(ア)　小規模保育事業の用に供する建物が賃貸物件であること^(注)

(イ)　(ア)の賃貸物件に対する賃借料が発生していること

(ウ)　賃借料の国庫補助（「認可保育所等設置支援事業の実施について」（令和5年4月19日こ成保第15号こども家庭庁成育局長通知）に定める「都市部における保育所への賃借料等支援事業」による国庫補助を除く。）を受けた事業所については、当該補助に係る残額が生じていないこと

(エ)　減価償却費加算（⑨）の対象となっていないこと

（注）事業所の一部が自己所有の場合は、賃貸による建物の延べ面積が事業所全体の延べ面積の50％以上であること

(2)　加算の認定

(ア)　加算の認定は、事業所が所在する市町村長が行うこととし、加算の認定をするにあたっては、その事業所の設置者からその旨の申請（事業所名、加算の適用年月、賃貸契約書等）を徴して確認すること。

(イ)　市町村長は、加算の認定がされている事業所について、(1)の要件に適合しなくなった場合には、(1)の要件に適合しなくなった日の属する月の翌月（月初日に(1)に適合しなくなった場合はその月）から加算の適用が無いものとすること。

(3)　加算額の算定

加算額は、以下の地域の区分ごとに定められた額とする。

区分		都道府県
A地域	標準	埼玉県　千葉県　東京都
	都市部	神奈川県

B地域	標準	静岡県　滋賀県　京都府
	都市部	大阪府　兵庫県　奈良県
C地域	標準	宮城県　茨城県　栃木県 群馬県　新潟県　石川県 長野県　愛知県　三重県
	都市部	和歌山県　鳥取県　岡山県 広島県　香川県　福岡県 沖縄県
D地域	標準	北海道　青森県　岩手県 秋田県　山形県　福島県 富山県　福井県　山梨県 岐阜県　島根県　山口県
	都市部	徳島県　愛媛県　高知県 佐賀県　長崎県　熊本県 大分県　宮崎県　鹿児島県

＊表中「都市部」とは当年度又は前年度における４月１日現在の人口密度が1000人／km以上の市町村をいい、「標準」とはそれ以外の市町村をいう。

Ⅳ　加減調整部分
1　連携施設を設定していない場合（⑪）
　(1)　調整の適用を受ける事業所の要件
　　　連携施設を設定しない事業所に適用する。
　(2)　調整の適用を受ける事業所の認定
　　(ア)　調整の適用を受ける事業所の認定は、事業所が所在する市町村長が連携施設の設定状況を確認のうえ行うこととする。
　　(イ)　市町村長は、調整の適用を受ける事業所について、申請等を通じてその状況を把握し、(1)の要件に適合しなくなった場合には、(1)の要件に適合しなくなった日の属する月の翌月（月初日に(1)に適合しなくなった場合はその月）から調整の適用が無いものとすること。
　(3)　調整額の算定
　　　調整額は、地域区分等に応じて定められた額とする。
2　食事の提供について自園調理又は連携施設等からの搬入以外の方法による場合（⑫）
　(1)　調整の適用を受ける事業所の要件
　　　食事の提供に当たり、事業所において調理する方法又は家庭的保育事業等設備運営基準第16条第２項各号に定める搬入施設から搬入する方法以外の方法による事業所に適用する。
　(2)　調整の適用を受ける事業所の認定
　　(ア)　調整の適用を受ける事業所の認定は、事業所が所在する市町村長が食事の提供状況を確認のうえ行うこととする。

　　(イ)　市町村長は、調整の適用を受ける事業所について、申請等を通じてその状況を把握し、(1)の要件に適合しなくなった場合には、(1)の要件に適合しなくなった日の属する月の翌月（月初日に(1)に適合しなくなった場合はその月）から調整の適用が無いものとすること。
　(3)　調整額の算定
　　　調整額は、適用される基本分単価（⑤）及び処遇改善等加算Ⅰ（⑥）の額の合計に、地域区分等に応じた調整率を乗じて得た額とする。
　　　（算定して得た額に10円未満の端数がある場合は切り捨てる。）
3　管理者を配置していない場合（⑬）
　(1)　調整の適用を受ける事業所の要件
　　　Ⅱの1(2)の(イ)ⅰの（注）の要件を満たす管理者を配置※していない事業所に適用する。
　　※　２以上の事業所又は他の事業と兼務し、管理者として職務を行っていない者は欠員とみなされ、要件を満たす管理者を配置したこととはならないこと。
　(2)　調整の適用を受ける事業所の認定
　　(ア)　調整の適用を受ける施設の認定は、事業所が所在する市町村長が行うこと。
　　(イ)　市町村長は、調整の適用を受ける事業所について、申請又は指導監督等を通じてその状況を把握すること。
　(3)　調整額の算定
　　　調整額は、地域区分等に応じて定められた額とする。
4　土曜日に閉所する場合（⑭）
　(1)　調整の適用を受ける事業所の要件
　　　事業所を利用する保育認定子どもについて、土曜日（国民の祝日及び休日を除く。以下同じ。）に係る保育の利用希望が無いなどの理由により、当該月の土曜日に閉所する日がある施設に適用する。
　　　また、開所していても保育を提供していない場合は、閉所しているものとして取り扱うこと。
　　　なお、他の特定教育・保育施設、地域型保育事業所（居宅訪問型保育事業所は除く。）又は企業主導型保育施設と共同保育を実施することにより、事業所を利用する保育認定子どもの土曜日における保育が確保されている場合には、土曜日に開所しているものとして取り扱うこと。
　(2)　調整の適用を受ける事業所の認定

　　　(ア)　調整の適用を受ける事業所の認定は、事業所が所在する市町村長が行うこととし、認定をするにあたっては、その事業所の設置者からその旨の申請（事業所名、調整の適用年月、土曜日に閉所することとなる理由等）を徴して確認すること。

　　　　なお、小規模保育事業については、原則として、土曜日を含む週6日間の開所が求められる事業であることから、土曜日に係る保育の利用希望があるにもかかわらず閉所する等の場合は、当該調整の適用と併せて、市町村において指導を行うこと。

　　　(イ)　市町村長は、調整の適用を受ける施設について、申請又は指導監督等を通じてその状況を把握すること。

　　(3)　調整額の算定

　　　　調整額は、適用される基本分単価（⑤）、処遇改善等加算Ⅰ（⑥）及び障害児保育加算（⑧）の額の合計に、地域区分等及び閉所日数（当該月の土曜日のうち閉所する日の数をいう。）に応じた調整率を乗じて得た額とする。

　　　　（算定して得た額に10円未満の端数がある場合は切り捨てる。）

Ⅴ　乗除調整部分

　1　定員を恒常的に超過する場合（⑮）

　　(1)　調整の適用を受ける事業所の要件

　　　　直前の連続する5年度間常に利用定員を超えており(注1)、かつ、各年度の年間平均在所率(注2)が120％以上の状態にある事業所に適用する。

　　　　なお、保育の提供は利用定員の範囲内で行われることが原則であること。

　　　　また、上記の状態にある事業所に対しては、利用定員の見直しに向けた指導を行うこと。

　　　　なお、小規模保育事業C型は定員15人以下の事業であることから、定員15人を超えて子どもを受け入れることはできないこと。

　　(注1)　利用定員を超えて受け入れる場合の留意事項

　　　　　　利用定員を超えて受け入れる場合であっても、事業所の設備又は職員数が、利用定員を超えて利用する子どもを含めた利用子ども数に照らし、家庭的保育事業等設備運営基準及び本通知等に定める基準を満たしていること。

　　(注2)　年間平均在所率

　　　　　　当該年度内における各月の初日の利用子ども数の総和を各月の初日の利用定員の総和で除したものをいう。

　　(2)　調整の適用を受ける事業所の認定

　　　(ア)　調整の適用を受ける事業所の認定は、事業所が所在する市町村長が事業所の利用状況を確認のうえ行うこととする。

　　　(イ)　市町村長は、調整の適用を受ける事業所について、指導監督等を通じて利用定員の見直しが行われた場合又は地域における需要の動向等を踏まえて当該年度における年間平均在所率が120％以上の状態にならないものと認められる場合には、見直し等が行われた日の属する月の翌月（月初日に(1)に適合しなくなった場合はその月）から調整の適用が無いものとすること。

　　(3)　適用される基本部分及び加減調整部分の額の調整の方法

　　　　本調整措置が適用される事業所における基本分単価（⑤）から土曜日に閉所する場合（⑭）の額については、それぞれの額の総和に地域区分等に応じた調整率を乗じて得た額とする。

　　　　（算定して得た額に10円未満の端数がある場合は切り捨てる。）

Ⅵ　特定加算部分

　1　処遇改善等加算Ⅱ（⑯）

　　(1)　加算の要件及び加算の認定

　　　　加算の要件及び加算の認定は別に定めるところによる。

　　(2)　加算額の算定

　　　　加算額は、処遇改善等加算Ⅱ—①及びⅡ—②の別に定められる額にそれぞれ対象人数を乗じて得た額の合計を、各月初日の利用子ども数で除して得た額とする（算定して得た額に10円未満の端数がある場合は切り捨てる。）。

　2　処遇改善等加算Ⅲ（⑰）

　　(1)　加算の要件及び加算の認定

　　　　加算の要件及び加算の認定は別に定めるところによる。

　　(2)　加算額の算定

　　　　加算額は、別に定める額に対象人数を乗じて得た額を、各月初日の利用子ども数で除して得た額とする（算定して得た額に10円未満の端数がある場合は切り捨てる。）。

　3　冷暖房費加算（⑱）

　　(1)　加算の要件

　　　　全ての事業所に加算する。

　　(2)　加算額の算定

加算額は、以下の地域の区分に応じて定める額とする。

1級地	国家公務員の寒冷地手当に関する法律（昭和24年法律第200号）別表に規定する1級地をいう。
2級地	国家公務員の寒冷地手当に関する法律別表に規定する2級地をいう。
3級地	国家公務員の寒冷地手当に関する法律別表に規定する3級地をいう。
4級地	国家公務員の寒冷地手当に関する法律別表に規定する4級地をいう。
その他地域	上記以外の地域をいう。

4 除雪費加算（⑲）

(1) 加算の要件

豪雪地帯対策特別措置法（昭和37年法律第73号）第2条第2項に規定する地域に所在する事業所に加算する。

(2) 加算額の算定

加算額は、定められた額とし、3月初日に利用する子どもの単価に加算する。

5 降灰除去費加算（⑳）

(1) 加算の要件

活動火山対策特別措置法（昭和48年法律第61号）第23条第1項に規定する降灰防除地域に所在する事業所に加算する。

(2) 加算額の算定

加算額は、定められた額を、3月初日の利用子ども数で除して得た額（算定して得た額に10円未満の端数がある場合は切り捨てる。）とし、3月初日に利用する子どもの単価に加算する。

6 施設機能強化推進費加算（㉑）

(1) 加算の要件

事業所における火災・地震等の災害時に備え、職員等の防災教育及び災害発生時の安全かつ、迅速な避難誘導体制を充実する等の事業所の総合的な防災対策を図る取組（注1・注2・注3）を行う事業所で、以下の事業等を複数実施する事業所に加算する。

i 延長保育事業（子ども・子育て支援交付金の交付に係る要件に適合するもの及びこれと同等の要件を満たして自主事業として実施しているもの。ただし、当該要件を満たした月以降の各月においては、同一年度内に限り、事業を実施する体制が取られていることを

もって当該要件を満たしているものと取り扱う。）

ii 一時預かり事業（一般型）（子ども・子育て支援交付金に係る要件に適合しており、かつ、月の平均対象子どもが1人以上いるもの（年度当初から事業を開始する場合は5月において当該要件を満たしていることをもって4月から当該要件を満たしているものと取り扱う。）。ただし、当該要件を満たした月以降の各月においては、同一年度内に限り、事業を実施する体制が取られていることをもって当該要件を満たしているものと取り扱う。）

ただし、当分の間は平成21年6月3日雇児発第0603002号厚生労働省雇用均等・児童家庭局長通知「『保育対策等促進事業の実施について』の一部改正について」以前に定める一時保育促進事業の要件を満たしていると認められ、実施しているものも含むこととされること。

iii 病児保育事業（子ども・子育て支援交付金に係る要件に適合するもの及びこれと同等の要件を満たして自主事業として実施しているもの。）

iv 乳児が3人以上利用している施設（4月から11月までの各月初日を平均して乳児が3人以上利用していること。）

また、①乳児の利用定員が3人以上あり、かつ、②乳児保育を実施する職員体制を維持し、③地域の親子が交流する場の提供や子育てに関する相談会を月2回以上開催している場合、前年度に要件を満たしていた場合については、乳児3人以上の利用の要件を満たしたものと取り扱う。

v 障害児（軽度障害児を含む。）（注4）が1人以上利用している施設（4月から11月までの間に1人以上の障害児の利用があること。）

(注1) 取組の実施方法の例示

i 地域住民等への防災支援協力体制の整備及び合同避難訓練等を実施する。

ii 職員等への防災教育、訓練の実施及び避難具の整備を促進する。

(注2) 取組に必要となる経費の額

取組に必要となる経費の総額が、概ね16万円以上見込まれること。

(注3) 支出対象経費

需用費（消耗品費、燃料費、印刷製本費、修繕費、食糧費（茶菓）、光熱

水費、医療材料費）・役務費（通信運搬費）・旅費・謝金・備品購入費・原材料費・使用料及び賃借料・賃金・委託費（防災訓練及び避難具の整備等に要する特別の経費に限り、保育の提供に当たって、通常要する費用は含まない。）

(注4) 市町村が認める障害児とし、身体障害者手帳等の交付の有無は問わない。医師による診断書や巡回支援専門員等障害に関する専門的知見を有する者による意見提出など障害の事実が把握可能な資料をもって確認しても差し支えない。

(2) 加算の認定

加算の認定は、事業所が所在する市町村長が行うこととし、加算の認定をするにあたっては、その事業所の設置者からその旨の申請を毎年12月末までに提出させ、必要性及び経費等について必要な審査を行うこと。

(3) 加算額の算定

加算額は、定められた額を、3月初日の利用子ども数で除して得た額（算定して得た額に10円未満の端数がある場合は切り捨てる。）とし、3月初日に利用する子どもの単価に加算する。

(4) 実績の報告等

本加算の適用を受けた事業所は、翌年4月末日までに実績報告書を市町村長に提出すること。

なお、市町村長は、本加算を行った事業所について、検査時等に検証を行うこと。

7　栄養管理加算（㉒）

(1) 加算の要件

食事の提供にあたり、栄養士を活用(注)して、栄養士から献立やアレルギー、アトピー等への助言、食育等に関する継続的な指導を受ける事業所に加算する。

(注) 栄養士の活用に当たっては、雇用形態を問わず、嘱託する場合や、調理員として栄養士を雇用している場合も対象となる。

(2) 加算の認定

(ア) 加算の認定は、事業所が所在する市町村長が行うこととし、加算を認定するにあたっては、その事業所の設置者からその旨の申請（事業所名、加算の適用年月、栄養士の活用状況・配置等の形態の別が確認できる書類

等）を徴して確認すること。

(イ) 市町村長は、加算の認定がされている事業所について、申請又は指導監督等を通じてその状況を把握し、(1)の要件に適合しなくなった場合には、(1)の要件に適合しなくなった日の属する月の翌月（月初日に(1)に適合しなくなった場合はその月）から加算の適用がないものとすること。

(3) 加算額の算定

加算額は、以下に掲げる栄養士の配置等の形態の別に応じ、それぞれに定める計算式により算出された額（算定して得た額に10円未満の端数がある場合は切り捨てる。）とする。

(ア) 配置(注1)　定められた基本額に当該加算に係る処遇改善等加算Ⅰの単価にⅢの1(2)で認定した加算率×100を乗じて得た額を加えた額を、各月初日の利用子ども数で除して得た額とする。

(イ) 兼務(注2)　定められた基本額に当該加算に係る処遇改善等加算Ⅰの単価にⅢの1(2)で認定した加算率×100を乗じて得た額を加えた額を、各月初日の利用子ども数で除して得た額とする。

(ウ) 嘱託(注3)　定められた基本額を、各月初日の利用子ども数で除して得た額とする。

(注1) 本加算に係る栄養士が雇用契約等により配置されている場合をいい、兼務に該当する場合を除く。

(注2) 基本分単価及び他の加算の認定に当たって求められる職員が本加算に係る栄養士としての業務を兼務している場合をいう。

(注3) 配置又は兼務に該当する場合を除き、本加算に係る栄養士としての業務を嘱託等する場合をいう。

8　第三者評価受審加算（㉓）

(1) 加算の要件

「福祉サービス第三者評価基準ガイドライン」等に沿って、第三者評価を適切に実施することが可能であると市町村が認める第三者機関による評価（行政が委託等により民間機関に行わせるものを含む。）を受審し、その結果をホームページ等により広く公表する事業所に加算する。

(2) 加算の認定

加算の認定は、事業所が所在する市町村長が行うこととし、加算を認定するにあたっては、その事業所の設置者からその旨の申請（事業所名、加算の適用年度、受審状況が分かる資料等）を毎年12月末までに提出させ、必要な審査を行うこと。

（注1）評価機関との間の契約書等により、当年度に第三者評価の受審や結果の公表（評価機関からの評価結果の提示が翌年度以降となるため、結果の公表が翌年度になる場合を含む。）が行われることが確認できる場合は本加算の対象とする。

その場合、市町村は受審や結果の公表が確実に行われていることを事後に確認すること。

（注2）第三者評価の受審は5年に一度程度を想定しており、加算適用年度から5年度間は再度の加算適用はできないこと。

(3) 加算額の算定

加算額は、定められた額を、3月初日の利用子ども数で除して得た額（算定して得た額に10円未満の端数がある場合は切り捨てる。）とし、3月初日に利用する子どもの単価に加算する。

別紙8（事業所内保育事業（保育認定3号））

I 地域区分等

1 地域区分（①）

利用する事業所が所在する市町村ごとに定められた告示別表第1による区分を適用する。

2 定員区分（②）

利用する事業所の利用定員の総和に応じた区分を適用する。

3 認定区分（③）

利用子どもの認定区分に応じた区分を適用する。

4 年齢区分（④）

利用子どもの満年齢に応じた区分を適用する。

なお、年齢区分が年度の初日の前日における満年齢に基づき区分した場合に、年齢区分が異なる場合は、適用される年齢区分における基本分単価（⑥）、処遇改善等加算I（⑧）、保育士比率向上加算（⑨）、障害児保育加算（⑩）及び夜間保育加算（⑫）の単価について、それぞれの「月額調整」欄に定める額に置き替えて適用するものとする。

5 保育必要量区分（⑤）

利用子どもの保育必要量に応じた区分を適用する。

II 基本部分

1 基本分単価（⑥）

(1) 額の算定

地域区分（①）、定員区分（②）、認定区分（③）、年齢区分（④）、保育必要量区分（⑤）（以下「地域区分等」という。）に応じて定められた額とする。

(2) 基本分単価に含まれる職員構成

基本分単価に含まれる職員構成は以下のとおりであることから、これを充足すること。

(ア) 保育従事者(※)

基本分単価における必要保育従事者数は以下のiとiiを合計した数であること。

また、これとは別に非常勤の保育従事者（小規模保育事業A型の基準が適用される事業所及び定員20人以上の事業所にあっては保育士）が配置されていること。

i 年齢別配置基準

a 小規模保育事業A型の基準が適用される事業所(※)

1、2歳児6人につき1人、乳児3人につき1人、左記に加えて1人

上記はすべて保育士であること。

（注1）ここでいう「1、2歳児」、「乳児」とは、年度の初日の前日における満年齢によるものであること。

（注2）確認に当たっては以下の算式によること。

＜算式＞

｛1、2歳児数×1／6（小数点第1位まで計算（小数点第2位以下切り捨て））｝＋｛乳児数×1／3（同）｝＋1＝配置基準上保育士数（小数点以下四捨五入）

b 小規模保育事業B型の基準が適用される事業所

1、2歳児6人につき1人、乳児3人につき1人、左記に加えて1人

上記のうち、1／2以上は保育士であること。

（注1）ここでいう「1、2歳児」、「乳児」とは、年度の初日の前日における満年齢によるものであるこ

と。

（注2）確認に当たっては以下の算式1（保育従事者数）、算式2（保育士数）によること。

＜算式1＞

{1、2歳児数×1／6（小数点第1位まで計算（小数点第2位以下切り捨て））｝ ＋ ｛乳児数×1／3（同）｝ ＋1 ＝配置基準上保育従事者数（小数点以下四捨五入）

＜算式2＞

配置基準上保育従事者数×1／2 ＝配置基準上保育士数（小数点以下四捨五入）

c　利用定員20人以上の事業所[※]

1、2歳児6人につき1人、乳児3人につき1人

上記はすべて保育士であること。

（注1）ここでいう「1、2歳児」、「乳児」とは、年度の初日の前日における満年齢によるものであること。

（注2）確認に当たっては以下の算式によること。

＜算式＞

{1、2歳児数×1／6（小数点第1位まで計算（小数点第2位以下切り捨て））｝ ＋ ｛乳児数×1／3（同）｝ ＝配置基準上保育士数（小数点以下四捨五入）

ⅱ　その他[※]

a　利用定員20人以上の事業所については1人

b　保育標準時間認定を受けた子どもが利用する事業所について、利用定員19人以下の事業所は非常勤保育従事者1人（小規模保育事業A型にあっては保育士）、利用定員20人以上の事業所は保育士1人[(注1)]

c　上記ⅰ及びⅱのa、b（利用定員20人以上の事業所に限る。）の保育従事者1人当たり、研修代替保育従事者として年間3日分の費用を算定[(注2)]

（注1）事業所全体の利用定員に占める保育標準時間認定を受けた子どもの人数の割合が低い場合は非常勤の保育士としても差し支えないこ

と。

（注2）当該費用については、保育従事者が研修を受講する際の受講費用や、時間外における研修受講の際の時間外手当等に充当しても差し支えないこと。

（※）小規模保育事業A型若しくは小規模保育事業B型の基準が適用される事業所における保育士には、家庭的保育事業等の設備及び運営に関する基準（平成26年厚生労働省令第61号。以下「家庭的保育事業等設備運営基準」という。）第47条第3項、附則第7条及び附則第8条に基づいて、又は、利用定員20人以上の事業所における保育士には、家庭的保育事業等設備運営基準第44条第3項、附則第7条及び附則第8条に基づいて市町村が定める条例に基づき保育士とみなされた者を含む。

(ｲ)　その他

ⅰ　管理者

1人

（注）管理者は児童福祉事業等に2年以上従事した者又はこれと同等以上の能力を有すると認められる者で、常時実際にその事業所の運営管理の業務に専従し、かつ給付費からの給与支出がある者とする。

＜児童福祉事業等に従事した者の例示＞

児童福祉施設の職員、幼稚園・小学校等における教諭、市町村等の公的機関において児童福祉に関する事務を取り扱う部局の職員、民生委員・児童委員の他、教育・保育施設又は地域型保育事業に移行した施設・事業所における移行前の認可外保育施設の職員等

＜同等以上の能力を有すると認められる者の例示＞

公的機関等の実施する施設長研修等を受講した者等

ⅱ　調理員等

a　利用定員19人以下の事業所

非常勤調理員等[(注)]

b　利用定員20人以上の事業所

利用定員40人以下の事業所は1人、41人以上の事業所は2人[(注)]

（注）調理業務の全部を委託する場合、

または搬入施設から食事を搬入する場合は、調理員を置かないことができる。

iii　非常勤事務職員^(注)

（注）管理者等の職員が兼務する場合又は業務委託する場合は、配置は不要であること。

iv　嘱託医・嘱託歯科医

(3)　連携施設経費

基本分単価には、家庭的保育事業等設備運営基準第6条第1項に定める連携施設（同条第2項及び第4項第2号により市町村が連携施設の確保が著しく困難であると認める場合においては、それぞれ同条第3項及び第5項に定める連携協力を行う者を含む。本項及びⅣの1において同じ。）に係る経費を算定していること。そのため、連携施設を設定していない事業所については、Ⅳの1による調整が行われること。

2　従業員枠の子どもの場合（⑦）

(1)　適用の要件

事業主が雇用する労働者の子どもの場合に適用する。

(2)　適用される場合の基本分単価（⑥）の算定

事業主が雇用する労働者の子どもに係る基本分単価（⑥）の額については、基本分単価（⑥）の額に定められた調整率を乗じて得た額とする。（算定して得た額に10円未満の端数がある場合は切り捨てる。）

Ⅲ　基本加算部分

1　処遇改善等加算Ⅰ（⑧）

(1)　加算の要件及び加算の認定

加算の要件及び加算の認定は別に定めるところによる。

(2)　加算額の算定

加算額は、地域区分等に応じた単価に、別に定めるところにより認定した加算率×100を乗じて得た額とする。

2　保育士比率向上加算（⑨）＜小規模保育事業B型の基準が適用される事業所＞

(1)　加算の要件

Ⅱの1(2)(ア) i b の年齢別配置基準について、保育士資格を有する者の占める割合が3／4以上となる事業所に加算する。

その際の計算に当たっては、以下の算式によること。

＜算式＞

配置基準上保育従事者数（小数点以下四捨五

入）×3／4＝必要保育士数（小数点以下四捨五入）

(2)　加算の認定

(ア)　加算の認定は、事業所が所在する市町村長が行うこととし、新たに加算の認定をするにあたっては、その事業所の設置者からその旨の申請（事業所名、加算の適用年月、利用子ども数（見込み）及び保育従事者の配置状況が記載された職員体制図等）を徴して(1)の要件への適合状況を確認すること。

(イ)　市町村長は、加算の認定がされている事業所について、申請又は指導監督等を通じてその状況を把握し、(1)の要件に適合しなくなった場合には、(1)の要件に適合しなくなった日の属する月の翌月（月初日に(1)に適合しなくなった場合はその月）から加算の適用が無いものとすること。

(3)　加算額の算定

加算額は、地域区分等に応じた単価に、当該加算に係る処遇改善等加算Ⅰの単価に1の(2)で認定した加算率×100を乗じて得た額を加えた額とする。

3　障害児保育加算（⑩）

(1)　加算の要件

障害児（軽度障害児を含む。）^(注)を受け入れる事業所において、当該障害児に係る保育従事者の配置基準を障害児2人につき1人とする場合に加算する。

その際の計算に当たっては、Ⅱの1(2)(ア) i の年齢別配置基準について、以下の算式に置き替えて算定すること。

（注）市町村が認める障害児とし、身体障害者手帳等の交付の有無は問わない。医師による診断書や巡回支援専門員等障害に関する専門的知見を有する者による意見提出など障害の事実が把握可能な資料をもって確認して差し支えない。

＜算式＞

{1、2歳児数（障害児を除く）×1／6（小数点第1位まで計算（小数点第2位以下切り捨て））}＋{乳児数（同）×1／3（同）}＋{障害児数×1／2（同）}＋1（利用定員20人以上の事業所の場合を除く）＝配置基準上保育士・保育従事者数（小数点以下四捨五入）

(2)　加算の認定

(ア)　加算の認定は、事業所が所在する市町村長

が行うこととし、新たに加算の認定をするにあたっては、その事業所の設置者からその旨の申請（事業所名、加算の適用年月、対象子ども、利用子ども数（見込み）及び保育従事者の配置状況が記載された職員体制図等）を徴して(1)の要件への適合状況を確認すること。

(イ)　市町村長は、加算の認定がされている事業所について、申請又は指導監督等を通じてその状況を把握し、(1)の要件に適合しなくなった場合には、(1)の要件に適合しなくなった日の属する月の翌月（月初日に(1)に適合しなくなった場合はその月）から加算の適用が無いものとすること。

(3)　加算額の算定

加算額は、対象となる子どもの地域区分等に応じた単価に、当該加算に係る処遇改善等加算Ⅰの単価に1の(2)で認定した加算率×100を乗じて得た額を加えた額とする。

4　休日保育加算（⑪）

(1)　加算の要件

日曜日、国民の祝日及び休日（以下「休日等」という。）において、以下の要件を満たして、保育を実施する事業所に加算する。

(ア)　休日等を含めて年間を通じて開所する事業所（複数の特定教育・保育施設、地域型保育事業所（居宅訪問型保育事業所は除く。）又は企業主導型保育施設との共同により年間を通じて開所する事業所（以下「共同実施事業所」という。）を含む。）を市町村が指定して実施すること。

(イ)　家庭的保育事業等設備運営基準第29条第2項並びに附則第6条から第9条（A型）又は第31条第2項（B型）の規定に基づき、対象子どもの年齢及び人数に応じて、本事業を担当する保育従事者を配置すること。

(ウ)　対象となる子どもに対して、適宜、間食又は給食等を提供すること。

(エ)　対象となる子どもは、原則、休日等に常態的に保育を必要とする保育認定子どもであること。

(2)　加算の認定

(ア)　加算の認定は、事業所が所在する市町村長が行うこととし、加算の認定をするにあたっては、その事業所の設置者からその旨の申請（事業所名、加算の適用年月、休日等における保育従事者の配置状況が記載された職員体

制図、(3)の加算額の算定に必要な利用子ども数の見込み及び数の根拠となる実績等）を徴して確認すること。

また、共同実施事業所については、上記に加えて複数の施設・事業所との共同により年間を通じて開所する場合の実施要綱や運営規程を徴して確認すること。

(イ)　市町村長は、加算の認定がされている事業所について、申請又は指導監督等を通じてその状況を把握し、(1)の要件に適合しなくなった場合には、(1)の要件に適合しなくなった日の属する月の翌月（月初日に(1)に適合しなくなった場合はその月）から加算の適用が無いものとすること。

(3)　加算額の算定

加算額は、地域区分等及び以下により認定した休日等に保育を利用する年間の延べ利用子ども数（以下、「休日延べ利用子ども数」という。）に応じた単価に、当該加算に係る処遇改善等加算Ⅰの単価に1の(2)で認定した加算率×100を乗じた額を加えて算出した額を、当該事業所における各月初日の利用子ども数（休日等に保育を利用しない子どもを含む。）で除して得た額とする。（算定して得た額に10円未満の端数がある場合は切り捨てる。）

(ア)　市町村は、毎年度、休日保育加算の対象となる事業所（以下、「休日保育対象事業所」という。）から、当該休日保育対象事業所における休日延べ利用子ども数の見込みを徴収して認定を行うこと。

なお、複数の施設・事業所との共同により年間を通じて開所する場合は、実施する各施設・事業所の休日延べ利用子ども数の見込み数を徴収して認定を行うこと。

(イ)　休日延べ利用子ども数には、休日等に当該休日保育対象事業所を利用する、休日保育対象事業所以外の特定教育・保育施設又は特定地域型保育事業を利用する子どもを含むこと。

なお、当該休日保育対象事業所が共同実施事業所である場合は、休日延べ利用子ども数には、上記に加えて、共同する企業主導型保育施設を休日等に利用する、特定教育・保育施設又は特定地域型保育事業所を利用する子どもを含むこと。

(ウ)　認定された休日延べ利用子ども数は、(2)の(イ)により、加算の適用が無くなった場合を除

き、年間を通じて適用されること。そのため、認定に当たっては、前年度における実績等を踏まえて適正に審査されたいこと。

(4) 実績の報告等

本加算の適用を受けた事業所は、翌年4月末日までに実績報告書を市町村長に提出すること。

5 夜間保育加算（⑫）

(1) 加算の要件

以下の要件に適合するものとして市町村に認定された夜間保育を実施する事業所に加算する。

㋐ 設置経営主体

夜間保育の場合は、生活面への対応や個別的な援助がより一層求められることから、保育に関し、長年の経験を有し、良好な成果をおさめているものであること。

㋑ 事業所

夜間保育を行う事業所であること。

㋒ 職員

管理者は、保育士の資格を有し、直接子どもの保育に従事することができる者を配置するよう努めること。

㋓ 設備及び備品

仮眠のための設備及びその他夜間保育のために必要な設備、備品を備えていること。

㋔ 開所時間

開所時間は原則として11時間とし、おおよそ午後10時までとすること。

(2) 加算の認定

加算の認定は、事業所が所在する市町村長が行うこととし、加算の認定をするにあたっては、その事業所の設置者からその旨の申請（事業所名、加算の適用年月、夜間における保育従事者の配置状況が記載された職員体制図等）を徴して(1)の要件への適合状況を確認すること。

(3) 加算額の算定

加算額は、地域区分等に応じた単価に、当該加算に係る処遇改善等加算Ⅰの単価に1の(2)で認定した加算率×100を乗じて得た額を加えた額とする。

6 減価償却費加算（⑬）

(1) 加算の要件

以下の要件全てに該当する事業所に加算する。

㋐ 事業所内保育事業の用に供する建物が自己

所有であること（注1）

㋑ 建物を整備・改修又は取得する際に、建設資金又は購入資金が発生していること

㋒ 建物の整備・改修に当たって、改修費等の国庫補助金の交付を受けていないこと（注2）

㋓ 賃借料加算（⑭）の対象となっていないこと

（注1）事業所の一部が賃貸物件の場合は、自己所有の建物の延べ面積が事業所全体の延べ面積の50%以上であること

（注2）改修費等の国庫補助の交付を受けて建設・改修した建物について、整備後一定年数が経過した後に、以下の要件全てに該当する改修等を行った場合には㋒に該当することとして差し支えない。

① 老朽化等を理由として改修等が必要であったと市町村が認める場合

② 当該改修等に当たって、国庫補助の交付を受けていないこと

③ 1事業所当たりの改修等に要した費用を2000で除して得た値が、建物全体の延べ面積に2を乗じて得た値を上回る場合で、かつ、改修等に要した費用が1000万円以上であること

(2) 加算の認定

㋐ 加算の認定は、事業所が所在する市町村長が行うこととし、加算の認定をするにあたっては、その事業所の設置者からその旨の申請（事業所名、加算の適用年月、建物を整備・改修又は取得する際の契約書類等）を徴して(1)の要件への適合状況を確認すること。

㋑ 市町村長は、加算の認定がされている事業所について、(1)の要件に適合しなくなった場合には、(1)の要件に適合しなくなった日の属する月の翌月（月初日に(1)に適合しなくなった場合はその月）から加算の適用が無いものとすること。

(3) 加算額の算定

加算額は、「標準」又は「都市部」の区分に応じて定められた額とする。なお、「標準」とは都市部に該当する市町村以外の市町村をいい、「都市部」とは当年度又は前年度における4月1日現在の人口密度が1000人／k㎡以上の市町村をいう。

7 賃借料加算（⑭）

(1) 加算の要件

　　以下の要件全てに該当する事業所に加算する。

　(ア) 事業所内保育事業の用に供する建物が賃貸物件であること[注]

　(イ) (ア)の賃貸物件に対する賃借料が発生していること

　(ウ) 賃借料の国庫補助（「認可保育所等設置支援事業の実施について」（令和5年4月19日こ成保第15号こども家庭庁成育局長通知）に定める「都市部における保育所への賃借料等支援事業」による国庫補助を除く。）を受けた事業所については、当該補助に係る残額が生じていないこと

　(エ) 減価償却費加算（⑬）の対象となっていないこと

　　(注) 事業所の一部が自己所有の場合は、賃貸による建物の延べ面積が事業所全体の延べ面積の50％以上であること

(2) 加算の認定

　(ア) 加算の認定は、事業所が所在する市町村長が行うこととし、加算の認定をするにあたっては、その事業所の設置者からその旨の申請（事業所名、加算の適用年月、賃貸契約書等）を徴して(1)の要件への適合状況を確認すること。

　(イ) 市町村長は、加算の認定がされている事業所について、(1)の要件に適合しなくなった場合には、(1)の要件に適合しなくなった日の属する月の翌月（月初日に(1)に適合しなくなった場合はその月）から加算の適用が無いものとすること。

(3) 加算額の算定

　　加算額は、以下の地域の区分ごとに定められた額とする。

区分		都道府県
A地域	標　準	埼玉県　千葉県　東京都神奈川県
	都市部	
B地域	標　準	静岡県　滋賀県　京都府大阪府　兵庫県　奈良県
	都市部	
C地域	標　準	宮城県　茨城県　栃木県群馬県　新潟県　石川県長野県　愛知県　三重県
	都市部	和歌山県　鳥取県　岡山県広島県　香川県　福岡県沖縄県

D地域	標　準	北海道　青森県　岩手県秋田県　山形県　福島県富山県　福井県　山梨県
	都市部	岐阜県　島根県　山口県徳島県　愛媛県　高知県佐賀県　長崎県　熊本県大分県　宮崎県　鹿児島県

＊表中「都市部」とは当年度又は前年度における4月1日現在の人口密度が1000人／km²以上の市町村をいい、「標準」とはそれ以外の市町村をいう。

Ⅳ　加減調整部分

1　連携施設を設定していない場合（⑮）

(1) 調整の適用を受ける事業所の要件

　　連携施設を設定しない事業所に適用する。

(2) 調整の適用を受ける事業所の認定

　(ア) 調整の適用を受ける事業所の認定は、事業所が所在する市町村長が連携施設の設定状況を確認のうえ行うこととする。

　(イ) 市町村長は、調整の適用を受ける事業所について、申請等を通じてその状況を把握し、(1)の要件に適合しなくなった場合には、(1)の要件に適合しなくなった日の属する月の翌月（月初日に(1)に適合しなくなった場合はその月）から調整の適用が無いものとすること。

(3) 調整額の算定

　　調整額は、地域区分等に応じて定められた額とする。

2　食事の提供について自園調理又は連携施設等からの搬入以外の方法による場合（⑯）

(1) 調整の適用を受ける事業所の要件

　　食事の提供に当たり、事業所において調理する方法又は家庭的保育事業等設備運営基準第16条第2項各号に定める搬入施設から搬入する方法以外の方法による事業所に適用する。

(2) 調整の適用を受ける事業所の認定

　(ア) 調整の適用を受ける事業所の認定は、事業所が所在する市町村長が食事の提供状況を確認のうえ行うこととする。

　(イ) 市町村長は、調整の適用を受ける事業所について、申請等を通じてその状況を把握し、(1)の要件に適合しなくなった場合には、(1)の要件に適合しなくなった日の属する月の翌月（月初日に(1)に適合しなくなった場合はその月）から調整の適用が無いものとすること。

(3) 調整額の算定

　　調整額は、適用される基本分単価（⑥）（事

業主が雇用する労働者の子どもに係る基本分単価（⑥）の額については、基本分単価（⑥）の額に従業員枠の子どもの場合（⑦）の調整率を乗じて得た額）、処遇改善等加算Ⅰ（⑧）及び夜間保育加算（⑫）の額の合計に、地域区分等に応じた調整率を乗じて得た額とする。（算定して得た額に10円未満の端数がある場合は切り捨てる。）

3　管理者を配置していない場合（⑰）
(1)　調整の適用を受ける事業所の要件
　　Ⅱの1(2)の(イ)ⅰの（注）の要件を満たす管理者を配置※していない事業所に適用する。
　※　2以上の事業所又は他の事業と兼務し、管理者として職務を行っていない者は欠員とみなされ、要件を満たす管理者を配置したこととはならないこと。
(2)　調整の適用を受ける事業所の認定
　(ア)　調整の適用を受ける施設の認定は、事業所が所在する市町村長が行うこと。
　(イ)　市町村長は、調整の適用を受ける事業所について、申請又は指導監督等を通じてその状況を把握すること。
(3)　調整額の算定
　　調整額は、地域区分等に応じて定められた額とする。

4　土曜日に閉所する場合（⑱）
(1)　調整の適用を受ける事業所の要件
　　事業所を利用する保育認定子どもについて、土曜日（国民の祝日及び休日を除く。以下同じ。）に係る保育の利用希望が無いなどの理由により、当該月の土曜日に閉所する日がある施設に適用する。
　　また、開所していても保育を提供していない場合は、閉所しているものとして取り扱うこと。
　　なお、他の特定教育・保育施設、地域型保育事業所（居宅訪問型保育事業所は除く。）又は企業主導型保育施設と共同保育を実施することにより、事業所を利用する保育認定子どもの土曜日における保育が確保されている場合には、土曜日に開所しているものとして取り扱うこと。
(2)　調整の適用を受ける事業所の認定
　(ア)　調整の適用を受ける事業所の認定は、事業所が所在する市町村長が行うこととし、認定をするにあたっては、その事業所の設置者からその旨の申請（事業所名、調整の適用年

月、土曜日に閉所することとなる理由等）を徴して(1)の要件への適合状況を確認すること。
　　なお、事業所内保育事業については、原則として、土曜日を含む週6日間の開所が求められる事業であることから、土曜日に係る保育の利用希望があるにもかかわらず閉所する等の場合は、当該調整の適用と併せて、市町村において指導を行うこと。
　(イ)　市町村長は、調整の適用を受ける事業所について、申請又は指導監督等を通じてその状況を把握すること。
(3)　調整額の算定
　　調整額は、適用される基本分単価（⑥）（事業主が雇用する労働者の子どもに係る基本分単価（⑥）の額については、基本分単価（⑥）の額に従業員枠の子どもの場合（⑦）の調整率を乗じて得た額）、処遇改善等加算Ⅰ（⑧）、障害児保育加算（⑩）及び夜間保育加算（⑫）の額の合計に、地域区分等及び閉所日数（当該月の土曜日のうち閉所する日の数をいう。）に応じた調整率を乗じて得た額とする。（算定して得た額に10円未満の端数がある場合は切り捨てる。）

Ⅴ　乗除調整部分
1　定員を恒常的に超過する場合（⑲）
(1)　調整の適用を受ける事業所の要件
　　直前の連続する5年度間常に利用定員を超えており(注1)、かつ、各年度の年間平均在所率(注2)が120％以上の状態にある事業所に適用する。
　　なお、保育の提供は利用定員の範囲内で行われることが原則であること。
　　また、上記の状態にある事業所に対しては、利用定員の見直しに向けた指導を行うこと。
　　なお、小規模保育事業A型又はB型の基準が適用される事業所内保育事業については、定員19人以下の事業であるが、定員を超えて22人までの受け入れが可能であること。
　(注1)　利用定員を超えて受け入れる場合の留意事項
　　　　利用定員を超えて受け入れる場合であっても、事業所の設備又は職員数が、利用定員を超えて利用する子どもを含めた利用子ども数に照らし、家庭的保育事業等設備運営基準及び本通知等に定める基準を満たしていること。

（注2）年間平均在所率

当該年度内における各月の初日の利用子ども数の総和を各月の初日の利用定員の総和で除したものをいう。

(2) 調整の適用を受ける事業所の認定

(ア) 調整の適用を受ける事業所の認定は、事業所が所在する市町村長が事業所の利用状況を確認のうえ行うこととする。

(イ) 市町村長は、調整の適用を受ける事業所について、指導監督等を通じて利用定員の見直しが行われた場合又は地域における需要の動向等を踏まえて当該年度における年間平均在所率が120％以上の状態にならないものと認められる場合には、見直し等が行われた日の属する月の翌月（月初日に(1)に適合しなくなった場合はその月）から調整の適用が無いものとすること。

(3) 適用される基本部分及び加減調整部分の額の調整の方法

本調整措置が適用される事業所における基本分単価（⑥）から土曜日に閉所する場合（⑱）の額については、それぞれの額の総和に各月初日の利用子ども数の区分及び地域区分等に応じた調整率を乗じて得た額とする。（算定して得た額に10円未満の端数がある場合は切り捨てる。）

Ⅵ　特定加算部分

1　処遇改善等加算Ⅱ（⑳）

(1) 加算の要件及び加算の認定

加算の要件及び加算の認定は別に定めるところによる。

(2) 加算額の算定

(ア) 利用定員6人以上

加算額は、処遇改善等加算Ⅱ―①及びⅡ―②の別に定められる額にそれぞれ対象人数を乗じて得た額の合計を、各月初日の利用子ども数で除して得た額とする（算定して得た額に10円未満の端数がある場合は切り捨てる。）。

(イ) 利用定員5人以下

加算額は、処遇改善等加算Ⅱ―①又はⅡ―②の別に定められる額を各月初日の利用子ども数で除して得た額とする（算定して得た額に10円未満の端数がある場合は切り捨てる。）。

2　処遇改善等加算Ⅲ（㉑）

(1) 加算の要件及び加算の認定

加算の要件及び加算の認定は別に定めるところによる。

(2) 加算額の算定

加算額は、別に定める額に対象人数を乗じて得た額を、各月初日の利用子ども数で除して得た額とする（算定して得た額に10円未満の端数がある場合は切り捨てる。）。

3　冷暖房費加算（㉒）

(1) 加算の要件

全ての事業所に加算する。

(2) 加算額の算定

加算額は、以下の地域の区分に応じて定める額とする。

1級地	国家公務員の寒冷地手当に関する法律（昭和24年法律第200号）別表に規定する1級地をいう。
2級地	国家公務員の寒冷地手当に関する法律別表に規定する2級地をいう。
3級地	国家公務員の寒冷地手当に関する法律別表に規定する3級地をいう。
4級地	国家公務員の寒冷地手当に関する法律別表に規定する4級地をいう。
その他地域	上記以外の地域をいう。

4　除雪費加算（㉓）

(1) 加算の要件

豪雪地帯対策特別措置法（昭和37年法律第73号）第2条第2項に規定する地域に所在する事業所に加算する。

(2) 加算額の算定

加算額は、定められた額とし、3月初日に利用する子どもの単価に加算する。

5　降灰除去費加算（㉔）

(1) 加算の要件

活動火山対策特別措置法（昭和48年法律第61号）第23条第1項に規定する降灰防除地域に所在する事業所に加算する。

(2) 加算額の算定

加算額は、定められた額を、3月初日の利用子ども数で除して得た額（算定して得た額に10円未満の端数がある場合は切り捨てる。）とし、3月初日に利用する子どもの単価に加算する。

6　施設機能強化推進費加算（㉕）

(1) 加算の要件

事業所における火災・地震等の災害時に備え、職員等の防災教育及び災害発生時の安全かつ、迅速な避難誘導体制を充実する等の事業所

の総合的な防災対策を図る取組^(注1・注2・注3)を
行う事業所で、以下の事業等を複数実施する事
業所に加算する。

i 延長保育事業（子ども・子育て支援交付金
の交付に係る要件に適合するもの及びこれと
同等の要件を満たして自主事業として実施し
ているもの。ただし、当該要件を満たした月
以降の各月においては、同一年度内に限り、
事業を実施する体制が取られていることを
もって当該要件を満たしているものと取り扱
う。）

ii 一時預かり事業（一般型）（子ども・子育
て支援交付金に係る要件に適合しており、か
つ、月の平均対象子どもが1人以上いるもの
（年度当初から事業を開始する場合は5月に
おいて当該要件を満たしていることをもって
4月から当該要件を満たしているものと取り
扱う。）。ただし、当該要件を満たした月以降
の各月においては、同一年度内に限り、事業
を実施する体制が取られていることをもって
当該要件を満たしているものと取り扱う。）

ただし、当分の間は平成21年6月3日雇児
発第0603002号厚生労働省雇用均等・児童家
庭局長通知「『保育対策等促進事業の実施に
ついて』の一部改正について」以前に定める
一時保育促進事業の要件を満たしていると認
められ、実施しているものも含むこととされ
ること。

iii 病児保育事業（子ども・子育て支援交付金
に係る要件に適合するもの及びこれと同等の
要件を満たして自主事業として実施している
もの。）

iv 乳児が3人以上利用している施設（4月か
ら11月までの各月初日を平均して乳児が3人
以上利用していること。）

また、①乳児の利用定員が3人以上あり、
かつ、②乳児保育を実施する職員体制を維持
し、③地域の親子が交流する場の提供や子育
てに関する相談会を月2回以上開催している
場合、前年度に要件を満たしていた場合につ
いては、乳児3人以上の利用の要件を満たし
たものと取り扱う。

v 障害児（軽度障害児を含む。）^(注4)が1人
以上利用している施設（4月から11月までの
間に1人以上の障害児の利用があること。）

（注1）取組の実施方法の例示

i 地域住民等への防災支援協力体制の整

備及び合同避難訓練等を実施する。

ii 職員等への防災教育、訓練の実施及び
避難具の整備を促進する。

（注2）取組に必要となる経費の額

取組に必要となる経費の総額が、概
ね16万円以上見込まれること。

（注3）支出対象経費

需用費（消耗品費、燃料費、印刷製
本費、修繕費、食糧費（茶菓）、光熱
水費、医療材料費）・役務費（通信運
搬費）・旅費・謝金・備品購入費・原
材料費・使用料及び賃借料・賃金・委
託費（防災訓練及び避難具の整備等に
要する特別の経費に限り、保育の提供
に当たって、通常要する費用は含まな
い。）

（注4）市町村が認める障害児とし、身体障
害者手帳等の交付の有無は問わない。
医師による診断書や巡回支援専門員等
障害に関する専門的知見を有する者に
よる意見提出など障害の事実が把握可
能な資料をもって確認しても差し支え
ない。

（2）加算の認定

加算の認定は、事業所が所在する市町村長が
行うこととし、加算の認定をするにあたって
は、その事業所の設置者からその旨の申請を毎
年12月末までに提出させ、必要性及び経費等に
ついて必要な審査を行うこと。

（3）加算額の算定

加算額は、定められた額を、3月初日の利用
子ども数で除して得た額（算定して得た額に10
円未満の端数がある場合は切り捨てる。）と
し、3月初日に利用する子どもの単価に加算す
る。

（4）実績の報告等

本加算の適用を受けた事業所は、翌年4月末
日までに実績報告書を市町村長に提出するこ
と。

なお、市町村長は、本加算を行った事業所に
ついて、検査時等に検証を行うこと。

7 栄養管理加算（㉖）

（1）加算の要件

食事の提供にあたり、栄養士を活用^(注)し
て、栄養士から献立やアレルギー、アトピー等
への助言、食育等に関する継続的な指導を受け
る事業所に加算する。

　　　（注）栄養士の活用に当たっては、雇用形態を問わず、嘱託する場合や、調理員として栄養士を雇用している場合も対象となる。

　（2）加算の認定

　　（ア）加算の認定は、事業所が所在する市町村長が行うこととし、加算を認定するにあたっては、その事業所の設置者からその旨の申請（事業所名、加算の適用年月、栄養士の活用状況・配置等の形態の別が確認できる書類等）を徴して確認すること。

　　（イ）市町村長は、加算の認定がされている事業所について、申請又は指導監督等を通じてその状況を把握し、(1)の要件に適合しなくなった場合には、(1)の要件に適合しなくなった日の属する月の翌月（月初日に(1)に適合しなくなった場合はその月）から加算の適用がないものとすること。

　（3）加算額の算定

　　　加算額は、以下に掲げる栄養士の配置等の形態の別に応じ、それぞれに定める計算式により算出された額（算定して得た額に10円未満の端数がある場合は切り捨てる。）とする。

　　（ア）配置(注1)　定められた基本額に当該加算に係る処遇改善等加算Ⅰの単価にⅢの1(2)で認定した加算率×100を乗じて得た額を加えた額を、各月初日の利用子ども数で除して得た額とする。

　　（イ）兼務(注2)　定められた基本額に当該加算に係る処遇改善等加算Ⅰの単価にⅢの1(2)で認定した加算率×100を乗じて得た額を加えた額を、各月初日の利用子ども数で除して得た額とする。

　　（ウ）嘱託(注3)　定められた基本額を、各月初日の利用子ども数で除して得た額とする。

　　（注1）本加算に係る栄養士が雇用契約等により配置されている場合をいい、兼務に該当する場合を除く。

　　（注2）基本分単価及び他の加算の認定に当たって求められる職員が本加算に係る栄養士としての業務を兼務している場合をいう。

　　（注3）配置又は兼務に該当する場合を除き、本加算に係る栄養士としての業務を嘱託等する場合をいう。

　8　第三者評価受審加算（㉗）

　（1）加算の要件

　　　「福祉サービス第三者評価基準ガイドライン」等に沿って、第三者評価を適切に実施することが可能であると市町村が認める第三者機関による評価（行政が委託等により民間機関に行わせるものを含む。）を受審し、その結果をホームページ等により広く公表する事業所に加算する。

　（2）加算の認定

　　　加算の認定は、事業所が所在する市町村長が行うこととし、加算を認定するにあたっては、その事業所の設置者からその旨の申請（事業所名、加算の適用年度、受審状況が分かる資料等）を毎年12月末までに提出させ、必要な審査を行うこと。

　　（注1）評価機関との間の契約書等により、当年度に第三者評価の受審や結果の公表（評価機関からの評価結果の提示が翌年度以降となるため、結果の公表が翌年度になる場合を含む。）が行われることが確認できる場合は本加算の対象とする。その場合、市町村は受審や結果の公表が確実に行われていることを事後に確認すること。

　　（注2）第三者評価の受審は5年に一度程度を想定しており、加算適用年度から5年度間は再度の加算適用はできないこと。

　（3）加算額の算定

　　　加算額は、定められた額を、3月初日の利用子ども数で除して得た額（算定して得た額に10円未満の端数がある場合は切り捨てる。）とし、3月初日に利用する子どもの単価に加算する。

別紙9（居宅訪問型保育事業（保育認定3号））

Ⅰ　地域区分等

　1　地域区分（①）

　　　支給認定保護者の居宅が所在する市町村ごとに定められた告示別表第1による区分を適用する。

　2　認定区分（②）

　　　利用子どもの認定区分に応じた区分を適用する。

　3　保育必要量区分（③）

　　　利用子どもの保育必要量に応じた区分を適用する。

Ⅱ　基本部分

1　基本分単価（④）

(1)　額の算定

　　地域区分（①）、定員区分（②）、認定区分（③）、保育必要量区分（④）（以下「地域区分等」という。）に応じて定められた額とする。

(2)　基本分単価に含まれる職員構成

　　基本分単価に含まれる職員構成は以下のとおりであることから、これを充足すること。

(ア)　保育従事者

　　基本分単価における必要保育従事者数は以下のiとiiを合計した数であること。

　i　家庭的保育者（居宅訪問型保育事業に従事するために必要な研修を受講した者をいう。以下同じ。）

　　子ども1人につき1人

　ii　その他

　a　保育標準時間認定を受けた子どもが利用する事業所については非常勤保育従事者1人 (注1)

　b　上記iの家庭的保育者及び家庭的保育補助者1人当たり、研修代替保育従事者として年間3日分の費用を算定 (注2)

　　（注1）当該費用については、家庭的保育者の時間外手当等に充当しても差し支えないこと。

　　（注2）当該費用については、家庭的保育者及び家庭的保育補助者が研修を受講する際の受講費用や、時間外における研修受講の際の時間外手当等に充当しても差し支えないこと。

Ⅲ　基本加算部分

1　処遇改善等加算Ⅰ（⑤）

(1)　加算の要件及び加算の認定

　　加算の要件及び加算の認定は別に定めるところによる。

(2)　加算額の算定

　　加算額は、地域区分等に応じた単価に、別に定めるところにより認定した加算率×100を乗じて得た額とする。

2　資格保有者加算（⑥）

(1)　加算の要件

　　家庭的保育者 (注) が保育士資格、看護師免許又は准看護師免許を有する事業所に加算する。

　　（注）利用子どもに対して複数の家庭的保育者が保育を行う場合は、当該利用子どもを主に保育する家庭的保育者の資格の保有状況によること。

(2)　加算の認定

　　加算の認定は、支給認定保護者が居住する市町村長が行うこととし、新たに加算の認定をするにあたっては、その事業所の設置者からその旨の申請（事業所名、加算の適用年月、家庭的保育者の有する保育士証、看護師免許証又は准看護師免許証の写し等）を徴して(1)の要件への適合状況を確認すること。

(3)　加算額の算定

　　加算額は、地域区分等及び資格保有者の人数に応じた単価に、当該加算に係る処遇改善等加算Ⅰの単価に1の(2)で認定した加算率×100を乗じて得た額を加えた額とする。

3　休日保育加算（⑦）

(1)　加算の要件

　　日曜日、国民の祝日及び休日（以下「休日等」という。）において、常態的 (注) に保育を必要とする保育認定子どもが利用する事業所に加算する。

　　（注）各月における休日等の日数の合計に対して、概ね3／4以上の利用が見込まれること。

(2)　加算の認定

(ア)　加算の認定は、支給認定保護者が居住する市町村長が休日等における利用状況を確認のうえ行うこととする。

(イ)　市町村長は、加算の認定がされている事業所について、申請等を通じてその状況を把握し、(1)の要件に適合しなくなった場合には、(1)の要件に適合しなくなった日の属する月の翌月（月初日に(1)に適合しなくなった場合はその月）から加算の適用が無いものとすること。

(3)　加算額の算定

　　加算額は、地域区分等に応じた単価に、当該加算に係る処遇改善等加算Ⅰの単価に1の(2)で認定した加算率×100を乗じて得た額を加えた額とする。

4　夜間保育加算（⑧）

(1)　加算の要件

　　母子家庭等の子どもの保護者が夜間及び深夜 (注) の勤務に従事する場合への対応等、保育の必要の程度及び家庭等の状況を勘案し、居宅訪問型保育を提供すると市町村が認めた場合に適用する。

　　（注）概ね午後10時から午前5時の間に利用す

る日数が、各月における利用日数の合計に
対して、概ね3／4以上見込まれること。
(2)　加算の認定
　(ア)　加算の認定は、支給認定保護者が居住する
市町村長が夜間及び深夜における利用状況を
確認のうえ行うこととする。
　(イ)　市町村長は、加算の認定がされている事業
所について、申請等を通じてその状況を把握
し、(1)の要件に適合しなくなった場合には、
(1)の要件に適合しなくなった日の属する月の
翌月（月初日に(1)に適合しなくなった場合は
その月）から加算の適用が無いものとするこ
と。
(3)　加算額の算定
　加算額は、地域区分等に応じた単価に、当該
加算に係る処遇改善等加算Ⅰの単価に1の(2)で
認定した加算率×100を乗じて得た額を加えた
額とする。
5　連携施設加算（⑨）
(1)　加算の要件
　家庭的保育事業等の設備及び運営に関する基
準（平成26年厚生労働省令第61号。以下「家庭
的保育事業等設備運営基準」という。）第6条
第1項に定める連携施設（同条第2項及び第4
項第2号により市町村が連携施設の確保が著し
く困難であると認める場合においては、それぞ
れ同条第3項及び第5項に定める連携協力を行
う者を含む。以下同じ。）を設定する事業所又
は同第37条第1号に規定する乳幼児に対する保
育を行う場合に同第40条に定める居宅訪問型保
育連携施設を設定する事業所に加算する。
(2)　加算の認定
　(ア)　加算の認定は、事業所が所在する市町村長
が連携施設の設定状況を確認のうえ行うこと
とする。
　(イ)　市町村長は、加算の認定がされている事業
所について、申請等を通じてその状況を把握
し、(1)の要件に適合しなくなった場合には、
(1)の要件に適合しなくなった日の属する月の
翌月（月初日に(1)に適合しなくなった場合は
その月）から加算の適用が無いものとするこ
と。
(3)　加算額の算定
　加算額は、地域区分等及び障害・疾病のある
子どもを保育する場合 (注) 又はそれ以外の場合
の別に応じて定められた額とする。
　(注)　家庭的保育事業等設備運営基準第37条第

1号に規定する乳幼児に対する保育を行う
場合に同第40条に定める居宅訪問型保育連
携施設を設定する場合をいう。
Ⅳ　加減調整部分
1　特定の日に保育を行わない場合（⑩）
(1)　調整の適用を受ける事業所の要件
　事業所を利用する保育認定子どもについて、
月曜日から土曜日までのうち特定の日において
保育の利用希望が無いなど、保育認定子どもが
利用しない日が予め決まっているときに保育を
行わない事業所に適用する。
(2)　調整の適用を受ける事業所の認定
　(ア)　調整の適用は、支給認定保護者が居住する
市町村長が各月の利用状況（予定）を確認の
うえ行うこととする。
　(イ)　市町村長は、調整の適用を受ける事業所に
ついて、申請等を通じてその状況を把握し、
(1)の要件に適合しなくなった場合には、(1)の
要件に適合しなくなった日の属する月の翌月
（月初日に(1)に適合しなくなった場合はその
月）から調整の適用が無いものとすること。
(3)　調整額の算定
　調整額は、適用される基本分単価（④）、処
遇改善等加算Ⅰ（⑤）、夜間保育加算（⑧）及
び連携施設加算（⑨）の額の合計に、地域区分
等に応じた調整率を乗じて得た数に、週当たり
の保育を行わない日数を乗じて得た額とする。
　（算定して得た額に10円未満の端数がある場合
は切り捨てる。）
　なお、本調整の算定上の「週当たりの保育を
行わない日数」は、その月の特定の日に保育を
行わない日数（閉所日数）を4（週）で除して
算出（小数点第1位を四捨五入）すること。
Ⅴ　特定加算部分
1　処遇改善等加算Ⅱ（⑪）
(1)　加算の要件及び加算の認定
　加算の要件及び加算の認定は別に定めるとこ
ろによる。
(2)　加算額の算定
　加算額は、処遇改善等加算Ⅱ—①又はⅡ—②
の別に定められる額を各月初日の利用子どもの
単価に加算する。
2　処遇改善等加算Ⅲ（⑫）
(1)　加算の要件及び加算の認定
　加算の要件及び加算の認定は別に定めるとこ
ろによる。
(2)　加算額の算定

加算額は、別に定める額に対象人数を乗じて得た額を、各月初日の利用子ども数で除して得た額とする（算定して得た額に10円未満の端数がある場合は切り捨てる。）。

3　第三者評価受審加算（⑬）

(1)　加算の要件

「福祉サービス第三者評価基準ガイドライン」等に沿って、第三者評価を適切に実施することが可能であると市町村が認める第三者機関による評価（行政が委託等により民間機関に行わせるものを含む。）を受審し、その結果をホームページ等により広く公表する事業所に加算する。

なお、当該加算については、1事業所につき1件までを限度とする。

(2)　加算の認定

加算の認定は、事業所が所在する市町村長が行うこととし、加算を認定するにあたっては、その事業所の設置者からその旨の申請（事業所名、加算の適用年度、受審状況が分かる資料等）を毎年12月末までに提出させ、必要な審査を行うこと。

(注1)　評価機関との間の契約書等により、当年度に第三者評価の受審や結果の公表（評価機関からの評価結果の提示が翌年度以降となるため、結果の公表が翌年度になる場合を含む。）が行われることが確認できる場合は本加算の対象とする。その場合、市町村は受審や結果の公表が確実に行われていることを事後に確認すること。

(注2)　第三者評価の受審は5年に一度程度を想定しており、加算適用年度から5年度間は再度の加算適用はできないこと。

(3)　加算額の算定

加算額は、定められた額を、3月初日に利用する子どもの単価に加算(注)する。

(注)　事業所所在市町村の利用子ども1人の単価に加算すること。なお、事業所所在市町村での利用がない場合については、当該事業所を利用する子どもが最も多く居住する市町村の利用子ども1人の単価に加算すること。

別紙10（特例施設型給付費・特例地域型保育給付費）

I　特別利用保育

(1)　特別利用保育の実施基準

特別利用保育に係る特例施設型給付費については、以下のような事情がある場合で、市町村が必要と認めた場合に限り支給することができるものであること。

i　支給認定保護者が居住する地域に幼稚園又は認定こども園が無い場合又は教育標準時間認定に係る利用定員に空きがない場合。

なお、この場合においては、保育認定子どもに係る利用定員の範囲内での受入が原則であること。

ii　保育所を利用する保育認定子どもの保護者の就労状況の変化により、教育標準時間認定を受けることになったが、翌年度に小学校への就学を控えるなど、子どもの環境の変化に配慮が必要な場合。

(2)　公定価格の算定方法等

特別利用保育に係る公定価格については、保育所に適用される2号認定（保育短時間認定）に係る公定価格を適用する。

ただし、年度の初日の前日における年齢が、満2歳の子どもの場合は基本分単価（保育短時間認定）から7500円（副食費徴収免除対象子ども(注)については3000円（主食費相当額））（給食材料費相当額）を減じた額とする。

また、特別利用保育を提供する施設に係る別紙2の算定方法、加算の要件及び申請手続き等については、特別利用保育の提供を受ける子どもの人数を含めて公定価格の算定及び加算要件への適合状況等の確認を行うこと。

(注)　以下のいずれかに該当する子どもとして、副食費の徴収が免除されることについて市町村から通知がされた子ども。

①　特定教育・保育施設及び特定地域型保育事業並びに特定子ども・子育て支援施設等の運営に関する基準（平成26年内閣府令第39号。以下「特定教育・保育施設等運営基準」という。）第13条第4項第3号イの(1)又は(2)に規定する年収360万円未満相当世帯に属する子ども

②　特定教育・保育施設等運営基準第13条第4項第3号ロの(1)又は(2)に規定する第3子以降の子ども

③　保護者及び当該保護者と同一の世帯に属する者が子ども・子育て支援法施行令（平成26年政令第213号）第15条の3第2項各号に規定する市町村民税を課されない者に準ずる者である子ども

Ⅱ　特別利用教育
(1)　特別利用教育の実施基準

　　特別利用教育に係る特例施設型給付費については、以下のような事情がある場合に支給することができるものであること。

　　なお、保護者の就労等により保育の必要性に係る事由に該当する満3歳以上について、保護者の希望により幼稚園を利用する場合には、教育標準時間認定を受けて利用することになること。

ⅰ　支給認定保護者が居住する地域に保育所又は認定こども園が無い場合。

ⅱ　保育認定（2号認定）を受けた子どもが、保育所や認定こども園等の利用を希望したが、利用調整の結果、保育認定に係る利用定員に空きがないことから、幼稚園を利用する場合。

　　なお、この場合において、その後の保護者の意向を確認のうえ、転園の意思がないときは、教育標準時間認定へ変更することも考えられるが、その場合は施設型給付費が支給されること。

(2)　公定価格の算定方法等

　　特別利用教育に係る公定価格については、幼稚園に適用される1号認定に係る公定価格を適用する。

　　また、特別利用教育を提供する施設に係る別紙1の算定方法、加算の要件及び申請手続き等については、特別利用教育の提供を受ける子どもの人数を含めて公定価格の算定及び加算要件への適合状況等の確認を行うこと。

　　なお、特別利用教育の提供を受ける場合の利用者負担額については、教育標準時間認定に係る利用者負担額が適用されること。

Ⅲ　特別利用地域型保育
(1)　特別利用地域型保育の実施基準

　　特別利用地域型保育に係る特例地域型保育給付費については、以下のような事情がある場合で、市町村が必要と認めた場合に限り支給することができるものであること。

　　なお、居宅訪問型保育事業については、その事業の特性上、本来、幼稚園等において教育標準時間認定子どもに提供すべき教育との関係を踏まえて、真にやむを得ないと認められる場合に限られるものであること。

ⅰ　支給認定保護者が居住する地域に幼稚園又は認定こども園が無い場合又は教育標準時間認定に係る利用定員に空きがない場合。

　　なお、この場合においては、保育認定子ども

に係る利用定員の範囲内での受入が原則であること。

ⅱ　Ⅳにより特定利用地域型保育に係る特定地域型保育給付費の支給を受ける保育認定子ども（2号認定）の保護者の就労状況の変化により、教育標準時間認定を受けることになったが、翌年度に小学校への就学を控えるなど、子どもの環境の変化に配慮が必要な場合。

(2)　公定価格の算定方法等

　　特別利用地域型保育に係る公定価格については、告示にあるとおり、利用する地域型保育事業の類型に応じて以下のとおりとしている。

　　また、特別利用地域型保育を提供する事業所に係る別紙5から別紙9の算定方法、加算の要件及び申請手続き等については、特別利用地域型保育の提供を受ける子どもの人数を含めて公定価格の算定及び加算要件への適合状況等の確認を行うこと。

(ｱ)　家庭的保育事業又は小規模保育事業C型

　　家庭的保育事業又は小規模保育事業C型に適用される3号認定（保育短時間認定）に係る公定価格を適用し、基本分単価から7500円（給食材料費相当額）を減じた額とする。

(ｲ)　小規模保育事業A型、B型又は事業所内保育事業

　　小規模保育事業A型、B型又は事業所内保育事業に適用される3号認定（保育短時間認定）に係る公定価格（年齢区分は「1、2歳児」）を適用し、基本分単価については、年度の初日の前日における年齢が、満2歳の子どもは7500円（給食材料費相当額）を減じた額、満3歳の子どもは65／100（保育所型事業所内保育事業は50／100）を乗じて得た額（算定して得た額に10円未満の端数がある場合は切り捨てる。）、満4歳以上の子どもは60／100（保育所型事業所内保育事業は45／100）を乗じて得た額（算定して得た額に10円未満の端数がある場合は切り捨てる。）とする。

　　ただし、利用定員20人以上の事業所内保育事業を除き、各月初日における満3歳以上の子ども（年度の初日の前日における年齢が満2歳の子どもを除く。）の数が、利用定員の3割未満となる場合は、基本分単価から7500円（給食材料費相当額）を減じた額とする。

(ｳ)　居宅訪問型保育事業

　　居宅訪問型保育事業に適用される3号認定

（保育短時間認定）に係る公定価格を適用する。

㈋　㈎又は㈑の場合において、副食費徴収免除対象子どもについては、算定した額に4500円を加えた額とする。

Ⅳ　特定利用地域型保育

(1)　特定利用地域型保育の実施基準

特定利用地域型保育に係る特例地域型保育給付費については、以下のような事情がある場合で、市町村が必要と認めた場合において支給することができるものであること。なお、２号認定子どもを受け入れる際には集団での遊びの種類や機会に課題がある点に留意が必要であることから、適切に集団での遊びの種類や機会を確保できるよう、工夫、配慮すること。

ⅰ　支給認定保護者が居住する地域に保育所又は認定こども園が無い場合。

ⅱ　特定地域型保育事業を利用する３号認定子どもが、年度の途中で満３歳を迎えて認定区分が２号となったが、地域において２号認定に係る利用定員に空きがない場合に当該年度内において、引き続き特定地域型保育事業を利用する場合。

この場合において、満３歳を迎えた年度を超えてもなお、保育所や認定こども園の利用が困難な場合については、満４歳を迎える年度内に受入先を確保することを基本として、市町村が真にやむを得ないと判断する場合に限り、特定地域型保育費を支給することができるものであること。

ⅲ　保育認定を受けた事業主が雇用する労働者の子どもが、保護者の希望により満３歳以降も、引き続き利用する場合。

なお、この場合においては、雇用する労働者に係る利用定員の範囲内での受入が原則であること。

ⅳ　集団生活を行うことが困難である場合。

ⅴ　上記の他、保育の体制整備の状況その他の地域の事情を勘案して、満３歳以上の幼児の保育が必要な場合。

(2)　公定価格の算定方法等

特定利用地域型保育に係る公定価格については、利用する地域型保育事業の類型に応じて以下のとおりとする。

また、特定利用地域型保育を提供する事業所に係る別紙５から別紙９の算定方法、加算の要件及び申請手続き等については、特定利用地域型保育

の提供を受ける子どもの人数を含めて公定価格の算定及び加算要件への適合状況等の確認を行うこと。

㈎　家庭的保育事業又は小規模保育事業Ｃ型

家庭的保育事業又は小規模保育事業Ｃ型に適用される３号認定に係る公定価格を適用し、基本分単価から7500円（給食材料費相当額）を減じた額とする。

ただし、年度の初日の前日における年齢が、満２歳の子どもの場合は基本分単価を減じないものとする。

㈑　小規模保育事業Ａ型、Ｂ型又は事業所内保育事業

小規模保育事業Ａ型、Ｂ型又は事業所内保育事業に適用される３号認定に係る公定価格（年齢区分は「１、２歳児」）を適用し、年度の初日の前日における年齢が満３歳以上となる子どもの場合は、基本分単価について、満３歳の子どもは65／100（保育所型事業所内保育事業は55／100）を乗じて得た額（算定して得た額に10円未満の端数がある場合は切り捨てる。）、満４歳以上の子どもは60／100（保育所型事業所内保育事業は45／100）を乗じて得た額（算定して得た額に10円未満の端数がある場合は切り捨てる。）とする。（年度の初日の前日における年齢が、満２歳の子どもの場合は、３号認定に係る公定価格（年齢区分は「１、２歳児」）そのものを適用する。）

ただし、利用定員20人以上の事業所内保育事業を除き、各月初日における満３歳以上の子ども（年度の初日の前日における年齢が満２歳の子どもを除く。）の数が、利用定員の３割未満となる場合は、基本分単価から7500円（給食材料費相当額）を減じた額（年度の初日の前日における年齢が満２歳の子どもの場合は減じない。）とする。なお、地域における満３歳以上に係る保育の提供体制や事業所の職員体制等を踏まえて、利用定員の３割以上となることがやむを得ないと市町村が認める場合には、これと同様の額とすることができること。

㈒　居宅訪問型保育事業

居宅訪問型保育事業に適用される３号認定に係る公定価格を適用する。

㈋　㈎又は㈑の場合において、副食費徴収免除対象子ども（ただし、年度の初日の前日における年齢が満２歳の子どもを除く。）については、算定した額に4500円を加えた額とする。

Ⅴ　特例保育
　(1)　特例保育の実施基準
　　　　特例保育に係る特例地域型保育給付費は、特定教育・保育及び特定地域型保育の確保が著しく困難な離島・その他地域に居住する支給認定保護者の子どもに対して、特例保育を提供する場合に支給することができるものとされているが、その実施に当たっては以下によること。
　　㋐　実施主体
　　　　市町村
　　㋑　実施場所
　　　　特例保育を提供する事業所は以下の地域に所在する事業所とする。
　　ⅰ　へき地教育振興法（昭和29年法律第143号）第5条の2の規定によるへき地手当（以下「へき地手当」という。）の支給の指定を受けているへき地学校の通学区域内であること。
　　ⅱ　一般職の職員の給与に関する法律（昭和25年法律第95号）第13条の2第1項又は地方自治法（昭和22年法律第67号）第204条第2項の規定による特地勤務手当（以下「特地勤務手当」という。）の支給の指定を受けている国又は地方公共団体の公官署の4キロメートル以内にあること。
　　ⅲ　へき地手当又は特地勤務手当の支給の指定を受けることとなる地域内にあること。
　　ⅳ　上記ⅰからⅲまでのいずれかに準ずるものとして市町村長が認める地域内にあること。
　　㋒　設備及び運営
　　　　特例保育の提供に当たっては、次に掲げる基準によるもののほか、児童福祉施設の設備及び運営に関する基準（昭和23年厚生省令第63号）の精神を尊重して行うものとする。
　　ⅰ　公民館、学校、集会所等の既設建物の一部を用いて事業所を設置する場合においては、その設備をその事業所のために常時使用することができるものでなければならないこと。
　　ⅱ　保育室、便所及び屋外遊戯場（その附近にあるこれに代わるべき場を含む。）その他必要な設備を設け、それらの規模は適正な保育ができるように定めること。
　　ⅲ　必要な医療器具、医薬品、ほう帯材料等を備えるほか、必要に応じて楽器、黒板、机、椅子、積木、絵本、砂場、すべり台、ぶらんこ等を備えること。
　　ⅳ　保育士を2人以上置くこと。

　　　　ただし、所定の資格を有する者がいない等やむを得ない事情があるときは、うち1人に限り児童の保育に熱意を有し、かつ、心身ともに健全な者をもってこれに代えることができること。
　　ⅴ　保育時間、保育の内容、保護者との連絡方法等については、利用子どもが健やかに育成されるようその地方の実情に応じて定めること。
　　ⅵ　なお、1日当たりの平均入所児童数が5人以下となることが見込まれる事業所については、特別な事情が認められるときは、上記ⅳについて、個々の事情に応じた配置も認められる場合もあること。
　(2)　公定価格の算定方法等
　　　　特例保育に係る特例地域型保育給付費の額については、内閣総理大臣が定める公定価格から、利用者負担を控除した額を基準として、市町村が定めることになるが、内閣総理大臣が定める公定価格については、個々の事情に応じて定めることとしている。
　　　　具体的には、各市町村における特例保育の実施に要する費用等を勘案して定めることになるが、これに当たっての各年度の協議については、別途通知するところによる。

別添1
　　「4歳以上児配置改善加算」と他の年齢
　　別の配置改善加算との適用の整理について
○別紙1（幼稚園（教育標準時間認定1号））
　　　4歳以上児配置改善加算及び3歳児配置改善加算、満3歳児対応加配加算の適用については、以下のA〜Hの算式により算出された職員数を満たしているか確認することにより、A〜Hの組み合わせに応じた加算が適用される。
　　　ただし、チーム保育加配加算を算定している施設は、4歳以上児配置改善加算は適用しない。また、チーム保育加配加算は、3歳児配置改善加算、満3歳児対応加配加算と併給する場合であっても配置基準上教員数とは別に必要教員数を算出する。
　A：4歳以上児配置改善加算、3歳児配置改善加算、満3歳児対応加配加算
　B：4歳以上児配置改善加算、3歳児配置改善加算
　C：4歳以上児配置改善加算、満3歳児対応加配加算
　D：4歳以上児配置改善加算
　E：3歳児配置改善加算、満3歳児対応加配加算

F：３歳児配置改善加算
G：満３歳児対応加配加算
H：いずれも対象外

＜算式Ａ＞
　{４歳以上児数×１／25（小数点第１位まで計算（小数点第２位以下切り捨て））}＋{３歳児数（満３歳児を除く）×１／15（同）}＋{満３歳児数×１／６（同）}＝配置基準上教員数（小数点以下四捨五入）

＜算式Ｂ＞
　{４歳以上児数×１／25（小数点第１位まで計算（小数点第２位以下切り捨て））}＋{３歳児数×１／15（同）}＝配置基準上教員数（小数点以下四捨五入）

＜算式Ｃ＞
　{４歳以上児数×１／25（小数点第１位まで計算（小数点第２位以下切り捨て））}＋{３歳児数（満３歳児を除く）×１／20（同）}＋{満３歳児数×１／６（同）}＝配置基準上教員数（小数点以下四捨五入）

＜算式Ｄ＞
　{４歳以上児数×１／25（小数点第１位まで計算（小数点第２位以下切り捨て））}＋{３歳児数×１／20（同）}＝配置基準上教員数（小数点以下四捨五入）

＜算式Ｅ＞
　{４歳以上児数×１／30（小数点第１位まで計算（小数点第２位以下切り捨て））}＋{３歳児数（満３歳児を除く）×１／15（同）}＋{満３歳児数×１／６（同）}＝配置基準上教員数（小数点以下四捨五入）

＜算式Ｆ＞
　{４歳以上児数×１／30（小数点第１位まで計算（小数点第２位以下切り捨て））}＋{３歳児数×１／15（同）}＝配置基準上教員数（小数点以下四捨五入）

＜算式Ｇ＞
　{４歳以上児数×１／30（小数点第１位まで計算（小数点第２位以下切り捨て））}＋{３歳児数（満３歳児を除く）×１／20（同）}＋{満３歳児数×１／６（同）}＝配置基準上教員数（小数点以下四捨五入）

＜算式Ｈ＞
　{４歳以上児数×１／30（小数点第１位まで計算（小数点第２位以下切り捨て））}＋{３歳児数×１／20（同）}＝配置基準上教員数（小数点以下四捨五入）

○別紙２（保育所（保育認定２・３号））
　４歳以上児配置改善加算、３歳児配置改善加算の適用については、以下のＡ～Ｈの算式により算出された職員数を満たしているか確認することにより、Ａ～Ｈの組み合わせに応じた加算が適用される。
　ただし、チーム保育推進加算を算定している施設は、４歳以上児配置改善加算は適用しない。また、チーム保育推進加算は、３歳児配置改善加算と併給する場合であっても、配置基準上保育士数とは別に必要職員数を算出する。

Ａ：４歳以上児配置改善加算、３歳児配置改善加算
Ｂ：４歳以上児配置改善加算
Ｃ：３歳児配置改善加算
Ｄ：いずれも対象外

＜算式Ａ＞
　{４歳以上児数×１／25（小数点第１位まで計算（小数点第２位以下切り捨て））}＋{３歳児数×１／15（同）}＋{１，２歳児数×１／６（同）}＋{乳児数×１／３（同）}＝配置基準上保育士数（小数点以下四捨五入）

＜算式Ｂ＞
　{４歳以上児数×１／25（小数点第１位まで計算（小数点第２位以下切り捨て））}＋{３歳児数×１／20（同）}＋{１，２歳児数×１／６（同）}＋{乳児数×１／３（同）}＝配置基準上保育士数（小数点以下四捨五入）

＜算式Ｃ＞
　{４歳以上児数×１／30（小数点第１位まで計算（小数点第２位以下切り捨て））}＋{３歳児数×１／15（同）}＋{１，２歳児数×１／６（同）}＋{乳児数×１／３（同）}＝配置基準上保育士数（小数点以下四捨五入）

＜算式Ｄ＞
　{４歳以上児数×１／30（小数点第１位まで計算（小数点第２位以下切り捨て））}＋{３歳児数×１／20（同）}＋{１，２歳児数×１／６（同）}＋{乳児数×１／３（同）}＝配置基準上保育士数（小数点以下四捨五入）

○別紙３（認定こども園（教育標準時間認定１号））・別紙４（認定こども園（保育認定２・３号））
　４歳以上児配置改善加算、３歳児配置改善加算、満３歳児対応加配加算の適用については、以下のＡ～Ｈの算式により算出された職員数を満たしているか確認することにより、Ａ～Ｈの組み合わせに応じた加算が適用される。

認定こども園は教育標準時間認定子ども及び保育認定子どもの人数の合計をもとに算出すること。ただし、チーム保育加配加算を算定している施設は、4歳以上児配置改善加算は適用しない。また、チーム保育加配加算は、3歳児配置改善加算、満3歳児対応加配加算と併給する場合であっても、配置基準上保育教諭等数とは別に必要保育教諭等数を算出する。

A：4歳以上児配置改善加算、3歳児配置改善加算、満3歳児対応加配加算

B：4歳以上児配置改善加算、3歳児配置改善加算

C：4歳以上児配置改善加算、満3歳児対応加配加算

D：4歳以上児配置改善加算

E：3歳児配置改善加算、満3歳児対応加配加算

F：3歳児配置改善加算

G：満3歳児対応加配加算

H：いずれも対象外

＜算式A＞

　{4歳以上児数×1／25（小数点第1位まで計算（小数点第2位以下切り捨て））} + {3歳児数（満3歳児を除く）×1／15（同）} + {満3歳児数×1／6（同）} + {1, 2歳児数×1／6（同）} + {乳児数×1／3（同）} ＝配置基準上保育教諭等数（小数点以下四捨五入）

＜算式B＞

　{4歳以上児数×1／25（小数点第1位まで計算（小数点第2位以下切り捨て））} + {3歳児数×1／15（同）} + {満3歳児数×1／15（同）} + {1, 2歳児数×1／6（同）} + {乳児数×1／3（同）} ＝配置基準上保育教諭等数（小数点以下四捨五入）

＜算式C＞

　{4歳以上児数×1／25（小数点第1位まで計算（小数点第2位以下切り捨て））} + {3歳児数（満3歳児を除く）×1／20（同）} + {満3歳児数×1／6（同）} + {1, 2歳児数×1／6（同）} + {乳児数×1／3（同）} ＝配置基準上保育教諭等数（小数点以下四捨五入）

＜算式D＞

　{4歳以上児数×1／25（小数点第1位まで計算（小数点第2位以下切り捨て））} + {3歳児数×1／20（同）} + {満3歳児数×1／20（同）} + {1, 2歳児数×1／6（同）} + {乳児数×1／3（同）} ＝配置基準上保育教諭等数（小数点以下四捨五入）

＜算式E＞

　{4歳以上児数×1／30（小数点第1位まで計算（小数点第2位以下切り捨て））} + {3歳児数（満3歳児を除く）×1／15（同）} + {満3歳児数×1／6（同）} + {1, 2歳児数×1／6（同）} + {乳児数×1／3（同）} ＝配置基準上保育教諭等数（小数点以下四捨五入）

＜算式F＞

　{4歳以上児数×1／30（小数点第1位まで計算（小数点第2位以下切り捨て））} + {3歳児数×1／15（同）} + {満3歳児数×1／15（同）} + {1, 2歳児数×1／6（同）} + {乳児数×1／3（同）} ＝配置基準上保育教諭等数（小数点以下四捨五入）

＜算式G＞

　{4歳以上児数×1／30（小数点第1位まで計算（小数点第2位以下切り捨て））} + {3歳児数（満3歳児を除く）×1／20（同）} + {満3歳児数×1／6（同）} + {1, 2歳児数×1／6（同）} + {乳児数×1／3（同）} ＝配置基準上保育教諭等数（小数点以下四捨五入）

＜算式H＞

　{4歳以上児数×1／30（小数点第1位まで計算（小数点第2位以下切り捨て））} + {3歳児数×1／20（同）} + {満3歳児数×1／20（同）} + {1, 2歳児数×1／6（同）} + {乳児数×1／3（同）} ＝配置基準上保育教諭等数（小数点以下四捨五入）

○施設型給付費等に係る処遇改善等加算について

〔令和5年6月7日　こ成保39・5文科初第591号　各都道府県知事宛　こども家庭庁成育局長・文部科学省初等中等教育局長連名通知〕

注　令和6年4月12日こ成保227・6文科初第153号改正現在

特定教育・保育、特別利用保育、特別利用教育、特定地域型保育、特別利用地域型保育、特定利用地域型保育及び特例保育に要する費用の額の算定に関する基準等（平成27年内閣府告示第49号。以下「告示」という。）の実施に伴う留意事項として、「特定教育・保育等に要する費用の額の算定に関する基準等の実施上の留意事項について」（令和5年5月19日付けこ成保38・5文科初第483号こども家庭庁成育局長及び文部科学省初等中等教育局長連名通知）別紙1から別紙9までにおいて「別に定める」こととしている処遇改善等加算Ⅰ（各種加算項目に付随するものを含む。以下同じ。）（以下「加算Ⅰ」という。）、処遇改善等加算Ⅱ（以下「加算Ⅱ」という。）及び処遇改善等加算Ⅲ（以下「加算Ⅲ」という。）（以下「処遇改善等加算」と総称する。）に係る取扱いを下記のとおり定めたので、通知する。

本通知では、「平成30年の地方からの提案等に関する対応方針」（平成30年12月25日閣議決定）を踏まえ、本通知に基づく都道府県の事務の実施を希望する市町村（特別区を含む。以下同じ。）への権限委譲や加算Ⅱの配分方法の更なる緩和を講じるとともに、「子ども・子育て支援新制度施行後5年の見直しに係る対応方針について」（令和元年12月10日子ども・子育て会議取りまとめ）を踏まえ、処遇改善等加算の賃金改善の起点を前年度とし、計画・実績報告の手続の簡素化を図っている。そのほか、「令和元年の地方からの提案等に関する対応方針」（令和元年12月23日閣議決定）を踏まえ、加算Ⅰの加算率の認定に係る職員の経験年数について、年金加入記録等による推認が可能であることを明確にする措置を講じている。

また、「待機児童解消、子どもの貧困対策等の子ども・子育て支援施策に関する会計検査の結果について」（令和元年12月20日会計検査院報告）を踏まえ、処遇改善等加算による賃金改善に要した費用について、前年度の加算額に係る残額の支払分を除くことについて明確化を図っている。

各都道府県知事におかれては、これらの趣旨を十分に御了知の上、管内の市町村に対して遅滞なく周知するようお願いする。

なお、本通知は、令和5年4月1日以降に支給された処遇改善等加算から適用する。これに伴い、「施設型給付費等に係る処遇改善等加算について」（令和2年7月30日付け府子本第761号・2文科初第643号・子発0730第2号内閣府子ども・子育て本部統括官、文部科学省初等中等教育局長及び厚生労働省子ども家庭局長連名通知）は廃止する。

この通知の適用前に、旧通知に基づき支給された処遇改善等加算の取り扱いについては、なお従前の例によることとする。

記

第1　目的・対象
1　目的

処遇改善等加算は、教育・保育の提供に従事する人材の確保及び資質の向上のため、特定教育・保育等に通常要する費用の額を勘案して定める基準額（以下「公定価格」という。）において、職員の平均経験年数の上昇に応じた昇給に要する費用（加算Ⅰの基礎分）、職員の賃金の改善やキャリアパスの構築の取組に要する費用（加算Ⅰの賃金改善要件分）、職員の技能・経験の向上に応じた追加的な賃金の改善に要する費用（加算Ⅱ）及び職員の賃金の継続的な引上げ（ベースアップ）等に要する費用（加算Ⅲ）を確保することにより、賃金体系の改善を通じて「長く働くことができる」職場環境を構築し、もって質の高い教育・保育の安定的な供給に資するものとすること。

2　加算対象施設・事業所

特定教育・保育施設（都道府県又は市町村が設置するものを除く。）及び特定地域型保育事業所（加算Ⅰ及び加算Ⅱにあっては都道府県又は市町村が運営するものを除く。）とすること。

第2　加算の認定に関する事務
1　加算の認定
(1)　加算Ⅰ及び加算Ⅱの認定に関する事務は、次に掲げる区分に応じ、それぞれに定めるところにより行うこと。

ア　指定都市、中核市及び特定市町村（都道府県知事との協議により本通知に基づく事務を

行うこととする市町村をいう。以下同じ。）
（以下「指定都市等」という。）が管轄する
施設・事業所については、その施設・事業所
を管轄する指定都市等の長が加算の認定を行
うこととし、認定の内容を施設・事業所に通
知することとする。

イ　一般市町村（指定都市等以外の市町村をい
う。以下同じ。）が管轄する施設・事業所に
ついては、その施設・事業所を管轄する一般
市町村の長が取りまとめた上で都道府県知事
が加算の認定を行うこととする。都道府県知
事は、一般市町村の長に施設・事業所ごとの
認定結果を通知し、通知を受けた一般市町村
は、その内容を施設・事業所の設置者・事業
者に通知することとする。

(2)　加算Ⅲの認定に関する事務は、施設・事業所
を管轄する市町村の長が加算の認定を行うこと
とし、認定の内容を施設・事業所に通知するこ
ととする。

2　加算申請書の提出時期

(1)　加算Ⅰ及び加算Ⅱに関する加算申請書の提出
については、次に掲げる区分に応じ、それぞれ
に定めるところにより行うこと。

ア　指定都市等が管轄する施設・事業所の設置
者・事業者は、指定都市等の長の定める日ま
でに、施設・事業所ごとに、必要書類を当該
施設・事業所の所在する指定都市等の長に提
出すること。

イ　一般市町村が管轄する施設・事業所の設置
者・事業者は、都道府県知事の定める日まで
に、施設・事業所ごとに、必要書類を当該施
設・事業所の所在する一般市町村の長に提出
するものとする。一般市町村の長は、管轄す
る施設・事業所の必要書類を取りまとめた上
で、都道府県知事の定める日までに、都道府
県知事に提出すること。

(2)　加算Ⅲに関する加算申請書の提出について
は、施設・事業所の設置者・事業者は、市町村
の長の定める日までに、施設・事業所ごとに、
必要書類を当該施設・事業所の所在する市町村
の長に提出すること。

第3　加算額に係る使途

1　基本的な考え方

加算Ⅰの基礎分に係る加算額は、職員（非常勤
職員及び法人の役員等を兼務している職員を含
む。以下同じ。）の賃金（退職金 (注) 及び法人の
役員等としての報酬を除く。以下同じ。）の勤続

年数等を基準として行う昇給等に適切に充てるこ
と。

加算Ⅰの賃金改善要件分、加算Ⅱ及び加算Ⅲに
係る加算額は、その全額を職員の賃金の改善に確
実に充てること。また、当該改善の前提として、
国家公務員の給与改定に伴う公定価格における人
件費の増額改定（以下「増額改定」という。）分
に係る支給額についても、同様であること。

（注）　退職者に対して第1の1の目的と関連な
く適用される賃金の項目やその増額につい
ては、その名目にかかわらず、処遇改善等
加算の賃金の改善に要した費用に含めるこ
とができない。

2　賃金の改善の方法

処遇改善等加算による賃金の改善に当たって
は、第1の1の目的に鑑み、その方針をあらかじ
め職員に周知し、改善を行う賃金の項目以外の賃
金の項目（業績等に応じて変動するものを除く。）
の水準を低下させないこと (注) を前提に行うとと
もに、対象者や賃金改善額が恣意的に偏ることな
く、改善が必要な職種の職員に対して重点的に講
じられるよう留意すること。

（注）　3により加算額の一部を同一の設置者・
事業者が運営する他の施設・事業所の賃金
改善に充てる場合であっても、それを理由
として賃金水準を低下させたり、加算によ
る改善の水準を拠出の程度を超えて低下さ
せたりしないこと。

また、加算Ⅰのキャリアパス要件を満
たさなくなること等により賃金改善要件分
に係る加算率が減少する場合については、減
少する加算額に相当する部分はこの限りで
ない。

加えて、「公定価格に関するＦＡＱ（よ
くある質問）」（以下「公定価格ＦＡＱ」と
いう。）のNo.221により、令和5年度におい
ては、令和5年度当初予算の公定価格に基
づいて計算した金額と令和5年度補正を反
映した公定価格に基づいて計算した金額と
の差額（以下、「令和5年度の改定による
影響額」という。）又は旧通知における
「基準翌年度から加算当年度までの公定価
格における人件費の改定分」の＜算式1＞
に0.9（調整率）を乗じた額（以下、「調整
率を乗じた額」という。）を「基準翌年度
から加算当年度までの公定価格における人
件費の改定分」として取り扱うことも可能

としているため、新規事由なしの場合は令和5年度の支払賃金総額が起点賃金水準を超えている場合（新規事由有りの場合は令和5年度の賃金改善等実績額が特定加算額を超えている場合）は後述の＜算式1＞又は＜算式2＞を上限に、当該超えている部分はこの限りではない。

加算Iの賃金改善要件分及び加算IIIに係る加算額については、各施設・事業所で決定する範囲の職員に対し、基本給、手当、賞与又は一時金等のうちから改善を行う賃金の項目を特定した上で、毎月払い、一括払い等の方法により賃金の改善を行うことができ、各施設・事業所においてその名称、内訳等を明確に管理すること。なお、手当や一時金等については、基本給の引上げや定期昇給の増額等に段階的に反映していくことが望ましく、給与表や給与規程の見直しを推進すること。

加算IIに係る加算額については、副主任保育士、専門リーダー又は中核リーダー及び職務分野別リーダー又は若手リーダーに対し、役職手当、職務手当など職位、職責又は職務内容等に応じて、決まって毎月支払われる手当又は基本給により賃金の改善を行うこととし、各施設・事業所においてその名称、内訳等を明確に管理すること。

3　他の施設・事業所の賃金の改善への充当

加算Iの賃金改善要件分及び加算III（令和6年度までの間は、加算IIを含む。）に係る加算額については、その一部（加算IIにあっては、加算見込額の20％（10円未満の端数切り捨て）を上限とする。）を同一の設置者・事業者が運営する他の施設・事業所^(注)における賃金の改善に充てることができること。

（注）　特定教育・保育施設及び特定地域型保育事業所（当該施設・事業所が所在する市町村の区域外に所在するものを含む。）に限る。

4　加算残額の取扱い

加算Iの賃金改善要件分、加算II及び加算IIIについて、加算当年度（加算の適用を受けようとする年度をいう。以下同じ。）の終了後、第4の2(3)又は(4)、第5の2(3)又は(4)及び第6の2(3)又は(4)による算定の結果、賃金改善等実績総額が特定加算実績額を下回り、又は支払賃金総額が起点賃金水準を下回った場合には、その翌年度内に速やかに、その差額（以下「加算残額」という。）の全額を一時金等により支払い、賃金の改善に充て

ること。

なお、第2の1により加算の認定を行った地方自治体は、加算当年度に係る加算残額については、加算当年度分の実績報告において金額を確定するとともに、監査や当該翌年度分の実績報告により、当該翌年度内にその支払が完了したことを確認すること。

第4　加算Iの要件

1　加算率

加算額の算定に用いる加算率は、職員1人当たりの平均経験年数の区分に応じ、基礎分の割合に、賃金改善要件分の割合（キャリアパス要件に適合しない場合は、当該割合からキャリアパス要件分の割合を減じた割合。賃金改善要件分の要件に適合しない場合は、0％。）を加えて得た割合とする（加算率については、以下の加算率区分表を参照。）。

（加算率区分表）

職員1人当たりの平均経験年数	加算率		
	基礎分	賃金改善要件分	うちキャリアパス要件分
11年以上	12％	7％	
10年以上11年未満	12％		
9年以上10年未満	11％		
8年以上9年未満	10％		
7年以上8年未満	9％		
6年以上7年未満	8％		
5年以上6年未満	7％	6％	2％
4年以上5年未満	6％		
3年以上4年未満	5％		
2年以上3年未満	4％		
1年以上2年未満	3％		
1年未満	2％		

「職員1人当たりの平均経験年数」は、その職種にかかわらず、当該施設・事業所に勤務する全ての常勤職員（当該施設・事業所の就業規則において定められている常勤の従業者が勤務すべき時間数（教育・保育に従事する者にあっては、1か月に勤務すべき時間数が120時間以上であるものに限る。）に達している者又は当該者以外の者であって1日6時間以上かつ月20日以上勤務するも

の）について、当該施設・事業所又は他の施設・事業所（次に掲げるものに限る。）における勤続年月数を通算した年月数を合算した総年月数を当該職員の総数で除して得た年数（6月以上の端数は1年とし、6月未満の端数は切り捨てとする。）とする（居宅訪問型保育事業においても、当該事業を行う事業所を単位として職員1人当たりの平均経験年数を算定すること。）。なお、勤続年月数の確認に当たっては、施設・事業所による職歴証明書のほか、年金加入記録等から推認する取扱いも可能である。

(1) 子ども・子育て支援法（平成24年法律第65号。以下「支援法」という。）第7条第4項に定める教育・保育施設、同条第5項に定める地域型保育事業を行う事業所及び同法第30条第1項第4号に定める特例保育を行う施設・事業所

(2) 学校教育法（昭和22年法律第26号）第1条に定める学校及び同法第124条に定める専修学校

(3) 社会福祉法（昭和26年法律第45号）第2条に定める社会福祉事業を行う施設・事業所

(4) 児童福祉法（昭和22年法律第164号）第12条の4に定める施設

(5) 認可外保育施設（児童福祉法第59条の2第1項に定める施設をいう。以下同じ。）で以下に掲げるもの

ア　地方公共団体における単独保育施策による施設

イ　認可外保育施設指導監督基準を満たす旨の証明書を交付された施設

ウ　企業主導型保育施設

エ　幼稚園を設置する者が当該幼稚園と併せて設置している施設

オ　アからエまでに掲げる施設以外の認可外保育施設が(1)の施設・事業所に移行した場合における移行前の認可外保育施設

(6) 医療法（昭和23年法律第205号）に定める病院、診療所、介護老人保健施設、介護医療院及び助産所（保健師、看護師又は准看護師に限る。）

また、「職員1人当たりの平均経験年数」の算定は、加算当年度の4月1日（当該年度の途中において支援法第27条第1項又は第29条第1項の確認（以下「支援法による確認」という。）を受けた施設・事業所にあっては、支援法による確認を受けた日）時点で行うこと。

2　賃金改善要件
　（加算認定に係る要件）

次の(1)ア又は(2)アのいずれかに掲げる要件を満たす別紙様式5「賃金改善計画書（処遇改善等加算Ⅰ）」を都道府県知事又は指定都市等の長に対して提出するとともに、その具体的な内容を職員に周知していること。

なお、加算当年度の前年度に処遇改善等加算Ⅰの適用を受けている施設は、別紙様式11「賃金改善に係る誓約書」を都道府県知事又は指定都市等の長に対して提出するとともに、職員に対しても周知している場合は、別紙様式5「賃金改善計画書（処遇改善等加算Ⅰ）」の作成及び提出を不要とする。

また、一般市町村が管轄する施設・事業所であって、加算Ⅲの申請を行うものは、別紙様式5の添付資料として、別紙様式9「賃金改善計画書（処遇改善等加算Ⅲ）」の写しを添付すること。

(1) 加算Ⅰ新規事由がある場合

ア　加算当年度における次に掲げる事由（以下「加算Ⅰ新規事由」という。）に応じ、賃金改善実施期間において、賃金改善等見込総額が特定加算見込額を下回っていないこと。また、加算当年度の途中において増額改定が生じた場合には、それに応じた賃金の追加的な支払を行うものとすること。

i　加算前年度（加算当年度の前年度をいう。以下同じ。）に加算Ⅰの賃金改善要件分の適用を受けており、加算当年度に適用を受けようとする賃金改善要件分に係る加算率が公定価格の改定やキャリアパス要件の充足等により基準年度に比して増加する場合（当該加算率の増加のない施設・事業所において、当該加算率の増加のある他の施設・事業所に係る特定加算見込額の一部を受け入れる場合を含む。）

ii　新たに加算Ⅰの賃金改善要件分の適用を受けようとする場合

イ　「賃金改善実施期間」とは、加算当年度の賃金改善を実施する月からその後の最初の3月までをいう。

ウ　「賃金改善等見込総額」とは、「賃金改善見込総額」と「事業主負担増加見込総額」を合計して得た額（千円未満の端数は切り捨て）をいう。

エ　「賃金改善見込総額」とは、各職員について「賃金改善見込額」を合算して得た額をいう。

オ　「事業主負担増加見込総額」とは、各職員

について、「賃金改善見込額」に応じて増加することが見込まれる法定福利費等の事業主負担分の額を合算して得た額をいい、次の＜算式＞により算定することを標準とする。

＜算式＞

「加算前年度における法定福利費等の事業主負担分の総額」÷「加算前年度における賃金の総額」×「加算当年度の賃金改善見込額」

カ 「賃金改善見込額」とは、加算当年度内の賃金改善実施期間における見込賃金（当該年度に係る第5の2(1)アに定める加算Ⅱ新規事由及び第6の2(1)イに定める加算Ⅲ新規事由による賃金の改善見込額並びに加算前年度に係る加算残額の支払を除く。）のうち、その水準が「起点賃金水準」を超えると認められる部分に相当する額をいう。

キ 「起点賃金水準」とは、次に掲げる場合に応じ、それぞれに定める基準年度の賃金水準※1（当該年度に係る加算残額を含み、基準年度の前年度に係る加算残額の支払を除く。）に、基準年度の翌年度（以下「基準翌年度」という。）から加算当年度までの公定価格における人件費の改定分※2を合算した水準※3をいう。

a アⅰの場合又は私立高等学校等経常費助成費補助金（以下「私学助成」という。）を受けていた幼稚園が初めて加算Ⅰの賃金改善要件分の適用を受ける場合 加算前年度の賃金水準。ただし、施設・事業所において基準年度を加算前年度とすることが難しい事情があると認められる場合には、加算当年度の3年前の年度の賃金水準とすることができる。

b アⅱの場合（私学助成を受けていた幼稚園が初めて加算Ⅰの賃金改善要件分の適用を受ける場合を除く。）次に掲げる場合に応じ、それぞれに定める基準年度の賃金水準※4。

b-1 加算前年度に加算Ⅰの賃金改善要件分の適用を受けておらず、それ以前に適用を受けたことがある場合 加算Ⅰの賃金改善要件分の適用を受けた直近の年度。

b-2 加算当年度に初めて加算Ⅰの賃金改善要件分の適用を受けようとする場合 支援法による確認の効力が発生する年

度の前年度（平成26年度以前に運営を開始した保育所にあっては、平成24年度。）。

※1 基準年度に施設・事業所がない場合は、地域又は同一の設置者・事業者における当該年度の賃金水準との均衡が図られていると認められる賃金水準。

※2 「基準翌年度から加算当年度までの公定価格における人件費の改定分」の額は、利用子どもの認定区分及び年齢区分ごとに、次の＜算式1＞により算定した額を合算して得た額から＜算式2＞を標準として算定した法定福利費等の事業主負担分を控除した額とする。

＜算式1＞

「加算当年度の加算Ⅰの単価の合計額」×｛「基準翌年度から加算当年度までの人件費の改定分に係る改定率」×100｝×「見込平均利用子ども数」×「賃金改善実施期間の月数」×0.9（調整率）

＜算式2＞

「加算前年度における法定福利費等の事業主負担分の総額」÷「加算前年度における賃金の総額及び法定福利費等の事業主負担分の総額の合計額」×「＜算式1＞により算定した金額」

※3 公定価格ＦＡＱの№221を踏まえ、令和5年度の賃金改善等実績額が特定加算額を超えている場合は、次の＜算式1＞又は＜算式2＞を上限に、当該超えている額を控除することができる。

＜算式1＞

「令和5年度の加算Ⅰの加算額総額（増額改定を反映させた額)」×「令和5年度の算定に用いた人件費の改定分に係る改定率」÷「令和5年度に適用を受けた基礎分及び賃金改善要件分に係る加算率」×0.1

＜算式2＞

｛「令和5年度の加算Ⅰの加算額総額（増額改定を反映させた額)」×「令和5年度の算定に用いた人件費の改定分に係る改定率」÷「令和5年度に適用を受けた基礎分及び賃金改善要件分に係る加算率｝」－「令和5年度の改定による影響額」

※4 b-1の場合は、基準年度における加

算Ⅰの賃金改善要件分による賃金改善額を控除すること。

ク　「特定加算見込額」とは、賃金改善実施期間における加算見込額のうち加算Ⅰ新規事由に係る額として、利用子どもの認定区分及び年齢区分ごとに、次の＜算式＞により算定した額を合計して得た額※（千円未満の端数は切り捨て）をいう。

＜算式＞

「加算当年度の加算Ⅰの単価の合計額」×｛「加算Ⅰ新規事由に係る加算率」×100｝×「見込平均利用子ども数」×「賃金改善実施期間の月数」

※　施設・事業所間で加算見込額の一部の配分を調整する場合には、それぞれ、その受入（拠出）見込額が基準年度の受入（拠出）実績額を上回る（下回る）ときはその差額を加える（減じる）こと。

ケ　「加算Ⅰ新規事由に係る加算率」とは、次に掲げる場合に応じ、それぞれに定める割合をいう。

a　アⅰの場合　賃金改善要件分に係る加算率について、加算当年度の割合から基準年度の割合を減じて得た割合

※　例えば、賃金改善要件分を加算当年度から加算前年度に比して1％引き上げる公定価格の改定が行われた場合は0.01、キャリアパス要件を新たに充足した場合は0.02、両事例に該当する場合はその合算値の0.03となる。

b　アⅱの場合　適用を受けようとする賃金改善要件分に係る加算率

コ　「見込平均利用子ども数」とは、加算当年度内の賃金改善実施期間における各月初日の利用子ども数（広域利用子ども数を含む。以下同じ。）の見込数の総数を賃金改善実施期間の月数で除して得た数をいう。利用子ども数の見込数については、過去の実績等を勘案し、実態に沿ったものとすること。

サ　特定の年度における「賃金水準」とは、加算当年度の職員について、雇用形態、職種、勤続年数、職責等が加算当年度と同等の条件の下で、当該特定の年度に適用されていた賃金の算定方法により算定される賃金の水準をいう。

したがって、例えば、基準年度から継続して勤務する職員に係る水準は、単に基準年度

に支払った賃金を指すものではなく、短時間勤務から常勤への変更、補助者から保育士への変更、勤続年数の伸び、役職の昇格、職務分担の増加（重点的に改善していた職員の退職に伴うものなど）等を考慮し、加算当年度における条件と同等の条件の下で算定されたものとする必要がある。

(2)　加算Ⅰ新規事由がない場合

ア　賃金改善実施期間において、賃金見込総額が起点賃金水準を下回っていないこと。また、加算当年度の途中において増額改定が生じた場合には、それに応じた賃金の追加的な支払を行うものとすること。

イ　「賃金改善実施期間」とは、加算当年度の4月から翌年3月までをいう。

ウ　「賃金見込総額」とは、各職員について「賃金見込額」を合算して得た額（千円未満の端数は切り捨て）をいう。

エ　「賃金見込額」とは、加算当年度内の賃金改善実施期間における見込賃金（当該年度における第5の2(1)アに定める加算Ⅱ新規事由及び第6の2(1)イに定める加算Ⅲ新規事由による賃金の改善見込額並びに加算前年度に係る加算残額の支払を除く。）をいう。

オ　「起点賃金水準」とは、基準年度の賃金水準（加算前年度の賃金水準。ただし、施設・事業所において基準年度を加算前年度とすることが難しい事情があると認められる場合には、加算当年度の3年前の年度の賃金水準とすることができる。また、基準年度に係る加算残額を含み、基準年度の前年度に係る加算残額の支払を除く。）に、基準翌年度から加算当年度までの公定価格における人件費の改定分※1を合算した水準※2・※3・※4（千円未満の端数は切り捨て）をいう。

※1　「基準翌年度から加算当年度までの公定価格における人件費の改定分」の額については(1)キに準じる。

※2　キャリアパス要件を満たさなくなる場合等、賃金改善要件分に係る加算率が減少する場合において、基準年度の賃金水準を算定するに当たっては、減少する賃金改善要件分の加算率に相当する加算見込額(注1)（法定福利費等の事業主負担分(注2)を除く。）を控除すること。

※3　公定価格ＦＡＱのNo.221を踏まえ、令和5年度の支払賃金総額が起点賃金水準を

超えている場合は、次の＜算式１＞又は＜算式２＞を上限に、当該超えている額を控除することができる。

＜算式１＞

「令和５年度の加算Ⅰの加算額総額（増額改定を反映させた額）」×「令和５年度の算定に用いた人件費の改定分に係る改定率」÷「令和５年度に適用を受けた基礎分及び賃金改善要件分に係る加算率」×0.1

＜算式２＞

{「令和５年度の加算Ⅰの加算額総額（増額改定を反映させた額）」×「令和５年度の算定に用いた人件費の改定分に係る改定率」÷「令和５年度に適用を受けた基礎分及び賃金改善要件分に係る加算率」}－「令和５年度の改定による影響額」

※４　施設・事業所間で加算額の一部の配分を調整する場合には、それぞれ、その受入（拠出）見込額が基準年度の受入（拠出）実績額を上回る（下回る）ときはその差額から法定福利費等の事業主負担分を控除した額(注3)を加える（減じる）こと。

(注１)　利用子どもの認定区分及び年齢区分ごとに、次の＜算式１＞により算定した額を合算して得た額とする。

＜算式１＞

「加算当年度の加算Ⅰの単価の合計額」×「見込平均利用子ども数」×「賃金改善実施期間の月数」×{「減少する賃金改善要件分の加算率」×100}

(注２)　次の＜算式２＞により算定することを標準とする。

＜算式２＞

「基準年度における法定福利費等の事業主負担分の総額」÷「基準年度における賃金の総額」×「減少する賃金改善要件分の加算率に相当する加算見込額」

(注３)　次の＜算式３＞を標準として算定した法定福利費等の事業主負担分を控除すること。

＜算式３＞

「加算前年度における法定福利費等の事業主負担分の総額」÷「加算前年度における賃金の総額」×「受入（拠出）見込額と基準年度の受入（拠出）実績額との差額」

カ　「見込平均利用子ども数」については(1)コに、特定の年度における「賃金水準」については(1)サに、それぞれ準じる。

(実績報告に係る要件)

加算当年度の翌年度速やかに、次の(3)ア又は(4)アのいずれかに掲げる要件を満たす別紙様式６「賃金改善実績報告書（処遇改善等加算Ⅰ）」を市町村の長に対して提出すること。

(3)　加算Ⅰ新規事由がある場合

ア　加算Ⅰ新規事由に応じ、賃金改善実施期間において、賃金改善等実績総額が特定加算実績額を下回っていないこと。また、賃金改善等実績総額が特定加算実績額を下回った場合には、生じた加算残額の全額を当該翌年度に速やかに職員の賃金（法定福利費等の事業主負担分を含む。）として支払うこと。

イ　「賃金改善等実績総額」とは、「賃金改善実績総額」と「事業主負担増加相当総額」を合計して得た額（千円未満の端数は切り捨て）をいう。

ウ　「賃金改善実績総額」とは、各職員について「賃金改善実績額」を合算して得た額をいう。

エ　「事業主負担増加相当総額」とは、各職員について、「賃金改善実績額」に応じて増加した法定福利費等の事業主負担分に相当する額を合算して得た額をいい、次の＜算式＞により算定することを標準とする。

＜算式＞

「加算前年度における法定福利費等の事業主負担分の総額」÷「加算前年度における賃金の総額」×「加算当年度の賃金改善実績額」

オ　「賃金改善実績額」とは、加算当年度内の賃金改善実施期間における支払賃金（当該年度に係る加算残額を含む。また、当該年度に係る第５の２(1)アに定める加算Ⅱ新規事由及び第６の２(1)イに定める加算Ⅲ新規事由による賃金の改善額並びに加算前年度に係る加算残額の支払を除く。）のうち、その水準が「起点賃金水準」（加算当年度に国家公務員の給与改定に伴う公定価格における人件費の改定があった場合には、当該改定分※を反映させた賃金水準）を超えると認められる部分

に相当する額をいう。

※ 増額改定があった場合の、各職員の増額改定分の合算額（法定福利費等の事業主負担分の増額分を含む。）は、次の＜算式1＞により算定した額以上となっていることを要する。

＜算式1＞

「加算当年度の加算Ⅰの加算額総額（増額改定を反映させた額）」×「増額改定に係る改定率」÷「加算当年度に適用を受けた基礎分及び賃金改善要件分に係る加算率」×0.9（調整率）

また、国家公務員の給与改定に伴う公定価格における人件費の減額改定（以下「減額改定」という。）があった場合の、各職員の減額改定分の合算額（法定福利費等の事業主負担分の減額分を含む。）は、以下の＜算式2＞により算定した額を超えない減額となっていることを要する。

＜算式2＞

「加算当年度の加算Ⅰの加算額総額（減額改定を反映させた額）」×「減額改定に係る改定率」÷「加算当年度に適用を受けた基礎分及び賃金改善要件分に係る加算率」×0.9（調整率）

カ 「起点賃金水準」とは、次に掲げる場合に応じ、それぞれに定める基準年度の賃金水準※1（当該年度に係る加算残額を含み、基準年度の前年度に係る加算残額の支払を除く。）に、基準翌年度から加算当年度までの公定価格における人件費の改定分※2を合算した水準※3をいう。

a (1)アⅰの場合又は私学助成を受けていた幼稚園が初めて加算Ⅰの賃金改善要件分の適用を受ける場合 加算前年度の賃金水準。ただし、施設・事業所において基準年度を加算前年度とすることが難しい事情があると認められる場合には、加算当年度の3年前の年度の賃金水準とすることができる。

b (1)アⅱの場合（私学助成を受けていた幼稚園が初めて加算Ⅰの賃金改善要件分の適用を受ける場合を除く。） 次に掲げる場合に応じ、それぞれに定める基準年度の賃金水準※4。

b-1 加算前年度に加算Ⅰの賃金改善要件分の適用を受けておらず、それ以前に

適用を受けたことがある場合 加算Ⅰの賃金改善要件分の適用を受けた直近の年度。

b-2 加算当年度に初めて加算Ⅰの賃金改善要件分の適用を受けようとする場合 支援法による確認の効力が発生する年度の前年度（平成26年度以前に運営を開始した保育所にあっては、平成24年度。）。

※1 基準年度に施設・事業所がない場合は、地域又は同一の設置者・事業者における当該年度の賃金水準との均衡が図られていると認められる賃金水準。

※2 「基準翌年度から加算当年度までの公定価格における人件費の改定分」の額は、次の＜算式1＞により算定した額から＜算式2＞を標準として算定した法定福利費等の事業主負担分を控除した額とする。

＜算式1＞

「加算当年度の加算Ⅰの加算額総額（増額改定又は減額改定を反映させた額）」×「基準翌年度から加算当年度までの人件費の改定分に係る改定率」÷「加算当年度に適用を受けた基礎分及び賃金改善要件分に係る加算率」×0.9（調整率）

＜算式2＞

「加算前年度における法定福利費等の事業主負担分の総額」÷「加算前年度における賃金の総額及び法定福利費等の事業主負担分の総額の合計額」×「＜算式1＞により算定した金額」

※3 公定価格ＦＡＱのNo.221を踏まえ、令和5年度の賃金改善等実績額が特定加算額を超えている場合は、次の＜算式1＞又は＜算式2＞を上限に、当該超えている額を控除することができる。

＜算式1＞

「令和5年度の加算Ⅰの加算額総額（増額改定を反映させた額）」×「令和5年度の算定に用いた人件費の改定分に係る改定率」÷「令和5年度に適用を受けた基礎分及び賃金改善要件分に係る加算率」×0.1

＜算式2＞

{「令和5年度の加算Ⅰの加算額総額（増額改定を反映させた額）」×「令

和５年度の算定に用いた人件費の改定分に係る改定率」÷「令和５年度に適用を受けた基礎分及び賃金改善要件分に係る加算率」｝－「令和５年度の改定による影響額」

※４ ｂ－１の場合は、基準年度における加算Ⅰの賃金改善要件分による賃金改善額を控除すること。

キ 「特定加算実績額」とは、賃金改善実施期間における加算実績額のうち加算Ⅰ新規事由に係る額（加算当年度に増額改定があった場合には、当該増額改定における加算Ⅰの単価増に伴う増加額を、減額改定があった場合には、当該減額改定における加算Ⅰの単価減に伴う減少額を反映させた額。）として次の＜算式＞により算定した額※（千円未満の端数は切り捨て）をいう。

＜算式＞

「加算当年度の加算Ⅰの加算額総額（増額改定又は減額改定を反映させた額）」×「加算Ⅰ新規事由に係る加算率」÷「加算当年度に適用を受けた基礎分及び賃金改善要件分に係る加算率」

※ 施設・事業所間で加算実績額の一部の配分を調整した場合には、それぞれ、受入（拠出）実績額が基準年度の受入（拠出）実績額を上回った（下回った）ときはその差額を加える（減じる）こと。

ク 特定の年度における「賃金水準」については(1)サに準じる。

(4) 加算Ⅰ新規事由がない場合

ア 賃金改善実施期間において、支払賃金総額が起点賃金水準を下回っていないこと。また、支払賃金総額が起点賃金水準を下回った場合には、生じた加算残額の全額を当該翌年度に速やかに職員の賃金（法定福利費等の事業主負担分を含む。）として支払うこと。

イ 「支払賃金総額」とは、各職員について「支払賃金額」を合算して得た額（千円未満の端数は切り捨て）をいう。

ウ 「支払賃金額」とは、加算当年度内の賃金改善実施期間における支払賃金（当該年度に係る加算残額を含む。また、当該年度に係る第５の２(1)アに定める加算Ⅱ新規事由及び第６の２(1)イに定める加算Ⅲ新規事由による賃金の改善額並びに加算前年度に係る加算残額の支払を除く。）をいう。

エ 「起点賃金水準」とは、基準年度の賃金水準（加算前年度の賃金水準。ただし、施設・事業所において基準年度を加算前年度とすることが難しい事情があると認められる場合には、加算当年度の３年前の年度の賃金水準とすることができる。また、基準年度に係る加算残額を含み、基準年度の前年度に係る加算残額の支払を除く。）に、基準翌年度から加算当年度までの公定価格における人件費の改定分※１・※２を合算した水準※３・※４・※５（千円未満の端数は切り捨て）をいう。

※１ 「基準翌年度から加算当年度までの公定価格における人件費の改定分」の額については(3)カに準じる。

※２ 増額改定があった場合の、各職員の増額改定分の合算額（法定福利費等の事業主負担分の増額分を含む。）は、次の＜算式１＞により算定した額以上となっていることを要する。

＜算式１＞

「加算当年度の加算Ⅰの加算額総額（増額改定を反映させた額)」×「増額改定に係る改定率」÷「加算当年度に適用を受けた基礎分及び賃金改善要件分に係る加算率」×0.9（調整率）

また、減額改定があった場合の、各職員の減額改定分の合算額（法定福利費等の事業主負担分の減額分を含む。）は、以下の＜算式２＞により算定した額を超えない減額となっていることを要する。

＜算式２＞

「加算当年度の加算Ⅰの加算額総額（減額改定を反映させた額)」×「減額改定に係る改定率」÷「加算当年度に適用を受けた基礎分及び賃金改善要件分に係る加算率」×0.9（調整率）

※３ キャリアパス要件を満たさなくなった場合等、賃金改善要件分に係る加算率が減少した場合において、基準年度の賃金水準を算定するに当たっては、減少した賃金改善要件分の加算率に相当する加算実績額（注1）（法定福利費等の事業主負担分（注2）を除く。）を控除すること。

※４ 公定価格ＦＡＱのNo.221を踏まえ、令和５年度の支払賃金総額が起点賃金水準を超えている場合は、次の＜算式１＞又は＜算式２＞を上限に、当該超えている額を控

除することができる。
　　　＜算式１＞
　　　　　「令和５年度の加算Ⅰの加算額総額（増
　　　　額改定を反映させた額）」×「令和５年
　　　　度の算定に用いた人件費の改定分に係る
　　　　改定率」÷「令和５年度に適用を受けた
　　　　基礎分及び賃金改善要件分に係る加算
　　　　率」×0.1
　　　＜算式２＞
　　　　　{「令和５年度の加算Ⅰの加算額総額
　　　　（増額改定を反映させた額）」×「令和
　　　　５年度の算定に用いた人件費の改定分に
　　　　係る改定率」÷「令和５年度に適用を受
　　　　けた基礎分及び賃金改善要件分に係る加
　　　　算率」}－「令和５年度の改定による影
　　　　響額」
　※５　施設・事業所間で加算額の一部の配分
　　　を調整した場合には、それぞれ、受入（拠
　　　出）実績額が基準年度の受入（拠出）実績
　　　額を上回った（下回った）ときはその差額
　　　から法定福利費等の事業主負担分を控除し
　　　た額^(注3)を加える（減じる）こと。
　（注１）　次の＜算式１＞により算定した額
　　　　　とする。
　　　　＜算式１＞
　　　　　　「加算当年度の加算Ⅰの加算額総額
　　　　　（増額改定又は減額改定を反映させ
　　　　　た額）」×「減少した賃金改善要件
　　　　　分の加算率」÷「加算当年度に適用
　　　　　を受けた基礎分及び賃金改善要件分
　　　　　に係る加算率」
　（注２）　次の＜算式２＞により算定するこ
　　　　　とを標準とする。
　　　　＜算式２＞
　　　　　　「基準年度における法定福利費等の
　　　　　事業主負担分の総額」÷「基準年度
　　　　　における賃金の総額」×「減少した
　　　　　賃金改善要件分の加算率に相当する
　　　　　加算実績額」
　（注３）　次の＜算式３＞を標準として算定
　　　　　した法定福利費等の事業主負担分を
　　　　　控除すること。
　　　　＜算式３＞
　　　　　　「加算前年度における法定福利費等
　　　　　の事業主負担分の総額」÷「加算前
　　　　　年度における賃金の総額」×「受入
　　　　　（拠出）実績額と基準年度の受入

　　　　　（拠出）実績額との差額」
　　オ　特定の年度における「賃金水準」について
　　　は(1)サに準じる。
　3　キャリアパス要件
　　　当該施設・事業所の取組が次の(1)及び(2)のいず
　　れにも適合すること又は加算Ⅱの適用を受けてい
　　ること。
　(1)　次に掲げる要件の全てに適合し、それらの内
　　　容について就業規則等の明確な根拠規定を書面
　　　で整備し、全ての職員に周知していること。
　　ア　職員の職位、職責又は職務内容等に応じた
　　　勤務条件等の要件（職員の賃金に関するもの
　　　を含む。）を定めていること。
　　イ　アに掲げる職位、職責又は職務内容等に応
　　　じた賃金体系（一時金等の臨時的に支払われ
　　　るものを除く。）を定めていること。
　(2)　職員の職務内容等を踏まえ、職員と意見を交
　　　換しながら、資質向上の目標並びに次のア及び
　　　イに掲げる具体的な計画を策定し、当該計画に
　　　係る研修（通常業務中に行うものを除き、教育
　　　に係る長期休業期間に行うものを含む。以下同
　　　じ。）の実施又は研修の機会を確保し、それを
　　　全ての職員に周知していること。
　　ア　資質向上のための計画に沿って、研修機会
　　　の提供又は技術指導等を実施するとともに、
　　　職員の能力評価を行うこと。
　　イ　幼稚園教諭免許状・保育士資格等を取得し
　　　ようとする者がいる場合は、資格取得のため
　　　の支援（研修受講のための勤務シフトの調
　　　整、休暇の付与、費用（交通費、受講料等）
　　　の援助等）を実施すること。
第5　加算Ⅱの要件
　1　加算Ⅱ算定対象人数の算定
　(1)　家庭的保育事業、事業所内保育事業（利用定
　　　員５人以下の事業所に限る。）及び居宅訪問型
　　　保育事業を行う事業所以外の施設・事業所
　　　　加算Ⅱ－①の「人数Ａ」又は加算Ⅱ－②の
　　　「人数Ｂ」（告示別表第２特定加算部分及び別
　　　表第３特定加算部分。以下「加算Ⅱ算定対象人
　　　数」という。）は、次の＜算式＞により算定す
　　　ること（１人未満の端数は四捨五入。ただし、
　　　四捨五入した結果が「０」となる場合は「１」
　　　とする。）。
　　　＜算式＞
　　　　「人数Ａ」＝「基礎職員数」^(注)×１／３
　　　　「人数Ｂ」＝「基礎職員数」^(注)×１／５
　　　　（注）　「基礎職員数」とは、別表１の左欄

の施設・事業所の区分に応じて同表の右欄により算出される基礎職員数（1人未満の端数は四捨五入）をいう。

別表1の右欄による算出に当たっては、年齢別の児童数は、加算当年度の4月時点の利用子ども数又は「見込平均利用子ども数」（算定方法は第4の2(1)コに準じる。）を用い、各種加算の適用状況は、加算当年度の4月時点の状況により判断する。

(2) 家庭的保育事業、事業所内保育事業（利用定員5人以下の事業所に限る。）及び居宅訪問型保育事業を行う事業所

加算Ⅱ－①又は加算Ⅱ－②のいずれの適用を受けるかを選択する（「人数A」又は「人数B」のいずれかを「1」とし、他方を「0」とする）こと。

2 加算要件

（加算認定に係る要件）

次の(1)ア又は(2)アのいずれかに掲げる要件を満たす別紙様式7「賃金改善計画書（処遇改善等加算Ⅱ）」を都道府県知事又は指定都市等の長に対して提出するとともに、その具体的な内容を職員に周知していること。

なお、加算当年度の前年度に処遇改善等加算Ⅱの適用を受けている施設は、別紙様式11「賃金改善に係る誓約書」を都道府県知事又は指定都市等の長に対して提出するとともに、職員に対しても周知している場合は、別紙様式7「賃金改善計画書（処遇改善等加算Ⅱ）」の作成及び提出を不要とする。

(1) 加算Ⅱ新規事由がある場合

ア 加算当年度における次に掲げる事由（以下「加算Ⅱ新規事由」という。）に応じ、賃金改善実施期間において、賃金改善等見込総額が特定加算見込額※を下回っていないこと。

ⅰ 加算前年度に加算の適用を受けており、加算当年度に適用を受けようとする加算Ⅱ－①若しくは加算Ⅱ－②の単価又は加算Ⅱ算定対象人数が公定価格の改定※により加算前年度に比して増加する場合（当該単価又は当該人数の増加のない施設・事業所において、当該単価又は当該人数の増加のある他の施設・事業所に係る特定加算見込額の一部を受け入れる場合を含む。）

ⅱ 新たに加算Ⅱの適用を受けようとする場合

※ 賃金改善に係る算定額（コにおいて原則として示す額）の増額改定による単価の増加及び1(1)の＜算式＞において基礎職員数に乗じる割合の増額改定による加算Ⅱ算定対象人数の増加に限り、法定福利費等の事業主負担分の算定額のみの増額及び基礎職員数の変動に伴う加算Ⅱ算定対象人数の増加を除く。

イ 「賃金改善実施期間」とは、加算当年度の賃金改善を実施する月からその後の最初の3月までをいう。

ウ 「賃金改善等見込総額」とは、「賃金改善見込総額」と「事業主負担増加見込総額」を合計して得た額（千円未満の端数は切り捨て）をいう。

エ 「賃金改善見込総額」とは、以下の①から③までの職員に係る「賃金改善見込額」を合算して得た額をいう。

① ケⅰに定める副主任保育士等

② ケⅱに定める職務分野別リーダー等

③ ケ（注1）に定める園長以外の管理職（ケ（注1）に基づき賃金の改善を行う職員に限る。）

オ 「事業主負担増加見込総額」とは、エ①から③までの職員に係る「賃金改善見込額」に応じて増加することが見込まれる法定福利費等の事業主負担分の額を合算して得た額をいい、次の＜算式＞により算定することを標準とする。

＜算式＞

「加算前年度における法定福利費等の事業主負担分の総額」÷「加算前年度における賃金の総額」×「加算当年度の賃金改善見込額」

カ 「賃金改善見込額」とは、加算当年度内の賃金改善実施期間におけるエ①から③までの職員に係る見込賃金（役職手当、職務手当など職位、職責又は職務内容等に応じて、決まって毎月支払われる手当及び基本給に限る。また、当該年度に係る加算残額を含み、加算前年度に係る加算残額の支払を除く。）のうち、その水準がエ①から③までの職員に係る「起点賃金水準」を超えると認められる部分に相当する額をいう。

ただし、基準年度に加算Ⅱの賃金改善の対象であり、かつ、加算当年度において加算Ⅱの賃金改善の対象外である職員がいる場合

は、当該職員に係る基準年度における加算Ⅱ
による賃金改善額を控除するものとする。

キ　「起点賃金水準」とは、次に掲げる場合に
応じ、それぞれに定める基準年度の賃金水
準[※1]（役職手当、職務手当など職位、職責
又は職務内容等に応じて、決まって毎月支払
われる手当及び基本給に限る。また、当該年
度に係る加算残額を含み、基準年度の前年度
に係る加算残額の支払を除く。算定方法は、
第4の2(1)サに準じる。）に、基準翌年度か
ら加算当年度までの公定価格における人件費
の改定分[※2]を合算した水準をいう。

a　アⅰの場合　加算前年度の賃金水準。た
だし、施設・事業所において基準年度を加
算前年度とすることが難しい事情があると
認められる場合には、加算当年度の3年前
の年度の賃金水準とすることができる。

b　アⅱの場合　次に掲げる場合に応じ、そ
れぞれに定める基準年度の賃金水準[※3]。

b−1　加算前年度に加算Ⅱの適用を受け
ておらず、それ以前に適用を受けたこと
がある場合　加算Ⅱの適用を受けた直近
の年度。

b−2　加算当年度に初めて加算Ⅱの適用
を受けようとする場合　加算前年度。

※1　基準年度に施設・事業所がない場合
は、地域又は同一の設置者・事業者におけ
る当該年度の賃金水準との均衡が図られて
いると認められる賃金水準。

※2　「基準翌年度から加算当年度までの公
定価格における人件費の改定分」の額は、
国家公務員の給与改定に伴う公定価格にお
ける人件費の改定分（法定福利費等の事業
主負担分を除く。）による賃金の改善（賃
金改善実施期間におけるものに限る。）の
うち、加算Ⅱによる賃金改善対象となる各
職員の役職手当、職務手当など職位、職責
又は職務内容等に応じて、決まって毎月支
払われる手当及び基本給に係る部分を合算
して得た額とする。

※3　b−1の場合は、基準年度における加
算Ⅱによる賃金改善額を控除すること。

ク　「特定加算見込額」とは、賃金改善実施期
間における加算見込額のうち加算Ⅱ新規事由
に係る額として、次に掲げる施設・事業所の
区分に応じ、それぞれに定めるところにより
算定した額[※]をいう。

＜アⅰの場合＞

a　家庭的保育事業、事業所内保育事業
（利用定員5人以下の事業所に限る。）
及び居宅訪問型保育事業を行う事業所以
外の施設・事業所　加算Ⅱの区分に応じ
てそれぞれに定める＜算式＞により算定
した額の合算額

＜算式＞

加算Ⅱ−①　{「加算当年度の単価」
×「加算当年度の人数A」−「基準
年度の単価」×「基準年度の人数
A」}×「賃金改善実施期間の月
数」（千円未満の端数は切り捨て）

加算Ⅱ−②　{「加算当年度の単価」
×「加算当年度の人数B」−「基準
年度の単価」×「基準年度の人数
B」}×「賃金改善実施期間の月
数」（同）

b　家庭的保育事業、事業所内保育事業
（利用定員5人以下の事業所に限る。）
及び居宅訪問型保育事業を行う事業所
加算Ⅱ−①又は加算Ⅱ−②のいずれか選
択されたものについて、次に掲げる＜算
式＞により算定した額

＜算式＞

{「加算当年度の単価」−「基準年度
の単価」}×「賃金改善実施期間の月
数」（千円未満の端数は切り捨て）

＜アⅱの場合＞

a　家庭的保育事業、事業所内保育事業
（利用定員5人以下の事業所に限る。）
及び居宅訪問型保育事業を行う事業所以
外の施設・事業所　加算Ⅱの区分に応じ
てそれぞれに定める＜算式＞により算定
した額の合算額

＜算式＞

加算Ⅱ−①　「加算当年度の単価」×
「加算当年度の人数A」×「賃金改
善実施期間の月数」（千円未満の端
数は切り捨て）

加算Ⅱ−②　「加算当年度の単価」×
「加算当年度の人数B」×「賃金改
善実施期間の月数」（同）

b　家庭的保育事業、事業所内保育事業
（利用定員5人以下の事業所に限る。）
及び居宅訪問型保育事業を行う事業所
加算Ⅱ−①又は加算Ⅱ−②のいずれか選

択されたものについて、次に掲げる＜算式＞により算定した額

＜算式＞

　「加算当年度の単価」×「賃金改善実施期間の月数」（千円未満の端数は切り捨て）

※　施設・事業所間で加算見込額の一部の配分を調整する場合には、それぞれ、その受入（拠出）見込額が基準年度の受入（拠出）実績額を上回る（下回る）ときはその差額を加える（減じる）こと。

ケ　次に掲げる加算の区分に応じそれぞれに定める職員（看護師、調理員、栄養士、事務職員等を含む。）に対し賃金の改善を行い、かつ、職員の職位、職責又は職務内容等に応じた勤務条件等の要件（職員の賃金に関するものを含む。）及びこれに応じた賃金体系（一時金等の臨時的に支払われるものを除く。）を定めて就業規則等の書面で整備し、全ての職員に周知していること。

ⅰ　加算Ⅱ－①　次に掲げる要件を満たす職員（以下「副主任保育士等」という。）(注1)

ａ　副主任保育士・専門リーダー（保育所、地域型保育事業所及び認定こども園）若しくは中核リーダー・専門リーダー（幼稚園及び認定こども園）又はこれらに相当する職位の発令や職務命令を受けていること(注2)。

ｂ　概ね７年以上の経験年数(注3)を有するとともに、別に定める研修を修了していること(注4)。

ⅱ　加算Ⅱ－②　次に掲げる要件を満たす職員（以下「職務分野別リーダー等」という。）(注5)

ａ　職務分野別リーダー（保育所、地域型保育事業所及び認定こども園）若しくは若手リーダー（幼稚園及び認定こども園）又はこれらに相当する職位の発令や職務命令を受けていること(注2)。

ｂ　概ね３年以上の経験年数(注3)を有するとともに、「乳児保育」「幼児教育」「障害児保育」「食育・アレルギー」「保健衛生・安全対策」「保護者支援・子育て支援」のいずれかの分野（若手リーダー又はこれに相当する職位については、これに準ずる分野や園運営に関する連絡調整等）を担当するとともに、別に

定める研修を修了していること(注4)。

(注1)　職員の経験年数、技能、給与等の実態を踏まえ、当該施設・事業所において必要と認める場合には、職務分野別リーダー等に対して加算Ⅱ－①による賃金の改善を行うことができる。

　　　また、改善後の副主任保育士等の賃金が園長以外の管理職（幼稚園及び認定こども園の副園長、教頭及び主幹教諭等並びに保育所等の主任保育士をいう。以下同じ。）の賃金を上回ることとなる場合など賃金のバランス等を踏まえて必要な場合には、当該園長以外の管理職に対して加算Ⅱ－①による賃金の改善を行うことができる。

　　　要件を満たす者が１人以上（「人数Ａ」に２分の１を乗じて得た人数が１人未満となる場合には、確保することを要しない。家庭的保育事業、事業所内保育事業（利用定員５人以下の事業所に限る。）及び居宅訪問型保育事業にあっても同じ。）いること。当該要件を満たす者がいない場合は加算Ⅱを取得することができない。

(注2)　家庭的保育事業及び居宅訪問型保育事業にあっては、職位の発令や職務命令を受けていることを要しない。

(注3)　職員の経験年数の算定については、第４の１に準じる。「概ね」の判断については、施設・事業所の職員の構成・状況を踏まえた柔軟な対応が可能である。

　　　家庭的保育事業及び居宅訪問型保育事業にあっては、副主任保育士等について「概ね７年以上」とあるのを「７年以上」、職務分野別リーダー等について「概ね３年以上」とあるのを「３年以上」と読み替える。

(注4)　研修に係る要件の適用時期については、別に定める。

(注5)　要件を満たす者が人数Ｂ以上（家庭的保育事業、事業所内保育事業

（利用定員5人以下の事業所に限る。）及び居宅訪問型保育事業にあっては、1人以上）いること。当該要件を満たす者がいない場合は加算Ⅱを取得することができない。

コ　個別の職員に対する賃金の改善額は、次に掲げる職員の区分に応じそれぞれに定める要件を満たすこと。

ⅰ　副主任保育士等　原則として月額4万円(注1)。ただし、月額4万円の改善を行う者を1人以上確保した上で(注2)、それ以外の副主任保育士等(注3)について月額5000円以上4万円未満の改善額とすることができる。

ⅱ　職務分野別リーダー等　原則として月額5000円(注1)。ただし、副主任保育士等において月額4万円の改善を行う者を1人以上確保した場合には、月額5000円以上4万円未満の改善額(注4)とすることができる。

（注1）　例えば、法定福利費等の事業主負担がない又は少ない非常勤職員の賃金の改善を図っているなど、事業主負担額の影響により前年度において残額が生じた場合には、その実績も加味し、計画当初から原則額を上回る賃金の改善額を設定することが望ましい。

（注2）　「人数A」に2分の1を乗じて得た人数が1人未満となる場合には、確保することを要しない。家庭的保育事業、事業所内保育事業（利用定員5人以下の事業所に限る。）及び居宅訪問型保育事業にあっても同じ。

（注3）　ケ（注1）により園長以外の管理職に対して加算Ⅱ-①による賃金の改善を行う必要がある場合に限っては、当該園長以外の管理職を含む。

（注4）　ⅰのただし書による副主任保育士等（園長以外の管理職は含まない。）に対する改善額のうち最も低い額を上回らない範囲とする。

(2)　加算Ⅱ新規事由がない場合

ア　賃金改善実施期間において、次に掲げる要件を満たしていること。

ⅰ　(1)エ①から③までの職員に係る賃金見込総額が当該職員に係る起点賃金水準を下回っていないこと。

ⅱ　加算当年度における(1)エ①から③までの職員に係る役職手当、職務手当など職位、職責又は職務内容等に応じて、決まって毎月支払われる手当及び基本給（加算Ⅱにより改善を行う部分に限り、これに対応する法定福利費等の事業主負担分を含む。）の総額が加算当年度の加算Ⅱによる加算見込額を下回っていないこと。

イ　「賃金改善実施期間」とは、加算当年度の賃金改善を実施する月からその後の最初の3月までをいう。

ウ　「賃金見込総額」とは、(1)エ①から③までの職員に係る「賃金見込額」を合算して得た額（千円未満の端数は切り捨て）をいう。

エ　「賃金見込額」とは、加算当年度内の賃金改善実施期間における見込賃金（役職手当、職務手当など職位、職責又は職務内容等に応じて、決まって毎月支払われる手当及び基本給に限る。また、加算前年度に係る加算残額の支払を除く。）をいう。

オ　「起点賃金水準」とは、基準年度の賃金水準（加算前年度の賃金水準。ただし、施設・事業所において基準年度を加算前年度とすることが難しい事情があると認められる場合には、加算当年度の3年前の年度の賃金水準とすることができる。また、役職手当、職務手当など職位、職責又は職務内容等に応じて、決まって毎月支払われる手当及び基本給に限る。基準年度に係る加算残額を含み、基準年度の前年度に係る加算残額の支払を除く。算定方法は、第4の2(1)サに準じる。）に、基準翌年度から加算当年度までの公定価格における人件費の改定分※1を合算した水準※2（千円未満の端数は切り捨て）をいう。

※1　「基準翌年度から加算当年度までの公定価格における人件費の改定分」の額については(1)キに準じる。

※2　施設・事業所間で加算額の一部の配分を調整する場合には、それぞれ、その受入（拠出）見込額が基準年度の受入（拠出）実績額を上回る（下回る）ときはその差額(注)を加える（減じる）こと。

（注）　次の＜算式＞を標準として算定した法定福利費等の事業主負担分を控除すること。

＜算式＞

「加算前年度における法定福利費等の事業主負担分の総額」÷「加算前年度における賃金の総額」×「受入（拠出）見込額（と基準年度の受入（拠出）実績額との差額）」

カ　加算の区分に応じた賃金改善の対象者等については(1)ケに、個別の職員に対する賃金の改善額については(1)コに、それぞれ準じる。

（実績報告に係る要件）

加算当年度の翌年度速やかに、次の(3)ア又は(4)アのいずれかに掲げる要件を満たす別紙様式8「賃金改善実績報告書（処遇改善等加算Ⅱ）」を市町村の長に対して提出すること。

(3)　加算Ⅱ新規事由がある場合

ア　加算Ⅱ新規事由に応じ、賃金改善実施期間において、賃金改善等実績総額が特定加算実績額を下回っていないこと。また、賃金改善等実績総額が特定加算実績額を下回った場合には、生じた加算残額の全額を当該翌年度に速やかに加算当年度の加算対象職員の賃金（法定福利費等の事業主負担分を含む。）として支払うこと。

イ　「賃金改善等実績総額」とは、「賃金改善実績総額」と「事業主負担増加相当総額」を合計して得た額（千円未満の端数は切り捨て）をいう。

ウ　「賃金改善実績総額」とは、以下の①から③までの職員に係る「賃金改善実績額」を合算して得た額をいう。

①　副主任保育士等

②　職務分野別リーダー等

③　園長以外の管理職（2(1)ケ（注1）に基づき賃金の改善を行った職員に限る。）

エ　「事業主負担増加相当総額」とは、ウ①から③までの職員に係る「賃金改善実績額」に応じて増加した法定福利費等の事業主負担分に相当する額を合算して得た額をいい、次の＜算式＞により算定することを標準とする。

＜算式＞

「加算前年度における法定福利費等の事業主負担分の総額」÷「加算前年度における賃金の総額」×「加算当年度の賃金改善実績額」

オ　「賃金改善実績額」とは、加算当年度内の賃金改善実施期間におけるウ①から③までの職員に係る支払賃金（役職手当、職務手当な

ど職位、職責又は職務内容等に応じて、決まって毎月支払われる手当及び基本給に限る。また、当該年度に係る加算残額を含み、加算前年度に係る加算残額の支払を除く。）のうち、その水準がウ①から③までの職員に係る「起点賃金水準」を超えると認められる部分に相当する額をいう。ただし、基準年度に加算Ⅱの賃金改善の対象であり、かつ、加算当年度において加算Ⅱの賃金改善の対象外である職員がいる場合は、当該職員に係る基準年度における加算Ⅱによる賃金改善額を控除するものとする。

カ　「起点賃金水準」とは、次に掲げる場合に応じ、それぞれに定める基準年度の賃金水準[※1]（役職手当、職務手当など職位、職責又は職務内容等に応じて、決まって毎月支払われる手当及び基本給に限る。また、当該年度に係る加算残額を含み、基準年度の前年度に係る加算残額の支払を除く。算定方法は、第4の2(1)サに準じる。）に、基準翌年度から加算当年度までの公定価格における人件費の改定分[※2]を合算した水準をいう。

a　(1)アⅰの場合　加算前年度の賃金水準。ただし、施設・事業所において基準年度を加算前年度とすることが難しい事情があると認められる場合には、加算当年度の3年前の年度の賃金水準とすることができる。

b　(1)アⅱの場合　次に掲げる場合に応じ、それぞれに定める基準年度の賃金水準[※3]。

b－1　加算前年度に加算Ⅱの適用を受けておらず、それ以前に適用を受けたことがある場合　加算Ⅱの適用を受けた直近の年度。

b－2　加算当年度に初めて加算Ⅱの適用を受けようとする場合　加算前年度。

※1　基準年度に施設・事業所がない場合は、地域又は同一の設置者・事業者における当該年度の賃金水準との均衡が図られていると認められる賃金水準。

※2　「基準翌年度から加算当年度までの公定価格における人件費の改定分」の額については(1)キに準じる。

※3　b－1の場合は、基準年度における加算Ⅱによる賃金改善額を控除すること。

キ　「特定加算実績額」とは、賃金改善実施期間における加算実績額のうち加算Ⅱ新規事由

に係る額（加算当年度に増額改定があった場合には、当該増額改定における加算Ⅱの単価増に伴う増加額を含む。）をいい、(1)クの＜算式＞において、実際に適用を受けた加算Ⅱ算定対象人数により算定した額[※]をいう。

※　施設・事業所間で加算実績額の一部の配分を調整した場合には、それぞれ、受入（拠出）実績額が基準年度の受入（拠出）実績額を上回った（下回った）ときはその差額を加える（減じる）こと。

(4)　加算Ⅱ新規事由がない場合

ア　賃金改善実施期間において、次に掲げる要件を満たしていること。また、支払賃金総額が起点賃金水準を下回った場合又は(3)ウ①から③までの職員に係る役職手当、職務手当など職位、職責又は職務内容等に応じて、決まって毎月支払われる手当及び基本給（加算Ⅱにより改善を行う部分に限り、これに対応する法定福利費等の事業主負担分を含む。）の総額が加算当年度の加算Ⅱによる加算実績額を下回った場合には、生じた加算残額の全額を当該翌年度に速やかに加算当年度の加算対象職員の賃金（法定福利費等の事業主負担分を含む。）として支払うこと。

ⅰ　(3)ウ①から③までの職員に係る支払賃金総額が当該職員に係る起点賃金水準を下回っていないこと。

ⅱ　加算当年度における(3)ウ①から③までの職員に係る役職手当、職務手当など職位、職責又は職務内容等に応じて、決まって毎月支払われる手当及び基本給（加算Ⅱにより改善を行う部分に限り、これに対応する法定福利費等の事業主負担分を含む。）の総額が加算当年度の加算Ⅱによる加算実績額を下回っていないこと。

イ　「支払賃金総額」とは、(3)ウ①から③までの職員に係る「支払賃金額」を合算して得た額（千円未満の端数は切り捨て）をいう。

ウ　「支払賃金額」とは、加算当年度内の賃金改善実施期間における支払賃金（役職手当、職務手当など職位、職責又は職務内容等に応じて、決まって毎月支払われる手当及び基本給に限る。また、当該年度に係る加算残額を含み、加算前年度に係る加算残額の支払を除く。）をいう。

エ　「起点賃金水準」とは、基準年度の賃金水準（加算前年度の賃金水準。ただし、施設・

事業所において基準年度を加算前年度とすることが難しい事情があると認められる場合には、加算当年度の3年前の年度の賃金水準とすることができる。役職手当、職務手当など職位、職責又は職務内容等に応じて、決まって毎月支払われる手当及び基本給に限る。また、基準年度に係る加算残額を含み、基準年度の前年度に係る加算残額の支払を除く。算定方法は、第4の2(1)サに準じる。）に、基準翌年度から加算当年度までの公定価格における人件費の改定分^{※1}を合算した水準^{※2}（千円未満の端数は切り捨て）をいう。

※1　「基準翌年度から加算当年度までの公定価格における人件費の改定分」の額については(1)キに準じる。

※2　施設・事業所間で加算額の一部の配分を調整した場合には、それぞれ、受入（拠出）実績額が基準年度の受入（拠出）実績額を上回った（下回った）ときはその差額から法定福利費等の事業主負担分を控除した額^(注)を加える（減じる）こと。

(注)　次の＜算式＞を標準として算定した法定福利費等の事業主負担分を控除すること。

＜算式＞

「加算前年度における法定福利費等の事業主負担分の総額」÷「加算前年度における賃金の総額」×「受入（拠出）実績額と基準年度の受入（拠出）実績額との差額」

第6　加算Ⅲの要件

1　加算Ⅲ算定対象人数の算定

加算Ⅲの加算算定対象人数（告示別表第2特定加算部分及び別表第3特定加算部分。以下「加算Ⅲ算定対象人数」という。）は、別表2の左欄の施設・事業所の区分に応じて同表の右欄により算出される職員数（1人未満の端数は四捨五入）とすること。

別表2の右欄による算出に当たっては、年齢別の児童数は、加算当年度の4月時点の利用子ども数又は「見込平均利用子ども数」（算定方法は第4の2(1)コに準じる。）を用い、各種加算の適用状況は、加算当年度の4月時点の状況により判断すること。

2　加算要件

（加算認定に係る要件）

次の(1)ア又は(2)アのいずれかに掲げる要件を満

たす別紙様式9「賃金改善計画書（処遇改善等加算Ⅲ）」を市町村の長に対して提出するとともに、その具体的な内容を職員に周知していること。

なお、加算当年度の前年度に処遇改善等加算Ⅲの適用を受けている施設は、別紙様式11「賃金改善に係る誓約書」を都道府県知事又は指定都市等の長に対して提出するとともに、職員に対しても周知している場合は、別紙様式9「賃金改善計画書（処遇改善等加算Ⅲ）」の作成及び提出を不要とする。

また、一般市町村が管轄する施設・事業所であって、加算Ⅱの申請を行うものは、別紙様式9の添付資料として、別紙様式7「賃金改善計画書（処遇改善等加算Ⅱ）」の写しを添付すること。

(1) 加算Ⅲ新規事由がある場合

ア 賃金改善実施期間において、次に掲げる要件を満たしていること。

ⅰ 職員（法人の役員を兼務している施設長を除く。以下2において同じ。）に係る賃金改善等見込総額が特定加算見込額を下回っていないこと。

ⅱ 職員の賃金見込総額のうち加算Ⅲにより改善を行う部分の総額（当該改善に伴い増加する法定福利費等の事業主負担分を含む。）が加算当年度の加算見込額を下回っていないこと。また、加算Ⅲによる賃金改善見込額の総額の3分の2以上が、基本給又は決まって毎月支払われる手当の引上げによるものであること。

イ 「加算Ⅲ新規事由」とは、次に掲げる事由をいう。

ⅰ 加算前年度に加算Ⅲの適用を受けており、加算当年度に適用を受けようとする加算単価が公定価格の改定※により加算前年度に比して増加する場合（当該単価の増加のない施設・事業所において、当該単価の増加のある他の施設・事業所に係る特定加算見込額の一部を受け入れる場合を含む。）

ⅱ 新たに加算Ⅲの適用を受けようとする場合

※ 法定福利費等の事業主負担分の算定額の増額による加算単価の改定を除く。

ウ 「賃金改善実施期間」とは、加算当年度の賃金改善を実施する月からその後の最初の3月までをいう。

エ 「賃金改善等見込総額」とは、「賃金改善見込総額」と「事業主負担増加見込総額」を合計して得た額（千円未満の端数は切り捨て）をいう。

オ 「賃金改善見込総額」とは、職員に係る「賃金改善見込額」を合算して得た額をいう。

カ 「事業主負担増加見込総額」とは、職員に係る「賃金改善見込額」に応じて増加することが見込まれる法定福利費等の事業主負担分の額を合算して得た額をいい、次の＜算式＞により算定することを標準とする。

＜算式＞

「加算前年度における法定福利費等の事業主負担分の総額」÷「加算前年度における賃金の総額」×「加算当年度の賃金改善見込額」

キ 「賃金改善見込額」とは、加算当年度内の賃金改善実施期間における職員に係る見込賃金（当該年度に係る第5の2(1)アに定める加算Ⅱ新規事由による賃金の改善見込み額及び加算前年度に係る加算残額の支払を除く。）のうち、その水準が当該職員に係る「起点賃金水準」を超えると認められる部分に相当する額をいう。

ク 「賃金見込総額」とは、職員について「賃金見込額」を合算して得た額（千円未満の端数は切り捨て）をいう。

ケ 「賃金見込額」とは、加算当年度内の賃金改善実施期間における職員に係る見込賃金（当該年度における第5の2(1)アに定める加算Ⅱ新規事由による賃金の改善見込額及び加算前年度に係る加算残額の支払を除く。）をいう。

コ 「起点賃金水準」とは、次に掲げる場合に応じ、それぞれに定める基準年度の賃金水準※1（当該年度に係る加算残額を含み、基準年度の前年度に係る加算残額の支払を除く。）に、基準翌年度から加算当年度までの公定価格における人件費の改定分※2を合算した水準※3・※4をいう。

a イⅰの場合 加算前年度の賃金水準。ただし、施設・事業所において基準年度を加算前年度とすることが難しい事情があると認められる場合には、加算当年度の3年前の年度の賃金水準とすることができる。

b イⅱの場合 次に掲げる場合に応じ、それぞれに定める基準年度の賃金水準※5。

　　　　b－1　加算前年度に加算Ⅲの賃金改善要
　　　　　件分の適用を受けておらず、それ以前に
　　　　　適用を受けたことがある場合　加算Ⅲの
　　　　　適用を受けた直近の年度。
　　　　b－2　加算当年度に初めて加算Ⅲの適用
　　　　　を受けようとする場合　加算前年度。
　　※1　基準年度に施設・事業所がない場合
　　　は、地域又は同一の設置者・事業者におけ
　　　る当該年度の賃金水準との均衡が図られて
　　　いると認められる賃金水準。
　　※2　「基準翌年度から加算当年度までの公
　　　定価格における人件費の改定分」の額につ
　　　いては第4の2(1)キに準じる。
　　※3　加算Ⅰのキャリアパス要件を満たさな
　　　くなる場合等、第4の1に定める賃金改善
　　　要件分に係る加算率が減少する場合におい
　　　て、基準年度の賃金水準を算定するに当
　　　たっては、減少する賃金改善要件分の加算
　　　率に相当する加算Ⅰの加算見込額（法定福
　　　利費等の事業主負担分を除く。算定方法は
　　　第4の2(2)オに準じる。）を控除すること。
　　※4　公定価格ＦＡＱのNo.221を踏まえ、令
　　　和5年度の賃金改善等実績額が特定加算額
　　　及び加算Ⅰの新規事由による賃金改善額を
　　　合算した額を超えている場合は、次の＜算
　　　式1＞又は＜算式2＞を上限に、当該超え
　　　ている額を控除することができる。
　　＜算式1＞
　　　　「令和5年度の加算Ⅰの加算額総額（増
　　　　額改定を反映させた額）」×「令和5年
　　　　度の算定に用いた人件費の改定分に係る
　　　　改定率」÷「令和5年度に適用を受けた
　　　　基礎分及び賃金改善要件分に係る加算
　　　　率」×0.1
　　＜算式2＞
　　　　{「令和5年度の加算Ⅰの加算額総額
　　　　（増額改定を反映させた額）」×「令和
　　　　5年度の算定に用いた人件費の改定分に
　　　　係る改定率」÷「令和5年度に適用を受
　　　　けた基礎分及び賃金改善要件分に係る加
　　　　算率」}－「令和5年度の改定による影
　　　　響額」
　　※5　b－1の場合は、基準年度における加
　　　算Ⅲによる賃金改善額を控除すること。
　サ　「特定加算見込額」とは、賃金改善実施期
　　間における加算見込額のうち加算Ⅲ新規事由
　　に係る額として、以下により算定した額※を

いう。
　＜イⅰの場合＞
　　{「加算当年度の単価」－「基準年度の単
　　価」}×「加算当年度の加算Ⅲ算定対象人
　　数」×「賃金改善実施期間の月数」（千円
　　未満の端数は切り捨て）
　＜イⅱ及びⅲの場合＞
　　「加算当年度の単価」×「加算当年度の加
　　算Ⅲ算定対象人数」×「賃金改善実施期間
　　の月数」（千円未満の端数は切り捨て）
　　※　施設・事業所間で加算見込額の一部の配
　　　分を調整する場合には、それぞれ、その受
　　　入（拠出）見込額が基準年度の受入（拠
　　　出）実績額を上回る（下回る）ときはその
　　　差額を加える（減じる）こと。
　シ　「見込平均利用子ども数」については第4
　　の2(1)コに、特定の年度における「賃金水
　　準」については第4の2(1)サに、それぞれ準
　　じる。
(2)　加算Ⅲ新規事由がない場合
　ア　賃金改善実施期間において、次に掲げる要
　　件を満たしていること。
　　ⅰ　職員に係る賃金見込総額が、当該職員に
　　　係る起点賃金水準を下回っていないこと。
　　ⅱ　職員の賃金見込総額のうち加算Ⅲにより
　　　改善を行う部分の総額（当該改善に伴い増
　　　加する法定福利費等の事業主負担分を含
　　　む。）が加算当年度の加算見込額を下回っ
　　　ていないこと。また、加算Ⅲによる賃金見
　　　込額の総額の3分の2以上が、基本給又は
　　　決まって毎月支払われる手当の引上げによ
　　　るものであること。
　イ　「賃金改善実施期間」とは、加算当年度の
　　4月から翌年3月までをいう。
　ウ　「賃金見込総額」とは、各職員について
　　「賃金見込額」を合算して得た額（千円未満
　　の端数は切り捨て）をいう。
　エ　「賃金見込額」とは、加算当年度内の賃金
　　改善実施期間における見込賃金（当該年度に
　　おける第5の2(1)アに定める加算Ⅱ新規事由
　　による賃金の改善見込額及び加算前年度に係
　　る加算残額の支払を除く。）をいう。
　オ　「起点賃金水準」とは、基準年度の賃金水
　　準（加算前年度の賃金水準。ただし、施設・
　　事業所において基準年度を加算前年度とする
　　ことが難しい事情があると認められる場合に
　　は、加算当年度の3年前の年度の賃金水準と

することができる。また、基準年度に係る加算残額を含み、基準年度の前年度に係る加算残額の支払を除く。算定方法は、第4の2(1)サに準じる。）に、基準翌年度から加算当年度までの公定価格における人件費の改定分※1を合算した水準※2・※3・※4（千円未満の端数は切り捨て）をいう。

※1　「基準翌年度から加算当年度までの公定価格における人件費の改定分」の額については第4の2(1)キに準じる。

※2　施設・事業所間で加算額の一部の配分を調整する場合には、それぞれ、その受入（拠出）見込額が基準年度の受入（拠出）実績額を上回る（下回る）ときはその差額から法定福利費等の事業主負担分を控除した額^(注1)を加える（減じる）こと。

※3　加算Ⅰのキャリアパス要件を満たさなくなる場合等、第4の1に定める賃金改善要件分に係る加算率が減少する場合において、基準年度の賃金水準を算定するに当たっては、減少する賃金改善要件分の加算率に相当する加算Ⅰの加算見込額（法定福利費等の事業主負担分を除く。算定方法は第4の2(2)オに準じる。）を控除すること。

（注1）次の＜算式＞を標準として算定した法定福利費等の事業主負担分を控除すること。

＜算式＞
「加算前年度における法定福利費等の事業主負担分の総額」÷「加算前年度における賃金の総額」×「受入（拠出）見込額と基準年度の受入（拠出）実績額との差額」

※4　公定価格ＦＡＱのNo.221を踏まえ、令和5年度の支払賃金総額が起点賃金水準及び加算Ⅰの新規事由による賃金改善額を合算した額を超えている場合は、次の＜算式1＞又は＜算式2＞を上限に、当該超えている額を控除することができる。

＜算式1＞
「令和5年度の加算Ⅰの加算額総額（増額改定を反映させた額）」×「令和5年度の算定に用いた人件費の改定分に係る改定率」÷「令和5年度に適用を受けた基礎分及び賃金改善要件分に係る加算率」×0.1

＜算式2＞

「令和5年度の加算Ⅰの加算額総額（増額改定を反映させた額）」×「令和5年度の算定に用いた人件費の改定分に係る改定率」÷「令和5年度に適用を受けた基礎分及び賃金改善要件分に係る加算率」｝－「令和5年度の改定による影響額」

カ　「見込平均利用子ども数」については第4の2(1)コに、特定の年度における「賃金水準」については第4の2(1)サに、それぞれ準じる。

（実績報告に係る要件）
加算当年度の翌年度速やかに、次の(3)ア又は(4)アのいずれかに掲げる要件を満たす別紙様式10「賃金改善実績報告書（処遇改善等加算Ⅲ）」を市町村の長に対して提出すること。

(3)　加算Ⅲ新規事由がある場合

ア　賃金改善実施期間において、次に掲げる要件を満たしていること。また、賃金改善等実績総額が特定加算実績額を下回った場合又は職員の支払賃金のうち加算Ⅲにより改善を行う部分の総額（当該改善に伴い増加する法定福利費等の事業主負担分を含む。）が加算当年度の加算実績額を下回った場合には、生じた加算残額の全額を当該翌年度に速やかに職員の賃金（法定福利費等の事業主負担分を含む。）として支払うこと。

ⅰ　職員に係る賃金改善等実績総額が特定加算実績額を下回っていないこと。

ⅱ　職員の支払賃金のうち加算Ⅲにより改善を行う部分の総額（当該改善に伴い増加する法定福利費等の事業主負担分を含む。）が加算当年度の加算実績額を下回っていないこと。また、加算Ⅲによる賃金改善実績額の総額の3分の2以上が、基本給又は決まって毎月支払われる手当の引上げによるものであること。

イ　「加算Ⅲ新規事由」とは、次に掲げる事由をいう。

ⅰ　加算前年度に加算Ⅲの適用を受けており、加算当年度に適用を受けようとする加算単価が公定価格の改定※により加算前年度に比して増加する場合（当該単価の増加のない施設・事業所において、当該単価の増加のある他の施設・事業所に係る特定加算見込額の一部を受け入れる場合を含む。）

ⅱ　新たに加算Ⅲの適用を受けようとする場

合
　※　法定福利費等の事業主負担分の算定額
　　の増額による加算単価の改定を除く。
ウ　「賃金改善等実績総額」とは、「賃金改善
　実績総額」と「事業主負担増加相当総額」を
　合計して得た額（千円未満の端数は切り捨
　て）をいう。
エ　「賃金改善実績総額」とは、職員に係る
　「賃金改善実績額」を合算して得た額をい
　う。
オ　「事業主負担増加相当総額」とは、職員に
　係る「賃金改善実績額」に応じて増加した法
　定福利費等の事業主負担に相当する額を合
　算して得た額をいい、次の＜算式＞により算
　定することを標準とする。
　＜算式＞
　　　「加算前年度における法定福利費等の事業
　　主負担分の総額」÷「加算前年度における賃
　　金の総額」×「加算当年度の賃金改善実績
　　額」
カ　「賃金改善実績額」とは、加算当年度内の
　賃金改善実施期間における職員に係る支払賃
　金（当該年度に係る第5の2(1)アに定める加
　算Ⅱ新規事由による賃金の改善額及び加算前
　年度に係る加算残額の支払いを除く。）のう
　ち、その水準が当該職員に係る「起点賃金水
　準」（加算当年度に国家公務員の給与改定に
　伴う公定価格における人件費の改定があった
　場合には、当該改定分※を反映させた賃金水
　準）を超えると認められる部分に相当する額
　をいう。
　※　増額改定があった場合の、各職員の増額
　　改定分の合算額（法定福利費等の事業主負
　　担分の増額分を含む。）は、次の＜算式1＞
　　により算定した額以上となっていることを
　　要する。
　＜算式1＞
　　　「加算当年度の加算Ⅰの加算額総額（増額
　　改定を反映させた額）」×「増額改定に係
　　る改定率」÷「加算当年度に適用を受けた
　　基礎分及び賃金改善要件分に係る加算率」
　　×0.9（調整率）
　　　また、国家公務員の給与改定に伴う公定
　　価格における人件費の減額改定（以下「減
　　額改定」という。）があった場合の、各職
　　員の減額改定分の合算額（法定福利費等の
　　事業主負担分の減額分を含む。）は、以下

の＜算式2＞により算定した額を超えない
減額となっていることを要する。
＜算式2＞
　　「加算当年度の加算Ⅰの加算額総額（減額
　改定を反映させた額）」×「減額改定に係
　る改定率」÷「加算当年度に適用を受けた
　基礎分及び賃金改善要件分に係る加算率」
　×0.9（調整率）
キ　「支払賃金総額」とは、職員について「支
　払賃金額」を合算して得た額（千円未満の端
　数は切り捨て）をいう。
ク　「支払賃金額」とは、加算当年度内の賃金
　改善実施期間における職員に係る支払賃金
　（当該年度における第5の2(1)アに定める加
　算Ⅱ新規事由による賃金の改善額及び加算前
　年度に係る加算残額の支払を除く。）をいう。
ケ　「起点賃金水準」とは、次に掲げる場合に
　応じ、それぞれに定める基準年度の賃金水準
　※1（当該年度に係る加算残額を含み、基準
　年度の前年度に係る加算残額の支払を除く。）
　に、基準翌年度から加算当年度までの公定価
　格における人件費の改定分※2を合算した水
　準※3・※4をいう。
　a　イⅰの場合　加算前年度の賃金水準。た
　　だし、施設・事業所において基準年度を加
　　算前年度とすることが難しい事情があると
　　認められる場合には、加算当年度の3年前
　　の年度の賃金水準とすることができる。
　b　イⅱの場合　次に掲げる場合に応じ、そ
　　れぞれに定める基準年度の賃金水準※5。
　　b-1　加算前年度に加算Ⅲの適用を受け
　　　ておらず、それ以前に適用を受けたこと
　　　がある場合　加算Ⅲの適用を受けた直近
　　　の年度。
　　b-2　加算当年度に初めて加算Ⅲの適用
　　　を受けようとする場合　加算前年度。
　※1　基準年度に施設・事業所がない場合
　　は、地域又は同一の設置者・事業者におけ
　　る当該年度の賃金水準との均衡が図られて
　　いると認められる賃金水準とする。
　※2　「基準翌年度から加算当年度までの公
　　定価格における人件費の改定分」の額につ
　　いては第4の2(3)カに準じる。
　※3　加算Ⅰのキャリアパス要件を満たさな
　　くなった場合等、第4の1に定める賃金改
　　善要件分に係る加算率が減少した場合にお
　　いて、基準年度の賃金水準を算定するに当

たっては、減少した賃金改善要件分の加算率に相当する加算Ⅰの加算実績額（法定福利費等の事業主負担分を除く。算定方法は第4の2(4)エに準じる。）を控除すること。

※4　公定価格ＦＡＱの№221を踏まえ、令和5年度の賃金改善等実績額が特定加算額及び加算Ⅰの新規事由による賃金改善額を合算した額を超えている場合は、次の＜算式1＞又は＜算式2＞を上限に、当該超えている額を控除することができる。

＜算式1＞

「令和5年度の加算Ⅰの加算額総額（増額改定を反映させた額）」×「令和5年度の算定に用いた人件費の改定分に係る改定率」÷「令和5年度に適用を受けた基礎分及び賃金改善要件分に係る加算率」×0.1

＜算式2＞

{「令和5年度の加算Ⅰの加算額総額（増額改定を反映させた額）」×「令和5年度の算定に用いた人件費の改定分に係る改定率」÷「令和5年度に適用を受けた基礎分及び賃金改善要件分に係る加算率」}－「令和5年度の改定による影響額」

※5　b－1の場合は、基準年度における加算Ⅲによる賃金改善額を控除すること。

コ　「特定加算実績額」とは、賃金改善実施期間における加算実績額のうち加算Ⅲ新規事由に係る額として、以下により算定した額※をいう。

＜ⅰの場合＞

{「加算当年度の単価」－「基準年度の単価」}×「加算当年度の加算Ⅲ算定対象人数」×「賃金改善実施期間の月数」（千円未満の端数は切り捨て）

＜ⅱ及びⅲの場合＞

「加算当年度の単価」×「加算当年度の加算Ⅲ算定対象人数」×「賃金改善実施期間の月数」（千円未満の端数は切り捨て）

※　施設・事業所間で加算実績額の一部の配分を調整する場合には、それぞれ、その受入（拠出）実績額が基準年度の受入（拠出）実績額を上回る（下回る）ときはその差額を加える（減じる）こと。

サ　特定の年度における「賃金水準」については第4の2(1)サに準じる。

(4)　加算Ⅲ新規事由がない場合

ア　賃金改善実施期間において、次に掲げる要件を満たしていること。また、支払賃金総額が起点賃金水準を下回った場合又は職員の支払賃金のうち加算Ⅲにより改善を行う部分の総額（当該改善に伴い増加する法定福利費等の事業主負担分を含む。）が加算当年度の加算実績額を下回った場合には、生じた加算残額の全額を当該翌年度に速やかに職員の賃金（法定福利費等の事業主負担分を含む。）として支払うこと。

ⅰ　職員に係る支払賃金総額が、当該職員に係る起点賃金水準を下回っていないこと。

ⅱ　職員の支払賃金のうち加算Ⅲにより改善を行う部分の総額（当該改善に伴い増加する法定福利費等の事業主負担分を含む。）が加算当年度の加算実績額を下回っていないこと。また、加算Ⅲによる支払賃金額の総額の3分の2以上が、基本給又は決まって毎月支払われる手当によるものであること。

イ　「支払賃金総額」とは、職員に係る「支払賃金額」を合算して得た額（千円未満の端数は切り捨て）をいう。

ウ　「支払賃金額」とは、加算当年度内の賃金改善実施期間における支払賃金（当該年度における第5の2(1)アに定める加算Ⅱ新規事由による賃金の改善額及び加算前年度に係る加算残額の支払を除く。）をいう。

エ　「起点賃金水準」とは、基準年度の賃金水準（加算前年度の賃金水準。ただし、施設・事業所において基準年度を加算前年度とすることが難しい事情があると認められる場合には、加算当年度の3年前の年度の賃金水準とすることができる。また、基準年度に係る加算残額を含み、基準年度の前年度に係る加算残額の支払を除く。）に、基準翌年度から加算当年度までの公定価格における人件費の改定分[※1]・[※2]を合算した水準[※3]・[※4]・[※5]（千円未満の端数は切り捨て）をいう。

※1　「基準翌年度から加算当年度までの公定価格における人件費の改定分」の額については第4の2(3)カに準じる。

※2　増額改定があった場合の、各職員の増額改定分の合算額（法定福利費等の事業主負担分の増額分を含む。）は、次の＜算式1＞により算定した額以上となっているこ

1195

とを要する。

＜算式1＞

　「加算当年度の加算Ⅰの加算額総額（増額改定を反映させた額）」×「増額改定に係る改定率」÷「加算当年度に適用を受けた基礎分及び賃金改善要件分に係る加算率」×0.9（調整率）

　また、減額改定があった場合の、各職員の減額改定分の合算額（法定福利費等の事業主負担分の減額分を含む。）は、以下の＜算式2＞により算定した額を超えない減額となっていることを要する。

＜算式2＞

　「加算当年度の加算Ⅰの加算額総額（減額改定を反映させた額）」×「減額改定に係る改定率」÷「加算当年度に適用を受けた基礎分及び賃金改善要件分に係る加算率」×0.9（調整率）

※3　施設・事業所間で加算額の一部の配分を調整した場合には、それぞれ、受入（拠出）実績額が基準年度の受入（拠出）実績額を上回った（下回った）ときはその差額から法定福利費等の事業主負担分を控除した額^(注)を加える（減じる）こと。

※4　加算Ⅰのキャリアパス要件を満たさなくなった場合等、第4の1に定める賃金改善要件分に係る加算率が減少した場合において、基準年度の賃金水準を算定するに当たっては、減少した賃金改善要件分の加算率に相当する加算Ⅰの加算実績額（法定福利費等の事業主負担分を除く。算定方法は第4の2(4)エに準じる。）を控除すること。

　（注）次の＜算式＞を標準として算定した法定福利費等の事業主負担分を控除すること。

　　＜算式＞

　　　「加算前年度における法定福利費等の事業主負担分の総額」÷「加算前年度における賃金の総額」×「受入（拠出）見込額と基準年度の受入（拠出）実績額との差額」

※5　公定価格ＦＡＱのNo.221を踏まえ、令和5年度の支払賃金総額が起点賃金水準及び加算Ⅰの新規事由による賃金改善額を合算した額を超えている場合は、次の＜算式1＞又は＜算式2＞を上限に、当該超えている額を控除することができる。

＜算式1＞

　「令和5年度の加算Ⅰの加算額総額（増額改定を反映させた額）」×「令和5年度の算定に用いた人件費の改定分に係る改定率」÷「令和5年度に適用を受けた基礎分及び賃金改善要件分に係る加算率」×0.1

＜算式2＞

　{「令和5年度の加算Ⅰの加算額総額（増額改定を反映させた額）」×「令和5年度の算定に用いた人件費の改定分に係る改定率」÷「令和5年度に適用を受けた基礎分及び賃金改善要件分に係る加算率」}－「令和5年度の改定による影響額」

オ　特定の年度における「賃金水準」については第4の2(1)サに準じる。

第7　加算の認定、算定、実績の報告等

1　加算の認定

　加算Ⅰの認定をするに当たっては、設置者・事業者から別紙様式1「加算率等認定申請書（処遇改善等加算Ⅰ）」を徴し、加算Ⅰの賃金改善要件分の適用を申請する設置者・事業者（加算Ⅱの適用を申請する設置者・事業者を除く。）については、別紙様式2「キャリアパス要件届出書（処遇改善等加算Ⅰ）」も徴し^(注1)、加算の適用の可否及び適用する加算率の値を決定すること。

　また、都道府県知事は、一般市町村が管轄する施設・事業所であって、加算Ⅰ及び加算Ⅲの両方について適用の申請を行っているものに対しては、別紙様式5の添付資料として加算Ⅲの適用の申請に係る書類（別紙様式9）の写しの提出を求めること。

　（注1）　キャリアパス要件分を含む加算率の適用を受けようとする施設・事業所の設置者・事業者が過年度に別紙様式2を提出している場合においてその内容に変更がないときは、その提出を省略させることができる。

　加算Ⅱの認定をするに当たっては、設置者・事業者から別紙様式3「加算算定対象人数等認定申請書（処遇改善等加算Ⅱ）」を徴し、基礎職員数・見込平均利用子ども数の算出方法書を別紙様式3に添付させること。

　加算Ⅲの認定をするに当たっては、設置者・事業者から別紙様式4「加算算定対象人数等認定申請書（処遇改善等加算Ⅲ）」を徴し、基礎職員

数・見込平均利用子ども数の算出方法書を別紙様式4に添付させること。

また、加算Ⅰの賃金改善要件分、加算Ⅱ及び加算Ⅲの認定をするに当たっては、上記に加え、設置者・事業者から別紙様式5「賃金改善計画書（処遇改善等加算Ⅰ）」、別紙様式7「賃金改善計画書（処遇改善等加算Ⅱ）」[注2]及び別紙様式9「賃金改善計画書（処遇改善等加算Ⅲ）」を徴するとともに、職員ごとの賃金水準や賃金改善等見込額を示す明細書（別紙様式5別添1、別紙様式7別添1及び別紙様式9別添1）を添付させること。その際、改善の対象者や賃金改善額が偏っている場合等必要があると認める場合には、必要に応じて改善が必要な職種の職員に対する改善の充実を行うよう指導すること。

なお、加算当年度の前年度に処遇改善等加算の適用を受けている施設は、別紙様式11「賃金改善に係る誓約書」を都道府県知事又は指定都市等の長に対して提出するとともに、職員に対しても周知している場合は、別紙様式5「賃金改善計画書（処遇改善等加算Ⅰ）」、別紙様式7「賃金改善計画書（処遇改善等加算Ⅱ）」又は別紙様式9「賃金改善計画書（処遇改善等加算Ⅲ）」の作成及び提出を不要とする。

また、加算Ⅰの賃金改善要件分、加算Ⅱ又は加算Ⅲに係る加算額を複数の施設・事業所間で調整しようとする場合には、施設・事業所ごとの拠出・受入の見込みに係る内訳表（別紙様式5別添2、別紙様式7別添2及び別紙様式9別添2）を添付させること。

同一の市町村内に所在する施設・事業所分については、各施設・事業所の内訳を明らかにした上で、一括して申請させるなど事務処理の簡素化を適宜図って差し支えないこと。

（注2）　加算Ⅰの賃金改善要件分の適用を申請する施設・事業所の設置者・事業者については、見込平均利用子ども数の算出方法書を別紙様式5に添付させること（加算Ⅱの適用を受ける施設・事業所について、別紙様式3に添付した場合を除く。）。

2　加算の算定

加算Ⅰの加算額は、加算当年度を通じて同じ加算率の値を適用するとともに、実際の各月の利用子ども数により算定すること。

加算Ⅱの加算額は、原則として、加算当年度を通じて同じ加算Ⅱ算定対象人数及び加算Ⅱの種類を適用すること。

加算Ⅲの加算額は、原則として、加算当年度を通じて同じ加算Ⅲ算定対象人数により算定すること。

また、市町村の長は、職員への賃金の適切な支払に資するよう、加算当年度内に公定価格における人件費の改定があった場合には、その影響額を設置者・事業者にすみやかに通知すること。その際、広域利用子ども分の影響額については、施設の所在する市町村において通知すること。

この場合において、増額改定があった場合には、設置者・事業者に対し、加算額の増加分を含む給付増加額について、一時金等による迅速かつ確実な賃金や法定福利費等の事業主負担の支払に充てるよう指導するとともに、増額改定を加味した次年度以降の給与表、給与規程等の改定にも計画的に取り組むことについても要請すること。

また、減額改定があった場合には、設置者・事業者に対し、減額改定を理由に公定価格を原資とする職員の人件費をやむを得ず引き下げる場合でも、賃金や法定福利費等の事業主負担分について、施設・事業所全体で公定価格の年間の減額相当額（第4の2(3)オ※又は(4)エ※2に示すく算式2＞により算出される減額改定分）を超える減額が行われないよう指導するとともに、減額改定を加味した次年度以降の給与表、給与規定等の改定を行う場合は、この趣旨を適切に反映したものとなるよう要請すること。

3　実績の報告等

市町村の長は、加算Ⅰの賃金改善要件分、加算Ⅱ又は加算Ⅲの適用を受けた施設・事業所の設置者・事業者から、加算当年度の翌年度速やかに、別紙様式6「賃金改善実績報告書（処遇改善等加算Ⅰ）」、別紙様式8「賃金改善実績報告書（処遇改善等加算Ⅱ）」及び別紙様式10「賃金改善実績報告書（処遇改善等加算Ⅲ）」を提出させること。加算当年度内に公定価格における人件費の改定があった場合には、別紙様式6、別紙様式8及び別紙様式10においてそれに伴う対応[注]を反映させること。

（注）　加算Ⅰについては第4の2(3)イからクまで又は(4)イからオまでを、加算Ⅱについては第5の2(3)イからキまで又は(4)イからエまでを、加算Ⅲについては第6の2(3)ウからサまで又は(4)イからオまでを参照。

加えて、職員ごとの賃金水準や賃金改善等実績額を示す明細書（別紙様式6別添1、別紙様式8別添1及び別紙様式10別添1）を添付させ、改善

の対象者や賃金改善額が偏っている場合等必要と認める場合には、理由を徴するとともに、必要に応じて改善が必要な職種の職員に対する改善の充実を行うよう指導すること。

　加算Ⅰの賃金改善要件分、加算Ⅱ又は加算Ⅲに係る加算額を複数の施設・事業所間で調整した場合には、施設・事業所ごとの拠出・受入の実績に係る内訳表（別紙様式6別添2、別紙様式8別添2又は別紙様式10別添2）を添付させること。

　また、加算Ⅰの賃金改善要件分、加算Ⅱ又は加算Ⅲの適用を受けた施設・事業所は、賃金の改善に係る収入及び支出を明らかにした帳簿を備え、当該収入及び支出についての証拠書類を整理し、かつ、当該帳簿及び証拠書類を実績報告後5年間保管し、市町村からこの提供を求められた場合には提出をしなければならないこと。

第8　虚偽等の場合の返還措置

　施設・事業者が虚偽又は不正の手段により処遇改善等加算の適用を受けた場合には、支給された加算額の全部又は一部に関し、一般市町村が管轄する施設・事業所については、都道府県知事が一般市町村の長に対し返還措置を講じるよう求め、指定都市等が管轄する施設・事業所については、指定都市等の長が設置者・事業者に対し返還を命じることとする。

別表1 （第5の1関係）　加算Ⅱ算定対象人数の算出の基礎とする職員数

施設・事業所	基礎職員数
幼稚園	以下のa～jの合計に、定員35人以下又は301人以上の場合は0.4、定員36～300人の場合は1.4を加え、k・lの合計を減じて得た人数 a　年齢別配置基準による職員数　次の算式により算出する数 　　｛4歳以上児数×1／30（小数点第2位以下切り捨て）｝＋｛3歳児及び満3歳児数×1／20（同）｝（小数点第1位以下四捨五入） 　※1　3歳児配置改善加算を受けている場合　｛3歳児及び満3歳児数×1／20（同）｝を｛3歳児及び満3歳児数×1／15（同）｝に置き換えて算出 　※2　4歳以上児配置改善加算を受けている場合　｛4歳以上児数×1／30（小数点第2位以下切り捨て）｝を｛4歳以上児数×1／25（同）｝に置き換えて算出 　※3　満3歳児対応加配加算を受けている場合 　　ⅰ）3歳児配置改善加算を受けていない場合 　　　　｛3歳児及び満3歳児数×1／20（同）｝を｛3歳児数（満3歳児を除く）×1／20（同）｝＋｛満3歳児数×1／6（同）｝に置き換えて算出 　　ⅱ）3歳児配置改善加算を受けている場合 　　　　｛3歳児及び満3歳児数×1／20（同）｝を｛3歳児数（満3歳児を除く）×1／15（同）｝＋｛満3歳児数×1／6（同）｝に置き換えて算出 b　講師配置加算を受けている場合　0.8 c　チーム保育加配加算を受けている場合　算定上の加配人数 d　通園送迎加算を受けている場合　定員150人以下の場合は0.8、151人以上の場合は1.5 e　給食実施加算（自園調理に限る。）を受けている場合　定員150人以下の場合は2、151人以上の場合は3 f　主幹教諭等専任加算を受けている場合　1 g　事務職員配置加算を受けている場合　0.8 h　指導充実加配加算を受けている場合　0.8 i　事務負担対応加配加算を受けている場合　0.8 j　栄養管理加算（A：配置）を受けている場合　0.5 k　副園長・教頭配置加算を受けている場合　1 l　年齢別配置基準を下回る場合　下回る人数（必要教員数－配置教員数）
保育所	以下のa～gの合計に、定員40人以下の場合は1.5、定員41～90人の場合は2.5、定員91～150人の場合は2.3、定員151人以上の場合は3.3を加えて得た人数 a　年齢別配置基準による職員数　次の算式により算出する数 　　｛4歳以上児数×1／30（小数点第2位以下切り捨て）｝＋｛3歳児数×1／20（同）｝＋｛1、2歳児数×1／6（同）｝＋｛0歳児数×1／3（同）｝（小数点第1位以下四捨五入） 　※1　3歳児配置改善加算を受けている場合　｛3歳児数×1／20（同）｝を｛3歳児数×1／15（同）｝に置き換えて算出 　※2　4歳以上児配置改善加算を受けている場合　｛4歳以上児数×1／30（小数点第2位以下切り捨て）｝を｛4歳以上児数×1／25（同）｝に置き換えて算出 b　保育標準時間認定の子どもがいる場合　1.4 c　主任保育士専任加算を受けている場合　1 d　事務職員雇上加算を受けている場合　0.3 e　休日保育加算を受けている場合　0.5 f　チーム保育推進加算を受けている場合　算定上の加配人数 g　栄養管理加算（A：配置）を受けている場合　0.6
認定こども園	以下のa～nの合計に、定員90人以下の場合は1.4、定員91人以上の場合は2.2を加え、

	o～qの合計を減じて得た人数
	a　年齢別配置基準による職員数　次の算式により算出する数
	{4歳以上児数×1／30（小数点第2位以下切り捨て）}　＋　{3歳児及び満3歳児数×1／20（同）}　＋　{1、2歳児数（保育認定子どもに限る。）×1／6（同）}　＋　{乳児数×1／3（同）}（小数点第1位以下四捨五入）
	※1　3歳児配置改善加算を受けている場合
	{3歳児及び満3歳児数×1／20（同）}を{3歳児及び満3歳児数×1／15（同）}に置き換えて算出
	※2　4歳以上児配置改善加算を受けている場合　　{4歳以上児数×1／30（小数点第2位以下切り捨て）}を{4歳以上児数×1／25（同）}に置き換えて算出
	※3　満3歳児対応加配加算を受けている場合
	ⅰ）3歳児配置改善加算を受けていない場合
	{3歳児及び満3歳児数×1／20（同）}を{3歳児数（満3歳児を除く）×1／20（同）}　＋　{満3歳児数×1／6（同）}に置き換えて算出
	ⅱ）3歳児配置改善加算を受けている場合
	{3歳児及び満3歳児数×1／20（同）}を{3歳児数（満3歳児を除く）×1／15（同）}　＋　{満3歳児数×1／6（同）}に置き換えて算出
	b　休けい保育教諭　2・3号定員90人以下の場合は1、91人以上の場合は0.8
	c　調理員　2・3号定員40人以下の場合は1、41～150人の場合は2、151人以上の場合は3
	d　保育標準時間認定の子どもがいる場合　1.4
	e　学級編制調整加配加算を受けている場合　1
	f　講師配置加算を受けている場合　0.8
	g　チーム保育加配加算を受けている場合　算定上の加配人数
	h　通園送迎加算を受けている場合　1号定員150人以下の場合は0.8、151人以上の場合は1.5
	i　給食実施加算（自園調理に限る。）を受けている場合　1号定員150人以下の場合は2、151人以上の場合は3
	j　休日保育加算を受けている場合　0.5
	k　事務職員配置加算を受けている場合　0.8
	l　指導充実加配加算を受けている場合　0.8
	m　事務負担対応加配加算を受けている場合　0.8
	n　栄養管理加算（A：配置）を受けている場合　0.6
	o　副園長・教頭配置加算を受けている場合　1
	p　主幹保育教諭等の専任化により子育て支援の取組を実施していない場合であって代替保育教諭等を配置していない場合　配置していない人数（必要代替保育教諭等数－配置代替保育教諭等数）
	q　年齢別配置基準を下回る場合　下回る人数（必要保育教諭等数－配置保育教諭等数）
小規模保育事業（A型又はB型）及び事業所内保育事業（定員（小規模保育事業A型又はB型の基準が適用されるもの））	以下のa～dの合計に1.3を加え、eを減じて得た人数
	a　年齢別配置基準による職員数　次の算式により算出する数
	{1、2歳児数×1／6（小数点第2位以下切り捨て）}　＋　{0歳児数（同）×1／3（同）}　＋　1（小数点第1位四捨五入）
	※　障害児保育加算を受けている場合　次の算式により算出された数
	{1、2歳児数（障害児を除く）×1／6（小数点第2位以下切り捨て）}　＋　{0歳児数（同）×1／3（同）}　＋　{障害児数×1／2（同）}　＋　1（小数点第1位以下四捨五入）
	b　保育標準時間認定の子どもがいる場合　0.4
	c　休日保育加算を受けている場合　0.5
	d　栄養管理加算（A：配置）を受けている場合　0.6

	e　食事の提供について自園調理又は連携施設等からの搬入以外の方法による減算を受けている場合　1
小規模保育事業（C型）	以下のa～cの合計に1.6を加え、dを減じて得た人数 a　年齢別配置基準による職員数　次の割合により算出する数 　　利用子ども3人（家庭的保育補助者を配置する場合は5人）につき1人（小数点第1位以下四捨五入） 　　※　障害児保育加算を受けている場合　次の算式により算出された数 　　　　｛利用子ども数（障害児を除く）×1／5（小数点第2位以下切り捨て）｝＋｛障害児数×1／2（同）｝（小数点第1位以下四捨五入） b　保育標準時間認定の子どもがいる場合　0.4 c　栄養管理加算（A：配置）を受けている場合　0.6 d　食事の提供について自園調理又は連携施設等からの搬入以外の方法による減算を受けている場合　1
事業所内保育事業（20人以上）	以下のa～dの合計に、定員40人以下の場合は1.5、41人～90人の場合は2.5を加え、eを減じて得た人数 a　年齢別配置基準による職員数　次の算式により算定する数 　　｛1、2歳児数×1／6（小数点第2位以下切り捨て）｝＋｛0歳児数×1／3（同）｝（小数点第1位以下四捨五入） 　　※　障害児保育加算を受けている場合　次の算式により算出された数 　　　　｛1、2歳児数（障害児を除く）×1／6（小数点第2位以下切り捨て）｝＋｛0歳児数（同）×1／3（同）｝＋｛障害児数×1／2（同）｝（小数点第1位以下四捨五入） b　保育標準時間認定の子どもがいる場合　1.4 c　休日保育加算を受けている場合　0.5 d　栄養管理加算（A：配置）を受けている場合　0.6 e　食事の提供について自園調理又は連携施設等からの搬入以外の方法による減算を受けている場合　定員40人以下の場合は1、41人以上の場合は2

別表2（第6の1関係）　加算Ⅲ算定対象人数の算出の基礎とする職員数

施設・事業所	基礎職員数
幼稚園	以下のa～kの合計に、定員35人以下又は301人以上の場合は2.4、定員36～300人の場合は3.5を加え、mを減じて得た人数 a　年齢別配置基準による職員数　次の算式により算出する数に1.1を乗じて得た数 　　｛4歳以上児数×1／30（小数点第2位以下切り捨て）｝＋｛3歳児及び満3歳児数×1／20（同）｝（小数点第1位以下四捨五入） 　　※1　3歳児配置改善加算を受けている場合　｛3歳児及び満3歳児数×1／20（同）｝を｛3歳児及び満3歳児数×1／15（同）｝に置き換えて算出 　　※2　4歳以上児配置改善加算を受けている場合　｛4歳以上児数×1／30（小数点第2位以下切り捨て）｝を｛4歳以上児数×1／25（同）｝に置き換えて算出 　　※3　満3歳児対応加配加算を受けている場合 　　　　ⅰ）3歳児配置改善加算を受けていない場合 　　　　　　｛3歳児及び満3歳児数×1／20（同）｝を｛3歳児数（満3歳児を除く）×1／20（同）｝＋｛満3歳児数×1／6（同）｝に置き換えて算出 　　　　ⅱ）3歳児配置改善加算を受けている場合 　　　　　　｛3歳児及び満3歳児数×1／20（同）｝を｛3歳児数（満3歳児を除く）×1／15（同）｝＋｛満3歳児数×1／6（同）｝に置き換えて算出 b　講師配置加算を受けている場合　0.7 c　チーム保育加配加算を受けている場合　算定上の加配人数×1.1

d　通園送迎加算を受けている場合　定員150人以下の場合は0.7、151人以上の場合は1.3

e　給食実施加算を受けている場合
・施設内調理の場合：定員150人以下の場合は1.8、151人以上の場合は2.7
・外部搬入の場合：定員150人以下の場合は0.3、151人以上の場合は0.5

f　主幹教諭等専任加算を受けている場合　0.8

g　療育支援加算を受けている場合　Aの場合は0.3、Bの場合は0.2

h　事務職員配置加算を受けている場合　0.7

i　指導充実加配加算を受けている場合　0.6

j　事務負担対応加配加算を受けている場合　0.6

k　栄養管理加算（A：配置）を受けている場合　0.5

m　年齢別配置基準を下回る場合　下回る人数（必要教員数−配置教員数）×1.1

保育所	以下のa〜iの合計に、定員30人以下の場合は4.5、定員31〜40人以下の場合は4.2、定員41〜90人の場合は5.4、定員91〜150人の場合は5.1、定員151人以上の場合は6.3を加え、j、kの合計を減じて得た人数

a　年齢別配置基準による職員数　次の算式により算出する数に1.3を乗じて得た数
{4歳以上児数×1／30（小数点第2位以下切り捨て）} ＋ {3歳児数×1／20（同）} ＋ {1、2歳児数×1／6（同）} ＋ {0歳児数×1／3（同）}（小数点第1位以下四捨五入）

※1　3歳児配置改善加算を受けている場合　{3歳児数×1／20（同）}を{3歳児数×1／15（同）}に置き換えて算出

※2　4歳以上児配置改善加算を受けている場合　{4歳以上児数×1／30（小数点第2位以下切り捨て）}を{4歳以上児数×1／25（同）}に置き換えて算出

b　保育標準時間認定の子どもがいる場合　1.7

c　主任保育士専任加算を受けている場合　1.2

d　療育支援加算を受けている場合　Aの場合は0.4、Bの場合は0.3

e　事務職員雇上加算を受けている場合　0.4

f　休日保育加算を受けている場合　下表に定める人数

休日保育の年間延べ利用子ども数	人数
〜210人	0.5
211人〜279人	0.5
280人〜349人	0.6
350人〜419人	0.7
420人〜489人	0.8
490人〜559人	0.8
560人〜629人	0.9
630人〜699人	1.0
700人〜769人	1.1
770人〜839人	1.1
840人〜909人	1.2
910人〜979人	1.3
980人〜1,049人	1.4
1,050人〜	1.5

g　夜間保育加算を受けている場合　2.7

	h　チーム保育推進加算を受けている場合　算定上の加配人数×1.3
	i　栄養管理加算（Ａ：配置）を受けている場合　0.6
	j　分園の場合　定員40人以下の場合1.3、定員41人〜150人の場合2.6、定員151人以上の場合3.8人
	k　施設長を配置していない場合　1
認定こども園	以下の１号定員、２・３号定員により算定される値の合計に、ａ〜ｑの合計を加え、ｒ〜ｔの合計を減じて得た人数

以下、認定こども園の欄の内容：

- ・１号定員：定員90人以下の場合は2.0、定員91人以上の場合は2.7
- ・２・３号定員：定員30人以下の場合は2.8、定員31人以上の場合は2.4

a　年齢別配置基準による職員数　１号、２・３号それぞれの利用子ども数により以下の算式で算定される値に、１号は1.1、２・３号は1.3を乗じて得た値の合計

　　{４歳以上児数×１／30（小数点第２位以下切り捨て）} ＋ {３歳児及び満３歳児数×１／20（同）} ＋ {１、２歳児（保育認定子どもに限る。）×１／６（同）} ＋ {乳児数×１／３（同）}（小数点第１位以下四捨五入）

※１　３歳児配置改善加算を受けている場合

　　　{３歳児及び満３歳児数×１／20（同）} を {３歳児及び満３歳児数×１／15（同）} に置き換えて算出

※２　４歳以上児配置改善加算を受けている場合　{４歳以上児数×１／30（小数点第２位以下切り捨て）} を {４歳以上児数×１／25（同）} に置き換えて算出

※３　満３歳児対応加配加算を受けている場合

　　ⅰ）３歳児配置改善加算を受けていない場合

　　　　{３歳児及び満３歳児数×１／20（同）} を {３歳児数（満３歳児を除く）×１／20（同）} ＋ {満３歳児数×１／６（同）} に置き換えて算出

　　ⅱ）３歳児配置改善加算を受けている場合

　　　　{３歳児及び満３歳児数×１／20（同）} を {３歳児数（満３歳児を除く）×１／15（同）} ＋ {満３歳児数×１／６（同）} に置き換えて算出

b　休けい保育教諭　２・３号定員90人以下の場合は1.3、91人以上の場合は0.9

c　調理員　２・３号定員40人以下の場合は1.3、41〜150人の場合は2.6、151人以上の場合は3.8

d　保育標準時間認定の子どもがいる場合　1.7

e　学級編制調整加配加算を受けている場合　1.1

f　講師配置加算を受けている場合　0.7

g　チーム保育加配加算を受けている場合　算定上の加配人数×1.1

h　通園送迎加算を受けている場合　１号定員150人以下の場合は0.7、151人以上の場合は1.3

i　給食実施加算を受けている場合

- ・施設内調理の場合：１号定員150人以下の場合は1.8、151人以上の場合は2.7
- ・外部搬入の場合：１号定員150人以下の場合は0.3、151人以上の場合は0.5

j　休日保育加算を受けている場合　下表に定める人数

休日保育の年間延べ利用子ども数	人数
〜210人	0.5
211人〜279人	0.5
280人〜349人	0.6
350人〜419人	0.7
420人〜489人	0.8
490人〜559人	0.8

560人～629人	0.9
630人～699人	1.0
700人～769人	1.1
770人～839人	1.1
840人～909人	1.2
910人～979人	1.3
980人～1,049人	1.4
1,050人～	1.5

　k　夜間保育加算を受けている場合　2.7
　l　療育支援加算を受けている場合　Aの場合は0.4、Bの場合は0.3
　m　事務職員配置加算を受けている場合　0.7
　n　指導充実加配加算を受けている場合　0.6
　o　事務負担対応加配加算を受けている場合　0.6
　p　栄養管理加算（A：配置）を受けている場合　0.6
　q　1号認定子どもの利用定員を設定しない場合　1.2
　r　主幹保育教諭等の専任化により子育て支援の取組を実施していない場合であって代替保育教諭等を配置していない場合
　　・1号が調整の適用を受ける場合　0.8
　　・2・3号が調整の適用を受ける場合　0.6
　s　年齢別配置基準を下回る場合　下回る人数（必要保育教諭等数－配置保育教諭等数）×1.2
　t　分園の場合　分園の2・3号定員40人以下の場合1.3、定員41人～150人の場合2.6、定員151人以上の場合3.8人

家庭的保育事業	以下のa～cの合計に2.6を加え、dを減じて得た人数 a　家庭的保育補助者加算 　・利用子どもが4人以上の場合　1.1 　・利用子どもが3人以下の場合　0.5 b　障害児保育加算　特別な支援が必要な利用子どもの人数×0.3 c　栄養管理加算（A：配置）を受けている場合　0.6 d　食事の提供について自園調理又は連携施設等からの搬入以外の方法による場合　1
小規模保育事業（A型又はB型）及び事業所内保育事業（定員（小規模保育事業A型又はB型の基準が適用されるもの））	以下のa～eの合計に3.1を加え、f、gの合計を減じて得た人数 a　年齢別配置基準による職員数　次の算式により算出する数に1.3を乗じて得た数 　{1、2歳児数×1／6（小数点第2位以下切り捨て）}＋{0歳児数（同）×1／3（同）}＋1（小数点第1位四捨五入） ※　障害児保育加算を受けている場合　次の算式により算出された数 　{1、2歳児数（障害児を除く）×1／6（小数点第2位以下切り捨て）}＋{0歳児数（同）×1／3（同）}＋{障害児数×1／2（同）}＋1（小数点第1位以下四捨五入） b　保育標準時間認定の子どもがいる場合　0.4 c　休日保育加算を受けている場合　下表に定める人数

休日保育の年間延べ利用子ども数	人数
～210人	0.5
211人～279人	0.5
280人～349人	0.6

350人～419人	0.7
420人～489人	0.8
490人～559人	0.8
560人～629人	0.9
630人～699人	1.0
700人～769人	1.1
770人～839人	1.1
840人～909人	1.2
910人～979人	1.3
980人～1,049人	1.4
1,050人～	1.5

d　夜間保育加算を受けている場合　2.7

e　栄養管理加算（A：配置）を受けている場合　0.6

f　食事の提供について自園調理又は連携施設等からの搬入以外の方法による減算を受けている場合　1.2

g　管理者を配置していない場合　0.4

小規模保育事業（C型）	以下のa～cの合計に1.8を加え、d、eの合計を減じて得た人数 a　年齢別配置基準による職員数　次の割合により算出する数に1.3を乗じて得た数 　利用子ども3人（家庭的保育補助者を配置する場合は5人）につき1人（小数点第1位以下四捨五入） 　※　障害児保育加算を受けている場合　次の算式により算出された数 　　{利用子ども数（障害児を除く）×1／5（小数点第2位以下切り捨て）}＋{障害児数×1／2（同）}（小数点第1位以下四捨五入） b　保育標準時間認定の子どもがいる場合　0.4 c　栄養管理加算（A：配置）を受けている場合　0.6 d　食事の提供について自園調理又は連携施設等からの搬入以外の方法による減算を受けている場合　0.6 e　管理者を配置していない場合　0.4
事業所内保育事業（20人以上）	以下のa～eの合計に、定員30人以下の場合は4.5、定員31人～40人以下の場合は4.2、41人以上の場合は5.4を加え、f、gの合計を減じて得た人数 a　年齢別配置基準による職員数　次の算式により算定する数に1.3を乗じて得た数 　{1、2歳児数×1／6（小数点第2位以下切り捨て）}＋{0歳児数×1／3（同）}（小数点第1位以下四捨五入） 　※　障害児保育加算を受けている場合　次の算式により算出された数 　　{1、2歳児数（障害児を除く）×1／6（小数点第2位以下切り捨て）}＋{0歳児数（同）×1／3（同）}＋{障害児数×1／2（同）}（小数点第1位以下四捨五入） b　保育標準時間認定の子どもがいる場合　1.7 c　休日保育加算を受けている場合　下表に定める人数 （下表）

休日保育の年間延べ利用子ども数	人数
～210人	0.5
211人～279人	0.5
280人～349人	0.6

350人～419人	0.7
420人～489人	0.8
490人～559人	0.8
560人～629人	0.9
630人～699人	1.0
700人～769人	1.1
770人～839人	1.1
840人～909人	1.2
910人～979人	1.3
980人～1,049人	1.4
1,050人～	1.5

d　夜間保育加算を受けている場合　2.7
e　栄養管理加算（A：配置）を受けている場合　0.6
f　食事の提供について自園調理又は連携施設等からの搬入以外の方法による減算を受けている場合　定員40人以下の場合は1.3、41人以上の場合は2.6
g　管理者を配置していない場合　1

居宅訪問型保育事業	以下のaに1.3を加え、bを減じて得た人数 a　保育標準時間認定の子どもがいる場合　0.4 b　特定の日に保育を行わない場合　0.2

別紙様式　略

○施設型給付費等に係る処遇改善等加算Ⅱに係る研修修了要件について

令和元年6月24日　府子本第197号・元初幼教第8号・子保発0624第1号
各都道府県知事宛　内閣府子ども・子育て本部参事官（子ども・子育て支援担当）・（認定こども園担当）・文部科学省初等中等教育局幼児教育・厚生労働省子ども家庭局保育課長連名通知

注　令和4年12月7日府子本第1017号・4初幼教第23号・子保発1207第1号改正現在

「施設型給付費等に係る処遇改善等加算について」（令和2年7月30日付け府子本第761号・2文科初第643号・子発0730第2号内閣府子ども・子育て本部統括官、文部科学省初等中等教育局長及び厚生労働省子ども家庭局長連名通知。以下「処遇改善等加算通知」という。）の第5の2(1)ケⅰb・ⅱbにおける処遇改善等加算Ⅱ（以下「加算」という。）に係る「別に定める研修」及び第5の2(1)ケ（注4）における「別に定める」研修修了要件の適用時期について、下記のとおり定めたので、十分御了知の上、関係団体等の活用も含め研修の積極的な実施をお願いする。

また、各都道府県においては、貴管内の市町村（特別区を含む。以下同じ。）に対して遅滞なく周知を図られたい。

記

Ⅰ　各施設類型における研修内容について
1　保育所及び地域型保育事業所
(1)　実施主体
　　実施主体は以下の者とする。
　①　都道府県
　②　「保育士等キャリアアップ研修の実施について」（平成29年4月1日付け雇児保発0401第1号厚生労働省雇用均等・児童家庭局保育課長通知）の別紙「保育士等キャリアアップ研修ガイドライン」（以下「ガイドライン」という。）の6による指定を受けた機関（市町村、指定保育士養成施設又は就学前の子どもに対する保育に関する研修の実績を有する非営利団体に限る。）
(2)　研修内容
ア　専門分野別研修
　　①乳児保育、②幼児教育、③障害児保育、④食育・アレルギー対応、⑤保健衛生・安全対策、⑥保護者支援・子育て支援の6分野とし、それぞれの研修内容については、ガイドラインの別添1「分野別リーダー研修の内容」において、対応する分野毎に定める「ねらい」及び「内容」を満たすものとする。

また、研修時間は各分野15時間以上とする。
イ　マネジメント研修
　　ガイドラインの別添1「分野別リーダー研修の内容」において定めるマネジメント分野の「ねらい」及び「内容」を満たすものとし、研修時間は15時間以上とする。
(3)　対象者及び修了すべき研修分野
ア　副主任保育士
　　専門分野別研修のうちの3以上の研修分野及びマネジメント研修
イ　専門リーダー
　　専門分野別研修のうちの4以上の研修分野
ウ　職務分野別リーダー
　　専門分野別研修のうち、職務分野別リーダーとして担当する職務分野に対応する分野を含む1以上の研修分野
※　教育公務員特例法及び教育職員免許法の一部を改正する法律（令和4年法律第40号）の一部施行（令和4年7月1日）より前に実施された幼稚園教諭免許状に係る免許状更新講習（以下「旧免許状更新講習」という。）及び免許法認定講習のうち、都道府県が専門分野別研修の各研修分野として適当と認める研修を修了し、それらを複数組み合わせて1つの分野の修了時間が計15時間以上に達した場合には、当該研修分野に係る専門分野別研修を修了したとみなすことができる。
(4)　保育所等における園内研修の取扱いについて
　　保育所及び地域型保育事業所（以下「保育所等」という。）が企画・実施する園内における研修（以下「保育所等における園内研修」という。）については、保育所等における園内研修を行う施設・事業者からの申請に基づき、都道府県が、その内容及び研修時間について、以下の要件を満たしていることを確認した場合には、当該保育所等における園内研修の修了者について、対応する研修分野の研修に関して1分野最大4時間の研修時

間が短縮されるものとする。
  ・ 研修の講師が、(5)に定める研修の講師であること。
  ・ 研修の目的及び内容が明確に設定されており、また、(2)に定める研修分野が設定されているとともにその内容が(2)に沿ったものとなっていること。
  ・ 研修受講者が明確に特定されており、園内研修を実施する保育所等において研修修了の証明が可能であること。
 (5) 実施方法等
    研修の実施に当たっては、講義形式のほか、演習やグループ討議等を組み合わせることにより、より円滑、かつ、主体的に受講者が知識や技能を修得できるよう、工夫することが望ましい。なお、eラーニングで実施する場合は、保育士等キャリアアップ研修をeラーニングで実施する方法等に関する調査研究（平成30年度厚生労働省委託事業）を参考にすること。
    さらに、研修の講師は、指定保育士養成施設の教員又は研修内容に関して、十分な知識及び経験を有すると都道府県知事が認める者とする。
 (6) その他
  ア (1)から(5)に定めるほか、研修の実施に当たって必要な事項は、ガイドラインに定めるとおりとする。
  イ 研修に係る要件の必須化後は、加算の認定に当たっては、認定を行う都道府県、指定都市、中核市又は都道府県知事との協議により処遇改善等加算通知に基づく事務を行うこととする市町村（以下「加算認定自治体」という。）において、加算の申請を行う施設・事業所からガイドラインの5(1)に定める修了証の写しを提出させること等により、加算の対象職員（以下「加算対象職員」という。）が研修を修了していることを適切に確認することを想定している。
    また、ガイドラインの5(3)のとおり、修了証については、修了した研修が実施された都道府県以外の都道府県においても効力を有するものであること。
2 幼稚園
 (1) 実施主体
    実施主体は以下の者とする。
  ① 都道府県又は市町村（教育委員会を含む。）
  ② 幼稚園関係団体又は認定こども園関係団体のうち、都道府県が適当と認めた者
  ③ 大学等（大学、大学共同利用機関若しくは指

定教員養成機関又は独立行政法人教職員支援機構若しくは独立行政法人国立特別支援教育総合研究所をいう。）
  ④ その他都道府県が適当と認めた者
  ⑤ 園内における研修を企画・実施する幼稚園又は認定こども園
    なお、②又は④に基づき、管内に所在する施設の加算に係る研修の実施主体として適当な者と認めるに当たっては、都道府県は、実施者からの申請に基づき、以下の要件を満たしているか確認を行うこと。
  ・ これまで幼稚園教諭又は保育教諭等に対し研修を実施してきた実績を有すること。
  ・ 実施する研修が体系的に整理されているとともに、個々の研修の目的及び内容が明確となっていること。
  ・ 研修修了の証明及び研修受講歴の情報管理を行う能力を有すること。
    また、⑤に基づき、各園が企画・実施する園内における研修（以下「園内研修」という。）を加算に係る研修と認めるに当たっては、加算認定自治体は、幼稚園からの加算の申請に基づき、以下の要件を満たしているか確認を行うこと。
  ・ 研修内容に関して十分な知識及び経験を有すると①、②若しくは④が認める者又は③に所属する者を講師として行うものであること。
  ・ 研修の目的及び内容が明確に設定されていること。
  ・ 研修受講者が明確に特定されており、各園において研修修了の証明が可能であること。
 (2) 研修内容
    (1)に定める実施主体が実施する研修であって、幼稚園教育要領等を踏まえて教育の質を高めるための知識・技能の向上を目的としたものとする。なお、加算認定自治体が個別の研修についてあらかじめ認定を行うことは不要である。
    また、中核リーダーについては、(3)に定める時間数のマネジメント分野に係る研修（カリキュラム・マネジメント、組織マネジメント、他機関との連携、リーダーシップ、人材育成・研修、働きやすい環境作りなど、園の円滑な運営、教育・保育の質を高めるために必要なマネジメント及びリーダーシップの能力を身につけるために必要な研修をいう。）を受講すること。
 (3) 対象者及び修了すべき研修時間
  ア 中核リーダー及び専門リーダー
    合計60時間以上（ただし、中核リーダーにつ

いては、15時間以上のマネジメント分野に係る研修を含む。また、園内研修については、15時間以内の範囲で含めることができる。）
イ　若手リーダー
　　合計15時間以上（担当する職務分野に対応する研修を含む。園内研修については、4時間以内の範囲で含めることができる。）
(4)　その他
ア　個別の研修の受講歴については、職員個人が管理することを基本とする。
イ　加算の申請を行う施設においては、研修に係る要件の必須化後を見据えつつ、幼児教育センター、教育委員会等が行う経験年数や園内の役割に着目した研修やテーマ別の研修、都道府県が適当と認めた者が行う研修、旧免許状更新講習、免許法認定講習、都道府県等が行う保育士向けの研修及び園内研修など、各加算対象職員が受講した多様な研修の修了状況を把握し、加算対象職員の発令の種類に応じた研修受講歴の一覧化を行うこと。
ウ　研修に係る要件の必須化後は、加算の認定に当たっては、加算認定自治体において、加算の申請を行う施設から各職員の研修受講歴の一覧を提出させること等により、加算対象職員が本通知に定める研修を受講していることを適切に確認することを想定している。
　　また、加算認定自治体により加算に係る研修を修了していることが確認された研修修了の証明については、他の加算認定自治体においても引き続き効力を有するものとして取り扱うこと。
　　なお、(1)②又は④に定める実施主体が実施する研修に関して、加算に係る研修を修了していることの確認を受けていない研修修了の証明が、当該証明を発行した者を研修実施主体として認めていない都道府県又は当該都道府県の管内の加算認定自治体に提出された場合についても、加算に係る研修を修了したことを加算認定自治体において確認することにより、効力を有するものとして取り扱うことが可能であること。
エ　保育士等キャリアアップ研修（乳児保育分野その他の保育所等に係る内容に特化した研修及び保育実践研修を除く。）については、本項に定める研修に含まれるものであり、本項の研修修了要件を満たすものとして取り扱う[注]こと。ただし、マネジメント研修は中核リーダー

に限り有効であること。
　　(注)　各分野15時間を修了する必要はなく、受講した時間数を加算に係る研修の修了時間として算入することが可能であること。
3　認定こども園
(1)　実施主体
　　実施主体は以下の者とする。
　①　都道府県又は市町村（教育委員会を含む。）
　②　認定こども園関係団体、幼稚園関係団体又は保育関係団体のうち、都道府県が適当と認めた者
　③　大学等（大学、大学共同利用機関若しくは指定教員養成機関又は独立行政法人教職員支援機構若しくは独立行政法人国立特別支援教育総合研究所をいう。）
　④　その他都道府県が適当と認めた者
　⑤　園内における研修を企画・実施する認定こども園又は幼稚園
　なお、②又は④に基づき、管内に所在する施設の加算に係る研修の実施主体として適当な者と認めるに当たっては、都道府県は、実施者からの申請に基づき、以下の要件を満たしているか確認を行うこと。
・　これまで保育教諭・幼稚園教諭・保育士等に対し研修を実施してきた実績を有すること。
・　実施する研修が体系的に整理されているとともに、個々の研修の目的及び内容が明確となっていること。
・　研修修了の証明及び研修受講歴の情報管理を行う能力を有すること。
　　また、⑤に基づき、園内研修を加算に係る研修と認めるに当たっては、加算認定自治体は、認定こども園からの加算の申請に基づき、以下の要件を満たしているか確認を行うこと。
・　研修内容に関して十分な知識及び経験を有すると①、②若しくは④が認める者又は③に属する者を講師として行うものであること。
・　研修の目的及び内容が明確に設定されていること。
・　研修受講者が明確に特定されており、各園において研修修了の証明が可能であること。
(2)　研修内容
　　(1)に定める実施主体が実施する研修であって、幼保連携型認定こども園教育・保育要領、幼稚園教育要領及び保育所保育指針を踏まえて教育及び保育の質を高めるための知識・技能の向上を目的

としたもの^(注)とする。なお、加算認定自治体が個別の研修についてあらかじめ認定を行うことは不要である。

　(注)　認定こども園に勤務する加算対象職員であれば、担当する子どもの認定区分（子ども・子育て支援法（平成24年法律第65号）第19条第１項各号に掲げる就学前子どもの区分）や幼稚園教諭免許状及び保育士資格の保有状況にかかわらず差異はないこと。

　また、中核リーダーについては、(3)に定める時間数のマネジメント分野に係る研修（カリキュラム・マネジメント、組織マネジメント、他機関との連携、リーダーシップ、人材育成・研修、働きやすい環境作りなど、園の円滑な運営、教育・保育の質を高めるために必要なマネジメント及びリーダーシップの能力を身につけるために必要な研修をいう。）を受講すること。

(3)　対象者及び修了すべき研修時間
　ア　中核リーダー及び専門リーダー
　　　合計60時間以上（ただし、中核リーダーについては、15時間以上のマネジメント分野に係る研修を含む。また、園内研修については、15時間以内の範囲で含めることができる。）
　イ　若手リーダー
　　　合計15時間以上（園内研修については、４時間以内の範囲で含めることができる。）

(4)　その他
　ア　個別の研修の受講歴については、職員個人が管理することを基本とする。
　イ　加算の申請を行う施設においては、研修に係る要件の必須化後を見据えつつ、幼児教育センター、教育委員会等が行う経験年数や園内の役割に着目した研修やテーマ別の研修、都道府県が適当と認めた者が行う研修、旧免許状更新講習、免許法認定講習、都道府県等が行う保育士向けの研修及び園内研修など、各加算対象職員が受講した多様な研修の修了状況を把握し、加算対象職員の発令の種類に応じた研修受講歴の一覧化を行うこと。
　ウ　研修に係る要件の必須化後は、加算の認定に当たっては、加算認定自治体において、加算の申請を行う施設から各職員の研修受講歴の一覧を提出させる等により、加算対象職員が研修を修了していることを適切に確認することを想定していること。
　　　また、加算認定自治体により加算に係る研修を修了していることが確認された研修修了の証

明については、他の加算認定自治体においても引き続き効力を有するものとして取り扱うこと。

　なお、(1)②又は④に定める実施主体が実施する研修に関して、加算に係る研修を修了していることの確認を受けていない研修修了の証明が、当該証明を発行した者を研修実施主体として認めていない都道府県又は当該都道府県の管内の加算認定自治体に提出された場合についても、加算に係る研修を修了したことを加算認定自治体において確認することにより、効力を有するものとして取り扱うことが可能であること。

　エ　保育士等キャリアアップ研修（保育実践研修を除く。）については、本項に定める研修に含まれるものであり、本項の研修修了要件を満たすものとして取り扱う^(注)こと。ただし、マネジメント研修は中核リーダーに限り有効であること。

　(注)　各分野15時間を修了する必要はなく、受講した時間数を加算に係る研修の修了時間として算入することが可能であること。

Ⅱ　研修修了要件の適用時期について
(1)　副主任保育士、中核リーダー及び専門リーダー
　　Ⅰ１(3)ア若しくはイ、Ⅰ２(3)ア又はⅠ３(3)アに定める研修修了要件については、令和８年度から適用することとし、令和７年度までの経過措置期間における修了すべき研修は以下のとおりとすること。
　　・令和４年度までの間は研修修了要件を適用しない。
　　・令和５年度は、Ⅰ１(3)ア又はイのうち１以上の研修分野、Ⅰ２(3)ア又はⅠ３(3)アのうち15時間以上の研修を修了すること。
　　・令和６年度は、Ⅰ１(3)ア又はイのうち２以上の研修分野、Ⅰ２(3)ア又はⅠ３(3)アのうち30時間以上の研修を修了すること。
　　・令和７年度は、Ⅰ１(3)ア又はイのうち３以上の研修分野、Ⅰ２(3)ア又はⅠ３(3)アのうち45時間以上の研修を修了すること。
(2)　職務分野別リーダー及び若手リーダー
　　Ⅰ１(3)ウ、Ⅰ２(3)イ又はⅠ３(3)イに定める研修修了要件については、令和６年度から適用することとし、令和５年度までの間は研修修了要件を適用しない。
　　なお、処遇改善等加算通知の第５の２の(1)コⅱ

ただし書により、副主任保育士、中核リーダー又は専門リーダーにおいて月額４万円の改善を行う者を１人以上確保したうえで、加算Ⅱ－①に係る賃金の改善を行う職務分野別リーダー又は若手リーダーについても、令和６年度以降は、Ⅰ１(3)ウ、Ⅰ２(3)イ又はⅠ３(3)イに定める研修修了要件を満たす必要があること。

Ⅲ　研修実施主体に係る経過措置について

(1)　令和３年度までの間は、Ⅰ２(1)②及び④並びにⅠ３(1)②及び④については、「都道府県」とあるのを「加算認定自治体」と読み替えるものとすること。

(2)　令和３年度までに都道府県以外の加算認定自治体が研修の実施主体として適当と認めた者については、令和４年度以降において、当該加算認定自治体が所在する都道府県から研修の実施主体として認められていない場合、引き続き、当該加算認定自治体に所在する幼稚園又は認定こども園の加算に係る研修の実施主体としてのみ適当と認めた者として扱うこと。この場合において、当該実施主体が発行した研修修了の証明について、Ⅰ２(4)ウなお書き及びⅠ３(4)ウなお書きの取扱いを妨げるものではないこと。なお、当該都道府県が研修の実施主体として適当な者と認めた場合は、Ⅰ２(1)②若しくは④又はⅠ３(1)②若しくは④の取扱いとなること。

Ⅳ　平成30年度以前に受講した研修の取扱いについて
　　平成30年度以前に受講した研修については、加算認定自治体において、Ⅰに定める研修と内容が同等であると認められ、研修の受講が適切に確認できる場合に限り、要件を満たすものとして差し支えない。

Ⅴ　旧免許状更新講習の取扱いについて
　　旧免許状更新講習については、加算認定自治体において、研修の受講が適切に確認できる場合に限り、引き続き、幼稚園又は認定こども園における研修修了要件を満たすものとして差し支えない。

Ⅵ　幼稚園又は認定こども園に勤務していた者が、保育所又は地域型保育事業所に勤務することになり、Ⅰに定める研修を受講していない場合の取扱いについて

(1)　加算認定自治体が、Ⅰ２(2)又はⅠ３(2)に定める研修を、それぞれⅠ２(3)ア又はⅠ３(3)アに定める時間以上受講していることを確認できる場合、Ⅰ１(3)ア及びイに定める研修に係る要件を満たすものとする。

　　　ただし、加算認定自治体において、当該者の研修受講計画を確認するなど、できるだけ速やかにⅠ１(3)ア及びイに定める研修を受講することを促すこと。

(2)　加算認定自治体が、Ⅰ２(2)又はⅠ３(2)に定める研修を、それぞれⅠ２(3)イ又はⅠ３(3)イに定める時間以上受講していることを確認できる場合、Ⅰ１(3)ウに定める研修に係る要件を満たすものとする。

　　　ただし、加算認定自治体において、当該者の研修受講計画を確認するなど、できるだけ速やかにⅠ１(3)ウに定める研修を受講することを促すこと。

Ⅶ　その他
　　加算認定自治体は、本通知に定めた研修修了要件も踏まえ、関係団体の行う研修はもとより、幼稚園教諭免許状に係る旧免許状更新講習や免許法認定講習の制度にも御理解の上、これらを加算における研修の実施主体、研修内容等として適切に取り扱い、幼稚園教諭、保育教諭等の負担軽減への配慮を促進されたい。

○幼児教育・保育の無償化に伴う食材料費の取扱いの変更について

〔令和元年 6 月27日　府子本第219号・子保発0627第 1 号
各都道府県・各指定都市・各中核市子ども・子育て支援新
制度担当部局（長）・民生主管部局（長）宛　内閣府子ども・
子育て本部参事官（子ども・子育て支援担当）・厚生労働
省子ども家庭局保育課長連名通知〕

幼児教育・保育の無償化については、本年 5 月17日に「子ども・子育て支援法の一部を改正する法律」（令和元年法律第 7 号）が公布されたが、幼児教育・保育の無償化に伴う食材料費の取扱いの変更については、「幼児教育・高等教育無償化の制度の具体化に向けた方針」（平成30年12月28日関係閣僚合意。以下「方針」という。）において、「幼稚園・保育所等の 3 歳から 5 歳までの子供たちの食材料費については、主食費・副食費ともに、施設による実費徴収を基本とする」とされたところである。

今般、方針において示された食材料費の取扱いの変更に関して、施設が徴収する 2 号認定子どもの副食費の徴収額の考え方等に関する留意事項を下記のとおり定めたので、各都道府県におかれては、内容について十分御了知の上、貴管内市町村（特別区を含む。以下同じ。）及び施設・事業者等に遅滞なく周知を図られたい。

なお、本通知は地方自治法（昭和22年法律第67号）第245条の 4 第 1 項に規定する技術的助言として発出するものであることを申し添える。

記

1　幼児教育・保育の無償化に伴う食材料費の取扱いの変更に関する基本的な考え方について

食材料費は、これまでも施設による徴収又は保育料の一部として、保護者の方に御負担いただいてきているところである。今般の幼児教育・保育の無償化に伴い、本年10月 1 日から、全ての 1 号認定子ども、 2 号認定子ども及び 3 号認定子どものうち住民税非課税世帯までの世帯の子どもの保育料が無償化されるが、食材料費については保護者の方に御負担いただくという考え方を維持し、 1 号認定子ども及び 2 号認定子どもについては、主食費及び副食費について施設による徴収を基本とすることとした。

併せて、これまでも国基準で保育料を減免されていた方については、減免を維持するため、公定価格で副食費相当分の加算を行うとともに、その減免措置の対象範囲を年収360万円未満相当の世帯まで拡充することとした。

なお、当該加算の対象となる子どもがいる場合には、公定価格の申請において対応する必要があることから、各市町村におかれては、各施設・事業者にその旨が十分周知されるよう、御留意願いたい。

2　2 号認定子どもの副食費の徴収額の計算方法について

1 の食材料費の取扱いの変更に伴い、施設が徴収することとなった 2 号認定子どもの副食費の徴収額は、それぞれの施設において、実際に給食の提供に要した材料の費用を勘案して定めることになる。

この際、これまで 2 号認定子どもの副食費については、公定価格において積算し、保育料の一部として保護者に月額4500円の負担を求めてきた経緯がある。質の担保された給食を提供する上では一定の費用を要するものであり、今後施設で徴収する額を設定するに当たっても、この月額4500円を目安とする。

なお、施設が副食費を徴収するに当たっては、主食費等これまでも施設が徴収していた費用と同様に、その使途・額・理由の書面での明示、保護者への説明・同意が必要となる。各市町村におかれては、各施設・事業者にその旨が十分周知されるよう、御留意願いたい。

3　特別食や土曜日・欠席者等がいる場合の徴収額の考え方について

副食費の徴収額は、施設の子どもを通じて均一とする。アレルギー除去食等の特別食を提供する子どもについても、他の子どもと異なる徴収額とする必要は無い。

また、副食費の徴収額は月額を基本とする。ただし、土曜日に恒常的に施設を利用しない者や長期入院のような、施設があらかじめ子どもの利用しない日を把握し、配食準備に計画的に反映することが可能である場合には、徴収額の減額等の対応を行うことが考えられる。

なお、月途中の退園や入園の場合には、施設型給付費や地域型保育給付費と同様に、日割り計算等の減額調整を行って差し支えない。

4　保護者の方への説明等について

2においてお示ししたとおり、保育所における2号認定子どもの副食費は、市町村がこれまで保育料の一部として月額4500円を保護者から徴収してきた経緯があることを踏まえ、各市町村におかれては、施設が副食費を徴収する場合であっても、保護者に対して個別に、今般の幼児教育・保育の無償化に伴う食材料費の取扱いの変更の趣旨や、本通知でお示しした取扱いの詳細について、丁寧な説明を行い、相談を積極的に受け付ける等の対応をお願いしたい。

Ｖｅｒ．24（令和6年3月8日時点版）

公定価格に関するＦＡＱ（よくある質問）

No.	施設・事業							事項	問	答
	幼	保	認	家	小	事	居			
1	○							基本部分（配置基準）	幼稚園の公定価格上の配置基準はどうなっているのか。	基本分単価に含まれる職員構成は、以下のとおりとなっています。 （園長）1人 （幼稚園教諭） ・4歳以上児30人につき1人、3歳児20人につき1人 ・利用定員36人以上300人以下の施設については1人を加配 （事務職員）1人及び非常勤事務職員（園長等の職員が兼務する場合又は業務委託する場合は配置は不要）
2		○						基本部分（配置基準）	保育所の公定価格上の配置基準はどうなっているのか。	基本分単価に含まれる職員構成は、以下のとおりとなっています。 （施設長）1人 （保育士） ・4歳以上児30人につき1人、3歳20人につき1人、1、2歳児6人につき1人、乳児3人につき1人 ・利用定員90人以下の施設については1人を加配 ・保育標準時間認定を受ける子どもを受け入れる施設については1人を加配 ・上記の定数に加えて非常勤保育士を配置 （事務職員）非常勤事務職員（所長等の職員が兼務する場合又は業務委託する場合は配置は不要） （調理員等）利用定員40人以下の施設は1人、41人以上150人以下の施設は2人、151人以上の施設は3人（うち1人は非常勤） ※教育・保育に従事する者に短時間勤務の職員を充てる場合の取扱いについては、No.219を参照すること。
3			○					基本部分（配置基準）	認定こども園の公定価格上の配置基準はどうなっているのか。	基本分単価に含まれる職員構成は、以下のとおりとなっています。 （園長）1人 （保育教諭等） ・4歳以上児30人につき1人、3歳児20人につき1人、1、2歳児6人につき1人、乳児3人につき1人 ・2・3号の利用定員90人以下の施設については1人を加配 ・主幹保育教諭等を専任化させるための代替要員を2人加配 ・保育標準時間認定を受ける子どもを受け入れる施設については1人を加配 （事務職員）1人及び非常勤事務職員（園長等の職員が兼務する場合又は業務委託する場合は配置は不要） （調理員等）2・3号の利用定員40人以下の施設は1人、41人以上150人以下の施設は2人、151人以上の施設は3人（うち1人は非常勤）
4				○				基本部分（配置基準）	家庭的保育事業の公定価格上の配置基準はどうなっているのか。	基本分単価に含まれる職員構成は、以下のとおりとなっています。 （家庭的保育者） ・子ども3人につき1人 ※別途家庭的保育補助者を配置する場合は子ども5人まで （事務職員）非常勤事務職員（定員3人以下の場合で家庭的保育補助者加算を適用する場合を除く。また、家庭的保育者が兼務する場合・業務委託する場合は配置は不要） （調理員等）非常勤調理員（定員3人以下の場合で家庭的保育補助者が調理員を兼ねる場合は不要（その場合は家庭的保育補助者加算は対象外））
5					○			基本部分（配置基準）	小規模保育事業A型・B型の公定価格上の配置基準はどうなっているのか。	基本分単価に含まれる職員構成は、以下のとおりとなっています。 （管理者）1人 （保育従事者） ・1、2歳児6人につき1人、乳児3人につき1人及び左記に加えて1人を加配 ※上記の定数のうちA型は100%、B型は50%以上^(*)は保育士 （必要保育従事者数（整数化後（「No.8」を参照））×1／2＝必要保育士数（小数点第1位を四捨五入）） ・保育標準時間認定を受ける子どもを受け入れる施設については非常勤保育従事者1人を加配（A型は保育士） ・上記の定数に加えて非常勤保育従事者を配置（A型は保育士）

（事務職員）非常勤事務職員（管理者等の職員が兼務する場合又は業務委託する場合は配置は不要）

（調理員等）非常勤調理員

No.								区分	質問	回答
6			○					基本部分（配置基準）	小規模保育事業Ｃ型の公定価格上の配置基準はどうなっているのか。	基本分単価に含まれる職員構成は、以下のとおりとなっています。 （管理者）1人 （保育従事者） ・家庭的保育者　子ども3人につき1人（それぞれの家庭的保育者に補助者を配置する場合は5人） ・保育標準時間認定を受ける子どもを受け入れる施設については非常勤保育従事者1人を加配 ・上記の定数に加えて非常勤保育従事者を配置 （事務職員）非常勤事務職員（管理者等の職員が兼務する場合又は業務委託する場合は配置は不要） （調理員等）非常勤調理員
7				○				基本部分（配置基準）	事業所内保育事業の公定価格上の配置基準はどうなっているのか。	基本分単価に含まれる職員構成は、以下のとおりとなっています。 ・定員19人以下の小規模保育事業Ａ型又はＢ型の基準が適用される事業所→「No.5」の回答を参照 ・定員20人以上の事業所→「No.2」の回答を参照
8	○	○	○	○	○	○		基本部分（配置基準）	公定価格上の子どもの人数・年齢に応じた配置基準については、どのように計算すれば良いのか。	配置すべき教育・保育に従事する者の数の具体的な算定方法は、年齢別に、子どもの数を配置基準で除して小数点第1位まで求め（小数点第2位以下切捨て）、各々を合計した後に小数点以下を四捨五入した数になります。 ※家庭的保育事業、小規模保育事業Ｃ型、居宅訪問型保育事業を除く <算式> {4歳以上児数×1／30（小数点第1位まで計算（小数点第2位以下切り捨て））} ＋ {3歳児数×1／20（〃）} ＋ {1、2歳児数×1／6（〃）} ＋ {乳児数×1／3（〃）} ＝必要教育・保育従事者数（小数点第1位を四捨五入） （＊1）1号認定こどもの場合満3歳児を含む。 （＊2）1号認定こどもの場合満3歳児は含まない。 ※子どもの年齢は年度の初日の前日における満年齢 ※認定こども園の場合は施設全体（1号～3号）の子どもの数を基に計算
9	○	○	○		○	○		基本部分（配置基準）		削除（No.218、No.219に分割して掲載）
10	○	○	○	○	○	○		基本部分（配置基準）	公定価格における配置基準を上回る（又は下回る）運用は可能か。	公定価格における配置基準を上回る配置を行うことは可能です。また、公定価格における配置基準を下回る場合、幼稚園・認定こども園（1号認定）については、これまで私学助成において年齢別の幼稚園教諭等の配置基準の設定がなかったため、新制度施行後すぐに公定価格における配置基準を満たすことが困難な場合があることから、そのような場合に公定価格を調整することにより対応することにしています（認定こども園は1号と2・3号で等分して減算する）。この場合でも、幼稚園設置基準や認定こども園の認可・認定基準を満たすことが求められます。
11	○	○	○		○	○		基本部分（年齢区分）	子どもの年齢については、いつ時点の年齢によることになるのか。	公定価格における「年齢区分」については、各月初日の子どもの満年齢により区分します。その上で、年度の初日の前日の満年齢が一つ下の年齢区分に該当する場合には、単価表上「注（認定こども園2・3号は「注1」）」として（　）内にお示ししている単価が適用されることになります。そのため、年度を通じて同一の単価が適用されることになります。 <例> ・5月5日で満4歳となる子どもの場合 4月及び5月　→　年齢区分：「3歳児」の単価を適用 6月～翌3月　→　年齢区分：「4歳以上児」の単価を適用 ただし、年度の初日の前日における満年齢は「3歳」となり、一つ下の年齢区分（3歳児）に該当するため、「注（認定こども園2号・3号は「注1」）」として（　）内にお示ししている単価（3歳児の単価と同額）を適用
12	○	○	○	○	○	○	○	基本部分（地域区分）	地域区分ごとの市区町村はどのようになっているのか。	地域区分ごとの市町村の一覧は、別添1を参照。なお、別添1に記載のない市区町村は「その他地域」となります。 公定価格における地域区分は、以下のとおり設定しています。 ・国家公務員及び地方公務員の地域手当の支給割合に係る地域区分に準拠する。 ・国家公務員等の地域手当の設定がない市町村について、設定がある市町村に複数隣接し、又は囲まれている場合には、隣接している市町村のうち支給割合が最も近い市町村の地域区分まで引き上げる。 ※平成27年度の制度施行時の経過措置（上記設定方法により地域区分が下がる市町村等）あり。 また、令和2年度から、次の仕組みを設けることとしています。

								項目	質問	回答
										・国家公務員等の地域手当の設定がある市町村についても、より支給割合の高い市町村に囲まれている場合には、囲んでいる市町村のうち支給割合が最も近い市町村の地域区分まで引き上げる。
13	○	○	○	○	○	○	○	基本部分（地域区分）	他の市町村の子どもが利用する場合には、地域区分は利用者の居住地の区分が適用されるのか。それとも、施設の所在地の区分が適用されるのか。	他の市町村の子どもが利用する場合も、地域区分は施設の所在地の区分が適用されます。 また、給付費・委託費の請求は、利用者の居住地の市町村に対して行うことになります。 なお、利用者負担額は利用者の居住地市町村が設定する金額となります。
14	○	○	○	○	○	○		基本部分	「公定価格の骨格案」の資料にある基本分単価の内訳には人件費、社会保険料事業主負担金、減価償却費などの経費が算定されているが、積算と異なる使途や異なる金額で人件費等を支払った場合、基本分単価は各施設・事業の実態に応じて加算・減算されるのか。	施設型給付費については、使途制限を設けておらず、各施設における人件費等の費用を全て積算どおりに支払わなければならないものではありません（個別の支出額に応じて単価を変更するものではありません）。 なお、私立保育所においては市町村からの委託費として支払われることから、その使途の取扱いについては一定の範囲を定めることとし、「子ども・子育て支援法附則第6条の規定による私立保育所に対する委託費の経理等について」（平成27年9月3日　府子本第254号、雇児発0903第6号）において定めています。
15	○							基本部分	基本分単価に含まれる教諭のうち1人は主幹教諭として費用を算定されているが、主幹教諭の発令をしていない場合、減算されるのか。	学校教育を行うに当たり実際に主幹教諭又はそれと同等の立場の教諭が必要であることを前提に積算していますが、発令の有無を算定要件としているものではなく、減算されません。
16	○	○	○		○	○		基本部分調整部分（定員を恒常的に超過する場合）	定員を超えて受入れをしているが、施設型給付費は支払われるのか。	市町村による確認の際に設定された利用定員の範囲内での受入れが原則となりますが、年度途中での利用希望者の増加等により利用定員を超えて受入れをする場合であっても、実際の入所児童数に応じて給付が行われます。ただし、恒常的に利用定員を超えて受入れをしている場合（幼稚園、認定こども園（1号認定子ども）は連続する過去2年度間、保育所・認定こども園（2・3号認定子ども）、小規模保育事業、事業所内保育事業においては過去5年度間常に定員を超過しており、かつ、各年度の年間平均在所率が120%以上の場合）には各月初日の利用子ども数の区分及び地域区分等に応じた調整率を乗じて減算額を算定することになります。また、上記の状態にある施設・事業所に対しては、利用定員の見直しに向けた指導を行う必要があります。 ※利用定員は認可定員の範囲内で市町村による確認の手続の中で設定することになるため、実際の利用人数が恒常的に認可定員をも超えている場合には、利用定員の適正化とともに認可定員の適正化（都道府県等の認可権者の認可・届出等）も必要になります。 また、私立幼稚園の利用定員の取扱いや公定価格の減額調整などについては、平成26年10月17日付事務連絡「認可定員を超過して園児を受け入れている私立幼稚園に係る子ども・子育て支援法に基づく確認等に関する留意事項について」及び自治体向けFAQの参考資料をご参照ください。 ※令和2年度以降のいずれかの年度の4月1日時点の待機児童数が1人以上である市町村に所在する小規模保育を実施する事業所であって、同一の敷地又は隣接する敷地に所在する幼稚園の設備を活用して小規模保育事業を実施するものについては、各年度の年間平均在所率が133%以上の状態とならない限り、公定価格の減算を適用しないこととする特例が設けられております。
17	○	○	○		○	○		定員超過の場合の減額調整		削除
18	○							基本部分学級編制調整加配	学級編制調整教諭の加配はなぜ36人以上300人以下のみ対象としているのか。	35人以下の極めて小規模な園は、必ずしも年齢別の学級編制が行われない場合もあること、他方、大規模園は30：1（公定価格における4歳以上児配置基準）と35：1（幼稚園設置基準における原則的な学級編制基準の上限）の差が縮まるため、学級編制調整加配を行わなくとも必要な配置を満たすことが比較的容易と考えられるためです。
19	○	○	○	○	○	○	○	処遇改善等加算Ⅰ		削除
20	○	○	○	○	○	○	○	処遇改善等加算Ⅰ		削除
21		○			○	○		所長（管理者）設置加算		削除
22	○		○					副園長・教頭設置加算	副園長・教頭が学級担任をしている場合は、加算されないのか。	副園長又は教頭を置く場合には、学級担任など教育・保育への従事状況にかかわらず、加算されます。
23	○		○					副園長・教頭設置加算	副園長が免許保有者でない場合は加算の対象にならないのか。	公定価格（基本分）における幼稚園教諭等の配置基準を満たした上で、別途副園長を配置する場合については、特段免許保有者の条件は課されません。
24			○					学級編制調整加配加算	学級編制調整加配加算の具体的な加算要件はどのようなものか。	学級編制調整加配加算は、幼稚園との整合性を踏まえ、認定こども園全体の3歳以上児（1号・2号）の合計の利用定員が36人以上300人以下の施設で、年齢別配置基準に加えて保育教諭等を配置する場合に加算の対象にすることにしています。

No.							項目	質問	回答
25	○	○	○				3歳児配置改善加算	3歳児配置改善加算の具体的な加算要件はどのようなものか。	3歳児の配置基準を15人につき1人としている場合に加算することを要件としており、実際に施設に配置されている幼稚園教諭、保育士、保育教諭数が、 ・「No.1～No.3」及び「No.8」で示した配置基準、計算方法について、3歳児の配置基準を20人ではなく15人として計算して算定された必要職員数 以上となる場合に加算することにしています。
26	○		○				満3歳児対応教諭配置加算	満3歳児加算は、3歳児全員に適用されるのか。	満3歳児の配置基準を6人につき1人とする場合に満3歳児のみに加算が適用されます。
27	○		○				満3歳児対応教諭配置加算	年度当初から、満3歳児の受入れを想定して手厚く教員を配置しており、年度途中から満3歳児を受入れて6：1配置が実現している場合、満3歳児加算はいつから適用になるのか。	満3歳児の受入れがされた時点からその年度内までの間について加算が適用されます。
28	○		○				チーム保育加配加算	どういった場合にチーム保育加配加算の対象となるのか。	副担任を配置している場合など、低年齢児を中心として小集団化したグループ教育・保育を実施している場合において、基本分単価で求められる教員数に、他の加算の認定を受けた場合はその加算により求められる教員数を加えた「必要教員数」を超えて教諭等を配置している場合に、その人数に応じて加算が行われることになります。（利用定員の区分ごとに人数の上限があります。） なお、3歳児配置改善加算や満3歳児対応加配加算、チーム保育加配加算などの各種加配加算については、各園の実情に応じて必要な加算を選択できることになります。
29	○		○				チーム保育加配加算	加算人数に上限があるのはなぜか。	従前の幼稚園の教諭配置状況や私学助成からの円滑な移行を踏まえて、上限数を設定しています。（上限は利用定員45人以下は1人、46人以上150人以下は2人、151人以上240人以下は3人、241人以上270人以下は3.5人、271人以上300人以下は5人（平成27年は4人）、301人以上450人以下は6人（平成27年は5人）、451人以上は8人（平成27年6人）） なお、施設の判断でこの基準を上回る配置を行うことも可能であり、この場合の人件費は、上乗せ徴収等により賄うこととなります。
30	○		○				通園送迎加算	運転手が兼務・外部委託の場合も加算が適用されるのか。	必ずしも専任運転手の配置を要件としておらず、例えば、運行委託によることも可能です。
31	○		○				通園送迎加算	長期休業期間中も加算が適用されるのか。	年間に必要な経費を平準化して公定価格を設定しているため、長期休業期間の公定価格にも加算が適用されます。
32	○		○				給食実施加算	修業期間中において（休業期間中は除く）隔週など変則的に実施する場合の取扱いはどのようになるのか。長期休業期間中も加算が適用されるのか。	修業期間中の平均的な月当たり実施日数を4（週）で除して「週当たり実施日数」を算出してください（小数点第1位を四捨五入）。 また、年間に必要な経費を平準化して公定価格を設定しているため、長期休業期間の公定価格にも加算が適用されます。
33	○		○				給食実施加算	外部委託、外部搬入の場合も加算が適用されるのか。	給食の実施方法の別にかかわらず、給食を実施している場合には加算されます。 ただし、①施設内の調理設備を使用してきめ細かに調理を行っている場合と、②施設外で調理して施設に搬入する方法により給食を実施している場合の別に異なる加算額が設けられています。 外部搬入は②に該当しますが、外部委託については、安全・衛生面、栄養面、食育等の観点から施設の管理者が業務上必要な注意を果たし得るような体制及び契約内容により、調理業務を第三者に委託する場合は②ではなく①に該当します。
34	○		○				給食実施加算		削除
35	○		○				外部監査費加算	加算額よりも高い／低い監査報酬額を支払った場合、加算単価は加算／減算されるのか。	加算／減算はされません。本加算の金額は実際の費用の実態を踏まえて平均的な額として設定しています。
36	○		○				外部監査費加算	実施時期と加算時期との関係はどのようになるのか。	当年度の3月時点で、当年度会計について会計監査人による監査を受けていることが確認できれば、当年度の3月分の単価に加算されます。（例えば、当年度会計について、監査報告書の発行の時期は翌年度となりますが、当年度の3月時点で、監査法人等と監査実施契約を締結していることが確認できれば、当年度（当該会計年度）の3月分の単価に加算されることになります。
37	○		○				外部監査費加算	外部監査を受けた場合は市町村による会計監査を省略することができるか。	公認会計士又は監査法人による外部監査を受けた幼稚園や認定こども園については、当該外部監査で軽微とは認められない指摘を受けた場合を除き、当該外部監査の対象となっている会計については、市町村による会計監査を省略することができます。なお、公定価格における充足すべき職員の配置状況や、各加算等の要件については、指導監督等を通じてその適合状況を把握する必要があります。
38		○	○		○	○	休日保育加算	他の施設（事業）を利用している子どもも休日に受け入れているが、その場合はどのように支払われるのか。	休日保育加算については、「休日保育の年間の延べ利用子ども数」の区分に応じた加算額となっていますが、この利用子ども数には、平日は他の施設（事業）を利用している子どもであっても、休日保育の利用を受け入れる場合にはその子どもが含まれます。 なお、加算については、上記の延べ利用子ども数（平日に他の施設（事業）を利用する子どもを含む）に応じて適用される加算額を休

日保育を実施する施設（事業）を利用する各月初日の子ども数（平日は他の施設（事業）を利用する子どもを含まない）で除して加算されることになります。

No.							名称	質問	回答
39	○	○		○	○		休日保育加算	「休日保育の年間延べ利用子ども数」はその年度の見込みで良いのか。また、その場合、実績が見込みを上回った（下回った）場合にはどうなるのか。	「休日保育の年間の延べ利用子ども数」は、過去の実績等を踏まえて利用見込みを算出し、市町村により加算額を認定することを想定しており、年度を通じて利用見込みに応じた同一の加算額が適用されることになります。 また、実績が見込みを上回った（下回った）場合であっても、加算額の増額（減額）は行われません。なお、利用見込みと実績が大きく異なった場合には、翌年度の利用見込みの算出及び市町村による加算額の認定の際に、その実績を踏まえて適切な利用見込み数の算出・認定をする必要があります。
40	○	○		○	○		夜間保育加算		削除
41						○	休日保育加算 夜間保育加算	居宅訪問型保育事業の休日保育加算や夜間保育加算の加算要件はどのようになるのか。	母子家庭等の子どもの保護者が夜間及び深夜※の勤務に従事する場合への対応等、保育の必要性の程度及び家庭等の状況を勘案し、居宅訪問型保育を提供すると市町村が認めた場合に適用されます。 ※概ね午後10時から午前5時の間に利用する日数が、各月における利用日数の合計に対して、概ね3／4以上見込まれること。
42			○	○		○	資格保有者加算	資格保有者加算の加算要件はどのようになるのか。	資格保有者加算は家庭的保育事業及び小規模保育事業C型、居宅訪問型保育事業の家庭的保育者について、保育士資格、看護師免許又は准看護師免許を有する場合に加算されます。また、小規模保育事業C型については、資格を有する人数に応じて加算が行われます。
43			○	○			保育士比率向上加算	保育士比率向上加算の加算要件はどのようになるのか。	保育士比率向上加算は小規模保育事業のB型及び同基準が適用される事業所内保育事業において、常態的に保育比率を3／4以上として保育を実施する場合に適用されます。 また、その際の必要保育士数については「№5」の回答に準じて以下のとおり計算します。 （＊）必要保育従事者数（整数化後）×3／4＝必要保育士数（小数点第1位を四捨五入）
44			○				家庭的保育支援加算		削除
45			○	○			障害児保育加算	障害児保育加算の加算要件はどのようになるのか。	障害児(*)を受け入れる事業所において、障害児2人につき1人の保育士等により保育する場合に加算の対象となります。 （＊）市町村が認める障害児（身体障害者手帳等の交付の有無は問わない）
46	○	○	○	○	○		減価償却費加算	保育所等の減価償却費加算はどのような施設（事業所）に加算されることになるのでしょうか。一度、施設整備費補助を受けた施設は、何十年も前に補助を受けた場合であっても、加算を受けられないのでしょうか。	減価償却費加算は、以下の要件全てに該当する施設を対象とします。 （ア）保育所等の用に供する建物が自己所有であること（注1） （イ）建物を整備又は取得する際に、建設資金又は購入資金が発生していること （ウ）建物の整備に当たって、施設整備費又は改修費等（以下「施設整備費等」という。）の国庫補助金の交付を受けていないこと（注2） （エ）賃借料加算の対象となっていないこと （注1）施設の一部が賃貸物件の場合は、自己所有の建物の延べ面積が施設全体の延べ面積の50％以上であること （注2）施設整備費等の国庫補助の交付を受けて建設した建物について、整備後一定年数が経過した後に、以下の要件全てに該当する改修等を行った場合には(ウ)に該当することとして差し支えありません。 ①老朽化等を理由として改修等が必要であったと市町村が認める場合 ②当該改修等に当たって、国庫補助の交付を受けていないこと ③1施設当たりの改修等に要した費用を2000で除して得た値が、建物全体の延べ面積に2を乗じて得た値を上回る場合で、かつ、改修等に要した費用が1000万円以上であること よって、（注2）①～③の全てに該当する建物については、(ウ)に該当するものとできるので、（ア）、（イ）、（エ）の要件も全て該当している場合は、加算の対象とすることができます。 また、減価償却費加算の地域区分については、「標準」または「都市部」とし、「都市部」とは、当年度又は前年度における4月1日現在の人口密度が、1,000人／k㎡以上の市町村をいいます。
47	○	○	○	○	○		賃借料加算	保育所等の賃借料加算はどのような施設（事業所）に加算されることになるのか。	保育所等の賃借料加算については以下の要件全てに該当する場合に加算されます。 （ア）保育所等の用に供する建物が賃貸物件であること（注） （イ）（ア）の賃貸物件に対する賃借料が発生していること （ウ）「賃貸物件による保育所整備事業」等の国庫補助（「認可保育所等設置支援事業の実施について」（平成29年3月31日雇児発0331第30号厚生労働省雇用均等・児童家庭局長通知）に定める「都市部における保育所への賃借料支援事業」による国庫補助を除く。）を受けた施設については、当該補助に係る残額が生じていないこと （エ）減価償却費加算の対象となっていないこと

No.								区分	質問	回答
										（注）施設の一部が自己所有の場合は、賃貸による建物の延べ面積が施設全体の延べ面積の50％以上であること また、賃借料加算の地域区分については、別添２のとおりとなります。
48		○	○					調整部分（分園の場合）	分園の場合はどのように計算すれば良いのか。	分園を設置する施設の場合、「基本分単価」、「処遇改善等加算Ⅰ」、「加減調整部分における施設長を配置していない場合」については、中心園と分園それぞれの定員区分を基に単価を計算しますが、分園の場合に係る調整については、「基本分単価」及び「処遇改善等加算Ⅰ」の合計額の「10／100」を差し引いた額が適用されます。また、その他の加算については中心園と分園の定員を合計した定員区分を基に単価を計算します。
49			○					調整部分（配置基準を下回る場合）	認定こども園の場合の不足保育教諭等数の算定方法とその具体的な適用方法はどのようになるのか。	施設全体（１号～３号）の実配置数（常勤換算値）が基本分単価における保育教諭等の配置基準を下回る場合に、 不足保育教諭等数 ＝ 年齢別配置基準（＋保育認定子どもに係る利用定員が90人以下の施設については１ ＋ 保育標準時間認定を受けた子どもが利用する施設については１ ＋ 学級編制調整加配加算の適用を受ける場合は１）－園全体の実配置数（常勤換算） で算定し、不足保育教諭等数を１号と２・３号で等分（１人不足している場合はそれぞれ0.5人ずつ）して減算することになります。 ※「No.3、No.8」の回答を参照
50			○					調整部分（職員資格を有しない場合）	幼保連携型認定こども園の場合であっても、幼稚園教諭免許又は保育士資格のいずれかを有していれば減算されないのか。	幼保連携型認定こども園の保育教諭については当分の間は経過措置が適用されるため、資格要件に係る減算は適用しないことにしています。この調整項目については、幼保連携型認定こども園以外の３類型の幼稚園機能部分・保育所機能部分について、国の示す基準(職員資格)とは異なる基準により運営されている場合に調整することを想定しています。
51			○					調整部分（職員資格を有しない場合）	認定こども園の場合、３歳未満児保育を幼稚園教諭免許のみ保有する者が行っている場合や、学級担任に保育士資格のみ保有する者がなっている場合に減算されるのか。	「No.50」のとおり、この調整項目については、幼保連携型認定こども園以外の３類型の幼稚園機能部分・保育所機能部分について、国の示す基準（職員資格）とは異なる基準により運営されている場合に調整することを想定しています。国の示す基準では、幼稚園型認定こども園における２号認定こどもについては幼稚園教諭免許を保有する者とする特例及び保育所型認定こども園、地方裁量型認定こども園における学級担任については保育士資格を保有する者とする特例を設けていることから、その場合については調整の対象にはなりません。
52	○	○	○	○	○	○	○	調整部分（土曜閉所する場合）		削除
53				○	○			調整部分（連携施設を設定しない場合）	この調整は、どのような場合に適用するのか。また、支援の頻度については、決まりがあるか。	家庭的保育事業等設備運営基準第６条に定める連携施設を設定しない事業所に適用します。なお、支援を受ける頻度については決まりはなく、地域型保育事業所（居宅訪問型保育事業を除く）の置かれている状況や支援の内容等を踏まえてご判断頂くことになります。
54	○							主幹教諭等専任加算	主幹教諭等専任加算の具体的な加算要件はどのようなものか。	主幹教諭等が保護者からの育児相談や地域の子育て支援活動等に専任させることができるよう、基本分単価に含まれる配置基準や３歳児配置改善加算等の職員配置による必要な幼稚園教諭数に加えて代替要員を１人加配する場合で、以下の事業等を複数実施する場合に加算が適用されます。また、その場合は子育て支援活動費加算も対象になります。 ・幼稚園型一時預かり事業 ・一般型一時預かり事業 ・満３歳児に対する教育・保育の提供 ・障害児に対する教育・保育の提供 ・継続的な小学校との連携・接続に係る取組
55	○							主幹教諭等専任加算	主幹教諭等とあるが、主幹教諭以外はどのような職種が対象になるのか。	主幹教諭以外に副園長、教頭、指導教諭を専任化させる場合も加算の対象となります。 なお、副園長及び教頭については幼稚園教諭免許状を有していない者についても、一定の条件の下、任用が可能となっており、本件専任化の対象とする場合も、免許の保有は要しません。
56		○						主任保育士専任加算	主任保育士専任加算の具体的な加算要件はどのようなものか。	主任保育士が保護者からの育児相談や地域の子育て支援活動等に専任させることができるよう、基本分単価に含まれる配置基準や３歳児配置改善加算等の職員配置による必要な保育士数に加えて代替要員を１人加配する場合で、以下の事業等を複数実施する場合に加算が適用されます。 ・延長保育事業 ・一時預かり事業 ・病児保育事業 ・乳児が３人以上入所している施設 ・障害児が入所している施設
57	○	○	○					主幹教諭等／主任保育士専任加算	主幹教諭や主任保育士等が学級担任やクラス担当等を兼務することはできるのか。また、代替教員や代替保育士は、他の業務と兼務することはできるのか。	主幹教諭や主任保育士等が学級担任やクラス担当から離れて、指導計画の立案や地域の子育て支援活動等に専任できるようにするものですので、主幹教諭や主任保育士等が学級担任やクラス担当等を兼務することは適当ではありません。なお、主幹教諭や主任保育士等が教育・保育に従事することを一切排除するものではなく、その役割を適切に果たす観点から、例えば、園運営の企画・調整、他の教諭や保育士等に対する指導・助言、学級担任やクラス担当等の職員が休んだ場合に代理で教育・保育を行うことを妨げるものではありません。

							項目	質問	回答
									また、代替教員や代替保育士等についても、療育支援加算における主幹教諭や主任保育士等を補助する者をはじめ、同一の者が他の加算の対象職員となることはできません。なお、本来の業務に支障のない範囲で他の業務を行うことは差し支えありません。
58	○	○	○				療育支援加算	療育支援加算の具体的な加算要件はどのようなものか。	障害児を受け入れている施設で、主幹教諭等（幼稚園は主幹教諭等専任加算、保育所は主任保育士専任加算が適用されている施設）を補助する者（非常勤職員であって資格の有無は問わない）を配置して地域住民等の子どもの療育支援に取り組む場合に加算が適用されます。また、以下の区分に応じて加算額が異なります。（加算はA又はBのいずれか） ・特別児童扶養手当の支給対象児童を受け入れている施設・・・A ・A以外の障害児を受け入れている施設・・・B （＊）市町村が認める障害児（身体障害者手帳等の交付の有無は問わない） （＊＊）特別児童扶養手当の支給要件に該当するが、所得制限により支給されていない児童を含む
59	○		○				事務職員配置加算	幼稚園全体・認定こども園全体の利用定員が91人以上を満たしているが、非常勤事務職員がいない、もしくは専任の事務職員がいない場合などでも加算が適用されるのか。	加算要件にある「基本分単価において求められる事務職員及び非常勤事務職員」については、園長等の職員が兼務する場合又は業務委託をする場合には別途配置する必要はありませんが、「基本分単価を超えて配置する非常勤事務職員」については、他の職員による兼務や業務委託ではなく、別途配置していただく必要があります。
60		○					事務職員雇上費加算	事務職員雇上費加算の具体的な加算要件はどのようなものか。	以下の事業等のいずれかを実施する場合に加算が適用されます。なお、施設長等の職員が兼務する場合又は業務委託する場合は、別途事務職員を配置する必要はありません。 ・延長保育事業 ・一時預かり事業 ・病児・病後児保育事業 ・乳児が3人以上入所している施設 ・障害児が入所している施設
61	○	○	○	○	○	○	冷暖房費加算	冷暖房費加算はどの施設（事業所）に適用されるのか。	冷暖房費加算は、施設（事業所）の所在地により加算額が異なりますが、「1級地から4級地」については、「国家公務員の寒冷地手当に関する法律第1条第1号及び第2号」に掲げる地域となり、記載のない地域については「その他地域」の加算額が適用されます。
62	○	○	○	○	○	○	除雪費加算	除雪費加算はどの施設（事業所）に適用されるのか。	除雪費加算は「豪雪地帯対策特別措置法第2条第2項」の規定に基づく地域に所在する施設（事業所）に対して加算が適用されます。
63	○	○	○	○	○	○	降灰除去費加算	降灰除去費加算はどの施設（事業所）に適用されるのか。	降灰除去費加算は「活動火山対策特別措置法」の規定に基づく降灰防除地域に所在する施設（事業所）に対して加算が適用されます。（別添3を参照）
64		○	○				高齢者等活躍促進加算	高齢者等活躍促進加算の具体的な加算要件はどのようなものか。	高齢者等を非常勤職員として雇用（年間総雇用時間が400時間以上）し、児童の処遇の向上を図る場合であって、以下の事業等のうちいずれかを実施する場合に加算が適用されます。 ・延長保育事業、一時預かり事業、病児・病後児保育事業、乳児が3人以上入所している施設、障害児が入所している施設 （＊）高齢者（満60歳以上）、身体障害者、知的障害者、精神障害者、母子家庭の母及び父子家庭の父並びに寡婦
65	○	○	○	○	○	○	施設機能強化推進費加算	施設機能強化推進費加算の具体的な加算要件はどのようなものか。	職員等の防災教育や、災害発生時の安全かつ迅速な避難誘導体制を充実する等、施設（事業所）の総合的な防災対策の充実強化を行う施設で、以下の事業等複数実施する場合に加算が適用されます。 なお、加算額は実際に防災対策等に要した費用を基に加算されます。 （1施設（事業所）当たり16万円が上限） （幼稚園の場合） ・幼稚園型一時預かり事業、一般型一時預かり事業、満3歳児が入所している施設、障害児が入所している施設 （認定こども園） ・延長保育事業、幼稚園型一時預かり事業、一般型一時預かり事業、病児保育事業、満3歳児が入所している施設、乳児が3人以上入所している施設、障害児が入所している施設 （幼稚園・認定こども園以外施設・事業の場合） ・延長保育事業、一般型一時預かり事業、病児保育事業、乳児が3人以上入所している施設、障害児が入所している施設
66	○	○	○	○	○	○	栄養管理加算	削除	
67	○	○	○				小学校接続加算	小学校接続加算の具体的な加算要件はどのようなものか。	小学校との接続を見通した教育課程を編成しているなど、小学校との連携・接続に係る取組を行う施設を対象とする加算で、具体的な加算要件は次のとおりです。（すべての要件を満たす必要があります。） ⅰ　小学校との連携・接続に関する業務分掌を明確にすること。 ⅱ　授業・行事、研究会・研修等の小学校との子ども及び教職員の交流活動を実施していること。 ⅲ　小学校との接続を見通した教育課程を編成していること。なお、継続的な協議会の開催等により具体的な編成に向けた研究に着手していると認められる場合を含む。

68	○	○	○	○	○	○	○	第三者評価受審加算	第三者評価受審加算の具体的な加算要件はどのようなものか。	「福祉サービス第三者評価基準ガイドライン」や「幼稚園における学校評価ガイドライン」等に沿って第三者評価を受審しており、その結果をＨＰ等により広く公表している場合に加算を行うこととしています。
69	○	○	○	○	○	○	○	第三者評価受審加算	第三者評価受審加算は5年に一度しか加算されないのか。	第三者評価の受審は5年に一度程度を想定しており、その期間内において、1回限りの加算としています。
70	○	○	○	○	○	○	○	加算部分全般	各月初日の状態で適否を判断する加算について、年度の途中や月の途中で加算の要件を満たした場合（満たさなくなった場合）はいつの時点から単価が変更されるのか。また、適否の変更がない場合にも、毎月確認が必要なのか。	加算の適否は、各月初日の状態で判断しますので、年度の途中や月の途中で加算の適否が変わる場合には、加算の適否が変更した日の属する月の翌月（月初日に加算の適否が変更となった場合には、その月）から単価が変更されます。ただし、自治体や事業者の事務負担に配慮し、加算の適否に変更がない場合において、国としては、毎月事業者が自治体に対して申請書を提出したり、自治体が事業者に対して加算要件の適合状況を確認したりすることを求めるものではありません。例えば、4月に加算の適用が認められれば、その後毎月申請書等を提出するのではなく、加算要件を満たさなくなった場合にその変更を踏まえた申請書を改めて提出することにより翌月から新しい単価を適用する取扱いも可能です。（この場合、指導監査により、事後的に各月の施設の状況と加算の適用状況の整合性について確認を行うことになります。）
71	○	○	○	○	○	○	○	加算部分2	加算部分2には各月（3月）初日の利用子ども数で除す事項がいくつかあるが、端数処理はどのようにするのか。	算式に従い単価を計算した結果については、加算項目ごとに10円未満端数切り捨てとなります。
72	○	○	○	○	○	○	○	その他	削除	
73	○	○	○	○	○	○	○	その他	給付費・委託費は毎月支払われるのか。	給付費・委託費については、「各月初日の在籍児」に係る給付費等はその月中に支払い、「月途中での入退所」がある場合については、翌月の支給時（翌月初日の在籍児の支給時）に併せて支払うことを基本としています。
74	○	○	○	○	○	○	○	その他	月途中での入退所があった場合に給付費・委託費はどのように支払われるのか。	月途中での入退所があった場合については、以下により計算します。※計算の結果10円未満の端数が生じた場合は切り捨て（教育標準時間認定の場合）　1人当たりの単価（基本部分及び加算部分、調整部分の合計額）×その月の途中入所日からの開所日数（その月途中退所日の前日までの開所日数）（20日を超える場合は20日）÷20日（保育認定の場合）　1人当たりの単価（基本部分及び加算部分、調整部分の合計額）×その月の途中入所日からの開所日数（その月途中退所日の前日までの開所日数）（25日を超える場合は25日）÷25日
75	○	○	○	○	○	○	○	その他	利用者負担額を誤って徴収したり、未納があった場合は、給付額に反映されるのか。	給付費は、公定価格から市町村が定める利用者負担額を控除した額により支払われます（子ども・子育て支援法第27条等）。徴収額を誤った場合や未納の場合であっても市町村からの給付費の額は変わりません（公費補填される仕組みではありません）。なお、徴収額を誤った場合や未納の場合は、施設（私立保育所を除く）・事業者において適正な金額を保護者から徴収してください。
76	○	○	○	○	○	○		基本部分（定員区分）	公定価格の「定員区分」における「定員」は、認可定員なのか、利用定員なのか。	利用定員です。
77		○	○					基本部分（定員区分）	認定こども園または保育所における保育認定子どもに適用される単価の「定員区分」については、2号定員、3号定員それぞれごとの単価が適用されるのか、それとも、2号・3号の合計定員の単価が適用されるのか。	2号・3号の合計定員の単価が適用されます。
78			○					基本部分（定員区分）	認定こども園に適用される単価の「定員区分」については、例えば、利用定員100名（1号認定10名、2号認定60名、3号認定30名）の施設の場合、施設全体の定員をベースとして、1号については教育標準時間認定単価表の定員区分「91人から105人まで」の単価、2号・3号については保育認定単価表の定員区分「91人から100人まで」の単価が適用されるのか、それとも、1号については教育標準時間認定単価表の定員区分「15人まで」の単価、2号・3号については保育認定単価表の定員区分「81人か	後者となります。

									ら90人まで」の単価がそれぞれ適用されるのか。	
79		○	○	○	○	○	○		調整部分（土曜閉所する場合）	削除
80	○			○					基本部分（配置基準と学級編制との関係）	幼稚園や認定こども園の公定価格上の職員配置基準は、学級ごとに満たす必要があるのか。	各年齢ごとの子どもの総数に対して各年齢ごとの職員配置基準を満たす必要があります。
81						○			公定価格	事業所内保育所を利用する従業員の子どもが、3歳以降も利用する場合、引き続き給付を受けることは可能か。	3歳以上児の保育は、連携施設を含む保育所又は認定こども園で行うことが原則ですが、必要に応じて、定員の範囲内で、特例給付を受けて事業所内保育事業を引き続き利用することは可能です。
82	○		○						公定価格	私学退職金団体の負担金は公定価格（基本分単価）に含まれますか。基本分単価の内訳を見ると、「社会保険料事業主負担金等（私立学校教職員共済等）」とありますが、自治体向けFAQ222番との関係も教えてください。	公定価格の基本分単価の常勤職員の人件費については、引き続き都道府県による団体補助が行われることを前提に必要な退職金経費を賄うよう積算しているものです。
83	○		○						公定価格	削除
84			○						減算調整	減算調整されるのは、施設全体の利用定員が120％以上の場合でしょうか、それとも1号、2号、3号それぞれの利用定員で減算になるのでしょうか。 また、減算するのは120％以上の分だけでしょうか、全体にかかるのでしょうか。 （例：施設全体で100人利用定員のところ、5年間130％の実利用がある。1号は定員どおり30人、2号は定員40人のところ52人、3号は定員30人のところ48人いる場合）	認定こども園の公定価格上適用される定員区分の考え方と同様に、1号の利用定員と、2・3号の利用定員を分けて考えることになります。 ※例の場合は、1号の在所率は100％となります。2・3号の在所率は143％（2・3号の合計の定員70人に対して100人が利用）となっており、これが5年間連続で続いている場合には2・3号の全ての子どもについて公定価格を減算（120％未満の児童も含め）することになります。また、1号の子どもについては、減算の要件を満たしていないことから、減算は行われません。
85		○	○		○	○	○		休日、夜間保育加算	削除
86	○	○	○	○	○	○	○		処遇改善等加算	処遇改善等加算がなされるのは保育士や幼稚園教諭だけなのでしょうか。	保育士や幼稚園教諭だけでなく、事務職員や調理員等も対象となります。また、処遇改善は非常勤職員も対象となります。
87	○	○	○	○	○	○	○		通園バス代の実費徴収	1号認定子どもの公定価格のみ通園送迎加算がありますが、2・3号認定子どもはバスを利用できないのでしょうか。2・3号認定子どもがバスを利用できる場合は、その実費徴収額は、1号認定子どもよりも加算額分高く設定すべきでしょうか。	通園送迎加算は送迎を利用する一部の1号認定子どもにのみ加算されるのではなく、施設として送迎を実施していれば1号認定子ども全体に加算が付きます。2・3号子どももバスを利用できますし、加算額で不足する必要経費は、1～3号の区分にかかわらず、バス利用者から、同額の実費徴収を行って構いません。
88	○		○						給食実施加算	1号認定子どもの給食実施加算は全員に給食を実施する場合だけが対象でしょうか。	1号認定子ども全員に給食を提供できる体制をとっている日を実施日と考えます。したがって、保護者が弁当持参を希望し、給食を利用しない子どもがいる場合も、弁当持参を希望し給食を利用しない子どもを除く1号認定子ども全員に給食を提供できる体制をとっていれば実施日に含まれます。
89	○		○						公定価格	公定価格FAQQ12によると、「平成27年度の制度施行時の経過措置（上記設定方法により地域区分が下がる市町村等）あり。」とありますが、認定こども園（幼稚園）の場合の1号認定についても経過措置は適用されるのでしょうか。	全ての認定区分及び施設・事業において経過措置を適用します。（従って、市町村の管内に所在する全ての施設・事業の地域区分は同一になります。）
90	○	○	○	○	○	○	○		加算要件の確認等	削除

No.							項目	質問	回答
91		○	○		○	○	○	休日保育加算	公定価格の休日保育加算について、休日における給食に係る費用は含まれていると考えてよいですか。積算にどのような内容が含まれているのでしょうか。	休日保育加算については、平成26年度以前の休日保育事業を給付費等の加算として再整理したものであり、休日保育事業と同様に給食及び間食に係る費用を算定しています。
92	○	○	○	○	○	○	処遇改善加算の要件		削除
93	○	○	○				障害児受入の際の加算	障害児を受け入れた場合、地域型保育事業については、公定価格上、加算措置が設けられていますが、認定こども園や幼稚園、保育所については加算措置がないのでしょうか。	ご指摘のとおり、地域型保育事業において障害児を受け入れる場合には、障害児保育事業を設けることとしています。他方、認定こども園や幼稚園、保育所において障害児を受け入れた場合における財政支援については、既存の仕組みにより対応することとしています。具体的には、私立幼稚園については、私学助成の特別補助（特別支援教育経費）により対応することとし、保育所については従来通りの地方交付税措置により対応することとなります。なお、認定こども園において私学助成や障害児保育事業の対象とならない障害児については、多様な事業者の参入促進・能力活用事業（認定こども園特別支援教育・保育経費）において対応することとします。これらの施設において、主幹教諭等（幼稚園は主幹教諭や専任加算、保育所は主任保育士専任加算が適用されている施設）を補助する者（非常勤職員であって資格の有無は問わない）を配置して主幹教諭・主任保育士等が、地域関係機関との連携や相談対応等の療育支援を行う場合には、療育支援加算の対象となります。
94	○	○					特例給付の公定価格	1号認定を受けた子どもが保育所で特例給付を受ける場合や、2号認定を受けた子どもが幼稚園で特例給付を受ける場合の、それぞれの給付単価はどのようになるのでしょうか。	「特定教育・保育、特別利用保育、特別利用教育、特定地域型保育、特別利用地域型保育、特定利用地域型保育及び特例給付に要する費用の額の算定に関する基準等」（平成27年内閣府告示第49号）第3条及び第4条において、規定されております。 （参考） ○1号認定子どもが保育所を利用する場合（特別利用保育） ・保育所に適用される2号認定に係る公定価格が適用。 ・年度の初日の前日における年齢が、満2歳の子供の場合は基本分単価（保育短時間認定）から7,500円（副食費徴収免除対象子どもは3,000円）を減じた額。 ○2号認定子どもが幼稚園を利用する場合（特別利用教育） ・幼稚園に適用される1号認定に係る公定価格が適用。 ※なお、通常の教育時間を超える利用については、一時預かり事業（幼稚園型）による対応となる。市町村が施設等利用給付第2号認定のみなし認定（子ども・子育て支援法第30条の5第7項）を行うことで、無償化の対象とすることができる（保護者は施設等利用給付第2号認定の申請は要しない）。
95	○			○			基本部分、調整部分 （定員を恒常的に超過する場合）	平成26年10月17日付け事務連絡「認可定員を超過して園児を受け入れている私立幼稚園に係る子ども・子育て支援法に基づく確認等に関する留意事項について」は、認定こども園を構成している幼稚園にはどのように適用されるのか。	事務連絡に示している例外的・暫定的な利用定員設定及び公定価格の減算調整は、1号認定子どもについてのみ適用することを想定しています。具体的には、認定こども園を構成している幼稚園の適用単価の設定・減算調整（都道府県の判断により、私学助成との整合性等を踏まえて独自に厳格に減算する場合の下限の設定を含む。）に当たっては、認定こども園を構成している認定こども園全体の認可定員・実利用人員・基準適合定員に代えて、それぞれから2号利用定員を減じて得た人数を用いることとします。詳細は、自治体向けＦＡＱ95番の参考資料（以下URL）をご参照ください。また、同ＦＡＱ110番のとおり、地域の実情に応じ、各都道府県において、当該参考資料と異なる取扱いが行われることにもご留意ください。 https://www8.cao.go.jp/shoushi/shinseido/administer/qa/pdf/ref4.pdf 特定教育・保育、特別利用保育、特別利用教育、特定地域型保育、特別利用地域型保育及び特例保育に要する費用の額の算定に関する基準等の一部を改正する告示（令和5年内閣府告示第29号）により、「定員を恒常的に超過する場合」の減算額は各月初日の利用子ども数の区分及び地域区分に応じた調整率を乗じて算定することとなり、単価の算定に用いている定員区分と各月初日の利用子ども数に差異がない場合には、調整率が設定されていません。 他方で、当該事務連絡2．(2)によると、実利用人員が該当する定員区分に基づく公定価格の単価を適用して支給する場合において、私学助成については各都道府県がそれぞれの考え方に従って定員超過の場合の交付額の調整を行ってきている実態を踏まえ、各都道府県において特に必要と判断する場合には、定員超過園の実態に応じ、施設ごとに、公定価格に定める減算割合よりも低い調整割合を定めて適用することが可能であることを示していることから、令和5年度以降も県の判断により、従前どおりの減算調整を行うことは可能です。
96	○	○	○	○	○	○	処遇改善等加算	処遇改善等加算の認定手続きのスケジュールはどのように想定していますか。また、認定の効果は年度当初に遡及されますか。	処遇改善等加算を受けようとする施設・事業者は、都道府県知事・指定都市長・中核市長及び都道府県知事との協議により処遇改善等加算の認定事務を行うこととなった市町村長が定める日までに、必要書類を市町村長に提出することとしており、具体的には都道府県等が定めるスケジュールによることになります。また、加算認定が年度途中になった場合、事業者からの申請ベースで適用した上で、認定がなされた後に認定の効果を年度当初に遡及して適用することになります。
							園長の兼務	園長（施設長）を1人の者が兼務していますが、この場合の公定価格の扱いはどのようになるので	幼稚園については、必置の職員である園長の人件費は基本分単価に含まれています。したがって、何らかの事情で園長が専任でない場合であっても公定価格上減算されることはありませんが、専任でない園長を置く幼稚園にあっては、原則として、副園長等の教員を1

No.								項目	質問	回答
97	○	○	○						しょうか。認定こども園、幼稚園、保育所とで違いはありますか。	名追加して配置すること（幼稚園設置基準第5条第3項）とされており、当該教員分の人件費は公定価格上は算定されません。 認定こども園については、いずれの類型ともに、幼保連携型認定こども園に準拠し、幼稚園と同様の取扱いとなります（幼保連携型認定こども園の学級の編制、職員、設備及び運営に関する基準第5条第3項備考第4号）。 また、保育所については、施設長の人件費は基本分単価に含まれていますが、常時実際にその施設の運営管理の業務に専従することが要件としてあり、要件が満たされない場合は、「施設長を配置していない場合」の調整が適用されます。
98		○	○		○	○		休日保育の利用者負担額	休日保育加算の対象となる利用者から、所得に応じた利用者負担とは別に、休日保育の利用料を徴収することはできますか。また、出張等で単発的に利用する場合は、どのように取り扱うのでしょうか。	新制度においては休日保育を給付化することになりますので、休日保育加算の対象となる「原則、休日等に常態的に保育を必要とする保育認定子ども」が休日保育を利用する場合、当該休日保育の利用に対し、所得に応じた利用者負担とは別に、利用料を徴収することはできません。 なお、保護者のいずれもが急な出張等により保育が必要な状態になるなど、単発で休日保育を利用する場合についても、休日保育加算の対象とすることもできます。この場合は、休日保育加算により費用が賄われることになるため、保護者から利用料を徴収することはできません。 また、就労により認定を受けた保護者が、冠婚葬祭など保育認定を受けた事由とは異なる事由により、休日に保育を利用する場合には、一時預かり事業により利用することが考えられます。この場合は、保護者から一時預かり事業としての利用料を徴収することになります。 なお、休日の職員体制を充実させて休日保育を実施しているなど、公定価格による水準を超えて費用がかかる場合は、保護者の同意や私立保育所の場合は市町村への協議など、必要な手続きを経た上で、特定負担額や実費徴収により、水準を超える費用を徴収することも考えられます。
99		○	○		○	○		休日保育の利用者負担額	常態的に休日保育を必要とする子どもの保護者にとっての週休日（例：店の定休日である火曜日が週休日）に、単発的な仕事が入った場合や、園の行事等のために保育を行う必要があると園側が判断した場合、当該火曜日に保育を受けることは可能でしょうか。その場合の利用者負担はどう取り扱うべきでしょうか。	保育の提供は、原則として保育が必要な場合に限られますので、就労が認定事由である場合、保護者が就労していない日には、基本的には保育を受けられないことになりますが、お尋ねのように、通常の休業日に仕事が入り、保育を必要とする状態になった場合や、子どもに対する集団保育の観点から保育が必要であると園が判断する場合に、保育の利用を妨げるものではありません。また、その場合、別途の利用料を徴収することはできません。
100		○	○		○	○		休日保育加算	休日保育加算の要件として、対象となる子どもに間食又は給食等を提供することが定められていますが、休日に自園調理を行うことが困難であること等の理由により、保護者の同意があれば弁当持参も可能とする取扱いはできないでしょうか。	日曜日における就労等に係る保育ニーズへの対応の観点から、間食又は給食等の提供をしていただくことが基本ですが、保護者の同意を得て弁当持参により対応することも考えられます。
101		○	○		○	○		基本単価と必要な職員配置	保育所や認定こども園（保育認定2号・3号）の基本分単価に含まれる職員構成と実際に配置すべき保育士数との関係を教えてください。特に休けい保育士や保育標準時間認定に係る非常勤保育士の加算分について、実際に保育士を配置する必要がありますか。配置できない場合は、公定価格の減額調整などがあるのでしょうか。 また、非常勤職員の配置とされている場合、その非常勤職員の従事時間などの要件はありますか。	「特定教育・保育等に要する費用の額の算定に関する基準等の実施上の留意事項について」（令和5年5月19日付けこども家庭庁成育局長、文部科学省初等中等教育局長通知）（以下「留意事項通知」という）の各事業類型の「Ⅱ基本部分」にあるとおり、基本分単価に含まれる休けい保育士や保育標準時間認定に係る保育士（常勤）等についても、年齢別配置基準とは別途配置する必要があり、これを満たさない場合は、指導の対象となります。なお、保育標準時間認定子どもが少数の場合で、ローテーション勤務により対応しているなど、常勤保育士を別途配置する必要性が低くなる場合には非常勤職員とすることも差し支えないこととしており、教育・保育が円滑に行われるよう、実態に応じて市町村が適切に御判断ください。また、幼稚園や認定こども園については、これまで年齢別配置基準の設定がなかったことから、配置基準に達していない施設に配慮して、公定価格上調整措置を設けて、費用を調整することにしています。 また、保育標準時間認定に係る非常勤保育士など、基本分単価に含まれる非常勤職員の取扱いについては、従事時間等の具体的要件は定めていませんので、教育・保育が円滑に行われる体制がとられているか、実態に応じて市町村が適切に御判断ください。 なお、小規模保育事業等の保育標準時間認定における非常勤保育従事者も同様の取扱いとなります。
102	○							処遇改善等加算Ⅰ		削除
103	○	○	○					療育支援加算	療育支援加算は、年度途中に障害児を受け入れた場合でも対象になりますか。また、当該障害児が年度途中に退所した場合はどうなりますか。	月の初日において障害児が1人以上利用している場合、仮に当該障害児がその後に退所した場合であっても、当該月以降、年度を通じて加算の対象となります。（例えば、4月当初は障害児の受け入れがなく、7月に障害児を受け入れ、当該障害児が10月に退所した場合、7月以降の9か月分が加算の対象となります。）

No.								項目	質問	回答
104	○		○					担当職員（教育補助者）の資格要件	幼稚園の教諭免許状が失効している者をチーム保育を担当する教育補助者として配置する場合は、配置の日までに都道府県教育委員会に再授与申請手続きを行う必要がありますか。	当該者の教諭免許状が失効している場合については、新制度への円滑移行の観点から、各市町村の判断により、１年以内の一定期間内に所定の手続きを行うことを条件として、チーム保育を担当する教育補助者として配置を認めることを可能とします。
105		○	○		○	○		休日保育加算	ある施設が、自園に在籍する子どもだけでなく、平日は近隣市町村の別の施設を利用している子どもも受け入れて休日保育を実施する場合、休日保育にかかる給付金は、利用者数を按分した上で、利用者の居住するそれぞれの市町村が給付することとなるのでしょうか。	休日保育加算については、「休日保育の年間の延べ利用子ども数」の区分に応じた加算額となっていますが、この利用子ども数には、平日は他の施設（事業）を利用している子どもであっても、休日保育の利用を受け入れる場合にはその子どもの数も含まれます。例えば、平日は他市町村の利用者が利用している施設において、休日保育のみ近隣市町村からも受入を行う場合、他市町村からの利用者も含めた「休日保育の年間延べ利用子ども数」による加算を施設所在地市町村が支払うことになりますが、その休日保育費用相当分を居住地市町村との間で調整いただくことは差し支えありません。
106		○	○		○			休日保育加算	各市町村において休日保育の利用可能人数の上限を設定した場合でも、休日保育加算の対象となりますか。	休日保育加算は、各施設・事業者が利用可能人数の上限を設定している場合であっても、「休日保育の年間の延べ利用子ども数」に応じた加算の対象となります。なお、各市町村においては、休日保育に対するニーズを満たすよう取組みが求められます。
107	○	○	○	○	○	○	○	処遇改善等加算	都道府県で行う処遇改善等加算の事務を市区町村（指定都市、中核市及び特定市町村を除く）に委ねる場合、どこまで委ねることができるのでしょうか。事務を委任する場合であっても、形式的に県に計画書や請求書を提出してもらう必要があるのでしょうか。	処遇改善等加算Ⅰについて、申請内容の確認等の事務を市町村に委任することは可能ですが、確認・取りまとめの具体的な程度については、都道府県と市町村の間で決定していただくことになります。
108	○	○	○	○	○	○		処遇改善等加算	市独自に処遇改善のための加算制度を設けている場合、賃金改善要件の判定において、どのように取り扱えばよいでしょうか。	賃金改善要件については、市独自に加算制度を設けている部分を除いて判定していただくこととなります。
109	○	○	○	○	○			処遇改善等加算Ⅰ	削除	
110			○					処遇改善等加算Ⅰ	削除	
111		○	○	○	○			減価償却費加算	減価償却費加算について、敷地内に複数の施設が存在し、施設整備補助金を受けたものと受けていないものが混在している場合や、単一施設であっても新築部分とその後の増築部分で施設整備費補助金を受けた受けないが分かれている場合、どのような取扱いになるのでしょうか。	減価償却費加算は、施設整備費等の国庫補助金の交付を受けていないものが対象となります。したがって、同じ敷地内に施設整備費の国庫補助を受けた施設と受けていない施設が混在する場合、補助金を受けていない施設については、加算要件に該当する場合には、加算の対象となります。また、同じ敷地内に保育所の他に別棟で給食室等を建設した場合は単一の保育施設とみなされますので、国庫補助金の交付を受けている場合は、減価償却費加算の対象となりません。他方、新築部分と増築部分で施設整備費補助金を受けた、受けないが分かれている場合であっても、当該施設としては施設整備費の国庫補助を受けていますので加算の対象とはなりません。ただし、施設整備費等国庫補助を受けて建設した建物について、整備後一定年数が経過した後に、老朽化等を理由として改修等が必要と市町村が認める場合であって当該改修等に当たって、国庫補助の交付を受けていないこと等の要件に該当する場合には、この限りではありません。
112		○	○	○	○			賃借料加算	「賃借物件による保育所整備事業」「小規模保育設置促進事業（賃貸料補助）」等の国庫補助を受けた施設・事業については、賃借料加算は受け取れないのでしょうか。開設前の賃借料の補助は賃借料加算と重複しないのではないでしょうか。	「賃借物件による保育所整備事業」「小規模保育設置促進事業（賃貸料補助）」等の国庫補助事業については、事業開設後の賃借料にも充てられることから、当該補助を受けている期間中は賃借料加算の対象とはなりませんが、当該国庫補助事業による補助がなくなった翌月分からは委託費や地域型保育給付等の中で賃借料加算を支払うこととなります。
113	○	○	○	○	○	○	○	加算部分全般	療育支援加算、事務職員雇上費加算、家庭的保育補助者加算など、職員の配置に係る加算については、当該職員の勤務時間が最低何時間以上なければならない等の制限はありますか。	加算の趣旨が実現される勤務実態となっているかどうかを踏まえ、各市町村において適切に認定を行っていただくようお願いします。
								基本部分調整部分（主幹教	認定こども園において、主幹教諭等を専任化させるための代替保育教諭等として、常勤１名と非常	認定こども園については、留意事項通知の別紙３のⅣの１．(1)に示す事業等を複数実施した上で、主幹教諭等を専任化させるための代替教諭等として常勤職員１名及び非常勤職員１人の配置を求めており、配置が満たされない場合は、減算調整が適用されることとなり

No.							項目	質問	回答
114			○				諭等の専任化をしていない場合)	勤職員1名を配置することとされていますが、非常勤職員を2人配置した場合に、減算調整は適用されるのでしょうか。 また、主幹教諭等の専任化により子育て支援の取組を実施していない場合について、減算調整は適用されるのでしょうか。	ます。質問の事例でいえば、常勤職員1人の配置が満たされないため、当該常勤職員分の減算調整のみが適用されることとなります。 また、主幹教諭等の専任化により子育て支援の取組を実施していない場合については、1号部分及び2・3号部分のそれぞれから減額調整が行われることとなります。
115			○				事務職員配置加算	認定こども園の事務職員配置加算は1号の利用者がいない場合には加算されないのでしょうか。	事務職員配置加算の適用を受けることはできませんが、認定こども園においては2・3号の加減調整部分における「1号認定子どもの利用定員を設定しない場合」の費用の調整により、事務職員配置加算に相当する額を含めております。
116			○				土曜日に閉所する場合の減算・日割り計算	幼稚園型認定こども園で土曜日に閉所している場合も、その園を利用する2・3号認定子どもの公定価格については、「土曜日に閉所していることによる減算」が必要となるのでしょうか。 また、日割り計算をする際、除する日数は25日となるのでしょうか。	幼稚園型認定こども園の公定価格についても、保育所等と同様、土曜日開所が前提となっています。このため、土曜日（国民の祝日及び休日を除く。）に閉所する施設や開所していても保育を提供していない施設に、「土曜日に閉所していることによる減算」が適用されます。 また、日割り計算をする際にも、2・3号認定子どもの公定価格の場合は25日を用いることとなります。
117				○	○	○	連携施設（経過措置期間中の減算）	家庭的保育事業等では、「家庭的保育事業等の設備及び運営に関する基準」（平成26年厚生労働省令第61号）附則第3条の規定により、施行の日（平成27年4月1日）から10年間は連携施設の設定をしなくても良いことになっていますが、この経過措置の間、公定価格は減算されることになるのでしょうか。	家庭的保育事業等は、連携施設を設けることが要件となっており、公定価格上、基本分単価に「連携施設との連携に係る費用」が積算されています。このため、たとえ経過措置期間中であっても、連携施設の設定がなされていない場合には、減算の対象となります。 なお、連携施設は、家庭的保育事業等の設備及び運営に関する基準（平成26年厚生労働省令第61号）第6条第1項各号に掲げる全ての連携協力が確保されたものであることとします。
118	○	○	○	○	○		調整部分（土曜閉所する場合）	土曜日に閉所する場合の減算調整は、半日開所や開所時間が11時間に満たない場合も減算となるのでしょうか。 また、半日開所のニーズしかない地域の場合、ニーズに合わせて半日しか開所しないことが考えられますが、この場合も減算の対象となるのでしょうか。	公定価格上、2・3号認定子どもを受け入れる施設については、土曜日も含め、基本的に11時間開所を想定しており、土曜日の利用ニーズがあるにも関わらず、半日開所する場合も含めて開所時間が11時間に満たない場合は、基本的に減算の対象となります。 ただし、地域のニーズに合わせ土曜日において必要とされる時間（例えば午前中のみ）のみ開所する場合は、減算の対象となりません。
119	○	○	○	○	○		その他	保育認定子どもの利用者負担額の日割り計算において、休日保育を行っている等により開所日数が通常よりも多い場合も、土曜日に恒常的に閉所している等により開所日数が通常よりも少ない場合も、どちらの場合も25日で除するということで良いのでしょうか。	保育認定子どもの利用者負担額の日割り計算においては、実際の開所日数に関わらず、25日で除していただくこととなります。留意事項通知第2をご参照ください。
120	○	○	○	○	○	○	処遇改善等加算Ⅰ	キャリアパス要件で必要となる「研修」は、どの程度のものであれば認められるのでしょうか。また、施設・事業所職員の能力評価とはどのようなもので、どのような内容が必要でしょうか。	施設・事業所職員の職位、職務内容等に応じた研修（所長研修、主任保育士研修など職位に応じた研修、或いは職務内容に応じた研修など）を実施、又は研修の機会を確保していればよく、研修内容は、社会通念上、明らかに職員の研鑽目的でないものを除き、施設の実情に応じて取り組んでいれば認められるものになります。 また、能力評価については、個別面談や、自己評価に対し施設長や管理職の職員等が評価を行うなどが考えられます。施設・事業所の職員が業務や能力に対する自己評価をし、その認識が事業者全体の方向性でどのように認められているのかを確認し合うことが重要であり、この趣旨を踏まえて適切に運用されているのであれば、要件を満たしていると考えられます。
121		○	○				高齢者等活躍促進加算	高齢者等活躍促進加算における高齢者等の範囲は、高齢者（満60歳以上）、身体障害者、知的障害者、母子家庭等の母及び寡婦等に限られるのでしょうか。	精神障害者（精神保健及び精神障害者法に関する法律に規定する精神障害者保健福祉手帳を所持している者）なども考えられます。
							減価償却費加算	家庭的保育事業等の減価償却費加算について、自宅の一部で保育を行う場	加算要件に「自己所有であること」としていますので、原則として、自宅の一部を改修して保育を行う場合であっても、建物の名義が事業主でなければ、減価償却費加算の対象とはなりません。

122			○	○	○			合、家庭的保育事業の用に供する建物が自己所有であることというのは、自宅の名義が事業主でなければならないということか。 また、名義に関して、親族等との共有名義である場合は、どうか。	ただし、家庭的保育事業等は、保育者の居宅等を保育の提供場所としている場合もありますので、建物が配偶者や生計を一にしている者の名義であるなど、社会通念上、要件の主旨に反しないと判断される場合は加算要件を満たしているものとして差し支えありません。
123		○	○	○	○	○	減価償却費加算	減価償却費加算の加算要件に、「建物の整備に当たって、施設整備費又は改修費等の国庫補助金の交付を受けていないこと」とあるが、この「国庫補助金」には、地方単独補助金が含まれるのか。 また、地方単独補助金が含まれないとする場合、過去に地方単独補助金の交付金を受けている施設から減価償却費加算の申請が出されてしまった場合、市町村は同加算の認定を行わざるを得ないのか。	加算要件(ウ)における「国庫補助金」には、地方単独補助金は含まれませんが、減価償却費加算の趣旨に鑑み、地方単独補助金と二重交付とならないよう、市町村判断で加算の認定をしないという判断も可能です。
124		○	○	○	○	○	賃借料加算	賃借料加算においては、「国庫補助を受けた施設については、当該補助に係る残額が生じていないこと」が要件とされているが、賃借料について、前払いによりその一部又は全部が支払われ、毎月支払う賃借料が減額されている場合の取扱いはどのようになるのか。	一括払いや分割払いといった賃借料の支払い方により加算の適用期間が変わるのは、公平性の観点から望ましくありませんので、実質的にどの期間の賃借料について国庫補助金が充当されているかを判定し、当該期間（国庫補助対象期間）については、賃借料加算が適用されない取扱いとなります。 具体的な国庫補助対象期間の算定に当たっては、国庫補助基準額から礼金の額を控除した金額（礼金を国庫補助対象とする場合に限る。）を前払いによる減額を考慮しない月額賃借料で除し、これにより得られた月数（小数点以下切り上げ）が国庫補助対象期間となります。ただし、賃借料に係る契約等において、国庫補助金を賃借料に充当する期間・金額について個別に定めている場合は、当該定めによる期間が国庫補助対象期間となります。 例：減額前の月額賃借料150万円、礼金300万円、20年契約、国庫補助基準額4,100万円の場合 ① 契約時に4,100万円を前払い（礼金含む）することで、月額賃借料を減額している場合（契約等において、国庫補助金を賃借料に充当する期間等の定めがない場合） 　　（4,100万円－300万円）÷150万円＝25.33月 　⇒国庫補助対象期間　26月 ② 契約時に4,100万円を前払い（礼金含む）することで、月額賃借料を減額している場合（契約等において、契約期間全期間の賃借料に国庫補助金を充当する定めがある場合） 　⇒国庫補助対象期間　240月（＝20年間）
125	○	○	○	○	○	○	処遇改善等加算Ⅰ	処遇改善等加算Ⅰの加算見込額の算定に当たって、公定価格上の加減調整部分の取扱いはどのようにすればよいのか。	加算見込額の算式における「処遇改善等加算の単価の合計額」の算定に当たっては、実際の加算額と極力近しい値となるよう見込む必要があります。 従って、「土曜日に閉所する場合」など、処遇改善等加算に関連する各調整部分についても、加算見込額の正確性を高めるために、調整部分のうち処遇改善等加算部分を算出し、以下の算式で導かれる値を加算見込額から減算することになります。 【「土曜日に閉所する場合」の加算見込額算定上の算式】 {((⑦処遇改善等加算＋⑧３歳児配置改善加算のうち処遇改善等加算部分＋⑩夜間保育加算のうち処遇改善等加算部分）×賃金改善要件分の加算率÷処遇改善加算の加算率）×○／100 （※○／100は、各定員区分によって決定）
126	○	○	○	○	○	○	処遇改善等加算Ⅰ	加算見込額の算定について、各月初日の利用子ども数で除して単価を算出するような加算の場合、処遇改善等加算の合計額を出す場合の単価に係る端数処理をどのように行えばよいのか。	特定教育・保育、特別利用保育、特別利用教育、特定地域型保育、特別利用地域型保育及び特例保育に要する費用の額の算定に関する基準（平成27年内閣府告示第49号）第14条の定める端数計算の取扱いに準じ、単価が10円以上であった場合は、10円未満を切り捨て、10円未満であった場合は、小数点第１位を切り捨てすることとします。 例：認定こども園、各月初日の利用子ども数：35人 　　療育支援加算の処遇改善等加算の単価の求め方 　　120÷35＝3　（小数点第１位切り捨て）
127	○	○	○	○	○	○	処遇改善等加算Ⅰ	平均経験年数の算定に当たり、職員の勤続年数の確認はどのような書類で行うべきか。	平均経験年数の算定に当たり、個々の職員の勤続年数の確認に必要な書類については、国として一律の証明書を求めるものではありません。職歴証明書、雇用保険加入履歴や年金加入記録など、加算認定申請書に記載された職歴が把握・推認される資料等によって算定することが考えられます（職歴証明書によらず、雇用保険加入履歴や年金加入記録などから推認する場合は、労働条件通知書等もあわせて確認することが考えられます。）。 また、記載事項としては、事業所名、職種（保育士、調理員等）、雇用形態（常勤、非常勤等）、勤務時間、雇用期間など、「施設型給付費等に係る処遇改善等加算について」（令和２年７月30日付け通知）（以下「処遇改善等加算通知」という。）第４の１の内容が確認できるような項目が考えられます。

No.					項目	質問	回答
128	○	○	○	○	減価償却費加算	要件のうち、「建物の整備に当たって、施設整備費又は改修費等の国庫補助金の交付を受けていないこと」とはどのように判断するのでしょうか。	減価償却費加算は、施設整備費等の国庫補助金（以下「整備費等補助金」という。）の補助対象となる整備等（株式会社の場合は、整備費等補助金の対象外であることから、整備費等補助金の補助対象と同等の整備等）を実施しながら、整備費等補助金の交付を受けない場合に加算されるものです。 減価償却費加算の適用の有無は、以下を基準に判断してください。 1　保育所の場合 ①　減価償却費加算の適用の有無の判断は確認を受けた施設・事業所ごとの単位で行います。 　一つの施設・事業所が複数の棟に分かれている場合や分園を設けている場合であっても確認を受けた施設・事業所全体で減価償却の適用の有無を判断することになります。 　このため、施設・事業所の一部でも整備費等補助金^(注1)の交付を受けている場合は、減価償却費加算の対象になりません^(注2) （注1）施設整備費等補助金に該当しない補助金の例示 　・　地方自治体の単独事業による施設整備費等 　・　創設、増築・増改築、改築、大規模修繕等以外の施設整備費等の国庫補助金（スプリンクラー設備の補助等） （注2）減価償却費加算の対象とならない場合の例示 　ⅰ　保育所等の一部（分園を含む）を整備費等補助金で整備した場合 　ⅱ　保育所等がA棟とB棟の複数の棟で構成されている場合で、A棟又はB棟の一部を整備費等補助金で整備した場合 ②　既存建物の無償譲渡を受けて教育・保育を実施している場合など、整備費等補助金の補助対象となる整備等の実施や建物の購入をせずに、保育所等として活用している場合には、減価償却費加算の対象になりません。 2　認定こども園の場合 　保育所部分の一部でも整備費等補助金の交付を受けている場合は、減価償却費加算の対象になりません。したがって、幼稚園部分について幼稚園整備補助等の国庫補助金を受けた場合でも、保育所部分を自己資金で整備した場合は減価償却費加算の対象となります。
129		○			基本部分 調整部分（主幹教諭等の専任化をしていない場合）	主幹保育教諭等の専任化をしていない場合とあるが、「主幹保育教諭等」としてどのような職種が対象になるのか。	副園長、教頭及び主幹保育教諭・指導保育教諭（幼保連携型認定こども園以外の認定こども園においては、主幹教諭・指導教諭・主任保育士）が対象になります。 なお、副園長及び教頭については幼稚園教諭免許状・保育士資格を有していない者についても、一定の条件の下で、任用が可能となっており、本件専任化の対象とする場合も、免許・資格の保有は要しません。
130	○	○	○		主幹教諭等専任加算／主任保育士専任加算／調整部分（主幹教諭等の専任化をしていない場合）	「保護者や地域住民からの教育・育児相談、地域の子育て支援活動等」の要件はどのようなものか。	「保護者や地域住民からの教育・育児相談、地域の子育て支援活動等に積極的に取り組むこと」との要件については、地域子ども・子育て支援事業（地域子育て支援拠点事業等）や私学助成による子育て支援活動等を実施していることのみを意味するものではなく、各園や地域の実情に応じて、教育・保育に関する相談・情報提供や、子どもと保護者との登園の受入れ、保護者同士の交流の機会の提供等の取組など地域において実施することが必要と認められるものを、保護者の要請に応じ適切に提供し得る体制の下で行っていれば、要件を満たすものと取り扱って差し支えありません。（「主幹教諭等専任加算等の取扱いについて」（周知）平成28年3月4日　事務連絡を参照）
131	○		○		主幹教諭等専任加算／調整部分（主幹教諭等の専任化をしていない場合）	幼稚園型一時預かり事業で非在籍園児の受入れを行っているが、「一般型一時預かり事業」の要件を満たしているものとして扱ってもよいでしょうか。	幼稚園型一時預かり事業を実施している幼稚園等において、地域の預かりニーズを適切に踏まえながら、幼稚園型として非在園児の預かりを行っており、一般型一時預かり事業を実施する場合のニーズに一定程度対応していると認められる場合には、幼稚園型一時預かり事業と一般型一時預かり事業の双方を実施しているものとして取り扱って差し支えありません。（「主幹教諭等専任加算等の取扱いについて」（周知）平成28年3月4日　事務連絡を参照）
132		○			調整部分（主幹教諭等の専任化をしていない場合）	主幹保育教諭等の専任化の取組を実施していない場合に該当する場合、調整する複数の事業を実施していないことをもって、加算を取得できなくなることはありません。	認定こども園において、「主幹保育教諭等の専任化により子育て支援の取組を実施していない場合」の減算が適用される場合でも、専任代替教諭等の配置が行われているのであれば、主幹保育教諭等の専任化や規定された複数の事業をしていないことをもって、加算を取得できなくなることはありません。 なお、代替保育教諭等の配置が行われていない場合にも、これにより直ちに加算が全く取得できなくなるわけではなく、加算分（例：チーム保育加配加算）として位置付けている人員の一部又は全部を代替保育教諭等として充当し、基本分単価において充足すべき職員数を満たすことが確認でき、さらに加算の対象となる追加分の配置があれば、それに応じた加算の算定は可能です。（「主幹教諭等専任加算等の取扱いについて」（周知）平成28年3月4日　事務連絡を参照）
133		○			調整部分（主幹教諭等の専任化をしていない場合）	1号認定子どもと2・3号認定子どもの区分で共通する事業要件である「一般型一時預かり事業」及び「障害児に対する教育・保育の提供」については、それぞれ1号認定子ども又は2・3号認定子どもが対象となるのでしょうか。	これらの事業の実施については、認定こども園全体で一般型一時預かり事業や障害児に対する教育・保育の提供を行っていれば、1号認定子ども及び2・3号認定子どもの区分の双方について当該事業を実施していると取り扱います。

No								区分	質問	回答
134	○	○	○	○	○	○	○	処遇改善等加算Ⅰ	平均経験年数の算定にあたり、派遣労働者や、育児休業・産前産後休業を取得している職員は算定対象になるのか。	派遣労働者については、算定対象となります。 一方、育児休業・産前産後休業を取得している職員（以下、「育休等取得者」）については、当該休業期間の有給・無給を問わず、算定対象となります。また、育休等取得者本人が算定対象となるため、育休等取得者の代替職員は算定対象となりません。
135	○	○	○	○	○	○	○	日割り計算	各月（３月）初日の利用子どもの単価に加算する事項がいくつかあるが、月途中での入退所がある場合の日割り計算はどのようにするのか。	月途中での入退所があった場合、加算部分を含め公定価格は日割りとなります（自治体向けＦＡＱ．Ｎｏ132参照）。 ただし留意事項通知において、「各月初日の利用子どもの単価に加算」、「３月初日の利用子どもの単価に加算」又は「各月（３月）初日の利用子ども数で除して得た額とする」等と記載のある加算については、日割り計算の対象から外れます。 上記のような加算については、各月（３月）初日に利用している子どもの単価に全額加算され、仮に月の途中に退所しても日割りは行いません。逆に、各月（３月）初日に利用していない月の途中に入所した子どもの単価には加算されません。
136				○	○			処遇改善等加算Ⅱ	小規模保育事業所や小規模な企業主導型保育事業所では主任保育士の職位が設けられておらず、管理者と保育士のみの事業所もあるが、このような事業所が処遇改善等加算Ⅱを取得する場合には「副主任保育士等」「職務分野別リーダー」とは別に「主任保育士」の職位も設けなければならないのでしょうか。	小規模保育事業所（事業所内保育事業所（Ａ型又はＢ型）を含む。）及び企業主導型保育事業所（定員が19人以下の事業所に限る。）については、処遇改善等加算Ⅱの取得に際して、「副主任保育士等」及び「職務分野別リーダー」に対応する職位を設ければよく、これに加えて、主任保育士の職位を新たに設ける必要はありません。
137				○	○			処遇改善等加算Ⅱ	小規模保育事業や小規模な企業主導型保育事業を行う事業所について、主任保育士を処遇改善等加算Ⅱによる直接の賃金改善の対象とすることはできるのでしょうか。	小規模保育事業Ａ型又はＢ型を行う事業所（事業所内保育事業所（Ａ型又はＢ型）を含む。）及び企業主導型保育事業所については、保育所と同様に、主任保育士を処遇改善等加算Ⅱによる直接の賃金改善の対象とすることはできず、賃金のバランス等を踏まえて必要な場合に行う配分調整による改善のみが可能となります。 また、家庭的保育事業に近い形態である小規模保育事業Ｃ型を行う事業所については、公定価格上において主任保育士の人件費を設定していないことから、主任保育士の職位にある者についても、処遇改善等加算Ⅱによる直接の賃金改善の対象として差し支えありません。
138				○	○			処遇改善等加算Ⅱ	処遇改善等加算Ⅱの加算取得のために主任保育士の職位の設定が必要と考え、加算の取得に際して新たに主任保育士の職位の設定を行った小規模な企業主導型保育事業所や小規模な企業主導型保育事業所であっても、主任保育士の職位にある職員を直接の賃金改善の対象とすることはできないのでしょうか。	処遇改善等加算Ⅱの加算取得のために主任保育士の職位の設定が必要と考え、加算の取得に際して新たに主任保育士の職位の設定を行った小規模保育事業所（事業所内保育事業所（Ａ型又はＢ型）を含む。）及び企業主導型保育事業所（定員が19人以下の事業所に限る。）であって主任保育士と副主任保育士等の業務分担が困難な事業所においては、関係規定の見直しを行い「副主任保育士等」及び「職務分野別リーダー」に対応する職位のみの配置とすることにより、「副主任保育士等」として直接の賃金改善の対象とすることが可能です。
139	○	○	○					副食費徴収免除加算	１号認定子どもについて、加算の認定は、月毎に行うものとされていますが、施設の設置者から申請を毎月徴さなければならないでしょうか。 また、２号認定子どもについては施設（事業者）からの申請は不要ですか。	１号認定子どもについては、月の給食実施日数により加算額を算定する必要があることから、各月の申請が必要としています。ただし、事務負担の軽減の観点から、施設からの加算申請を数か月分まとめて受理し、認定する（例：４、５、６月分の申請を６月にまとめて受ける）などの運用を妨げるものではありません。ただし、９月の加算認定については、所得の判定に用いる市町村民税所得割合算額が前年度から当該年度に切り替わることにより、副食費徴収免除対象子どもの数に変動が生じる可能性があることにご留意ください。 ２号認定子どもについては、施設（事業者）からの申請は必要ありません。自治体で把握する副食費徴収免除対象子どもの数に応じた額を給付いただくこととなります。
140	○		○					副食費徴収免除加算	１号認定子どもについて、副食費徴収免除加算における給食実施日を「施設（事業所）が把握している各月初日における副食の提供予定」としていますが、申請と実績に乖離がある場合について、加算の再認定を行う必要がありますか。	虚偽や不正の手段により加算を受けた場合を除き、改めて加算認定をし直す必要はありません。ただし、申請と実績に大きな乖離が続く場合などについては、その理由について、施設（事業所）から説明を求めるなど加算認定に当たって丁寧な対応をお願いします。
141	○		○					副食費徴収免除加算	１号認定子どもについて、一部の日に給食の希望制をとっていますが、希望する子ども全員に副食の全てを提供できる体制をとっている場合には、副食費徴収免除加算における給食実施日に該当しますか。	副食費徴収免除加算において、給食実施日とは「利用子どもの全てに副食の全てを提供する日」とし、「施設（事業所）の都合によらずに副食の一部又は全部の提供を要しない利用子どもについては副食の全てを提供しているものとみなすものとする」としているため、希望する子ども全員に副食の全てを提供できる体制をとっている日については、給食実施日に該当します。
142	○		○					副食費徴収免除加算	１号認定子どもについて、夏休み期間など長期休業中の預かり保育や一時預かり事業において副食を提供した場合、副食費徴収免除加算における	預かり保育や一時預かり事業における副食の提供については、副食費徴収免除加算における給食実施日に該当しません。

										項目	質問	回答
											給食実施日に該当しますか。	
143	○		○							副食費徴収免除加算	1号認定子どもについて、午前中に教育の提供が終了する場合において、午後に預かり保育を利用する子どもに対して副食を提供した場合は、副食費徴収免除加算における給食実施日に該当しますか。	施設（事業者）が給食として食事を提供しており、預かり保育を利用しない子どもも含め希望する子ども全員に副食の全てを提供できる体制をとっている場合は、副食費徴収免除加算における給食実施日に該当します（この場合、給食の提供に要する費用について、預かり保育の経費に計上することはできません。）。 なお、預かり保育を利用する子どもに限定して副食を提供できる体制をとっている場合は、副食費徴収免除加算における給食実施日に該当しません。
144	○		○							副食費徴収免除加算	1号認定子どもについて、同じ月に副食の全部を提供する日と、おやつや牛乳のみなど、副食の一部を提供する日がある施設について、ともに副食費徴収免除加算における給食実施日に該当しますか。	副食費徴収免除加算において、給食実施日とは「利用児童の全てに副食の全てを提供する日」としているため、牛乳やおやつのみの提供など副食の一部のみを提供する日については、給食実施日に該当しません。 なお、給食実施日として計上されず、当該加算の対象とならない副食の提供に要する費用については、保護者から徴収することが可能です。
145	○		○							副食費徴収免除加算	1号認定子どもについて、3歳児は弁当持参とし、4・5歳児には給食を提供している場合、副食費徴収免除加算における給食実施日に該当しますか。	施設が利用子どもに対して副食を提供できるにも関わらず、副食を提供していないのであれば、利用児童の全てに副食の全てを提供してはいないことから、給食実施日に該当しません。 なお、3歳児について希望する者には副食の全てを提供できる体制を取っている場合は、給食実施日に該当します。
146	○		○							副食費徴収免除加算	1号認定子どもについて、4歳児に給食を提供するが5歳児は遠足等の行事で弁当持参とする日があった場合、副食費徴収免除加算における給食実施日に該当しますか。	副食費徴収免除加算の注書きにおいて、「施設（事業所）の都合によらずに副食の一部または全部の提供を要しない利用子どもについては副食の全てを提供しているものと見なす」としていますが、その趣旨は、施設が全ての利用子どもに対して副食を提供できる体制を取っている場合は、施設の都合によらず一部の子どもが副食の一部または全部の提供を要しない場合であっても、給食実施日に含めて差し支えないとするものです。 左記の例では、5歳児については遠足で外出しており副食の提供を要しない一方、4歳児については給食を提供しているため、給食実施日に該当し、給食の提供がされない5歳児に対しても加算されます。
147	○		○							副食費徴収免除加算	1号認定子どもについて、幼稚園の卒園式以降の日においては、幼稚園を卒園する1号認定子ども（以下この問において「卒園児」という。）に給食を提供することはできませんが、卒園児以外の希望する全員に給食提供している場合は、副食費徴収免除加算における給食実施日に該当しますか。	1号認定子どもについて、卒園式以降の日についても、卒園児以外の希望する全員に副食の全てを提供できる体制を取っている日であれば、これを給食実施日に含め、卒園児を含めた全ての副食費徴収免除対象子どもに対して加算されます。 また、卒園式の日以降に預かり保育事業を利用する場合で、同事業の中で提供される副食費は、副食費徴収免除加算には該当せず、無償化FAQ12-9の長期休業中と同様に、施設が認定保護者から徴収することが可能です。
148		○								委託費の経理	教育・保育の無償化に伴い、施設が徴収することとなった副食費について、社会福祉法人会計基準上、収支計算書、事業活動計算書においてどのように区分するべきでしょうか。	主食費などと同様、施設により徴収する費用であることから、 ・資金収支計算書については、 　大区分）保育事業収入 　中区分）利用者等利用料収入 　小区分）利用者等利用料収入（一般） ・事業活動計算書については、 　大区分）保育事業収益 　中区分）利用者等利用料収益 　小区分）利用者等利用料収益（一般） となります。 なお、法人所管市町村において現在これと異なる取り扱いとしている場合には、令和元年度の決算書類は従前の取り扱いによって差し支えありません。
149	○	○	○	○	○	○	○			施設機能強化推進費加算	本加算は、火災・地震等の災害時に備え、施設の総合的な防災対策を図る取組に必要となる経費が加算の対象となりますが、災害備蓄品の購入は対象となりますか。	施設機能強化推進費加算において、施設の総合的な防災対策を図る取組については、避難訓練や防災教育などの活動に限らず、避難具の整備や災害に備えた物品の購入も対象となります。
150		○	○							分園	分園について、基本分単価において充足すべき職員の構成は、本園と同様でしょうか。	本園・分園の基本分単価については、それぞれの利用定員別に算定することとしており、分園についても、本園同様、「年齢別配置基準」だけではなく、「その他」の職員（施設長を除く）についても充足する必要があります（ただし、嘱託医については、中心園に配置していることから分園においては配置不要。また、調理員等については、中心園から給食を搬入する場合は、配置不要。
151			○							教育標準時間認定子どもの利用定員を設定しない場合	教育標準時間認定子どもの利用定員を設定しない幼保連携型認定こども園に適用されていますが、教育標準時間認定子どもの利用定員は設定しているものの、利用子	教育標準時間認定子どもの利用定員は設定しているものの、利用子どもがいない場合には、当該調整は適用されません。 なお、この取扱いは幼保連携型認定こども園に限るものではなく、他の類型の認定こども園にも適用されます。

No.								項目	質問	回答
										どもがいない場合には適用されますか。
152	○		○					日割り計算	５歳児が３月の卒園月にＡ自治体からＢ自治体に転居した場合も、Ａ自治体の支給認定を取り消して再度Ｂ自治体で支給認定を取得させ、施設型給付を日割り計算する必要がありますか。また、Ａ自治体で支給認定を取り消さず月末まで維持し、一括して施設型給付を支払うことは可能ですか。	通常、月途中での入退所があった場合、転出元自治体においては支給認定の取消しを行うとともに転入先自治体において新たに支給認定を行い、施設型給付費については日割り計算を行うこととなります。しかし、５歳児が卒園後に転居した場合にあっては、転居先自治体において新たに特定教育保育施設を利用する事は考えにくいことから、転出元自治体において支給認定を３月末まで取り消さず、卒園月の施設型給付を一括して給付することを基本としてください。その際、転出元自治体と転入先自治体で密に連絡を取り、支給認定・給付の重複が生じないようご留意ください。
153	○	○	○	○	○			土曜日に閉所する場合	土曜日に開所していても保育を提供していない場合、閉所しているものとして取り扱うとのことだが、土曜日利用希望があり開所したが、当日キャンセルの連絡があり利用する子どもがいなくなった場合も閉所しているものと取り扱うのか。また、土曜日に係る保育の利用希望がなく閉所する予定であったが、利用希望に変更があり、保育を提供するために開所した場合は、開所しているものと取り扱うか。	原則、開所していても保育を提供していない場合は、閉所しているものとして取扱いますが、事前に利用希望があり保育を提供するために開所したのであれば、当日キャンセルにより利用する子どもがいなくなり保育の提供ができなくなったとしても、開所しているものと取扱います。また、保育の利用希望がなく閉所する予定で、土曜日に閉所する場合の調整の適用を受ける認定を受けた施設であっても、利用希望に変更があり、保育を提供するために開所した場合は、開所しているものと取扱います。
154	○	○	○	○	○			土曜日に閉所する場合	土曜日が５日ある月の場合調整率の区分の取扱いはどうなるのか。また、土曜日が４日ある月でそのうち１日が祝日の場合の調整率の区分の取扱いはどうなるのか。	土曜日の調整率の区分の取扱いについては以下のとおりです。 【土曜日が５日ある月の場合】 ・土曜日のうち１日を閉所した場合は「月に１日土曜日を閉所する場合」の区分 ・土曜日のうち２日を閉所した場合は「月に２日土曜日を閉所する場合」の区分 ・土曜日のうち３日を閉所した場合は「月に３日以上土曜日を閉所する場合」の区分 ・土曜日のうち４日を閉所した場合は「月に３日以上土曜日を閉所する場合」の区分 ・土曜日のうち５日を閉所した場合は「全ての土曜日を閉所する場合」の区分 が適用されます。 【土曜日が４日ある月でそのうち１日が祝日の場合】 ・土曜日（祝日を除く）のうち１日を閉所した場合は「月に１日土曜日を閉所する場合」の区分 ・土曜日（祝日を除く）のうち２日を閉所した場合は「月に２日土曜日を閉所する場合」の区分 ・土曜日（祝日を除く）のうち３日を閉所した場合は「全ての土曜日を閉所する場合」の区分 が適用されます。
155	○		○					給食実施加算	主食は「施設内の調理設備を使用してきめ細やかに調理を行っている」、副食は「施設外で調理して施設に搬入している」など、自園調理と外部搬入を同時に行う方法により給食を実施している場合、加算額はどのように算定されるのでしょうか。	自園調理の場合でも、献立の一部を外部搬入して提供する場合も通常あるものと考えられます。（パン・サラダ・ゼリーなど）したがって、食事の一部を外部搬入している場合でも、施設内の調理設備を使用して調理した食事と併せて提供している場合には自園調理の単価を適用して差し支えありませんが、提供する食事の大半が外部搬入となっているなど、主たる給食の提供方法が「施設内の調理設備を使用してきめ細やかに調理を行っている」方法と考えられない場合には、外部搬入の単価を適用してください。
156	○		○					給食実施加算	週のうち数日、自園調理によって給食を提供し、残りの数日を外部搬入によって給食を提供する場合は、それぞれの日数にそれぞれの単価を乗じた額を合計して加算額を算定するのでしょうか。	適用する単価は自園調理分もしくは外部搬入分のいずれか片方になります。左記のような場合は、園が提供する食事の実態を総合的に勘案し、園の実態として主たる給食の実施形態がどちらであるかによって判断してください。
157	○		○					給食実施加算	購入した食材を電子レンジで温めて提供するような給食を実施している場合は、自園調理分の単価を用いて加算額を算定するのでしょうか？それとも外部搬入の単価を用いて算定するのでしょうか。	搬入後に施設内において喫食温度まで加温し提供する場合は、外部搬入分の単価を用います。
158		○	○	○	○	○		土曜日に閉所する場合	年末年始に土曜日がある場合、閉所すると減算が適用されるのでしょうか。	年末年始（12月29日から１月３日）の間にある土曜日については、閉所した場合であっても減算は適用されません。
								所長（管理者）設	職員の急な休みに対応するため、施設長（管理者）	施設長（管理者）が急に休んだ職員の業務を代わりに行った場合等、止むを得ず緊急的に施設長（管理者）が他の業務を行った場合は「兼

No.								区分	質問	回答
159	○			○	○			置加算	が業務を代行した場合、「実際にその施設の運営管理の業務に専従」しているものとして減算が適用されるのでしょうか。	務」として取り扱わず、減算は適用されません。
160	○	○		○	○			休日保育加算	共同（輪番）により年間を通じて休日等に開所する場合の申請についてはどのようにすればよいでしょうか。	他施設・事業所（居宅訪問型保育事業を除く）と共同（輪番）により年間を通じて休日等に開所する場合の加算の申請については、共同保育を実施する各施設・事業所ごとに行ってください。
161	○			○				休日保育加算	企業主導型保育施設との共同（輪番）により年間を通じて休日等に開所する場合、企業主導型保育施設を利用した分の申請についてはどのようにすればよいでしょうか。	他施設・事業所（居宅訪問型保育事業を除く）や企業主導型保育施設との共同（輪番）により年間を通じて休日等に開所する場合における、企業主導型保育施設を利用した分の申請については、例えば以下のようなことが考えられます。 ①企業主導型保育施設を利用した子どもが在籍する施設・事業所ごとに、それぞれが企業主導型保育施設を利用した分を上乗せして申請する（申請した各施設・事業所から企業主導型保育施設に利用した分を支払う） ②代表する施設・事業所が、他施設・事業所分もまとめて一括で企業主導型保育施設を利用した分を上乗せして申請する（代表して申請した施設・事業所から企業主導型保育施設に利用した分を支払う） なお、申請方法や企業主導型保育施設への支払い等については、共同（輪番）により年間を通じて休日等に開所する際の実施要綱や運営規程に位置づけるようお願いします。
162	○	○	○	○	○			土曜日に閉所する場合	土曜日にA園とB園との共同保育を、A園で実施したが、B園の在籍児しか利用がなかった場合、保育の提供がないものとして閉所しているものと取り扱われるのでしょうか	土曜日に閉所する場合の調整は、原則として、開所していても保育を提供していない場合（自園の子どもがいない状態）に適用されます。共同保育であっても、自園の子どもに対し保育が行われていない場合は、同様に閉所しているものと取り扱われます。当該事例については、A園は閉所、B園は開所と取り扱われます。
163	○	○	○	○	○	○	○	栄養管理加算	栄養士について、以下の場合、「配置」「兼務」「嘱託」のどれに該当するのでしょうか。 ①栄養士を派遣契約により配置する場合 ②法人本部で栄養士を雇用する場合 ③栄養管理業務を外部委託する場合	①栄養士を派遣契約により施設に配置する場合は、派遣契約は「雇用契約等」に該当し、「配置」となります。（「兼務」に該当する場合を除きます。） ②法人本部で雇用する栄養士が、各施設へ赴き、施設に栄養士が配置されている場合と同様に、献立やアレルギー、アトピー等への助言、食育等に関する継続的な指導を行う場合は、「配置」となります。（「兼務」に該当する場合を除きます。） ③栄養管理業務を外部委託する場合は、「栄養士としての業務を嘱託等する場合」に該当し、「嘱託」となります。
164	○	○	○	○	○	○	○	その他	市町村において、各種加算の認定にまで至っていない場合、各施設・事業者への加算の支給については、どのように対応すればよろしいでしょうか。	施設型給付等の支給については、法令上は毎月支給するものとされていることから、毎月支給あるいは前払いとしての概算払いにて対応いただく必要があります。 支給額については、各種加算額も含めて各施設・事業者が教育・保育を実施するために通常要する費用の額となることを踏まえ、市町村において加算の認定にまで至っていなかったとしても、従前の実績等から判断して認定の可能性が高いと思われる加算については、各施設・事業者からの申請をもって暫定的に支給し、加算の認定が行われた後に確定し、遡及して適用するなど、各施設・事業の運営に支障が生じないように配慮をお願いします。 また、処遇改善等加算については、都道府県知事等が加算の認定を行うこととされていますが、これについても同様の取扱いとしてください。
165	○	○	○	○	○	○	○	処遇改善等加算	処遇改善等加算通知第3の2「賃金の改善の方法」において「対象者や額が恣意的に偏ることなく、改善が必要な職種の職員に対して重点的に講じられるよう留意する」とされていますが、各職員に傾斜をつけて賃金改善を行うことは一切認められないということでしょうか。	処遇改善等加算に係る賃金改善要件分を特定の保育従事者等に合理的な理由なく偏って配分するといった、恣意的な賃金改善が行われないよう留意する必要があります。 従って、若手職員への配分を厚くする、保育従事者の経験に応じて傾斜をつけるなど、合理的な理由により施設の方針に基づき賃金改善を行うことは差し支えありません。
166	○	○	○	○	○	○	○	処遇改善等加算Ⅰ	処遇改善等加算Ⅰの新規事由はどういう場合に該当するのでしょうか。	処遇改善等加算Ⅰについて、「加算新規事由がある」とは、加算額が増加することを意味するものではなく、施設・事業者に適用される「賃金改善要件分」自体が制度的に拡充される（＝加算率が引き上がる）ことを意味し、新たに賃金改善要件分を適用する場合を含め、次の①～④が該当します。 ①賃金改善要件分に係る加算率が公定価格の改定により増加する場合 ②キャリアパス要件を新たに満たした場合（「賃金改善要件分からの2％減」が解除） ③平均勤続年数の増加（加算前年度：10年以下→加算当年度：11年以上）により、賃金改善要件分の加算率が増加（6％→7％）する場合 ④加算当年度から新たに加算Ⅰの賃金改善要件分の適用を受ける場合（加算前年度に加算Ⅰの賃金改善要件分の適用を受けていないが、それ以前に適用を受けたことがある場合も含む）

また、加算率の増加のない施設・事業所において、他の施設・事業所の特定加算見込額の一部を受け入れる場合についても、新規事由に該当します。

なお、以下の場合は、新規事由には該当しません。
・利用児童の増加により加算Ⅰの加算額が増加する場合
・加算Ⅰ以外の加算（例：３歳児配置改善加算）の新規取得等により加算Ⅰの加算額が増加する場合
・「基礎分」の加算率が増加する場合

							No.	区分	質問	回答
○	○	○	○	○	○	○	167	処遇改善等加算Ⅱ	次のような事例は処遇改善等加算Ⅱの「新規事由」に該当しますか。①別表に定める「基礎職員数」の改正（例：「栄養管理加算」の追加）があった場合 ②利用児童の増加や他の加算取得により「基礎職員数」が増加する場合	処遇改善等加算Ⅱについて、「加算新規事由がある」とは、以下に該当する場合のみを指します。・賃金改善に係る算定額（【加算Ⅱ－①】40,000円・【加算Ⅱ－②】5,000円）の増額改定による単価の増加 ・基礎職員数に「乗じる割合」（【加算Ⅱ－①】１／３・【加算Ⅱ－②】１／５）の改定による加算Ⅱ算定対象人数の増加 したがって、質問にあります①・②の場合は、加算Ⅱ新規事由には該当しません。
○	○	○	○	○	○	○	168	処遇改善等加算	基準年度について、「加算前年度とすることが難しい事情があると認められる場合」には、加算当年度の３年前の年度とすることも可能とされていますが、具体的にはどのような場合が該当するのでしょうか。	施設・事業所において、加算前年度以前に国による処遇改善を超える賃金改善を先立って行っている場合や人事院勧告に伴う国家公務員給与改定を踏まえた公定価格の減額改定を反映させず、給与水準を維持した場合等を想定しています。
○	○	○	○	○	○	○	169	処遇改善等加算	同一の設置者・事業者の賃金水準をもとに新規開設園の起点賃金水準を算出する場合は、どのように算出すればよいでしょうか。	同一の設置者・事業者の賃金水準に基づき新規開設園の「起点賃金水準」を算出する場合は、基準年度となる開設前年度（＝加算前年度）の同一の設置者・事業者の賃金テーブルから加算前年度の処遇改善等加算分を除いて算出してください。
○	○	○	○	○	○	○	170	処遇改善等加算Ⅰ	計画段階においては、加算当年度の人件費の改定分に係る改定率は０％でよろしいでしょうか。	計画書提出時に加算当年度の人件費の改定率が示されていない場合は、当該部分は０％として取扱います。
○	○	○	○	○	○	○	171	処遇改善等加算	処遇改善等加算通知で示されている「事業主負担増加見込総額」及び「事業主負担増加相当総額」を算出する＜算式＞は「標準」とされていますが、別の方法による算定も可能と理解してよろしいでしょうか。	お見込みのとおりです。別の方法で算定する場合は、算定の考え方について説明できることが必要です。
○	○	○	○	○	○	○	172	処遇改善等加算Ⅱ	処遇改善等加算Ⅱの賃金改善を手当等で行っている場合、賃金改善見込・実績額及び賃金水準の算定の対象は「決まって毎月支払われる手当」と「基本給」両方という理解でよろしいでしょうか。	お見込みのとおりです。
○	○	○	○	○	○	○	173	処遇改善等加算	「平成28年度における処遇改善等加算の取扱いについて」（平成28年６月17日３府省連名事務連絡）の３．①に「基準年度における賃金水準を適用した場合の賃金総額」に関する「簡便な算定方法」については、新しい処遇改善等加算通知が適用される令和２年度以降も使用可能と理解してよろしいでしょうか。	お見込みのとおりです。 【参考】「平成28年度における処遇改善等加算の取扱いについて」（平成28年６月17日３府省連名事務連絡）（抄） （簡便な算定方法） 基準年度における賃金水準を適用した場合の賃金総額 ＝基準年度の１人当たり人件費（※１）×（１＋処遇改善等加算（基礎分）上昇率（※２））×当年度の職員数（常勤換算数） ※１　基準年度の１人当たり人件費 ＝基準年度の賃金総額÷基準年度の職員数（常勤換算数） ※２　処遇改善等加算（基礎分）上昇率 ＝当年度の処遇改善等加算率（基礎分）－基準年度の処遇改善等加算率（基礎分）
○	○	○	○	○	○	○	174	処遇改善等加算Ⅰ	別紙様式２キャリアパス要件届出書は、内容に変更がない場合は、提出を省略できるでしょうか。	令和２年度においては、全ての施設・事業所の設置者から別紙様式２キャリアパス要件届出書の提出が必要です。ただ、それ以降については、満たしている状況に変更がないことが確認できる場合、提出を省略することができます。
○	○	○	○	○	○	○	175	処遇改善等加算	国家公務員の給与改定に伴う「基準翌年度から加算当年度までの公定価格における人件費の改定分」について処遇改善等加算通知において示されている算式では、法定福利費の事業主負担分（以下「事業主負担分」）が含まれることになりま	国家公務員の給与改定に伴う「基準翌年度から加算当年度までの公定価格における人件費の改定分」には人件費の改定に伴う事業主負担分の変動額も含まれていますが、起点賃金水準には事業主負担分は含まれません。 このため、「賃金改善計画書」及び「賃金改善実績報告書」に記入する「基準翌年度から加算当年度までの公定価格における人件費の改定分」の金額については、事業主負担（以下の＜算式２＞を標準として算出）を差し引いた金額を記入することになります。 ＜算式１＞

									す。 「起点賃金水準」には事業主負担分は含まれませんが、「賃金改善計画書」「賃金改善実績報告書」における「基準翌年度から加算当年度までの公定価格における人件費の改定分」について事業主負担分をどのように取り扱えばいいでしょうか。	「加算当年度の加算Ⅰの加算額総額（増額改定又は減額改定を反映させた額）」×「基準翌年度から加算当年度までの人件費の改定分に係る改定率」÷「加算当年度に適用を受けた基礎分及び賃金改善要件分に係る加算率」 <算式2> 「加算前年度における法定福利費等の事業主負担分の総額」÷「加算前年度における賃金の総額及び法定福利費等の事業主負担分の総額の合計額」×「<算式1>により算定した金額」
176	○	○	○	○	○	○	○	処遇改善等加算	処遇改善等加算通知において実績報告時に以下の<算式>により算定した額以上であることを確認することとされている「各職員の増額改定分の合算額」について事業主負担分をどのように取り扱えばいいでしょうか。 <算式>（処遇改善等加算通知第4の2(3)オの※参照） 「加算当年度の加算Ⅰの加算額総額（増額改定を反映させた額）」×「増額改定に係る改定率」÷「加算当年度に適用を受けた基礎分及び賃金改善要件分に係る加算率」	処遇改善等加算通知第4の2(3)オに定める比較は、事業主負担分を含めて行うこととなります。 同通知第4の2(3)オの※の<算式>により算出する公定価格における人件費の改定分が人件費（「各職員の増額改定分の合算額」）に充てられているかを確認するためのものになりますので、 ・公定価格における人件費の改定分については同通知第4の2(3)オの※の<算式>通りに算定した金額 ・人件費（「各職員の増額改定分の合算額」）については事業主負担分を加えた金額 とすることになります。
177	○	○	○	○	○	○	○	処遇改善等加算	処遇改善等加算の金額の一部を他の施設・事業所に配分する場合には、「配分額」を ・加算新規事由がある場合には「特定加算見込（実績）額」に ・加算新規事由がない場合には「基準年度の賃金水準」に 反映することとされています。 「配分額」「特定加算見込（実績）額」には法定福利費等の事業主負担分が含まれている一方で、「基準年度の賃金水準」には法定福利費等の事業主負担分が含まれないという違いがありますが加算新規事由がある場合とない場合とでどのように取り扱えばいいでしょうか。	【加算新規事由がある場合】 配分額について、「基準年度と比較して受入が上回る（拠出が下回る）場合」は、基準年度との配分額の差額を特定加算見込（実績）額に加え、「基準年度と比較して受入が下回る（拠出が上回る）場合」は、基準年度との配分額の差額を特定加算見込（実績）額から減じます。 【加算新規事由がない場合】 基準年度の賃金水準に配分変更を反映することになりますが、「配分額」に法定福利費等の事業主負担金が含まれている一方で、「基準年度の賃金水準」には含まれません。 このため、配分額について、「基準年度と比較して受入が上回る（拠出が下回る）場合」は、配分額の基準年度との差額から法定福利費等の事業主負担分（以下の算式を標準として算出）を差し引いた金額を、基準年度の賃金水準に加えます。また、「基準年度と比較して受入が下回る（拠出が上回る）場合」は、配分額の基準年度との差額から法定福利費等の事業主負担分を差し引いた額を、基準年度の賃金水準から減じます。 <算式> 「加算前年度における法定福利費等の事業主負担分の総額」÷「加算前年度における賃金の総額」×「拠出見込（実績）額等」
178	○	○	○	○	○	○	○	処遇改善等加算	加算前年度に加算Ⅰ賃金改善要件分（加算Ⅱ）の適用を受けておらず、それ以前に適用を受けたことがある場合、基準年度の賃金水準についてどのように算出すればよろしいでしょうか。	加算前年度に加算Ⅰ賃金改善要件分（加算Ⅱ）の適用を受けておらず、それ以前に適用を受けたことがある場合については、「加算Ⅰ（加算Ⅱ）新規事由あり」に該当し、「特定加算見込（実績）額」を、加算当年度に初めて適用を受けた場合と同様の方法で算出します。 このため、基準年度（加算Ⅰ賃金改善要件分（加算Ⅱ）の適用を受けた直近の年度）の賃金水準は、加算Ⅰ賃金改善要件分（加算Ⅱ）の適用を受けていないものとして算出する必要がありますので、基準年度における加算Ⅰ賃金改善要件分（加算Ⅱ）による賃金改善額を除いて算出することになります。
179	○	○	○	○	○	○	○	処遇改善等加算Ⅱ	起点賃金水準に合算する「基準翌年度から加算当年度までの公定価格における人件費の改定分」は、「決まって毎月支払われる手当」及び「基本給」に係る部分のみが対象となるのでしょうか。	お見込みのとおりです。 「基準翌年度から加算当年度までの公定価格における人件費の改定分」による賃金改善のうち「決まって毎月支払われる手当」及び「基本給」による全額のみを合算します。
180	○	○	○	○	○	○	○	処遇改善等加算Ⅰ	賃金改善要件分の加算率が7％から6％に下がった場合、どのように取り扱えばよろしいでしょうか。	職員の平均経験年数が変動し、加算Ⅰ賃金改善要件分の加算率が7％から6％に下がった場合は「加算Ⅰ新規事由なし」に該当します。 この場合の起点賃金水準の算定に当たっては、「加算前年度の賃金水準」から「加算当年度の加算Ⅰ賃金改善要件分1％に相当する加算額（※1）（法定福利費等の事業主負担分（※2）を除く）を減じてください。その際、様式の欄外等にその旨を記載いただくようお願いします。その上で、「賃金見込（支払賃金）総額」が「起点賃金水準」を下回っていないかを確認してください。 ※1　利用子どもの認定区分及び年齢区分ごとに、次の<算式1>により算定した額を合算して得た額（千円未満の端数は切り捨て） <算式1> 「加算当年度の加算Ⅰの単価の合計額」×「（見込）平均利用子ども数」×「賃金改善実施期間の月数」 ※2　以下の<算式2>を標準として算出

<算式２>
「基準年度における法定福利費等の事業主負担分の総額」÷「基準年度における賃金の総額」×「加算当年度の加算Ⅰ賃金改善要件分１％に相当する加算額」

								項目	質問	回答
181	○	○	○	○	○	○	○	処遇改善等加算	令和２年人事院勧告に伴う国家公務員給与改定を踏まえ、公定価格が減額改定されましたが、令和２年度はこれを人件費に反映させず、給与水準を維持しました。このような事情がある場合でも、令和３年度に加算新規事由がない施設・事業所の基準年度は加算前年度となるのでしょうか。	令和３年度より、加算新規事由がない施設・事業所についても、人事院勧告に伴う国家公務員給与改定を踏まえた公定価格の減額改定を反映させず、給与水準を維持した場合等、施設・事業所において加算前年度を基準年度とすることが難しい場合には、加算当年度の３年前を基準年度として選択することが可能です。
182	○	○	○	○	○	○	○	処遇改善等加算	処遇改善等加算通知第３の２において、「処遇改善等加算による賃金の改善に当たっては、（中略）改善を行う賃金の項目以外の賃金の項目（業績等に応じて変動するものを除く。）の水準を低下させないこと」とされているが、「業績等に応じて変動するもの」とは具体的に何を指すのでしょうか。	処遇改善等加算通知第３の２に記載の「業績等」とは、事業者の業績等ではなく、職員個人の業績等を指し、「業績等に応じて変動するもの」とは、事業者の給与規定等に基づき、職員個人の業績等に応じて変動することとされている賞与等を指します。 したがって、事業者の業績等の低下を理由として、賃金の水準を低下させることはできません。
183	○	○	○	○	○	○	○	処遇改善等加算Ⅲ（令和４年度）	処遇改善等加算Ⅲの加算額については、どのように計算すればいいのか。	加算Ⅲの加算額については、以下により計算します。なお、認定区分ごとに算定された加算額は、年齢区分に関わらず同額となります。 ※計算の結果10円未満の端数が生じた場合は切り捨て （教育標準時間認定の場合） 　（年齢区分ごとの「別に定める額×平均利用子ども数」により算定した額を合算して得た額） 　÷　各月初日の教育標準時間認定を受けた利用子ども数 （保育認定の場合） 　（年齢区分ごとの「別に定める額×平均利用子ども数」により算定した額を合算して得た額） 　÷　各月初日の保育認定を受けた利用子ども数
184	○	○	○	○	○	○	○	処遇改善等加算Ⅲ	処遇改善の対象は、保育士や幼稚園教諭、保育教諭に限られるのでしょうか。	保育士や幼稚園教諭、保育教諭だけでなく、調理員や栄養士、事務職員など、各施設に勤務する全ての職員（法人役員を兼務する施設長を除く。）が対象となります。 ただし、延長保育や預かり保育等の通常の教育・保育以外のみに従事している職員は対象となりません。
185	○	○	○	○	○	○	○	処遇改善等加算	地方単独事業による加配職員や施設が独自に加配している職員は、処遇改善の対象となるのでしょうか。	実際に賃金改善を行うに当たって、地方単独事業や施設が独自に加配している職員についても、通常の教育・保育に従事している場合には対象とすることができます。
186	○	○	○	○	○	○	○	処遇改善等加算Ⅲ	非常勤職員は処遇改善の対象となるのでしょうか。	非常勤職員も対象となります。
187	○	○	○	○	○	○	○	処遇改善等加算Ⅲ	派遣職員は処遇改善の対象となるのでしょうか。	派遣職員も対象とすることができますが、その場合、派遣元事業所を通じて賃金改善が確実に行われることを確認する必要があります。
188	○	○	○	○	○	○	○	処遇改善等加算Ⅲ	育児休業を取得予定の職員は処遇改善の対象となるのでしょうか。	対象となります。ただし、通常、育児休業中は給与が支払われないため、この場合の育児休業期間に係る賃金改善額は０円となります。
189	○	○	○	○	○	○	○	処遇改善等加算Ⅲ	法人役員を兼務する施設長は除くとありますが、ここでいう「法人役員」の範囲はどこまででしょうか。	「法人役員」については、賃金の決定を含む施設・事業所の経営判断に携わる者を想定しており、例えば、社会福祉法人や学校法人においては、理事、監事及び評議員が該当します。 なお、個人立については法人ではないため、個人事業主は「法人の役員」に該当しません。
190	○	○	○	○	○	○	○	処遇改善等加算Ⅲ	法人役員を兼務する施設長は除くとありますが、役員報酬を受け取っていない場合も対象外となりますか。	役員報酬の有無にかかわらず対象外となります。
191	○	○	○	○	○	○	○	処遇改善等加算Ⅲ	法人役員を兼務する施設長は除くとありますが、勤務する施設・事業所ではない別法人の役員を兼務している場合も対象外となりますか。	勤務する施設・事業所では経営判断に携わる者ではないことから、対象とすることができます。
192	○	○	○	○	○	○	○	処遇改善等加算Ⅲ	法人役員を兼務する施設長は除くとありますが、施設長以外の職員が法人役員を兼務している場合も対象外となるのでしょうか。	施設長以外の職員が法人役員を兼務している場合は、当該職員は対象として差し支えありません。

No.								項目	質問	回答
193	○	○	○	○	○	○	○	処遇改善等加算Ⅲ	全ての職員を対象とする必要があるのでしょうか。また、賃金改善額は、一律同額とする必要があるのでしょうか。	賃金改善の具体的な方法や対象・個々の職員ごとの賃金改善額については、事業者の判断により決定することが可能です。ただし、個々の職員の改善額の設定に当たっては、合理的な理由なく特定・一部の職員に偏った賃金改善を行うなどの恣意的な改善とならないようにする必要があります。
194	○	○	○	○	○	○	○	処遇改善等加算Ⅲ	「加算Ⅲによる賃金改善額の総額の3分の2以上が、基本給又は決まって毎月支払われる手当の引上げによるものであること」とされていますが、ここでいう「賃金改善額の総額」には賃金改善に伴い増加する「法定福利費等の事業主負担分」も含まれるのでしょうか。	「賃金改善額の総額」には賃金改善に伴い増加する「法定福利費等の事業主負担分」は含まれません。
195	○	○	○	○	○	○	○	処遇改善等加算Ⅲ	「加算Ⅲによる賃金改善額の総額の3分の2以上が、基本給又は決まって毎月支払われる手当の引上げによるものであること」とされていますが、ここでいう「賃金改善額の総額」には賃金改善に伴い増加する超過勤務手当や一時金も含まれるのでしょうか。	賃金改善に伴い増加する超過勤務手当や一時金は「賃金改善額の総額」に含まれます。
196	○	○	○	○	○	○	○	処遇改善等加算Ⅲ	「加算Ⅲによる賃金改善額の総額の3分の2以上が、基本給又は決まって毎月支払われる手当の引上げによるものであること」とされていますが、個々の職員ごとにこの要件を満たす必要があるのでしょうか。	個々の職員について要件を満たすことが望ましいものの、超過勤務手当の金額は個々の職員の事情によって変動すること等を考慮し、全ての職員について個々に要件を満たすことまでは必要なく、施設・事業所単位で「加算Ⅲによる賃金改善額の総額の3分の2以上が、基本給又は決まって毎月支払われる手当の引上げによるものであること」を満たすことで足ります。ただし、実際の改善額の設定に当たっては、合理的な理由なく特定・一部の職員に偏った賃金改善を行うなどの恣意的な改善とならないようにする必要があります。
197	○	○	○	○	○	○	○	処遇改善等加算Ⅲ	処遇改善等加算Ⅲについては、処遇改善等加算Ⅰ又はⅡの取得が要件となるのでしょうか。	処遇改善等加算Ⅰ又はⅡの取得の有無に関わらず、加算を取得することができます。
198	○	○	○	○	○	○	○	処遇改善等加算Ⅲ	「決まって毎月支払われる手当」に、通勤手当や扶養手当は含まれるでしょうか。	通勤手当や扶養手当を始めとする個人的な事情に基づいて支払われる手当は、含みません。
199	○	○	○	○	○	○	○	処遇改善等加算Ⅲ	「決まって毎月支払われる手当」により賃金改善を行う場合、手当を新設する又は既存の手当を増額するいずれの方法がよいのでしょうか。	いずれの方法でも可能です。既存の手当を増額する場合は、施設・事業所において賃金規程等を変更するなど、当該手当を増額して加算Ⅲによる賃金改善を行うことが分かるようにしておく必要があります。
200	○	○	○	○	○	○	○	処遇改善等加算Ⅲ（令和4年度）	特別利用保育、特別利用教育、特別利用地域型保育、特定利用地域型保育の別に定める額はどのように算定すれば良いのでしょうか。	子どもが利用する施設・事業所に係る単価を用いて算定することになります。
201	○	○	○	○	○	○	○	処遇改善等加算（令和4年度）	処遇改善等加算Ⅰ・処遇改善等加算Ⅱに係る様式が改正されましたが、改正前の様式で加算申請があった場合、改正後の様式で再度加算申請は必要でしょうか。	改正後の様式で改めて加算申請を行うことは不要です。また、加算Ⅲ添付資料として別紙様式9「賃金改善計画書（処遇改善等加算Ⅲ）」等の追加提出を求める必要もありません。ただし、令和4年10月以降に、利用定員の変更等により加算額を改めて算定し直す場合（№203参照）には、改正後の様式により改めて申請を行うことが必要です。また、令和4年10月以降に新たに加算Ⅰ・Ⅱの取得を行う施設・事業所については、改正後の様式を用いて加算申請を行うことになります。なお、賃金実績報告書については改正後の様式で提出することになります。
202		○	○					処遇改善等加算Ⅲ（令和4年度）	分園がある場合の「平均年齢別子ども数」と「各月初日の利用子ども数」は、本園・分園ごとに算定するのでしょうか。	基本分単価と同様の取扱いとなります。
203	○	○	○	○	○	○	○	処遇改善等加算Ⅲ（令和4年度）	臨時特例事業を実施した施設等が令和4年度に利用定員の見直しを行う場合においても、令和3年度年齢別平均利用児童数を用いるのでしょうか。	臨時特例事業を実施した施設等が令和4年度に利用定員の見直しを行う場合には、定員変更後の期間の加算額の算定に当たって、定員変更後の賃金改善実施期間における平均年齢別利用子ども数を推計して用いることも差支えありません。また、臨時特例事業を実施した施設等のうち、公定価格の単価表における最も低い定員区分が適用されている施設・事業所及び家庭的保育事業所においては、定員区分を引き下げることができないことから、令和4年10月から3月の平均年齢別子ども数の見込みが令和3年度年齢別平均利用児童数を下回る場合には、定員変更を行わずに令和4年10月から3月の平均年齢別子ども数を推計して用いることも差支えありません。

No.								項目	質問	回答
204			○					処遇改善等加算Ⅲ（令和4年度）	留意事項通知の別紙4（認定こども園（保育認定2・3号））の注記において、「教育標準時間認定子どもの利用定員を設定していない場合の適用を受ける施設については、教育標準時間認定子どもの別に定める額に教育標準時間認定子どもの平均年齢別利用子ども数を乗じて得た額の合計を加えること」と記載されていますが、具体的にはどのような場合が該当するのでしょうか。	令和3年度には教育標準時間認定子どもに係る定員を設定しており、かつ、教育標準時間認定子どもの利用児童がいた施設が、令和4年度において教育標準時間認定子どもに係る定員をゼロとした場合や、定員は設定している一方で利用児童がゼロとなった場合を想定しています。
205	○	○	○	○	○	○	○	処遇改善等加算	臨時特例事業による賃金改善については、加算Ⅰ及び加算Ⅱの支払賃金に含めるのでしょうか。	臨時特例事業による賃金改善により支払った賃金については、加算Ⅰ及び加算Ⅱにおける賃金改善額及び支払賃金に含めないでください。 なお、加算Ⅲによる賃金改善により支払った賃金については、加算Ⅰ及び加算Ⅱにおける支払賃金に含みます。
206	○	○	○	○	○	○	○	処遇改善等加算Ⅲ	処遇改善等加算通知第6.2.(1).ア.ii、第6.2.(2).ア.iiにおいて「賃金改善見込額の総額の3分の2以上が、基本給又は決まって毎月支払われる手当の引上げによるものであること」とされていますが、賃金改善実施期間終了後、基本給等による改善額が3分の2を下回っていた場合は、加算Ⅲの要件を満たさないとして、加算認定の取り消しとなるのでしょうか。	年度途中に職員が急に休業を取得した場合など、賃金改善計画策定時に想定していなかった事情が発生した影響により、基本給又は決まって毎月支払われる手当による改善額が賃金改善額の3分の2を下回った場合については、加算認定を取り消す必要はありません。 なお、賃金改善実績報告書において加算残額が発生している場合には、翌年度に、その全額を一時金等により職員の賃金改善に充てる必要があります。
207	○	○	○	○	○			処遇改善等加算Ⅲ	加算Ⅲの認定をするに当たって、別紙様式4に添付することとされている「見込平均利用子ども数の算出方法書」とは、どのような書類を想定されているのでしょうか。	加算Ⅱにおける別紙様式3「加算算定対象人数等認定申請書」に添付する「年齢別子ども数の算出方法を示した書類」と同様の書類を添付することになります。 なお、加算Ⅲにおける「平均年齢別利用子ども数」の算定に用いる各月初日の年齢区分別の利用子ども数の見込み数については、加算Ⅱにおける「見込平均利用子ども数」等の算定に用いる各月初日の利用子ども数の見込み数と同じ人数とすること。
208	○	○	○	○	○	○	○	処遇改善等加算Ⅲ（令和4年度）	臨時特例事業を実施した施設・事業所にあっては、令和4年度において改めて加算認定を行うことは不要でしょうか。また、認定内容の通知も不要でしょうか。	令和4年9月まで臨時特例事業により実施してきた3％程度（月額9,000円）の処遇改善については、令和4年10月以降、公定価格における加算Ⅲにより実施することとしているが、特に、令和5年3月までの間は施設等に対する交付額や対象者や要件等について臨時交付金と同一としており、臨時特例事業を実施している施設等については令和4年9月から令和5年3月までの間についても加算Ⅲの要件を満たしていると考えられる。このため、地方自治体及び事業者の事務負担の軽減のため、令和4年10月の公定価格への切り替え時には、臨時特例事業を実施した施設等は加算認定を受けたとみなすこととし、改めて加算の申請・設定を行うことは不要としたものである。（このため、臨時特例事業を実施した施設等についてや、加算の認定に係る事業者への通知も不要です。） なお、臨時特例事業を実施した施設等については、賃金改善実施期間終了後に提出する賃金改善実績報告書において、加算の要件を満たしているかの確認を行うことになります。
209	○	○	○	○	○	○	○	処遇改善等加算Ⅲ（令和4年度）	実績報告に係る要件として、臨時特例事業を実施した施設等にあっては、令和4年10月以降の賃金水準が、令和4年9月までの賃金水準を下回っていないこととされていますが、具体的にどのような確認を行えばいいでしょうか。	施設等の賃金規程等の改定が行われていないことを確認することなどが考えられます。
210	○		○					施設関係者評価加算	公開保育をオンラインで実施した場合は加算の要件を満たすものとしてよいのでしょうか。	施設評価のみを実施するのではなく、公開保育の取組と組み合わせて施設関係者による評価を実施する施設については、加算額が増額されますが、公開保育をオンラインで実施した場合も、対面により実施した場合と同様に増額の要件を満たしたこととなります。
211	○	○	○					小学校接続加算／主幹教諭等専任加算／主幹保育教諭等の専任化により子育て支援の取り組みを実施していない場合	小学校との交流活動をオンラインで実施した場合は加算の要件を満たすものとしてよいのでしょうか。	「交流活動」をオンラインで実施した場合も、対面により実施した場合と同様に要件を満たしたこととなります。

212	○	○	○	○	○	○	○	公定価格	災害や感染症が発生し、施設等が臨時休園等を行った場合に、施設型給付等の支給はどうなるのでしょうか。	災害や感染症が発生し、臨時休園等を行った場合においても、教育・保育の提供体制を維持するため、通常どおり給付費を支給します。各種加算や加減調整・乗除調整の取扱いについては、その影響を除いた通常の状態に基づいて適用を判断します。 なお、通常どおり給付を行い、施設の収入を保証することとしていることから、人件費の支出についても、これを踏まえて適切にご対応いただくべきと考えております。
213	○	○	○	○	○	○	○	処遇改善等加算	職員の異動に伴い、施設・事業所間で処遇改善等加算の金額の一部の配分を調整する場合はどのように取り扱えばいいでしょうか。	処遇改善等加算の金額の一部を他の施設・事業所に配分する場合には、「配分額」を ・加算新規事由がある場合には、「特定加算見込（実績）額」に ・加算新規事由がない場合には、「基準年度の賃金水準」に 反映することとされています。 職員の異動に伴う起点賃金水準の増減に相当する額を他の施設・事業所に配分する（受け入れる）場合に限り、当該起点賃金水準の増減に相当する額を「特定加算見込み（実績）額」又は「基準年度の賃金水準」に反映しません。
214	○	○	○	○	○	○	○	処遇改善等加算	配布された年齢別児童数計算表では、4月に0人の年齢区分がある場合、伸び率が計算できませんが、どのように計算すればよいでしょうか。	4月時点の人数が0人で、伸び率が計算できない場合は、便宜的に1として計算してください。1とした場合に計算結果が適切でない場合は、前年度実績による見込みによりがたい場合として、計算してください。
215	○	○	○	○	○	○	○	処遇改善等加算Ⅰ	平均経験年数の算定に当たり、複数の施設で勤務する職員は、勤務する施設・事業所の全てにおいて算定対象に含めることになるのでしょうか。	通常の教育・保育に従事する施設のうち、主に勤務する施設・事業所で算定対象とします。 なお、複数の施設・事業所に勤務する職員を算定対象に含めるかについては、主に勤務する施設・事業所の勤務状況のみにより判断するのではなく、勤務する施設・事業所全ての勤務状況により判断することになります。
216	○	○	○	○	○	○	○	処遇改善等加算Ⅰ	平均経験年数の算定に当たり、認可外保育施設指導監督基準を満たす旨の証明書が交付された施設での勤続年月数を含めることができますが、加算当年度の4月1日時点で当該証明書が交付されていれば、勤務した期間の全てを含めることができるのでしょうか。	認可外保育施設指導監督基準を満たす旨の証明書が交付されている期間のみを含めることができます。 ただし、認可外保育施設の届出後、初めての指導監査の結果、当該証明書を交付された施設については、事業の開始の日から当該証明書が交付されるまでの期間を含めることができます。
217		○	○					処遇改善等加算Ⅲ	分園を設置している施設については、加算Ⅲの加算算定対象人数をどのように算定すればよいでしょうか。	分園を設置している場合の加算Ⅲの加算算定対象人数の計算方法については、本園・分園ごとに計算する項目と、本園・分園を合わせて1つの施設として計算する項目に分けて計算し、それらを合算してください。 なお、1号認定子どもの利用定員を設定しない場合、1号定員の定員数に応じて加える人数を加えません。 ○本園・分園ごとに計算する項目 ・保育所 　定員数に応じて加える人数 　a　年齢別配置基準による職員数 　b　保育標準時間認定の児童がいる場合 ・認定こども園 　定員数に応じて加える人数 　a　年齢別配置基準による職員数（2・3号に限る） 　b　休けい保育士 　c　調理員 　d　保育標準時間認定の児童がいる場合 ○2・3号の分園のみ計算する項目 ・分園の場合 ○本園・分園を合わせて1つの施設として計算する項目 ・上記以外
218	○		○					基本部分（配置基準）	教育・保育に従事する者には短時間勤務の職員を充てることができるのでしょうか。	公定価格における配置基準や加算算定上の定数の一部に短時間勤務（常勤（各施設・事業所の就業規則において定められている常勤の従業者が勤務すべき時間数に達している）以外の者。）の教育・保育従事者を充てることができます。 なお、設備運営基準等において、学級担任は原則常勤専任であることとされています。
219		○			○	○		基本部分（配置基準）	教育・保育に従事する者には短時間勤務の職員を充てることができるのでしょうか。	公定価格における配置基準や加算算定上の定数の一部に短時間勤務（常勤（各施設・事業所の就業規則において定められている常勤の従業者が勤務すべき時間数に達している）以外の者。）の教育・保育従事者を充てることができます。 なお、「保育所等における常勤保育士及び短時間保育士の定義について」（令和5年4月21日付こ成子21）において、短時間勤務の保育士を充てる場合の取扱いを示しています。
								基本部分（配置基準）	「保育所等における常勤保育士及び短時間保育士の定義について」（令和5年4月21日付こ成保	当該通知は、最低基準上の保育士定数に充てられる常勤の保育士及び短時間勤務の保育士について、改めて定義を示したものです。 他方で、公定価格の取り扱いについては、留意事項通知で示しているところであり、各施設・事業所の就業規則等で定めた常勤職員の

No.							区分	質問	回答
220	○	○	○	○	○			21）においては、「各施設・事業所の就業規則において定められている常勤の従業者が勤務すべき時間数に達していない者であっても、１日６時間以上かつ月20日以上勤務する者」は常勤の保育士と扱うこととされましたが、公定価格における常勤換算の方法も変更されるのでしょうか。	１か月の勤務時間数に達しない者について、常勤換算を行うこととしています。 この取り扱いについては、今般の通知による変更は無く、従前のとおり、以下の算式により常勤職員数に換算することとします。 ＜常勤換算値を算出するための算式＞ 　常勤以外の職員の１か月の勤務時間数の合計 　÷　各施設・事業所の就業規則等で定めた常勤職員の１か月の勤務時間数＝常勤換算値（小数点以下の端数処理を行わない）
221	○	○	○	○	○	○	処遇改善等加算（令和５年度）	処遇改善等加算の起点賃金水準に含まれる「基準翌年度から加算当年度までの公定価格における人件費の改定分（以下、「人件費の改定分」という。）」の算式で算定した金額と「令和５年度当初予算の公定価格に基づいて計算した金額と令和５年度補正を反映した公定価格に基づいて計算した金額との差額（以下、「改定による影響額」という。）」を比較した場合、「人件費の改定分」の金額の方が大きいが、どのように対応すれば良いか。	令和５年度補正予算による公定価格の増額分は令和５年人事院勧告に伴う人件費の増額であるため、基準年度が４年度である場合、改定による影響額を人件費の改定分として取り扱って差し支えありません。なお、基準年度が令和３年度の場合は、令和５年度の当該差額に、「6.4％（基準年度が令和３年度の場合の人件費改定分に係る改定率）／5.2％（基準年度が令和４年度の場合の人件費改定分に係る改定率）」の割合を乗じて算出した額を使用しても差し支えありません。また、基準年度が令和２年度以前の場合も、この考え方に準じて算定していただくことは差し支えありません。この金額から法定福利費等の事業主負担分の増加分を除いたものを人件費の改定分としてください。 また、上記の方法によるほか、事務負担が大きい場合には、人件費の改定分の＜算式１＞に0.9の調整率を乗じて算定して差し支えありません。具体的には、以下の計算式となります。この金額から法定福利費等の事業主負担分＜算式２＞を除いたものを人件費の改定分としてください。 ＜算式＞ 「加算当年度の加算Ⅰの加算額総額（増額改定を反映させた額）」×｛「増額改定に係る改定率」÷「加算当年度に適用を受けた基礎分及び賃金改善要件分に係る改定率」｝×0.9（調整率） なお、上記２つの算定方法を用いるに当たって、人件費の改定分（調整率を乗じる前）と改定による影響額を比べていただく必要はありません。 【例】※他の加算は適用しないとした場合 　保育所（20人定員、20％地域）、処遇Ⅰの加算率：15％ 　各月の利用子ども数：４歳以上児（標準時間）：20人 （人勧反映前） 　基本分単価：126,460円　処遇改善等加算Ⅰ単価：４歳以上児（標準時間）：1,240円 （人勧反映後） 　基本分単価：131,550円　処遇改善等加算Ⅰ単価：４歳以上児（標準時間）：1,290円 ①改定による影響額を用いた場合 　単価の差額：（5,090＋（50×0.15×100））×20×12＝1,401,600円 ②人件費の改定分の算式に0.9の調整率を乗じて算定した場合 　・４歳以上児（標準時間認定）：4,644,000×0.052÷0.15×0.9＝1,448,928円 ※加算当年度の加算Ⅰの（増額改定を反映させた）加算額：1290円×0.15×100×20人×12月＝4,644,000円
222	○	○	○	○	○	○	処遇改善等加算（令和５年度）	「No.221」について、改定による影響額を用いた場合、処遇改善等加算Ⅰ・Ⅱ・Ⅲの新規事由がある場合の特定加算見込（実績）額はどのように算定すればいいでしょうか。	令和５年度補正予算による公定価格の増額分には、処遇改善等加算のうちの特定加算額の増額分も含まれています。 このため、当該増額分を（基準翌年度から加算当年度までの公定価格における人件費の改定分）と特定加算見込（実績）額とで二重にカウントすることを防ぐため、この場合の特定加算見込（実績）額は、令和５年度補正予算反映前の処遇改善等加算の単価を用いて算定を行ってください。 【実績報告書における記載例】※他の加算は適用しないとした場合 　保育所（20人定員、20％地域）、処遇Ⅰの加算率：15％、加算Ⅰ新規事由に係る加算率：２％ 　各月の利用子ども数：４歳以上児（標準時間）：20人 （人勧反映前） 　基本分単価：126,460円　処遇改善等加算Ⅰ単価：４歳以上児（標準時間）：1,240円 （人勧反映後） 　基本分単価：131,550円　処遇改善等加算Ⅰ単価：４歳以上児（標準時間）：1,290円 　単価の差額：（5,090＋（50×0.15×100））×20×12＝1,401,600円 　特定加算実績額：1,240×0.02×100×20×12＝595,200円 別紙様式6 (2)　加算実績額 　②特定加算実績額：595,200円 (3)　賃金改善等実績総額 　⑨基準翌年度から加算当年度までの公定価格における人件費の改定分：1,401,600円（※実際には、左記の金額から法定福利費等の増加分を除いた金額を記載）

（別添1）　　　　　　　　子ども・子育て支援新制度における地域区分（令和2年度改定）

都道府県	市　町　村	級地
北 海 道	札幌市	3/100地域
青 森 県		
岩 手 県		
宮 城 県	多賀城市	10/100地域
	仙台市　富谷市　七ヶ浜町　[大和町]	6/100地域
	塩釜市　名取市　村田町　利府町	3/100地域
秋 田 県		
山 形 県		
福 島 県		
茨 城 県	取手市　つくば市	16/100地域
	守谷市	15/100地域
	牛久市	12/100地域
	水戸市　日立市　土浦市　龍ヶ崎市　稲敷市　[石岡市]　阿見町	10/100地域
	古河市　常総市　ひたちなか市　坂東市　神栖市　つくばみらい市　[那珂市]　大洗町　河内町　五霞町　境町　利根町　[東海村]	6/100地域
	結城市　下妻市　常陸太田市　笠間市　鹿嶋市　潮来市　筑西市　桜川市　茨城町　城里町　八千代町	3/100地域
栃 木 県	宇都宮市　大田原市　さくら市　下野市　野木町	6/100地域
	栃木市　佐野市　鹿沼市　日光市　小山市　真岡市　上三川町　芳賀町　壬生町	3/100地域
群 馬 県	高崎市　明和町	6/100地域
	前橋市　桐生市　伊勢崎市　太田市　沼田市　渋川市　みどり市　吉岡町　東吾妻町　玉村町　板倉町　千代田町　大泉町　榛東村	3/100地域
埼 玉 県	和光市	16/100地域
	さいたま市　蕨市　志木市	15/100地域
	東松山市　狭山市　朝霞市　ふじみ野市	12/100地域
	新座市　桶川市　富士見市　坂戸市　鶴ヶ島市	10/100地域
	川越市　川口市　行田市　所沢市　飯能市　加須市　春日部市　羽生市　鴻巣市　深谷市　上尾市　草加市　越谷市　戸田市　入間市　久喜市　北本市　八潮市　三郷市　蓮田市　幸手市　吉川市　白岡市　伊奈町　三芳町　川島町　鳩山町　ときがわ町　宮代町　杉戸町　松伏町　滑川町	6/100地域
	熊谷市　日高市　毛呂山町　越生町　嵐山町　吉見町	3/100地域
千 葉 県	我孫子市　袖ケ浦市　印西市	16/100地域
	千葉市　成田市　習志野市	15/100地域
	船橋市　浦安市	12/100地域
	市川市　松戸市　佐倉市　市原市　八千代市　富津市　四街道市	10/100地域
	野田市　茂原市　東金市　柏市　流山市　鎌ヶ谷市　白井市　香取市　大網白里市　[木更津市]　[君津市]　酒々井町　栄町　白子町　[長柄町]　[長南町]	6/100地域
	鴨川市　八街市　富里市　山武市　九十九里町　芝山町　大多喜町	3/100地域
	特別区	20/100地域
	武蔵野市　調布市　町田市　小平市　日野市　国分寺市　狛江市　清瀬市　多摩市	16/100地域

東京都	八王子市　三鷹市　青梅市　府中市　昭島市　小金井市　東村山市　国立市　福生市　稲城市　西東京市	15/100地域
	立川市　東大和市　［東久留米市］	12/100地域
	あきる野市　［羽村市］　日の出町　［檜原村］	10/100地域
	奥多摩町	6/100地域
	武蔵村山市　瑞穂町	3/100地域
神奈川県	横浜市　川崎市　厚木市	16/100地域
	鎌倉市　逗子市	15/100地域
	相模原市　藤沢市　海老名市　座間市　愛川町	12/100地域
	横須賀市　平塚市　小田原市　茅ヶ崎市　三浦市　大和市　伊勢原市　綾瀬市　葉山町　寒川町	10/100地域
	秦野市　大磯町　二宮町　中井町　大井町　山北町　清川村	6/100地域
	箱根町	3/100地域
新潟県	新潟市	3/100地域
富山県	富山市　南砺市　上市町　立山町　舟橋村	3/100地域
石川県	金沢市　津幡町　内灘町	3/100地域
福井県	福井市	3/100地域
山梨県	甲府市	6/100地域
	南アルプス市　北杜市　甲斐市　上野原市　中央市　市川三郷町　早川町　身延町　南部町　昭和町　富士河口湖町　道志村	3/100地域
長野県	塩尻市	6/100地域
	長野市　松本市　上田市　岡谷市　飯田市　諏訪市　伊那市　大町市　茅野市　長和町　下諏訪町　辰野町　箕輪町　木曽町　南箕輪村　大鹿村　木祖村　朝日村　筑北村	3/100地域
岐阜県	岐阜市　海津市	6/100地域
	大垣市　高山市　多治見市　関市　羽島市　美濃加茂市　土岐市　各務原市　可児市　瑞穂市　本巣市　岐南町　笠松町　神戸町　安八町　北方町　坂祝町　八百津町　御嵩町	3/100地域
静岡県	裾野市	15/100地域
	静岡市　沼津市　磐田市　御殿場市	6/100地域
	浜松市　三島市　富士宮市　島田市　富士市　焼津市　掛川市　藤枝市　袋井市　湖西市　函南町　清水町　長泉町　小山町　川根本町　森町	3/100地域
愛知県	刈谷市　豊田市　日進市	16/100地域
	名古屋市　豊明市	15/100地域
	西尾市　知多市　知立市　清須市　みよし市　長久手市　東郷町	10/100地域
	岡崎市　瀬戸市　春日井市　豊川市　津島市　碧南市　安城市　蒲郡市　犬山市　江南市　稲沢市　東海市　大府市　尾張旭市　高浜市　岩倉市　田原市　愛西市　北名古屋市　弥富市　あま市　豊山町　大治町　蟹江町　幸田町　飛島村	6/100地域
	豊橋市　一宮市　半田市　常滑市　小牧市　新城市　大口町　扶桑町　阿久比町　東浦町　武豊町	3/100地域
三重県	鈴鹿市	12/100地域
	四日市市	10/100地域
	津市　桑名市　亀山市　木曽岬町	6/100地域
	名張市　いなべ市　伊賀市　東員町　菰野町　朝日町　川越町	3/100地域

滋 賀 県	大津市　草津市　栗東市	10/100地域
	彦根市　守山市　甲賀市　[野洲市]	6/100地域
	長浜市　湖南市　高島市　東近江市　米原市　日野町　竜王町　愛荘町　多賀町	3/100地域
京 都 府	長岡京市	16/100地域
	京田辺市	12/100地域
	京都市　向日市	10/100地域
	宇治市　亀岡市　八幡市　南丹市　木津川市　[城陽市]　大山崎町　笠置町　和束町　精華町　[久御山町]　[宇治田原町]	6/100地域
	井出町　南山城村	3/100地域
大 阪 府	大阪市　守口市	16/100地域
	池田市　高槻市　大東市　門真市　高石市　大阪狭山市	15/100地域
	豊中市　吹田市　寝屋川市　松原市　箕面市　羽曳野市	12/100地域
	堺市　枚方市　茨木市　八尾市　柏原市　摂津市　藤井寺市　東大阪市　交野市　[島本町]	10/100地域
	岸和田市　泉大津市　貝塚市　泉佐野市　富田林市　河内長野市　和泉市　泉南市　四條畷市　阪南市　豊能町　能勢町　忠岡町　熊取町　田尻町　岬町　太子町　河南町　千早赤阪村	6/100地域
兵 庫 県	西宮市　芦屋市　宝塚市	15/100地域
	神戸市	12/100地域
	尼崎市　伊丹市　高砂市　川西市　三田市	10/100地域
	明石市　赤穂市　丹波篠山市　猪名川町	6/100地域
	姫路市　加古川市　三木市　小野市　加西市　加東市　稲美町　播磨町	3/100地域
奈 良 県	天理市	12/100地域
	奈良市　大和郡山市　[川西町]	10/100地域
	大和高田市　橿原市　生駒市　香芝市　葛城市　[御所市]　平群町　三郷町　斑鳩町　安堵町　上牧町　王寺町　広陵町　河合町	6/100地域
	桜井市　五條市　宇陀市　三宅町　田原本町　高取町　吉野町　山添村　曽爾村　明日香村	3/100地域
和歌山県	和歌山市　橋本市　紀の川市　岩出市　かつらぎ町	6/100地域
鳥 取 県		
島 根 県		
岡 山 県	岡山市　玉野市　備前市	3/100地域
広 島 県	広島市　府中町	10/100地域
	呉市　竹原市　三原市　東広島市　廿日市市　安芸高田市　熊野町　安芸太田町　世羅町　海田町　坂町	3/100地域
山 口 県	岩国市　周南市	3/100地域
徳 島 県	徳島市　鳴門市　小松島市　阿南市　美馬市　勝浦町　松茂町　北島町　藍住町	3/100地域
香 川 県	高松市	6/100地域
	坂出市　さぬき市　三木町　綾川町	3/100地域
愛 媛 県		
高 知 県		
福 岡 県	福岡市　春日市　福津市	10/100地域
	大野城市　太宰府市　糸島市　那珂川市　志免町　新宮町　粕屋町	6/100地域

	北九州市　飯塚市　筑紫野市　古賀市　**宮若市**　宇美町　篠栗町　須恵町　久山町			3／100地域
佐 賀 県	**佐賀市　吉野ヶ里町**			6／100地域
	<u>鳥栖市</u>			3／100地域
長 崎 県	長崎市			3／100地域
熊 本 県				
大 分 県				
宮 崎 県				
鹿児島県				
沖 縄 県				

※１　上記に記載のない市町村は「その他地域」となる。
※２　下線は人事院及び総務省の級地指定がない地域を示す。
※３　**太字**は教育・保育の補正措置の条件を満たす地域を示す。
※４　［　］内は経過措置が適用されている地域を示す。

（別添２）
＜賃借料加算の加算額の区分＞

区　分		都 道 府 県
a 地域	標　準	埼玉県・千葉県・東京都・神奈川県
	都市部	
b 地域	標　準	静岡県・滋賀県・京都府・大阪府・兵庫県・奈良県
	都市部	
c 地域	標　準	宮城県・茨城県・栃木県・群馬県・新潟県・石川県・長野県・愛知県・三重県・和歌山県・鳥取県・岡山県・広島県・香川県・福岡県・沖縄県
	都市部	
d 地域	標　準	北海道・青森県・岩手県・秋田県・山形県・福島県・富山県・福井県・山梨県・岐阜県・島根県・山口県・徳島県・愛媛県・高知県・佐賀県・長崎県・熊本県・大分県・宮崎県・鹿児島県
	都市部	

※「都市部」とは、前年度における４月１日現在の人口密度が、1,000人／km²以上の市町村をいう。

（別添３）
＜降灰除去費加算の対象地域＞

降 灰 防 除 地 域	
桜島	鹿児島県鹿児島市（旧鹿児島市、旧桜島町）、垂水市の区域、霧島市（旧福山町）、鹿屋市（旧輝北町）の区域
阿蘇山	熊本県阿蘇市、産山村、高森町、南阿蘇村の区域
雲仙岳	長崎県島原市、南島原市（旧深江町、旧有家町、旧北有馬町、旧西有家町、旧布津町）の区域
霧島山（新燃岳）	宮崎県都城市、小林市、三股町、高原町の区域、日南市の区域

※活動火山対策特別措置法の規定に基づく降灰防除地域が対象

○子どものための教育・保育給付交付金の交付について

〔令和5年6月16日　こ成保第51号
各都道府県知事宛　こども家庭庁長官通知〕

子ども・子育て支援法（平成24年法律第65号）第68条第1項の規定に基づく交付金の交付については、別紙「子どものための教育・保育給付交付金交付要綱」により行うこととされ、令和5年4月1日から適用することとされたので通知する。

各都道府県におかれては、貴管内市町村（特別区を含む。）に対してこの旨通知されたい。

なお、「子どものための教育・保育給付交付金の交付について」（平成30年4月18日府子本第333号。以下「旧要綱」という。）は廃止する。

この要綱の施行前に、旧要綱に基づき実施した事業に係る交付金の取り扱いについては、なお従前の例によることとする。

別　紙

子どものための教育・保育給付交付金交付要綱

（通則）

1　子どものための教育・保育給付交付金（以下「交付金」という。）については、補助金等に係る予算の執行の適正化に関する法律（昭和30年法律第179号）及び補助金等に係る予算の執行の適正化に関する法律施行令（昭和30年政令第255号。以下「適正化法施行令」という。）及びこども家庭庁の所掌に属する補助金等交付規則（令和5年内閣府令第41号）の規定によるほか、この要綱の定めるところによる。

（交付の目的）

2　この交付金は、子ども・子育て支援法（平成24年法律第65号。以下「法」という。）第68条第1項の規定に基づき、市町村（特別区を含む。以下同じ。）が支弁する施設型給付費等の支給に要する費用の一部を負担することにより、子どもが健やかに成長するように支援することを目的とする。

（交付の対象）

3　この交付金は、市町村が行う次の区分ごとの給付費等の支給等に要する費用を交付の対象とする。

(1)　施設型給付費等

ア　法第27条第1項の規定に基づく施設型給付費（都道府県又は市町村以外の者が設置する施設に係るものに限る。以下同じ。）

イ　法第28条第1項の規定に基づく特例施設型給付費（都道府県又は市町村以外の者が設置する施設に係るものに限る。以下同じ。）

(2)　地域型保育給付費等

ア　法第29条第1項の規定に基づく地域型保育給付費

イ　法第30条第1項の規定に基づく特例地域型保育給付費

(3)　法附則第6条第1項の規定に基づく委託費

（交付額の算定方法）

4　この交付金の交付額は、満3歳以上の小学校就学前子ども（法第19条第2号に掲げる小学校就学前子どもに該当する教育・保育給付認定子どものうち、満3歳に達する日以後の最初の3月31日までの間にある者（以下「特定満3歳以上保育認定子ども」という。）を除く。）に係るものについては、次の区分ごとに算出された額の合計額の2分の1、満3歳未満保育認定子ども（特定満3歳以上保育認定子どもを含む。）に係るものについては、次の区分ごとに算出された額の合計額の100分の58.23とする。

(1)　施設型給付費等

ア　施設型給付費

(ア)　法第19条第1号に掲げる小学校就学前子ども（以下「1号認定子ども」という。）に係るもの

法附則第9条第1項第1号イに掲げる内閣総理大臣が定める基準により算定した額（その額が現に要した費用の額を超えるときは、当該現に要した費用の額）から同号イに掲げる政令で定める額を控除して得た額

(イ)　法第19条第2号及び第3号に掲げる小学校就学前子ども（以下「2・3号認定子ども」という。）に係るもの

法第27条第3項第1号に掲げる内閣総理大臣が定める基準により算定した額（その額が現に要した費用の額を超えるときは、当該現に要した費用の額）から同項第2号に掲げる政令で定める額を控除して得た額

イ　特例施設型給付費

(ア)　特定教育・保育

①　1号認定子どもに係るもの

法附則第9条第1項第2号イ(1)に掲げる内閣総理大臣が定める基準により算定した費用の額（その額が現に要した費用の額を超えるときは、当該現に要した費用の額）

から同号イ(1)に掲げる政令で定める額を控除して得た額

② 2・3号認定子どもに係るもの

法第28条第2項第1号に掲げる内閣総理大臣が定める基準により算定した費用の額（その額が現に要した費用の額を超えるときは、当該現に要した費用の額）から同号に掲げる政令で定める額を控除して得た額

(イ) 特別利用保育

法附則第9条第1項第2号ロ(1)に掲げる内閣総理大臣が定める基準により算定した費用の額（その額が現に要した費用の額を超えるときは、当該現に要した費用の額）から同号ロ(1)に掲げる政令で定める額を控除して得た額

(ウ) 特別利用教育

法第28条第2項第3号に掲げる内閣総理大臣が定める基準により算定した費用の額（その額が現に要した費用の額を超えるときは、当該現に要した費用の額）から同号に掲げる政令で定める額を控除して得た額

(2) 地域型保育給付費等

ア 地域型保育給付費

法第29条第3項第1号に掲げる内閣総理大臣が定める基準により算定した費用の額（その額が現に要した費用の額を超えるときは、当該現に要した費用の額）から同項第2号に掲げる政令で定める額を控除して得た額

イ 特例地域型保育給付費

(ア) 特定地域型保育

法第30条第2項第1号に掲げる内閣総理大臣が定める基準により算定した費用の額（その額が現に要した費用の額を超えるときは、当該現に要した費用の額）から同号に掲げる政令で定める額を控除して得た額

(イ) 特別利用地域型保育

法附則第9条第1項第3号イ(1)に掲げる内閣総理大臣が定める基準により算定した費用の額（その額が現に要した費用の額を超えるときは、当該現に要した費用の額）から同号イ(1)に掲げる政令で定める額を控除して得た額

(ウ) 特定利用地域型保育

法第30条第2項第3号に掲げる内閣総理大臣が定める基準により算定した費用の額（その額が現に要した費用の額を超えるときは、当該現に要した費用の額）から同号に掲げる

政令で定める額を控除して得た額

(エ) 特例保育

① 1号認定子どもに係るもの

法附則第9条第1項第3号ロ(1)に掲げる内閣総理大臣が定める基準により算定した費用の額（その額が現に要した費用の額を超えるときは、当該現に要した費用の額）から同号ロ(1)に掲げる政令で定める額を控除して得た額

② 2・3号認定子どもに係るもの

法第30条第2項第4号に掲げる内閣総理大臣が定める基準により算定した費用の額（その額が現に要した費用の額を超えるときは、当該現に要した費用の額）から同号に掲げる政令で定める額を控除して得た額

(3) 委託費

法第27条第3項第1号に掲げる内閣総理大臣が定める基準により算定した費用の額（その額が現に要した費用の額を超えるときは、当該現に要した費用の額）から同項第2号に掲げる政令で定める額を控除して得た額

（交付の条件）

5 この交付金の交付の決定には、次の条件が付されるものとする。

(1) 事業を中止し、又は廃止する場合には、地方厚生局長（徳島県、香川県、愛媛県及び高知県にあっては四国厚生支局長。以下「地方厚生（支）局長」という。）の承認を受けなければならない。

(2) 事業の執行が困難となった場合には速やかに地方厚生（支）局長に報告して、その指示を受けなければならない。

(3) 事業により取得し、又は効用の増加した価格が、単価50万円以上の機械及び器具については、適正化法施行令第14条第1項第2号の規定により、こども家庭庁長官が別に定める期間を超過するまで、地方厚生（支）局長の承認を受けないで、この交付金の目的に反して使用し、譲渡し、交換し、貸し付け、担保に供し、又は廃棄してはならない。

(4) 地方厚生（支）局長の承認を受けて財産を処分することにより収入があった場合には、その収入の全部又は一部を国庫に返納させることがある。

(5) 事業により取得し、又は効用の増加した財産については、事業の完了後においても、善良な管理者の注意をもって管理するとともに、その効率的な運営を図らなければならない。

(6) 交付金と事業に係る予算及び決算との関係を明

らかにした調書を作成し、これを事業完了後5年間保存しておかなければならない。

（申請手続）

6　この交付金の交付の申請は、次により行うものとする。

(1)　市町村長は、様式第1号による申請書を都道府県知事が別に定める日までに都道府県知事に提出するものとする。

(2)　都道府県知事は、市町村から(1)の申請書の提出があった場合には、必要な審査を行い、適正と認めたときはこれを取りまとめの上、様式第2号と併せて別途定める日までに地方厚生（支）局長に提出するものとする。

（変更交付申請）

7　この交付金の交付決定後の事情の変更により、年間所要額に増減を生じ、申請の内容を変更して追加交付申請等を行う場合には、次により行うものとする。

(1)　市町村長は、様式第3号による申請書を都道府県知事が別に定める日までに都道府県知事に提出するものとする。

(2)　都道府県知事は、市町村から(1)の申請書の提出があった場合には、必要な審査を行い、適正と認めたときはこれを取りまとめの上、様式第4号と併せて別に定める日までに地方厚生（支）局長に提出するものとする。

（交付決定）

8　この交付金の交付の決定は、次により行うものとする。

(1)　地方厚生（支）局長は、交付申請書又は変更交付申請書が到達した日から起算して原則として2か月以内に交付の決定又は決定の変更を行うものとする。

(2)　都道府県知事は、地方厚生（支）局長の交付決定があったときは、市町村に対し様式第5号により、決定の変更があったときは、市町村に対し様式第6号により、速やかに決定内容及びこれに付された条件を通知すること。

(3)　市町村は、交付決定の内容又はこれに付された条件に対して不服があることにより、交付の申請を取下げようとするときは、交付決定の通知を受けた日から15日以内にその旨を記載した書面を地方厚生（支）局長に提出しなければならない。

（交付金の概算払）

9　こども家庭庁長官は、必要があると認める場合においては、国の支払計画承認額の範囲内において概算払をすることができる。

（実績報告）

10　この交付金の事業実績の報告は、次により行うものとする。

(1)　市町村長は、翌年度の6月末日（5の(1)により事業の中止又は廃止の承認を受けた場合には、当該承認通知を受理した日から1か月を経過した日）までに、様式第7号による報告書を都道府県知事に提出するものとする。

(2)　都道府県知事は、市町村から(1)の報告書の提出があった場合には、必要な審査を行い、適正と認めたときはこれを取りまとめの上、様式第8号と併せて翌年度の7月末日までに、地方厚生（支）局長に提出するものとする。

（額の確定）

11　都道府県知事は、地方厚生（支）局長の確定通知があったときは、市町村に対し、様式第9号により、速やかに確定の通知を行うこと。

（交付金の返還）

12　地方厚生（支）局長は、交付すべき交付金の額を確定した場合において、既にその額を超える交付金等が交付されているときは、期限を定めて、その超える部分について国庫に返還することを命ずる。

（事業実績報告の訂正）

13　地方厚生（支）局長が額の確定を終了した後において、当該確定の基礎となった実績報告を訂正する事由が生じた場合の取扱いは、次により行うものとする。

(1)　市町村長は、実績報告を訂正する事由が生じたときは、様式第10号による報告書を速やかに都道府県知事に提出するものとする。

(2)　都道府県知事は、市町村から(1)の報告書の提出があった場合には、必要な審査を行い、適正と認めたときはこれを取りまとめの上、様式第11号と併せて速やかに地方厚生（支）局長に提出するものとする。

(3)　実績報告の訂正に伴うその他の手続等については、10、12及び14に定めるところに準じて行うものとする。

（その他）

14　この交付金の交付に当たっては、上記に定めるところの他、以下によるものとする。

(1)　特別の事情により、本交付要綱に定める手続によることができない場合には、あらかじめ地方厚生（支）局長の承認を受けてその定めるところによるものとする。

なお、この交付金について、精算交付申請を行う場合には、別途指示する期日までに10に定める

様式及び手続に準じて行うものとする。

(2)　都道府県知事は、市町村長が都道府県知事に提出すべき市町村分交付金に係る各様式に定められている事項のほかに必要と認める事項を加えて定めることができるものとし、かつ、その提出時期についても必要と認めるときはこれを変更して定めることができるものとする。

(3)　都道府県知事が地方厚生（支）局長に提出すべき書類の部数は、全て正本一部とし、市町村長が都道府県知事に提出すべき書類の部数は、都道府県知事が定めるところによるものとする。

(4)　市町村長が都道府県知事に提出した市町村分交付金に係る書類は、全て都道府県において各会計年度毎に各書類の種別に分類し一括して保存するものとする。

様式第1号～第11号　略

○子どものための教育・保育給付費補助金の国庫補助について

〔令和5年9月19日　こ成保第110号
各都道府県知事・各指定都市市長・各中核市市長宛　こども家庭庁長官通知〕

標記の国庫補助金の交付については、別紙「子どものための教育・保育給付費補助金交付要綱」により行うこととされ、令和5年4月1日から適用することとされたので通知する。

各都道府県におかれては、貴管内市町村（特別区を含む。）に対してこの旨通知されたい。

なお、「子どものための教育・保育給付費補助金の国庫補助について」（平成28年8月9日府子本第506号。以下「旧要綱」という。）は廃止する。

この要綱の施行前に、旧要綱に基づき実施した事業に係る補助金の取り扱いについては、なお従前の例によることとする。

別　紙

　　子どものための教育・保育給付費補助金
　　交付要綱

（通則）

第1条　子どものための教育・保育給付費補助金については、法令及び予算の定めるところに従い、予算の範囲内において交付するものとし、補助金等に係る予算の執行の適正化に関する法律（昭和30年法律第179号）、補助金等に係る予算の執行の適正化に関する法律施行令（昭和30年政令第255号。以下「適正化法施行令」という。）及びこども家庭庁の所掌に属する補助金等交付規則（令和5年内閣府令第41号）の規定によるほか、この要綱の定めるところによる。

（交付の目的）

第2条　この補助金は、子ども・子育て支援法（平成24年法律第65号。以下「法」という。）附則第14条第3項の規定に基づき、別表の第1欄に掲げる「認可化移行運営費支援事業」及び「幼稚園における長時間預かり保育運営費支援事業」の実施に要する経費に対し補助金を交付し、もって待機児童の解消を図るとともに、子どもを安心して育てることができるような体制整備を行うことを目的とする。

（交付の対象）

第3条　この補助金は、次の事業を交付の対象とする。

　　子どものための教育・保育給付費補助事業

　　「子どものための教育・保育給付費補助事業の実施について」（令和5年9月19日こ成保第111号）の別添に定める認可化移行運営費支援事業及び幼稚園における長時間預かり保育運営費支援事業

（交付額の算定方法）

第4条　この補助金の交付額は、別表の第1欄に定める事業ごとに、次により算出された額の合計額とする。ただし、算出された事業ごとの合計額に1000円未満の端数が生じた場合には、これを切り捨てるものとする。

(1)　第1欄の各事業ごとに、第2欄に定める基準額と第3欄に定める対象経費の実支出額を比較して少ない方の額と、総事業費から寄付金その他の収入額を控除した額とを比較して少ない方の額を選定する。

(2)　第1欄の各事業ごとに、(1)により選定された額に第4欄に定める補助率を乗じて得た額の合計額を交付額とする。

（交付の条件）

第5条　この補助金の交付の決定には、次の条件が付されるものとする。

(1)　事業の内容の変更（軽微な変更を除く。）をする場合には、地方厚生局長（徳島県、香川県、愛媛県及び高知県にあっては四国厚生支局長、以下「地方厚生（支）局長」という。）の承認を受けなければならない。

(2)　事業を中止し、又は廃止する場合には、地方厚生（支）局長の承認を受けなければならない。

(3)　事業により取得し、又は効用の増加した価格が、単価50万円以上の機械及び器具については、適正化法施行令第14条第1項第2号の規定により、こども家庭庁長官が別に定める期間を経過するまで、地方厚生（支）局長の承認を受けないで、この補助金の目的に反して使用し、譲渡し、交換し、貸し付け、担保に供し、又は廃棄してはならない。

(4)　地方厚生（支）局長の承認を受けて財産を処分することにより収入があった場合には、その収入の全部又は一部を国庫に返納させることがある。

(5)　事業により取得し、又は効用の増加した財産については、事業の完了後においても善良な管理者

の注意をもって管理するとともに、その効率的な運営を図らなければならない。

(6) 事業完了後に、消費税及び地方消費税の申告により補助金に係る消費税及び地方消費税仕入控除税額が確定した場合は、別紙様式8により速やかに地方厚生（支）局長に報告しなければならない。なお、交付対象事業者が全国的に事業を展開する組織の一支部又は一支社、一支所等であって、自ら消費税及び地方消費税の申告を行わず、本部（又は本社、本所等）で消費税及び地方消費税の申告を行っている場合は、本部の課税売上割合等の申告内容に基づき報告を行うこと。また、地方厚生（支）局長は報告があった場合には、当該仕入控除税額の全部又は一部を国庫に納付させることがある。

(7) この補助金と事業に係る予算及び決算との関係を明らかにした別紙様式1による調書を作成するとともに、事業に係る歳入及び歳出について証拠書類を整理し、かつ調書及び証拠書類を事業完了の日（事業の中止又は廃止の承認を受けた場合にはその承認を受けた日）の属する年度の終了後5年間保管しなければならない。

　ただし、事業により取得し、又は効用の増加した財産がある場合は、前記の期間を経過後、当該財産の財産処分が完了する日又は適正化法施行令第14条第1項第2号の規定によりこども家庭庁長官が別に定める期間を経過する日のいずれか遅い日まで保管しておかなければならない。

（申請手続）

第6条　この補助金の交付の申請は、次により行うものとする。

(1) 市町村長（指定都市、中核市を除く。）は、別紙様式2による申請書を都道府県知事が別に定める日までに都道府県知事に提出するものとする。

(2) 都道府県知事は、市町村（指定都市、中核市を除く。）から(1)の申請書の提出があった場合には、必要な審査を行い、適正と認めたときはこれを取りまとめの上、別紙様式3と併せて別に定める日までに地方厚生（支）局長に提出するものとする。

(3) 指定都市及び中核市の市長は、別紙様式2による申請書に関係書類を添えて、別に定める日までに地方厚生（支）局長に提出するものとする。

（変更申請手続）

第7条　この補助金の交付決定後の事情の変更により、申請の内容を変更して追加交付申請等を行う場合には、前条に定める申請手続に従い、別に定める

日までに行うものとする。

（交付決定）

第8条　地方厚生（支）局長は、交付申請書又は変更交付申請書が到達した日から起算して原則として2か月以内に交付の決定又は決定の変更を行うものとする。

2　都道府県知事は地方厚生（支）局長の交付決定又は決定の変更があったときは、市町村（指定都市、中核市を除く。）に対し別紙様式4により、速やかに決定内容及びこれに付された条件を通知すること。

3　市町村（指定都市、中核市を含む。）は、交付決定の内容又はこれに付された条件に対して不服があることにより、交付の申請を取り下げようとするときは、交付決定の通知を受けた日から15日以内にその旨を記載した書面を地方厚生（支）局長に提出しなければならない。

（補助金の概算払）

第9条　こども家庭庁長官は、必要があると認める場合においては、国の支払計画承認額の範囲内において概算払をすることができる。

（実績報告）

第10条　この補助金の事業実績の報告は、次により行うものとする。

(1) 市町村長（指定都市、中核市を除く。）は、翌年度の4月10日（第5条の(2)により事業の中止又は廃止の承認を受けた場合には、当該承認通知を受理した日から1か月を経過した日）までに別紙様式5による報告書を都道府県知事に提出するものとする。

(2) 都道府県知事は、市町村（指定都市、中核市を除く。）から(1)の報告書の提出があった場合には、必要な審査を行い、適正と認めたときはこれを取りまとめの上、別紙様式6と併せて翌年度の4月末日までに地方厚生（支）局長に提出するものとする。

(3) 指定都市及び中核市の市長は、翌年度の4月10日（第5条の(2)により事業の中止又は廃止の承認を受けた場合には、当該承認通知を受理した日から1か月を経過した日）までに別紙様式5による報告書を地方厚生（支）局長に提出するものとする。

（額の確定）

第11条　都道府県知事は地方厚生（支）局長の確定通知があったときは、市町村（指定都市、中核市を除く。）に対し別紙様式7により、速やかに確定の通知を行うこと。

（補助金の返還）

第12条　地方厚生（支）局長は、交付すべき補助金の額を確定した場合において、既にその額を超える補助金が交付されているときは、期限を定めて、その超える部分について国庫に返還することを命ずる。

（その他）

第13条　特別の事情により、第4条、第6条、第7条及び第10条に定める算定方法又は手続によることができない場合には、あらかじめ地方厚生（支）局長の承認を受けてその定めるところによるものとする。

〔別表〕

1　事業	2　基　準　額	3　対象経費	4　補助率
認可化移行運営費支援事業	1　基本部分（児童1人当たり月額） （1）　以下の職員配置基準において必要とされる職員の9割以上について保育士資格又は看護師（准看護師を含む。以下「看護師等」という。）の資格を有する者を配置する認可保育所、認定こども園への移行を希望する施設等 　　別添1－1及び別添1－2に掲げる各区分に応じて定められた基本分単価及び加算・減算単価の合計から利用者負担の上限額を控除した額を基準額とする。 （2）　以下の職員配置基準において必要とされる職員の6割以上について保育士資格又は看護師等の資格を有する者を配置する認可保育所、認定こども園への移行を希望する施設等（（1）の施設を除く） 　　別添2－1及び別添2－2に掲げる各区分に応じて定められた基本分単価及び加算・減算単価の合計を基準額とする。 （3）　以下の職員配置基準において必要とされる職員の1／3以上について保育士資格又は看護師等の資格を有する者を配置する認可保育所、認定こども園への移行を希望する施設等（（1）及び（2）の施設を除く） 　　別添3－1及び別添3－2に掲げる各区分に応じて定められた基本分単価及び加算・減算単価の合計を基準額とする。 （4）　以下の職員配置基準において必要とされる職員の1／4以上について保育士資格又は看護師等の資格を有する者を配置する認可保育所、認定こども園への移行を希望する施設等（（1）、（2）及び（3）の施設を除く） 　　別添4－1及び別添4－2に掲げる各区分に応じて定められた基本分単価及び加算・減算単価の合計を基準額とする。 （5）　以下の職員配置基準において必要とされる職員の9割以上について保育士資格又は看護師等の資格を有する者を配置する小規模保育事業A型又は保育所型事業所内保育事業への移行を希望する施設等 　　別添5－1及び別添5－2に掲げる各区分に応じて定められた基本分単価及び加算・減算単価の合計から利用者負担の上限額を控除した額を基準額とする。 （6）　以下の職員配置基準において必要とされる職員の6割以上について保育士資格又は看護師等の資格を有する者を配置する小規模保育事業A型、小規模保育事業B型又は事業所内保育事業への移行を希望する施設等（（5）の施設を除く） 　　別添6－1及び別添6－2に掲げる各区分に応じて定められた基本分単価及び加算・減算単価の合計を基準額とする。 （7）　以下の職員配置基準において必要とされる職員の1／3以上について保育士資格又は看護師等の資格を有する者を配置する小規模保育事業A型、小規模保育事業B型又は事業所内保育事業への移行を希望する施設等（（5）及び（6）の施設を除く） 　　別添7－1及び別添7－2に掲げる各区分に応じて定められた基本分単価及び加算・減算単価の合計を基準額とする。 （8）　以下の職員配置基準において必要とされる職員の1／4以上について保育士資格又は看護師等の資格を有する者を配置する小規模保育事業A型、小規模保育事業B型又は事業所内保育事業への移行を希望する施設等（（5）、（6）及び（7）の施設を除く） 　　別添8－1及び別添8－2に掲げる各区分に応じて定められた基本分単価及び加算・減算単価の合計を基準額とする。	認可化移行運営費支援事業の実施に必要な経費	国 1／2 ・市町村（指定都市及び中核市除く。）が実施する場合 都道府県 1／4 市町村 1／4 ・指定都市又は中核市が実施する場合 指定都市・中核市 1／2

(9) 以下の職員配置基準を満たす家庭的保育事業への移行を希望する事業者等
　別添9－1及び別添9－2に掲げる各区分に応じて定められた基本分単価及び加算・減算単価の合計から利用者負担の上限額を控除した額を基準額とする。

⑽ 以下の職員配置基準を満たす小規模保育事業C型への移行を希望する施設等
　別添10－1及び別添10－2に掲げる各区分に応じて定められた基本分単価及び加算・減算単価の合計から利用者負担の上限額を控除した額を基準額とする。

（職員配置基準）

① 認可保育所又は認定こども園への移行を目指す場合
　児童福祉施設の設備及び運営に関する基準（昭和23年厚生省令第63号。以下「児童福祉施設設備運営基準」という。）第33条第2項

② 小規模保育事業A型への移行を目指す場合
　家庭的保育事業等の設備及び運営に関する基準（平成26年厚生労働省令第61号。以下「家庭的保育事業等設備運営基準」という。）第29条第2項

③ 小規模保育事業B型への移行を目指す場合
　家庭的保育事業等設備運営基準第31条第2項

④ 保育所型事業所内保育事業への移行を目指す場合
　家庭的保育事業等設備運営基準第44条第2項

⑤ 小規模型事業所内保育事業の移行を目指す場合
　家庭的保育事業等設備運営基準第47条第2項

⑥ 家庭的保育者又は家庭的保育補助者を配置する家庭的保育事業への移行を目指す場合
　家庭的保育事業等設備運営基準第23条第3項

⑦ 小規模保育事業C型への移行を目指す場合
　家庭的保育事業等設備運営基準第34条第2項

※ 施設区分については、(1)、(5)、(9)及び⑽に該当する施設等を「9割以上施設」、(2)及び(6)に該当する施設等を「6割施設」、(3)及び(7)に該当する施設等を「1／3施設」、(4)及び(8)に該当する施設等を「1／4施設」とする。

※ 地域区分については、「特定教育・保育、特別利用保育、特別利用教育、特定地域型保育、特別利用地域型保育、特定利用地域型保育及び特例保育に要する費用の額の算定に関する基準等」（平成27年内閣府告示第49号。以下「公定価格基準」という。）別表第1による区分を適用するものとする。

※ 年齢区分については、前年度の3月31日の満年齢によるものとする。

※ 9割以上施設における基準額については、次の算式により算定した額の合計から利用者負担額の上限額を控除した額とし、その他の施設等における基準額については、次の算式により算定した額の合計とすること。
　利用者負担額の上限額については、3歳未満児（満3歳の誕生日を迎えてから最初の3月31日までの間の児童を含む。以下同じ。）のうち法第30条の11第1項の確認を受けた施設に入所している施設等利用給付認定子ども以外の児童は子ども・子育て支援法施行令（平成26年政令第213号）第4条に従い保育標準時間認定の例により、それ以外の児童については「9割以上施設月額利用者負担額基準額表」により児童毎に算出するものとする。なお、月途中入所児童及び月途中退所児童の利用者負担の上限額については次の算式2または算式3の例により算出すること。

・算式1（各月初日の入所児童の場合）
　各区分に応じた基準額×その月の初日の年齢区分ごとの入所児童数

・算式2（月途中入所児童の場合）

　　　　各区分に応じた基準額×その月の月途中入所日からの開所日数（25日を超える場合は25日）÷25日
　　・算式3（月途中退所児童の場合）
　　　　各区分に応じた基準額×その月の月途中退所日の前日までの開所日数（25日を超える場合は25日）÷25日
（注）10円未満の端数は切り捨てる。

9割以上施設月額利用者負担額基準額表

各月初日の入所児童の属する世帯の階層区分		3歳以上児		3歳未満児
階層区分	定　義	法第30条の11第1項の確認を受けた施設に入所している施設等利用給付認定子ども	左記以外の児童	法第30条の11第1項の確認を受けた施設に入所している施設等利用給付認定子ども
第1階層	生活保護法（昭和25年法律第144号）第6条第1項に規定する被保護者又は児童福祉法（昭和22年法律第164号）第6条の4に規定する里親である保護者		0円	42,000円
第2階層	保護者及び当該保護者と同一の世帯に属する者について9割以上施設を利用した月の属する年度（9割以上施設の利用のあった月が4月から8月までの場合にあっては、前年度）分の地方税法（昭和25年法律第226号）の規定による市町村民税（同法第328条の規定によって課する所得割を除く。）を課されない者（市町村の条例で定めるところにより当該市町村民税を免除された者を含む。）		1,500円〔0円〕	
第3階層	保護者及び当該保護者と同一の世帯に属する者について9割以上施設を利用した月の属する年度（9割以上施設の利用のあった月が4月から8月までの場合にあっては、前年度）分の地方税法の規定による市町村民税（同法の規定による特別区民税を含む。）の同法第292条第1項第2号に掲げる所得割（同法第328条の規定によって課する所得割を除く。）の額（同法附則第5条の4第6項その他の内閣府令で定める規定による控除をされるべき金額があるときは、当該金額を加算した額とする。）を合算した額（以下「市町村民税所得割合算額」という。）が48,600円未満である保護者	37,000円	12,000円〔1,500円〕	
第4階層	市町村民税所得割合算額が48,600円以上57,700円未満〔77,101円未満〕である場合における保護者		22,500円〔1,500円〕	
	市町村民税所得割合算額が57,700円以上〔77,101円以上〕97,000円未満である場合における保護者		22,500円	
第5階層	市町村民税所得割合算額が97,000円以上169,000円未満である場合における保護者		37,000円	
第6階層	市町村民税所得割合算額が169,000円以上301,000円未満である場合における保護者		53,500円	
第7階層	市町村民税所得割合算額が301,000円以上397,000円未満である場合における保護者		72,500円	
第8階層	市町村民税所得割合算額が397,000円以上である場合における保護者		96,500円	

備考
＊月額利用者負担額と比較して、別添1－1及び別添1－2を用いて「特定教育・保育、特別利用保育、特別利用教育、特定地域型保育、特別利用地域型保育、特定利用地域型保育及び特例保育に要する費用の額の算定に関する基準等」（平成27年内閣府告示第49号）第17条の例により算定した額が低い場合はその額とする。
＊〔　〕書きは、児童の保護者又は児童の保護者と同一の世帯に属する者が9割以上施設の利用のあった月において要保護者等（生活保護法第6条第2項に規定する要保護者及び子ども・子育て支援法施行規則（平成26年内閣府令第44号）第22条に規定する者をいう。）に該当する場合における利用者負担額。

※　事業所内保育事業への移行を希望する施設等において、事業
　主が雇用する労働者の子どもに係る基本分単価の額について
　は、84／100を乗じて得た額とする。（算定して得た額に10円未
　満の端数がある場合は切り捨てる。）

※　基本加算分及び特定加算分の適用については、公定価格基準
　及び「特定教育・保育等に要する費用の額の算定に関する基準
　等の実施上の留意事項について」（令和5年5月19日こ成保
　38・5文科初第483号こども家庭庁成育局長・文部科学省初等
　中等教育局長連名通知）の例によるものとする。なお、減価償
　却費加算及び賃借料加算の対象となる施設等は、移行を目指す
　施設に係る以下の児童福祉施設設備運営基準又は家庭的保育事
　業等設備運営基準に規定する設備基準を満たす施設に限るもの
　とする。
　（設備運営基準）
①　保育所又は認定こども園への移行を目指す場合
　　児童福祉施設設備運営基準第32条
②　小規模保育事業A型への移行を目指す場合
　　家庭的保育事業等設備運営基準第28条
③　小規模保育事業B型への移行を目指す場合
　　家庭的保育事業等設備運営基準第32条
④　保育所型事業所内保育事業への移行を目指す場合
　　家庭的保育事業等設備運営基準第43条
⑤　小規模型事業所内保育事業への移行を目指す場合
　　家庭的保育事業等設備運営基準第48条
⑥　家庭的保育事業への移行を目指す場合
　　家庭的保育事業等設備運営基準第22条
⑦　小規模保育事業C型への移行を目指す場合
　　家庭的保育事業等設備運営基準第33条

※　処遇改善等加算の算定方法等については、「施設型給付費等
　に係る処遇改善等加算について」（令和5年6月7日こ成保
　39・5文科初第591号こども家庭庁成育局長・文部科学省初等
　中等教育局長連名通知）の例によるものとする。なお、
　・　第5の1による加算額の算定に用いる職員の数について、
　　認定こども園への移行を希望する施設等については、別表中
　　「保育所」を適用するものとする。
　・　第5の2(1)コ i 中「月額4万円」とあるのは「9割施設に
　　おいては月額36,000円、6割施設においては月額28,000円、
　　1／3施設においては月額20,000円、1／4施設においては
　　月額12,000円」と、「月額5千円以上月額4万円未満」とあ
　　るのは「9割施設においては月額4,500円以上月額36,000円未
　　満、6割施設においては月額3,500円以上月額28,000円未満、
　　1／3施設においては月額2,500円以上月額20,000円未満、
　　1／4施設においては月額1,500円以上月額12,000円未満」と
　　する。
　・　第5の2(1)コ ii 中「月額5千円」とあるのは「9割施設に
　　おいては月額4,500円、6割施設においては月額3,500円、
　　1／3施設においては月額2,500円、1／4施設においては
　　月額1,500円」とする。

2　基本部分（平成30年度経過措置分）（児童1人当たり月額）
　　平成30年度において、本事業による補助を受けていた施設等に
　ついて、特段の理由がある場合に限り、1の基準額によらず、以
　下の基準額を適用することができるものとする。
(1)　1に掲げる基準において必要とされる職員全てについて保育
　　士資格を有する者を配置する認可保育所、認定こども園、小規
　　模保育事業A型又は保育所型事業所内保育事業への移行を希望
　　する施設等
　　　別添11に掲げる各区分に応じて定められた基本単価を基準額
　　とする。
(2)　1に掲げる基準において必要とされる職員の6割以上につい
　　て保育士資格又は看護師等の資格を有する者を配置する認可保

育所、認定こども園、小規模保育事業Ａ型、小規模保育事業Ｂ型又は事業所内保育事業への移行を希望する施設等（(1)の施設を除く）

別添12に掲げる各区分に応じて定められた基本単価を基準額とする。

(3)　1に掲げる基準において必要とされる職員の1／3以上について保育士資格又は看護師等の資格を有する者を配置する認可保育所、認定こども園、小規模保育事業Ａ型、小規模保育事業Ｂ型又は事業所内保育事業への移行を希望する施設等（(1)及び(2)の施設を除く）

別添13に掲げる各区分に応じて定められた基本単価を基準額とする。

(4)　1に掲げる基準を満たす家庭的保育者又は家庭的保育補助者を配置する家庭的保育事業への移行を希望する事業

別添14に掲げる各区分に応じて定められた基本単価を基準額とする。

(5)　1に掲げる基準を満たす小規模保育事業Ｃ型への移行を希望する施設

別添15に掲げる各区分に応じて定められた基本単価を基準額とする。

(6)　都道府県協議会加算（児童1人当たり月額）

(1)から(3)について、法附則第14条第4項に定める都道府県が組織する協議会に参加する場合に、基本単価に加え、保育士資格又は看護師等の資格を有する者の割合により、別添11から別添13に掲げる地域区分等に応じて定められた都道府県協議会加算を基準額とする。

※　基準額については、1に掲げる算式1～3により算定した額の合計額とすること。

3　基本部分（平成29年度経過措置分）（児童1人当たり月額）

平成29年度において、本事業による補助を受けていた施設等について、特段の理由がある場合に限り1及び2の基準額によらず、以下の基準額を適用することができるものとする。

(1)　1に掲げる基準において必要とされる職員全てについて保育士資格を有する者を配置する認可保育所、認定こども園、小規模保育事業Ａ型又は保育所型事業所内保育事業への移行を希望する施設等

・4歳以上児　　18,000円
・3　歳　児　　22,000円
・1・2歳児　　57,000円
・乳　　　児　107,000円

(2)　1に掲げる基準において必要とされる職員の6割以上について保育士資格又は看護師等の資格を有する者を配置する認可保育所、認定こども園、小規模保育事業Ａ型又は保育所型事業者内保育事業への移行を希望する施設等（(1)の施設を除く）

・4歳以上児　　15,000円
・3　歳　児　　18,000円
・1・2歳児　　48,000円
・乳　　　児　　89,000円

(3)　家庭的保育事業等設備運営基準第31条の基準を満たす保育士を配置する小規模保育事業Ｂ型又は家庭的保育事業等設備運営基準第47条の基準を満たす保育士を配置する小規模型事業所内保育事業への移行を希望する施設等

・4歳以上児　　15,000円
・3　歳　児　　18,000円
・1、2歳児　　48,000円
・乳　　　児　　89,000円

(4)　1に掲げる基準において必要とされる職員の1／3以上について保育士資格又は看護師等の資格を有する者を配置する認可保育所、認定こども園、小規模保育事業Ａ型、小規模保育事業Ｂ型、保育所型事業所内保育事業又は小規模型事業所内保育事

業へ移行を希望する施設等 （(1)、(2)及び(3)の施設を除く）
　　・４歳以上児　　12,000円
　　・３　歳　児　　15,000円
　　・１・２歳児　　39,000円
　　・乳　　　　児　　72,000円
(5)　１に掲げる基準を満たす家庭的保育者、家庭的保育補助者を
　配置する家庭的保育事業又は小規模保育事業Ｃ型への移行を希
　望する施設等
　　・４歳以上児　　12,000円
　　・３　歳　児　　15,000円
　　・１・２歳児　　39,000円
　　・乳　　　　児　　72,000円
(6)　都道府県協議会加算（児童１人当たり月額）
　　(1)、(2)及び(4)について、支援法則第14条第４項に定める都道
　府県が組織する協議会に参加する場合に、基本単価に加え、保
　育士資格又は看護師等の資格を有する者の割合により、別添11
　から別添13に掲げる地域区分等に応じて定められた都道府県協
　議会加算を基準額とする。
※　基準額については、１に掲げる算式１～３により算定した額
　の合計額とすること。
4　保育サポーター加算
　　１に掲げる基準において必要とされる職員に４割を乗じて得た
　職員（小数点以下切り捨て）１人当たり　　月額140,800円
※　「国家戦略特別区域における地方裁量型認可化移行施設の設
　置について」（平成31年３月29日子発0329第７号厚生労働省子
　ども家庭局長通知）に基づき設置される「地方裁量型認可化移
　行施設」であって、以下をすべて満たすものを加算の対象とす
　る。
　　・6割施設に該当すること
　　・１に掲げる基準において必要とされる職員数を２割以上上回
　　　る職員が配置されていること
　　・上記により必要とされる職員のうち、保育士資格又は看護師
　　　等の資格を有する者以外の職員が保育の質の確保に向け、市
　　　町村が適当と認める研修を受講していること
5　認可外保育施設開設準備費加算
　　定員１人当たり　　7,500円
※　新設または定員を増やす場合に限り、定員を増やした場合は
　増加した定員について加算の対象とする。
6　地方単独保育施設加算
　　地方単独保育施設加算（児童１人当たり月額）
　　児童１人当たり　　月額20,000円（上限）
　　ただし、9割以上施設（経過措置分対象施設を除く）について
　は、本加算の対象としない。
※　対象施設が地方単独保育施設である場合に限り、本加算分を
　利用者負担額（保育料）の減額に充てることを要件に加算の対
　象とする。
※　３歳以上児（満３歳の誕生日を迎えてから最初の３月31日ま
　での間の児童を除く。以下同じ。）については、対象施設の３
　歳以上児の利用者負担額の平均額から①及び②に掲げる額を控
　除して得た額又は20,000円のいずれか低い額を加算額とする。
　　①　対象施設の３歳以上児に係る施設等利用費の総額を対象施
　　　設の３歳以上児の数で除して得た額
　　②　当該市町村等において独自に行う対象施設の３歳以上児の
　　　利用者負担額の軽減に要した費用の総額を対象施設の３歳以
　　　上児の数で除して得た額
　　　３歳未満児のうち施設等利用給付認定子ども（以下「新３号
　　認定児童」という。）については、対象施設の３歳未満の利
　　用者負担額の平均額から①及び②に掲げる額を控除して得た額
　　又は20,000円のいずれか低い額を加算額とする。
　　①　対象施設の新３号認定児童に係る施設等利用費の総額を対
　　　象施設の新３号認定児童の数で除して得た額
　　②　当該市町村等において独自に行う対象施設の新３号認定児
　　　童の利用者負担額の軽減に要した費用の総額を対象施設の新
　　　３号認定児童の利用者の数で除して得た額
　　　３歳未満児のうち施設等利用給付認定子ども以外の児童（以

10／10

	下「新3号認定対象外児童」という。）については、対象施設の3歳未満児の利用者負担額の平均額から①及び②に掲げる額を控除して得た額又は20,000円のいずれか低い額を加算額とする。 ①　当該市町村等において独自に行う対象施設の新3号認定対象外児童の利用者負担額の軽減に要した費用の総額を対象施設の新3号認定対象外児童の利用者の数で除して得た額 ②　当該市町村における認可保育所の3歳未満児の平均利用者負担額			
幼稚園における長時間預かり保育運営費支援事業	4歳以上児（月額）　　9,000円 3　歳　児（月額）　11,000円 1・2歳児（月額）　57,000円 （満3歳児として私学助成（一般補助）の対象となる園児については、年度内において46,000円、満3歳児として1号（特例含む。）の施設型給付費の対象としている園児については、対象となった時点から46,000円とする。） 乳　　　　児（月額）　107,000円 ※　年齢区分については、前年度の3月31日の満年齢によるものとすること。 ※　基準額については、次の算式により算定した額の合計額とすること。 ・算式1（各月初日の入所児童の場合） 　　年齢区分ごとの単価×その月初日の年齢区分ごとの入所児童数 ・算式2（月途中入所児童の場合） 　　年齢区分ごとの単価×その月の月途中入所日からの開所日数（25日を超える場合は25日）÷25日 ・算式3（月途中退所児童の場合） 　　年齢区分ごとの単価×その月の月途中退所日の前日までの開所日数（25日を超える場合は25日）÷25日 　　（注）10円未満の端数は切り捨てる。	幼稚園における長時間預かり保育運営費支援事業の実施に必要な経費 ※　私学助成（預かり保育推進事業）、一時預かり（幼稚園型）の実施に必要な経費を除く。	国 1／2 ・市町村（指定都市及び中核市除く。）が実施する場合 都道府県 1／4 市町村 1／4 ・指定都市又は中核市が実施する場合 指定都市・中核市 1／2	

別添　略

別紙様式　略

○子どものための教育・保育給付費支弁台帳について

［平成27年8月21日　府子本第271号・27初幼教第19号・雇
児保発0821第2号
各都道府県子ども・子育て支援新制度担当部（局）長宛　内
閣府子ども・子育て本部参事官（子ども・子育て支援担
当）・文部科学省初等中等教育局幼児教育・厚生労働省雇
用均等・児童家庭局保育課長連名通知］

子どものための教育・保育給付費については、「子
どものための教育・保育給付費国庫負担金交付要綱」
に基づき国庫負担金の交付が行われるところですが、
今般、その所要額等の迅速かつ適正な把握のため、子
どものための教育・保育給付費支弁台帳制度を下記の
とおり設け、平成27年度の経理事務から適用すること
としましたので通知します。

各都道府県におかれましては、貴管内市町村（特別
区を含む。以下同じ。）に対して周知していただくよ
うお願いいたします。

記

第1　子どものための教育・保育給付費支弁台帳の整
備について

(1)　子どものための教育・保育給付費支弁台帳の作
成の対象は、次の給付費等とする。

ア　子ども・子育て支援法（平成24年法律第65号。
以下「法」という。）第27条第1項の規定に基
づく施設型給付費（都道府県又は市町村以外の
者が設置する施設に係るものに限る。以下同じ。）

イ　法第28条第1項の規定に基づく特例施設型給
付費（都道府県又は市町村以外の者が設置する
施設に係るものに限る。以下同じ。）

ウ　法第29条第1項の規定に基づく地域型保育給
付費

エ　法第30条第1項の規定に基づく特例地域型保
育給付費

オ　法附則第6条第1項の規定に基づく委託費

(2)　市町村は、各月支弁した(1)に掲げる給付費等に
ついて、別紙「子どものための教育・保育給付費
支弁台帳の記載要領」に基づき、第1号様式及び
第2号様式を作成すること。

なお、各市町村における経理処理及び電算処理
上の便宜等の観点から、各様式について必要な修
正を加えてこれを定めて差し支えありません。そ
の際、各様式に定める事項の数値等が把握できる
ようにすること。

第2　支弁台帳と国庫負担金交付申請書等との関連に
ついて

子どものための教育・保育給付費国庫負担金につ
いては、「子どものための教育・保育給付費国庫負
担金交付要綱」に基づき国庫負担金の交付が行われ
るところですが、交付申請書及び実績報告書等の金
額については、支弁台帳の金額を基に行われますの
で、その関連性に十分留意の上、適正な処理をお願
いいたします。

別　紙

子どものための教育・保育給付費支弁台
帳の記載要領について

1　総括表（第1号様式）の記載について

総括表（以下「第1号様式」という。）は、市町
村単位で、施設型給付費（特例施設型給付費を含
む。）、地域型保育給付費（特例地域型保育給付費を
含む。）、委託費の区分ごとに集計した第1号様式（A
表）と、特定教育・保育施設・特定地域型保育事業
ごとに集計した第1号様式（B表）を作成すること。

なお、その作成に当たっては、第1号様式（A表）
は、第1号様式（B表）の数値を区分ごとに毎月集
計し作成するとともに、第1号様式（B表）は施設・
事業所表（以下「第2号様式」という。）の数値を
毎月集計して作成すること。

(1)　第1号様式（A表）の記載について

第1号様式（A表）の各欄は、第1号様式（B
表）の当該欄の数値を集計して記載すること。

(2)　第1号様式（B表）の記載について

①　「施設・事業所数」の欄には、給付費等を支
弁した施設・事業所数を記載すること。

なお、「施設・事業所数」の欄の（　）内には、
特例施設型給付費及び特例地域型保育給付費を
支弁した施設・事業所数を再掲すること。ただ
し、他の市町村の区域に存在する施設・事業所
（第2号様式の施設・事業所名の欄を（　）書
きにより記載しているもの。以下同じ。）の数は、
これを除外して集計することとし、他の市町村
と二重に計上されることとならないようにする
こと。

②　「認可定員」・「利用定員」の欄には、第2号
様式（B表）の当該欄の数値を集計して記載す

ること。ただし、他の市町村の区域に存在する施設・事業所の認可定員・利用定員は、これを除外して集計することとし、他の市町村と二重に計上されることとならないようにすること。

③　「利用者負担額（国基準額）」の欄には、第2号様式（B表）の㋑欄の数値を集計して記載すること。

また、「利用者負担額（市町村が定めた額）」の欄には、市町村又は各施設・事業所が毎月個々の世帯から徴収する市町村が定めた利用者負担額を集計して記載すること。なお、実際に徴収した額ではなく、市町村が定める利用者負担額により徴収することとしている額を集計すること。

④　以上に掲げる欄以外の欄には、第2号様式（B表）の当該欄の数値を集計して記載すること。

2　施設・事業所表（第2号様式）の記載について

第2号様式は、各施設・事業所における加算の適用状況並びに年齢区分ごとの給付単価を把握するための第2号様式（A表）と、各月の年齢区分ごとの利用人員及び単価表に基づく費用、並びに各月階層区分ごとの利用人員及び利用者負担額（国基準）を把握するための第2号様式（B表）を作成することとし、施設・事業所からの給付費等の請求書等を基礎として、毎月その月分について施設・事業所に給付費等を支弁した都度、所定の事項を記載すること。

また、第2号様式は、施設・事業所ごと（分園がある場合は中心園、分園ごと）に、その施設・事業所の種別（アからク）に応じて、以下の①から③の給付等の種類ごとに作成すること。

なお、アからクの施設・事業所ごとに作成したうえで、①から③のそれぞれの内訳が別途把握できる場合は、適宜、作成単位を変更して差し支えないこと。

ア　幼稚園（都道府県又は市町村以外の者が設置する施設に限る。）（A表―1）

①　施設型給付費

②　特例施設型給付費（特定教育・保育及び特別利用教育に係るもの）

イ　保育所（都道府県又は市町村以外の者が設置する施設に限る。）（A表―2）

①　委託費

②　特例施設型給付費（特定・教育保育に係るもの）

③　特例施設型給付費（特別利用保育に係るもの）

ウ　認定こども園（都道府県又は市町村以外の者が設置する施設に限る。）（A表―3）

①　施設型給付費

②　特例施設型給付費（特定教育・保育に係るもの）

③　特例施設型給付費（特別利用保育に係るもの）

エ　家庭的保育事業（A表―4）

①　地域型保育給付費

②　特例地域型保育給付費（特別利用地域型保育に係るもの）

③　特例地域型保育給付費（特定利用地域型保育に係るもの）

オ　小規模保育事業（A表―5（A型、B型）、A表―6（C型））

①　地域型保育給付費

②　特例地域型保育給付費（特別利用地域型保育に係るもの）

③　特例地域型保育給付費（特定利用地域型保育に係るもの）

カ　事業所内保育事業（A表―7）

①　地域型保育給付費

②　特例地域型保育給付費（特別利用地域型保育に係るもの）

③　特例地域型保育給付費（特定利用地域型保育に係るもの）

キ　居宅訪問型保育事業（A表―8）

①　地域型保育給付費

②　特例地域型保育給付費（特別利用地域型保育に係るもの）

③　特例地域型保育給付費（特定利用地域型保育に係るもの）

ク　特例保育（A表―5）

①　特例地域型保育給付費（教育標準時間認定に係るもの）

②　特例地域型保育給付費（保育認定に係るもの）

(1)　第2号様式（A表）の記載について

①　「施設・事業所名」の欄は、他の市町村の区域に所在する施設・事業所の場合には、施設・事業所名の字句は、括弧書き（例えば、「（〇〇〇園）」）とすること。

②　「適用単価の認定」の各欄の不動文字は、該当する字句を〇で囲むことと。また、「認可定員」及び「利用定員」の欄には、各自治体が認可・確認した施設・事業所の認可定員及び利用定員を記載することとし、年齢ごとに分けて定員を定めているときは、その合算人員とすること。

③　「適用単価の認定」の欄における「認定月日」の欄には、年度当初（又は事業開始月）の適用単価に係る認定月日や、加算認定に変更が生じ

た際等の認定月日を記載すること。また、「適用月日」欄には、年度初日（又は事業開始月の初日）のほか、加算認定の変更等により、月額単価に改定が生じた際に、改定後の月額単価が適用される月日を記載すること。

(2) 第2号様式（B表）の記載について

① 「初日利用人員」の欄には、支給認定区分ごとにそれぞれ年齢区分に応じて記載することとし、この人員を各階層別に分けるとともに、教育標準時間認定に係る第2階層から第5階層、及び保育認定に係る第2階層から第8階層については、さらに多子軽減に係る半額徴収分と徴収額0円分に分けて記載すること。

また、ひとり親世帯等の減免が適用されている世帯の子どもについては、第2階層及び第3階層における⑯、⑱、⑳、㉑、㉓、㉕欄の「　」内に再掲すること。

なお、支給認定を受けていない私的契約児などは利用人員に含まないこと。

② 「費用（単価表による額）」の欄には、支給認定区分及び年齢区分ごとの初日利用人員に、各月に適用される第2号様式（A表）の月額単価を乗じて記載すること。

なお、給与改定による給付単価の改定に伴い、数か月分の差額を一括して支弁したときには、実際に支弁した月の欄（例えば、2月に差分を一括して支弁した場合は「2月分」の欄）に既定分及び差額の順に2段に分けて別掲とすること。

③ 「利用者負担の適用基準額」の欄には、各支給認定区分及び年齢区分（保育認定に当たっては、さらに保育必要量の区分）ごとに子ども・子育て支援法施行令（平成26年政令第213号）で定める各階層別の国基準額を記載するものであり、市町村が定める基準額ではないことに注

意すること。

また、教育標準時間認定に係る第2階層から第5階層、及び保育認定に係る第2階層から第8階層については、さらに多子軽減に係る半額徴収額を記載すること。

また、給付単価限度額を徴収額としている階層については、給付単価限度額を記載することとし、給付単価の改定によって、利用者負担額（国基準）に変更が生じた場合には、適用となる月日を「適用月日」の欄に記載のうえ、各階層別に改定後の利用者負担額（国基準額）を記載すること。

なお、利用者負担額（国基準額）の数か月分の差額を一括して徴収したなどの場合には、上記②のなお書きの取扱いに準じ、実際に徴収した月の欄に既定分及び差額の順に2段に分けて別掲とすること。

このほか、ひとり親世帯等の減免が適用されている世帯の子どもについては、第2階層及び第3階層における㊿、㊽、㊾、㊿欄の「　」内に減免後の利用者負担額（国基準額）を記載すること。

④ 支弁額の誤り、階層区分認定の誤り等を発見し、この台帳の金額等を訂正するときは、上記②のなお書きの取扱いに準じ、実際に出納事務を処理した月の欄に既定分及び差額の順に2段に分けて別掲し、かつ、必要に応じてその内容の明細を欄外又は付表に明確にしておくこと。

3 月途中の入退所に伴う日割計算の取扱いについて

月途中の入退所に伴う給付費等の日割支弁・利用者負担額の日割徴収については、第1号様式及び第2号様式を準用して、当該支弁・徴収が把握できるよう作成することとする。

第1号様式・第2号様式　略

○子育てのための施設等利用給付交付金の交付について

〔令和5年6月16日　こ成保第63号
各都道府県知事宛　こども家庭庁長官通知〕

子ども・子育て支援法（平成24年法律第65号）第68条第2項の規定に基づく標記交付金の交付については、別紙「子育てのための施設等利用給付交付金交付要綱」により行うこととし、令和5年4月1日から適用することとしたので通知する。

なお、各都道府県におかれては、貴管内市町村（特別区を含む。）に対してこの旨通知されたい。

また、子育てのための施設等利用給付交付金の交付について（令和元年9月25日府子本第476号。以下「旧要綱」という。）は廃止する。

ただし、この要綱の施行前に、旧要綱に基づき実施した事業に係る交付金の取り扱いについては、なお従前の例によることとする。

別　紙

　　子育てのための施設等利用給付交付金交

　　付要綱

（通則）

1　子育てのための施設等利用給付交付金（以下「交付金」という。）については、補助金等に係る予算の執行の適正化に関する法律（昭和30年法律第179号）及び補助金等に係る予算の執行の適正化に関する法律施行令（昭和30年政令第255号）及びこども家庭庁の所掌に属する補助金等交付規則（令和5年内閣府令第41号）の定めによるほか、この要綱の定めるところによる。

（交付の目的）

2　この交付金は、子ども・子育て支援法（平成24年法律第65号。以下「法」という。）第68条第2項の規定に基づき、市町村（特別区を含む。以下同じ。）が支弁する施設等利用費の支給に要する費用の一部を負担することにより、子どもが健やかに成長するように支援すること及び子どもの保護者の経済的負担を軽減することを目的とする。

（交付の対象）

3　この交付金は、市町村が行う次の区分ごとの子ども・子育て支援施設等に係る法第30条の11第1項に基づく施設等利用費の支給に要する費用を交付の対象とする。

(1)　認定こども園（法第7条第10項第1号に規定するものに限り、都道府県（都道府県が単独で又は

他の地方公共団体と共同して設立する公立大学法人を含む。）又は市町村（市町村が単独で又は他の市町村と共同して設立する公立大学法人を含む。）が設置するものを除く。以下同じ。）

(2)　幼稚園（法第7条第10項第2号に規定するものに限り、都道府県（都道府県が単独で又は他の地方公共団体と共同して設立する公立大学法人を含む。）又は市町村（市町村が単独で又は他の市町村と共同して設立する公立大学法人を含む。）が設置するものを除く。以下同じ。）

(3)　特別支援学校（法第7条第10項第3号に規定するものに限り、都道府県（都道府県が単独で又は他の地方公共団体と共同して設立する公立大学法人を含む。）又は市町村（市町村が単独で又は他の市町村と共同して設立する公立大学法人を含む。）が設置するものを除く。以下同じ。）

(4)　認可外保育施設（法第7条第10項第4号に規定するものに限る。以下同じ。）

(5)　預かり保育事業（法第7条第10項第5号に規定するものに限る。以下同じ。）

(6)　一時預かり事業（法第7条第10項第6号に規定するものに限る。以下同じ。）

(7)　病児保育事業（法第7条第10項第7号に規定するものに限る。以下同じ。）

(8)　子育て援助活動支援事業（法第7条第10項第8号に規定するものに限る。以下同じ。）

（交付額の算定方法）

4　この交付金の交付額は、国（国立大学法人法（平成15年法律第112号）第2条第1項に規定する国立大学法人を含む。以下同じ。）が設置する子ども・子育て支援施設等（認定こども園、幼稚園又は特別支援学校に係るものに限る。）にあっては、子ども・子育て支援法施行令（平成26年政令第213号。以下「令」という。）第15条の6で定める額に基づき、3の(1)から(3)の区分ごとに算出された額の合計額とする。国が設置する子ども・子育て支援施設等（認定こども園、幼稚園又は特別支援学校に係るものを除く。）及び国以外の者が設置する子ども・子育て支援施設等に係るものにあっては、令第15条の6で定める額に基づき、3の(1)から(8)の区分ごとに

算出された合計額の２分の１とする。

（交付の条件）

5　この交付金の交付の決定には、次の条件が付されるものとする。

(1)　事業を中止し、又は廃止する場合には、地方厚生局長（徳島県、香川県、愛媛県及び高知県にあっては四国厚生支局長。以下「地方厚生（支）局長」という。）の承認を受けなければならない。

(2)　事業の執行が困難となった場合には速やかに地方厚生（支）局長に報告して、その指示を受けなければならない。

(3)　交付金と事業に係る予算及び決算との関係を明らかにした調書を作成し、これを事業完了後５年間保存しておかなければならない。

（申請手続）

6　この交付金の交付の申請は、次により行うものとする。

(1)　市町村長は、様式第１号による申請書を都道府県知事が別に定める日までに都道府県知事に提出するものとする。

(2)　都道府県知事は、市町村から(1)の申請書の提出があった場合には、必要な審査を行い、適正と認めたときはこれを取りまとめの上、様式第２号と併せて別途定める日までに地方厚生（支）局長に提出するものとする。

（変更交付申請）

7　この交付金の交付決定後の事情の変更により、年間所要額に増減を生じ、申請の内容を変更して追加交付申請等を行う場合には、次により行うものとする。

(1)　市町村長は、様式第３号による申請書を都道府県知事が別に定める日までに都道府県知事に提出するものとする。

(2)　都道府県知事は、市町村から(1)の申請書の提出があった場合には、必要な審査を行い、適正と認めたときはこれを取りまとめの上、様式第４号と併せて別に定める日までに地方厚生（支）局長に提出するものとする。

（交付決定）

8　この交付金の交付の決定は、次により行うものとする。

(1)　地方厚生（支）局長は、交付申請書又は変更交付申請書が到達した日から起算して原則として２か月以内に交付の決定又は決定の変更を行うものとする。

(2)　都道府県知事は、地方厚生（支）局長の交付決定があったときは、市町村に対し様式第５号によ

り、決定の変更があったときは、市町村に対し様式第６号により、速やかに決定内容及びこれに付された条件を通知すること。

(3)　市町村は、交付決定の内容又はこれに付された条件に対して不服があることにより、交付の申請を取下げようとするときは、交付決定の通知を受けた日から15日以内にその旨を記載した書面を地方厚生（支）局長に提出しなければならない。

（交付金の概算払）

9　こども家庭庁長官は、必要があると認める場合においては、国の支払計画承認額の範囲内において概算払をすることができる。

（実績報告）

10　この交付金の事業実績の報告は、次により行うものとする。

(1)　市町村長は、翌年度の６月末日（5の(1)により事業の中止又は廃止の承認を受けた場合には、当該承認通知を受理した日から１か月を経過した日）までに様式第７号による報告書を都道府県知事に提出するものとする。

(2)　都道府県知事は、市町村から(1)の報告書の提出があった場合には、必要な審査を行い、適正と認めたときはこれを取りまとめの上、様式第８号と併せて翌年度の７月末日までに、地方厚生（支）局長に提出するものとする。

（額の確定）

11　都道府県知事は、地方厚生（支）局長の確定通知があったときは、市町村に対し、様式第９号により、速やかに確定の通知を行うこと。

（交付金等の返還）

12　地方厚生（支）局長は、交付すべき交付金の額を確定した場合において、既にその額を超える交付金が交付されているときは、期限を定めて、その超える部分について国庫に返還することを命ずる。

（事業実績報告の訂正）

13　地方厚生（支）局長が額の確定を終了した後において、当該確定の基礎となった実績報告を訂正する事由が生じた場合の取扱いは、次により行うものとする。

(1)　市町村長は、実績報告を訂正する事由が生じたときは、様式第10号による報告書を速やかに都道府県知事に提出するものとする。

(2)　都道府県知事は、市町村から(1)の報告書の提出があった場合には、必要な審査を行い、適正と認めたときはこれを取りまとめの上、様式第11号と併せて速やかに地方厚生（支）局長に提出するものとする。

(3)　実績報告の訂正に伴うその他の手続等については、10に定めるところに準じて行うものとする。

（その他）

14　この交付金の交付に当たっては、上記に定めるところの他、以下によるものとする。

(1)　特別の事情により、本交付要綱に定める手続によることができない場合には、あらかじめ地方厚生（支）局長の承認を受けてその定めるところによるものとする。なお、この交付金について、精算交付申請を行う場合には、別途指示する期日までに10に定める様式及び手続に準じて行うものとする。

(2)　都道府県知事は、市町村長が都道府県知事に提出すべき市町村分交付金に係る各様式に定められている事項のほかに必要と認める事項を加えて定めることができるものとし、かつ、その提出時期についても必要と認めるときはこれを変更して定めることができるものとする。

(3)　都道府県知事が地方厚生（支）局長に提出すべき書類の部数は、全て正本一部とし、市町村長が都道府県知事に提出すべき書類の部数は、都道府県知事が定めるところによるものとする。

(4)　市町村長が都道府県知事に提出した市町村分交付金に係る書類は、全て都道府県において各会計年度毎に各書類の種別に分類し一括して保存するものとする。

様式　略

○子育てのための施設等利用給付支弁台帳について

令和元年11月22日　府子本第684号・元初幼教第10号・子少発1122第1号・子保発1122第1号・子子発1122第1号
各都道府県子ども・子育て支援新制度担当部（局）長宛　内閣府子ども・子育て本部参事官（子ども・子育て支援担当）・文部科学省初等中等教育局幼児教育課長・厚生労働省子ども家庭局総務課少子化総合対策室長・保育・子育て支援課長連名通知

子育てのための施設等利用給付については、「子育てのための施設等利用給付交付金交付要綱」に基づき交付金の交付が行われるところですが、今般、その所要額等の迅速かつ適正な把握のため、子育てのための施設等利用給付支弁台帳制度を下記のとおり設け、令和元年度の経理事務から適用することとしましたので通知します。

各都道府県におかれましては、貴管内市町村（特別区を含む。以下同じ。）に対して周知していただくようお願いします。

記

第1　子育てのための施設等利用給付支弁台帳の整備について

(1)　子育てのための施設等利用給付支弁台帳の作成の対象は、施設等利用費（次のアからウに掲げるものを除く。）とする。

ア　子ども・子育て支援法（平成24年法律第65号。以下「法」という。）第7条第10項第1号に規定する「認定こども園」のうち、都道府県（都道府県が単独で又は他の地方公共団体と共同して設立する公立大学法人を含む。以下同じ。）又は市町村（市町村が単独で又は他の地方公共団体と共同して設立する公立大学法人を含む。(1)において同じ。）が設置するもの

イ　法第7条第10項第2号に規定する「幼稚園」のうち、都道府県又は市町村が設置するもの

ウ　法第7条第10項第3号に規定する「特別支援学校」のうち、都道府県又は市町村が設置するもの

(2)　市町村は、支弁した(1)に掲げる施設等利用費について、次のアからエの項目を記載した書類を作成し、支弁台帳として整備すること。

なお、各市町村における経理処理及び電算処理上の便宜等の観点から、様式は指定しませんが、別添の参考様式を参考としながら、必要に応じて項目を追加したり、様式を加工したりするなどして適切に定めていただくようお願いします。

ア　施設等利用給付認定子ども（法第30条の8第1項に規定する施設等利用給付認定子どもをいう。以下同じ。）の氏名、生年月日、認定番号及び認定区分

イ　施設等利用給付認定保護者（法第30条の5第3項に規定する施設等利用給付認定保護者をいう。）の氏名及び住所

ウ　アの施設等利用給付認定子どもに係る月別の施設等利用費の支給額

エ　ウの施設等利用費の支給対象となった特定子ども・子育て支援施設等（法第30条の11第1項に規定する特定子ども・子育て支援施設等をいう。）の種類（当該特定子ども・子育て支援施設等の該当する法第7条第10項の「号」の番号）

第2　支弁台帳と交付金交付申請書等との関連について

子育てのための施設等利用給付交付金については、「子育てのための施設等利用給付交付金交付要綱」に基づき交付金の交付が行われるところですが、交付申請書及び実績報告書等の金額については、支弁台帳の金額に基づき、適正に処理していただくようお願いします。

様式　略

○転出入時における事務手続の円滑化に向けた住民基本台帳担当部局との連携の強化について

令和2年10月26日　事務連絡
各都道府県・各指定都市・各中核市子ども・子育て支援新
制度担当課宛　内閣府子ども・子育て本部参事官（子ど
も・子育て支援担当）付・（認定こども園担当）付・文部
科学省初等中等教育局幼児教育課・厚生労働省子ども家庭
局総務課少子化総合対策室・家庭局保育課

平素より、子ども・子育て支援施策の推進に御尽力いただき厚く御礼申し上げます。

昨年10月に施行された幼児教育・保育の無償化において、「子どものための教育・保育給付」または「子育てのための施設等利用給付」の受給に当たっては、無償化の対象となる小学校就学前子どもの保護者が、その居住する市町村に申請を行い、認定を受けることが必要ですが、一部で市町村事務に支障が生じている事例も承知しています。

その一つとして、施設等利用給付認定保護者が転出し、他の市町村へ転入した際、転入した日から数日後に施設等利用給付認定を行った場合、転出元市町村の施設等利用給付認定を取り消した日によっては、転入先市町村での認定起算日までの間、施設等利用給付認定期間の空白が生じてしまうという事例があります。これは、施設等利用給付認定の効力が、同認定を転入先市町村に申請した日以降にのみ発生することによるものです。

つきましては、転出入時に無償化の対象となる小学校就学前子どもの保護者が円滑に教育・保育給付認定及び施設等利用給付認定の手続を行うことができるよう、既にお取り組みいただいている市町村もあろうかと存じますが、同保護者の転出入時には、幼児教育・保育の無償化に関する手続を含め、幼稚園・保育所・認定こども園等に関する手続が必要になることから、住民基本台帳担当部局との連携を強化の上、例えば、以下のような取組を通じて、手続にご配慮いただくようお願いいたします。

①　転出元市町村においては、転出届を提出する住民のうち、無償化の対象となる小学校就学前子どもの保護者に対しては、転入後、速やかに転入先市町村において教育・保育給付認定及び施設等利用給付認定手続等が必要であることを周知すること。

②　転入先市町村においては、転入者に対して、住民基本台帳担当部局が転入時に必要な手続のお知らせ等を配布している場合、当該資料（書類）の中に教育・保育給付認定及び施設等利用給付認定手続等に関する内容を追加してもらうことなどにより周知すること。

また、各都道府県におかれましては、大変お手数ですが、管内市町村（指定都市及び中核市を除き、特別区を含む。）に対して、上述のことについて周知を図るとともに、内容を御了知くださいますようお願い申しあげます。

なお、本事務連絡については、総務省自治行政局住民制度課と協議済であることを申し添えます。

9　税法関係

○子ども・子育て支援新制度に係る税制上の取扱いについて

平成26年11月18日　府政共生第1093号・26初幼教第19号・雇児保発1118第1号
各都道府県私立学校・民生主管部(局)長・各指定都市・各中核市民生主管部(局)長宛　内閣府政策統括官(共生社会政策担当)付参事官(少子化対策担当)・文部科学省初等中等教育局幼児教育・厚生労働省雇用均等・児童家庭局保育課長連名通知

　平成26年度税制改正要望において、子ども・子育て支援新制度の施行に伴い必要となる事項として、幼保連携型認定こども園、幼保連携型認定こども園以外の認定こども園の教育・保育機能部分、市町村認可事業として位置付けられる小規模保育事業等、病児保育事業及び子育て援助活動支援事業並びに子どものための教育・保育給付の対象となる施設・事業者を利用した場合の保育料等に対する税制上の所要の措置について要望していたところです。これに関し、関係法令が改正されました（別紙1〜3参照）。その内容及び税制上の取扱いに関する留意点は下記のとおりですので、貴職におかれては、十分ご了知の上、関係部局や管内の市町村、事業者等へ周知し、その運用に遺漏のないようご配慮いただけるようお願いします。なお、こうした取扱いについては、財務省及び総務省とも協議済である旨申し添えます。

記

1　幼保連携型認定こども園に対する税制上の所要の措置
　(1)　所得税、法人税、個人住民税、法人住民税関係
　①　租税特別措置法施行規則等の一部を改正する省令（平成26年財務省令第28号）による改正後の租税特別措置法施行規則（昭和32年大蔵省令第15号。以下「新租税特別措置法施行規則」という。）第14条第5項第3号イの規定により、地方公共団体、学校法人及び社会福祉法人の設置に係る幼保連携型認定こども園について、収用対象事業用地の買取りに係る簡易証明制度の対象となり、土地収用法(昭和26年法律第219号)による事業認定を受けていなくても、より簡易な証明で当該資産の譲渡による所得について課税の特例措置を受けられることとされたこと。
　②　所得税法施行令等の一部を改正する政令（平成26年政令第137号）による改正後の所得税法施行令（昭和40年政令第96号。以下「新所得税

法施行令」という。）第217条第4号及び法人税法施行令の一部を改正する政令（平成26年政令第138号）による改正後の法人税法施行令（昭和40年政令第97号。以下「新法人税法施行令」という。）第77条第4号の規定により、幼保連携型認定こども園の設置を主たる目的とする学校法人に対する寄附金について、及び特定公益増進法人に対する寄附金の対象とされたこと。また、指定寄附金についても「所得税法第78条第2項第2号及び法人税法第37条第3項第2号の規定に基づき、寄附金控除の対象となる寄附金又は法人の各事業年度の所得の金額の計算上損金の額に算入する寄附金を指定する件」（昭和40年大蔵省告示第154号）において幼稚園又は保育所に認められている規定が幼保連携型認定こども園に対しても適用されるよう、子ども・子育て支援新制度の施行に合わせ、後日同告示を改正する予定とされたこと。なお、これらの規定の改正の施行期日は、子ども・子育て支援法の施行日であるため、施行日前の寄附金は原則、控除又は損金算入の対象とはならないが、施行日前に幼保連携型認定こども園の設置を目的として寄附金を受領しようする場合には、事前に内閣府に対して相談すること。
　③　新所得税法施行令第217条の2第3項第12号及び新法人税法施行令第77条の4第3項第12号の規定により、幼保連携型認定こども園における教育及び保育に対する助成を目的とする特定公益信託について、認定特定公益信託となる認定の対象となることとされたこと。
　(2)　相続税、贈与税及び登録免許税関係
　①　所得税法等の一部を改正する法律（平成26年法律第10号)による改正後の租税特別措置法(昭和32年法律第26号。以下「新租税特別措置法」という。）第70条第1項並びに租税特別措置法

施行令等の一部を改正する政令（平成26年政令第145号）による改正後の租税特別措置法施行令（昭和32年政令第43号。以下「新租税特別措置法施行令」という。）第40条の3第4号の規定により、相続又は遺贈により財産を取得した者が取得後一定期間内に幼保連携型認定こども園の設置を主たる目的とする学校法人に贈与した場合には、社会福祉法人等に対する相続財産の贈与の場合と同様に相続税の非課税措置の対象とされたこと。

② 新租税特別措置法第70条第3項及び新租税特別措置法施行令第40条の4第3項第12号の規定により、相続又は遺贈により財産を取得した者が取得後一定期間内に幼保連携型認定こども園における教育又は保育に対する助成を目的とする認定特定公益信託の財産とするために支出した場合は、相続財産を支出した場合の相続税の非課税制度の対象とされたこと。

③ 所得税法等の一部を改正する法律による改正後の相続税法（昭和25年法律第73号。以下「新相続税法」という。）第12条第1項第3号及び第21条の3第1項第3号並びに相続税法施行令等の一部を改正する政令（平成26年政令第140号）による改正後の相続税法施行令（昭和25年政令第71号。以下「新相続税法施行令」という。）第2条及び第4条の5の規定により、専ら幼保連携型認定こども園を設置・運営する者が相続若しくは遺贈又は贈与により取得した財産で当該事業の用に供することが確実なものについては、相続税及び贈与税の非課税措置の対象とされたこと。

④ 新相続税法施行令附則第4項及び相続税法施行規則の一部を改正する省令（平成26年財務省令第23号）による改正後の相続税法施行規則（昭和25年大蔵省令第17号。以下「新相続税法施行規則」という。）附則第2項の規定により、当分の間、個人立幼保連携型認定こども園を設置し、運営する事業を行うことが確実であると認められる者に限り、当該事業及びその経理が適正に行われていると認められる場合には、その者が相続又は遺贈により取得した財産で当該事業の用に供することが確実なものについては、相続税の非課税措置の対象とされたこと。

⑤ 所得税法等の一部を改正する法律による改正後の登録免許税法（昭和42年法律第35号。以下「新登録免許税法」という。）別表第三の規定により、学校法人、公益社団法人及び公益財団法人、社会福祉法人並びに宗教法人が幼保連携型認定こども園の用に供するために取得する建物の所有権の取得登記又は当該建物の敷地その他の直接に保育若しくは教育の用に供する土地の権利の取得登記に係る登録免許税が非課税とされたこと。

※ なお、登録免許税法施行規則の一部を改正する省令（平成26年財務省令第25号）による改正後の登録免許税法施行規則（昭和42年大蔵省令第37号。以下「新登録免許税法施行規則」という。）第2条第3号イ、第2条の8第3号イ、第3条第4号イ及び第4条第4号イの規定により、幼保連携型認定こども園における登録免許税に係る非課税の証明書については、認可権者たる都道府県知事、指定都市の長又は中核市の長の書類が必要になるため、各認可権者におかれては、幼稚園や保育所の例に倣って書類を交付できるよう規程等の整備を行う必要があることに留意すること。

⑥ 新租税特別措置法施行令第40条の4の3第6項第2号の規定により、幼保連携型認定こども園に直接支払われる金銭についても、直系尊属から教育資金の一括贈与を受けた場合の贈与税の非課税対象となること。

(3) 固定資産税及び都市計画税関係

① 地方税法等の一部を改正する法律（平成26年法律第4号。以下「地方税法等改正法」という。）による改正後の地方税法（昭和25年法律第226号。以下「新地方税法」という。）第348条第2項第10号の4及び地方税法施行令の一部を改正する政令（平成26年政令第132号）による改正後の地方税法施行令（以下「新地方税法施行令」という。）第49条の12の2の規定により、就学前の子どもに関する教育、保育等の総合的な提供の推進に関する法律（平成24年法律第66号）による改正後の就学前の子どもに関する教育、保育等の総合的な提供の推進に関する法律（平成18年法律第77号。以下「認定こども園法」という。）第17条第1項の認可を受けた者が幼保連携型認定こども園の用に供する固定資産に係る固定資産税について、非課税とされたこと。また、新地方税法第702条の2第2項の規定により、当該固定資産に係る都市計画税について、非課税となること。なお、新地方税法の固定資産税に係る規定は、地方税法等改正法附則第12条第2項の規定により、子ども・子育て支援法の施行の日の属する年の翌年の1月1日を賦課

期日とする年度以後の年度分の固定資産税について適用されることに留意すること。

(4) 不動産取得税関係

① 新地方税法第73条の4第1項第4号の4及び新地方税法施行令第36条の8の2の規定により、新認定こども園法第17条第1項の認可を受けた者が幼保連携型認定こども園の用に供する不動産に係る不動産取得税について、非課税とされたこと。なお、本規定は平成26年度から措置されており、詳細については、「子ども・子育て支援新制度に係る平成26年度の税制上の取扱いについて（平成26年4月1日付府政共生第276号、26初幼教第1号、雇児保発第0401号通知）」に記載のとおりである。

(5) 事業所税関係

① 新地方税法第701条の34第3項第10号の4の規定により、幼保連携型認定こども園に係る事業所税について、非課税とされたこと。

(6) 関税関係

① 関税定率法及び関税暫定措置法の一部を改正する法律（平成26年法律第12号）による改正後の関税定率法（明治43年法律第54号。以下「新関税定率法」という。）第15条第1項第1号及び関税定率法及び関税暫定措置法の一部を改正する法律の施行に伴う関係政令の整備等に関する政令（平成26年政令第152号）による改正後の関税定率法施行令（昭和29年政令第155号。以下「新関税定率法施行令」という。）第17条第2号の規定により、幼保連携型認定こども園に陳列する標本、参考品等及び学術研究又は教育のために寄贈された物品等について、特定用途免税措置の対象とされたこと。

② 新関税定率法別表〇四〇二・一〇及び新関税定率法施行令第65条の規定により、幼保連携型認定こども園の児童の給食の用に供される脱脂粉乳について、減税措置の対象とされたこと。対象とされたこと。

2 幼保連携型認定こども園以外の認定こども園の教育・保育機能部分に対する税制上の所要の措置

◎ 新認定こども園法第3条第1項又は第3項の認定を受けた施設のうち幼稚園又は保育所に該当する部分の税制上の取扱いについては、幼稚園又は保育所の取扱いと異なるものではなく、以下本項には、保育機能も含め新たに税制上の措置が講じられたものの内容を記載していることに留意すること。

(1) 相続税、贈与税及び登録免許税関係

① 新相続税法第12条第1項第3号及び第21条の3第1項第3号並びに新相続税法施行令第2条及び第4条の5の規定により、専ら幼保連携型認定こども園以外の認定こども園を設置・運営する事業を行う者が、相続若しくは又は遺贈又は譲与により取得した財産で、当該事業の用に供することが確実なものについては、相続税及び贈与税の非課税措置の対象とされたこと。

② 新相続税法施行令附則第4項及び新相続税法施行規則附則第2項の規定により、当分の間、個人立幼稚園型認定こども園についても、引き続き事業を行うことが確実であると認められる者に限り、当該事業及びその経理が適正に行われていると認められる場合には、その者が相続又は遺贈により取得した財産で、当該事業の用に供することが確実なものについては、相続税の非課税措置の対象とされたこと。

※ 幼稚園型認定こども園については、相続税法施行規則附則第2項に規定する「幼稚園を設置し、運営する事業」の一環として、保育機能部分も含め非課税措置となることに留意すること。

③ 新登録免許税法別表第三の規定により、学校法人、公益社団法人及び公益財団法人、社会福祉法人並びに宗教法人が幼保連携型認定こども園以外の認定こども園の用に供するために取得する建物の所有権の取得登記又は当該建物の敷地その他の直接に保育若しくは教育の用に供する土地の権利の取得登記に係る登録免許税が非課税とされたこと。

※ なお、新登録免許税法施行規則第2条第3号ロ、第2条の8第3号ロ、第3条第4号ロ及び第4条第4号ロの規定により、幼保連携型認定こども園以外の認定こども園における登録免許税に係る非課税の証明書については、認定権者たる都道府県知事等の書類が必要になるため、各認定権者におかれては、幼稚園や保育所の例に倣って書類を交付できるよう規程等の整備を行う必要があることに留意すること。

※ 登録免許税法関係政省令の取扱いにおいては、幼稚園型認定こども園及び保育所型認定こども園については、今回の改正により、「学校」及び「保育所」ではなく「認定こども園」の規定を適用することとなることに留意すること。

④ 新租税特別措置法施行令第40条の4の3第6

項第 2 号の規定により、幼保連携型認定こども園以外の認定こども園に直接支払われる金銭についても、直系尊属から教育資金の一括贈与を受けた場合の贈与税の非課税対象とされたこと。

(2) 固定資産税及び都市計画税関係

① 新地方税法第348条第 2 項第10号の 4 及び新地方税法施行令第49条の12の 2 の規定により、新認定こども園法第 3 条第 1 項又は第 3 項の認定を受けた者が幼保連携型以外の認定こども園の用に供する固定資産に係る固定資産税について、非課税とされたこと。また、新地方税法第702条の 2 第 2 項の規定により、当該固定資産に係る都市計画税について、非課税となること。なお、新地方税法の固定資産税に係る規定は、地方税法等改正法附則第12条第 2 項の規定により、子ども・子育て支援法の施行の日の属する年の翌年の 1 月 1 日を賦課期日とする年度以後の年度分の固定資産税について適用されることに留意すること。

(3) 不動産取得税関係

① 新地方税法第73条の 4 第 1 項第 4 号の 4 及び新地方税法施行令第36条の 8 の 2 の規定により、新認定こども園法第 3 条第 1 項又は第 3 項の認定を受けた者が認定こども園の用に供する不動産に係る不動産取得税について、非課税とされたこと。なお、本規定は平成26年度から措置されており、詳細については、平成26年 4 月 1 日付通知「子ども・子育て支援新制度に係る平成26年度の税制上の取扱いについて（通知）」に記載のとおり。

(4) 事業所税関係

① 新地方税法第701条の34第 3 項第10号の 4 の規定により、幼保連携型認定こども園以外の認定こども園に係る事業所税について、非課税とされたこと。

3 市町村認可事業として位置付けられる小規模保育事業等に対する税制上の所要の措置

(1) 所得税、法人税、個人住民税及び法人住民税関係

① 新租税特別措置法施行規則第14条第 5 項第 3 号イの規定により、地方公共団体及び社会福祉法人の設置に係る小規模保育事業の用に供する施設（子ども・子育て支援法及び就学前の子どもに関する教育、保育等の総合的な提供の推進に関する法律の一部を改正する法律の施行に伴う関係法律の整備等に関する法律（平成24年法律第67号。以下「関係整備法」という。）によ

る改正後の児童福祉法（昭和22年法律第164号。以下「新児童福祉法」という。）第 6 条の 3 第10項に規定する小規模保育事業の用に供する同項第 1 号に規定する施設のうち利用定員が10人以上のものであるものをいう。）について、収用対象事業用地の買取りに係る簡易証明制度の対象となり、土地収用法による事業認定を受けていなくても、より簡易な証明で当該資産の譲渡による所得について課税の特例措置を受けられることとされたこと。

(2) 相続税、贈与税及び登録免許税関係

① 新相続税法第12条第 1 項第 3 号及び第21条の 3 第 1 項第 3 号並びに相続税法施行令第 2 条及び第 4 条の 5 の規定により、専ら家庭的保育事業、小規模保育事業又は事業所内保育事業を行う者が相続若しくは遺贈又は贈与により取得した財産で、当該事業の用に供することが確実なものについては、相続税及び贈与税の非課税措置の対象とされたこと。

② 新登録免許税法別表第三の規定により、学校法人、公益社団法人及び公益財団法人、社会福祉法人並びに宗教法人が家庭的保育事業、小規模保育事業及び事業所内保育事業の用に供するために取得する建物の所有権取得登記又は当該建物の敷地その他の直接に保育の用に供する土地の権利の取得登記に係る登録免許税が非課税とされたこと。

③ 新租税特別措置法施行規則第23条の 5 の 3 第 2 項第 2 号の規定により、家庭的保育事業、小規模保育事業、居宅訪問型保育事業及び事業所内保育事業に係る施設を設置する者に直接支払われる金銭について、直系尊属から教育資金の一括贈与を受けた場合の贈与税の非課税対象とされたこと。

(3) 固定資産税及び都市計画税関係

① 新地方税法第348条第 2 項第10号の 2 及び新地方税法施行令第49条の11の 2 の規定により、新児童福祉法第34条の15第 2 項の規定により同法第 6 条の 3 第10項に規定する小規模保育事業の認可を受けたものが、同事業の用に供する固定資産に係る固定資産税について、非課税とされたこと。また、新地方税法第702条の 2 第 2 項の規定により当該固定資産に係る都市計画税について、非課税となること、なお、新地方税法の固定資産税に係る規定は、地方税法等改正法附則第12条第 2 項の規定により、子ども・子育て支援法の施行の日の属する年の翌年の 1 月

1日を賦課期日とする年度以後の年度分の固定資産税について適用されることに留意すること。

(4) 不動産取得税関係

① 新地方税法第73条の４第１項第４号の２及び新地方税法施行令第36条の７の２の規定により、新児童福祉法第34条の15第２項の規定により同法第６条の３第10項に規定する小規模保育事業の認可を受けた者が同事業の用に供する不動産に係る不動産取得税について、非課税とされたこと。なお、本規定は平成26年度から措置されており、詳細については、平成26年４月１日付通知「子ども・子育て支援新制度に係る平成26年度の税制上の取扱いについて（通知）」に記載のとおり。

(5) 事業所税関係

① 新地方税法第701条の34第３項第10号の２の規定により、小規模保育事業の用に供する施設に係る事業所税について、非課税とされたこと。

(6) 関税関係

① 新関税定率法別表〇四〇二・一〇の規定により、家庭的保育事業、小規模保育事業又は事業所内保育事業において給食の用に供される脱脂粉乳について、減税措置の対象とされたこと。

4 病児・病後児保育事業及びファミリー・サポートセンター事業に対する税制上の所要の措置

(1) 固定資産税及び都市計画税関係

① 新地方税法第348条第２項第10号の８、新地方税法施行令第49条の15並びに地方税法施行規則及び航空機燃料譲与税法施行規則の一部を改正する省令（平成26年総務省令第34号）による改正後の地方税法施行規則（昭和29年総理府令第23号。以下「新地方税法施行規則」という。）第10条の７の３第14項及び第15項の規定により、公益法人等又は都道府県又は市町村からの委託を受けた者等が関係整備法による改正後の社会福祉法（昭和22年法律第45号）第２条第３項第２号に規定する病児・病後児保育事業及びファミリー・サポート・センター事業の用に供する一定の固定資産に係る固定資産税について、非課税とされたこと。また、新地方税法第702条の２第２項の規定により、当該固定資産に係る都市計画税について、非課税となること。

※ 新地方税法施行規則第10条の７の３第14項に規定する「居室、詰所その他これに類する施設の用に供する固定資産」とは、居室及び詰所等、当該病児・病後児保育事業の用に供する固定資産（主として他の事業の用に供す

るものを除く。）に係る固定資産税について非課税となること。

※ 新地方税法施行規則第10条の７の３第15項に規定する「専ら児童福祉法第６条の３第14項に規定する連絡及び調整等の用に供する固定資産」とは、専ら援助希望者の連絡及び調整等の用に供する固定資産に係る固定資産税について非課税となること。

※ 当該事業と他の課税事業を同時に実施している場合においては、当該固定資産の税制上の取り扱いについては、他の社会福祉事業における取扱いと同様、実態に応じて個別に判断されることになるが、病児・病後児保育事業またはファミリー・サポート・センター事業の用に供する固定資産については、当該事業に必要なものとして他の用途に供する固定資産と明確に区別できるものに係る固定資産税について非課税となること。

※ なお、「病児・病後児保育事業及びファミリー・サポート事業に対する税制上の所要の措置」については別途発出される通知にもご留意頂きたい。

(2) 不動産取得税関係

① 新地方税法第73条の４第１項第４号の８及び新地方税法施行令第36条の10第２項第６号の規定により、公益法人等が病児・病後児保育事業及びファミリー・サポート・センター事業の用に供する不動産に係る不動産取得税について、非課税とされたこと。

※ 本規定の改正の施行期日は、子ども・子育て支援法の施行日であるため、施行日前に取得した不動産については非課税対象とはならないことに留意すること。

(3) 事業所税関係

① 新地方税法第701条の34第３項第10号の７及び新地方税法施行令第56条の26の５の規定により、病児・病後児保育事業及びファミリー・サポート・センター事業の用に供する施設に係る事業所税について、非課税とされたこと。

5 施設型給付費及び地域型保育給付費等の対象となる施設・事業者を利用した場合の保育料等に係る消費税の非課税措置

消費税法施行令の一部を改正する政令（平成26年政令第141号）による改正後の消費税法施行令（昭和63年政令第360号。以下「新消費税法施行令」という。）第14条の３第６号の規定により、子ども・子育て支援法に基づく施設型給付費、特例施設型給

付費、地域型保育給付費及び特例地域型保育給付費の支給に係る事業として行われる資産の譲渡等について、消費税が非課税とされたこと。

※　消費税法（昭和63年法律第108号）別表第一第7号ロ及び第11号イ並びに新消費税法施行令第14条の3第1号に掲げるものについては、引き続き当該規定により非課税対象となること。

※　地域型保育事業又は認定こども園における延長保育事業についても、従来保育所で行われている延長保育事業と同様、非課税となること。

※　子ども・子育て支援法に基づく確認を受ける幼稚園における食事の提供に要する費用や当該幼稚園に通う際に提供される便宜に要する費用等の特定教育・保育施設及び特定地域型保育事業の運営に関する基準（平成26年内閣府令第39号。以下「運営基準」という。）第13条第4項に規定するものについては、施設型給付費等の支給に係る事業として行われる資産の譲渡等として非課税となること。

※　教育・保育の質の向上を図る上で特に必要であると認められる対価として運営基準第13条第3項に規定する額として、同基準第20条に規定する運営規程において定められているものについて、非課税となること。

※　認定こども園における子育て支援事業については、非課税となること。

別紙1〜3　略

○保育所等用地に対する固定資産税に関する考え方について

平成28年9月16日　府子本第645号・28初幼教第12号・雇児保発0916第1号
各都道府県私立学校・民生主管部（局）長・教育委員会教育長・各指定都市・各中核市民生主管部（局）長宛　内閣府子ども・子育て本部参事官（子ども・子育て支援担当）・文部科学省初等中等教育局幼児教育・厚生労働省雇用均等・児童家庭局保育課長連名通知

保育施策の推進については、日頃より格別の御尽力を賜り厚く御礼申し上げます。待機児童の解消に向けて、一層の保育所等の整備が求められており、保育ニーズを踏まえた整備量拡大に取り組んでいただいているところです。

今般、保育所等用地に対する固定資産税について、地方自治体からの照会もあることから、基本的な考え方について下記のとおりとりまとめましたので、貴職におかれては、内容について十分御了知の上、貴管内の市町村へ周知いただきますようお願いします。

なお、下記内容につきましては、総務省に確認済みであることを申し添えます。

記

保育所等の用に供する土地については、地方税法の規定により、固定資産税の非課税措置が講じられている。ただし、その土地から貸付料を得ている所有者については、土地を資産として貸し付け、貸付料を得ていることから、税負担の公平等の観点から、課税できることとされている。

このような所有者に課税しないことについては、十分な検討が必要であるが、保育所等用地の確保に困難を抱えている地方自治体において、税負担の公平等に十分配慮しつつ、土地所有者が土地を提供するインセンティブの一つとして、補助金など他の施策の実施に加えて、条例による税負担の軽減措置等、税制についても活用を検討することは可能である。

IV

法　　人

1　社会福祉法人

（法　　令）

●社会福祉法（抄）

〔昭和26年 3 月29日〕
〔法 律 第 45 号〕

注　令和 6 年 6 月 5 日法律第43号改正現在
（未施行分については1335頁以降に収載）

第 1 章　総則

（目的）

第 1 条　この法律は、社会福祉を目的とする事業の全分野における共通的基本事項を定め、社会福祉を目的とする他の法律と相まつて、福祉サービスの利用者の利益の保護及び地域における社会福祉（以下「地域福祉」という。）の推進を図るとともに、社会福祉事業の公明かつ適正な実施の確保及び社会福祉を目的とする事業の健全な発達を図り、もつて社会福祉の増進に資することを目的とする。

（定義）

第 2 条　この法律において「社会福祉事業」とは、第一種社会福祉事業及び第二種社会福祉事業をいう。

2　次に掲げる事業を第一種社会福祉事業とする。

一　生活保護法（昭和25年法律第144号）に規定する救護施設、更生施設その他生計困難者を無料又は低額な料金で入所させて生活の扶助を行うことを目的とする施設を経営する事業及び生計困難者に対して助葬を行う事業

二　児童福祉法（昭和22年法律第164号）に規定する乳児院、母子生活支援施設、児童養護施設、障害児入所施設、児童心理治療施設又は児童自立支援施設を経営する事業

三　老人福祉法（昭和38年法律第133号）に規定する養護老人ホーム、特別養護老人ホーム又は軽費老人ホームを経営する事業

四　障害者の日常生活及び社会生活を総合的に支援するための法律（平成17年法律第123号）に規定する障害者支援施設を経営する事業

五　削除

六　困難な問題を抱える女性への支援に関する法律（令和 4 年法律第52号）に規定する女性自立支援施設を経営する事業

七　授産施設を経営する事業及び生計困難者に対して無利子又は低利で資金を融通する事業

3　次に掲げる事業を第二種社会福祉事業とする。

一　生計困難者に対して、その住居で衣食その他日常の生活必需品若しくはこれに要する金銭を与え、又は生活に関する相談に応ずる事業

一の二　生活困窮者自立支援法（平成25年法律第105号）に規定する認定生活困窮者就労訓練事業

二　児童福祉法に規定する障害児通所支援事業、障害児相談支援事業、児童自立生活援助事業、放課後児童健全育成事業、子育て短期支援事業、乳児家庭全戸訪問事業、養育支援訪問事業、地域子育て支援拠点事業、一時預かり事業、小規模住居型児童養育事業、小規模保育事業、病児保育事業、子育て援助活動支援事業、親子再統合支援事業、社会的養護自立支援拠点事業、意見表明等支援事業、妊産婦等生活援助事業、子育て世帯訪問支援事業、児童育成支援拠点事業又は親子関係形成支援事業、同法に規定する助産施設、保育所、児童厚生施設、児童家庭支援センター又は里親支援センターを経営する事業及び児童の福祉の増進について相談に応ずる事業

二の二　就学前の子どもに関する教育、保育等の総合的な提供の推進に関する法律（平成18年法律第77号）に規定する幼保連携型認定こども園を経営する事業

二の三　民間あつせん機関による養子縁組のあつせんに係る児童の保護等に関する法律（平成28年法律第110号）に規定する養子縁組あつせん事業

三　母子及び父子並びに寡婦福祉法（昭和39年法律第129号）に規定する母子家庭日常生活支援事業、父子家庭日常生活支援事業又は寡婦日常生活支援事業及び同法に規定する母子・父子福祉施設を経営する事業

四　老人福祉法に規定する老人居宅介護等事業、老人デイサービス事業、老人短期入所事業、小規模多機能型居宅介護事業、認知症対応型老人共同生活援助事業又は複合型サービス福祉事業及び同法に規定する老人デイサービスセンター、老人短期入所施設、老人福祉センター又は老人介護支援センターを経営する事業

四の二　障害者の日常生活及び社会生活を総合的に支援するための法律に規定する障害福祉サービス

事業、一般相談支援事業、特定相談支援事業又は移動支援事業及び同法に規定する地域活動支援センター又は福祉ホームを経営する事業

五　身体障害者福祉法（昭和24年法律第283号）に規定する身体障害者生活訓練等事業、手話通訳事業又は介助犬訓練事業若しくは聴導犬訓練事業、同法に規定する身体障害者福祉センター、補装具製作施設、盲導犬訓練施設又は視聴覚障害者情報提供施設を経営する事業及び身体障害者の更生相談に応ずる事業

六　知的障害者福祉法（昭和35年法律第37号）に規定する知的障害者の更生相談に応ずる事業

七　削除

八　生計困難者のために、無料又は低額な料金で、簡易住宅を貸し付け、又は宿泊所その他の施設を利用させる事業

九　生計困難者のために、無料又は低額な料金で診療を行う事業

十　生計困難者に対して、無料又は低額な費用で介護保険法（平成9年法律第123号）に規定する介護老人保健施設又は介護医療院を利用させる事業

十一　隣保事業（隣保館等の施設を設け、無料又は低額な料金でこれを利用させることその他その近隣地域における住民の生活の改善及び向上を図るための各種の事業を行うものをいう。）

十二　福祉サービス利用援助事業（精神上の理由により日常生活を営むのに支障がある者に対して、無料又は低額な料金で、福祉サービス（前項各号及び前各号の事業において提供されるものに限る。以下この号において同じ。）の利用に関し相談に応じ、及び助言を行い、並びに福祉サービスの提供を受けるために必要な手続又は福祉サービスの利用に要する費用の支払に関する便宜を供与することその他の福祉サービスの適切な利用のための一連の援助を一体的に行う事業をいう。）

十三　前項各号及び前各号の事業に関する連絡又は助成を行う事業

4　この法律における「社会福祉事業」には、次に掲げる事業は、含まれないものとする。

一　更生保護事業法（平成7年法律第86号）に規定する更生保護事業（以下「更生保護事業」という。）

二　実施期間が6月（前項第13号に掲げる事業にあつては、3月）を超えない事業

三　社団又は組合の行う事業であつて、社員又は組合員のためにするもの

四　第2項各号及び前項第1号から第9号までに掲げる事業であつて、常時保護を受ける者が、入所させて保護を行うものにあつては5人、その他の

ものにあつては20人（政令で定めるものにあつては、10人）に満たないもの

五　前項第13号に掲げる事業のうち、社会福祉事業の助成を行うものであつて、助成の金額が毎年度500万円に満たないもの又は助成を受ける社会福祉事業の数が毎年度50に満たないもの

（福祉サービスの基本的理念）

第3条　福祉サービスは、個人の尊厳の保持を旨とし、その内容は、福祉サービスの利用者が心身ともに健やかに育成され、又はその有する能力に応じ自立した日常生活を営むことができるように支援するものとして、良質かつ適切なものでなければならない。

（地域福祉の推進）

第4条　地域福祉の推進は、地域住民が相互に人格と個性を尊重し合いながら、参加し、共生する地域社会の実現を目指して行われなければならない。

2　地域住民、社会福祉を目的とする事業を経営する者及び社会福祉に関する活動を行う者（以下「地域住民等」という。）は、相互に協力し、福祉サービスを必要とする地域住民が地域社会を構成する一員として日常生活を営み、社会、経済、文化その他あらゆる分野の活動に参加する機会が確保されるように、地域福祉の推進に努めなければならない。

3　地域住民等は、地域福祉の推進に当たつては、福祉サービスを必要とする地域住民及びその世帯が抱える福祉、介護、介護予防（要介護状態若しくは要支援状態となることの予防又は要介護状態若しくは要支援状態の軽減若しくは悪化の防止をいう。）、保健医療、住まい、就労及び教育に関する課題、福祉サービスを必要とする地域住民の地域社会からの孤立その他の福祉サービスを必要とする地域住民が日常生活を営み、あらゆる分野の活動に参加する機会が確保される上での各般の課題（以下「地域生活課題」という。）を把握し、地域生活課題の解決に資する支援を行う関係機関（以下「支援関係機関」という。）との連携等によりその解決を図るよう特に留意するものとする。

（福祉サービスの提供の原則）

第5条　社会福祉を目的とする事業を経営する者は、その提供する多様な福祉サービスについて、利用者の意向を十分に尊重し、地域福祉の推進に係る取組を行う他の地域住民等との連携を図り、かつ、保健医療サービスその他の関連するサービスとの有機的な連携を図るよう創意工夫を行いつつ、これを総合的に提供することができるようにその事業の実施に努めなければならない。

（福祉サービスの提供体制の確保等に関する国及び地方公共団体の責務）

第6条　国及び地方公共団体は、社会福祉を目的とする事業を経営する者と協力して、社会福祉を目的とする事業の広範かつ計画的な実施が図られるよう、福祉サービスを提供する体制の確保に関する施策、福祉サービスの適切な利用の推進に関する施策その他の必要な各般の措置を講じなければならない。

2　国及び地方公共団体は、地域生活課題の解決に資する支援が包括的に提供される体制の整備その他地域福祉の推進のために必要な各般の措置を講ずるよう努めるとともに、当該措置の推進に当たつては、保健医療、労働、教育、住まい及び地域再生に関する施策その他の関連施策との連携に配慮するよう努めなければならない。

3　国及び都道府県は、市町村（特別区を含む。以下同じ。）において第106条の4第2項に規定する重層的支援体制整備事業その他地域生活課題の解決に資する支援が包括的に提供される体制の整備が適正かつ円滑に行われるよう、必要な助言、情報の提供その他の援助を行わなければならない。

　　　第6章　社会福祉法人
　　　　第1節　通則
（定義）
第22条　この法律において「社会福祉法人」とは、社会福祉事業を行うことを目的として、この法律の定めるところにより設立された法人をいう。
（名称）
第23条　社会福祉法人以外の者は、その名称中に、「社会福祉法人」又はこれに紛らわしい文字を用いてはならない。
（経営の原則等）
第24条　社会福祉法人は、社会福祉事業の主たる担い手としてふさわしい事業を確実、効果的かつ適正に行うため、自主的にその経営基盤の強化を図るとともに、その提供する福祉サービスの質の向上及び事業経営の透明性の確保を図らなければならない。

2　社会福祉法人は、社会福祉事業及び第26条第1項に規定する公益事業を行うに当たつては、日常生活又は社会生活上の支援を必要とする者に対して、無料又は低額な料金で、福祉サービスを積極的に提供するよう努めなければならない。
（要件）
第25条　社会福祉法人は、社会福祉事業を行うに必要な資産を備えなければならない。
（公益事業及び収益事業）
第26条　社会福祉法人は、その経営する社会福祉事業に支障がない限り、公益を目的とする事業（以下「公益事業」という。）又はその収益を社会福祉事業若しくは公益事業（第2条第4項第4号に掲げる事業

その他の政令で定めるものに限る。第57条第2号において同じ。）の経営に充てることを目的とする事業（以下「収益事業」という。）を行うことができる。

2　公益事業又は収益事業に関する会計は、それぞれ当該社会福祉法人の行う社会福祉事業に関する会計から区分し、特別の会計として経理しなければならない。
（特別の利益供与の禁止）
第27条　社会福祉法人は、その事業を行うに当たり、その評議員、理事、監事、職員その他の政令で定める社会福祉法人の関係者に対し特別の利益を与えてはならない。
（住所）
第28条　社会福祉法人の住所は、その主たる事務所の所在地にあるものとする。
（登記）
第29条　社会福祉法人は、政令の定めるところにより、その設立、従たる事務所の新設、事務所の移転その他登記事項の変更、解散、合併、清算人の就任又はその変更及び清算の結了の各場合に、登記をしなければならない。

2　前項の規定により登記をしなければならない事項は、登記の後でなければ、これをもつて第三者に対抗することができない。
（所轄庁）
第30条　社会福祉法人の所轄庁は、その主たる事務所の所在地の都道府県知事とする。ただし、次の各号に掲げる社会福祉法人の所轄庁は、当該各号に定める者とする。
　一　主たる事務所が市の区域内にある社会福祉法人（次号に掲げる社会福祉法人を除く。）であつてその行う事業が当該市の区域を越えないもの　市長（特別区の区長を含む。以下同じ。）
　二　主たる事務所が指定都市の区域内にある社会福祉法人であつてその行う事業が一の都道府県の区域内において2以上の市町村の区域にわたるもの及び第109条第2項に規定する地区社会福祉協議会である社会福祉法人　指定都市の長

2　社会福祉法人でその行う事業が2以上の地方厚生局の管轄区域にわたるものであつて、厚生労働省令で定めるものにあつては、その所轄庁は、前項本文の規定にかかわらず、厚生労働大臣とする。
　　　　第2節　設立
（申請）
第31条　社会福祉法人を設立しようとする者は、定款をもつて少なくとも次に掲げる事項を定め、厚生労働省令で定める手続に従い、当該定款について所轄

庁の認可を受けなければならない。

一　目的

二　名称

三　社会福祉事業の種類

四　事務所の所在地

五　評議員及び評議員会に関する事項

六　役員（理事及び監事をいう。以下この条、次節
　　第2款、第6章第8節、第9章及び第10章におい
　　て同じ。）の定数その他役員に関する事項

七　理事会に関する事項

八　会計監査人を置く場合には、これに関する事項

九　資産に関する事項

十　会計に関する事項

十一　公益事業を行う場合には、その種類

十二　収益事業を行う場合には、その種類

十三　解散に関する事項

十四　定款の変更に関する事項

十五　公告の方法

2　前項の定款は、電磁的記録（電子的方式、磁気的
方式その他人の知覚によつては認識することができ
ない方式で作られる記録であつて、電子計算機によ
る情報処理の用に供されるものとして厚生労働省令
で定めるものをいう。以下同じ。）をもつて作成す
ることができる。

3　設立当初の役員及び評議員は、定款で定めなけれ
ばならない。

4　設立しようとする社会福祉法人が会計監査人設置
社会福祉法人（会計監査人を置く社会福祉法人又は
この法律の規定により会計監査人を置かなければな
らない社会福祉法人をいう。以下同じ。）であると
きは、設立当初の会計監査人は、定款で定めなけれ
ばならない。

5　第1項第5号の評議員に関する事項として、理事
又は理事会が評議員を選任し、又は解任する旨の定
款の定めは、その効力を有しない。

6　第1項第13号に掲げる事項中に、残余財産の帰属
すべき者に関する規定を設ける場合には、その者
は、社会福祉法人その他社会福祉事業を行う者のう
ちから選定されるようにしなければならない。

（認可）

第32条　所轄庁は、前条第1項の規定による認可の申
請があつたときは、当該申請に係る社会福祉法人の
資産が第25条の要件に該当しているかどうか、その
定款の内容及び設立の手続が、法令の規定に違反し
ていないかどうか等を審査した上で、当該定款の認
可を決定しなければならない。

（定款の補充）

第33条　社会福祉法人を設立しようとする者が、第31
条第1項第2号から第15号までの各号に掲げる事項
を定めないで死亡した場合には、厚生労働大臣は、
利害関係人の請求により又は職権で、これらの事項
を定めなければならない。

（成立の時期）

第34条　社会福祉法人は、その主たる事務所の所在地
において設立の登記をすることによつて成立する。

（定款の備置き及び閲覧等）

第34条の2　社会福祉法人は、第31条第1項の認可を
受けたときは、その定款をその主たる事務所及び従
たる事務所に備え置かなければならない。

2　評議員及び債権者は、社会福祉法人の業務時間内
は、いつでも、次に掲げる請求をすることができ
る。ただし、債権者が第2号又は第4号に掲げる請
求をするには、当該社会福祉法人の定めた費用を支
払わなければならない。

一　定款が書面をもつて作成されているときは、当
　　該書面の閲覧の請求

二　前号の書面の謄本又は抄本の交付の請求

三　定款が電磁的記録をもつて作成されているとき
　　は、当該電磁的記録に記録された事項を厚生労働
　　省令で定める方法により表示したものの閲覧の請
　　求

四　前号の電磁的記録に記録された事項を電磁的方
　　法（電子情報処理組織を使用する方法その他の情
　　報通信の技術を利用する方法であつて厚生労働省
　　令で定めるものをいう。以下同じ。）であつて当
　　該社会福祉法人の定めたものにより提供すること
　　の請求又はその事項を記載した書面の交付の請求

3　何人（評議員及び債権者を除く。）も、社会福祉
法人の業務時間内は、いつでも、次に掲げる請求を
することができる。この場合においては、当該社会
福祉法人は、正当な理由がないのにこれを拒んでは
ならない。

一　定款が書面をもつて作成されているときは、当
　　該書面の閲覧の請求

二　定款が電磁的記録をもつて作成されているとき
　　は、当該電磁的記録に記録された事項を厚生労働
　　省令で定める方法により表示したものの閲覧の請
　　求

4　定款が電磁的記録をもつて作成されている場合で
あつて、従たる事務所における第2項第3号及び第
4号並びに前項第2号に掲げる請求に応じることを
可能とするための措置として厚生労働省令で定める
ものをとつている社会福祉法人についての第1項の
規定の適用については、同項中「主たる事務所及び

従たる事務所」とあるのは、「主たる事務所」とする。

（準用規定）

第35条 一般社団法人及び一般財団法人に関する法律（平成18年法律第48号）第158条及び第164条の規定は、社会福祉法人の設立について準用する。

2 一般社団法人及び一般財団法人に関する法律第264条第１項（第１号に係る部分に限る。）及び第２項（第１号に係る部分に限る。）、第269条（第１号に係る部分に限る。）、第270条、第272条から第274条まで並びに第277条の規定は、社会福祉法人の設立の無効の訴えについて準用する。この場合において、同法第264条第２項第１号中「社員等（社員、評議員、理事、監事又は清算人をいう。以下この款において同じ。）」とあるのは、「評議員、理事、監事又は清算人」と読み替えるものとする。

第３節　機関

第１款　機関の設置

（機関の設置）

第36条 社会福祉法人は、評議員、評議員会、理事、理事会及び監事を置かなければならない。

2 社会福祉法人は、定款の定めによつて、会計監査人を置くことができる。

（会計監査人の設置義務）

第37条 特定社会福祉法人（その事業の規模が政令で定める基準を超える社会福祉法人をいう。第46条の５第３項において同じ。）は、会計監査人を置かなければならない。

第２款　評議員等の選任及び解任

（社会福祉法人と評議員等との関係）

第38条 社会福祉法人と評議員、役員及び会計監査人との関係は、委任に関する規定に従う。

（評議員の選任）

第39条 評議員は、社会福祉法人の適正な運営に必要な識見を有する者のうちから、定款の定めるところにより、選任する。

（評議員の資格等）

第40条 次に掲げる者は、評議員となることができない。

一 法人

二 心身の故障のため職務を適正に執行することができない者として厚生労働省令で定めるもの

三 生活保護法、児童福祉法、老人福祉法、身体障害者福祉法又はこの法律の規定に違反して刑に処せられ、その執行を終わり、又は執行を受けることがなくなるまでの者

四 前号に該当する者を除くほか、禁錮以上の刑に処せられ、その執行を終わり、又は執行を受けることがなくなるまでの者

五 第56条第８項の規定による所轄庁の解散命令により解散を命ぜられた社会福祉法人の解散当時の役員

六 暴力団員による不当な行為の防止等に関する法律（平成３年法律第77号）第２条第６号に規定する暴力団員（以下この号において「暴力団員」という。）又は暴力団員でなくなつた日から５年を経過しない者（第128条第１号ニ及び第３号において「暴力団員等」という。）

2 評議員は、役員又は当該社会福祉法人の職員を兼ねることができない。

3 評議員の数は、定款で定めた理事の員数を超える数でなければならない。

4 評議員のうちには、各評議員について、その配偶者又は３親等以内の親族その他各評議員と厚生労働省令で定める特殊の関係がある者が含まれることになつてはならない。

5 評議員のうちには、各役員について、その配偶者又は三親等以内の親族その他各役員と厚生労働省令で定める特殊の関係がある者が含まれることになつてはならない。

（評議員の任期）

第41条 評議員の任期は、選任後４年以内に終了する会計年度のうち最終のものに関する定時評議員会の終結の時までとする。ただし、定款によつて、その任期を選任後６年以内に終了する会計年度のうち最終のものに関する定時評議員会の終結の時まで伸長することを妨げない。

2 前項の規定は、定款によつて、任期の満了前に退任した評議員の補欠として選任された評議員の任期を退任した評議員の任期の満了する時までとすることを妨げない。

（評議員に欠員を生じた場合の措置）

第42条 この法律又は定款で定めた評議員の員数が欠けた場合には、任期の満了又は辞任により退任した評議員は、新たに選任された評議員（次項の一時評議員の職務を行うべき者を含む。）が就任するまで、なお評議員としての権利義務を有する。

2 前項に規定する場合において、事務が遅滞することにより損害を生ずるおそれがあるときは、所轄庁は、利害関係人の請求により又は職権で、一時評議員の職務を行うべき者を選任することができる。

（役員等の選任）

第43条 役員及び会計監査人は、評議員会の決議によつて選任する。

2 前項の決議をする場合には、厚生労働省令で定めるところにより、この法律又は定款で定めた役員の

員数を欠くこととなるときに備えて補欠の役員を選任することができる。

3　一般社団法人及び一般財団法人に関する法律第72条、第73条第1項及び第74条の規定は、社会福祉法人について準用する。この場合において、同法第72条及び第73条第1項中「社員総会」とあるのは「評議員会」と、同項中「監事が」とあるのは「監事の過半数をもって」と、同法第74条中「社員総会」とあるのは「評議員会」と読み替えるものとするほか、必要な技術的読替えは、政令で定める。

（役員の資格等）

第44条　第40条第1項の規定は、役員について準用する。

2　監事は、理事又は当該社会福祉法人の職員を兼ねることができない。

3　理事は6人以上、監事は2人以上でなければならない。

4　理事のうちには、次に掲げる者が含まれなければならない。

一　社会福祉事業の経営に関する識見を有する者

二　当該社会福祉法人が行う事業の区域における福祉に関する実情に通じている者

三　当該社会福祉法人が施設を設置している場合にあつては、当該施設の管理者

5　監事のうちには、次に掲げる者が含まれなければならない。

一　社会福祉事業について識見を有する者

二　財務管理について識見を有する者

6　理事のうちには、各理事について、その配偶者若しくは3親等以内の親族その他各理事と厚生労働省令で定める特殊の関係がある者が3人を超えて含まれ、又は当該理事並びにその配偶者及び3親等以内の親族その他各理事と厚生労働省令で定める特殊の関係がある者が理事の総数の3分の1を超えて含まれることになつてはならない。

7　監事のうちには、各役員について、その配偶者又は3親等以内の親族その他各役員と厚生労働省令で定める特殊の関係がある者が含まれることになつてはならない。

（役員の任期）

第45条　役員の任期は、選任後2年以内に終了する会計年度のうち最終のものに関する定時評議員会の終結の時までとする。ただし、定款によつて、その任期を短縮することを妨げない。

（会計監査人の資格等）

第45条の2　会計監査人は、公認会計士（外国公認会計士（公認会計士法（昭和23年法律第103号）第16条の2第5項に規定する外国公認会計士をいう。）

を含む。以下同じ。）又は監査法人でなければならない。

2　会計監査人に選任された監査法人は、その社員の中から会計監査人の職務を行うべき者を選定し、これを社会福祉法人に通知しなければならない。

3　公認会計士法の規定により、計算書類（第45条の27第2項に規定する計算書類をいう。第45条の19第1項及び第45条の21第2項第1号イにおいて同じ。）について監査をすることができない者は、会計監査人となることができない。

（会計監査人の任期）

第45条の3　会計監査人の任期は、選任後1年以内に終了する会計年度のうち最終のものに関する定時評議員会の終結の時までとする。

2　会計監査人は、前項の定時評議員会において別段の決議がされなかつたときは、当該定時評議員会において再任されたものとみなす。

3　前2項の規定にかかわらず、会計監査人設置社会福祉法人が会計監査人を置く旨の定款の定めを廃止する定款の変更をした場合には、会計監査人の任期は、当該定款の変更の効力が生じた時に満了する。

（役員又は会計監査人の解任等）

第45条の4　役員が次のいずれかに該当するときは、評議員会の決議によつて、当該役員を解任することができる。

一　職務上の義務に違反し、又は職務を怠つたとき。

二　心身の故障のため、職務の執行に支障があり、又はこれに堪えないとき。

2　会計監査人が次条第1項各号のいずれかに該当するときは、評議員会の決議によつて、当該会計監査人を解任することができる。

3　一般社団法人及び一般財団法人に関する法律第284条（第2号に係る部分に限る。）、第285条及び第286条の規定は、役員又は評議員の解任の訴えについて準用する。

（監事による会計監査人の解任）

第45条の5　監事は、会計監査人が次のいずれかに該当するときは、当該会計監査人を解任することができる。

一　職務上の義務に違反し、又は職務を怠つたとき。

二　会計監査人としてふさわしくない非行があつたとき。

三　心身の故障のため、職務の執行に支障があり、又はこれに堪えないとき。

2　前項の規定による解任は、監事の全員の同意によつて行わなければならない。

3　第１項の規定により会計監査人を解任したとき
は、監事の互選によつて定めた監事は、その旨及び
解任の理由を解任後最初に招集される評議員会に報
告しなければならない。

（役員等に欠員を生じた場合の措置）

第45条の６　この法律又は定款で定めた役員の員数が
欠けた場合には、任期の満了又は辞任により退任し
た役員は、新たに選任された役員（次項の一時役員
の職務を行うべき者を含む。）が就任するまで、な
お役員としての権利義務を有する。

2　前項に規定する場合において、事務が遅滞するこ
とにより損害を生ずるおそれがあるときは、所轄庁
は、利害関係人の請求により又は職権で、一時役員
の職務を行うべき者を選任することができる。

3　会計監査人が欠けた場合又は定款で定めた会計監
査人の員数が欠けた場合において、遅滞なく会計監
査人が選任されないときは、監事は、一時会計監査
人の職務を行うべき者を選任しなければならない。

4　第45条の２及び前条の規定は、前項の一時会計監
査人の職務を行うべき者について準用する。

（役員の欠員補充）

第45条の７　理事のうち、定款で定めた理事の員数の
３分の１を超える者が欠けたときは、遅滞なくこれ
を補充しなければならない。

2　前項の規定は、監事について準用する。

　　　　　　第３款　評議員及び評議員会

（評議員会の権限等）

第45条の８　評議員会は、全ての評議員で組織する。

2　評議員会は、この法律に規定する事項及び定款で
定めた事項に限り、決議をすることができる。

3　この法律の規定により評議員会の決議を必要とす
る事項について、理事、理事会その他の評議員会以
外の機関が決定することができることを内容とする
定款の定めは、その効力を有しない。

4　一般社団法人及び一般財団法人に関する法律第
184条から第186条まで及び第196条の規定は、評議
員について準用する。この場合において、必要な技
術的読替えは、政令で定める。

（評議員会の運営）

第45条の９　定時評議員会は、毎会計年度の終了後一
定の時期に招集しなければならない。

2　評議員会は、必要がある場合には、いつでも、招
集することができる。

3　評議員会は、第５項の規定により招集する場合を
除き、理事が招集する。

4　評議員は、理事に対し、評議員会の目的である事
項及び招集の理由を示して、評議員会の招集を請求
することができる。

5　次に掲げる場合には、前項の規定による請求をし
た評議員は、所轄庁の許可を得て、評議員会を招集
することができる。

一　前項の規定による請求の後遅滞なく招集の手続
が行われない場合

二　前項の規定による請求があつた日から６週間
（これを下回る期間を定款で定めた場合にあつて
は、その期間）以内の日を評議員会の日とする評
議員会の招集の通知が発せられない場合

6　評議員会の決議は、議決に加わることができる評
議員の過半数（これを上回る割合を定款で定めた場
合にあつては、その割合以上）が出席し、その過半
数（これを上回る割合を定款で定めた場合にあつて
は、その割合以上）をもつて行う。

7　前項の規定にかかわらず、次に掲げる評議員会の
決議は、議決に加わることができる評議員の３分の
２（これを上回る割合を定款で定めた場合にあつて
は、その割合）以上に当たる多数をもつて行わなけ
ればならない。

一　第45条の４第１項の評議員会（監事を解任する
場合に限る。）

二　第45条の22の２において準用する一般社団法人
及び一般財団法人に関する法律第113条第１項の
評議員会

三　第45条の36第１項の評議員会

四　第46条第１項第１号の評議員会

五　第52条、第54条の２第１項及び第54条の８の評
議員会

8　前２項の決議について特別の利害関係を有する評
議員は、議決に加わることができない。

9　評議員会は、次項において準用する一般社団法人
及び一般財団法人に関する法律第181条第１項第２
号に掲げる事項以外の事項については、決議をする
ことができない。ただし、第45条の19第６項におい
て準用する同法第109条第２項の会計監査人の出席
を求めることについては、この限りでない。

10　一般社団法人及び一般財団法人に関する法律第
181条から第183条まで及び第192条の規定は評議員
会の招集について、同法第194条の規定は評議員会
の決議について、同法第195条の規定は評議員会へ
の報告について、それぞれ準用する。この場合にお
いて、同法第181条第１項第３号及び第194条第３項
第２号中「法務省令」とあるのは、「厚生労働省
令」と読み替えるものとするほか、必要な技術的読
替えは、政令で定める。

（理事等の説明義務）

第45条の10　理事及び監事は、評議員会において、評
議員から特定の事項について説明を求められた場合

には、当該事項について必要な説明をしなければならない。ただし、当該事項が評議員会の目的である事項に関しないものである場合その他正当な理由がある場合として厚生労働省令で定める場合は、この限りでない。

（議事録）

第45条の11 評議員会の議事については、厚生労働省令で定めるところにより、議事録を作成しなければならない。

2 社会福祉法人は、評議員会の日から10年間、前項の議事録をその主たる事務所に備え置かなければならない。

3 社会福祉法人は、評議員会の日から5年間、第1項の議事録の写しをその従たる事務所に備え置かなければならない。ただし、当該議事録が電磁的記録をもつて作成されている場合であつて、従たる事務所における次項第2号に掲げる請求に応じることを可能とするための措置として厚生労働省令で定めるものをとつているときは、この限りでない。

4 評議員及び債権者は、社会福祉法人の業務時間内は、いつでも、次に掲げる請求をすることができる。

一 第1項の議事録が書面をもつて作成されているときは、当該書面又は当該書面の写しの閲覧又は謄写の請求

二 第1項の議事録が電磁的記録をもつて作成されているときは、当該電磁的記録に記録された事項を厚生労働省令で定める方法により表示したものの閲覧又は謄写の請求

（評議員会の決議の不存在若しくは無効の確認又は取消しの訴え）

第45条の12 一般社団法人及び一般財団法人に関する法律第265条、第266条第1項（第3号に係る部分を除く。）及び第2項、第269条（第4号及び第5号に係る部分に限る。）、第270条、第271条第1項及び第3項、第272条、第273条並びに第277条の規定は、評議員会の決議の不存在若しくは無効の確認又は取消しの訴えについて準用する。この場合において、同法第265条第1項中「社員総会又は評議員会（以下この款及び第315条第1項第1号ロにおいて「社員総会等」という。）」とあり、及び同条第2項中「社員総会等」とあるのは「評議員会」と、同法第266条第1項中「社員等」とあるのは「評議員、理事、監事又は清算人」と、「、社員総会等」とあるのは「、評議員会」と、同項第1号及び第2号並びに同条第2項中「社員総会等」とあるのは「評議員会」と、同法第271条第1項中「社員」とあるのは

「債権者」と読み替えるものとするほか、必要な技術的読替えは、政令で定める。

第4款 理事及び理事会

（理事会の権限等）

第45条の13 理事会は、全ての理事で組織する。

2 理事会は、次に掲げる職務を行う。

一 社会福祉法人の業務執行の決定

二 理事の職務の執行の監督

三 理事長の選定及び解職

3 理事会は、理事の中から理事長1人を選定しなければならない。

4 理事会は、次に掲げる事項その他の重要な業務執行の決定を理事に委任することができない。

一 重要な財産の処分及び譲受け

二 多額の借財

三 重要な役割を担う職員の選任及び解任

四 従たる事務所その他の重要な組織の設置、変更及び廃止

五 理事の職務の執行が法令及び定款に適合することを確保するための体制その他社会福祉法人の業務の適正を確保するために必要なものとして厚生労働省令で定める体制の整備

六 第45条の22の2において準用する一般社団法人及び一般財団法人に関する法律第114条第1項の規定による定款の定めに基づく第45条の20第1項の責任の免除

5 その事業の規模が政令で定める基準を超える社会福祉法人においては、理事会は、前項第5号に掲げる事項を決定しなければならない。

（理事会の運営）

第45条の14 理事会は、各理事が招集する。ただし、理事会を招集する理事を定款又は理事会で定めたときは、その理事が招集する。

2 前項ただし書に規定する場合には、同項ただし書の規定により定められた理事（以下この項において「招集権者」という。）以外の理事は、招集権者に対し、理事会の目的である事項を示して、理事会の招集を請求することができる。

3 前項の規定による請求があつた日から5日以内に、その請求があつた日から2週間以内の日を理事会の日とする理事会の招集の通知が発せられない場合には、その請求をした理事は、理事会を招集することができる。

4 理事会の決議は、議決に加わることができる理事の過半数（これを上回る割合を定款で定めた場合にあつては、その割合以上）が出席し、その過半数（これを上回る割合を定款で定めた場合にあつて

は、その割合以上）をもつて行う。

5　前項の決議について特別の利害関係を有する理事は、議決に加わることができない。

6　理事会の議事については、厚生労働省令で定めるところにより、議事録を作成し、議事録が書面をもつて作成されているときは、出席した理事（定款で議事録に署名し、又は記名押印しなければならない者を当該理事会に出席した理事長とする旨の定めがある場合にあつては、当該理事長）及び監事は、これに署名し、又は記名押印しなければならない。

7　前項の議事録が電磁的記録をもつて作成されている場合における当該電磁的記録に記録された事項については、厚生労働省令で定める署名又は記名押印に代わる措置をとらなければならない。

8　理事会の決議に参加した理事であつて第6項の議事録に異議をとどめないものは、その決議に賛成したものと推定する。

9　一般社団法人及び一般財団法人に関する法律第94条の規定は理事会の招集について、同法第96条の規定は理事会の決議について、同法第98条の規定は理事会への報告について、それぞれ準用する。この場合において、必要な技術的読替えは、政令で定める。

（議事録等）

第45条の15　社会福祉法人は、理事会の日（前条第9項において準用する一般社団法人及び一般財団法人に関する法律第96条の規定により理事会の決議があつたものとみなされた日を含む。）から10年間、前条第6項の議事録又は同条第9項において準用する同法第96条の意思表示を記載し、若しくは記録した書面若しくは電磁的記録（以下この条において「議事録等」という。）をその主たる事務所に備え置かなければならない。

2　評議員は、社会福祉法人の業務時間内は、いつでも、次に掲げる請求をすることができる。

一　議事録等が書面をもつて作成されているときは、当該書面の閲覧又は謄写の請求

二　議事録等が電磁的記録をもつて作成されているときは、当該電磁的記録に記録された事項を厚生労働省令で定める方法により表示したものの閲覧又は謄写の請求

3　債権者は、理事又は監事の責任を追及するため必要があるときは、裁判所の許可を得て、議事録等について前項各号に掲げる請求をすることができる。

4　裁判所は、前項の請求に係る閲覧又は謄写をすることにより、当該社会福祉法人に著しい損害を及ぼすおそれがあると認めるときは、同項の許可をする

ことができない。

5　一般社団法人及び一般財団法人に関する法律第287条第1項、第288条、第289条（第1号に係る部分に限る。）、第290条本文、第291条（第2号に係る部分に限る。）、第292条本文、第294条及び第295条の規定は、第3項の許可について準用する。

（理事の職務及び権限等）

第45条の16　理事は、法令及び定款を遵守し、社会福祉法人のため忠実にその職務を行わなければならない。

2　次に掲げる理事は、社会福祉法人の業務を執行する。

一　理事長

二　理事長以外の理事であつて、理事会の決議によつて社会福祉法人の業務を執行する理事として選定されたもの

3　前項各号に掲げる理事は、3月に1回以上、自己の職務の執行の状況を理事会に報告しなければならない。ただし、定款で毎会計年度に4月を超える間隔で2回以上その報告をしなければならない旨を定めた場合は、この限りでない。

4　一般社団法人及び一般財団法人に関する法律第84条、第85条、第88条（第2項を除く。）、第89条及び第92条第2項の規定は、理事について準用する。この場合において、同法第84条第1項中「社員総会」とあるのは「理事会」と、同法第88条の見出し及び同条第1項中「社員」とあるのは「評議員」と、「著しい」とあるのは「回復することができない」と、同法第89条中「社員総会」とあるのは「評議員会」と読み替えるものとするほか、必要な技術的読替えは、政令で定める。

（理事長の職務及び権限等）

第45条の17　理事長は、社会福祉法人の業務に関する一切の裁判上又は裁判外の行為をする権限を有する。

2　前項の権限に加えた制限は、善意の第三者に対抗することができない。

3　第45条の6第1項及び第2項並びに一般社団法人及び一般財団法人に関する法律第78条及び第82条の規定は理事長について、同法第80条の規定は民事保全法（平成元年法律第91号）第56条に規定する仮処分命令により選任された理事又は理事長の職務を代行する者について、それぞれ準用する。この場合において、第45条の6第1項中「この法律又は定款で定めた役員の員数が欠けた場合」とあるのは、「理事長が欠けた場合」と読み替えるものとする。

　　　　第5款　監事

第45条の18　監事は、理事の職務の執行を監査する。この場合において、監事は、厚生労働省令で定めるところにより、監査報告を作成しなければならない。

2　監事は、いつでも、理事及び当該社会福祉法人の職員に対して事業の報告を求め、又は当該社会福祉法人の業務及び財産の状況の調査をすることができる。

3　一般社団法人及び一般財団法人に関する法律第100条から第103条まで、第104条第1項、第105条及び第106条の規定は、監事について準用する。この場合において、同法第102条（見出しを含む。）中「社員総会」とあるのは「評議員会」と、同条中「法務省令」とあるのは「厚生労働省令」と、同法第105条中「社員総会」とあるのは「評議員会」と読み替えるものとするほか、必要な技術的読替えは、政令で定める。

第6款　会計監査人

第45条の19　会計監査人は、次節の定めるところにより、社会福祉法人の計算書類及びその附属明細書を監査する。この場合において、会計監査人は、厚生労働省令で定めるところにより、会計監査報告を作成しなければならない。

2　会計監査人は、前項の規定によるもののほか、財産目録その他の厚生労働省令で定める書類を監査する。この場合において、会計監査人は、会計監査報告に当該監査の結果を併せて記載し、又は記録しなければならない。

3　会計監査人は、いつでも、次に掲げるものの閲覧及び謄写をし、又は理事及び当該会計監査人設置社会福祉法人の職員に対し、会計に関する報告を求めることができる。

一　会計帳簿又はこれに関する資料が書面をもつて作成されているときは、当該書面

二　会計帳簿又はこれに関する資料が電磁的記録をもつて作成されているときは、当該電磁的記録に記録された事項を厚生労働省令で定める方法により表示したもの

4　会計監査人は、その職務を行うため必要があるときは、会計監査人設置社会福祉法人の業務及び財産の状況の調査をすることができる。

5　会計監査人は、その職務を行うに当たつては、次のいずれかに該当する者を使用してはならない。

一　第45条の2第3項に規定する者

二　理事、監事又は当該会計監査人設置社会福祉法人の職員である者

三　会計監査人設置社会福祉法人から公認会計士又

は監査法人の業務以外の業務により継続的な報酬を受けている者

6　一般社団法人及び一般財団法人に関する法律第108条から第110条までの規定は、会計監査人について準用する。この場合において、同法第109条（見出しを含む。）中「定時社員総会」とあるのは、「定時評議員会」と読み替えるものとするほか、必要な技術的読替えは、政令で定める。

第7款　役員等の損害賠償責任等

（役員等又は評議員の社会福祉法人に対する損害賠償責任）

第45条の20　理事、監事若しくは会計監査人（以下この款において「役員等」という。）又は評議員は、その任務を怠つたときは、社会福祉法人に対し、これによつて生じた損害を賠償する責任を負う。

2　理事が第45条の16第4項において準用する一般社団法人及び一般財団法人に関する法律第84条第1項の規定に違反して同項第1号の取引をしたときは、当該取引によつて理事又は第三者が得た利益の額は、前項の損害の額と推定する。

3　第45条の16第4項において準用する一般社団法人及び一般財団法人に関する法律第84条第1項第2号又は第3号の取引によつて社会福祉法人に損害が生じたときは、次に掲げる理事は、その任務を怠つたものと推定する。

一　第45条の16第4項において準用する一般社団法人及び一般財団法人に関する法律第84条第1項の理事

二　社会福祉法人が当該取引をすることを決定した理事

三　当該取引に関する理事会の承認の決議に賛成した理事

（役員等又は評議員の第三者に対する損害賠償責任）

第45条の21　役員等又は評議員がその職務を行うについて悪意又は重大な過失があつたときは、当該役員等又は評議員は、これによつて第三者に生じた損害を賠償する責任を負う。

2　次の各号に掲げる者が、当該各号に定める行為をしたときも、前項と同様とする。ただし、その者が当該行為をすることについて注意を怠らなかつたことを証明したときは、この限りでない。

一　理事　次に掲げる行為

イ　計算書類及び事業報告並びにこれらの附属明細書に記載し、又は記録すべき重要な事項についての虚偽の記載又は記録

ロ　虚偽の登記

ハ　虚偽の公告

二　監事　監査報告に記載し、又は記録すべき重要な事項についての虚偽の記載又は記録

三　会計監査人　会計監査報告に記載し、又は記録すべき重要な事項についての虚偽の記載又は記録

（役員等又は評議員の連帯責任）

第45条の22　役員等又は評議員が社会福祉法人又は第三者に生じた損害を賠償する責任を負う場合において、他の役員等又は評議員も当該損害を賠償する責任を負うときは、これらの者は、連帯債務者とする。

（準用規定）

第45条の22の2　一般社団法人及び一般財団法人に関する法律第112条から第116条までの規定は第45条の20第1項の責任について、同法第118条の2及び第118条の3の規定は社会福祉法人について、それぞれ準用する。この場合において、同法第112条中「総社員」とあるのは「総評議員」と、同法第113条第1項中「社員総会」とあるのは「評議員会」と、同項第2号中「法務省令」とあるのは「厚生労働省令」と、同号イ及びロ中「代表理事」とあるのは「理事長」と、同条第2項及び第3項中「社員総会」とあるのは「評議員会」と、同条第4項中「法務省令」とあるのは「厚生労働省令」と、「社員総会」とあるのは「評議員会」と、同法第114条第2項中「社員総会」とあるのは「評議員会」と、「限る。）についての理事の同意を得る場合及び当該責任の免除」とあるのは「限る。）」と、同条第3項中「社員」とあるのは「評議員」と、同条第4項中「総社員（前項の責任を負う役員等であるものを除く。）の議決権」とあるのは「総評議員」と、「議決権を有する社員が同項」とあるのは「評議員が前項」と、同法第115条第1項中「代表理事」とあるのは「理事長」と、同条第3項及び第4項中「社員総会」とあるのは「評議員会」と、同法第118条の2第1項中「社員総会（理事会設置一般社団法人にあっては、理事会）」とあるのは「理事会」と、同法第118条の3第1項中「法務省令」とあるのは「厚生労働省令」と、「社員総会（理事会設置一般社団法人にあっては、理事会）」とあるのは「理事会」と読み替えるものとするほか、必要な技術的読替えは、政令で定める。

第4節　計算
第1款　会計の原則等

第45条の23　社会福祉法人は、厚生労働省令で定める基準に従い、会計処理を行わなければならない。

2　社会福祉法人の会計年度は、4月1日に始まり、翌年3月31日に終わるものとする。

第2款　会計帳簿

（会計帳簿の作成及び保存）

第45条の24　社会福祉法人は、厚生労働省令で定めるところにより、適時に、正確な会計帳簿を作成しなければならない。

2　社会福祉法人は、会計帳簿の閉鎖の時から10年間、その会計帳簿及びその事業に関する重要な資料を保存しなければならない。

（会計帳簿の閲覧等の請求）

第45条の25　評議員は、社会福祉法人の業務時間内は、いつでも、次に掲げる請求をすることができる。

一　会計帳簿又はこれに関する資料が書面をもつて作成されているときは、当該書面の閲覧又は謄写の請求

二　会計帳簿又はこれに関する資料が電磁的記録をもつて作成されているときは、当該電磁的記録に記録された事項を厚生労働省令で定める方法により表示したものの閲覧又は謄写の請求

（会計帳簿の提出命令）

第45条の26　裁判所は、申立てにより又は職権で、訴訟の当事者に対し、会計帳簿の全部又は一部の提出を命ずることができる。

第3款　計算書類等

（計算書類等の作成及び保存）

第45条の27　社会福祉法人は、厚生労働省令で定めるところにより、その成立の日における貸借対照表を作成しなければならない。

2　社会福祉法人は、毎会計年度終了後3月以内に、厚生労働省令で定めるところにより、各会計年度に係る計算書類（貸借対照表及び収支計算書をいう。以下この款において同じ。）及び事業報告並びにこれらの附属明細書を作成しなければならない。

3　計算書類及び事業報告並びにこれらの附属明細書は、電磁的記録をもつて作成することができる。

4　社会福祉法人は、計算書類を作成した時から10年間、当該計算書類及びその附属明細書を保存しなければならない。

（計算書類等の監査等）

第45条の28　前条第2項の計算書類及び事業報告並びにこれらの附属明細書は、厚生労働省令で定めるところにより、監事の監査を受けなければならない。

2　前項の規定にかかわらず、会計監査人設置社会福祉法人においては、次の各号に掲げるものは、厚生労働省令で定めるところにより、当該各号に定める者の監査を受けなければならない。

一　前条第2項の計算書類及びその附属明細書　監事及び会計監査人

二　前条第2項の事業報告及びその附属明細書　監事

3　第1項又は前項の監査を受けた計算書類及び事業報告並びにこれらの附属明細書は、理事会の承認を受けなければならない。

（計算書類等の評議員への提供）

第45条の29　理事は、定時評議員会の招集の通知に際して、厚生労働省令で定めるところにより、評議員に対し、前条第3項の承認を受けた計算書類及び事業報告並びに監査報告（同条第2項の規定の適用がある場合にあつては、会計監査報告を含む。）を提供しなければならない。

（計算書類等の定時評議員会への提出等）

第45条の30　理事は、第45条の28第3項の承認を受けた計算書類及び事業報告を定時評議員会に提出し、又は提供しなければならない。

2　前項の規定により提出され、又は提供された計算書類は、定時評議員会の承認を受けなければならない。

3　理事は、第1項の規定により提出され、又は提供された事業報告の内容を定時評議員会に報告しなければならない。

（会計監査人設置社会福祉法人の特則）

第45条の31　会計監査人設置社会福祉法人については、第45条の28第3項の承認を受けた計算書類が法令及び定款に従い社会福祉法人の財産及び収支の状況を正しく表示しているものとして厚生労働省令で定める要件に該当する場合には、前条第2項の規定は、適用しない。この場合において、理事は、当該計算書類の内容を定時評議員会に報告しなければならない。

（計算書類等の備置き及び閲覧等）

第45条の32　社会福祉法人は、計算書類等（各会計年度に係る計算書類及び事業報告並びにこれらの附属明細書並びに監査報告（第45条の28第2項の規定の適用がある場合にあつては、会計監査報告を含む。）をいう。以下この条において同じ。）を、定時評議員会の日の2週間前の日（第45条の9第10項において準用する一般社団法人及び一般財団法人に関する法律第194条第1項の場合にあつては、同項の提案があつた日）から5年間、その主たる事務所に備え置かなければならない。

2　社会福祉法人は、計算書類等の写しを、定時評議員会の日の2週間前の日（第45条の9第10項において準用する一般社団法人及び一般財団法人に関する法律第194条第1項の場合にあつては、同項の提案があつた日）から3年間、その従たる事務所に備え置かなければならない。ただし、計算書類等が電磁的記録で作成されている場合であつて、従たる事務所における次項第3号及び第4号並びに第4項第2号に掲げる請求に応じることを可能とするための措置として厚生労働省令で定めるものをとつているときは、この限りでない。

3　評議員及び債権者は、社会福祉法人の業務時間内は、いつでも、次に掲げる請求をすることができる。ただし、債権者が第2号又は第4号に掲げる請求をするには、当該社会福祉法人の定めた費用を支払わなければならない。

一　計算書類等が書面をもつて作成されているときは、当該書面又は当該書面の写しの閲覧の請求

二　前号の書面の謄本又は抄本の交付の請求

三　計算書類等が電磁的記録をもつて作成されているときは、当該電磁的記録に記録された事項を厚生労働省令で定める方法により表示したものの閲覧の請求

四　前号の電磁的記録に記録された事項を電磁的方法であつて社会福祉法人の定めたものにより提供することの請求又はその事項を記載した書面の交付の請求

4　何人（評議員及び債権者を除く。）も、社会福祉法人の業務時間内は、いつでも、次に掲げる請求をすることができる。この場合においては、当該社会福祉法人は、正当な理由がないのにこれを拒んではならない。

一　計算書類等が書面をもつて作成されているときは、当該書面又は当該書面の写しの閲覧の請求

二　計算書類等が電磁的記録をもつて作成されているときは、当該電磁的記録に記録された事項を厚生労働省令で定める方法により表示したものの閲覧の請求

（計算書類等の提出命令）

第45条の33　裁判所は、申立てにより又は職権で、訴訟の当事者に対し、計算書類及びその附属明細書の全部又は一部の提出を命ずることができる。

（財産目録の備置き及び閲覧等）

第45条の34　社会福祉法人は、毎会計年度終了後3月以内に（社会福祉法人が成立した日の属する会計年度にあつては、当該成立した日以後遅滞なく）、厚生労働省令で定めるところにより、次に掲げる書類を作成し、当該書類を5年間その主たる事務所に、その写しを3年間その従たる事務所に備え置かなければならない。

一　財産目録

二　役員等名簿（理事、監事及び評議員の氏名及び

住所を記載した名簿をいう。第4項において同じ。）

三　報酬等（報酬、賞与その他の職務遂行の対価として受ける財産上の利益及び退職手当をいう。次条及び第59条の2第1項第2号において同じ。）の支給の基準を記載した書類

四　事業の概要その他の厚生労働省令で定める事項を記載した書類

2　前項各号に掲げる書類（以下この条において「財産目録等」という。）は、電磁的記録をもつて作成することができる。

3　何人も、社会福祉法人の業務時間内は、いつでも、財産目録等について、次に掲げる請求をすることができる。この場合においては、当該社会福祉法人は、正当な理由がないのにこれを拒んではならない。

一　財産目録等が書面をもつて作成されているときは、当該書面又は当該書面の写しの閲覧の請求

二　財産目録等が電磁的記録をもつて作成されているときは、当該電磁的記録に記録された事項を厚生労働省令で定める方法により表示したものの閲覧の請求

4　前項の規定にかかわらず、社会福祉法人は、役員等名簿について当該社会福祉法人の評議員以外の者から同項各号に掲げる請求があつた場合には、役員等名簿に記載され、又は記録された事項中、個人の住所に係る記載又は記録の部分を除外して、同項各号の閲覧をさせることができる。

5　財産目録等が電磁的記録をもつて作成されている場合であつて、その従たる事務所における第3項第2号に掲げる請求に応じることを可能とするための措置として厚生労働省令で定めるものをとつている社会福祉法人についての第1項の規定の適用については、同項中「主たる事務所に、その写しを3年間その従たる事務所」とあるのは、「主たる事務所」とする。

（報酬等）

第45条の35　社会福祉法人は、理事、監事及び評議員に対する報酬等について、厚生労働省令で定めるところにより、民間事業者の役員の報酬等及び従業員の給与、当該社会福祉法人の経理の状況その他の事情を考慮して、不当に高額なものとならないような支給の基準を定めなければならない。

2　前項の報酬等の支給の基準は、評議員会の承認を受けなければならない。これを変更しようとするときも、同様とする。

3　社会福祉法人は、前項の承認を受けた報酬等の支

給の基準に従つて、その理事、監事及び評議員に対する報酬等を支給しなければならない。

　　　第5節　定款の変更

第45条の36　定款の変更は、評議員会の決議によらなければならない。

2　定款の変更（厚生労働省令で定める事項に係るものを除く。）は、所轄庁の認可を受けなければ、その効力を生じない。

3　第32条の規定は、前項の認可について準用する。

4　社会福祉法人は、第2項の厚生労働省令で定める事項に係る定款の変更をしたときは、遅滞なくその旨を所轄庁に届け出なければならない。

　　　第6節　解散及び清算並びに合併
　　　　第1款　解散

（解散事由）

第46条　社会福祉法人は、次の事由によつて解散する。

一　評議員会の決議

二　定款に定めた解散事由の発生

三　目的たる事業の成功の不能

四　合併（合併により当該社会福祉法人が消滅する場合に限る。）

五　破産手続開始の決定

六　所轄庁の解散命令

2　前項第1号又は第3号に掲げる事由による解散は、所轄庁の認可又は認定がなければ、その効力を生じない。

3　清算人は、第1項第2号又は第5号に掲げる事由によつて解散した場合には、遅滞なくその旨を所轄庁に届け出なければならない。

（社会福祉法人についての破産手続の開始）

第46条の2　社会福祉法人がその債務につきその財産をもつて完済することができなくなつた場合には、裁判所は、理事若しくは債権者の申立てにより又は職権で、破産手続開始の決定をする。

2　前項に規定する場合には、理事は、直ちに破産手続開始の申立てをしなければならない。

　　　　第2款　清算
　　　　　第1目　清算の開始

（清算の開始原因）

第46条の3　社会福祉法人は、次に掲げる場合には、この款の定めるところにより、清算をしなければならない。

一　解散した場合（第46条第1項第4号に掲げる事由によつて解散した場合及び破産手続開始の決定により解散した場合であつて当該破産手続が終了していない場合を除く。）

二　設立の無効の訴えに係る請求を認容する判決が

確定した場合

（清算法人の能力）

第46条の4　前条の規定により清算をする社会福祉法人（以下「清算法人」という。）は、清算の目的の範囲内において、清算が結了するまではなお存続するものとみなす。

　　　　　第2目　清算法人の機関

（清算法人における機関の設置）

第46条の5　清算法人には、1人又は2人以上の清算人を置かなければならない。

2　清算法人は、定款の定めによつて、清算人会又は監事を置くことができる。

3　第46条の3各号に掲げる場合に該当することとなつた時において特定社会福祉法人であつた清算法人は、監事を置かなければならない。

4　第3節第1款（評議員及び評議員会に係る部分を除く。）の規定は、清算法人については、適用しない。

（清算人の就任）

第46条の6　次に掲げる者は、清算法人の清算人となる。

一　理事（次号又は第3号に掲げる者がある場合を除く。）

二　定款で定める者

三　評議員会の決議によつて選任された者

2　前項の規定により清算人となる者がないときは、裁判所は、利害関係人若しくは検察官の請求により又は職権で、清算人を選任する。

3　前2項の規定にかかわらず、第46条の3第2号に掲げる場合に該当することとなつた清算法人については、裁判所は、利害関係人若しくは検察官の請求により又は職権で、清算人を選任する。

4　清算人は、その氏名及び住所を所轄庁に届け出なければならない。

5　清算中に就職した清算人は、その氏名及び住所を所轄庁に届け出なければならない。

6　第38条及び第40条第1項の規定は、清算人について準用する。

7　清算人会設置法人（清算人会を置く清算法人をいう。以下同じ。）においては、清算人は、3人以上でなければならない。

（清算人の解任）

第46条の7　清算人（前条第2項又は第3項の規定により裁判所が選任した者を除く。）が次のいずれかに該当するときは、評議員会の決議によつて、当該清算人を解任することができる。

一　職務上の義務に違反し、又は職務を怠つたと

き。

二　心身の故障のため、職務の執行に支障があり、又はこれに堪えないとき。

2　重要な事由があるときは、裁判所は、利害関係人の申立て若しくは検察官の請求により又は職権で、清算人を解任することができる。

3　一般社団法人及び一般財団法人に関する法律第75条第1項から第3項までの規定は、清算人及び清算法人の監事について、同法第175条の規定は、清算法人の評議員について、それぞれ準用する。

（監事の退任等）

第46条の8　清算法人の監事は、当該清算法人が監事を置く旨の定款の定めを廃止する定款の変更をした場合には、当該定款の変更の効力が生じた時に退任する。

2　清算法人の評議員は、3人以上でなければならない。

3　第40条第3項から第5項まで、第41条、第42条、第44条第3項、第5項及び第7項、第45条、第45条の6第1項及び第2項並びに第45条の7第2項の規定は、清算法人については、適用しない。

（清算人の職務）

第46条の9　清算人は、次に掲げる職務を行う。

一　現務の結了

二　債権の取立て及び債務の弁済

三　残余財産の引渡し

（業務の執行）

第46条の10　清算人は、清算法人（清算人会設置法人を除く。次項において同じ。）の業務を執行する。

2　清算人が2人以上ある場合には、清算法人の業務は、定款に別段の定めがある場合を除き、清算人の過半数をもつて決定する。

3　前項の場合には、清算人は、次に掲げる事項についての決定を各清算人に委任することができない。

一　従たる事務所の設置、移転及び廃止

二　第45条の9第10項において準用する一般社団法人及び一般財団法人に関する法律第181条第1項各号に掲げる事項

三　清算人の職務の執行が法令及び定款に適合することを確保するための体制その他清算法人の業務の適正を確保するために必要なものとして厚生労働省令で定める体制の整備

4　一般社団法人及び一般財団法人に関する法律第81条から第85条まで、第88条及び第89条の規定は、清算人（同条の規定については、第46条の6第2項又は第3項の規定により裁判所が選任した者を除く。）について準用する。この場合において、同法第81条

中「社員総会」とあるのは「評議員会」と、同法第
82条の見出し中「表見代表理事」とあるのは「表見
代表清算人」と、同条中「代表理事」とあるのは
「代表清算人（社会福祉法（昭和26年法律第45号）
第46条の11第1項に規定する代表清算人をいう。）」
と、同法第83条中「定款並びに社員総会の決議」と
あるのは「定款」と、同法第84条第1項中「社員総
会」とあるのは「評議員会」と、同法第85条並びに
第88条の見出し及び同条第1項中「社員」とあるの
は「評議員」と、同法第89条中「社員総会」とある
のは「評議員会」と読み替えるものとするほか、必
要な技術的読替えは、政令で定める。

（清算法人の代表）

第46条の11 清算人は、清算法人を代表する。ただ
し、他に代表清算人（清算法人を代表する清算人を
いう。以下同じ。）その他清算法人を代表する者を
定めた場合は、この限りでない。

2 前項本文の清算人が2人以上ある場合には、清算
人は、各自、清算法人を代表する。

3 清算法人（清算人会設置法人を除く。）は、定
款、定款の定めに基づく清算人（第46条の6第2項
又は第3項の規定により裁判所が選任した者を除
く。以下この項において同じ。）の互選又は評議員
会の決議によつて、清算人の中から代表清算人を定
めることができる。

4 第46条の6第1項第1号の規定により理事が清算
人となる場合においては、理事長が代表清算人とな
る。

5 裁判所は、第46条の6第2項又は第3項の規定に
より清算人を選任する場合には、その清算人の中か
ら代表清算人を定めることができる。

6 第46条の17第8項の規定、前条第4項において準
用する一般社団法人及び一般財団法人に関する法律
第81条の規定及び次項において準用する同法第77条
第4項の規定にかかわらず、監事設置清算法人（監
事を置く清算法人又はこの法律の規定により監事を
置かなければならない清算法人をいう。以下同じ。）
が清算人（清算人であつた者を含む。以下この項に
おいて同じ。）に対し、又は清算人が監事設置清算
法人に対して訴えを提起する場合には、当該訴えに
ついては、監事が監事設置清算法人を代表する。

7 一般社団法人及び一般財団法人に関する法律第77
条第4項及び第5項並びに第79条の規定は代表清算
人について、同法第80条の規定は民事保全法第56条
に規定する仮処分命令により選任された清算人又は
代表清算人の職務を代行する者について、それぞれ
準用する。

（清算法人についての破産手続の開始）

第46条の12 清算法人の財産がその債務を完済するの
に足りないことが明らかになつたときは、清算人
は、直ちに破産手続開始の申立てをし、その旨を公
告しなければならない。

2 清算人は、清算法人が破産手続開始の決定を受け
た場合において、破産管財人にその事務を引き継い
だときは、その任務を終了したものとする。

3 前項に規定する場合において、清算法人が既に債
権者に支払い、又は残余財産の帰属すべき者に引き
渡したものがあるときは、破産管財人は、これを取
り戻すことができる。

4 第1項の規定による公告は、官報に掲載してす
る。

（裁判所の選任する清算人の報酬）

第46条の13 裁判所は、第46条の6第2項又は第3項
の規定により清算人を選任した場合には、清算法人
が当該清算人に対して支払う報酬の額を定めること
ができる。この場合においては、裁判所は、当該清
算人及び監事の陳述を聴かなければならない。

（清算人の清算法人に対する損害賠償責任）

第46条の14 清算人は、その任務を怠つたときは、清
算法人に対し、これによつて生じた損害を賠償する
責任を負う。

2 清算人が第46条の10第4項において準用する一般
社団法人及び一般財団法人に関する法律第84条第1
項の規定に違反して同項第1号の取引をしたとき
は、当該取引により清算人又は第三者が得た利益の
額は、前項の損害の額と推定する。

3 第46条の10第4項において準用する一般社団法人
及び一般財団法人に関する法律第84条第1項第2号
又は第3号の取引によつて清算法人に損害が生じた
ときは、次に掲げる清算人は、その任務を怠つたも
のと推定する。

一 第46条の10第4項において準用する一般社団法
人及び一般財団法人に関する法律第84条第1項の
清算人

二 清算法人が当該取引をすることを決定した清算
人

三 当該取引に関する清算人会の承認の決議に賛成
した清算人

4 一般社団法人及び一般財団法人に関する法律第
112条及び第116条第1項の規定は、第1項の責任に
ついて準用する。この場合において、同法第112条
中「総社員」とあるのは、「総評議員」と読み替え
るものとするほか、必要な技術的読替えは、政令で
定める。

（清算人の第三者に対する損害賠償責任）

第46条の15　清算人がその職務を行うについて悪意又は重大な過失があつたときは、当該清算人は、これによつて第三者に生じた損害を賠償する責任を負う。

2　清算人が、次に掲げる行為をしたときも、前項と同様とする。ただし、当該清算人が当該行為をすることについて注意を怠らなかつたことを証明したときは、この限りでない。

　一　第46条の22第1項に規定する財産目録等並びに第46条の24第1項の貸借対照表及び事務報告並びにこれらの附属明細書に記載し、又は記録すべき重要な事項についての虚偽の記載又は記録

　二　虚偽の登記

　三　虚偽の公告

（清算人等の連帯責任）

第46条の16　清算人、監事又は評議員が清算法人又は第三者に生じた損害を賠償する責任を負う場合において、他の清算人、監事又は評議員も当該損害を賠償する責任を負うときは、これらの者は、連帯債務者とする。

2　前項の場合には、第45条の22の規定は、適用しない。

（清算人会の権限等）

第46条の17　清算人会は、全ての清算人で組織する。

2　清算人会は、次に掲げる職務を行う。

　一　清算人会設置法人の業務執行の決定

　二　清算人の職務の執行の監督

　三　代表清算人の選定及び解職

3　清算人会は、清算人の中から代表清算人を選定しなければならない。ただし、他に代表清算人があるときは、この限りでない。

4　清算人会は、その選定した代表清算人及び第46条の11第4項の規定により代表清算人となつた者を解職することができる。

5　第46条の11第5項の規定により裁判所が代表清算人を定めたときは、清算人会は、代表清算人を選定し、又は解職することができない。

6　清算人会は、次に掲げる事項その他の重要な業務執行の決定を清算人に委任することができない。

　一　重要な財産の処分及び譲受け

　二　多額の借財

　三　重要な役割を担う職員の選任及び解任

　四　従たる事務所その他の重要な組織の設置、変更及び廃止

　五　清算人の職務の執行が法令及び定款に適合することを確保するための体制その他清算法人の業務

の適正を確保するために必要なものとして厚生労働省令で定める体制の整備

7　次に掲げる清算人は、清算人会設置法人の業務を執行する。

　一　代表清算人

　二　代表清算人以外の清算人であつて、清算人会の決議によつて清算人会設置法人の業務を執行する清算人として選定されたもの

8　第46条の10第4項において読み替えて準用する一般社団法人及び一般財団法人に関する法律第81条に規定する場合には、清算人会は、同条の規定による評議員会の定めがある場合を除き、同条の訴えについて清算人会設置法人を代表する者を定めることができる。

9　第7項各号に掲げる清算人は、3月に1回以上、自己の職務の執行の状況を清算人会に報告しなければならない。ただし、定款で毎会計年度に4月を超える間隔で2回以上その報告をしなければならない旨を定めた場合は、この限りでない。

10　一般社団法人及び一般財団法人に関する法律第92条の規定は、清算人会設置法人について準用する。この場合において、同条第1項中「社員総会」とあるのは「評議員会」と、「理事会」とあるのは「「清算人会」と読み替えるものとするほか、必要な技術的読替えは、政令で定める。

（清算人会の運営）

第46条の18　清算人会は、各清算人が招集する。ただし、清算人会を招集する清算人を定款又は清算人会で定めたときは、その清算人が招集する。

2　前項ただし書に規定する場合には、同項ただし書の規定により定められた清算人（以下この項及び次条第2項において「招集権者」という。）以外の清算人は、招集権者に対し、清算人会の目的である事項を示して、清算人会の招集を請求することができる。

3　前項の規定による請求があつた日から5日以内に、その請求があつた日から2週間以内の日を清算人会の日とする清算人会の招集の通知が発せられない場合には、その請求をした清算人は、清算人会を招集することができる。

4　一般社団法人及び一般財団法人に関する法律第94条の規定は、清算人会設置法人における清算人会の招集について準用する。この場合において、同条第1項中「各理事及び各監事」とあるのは「各清算人（監事設置清算法人（社会福祉法（昭和26年法律第45号）第46条の11第6項に規定する監事設置清算法人をいう。次項において同じ。）にあつては、各清

算人及び各監事）」と、同条第2項中「理事及び監事」とあるのは「清算人（監事設置清算法人にあつては、清算人及び監事）」と読み替えるものとする。

5　一般社団法人及び一般財団法人に関する法律第95条及び第96条の規定は、清算人会設置法人における清算人会の決議について準用する。この場合において、同法第95条第3項中「法務省令」とあるのは「厚生労働省令」と、「理事（」とあるのは「清算人（」と、「代表理事」とあるのは「代表清算人」と、同条第4項中「法務省令」とあるのは「厚生労働省令」と読み替えるものとするほか、必要な技術的読替えは、政令で定める。

6　一般社団法人及び一般財団法人に関する法律第98条の規定は、清算人会設置法人における清算人会への報告について準用する。この場合において、同条第1項中「理事、監事又は会計監査人」とあるのは「清算人又は監事」と、「理事及び監事」とあるのは「清算人（監事設置清算法人（社会福祉法（昭和26年法律第45号）第46条の11第6項に規定する監事設置清算法人をいう。）にあっては、清算人及び監事）」と読み替えるものとするほか、必要な技術的読替えは、政令で定める。

（評議員による招集の請求）

第46条の19　清算人会設置法人（監事設置清算法人を除く。）の評議員は、清算人が清算人会設置法人の目的の範囲外の行為その他法令若しくは定款に違反する行為をし、又はこれらの行為をするおそれがあると認めるときは、清算人会の招集を請求することができる。

2　前項の規定による請求は、清算人（前条第1項ただし書に規定する場合にあつては、招集権者）に対し、清算人会の目的である事項を示して行わなければならない。

3　前条第3項の規定は、第1項の規定による請求があつた場合について準用する。

4　第1項の規定による請求を行つた評議員は、当該請求に基づき招集され、又は前項において準用する前条第3項の規定により招集した清算人会に出席し、意見を述べることができる。

（議事録等）

第46条の20　清算人会設置法人は、清算人会の日（第46条の18第5項において準用する一般社団法人及び一般財団法人に関する法律第96条の規定により清算人会の決議があつたものとみなされた日を含む。）から10年間、同項において準用する同法第95条第3項の議事録又は第46条の18第5項において準用する同法第96条の意思表示を記載し、若しくは記録した書面若しくは電磁的記録（以下この条において「議事録等」という。）をその主たる事務所に備え置かなければならない。

2　評議員は、清算法人の業務時間内は、いつでも、次に掲げる請求をすることができる。

一　議事録等が書面をもつて作成されているときは、当該書面の閲覧又は謄写の請求

二　議事録等が電磁的記録をもつて作成されているときは、当該電磁的記録に記録された事項を厚生労働省令で定める方法により表示したものの閲覧又は謄写の請求

3　債権者は、清算人又は監事の責任を追及するため必要があるときは、裁判所の許可を得て、議事録等について前項各号に掲げる請求をすることができる。

4　裁判所は、前項の請求に係る閲覧又は謄写をすることにより、当該清算人会設置法人に著しい損害を及ぼすおそれがあると認めるときは、同項の許可をすることができない。

（理事等に関する規定の適用）

第46条の21　清算法人については、第31条第5項、第40条第2項、第43条第3項、第44条第2項、第3節第3款（第45条の12を除く。）及び同節第5款の規定中理事又は理事会に関する規定は、それぞれ清算人又は清算人会に関する規定として清算人又は清算人会に適用があるものとする。この場合において、第43条第3項中「第72条、第73条第1項」とあるのは「第72条」と、「同法第72条及び第73条第1項中「社員総会」とあるのは「評議員会」と、同項中「監事が」とあるのは「監事の過半数をもつて」と、同法第74条」とあるのは「これらの規定」と、「「評議員会」と読み替える」とあるのは「、「評議員会」と読み替える」と、第45条の9第10項中「第181条第1項第3号及び」とあるのは「第181条第1項中「理事会の決議によつて」とあるのは「清算人は」と、「定めなければならない」とあるのは「定めなければならない。ただし、清算人会設置法人（社会福祉法（昭和26年法律第45号）第46条の6第7項に規定する清算人会設置法人をいう。）においては、当該事項の決定は、清算人会の決議によらなければならない」と、同項第3号及び同法」と、「とあるのは、」とあるのは「とあるのは」と、第45条の18第3項中「第104条第1項、第105条」とあるのは「第105条」とするほか、必要な技術的読替えは、政令で定める。

第3目　財産目録等

（財産目録等の作成等）

第46条の22　清算人（清算人会設置法人にあつては、第46条の17第7項各号に掲げる清算人）は、その就任後遅滞なく、清算法人の財産の現況を調査し、厚生労働省令で定めるところにより、第46条の3各号に掲げる場合に該当することとなつた日における財産目録及び貸借対照表（以下この条及び次条において「財産目録等」という。）を作成しなければならない。

2　清算人会設置法人においては、財産目録等は、清算人会の承認を受けなければならない。

3　清算人は、財産目録等（前項の規定の適用がある場合にあつては、同項の承認を受けたもの）を評議員会に提出し、又は提供し、その承認を受けなければならない。

4　清算法人は、財産目録等を作成した時からその主たる事務所の所在地における清算結了の登記の時までの間、当該財産目録等を保存しなければならない。

（財産目録等の提出命令）

第46条の23　裁判所は、申立てにより又は職権で、訴訟の当事者に対し、財産目録等の全部又は一部の提出を命ずることができる。

（貸借対照表等の作成及び保存）

第46条の24　清算法人は、厚生労働省令で定めるところにより、各清算事務年度（第46条の3各号に掲げる場合に該当することとなつた日の翌日又はその後毎年その日に応当する日（応当する日がない場合にあつては、その前日）から始まる各1年の期間をいう。）に係る貸借対照表及び事務報告並びにこれらの附属明細書を作成しなければならない。

2　前項の貸借対照表及び事務報告並びにこれらの附属明細書は、電磁的記録をもつて作成することができる。

3　清算法人は、第1項の貸借対照表を作成した時からその主たる事務所の所在地における清算結了の登記の時までの間、当該貸借対照表及びその附属明細書を保存しなければならない。

（貸借対照表等の監査等）

第46条の25　監事設置清算法人においては、前条第1項の貸借対照表及び事務報告並びにこれらの附属明細書は、厚生労働省令で定めるところにより、監事の監査を受けなければならない。

2　清算人会設置法人においては、前条第1項の貸借対照表及び事務報告並びにこれらの附属明細書（前項の規定の適用がある場合にあつては、同項の監査を受けたもの）は、清算人会の承認を受けなければならない。

（貸借対照表等の備置き及び閲覧等）

第46条の26　清算法人は、第46条の24第1項に規定する各清算事務年度に係る貸借対照表及び事務報告並びにこれらの附属明細書（前条第1項の規定の適用がある場合にあつては、監査報告を含む。以下この条において「貸借対照表等」という。）を、定時評議員会の日の1週間前の日（第45条の9第10項において準用する一般社団法人及び一般財団法人に関する法律第194条第1項の場合にあつては、同項の提案があつた日）からその主たる事務所の所在地における清算結了の登記の時までの間、その主たる事務所に備え置かなければならない。

2　評議員及び債権者は、清算法人の業務時間内は、いつでも、次に掲げる請求をすることができる。ただし、債権者が第2号又は第4号に掲げる請求をするには、当該清算法人の定めた費用を支払わなければならない。

一　貸借対照表等が書面をもつて作成されているときは、当該書面の閲覧の請求

二　前号の書面の謄本又は抄本の交付の請求

三　貸借対照表等が電磁的記録をもつて作成されているときは、当該電磁的記録に記録された事項を厚生労働省令で定める方法により表示したものの閲覧の請求

四　前号の電磁的記録に記録された事項を電磁的方法であつて清算法人の定めたものにより提供することの請求又はその事項を記載した書面の交付の請求

（貸借対照表等の提出等）

第46条の27　次の各号に掲げる清算法人においては、清算人は、当該各号に定める貸借対照表及び事務報告を定時評議員会に提出し、又は提供しなければならない。

一　監事設置清算法人（清算人会設置法人を除く。）　第46条の25第1項の監査を受けた貸借対照表及び事務報告

二　清算人会設置法人　第46条の25第2項の承認を受けた貸借対照表及び事務報告

三　前2号に掲げるもの以外の清算法人　第46条の24第1項の貸借対照表及び事務報告

2　前項の規定により提出され、又は提供された貸借対照表は、定時評議員会の承認を受けなければならない。

3　清算人は、第1項の規定により提出され、又は提供された事務報告の内容を定時評議員会に報告しなければならない。

（貸借対照表等の提出命令）

第46条の28　裁判所は、申立てにより又は職権で、訴訟の当事者に対し、第46条の24第1項の貸借対照表及びその附属明細書の全部又は一部の提出を命ずることができる。

（適用除外）

第46条の29　第4節第3款（第45条の27第4項及び第45条の32から第45条の34までを除く。）の規定は、清算法人については、適用しない。

第4目　債務の弁済等

（債権者に対する公告等）

第46条の30　清算法人は、第46条の3各号に掲げる場合に該当することとなつた後、遅滞なく、当該清算法人の債権者に対し、一定の期間内にその債権を申し出るべき旨を官報に公告し、かつ、判明している債権者には、各別にこれを催告しなければならない。ただし、当該期間は、2月を下ることができない。

2　前項の規定による公告には、当該債権者が当該期間内に申出をしないときは清算から除斥される旨を付記しなければならない。

（債務の弁済の制限）

第46条の31　清算法人は、前条第1項の期間内は、債務の弁済をすることができない。この場合において、清算法人は、その債務の不履行によつて生じた責任を免れることができない。

2　前項の規定にかかわらず、清算法人は、前条第1項の期間内であつても、裁判所の許可を得て、少額の債権、清算法人の財産につき存する担保権によつて担保される債権その他これを弁済しても他の債権者を害するおそれがない債権に係る債務について、その弁済をすることができる。この場合において、当該許可の申立ては、清算人が2人以上あるときは、その全員の同意によつてしなければならない。

（条件付債権等に係る債務の弁済）

第46条の32　清算法人は、条件付債権、存続期間が不確定な債権その他その額が不確定な債権に係る債務を弁済することができる。この場合においては、これらの債権を評価させるため、裁判所に対し、鑑定人の選任の申立てをしなければならない。

2　前項の場合には、清算法人は、同項の鑑定人の評価に従い同項の債権に係る債務を弁済しなければならない。

3　第1項の鑑定人の選任の手続に関する費用は、清算法人の負担とする。当該鑑定人による鑑定のための呼出し及び質問に関する費用についても、同様とする。

（債務の弁済前における残余財産の引渡しの制限）

第46条の33　清算法人は、当該清算法人の債務を弁済した後でなければ、その財産の引渡しをすることができない。ただし、その存否又は額について争いのある債権に係る債務についてその弁済をするために必要と認められる財産を留保した場合は、この限りでない。

（清算からの除斥）

第46条の34　清算法人の債権者（判明している債権者を除く。）であつて第46条の30第1項の期間内にその債権の申出をしなかつたものは、清算から除斥される。

2　前項の規定により清算から除斥された債権者は、引渡しがされていない残余財産に対してのみ、弁済を請求することができる。

第5目　残余財産の帰属

第47条　解散した社会福祉法人の残余財産は、合併（合併により当該社会福祉法人が消滅する場合に限る。）及び破産手続開始の決定による解散の場合を除くほか、所轄庁に対する清算結了の届出の時において、定款の定めるところにより、その帰属すべき者に帰属する。

2　前項の規定により処分されない財産は、国庫に帰属する。

第6目　清算事務の終了等

（清算事務の終了等）

第47条の2　清算法人は、清算事務が終了したときは、遅滞なく、厚生労働省令で定めるところにより、決算報告を作成しなければならない。

2　清算人会設置法人においては、決算報告は、清算人会の承認を受けなければならない。

3　清算人は、決算報告（前項の規定の適用がある場合にあつては、同項の承認を受けたもの）を評議員会に提出し、又は提供し、その承認を受けなければならない。

4　前項の承認があつたときは、任務を怠つたことによる清算人の損害賠償の責任は、免除されたものとみなす。ただし、清算人の職務の執行に関し不正の行為があつたときは、この限りでない。

（帳簿資料の保存）

第47条の3　清算人（清算人会設置法人にあつては、第46条の17第7項各号に掲げる清算人）は、清算法人の主たる事務所の所在地における清算結了の登記の時から10年間、清算法人の帳簿並びにその事業及び清算に関する重要な資料（以下この条において「帳簿資料」という。）を保存しなければならない。

2　裁判所は、利害関係人の申立てにより、前項の清算人に代わつて帳簿資料を保存する者を選任するこ

とができる。この場合においては、同項の規定は、適用しない。

3　前項の規定により選任された者は、清算法人の主たる事務所の所在地における清算結了の登記の時から10年間、帳簿資料を保存しなければならない。

4　第2項の規定による選任の手続に関する費用は、清算法人の負担とする。

（裁判所による監督）

第47条の4　社会福祉法人の解散及び清算は、裁判所の監督に属する。

2　裁判所は、職権で、いつでも前項の監督に必要な検査をすることができる。

3　社会福祉法人の解散及び清算を監督する裁判所は、社会福祉法人の業務を監督する官庁に対し、意見を求め、又は調査を嘱託することができる。

4　前項に規定する官庁は、同項に規定する裁判所に対し、意見を述べることができる。

（清算結了の届出）

第47条の5　清算が結了したときは、清算人は、その旨を所轄庁に届け出なければならない。

（検査役の選任）

第47条の6　裁判所は、社会福祉法人の解散及び清算の監督に必要な調査をさせるため、検査役を選任することができる。

2　第46条の13の規定は、前項の規定により裁判所が検査役を選任した場合について準用する。この場合において、同条中「清算人及び監事」とあるのは、「社会福祉法人及び検査役」と読み替えるものとする。

（準用規定）

第47条の7　一般社団法人及び一般財団法人に関する法律第287条第1項、第288条、第289条（第1号、第2号及び第4号に係る部分に限る。）、第290条、第291条（第2号に係る部分に限る。）、第292条、第293条（第1号及び第4号に係る部分に限る。）、第294条及び第295条の規定は、社会福祉法人の解散及び清算について準用する。この場合において、必要な技術的読替えは、政令で定める。

第3款　合併
第1目　通則

第48条　社会福祉法人は、他の社会福祉法人と合併することができる。この場合においては、合併をする社会福祉法人は、合併契約を締結しなければならない。

第2目　吸収合併

（吸収合併契約）

第49条　社会福祉法人が吸収合併（社会福祉法人が他の社会福祉法人とする合併であつて、合併により消滅する社会福祉法人の権利義務の全部を合併後存続する社会福祉法人に承継させるものをいう。以下この目及び第165条第11号において同じ。）をする場合には、吸収合併契約において、吸収合併後存続する社会福祉法人（以下この目において「吸収合併存続社会福祉法人」という。）及び吸収合併により消滅する社会福祉法人（以下この目において「吸収合併消滅社会福祉法人」という。）の名称及び住所その他厚生労働省令で定める事項を定めなければならない。

（吸収合併の効力の発生等）

第50条　社会福祉法人の吸収合併は、吸収合併存続社会福祉法人の主たる事務所の所在地において合併の登記をすることによつて、その効力を生ずる。

2　吸収合併存続社会福祉法人は、吸収合併の登記の日に、吸収合併消滅社会福祉法人の一切の権利義務（当該吸収合併消滅社会福祉法人がその行う事業に関し行政庁の認可その他の処分に基づいて有する権利義務を含む。）を承継する。

3　吸収合併は、所轄庁の認可を受けなければ、その効力を生じない。

4　第32条の規定は、前項の認可について準用する。

（吸収合併契約に関する書面等の備置き及び閲覧等）

第51条　吸収合併消滅社会福祉法人は、次条の評議員会の日の2週間前の日（第45条の9第10項において準用する一般社団法人及び一般財団法人に関する法律第194条第1項の場合にあつては、同項の提案があつた日）から吸収合併の登記の日までの間、吸収合併契約の内容その他厚生労働省令で定める事項を記載し、又は記録した書面又は電磁的記録をその主たる事務所に備え置かなければならない。

2　吸収合併消滅社会福祉法人の評議員及び債権者は、吸収合併消滅社会福祉法人に対して、その業務時間内は、いつでも、次に掲げる請求をすることができる。ただし、債権者が第2号又は第4号に掲げる請求をするには、当該吸収合併消滅社会福祉法人の定めた費用を支払わなければならない。

一　前項の書面の閲覧の請求

二　前項の書面の謄本又は抄本の交付の請求

三　前項の電磁的記録に記録された事項を厚生労働省令で定める方法により表示したものの閲覧の請求

四　前項の電磁的記録に記録された事項を電磁的方法であつて吸収合併消滅社会福祉法人の定めたものにより提供することの請求又はその事項を記載した書面の交付の請求

（吸収合併契約の承認）

第52条 吸収合併消滅社会福祉法人は、評議員会の決議によつて、吸収合併契約の承認を受けなければならない。

（債権者の異議）

第53条 吸収合併消滅社会福祉法人は、第50条第3項の認可があつたときは、次に掲げる事項を官報に公告し、かつ、判明している債権者には、各別にこれを催告しなければならない。ただし、第4号の期間は、2月を下ることができない。

一　吸収合併をする旨

二　吸収合併存続社会福祉法人の名称及び住所

三　吸収合併消滅社会福祉法人及び吸収合併存続社会福祉法人の計算書類（第45条の27第2項に規定する計算書類をいう。以下この款において同じ。）に関する事項として厚生労働省令で定めるもの

四　債権者が一定の期間内に異議を述べることができる旨

2　債権者が前項第4号の期間内に異議を述べなかつたときは、当該債権者は、当該吸収合併について承認をしたものとみなす。

3　債権者が第1項第4号の期間内に異議を述べたときは、吸収合併消滅社会福祉法人は、当該債権者に対し、弁済し、若しくは相当の担保を提供し、又は当該債権者に弁済を受けさせることを目的として信託会社等（信託会社及び信託業務を営む金融機関（金融機関の信託業務の兼営等に関する法律（昭和18年法律第43号）第1条第1項の認可を受けた金融機関をいう。）をいう。以下同じ。）に相当の財産を信託しなければならない。ただし、当該吸収合併をしても当該債権者を害するおそれがないときは、この限りでない。

（吸収合併契約に関する書面等の備置き及び閲覧等）

第54条 吸収合併存続社会福祉法人は、次条第1項の評議員会の日の2週間前の日（第45条の9第10項において準用する一般社団法人及び一般財団法人に関する法律第194条第1項の場合にあつては、同項の提案があつた日）から吸収合併の登記の日後6月を経過する日までの間、吸収合併契約の内容その他厚生労働省令で定める事項を記載し、又は記録した書面又は電磁的記録をその主たる事務所に備え置かなければならない。

2　吸収合併存続社会福祉法人の評議員及び債権者は、吸収合併存続社会福祉法人に対して、その業務時間内は、いつでも、次に掲げる請求をすることができる。ただし、債権者が第2号又は第4号に掲げる請求をするには、当該吸収合併存続社会福祉法人

の定めた費用を支払わなければならない。

一　前項の書面の閲覧の請求

二　前項の書面の謄本又は抄本の交付の請求

三　前項の電磁的記録に記録された事項を厚生労働省令で定める方法により表示したものの閲覧の請求

四　前項の電磁的記録に記録された事項を電磁的方法であつて吸収合併存続社会福祉法人の定めたものにより提供することの請求又はその事項を記載した書面の交付の請求

（吸収合併契約の承認）

第54条の2 吸収合併存続社会福祉法人は、評議員会の決議によつて、吸収合併契約の承認を受けなければならない。

2　吸収合併存続社会福祉法人が承継する吸収合併消滅社会福祉法人の債務の額として厚生労働省令で定める額が吸収合併存続社会福祉法人が承継する吸収合併消滅社会福祉法人の資産の額として厚生労働省令で定める額を超える場合には、理事は、前項の評議員会において、その旨を説明しなければならない。

（債権者の異議）

第54条の3 吸収合併存続社会福祉法人は、第50条第3項の認可があつたときは、次に掲げる事項を官報に公告し、かつ、判明している債権者には、各別にこれを催告しなければならない。ただし、第4号の期間は、2月を下ることができない。

一　吸収合併をする旨

二　吸収合併消滅社会福祉法人の名称及び住所

三　吸収合併存続社会福祉法人及び吸収合併消滅社会福祉法人の計算書類に関する事項として厚生労働省令で定めるもの

四　債権者が一定の期間内に異議を述べることができる旨

2　債権者が前項第4号の期間内に異議を述べなかつたときは、当該債権者は、当該吸収合併について承認をしたものとみなす。

3　債権者が第1項第4号の期間内に異議を述べたときは、吸収合併存続社会福祉法人は、当該債権者に対し、弁済し、若しくは相当の担保を提供し、又は当該債権者に弁済を受けさせることを目的として信託会社等に相当の財産を信託しなければならない。ただし、当該吸収合併をしても当該債権者を害するおそれがないときは、この限りでない。

（吸収合併に関する書面等の備置き及び閲覧等）

第54条の4 吸収合併存続社会福祉法人は、吸収合併の登記の日後遅滞なく、吸収合併により吸収合併存

続社会福祉法人が承継した吸収合併消滅社会福祉法人の権利義務その他の吸収合併に関する事項として厚生労働省令で定める事項を記載し、又は記録した書面又は電磁的記録を作成しなければならない。

2　吸収合併存続社会福祉法人は、吸収合併の登記の日から6月間、前項の書面又は電磁的記録をその主たる事務所に備え置かなければならない。

3　吸収合併存続社会福祉法人の評議員及び債権者は、吸収合併存続社会福祉法人に対して、その業務時間内は、いつでも、次に掲げる請求をすることができる。ただし、債権者が第2号又は第4号に掲げる請求をするには、当該吸収合併存続社会福祉法人の定めた費用を支払わなければならない。

一　第1項の書面の閲覧の請求

二　第1項の書面の謄本又は抄本の交付の請求

三　第1項の電磁的記録に記録された事項を厚生労働省令で定める方法により表示したものの閲覧の請求

四　第1項の電磁的記録に記録された事項を電磁的方法であつて吸収合併存続社会福祉法人の定めたものにより提供することの請求又はその事項を記載した書面の交付の請求

第3目　新設合併

（新設合併契約）

第54条の5　2以上の社会福祉法人が新設合併（2以上の社会福祉法人がする合併であつて、合併により消滅する社会福祉法人の権利義務の全部を合併により設立する社会福祉法人に承継させるものをいう。以下この目及び第165条第11号において同じ。）をする場合には、新設合併契約において、次に掲げる事項を定めなければならない。

一　新設合併により消滅する社会福祉法人（以下この目において「新設合併消滅社会福祉法人」という。）の名称及び住所

二　新設合併により設立する社会福祉法人（以下この目において「新設合併設立社会福祉法人」という。）の目的、名称及び主たる事務所の所在地

三　前号に掲げるもののほか、新設合併設立社会福祉法人の定款で定める事項

四　前3号に掲げる事項のほか、厚生労働省令で定める事項

（新設合併の効力の発生等）

第54条の6　新設合併設立社会福祉法人は、その成立の日に、新設合併消滅社会福祉法人の一切の権利義務（当該新設合併消滅社会福祉法人がその行う事業に関し行政庁の認可その他の処分に基づいて有する権利義務を含む。）を承継する。

2　新設合併は、所轄庁の認可を受けなければ、その効力を生じない。

3　第32条の規定は、前項の認可について準用する。

（新設合併契約に関する書面等の備置き及び閲覧等）

第54条の7　新設合併消滅社会福祉法人は、次条の評議員会の日の2週間前の日（第45条の9第10項において準用する一般社団法人及び一般財団法人に関する法律第194条第1項の場合にあつては、同項の提案があつた日）から新設合併設立社会福祉法人の成立の日までの間、新設合併契約の内容その他厚生労働省令で定める事項を記載し、又は記録した書面又は電磁的記録をその主たる事務所に備え置かなければならない。

2　新設合併消滅社会福祉法人の評議員及び債権者は、新設合併消滅社会福祉法人に対して、その業務時間内は、いつでも、次に掲げる請求をすることができる。ただし、債権者が第2号又は第4号に掲げる請求をするには、当該新設合併消滅社会福祉法人の定めた費用を支払わなければならない。

一　前項の書面の閲覧の請求

二　前項の書面の謄本又は抄本の交付の請求

三　前項の電磁的記録に記録された事項を厚生労働省令で定める方法により表示したものの閲覧の請求

四　前項の電磁的記録に記録された事項を電磁的方法であつて新設合併消滅社会福祉法人の定めたものにより提供することの請求又はその事項を記載した書面の交付の請求

（新設合併契約の承認）

第54条の8　新設合併消滅社会福祉法人は、評議員会の決議によつて、新設合併契約の承認を受けなければならない。

（債権者の異議）

第54条の9　新設合併消滅社会福祉法人は、第54条の6第2項の認可があつたときは、次に掲げる事項を官報に公告し、かつ、判明している債権者には、各別にこれを催告しなければならない。ただし、第4号の期間は、2月を下ることができない。

一　新設合併をする旨

二　他の新設合併消滅社会福祉法人及び新設合併設立社会福祉法人の名称及び住所

三　新設合併消滅社会福祉法人の計算書類に関する事項として厚生労働省令で定めるもの

四　債権者が一定の期間内に異議を述べることができる旨

2　債権者が前項第4号の期間内に異議を述べなかつたときは、当該債権者は、当該新設合併について承

認をしたものとみなす。

3　債権者が第1項第4号の期間内に異議を述べたときは、新設合併消滅社会福祉法人は、当該債権者に対し、弁済し、若しくは相当の担保を提供し、又は当該債権者に弁済を受けさせることを目的として信託会社等に相当の財産を信託しなければならない。ただし、当該新設合併をしても当該債権者を害するおそれがないときは、この限りでない。

（設立の特則）

第54条の10　第32条、第33条及び第35条の規定は、新設合併設立社会福祉法人の設立については、適用しない。

2　新設合併設立社会福祉法人の定款は、新設合併消滅社会福祉法人が作成する。この場合においては、第31条第1項の認可を受けることを要しない。

（新設合併に関する書面等の備置き及び閲覧等）

第54条の11　新設合併設立社会福祉法人は、その成立の日後遅滞なく、新設合併により新設合併設立社会福祉法人が承継した新設合併消滅社会福祉法人の権利義務その他の新設合併に関する事項として厚生労働省令で定める事項を記載し、又は記録した書面又は電磁的記録を作成しなければならない。

2　新設合併設立社会福祉法人は、その成立の日から6月間、前項の書面又は電磁的記録及び新設合併契約の内容その他厚生労働省令で定める事項を記載し、又は記録した書面又は電磁的記録をその主たる事務所に備え置かなければならない。

3　新設合併設立社会福祉法人の評議員及び債権者は、新設合併設立社会福祉法人に対して、その業務時間内は、いつでも、次に掲げる請求をすることができる。ただし、債権者が第2号又は第4号に掲げる請求をするには、当該新設合併設立社会福祉法人の定めた費用を支払わなければならない。

一　前項の書面の閲覧の請求

二　前項の書面の謄本又は抄本の交付の請求

三　前項の電磁的記録に記録された事項を厚生労働省令で定める方法により表示したものの閲覧の請求

四　前項の電磁的記録に記録された事項を電磁的方法であつて新設合併設立社会福祉法人の定めたものにより提供することの請求又はその事項を記載した書面の交付の請求

第4目　合併の無効の訴え

第55条　一般社団法人及び一般財団法人に関する法律第264条第1項（第2号及び第3号に係る部分に限る。）及び第2項（第2号及び第3号に係る部分に限る。）、第269条（第2号及び第3号に係る部分に限る。）、第270条、第271条第1項及び第3項、第272条から第275条まで並びに第277条の規定は、社会福祉法人の合併の無効の訴えについて準用する。この場合において、同法第264条第2項第2号中「社員等であった者」とあるのは「評議員等（評議員、理事、監事又は清算人をいう。以下同じ。）であった者」と、「社員等、」とあるのは「評議員等、」と、同項第3号中「社員等」とあるのは「評議員等」と、同法第271条第1項中「社員」とあるのは「債権者」と読み替えるものとするほか、必要な技術的読替えは、政令で定める。

第7節　社会福祉充実計画

（社会福祉充実計画の承認）

第55条の2　社会福祉法人は、毎会計年度において、第1号に掲げる額が第2号に掲げる額を超えるときは、厚生労働省令で定めるところにより、当該会計年度の前会計年度の末日（同号において「基準日」という。）において現に行つている社会福祉事業若しくは公益事業（以下この項及び第3項第1号において「既存事業」という。）の充実又は既存事業以外の社会福祉事業若しくは公益事業（同項第1号において「新規事業」という。）の実施に関する計画（以下「社会福祉充実計画」という。）を作成し、これを所轄庁に提出して、その承認を受けなければならない。ただし、当該会計年度前の会計年度において作成した第11項に規定する承認社会福祉充実計画の実施期間中は、この限りでない。

一　当該会計年度の前会計年度に係る貸借対照表の資産の部に計上した額から負債の部に計上した額を控除して得た額

二　基準日において現に行つている事業を継続するために必要な財産の額として厚生労働省令で定めるところにより算定した額

2　前項の承認の申請は、第59条の規定による届出と同時に行わなければならない。

3　社会福祉充実計画には、次に掲げる事項を記載しなければならない。

一　既存事業（充実する部分に限る。）又は新規事業（以下この条において「社会福祉充実事業」という。）の規模及び内容

二　社会福祉充実事業を行う区域（以下この条において「事業区域」という。）

三　社会福祉充実事業の実施に要する費用の額（第5項において「事業費」という。）

四　第1項第1号に掲げる額から同項第2号に掲げる額を控除して得た額（第5項及び第9項第1号において「社会福祉充実残額」という。）

五　社会福祉充実計画の実施期間

六　その他厚生労働省令で定める事項

4　社会福祉法人は、前項第1号に掲げる事項の記載に当たつては、厚生労働省令で定めるところにより、次に掲げる事業の順にその実施について検討し、行う事業を記載しなければならない。

一　社会福祉事業又は公益事業（第2条第4項第4号に掲げる事業に限る。）

二　公益事業（第2条第4項第4号に掲げる事業を除き、日常生活又は社会生活上の支援を必要とする事業区域の住民に対し、無料又は低額な料金で、その需要に応じた福祉サービスを提供するものに限る。第6項及び第9項第3号において「地域公益事業」という。）

三　公益事業（前2号に掲げる事業を除く。）

5　社会福祉法人は、社会福祉充実計画の作成に当たつては、事業費及び社会福祉充実残額について、公認会計士、税理士その他財務に関する専門的な知識経験を有する者として厚生労働省令で定める者の意見を聴かなければならない。

6　社会福祉法人は、地域公益事業を行う社会福祉充実計画の作成に当たつては、当該地域公益事業の内容及び事業区域における需要について、当該事業区域の住民その他の関係者の意見を聴かなければならない。

7　社会福祉充実計画は、評議員会の承認を受けなければならない。

8　所轄庁は、社会福祉法人に対し、社会福祉充実計画の作成及び円滑かつ確実な実施に関し必要な助言その他の支援を行うものとする。

9　所轄庁は、第1項の承認の申請があつた場合において、当該申請に係る社会福祉充実計画が、次の各号に掲げる要件のいずれにも適合するものであると認めるときは、その承認をするものとする。

一　社会福祉充実事業として記載されている社会福祉事業又は公益事業の規模及び内容が、社会福祉充実残額に照らして適切なものであること。

二　社会福祉充実事業として社会福祉事業が記載されている場合にあつては、その規模及び内容が、当該社会福祉事業に係る事業区域における需要及び供給の見通しに照らして適切なものであること。

三　社会福祉充実事業として地域公益事業が記載されている場合にあつては、その規模及び内容が、当該地域公益事業に係る事業区域における需要に照らして適切なものであること。

四　その他厚生労働省令で定める要件に適合するものであること。

10　所轄庁は、社会福祉充実計画が前項第2号及び第3号に適合しているかどうかを調査するため必要があると認めるときは、関係地方公共団体の長に対して、資料の提供その他必要な協力を求めることができる。

11　第1項の承認を受けた社会福祉法人は、同項の承認があつた社会福祉充実計画（次条第1項の変更の承認があつたときは、その変更後のもの。同項及び第55条の4において「承認社会福祉充実計画」という。）に従つて事業を行わなければならない。

（社会福祉充実計画の変更）

第55条の3　前条第1項の承認を受けた社会福祉法人は、承認社会福祉充実計画の変更をしようとするときは、厚生労働省令で定めるところにより、あらかじめ、所轄庁の承認を受けなければならない。ただし、厚生労働省令で定める軽微な変更については、この限りでない。

2　前条第1項の承認を受けた社会福祉法人は、前項ただし書の厚生労働省令で定める軽微な変更をしたときは、厚生労働省令で定めるところにより、遅滞なく、その旨を所轄庁に届け出なければならない。

3　前条第3項から第10項までの規定は、第1項の変更の申請について準用する。

（社会福祉充実計画の終了）

第55条の4　第55条の2第1項の承認を受けた社会福祉法人は、やむを得ない事由により承認社会福祉充実計画に従つて事業を行うことが困難であるときは、厚生労働省令で定めるところにより、あらかじめ、所轄庁の承認を受けて、当該承認社会福祉充実計画を終了することができる。

第8節　助成及び監督

（監督）

第56条　所轄庁は、この法律の施行に必要な限度において、社会福祉法人に対し、その業務若しくは財産の状況に関し報告をさせ、又は当該職員に、社会福祉法人の事務所その他の施設に立ち入り、その業務若しくは財産の状況若しくは帳簿、書類その他の物件を検査させることができる。

2　前項の規定により立入検査をする職員は、その身分を示す証明書を携帯し、関係人にこれを提示しなければならない。

3　第1項の規定による立入検査の権限は、犯罪捜査のために認められたものと解してはならない。

4　所轄庁は、社会福祉法人が、法令、法令に基づいてする行政庁の処分若しくは定款に違反し、又はその運営が著しく適正を欠くと認めるときは、当該社

会福祉法人に対し、期限を定めて、その改善のために必要な措置（役員の解職を除く。）をとるべき旨を勧告することができる。

5 所轄庁は、前項の規定による勧告をした場合において、当該勧告を受けた社会福祉法人が同項の期限内にこれに従わなかつたときは、その旨を公表することができる。

6 所轄庁は、第４項の規定による勧告を受けた社会福祉法人が、正当な理由がないのに当該勧告に係る措置をとらなかつたときは、当該社会福祉法人に対し、期限を定めて、当該勧告に係る措置をとるべき旨を命ずることができる。

7 社会福祉法人が前項の命令に従わないときは、所轄庁は、当該社会福祉法人に対し、期間を定めて業務の全部若しくは一部の停止を命じ、又は役員の解職を勧告することができる。

8 所轄庁は、社会福祉法人が、法令、法令に基づいてする行政庁の処分若しくは定款に違反した場合であつて他の方法により監督の目的を達することができないとき、又は正当の事由がないのに１年以上にわたつてその目的とする事業を行わないときは、解散を命ずることができる。

9 所轄庁は、第７項の規定により役員の解職を勧告しようとする場合には、当該社会福祉法人に、所轄庁の指定した職員に対して弁明する機会を与えなければならない。この場合においては、当該社会福祉法人に対し、あらかじめ、書面をもつて、弁明をなすべき日時、場所及びその勧告をなすべき理由を通知しなければならない。

10 前項の通知を受けた社会福祉法人は、代理人を出頭させ、かつ、自己に有利な証拠を提出することができる。

11 第９項の規定による弁明を聴取した者は、聴取書及び当該勧告をする必要があるかどうかについての意見を付した報告書を作成し、これを所轄庁に提出しなければならない。

（公益事業又は収益事業の停止）

第57条 所轄庁は、第26条第１項の規定により公益事業又は収益事業を行う社会福祉法人につき、次の各号のいずれかに該当する事由があると認めるときは、当該社会福祉法人に対して、その事業の停止を命ずることができる。

一 当該社会福祉法人が定款で定められた事業以外の事業を行うこと。

二 当該社会福祉法人が当該収益事業から生じた収益を当該社会福祉法人の行う社会福祉事業及び公益事業以外の目的に使用すること。

三 当該公益事業又は収益事業の継続が当該社会福祉法人の行う社会福祉事業に支障があること。

（関係都道府県知事等の協力）

第57条の２ 関係都道府県知事等（社会福祉法人の事務所、事業所、施設その他これらに準ずるものの所在地の都道府県知事又は市町村長であつて、当該社会福祉法人の所轄庁以外の者をいう。次項において同じ。）は、当該社会福祉法人に対して適当な措置をとることが必要であると認めるときは、当該社会福祉法人の所轄庁に対し、その旨の意見を述べることができる。

2 所轄庁は、第56条第１項及び第４項から第９項まで並びに前条の事務を行うため必要があると認めるときは、関係都道府県知事等に対し、情報又は資料の提供その他必要な協力を求めることができる。

（助成等）

第58条 国又は地方公共団体は、必要があると認めるときは、厚生労働省令又は当該地方公共団体の条例で定める手続に従い、社会福祉法人に対し、補助金を支出し、又は通常の条件よりも当該社会福祉法人に有利な条件で、貸付金を支出し、若しくはその他の財産を譲り渡し、若しくは貸し付けることができる。ただし、国有財産法（昭和23年法律第73号）及び地方自治法第237条第２項の規定の適用を妨げない。

2 前項の規定により、社会福祉法人に対する助成がなされたときは、厚生労働大臣又は地方公共団体の長は、その助成の目的が有効に達せられることを確保するため、当該社会福祉法人に対して、次に掲げる権限を有する。

一 事業又は会計の状況に関し報告を徴すること。

二 助成の目的に照らして、社会福祉法人の予算が不適当であると認める場合において、その予算について必要な変更をすべき旨を勧告すること。

三 社会福祉法人の役員が法令、法令に基づいてする行政庁の処分又は定款に違反した場合において、その役員を解職すべき旨を勧告すること。

3 国又は地方公共団体は、社会福祉法人が前項の規定による措置に従わなかつたときは、交付した補助金若しくは貸付金又は譲渡し、若しくは貸し付けたその他の財産の全部又は一部の返還を命ずることができる。

4 第56条第９項から第11項までの規定は、第２項第３号の規定により解職を勧告し、又は前項の規定により補助金若しくは貸付金の全部若しくは一部の返還を命令する場合に準用する。

（所轄庁への届出）

第59条　社会福祉法人は、毎会計年度終了後3月以内に、厚生労働省令で定めるところにより、次に掲げる書類を所轄庁に届け出なければならない。

一　第45条の32第1項に規定する計算書類等

二　第45条の34第2項に規定する財産目録等

（情報の公開等）

第59条の2　社会福祉法人は、次の各号に掲げる場合の区分に応じ、遅滞なく、厚生労働省令で定めるところにより、当該各号に定める事項を公表しなければならない。

一　第31条第1項若しくは第45条の36第2項の認可を受けたとき、又は同条第4項の規定による届出をしたとき　定款の内容

二　第45条の35第2項の承認を受けたとき　当該承認を受けた報酬等の支給の基準

三　前条の規定による届出をしたとき　同条各号に掲げる書類のうち厚生労働省令で定める書類の内容

2　都道府県知事は、当該都道府県の区域内に主たる事務所を有する社会福祉法人（厚生労働大臣が所轄庁であるものを除く。）の活動の状況その他の厚生労働省令で定める事項について、調査及び分析を行い、必要な統計その他の資料を作成するものとする。この場合において、都道府県知事は、その内容を公表するよう努めるとともに、厚生労働大臣に対し、電磁的方法その他の厚生労働省令で定める方法により報告するものとする。

3　都道府県知事は、前項前段の事務を行うため必要があると認めるときは、当該都道府県の区域内に主たる事務所を有する社会福祉法人の所轄庁（市長に限る。次項において同じ。）に対し、社会福祉法人の活動の状況その他の厚生労働省令で定める事項に関する情報の提供を求めることができる。

4　所轄庁は、前項の規定による都道府県知事の求めに応じて情報を提供するときは、電磁的方法その他の厚生労働省令で定める方法によるものとする。

5　厚生労働大臣は、社会福祉法人に関する情報に係るデータベース（情報の集合物であつて、それらの情報を電子計算機を用いて検索することができるように体系的に構成したものをいう。）の整備を図り、国民にインターネットその他の高度情報通信ネットワークの利用を通じて迅速に当該情報を提供できるよう必要な施策を実施するものとする。

6　厚生労働大臣は、前項の施策を実施するため必要があると認めるときは、都道府県知事に対し、当該都道府県の区域内に主たる事務所を有する社会福祉法人の活動の状況その他の厚生労働省令で定める事項に関する情報の提供を求めることができる。

7　第4項の規定は、都道府県知事が前項の規定による厚生労働大臣の求めに応じて情報を提供する場合について準用する。

（厚生労働大臣及び都道府県知事の支援）

第59条の3　厚生労働大臣は、都道府県知事及び市長に対して、都道府県知事は、市長に対して、社会福祉法人の指導及び監督に関する事務の実施に関し必要な助言、情報の提供その他の支援を行うよう努めなければならない。

第7章　社会福祉事業

（経営主体）

第60条　社会福祉事業のうち、第一種社会福祉事業は、国、地方公共団体又は社会福祉法人が経営することを原則とする。

（事業経営の準則）

第61条　国、地方公共団体、社会福祉法人その他社会福祉事業を経営する者は、次に掲げるところに従い、それぞれの責任を明確にしなければならない。

一　国及び地方公共団体は、法律に基づくその責任を他の社会福祉事業を経営する者に転嫁し、又はこれらの者の財政的援助を求めないこと。

二　国及び地方公共団体は、他の社会福祉事業を経営する者に対し、その自主性を重んじ、不当な関与を行わないこと。

三　社会福祉事業を経営する者は、不当に国及び地方公共団体の財政的、管理的援助を仰がないこと。

2　前項第1号の規定は、国又は地方公共団体が、その経営する社会福祉事業について、福祉サービスを必要とする者を施設に入所させることその他の措置を他の社会福祉事業を経営する者に委託することを妨げるものではない。

（社会福祉施設の設置）

第62条　市町村又は社会福祉法人は、施設を設置して、第一種社会福祉事業を経営しようとするときは、その事業の開始前に、その施設（以下「社会福祉施設」という。）を設置しようとする地の都道府県知事に、次に掲げる事項を届け出なければならない。

一　施設の名称及び種類

二　設置者の氏名又は名称、住所、経歴及び資産状況

三　条例、定款その他の基本約款

四　建物その他の設備の規模及び構造

五　事業開始の予定年月日

六　施設の管理者及び実務を担当する幹部職員の氏名及び経歴

七　福祉サービスを必要とする者に対する処遇の方

法

2 国、都道府県、市町村及び社会福祉法人以外の者は、社会福祉施設を設置して、第一種社会福祉事業を経営しようとするときは、その事業の開始前に、その施設を設置しようとする地の都道府県知事の許可を受けなければならない。

3 前項の許可を受けようとする者は、第1項各号に掲げる事項のほか、次に掲げる事項を記載した申請書を当該都道府県知事に提出しなければならない。

一 当該事業を経営するための財源の調達及びその管理の方法

二 施設の管理者の資産状況

三 建物その他の設備の使用の権限

四 経理の方針

五 事業の経営者又は施設の管理者に事故があるときの処置

4 都道府県知事は、第2項の許可の申請があつたときは、第65条の規定により都道府県の条例で定める基準に適合するかどうかを審査するほか、次に掲げる基準によつて、その申請を審査しなければならない。

一 当該事業を経営するために必要な経済的基礎があること。

二 当該事業の経営者が社会的信望を有すること。

三 実務を担当する幹部職員が社会福祉事業に関する経験、熱意及び能力を有すること。

四 当該事業の経理が他の経理と分離できる等その性格が社会福祉法人に準ずるものであること。

五 脱税その他不正の目的で当該事業を経営しようとするものでないこと。

5 都道府県知事は、前項に規定する審査の結果、その申請が、同項に規定する基準に適合していると認めるときは、社会福祉施設設置の許可を与えなければならない。

6 都道府県知事は、前項の許可を与えるに当たつて、当該事業の適正な運営を確保するために必要と認める条件を付することができる。

（社会福祉施設に係る届出事項等の変更）

第63条 前条第1項の規定による届出をした者は、その届け出た事項に変更を生じたときは、変更の日から1月以内に、その旨を当該都道府県知事に届け出なければならない。

2 前条第2項の規定による許可を受けた者は、同条第1項第4号、第5号及び第7号並びに同条第3項第1号、第4号及び第5号に掲げる事項を変更しようとするときは、当該都道府県知事の許可を受けなければならない。

3 前条第4項から第6項までの規定は、前項の規定による許可の申請があつた場合に準用する。

（社会福祉施設の廃止）

第64条 第62条第1項の規定による届出をし、又は同条第2項の規定による許可を受けて、社会福祉事業を経営する者は、その事業を廃止しようとするときは、廃止の日の1月前までに、その旨を当該都道府県知事に届け出なければならない。

（社会福祉施設の基準）

第65条 都道府県は、社会福祉施設の設備の規模及び構造並びに福祉サービスの提供の方法、利用者等からの苦情への対応その他の社会福祉施設の運営について、条例で基準を定めなければならない。

2 都道府県が前項の条例を定めるに当たつては、第1号から第3号までに掲げる事項については厚生労働省令で定める基準に従い定めるものとし、第4号に掲げる事項については厚生労働省令で定める基準を標準として定めるものとし、その他の事項については厚生労働省令で定める基準を参酌するものとする。

一 社会福祉施設に配置する職員及びその員数

二 社会福祉施設に係る居室の床面積

三 社会福祉施設の運営に関する事項であつて、利用者の適切な処遇及び安全の確保並びに秘密の保持に密接に関連するものとして厚生労働省令で定めるもの

四 社会福祉施設の利用定員

3 社会福祉施設の設置者は、第1項の基準を遵守しなければならない。

（社会福祉施設の管理者）

第66条 社会福祉施設には、専任の管理者を置かなければならない。

（施設を必要としない第一種社会福祉事業の開始）

第67条 市町村又は社会福祉法人は、施設を必要としない第一種社会福祉事業を開始したときは、事業開始の日から1月以内に、事業経営地の都道府県知事に次に掲げる事項を届け出なければならない。

一 経営者の名称及び主たる事務所の所在地

二 事業の種類及び内容

三 条例、定款その他の基本約款

2 国、都道府県、市町村及び社会福祉法人以外の者は、施設を必要としない第一種社会福祉事業を経営しようとするときは、その事業の開始前に、その事業を経営しようとする地の都道府県知事の許可を受けなければならない。

3 前項の許可を受けようとする者は、第1項各号並びに第62条第3項第1号、第4号及び第5号に掲げ

る事項を記載した申請書を当該都道府県知事に提出しなければならない。

4　都道府県知事は、第2項の許可の申請があつたときは、第62条第4項各号に掲げる基準によつて、これを審査しなければならない。

5　第62条第5項及び第6項の規定は、前項の場合に準用する。

（施設を必要としない第一種社会福祉事業の変更及び廃止）

第68条　前条第1項の規定による届出をし、又は同条第2項の規定による許可を受けて社会福祉事業を経営する者は、その届け出た事項又は許可申請書に記載した事項に変更を生じたときは、変更の日から1月以内に、その旨を当該都道府県知事に届け出なければならない。その事業を廃止したときも、同様とする。

（社会福祉住居施設の設置）

第68条の2　市町村又は社会福祉法人は、住居の用に供するための施設を設置して、第二種社会福祉事業を開始したときは、事業開始の日から1月以内に、その施設（以下「社会福祉住居施設」という。）を設置した地の都道府県知事に、次に掲げる事項を届け出なければならない。

一　施設の名称及び種類

二　設置者の氏名又は名称、住所、経歴及び資産状況

三　条例、定款その他の基本約款

四　建物その他の設備の規模及び構造

五　事業開始の年月日

六　施設の管理者及び実務を担当する幹部職員の氏名及び経歴

七　福祉サービスを必要とする者に対する処遇の方法

2　国、都道府県、市町村及び社会福祉法人以外の者は、社会福祉住居施設を設置して、第二種社会福祉事業を経営しようとするときは、その事業の開始前に、その施設を設置しようとする地の都道府県知事に、前項各号に掲げる事項を届け出なければならない。

（社会福祉住居施設に係る届出事項の変更）

第68条の3　前条第1項の規定による届出をした者は、その届け出た事項に変更を生じたときは、変更の日から1月以内に、その旨を当該都道府県知事に届け出なければならない。

2　前条第2項の規定による届出をした者は、同条第1項第4号、第5号及び第7号に掲げる事項を変更しようとするときは、あらかじめ、その旨を当該都道府県知事に届け出なければならない。

3　前条第2項の規定による届出をした者は、同条第1項第1号から第3号まで及び第6号に掲げる事項を変更したときは、変更の日から1月以内に、その旨を当該都道府県知事に届け出なければならない。

（社会福祉住居施設の廃止）

第68条の4　第68条の2第1項又は第2項の規定による届出をした者は、その事業を廃止したときは、廃止の日から1月以内に、その旨を当該都道府県知事に届け出なければならない。

（社会福祉住居施設の基準）

第68条の5　都道府県は、社会福祉住居施設の設備の規模及び構造並びに福祉サービスの提供の方法、利用者等からの苦情への対応その他の社会福祉住居施設の運営について、条例で基準を定めなければならない。

2　都道府県が前項の条例を定めるに当たつては、次に掲げる事項については厚生労働省令で定める基準を標準として定めるものとし、その他の事項については厚生労働省令で定める基準を参酌するものとする。

一　社会福祉住居施設に配置する職員及びその員数

二　社会福祉住居施設に係る居室の床面積

三　社会福祉住居施設の運営に関する事項であつて、利用者の適切な処遇及び安全の確保並びに秘密の保持に密接に関連するものとして厚生労働省令で定めるもの

四　社会福祉住居施設の利用定員

3　社会福祉住居施設の設置者は、第1項の基準を遵守しなければならない。

（社会福祉住居施設の管理者）

第68条の6　第66条の規定は、社会福祉住居施設について準用する。

（住居の用に供するための施設を必要としない第二種社会福祉事業の開始等）

第69条　国及び都道府県以外の者は、住居の用に供するための施設を必要としない第二種社会福祉事業を開始したときは、事業開始の日から1月以内に、事業経営地の都道府県知事に第67条第1項各号に掲げる事項を届け出なければならない。

2　前項の規定による届出をした者は、その届け出た事項に変更を生じたときは、変更の日から1月以内に、その旨を当該都道府県知事に届け出なければならない。その事業を廃止したときも、同様とする。

（調査）

第70条　都道府県知事は、この法律の目的を達成するため、社会福祉事業を経営する者に対し、必要と認

める事項の報告を求め、又は当該職員をして、施設、帳簿、書類等を検査し、その他の事業経営の状況を調査させることができる。

（改善命令）

第71条 都道府県知事は、第62条第1項の規定による届出をし、若しくは同条第2項の規定による許可を受けて社会福祉事業を経営する者の施設又は第68条の2第1項若しくは第2項の規定による届出をして社会福祉事業を経営する者の施設が、第65条第1項又は第68条の5第1項の基準に適合しないと認められるに至つたときは、その事業を経営する者に対し、当該基準に適合するために必要な措置を採るべき旨を命ずることができる。

（許可の取消し等）

第72条 都道府県知事は、第62条第1項、第67条第1項、第68条の2第1項若しくは第2項若しくは第69条第1項の規定による届出をし、又は第62条第2項若しくは第67条第2項の規定による許可を受けて社会福祉事業を経営する者が、第62条第6項（第63条第3項及び第67条第5項において準用する場合を含む。）の規定による条件に違反し、第63条第1項若しくは第2項、第68条、第68条の3若しくは第69条第2項の規定に違反し、第70条の規定による報告の求めに応ぜず、若しくは虚偽の報告をし、同条の規定による当該職員の検査若しくは調査を拒み、妨げ、若しくは忌避し、前条の規定による命令に違反し、又はその事業に関し不当に営利を図り、若しくは福祉サービスの提供を受ける者の処遇につき不当な行為をしたときは、その者に対し、社会福祉事業を経営することを制限し、その停止を命じ、又は第62条第2項若しくは第67条第2項の許可を取り消すことができる。

2 都道府県知事は、第62条第1項、第67条第1項、第68条の2第1項若しくは第2項若しくは第69条第1項の規定による届出をし、若しくは第74条に規定する他の法律に基づく届出をし、又は第62条第2項若しくは第67条第2項の規定による許可を受け、若しくは第74条に規定する他の法律に基づく許可若しくは認可を受けて社会福祉事業を経営する者（次章において「社会福祉事業の経営者」という。）が、第77条又は第79条の規定に違反したときは、その者に対し、社会福祉事業を経営することを制限し、その停止を命じ、又は第62条第2項若しくは第67条第2項の許可若しくは第74条に規定する他の法律に基づく許可若しくは認可を取り消すことができる。

3 都道府県知事は、第62条第1項若しくは第2項、第67条第1項若しくは第2項、第68条の2第1項若

しくは第2項又は第69条第1項の規定に違反して社会福祉事業を経営する者が、その事業に関し不当に営利を図り、若しくは福祉サービスの提供を受ける者の処遇につき不当の行為をしたときは、その者に対し、社会福祉事業を経営することを制限し、又はその停止を命ずることができる。

（市の区域内で行われる隣保事業の特例）

第73条 市の区域内で行われる隣保事業について第69条、第70条及び前条の規定を適用する場合においては、第69条第1項中「及び都道府県」とあるのは「、都道府県及び市」と、「都道府県知事」とあるのは「市長」と、同条第2項、第70条及び前条中「都道府県知事」とあるのは「市長」と読み替えるものとする。

（適用除外）

第74条 第62条から第71条まで並びに第72条第1項及び第3項の規定は、他の法律によつて、その設置又は開始につき、行政庁の許可、認可又は行政庁への届出を要するものとされている施設又は事業については、適用しない。

  第8章 福祉サービスの適切な利用
   第1節 情報の提供等

（情報の提供）

第75条 社会福祉事業の経営者は、福祉サービス（社会福祉事業において提供されるものに限る。以下この節及び次節において同じ。）を利用しようとする者が、適切かつ円滑にこれを利用することができるように、その経営する社会福祉事業に関し情報の提供を行うよう努めなければならない。

2 国及び地方公共団体は、福祉サービスを利用しようとする者が必要な情報を容易に得られるように、必要な措置を講ずるよう努めなければならない。

（利用契約の申込み時の説明）

第76条 社会福祉事業の経営者は、その提供する福祉サービスの利用を希望する者からの申込みがあつた場合には、その者に対し、当該福祉サービスを利用するための契約の内容及びその履行に関する事項について説明するよう努めなければならない。

（利用契約の成立時の書面の交付）

第77条 社会福祉事業の経営者は、福祉サービスを利用するための契約（厚生労働省令で定めるものを除く。）が成立したときは、その利用者に対し、遅滞なく、次に掲げる事項を記載した書面を交付しなければならない。

一 当該社会福祉事業の経営者の名称及び主たる事務所の所在地

二 当該社会福祉事業の経営者が提供する福祉サービスの内容

三　当該福祉サービスの提供につき利用者が支払う
べき額に関する事項

四　その他厚生労働省令で定める事項

2　社会福祉事業の経営者は、前項の規定による書面
の交付に代えて、政令の定めるところにより、当該
利用者の承諾を得て、当該書面に記載すべき事項を
電磁的方法により提供することができる。この場合
において、当該社会福祉事業の経営者は、当該書面
を交付したものとみなす。

（福祉サービスの質の向上のための措置等）

第78条　社会福祉事業の経営者は、自らその提供する
福祉サービスの質の評価を行うことその他の措置を
講ずることにより、常に福祉サービスを受ける者の
立場に立つて良質かつ適切な福祉サービスを提供す
るよう努めなければならない。

2　国は、社会福祉事業の経営者が行う福祉サービス
の質の向上のための措置を援助するために、福祉
サービスの質の公正かつ適切な評価の実施に資する
ための措置を講ずるよう努めなければならない。

（誇大広告の禁止）

第79条　社会福祉事業の経営者は、その提供する福祉
サービスについて広告をするときは、広告された福
祉サービスの内容その他の厚生労働省令で定める事
項について、著しく事実に相違する表示をし、又は
実際のものよりも著しく優良であり、若しくは有利
であると人を誤認させるような表示をしてはならな
い。

第12章　雑則

（芸能、出版物等の推薦等）

第149条　社会保障審議会は、社会福祉の増進を図る
ため、芸能、出版物等を推薦し、又はそれらを製作
し、興行し、若しくは販売する者等に対し、必要な
勧告をすることができる。

（大都市等の特例）

第150条　第7章及び第8章の規定により都道府県が
処理することとされている事務のうち政令で定める
ものは、指定都市及び中核市においては、政令の定
めるところにより、指定都市又は中核市（以下「指
定都市等」という。）が処理するものとする。この
場合においては、これらの章中都道府県に関する規
定は、指定都市等に関する規定として、指定都市等
に適用があるものとする。

（事務の区分）

第151条　別表の上欄に掲げる地方公共団体がそれぞ
れ同表の下欄に掲げる規定により処理することとさ
れている事務は、地方自治法第2条第9項第1号に
規定する第1号法定受託事務とする。

（権限の委任）

第152条　この法律に規定する厚生労働大臣の権限は、
厚生労働省令で定めるところにより、地方厚生局長
に委任することができる。

2　前項の規定により地方厚生局長に委任された権限
は、厚生労働省令で定めるところにより、地方厚生
支局長に委任することができる。

（経過措置）

第153条　この法律の規定に基づき政令を制定し、又
は改廃する場合においては、その政令で、その制定
又は改廃に伴い合理的に必要と判断される範囲内に
おいて、所要の経過措置（罰則に関する経過措置を
含む。）を定めることができる。

（厚生労働省令への委任）

第154条　この法律に規定するもののほか、この法律
の実施のため必要な手続その他の事項は、厚生労働
省令で定める。

第13章　罰則

第155条　次に掲げる者が、自己若しくは第三者の利
益を図り又は社会福祉法人若しくは社会福祉連携推
進法人に損害を加える目的で、その任務に背く行為
をし、当該社会福祉法人又は社会福祉連携推進法人
に財産上の損害を加えたときは、7年以下の懲役若
しくは500万円以下の罰金に処し、又はこれを併科
する。

一　評議員、理事又は監事

二　民事保全法第56条に規定する仮処分命令により
選任された評議員、理事又は監事の職務を代行す
る者

三　第42条第2項又は第45条の6第2項（第45条の
17第3項及び第143条第1項において準用する場
合を含む。）の規定により選任された一時評議
員、理事、監事又は理事長の職務を行うべき者

2　次に掲げる者が、自己若しくは第三者の利益を図
り又は清算法人に損害を加える目的で、その任務に
背く行為をし、当該清算法人に財産上の損害を加え
たときも、前項と同様とする。

一　清算人

二　民事保全法第56条に規定する仮処分命令により
選任された清算人の職務を代行する者

三　第46条の7第3項において準用する一般社団法
人及び一般財団法人に関する法律第75条第2項の
規定により選任された一時清算人又は清算法人の
監事の職務を行うべき者

四　第46条の11第7項において準用する一般社団法
人及び一般財団法人に関する法律第79条第2項の
規定により選任された一時代表清算人の職務を行

うべき者

五　第46条の7第3項において準用する一般社団法人及び一般財団法人に関する法律第175条第2項の規定により選任された一時清算法人の評議員の職務を行うべき者

3　前2項の罪の未遂は、罰する。

第156条　次に掲げる者が、その職務に関し、不正の請託を受けて、財産上の利益を収受し、又はその要求若しくは約束をしたときは、5年以下の懲役又は500万円以下の罰金に処する。

一　前条第1項各号又は第2項各号に掲げる者

二　社会福祉法人の会計監査人又は第45条の6第3項（第143条第1項において準用する場合を含む。）の規定により選任された一時会計監査人の職務を行うべき者

2　前項の利益を供与し、又はその申込み若しくは約束をした者は、3年以下の懲役又は300万円以下の罰金に処する。

3　第1項の場合において、犯人の収受した利益は、没収する。その全部又は一部を没収することができないときは、その価額を追徴する。

第157条　第155条及び前条第1項の罪は、日本国外においてこれらの罪を犯した者にも適用する。

2　前条第2項の罪は、刑法（明治40年法律第45号）第2条の例に従う。

第158条　第156条第1項第2号に掲げる者が法人であるときは、同項の規定は、その行為をした会計監査人又は一時会計監査人の職務を行うべき者の職務を行うべき者に対して適用する。

第160条　第95条の4（第101条及び第106条において準用する場合を含む。）又は第95条の5第2項の規定に違反した者は、1年以下の懲役又は50万円以下の罰金に処する。

第161条　次の各号のいずれかに該当する場合には、当該違反行為をした者は、6月以下の懲役又は50万円以下の罰金に処する。

一　第57条に規定する停止命令に違反して引き続きその事業を行つたとき。

二　第62条第2項又は第67条第2項の規定に違反して社会福祉事業を経営したとき。

三　第72条第1項から第3項まで（これらの規定を第73条の規定により読み替えて適用する場合を含む。）に規定する制限若しくは停止の命令に違反したとき又は第72条第1項若しくは第2項の規定により許可を取り消されたにもかかわらず、引き続きその社会福祉事業を経営したとき。

第164条　法人の代表者又は法人若しくは人の代理人、

使用人その他の従業者が、その法人又は人の事業に関し、第159条第3号又は前3条の違反行為をしたときは、行為者を罰するほか、その法人又はその人に対しても各本条の罰金刑を科する。

第165条　社会福祉法人の評議員、理事、監事、会計監査人若しくはその職務を行うべき社員、清算人、民事保全法第56条に規定する仮処分命令により選任された評議員、理事、監事若しくは清算人の職務を代行する者、第155条第1項第3号に規定する一時評議員、理事、監事若しくは理事長の職務を行うべき者、同条第2項第3号に規定する一時清算人若しくは清算法人の監事の職務を行うべき者、同項第4号に規定する一時代表清算人の職務を行うべき者、同項第5号に規定する一時清算法人の評議員の職務を行うべき者若しくは第156条第1項第2号に規定する一時会計監査人の職務を行うべき者又は社会福祉連携推進法人の理事、監事、会計監査人若しくはその職務を行うべき社員、同法第56条に規定する仮処分命令により選任された理事若しくは監事の職務を代行する者、第143条第1項において準用する第45条の6第2項の規定により選任された一時理事、監事若しくは代表理事の職務を行うべき者、一般社団法人及び一般財団法人に関する法律第334条第1項第6号に規定する一時理事、監事若しくは代表理事の職務を行うべき者、第143条第1項において準用する第45条の6第3項の規定により選任された一時会計監査人の職務を行うべき者若しくは同法第337条第1項第2号に規定する一時会計監査人の職務を行うべき者は、次のいずれかに該当する場合には、20万円以下の過料に処する。ただし、その行為について刑を科すべきときは、この限りでない。

一　この法律に基づく政令の規定による登記をすることを怠つたとき。

二　第46条の12第1項、第46条の30第1項、第53条第1項、第54条の3第1項又は第54条の9第1項の規定による公告を怠り、又は不正の公告をしたとき。

三　第34条の2第2項若しくは第3項（第139条第4項において準用する場合を含む。）、第45条の11第4項、第45条の15第2項若しくは第3項、第45条の19第3項、第45条の25、第45条の32第3項若しくは第4項（第138条第1項において準用する場合を含む。）、第45条の34第3項（第138条第1項において準用する場合を含む。）、第46条の20第2項若しくは第3項、第46条の26第2項、第51条第2項、第54条第2項、第54条の4第3項、第54条の7第2項若しくは第54条の11第3項の規定又

は第45条の９第10項において準用する一般社団法人及び一般財団法人に関する法律第194条第３項の規定に違反して、正当な理由がないのに、書類若しくは電磁的記録に記録された事項を厚生労働省令で定める方法により表示したものの閲覧若しくは謄写又は書類の謄本若しくは抄本の交付、電磁的記録に記録された事項を電磁的方法により提供すること若しくはその事項を記載した書面の交付を拒んだとき。

四　第45条の36第４項又は第139条第３項の規定に違反して、届出をせず、又は虚偽の届出をしたとき。

五　定款、議事録、財産目録、会計帳簿、貸借対照表、収支計算書、事業報告、事務報告、第45条の27第２項若しくは第46条の24第１項の附属明細書、監査報告、会計監査報告、決算報告又は第51条第１項、第54条第１項、第54条の４第１項、第54条の７第１項若しくは第54条の11第１項の書面若しくは電磁的記録に記載し、若しくは記録すべき事項を記載せず、若しくは記録せず、又は虚偽の記載若しくは記録をしたとき。

六　第34条の２第１項、第45条の11第２項若しくは第３項、第45条の15第１項、第45条の32第１項若しくは第２項、第45条の34第１項（第138条第１項において準用する場合を含む。）、第46条の20第１項、第46条の26第１項、第51条第１項、第54条第１項、第54条の４第２項、第54条の７第１項若しくは第54条の11第２項の規定又は第45条の９第10項において準用する一般社団法人及び一般財団法人に関する法律第194条第２項の規定に違反して、帳簿又は書類若しくは電磁的記録を備え置かなかつたとき。

七　第46条の２第２項（第141条において準用する場合を含む。）又は第46条の12第１項の規定に違反して、破産手続開始の申立てを怠つたとき。

八　清算の結了を遅延させる目的で、第46条の30第１項の期間を不当に定めたとき。

九　第46条の31第１項の規定に違反して、債務の弁済をしたとき。

十　第46条の33の規定に違反して、清算法人の財産を引き渡したとき。

十一　第53条第３項、第54条の３第３項又は第54条の９第３項の規定に違反して、吸収合併又は新設合併をしたとき。

十二　第56条第１項（第144条において準用する場合を含む。以下この号において同じ。）の規定による報告をせず、若しくは虚偽の報告をし、又は

同項の規定による検査を拒み、妨げ、若しくは忌避したとき。

第166条　第23条、第113条第４項又は第130条第３項若しくは第４項の規定に違反した者は、10万円以下の過料に処する。

　　　附　則　抄

（施行期日）

１　この法律は、昭和26年６月１日から施行する。但し、〔中略〕附則第３項から第６項まで〔中略〕の規定は、同年４月１日から〔中略〕施行する。

（関係法律の廃止）

２　社会事業法（昭和13年法律第59号）は、廃止する。

３　社会福祉主事の設置に関する法律（昭和25年法律第182号）は、廃止する。

別　表（第151条関係）

都道府県	第31条第１項、第42条第２項、第45条の６第２項（第45条の17第３項において準用する場合を含む。）、第45条の９第５項、第45条の36第２項及び第４項、第46条第１項第６号、第２項及び第３項、第46条の６第４項及び第５項、第47条の５、第50条第３項、第54条の６第２項、第55条の２第１項、第55条の３第１項、第55条の４、第56条第１項、第４項から第８項まで及び第９項（第58条第４項において準用する場合を含む。）、第57条、第58条第２項、第59条、第114条並びに第121条
市	第31条第１項、第42条第２項、第45条の６第２項（第45条の17第３項において準用する場合を含む。）、第45条の９第５項、第45条の36第２項及び第４項、第46条第１項第６号、第２項及び第３項、第46条の６第４項及び第５項、第47条の５、第50条第３項、第54条の６第２項、第55条の２第１項、第55条の３第１項、第55条の４、第56条第１項、第４項から第８項まで及び第９項（第58条第４項において準用する場合を含む。）、第57条、第58条第２項、第59条、第114条並びに第121条
町村	第58条第２項及び同条第４項において準用する第56条第９項

〔参考1〕
●刑法等の一部を改正する法律の施行に伴う
関係法律の整理等に関する法律（抄）

〔令和4年6月17日〕
〔法律第68号〕

注　令和5年5月17日法律第28号により一部改正

第1編　関係法律の一部改正
第11章　厚生労働省関係
（社会福祉法の一部改正）

第238条　社会福祉法（昭和26年法律第45号）の一部を次のように改正する。

第40条第1項第4号〔中略〕中「禁錮」を「拘禁刑」に改める。

第155条第1項、第156条第1項及び第2項並びに第159条から第162条までの規定中「懲役」を「拘禁刑」に改める。

第2編　経過措置
第1章　通則
（罰則の適用等に関する経過措置）

第441条　刑法等の一部を改正する法律（令和4年法律第67号。以下「刑法等一部改正法」という。）及びこの法律（以下「刑法等一部改正法等」という。）の施行前にした行為の処罰については、次章に別段の定めがあるもののほか、なお従前の例による。

2　刑法等一部改正法等の施行後にした行為に対して、他の法律の規定によりなお従前の例によることとされ、なお効力を有することとされ又は改正前若しくは廃止前の法律の規定の例によることとされる罰則を適用する場合において、当該罰則に定める刑（刑法施行法第19条第1項の規定又は第82条の規定による改正後の沖縄の復帰に伴う特別措置に関する法律第25条第4項の規定の適用後のものを含む。）に刑法等一部改正法第2条の規定による改正前の刑法（明治40年法律第45号。以下この項において「旧刑法」という。）第12条に規定する懲役（以下「懲役」という。）、旧刑法第13条に規定する禁錮（以下「禁錮」という。）又は旧刑法第16条に規定する拘留（以下「旧拘留」という。）が含まれるときは、当該刑のうち無期の懲役又は禁錮はそれぞれ無期拘禁刑と、有期の懲役又は禁錮はそれぞれその刑と長期及び短期（刑法施行法第20条の規定の適用後のものを含む。）を同じくする有期拘禁刑と、旧拘留は長期及び短期（刑法施行法第20条の規定の適用後のものを含む。）を同じくする拘留とする。

（裁判の効力とその執行に関する経過措置）

第442条　懲役、禁錮及び旧拘留の確定裁判の効力並びにその執行については、次章に別段の定めがあるもののほか、なお従前の例による。

（人の資格に関する経過措置）

第443条　懲役、禁錮又は旧拘留に処せられた者に係る人の資格に関する法令の規定の適用については、無期の懲役又は禁錮に処せられた者はそれぞれ無期拘禁刑に処せられた者と、有期の懲役又は禁錮に処せられた者はそれぞれ刑期を同じくする有期拘禁刑に処せられた者と、旧拘留に処せられた者は拘留に処せられた者とみなす。

2　拘禁刑又は拘留に処せられた者に係る他の法律の規定によりなお従前の例によることとされ、なお効力を有することとされ又は改正前若しくは廃止前の法律の規定の例によることとされる人の資格に関する法令の規定の適用については、無期拘禁刑に処せられた者は無期禁錮に処せられた者と、有期拘禁刑に処せられた者は刑期を同じくする有期禁錮に処せられた者と、拘留に処せられた者は刑期を同じくする旧拘留に処せられた者とみなす。

第4章　その他
（経過措置の政令への委任）

第509条　この編に定めるもののほか、刑法等一部改正法等の施行に伴い必要な経過措置は、政令で定める。

附　則　抄
（施行期日）

1　この法律は、刑法等一部改正法施行日〔令和7年6月1日〕から施行する。ただし、次の各号に掲げる規定は、当該各号に定める日から施行する。
一　第509条の規定　公布の日

〔参考2〕
●生活困窮者自立支援法等の一部を改正する法律（抄）

〔令和6年4月24日〕
〔法律第21号〕

（社会福祉法の一部改正）

第4条　社会福祉法（昭和26年法律第45号）の一部を次のように改正する。

第68条の2に次の1項を加える。

3　市及び福祉に関する事務所を設置する町村の長は、前項の規定による届出がされていない疑いがある社会福祉住居施設を発見したときは、遅滞なく、その旨を、当該社会福祉住居施設の所在地の都道府県知事に通知するよう努めるものとする。

附　則　抄
（施行期日）

第1条　この法律は、令和7年4月1日から施行す

る。ただし、次の各号に掲げる規定は、当該各号に
定める日から施行する。
一　〔前略〕附則第3条及び第5条から第9条まで
　の規定　公布の日
（政令への委任）
第9条　この附則に規定するもののほか、この法律の
　施行に伴い必要な経過措置は、政令で定める。

〔**参考3**〕
　　●子ども・子育て支援法等の一部を改正する
　　　法律（抄）

〔令和6年6月12日〕
〔法　律　第　47　号〕

　　　附　則　抄
（施行期日）
第1条　この法律は、令和6年10月1日から施行す
　る。ただし、次の各号に掲げる規定は、当該各号に
　定める日から施行する。
一　〔前略〕附則第46条の規定　この法律の公布の
　日
四　次に掲げる規定　令和7年4月1日
　リ　附則第24条〔中略〕の規定
（社会福祉法の一部改正）
第24条　社会福祉法（昭和26年法律第45号）の一部を
　次のように改正する。
　　第2条第3項第2号中「又は親子関係形成支援事
　業」を「、親子関係形成支援事業又は乳児等通園支
　援事業」に改める。
（その他の経過措置の政令への委任）
第46条　この附則に定めるもののほか、この法律の施
　行に関し必要な経過措置（罰則に関する経過措置を
　含む。）は、政令で定める。

●社会福祉法施行令（抄）

〔昭和33年6月27日〕
〔政　令　第　185　号〕
注　令和6年1月4日政令第3号改正現在

（社会福祉事業の対象者の最低人員の特例）

第1条　社会福祉法（昭和26年法律第45号。以下「法」という。）第2条第4項第4号の政令で定める事業は、次のとおりとする。

一　生活困窮者自立支援法（平成25年法律第105号）第16条第3項に規定する認定生活困窮者就労訓練事業

二　児童福祉法（昭和22年法律第164号）第6条の3第10項に規定する小規模保育事業

三　障害者の日常生活及び社会生活を総合的に支援するための法律（平成17年法律第123号）第5条第27項に規定する地域活動支援センターを経営する事業又は同条第1項に規定する障害福祉サービス事業（同条第7項に規定する生活介護、同条第12項に規定する自立訓練、同条第13項に規定する就労移行支援又は同条第14項に規定する就労継続支援を行う事業に限る。）のうち厚生労働省令で定めるもの

（社会福祉法人の収益を充てることのできる公益事業）

第13条　法第26条第1項の政令で定める事業は、次に掲げる事業であつて社会福祉事業以外のものとする。

一　法第2条第4項第4号に掲げる事業

二　介護保険法（平成9年法律第123号）第8条第1項に規定する居宅サービス事業、同条第14項に規定する地域密着型サービス事業、同条第24項に規定する居宅介護支援事業、同法第8条の2第1項に規定する介護予防サービス事業又は同条第16項に規定する介護予防支援事業

三　介護保険法第8条第28項に規定する介護老人保健施設又は同条第29項に規定する介護医療院を経営する事業

四　社会福祉士及び介護福祉士法（昭和62年法律第30号）第7条第2号若しくは第3号又は第40条第2項第1号から第3号まで若しくは第5号に規定する都道府県知事の指定した養成施設を経営する事業

五　精神保健福祉士法（平成9年法律第131号）第7条第2号又は第3号に規定する都道府県知事の指定した養成施設を経営する事業

六　児童福祉法第18条の6第1号に規定する指定保育士養成施設を経営する事業

七　前各号に掲げる事業に準ずる事業であつて厚生労働大臣が定めるもの

（特定社会福祉法人等の基準）

第13条の3　法第37条及び第45条の13第5項の政令で定める基準を超える社会福祉法人は、次の各号のいずれかに該当する社会福祉法人とする。

一　最終会計年度（各会計年度に係る法第45条の27第2項に規定する計算書類につき法第45条の30第2項の承認（法第45条の31前段に規定する場合にあつては、法第45条の28第3項の承認）を受けた場合における当該各会計年度のうち最も遅いものをいう。以下この条において同じ。）に係る法第45条の30第2項の承認を受けた収支計算書（法第45条の31前段に規定する場合にあつては、同条の規定により定時評議員会に報告された収支計算書）に基づいて最終会計年度における社会福祉事業並びに法第26条第1項に規定する公益事業及び同項に規定する収益事業による経常的な収益の額として厚生労働省令で定めるところにより計算した額が30億円を超えること。

二　最終会計年度に係る法第45条の30第2項の承認を受けた貸借対照表（法第45条の31前段に規定する場合にあつては、同条の規定により定時評議員会に報告された貸借対照表とし、社会福祉法人の成立後最初の定時評議員会までの間においては、法第45条の27第1項の貸借対照表とする。）の負債の部に計上した額の合計額が60億円を超えること。

（社会福祉法人に関する読替え）

第13条の4　法第43条第3項（法第46条の21の規定により適用する場合を含む。）において社会福祉法人について一般社団法人及び一般財団法人に関する法律（平成18年法律第48号）第74条第3項及び第4項の規定を準用する場合においては、同条第3項中「第38条第1項第1号」とあるのは「社会福祉法（昭和26年法律第45号）第45条の9第10項において準用する第181条第1項第1号」と、同条第4項中「第71条第1項」とあるのは「社会福祉法第45条の5第1項」と読み替えるものとする。

（評議員に関する読替え）

第13条の5　法第45条の8第4項（法第46条の21の規定により適用する場合を含む。）において評議員について一般社団法人及び一般財団法人に関する法律第186条第1項の規定を準用する場合においては、同項中「第182条第1項」とあるのは、「社会福祉法（昭和26年法律第45号）第45条の9第10項において準用する第182条第1項」と読み替えるものとする。

（評議員会の招集に関する読替え）

第13条の7　法第45条の9第10項（法第46条の21の規定により適用する場合を含む。）において評議員会の招集について一般社団法人及び一般財団法人に関する法律第181条第2項並びに第182条第1項及び第2項の規定を準用する場合においては、同法第181条第2項中「前条第2項」とあるのは「社会福祉法（昭和26年法律第45号）第45条の9第5項」と、同法第182条第1項中「第180条第2項」とあるのは「社会福祉法第45条の9第5項」と、同条第2項中「電磁的方法」とあるのは「電磁的方法（社会福祉法第34条の2第2項第4号に規定する電磁的方法をいう。）」と読み替えるものとする。

（評議員会の決議の不存在若しくは無効の確認又は取消しの訴えに関する読替え）

第13条の8　法第45条の12において評議員会の決議の不存在若しくは無効の確認又は取消しの訴えについて一般社団法人及び一般財団法人に関する法律第266条第1項の規定を準用する場合においては、同項中「第75条第1項（第177条及び第210条第4項において準用する場合を含む。）又は」とあるのは、「社会福祉法（昭和26年法律第45号）第42条第1項若しくは第45条の6第1項又は同法第46条の7第3項において準用する第75条第1項若しくは」と読み替えるものとする。

（理事会への報告に関する読替え）

第13条の9　法第45条の14第9項において理事会への報告について一般社団法人及び一般財団法人に関する法律第98条第2項の規定を準用する場合においては、同項中「第91条第2項」とあるのは、「社会福祉法（昭和26年法律第45号）第45条の16第3項」と読み替えるものとする。

（監事に関する読替え）

第13条の10　法第45条の18第3項において監事について一般社団法人及び一般財団法人に関する法律第101条第2項及び第104条第1項の規定を準用する場合においては、同法第101条第2項中「第93条第1項ただし書」とあるのは「社会福祉法（昭和26年法律第45号）第45条の14第1項ただし書」と、「招集権者」とあるのは「同項ただし書の規定により定め

られた理事」と、同法第104条第1項中「第77条第4項及び第81条」とあるのは「社会福祉法第45条の17第1項」と読み替えるものとする。

（会計監査人に関する読替え）

第13条の11　法第45条の19第6項において会計監査人について一般社団法人及び一般財団法人に関する法律第109条第1項の規定を準用する場合においては、同項中「第107条第1項」とあるのは、「社会福祉法（昭和26年法律第45号）第45条の19第1項」と読み替えるものとする。

（役員等又は評議員の損害賠償責任等に関する読替え）

第13条の12　法第45条の22の2において役員等又は評議員の損害賠償責任等について一般社団法人及び一般財団法人に関する法律第115条第4項第3号、第116条第1項、第118条の2第2項第2号及び第5項並びに第118条の3第2項の規定を準用する場合においては、同法第115条第4項第3号中「第111条第1項」とあるのは「社会福祉法（昭和26年法律第45号）第45条の20第1項」と、同法第116条第1項中「第84条第1項第2号」とあるのは「社会福祉法第45条の16第4項において準用する第84条第1項第2号」と、同法第118条の2第2項第2号中「第111条第1項」とあるのは「社会福祉法第45条の20第1項」と、同条第5項中「第84条第1項、第92条第2項、第111条第3項及び第116条第1項」とあるのは「社会福祉法第45条の16第4項において読み替えて準用する第84条第1項、同法第45条の16第4項において準用する第92条第2項、同法第45条の20第3項及び同法第45条の22の2において準用する第116条第1項」と、同法第118条の3第2項中「第84条第1項、第92条第2項及び第111条第3項」とあるのは「社会福祉法第45条の16第4項において読み替えて準用する第84条第1項、同法第45条の16第4項において準用する第92条第2項及び同法第45条の20第3項」と読み替えるものとする。

（清算人に関する読替え）

第13条の13　法第46条の10第4項において清算人について一般社団法人及び一般財団法人に関する法律第81条、第85条及び第88条第2項の規定を準用する場合においては、同法第81条中「第77条第4項」とあるのは「社会福祉法（昭和26年法律第45号）第46条の11第7項において準用する第77条第4項」と、同法第85条中「監事設置一般社団法人」とあるのは「監事設置清算法人（社会福祉法第46条の11第6項に規定する監事設置清算法人をいう。第88条第2項において同じ。）」と、同法第88条第2項中「監事設

置一般社団法人」とあるのは「監事設置清算法人」
と読み替えるものとする。

（清算人の清算法人に対する損害賠償責任に関する読
替え）

第13条の14 法第46条の14第4項において清算人の法
第46条の4に規定する清算法人（第13条の17におい
て「清算法人」という。）に対する損害賠償責任に
ついて一般社団法人及び一般財団法人に関する法律
第116条第1項の規定を準用する場合においては、
同項中「第84条第1項第2号」とあるのは、「社会
福祉法（昭和26年法律第45号）第46条の10第4項に
おいて準用する第84条第1項第2号」と読み替える
ものとする。

（清算人会設置法人に関する読替え）

第13条の15 法第46条の17第10項において法第46条の
6第7項に規定する清算人会設置法人（次条におい
て「清算人会設置法人」という。）について一般社
団法人及び一般財団法人に関する法律第92条の規定
を準用する場合においては、同条の見出し中「理事
会設置一般社団法人」とあるのは「清算人会設置法
人」と、同条第1項中「理事会設置一般社団法人」
とあるのは「清算人会設置法人（社会福祉法（昭和
26年法律第45号）第46条の6第7項に規定する清算
人会設置法人をいう。次項において同じ。）」と、
「第84条」とあるのは「同法第46条の10第4項にお
いて準用する第84条」と、同条第2項中「理事会設
置一般社団法人」とあるのは「清算人会設置法人」
と、「第84条第1項各号」とあるのは「社会福祉法
第46条の10第4項において準用する第84条第1項各
号」と読み替えるものとする。

（清算人会の運営に関する読替え）

第13条の16 法第46条の18第5項において清算人会設
置法人における清算人会の決議について一般社団法
人及び一般財団法人に関する法律第96条の規定を準
用する場合においては、同条中「理事会設置一般社
団法人」とあるのは、「清算人会設置法人（社会福
祉法（昭和26年法律第45号）第46条の6第7項に規
定する清算人会設置法人をいう。）」と読み替えるも
のとする。

2 法第46条の18第6項において清算人会設置法人に
おける清算人会への報告について一般社団法人及び
一般財団法人に関する法律第98条第2項の規定を準
用する場合においては、同項中「第91条第2項」と
あるのは、「社会福祉法第46条の17第9項」と読み
替えるものとする。

（清算人又は清算人会に関する読替え）

第13条の17 法第46条の21の規定により清算人又は清

算人会について法第45条の18第3項の規定を適用す
る場合においては、同項中「第102条」とあるのは「第
100条中「理事会設置一般社団法人」とあるのは「清
算人会設置法人（社会福祉法（昭和26年法律第45号）
第46条の6第7項に規定する清算人会設置法人をい
う。）」と、同法第101条第2項中「第93条第1項た
だし書」とあるのは「社会福祉法第46条の18第1項
ただし書」と、「招集権者」とあるのは「同項ただ
し書の規定により定められた清算人」と、同法第
102条」と、「第105条中「監事設置一般社団法人の」
項中「理事会設置一般社団法人の」とあるのは「監事
設置清算法人（社会福祉法第46条の11第6項に規定
する監事設置清算法人をいう。以下この項及び第
106条において同じ。）の」と、「監事設置一般社団
法人に」とあるのは「監事設置清算法人に」と、同
法第105条中」と、「読み替えるものとするほか、必
要な技術的読替えは、政令で定める」とあるのは「、
同法第106条中「監事設置一般社団法人」とあるの
は「監事設置清算法人」と読み替えるものとする」
とする。

（社会福祉法人の解散及び清算に関する読替え）

第13条の18 法第47条の7において社会福祉法人の解
散及び清算について一般社団法人及び一般財団法人
に関する法律第289条第2号及び第293条第1号の規
定を準用する場合においては、同法第289条第2号
中「第75条第2項（第177条において準用する場合
を含む。）、第79条第2項（第197条において準用す
る場合を含む。）若しくは第175条第2項の規定によ
り選任された一時理事、監事、代表理事若しくは評
議員の職務を行うべき者、清算人、第210条第4項」
とあるのは「清算人、社会福祉法（昭和26年法律第
45号）第46条の7第3項」と、「若しくは第214条第
7項において準用する第79条第2項の規定」とある
のは「の規定」と、「代表清算人」とあるのは「監
事の職務を行うべき者、同法第46条の7第3項にお
いて準用する第175条第2項の規定により選任され
た一時評議員の職務を行うべき者、同法第46条の11
第7項において準用する第79条第2項の規定により
選任された一時代表清算人」と、「、検査役又は第
262条第2項の管理人」とあるのは「又は検査役」と、
同法第293条第1号中「第289条第2号に規定する一
時理事、監事、代表理事若しくは評議員の職務を行
うべき者、清算人」とあるのは「清算人」と、「同号」
とあるのは「社会福祉法第47条の7において準用す
る第289条第2号」と、「若しくは代表清算人」とあ
るのは「、監事、評議員若しくは代表清算人」と、
「第235条第1項」とあるのは「同法第46条の32第

１項」と、「第241条第２項」とあるのは「同法第47
条の３第２項」と読み替えるものとする。
（社会福祉法人の合併の無効の訴えに関する読替え）
第13条の19　法第55条において社会福祉法人の合併の
無効の訴えについて一般社団法人及び一般財団法人
に関する法律第264条第２項第２号及び第３号、第
269条第２号及び第３号並びに第275条第１項第１号
及び第２号の規定を準用する場合においては、同法
第264条第２項第２号中「吸収合併存続法人」とあ
るのは「吸収合併存続社会福祉法人（社会福祉法
（昭和26年法律第45号）第49条に規定する吸収合併
存続社会福祉法人をいう。第269条第２号及び第275
条第１項第１号において同じ。）」と、同項第３号中
「新設合併設立法人」とあるのは「新設合併設立社
会福祉法人（社会福祉法第54条の５第２号に規定す
る新設合併設立社会福祉法人をいう。第269条第３
号及び第275条第１項第２号において同じ。）」と、
同法第269条第２号中「吸収合併存続法人」とある
のは「吸収合併存続社会福祉法人」と、同条第３号

中「新設合併設立法人」とあるのは「新設合併設立
社会福祉法人」と、同法第275条第１項第１号中
「吸収合併存続法人」とあるのは「吸収合併存続社
会福祉法人」と、同項第２号中「新設合併設立法
人」とあるのは「新設合併設立社会福祉法人」と読
み替えるものとする。
（大都市等の特例）
第36条　地方自治法（昭和22年法律第67号）第252条
の19第１項の指定都市（以下「指定都市」という。）
において、法第150条の規定により、指定都市が処
理する事務については、地方自治法施行令（昭和22
年政令第16号）第174条の30の２第１項及び第２項
に定めるところによる。
2　地方自治法第252条の22第１項の中核市（以下「中
核市」という。）において、法第126条の規定により、
中核市が処理する事務については、地方自治法施行
令第174条の49の７第１項及び第２項に定めるとこ
ろによる。

●社会福祉法施行規則（抄）

〔昭和26年6月21日〕
〔厚生省令第28号〕

注　令和6年1月25日厚生労働省令第18号改正現在

（法第30条第2項に規定する厚生労働省令で定めるもの）

第1条の4　法〔社会福祉法（昭和26年法律第45号）〕第30条第2項に規定する厚生労働省令で定めるものは、次のとおりとする。

一　全国を単位として行われる事業

二　地域を限定しないで行われる事業

三　法令の規定に基づき指定を受けて行われる事業

四　前各号に類する事業

（設立認可申請手続）

第2条　法第31条の規定により、社会福祉法人を設立しようとする者は、次に掲げる事項を記載した申請書及び定款を所轄庁に提出しなければならない。

一　設立者又は設立代表者の氏名及び住所

二　社会福祉法人の名称及び主たる事務所の所在地

三　設立の趣意

四　評議員となるべき者及び役員（法第31条第1項第6号に規定する役員をいう。以下同じ。）となるべき者の氏名

五　評議員となるべき者のうちに、他の各評議員となるべき者について、第2条の7第6号に規定する者（同号括弧書に規定する割合が3分の1を超えない場合に限る。）、同条第7号に規定する者（同号括弧書に規定する半数を超えない場合に限る。）又は同条第8号に規定する者（同号括弧書に規定する割合が3分の1を超えない場合に限る。）がいるときは、当該他の各評議員の氏名及び当該他の各評議員との関係を説明する事項

六　評議員となるべき者のうちに、他の各役員となるべき者について、第2条の8第6号に規定する者（同号括弧書に規定する割合が3分の1を超えない場合に限る。）又は同条第7号に規定する者（同号括弧書に規定する半数を超えない場合に限る。）がいるときは、当該他の各役員の氏名及び当該他の各役員との関係を説明する事項

七　理事となるべき者のうちに、他の各理事となるべき者について、第2条の10各号に規定する者（第6号又は第7号に規定する者については、これらの号に規定する割合が3分の1を超えない場合に限る。）がいるときは、当該他の各理事の氏名及び当該他の各理事との関係を説明する事項

八　監事となるべき者のうちに、他の各役員となるべき者について、第2条の11第6号に規定する者（同号括弧書に規定する割合が3分の1を超えない場合に限る。）、同条第7号に規定する者（同号括弧書に規定する割合が3分の1を超えない場合に限る。）、同条第8号に規定する者（同号括弧書に規定する半数を超えない場合に限る。）又は同条第9号に規定する者（同号括弧書に規定する割合が3分の1を超えない場合に限る。）がいるときは、当該他の各役員の氏名及び当該他の各役員との関係を説明する事項

2　前項の申請書には、次に掲げる書類を添付しなければならない。

一　設立当初において当該社会福祉法人に帰属すべき財産の財産目録及び当該財産が当該社会福祉法人に確実に帰属することを明らかにすることができる書類

二　当該社会福祉法人がその事業を行うため前号の財産目録に記載された不動産以外の不動産の使用を予定しているときは、その使用の権限が当該社会福祉法人に確実に帰属することを明らかにすることができる書類

三　設立当初の会計年度及び次の会計年度における事業計画書及びこれに伴う収支予算書

四　設立者の履歴書

五　設立代表者を定めたときは、その権限を証明する書類

六　評議員となるべき者及び役員となるべき者の履歴書及び就任承諾書

3　所轄庁は、前2項に規定するもののほか、不動産の価格評価書その他必要な書類の提出を求めることができる。

4　社会福祉法人は、その設立の認可を受けたときは、遅滞なく財産目録記載の財産の移転を受けて、その移転を終了した後1月以内にこれを証明する書類を添付して所轄庁に報告しなければならない。

5　第1項の認可申請書類には、副本1通を添付しな

ければならない。

（最終会計年度における事業活動に係る収益の額の算定方法）

第2条の6　令第13条の3第1号に規定する収益の額として厚生労働省令で定めるところにより計算した額は、社会福祉法人会計基準（平成28年厚生労働省令第79号）第7条の2第1項第2号ロ(1)に規定する法人単位事業活動計算書の当年度決算(A)の項サービス活動収益計(1)欄に計上した額とする。

（職務を適正に執行することができない者）

第2条の6の2　法第40条第1項第2号（法第44条第1項、第46条の6第6項及び第115条第2項において準用する場合を含む。）に規定する厚生労働省令で定めるものは、精神の機能の障害により職務を適正に執行するに当たつて必要な認知、判断及び意思疎通を適切に行うことができない者とする。

（評議員のうちの各評議員と特殊の関係がある者）

第2条の7　法第40条第4項に規定する各評議員と厚生労働省令で定める特殊の関係がある者は、次に掲げる者とする。

一　当該評議員と婚姻の届出をしていないが事実上婚姻関係と同様の事情にある者

二　当該評議員の使用人

三　当該評議員から受ける金銭その他の財産によつて生計を維持している者

四　前2号に掲げる者の配偶者

五　第1号から第3号までに掲げる者の3親等以内の親族であつて、これらの者と生計を一にするもの

六　当該評議員が役員（法人でない団体で代表者又は管理人の定めのあるものにあつては、その代表者又は管理人。以下この号及び次号において同じ。）若しくは業務を執行する社員である他の同一の団体（社会福祉法人を除く。）の役員、業務を執行する社員又は職員（当該評議員及び当該他の同一の団体の役員、業務を執行する社員又は職員である当該社会福祉法人の評議員の合計数の当該社会福祉法人の評議員の総数のうちに占める割合が、3分の1を超える場合に限る。）

七　他の社会福祉法人の役員又は職員（当該他の社会福祉法人の評議員となつている当該社会福祉法人の評議員及び役員の合計数が、当該他の社会福祉法人の評議員の総数の半数を超える場合に限る。）

八　次に掲げる団体の職員のうち国会議員又は地方公共団体の議会の議員でない者（当該団体の職員

（国会議員又は地方公共団体の議会の議員である者を除く。）である当該社会福祉法人の評議員の総数の当該社会福祉法人の評議員の総数のうちに占める割合が、3分の1を超える場合に限る。）

イ　国の機関

ロ　地方公共団体

ハ　独立行政法人通則法（平成11年法律第103号）第2条第1項に規定する独立行政法人

ニ　国立大学法人法（平成15年法律第112号）第2条第1項に規定する国立大学法人又は同条第3項に規定する大学共同利用機関法人

ホ　地方独立行政法人法（平成15年法律第118号）第2条第1項に規定する地方独立行政法人

ヘ　特殊法人（特別の法律により特別の設立行為をもつて設立された法人であつて、総務省設置法（平成11年法律第91号）第4条第1項第9号の規定の適用を受けるものをいう。）又は認可法人（特別の法律により設立され、かつ、その設立に関し行政官庁の認可を要する法人をいう。）

（評議員のうちの各役員と特殊の関係がある者）

第2条の8　法第40条第5項に規定する各役員と厚生労働省令で定める特殊の関係がある者は、次に掲げる者とする。

一　当該役員と婚姻の届出をしていないが事実上婚姻関係と同様の事情にある者

二　当該役員の使用人

三　当該役員から受ける金銭その他の財産によつて生計を維持している者

四　前2号に掲げる者の配偶者

五　第1号から第3号までに掲げる者の3親等以内の親族であつて、これらの者と生計を一にするもの

六　当該役員が役員（法人でない団体で代表者又は管理人の定めのあるものにあつては、その代表者又は管理人。以下この号及び次号において同じ。）若しくは業務を執行する社員である他の同一の団体（社会福祉法人を除く。）の役員、業務を執行する社員又は職員（当該他の同一の団体の役員、業務を執行する社員又は職員である当該社会福祉法人の評議員の総数の当該社会福祉法人の評議員の総数のうちに占める割合が、3分の1を超える場合に限る。）

七　他の社会福祉法人の役員又は職員（当該他の社会福祉法人の評議員となつている当該社会福祉法人の評議員及び役員の合計数が、当該他の社会福

祉法人の評議員の総数の半数を超える場合に限る。）

（補欠の役員の選任）

第2条の9 法第43条第2項の規定による補欠の役員の選任については、この条の定めるところによる。

2 法第43条第2項の規定により補欠の役員を選任する場合には、次に掲げる事項も併せて決定しなければならない。

一 当該候補者が補欠の役員である旨

二 当該候補者を1人又は2人以上の特定の役員の補欠の役員として選任するときは、その旨及び当該特定の役員の氏名

三 同一の役員（2人以上の役員の補欠として選任した場合にあつては、当該2人以上の役員）につき2人以上の補欠の役員を選任するときは、当該補欠の役員相互間の優先順位

四 補欠の役員について、就任前にその選任の取消しを行う場合があるときは、その旨及び取消しを行うための手続

3 補欠の役員の選任に係る決議が効力を有する期間は、定款に別段の定めがある場合を除き、当該決議後最初に開催する定時評議員会の開始の時までとする。ただし、評議員会の決議によつてその期間を短縮することを妨げない。

（理事のうちの各理事と特殊の関係がある者）

第2条の10 法第44条第6項に規定する各理事と厚生労働省令で定める特殊の関係がある者は、次に掲げる者とする。

一 当該理事と婚姻の届出をしていないが事実上婚姻関係と同様の事情にある者

二 当該理事の使用人

三 当該理事から受ける金銭その他の財産によつて生計を維持している者

四 前2号に掲げる者の配偶者

五 第1号から第3号までに掲げる者の3親等以内の親族であつて、これらの者と生計を一にするもの

六 当該理事が役員（法人でない団体で代表者又は管理人の定めのあるものにあつては、その代表者又は管理人。以下この号において同じ。）若しくは業務を執行する社員である他の同一の団体（社会福祉法人を除く。）の役員、業務を執行する社員又は職員（当該他の同一の団体の役員、業務を執行する社員又は職員である当該社会福祉法人の理事の総数の当該社会福祉法人の理事の総数のうちに占める割合が、3分の1を超える場合に限

る。）

七 第2条の7第8号に掲げる団体の職員のうち国会議員又は地方公共団体の議会の議員でない者（当該団体の職員（国会議員又は地方公共団体の議会の議員である者を除く。）である当該社会福祉法人の理事の総数の当該社会福祉法人の理事の総数のうちに占める割合が、3分の1を超える場合に限る。）

（監事のうちの各役員と特殊の関係がある者）

第2条の11 法第44条第7項に規定する各役員と厚生労働省令で定める特殊の関係がある者は、次に掲げる者とする。

一 当該役員と婚姻の届出をしていないが事実上婚姻関係と同様の事情にある者

二 当該役員の使用人

三 当該役員から受ける金銭その他の財産によつて生計を維持している者

四 前2号に掲げる者の配偶者

五 第1号から第3号までに掲げる者の3親等以内の親族であつて、これらの者と生計を一にするもの

六 当該理事が役員（法人でない団体で代表者又は管理人の定めのあるものにあつては、その代表者又は管理人。以下この号及び次号において同じ。）若しくは業務を執行する社員である他の同一の団体（社会福祉法人を除く。）の役員、業務を執行する社員又は職員（当該他の同一の団体の役員、業務を執行する社員又は職員である当該社会福祉法人の監事の総数の当該社会福祉法人の監事の総数のうちに占める割合が、3分の1を超える場合に限る。）

七 当該監事が役員若しくは業務を執行する社員である他の同一の団体（社会福祉法人を除く。）の役員、業務を執行する社員又は職員（当該監事及び当該他の同一の団体の役員、業務を執行する社員又は職員である当該社会福祉法人の監事の合計数の当該社会福祉法人の監事の総数のうちに占める割合が、3分の1を超える場合に限る。）

八 他の社会福祉法人の理事又は職員（当該他の社会福祉法人の評議員となつている当該社会福祉法人の評議員及び役員の合計数が、当該他の社会福祉法人の評議員の総数の半数を超える場合に限る。）

九 第2条の7第8号に掲げる団体の職員のうち国会議員又は地方公共団体の議会の議員でない者（当該団体の職員（国会議員又は地方公共団体の

議会の議員である者を除く。）である当該社会福祉法人の監事の総数の当該社会福祉法人の監事の総数のうちに占める割合が、3分の1を超える場合に限る。）

（招集の決定事項）

第2条の12　法第45条の9第10項において準用する一般社団法人及び一般財団法人に関する法律第181条第1項第3号に規定する厚生労働省令で定める事項は、評議員会の目的である事項に係る議案（当該目的である事項が議案となるものを除く。）の概要（議案が確定していない場合にあつては、その旨）とする。

（理事等の説明義務）

第2条の14　法第45条の10に規定する厚生労働省令で定める場合は、次に掲げる場合とする。

一　評議員が説明を求めた事項について説明をするために調査をすることが必要である場合（次に掲げる場合を除く。）

　イ　当該評議員が評議員会の日より相当の期間前に当該事項を社会福祉法人に対して通知した場合

　ロ　当該事項について説明をするために必要な調査が著しく容易である場合

二　評議員が説明を求めた事項について説明をすることにより社会福祉法人その他の者（当該評議員を除く。）の権利を侵害することとなる場合

三　評議員が当該評議員会において実質的に同一の事項について繰り返して説明を求める場合

四　前3号に掲げる場合のほか、評議員が説明を求めた事項について説明をしないことにつき正当な理由がある場合

（評議員会の議事録）

第2条の15　法第45条の11第1項の規定による評議員会の議事録の作成については、この条の定めるところによる。

2　評議員会の議事録は、書面又は電磁的記録をもつて作成しなければならない。

3　評議員会の議事録は、次に掲げる事項を内容とするものでなければならない。

一　評議員会が開催された日時及び場所（当該場所に存しない評議員、理事、監事又は会計監査人が評議員会に出席した場合における当該出席の方法を含む。）

二　評議員会の議事の経過の要領及びその結果

三　決議を要する事項について特別の利害関係を有する評議員があるときは、当該評議員の氏名

四　次に掲げる規定により評議員会において述べられた意見又は発言があるときは、その意見又は発言の内容の概要

　イ　法第43条第3項において準用する一般社団法人及び一般財団法人に関する法律第74条第1項（法第43条第3項において準用する一般社団法人及び一般財団法人に関する法律第74条第4項において準用する場合を含む。）

　ロ　法第43条第3項において準用する一般社団法人及び一般財団法人に関する法律第74条第2項（法第43条第3項において準用する一般社団法人及び一般財団法人に関する法律第74条第4項において準用する場合を含む。）

　ハ　法第45条の18第3項において準用する一般社団法人及び一般財団法人に関する法律第102条

　ニ　法第45条の18第3項において準用する一般社団法人及び一般財団法人に関する法律第105条第3項

　ホ　法第45条の19第6項において準用する一般社団法人及び一般財団法人に関する法律第109条第1項

　ヘ　法第45条の19第6項において準用する一般社団法人及び一般財団法人に関する法律第109条第2項

五　評議員会に出席した評議員、理事、監事又は会計監査人の氏名又は名称

六　評議員会の議長が存するときは、議長の氏名

七　議事録の作成に係る職務を行つた者の氏名

4　次の各号に掲げる場合には、評議員会の議事録は、当該各号に定める事項を内容とするものとする。

一　法第45条の9第10項において準用する一般社団法人及び一般財団法人に関する法律第194条第1項の規定により評議員会の決議があつたものとみなされた場合　次に掲げる事項

　イ　評議員会の決議があつたものとみなされた事項の内容

　ロ　イの事項の提案をした者の氏名

　ハ　評議員会の決議があつたものとみなされた日

　ニ　議事録の作成に係る職務を行つた者の氏名

二　法第45条の9第10項において準用する一般社団法人及び一般財団法人に関する法律第195条の規定により評議員会への報告があつたものとみなされた場合　次に掲げる事項

　イ　評議員会への報告があつたものとみなされた事項の内容

ロ　評議員会への報告があつたものとみなされた
　　日

ハ　議事録の作成に係る職務を行つた者の氏名

（社会福祉法人の業務の適正を確保するための体制）

第2条の16　法第45条の13第4項第5号に規定する厚
生労働省令で定める体制は、次に掲げる体制とす
る。

一　理事の職務の執行に係る情報の保存及び管理に
　　関する体制

二　損失の危険の管理に関する規程その他の体制

三　理事の職務の執行が効率的に行われることを確
　　保するための体制

四　職員の職務の執行が法令及び定款に適合するこ
　　とを確保するための体制

五　監事がその職務を補助すべき職員を置くことを
　　求めた場合における当該職員に関する事項

六　前号の職員の理事からの独立性に関する事項

七　監事の第5号の職員に対する指示の実効性の確
　　保に関する事項

八　理事及び職員が監事に報告をするための体制そ
　　の他の監事への報告に関する体制

九　前号の報告をした者が当該報告をしたことを理
　　由として不利な取扱いを受けないことを確保する
　　ための体制

十　監事の職務の執行について生ずる費用の前払又
　　は償還の手続その他の当該職務の執行について生
　　ずる費用又は債務の処理に係る方針に関する事項

十一　その他監事の監査が実効的に行われることを
　　　確保するための体制

（理事会の議事録）

第2条の17　法第45条の14第6項の規定による理事会
の議事録の作成については、この条の定めるところ
による。

2　理事会の議事録は、書面又は電磁的記録をもつて
作成しなければならない。

3　理事会の議事録は、次に掲げる事項を内容とする
ものでなければならない。

一　理事会が開催された日時及び場所（当該場所に
　　存しない理事、監事又は会計監査人が理事会に出
　　席した場合における当該出席の方法を含む。）

二　理事会が次に掲げるいずれかのものに該当する
　　ときは、その旨

イ　法第45条の14第2項の規定による理事の請求
　　を受けて招集されたもの

ロ　法第45条の14第3項の規定により理事が招集
　　したもの

ハ　法第45条の18第3項において準用する一般社

団法人及び一般財団法人に関する法律第101条
第2項の規定による監事の請求を受けて招集さ
れたもの

二　法第45条の18第3項において準用する一般社
　　団法人及び一般財団法人に関する法律第101条
　　第3項の規定により監事が招集したもの

三　理事会の議事の経過の要領及びその結果

四　決議を要する事項について特別の利害関係を有
　　する理事があるときは、当該理事の氏名

五　次に掲げる規定により理事会において述べられ
　　た意見又は発言があるときは、その意見又は発言
　　の内容の概要

イ　法第45条の16第4項において準用する一般社
　　団法人及び一般財団法人に関する法律第92条第
　　2項

ロ　法第45条の18第3項において準用する一般社
　　団法人及び一般財団法人に関する法律第100条

ハ　法第45条の18第3項において準用する一般社
　　団法人及び一般財団法人に関する法律第101条
　　第1項

二　法第45条の22の2において準用する一般社団
　　法人及び一般財団法人に関する法律第118条の
　　2第4項

六　法第45条の14第6項の定款の定めがあるとき
　　は、理事長以外の理事であつて、理事会に出席し
　　たものの氏名

七　理事会に出席した会計監査人の氏名又は名称

八　理事会の議長が存するときは、議長の氏名

4　次の各号に掲げる場合には、理事会の議事録は、
当該各号に定める事項を内容とするものとする。

一　法第45条の14第9項において準用する一般社団
　　法人及び一般財団法人に関する法律第96条の規定
　　により理事会の決議があつたものとみなされた場
　　合　次に掲げる事項

イ　理事会の決議があつたものとみなされた事項
　　の内容

ロ　イの事項の提案をした理事の氏名

ハ　理事会の決議があつたものとみなされた日

二　議事録の作成に係る職務を行つた理事の氏名

二　法第45条の14第9項において準用する一般社団
　　法人及び一般財団法人に関する法律第98条第1項
　　の規定により理事会への報告を要しないものとさ
　　れた場合　次に掲げる事項

イ　理事会への報告を要しないものとされた事項
　　の内容

ロ　理事会への報告を要しないものとされた日

ハ　議事録の作成に係る職務を行つた理事の氏名

（電子署名）

第2条の18　次に掲げる規定に規定する厚生労働省令で定める署名又は記名押印に代わる措置は、電子署名とする。

一　法第45条の14第7項

二　法第46条の18第5項において準用する一般社団法人及び一般財団法人に関する法律第95条第4項

2　前項に規定する「電子署名」とは、電磁的記録に記録することができる情報について行われる措置であつて、次の要件のいずれにも該当するものをいう。

一　当該情報が当該措置を行つた者の作成に係るものであることを示すためのものであること。

二　当該情報について改変が行われていないかどうかを確認することができるものであること。

（監査報告の作成）

第2条の19　法第45条の18第1項の規定による監査報告の作成については、この条の定めるところによる。

2　監事は、その職務を適切に遂行するため、次に掲げる者との意思疎通を図り、情報の収集及び監査の環境の整備に努めなければならない。この場合において、理事又は理事会は、監事の職務の執行のための必要な体制の整備に留意しなければならない。

一　当該社会福祉法人の理事及び職員

二　その他監事が適切に職務を遂行するに当たり意思疎通を図るべき者

3　前項の規定は、監事が公正不偏の態度及び独立の立場を保持することができなくなるおそれのある関係の創設及び維持を認めるものと解してはならない。

4　監事は、その職務の遂行に当たり、必要に応じ、当該社会福祉法人の他の監事との意思疎通及び情報の交換を図るよう努めなければならない。

（監事の調査の対象）

第2条の20　法第45条の18第3項において準用する一般社団法人及び一般財団法人に関する法律第102条に規定する厚生労働省令で定めるものは、電磁的記録その他の資料とする。

（会計監査報告の作成）

第2条の21　法第45条の19第1項の規定による会計監査報告の作成については、この条の定めるところによる。

2　会計監査人は、その職務を適切に遂行するため、次に掲げる者との意思疎通を図り、情報の収集及び監査の環境の整備に努めなければならない。ただし、会計監査人が公正不偏の態度及び独立の立場を保持することができなくなるおそれのある関係の創設及び維持を認めるものと解してはならない。

一　当該社会福祉法人の理事及び職員

二　その他会計監査人が適切に職務を遂行するに当たり意思疎通を図るべき者

（会計監査人が監査する書類）

第2条の22　法第45条の19第2項の厚生労働省令で定める書類は、財産目録（社会福祉法人会計基準第7条の2第1項第1号イに規定する法人単位貸借対照表に対応する項目に限る。）とする。

（責任の一部免除に係る報酬等の額の算定方法）

第2条の23　法第45条の22の2において準用する一般社団法人及び一般財団法人に関する法律第113条第1項第2号に規定する厚生労働省令で定める方法により算定される額は、次に掲げる額の合計額とする。

一　役員等（法第45条の20第1項に規定する役員等をいう。以下同じ。）がその在職中に報酬、賞与その他の職務執行の対価（当該役員等のうち理事が当該社会福祉法人の職員を兼ねている場合における当該職員の報酬、賞与その他の職務執行の対価を含む。）として社会福祉法人から受け、又は受けるべき財産上の利益（次号に定めるものを除く。）の額の会計年度（次のイからハまでに掲げる場合の区分に応じ、当該イからハまでに定める日を含む会計年度及びその前の各会計年度に限る。）ごとの合計額（当該会計年度の期間が1年でない場合にあつては、当該合計額を1年当たりの額に換算した額）のうち最も高い額

イ　法第45条の22の2において準用する一般社団法人及び一般財団法人に関する法律第113条第1項の評議員会の決議を行つた場合　当該評議員会の決議の日

ロ　法第45条の22の2において準用する一般社団法人及び一般財団法人に関する法律第114条第1項の規定による定款の定めに基づいて責任を免除する旨の理事会の決議を行つた場合　当該決議のあつた日

ハ　法第45条の22の2において準用する一般社団法人及び一般財団法人に関する法律第115条第1項の契約を締結した場合　責任の原因となる事実が生じた日（2以上の日がある場合にあつては、最も遅い日）

二　イに掲げる額をロに掲げる数で除して得た額

イ　次に掲げる額の合計額

(1)　当該役員等が当該社会福祉法人から受けた退職慰労金の額

(2) 当該役員等のうち理事が当該社会福祉法人の職員を兼ねていた場合における当該職員としての退職手当のうち当該役員等のうち理事を兼ねていた期間の職務執行の対価である部分の額

(3) (1)又は(2)に掲げるものの性質を有する財産上の利益の額

ロ　当該役員等がその職に就いていた年数（当該役員等が次に掲げるものに該当する場合における次に定める数が当該年数を超えている場合にあつては、当該数）

(1) 理事長　6

(2) 理事長以外の理事であつて、次に掲げる者　4

(i) 理事会の決議によつて社会福祉法人の業務を執行する理事として選定されたもの

(ii) 当該社会福祉法人の業務を執行した理事（(i)に掲げる理事を除く。）

(iii) 当該社会福祉法人の職員

(3) 理事（(1)及び(2)に掲げるものを除く。）、監事又は会計監査人　2

（責任の免除の決議後に受ける退職慰労金等）

第2条の24　法第45条の22の2において準用する一般社団法人及び一般財団法人に関する法律第113条第4項（法第45条の22の2において準用する一般社団法人及び一般財団法人に関する法律第114条第5項及び第115条第5項において準用する場合を含む。）に規定する厚生労働省令で定める財産上の利益は、次に掲げるものとする。

一　退職慰労金

二　当該役員等のうち理事が当該社会福祉法人の職員を兼ねていたときは、当該職員としての退職手当のうち当該役員等のうち理事を兼ねていた期間の職務執行の対価である部分

三　前2号に掲げるものの性質を有する財産上の利益

（役員等のために締結される保険契約）

第2条の24の2　法第45条の22の2において準用する一般社団法人及び一般財団法人に関する法律第118条の3第1項に規定する厚生労働省令で定めるものは、次に掲げるものとする。

一　被保険者に保険者との間で保険契約を締結する社会福祉法人を含む保険契約であつて、当該社会福祉法人がその業務に関連し第三者に生じた損害を賠償する責任を負うこと又は当該責任の追及に係る請求を受けることによつて当該社会福祉法人に生ずることのある損害を保険者が塡補することを主たる目的として締結されるもの

二　役員等が第三者に生じた損害を賠償する責任を負うこと又は当該責任の追及に係る請求を受けることによつて当該役員等に生ずることのある損害（役員等がその職務上の義務に違反し若しくは職務を怠つたことによつて第三者に生じた損害を賠償する責任を負うこと又は当該責任の追及に係る請求を受けることによつて当該役員等に生ずることのある損害を除く。）を保険者が塡補することを目的として締結されるもの

（事業報告）

第2条の25　法第45条の27第2項の規定による事業報告及びその附属明細書の作成については、この条の定めるところによる。ただし、他の法令に別段の定めがある場合は、この限りでない。

2　事業報告は、次に掲げる事項をその内容としなければならない。

一　当該社会福祉法人の状況に関する重要な事項（計算関係書類（計算書類（法第45条の27第2項に規定する計算書類をいう。第40条第7項第1号及び第40条の17第1号を除き、以下同じ。）及びその附属明細書をいう。以下同じ。）の内容となる事項を除く。）

二　法第45条の13第4項第5号に規定する体制の整備についての決定又は決議があるときは、その決定又は決議の内容の概要及び当該体制の運用状況の概要

3　事業報告の附属明細書は、事業報告の内容を補足する重要な事項をその内容としなければならない。

（計算関係書類の監査）

第2条の26　法第45条の28第1項及び第2項の規定による監査（計算関係書類（各会計年度に係るものに限る。以下この条から第2条の34までにおいて同じ。）に係るものに限る。以下同じ。）については、この条から第2条の34までに定めるところによる。

2　前項に規定する監査には、公認会計士法（昭和23年法律第103号）第2条第1項に規定する監査のほか、計算関係書類に表示された情報と計算関係書類に表示すべき情報との合致の程度を確かめ、かつ、その結果を利害関係者に伝達するための手続を含むものとする。

（監査報告の内容）

第2条の27　監事（会計監査人設置社会福祉法人（法第31条第4項に規定する会計監査人設置社会福祉法人をいう。以下同じ。）の監事を除く。以下この条及び次条において同じ。）は、計算関係書類を受領したときは、次に掲げる事項を内容とする監査報告を作成しなければならない。

一　監事の監査の方法及びその内容

二　計算関係書類が当該社会福祉法人の財産、収支及び純資産の増減の状況を全ての重要な点において適正に表示しているかどうかについての意見

三　監査のため必要な調査ができなかつたときは、その旨及びその理由

四　追記情報

五　監査報告を作成した日

2　前項第4号に規定する「追記情報」とは、次に掲げる事項その他の事項のうち、監事の判断に関して説明を付す必要がある事項又は計算関係書類の内容のうち強調する必要がある事項とする。

一　会計方針の変更

二　重要な偶発事象

三　重要な後発事象

（監査報告の通知期限等）

第2条の28　特定監事は、次に掲げる日のいずれか遅い日までに、特定理事に対し、計算関係書類についての監査報告の内容を通知しなければならない。

一　当該計算関係書類のうち計算書類の全部を受領した日から4週間を経過した日

二　当該計算関係書類のうち計算書類の附属明細書を受領した日から1週間を経過した日

三　特定理事及び特定監事が合意により定めた日があるときは、その日

2　計算関係書類については、特定理事が前項の規定による監査報告の内容の通知を受けた日に、監事の監査を受けたものとする。

3　前項の規定にかかわらず、特定監事が第1項の規定により通知をすべき日までに同項の規定による監査報告の内容の通知をしない場合には、当該通知をすべき日に、計算関係書類については、監事の監査を受けたものとみなす。

4　第1項及び第2項に規定する「特定理事」とは、次の各号に掲げる場合の区分に応じ、当該各号に定める者をいう。

一　第1項の規定による通知を受ける理事を定めた場合　当該通知を受ける理事として定められた理事

二　前号に掲げる場合以外の場合　監査を受けるべき計算関係書類の作成に関する職務を行つた理事

5　第1項及び第3項に規定する「特定監事」とは、次の各号に掲げる場合の区分に応じ、当該各号に定める者をいう。

一　第1項の規定による監査報告の内容の通知をすべき監事を定めたとき　当該通知をすべき監事として定められた監事

二　前号に掲げる場合以外の場合　全ての監事

（計算関係書類の提供）

第2条の29　計算関係書類を作成した理事は、会計監査人に対して計算関係書類を提供しようとするときは、監事に対しても計算関係書類を提供しなければならない。

（会計監査報告の内容）

第2条の30　会計監査人は、計算関係書類を受領したときは、次に掲げる事項を内容とする会計監査報告を作成しなければならない。

一　会計監査人の監査の方法及びその内容

二　計算関係書類（社会福祉法人会計基準第7条の2第1項第1号イに規定する法人単位貸借対照表、同項第2号イ(1)に規定する法人単位資金収支計算書及び同号ロ(1)に規定する法人単位事業活動計算書並びにそれらに対応する附属明細書（同省令第30条第1項第1号から第3号まで及び第6号並びに第7号に規定する書類に限る。）の項目に限る。以下この条（第5号を除く。）及び第2条の32において同じ。）が当該社会福祉法人の財産、収支及び純資産の増減の状況を全ての重要な点において適正に表示しているかどうかについての意見があるときは、次のイからハまでに掲げる意見の区分に応じ、当該イからハまでに定める事項

イ　無限定適正意見　監査の対象となつた計算関係書類が一般に公正妥当と認められる社会福祉法人会計の慣行に準拠して、当該計算関係書類に係る期間の財産、収支及び純資産の増減の状況を全ての重要な点において適正に表示していると認められる旨

ロ　除外事項を付した限定付適正意見　監査の対象となつた計算関係書類が除外事項を除き一般に公正妥当と認められる社会福祉法人会計の慣行に準拠して、当該計算関係書類に係る期間の財産、収支及び純資産の増減の状況を全ての重要な点において適正に表示していると認められる旨、除外事項並びに除外事項を付した限定付適正意見とした理由

ハ　不適正意見　監査の対象となつた計算関係書類が不適正である旨及びその理由

三　前号の意見がないときは、その旨及びその理由

四　継続事業の前提に関する事項の注記に係る事項

五　第2号の意見があるときは、事業報告及びその附属明細書、計算関係書類（監査の範囲に属さないものに限る。）並びに財産目録（第2条の22の財産目録を除く。）の内容と計算関係書類（監査の範囲に属するものに限る。）の内容又は会計監査人が監査の過程で得た知識との間の重要な相違等について、報告すべき事項の有無及び報告すべ

き事項があるときはその内容

六 追記情報

七 会計監査報告を作成した日

2 前項第6号に規定する「追記情報」とは、次に掲げる事項その他の事項のうち、会計監査人の判断に関して説明を付す必要がある事項又は計算関係書類の内容のうち強調する必要がある事項とする。

一 会計方針の変更

二 重要な偶発事象

三 重要な後発事象

（会計監査人設置社会福祉法人の監事の監査報告の内容）

第2条の31 会計監査人設置社会福祉法人の監事は、計算関係書類及び会計監査報告（次条第3項に規定する場合にあつては、計算関係書類）を受領したときは、次に掲げる事項を内容とする監査報告を作成しなければならない。

一 監事の監査の方法及びその内容

二 会計監査人の監査の方法又は結果を相当でないと認めたときは、その旨及びその理由（次条第3項に規定する場合にあつては、会計監査報告を受領していない旨）

三 重要な後発事象（会計監査報告の内容となつているものを除く。）

四 会計監査人の職務の遂行が適正に実施されることを確保するための体制に関する事項

五 監査のため必要な調査ができなかつたときは、その旨及びその理由

六 監査報告を作成した日

（会計監査報告の通知期限等）

第2条の32 会計監査人は、次に掲げる日のいずれか遅い日までに、特定監事及び特定理事に対し、計算関係書類についての会計監査報告の内容を通知しなければならない。

一 当該計算関係書類のうち計算書類の全部を受領した日から4週間を経過した日

二 当該計算関係書類のうち計算書類の附属明細書を受領した日から1週間を経過した日

三 特定理事、特定監事及び会計監査人の間で合意により定めた日があるときは、その日

2 計算関係書類については、特定監事及び特定理事が前項の規定による会計監査報告の内容の通知を受けた日に、会計監査人の監査を受けたものとする。

3 前項の規定にかかわらず、会計監査人が第1項の規定により通知をすべき日までに同項の規定による会計監査報告の内容の通知をしない場合には、当該通知をすべき日に、計算関係書類については、会計監査人の監査を受けたものとみなす。

4 第1項及び第2項に規定する「特定理事」とは、次の各号に掲げる場合の区分に応じ、当該各号に定める者をいう（第2条の34において同じ。）。

一 第1項の規定による通知を受ける理事を定めた場合 当該通知を受ける理事として定められた理事

二 前号に掲げる場合以外の場合 監査を受けるべき計算関係書類の作成に関する職務を行つた理事

5 第1項及び第2項に規定する「特定監事」とは、次の各号に掲げる場合の区分に応じ、当該各号に定める者をいう（次条及び第2条の34において同じ。）。

一 第1項の規定による会計監査報告の内容の通知を受ける監事を定めたとき 当該通知を受ける監事として定められた監事

二 前号に掲げる場合以外の場合 全ての監事

（会計監査人の職務の遂行に関する事項）

第2条の33 会計監査人は、前条第1項の規定による特定監事に対する会計監査報告の内容の通知に際して、当該会計監査人についての次に掲げる事項（当該事項に係る定めがない場合にあつては、当該事項を定めていない旨）を通知しなければならない。ただし、全ての監事が既に当該事項を知つている場合は、この限りでない。

一 独立性に関する事項その他監査に関する法令及び規程の遵守に関する事項

二 監査、監査に準ずる業務及びこれらに関する業務の契約の受任及び継続の方針に関する事項

三 会計監査人の職務の遂行が適正に行われることを確保するための体制に関するその他の事項

（会計監査人設置社会福祉法人の監事の監査報告の通知期限）

第2条の34 会計監査人設置社会福祉法人の特定監事は、次に掲げる日のいずれか遅い日までに、特定理事及び会計監査人に対し、計算関係書類に係る監査報告の内容を通知しなければならない。

一 会計監査報告を受領した日（第2条の32第3項に規定する場合にあつては、同項の規定により監査を受けたものとみなされた日）から1週間を経過した日

二 特定理事及び特定監事の間で合意により定めた日があるときは、その日

2 計算関係書類については、特定理事及び会計監査人が前項の規定による監査報告の内容の通知を受けた日に、監事の監査を受けたものとする。

3 前項の規定にかかわらず、特定監事が第1項の規定により通知をすべき日までに同項の規定による監査報告の内容の通知をしない場合には、当該通知をすべき日に、計算関係書類については、監事の監査を受けたものとみなす。

（事業報告等の監査）

第2条の35　法第45条の28第1項及び第2項の規定による監査（事業報告及びその附属明細書に係るものに限る。次条及び第2条の37において同じ。）については、次条及び第2条の37に定めるところによる。

（監査報告の内容）

第2条の36　監事は、事業報告及びその附属明細書を受領したときは、次に掲げる事項を内容とする監査報告を作成しなければならない。

一　監事の監査の方法及びその内容

二　事業報告及びその附属明細書が法令又は定款に従い当該社会福祉法人の状況を正しく示しているかどうかについての意見

三　当該社会福祉法人の理事の職務の遂行に関し、不正の行為又は法令若しくは定款に違反する重大な事実があつたときは、その事実

四　監査のため必要な調査ができなかつたときは、その旨及びその理由

五　第2条の25第2項第2号に掲げる事項（監査の範囲に属さないものを除く。）がある場合において、当該事項の内容が相当でないと認めるときは、その旨及びその理由

六　監査報告を作成した日

（監査報告の通知期限等）

第2条の37　特定監事は、次に掲げる日のいずれか遅い日までに、特定理事に対し、事業報告及びその附属明細書についての監査報告の内容を通知しなければならない。

一　当該事業報告を受領した日から4週間を経過した日

二　当該事業報告の附属明細書を受領した日から1週間を経過した日

三　特定理事及び特定監事の間で合意により定めた日があるときは、その日

2　事業報告及びその附属明細書については、特定理事が前項の規定による監査報告の内容の通知を受けた日に、監事の監査を受けたものとする。

3　前項の規定にかかわらず、特定監事が第1項の規定により通知をすべき日までに同項の規定による監査報告の内容の通知をしない場合には、当該通知をすべき日に、事業報告及びその附属明細書については、監事の監査を受けたものとみなす。

4　第1項及び第2項に規定する「特定理事」とは、次の各号に掲げる場合の区分に応じ、当該各号に定める者をいう。

一　第1項の規定による通知を受ける理事を定めた場合　当該通知を受ける理事として定められた理事

二　前号に掲げる場合以外の場合　事業報告及びその附属明細書の作成に関する職務を行つた理事

5　第1項及び第3項に規定する「特定監事」とは、次の各号に掲げる場合の区分に応じ、当該各号に定める者をいう。

一　第1項の規定による監査報告の内容の通知をすべき監事を定めたとき　当該通知をすべき監事として定められた監事

二　前号に掲げる場合以外の場合　全ての監事

（計算書類等の評議員への提供）

第2条の38　法第45条の29の規定による計算書類及び事業報告並びに監査報告（会計監査人設置社会福祉法人にあつては、会計監査報告を含む。以下「提供計算書類等」という。）の提供に関しては、この条の定めるところによる。

2　定時評議員会の招集通知（法第45条の9第10項において準用する一般社団法人及び一般財団法人に関する法律第182条第1項又は第2項の規定による通知をいう。次項において同じ。）を次の各号に掲げる方法により行う場合にあつては、提供計算書類等は、当該各号に定める方法により提供しなければならない。

一　書面の提供　次のイ又はロに掲げる場合の区分に応じ、当該イ又はロに定める方法

イ　提供計算書類等が書面をもつて作成されている場合　当該書面に記載された事項を記載した書面の提供

ロ　提供計算書類等が電磁的記録をもつて作成されている場合　当該電磁的記録に記録された事項を記載した書面の提供

二　電磁的方法による提供　次のイ又はロに掲げる場合の区分に応じ、当該イ又はロに定める方法

イ　提供計算書類等が書面をもつて作成されている場合　当該書面に記載された事項の電磁的方法による提供

ロ　提供計算書類等が電磁的記録をもつて作成されている場合　当該電磁的記録に記録された事項の電磁的方法による提供

3　理事は、計算書類又は事業報告の内容とすべき事項について、定時評議員会の招集通知を発出した日から定時評議員会の前日までの間に修正をすべき事情が生じた場合における修正後の事項を評議員に周知させる方法を当該招集通知と併せて通知することができる。

（計算書類の承認の特則に関する要件）

第2条の39　法第45条の31に規定する厚生労働省令で定める要件は、次のいずれにも該当することとする。

一　法第45条の31に規定する計算書類についての会
　　計監査報告の内容に第2条の30第1項第2号イに
　　定める事項が含まれていること。
二　前号の会計監査報告に係る監査報告の内容とし
　　て会計監査人の監査の方法又は結果を相当でない
　　と認める意見がないこと。
三　法第45条の31に規定する計算書類が第2条の34
　　第3項の規定により監査を受けたものとみなされ
　　たものでないこと。

（財産目録）

第2条の40　法第45条の34第1項第1号に掲げる財産
　　目録は、定時評議員会（法第45条の31の規定の適用
　　がある場合にあつては、理事会）の承認を受けなけ
　　ればならない。

2　法第45条の28から第45条の31まで及び第2条の26
　　から第2条の39までの規定は、社会福祉法人が前項
　　の財産目録に係る同項の承認を受けるための手続に
　　ついて準用する。

（事業の概要等）

第2条の41　法第45条の34第1項第4号に規定する厚
　　生労働省令で定める事項は、次のとおりとする。

一　当該社会福祉法人の主たる事務所の所在地及び
　　電話番号その他当該社会福祉法人に関する基本情
　　報
二　当該終了した会計年度の翌会計年度（以下この
　　条において「当会計年度」という。）の初日にお
　　ける評議員の状況
三　当会計年度の初日における理事の状況
四　当会計年度の初日における監事の状況
五　当該終了した会計年度（以下この条において
　　「前会計年度」という。）及び当会計年度におけ
　　る会計監査人の状況
六　当会計年度の初日における職員の状況
七　前会計年度における評議員会の状況
八　前会計年度における理事会の状況
九　前会計年度における監事の監査の状況
十　前会計年度における会計監査の状況
十一　前会計年度における事業等の概要
十二　前会計年度末における社会福祉充実残額（法
　　第55条の2第3項第4号に規定する社会福祉充実
　　残額をいう。）並びに社会福祉充実計画（同条第
　　1項に規定する社会福祉充実計画をいう。以下同
　　じ。）の策定の状況及びその進捗の状況
十三　当該社会福祉法人に関する情報の公表等の状
　　況
十四　第12号に規定する社会福祉充実残額の算定の
　　根拠

十五　事業計画を作成する旨を定款で定めている場
　　合にあつては、事業計画
十六　その他必要な事項

（報酬等の支給の基準に定める事項）

第2条の42　法第45条の35第1項に規定する理事、監
　　事及び評議員（以下この条において「理事等」とい
　　う。）に対する報酬等（法第45条の34第1項第3号
　　に規定する報酬等をいう。以下この条において同
　　じ。）の支給の基準においては、理事等の勤務形態
　　に応じた報酬等の区分及びその額の算定方法並びに
　　支給の方法及び形態に関する事項を定めるものとす
　　る。

（定款変更認可申請手続）

第3条　社会福祉法人は、法第45条の36第2項の規定
　　により定款の変更の認可を受けようとするときは、
　　定款変更の条項及び理由を記載した申請書に次に掲
　　げる書類を添付して所轄庁に提出しなければならな
　　い。

一　定款に定める手続を経たことを証明する書類
二　変更後の定款

2　前項の定款の変更が、当該社会福祉法人が新たに
　　事業を経営する場合に係るものであるときは、同項
　　各号のほか、次に掲げる書類を添付して、所轄庁に
　　申請しなければならない。

一　当該事業の用に供する財産及びその価格を記載
　　した書類並びにその権利の所属を明らかにするこ
　　とができる書類
二　当該事業を行うため前号の書類に記載された不
　　動産以外の不動産の使用を予定しているときは、
　　その使用の権限の所属を明らかにすることができ
　　る書類
三　当該事業について、その開始の日の属する会計
　　年度及び次の会計年度における事業計画書及びこ
　　れに伴う収支予算書

3　第1項の定款の変更が、当該社会福祉法人が従来
　　経営していた事業を廃止する場合に係るものである
　　ときは、同項各号のほか、廃止する事業の用に供し
　　ている財産の処分方法を記載した書類を添付して所
　　轄庁に申請しなければならない。

4　第2条第3項及び第5項の規定は、第1項の場合
　　に準用する。

（定款変更の届出）

第4条　法第45条の36第2項に規定する厚生労働省令
　　で定める事項は、次のとおりとする。

一　法第31条第1項第4号に掲げる事項
二　法第31条第1項第9号に掲げる事項（基本財産
　　の増加に限る。）

三　法第31条第1項第15号に掲げる事項
2　前条第1項の規定は、法第45条の36第4項の規定により定款の変更の届出をする場合に準用する。この場合において、前条第1項中「申請書」とあるのは、「届出書」と読み替えるものとする。

（解散の認可又は認定申請手続）
第5条　社会福祉法人は、法第46条第2項の規定により、解散の認可又は認定を受けようとするときは、解散の理由及び残余財産の処分方法を記載した申請書に次に掲げる書類を添付して所轄庁に提出しなければならない。

一　法第46条第1項第1号の手続又は定款に定める手続を経たことを証明する書類

二　財産目録及び貸借対照表

三　負債があるときは、その負債を証明する書類

2　第2条第3項及び第5項の規定は、前項の場合に準用する。

（清算人会設置法人以外の清算法人の業務の適正を確保するための体制）
第5条の2　法第46条の10第3項第3号に規定する厚生労働省令で定める体制は、次に掲げる体制とする。

一　清算人の職務の執行に係る情報の保存及び管理に関する体制

二　損失の危険の管理に関する規程その他の体制

三　職員の職務の執行が法令及び定款に適合することを確保するための体制

2　清算人が2人以上ある清算法人（法第46条の4に規定する清算法人をいう。以下同じ。）である場合には、前項に規定する体制には、業務の決定が適正に行われることを確保するための体制を含むものとする。

3　監事設置清算法人（法第46条の11第6項に規定する監事設置清算法人をいう。以下同じ。）以外の清算法人である場合には、第1項に規定する体制には、清算人が評議員に報告すべき事項の報告をするための体制を含むものとする。

4　監事設置清算法人である場合には、第1項に規定する体制には、次に掲げる体制を含むものとする。

一　監事がその職務を補助すべき職員を置くことを求めた場合における当該職員に関する体制

二　前号の職員の清算人からの独立性に関する事項

三　監事の第1号の職員に対する指示の実効性の確保に関する事項

四　清算人及び職員が監事に報告をするための体制その他の監事への報告に関する体制

五　前号の報告をした者が当該報告をしたことを理由として不利な取扱いを受けないことを確保するための体制

六　監事の職務の執行について生ずる費用の前払又は償還の手続その他の当該職務の執行について生ずる費用又は債務の処理に係る方針に関する事項

七　その他監事の監査が実効的に行われることを確保するための体制

（清算人会設置法人の業務の適正を確保するための体制）
第5条の3　法第46条の17第6項第5号に規定する厚生労働省令で定める体制は、次に掲げる体制とする。

一　清算人の職務の執行に係る情報の保存及び管理に関する体制

二　損失の危険の管理に関する規程その他の体制

三　職員の職務の執行が法令及び定款に適合することを確保するための体制

2　清算人会設置法人（法第46条の6第7項に規定する清算人会設置法人をいう。次項において同じ。）が、監事設置清算法人以外のものである場合には、前項に規定する体制には、清算人が評議員に報告すべき事項の報告をするための体制を含むものとする。

3　清算人会設置法人が、監事設置清算法人である場合には、第1項に規定する体制には、次に掲げる体制を含むものとする。

一　監事がその職務を補助すべき職員を置くことを求めた場合における当該職員に関する体制

二　前号の職員の清算人からの独立性に関する事項

三　監事の第1号の職員に対する指示の実効性の確保に関する事項

四　清算人及び職員が監事に報告をするための体制その他の監事への報告に関する体制

五　前号の報告をした者が当該報告をしたことを理由として不利な取扱いを受けないことを確保するための体制

六　監事の職務の執行について生ずる費用の前払又は償還の手続その他の当該職務の執行について生ずる費用又は債務の処理に係る方針に関する事項

七　その他監事の監査が実効的に行われることを確保するための体制

（清算人会の議事録）
第5条の4　法第46条の18第5項において準用する一般社団法人及び一般財団法人に関する法律第95条第3項の規定による清算人会の議事録の作成については、この条の定めるところによる。

2　清算人会の議事録は、書面又は電磁的記録をもつ

て作成しなければならない。

3　清算人会の議事録は、次に掲げる事項を内容とするものでなければならない。

一　清算人会が開催された日時及び場所（当該場所に存しない清算人、監事又は評議員が清算人会に出席した場合における当該出席の方法を含む。）

二　清算人会が次に掲げるいずれかのものに該当するときは、その旨

　　イ　法第46条の18第2項の規定による清算人の請求を受けて招集されたもの

　　ロ　法第46条の18第3項の規定により清算人が招集したもの

　　ハ　法第46条の19第1項の規定による評議員の請求を受けて招集されたもの

　　ニ　法第46条の19第3項において準用する法第46条の18第3項の規定により評議員が招集したもの

　　ホ　法第46条の21及び令第13条の17の規定により読み替えて適用する法第45条の18第3項において準用する一般社団法人及び一般財団法人に関する法律第101条第2項の規定による監事の請求を受けて招集されたもの

　　ヘ　法第46条の21及び令第13条の17の規定により読み替えて適用する法第45条の18第3項において準用する一般社団法人及び一般財団法人に関する法律第101条第3項の規定により監事が招集したもの

三　清算人会の議事の経過の要領及びその結果

四　決議を要する事項について特別の利害関係を有する清算人があるときは、その氏名

五　次に掲げる規定により清算人会において述べられた意見又は発言があるときは、その意見又は発言の内容の概要

　　イ　法第46条の21及び令第13条の17の規定により読み替えて適用する法第45条の18第3項において準用する一般社団法人及び一般財団法人に関する法律第100条

　　ロ　法第46条の21及び令第13条の17の規定により読み替えて適用する法第45条の18第3項において準用する一般社団法人及び一般財団法人に関する法律第101条第1項

　　ハ　法第46条の17第10項において準用する一般社団法人及び一般財団法人に関する法律第92条第2項

　　ニ　法第46条の19第4項

六　法第46条の18第5項において準用する一般社団法人及び一般財団法人に関する法律第95条第3項

の定款の定めがあるときは、代表清算人（法第46条の11第1項に規定する代表清算人をいう。）以外の清算人であつて、清算人会に出席したものの氏名

七　清算人会に出席した評議員の氏名又は名称

八　清算人会の議長が存するときは、議長の氏名

4　次の各号に掲げる場合には、清算人会の議事録は、当該各号に定める事項を内容とするものとする。

一　法第46条の18第5項において準用する一般社団法人及び一般財団法人に関する法律第96条の規定により清算人会の決議があつたものとみなされた場合　次に掲げる事項

　　イ　清算人会の決議があつたものとみなされた事項の内容

　　ロ　イの事項の提案をした清算人の氏名

　　ハ　清算人会の決議があつたものとみなされた日

　　ニ　議事録の作成に係る職務を行つた清算人の氏名

二　法第46条の18第6項において準用する一般社団法人及び一般財団法人に関する法律第98条第1項の規定により清算人会への報告を要しないものとされた場合　次に掲げる事項

　　イ　清算人会への報告を要しないものとされた事項の内容

　　ロ　清算人会への報告を要しないものとされた日

　　ハ　議事録の作成に係る職務を行つた清算人の氏名

（清算開始時の財産目録）

第5条の5　法第46条の22第1項の規定による財産目録の作成については、この条の定めるところによる。

2　前項の財産目録に計上すべき財産については、その処分価格を付すことが困難な場合を除き、法第46条の3各号に掲げる場合に該当することとなつた日における処分価格を付さなければならない。この場合において、清算法人の会計帳簿については、財産目録に付された価格を取得価額とみなす。

3　第1項の財産目録は、次に掲げる部に区分して表示しなければならない。この場合において、第1号及び第2号に掲げる部は、その内容を示す適当な名称を付した項目に細分することができる。

一　資産

二　負債

三　正味資産

（清算開始時の貸借対照表）

第5条の6　法第46条の22第1項の規定による貸借対

照表の作成については、この条の定めるところによる。

2　前項の貸借対照表は、法第46条の22第1項の財産目録に基づき作成しなければならない。

3　第1項の貸借対照表は、次に掲げる部に区分して表示しなければならない。この場合において、第3号に掲げる部については、純資産を示す適当な名称を付すことができる。

一　資産

二　負債

三　純資産

4　前項各号に掲げる部は、適当な項目に細分することができる。この場合において、当該各項目については、資産、負債又は純資産を示す適当な名称を付さなければならない。

5　処分価格を付すことが困難な資産がある場合には、第1項の貸借対照表には、当該資産に係る財産評価の方針を注記しなければならない。

（各清算事務年度に係る貸借対照表）

第5条の7　法第46条の24第1項に規定する貸借対照表は、各清算事務年度（同項に規定する各清算事務年度をいう。第5条の9第2項において同じ。）に係る会計帳簿に基づき作成しなければならない。

2　前条第3項及び第4項の規定は、前項の貸借対照表について準用する。

3　法第46条の24第1項に規定する貸借対照表の附属明細書は、貸借対照表の内容を補足する重要な事項をその内容としなければならない。

（各清算事務年度に係る事務報告）

第5条の8　法第46条の24第1項に規定する事務報告は、清算に関する事務の執行の状況に係る重要な事項をその内容としなければならない。

2　法第46条の24第1項に規定する事務報告の附属明細書は、事務報告の内容を補足する重要な事項をその内容としなければならない。

（清算法人の監査報告）

第5条の9　法第46条の25第1項の規定による監査については、この条の定めるところによる。

2　清算法人の監事は、各清算事務年度に係る貸借対照表及び事務報告並びにこれらの附属明細書を受領したときは、次に掲げる事項を内容とする監査報告を作成しなければならない。

一　監事の監査の方法及びその内容

二　各清算事務年度に係る貸借対照表及びその附属明細書が当該清算法人の財産の状況を全ての重要な点において適正に表示しているかどうかについての意見

三　各清算事務年度に係る事務報告及びその附属明細書が法令又は定款に従い当該清算法人の状況を正しく示しているかどうかについての意見

四　清算人の職務の遂行に関し、不正の行為又は法令若しくは定款に違反する重大な事実があつたときは、その事実

五　監査のため必要な調査ができなかつたときは、その旨及びその理由

六　監査報告を作成した日

3　特定監事は、第5条の7第1項の貸借対照表及び前条第1項の事務報告の全部を受領した日から4週間を経過した日（特定清算人（次の各号に掲げる場合の区分に応じ、当該各号に定める者をいう。以下この条において同じ。）及び特定監事の間で合意した日がある場合にあつては、当該日）までに、特定清算人に対して、監査報告の内容を通知しなければならない。

一　この項の規定による通知を受ける清算人を定めた場合　当該通知を受ける清算人として定められた清算人

二　前号に掲げる場合以外の場合　第5条の7第1項の貸借対照表及び前条第1項の事務報告並びにこれらの附属明細書の作成に関する職務を行つた清算人

4　第5条の7第1項の貸借対照表及び前条第1項の事務報告並びにこれらの附属明細書については、特定清算人が前項の規定による監査報告の内容の通知を受けた日に、監事の監査を受けたものとする。

5　前項の規定にかかわらず、特定監事が第3項の規定により通知をすべき日までに同項の規定による監査報告の内容の通知をしない場合には、当該通知をすべき日に、第5条の7第1項の貸借対照表及び前条第1項の事務報告並びにこれらの附属明細書については、監事の監査を受けたものとみなす。

6　第3項及び前項に規定する「特定監事」とは、次の各号に掲げる場合の区分に応じ、当該各号に定める者とする。

一　2人以上の監事が存する場合において、第3項の規定による監査報告の内容の通知をすべき監事を定めたとき　当該通知をすべき監事として定められた監事

二　2人以上の監事が存する場合において、第3項の規定による監査報告の内容の通知をすべき監事を定めていないとき　全ての監事

三　前2号に掲げる場合以外の場合　監事

（決算報告）

第5条の10　法第47条の2第1項の規定により作成す

べき決算報告は、次に掲げる事項を内容とするものでなければならない。この場合において、第1号及び第2号に掲げる事項については、適切な項目に細分することができる。

一　債権の取立て、資産の処分その他の行為によつて得た収入の額

二　債務の弁済、清算に係る費用の支払その他の行為による費用の額

三　残余財産の額（支払税額がある場合には、その税額及び当該税額を控除した後の財産の額）

2　前項第3号に掲げる事項については、残余財産の引渡しを完了した日を注記しなければならない。

（吸収合併契約）

第5条の11　法第49条に規定する厚生労働省令で定める事項は、次のとおりとする。

一　吸収合併がその効力を生ずる日

二　吸収合併消滅社会福祉法人（法第49条に規定する吸収合併消滅社会福祉法人をいう。以下同じ。）の職員の処遇

（合併認可申請手続）

第6条　社会福祉法人は、法第50条第3項又は法第54条の6第2項の規定により、吸収合併（法第49条に規定する吸収合併をいう。以下同じ。）又は新設合併（法第54条の5に規定する新設合併をいう。以下同じ。）の認可を受けようとするときは、吸収合併又は新設合併の理由を記載した申請書に次に掲げる書類を添付して所轄庁に提出しなければならない。

一　法第52条及び法第54条の2第1項又は法第54条の8の手続又は定款に定める手続を経たことを証明する書類

二　吸収合併存続社会福祉法人（法第49条に規定する吸収合併存続社会福祉法人をいう。以下同じ。）又は新設合併設立社会福祉法人（法第54条の5第2号に規定する新設合併設立社会福祉法人をいう。以下同じ。）の定款

三　吸収合併消滅社会福祉法人（法第49条に規定する吸収合併消滅社会福祉法人をいう。以下同じ。）又は新設合併消滅社会福祉法人（法第54条の5第1号に規定する新設合併消滅社会福祉法人をいう。以下同じ。）に係る次の書類

イ　財産目録及び貸借対照表

ロ　負債があるときは、その負債を証明する書類

四　吸収合併存続社会福祉法人又は新設合併設立社会福祉法人に係る次の書類

イ　財産目録

ロ　合併の日の属する会計年度及び次の会計年度における事業計画書及びこれに伴う収支予算書

ハ　評議員となるべき者及び役員となるべき者の履歴書及び就任承諾書（吸収合併存続社会福祉法人については、引き続き評議員となるべき者又は引き続き役員となるべき者の就任承諾書を除く。）

ニ　評議員となるべき者のうちに、他の各評議員となるべき者について、第2条の7第6号に規定する者（同号括弧書に規定する割合が3分の1を超えない場合に限る。）、同条第7号に規定する者（同号括弧書に規定する半数を超えない場合に限る。）又は同条第8号に規定する者（同号括弧書に規定する割合が3分の1を超えない場合に限る。）がいるときは、当該他の各評議員の氏名及び当該他の各評議員との関係を説明する事項を記載した書類

ホ　評議員となるべき者のうちに、他の各役員となるべき者について、第2条の8第6号に規定する者（同号括弧書に規定する割合が3分の1を超えない場合に限る。）又は同条第7号に規定する者（同号括弧書に規定する半数を超えない場合に限る。）がいるときは、当該他の各役員の氏名及び当該他の各役員との関係を説明する事項を記載した書類

ヘ　理事となるべき者のうちに、他の各理事となるべき者について、第2条の10各号に規定する者（第6号又は第7号に規定する者については、これらの号に規定する割合が3分の1を超えない場合に限る。）がいるときは、当該他の各理事の氏名及び当該他の各理事との関係を説明する事項を記載した書類

ト　監事となるべき者のうちに、他の各役員となるべき者について、第2条の11第6号に規定する者（同号括弧書に規定する割合が3分の1を超えない場合に限る。）、同条第7号に規定する者（同号括弧書に規定する割合が3分の1を超えない場合に限る。）、同条第8号に規定する者（同号括弧書に規定する半数を超えない場合に限る。）又は同条第9号に規定する者（同号括弧書に規定する割合が3分の1を超えない場合に限る。）がいるときは、当該他の各役員の氏名及び当該他の各役員との関係を説明する事項を記載した書類

2　第2条第3項及び第5項の規定は、前項の場合に準用する。

（吸収合併消滅社会福祉法人の事前開示事項）

第6条の2　法第51条第1項に規定する厚生労働省令で定める事項は、次のとおりとする。

一　吸収合併存続社会福祉法人（法第49条に規定する吸収合併存続社会福祉法人をいう。以下同じ。）の定款の定め

二　吸収合併存続社会福祉法人についての次に掲げる事項

イ　最終会計年度（各会計年度に係る法第45条の27第2項に規定する計算書類につき法第45条の30第2項の承認（法第45条の31前段に規定する場合にあつては、法第45条の28第3項の承認）を受けた場合における当該各会計年度のうち最も遅いものをいう。以下同じ。）に係る監査報告等（各会計年度に係る計算書類、事業報告及び監査報告（法第45条の28第2項の規定の適用がある場合にあつては、会計監査報告を含む。）をいう。以下同じ。）の内容（最終会計年度がない場合にあつては、吸収合併存続社会福祉法人の成立の日における貸借対照表の内容）

ロ　最終会計年度の末日（最終会計年度がない場合にあつては、吸収合併存続社会福祉法人の成立の日）後に重要な財産の処分、重大な債務の負担その他の法人財産（社会福祉法人の財産をいう。以下同じ。）の状況に重要な影響を与える事象が生じたときは、その内容（法第52条の評議員会の日の2週間前の日（法第45条の9第10項において準用する一般社団法人及び一般財団法人に関する法律第194条第1項の場合にあつては、同項の提案があつた日。以下同じ。）後吸収合併の登記の日までの間に新たな最終会計年度が存することとなる場合にあつては、当該新たな最終会計年度の末日後に生じた事象の内容に限る。）

三　吸収合併消滅社会福祉法人（清算法人を除く。以下この号において同じ。）についての次に掲げる事項

イ　吸収合併消滅社会福祉法人において最終会計年度の末日（最終会計年度がない場合にあつては、吸収合併消滅社会福祉法人の成立の日）後に重要な財産の処分、重大な債務の負担その他の法人財産の状況に重要な影響を与える事象が生じたときは、その内容（法第52条の評議員会の日の2週間前の日後吸収合併の登記の日までの間に新たな最終会計年度が存することとなる場合にあつては、当該新たな最終会計年度の末日後に生じた事象の内容に限る。）

ロ　吸収合併消滅社会福祉法人において最終会計年度がないときは、吸収合併消滅社会福祉法人の成立の日における貸借対照表

四　吸収合併の登記の日以後における吸収合併存続社会福祉法人の債務（法第53条第1項第4号の規定により吸収合併について異議を述べることができる債権者に対して負担する債務に限る。）の履行の見込みに関する事項

五　法第52条の評議員会の日の2週間前の日後、前各号に掲げる事項に変更が生じたときは、変更後の当該事項

（計算書類に関する事項）

第6条の3　法第53条第1項第3号に規定する厚生労働省令で定めるものは、同項の規定による公告の日又は同項の規定による催告の日のいずれか早い日における次の各号に掲げる場合の区分に応じ、当該各号に定めるものとする。

一　公告対象法人（法第53条第1項第3号の吸収合併消滅社会福祉法人及び吸収合併存続社会福祉法人をいう。次号において同じ。）につき最終会計年度がない場合　その旨

二　公告対象法人が清算法人である場合　その旨

三　前2号に掲げる場合以外の場合　最終会計年度に係る貸借対照表の要旨の内容

2　前項第3号の貸借対照表の要旨に係る事項の金額は、100万円単位又は10億円単位をもつて表示するものとする。

3　前項の規定にかかわらず、社会福祉法人の財産の状態を的確に判断することができなくなるおそれがある場合には、第1項第3号の貸借対照表の要旨に係る事項の金額は、適切な単位をもつて表示しなければならない。

（吸収合併存続社会福祉法人の事前開示事項）

第6条の4　法第54条第1項に規定する厚生労働省令で定める事項は、次のとおりとする。

一　吸収合併消滅社会福祉法人（清算法人を除く。）についての次に掲げる事項

イ　最終会計年度に係る監査報告等の内容（最終会計年度がない場合にあつては、吸収合併消滅社会福祉法人の成立の日における貸借対照表の内容）

ロ　最終会計年度の末日（最終会計年度がない場合にあつては、吸収合併消滅社会福祉法人の成立の日）後に重要な財産の処分、重大な債務の負担その他の法人財産の状況に重要な影響を与える事象が生じたときは、その内容（法第54条の2第1項の評議員会の日の2週間前の日（法第45条の9第10項において準用する一般社団法人及び一般財団法人に関する法律第194条第1項の場合にあつては、同項の提案があつた日。

以下同じ。）後吸収合併の登記の日までの間に新たな最終会計年度が存することとなる場合にあつては、当該新たな最終会計年度の末日後に生じた事象の内容に限る。）

二　吸収合併消滅社会福祉法人（清算法人に限る。）が法第46条の22第1項の規定により作成した貸借対照表

三　吸収合併存続社会福祉法人についての次に掲げる事項

　　イ　吸収合併存続社会福祉法人において最終会計年度の末日（最終会計年度がない場合にあつては、吸収合併存続社会福祉法人の成立の日）後に重要な財産の処分、重大な債務の負担その他の法人財産の状況に重要な影響を与える事象が生じたときは、その内容（法第54条の2第1項の評議員会の日の2週間前の日後吸収合併の登記の日までの間に新たな最終会計年度が存することとなる場合にあつては、当該新たな最終会計年度の末日後に生じた事象の内容に限る。）

　　ロ　吸収合併存続社会福祉法人において最終会計年度がないときは、吸収合併存続社会福祉法人の成立の日における貸借対照表

四　吸収合併の登記の日以後における吸収合併存続社会福祉法人の債務（法第54条の3第1項第4号の規定により吸収合併について異議を述べることができる債権者に対して負担する債務に限る。）の履行の見込みに関する事項

五　法第54条の2第1項の評議員会の日の2週間前の日後吸収合併の登記の日までの間に、前各号に掲げる事項に変更が生じたときは、変更後の当該事項

（資産の額等）

第6条の5　法第54条の2第2項に規定する債務の額として厚生労働省令で定める額は、第1号に掲げる額から第2号に掲げる額を減じて得た額とする。

一　吸収合併の直後に吸収合併存続社会福祉法人の貸借対照表の作成があつたものとする場合における当該貸借対照表の負債の部に計上すべき額

二　吸収合併の直前に吸収合併存続社会福祉法人の貸借対照表の作成があつたものとする場合における当該貸借対照表の負債の部に計上すべき額

2　法第54条の2第2項に規定する資産の額として厚生労働省令で定める額は、第1号に掲げる額から第2号に掲げる額を減じて得た額とする。

一　吸収合併の直後に吸収合併存続社会福祉法人の貸借対照表の作成があつたものとする場合におけ

る当該貸借対照表の資産の部に計上すべき額

二　吸収合併の直前に吸収合併存続社会福祉法人の貸借対照表の作成があつたものとする場合における当該貸借対照表の資産の部に計上すべき額

（計算書類に関する事項）

第6条の6　法第54条の3第1項第3号に規定する厚生労働省令で定めるものは、同項の規定による公告の日又は同項の規定による催告の日のいずれか早い日における次の各号に掲げる場合の区分に応じ、当該各号に定めるものとする。

一　公告対象法人（法第54条の3第1項第3号の吸収合併存続社会福祉法人及び吸収合併消滅社会福祉法人をいう。次号において同じ。）につき最終会計年度がない場合　その旨

二　公告対象法人が清算法人である場合　その旨

三　前2号に掲げる場合以外の場合　最終会計年度に係る貸借対照表の要旨の内容

2　第6条の3第2項及び第3項の規定は、前項第3号の貸借対照表の要旨について準用する。

（吸収合併存続社会福祉法人の事後開示事項）

第6条の7　法第54条の4第1項に規定する厚生労働省令で定める事項は、次のとおりとする。

一　吸収合併の登記の日

二　吸収合併消滅社会福祉法人における法第53条の規定による手続の経過

三　吸収合併存続社会福祉法人における法第54条の3の規定による手続の経過

四　吸収合併により吸収合併存続社会福祉法人が吸収合併消滅社会福祉法人から承継した重要な権利義務に関する事項

五　法第51条第1項の規定により吸収合併消滅社会福祉法人が備え置いた書面又は電磁的記録に記載又は記録がされた事項（吸収合併契約の内容を除く。）

六　前各号に掲げるもののほか、吸収合併に関する重要な事項

（新設合併契約）

第6条の8　法第54条の5第4号に規定する厚生労働省令で定める事項は、次のとおりとする。

一　新設合併がその効力を生ずる日

二　新設合併消滅社会福祉法人の職員の処遇

（新設合併消滅社会福祉法人の事前開示事項）

第6条の9　法第54条の7第1項に規定する厚生労働省令で定める事項は、次のとおりとする。

一　他の新設合併消滅社会福祉法人（清算法人を除く。以下この号において同じ。）についての次に

掲げる事項

イ 最終会計年度に係る監査報告等の内容（最終会計年度がない場合にあつては、他の新設合併消滅社会福祉法人の成立の日における貸借対照表の内容）

ロ 他の新設合併消滅社会福祉法人において最終会計年度の末日（最終会計年度がない場合にあつては、他の新設合併消滅社会福祉法人の成立の日）後に重要な財産の処分、重大な債務の負担その他の法人財産の状況に重要な影響を与える事象が生じたときは、その内容（法第54条の8の評議員会の日の2週間前の日（法第45条の9第10項において準用する一般社団法人及び一般財団法人に関する法律第194条第1項の場合にあつては、同項の提案があつた日。以下同じ。）後新設合併消滅社会福祉法人の成立の日までの間に新たな最終会計年度が存することとなる場合にあつては、当該新たな最終会計年度の末日後に生じた事象の内容に限る。）

二 他の新設合併消滅社会福祉法人（清算法人に限る。）が法第46条の22第1項の規定により作成した貸借対照表

三 当該新設合併消滅社会福祉法人（清算法人を除く。以下この号において同じ。）についての次に掲げる事項

イ 当該新設合併消滅社会福祉法人において最終会計年度の末日（最終会計年度がない場合にあつては、当該新設合併消滅社会福祉法人の成立の日）後に重要な財産の処分、重大な債務の負担その他の法人財産の状況に重要な影響を与える事象が生じたときは、その内容（法第54条の8の評議員会の日の2週間前の日後新設合併設立社会福祉法人の成立の日までの間に新たな最終会計年度が存することとなる場合にあつては、当該新たな最終会計年度の末日後に生じた事象の内容に限る。）

ロ 当該新設合併消滅社会福祉法人において最終会計年度がないときは、当該新設合併消滅社会福祉法人の成立の日における貸借対照表

四 新設合併設立社会福祉法人の成立の日以後における新設合併設立社会福祉法人の債務（他の新設合併消滅社会福祉法人から承継する債務を除き、法第54条の9第1項第4号の規定により新設合併について異議を述べることができる債権者に対して負担する債務に限る。）の履行の見込みに関する事項

五 法第54条の8の評議員会の日の2週間前の日後、前各号に掲げる事項に変更が生じたときは、変更後の当該事項

（計算書類に関する事項）

第6条の10 法第54条の9第1項第3号に規定する厚生労働省令で定めるものは、同項の規定による公告の日又は同項の規定による催告の日のいずれか早い日における次の各号に掲げる場合の区分に応じ、当該各号に定めるものとする。

一 公告対象法人（法第54条の9第1項第3号の新設合併消滅社会福祉法人をいう。次号において同じ。）につき最終会計年度がない場合 その旨

二 公告対象法人が清算法人である場合 その旨

三 前2号に掲げる場合以外の場合 最終会計年度に係る貸借対照表の要旨の内容

2 第6条の3第2項及び第3項の規定は、前項第3号の貸借対照表の要旨について準用する。

（新設合併設立社会福祉法人の事後開示事項）

第6条の11 法第54条の11第1項に規定する厚生労働省令で定める事項は、次のとおりとする。

一 新設合併設立社会福祉法人の成立の日

二 法第54条の9の規定による手続の経過

三 新設合併により新設合併設立社会福祉法人が新設合併消滅社会福祉法人から承継した重要な権利義務に関する事項

四 前3号に掲げるもののほか、新設合併に関する重要な事項

第6条の12 法第54条の11第2項に規定する厚生労働省令で定める事項は、法第54条の7第1項の規定により新設合併消滅社会福祉法人が備え置いた書面又は電磁的記録に記載又は記録がされた事項（新設合併契約の内容を除く。）とする。

（社会福祉充実計画の承認の申請）

第6条の13 法第55条の2第1項に規定する社会福祉充実計画の承認の申請は、申請書に、次の各号に掲げる書類を添付して所轄庁に提出することによつて行うものとする。

一 社会福祉充実計画を記載した書類

二 法第55条の2第5項に規定する者の意見を聴取したことを証する書類

三 法第55条の2第7項の評議員会の議事録

四 その他必要な書類

（控除対象財産額等）

第6条の14 法第55条の2第1項第2号に規定する厚生労働省令で定めるところにより算定した額は、社会福祉法人が当該会計年度の前会計年度の末日にお

いて有する財産のうち次に掲げる財産の合計額をいう。

一　社会福祉事業、公益事業及び収益事業の実施に必要な財産

二　前号に掲げる財産のうち固定資産の再取得等に必要な額に相当する財産

三　当該会計年度において、第1号に掲げる事業の実施のため最低限必要となる運転資金

2　前項第1号に規定する財産の算定に当たつては、法第55条の2第1項第1号に規定する貸借対照表の負債の部に計上した額のうち前項第1号に規定する財産に相当する額を控除しなければならないものとする。

（社会福祉充実計画の記載事項）

第6条の15　法第55条の2第3項第6号の厚生労働省令で定める事項は、次のとおりとする。

一　当該社会福祉法人の名称及び主たる事務所の所在地並びに電話番号その他の連絡先

二　社会福祉充実事業（法第55条の2第3項第1号に規定する社会福祉充実事業をいう。以下同じ。）に関する資金計画

三　法第55条の2第4項の規定による検討の結果

四　法第55条の2第6項の規定に基づき行う意見の聴取の結果

五　その他必要な事項

（実施する事業の検討の結果）

第6条の16　法第55条の2第4項の規定による同条第3項第1号に掲げる事項の記載は、社会福祉法人の設立の目的を踏まえ、同条第4項各号に掲げる事業の順にその実施について検討し、その検討の結果を記載することにより行うものとする。

（財務に関する専門的な知識経験を有する者）

第6条の17　法第55条の2第5項の厚生労働省令で定める者は、監査法人又は税理士法人とする。

（承認社会福祉充実計画の変更の承認の申請）

第6条の18　法第55条の3第1項に規定する承認社会福祉充実計画の変更の承認の申請は、申請書に、次の各号に掲げる書類を添付して所轄庁に提出することによつて行うものとする。

一　変更後の承認社会福祉充実計画を記載した書類

二　第6条の13第2号から第4号までに掲げる書類

（承認社会福祉充実計画における軽微な変更）

第6条の19　法第55条の3第1項の厚生労働省令で定める軽微な変更は、次に掲げるもの以外のものとする。

一　社会福祉充実事業の種類の変更

二　社会福祉充実事業の事業区域の変更（変更前の事業区域と変更後の事業区域とが同一の市町村（特別区を含む。）の区域内である場合を除く。）

三　社会福祉充実事業の実施期間の変更（変更前の各社会福祉充実事業を実施する年度（以下「実施年度」という。）と変更後の実施年度とが同一である場合を除く。）

四　前3号に掲げる変更のほか、社会福祉充実計画の重要な変更

（承認社会福祉充実計画における軽微な変更に関する届出）

第6条の20　法第55条の3第2項に規定する軽微な変更に関する届出は、届出書に、次の各号に掲げる書類を添付して所轄庁に提出することによつて行うものとする。

一　変更後の承認社会福祉充実計画を記載した書類

二　その他必要な書類

（承認社会福祉充実計画の終了の承認の申請）

第6条の21　法第55条の4に規定する承認社会福祉充実計画の終了の承認の申請は、申請書に、承認社会福祉充実計画に記載された事業を行うことが困難である理由を記載した書類を添付して所轄庁に提出することによつて行うものとする。

（様式）

第6条の22　第6条の13、第6条の18、第6条の20及び前条に規定する書類は、書面又は電磁的記録をもつて作成しなければならない。

2　前項に掲げる書類の様式は、厚生労働省社会・援護局長が定める。

（身分を示す証明書）

第7条　法第56条第1項（法第144条において読み替えて準用する場合を含む。）の規定により立入検査をする職員の携帯する身分を示す証明書は、別記様式によるものとする。

（助成申請手続）

第8条　法第58条の規定により社会福祉法人が国の助成を申請しようとするときは、申請書に次に掲げる書類を添付して社会福祉法人の主たる事務所の所在地を管轄区域とする地方厚生局長（2以上の地方厚生局の管轄区域にわたり事業（第1条の4各号に該当するものに限る。）を行う社会福祉法人にあつては、厚生労働大臣）に提出しなければならない。

一　理由書

二　助成を受ける事業の計画書及びこれに伴う収支予算書

三　別に地方公共団体から助成を受け又は受けようとする場合には、その助成の程度を記載した書類

　　四　財産目録及び貸借対照表

2　前項に規定するもののほか、助成の種類に応じ必要な手続は、厚生労働大臣が別に定める。

3　第2条第5項の規定は、第1項の場合に準用する。

（届出）

第9条　法第59条の規定による計算書類等及び財産目録等（以下「届出計算書類等」という。）の届出は、次の各号に掲げる方法のいずれかにより行わなければならない。

　一　書面の提供（次のイ又はロに掲げる場合の区分に応じ、当該イ又はロに定める方法による場合に限る。）

　　イ　届出計算書類等が書面をもつて作成されている場合　当該書面に記載された事項を記載した書面2通の提供

　　ロ　届出計算書類等が電磁的記録をもつて作成されている場合　当該電磁的記録に記録された事項を記載した書面2通の提供

　二　電磁的方法による提供（次のイ又はロに掲げる場合の区分に応じ、当該イ又はロに定める方法による場合に限る。）

　　イ　届出計算書類等が書面をもつて作成されている場合　当該書面に記載された事項の電磁的方法による提供

　　ロ　届出計算書類等が電磁的記録をもつて作成されている場合　当該電磁的記録に記録された事項の電磁的方法による提供

　三　届出計算書類等の内容を当該届出に係る行政機関（厚生労働大臣、都道府県知事及び市長をいう。以下同じ。）及び独立行政法人福祉医療機構法（平成14年法律第166号）に規定する独立行政法人福祉医療機構の使用に係る電子計算機と接続された届出計算書類等の管理等に関する統一的な支援のための情報処理システムに記録する方法

（公表）

第10条　法第59条の2第1項の公表は、インターネットの利用により行うものとする。

2　前項の規定にかかわらず、社会福祉法人が前条第3号に規定する方法による届出を行い、行政機関等が当該届出により記録された届出計算書類等の内容の公表を行うときは、当該社会福祉法人が前項に規定する方法による公表を行つたものとみなす。

3　法第59条の2第1項第3号に規定する厚生労働省令で定める書類は、次に掲げる書類（法人の運営に係る重要な部分に限り、個人の権利利益が害されるおそれがある部分を除く。）とする。

　一　法第45条の27第2項に規定する計算書類

　二　法第45条の34第1項第2号に規定する役員等名簿及び同項第4号に規定する書類（第2条の41第14号及び第15号に規定する事項が記載された部分を除く。）

（調査事項）

第10条の2　法第59条の2第2項、第3項及び第6項に規定する厚生労働省令で定める事項は、次に掲げる事項（個人の権利利益が害されるおそれがある部分を除く。）とする。

　一　法第45条の27第2項に規定する計算書類の内容

　二　法第45条の32第1項に規定する附属明細書のうち社会福祉法人会計基準第30条第1項第10号に規定する拠点区分資金収支明細書及び同項第11号に規定する拠点区分事業活動明細書の内容

　三　法第45条の34第1項第1号に規定する財産目録の内容

　四　法第45条の34第1項第4号に規定する書類（第2条の41第15号に規定する事項が記載された部分を除く。）の内容

　五　承認社会福祉充実計画の内容

　六　その他必要な事項

（報告方法）

第10条の3　法第59条の2第2項及び第4項に規定する厚生労働省令で定める方法は、次に掲げる方法とする。

　一　電磁的方法

　二　第9条第3号に規定する情報処理システムに記録する方法

（社会福祉法人台帳）

第11条　所轄庁は、社会福祉法人台帳を備えなければならない。

2　前項の社会福祉法人台帳に記載しなければならない事項は、次のとおりとする。

　一　名称

　二　事務所の所在地

　三　理事長の氏名

　四　事業の種類

　五　設立認可年月日及び設立登記年月日

　六　評議員又は役員に関する事項

　七　資産に関する事項

　八　その他必要な事項

（身分を示す証明書）

第12条　法第70条の規定により検査その他事業経営の状況の調査を行う当該職員は、その身分を示す証明書を携帯し、かつ、関係者の請求があるときは、こ

れを提示しなければならない。

（所轄庁）

第13条 第2条、第3条、第5条第1項、第6条第1項、第6条の13、第6条の20、第6条の21及び第11条第1項において所轄庁とあるのは、法第30条に規定する所轄庁とする。

（法第77条第1項に規定する厚生労働省令で定める契約等）

第16条 法第77条第1項に規定する厚生労働省令で定める契約は、次に掲げる事業において提供される福祉サービスを利用するための契約とする。

一 法第2条第2項第2号に掲げる事業のうち、母子生活支援施設を経営する事業

二 法第2条第3項第1号に掲げる事業

三 法第2条第3項第2号に掲げる事業のうち、次に掲げるもの

　イ 障害児相談支援事業

　ロ 児童自立生活援助事業

　ハ 乳児家庭全戸訪問事業

　ニ 養育支援訪問事業

　ホ 地域子育て支援拠点事業

　ヘ 子育て援助活動事業

　ト 助産施設を経営する事業

　チ 保育所（都道府県及び市町村が設置したもの並びに就学前の子どもに関する教育、保育等の総合的な提供の推進に関する法律（平成18年法律第77号）第2条第6項に規定する認定こども園（保育所であるものに限る。）を除く。）を経営する事業

　リ 児童厚生施設を経営する事業

　ヌ 児童家庭支援センターを経営する事業

　ル 児童の福祉の増進について相談に応ずる事業

四 法第2条第3項第3号に掲げる事業のうち、母子・父子福祉施設を経営する事業

五 法第2条第3項第4号に掲げる事業のうち、次に掲げるもの

　イ 老人福祉センターを経営する事業

　ロ 老人介護支援センターを経営する事業

六 法第2条第3項第4号の2に掲げる事業のうち、一般相談支援事業及び特定相談支援事業

七 法第2条第3項第5号に掲げる事業のうち、次に掲げるもの

　イ 身体障害者福祉センターを経営する事業

　ロ 身体障害者の更生相談に応ずる事業

八 法第2条第3項第6号に掲げる事業のうち、知的障害者の更生相談に応ずる事業

九 法第2条第3項第9号に掲げる事業

十 法第2条第3項第11号に掲げる事業

2 法第77条第1項第4号に規定する厚生労働省令で定める事項は、次のとおりとする。

一 福祉サービスの提供開始年月日

二 福祉サービスに係る苦情を受け付けるための窓口

（誇大広告が禁止される事項）

第19条 法第79条に規定する厚生労働省令で定める事項は、次のとおりとする。

一 提供される福祉サービスの質その他の内容に関する事項

二 利用者が事業者に支払うべき対価に関する事項

三 契約の解除に関する事項

四 事業者の資力又は信用に関する事項

五 事業者の事業の実績に関する事項

（電磁的記録媒体による手続）

第41条 次に掲げる書類の提出については、これらの書類に記載すべき事項を記録した電磁的記録媒体（電磁的記録に係る記録媒体をいう。）並びに申請者又は届出者の名称及び主たる事務所の所在地並びに申請又は届出の趣旨及びその年月日を記載した書類を提出することによつて行うことができる。

一 第2条第1項に規定する申請書及び定款

二 第2条第2項第3号に規定する事業計画書及び収支予算書

三 第3条第1項に規定する申請書

四 第4条第2項において読み替えて準用される第3条第1項に規定する届出書

五 第3条第1項第2号（第4条第2項において準用される場合を含む。）に規定する定款

六 第3条第2項第3号に規定する事業計画書及び収支予算書

七 第3条第3項に規定する書類

八 第5条第1項に規定する申請書

九 第5条第1項第2号に規定する財産目録及び貸借対照表

十 第6条第1項に規定する申請書

十一 第6条第1項第2号に規定する定款

十二 第6条第1項第3号イに規定する財産目録及び貸借対照表

十三 第6条第1項第4号イに規定する財産目録

十四 第6条第1項第4号ロに規定する事業計画書及び収支予算書

十五 第6条第1項第4号ニからトまでに規定する書類

十六　第8条第1項に規定する申請書

十七　第8条第1項第1号に規定する理由書

十八　第8条第1項第2号に規定する計画書及び収支予算書

十九　第8条第1項第3号に規定する書類

二十　第8条第1項第4号に規定する財産目録及び貸借対照表

（電磁的記録媒体に貼り付ける書面）

第42条　前条の電磁的記録媒体には、次に掲げる事項を記載し、又は記載した書面を貼り付けなければならない。

一　申請者又は届出者の名称

二　申請年月日又は届出年月日

別記様式（第7条関係）

（表面）

<table>
<tr><td>

規定する一時評議員、理事、監事若しくは理事長の職務を行うべき者、同条第二項第三号に規定する一時清算人若しくは清算法人の監事の職務を行うべき者、同項第四号に規定する一時代表清算人の職務を行うべき者、同項第五号に規定する一時清算法人の評議員の職務を行うべき者若しくは第百五十六条第一項第二号に規定する一時会計監査人の職務を行うべき者又は社会福祉連携推進法人の理事、監事、会計監査人若しくはその職務を行うべき社員、同法第五十六条に規定する仮処分命令により選任された理事若しくは監事の職務を代行する者、第百四十三条第一項において準用する第四十五条の六第二項の規定により選任された一時理事、監事及び代表理事の職務を行うべき者、一般社団法人及び一般財団法人に関する法律第三百三十四条第一項第六号に規定する一時理事、監事若しくは代表理事の職務を行うべき者、第百四十三条第一項において準用する第四十五条の六第三項の規定により選任された一時会計監査人の職務を行うべき者若しくは同法第三百三十七条第一項第二号に規定する一時会計監査人の職務を行うべき者は、次のいずれかに該当する場合には、二十万円以下の過料に処する。ただし、その行為について刑を科すべきときは、この限りでない。

一〜十一 （略）

十二 第五十六条第一項（第百四十四条において準用する場合を含む。以下この号において同じ。）の規定による報告をせず、若しくは虚偽の報告をし、又は同項の規定による検査を拒み、妨げ、若しくは忌避したとき。

</td><td>

社会福祉法第五十六条第一項（同法第百四十四条において準用する場合を含む。）の規定による立入検査証

</td></tr>
</table>

（裏面）

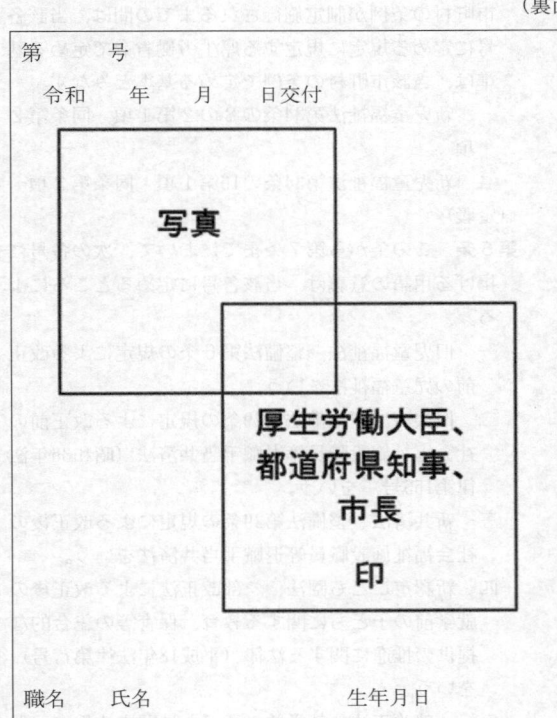

<table>
<tr><td>

社会福祉法(抄)
　第五十六条　所轄庁は、この法律の施行に必要な限度において、社会福祉法人に対し、その業務若しくは財産の状況に関し報告をさせ、又は当該職員に、社会福祉法人の事務所その他の施設に立ち入り、その業務若しくは財産の状況若しくは帳簿、書類その他の物件を検査させることができる。
　2　前項の規定により立入検査をする職員は、その身分を示す証明書を携帯し、関係人にこれを提示しなければならない。
　3　第一項の規定による立入検査の権限は、犯罪捜査のために認められたものと解してはならない。
　4〜11　（略）
第百四十四条　第五十六条（第八項を除く。）、第五十七条の二、第五十九条、第五十九条の二（第二項を除く。）及び第五十九条の三の規定は、社会福祉連携推進法人について準用する。この場合において、次の表の上欄に掲げる規定中同表の中欄に掲げる字句は、それぞれ同表の下欄に掲げる字句に読み替えるものとする。

</td></tr>
</table>

第五十六条第一項	所轄庁	認定所轄庁（第百三十九条第一項に規定する認定所轄庁をいう。以下同じ。）
（略）	（略）	（略）

第六十五条　社会福祉法人の評議員、理事、監事、会計監査人若しくはその職務を行うべき社員、清算人、民事保全法第五十六条に規定する仮処分命令により選任された評議員、理事、監事若しくは清算人の職務を代行する者、第百五十五条第一項第三号に

備考　この用紙は、A列7番とし、厚紙を用い、中央の点線の所から二つ折とすること。

●子ども・子育て支援法及び就学前の子どもに関する教育、保育等の総合的な提供の推進に関する法律の一部を改正する法律の施行に伴う関係法律の整備等に関する法律の施行に伴う経過措置に関する政令

〔平成26年12月19日〕
〔政　令　第　404　号〕

注　令和6年1月19日政令第12号改正現在

（児童手当法の規定の適用についての技術的読替え）

第1条　子ども・子育て支援法及び就学前の子どもに関する教育、保育等の総合的な提供の推進に関する法律の一部を改正する法律の施行に伴う関係法律の整備等に関する法律（以下「整備法」という。）第8条の規定による整備法第36条の規定による改正後の児童手当法（昭和46年法律第73号。以下この条において「新児童手当法」という。）第21条及び第22条の規定の適用についての技術的読替えは、次の表のとおりとする。

読み替える新児童手当法の規定	読み替えられる字句	読み替える字句
第21条第2項	児童福祉法	子ども・子育て支援法及び就学前の子どもに関する教育、保育等の総合的な提供の推進に関する法律の一部を改正する法律の施行に伴う関係法律の整備等に関する法律（平成24年法律第67号）第8条の規定により読み替えられた児童福祉法（次条第1項において「読替え後の児童福祉法」という。）
第22条第1項	同法第56条第6項	読替え後の児童福祉法第56条第6項
	同法第56条第2項	児童福祉法第56条第2項
	同条第2項	児童福祉法第56条第2項

（保育所の設置の認可の要件に関する経過措置）

第2条　整備法第6条の規定による改正後の児童福祉法（昭和22年法律第64号。以下「新児童福祉法」という。）第35条第5項（第4号に係る部分に限る。）の規定は、整備法の施行の日（以下本則において「整備法の施行日」という。）以後にした行為によりこれらの規定に規定する刑に処せられた者若しくは処分を受けた者又は整備法の施行日以後にこれらの規定に規定する行為を行った者について適用する。

（準備行為）

第3条　新児童福祉法を施行するために必要な条例の制定又は改正、新児童福祉法第24条第3項の規定による調整及び要請、新児童福祉法第34条の8第2項の規定による届出、新児童福祉法第34条の15第2項の認可の手続、新児童福祉法第35条第4項の認可の手続（新児童福祉法第39条第1項に規定する保育所に係るものに限る。）、新児童福祉法第56条の8第1項の規定による指定の手続その他の行為は、整備法の施行日前においても行うことができる。

（条例の制定に関する経過措置）

第4条　整備法の施行日から起算して1年を超えない期間内において、次の各号に掲げる規定に規定する市町村の条例が制定施行されるまでの間は、当該各号に定める規定に規定する厚生労働省令で定める基準は、当該市町村の条例で定める基準とみなす。

一　新児童福祉法第34条の8の2第1項　同条第2項

二　新児童福祉法第34条の16第1項　同条第2項

（定義）

第5条　この条から第7条までにおいて、次の各号に掲げる用語の意義は、当該各号に定めるところによる。

一　旧児童福祉法　整備法第6条の規定による改正前の児童福祉法をいう。

二　旧共済法　整備法第29条の規定による改正前の社会福祉施設職員等退職手当共済法（昭和36年法律第155号）をいう。

三　新共済法　整備法第29条の規定による改正後の社会福祉施設職員等退職手当共済法をいう。

四　新認定こども園法　一部改正法による改正後の就学前の子どもに関する教育、保育等の総合的な提供の推進に関する法律（平成18年法律第77号）をいう。

五　一部改正法　就学前の子どもに関する教育、保育等の総合的な提供の推進に関する法律の一部を改正する法律（平成24年法律第66号）をいう。

六　旧保育所　旧児童福祉法第35条第4項の規定による認可を受けた保育所をいう。

七　新保育所　新児童福祉法第35条第4項の規定による認可を受けた保育所をいう。

八　学校法人　私立学校法（昭和24年法律第270号）第3条に規定する学校法人をいう。

九　社会福祉法人　社会福祉法（昭和26年法律第45号）第22条に規定する社会福祉法人をいう。

十　経営者　社会福祉施設職員等退職手当共済法第2条第5項に規定する経営者をいう。

十一　共済契約対象施設等　社会福祉施設職員等退職手当共済法第2条第8項に規定する共済契約対象施設等をいう。

十二　共済契約　社会福祉施設職員等退職手当共済法第2条第9項に規定する退職手当共済契約をいう。

十三　共済契約者　社会福祉施設職員等退職手当共済法第2条第10項に規定する共済契約者をいう。

十四　被共済職員　社会福祉施設職員等退職手当共済法第2条第11項に規定する被共済職員をいう。

十五　幼保連携型認定こども園　新認定こども園法第2条第7項に規定する幼保連携型認定こども園（みなし幼保連携型認定こども園を除く。）をいう。

十六　幼保連携施設　一部改正法附則第3条第1項に規定する幼保連携施設をいう。

十七　みなし幼保連携型認定こども園　一部改正法附則第3条第2項に規定するみなし幼保連携型認定こども園をいう。

十八　元公布時社福経営共済施設　次に掲げる施設をいう。

イ　学校法人が廃止された旧保育所（この政令の公布の際現に社会福祉法人が旧児童福祉法第35条第4項の規定による認可を受けているものに限る。）の施設を利用して整備法の施行日前に同項の規定による認可を受けて経営を開始する旧保育所のうち、当該学校法人がその経営を開始する日の前日において当該廃止された旧保育所が当該社会福祉法人が経営する共済契約対象施設等であったもの

ロ　学校法人が整備法の施行日前に学校教育法（昭和22年法律第26号）第4条第1項の規定による認可を受けて経営を開始する幼稚園（この政令の公布の際現に社会福祉法人が同項の規定による認可を受けているものに限る。）であって、当該学校法人がその経営を開始する日の前日において当該社会福祉法人が経営する共済契約対象施設等であったもの

十九　公布時学法経営旧保育所　この政令の公布の際現に学校法人が旧児童福祉法第35条第4項の規定による認可を受けている旧保育所をいう。

二十　公布時学法経営幼稚園　この政令の公布の際現に学校法人が学校教育法第4条第1項の規定による認可を受けている幼稚園をいう。

二十一　元施行時社福経営共済施設　次に掲げる施設をいう。

イ　学校法人が廃止された旧保育所（この政令の公布の際現に社会福祉法人が旧児童福祉法第35条第4項の規定による認可を受けているものに限る。）の施設を利用して整備法の施行日以後に新児童福祉法第35条第4項の規定による認可を受けて経営を開始する新保育所のうち、整備法の施行日の前日から当該学校法人がその経営を開始する日の前日までの間、当該廃止された旧保育所が当該社会福祉法人が経営する共済契約対象施設等であったもの

ロ　学校法人が整備法の施行日以後に学校教育法第4条第1項の規定による認可を受けて経営を開始する幼稚園（この政令の公布の際現に社会福祉法人が同項の規定による認可を受けているものに限る。）であって、整備法の施行日の前日から当該学校法人がその経営を開始する日の前日までの間、当該社会福祉法人が経営する共済契約対象施設等であったもの

二十二　元公布時学法経営施設　次に掲げる施設をいう。

イ　社会福祉法人が廃止された旧保育所（この政令の公布の際現に学校法人が旧児童福祉法第35条第4項の規定による認可を受けているものに限る。）の施設を利用して整備法の施行日前に同項の規定による認可を受けて経営を開始する旧保育所のうち、この政令の公布の日（以下「公布日」という。）から当該社会福祉法人がその経営を開始する日の前日までの間、当該廃止された旧保育所が当該学校法人が経営していたものであったもの

ロ　社会福祉法人が整備法の施行日前に学校教育法第4条第1項の規定による認可を受けて経営を開始する幼稚園（この政令の公布の際現に学校法人が同項の規定による認可を受けているものに限る。）であって、公布日から当該社会福祉法人がその経営を開始する日の前日までの間、当該学校法人が経営していたもの

二十三　公布時社福経営旧保育所　この政令の公布の際現に社会福祉法人が旧児童福祉法第35条第4

項の規定による認可を受けている旧保育所をいう。

二十四　公布時社福経営幼稚園　この政令の公布の際現に社会福祉法人が学校教育法第4条第1項の規定による認可を受けている幼稚園をいう。

二十五　元施行時学法経営施設　次に掲げる施設をいう。

イ　社会福祉法人が廃止された旧保育所（この政令の公布の際現に学校法人が旧児童福祉法第35条第4項の規定による認可を受けているものに限る。）の施設を利用して整備法の施行日以後に新児童福祉法第35条第4項の規定による認可を受けて経営を開始する新保育所のうち、公布日から当該社会福祉法人がその経営を開始する日の前日までの間、当該廃止された旧保育所が当該学校法人が経営していたものであったもの

ロ　社会福祉法人が整備法の施行日以後に学校教育法第4条第1項の規定による認可を受けて経営を開始する幼稚園（この政令の公布の際現に学校法人が同項の規定による認可を受けているものに限る。）であって、公布日から当該社会福祉法人がその経営を開始する日の前日までの間、当該学校法人が経営していたもの

（社会福祉法人が経営する共済契約対象施設等であった保育所等を経営する学校法人に関する経過措置）

第6条　学校法人が公布日の翌日から整備法の施行日の前日までの間のいずれかの日から元公布時社福経営共済施設の経営を開始する場合であって、当該元公布時社福経営共済施設及び公布時学法経営旧保育所又は公布時学法経営幼稚園を廃止し、当該廃止されたこれらの施設を利用して新認定こども園法第17条第1項の規定により幼保連携型認定こども園の設置の認可を受けようとする者であるときは、当該元公布時社福経営共済施設の経営を開始する日に共済契約の申込みを行う場合に限り、整備法の施行日の前日までの間であって当該元公布時社福経営共済施設を経営する間、当該学校法人を経営者とみなして旧共済法の規定を適用する。

2　前項の場合における旧共済法の規定の適用については、次の表の上欄に掲げる旧共済法の規定中同表の中欄に掲げる字句は、それぞれ同表の下欄に掲げる字句とする。

第2条第1項	次に掲げる施設	子ども・子育て支援法及び就学前の教育、保育等の総合的な提供の推進に関する法律の一部を改正する法律の施行に伴う関係法律の整備等に関する法律の施行に伴う経過措置に関
		する政令（平成26年政令第404号。以下「経過措置政令」という。）第5条第18号に規定する元公布時社福経営共済施設である児童福祉法（昭和22年法律第164号）第35条第4項の規定による認可を受けた保育所
第2条第4項	社会福祉施設、特定社会福祉事業及び特定介護保険施設等以外の施設又は事業	特例幼稚園（経過措置政令第5条第18号に規定する元公布時社福経営共済施設である学校教育法（昭和22年法律第26号）第4条第1項の規定による認可を受けた幼稚園をいう。以下同じ。）
第2条第5項	、特定社会福祉事業又は特定介護保険施設等	又は特例幼稚園
第2条第6項	社会福祉施設又は特定社会福祉事業	社会福祉施設
	要する者	要する者（経営者が当該社会福祉施設の経営を開始する日の前日において経過措置政令第5条第18号イに規定する廃止された旧保育所の業務に常時従事することを要する被共済職員であつたものに限る。）
第2条第8項	、特定社会福祉事業、特定介護保険施設等又は申出施設等	又は申出施設等
	又は特定介護保険施設等職員以外のもの	以外のもの（経営者が当該申出施設等の経営を開始する日の前日において当該申出施設等の業務に常時従事することを要する被共済職員であつたものに限る。）
第2条第9項及び第11項	、特定介護保険施設等職員及び	及び
第2条第12項	社会福祉施設又は特定社会福祉事業	社会福祉施設
第2条第13項	特定介護保険施設等又は申出施設等	申出施設等
	施設又は事業	施設
	第3項又は	第4項

	第4項		
	特定介護保険施設等職員又は申出施設等職員	申出施設等職員	
第4条の2第1項及び第2項並びに第6条第5項	特定介護保険施設等又は申出施設等	申出施設等	
第18条	もの及び特定介護保険施設等職員であるもの（社会福祉施設又は特定社会福祉事業の業務に相当程度従事することを要する者として政令で定めるものに限る。）	もの	

3　学校法人が公布日の翌日から整備法の施行日の前日までの間のいずれかの日から元公布時社福経営共済施設の経営を開始する場合であって、みなし幼保連携型認定こども園（当該元公布時社福経営共済施設及び公布時学法経営旧保育所又は公布時学法経営幼稚園で構成される幼保連携施設について一部改正法附則第3条第1項の規定により新認定こども園法第17条第1項の規定による設置の認可があったものとみなされるものに限る。）を経営しようとする者であるときは、当該元公布時社福経営共済施設の経営を開始する日に共済契約の申込みを行う場合に限り、整備法の施行日の前日までの間であって当該元公布時社福経営共済施設を経営する間、当該学校法人を経営者とみなして旧共済法の規定を適用する。

4　前項の場合における旧共済法の規定の適用については、第2項の規定を準用する。

5　第1項の規定により経営者とみなされた学校法人が整備法の施行日以後引き続き元公布時社福経営共済施設（整備法の施行日の前日において学校法人が経営する共済契約対象施設等であるものに限る。）を経営する者であるときは、当該学校法人を経営者とみなして新共済法の規定を適用する。

6　前項の場合における新共済法の規定の適用については、第2項の規定を準用する。この場合において、同項中「旧共済法」とあるのは「新共済法」と、同表第2条第6項の項中「経営者が当該社会福祉施設の経営を開始する日」とあるのは「子ども・子育て支援法及び就学前の子どもに関する教育、保育等の総合的な提供の推進に関する法律の一部を改正する

法律の施行に伴う関係法律の整備等に関する法律（平成24年法律第67号）の施行の日（以下「整備法の施行日」という。）」と、「経過措置政令第5条第18号イに規定する廃止された旧保育所」とあるのは「当該社会福祉施設」と、同表第2条第8項の項中「経営者が当該申出施設等の経営を開始する日」とあるのは「整備法の施行日」と読み替えるものとする。

7　学校法人が整備法の施行日以後のいずれかの日から元施行時社福経営共済施設の経営を開始する場合であって、当該元施行時社福経営共済施設及び公布時学法経営旧保育所又は公布時学法経営幼稚園を廃止し、当該廃止されたこれらの施設を利用して新認定こども園法第17条第1項の規定により幼保連携型認定こども園の設置の認可を受けようとする者であるときは、当該元施行時社福経営共済施設の経営を開始する日に共済契約の申込みを行う場合に限り、当該元施行時社福経営共済施設を経営する間、当該学校法人を経営者とみなして新共済法の規定を適用する。

8　前項の場合における新共済法の規定の適用については、第2項の規定を準用する。この場合において、同項中「旧共済法」とあるのは「新共済法」と、同項の表第2条第1項の項及び第2条第4項の項中「第5条第18号」とあるのは「第5条第21号」と、「元公布時社福経営共済施設」とあるのは「元施行時社福経営共済施設」と、同表第2条第6項の項中「経営者が当該社会福祉施設の経営を開始する日の前日において経過措置政令第5条第18号イ」とあるのは「子ども・子育て支援法及び就学前の子どもに関する教育、保育等の総合的な提供の推進に関する法律の一部を改正する法律の施行に伴う関係法律の整備等に関する法律（平成24年法律第67号）の施行の日（以下「整備法の施行日」という。）の前日から経営者が当該社会福祉施設の経営を開始する日の前日までの間、経過措置政令第5条第21号イ」と、同表第2条第8項の項中「経営者が当該申出施設等の経営を開始する日の前日において」とあるのは「整備法の施行日の前日から経営者が当該申出施設等の経営を開始する日の前日までの間、」と読み替えるものとする。

9　第1項、第5項又は第7項の規定により経営者とみなされた学校法人が幼保連携型認定こども園（当該学校法人が当該幼保連携型認定こども園の経営を開始する日の前日においてその経営する共済契約対象施設等である元公布時社福経営共済施設又は元施行時社福経営共済施設及び公布時学法経営旧保育所

又は公布時学法経営幼稚園を廃止し、当該廃止され
たこれらの施設を利用して新認定こども園法第17条
第1項の規定による設置の認可を受けたものに限
る。）を経営する者であるときは、当該学校法人を
経営者とみなして新共済法の規定を適用する。

10　前項の場合における新共済法の規定の適用につい
ては、第2項の規定を準用する。この場合において、
同項中「旧共済法」とあるのは「新共済法」と、同
項の表第2条第1項の項中「第5条第18号」とある
のは「第6条第9項」と、「元公布時社福経営共済
施設である児童福祉法（昭和22年法律第164号）第
35条第4項の規定による認可を受けた保育所」とあ
るのは「幼保連携型認定こども園（学校法人（私立
学校法（昭和24年法律第270号）第3条に規定する
学校法人をいう。以下同じ。）が同項に規定する元
公布時社福経営共済施設又は元施行時社福経営共済
施設である児童福祉法（昭和22年法律第164号）第
35条第4項の規定による認可を受けた保育所を廃止
して就学前の子どもに関する教育、保育等の総合的
な提供の推進に関する法律（平成18年法律第77号）
第17条第1項の規定による認可を受けたものに限
る。）」と、同表第2条第4項の項中「特例幼稚園」
とあるのは「特例幼保連携型認定こども園」と、「第
5条第18号」とあるのは「第6条第9項」と、「元
公布時社福経営共済施設である学校教育法（昭和22
年法律第26号）第4条第1項の規定による認可を受
けた幼稚園」とあるのは「幼保連携型認定こども園
（学校法人が同項に規定する元公布時社福経営共済
施設又は元施行時社福経営共済施設である学校教育
法（昭和22年法律第26号）第4条第1項の規定によ
る認可を受けた幼稚園を廃止して就学前の子どもに
関する教育、保育等の総合的な提供の推進に関する
法律第17条第1項の規定による認可を受けたものに
限る。）」と、同表第2条第5項の項中「特例幼稚園」
とあるのは「特例幼保連携型認定こども園」と、同
表第2条第6項の項中「第5条第18号イに規定する
廃止された旧保育所」とあるのは「第6条第9項に
規定する元公布時社福経営共済施設又は元施行時社
福経営共済施設である児童福祉法第35条第4項の規
定による認可を受けた保育所」と、同表第2条第8
項の項中「当該申出施設等の業務」とあるのは「経
過措置政令第6条第9項に規定する元公布時社福経
営共済施設又は元施行時社福経営共済施設である学
校教育法第4条第1項の規定による認可を受けた幼
稚園の業務」と読み替えるものとする。

11　学校法人が幼保連携型認定こども園（社会福祉法
人が次に掲げる施設を、当該学校法人が公布時学法

経営旧保育所又は公布時学法経営幼稚園をそれぞれ
廃止し、当該廃止されたこれらの施設を利用して当
該学校法人が新認定こども園法第17条第1項の規定
による設置の認可を受けるものに限る。）の経営を
開始するときは、当該幼保連携型認定こども園の経
営を開始する日に共済契約の申込みを行う場合に限
り、当該幼保連携型認定こども園を経営する間、当
該学校法人を経営者とみなして新共済法の規定を適
用する。

一　この政令の公布の際現に当該社会福祉法人が旧
　児童福祉法第35条第4項の規定による認可を受け
　ている旧保育所であって、整備法の施行日の前日
　から当該学校法人が当該幼保連携型認定こども園
　の経営を開始する日の前日までの間、当該社会福
　祉法人が経営する共済契約対象施設等であったも
　の

二　この政令の公布の際現に当該社会福祉法人が学
　校教育法第4条第1項の規定による認可を受けて
　いる幼稚園であって、整備法の施行日の前日から
　当該学校法人が当該幼保連携型認定こども園の経
　営を開始する日の前日までの間、当該社会福祉法
　人が経営する共済契約対象施設等であったもの

12　前項の場合における新共済法の規定の適用につい
ては、第2項の規定を準用する。この場合において、
同項中「旧共済法」とあるのは「新共済法」と、同
項の表第2条第1項の項中「第5条第18号」とある
のは「第6条第11項」と、「元公布時社福経営共済
施設である児童福祉法（昭和22年法律第164号）第
35条第4項の規定による認可を受けた保育所」とあ
るのは「幼保連携型認定こども園（社会福祉法人が
経過措置政令第6条第11項第1号に掲げる施設を廃
止して、学校法人（私立学校法（昭和24年法律第
270号）第3条に規定する学校法人をいう。以下同
じ。）が就学前の子どもに関する教育、保育等の総
合的な提供の推進に関する法律（平成18年法律第77
号）第17条第1項の規定による認可を受けたものに
限る。）」と、同表第2条第4項の項中「特例幼稚園」
とあるのは「特例幼保連携型認定こども園」と、「第
5条第18号」とあるのは「第6条第11項」と、「元
公布時社福経営共済施設である学校教育法（昭和22
年法律第26号）第4条第1項の規定による認可を受
けた幼稚園」とあるのは「幼保連携型認定こども園
（社会福祉法人が経過措置政令第6条第11項第2号
に掲げる施設を廃止して、学校法人が就学前の子ど
もに関する教育、保育等の総合的な提供の推進に関
する法律第17条第1項の規定による認可を受けたも
のに限る。）」と、同表第2条第5項の項中「特例幼

稚園」とあるのは「特例幼保連携型認定こども園」と、同表第2条第6項の項中「経営者」とあるのは「子ども・子育て支援法及び就学前の子どもに関する教育、保育等の総合的な提供の推進に関する法律の一部を改正する法律の施行に伴う関係法律の整備等に関する法律（平成24年法律第67号）の施行の日（以下「整備法の施行日」という。）の前日から経営者」と、「において経過措置政令第5条第18号イに規定する廃止された旧保育所」とあるのは「までの間、経過措置政令第6条第11項第1号に掲げる施設」と、同表第2条第8項の項中「経営者」とあるのは「整備法の施行日の前日から経営者」と、「において当該申出施設等」とあるのは「までの間、経過措置政令第6条第11項第2号に掲げる施設」と読み替えるものとする。

13　第3項の規定により経営者とみなされた学校法人がみなし幼保連携型認定こども園（元公布時社福経営共済施設（整備法の施行日の前日において当該学校法人が経営する共済契約対象施設等であるものに限る。）及び公布時学法経営旧保育所又は公布時学法経営幼稚園で構成される幼保連携施設について一部改正法附則第3条第1項の規定により新認定こども園法第17条第一項の規定による設置の認可があったものとみなされたものに限る。）を経営する者であるときは、当該学校法人を経営者とみなして新共済法の規定を適用する。

14　前項の場合における新共済法の規定の適用については、第2項の規定を準用する。この場合において、同項中「旧共済法」とあるのは「新共済法」と、同項の表第2条第1項の項中「第5条第18号」とあるのは「第6条第13項」と、「元公布時社福経営共済施設である児童福祉法（昭和22年法律第164号）第35条第4項の規定による認可を受けた保育所」とあるのは「みなし幼保連携型認定こども園（同項に規定する元公布時社福経営共済施設である児童福祉法（昭和22年法律第164号）第35条第4項の規定による認可を受けた保育所で構成される就学前の子どもに関する教育、保育等の総合的な提供の推進に関する法律の一部を改正する法律（平成24年法律第66号。以下「一部改正法」という。）附則第3条第1項に規定する幼保連携施設（以下「幼保連携施設」という。）について一部改正法附則第3条第1項の規定により就学前の子どもに関する教育、保育等の総合的な提供の推進に関する法律（平成18年法律第77号）第17条第1項の規定による設置の認可があつたものとみなされたものに限る。）」と、同表第2条第4項の項中「特例幼稚園」とあるのは「特例みなし幼保

連携型認定こども園」と、「第5条第18号」とあるのは「第6条第13項」と、「元公布時社福経営共済施設である学校教育法（昭和22年法律第26号）第4条第1項の規定による認可を受けた幼稚園」とあるのは「みなし幼保連携型認定こども園（同項に規定する元公布時社福経営共済施設である学校教育法（昭和22年法律第26号）第4条第1項の規定による認可を受けた幼稚園で構成される幼保連携施設について一部改正法附則第3条第1項の規定により就学前の子どもに関する教育、保育等の総合的な提供の推進に関する法律第17条第1項の規定による設置の認可があつたものとみなされたものに限る。）」と、同表第2条第5項の項中「特例幼稚園」とあるのは「特例みなし幼保連携型認定こども園」と、同表第2条第6項の項中「経営者が当該社会福祉施設の経営を開始する日」とあるのは「子ども・子育て支援法及び就学前の子どもに関する教育、保育等の総合的な提供の推進に関する法律の一部を改正する法律の施行に伴う関係法律の整備等に関する法律（平成24年法律第67号）の施行の日（以下「整備法の施行日」という。）」と、「第5条第18号イに規定する廃止された旧保育所」とあるのは「第6条第13項に規定する元公布時社福経営共済施設である児童福祉法第35条第4項の規定による認可を受けた保育所」と、同表第2条第8項の項中「経営者が当該申出施設等の経営を開始する日」とあるのは「整備法の施行日」と、「当該申出施設等の業務」とあるのは「経過措置政令第6条第13項に規定する元公布時社福経営共済施設である学校教育法第4条第1項の規定による認可を受けた幼稚園の業務」と読み替えるものとする。

（学校法人が経営していた保育所等を経営する共済契約者である社会福祉法人に関する経過措置）
第7条　社会福祉法人が公布日の翌日から整備法の施行日の前日までの間のいずれかの日から元公布時学法経営施設の経営を開始する場合であって、当該元公布時学法経営施設及び公布時社福経営旧保育所又は公布時社福経営幼稚園を廃止し、当該廃止されたこれらの施設を利用して新認定こども園法第17条第1項の規定により幼保連携型認定こども園の設置の認可を受けようとする者（共済契約者である者に限る。）であるときは、当該社会福祉法人は、整備法の施行日の前日までの間であって当該元公布時学法経営施設を経営する間、当該社会福祉法人に使用される当該元公布時学法経営施設の業務に常時従事することを要する者であって当該幼保連携型認定こども園の業務に常時従事することを要する者となる者

（当該社会福祉法人に使用されることとなった日の前日まで当該学校法人に使用され、第5条第22号イに規定する廃止された旧保育所又は同号ロに規定する幼稚園の業務に常時従事することを要していた者であって、厚生労働省令で定める事情により当該社会福祉法人に使用されることとなったものに限る。第3項及び第5項において「認定こども園従事予定公布時学法職員」という。）については、旧共済法第2条第11項の規定にかかわらず、被共済職員でないものとすることができる。

2　社会福祉法人が公布日の翌日から整備法の施行日の前日までの間のいずれかの日から元公布時学法経営施設の経営を開始する場合であって、みなし幼保連携型認定こども園（当該元公布時学法経営施設及び公布時社福経営旧保育所又は公布時社福経営幼稚園で構成される幼保連携施設について一部改正法附則第3条第1項の規定により新認定こども園法第17条第1項の規定による設置の認可があったものとみなされるものに限る。）を経営しようとする者（共済契約者である者に限る。）であるときは、当該社会福祉法人は、整備法の施行日の前日までの間であって当該元公布時学法経営施設を経営する間、当該社会福祉法人に使用される当該元公布時学法経営施設の業務に常時従事することを要する者であって当該みなし幼保連携型認定こども園の業務に常時従事することを要する者となる者（当該社会福祉法人に使用されることとなった日の前日まで当該学校法人に使用され、第5条第22号イに規定する廃止された旧保育所又は同号ロに規定する幼稚園の業務に常時従事することを要していた者であって、厚生労働省令で定める事情により当該社会福祉法人に使用されることとなったものに限る。第7項において「みなし認定こども園従事予定公布時学法職員」という。）については、旧共済法第2条第11項の規定にかかわらず、被共済職員でないものとすることができる。

3　第1項の規定により認定こども園従事予定公布時学法職員について被共済職員でないものとした社会福祉法人が整備法の施行日以後引き続き元公布時学法経営施設（整備法の施行日の前日において社会福祉法人が経営する共済契約対象施設等であったものに限る。）を経営する者であるときは、当該社会福祉法人は、当該社会福祉法人に使用される当該元公布時学法経営施設の業務に常時従事することを要する者（第1項の規定により被共済職員でないものとされた者に限る。）については、新共済法第2条第11項の規定にかかわらず、被共済職員でないものと

することができる。

4　社会福祉法人が整備法の施行日以後のいずれかの日から元施行時学法経営施設の経営を開始する場合であって、当該元施行時学法経営施設及び公布時社福経営旧保育所又は公布時社福経営幼稚園を廃止し、当該廃止されたこれらの施設を利用して新認定こども園法第17条第1項の規定により幼保連携型認定こども園の設置の認可を受けようとする者（整備法の施行日の前日までに共済契約を締結し、当該共済契約を締結した日から引き続き共済契約者である者に限る。）であるときは、当該社会福祉法人は、当該元施行時学法経営施設を経営する間、当該社会福祉法人に使用される当該元施行時学法経営施設の業務に常時従事することを要する者であって当該幼保連携型認定こども園の業務に常時従事することを要する者となる者（当該社会福祉法人に使用されることとなった日の前日まで当該学校法人に使用され、第5条第25号イに規定する廃止された旧保育所又は同号ロに規定する幼稚園の業務に常時従事することを要していた者であって、厚生労働省令で定める事情により当該社会福祉法人に使用されることとなったものに限る。次項において「認定こども園従事予定施行時学法職員」という。）については、新共済法第2条第11項の規定にかかわらず、被共済職員でないものとすることができる。

5　第1項又は前2項の規定により認定こども園従事予定公布時学法職員又は認定こども園従事予定施行時学法職員について被共済職員でないものとした社会福祉法人が幼保連携型認定こども園（当該社会福祉法人が当該幼保連携型認定こども園の経営を開始する日の前日においてその経営する共済契約対象施設等であった元公布時学法経営施設又は元施行時学法経営施設及び公布時社福経営旧保育所又は公布時社福経営幼稚園を廃止し、当該廃止されたこれらの施設を利用して新認定こども園法第17条第1項の規定による設置の認可を受けたものに限る。）を経営する者（共済契約者である者に限る。）であるときは、当該社会福祉法人は、当該社会福祉法人に使用される当該幼保連携型認定こども園の業務に常時従事することを要する者（第1項又は前2項の規定により被共済職員でないものとされた者に限る。）については、新共済法第2条第11項の規定にかかわらず、被共済職員でないものとすることができる。

6　社会福祉法人が幼保連携型認定こども園（学校法人が次に掲げる施設を、当該社会福祉法人が公布時社福経営旧保育所又は公布時社福経営幼稚園をそれぞれ廃止し、当該廃止されたこれらの施設を利用し

て当該社会福祉法人が新認定こども園法第17条第1項の規定による設置の認可を受けるものに限る。）の経営を開始する場合であって、整備法の施行日の前日までに共済契約を締結し、当該共済契約を締結した日から引き続き共済契約者である者であるときは、当該社会福祉法人は、当該幼保連携型認定こども園を経営する間、当該社会福祉法人に使用される当該幼保連携型認定こども園の業務に常時従事することを要する者（当該社会福祉法人に使用されることとなった日の前日まで当該学校法人に使用され、当該廃止された施設の業務に常時従事することを要していた者であって、厚生労働省令で定める事情により当該社会福祉法人に使用されることとなったものに限る。）については、新共済法第2条第11項の規定にかかわらず、被共済職員でないものとすることができる。

一　この政令の公布の際現に当該学校法人が旧児童福祉法第35条第4項の規定による認可を受けている旧保育所であって、公布日から当該社会福祉法人が当該幼保連携型認定こども園の経営を開始する日の前日までの間、当該学校法人が経営していたもの

二　この政令の公布の際現に当該学校法人が学校教育法第4条第1項の規定による認可を受けている幼稚園であって、公布日から当該社会福祉法人が当該幼保連携型認定こども園の経営を開始する日の前日までの間、当該学校法人が経営していたもの

7　第2項の規定によりみなし認定こども園従事予定公布時学法職員について被共済職員でないものとした社会福祉法人がみなし幼保連携型認定こども園（元公布時学法経営施設（整備法の施行日の前日において当該社会福祉法人が経営する共済契約対象施設等であったものに限る。）及び公布時社福経営旧保育所又は公布時社福経営幼稚園で構成される幼保連携施設について一部改正法附則第3条第1項の規定により新認定こども園法第17条第1項の規定による設置の認可があったものとみなされたものに限る。）を経営する者（共済契約者である者に限る。）であるときは、当該社会福祉法人は、当該社会福祉法人に使用される当該みなし幼保連携型認定こども園の業務に常時従事することを要する者（第2項の規定により被共済職員でないものとされた者に限る。）については、新共済法第2条第11項の規定にかかわらず、被共済職員でないものとすることができる。

（旧児童手当法の規定により発せられた厚生労働省令の効力に関する経過措置）

第8条　整備法の施行前に整備法第36条の規定による改正前の児童手当法（次条において「旧児童手当法」という。）の規定により発せられた国家行政組織法（昭和23年法律第120号）第12条第1項の厚生労働省令は、法令に別段の定めがあるもののほか、整備法の施行後は、整備法による改正後の児童手当法の相当規定に基づいて発せられた相当の内閣府設置法（平成11年法律第89号）第7条第3項の内閣府令としての効力を有するものとする。

（旧児童手当法第14条の規定による不正利得の徴収に関する経過措置）

第9条　整備法の施行日の属する月の前月以前の月分の旧児童手当法の規定による児童手当に係る旧児童手当法第14条の規定による不正利得の徴収については、なお従前の例による。

（年金特別会計に関する経過措置）

第10条　整備法第58条の規定による改正後の特別会計に関する法律（平成19年法律第23号。以下この項において「新特別会計法」という。）の規定は、平成27年度の予算から適用し、同条の規定による改正前の特別会計に関する法律に基づく年金特別会計（以下この条において「旧年金特別会計」という。）の平成26年度の収入及び支出並びに同年度以前の年度の決算に関しては、なお従前の例による。この場合において、旧年金特別会計の児童手当勘定の平成27年度の歳入に繰り入れるべき金額があるときは、新特別会計法に基づく年金特別会計（以下この条において「新年金特別会計」という。）の子ども・子育て支援勘定の歳入に繰り入れるものとする。

2　旧年金特別会計の児童手当勘定の平成26年度の歳出予算の経費の金額のうち財政法（昭和22年法律第34号）第14条の3第1項又は第42条ただし書の規定による繰越しを必要とするものは、新年金特別会計の子ども・子育て支援勘定に繰り越して使用することができる。

3　整備法の施行の際、旧年金特別会計の児童手当勘定に所属する権利義務は、新年金特別会計の子ども・子育て支援勘定に帰属するものとする。

4　前項の規定により新年金特別会計の子ども・子育て支援勘定に帰属する権利義務に係る収入及び支出は、同勘定の歳入及び歳出とする。

　　　附　則

この政令は、整備法の施行の日〔平成27年4月1日〕から施行する。ただし、第3条及び第5条から第7条までの規定については、公布の日〔平成26年12月19日〕から施行する。

●子ども・子育て支援法及び就学前の子どもに関する教育、保育等の総合的な提供の推進に関する法律の一部を改正する法律の施行に伴う関係法律の整備等に関する法律の施行に伴う経過措置に関する政令第7条第1項等に規定する事情に関する命令

〔平成 26 年 12 月 19 日〕
〔厚生労働省令第140号〕
注　令和5年3月31日厚生労働省令第48号改正現在

子ども・子育て支援法及び就学前の子どもに関する教育、保育等の総合的な提供の推進に関する法律の一部を改正する法律の施行に伴う関係法律の整備等に関する法律の施行に伴う経過措置に関する政令第7条第1項、第2項、第4項及び第6項に規定する内閣府令で定める事情は、次に掲げるいずれかの事情とする。

一　学校教育法（昭和22年法律第26号）第4条第1項の規定による認可を受けた幼稚園の廃止及び設置者の変更

二　児童福祉法（昭和22年法律第64号）第35条第12項の規定による承認を受けた保育所の廃止又は休止

附　則

（施行期日）

第1条　この省令は、公布の日〔平成26年12月19日〕から施行する。

（経過措置）

第2条　この省令の施行の日から子ども・子育て支援法及び就学前の子どもに関する教育、保育等の総合的な提供の推進に関する法律の一部を改正する法律の施行に伴う関係法律の整備等に関する法律（平成24年法律第67号）の施行の日〔平成27年4月1日〕の前日までの間におけるこの省令の規定の適用については、本則第2号中「第35条第12項」とあるのは「第35条第7項」とする。

（認定こども園に係る社会福祉法人の手続）

○就学前の子どもに関する教育、保育等の総合的な提供の推進に関する法律の一部を改正する法律の公布に伴い、学校法人と連携して幼保連携型認定こども園を設置している社会福祉法人から定款上の残余財産の帰属すべき者に関する規定を変更する旨の申請があった場合の取扱い等について

平成24年12月18日　雇児発1218第１号・社援発1218第１号
各都道府県知事・各指定都市市長・各中核市市長宛　厚生労働省雇用均等・児童家庭・社会・援護局長連名通知

今般、子ども・子育て支援法（平成24年法律第65号）、就学前の子どもに関する教育、保育等の総合的な提供の推進に関する法律の一部を改正する法律（平成24年法律第66号）及び子ども・子育て支援法及び就学前の子どもに関する教育、保育等の総合的な提供の推進に関する法律の一部を改正する法律の施行に伴う関係法律の整備等に関する法律（平成24年法律第67号）が成立し、公布された。

今般の制度改正に伴い、複数の法人が連携して設置する幼保連携型認定こども園が、単一の設置主体による運営に切り替えるため、法人間で財産の承継等を行う場合の社会福祉法人の定款変更等については、下記のとおり取扱うこととしたので、御了知の上、適切な対処及び御協力方お願いするとともに、貴管下関係機関等への周知方よろしくお願いする。

記

1　今般の制度改正について

今般の改正においては、小学校就学前の子どもに対する教育及び保育等の総合的な提供をさらに推進する観点から、新たな幼保連携型認定こども園が創設されることとなった。

現行の幼保連携型認定こども園は学校教育法（昭和22年法律第26号）に基づく幼稚園と児童福祉法（昭和22年法律第164号）に基づく保育所のそれぞれ異なる法的位置付けを有する二つの施設が一体的に設置され連携協力して運営されるものである。

一方で、今般の改正による新たな幼保連携型認定こども園は、改正後の就学前の子どもに関する教育、保育等の総合的な提供の推進に関する法律（平成18年法律第77号）に基づき設置される、子どもに対する学校教育と保育を一体的に行う単一の施設として制度化するものであり、単一の設置主体によって運営されることが必要である（「子ども・子育て支援法、就学前の子どもに関する教育、保育等の総合的

な提供の推進に関する法律の一部を改正する法律並びに子ども・子育て支援法及び就学前の子どもに関する教育、保育等の総合的な提供の推進に関する法律の一部を改正する法律の施行に伴う関係法律の整備等に関する法律の公布について」（平成24年８月31日付府政共生第678号・24文科初第616号・雇児発0831第１号内閣府政策統括官（共生社会政策担当）・文部科学省初等中等教育局長・厚生労働省雇用均等・児童家庭局長連名通知）の第二の第２の７(2)を参照。）。

このため、既に設置されている幼保連携型認定こども園であって、学校法人が設置する幼稚園と社会福祉法人が設置する保育所により構成されているものについては、新制度の施行後の新たな幼保連携型認定こども園として存続するため、単一の設置主体による運営に切り替えることが必要となる。また、学校法人が設置する幼稚園及び社会福祉法人が設置する保育所であって現行の幼保連携型認定こども園となっていないものが今後新たに幼保連携型認定こども園となる場合についても、同様に単一の設置主体による運営に切り替えることが必要となる。

こうした単一の設置主体による運営への切り替えに当たっては、一方の学校法人又は社会福祉法人（以下「譲渡法人」という。）が他方の社会福祉法人又は学校法人（以下「譲受法人」という。）に対して譲渡法人に係る幼稚園又は保育所の設置に係る事業の全部を譲渡することが考えられる。この場合において、譲渡法人が当該幼稚園又は保育所の運営のみを主たる目的とする法人であるときは、私立学校法（昭和24年法律第270号）又は社会福祉法（昭和26年法律第45号）の関係規定に基づき、譲渡法人を解散することとなる。

譲渡法人の解散に伴う清算手続きにおいては、引き続き譲受法人により当該幼稚園又は保育所を運営

し、又は新たに幼保連携型認定こども園が運営されることを前提として、その幼稚園運営に係る残余財産を社会福祉法人に帰属させること、又は、その保育所運営に係る残余財産を学校法人に帰属させることが想定される。

このように譲渡法人の解散によりその残余財産を譲受法人に帰属させるためには、譲渡法人の残余財産の帰属すべき者として譲受法人となる社会福祉法人若しくは学校法人を当該解散の時に選定することができるように規定した定め又は当該譲受法人となる社会福祉法人若しくは学校法人を具体的に規定した定めを置いていることが必要である（私立学校法第30条第3項及び第51条第1項並びに社会福祉法第31条第3項及び第47条第1項）。

このため、学校法人の寄附行為が「学校法人」等に限り社会福祉法人を定めていない場合や、社会福祉法人の定款が「社会福祉法人」に限り学校法人を定めていない場合など上記の定めがない場合は、譲渡法人の残余財産を譲受法人に帰属させることができないため、寄附行為又は定款を変更することが必要となる。

2　社会福祉法人が譲渡法人となる場合の定款変更の取扱い等について

上記の通り、学校法人が設置する幼稚園と社会福祉法人が設置する保育所により構成されている幼保連携型認定こども園は、新制度の施行後の幼保連携型認定こども園として存続するため、単一の設置主体による運営に切り替えることが必要となる。単一の設置主体による運営への切り替えに当たり、当該

社会福祉法人が譲渡法人となり当該譲渡法人の解散によりその残余財産を譲受法人に帰属させる場合には、当該社会福祉法人の解散後の残余財産の帰属すべき者として、学校法人を規定するための定款の変更が必要となる場合が想定される。

「社会福祉法人の認可について」（平成12年12月1日付障第890号・社援第2618号・老発第794号・児発第908号厚生省大臣官房障害保健福祉部長・社会・援護局長・老人保健福祉局長・児童家庭局長連名通知）の「別紙2　社会福祉法人定款準則」の第23条では、残余財産の帰属すべき者として「学校法人」を明示していないところであるが、上記のような場合に、社会福祉法人の残余財産の帰属すべき者として学校法人を規定するための定款変更を行うことは、租税特別措置法施行令（昭和32年政令第43号）第25条の17第6項第3号の要件を満たした変更であり、租税特別措置法第40条第1項後段の規定による国税庁長官の承認（以下「非課税承認」という。）を受けた贈与又は遺贈として、引き続き非課税承認の適用対象となることについて、国税庁と協議済みである。

このため、学校法人と連携して幼保連携型認定こども園を設置している社会福祉法人から、新制度の施行に伴い、新たな幼保連携型認定こども園に切り替えるため、解散後の残余財産の帰属すべき者として学校法人を規定するための定款の変更の申請があった場合には、当該定款の変更を認可して差し支えないので、ご留意願いたい。

○複数の法人が連携して設置する幼保連携型認定こども園に係る法人間の財産の承継を含む事業譲渡等の取扱いについて

平成24年12月18日　府政共生第964号・24初幼教第10号・雇児保発1218第１号・社援基発1218第１号
各都道府県私立学校・各都道府県・各指定都市・各中核市民生主管部（局）長宛　内閣府政策統括官（共生社会政策担当）付参事官（少子化対策担当）・文部科学省初等中等教育局幼児教育・高等教育局私学部私学行政・厚生労働省雇用均等・児童家庭局保育・社会・援護局福祉基盤課長連名通知

「子ども・子育て支援法、就学前の子どもに関する教育、保育等の総合的な提供の推進に関する法律の一部を改正する法律並びに子ども・子育て支援法及び就学前の子どもに関する教育、保育等の総合的な提供の推進に関する法律の一部を改正する法律の施行に伴う関係法律の整備等に関する法律の公布について」（平成24年８月31日付通知府政共生第678号、24文科初第616号、雇児発0831第１号）においては、「新幼保連携型認定こども園（認定こども園法一部改正法による改正後の幼保連携型認定こども園をいう。以下同じ。）は学校教育と保育を一体的に行う単一の施設として制度化するものであり、単一の設置主体によって運営される必要がある」ことを示し、「現に複数の法人が設置する両施設が一体的に運営されている旧幼保連携型認定こども園については、改正後の制度施行までに単一の設置主体により設置することができるよう、内閣府、文部科学省及び厚生労働省において、法人間の財産の承継等の取扱い等について整理し、別途通知することとしており、各都道府県においてもその内容を踏まえ設置者からの相談に適切に応じていただくよう協力をお願いしたいこと」としていたところです。

このたび、複数の法人が連携して設置する旧幼保連携型認定こども園（就学前の子どもに関する教育、保育等の総合的な提供の推進に関する法律の一部を改正する法律（平成24年法律第66号。以下「認定こども園法一部改正法」という。）による改正前の就学前の子どもに関する教育、保育等の総合的な提供の推進に関する法律（平成18年法律第77号。以下「認定こども園法」という。）に基づく認定こども園で幼稚園及び保育所で構成されるものをいう。以下同じ。）に係る法人間の財産の承継を含む事業譲渡等の取扱いを下記のとおり整理しましたので、十分に御了知の上、所轄の各幼稚園又は保育所を設置する者等に対する指導及び助言その他の事務処理に遺漏のないようお願いします。

記

1　学校法人及び社会福祉法人が連携して旧幼保連携型認定こども園を設置している場合における法人間の事業譲渡の方法

学校法人及び社会福祉法人が連携して設置している旧幼保連携型認定こども園が認定こども園法一部改正法附則第３条第１項の規定に基づくみなし設置認可の適用を受けて新幼保連携型認定こども園（認定こども園法一部改正法による改正後の認定こども園法（以下「改正認定こども園法」という。）第２条第７項に規定する幼保連携型認定こども園をいう。以下同じ。）として存続するために、旧幼保連携型認定こども園を単一の設置主体による運営に切り替えるに当たっては、当該旧幼保連携型認定こども園を構成する幼稚園又は保育所（以下「譲渡施設」という。）を設置する一方の学校法人又は社会福祉法人（以下「譲渡法人」という。）が他方の社会福祉法人又は学校法人（以下「譲受法人」という。）に対して当該譲渡施設の設置に係る事業の全部を譲渡する方法（以下「事業譲渡」という。）により、両法人間において、財産、幼児等の在籍関係、職員の雇用関係その他の当該譲渡施設に関する各権利義務関係を個別に関係法令に従って承継させることが考えられること。さらに、譲渡法人が当該譲渡施設の設置のみを主たる目的とする法人であるときは、事業譲渡が行われた後速やかに当該譲渡法人を解散することが必要となること。

また、譲渡法人の解散が必要な場合において、財産の譲渡を事前に行わずに清算手続が開始されても、譲渡法人の負債が少ないことその他の事情により、当該譲渡施設の運営に必要な土地、建物等の基本財産その他の重要な資産が現状に変更を生じることなく残余財産となることが確実に見込まれるときは、法人間の財産の承継を一括して清算手続の中で行うことにより手続の簡素化を図ることとしても差し支えないこと。

以上については、認定こども園法一部改正法の施行と同時に行うこととしても、その施行に先立って行うこととしても差し支えないこと。

2　学校法人及び社会福祉法人が連携して旧幼保連携型認定こども園を設置している場合における事業譲渡に伴う留意事項

(1)　民事上及び行政上の適正な手続の確保

　設立の法的根拠や目的が異なる法人間で行われる今般の事業譲渡については、学校法人同士又は社会福祉法人同士の合併について定めた法人の合併に関する私立学校法（昭和24年法律第270号）又は社会福祉法（昭和26年法律第45号）の規定は適用されず、譲渡法人の権利義務を包括的に譲受法人に承継させるものではないこと。

　このため、当該事業譲渡により譲渡施設の運営の継続又は新幼保連携型認定こども園の運営に支障が生じないよう、当該事業譲渡に係る各権利義務関係の性質に応じ関係法令に従って、譲渡法人と譲受法人との合意はもとより、例えば債権者の同意の取得、適切な契約の変更、解除及び再締結、登記や各種規制に係る手続等、個別に当該各権利義務関係の内容を確定して移転させるために必要な民事上及び行政上の手続を遺漏なく適正に行うことが必要となること。

(2)　補助金の交付を受けて整備した建物等の財産処分に係る手続

　譲渡法人の有する譲渡施設の建物等で私立学校施設整備費補助金又は社会福祉施設等施設整備費及び社会福祉施設等設備整備費補助金の交付を受けて整備されたものに関し、事業譲渡又は譲渡法人の解散に伴って必要となる、補助金等に係る予算の執行の適正化に関する法律（昭和30年法律第179号）第22条に基づく財産処分の手続については、所定の報告書の提出により文部科学大臣又は厚生労働大臣の承認があったものとみなすとともに、納付金の国庫納付を当該承認の条件としないこと（「私立学校施設整備費補助金（私立幼稚園施設整備費）に係る財産処分の承認等について」（平成20年7月30日付通知20文科初第490号。近日中に改正予定。）等及び「厚生労働省所管一般会計補助金等に係る財産処分について」（平成20年4月17日付通知雇児発第0417001号）の別添2「雇用均等・児童家庭局所管一般会計補助金等に係る承認基準の特例」（近日中に改正予定。）を参照。）。

(3)　事業譲渡に係る財産の譲渡等の税制上の取扱い

①　租税特別措置法第40条第1項後段の適用を受けていた財産等の取扱い

　事業譲渡に伴って、租税特別措置法（昭和32年法律第26号）第40条第1項後段の規定による国税庁長官の承認（以下「非課税承認」という。）を受けた贈与又は遺贈に係る財産又は代替資産（以下「財産等」という。）が譲受法人に譲渡される場合には、現行の制度上、当該財産等を非課税承認に係る公益目的事業の用に直接供しなくなった場合に該当するものとされ、非課税承認の取消事由となり、非課税承認の取消しがあったときは譲渡法人に対し所得税が課されること（租税特別措置法第40条第3項）。この取扱いの見直しについては、平成25年度税制改正要望を行っているところであり、下記5も参照のこと。

　他方、譲渡法人の解散による残余財産の引渡しにより非課税承認に係る財産等が譲受法人に移転される場合には、譲渡法人が当該解散の日の前日までに納税地の所轄税務署長を通じて国税庁長官に対して所定の書類を提出することにより、当該譲受法人及び当該財産等について非課税承認を継続することができること（租税特別措置法第40条第7項）。

②　法人税、都道府県民税又は市町村民税の法人税割、事業税及び地方法人特別税の取扱い

　譲受法人が、事業譲渡に伴って譲り受けた譲渡施設に係る財産により、引き続き当該譲渡施設を運営し、又は新幼保連携型認定こども園を運営する場合において、譲渡法人及び譲受法人が法人税法第2条第13号に規定する収益事業（以下単に「収益事業」という。）を行っていないときは、当該事業譲渡に伴う財産の譲渡又は譲受けについては、法人税、都道府県民税又は市町村民税の法人税割、事業税及び地方法人特別税の課税の対象となる取引には該当しないこと。また、この取扱いは事業譲渡に限らず、譲渡法人の解散による残余財産の引渡しについても同様であること。なお、譲渡法人又は譲受法人が収益事業を行っている場合には、別途個別の判断が必要であること。

③　上記①及び②に係る内容については、国税庁及び総務省とも協議済みであること。

(4)　譲渡法人における手続上の留意点

①　寄附行為又は定款に関する手続

　認定こども園法一部改正法の施行に先立って行われる事業譲渡及び譲渡施設に係る基本財産その他の重要な資産の処分や、それらに伴う学

校法人の寄附行為又は社会福祉法人の定款の変更については、理事会の議決を得ることその他の学校法人の寄附行為又は社会福祉法人の定款所定の手続を経るとともに、必要な寄附行為又は定款の変更について所轄庁の認可を受けることが必要であること（私立学校法第45条第1項又は社会福祉法第43条第1項）。学校法人にあっては、あらかじめ評議員会の意見も聴取することが必要であること（私立学校法第42条第1号から第3号まで）、また、評議員会を設けている社会福祉法人にあっては、原則として評議員会の意見を聴取する必要があること。

なお、当該認可の申請に当たっては、私立学校法施行規則第4条第1項（幼稚園の設置者の変更を行う場合）若しくは同項及び第8項（幼稚園の廃止を行う場合）又は社会福祉法施行規則第3条第1項及び第3項（保育所の廃止を行う場合）に規定する書類が必要であること。

② 譲渡施設に関する手続

認定こども園法一部改正法の施行に先立って事業譲渡を行う場合には、当該事業譲渡に係る幼稚園の設置者の変更若しくは廃止の認可（学校教育法（昭和22年法律第26号）第4条第1項第3号。廃止については、譲受法人において別途当該幼稚園の設置の手続をとることとする場合に限る。）又は保育所の廃止の承認（児童福祉法（昭和22年法律第164号）第35条第7項。譲受法人において別途当該保育所の設置の手続をとること。）を受けるとともに、当該譲渡施設が構成する旧幼保連携型認定こども園の設置者の名称及び代表者の氏名の変更の届出（認定こども園法第7条第1項）を行う必要があること。

この場合において、学校教育法上、幼稚園の設置者の変更又は廃止のいずれの方法によることも差し支えないこと。幼稚園の設置者の変更の認可申請については譲渡法人と譲受法人が連署して行う必要があり（学校教育法施行規則第14条）、認定こども園に係る変更の届出については認定こども園法第4条第2項に準じて取り扱って差し支えないこと。

なお、当該認可又は承認の申請に当たっては、学校教育法施行規則第14条（幼稚園の設置者の変更を行う場合）若しくは第15条（幼稚園の廃止を行う場合）又は児童福祉法施行規則第38条第2項（保育所の廃止を行う場合）に規定する書類が必要であること。

また、当該譲渡施設を設置しなくなることに伴う学校法人の寄附行為又は社会福祉法人の定款の変更に係る手続については、上記①によること。

③ 認定こども園法一部改正法の施行と同時に事業譲渡を行う場合における上記①及び②の手続については、基本的に同様のものとなるほか、認定こども園法一部改正法の施行に伴う関係政令の整備等にも留意を要することについては、下記5を参照のこと。

④ 譲渡法人の解散を伴う場合の手続上の留意点

ⅰ) 残余財産の承継に関する私立学校法第30条第3項及び社会福祉法第31条第3項の解釈

事業譲渡に伴って譲渡法人の解散が必要な場合における残余財産については、学校法人は寄附行為の定めるところにより「学校法人その他教育の事業を行う者」に、社会福祉法人は定款の定めるところにより「社会福祉法人その他社会福祉事業を行う者」に帰属させることができるものであること（私立学校法第30条第3項及び第51条第1項並びに社会福祉法第31条第3項及び第47条第1項）。

この点、引き続き譲渡施設を運営することはもとより、新たに学校と児童福祉施設の両方の位置付けを有する施設である新幼保連携型認定こども園を運営することは「教育の事業」かつ「社会福祉事業」であり、譲受法人となる社会福祉法人又は学校法人はそれぞれ「その他教育の事業を行う者」又は「その他社会福祉事業を行う者」に該当すると解されることから、事業譲渡に伴う譲渡法人の解散により学校法人と社会福祉法人との間で残余財産を移転することとしても差し支えないこと。

ⅱ) 寄附行為又は定款における残余財産の帰属者の定めと租税特別措置法第40条第1項後段との関係

事業譲渡に伴う譲渡法人の解散により学校法人と社会福祉法人との間で残余財産を移転するには、当該譲渡法人の解散前に、譲渡法人である学校法人の寄附行為又は社会福祉法人の定款において、残余財産の帰属すべき者として譲受法人となる社会福祉法人若しくは学校法人を当該解散の時に選定することができるよう規定した定め（対応する学校法人の寄附行為の規定例については、「学校法人寄附行為作成例の改正について」（平成16年8

月6日付通知高私行第3号）を参照。）又は
当該譲受法人となる社会福祉法人若しくは学
校法人を具体的に規定した定めを置いている
ことが必要であること。このような定めがな
い場合は当該譲渡法人の寄附行為又は定款を
変更することが必要であり、その手続は上記
(4)①と同様であること。

　上記のような社会福祉法人の定款の変更に
ついては、社会福祉法人定款準則（「社会福
祉法人の認可について」（平成12年12月1日
付通知障発第890号、社援発第2618号、老発
第794号、児発第908号）別紙2をいう。）第
23条にかかわらず、残余財産の帰属すべき者
を学校法人と規定しても差し支えないもので
あること（「就学前の子どもに関する教育、
保育等の総合的な提供の推進に関する法律の
一部を改正する法律の公布に伴い、学校法人
と連携して幼保連携型認定こども園を設置し
ている社会福祉法人から定款上の残余財産の
帰属すべき者に関する規定を変更する旨の申
請があった場合の取扱い等について」（平成
24年12月18日付通知雇児発1218第1号、社援
発1218第1号）を参照。）。

　なお、当該寄附行為又は定款の変更の認可
の申請に当たっては、私立学校法施行規則第
4条第1項又は社会福祉法施行規則第3条第
1項に規定する書類が必要であること。

　租税特別措置法第40条第1項後段の非課税
承認を受けた贈与又は遺贈に係る譲渡法人が
このような寄附行為又は定款の変更を行う場
合については、当該変更は非課税承認に係る
租税特別措置法施行令（昭和32年政令第43号）
第25条の17第6項第3号の要件を満たした変
更であり、譲渡法人の清算が結了するまでの
間は引き続き非課税承認の適用対象となるこ
と。このことについては、国税庁とも協議済
みであること。

ⅲ)　法人の解散に関する手続
　譲渡法人の解散に当たっては、理事総数の
3分の2以上の合意を得、評議員会の議決を
得ることその他の学校法人の寄附行為又は社
会福祉法人の定款所定の手続を経るととも
に、所轄庁の認可を受けることが必要である
こと（私立学校法第50条第1項第1号及び第
2項又は社会福祉法第46条第1項第1号及び
第2項）。学校法人については、寄附行為に
おいて評議員会の議決を要することとしてい

ない場合であっても、評議員会の意見を聞く
ことが必要であること（私立学校法第42条第
1項第5号）。また、評議員会を設けている
社会福祉法人については、原則として評議員
会の意見を聞く必要があること。さらに、当
該認可を受けた後は、解散の登記を行うとと
もに（組合等登記令第7条）、所轄庁に当該
登記の完了を届け出ることが必要であること
（私立学校法施行令第1条第1項若しくは私
立学校法施行規則第13条第2項又は社会福祉
法第28条第1項）。

　なお、当該認可の申請に当たっては、私立
学校法施行規則第5条又は社会福祉法施行規
則第5条に規定する書類が必要であること。

ⅳ)　清算手続
　債権者への公告（私立学校法第50条の9又
は社会福祉法第46条の9）、債務の弁済、残
余財産の引渡しその他の譲渡法人の清算に係
る職務を終えた清算人は、主たる事務所の所
在地において清算結了の登記を行うとともに
（組合等登記令第10条）、所轄庁に清算結了
を届け出ることが必要であること（私立学校
法第50条の14又は社会福祉法第47条の3）。

　なお、譲渡法人の残余財産は、上記の清算
結了の届出の時までの間はその帰属に変更は
生じないこと（私立学校法第50条の3及び第
51条第1項又は社会福祉法第46条の3及び第
47条第1項）。

(5)　譲受法人における手続上の留意点
①　寄附行為又は定款に関する手続
　認定こども園法一部改正法の施行に先立って
行われる事業譲渡に関する事項やそれに伴う学
校法人の寄附行為又は社会福祉法人の定款の変
更については、学校法人にあっては評議員会の
意見を聞いた上で（私立学校法第42条第1項第
1号から第3号まで）、評議員会を設けている
社会福祉法人にあっては、原則として評議員会
の意見を聞いた上で、理事会の議決を得ること
その他の学校法人の寄附行為又は社会福祉法人
の定款所定の手続を経るとともに、必要となる
寄附行為又は定款の変更について所轄庁の認可
を受けることが必要であること（同法第45条第
1項又は社会福祉法第43条第1項）。

　事業譲渡に係る譲渡施設が構成する旧幼保連
携型認定こども園は、認定こども園法一部改正
法附則第3条第1項の規定に基づき新幼保連携
型認定こども園としてのみなし設置認可の適用

を受け、学校並びに児童福祉施設及び第二種社会福祉事業の位置付けを有することとなるものであることを踏まえ、譲受法人における当該譲渡施設の取扱いについては、学校法人にあっては保育所を附随事業として、社会福祉法人にあっては幼稚園を公益を目的とする事業として、それぞれ寄附行為又は定款に位置付け、適切な運営を確保することが望ましいこと（参考として、学校法人については「学校法人の設置する認可保育所の取扱いについて」（平成14年7月29日付通知文科高第330号）又は「文部科学大臣所轄学校法人が行う附随事業と収益事業の扱いについて」（平成21年2月26日付通知20文科高第855号）を、社会福祉法人については「社会福祉法人の認可について」（平成12年12月1日付通知障発第890号、社援発第2618号、老発第794号、児発第908号。今年度中に改正予定。）を参照。）。

なお、当該寄附行為又は定款の変更の認可の申請に当たっては、私立学校法施行規則第4条第1項（幼稚園の設置者の変更又は保育所の設置を行う場合）若しくは同項及び第9項（幼稚園の設置を行う場合）又は社会福祉法施行規則第3条第1項及び第2項に規定する書類が必要であること。

また、認定こども園法一部改正法の施行により新幼保連携型認定こども園としてのみなし設置認可の適用を受けたことに伴って必要となる学校法人の寄附行為又は社会福祉法人の定款の変更に関し、認定こども園法一部改正法の施行に伴う関係政令の整備等にも留意を要することについては、下記5を参照のこと。

② 譲渡施設に関する手続

認定こども園法一部改正法の施行に先立って事業譲渡を受ける場合には、当該事業譲渡に係る幼稚園の設置者の変更若しくは設置の認可（設置については、譲渡法人において別途当該幼稚園の廃止の手続をとることとする場合に限る。）又は保育所の設置の認可（譲渡法人において別途当該保育所の廃止の手続をとること。）（学校教育法第4条第1項第3号又は児童福祉法第35条第4項）を受けるとともに、当該譲渡施設が構成する旧幼保連携型認定こども園の設置者の名称及び代表者の氏名の変更の届出（認定こども園法第7条第1項）を行う必要があること。

この場合において、学校教育法上、幼稚園の

設置者の変更又は設置のいずれの方法によることも差し支えなく、幼稚園の設置者の変更の認可申請及び認定こども園に係る変更の届出の手続については、上記(4)②と同様であること。

なお、当該認可の申請に当たっては、学校教育法施行規則第14条（幼稚園の設置者の変更を行う場合）若しくは第3条（幼稚園の設置を行う場合）又は児童福祉法施行規則第37条第2項及び第3項（保育所の設置を行う場合）に規定する書類が必要であること。

③ 認定こども園法一部改正法の施行と同時に事業譲渡を行う場合における上記①及び②の手続については、基本的にそれらと同様のものとなるほか、認定こども園法一部改正法の施行に伴う関係政令の整備等にも留意を要することについては、下記5を参照。

3 その他の場合における事業譲渡の取扱い

学校法人が設置する幼稚園及び社会福祉法人が設置する保育所で旧幼保連携型認定こども園ではないものを上記1と同様の方法により単一の設置主体による運営に切り替えて、新たに旧幼保連携型認定こども園又は新幼保連携型認定こども園を設置するために事業譲渡が行われる場合についても、基本的に学校法人及び社会福祉法人が連携して設置する旧幼保連携型認定こども園に係る事業譲渡と同様の扱いとなることから、上記2を適宜参考とすること。

これらの手続を認定こども園法一部改正法の施行後に行う場合には、上記2における認定こども園法の関係規定は改正認定こども園法の関係規定に、児童福祉法の関係規定は子ども・子育て支援法及び就学前の子どもに関する教育、保育等の総合的な提供の推進に関する法律の一部を改正する法律の施行に伴う関係法律の整備等に関する法律（平成24年法律第67号）による改正後の児童福祉法の関係規定に、適宜読み替えること。

また、学校法人又は社会福祉法人以外の者が連携して設置している旧幼保連携型認定こども園を上記1と同様の方法により単一の設置主体による運営に切り替える場合には、当該旧幼保連携型認定こども園を設置する者それぞれの設立根拠となる法律その他の関係法令、当該者の定める定款等に従うことが必要であること。また、上記2（(4)①及び④並びに(5)①を除く。）を適宜参考とすること。

4 所轄庁における手続上の留意事項

① 私立学校審議会等への諮問

上記2の手続のうち、幼稚園の設置者の変更又は廃止及び設置に係ることについては私立学校法

第８条に基づき、学校法人である譲渡法人の解散に係ることについては同法第50条第３項において準用する同法第31条第２項に基づき、あらかじめ私立学校審議会の意見を聞くことが必要であること。

　認定こども園法一部改正法の施行後に行われる上記３の手続に伴う所轄庁の手続については、これらのほか、新幼保連携型認定こども園の設置に係ることについては改正認定こども園法第17条第３項に基づき、同法第25条の合議制の機関の意見を聞くことが必要であること。その際、学校法人及び新幼保連携型認定こども園の所轄庁が同じであるときは、両機関の合同開催等により手続の簡素化を図ることも考えられること。

②　その他の一般的留意事項

　法人及び譲渡施設に関する各認可権者、認定権者又は承認権者においては、社会福祉法及び児童福祉法に基づく事務処理に関する大都市等の特例の実施状況、政令指定都市又は中核市の長が改正認定こども園法に基づく認可権者となる私立の新幼保連携型認定こども園の設置状況その他の各都道府県の実情も踏まえつつ、各認可申請等に関する相談への対応を含め、各種行政手続の運用に当たって関係の機関及び部局の間の連携を十分に図ること。

　事業譲渡が必要となる具体的な事案がある場合には、譲渡施設に在籍する幼児等の保護者、使用する職員、負債に係る債権者等の譲渡法人及び譲受法人以外の第三者との関係にも十分に配慮し、譲渡施設の運営の継続又は新たに設置する新幼保連携型認定こども園の運営の円滑の確保を図ることを基本として、認定こども園法一部改正法の施行の日までに必要な手続が遺漏なく実施されるよう、連携して旧幼保連携型認定こども園を設置する各学校法人及び社会福祉法人等に対し、事業譲渡に関する基本的な計画の作成、事業譲渡契約の締結等に関し適切に指導及び助言をすることが望ましいこと。

５　その他

　新幼保連携型認定こども園に係る税制上の取扱いについては、現行制度における上記２(3)①の取扱いの見直しを含め、平成25年度税制改正要望を行っているところであること。

　また、認定こども園法一部改正法の施行と同時に事業譲渡を行う場合における上記２(4)②及び(5)②の手続並びに認定こども園法一部改正法の施行により新幼保連携型認定こども園としてのみなし設置認可の適用を受けたことに伴う(5)①の手続については、認定こども園法一部改正法の施行に伴う関係政令の整備等がなされた後に、その内容も踏まえて補足事項を示すこととしていること。

（添付資料）

別紙１：法人間の財産の承継イメージ　略

別紙２：想定される手続の流れ（例）　略

別紙３：関係法令条文（抜粋）　略

○幼保連携型認定こども園の設置を目的として行う法人間の事業譲渡の類型並びにこれに伴う財産等の贈与に係る税制上の取扱い及び日本私立学校振興・共済事業団又は独立行政法人福祉医療機構から資金の貸付けを受けている場合の債務の承継に係る取扱いについて

平成25年6月28日　府政共生第493号・25初幼教第4号・雇児保発0628第1号・社援基発0628第1号　各都道府県私立学校・各都道府県・各指定都市・各中核市民生主管部（局）長宛　内閣府政策統括官（共生社会政策担当）付参事官（少子化対策担当）・文部科学省初等中等教育局幼児教育・高等教育局私学部私学行政・私学助成・厚生労働省雇用均等・児童家庭局保育・社会・援護局福祉基盤課長連名通知

新幼保連携型認定こども園（就学前の子どもに関する教育、保育等の総合的な提供の推進に関する法律の一部を改正する法律（平成24年法律第66号。以下「認定こども園法一部改正法」という。）による改正後の就学前の子どもに関する教育、保育等の総合的な提供の推進に関する法律（平成18年法律第77号）第2条第7項に規定する幼保連携型認定こども園をいう。以下同じ。）又は旧幼保連携型認定こども園（認定こども園法一部改正法による改正前の就学前の子どもに関する教育、保育等の総合的な提供の推進に関する法律に基づく認定こども園で幼稚園及び保育所で構成されるものをいう。以下同じ。）を設置するため、幼稚園及び保育所又は保育機能施設（以下「保育所等」という。）について単一の設置主体による運営に切り替えるために事業の全部を譲渡（以下「事業譲渡」という。）する場合の取扱いについては、「複数の法人が連携して設置する幼保連携型認定こども園に係る法人間の財産の承継を含む事業譲渡等の取扱いについて」（平成24年12月18日付通知府政共生第964号、24初幼教第10号、雇児保発1218第1号、社援基発1218第1号。以下「平成24年12月18日付通知」という。）において、学校法人及び社会福祉法人が連携して設置している旧幼保連携型認定こども園が認定こども園法一部改正法附則第3条第1項の規定に基づくみなし設置認可の適用を受けて新幼保連携型認定こども園として存続するために、旧幼保連携型認定こども園を単一の設置主体による運営に切り替える場合の取扱いに係る留意事項について、同通知2において示すとともに、学校法人が設置する幼稚園及び社会福祉法人が設置する保育所で旧幼保連携型認定こども園ではないものを単一の設置主体による運営に切り替えて、新たに旧幼保連携型認定こども園又は新幼保連携型認定こども園を設置するた

めに事業譲渡が行われる場合についてもこれを適宜参考とするよう、同通知3前段にて示したところです。

また、事業譲渡に係る税制上の取扱いについては、同通知2⑶①及び5において、租税特別措置法（昭和32年法律第26号）第40条第1項後段の規定による国税庁長官の承認（以下「非課税承認」という。）を受けた財産等の贈与に係る取扱いの見直しを含め、平成25年度税制改正要望を行っている旨をお知らせしたところです。

このたび、新幼保連携型認定こども園又は旧幼保連携型認定こども園の設置を目的として幼稚園又は保育所等の事業譲渡を行う場合の類型を整理するとともに、所得税法等の一部を改正する法律（平成25年法律第5号。以下「所得税法等一部改正法」という。）による租税特別措置法第40条の改正により、平成25年6月1日より事業譲渡に伴う財産等の贈与に関する税制上の取扱いが変更となった点に係るその取扱い及び留意事項、並びに事業譲渡の対象となる幼稚園又は保育所の事業について日本私立学校振興・共済事業団（以下「事業団」という。）又は独立行政法人福祉医療機構（以下「機構」という。）から資金の貸付けを受けている場合の事業譲渡に伴う債務の承継に係る取扱いを整理しましたので、下記のことについて十分に御了知の上、所轄の各幼稚園又は保育所等を設置する者等に対する指導及び助言その他の事務処理に遺漏のないようお願いします。

記

1　事業譲渡の類型

　　新幼保連携型認定こども園又は旧幼保連携型認定こども園を設置するために、幼稚園又は保育所等について、一方の公益法人等（学校法人、社会福祉法人その他の所得税法等一部改正法による改正後の租

税特別措置法（以下「新租税特別措置法」という。）第40条第10項に規定する「譲渡法人」に該当するものをいう。以下「譲渡法人」という。）から他方の公益法人等（学校法人、社会福祉法人その他の新租税特別措置法第40条第10項に規定する「譲受法人」に該当するものをいう。以下「譲受法人」という。）に事業譲渡を行う場合の類型としては、以下のものがあること。

イ(i)　譲受法人による新幼保連携型認定こども園の設置を目的として、譲渡法人が設置する幼稚園又は保育所等を譲受法人による運営に切り替える場合

(ii)　譲渡法人及び譲受法人がそれぞれ設置する幼稚園又は保育所（保育機能施設を含まない。）をともに廃止し、これらを基に譲受法人が新幼保連携型認定こども園を設置する場合

ロ　譲渡法人及び譲受法人がそれぞれ設置する幼稚園又は保育所等が連携する施設について旧幼保連携型認定こども園の認定を受け、認定こども園法一部改正法の施行日に認定こども園法一部改正法附則第3条第1項の規定に基づくみなし設置認可の適用を受けて新幼保連携型認定こども園として存続させることを目的として、当該幼稚園又は保育所等（保育機能施設にあっては、それを基に譲受法人が保育所を設置することがみなし設置認可の適用を受けるために必要）を譲受法人による運営に切り替える場合

ハ　譲渡法人及び譲受法人がそれぞれ設置する幼稚園又は保育所が構成する旧幼保連携型認定こども園について、認定こども園法一部改正法の施行日に認定こども園法一部改正法附則第3条第1項の規定に基づくみなし設置認可の適用を受けて新幼保連携型認定こども園として存続させることを目的として、当該幼稚園又は保育所を譲受法人による運営に切り替える場合

2　事業譲渡に伴う財産等の贈与に係る税制上の取扱い

(1)　改正の概要

所得税法等一部改正法による改正前の租税特別措置法第40条においては、事業譲渡に伴い、非課税承認を受けた贈与又は遺贈に係る財産又は同条第1項に規定する代替資産（以下「財産等」という。）を譲渡法人から譲受法人に贈与する場合には、譲渡法人の解散に伴う残余財産の引渡しによる財産等の移転の場合（同条第7項）を除き、当該財産等について非課税承認に係る公益目的事業の用に直接供しなくなった場合に該当するものと

され、非課税承認の取消事由となっていたが（同条第3項）、今回の改正により、このような場合にも、財産等の贈与の日（同条第10項に規定する「贈与の日」をいう。以下同じ。）の前日までに所定の書類を納税地の所轄税務署長を通じて国税庁長官に提出したときは、当該譲受法人及び当該財産等について非課税措置を継続することができることとなったこと（同条第10項等）。

また、当該財産等の贈与を受けた譲受法人は、当該贈与の日の翌日から1年を経過する日までの期間内に、当該財産等を新幼保連携型認定こども園又は旧幼保連携型認定こども園の事業の用に供する必要があること（同条第11項において準用する同条第5項）。

(2)　対象となる財産等の贈与

今回の改正により新たに非課税措置を継続する対象となる財産等の贈与は、上記1のイ～ハの場合に行われる事業譲渡すべてに伴うものであること（上記2(1)のとおり、譲渡法人の解散に伴う残余財産の引渡しによる財産等の移転を除く。残余財産の引渡しの場合に非課税措置を継続できることについては、平成24年12月18日付通知における2(3)①後段を参照。）。

なお、非課税措置の対象となる財産等は、譲渡法人が設置する幼稚園又は保育所等に係る事業の用に直接供されているものに限ること。

3　非課税措置を継続するための手続及び留意事項

(1)　非課税措置を継続するための手続

非課税措置を継続するためには、譲渡法人及び譲受法人において、事業譲渡に係る幼稚園の設置、廃止若しくは設置者変更の認可若しくはその申請、保育所の設置認可若しくは廃止承認若しくはそれらの申請、保育機能施設の設置者変更の届出、新幼保連携型認定こども園の設置認可若しくはその申請又は旧幼保連携型認定こども園の認定を受けた者の変更の届出（以下「関連認可等手続」という。）のうち所定の手続を済ませた上で、事業譲渡に係る財産等の贈与の日の前日までに、所定の書類を納税地の所轄税務署長を通じて国税庁長官に提出する必要があること（事業譲渡の類型ごとの関連認可等手続については別紙1、国税庁長官への提出書類については別紙2を参照。）。

(2)　手続上の留意事項

①　新租税特別措置法第40条第10項に規定する「贈与の日」

新租税特別措置法第40条第10項に規定する「贈与の日」とは、譲渡法人による財産等の贈

与の履行の日であること。したがって、贈与の日には財産等の贈与を含め関係法令に基づく認可等や法人間の契約に基づく各権利義務関係の承継を含めた当該事業譲渡全体の効果が生じる必要があり、贈与の日までに、必要な契約の締結はもとより、関連認可等手続のほか、学校法人の寄附行為や社会福祉法人の定款の変更の認可等の関係法令に基づく手続を済ませる必要があること（事業譲渡に伴う必要な手続及び留意事項については平成24年12月18日付通知を参照。）。

② 財産等を幼保連携型認定こども園の事業の用に供する日

財産等の贈与を受けた譲受法人は、当該財産等を贈与の日の翌日から1年を経過する日までの期間内に新幼保連携型認定こども園又は旧幼保連携型認定こども園の事業の用に供する必要があるため、あらかじめこの期間内における新幼保連携型認定こども園又は旧幼保連携型認定こども園の設置予定日を定めておく必要があること。なお、別紙2のとおり、非課税措置を継続するための国税庁長官への提出書類には、財産等が新幼保連携型認定こども園又は旧幼保連携型認定こども園の事業に供される「使用開始予定日」として、当該設置予定日を記載するとともに、認可等の申請書類や理事会議事録等のそれを証する書類を添付する必要があること。

また、所轄庁においては、当該設置予定日までに新幼保連携型認定こども園の設置認可又は旧幼保連携型認定こども園の認定を済ませることを含め、必要な手続が遺漏なく実施されるよう、事業譲渡を行う者に対して適切に指導及び助言をすることが望ましいこと。

③ 事業譲渡に係る幼稚園又は保育所等の設置認可等の申請書類に記載すべき事項等

上記1のイ(i)又はロの場合において、譲渡法人又は譲受法人が、幼稚園に係る事業譲渡の場合には幼稚園の設置又は設置者変更の認可申請、保育所に係る事業譲渡の場合には保育所の設置の認可申請、保育機能施設に係る事業譲渡の場合には保育機能施設の設置者変更の届出をそれぞれ行うときは、当該申請又は届出が新幼保連携型認定こども園又は旧幼保連携型認定こ

ども園の設置を目的として行われるものである旨及びその設置予定日を申請書類又は届出書類に記載することを当該譲渡法人又は譲受法人に対して求めるとともに、その設置に向けて準備が円滑に進むよう、適切に指導及び助言することが望ましいこと。

(3) 上記(1)(2)に係る内容については、国税庁とも協議済みであること。

4 事業団又は機構から資金の貸付けを受けている場合の債務の承継に係る取扱い

幼稚園又は保育所を設置する者が、当該幼稚園又は保育所の事業に関し、施設の設置、整備又は経営等について事業団又は機構から必要な資金の貸付けを受け、事業譲渡の時点でその償還が完了しない場合において、事業譲渡に当たり、当該貸付けに係る債務を承継しようとするときは、一般的な資金の貸付けに係る債務の承継と同様、債権者である事業団又は機構の同意を得ることが必要であるため、手続等について、事前に事業団又は機構に相談すること。

なお、学校法人以外の者であって幼稚園又は新幼保連携型認定こども園を設置しようとするものへの債務の承継については、当該者への貸付けは、事業団が同意した場合に、子ども・子育て支援法及び就学前の子どもに関する教育、保育等の総合的な提供の推進に関する法律の一部を改正する法律の施行に伴う関係法律の整備等に関する法律（平成24年法律第67号）による改正後の日本私立学校振興・共済事業団法（平成9年法律第48号）附則第13条の規定により、同法第23条第1項第2号に規定する「学校法人」への貸付けとして認められていること。また、社会福祉法人以外の法人であって保育所を設置又は経営しようとするものへの債務の承継については、当該法人への貸付けは、機構が同意した場合に、独立行政法人福祉医療機構法施行令の一部を改正する政令（平成25年政令第146号）による改正後の独立行政法人福祉医療機構法施行令（平成15年政令第393号）第2条第8号に規定する「保育所を設置し、若しくは経営する法人」への貸付けとして認められていること（なお、社会福祉法人以外の法人であって新幼保連携型認定こども園を設置又は経営しようとするものへの債務の承継についても、同様の取扱いとなるよう措置する予定。）。

○子ども・子育て支援法及び就学前の子どもに関する教育、保育等の総合的な提供の推進に関する法律の一部を改正する法律の施行に伴う関係法律の整備等に関する法律によって新たに第二種社会福祉事業として位置づけられた事業について

平成27年3月31日　府政共生第351号・26初幼教第39号・雇児総発0331第1号・雇児職発0331第2号・雇児保発0331第2号・雇児母発0331第7号
各都道府県私立学校・各都道府県・各指定都市・各中核市民生主管部(局)長宛　内閣府政策統括官(共生社会政策担当)付参事官(少子化対策担当)・文部科学省初等中等教育局幼児教育・厚生労働省雇用均等・児童家庭局総務・職業家庭両立・保育・母子保健課長連名通知

平成24年8月に成立した子ども・子育て支援法及び就学前の子どもに関する教育、保育等の総合的な提供の推進に関する法律の一部を改正する法律の施行に伴う関係法律の整備等に関する法律（平成24年法律第67号。以下「整備法」という。）により、小規模保育事業（利用定員が10人以上のものに限る。以下同じ。）、病児保育事業、子育て援助活動支援事業及び幼保連携型認定こども園を経営する事業を社会福祉法（昭和26年法律第49号）第2条第3項の第二種社会福祉事業として位置づける規定が平成27年4月1日に施行されることに伴い、また、平成24年8月に成立した子ども・子育て支援法（平成24年法律第65号）第59条第1号に規定される事業（以下「利用者支援事業」という。）が、社会福祉法第2条第3項第2号の「児童の福祉の増進について相談に応ずる事業」に該当する事業として第二種社会福祉事業に位置づけられることから、その取扱いを下記のとおりまとめたので遺漏なきを期するとともに、貴管内の市町村、関係団体等に対して遅滞なく周知し、関係部局と連携の上、その運用に遺漏のないよう配意願いたい。

なお、本通知は社会・援護局と協議済みである旨、申し添える。

また、この通知は、地方自治法（昭和22年法律第67号）第245条の4第1項の規定に基づく技術的な助言である。

記

1　事業者の義務

(1)　第二種社会福祉事業を営む者としての事業開始届出義務について

①　社会福祉法上の届出が必要である事業

子育て援助活動支援事業及び利用者支援事業を開始したときは、事業開始の日から1月以内に、都道府県知事に届け出ることが義務付けら

れている。届け出た事項に変更が生じた場合には、変更の日から1月以内に都道府県知事に届出の義務がある。事業廃止についても同様である。（社会福祉法第69条）

ただし、平成27年4月1日時点で、現に子育て援助活動支援事業及び利用者支援事業を行っている者の事業開始届については、改正法の施行の日から起算して3月以内（平成27年6月30日まで）に行うことが望ましい。

なお、届出の内容については、子育て援助活動支援事業及び利用者支援事業については、社会福祉法上第69条第1項の規定に基づく届出であるので、同項に規定されている同法第67条第1項各号に掲げる事項となる。

※留意点

第二種社会福祉事業の届出は事業を経営する者が行うことになるため、子育て援助活動支援事業又は利用者支援事業を市町村が実施する場合には、実施主体である市町村（委託の場合も含む。）が届出を行うことになる。

法人が指定都市及び中核市の域内でこれらの事業を行う場合にあっては、指定都市又は中核市に対して届出等をすることとなる。なお、指定都市、中核市が事業主体となる場合には、届出義務は生じない。（指定都市については地方自治法施行令第174条の30の2第1項及び第3項、中核市については地方自治法施行令第174条の49の7第1項及び第3項）

なお、子育て援助活動支援事業及び利用者支援事業について、「届出様式例」（別添）を示すので、参考とされたい。

②　社会福祉法上の届出が不要である事業

幼保連携型認定こども園を経営する事業、小

規模保育事業及び病児保育事業については、社会福祉法第74条の規定により、同法第69条第1項に基づく事業開始の届出については社会福祉法の適用除外の対象となっているが、これらの事業を開始する場合、小規模保育事業は児童福祉法第34条の15第2項の規定による市町村長の認可が、病児保育事業は同法第34条の18第1項の規定による都道府県知事への届出が、幼保連携型認定こども園は就学前の子どもに関する教育、保育等の総合的な提供の推進に関する法律（平成18年法律第77号。以下「認定こども園法」という。）第16条の規定による都道府県知事への届出（市町村（特別区を含む。）立幼保連携型認定こども園の場合）又は同法第17条第1項の規定による都道府県知事（指定都市又は中核市の区域内に所在する場合は当該指定都市又は中核市の長）の認可（私立幼保連携型認定こども園の場合）が必要となるため留意すること。

ただし、国又は都道府県以外の者が行う病児保育事業に係る届出期間については、あらかじめ届け出ることとなっているが、整備法附則第7条第2項の規定により、整備法の施行（平成27年4月1日）の際現に病児保育事業を行っている当該者についての事業開始届については、整備法の施行の日から3か月以内（平成27年6月30日まで）に行うこととされている。

また、一時預かり事業については、児童福祉法施行規則の一部を改正する省令（平成27年厚生労働省令第17号）により、幼稚園型一時預かり事業等が創設されたところであるが、一時預かり事業として児童福祉法（昭和22年法律第164号）第34条の12の規定により届出を行うこととなっていることから、社会福祉法第74条の規定が適用され、社会福祉法第69条の規定による届出は不要である。

なお、以下の事業についての認可申請又は届出の事項は次のとおり。

・小規模保育事業：児童福祉法施行規則第36条の36第1項各号
・病児保育事業：児童福祉法施行規則第36条の38第1項各号
・幼保連携型認定こども園を経営する事業：就学前の子どもに関する教育、保育等の総合的な提供の推進に関する法律施行規則第15条第1項各号

※留意点
病児保育事業及び幼保連携型認定こども園

を経営する事業について、市町村が事業を実施する場合には、実施主体である市町村が都道府県に届出を行うことになる。

法人が指定都市及び中核市の域内でこれらの事業を行う場合にあっては、指定都市又は中核市に対して届出等をすることとなる。なお、指定都市、中核市が事業主体となる場合には、届出義務は生じない。（指定都市については地方自治法施行令第174条の26第1項及び第8項、中核市については地方自治法施行令第174条の49の2第1項及び第3項、認定こども園法第16条及び第17条第1項）

なお、病児保育事業について、「届出様式例」（別添）を示すので、参考とされたい。

(2) 社会福祉事業を営む者としての義務について

① サービス利用者に対する情報提供努力義務

社会福祉事業の経営者は、福祉サービス（社会福祉事業において提供されるものに限る。）を利用しようとする者が、適切かつ円滑にこれを利用することができるように、その経営する社会福祉事業に関し、情報の提供を行うよう努めなければならない。（社会福祉法第75条第1項）

なお、幼保連携型認定こども園及び小規模保育事業については、特定教育・保育施設及び特定地域型保育事業の運営に関する基準（平成26年内閣府令第39号。以下「運営基準」という。）第28条第1項（第50条において準用する場合を含む。）の規定による情報の提供を行っている場合には、社会福祉法第75条第1項の規定による努力義務を果たしているものと取り扱って差し支えない。

② 利用契約の申込み時の説明の努力義務

社会福祉事業の経営者は、利用申込者に対し、契約の内容及びその履行に関する事項について説明するよう努めなければならない。（社会福祉法第76条）

なお、幼保連携型認定こども園及び小規模保育事業については、運営基準第5条第1項及び第38条第1項において、あらかじめ、利用申込者に対し、重要事項を記した文書を交付して説明を行い、同意を得なければならないとされていることから、この手続を行うことをもって、社会福祉法第76条の規定による努力義務を果たしているものと取り扱って差し支えない。

③ 利用契約成立時の書面の交付義務

一般に第二種社会福祉事業の実施に当たっては、社会福祉事業の経営者は福祉サービスを利

用するための契約が成立したときには、その利用者に対し社会福祉法第77条第1項各号に掲げる事項を記載した書面を交付しなければならないが、社会福祉法施行規則（昭和26年厚生省令第28号）第16条において免除する対象を規定しており、子育て援助活動支援事業及び利用者支援事業については同条の規定の対象となり、書面交付義務の対象から除外される。

なお、幼保連携型認定こども園及び小規模保育事業については、運営基準第5条第1項、第13条第6項、第38条第1項及び第43条第6項において、あらかじめ、利用申込者に対し、重要事項を記した文書を交付して説明を行い、同意を得なければならないとされていることから、この手続を行うことをもって、社会福祉法第77条の規定による交付義務を果たしているものと取り扱って差し支えない。

④　質の向上のための自己評価等の努力義務

社会福祉事業の経営者は、自らその提供する福祉サービスの質の評価を行うこと、その他の措置を講ずることにより、サービスを受ける者の立場に立って良質かつ適切なサービスを提供するよう努めなければならない。（社会福祉法第78条第1項）

なお、幼保連携型認定こども園については認定こども園法第23条及び認定こども園法施行規則第23条から第25条まで並びに運営基準第16条の規定による評価等を行っている場合、小規模保育事業については家庭的保育事業等の設備及び運営に関する基準（平成26年厚生労働省令第61号）第5条第2項及び第3項並びに運営基準第45条の規定による評価等を行っている場合には、社会福祉法第78条第1項の規定による努力義務を果たしているものと取り扱って差し支えない。

⑤　誇大広告の禁止

社会福祉事業の経営者は、その提供する福祉サービスについて広告をするときは、著しく事実に相違する表示をし、又は実際のものよりも著しく優良であり若しくは有利であると人を誤認させるような表示をしてはならない。（社会福祉法第79条）

なお、幼保連携型認定こども園及び小規模保育事業については、運営基準第28条第2項（第50条において準用する場合を含む。）の規定による義務を遵守している場合には、社会福祉法第79条の規定による義務を遵守しているものと取り扱って差し支えない。

2　事業の指導監督について

事業の適正な運営を確保するため、都道府県、指定都市及び中核市においては、各事業に係る法令や実施要綱等に基づき、事業が適切に実施されるよう、管内の市町村や事業者への周知に努めるとともに、重大な事故等が発生した場合又は利用者から苦情や相談が寄せられている場合で、事業の運営上の観点から問題があると認められる場合等は、必要に応じて施設への立入検査を行う等の指導監督を行うこと（小規模保育事業については、市町村長が指導監督を行うものである）。（社会福祉法第70条、児童福祉法第34条の17第1項、第34条の18の2第1項及び認定こども園法第19条第1項）

以下の場合は、これらの社会福祉事業を経営することを制限し、その停止を命じることができるのでご留意願いたい。（社会福祉法第70条及び第72条、児童福祉法第34条の17第4項、第34条の18の2第3項及び認定こども園法第21条第1項）

①　子育て援助活動支援事業及び利用者支援事業の経営者が、

ア　変更の届出、事業廃止の届出をしない場合

イ　報告徴収・検査に応じない場合

ウ　サービス利用者の処遇について不当な行為をした場合

エ　利用契約の成立時の書面の交付に係る規定に違反した場合

オ　誇大広告の禁止規定に違反した場合

カ　事業開始の届け出をせず、事業に関し不当に営利を図った場合

なお、事業経営の制限又は停止の命令に違反した者は、6月以下の懲役又は50万円以下の罰金に処することとなっている。

②　幼保連携型認定こども園を経営する事業、小規模保育事業及び病児保育事業の経営者については、社会福祉法第74条の規定により、社会福祉法上の指導監督に関する規定は適用除外となっているが、児童福祉法又は認定こども園法の規定による指導監督を行うことにより、当該事業の適切な運営が行われるように留意すること。

また、これらの規定のほか、①エ及びオに違反したときは、社会福祉法第72条第2項の規定に基づき、これらの事業の制限又は停止を命ずること等ができる。

この場合、当該事業の制限又は停止の命令等に違反した者については、6月以下の懲役又は50万円以下の罰金に処することとなっている。（社会福祉法第131条第3号）

子ども・子育て支援法等によって新たに第二種社会福祉事業として位置づけられた事業について

（別紙様式例）

第　　　　　　号
平成　　年　　月　　日

○○都道府県知事　殿

名　　　称
代表者氏名　　　　　印

子育て援助活動支援事業開始届出書

標記について、子ども・子育て支援法第59条第12号に規定する子育て援助活動支援事業を開始したいので、社会福祉法第69条の第１項の規定に基づき届け出する。

実施主体名称 （市町村名）	
代表者氏名 （市町村長名）	
担当部署名及び所在地	

事業の内容 （該当する事項に○）	基本事業　・　病児　・　緊急対応強化事業　・　ひとり親家庭等の利用支援
委託等の有無 （該当する事項に○）	有（　　委託　・　補助　　）・　無
上記が有の場合、委託先等名称、代表者名	
主たる事務所の所在地	
事業開始年月日	平成　　　年　　　　月　　　　日
備　　　　考	

条例、定款その他の基本約款収支予算書	（書類を添付）

○複数市町村による合同実施の場合でも、各市町村毎に都道府県に届け出て下さい。

Ⅳ　法人　1　社会福祉法人

第　　　　　　号
平成　年　月　日

○○都道府県知事　殿

名　　称
代表者氏名　　　　印

子育て援助活動支援事業変更届出書

　標記について、子ども・子育て支援法第59条第12号に規定する子育て援助活動支援事業の届出事項に変更が生じたため、社会福祉法第69条の第2項の規定に基づき届け出する。

実 施 主 体 名 称 （市 町 村 名）	
代 表 者 氏 名 （市 町 村 長 名）	
担当部署名及び所在地	

事 業 の 内 容 （該当する事項に○）	基本事業　・　病児　・　緊急対応強化事業　・　ひとり親家庭等の利用支援
委 託 等 の 有 無 （該当する事項に○）	有（　　委託　・　補助　　）・　無
上記が有の場合、委託先等名称、代表者名	
主たる事務所の所在地	
事 業 開 始 年 月 日	平成　　年　　　月　　　日
備　　　　　　考	

条例、定款その他の基本約款収支予算書	（書類を添付）

○この届出には、変更が生じた届出事項について記載してください。
○複数市町村による合同実施の場合でも、各市町村毎に都道府県に届け出て下さい。

子ども・子育て支援法等によって新たに第二種社会福祉事業として位置づけられた事業について

第　　　　　　　号
平成　　年　月　日

○○都道府県知事　殿

名　　　称
代表者氏名　　　　印

子育て援助活動支援事業廃止届出書

　標記について、子ども・子育て支援法第59条第12号に規定する子育て援助活動支援事業を廃止したいので、社会福祉法第69条の第2項の規定に基づき届け出する。

実施主体名称 （市町村名）	
代表者氏名 （市町村長名）	
担当部署名及び所在地	

事業の内容 （該当する事項に○）	基本事業　・　病児　・　緊急対応強化事業　・　ひとり親家庭等の利用支援
委託等の有無 （該当する事項に○）	有（　　委託　・　補助　　）・　無
上記が有の場合、委託先名称、代表者名	
主たる事務所の所在地	
事業廃止年月日	平成　　年　　月　　日
廃　止　理　由	

○複数市町村による合同実施の場合でも、各市町村毎に都道府県に届け出て下さい。

Ⅳ　法人　1　社会福祉法人

（別紙様式例）

第　　　　号

平成　年　月　日

〇〇都道府県知事　殿

名　　称

代表者氏名　　　　印

児童の福祉の増進について相談に応ずる事業（利用者支援事業）開始届出書

　標記について、子ども・子育て支援法第59条第1号に規定する利用者支援事業を開始したいので、社会福祉法第69条の第1項の規定に基づき届け出する。

経 営 者 名 称 （法 人 名 称）	
代 表 者 氏 名	
主たる事務所の所在地	

施 設 の 名 称	
施 設 の 所 在 地	
事 業 開 始 年 月 日	平成　　年　　月　　日
実 施 形 態	基本型　　　　特定型　　　　母子保健型
職　　　　　員	職員数　名（常勤　名　非常勤　名）

条例、定款その他の基本約款収支予算書	（書類を添付）

子ども・子育て支援法等によって新たに第二種社会福祉事業として位置づけられた事業について

第　　　　　号
平成　年　月　日

○○都道府県知事　殿

名　　　称　　　　　印
代表者氏名

児童の福祉の増進について相談に応ずる事業（利用者支援事業）変更届出書

　標記について、子ども・子育て支援法第59条第１号に規定する利用者支援事業の届出事項に変更が生じたため、社会福祉法第69条の第２項の規定に基づき届け出する。

経 営 者 名 称 （法 人 名 称）	
代 表 者 氏 名	
主たる事務所の所在地	

施 設 の 名 称	
施 設 の 所 在 地	
事 業 開 始 年 月 日	平成　　年　　　月　　　日
実 施 形 態	基本型　　　　　特定型　　　　　母子保健型
職　　　　　員	職員数　　名（常勤　　名　　非常勤　　名）

条例、定款その他の基本約款収支予算書	（書類を添付）

○この届出には、変更が生じた届出事項について記載してください。

第　　　　　号

平成　年　月　日

○○都道府県知事　殿

名　　　称

代表者氏名　　　　印

児童の福祉の増進について相談に応ずる事業（利用者支援事業）廃止届出書

　標記について、子ども・子育て支援法第59条第1号に規定する利用者支援事業を廃止したいので、社会福祉法第69条の第2項の規定に基づき届け出する。

経 営 者 名 称 （法 人 名 称）	
代 表 者 氏 名	
主たる事務所の所在地	

施 設 の 名 称	
施 設 の 所 在 地	
事 業 廃 止 年 月 日	平成　　年　　　月　　　　日
実 施 形 態	基本型　　　　　特定型　　　　　母子保健型
廃 止 理 由	

子ども・子育て支援法等によって新たに第二種社会福祉事業として位置づけられた事業について

（別紙様式例）

第　　　　号
平成　年　月　日

〇〇都道府県知事　殿

名　　　称
代表者氏名　　　　　　　印

病児保育事業開始届出書

標記について、児童福祉法第6条の3第13項に規定する病児保育事業を開始したいので、同法第34条の18第1項の規定に基づき届け出する。

【全類型共通】

事　業　の　種　類 （事　業　類　型）	病児対応型　病後児対応型　体調不良児対応型　非施設型（訪問型）		
事　業　の　内　容	※1		

経　営　者　氏　名 （法　人　名　称）	
経　営　者　住　所 （主たる事務所の所在地）	

職　　　　　　　員	職員数　　　　名（常勤　　　名　　非常勤　　　名） （氏名、生年月日、常勤・非常勤の別、職務の内容、資格の内容、経歴を別紙に記載）		
事　業　区　域	※2		
施　設　の　名　称			
施　設　の　種　類			
施　設　の　所　在　地		利用定員	人
事　業　開　始　年　月　日	平成　　　年　　　月　　　日		

【病児対応型及び病後児対応型】

面　積　及　び　構　造	施設の面積　　　　㎡ 　保育室　　　　㎡〔1人あたり　　　　㎡〕 　建物の構造　　　造　　　階建（設置図、平面図を添付）
設　　　　　　　備	観察室　　　　　　　　　安静室　　　　　　　　調理室 ベビーベッド　　　　　　遊具 その他（　　　　　　　　　　　　　　　　　　　　　　　　　　　）

Ⅳ　法人　1　社会福祉法人

【体調不良児対応型】

面　積　及　び　構　造	施設の面積　　　　　㎡ 　保育室　　　　㎡〔1人あたり　　　㎡〕 　乳児室又はほふく室　　　　㎡〔1人あたり　　　㎡〕 　その他　　　㎡ 建物の構造　　　造　　　階建（設置図、平面図を添付）
設　　　　　　　　備	ベビーベッド　　　　　　　　遊具 その他（　　　　　　　　　　　　　　　　　　　　　　　　　　　）

条例、定款その他の基本約款	（書類を添付）

※1　事業内容を簡潔に記載のうえ、事業計画書及び収支予算書を添付してください。
　　　ただし、インターネットを利用して内容を確認できる場合は、ＵＲＬ等を記載してください。
※2　「事業区域」欄には、市区町村名を記載することとし、当該区域の全部又は一部の別を記載してください。な
　　お、一部の地域が実施地域である場合は適宜地図を添付してください。

別紙

職　員　氏　名	生　年　月　日	常勤・非常勤の別	職　務　の　内　容	資　格　の　内　容	主　な　経　歴

子ども・子育て支援法等によって新たに第二種社会福祉事業として位置づけられた事業について

（別紙様式例）

第　　　　号
平成　年　月　日

○○都道府県知事　殿

名　　称
代表者氏名　　　　印

病児保育事業変更届出書

　標記について、児童福祉法第6条の3第13項に規定する病児保育事業の届出事項に変更が生じたため、同法第34条の18第2項の規定に基づき届け出する。

【全類型共通】

事　業　の　種　類 （事　業　類　型）	病児対応型　病後児対応型　体調不良児対応型　非施設型（訪問型）
事　業　の　内　容	※1

経　営　者　氏　名 （法　人　名　称）	
経　営　者　住　所 （主たる事務所の所在地）	

職　　　　　　員	職員数　　　名（常勤　　名　非常勤　　名） （氏名、生年月日、常勤・非常勤の別、職務の内容、資格の内容、経歴を別紙に記載）		
事　業　区　域	※2		
施　設　の　名　称			
施　設　の　種　類			
施　設　の　所　在　地		利用定員	人
事　業　開　始　年　月　日	平成　　年　　月　　日		

【病児対応型及び病後児対応型】

面　積　及　び　構　造	施設の面積　　　　㎡ 　　保育室　　　㎡〔1人あたり　　　㎡〕 　　建物の構造　　　造　　階建（設置図、平面図を添付）
設　　　　　　備	観察室　　　　　　　　安静室　　　　　　　　調理室 ベビーベッド　　　　　遊具 その他（　　　　　　　　　　　　　　　　　　　　　　　　　　　）

Ⅳ　法人　1　社会福祉法人

【体調不良児対応型】

面　積　及　び　構　造	施設の面積　　　　㎡ 　保育室　　　　㎡〔1人あたり　　　㎡〕 　乳児室又はほふく室　　　　㎡〔1人あたり　　　　㎡〕 　その他　　　　㎡ 建物の構造　　　造　　　　階建（設置図、平面図を添付）
設　　　　　　　備	ベビーベッド　　　　　　　　遊具 その他（　　　　　　　　　　　　　　　　　　　　　　　　　　　　　　　　）

条例、定款その他の基本約款	（書類を添付）

※1　事業内容を簡潔に記載のうえ、事業計画書及び収支予算書を添付してください。
　　　ただし、インターネットを利用して内容を確認できる場合は、ＵＲＬ等を記載してください。
※2　「事業区域」欄には、市区町村名を記載することとし、当該区域の全部又は一部の別を記載してください。な
　　お、一部の地域が実施地域である場合は適宜地図を添付してください。

（別紙様式例）

　　　　　　　　　　　　　　　　　　　　　　　　　　　第　　　　　　号
　　　　　　　　　　　　　　　　　　　　　　　　　　　平成　　年　　月　　日
〇〇都道府県知事　殿
　　　　　　　　　　　　　　　　　　　　　　　名　　　称
　　　　　　　　　　　　　　　　　　　　　　　代表者氏名　　　　　　　　印

病児保育事業廃止（休止）届出書

　標記について、児童福祉法第6条の3第13項に規定する病児保育事業を廃止（休止）したので、同法第34条の18第
3項の規定に基づき届け出する。

経　営　者　氏　名 （法　人　名　称）	
経　営　者　住　所 （主たる事務所の所 在地）	

施　設　の　名　称	
施　設　の　所　在　地	
事業廃止（休止）年 月日	平成　　　年　　　月　　　日
廃　止　（休　止） 理　　　　　　　由	
現に便宜を受けてい る児童に対する措置	
休　止　予　定　期　間	平成　　年　　月　　日　～　平成　　年　　月　　日

○幼保連携型認定こども園のみなし認可に伴う定款変更の取扱いについて

〔平成27年3月31日　雇児保発0331第4号・社援基発0331第5号〕
各都道府県・各指定都市・各中核市民生主管部（局）長宛
厚生労働省雇用均等・児童家庭局保育・社会・援護局福祉基盤課長連名通知

平成27年4月1日より、子ども・子育て支援新制度が施行され、就学前の子どもに関する教育、保育等の総合的な提供の推進に関する法律の一部を改正する法律（平成24年法律第66号。以下「改正法」という。）による改正前の就学前の子どもに関する教育、保育等の総合的な提供の推進に関する法律（平成18年法律第77号。以下「旧認定こども園法」という。）第3条第3項の規定による認定を受けた幼稚園及び保育所（以下「幼保連携施設」という。）であって国及び地方公共団体以外の者が設置する幼保連携施設については、改正法附則第3条第1項の別段の申出があったものを除き、改正法による改正後の就学前の子どもに関する教育、保育等の総合的な提供の推進に関する法律（以下「新認定こども園法」という。）第17条第1項に規定する幼保連携型認定こども園の設置認可があったものとみなされることとなります。

社会福祉法人（以下「法人」という。）が新認定こども園法に基づく幼保連携型認定こども園とみなされた幼保連携施設（以下「みなし幼保連携型認定こども園」という。）を運営する事業を行う場合には、幼保連携型認定こども園の設置に係るみなし認可のほか、法人が実施する事業等に変更が生じるため、定款の変更が必要となりますが、今般の幼保連携型認定こども園のみなし認可に伴う定款変更の認可については、下記のとおり、「子ども・子育て支援法等の施行に伴う厚生労働省関係省令の整備等に関する省令（平成26年厚生労働省令第73号）」により、社会福祉法施行規則（昭和26年厚生省令第28号）を改正し、届出とすることとしました。

各都道府県、指定都市及び中核市においては、本通知についてご了知願うとともに、対象となる所管法人に対しても周知願います。また、都道府県においては、管内の市（指定都市及び中核市を除き、特別区を含む。）に対して周知いただきますようお願いいたします。

記

1　社会福祉法施行規則の改正概要

社会福祉法（昭和26年法律第45号）第31条第1項に規定する定款に掲げる事項のうち、改正法附則第3条第1項により新認定こども園法第17条第1項に規定する幼保連携型認定こども園の設置認可があったものとみなされたことに伴う、以下に掲げる事項の変更については、所轄庁への届出で差し支えないこととするよう社会福祉法施行規則を改正。

①目的（社会福祉法第31条第1項第1号）

②名称（同項第2号）

③社会福祉事業の種類（同項第3号）

④公益事業を行う場合には、その種類（同項第10号）

なお、社会福祉法施行規則の改正内容は別添のとおり。

2　みなし幼保連携型認定こども園を運営する事業を行う場合の定款記載上の取扱い

(1)　社会福祉法第31条第1項第1号（目的）関係

目的に係る事項として定款に設置する保育所の根拠法を記載している場合には、「児童福祉法」とあるのを、「就学前の子どもに関する教育、保育等の総合的な提供の推進に関する法律」に変更することが必要となること。

(2)　社会福祉法第31条第1項第2号（名称）関係

名称に係る事項として幼保連携施設を構成する保育所が幼保連携型認定こども園に移行する場合には、法人の名称中、「社会福祉法人○○保育園」とあるのを、「社会福祉法人○○幼保連携型認定こども園」に変更することが適当であること。

(3)　社会福祉法第31条第2項第3号（社会福祉事業の種類）関係

社会福祉事業の種類に係る事項として幼保連携施設を構成する保育所が幼保連携型認定こども園に移行する場合には、社会福祉事業の種類中、「保育所の経営」とあるのを、「幼保連携型認定こども園の経営」に変更することが必要となること。

(4)　社会福祉法第31条第1項第10号（公益事業の種類）関係

公益事業の種類に係る事項として幼保連携施設を構成する幼稚園が幼保連携型認定こども園に移行する場合には、公益を目的とする事業として定められている「幼稚園」を削除することが必要と

なること。

　なお、社会福祉法人が経営する幼稚園のうちの一部が、幼保連携型認定こども園へ移行し、一部が幼稚園として存続し経営する場合には、「幼稚園」は削除しないこと。

(5)　その他

①　幼保連携型認定こども園を設置する社会福祉法人の定款について

　役員の定数等みなし認可に伴って変更が生じる事項以外については、従前どおり所轄庁の認可が必要となること。

②　既に定款変更の認可を行った場合の取扱いについて

　今般の措置については、改正法の施行日（平成27年4月1日）以降に適用するものであるがこの通知の発出の際、既に所轄庁による定款の変更認可が行われている場合には、改めて所轄庁への届出を行う必要はないこと。

③　登記について

　今回の措置は、所轄庁による定款変更の認可を届出としたものであり、組合等登記令（昭和39年政令第29号）に基づき法人が行わなければならない登記については、変更がないこと。

2　学校法人

●私立学校法（抄）

〔昭和24年12月15日〕
〔法　律　第　270　号〕
注　令和5年6月16日法律第63号改正現在
（未施行分については1401頁以降に収載）

第1章　総則

（この法律の目的）

第1条　この法律は、私立学校の特性にかんがみ、その自主性を重んじ、公共性を高めることによつて、私立学校の健全な発達を図ることを目的とする。

（定義）

第2条　この法律において「学校」とは、学校教育法（昭和22年法律第26号）第1条に規定する学校及び就学前の子どもに関する教育、保育等の総合的な提供の推進に関する法律（平成18年法律第77号）第2条第7項に規定する幼保連携型認定こども園（以下「幼保連携型認定こども園」という。）をいう。

2　この法律において、「専修学校」とは学校教育法第124条に規定する専修学校をいい、「各種学校」とは同法第134条第1項に規定する各種学校をいう。

3　この法律において「私立学校」とは、学校法人の設置する学校をいう。

第3条　この法律において「学校法人」とは、私立学校の設置を目的として、この法律の定めるところにより設立される法人をいう。

（所轄庁）

第4条　この法律中「所轄庁」とあるのは、第1号、第3号及び第5号に掲げるものにあつては文部科学大臣とし、第2号及び第4号に掲げるものにあつては都道府県知事（第2号に掲げるもののうち地方自治法（昭和22年法律第67号）第252条の19第1項の指定都市又は同法第252条の22第1項の中核市（以下この条において「指定都市等」という。）の区域内の幼保連携型認定こども園にあつては、当該指定都市等の長）とする。

一　私立大学及び私立高等専門学校

二　前号に掲げる私立学校以外の私立学校並びに私立専修学校及び私立各種学校

三　第1号に掲げる私立学校を設置する学校法人

四　第2号に掲げる私立学校を設置する学校法人及び第64条第4項の法人

五　第1号に掲げる私立学校と第2号に掲げる私立学校、私立専修学校又は私立各種学校とを併せて設置する学校法人

第2章　私立学校に関する教育行政

（学校教育法の特例）

第5条　私立学校（幼保連携型認定こども園を除く。第8条第1項において同じ。）には、学校教育法第14条の規定は、適用しない。

第3章　学校法人

第1節　通則

（学校法人の責務）

第24条　学校法人は、自主的にその運営基盤の強化を図るとともに、その設置する私立学校の教育の質の向上及びその運営の透明性の確保を図るよう努めなければならない。

（資産）

第25条　学校法人は、その設置する私立学校に必要な施設及び設備又はこれらに要する資金並びにその設置する私立学校の経営に必要な財産を有しなければならない。

2　前項に規定する私立学校に必要な施設及び設備についての基準は、別に法律で定めるところによる。

（収益事業）

第26条　学校法人は、その設置する私立学校の教育に支障のない限り、その収益を私立学校の経営に充てるため、収益を目的とする事業を行うことができる。

2　前項の事業の種類は、私立学校審議会又は学校教育法第95条に規定する審議会等（以下「私立学校審議会等」という。）の意見を聴いて、所轄庁が定める。所轄庁は、その事業の種類を公告しなければならない。

3　第1項の事業に関する会計は、当該学校法人の設置する私立学校の経営に関する会計から区分し、特別の会計として経理しなければならない。

（特別の利益供与の禁止）

第26条の2　学校法人は、その事業を行うに当たり、その理事、監事、評議員、職員（当該学校法人の設置する私立学校の校長、教員その他の職員を含む。以下同じ。）その他の政令で定める学校法人の関係者に対し特別の利益を与えてはならない。

（住所）

第27条　学校法人の住所は、その主たる事務所の所在

地にあるものとする。

（登記）

第28条　学校法人は、政令の定めるところにより、登記しなければならない。

2　前項の規定により登記しなければならない事項は、登記の後でなければ、これをもつて第三者に対抗することができない。

（一般社団・財団法人法の規定の準用）

第29条　一般社団法人及び一般財団法人に関する法律（平成18年法律第48号。以下「一般社団・財団法人法」という。）第78条の規定は、学校法人について準用する。この場合において、同条中「代表理事」とあるのは、「理事長」と読み替えるものとする。

第2節　設立

（申請）

第30条　学校法人を設立しようとする者は、その設立を目的とする寄附行為をもつて少なくとも次に掲げる事項を定め、文部科学省令で定める手続に従い、当該寄附行為について所轄庁の認可を申請しなければならない。

一　目的

二　名称

三　その設置する私立学校の名称及び当該私立学校に課程、学部、大学院、大学院の研究科、学科又は部を置く場合には、その名称又は種類（私立高等学校（私立中等教育学校の後期課程を含む。）に広域の通信制の課程（学校教育法第54条第3項（同法第70条第1項において準用する場合を含む。）に規定する広域の通信制の課程をいう。）を置く場合には、その旨を含む。）

四　事務所の所在地

五　役員の定数、任期、選任及び解任の方法その他役員に関する規定

六　理事会に関する規定

七　評議員会及び評議員に関する規定

八　資産及び会計に関する規定

九　収益を目的とする事業を行う場合には、その事業の種類その他その事業に関する規定

十　解散に関する規定

十一　寄附行為の変更に関する規定

十二　公告の方法

2　学校法人の設立当初の役員は、寄附行為をもつて定めなければならない。

3　第1項第10号に掲げる事項中に残余財産の帰属すべき者に関する規定を設ける場合には、その者は、学校法人その他教育の事業を行う者のうちから選定されるようにしなければならない。

（認可）

第31条　所轄庁は、前条第1項の規定による申請があつた場合には、当該申請に係る学校法人の資産が第25条の要件に該当しているかどうか、その寄附行為の内容が法令の規定に違反していないかどうか等を審査した上で、当該寄附行為の認可を決定しなければならない。

2　所轄庁は、前項の規定により寄附行為の認可をする場合には、あらかじめ、私立学校審議会等の意見を聴かなければならない。

第5節　助成及び監督

（助成）

第59条　国又は地方公共団体は、教育の振興上必要があると認める場合には、別に法律で定めるところにより、学校法人に対し、私立学校教育に関し必要な助成をすることができる。

附　則　抄

1　この法律は、公布の日から起算して3月を経過した日〔昭和25年3月15日〕から施行する。

12　第4条第2号、第6条、第9条第2項及び第59条の規定中私立学校には、当分の間、学校法人立以外の私立の学校（学校教育法附則第6条の規定により学校法人以外の者によつて設置された私立の学校をいう。以下この項において同じ。）並びに学校法人立等以外の幼保連携型認定こども園（就学前の子どもに関する教育、保育等の総合的な提供の推進に関する法律の一部を改正する法律（平成24年法律第66号。以下この項において「認定こども園法一部改正法」という。）附則第3条第2項に規定するみなし幼保連携型認定こども園（以下この項において「みなし幼保連携型認定こども園」という。）を設置する者（学校法人及び社会福祉法人（社会福祉法（昭和26年法律第45号）第22条に規定する社会福祉法人をいう。以下この項において同じ。）を除く。）によつて設置されたみなし幼保連携型認定こども園及び認定こども園法一部改正法附則第4条第1項の規定により設置された幼保連携型認定こども園をいう。以下この項において同じ。）及び社会福祉法人によつて設置された幼保連携型認定こども園を含むものとし、第5条及び第8条第1項の規定中私立学校には、当分の間、学校法人立以外の私立の学校を含むものとし、第59条の規定中学校法人には、当分の間、学校法人立以外の私立の学校を設置する者並びに学校法人立等以外の幼保連携型認定こども園を設置する者及び幼保連携型認定こども園を設置する社会福祉法人を含むものとする。

〔参　考〕
●私立学校法の一部を改正する法律（抄）
〔令和5年5月8日〕
〔法律第21号〕

　私立学校法（昭和24年法律第270号）の一部を次のように改正する。
　第4条第4号中「第64条第4項」を「第152条第5項」に改める。
　第5条中「（幼保連携型認定こども園を除く。第8条第1項において同じ。）」を削る。
　第3章第1節中第24条を第16条とし、第25条を第17条とし、同条の次に次の1条を加える。
（機関の設置）

第18条　学校法人は、理事、理事会、監事、評議員及び評議員会並びに理事選任機関を置かなければならない。

2　学校法人は、前項に規定するもののほか、寄附行為をもつて定めるところにより、会計監査人を置くことができる。

3　理事の定数は5人以上、監事の定数は2人以上、評議員の定数は6人以上とし、それぞれ寄附行為をもつて定める。この場合において、寄附行為をもつて定める評議員の定数は、寄附行為をもつて定める理事の定数を超える数でなければならない。

4　会計監査人を置く場合にあつては、その定数は、寄附行為をもつて定める。

　第26条を第19条とする。
　第26条の2中「（当該学校法人の設置する私立学校の校長、教員その他の職員を含む。以下同じ。）」を削り、同条を第20条とし、第27条を第21条とし、第28条を第22条とする。
　第29条を削る。
　第30条の見出しを「（寄附行為の認可）」に改め、同条第1項中「申請しなければ」を「受けなければ」に改め、同項第5号中「役員」を「理事」に、「、選任」を「並びに選任」に改め、「方法」の下に「、理事長の選定の方法」を加え、「規定」を「事項」に改め、同項第6号中「理事会」の下に「の招集その他理事会」を加え、「規定」を「事項」に改め、同項第12号を同項第16号とし、同項第11号中「規定」を「事項」に改め、同号を同項第15号とし、同号を同項第10号中「規定」を「事項」に改め、同号を同項第14号とし、同項第9号中「規定」を「事項」に改め、同号を同項第13号とし、同項第8号中「規定」を「事項」に改め、同号を同項第12号とし、同項第7号中「評議員会及び」を「評議員の定数、任期、選任及び解任の方法その他」に、「規定」を「事項」に改め、同号を同項第

8号とし、同号の次に次の3号を加える。

　九　評議員会の招集その他評議員会に関する事項
　十　理事選任機関の構成及び運営、理事選任機関への監事からの報告の方法その他理事選任機関に関する事項
　十一　会計監査人を置く場合には、その旨及び定数その他会計監査人に関する事項
　第30条第1項第6号の次に次の1号を加える。
　七　監事の定数、任期、選任及び解任の方法その他監事に関する事項
　第30条第2項中「役員」の下に「（理事及び監事をいう。以下同じ。）及び評議員（設立しようとする学校法人に会計監査人を置く場合にあつては、会計監査人を含む。）」を加え、同条第3項中「第1項第10号」を「第1項第14号」に改め、同条に次の1項を加える。

4　寄附行為は、電磁的記録（電子的方式、磁気的方式その他人の知覚によつては認識することができない方式で作られる記録であつて、電子計算機による情報処理の用に供されるものとして文部科学省令で定めるものをいう。以下同じ。）をもつて作成することができる。

　第3章第2節中第30条を第23条とする。
　第31条の見出しを「（寄附行為の認可の審査）」に改め、同条第1項中「規定による」を「認可の」に、「第25条」を「第17条」に改め、同条第2項中「前項の規定により寄附行為」を「前条第1項」に、「場合には」を「ときは」に改め、同条を第24条とする。
　第59条を第132条とする。
　第3章第5節を同章第8節とする。
　附則第12項中「第9条第2項」を「第8条第2項」に、「第59条」を「第132条」に改め、「学校をいう。以下この項」及び「幼保連携型認定こども園をいう。以下この項」の下に「及び次項」を加え、「第5条及び第8条第1項」を「第7条第1項」に改め、同項を附則第11項とし、同項の次に次の1項を加える。

12　学校法人立以外の私立の学校を設置する者又は学校法人立等以外の幼保連携型認定こども園を設置する者が学校法人を設立する場合における当該学校法人についての第18条第3項の規定の適用については、その設立の日から3年を経過するまでの間は、同項中「5人」とあるのは「3人」と、「6人」とあるのは「4人」とする。

　　　附　則　抄
（施行期日）

第1条　この法律は、令和7年4月1日から施行する。ただし、附則第11条の規定は、公布の日から施

行する。

（政令への委任）

第11条　この附則に定めるもののほか、この法律の施行に関し必要な経過措置（罰則に関する経過措置を含む。）は、政令で定める。

（検討）

第12条　政府は、この法律の施行後5年を目途として、新私立学校法の施行の状況について検討を加え、必要があると認めるときは、その結果に基づいて所要の措置を講ずるものとする。

●私立学校振興助成法（抄）

〔昭和50年 7 月11日〕
〔法 律 第 61 号〕

注 令和元年 5 月24日法律第11号改正現在
（未施行分については1406頁以降に収載）

（目的）

第 1 条 この法律は、学校教育における私立学校の果たす重要な役割にかんがみ、国及び地方公共団体が行う私立学校に対する助成の措置について規定することにより、私立学校の教育条件の維持及び向上並びに私立学校に在学する幼児、児童、生徒又は学生に係る修学上の経済的負担の軽減を図るとともに私立学校の経営の健全性を高め、もつて私立学校の健全な発達に資することを目的とする。

（定義）

第 2 条 この法律において「学校」とは、学校教育法（昭和22年法律第26号）第 1 条に規定する学校及び就学前の子どもに関する教育、保育等の総合的な提供の推進に関する法律（平成18年法律第77号）第 2 条第 7 項に規定する幼保連携型認定こども園（以下「幼保連携型認定こども園」という。）をいう。

2 この法律において「学校法人」とは、私立学校法（昭和24年法律第270号）第 3 条に規定する学校法人をいう。

3 この法律において「私立学校」とは、私立学校法第 2 条第 3 項に規定する学校をいう。

4 この法律において「所轄庁」とは、私立学校法第 4 条に規定する所轄庁をいう。

（学校法人の責務）

第 3 条 学校法人は、この法律の目的にかんがみ、自主的にその財政基盤の強化を図り、その設置する学校に在学する幼児、児童、生徒又は学生に係る修学上の経済的負担の適正化を図るとともに、当該学校の教育水準の向上に努めなければならない。

（学校法人に対する都道府県の補助に対する国の補助）

第 9 条 都道府県が、その区域内にある幼稚園、小学校、中学校、義務教育学校、高等学校、中等教育学校、特別支援学校又は幼保連携型認定こども園を設置する学校法人に対し、当該学校における教育に係る経常的経費について補助する場合には、国は、都道府県に対し、政令で定めるところにより、その一部を補助することができる。

（所轄庁の権限）

第12条 所轄庁は、この法律の規定により助成を受ける学校法人に対して、次の各号に掲げる権限を有する。

一 助成に関し必要があると認める場合において、当該学校法人からその業務若しくは会計の状況に関し報告を徴し、又は当該職員に当該学校法人の関係者に対し質問させ、若しくはその帳簿、書類その他の物件を検査させること。

二 当該学校法人が、学則に定めた収容定員を著しく超えて入学又は入園させた場合において、その是正を命ずること。

三 当該学校法人の予算が助成の目的に照らして不適当であると認める場合において、その予算について必要な変更をすべき旨を勧告すること。

四 当該学校法人の役員が法令の規定、法令の規定に基づく所轄庁の処分又は寄附行為に違反した場合において、当該役員の解職をすべき旨を勧告すること。

（書類の作成等）

第14条 第 4 条第 1 項又は第 9 条に規定する補助金の交付を受ける学校法人は、文部科学大臣の定める基準に従い、会計処理を行い、貸借対照表、収支計算書その他の財務計算に関する書類を作成しなければならない。

2 前項に規定する学校法人は、同項の書類のほか、収支予算書を所轄庁に届け出なければならない。

3 前項の場合においては、第 1 項の書類については、所轄庁の指定する事項に関する公認会計士又は監査法人の監査報告書を添付しなければならない。ただし、補助金の額が寡少であつて、所轄庁の許可を受けたときは、この限りでない。

（税制上の優遇措置）

第15条 国又は地方公共団体は、私立学校教育の振興に資するため、学校法人が一般からの寄附金を募集することを容易にするための措置等必要な税制上の措置を講ずるよう努めるものとする。

附 則 抄

（施行期日）

第 1 条 この法律は、昭和51年 4 月 1 日から施行する。

（学校法人以外の私立の幼稚園の設置者等に対する措置）

第 2 条 第 3 条、第 9 条、第10条及び第12条から第15

条までの規定中学校法人には、当分の間、学校法人以外の私立の幼稚園の設置者（学校教育法附則第6条の規定により私立の幼稚園を設置する者をいう。次項において同じ。）及び学校法人等以外の幼保連携型認定こども園の設置者（就学前の子どもに関する教育、保育等の総合的な提供の推進に関する法律の一部を改正する法律（平成24年法律第66号。以下この項において「認定こども園法一部改正法」という。）附則第3条第2項に規定するみなし幼保連携型認定こども園を設置する者（学校法人及び社会福祉法人（社会福祉法（昭和26年法律第45号）第22条に規定する社会福祉法人をいう。以下同じ。）を除く。）及び認定こども園法一部改正法附則第4条第1項の規定により幼保連携型認定こども園を設置する者をいう。次項において同じ。）を含むものとする。

2　学校法人以外の私立の幼稚園の設置者及び学校法人等以外の幼保連携型認定こども園の設置者（以下この条において「学校法人以外の私立の幼稚園の設置者等」という。）に係る第12条から第14条までの規定の適用については、これらの規定のうち次の表の上欄に掲げる規定中同表の中欄に掲げる字句は、それぞれ同表の下欄に掲げる字句に読み替えるものとする。

第12条各号列記以外の部分	所轄庁	都道府県知事
第12条第1号	その業務	当該幼稚園若しくは幼保連携型認定こども園の経営に関する業務
	学校法人の関係者	幼稚園若しくは幼保連携型認定こども園の経営に関係のある者
	質問させ	当該幼稚園若しくは幼保連携型認定こども園の経営に関し質問させ
	その帳簿	当該幼稚園若しくは幼保連携型認定こども園の経営に関する帳簿
第12条第3号	予算が	当該幼稚園又は幼保連携型認定こども園の経営に関する予算が
		当該幼稚園又は幼保連携型認定こども園の経営を担当する者（当該幼稚園又は幼保連携型認定こども園を設置する者が法人である場合にあつては当該幼稚園又は幼保連携型認定こど

	当該学校法人の役員	も園の経営を担当する当該法人の役員をいい、当該幼稚園又は幼保連携型認定こども園を設置する者が法人以外の者である場合にあつては当該幼稚園又は幼保連携型認定こども園を設置する者をいう。）
第12条第4号	、法令	又は法令
	所轄庁	都道府県知事
	処分又は寄附行為	当該幼稚園若しくは幼保連携型認定こども園についての処分
	当該役員の解職をすべき旨	当該幼稚園又は幼保連携型認定こども園の経営を担当する者の担当を解くべき旨（当該幼稚園又は幼保連携型認定こども園を設置する者が法人以外の者である場合にあつては、当該幼稚園又は幼保連携型認定こども園の経営に関する人事の是正のため必要な措置をとるべき旨）
第12条の2第1項から第3項まで（第13条第2項において準用する場合を含む。）	所轄庁	都道府県知事
第13条第1項	所轄庁	都道府県知事
	当該学校法人の理事	当該幼稚園若しくは幼保連携型認定こども園を設置する者（当該幼稚園又は幼保連携型認定こども園を設置する者が法人である場合にあつては、当該法人の代表者）
	解職しようとする役員	担当を解こうとする者
第14条第1項	文部科学大臣	附則第2条第3項の規定による特別の会計について、文部科学大臣
第14条第2項及び第3項	所轄庁	都道府県知事

3　学校法人以外の私立の幼稚園の設置者等で第1項の規定に基づき第9条又は第10条の規定により助成を受けるものは、当該助成に係る幼稚園又は幼保連携型認定こども園の経営に関する会計を他の会計から区分し、特別の会計として経理しなければならない。この場合において、その会計年度については、

私立学校法第49条の規定を準用する。

4　前項の規定による特別の会計の経理に当たつては、当該会計に係る収入を他の会計に係る支出に充ててはならない。

5　学校法人以外の私立の幼稚園の設置者等で第1項の規定に基づき第9条又は第10条の規定により補助金の交付を受けるものは、当該交付を受けることとなつた年度の翌年度の4月1日から起算して5年以内に、当該補助金に係る幼稚園又は幼保連携型認定こども園が学校法人によつて設置されるように措置しなければならない。

6　第2項の規定により読み替えて適用される第12条、第12条の2第1項及び第2項、第13条第1項並びに第14条第2項及び第3項の規定により都道府県が処理することとされている事務は、地方自治法第2条第9項第1号に規定する第1号法定受託事務とする。

（幼保連携型認定こども園を設置する社会福祉法人に対する措置）

第2条の2　第3条、第9条、第10条及び第12条から第15条までの規定中学校法人には、当分の間、幼保連携型認定こども園を設置する社会福祉法人を含むものとする。

2　前項の社会福祉法人に係る第12条から第14条までの規定の適用については、これらの規定のうち次の表の上欄に掲げる規定中同表の中欄に掲げる字句は、それぞれ同表の下欄に掲げる字句に読み替えるものとする。

第12条各号列記以外の部分	所轄庁	都道府県知事
第12条第1号	その業務	当該幼保連携型認定こども園の経営に関する業務
	学校法人の関係者	幼保連携型認定こども園の経営に関係のある者
	質問させ	当該幼保連携型認定こども園の経営に関し質問させ
	その帳簿	当該幼保連携型認定こども園の経営に関する帳簿
第12条第3号	予算が	当該幼保連携型認定こども園の経営に関する予算が
第12条第4号	当該学校法人の役員	当該幼保連携型認定こども園の経営を担当する当該社会福祉法人の役員

	、法令	又は法令
	所轄庁	都道府県知事
	処分又は寄附行為	当該幼保連携型認定こども園についての処分
	当該役員の解職をすべき旨	当該幼保連携型認定こども園の経営を担当する役員の担当を解くべき旨
第12条の2第1項から第3項まで（第13条第2項において準用する場合を含む。）	所轄庁	都道府県知事
第13条第1項	所轄庁	都道府県知事
	当該学校法人の理事	当該幼保連携型認定こども園を設置する社会福祉法人の代表者
	解職しようとする役員	担当を解こうとする役員
第14条第1項	文部科学大臣	附則第2条の2第3項の規定による特別の会計について、文部科学大臣
第14条第2項及び第3項	所轄庁	都道府県知事

3　幼保連携型認定こども園を設置する社会福祉法人で第1項の規定に基づき第9条又は第10条の規定により助成を受けるものは、当該助成に係る幼保連携型認定こども園の経営に関する会計を他の会計から区分し、特別の会計として経理しなければならない。この場合において、その会計年度については、私立学校法第49条の規定を準用する。

4　前項の規定による特別の会計の経理に当たつては、当該会計に係る収入を他の会計に係る支出に充ててはならない。

5　第2項の規定により読み替えて適用される第12条、第12条の2第1項及び第2項、第13条第1項並びに第14条第2項及び第3項の規定により都道府県が処理することとされている事務は、地方自治法第2条第9項第1号に規定する第1号法定受託事務とする。

〔参　考〕
●私立学校法の一部を改正する法律（抄）
〔令和5年5月8日〕
〔法律第21号〕

私立学校法（昭和24年法律第270号）の一部を次のように改正する。

　　　　附　則　抄

（施行期日）

第1条　この法律は、令和7年4月1日から施行する。〔以下略〕

（私立学校振興助成法の一部改正）

第19条　私立学校振興助成法（昭和50年法律第61号）の一部を次のように改正する。

　　第12条第4号中「役員」の下に「又は評議員」を加える。

　　第14条の見出しを「（所轄庁への書類の提出等）」に改め、同条第1項中「は、文部科学大臣の定める基準に従い、会計処理を行い、貸借対照表、収支計算書その他の財務計算に関する書類」を「（以下この条において「助成対象学校法人」という。）は、収支予算書」に改め、同条第2項及び第3項を次のように改める。

2　助成対象学校法人（会計監査人設置学校法人等（私立学校法第82条第3項に規定する会計監査人設置学校法人及び同法第143条に規定する大臣所轄学校法人等をいう。第4項において同じ。）を除く。）は、計算書類（同法第103条第2項に規定する計算書類をいう。第4項において同じ。）及びその附属明細書について、所轄庁の定めるところにより、公認会計士（公認会計士法（昭和23年法律第103号）第16条の2第5項に規定する外国公認会計士を含む。次項において同じ。）又は監査法人の監査を受けなければならない。ただし、補助金の額が少額である場合において所轄庁の許可を受けたときは、この限りでない。

3　前項の公認会計士又は監査法人は、同項本文の規定により監査を行つたときは、文部科学省令で定めるところにより、監査報告を作成しなければならない。

第14条に次の1項を加える。

4　助成対象学校法人は、文部科学省令で定めるところにより、毎会計年度終了後3月以内に、その終了した会計年度に係る計算書類及びその附属明細書並びに当該会計年度の翌会計年度の収支予算書に前項の監査報告（会計監査人設置学校法人等にあつては、私立学校法第86条第2項の会計監査報告）を添付して、所轄庁に提出しなければなら

ない。ただし、第2項ただし書に規定する場合には、監査報告の添付を要しない。

　　附則第2条第2項中「に読み替えるもの」を削り、同項の表第12条第4号の項の中欄中「役員」の下に「又は評議員」を加え、同表第13条第1項の項中「の理事」を削り、「役員」の下に「若しくは評議員」を加え、同表第14条第1項の項の中欄中「文部科学大臣」を「収支予算書」に改め、同項の下欄中「文部科学大臣」を「文部科学省令で定めるところにより、貸借対照表及び収支計算書並びにこれらの附属明細書並びに収支予算書」に改め、同表第14条第2項及び第3項の項を次のように改める。

第14条第2項	計算書類（同法第103条第2項に規定する計算書類をいう。第4項において同じ。）及びその	貸借対照表及び収支計算書並びにこれらの
	所轄庁	都道府県知事

附則第2条第2項の表に次のように加える。

第14条第4項	計算書類及びその	貸借対照表及び収支計算書並びにこれらの
	所轄庁	都道府県知事

　　附則第2条第3項中「第49条」を「第98条」に改め、同条第6項中「及び第2項」を「、同条第2項（第13条第2項において準用する場合を含む。）」に、「第3項」を「第4項」に改める。

　　附則第2条の2第2項中「に読み替えるもの」を削り、同項の表第12条第4号の項の中欄中「役員」の下に「又は評議員」を加え、同表第13条第1項の項の中欄中「の理事」を削り、「役員」の下に「若しくは評議員」を加え、同表第14条第1項の項の中欄中「文部科学大臣」を「収支予算書」に改め、同項の下欄中「文部科学大臣」を「文部科学省令で定めるところにより、貸借対照表及び収支計算書並びにこれらの附属明細書並びに収支予算書」に改め、同表第14条第2項及び第3項の項を次のように改める。

第14条第2項	計算書類（同法第103条第2項に規定する計算書類をいう。第4項において同じ。）及びその	貸借対照表及び収支計算書並びにこれらの

所轄庁	都道府県知事

附則第２条の２第２項の表に次のように加える。

第14条第４項	計算書類及びその	貸借対照表及び収支計算書並びにこれらの
	所轄庁	都道府県知事

附則第２条の２第３項中「第49条」を「第98条」に改め、同条第５項中「及び第２項」を「、同条第２項（第13条第２項において準用する場合を含む。）」に、「第３項」を「第４項」に改める。

（私立学校振興助成法の一部改正に伴う経過措置）

第20条　前条の規定による改正後の私立学校振興助成法第14条（同法附則第２条第２項及び第２条の２第２項の規定により読み替えて適用する場合を含む。以下この条において同じ。）の規定は、施行日以後に開始する会計年度に係る同法第14条第１項の補助金の交付を受ける学校法人（同法附則第２条第２項に規定する学校法人以外の私立の幼稚園の設置者等及び同法附則第２条の２第１項の社会福祉法人を含む。）について適用し、施行日前に開始した会計年度に係る前条の規定による改正前の私立学校振興助成法第14条第１項の補助金の交付を受けた学校法人（同法附則第２条第２項に規定する学校法人以外の私立の幼稚園の設置者等及び同法附則第２条の２第１項の社会福祉法人を含む。）の貸借対照表、収支計算書その他の財務計算に関する書類、収支予算書及び監査報告書の作成及び届出については、なお従前の例による。

●学校法人会計基準（抄）

〔昭和46年4月1日〕
〔文部省令第18号〕

注　平成27年3月30日文部科学省令第13号改正現在

第1章　総則

（学校法人会計の基準）

第1条　私立学校振興助成法（昭和50年法律第61号。以下「法」という。）第14条第1項に規定する学校法人（法附則第2条第1項に規定する学校法人以外の私立の学校の設置者にあつては、同条第3項の規定による特別の会計の経理をするものに限るものとし、以下第6章を除き「学校法人」という。）は、この省令で定めるところに従い、会計処理を行い、財務計算に関する書類（以下「計算書類」という。）を作成しなければならない。

2　学校法人は、この省令に定めのない事項については、一般に公正妥当と認められる学校法人会計の原則に従い、会計処理を行ない、計算書類を作成しなければならない。

（会計の原則）

第2条　学校法人は、次に掲げる原則によつて、会計処理を行ない、計算書類を作成しなければならない。

一　財政及び経営の状況について真実な内容を表示すること。

二　すべての取引について、複式簿記の原則によつて、正確な会計帳簿を作成すること。

三　財政及び経営の状況を正確に判断することができるように必要な会計事実を明りように表示すること。

四　採用する会計処理の原則及び手続並びに計算書類の表示方法については、毎会計年度継続して適用し、みだりにこれを変更しないこと。

（収益事業会計）

第3条　私立学校法（昭和24年法律第270号）第26条第1項に規定する事業に関する会計（次項において「収益事業会計」という。）に係る会計処理及び計算書類の作成は、一般に公正妥当と認められる企業会計の原則に従つて行わなければならない。

2　収益事業会計については、前2条及び前項の規定を除き、この省令の規定は、適用しない。

（計算書類）

第4条　学校法人が作成しなければならない計算書類は、次に掲げるものとする。

一　資金収支計算書並びにこれに附属する次に掲げる内訳表及び資金収支計算書に基づき作成する活動区分資金収支計算書

イ　資金収支内訳表

ロ　人件費支出内訳表

二　事業活動収支計算書及びこれに附属する事業活動収支内訳表

三　貸借対照表及びこれに附属する次に掲げる明細表

イ　固定資産明細表

ロ　借入金明細表

ハ　基本金明細表

（総額表示）

第5条　計算書類に記載する金額は、総額をもつて表示するものとする。ただし、預り金に係る収入と支出その他経過的な収入と支出及び食堂に係る収入と支出その他教育活動に付随する活動に係る収入と支出については、純額をもつて表示することができる。

第2章　資金収支計算及び資金収支計算書

（資金収支計算の目的）

第6条　学校法人は、毎会計年度、当該会計年度の諸活動に対応するすべての収入及び支出の内容並びに当該会計年度における支払資金（現金及びいつでも引き出すことができる預貯金をいう。以下同じ。）の収入及び支出のてん末を明らかにするため、資金収支計算を行なうものとする。

（資金収支内訳表の記載方法等）

第13条　資金収支内訳表には、資金収支計算書に記載される収入及び支出で当該会計年度の諸活動に対応するものの決算の額を次に掲げる部門ごとに区分して記載するものとする。

一　学校法人（次号から第5号までに掲げるものを除く。）

二　各学校（専修学校及び各種学校を含み、次号から第5号までに掲げるものを除く。）

三　研究所

四　各病院

五　農場、演習林その他前2号に掲げる施設の規模に相当する規模を有する各施設

2　前項第2号に掲げる部門の記載にあたつては、2以上の学部を置く大学にあつては学部（当該学部の専攻に対応する大学院の研究科、専攻科及び別科を含む。）に、2以上の学科を置く短期大学にあつて

は学科（当該学科の専攻に対応する専攻科及び別科を含む。）に、2以上の課程を置く高等学校にあつては課程（当該課程に対応する専攻科及び別科を含む。）にそれぞれ細分して記載するものとする。この場合において、学部の専攻に対応しない大学院の研究科は大学の学部とみなす。

3　学校教育法（昭和22年法律第26号）第103条に規定する大学に係る前項の規定の適用については、当該大学に置く大学院の研究科は大学の学部とみなす。

4　通信による教育を行なう大学に係る第2項の規定の適用については、当該教育を担当する機関は大学の学部又は短期大学の学科とみなす。

5　資金収支内訳表の様式は、第2号様式のとおりとする。

（人件費支出内訳表の記載方法等）

第14条　人件費支出内訳表には、資金収支計算書に記載される人件費支出の決算の額の内訳を前条第1項各号に掲げる部門ごとに区分して記載するものとする。

2　前条第2項から第4項までの規定は、前項の規定による記載について準用する。

3　人件費支出内訳表の様式は、第3号様式のとおりとする。

　　　第6章　幼保連携型認定こども園を設置する社会福祉法人に関する特例

第40条　法第14条第1項に規定する学校法人（法附則第2条第1項に規定する学校法人以外の私立の学校の設置者であって、同条第3項の規定による特別の会計の経理をするものに限る。）のうち、幼保連携型認定こども園（就学前の子どもに関する教育、保育等の総合的な提供の推進に関する法律（平成18年法律第77号）第2条第7項に規定する幼保連携型認定こども園をいう。）を設置する社会福祉法人（社会福祉法（昭和26年法律第45号）第22条に規定する社会福祉法人をいう。）については、第1条第1項及び第2項の規定にかかわらず、一般に公正妥当と認められる社会福祉法人会計の基準に従うことができる。

　　　附　則　抄

1　この省令は、公布の日〔昭和46年4月1日〕から施行する。

2　法第14条第1項の規定が初めて適用される学校法人（文部科学大臣を所轄庁とする学校法人及び法による改正前の私立学校法第59条第8項の規定の適用を受けた学校法人を除く。次項において同じ。）については、法第14条第1項の規定が初めて適用される会計年度における資金収支計算に係る会計処理以外の会計処理及び資金収支計算書（これに附属する内訳表を含む。）以外の計算書類の作成は、なお従前の例によることができる。

○文部科学大臣所轄学校法人が行う付随事業と収益事業の扱いについて

〔平成21年2月26日　20文科高第855号
文部科学大臣所轄各学校法人理事長宛　文部科学省高等教育局私学部長通知〕

このたび、私立学校法第26条に基づく収益事業告示（平成20年文部科学省告示第141号）の運用に当たっての具体的な指針として、文部科学大臣所轄学校法人が行うことができる付随事業及び収益事業の扱いについて、大学設置・学校法人審議会学校法人分科会における検討を経て、別添のとおり取りまとめました。

ついては、付随事業や収益事業の実施に当たっては十分留意されるようお願いいたします。

なお、医療及び社会福祉事業については、当該事業の実施を目的とする個別の法人制度が存在することから、文部科学省においてその扱いについて検討中であり、別途、通知することを予定しております。当面、医療又は社会福祉事業を実施することを検討している場合（大学設置基準等で設置が義務づけられている附属施設を運営する場合を除く。）には、文部科学省に御相談いただくようお願いいたします。

別　添

　　　文部科学大臣所轄学校法人が行う付随事業と収益事業の扱いについて

1　学校法人は、従来より、本来事業である教育研究活動のほか、学校教育の一部に付随して行われる事業（以下、「付随事業」という。）及び収益事業を行うことができることとされているが、私立学校の設置を目的として設立される法人であることにかんがみ、その適切な運営を確保していく観点から、本来事業以外の事業については、一定の範囲内で行っていくことがふさわしいと考えられる。

2　一方、近年、学校法人においては、様々な性質、種類、規模の付随事業や収益事業を行う例が見受けられるようになってきている。

3　このため、私立学校法第26条に基づく収益事業告示（平成20年文部科学省告示第141号）の運用にあたっての具体的な指針として、文部科学大臣所轄学校法人が行うことのできる付随事業及び収益事業の扱いについて、以下のとおり示すこととする。

4　なお、幼稚園を設置する文部科学大臣所轄学校法人が行う保育事業（0歳～6歳児を対象とする認可保育所又は認可外保育施設。以下同様。）については、国として幼稚園と保育所の連携を推進していること

にかんがみ、付随事業として位置づけた上で、次の①～③のとおり扱うこととする。

また、幼稚園を設置しない文部科学大臣所轄学校法人が行う保育事業は、在学者又は教職員及び役員が養育する者を主たる対象者とする場合、付随事業として位置づけ、①及び③のとおり扱うこととする。

（ただし、幼稚園を設置する、しないに関わらず、収益を目的とする場合を除く。）

①　保育事業は、付随事業の規模の範囲外で行えることとする。

②　経営状況を明らかにする観点から、在学者又は教職員及び役員が養育する者以外の者を主たる対象者として保育事業を行う場合には、寄附行為への記載や会計に関する表示について部門を設けて表示を行うこととする。

③　保育事業の実施決定にあたって、文部科学省に対する事前相談は要しないこととする。

5　さらに、医療及び社会福祉事業については、当該事業の実施を目的とする個別の法人制度が存在することから、学校法人がこれら分野の事業を実施するのは、教育研究活動上の必要性による場合に限られるべきと考えられる。このため、これら事業の扱いについては、引き続き文部科学省において検討中であるため、当該分野の事業を実施することを検討している場合（大学設置基準等で設置が義務づけられている附属施設を運営する場合を除く。）には、文部科学省に相談すること（保育事業を除く。）。

1　付随事業

(1)　事業範囲

　　別紙「文部科学大臣所轄学校法人が行うことのできる付随事業の範囲」内であること。

(2)　寄附行為への記載

　　(3)に基づき部門を設けて表示する付随事業は、寄附行為に記載し文部科学省の認可を得ること。その際、事業の種類については、日本標準産業分類（平成19年総務省告示第618号）の名称を例として具体的に記載すること。

(3)　会計に関する表示方法

　　下記①、②、③の全てに該当する付随事業は、

資金収支内訳表及び消費収支内訳表に部門を設けて表示すること。保育事業については、在学者又は教職員及び役員が養育する者以外の者を主たる対象者とする場合には、②又は③に該当しない場合であっても、部門を設けて表示すること。

　①、②、③のいずれかに該当する場合であって、かつ、組織、施設等において独立的に活動を営む場合には、部門を設けて表示することが望ましい。

① 在学者又は教職員及び役員以外の者を主たる対象者として行う事業

② 校舎（法人本部棟を含む）とは別に施設を設け行う事業

③ 事業を行うに際して、行政機関の許認可を必要とする事業

　なお、学校法人会計基準（昭和46年文部省令第18号）上の付随事業の扱いは、次のとおりである。

　付随事業は、「補助活動」と「補助活動以外の活動」からなる。

　補助活動は、主として在学者を対象とするものであり、学校法人会計基準第5条に定める「食堂その他教育活動に付随する活動」は、補助活動を指す。なお、教職員及び役員が当該活動の対象者に併せ含まれても良い。

　同条において、「食堂その他教育活動に付随する活動」の収入と支出は、純額をもって表示することができることとしているが、当該活動が、上記②、③のいずれかに該当する場合であって、かつ、組織、施設等において独立的に活動を営む場合には、部門を設けて表示することが望ましく、その場合には、原則どおり、総額をもって表示すること。

(4) 文部科学省への事前相談

　次のいずれかに該当する事業（保育事業を除く。）は、付随事業としての実施を学校法人として決定する前に、必ず文部科学省に相談すること。

① 在学者又は教職員及び役員以外の者に物品やサービスの提供を行い対価を得る事業

② 学校の所在地と離れた場所に施設を設置して行う事業

③ 事業を行うに際して、行政機関の許認可を必要とする事業

(5) その他留意事項

　下記2つの通知で示している「いわゆる「附帯事業」」は、付随事業と同義である。

・平成12年12月28日12高行第6号「学校法人による保育所の設置について」

・平成14年7月29日文科高第330号「学校法人の

設置する認可保育所の取扱いについて」

別紙

　　文部科学大臣所轄学校法人が行うことの
　　できる付随事業の範囲

1 目的

　収益を目的とせず、教育研究活動と密接に関連する事業目的を有すること。

2 実施主体

　学校法人自らが事業を実施する必要性が十分に認められること。他者からの請負で実施するものでないこと。

3 事業の性質・種類

　収益事業告示（平成20年文部科学省告示第141号）に定める範囲内であること。

4 事業規模

　事業の規模は、概ね下記(A)の範囲であること。特定の付随事業が特定の学校の教育研究活動と密接に関連する場合は、(A)かつ(B)の範囲であること。

　連続3か年度、下記規模を超えた場合には、文部科学省に相談の上、事業の見直し（事業縮小や収益事業への転換）を検討すること。

(A)：全付随事業に関する収入／学校法人全体の帰属収入＜30／130

(B)：特定の付随事業に関する収入／特定の学校部門の帰属収入＜30／130

（注1）上記「学校法人全体の帰属収入」には、収益事業からの繰入収入を含まない。

（注2）上記各収入には、次の①②を含まない。

① 特定年度にのみ臨時的に生じた収入（資産売却差額等）

② 保育事業による収入

5 事業対象者（物品やサービスの提供先）

　事業対象者（物品やサービスの提供先）は、主として、在学者又は教職員及び役員であること。事業の性質上、やむを得ず主たる対象者が、在学者又は教職員及び役員以外の者となる場合には、教育研究活動において、在学者又は教職員及び役員が、当該事業として提供される物品やサービスを50日（3セメスター制の1セメスター相当）程度以上活用する具体的計画があること。

6 収支の均衡

　事業による収入は、費用を賄える程度とすること。

7 財源

　事業に使用する土地の確保及び施設・設備の整備に必要な経費、毎年度の経常経費の財源は、できる限り負債性のない資産を充てること（行政機関からの補助金等は可）。

借入金を充てる場合は、無理のない返済計画を有すること。

8 土地・施設・設備

事業に使用する土地・施設・設備は、原則、自己所有であること。借用の場合には、長期間にわたり使用できる保証があること。

土地・施設・設備の取得・借用費用は、事業内容や収支計画に照らし、過大なものでないこと。

2 収益事業

従来どおり、私立学校法第26条に基づき、収益事業告示(平成20年文部科学省告示第141号)に定める範囲内で行うものであり、寄附行為に記載し文部科学省の認可を得ること。また、私立学校の経営に関する会計(学校法人会計)から区分し、特別の会計(企業会計)として経理すること。

事業の規模については、下記の範囲であること。

事業規模

収益事業の規模は、概ね下記(C)の範囲であること。

連続3か年度、下記規模を超えた場合には、文部科学省に相談の上、事業の見直し(事業縮小や当該事業の実施にふさわしい法人の設立)を検討すること。

(C):全収益事業に関する売上高及び営業外収益<学校法人全体の帰属収入=100

(注3)上記「学校法人全体の帰属収入」には、収益事業からの繰入収入及び次の①②を含まない。

① 特定年度にのみ臨時的に生じた収入(資産売却差額等)

② 保育事業による収入

なお、学校法人が指定管理者として行う地方公共団体の所有する施設の管理運営事業については、①地方公共団体からの請負であること、②施設は地方公共団体の所有であり学校法人自らが設置したものではないこと、にかんがみて、学校法人が行う本来事業又これに付随する事業とはみなせないことから、収益事業として位置づけること。(その際、地方公共団体との契約により、指定管理者として管理運営する施設を教育研究に活用することは可能。)

○幼保連携型認定こども園のみなし認可に伴う寄附行為変更の取扱いについて

〔平成27年3月3日　事務連絡
各都道府県私立学校主管課・文部科学大臣所轄学校法人宛
文部科学省高等教育局私学部私学行政課〕

平成27年4月1日より、子ども・子育て支援新制度が施行され、就学前の子どもに関する教育、保育等の総合的な提供の推進に関する法律の一部を改正する法律（平成24年法律第66号。以下「一部改正法」という。）による改正前の就学前の子どもに関する教育、保育等の総合的な提供の推進に関する法律（平成18年法律第77号。以下「旧認定こども園法」という。）第3条第3項の規定による認定を受けた幼保連携施設（幼稚園及び保育所から構成されるものに限る。以下同じ。）で私立のものは、一部改正法附則第3条第1項の別段の申出があったものを除き、同法による改正後の就学前の子どもに関する教育、保育等の総合的な提供の推進に関する法律（以下「新認定こども園法」という。）第17条第1項に規定する幼保連携型認定こども園の設置の認可があったものとみなされることとなります。

このことにより、新認定こども園法上は幼保連携型認定こども園の設置の認可の手続は不要となりますが、学校法人が当該幼保連携型認定こども園を設置する場合、その設置する私立学校の学校種が変更されることとなるため、寄附行為の変更が必要となる場合も想定されるところです。

当該寄附行為の変更については、新認定こども園法上も幼保連携型認定こども園の設置の認可の手続が不要とされていることを踏まえ、みなし認可に伴い当然に変更が必要な事項については、認可ではなく届出とするよう、下記のとおり私立学校法施行規則（昭和25年文部省令第12号）の改正を予定しております。本件につき、御承知おきいただくとともに、各都道府県私立学校主管課においては、所轄の幼稚園を設置する学校法人に対して御周知願います。

なお、現在、私立学校法施行規則を含め、子ども・子育て支援新制度の施行に伴い改正が必要となる文部科学省関係省令を一括し、整備省令の策定作業を行っているところ（就学前の子どもに関する教育、保育等の総合的な提供の推進に関する法律の一部を改正する法律等の施行に伴う文部科学省関係省令の整備に関する省令案として、平成27年1月23日から2月21日までパブリックコメントを実施していたもの。現在、制定に必要な手続を行っているところ）ですが、当該省令の公布の際には改めて通知等で御連絡させていただきます。

記

1　私立学校法施行規則の改正イメージ

以下のとおり、私立学校法施行規則の改正を予定していること。

附則に次の1項を加える。

12　就学前の子どもに関する教育、保育等の総合的な提供の推進に関する法律の一部を改正する法律（平成24年法律第66号）附則第3条第1項の規定により認定こども園法第17条第1項の設置の認可があったものとみなされたこと（以下この項において「みなし認可」という。）に伴い寄附行為を変更しようとする場合における法第45条第1項（法第64条第5項において準用する場合を含む。）に規定する文部科学省令で定める事項は、第4条の3第1項の規定にかかわらず、次とする。

一　法第30条第1項第1号（法第64条第5項において読み替えて準用する場合を含む。）に掲げる事項のうち、みなし認可に伴う法令の名称の追加又は削除に係る事項

二　法第30条第1項第2号（法第64条第5項において読み替えて準用する場合を含む。）に掲げる事項のうち、次号の名称の変更に伴う変更に係る事項

三　法第30条第1項第3号（法第64条第5項において読み替えて準用する場合を含む。）に掲げる事項のうち、みなし認可に伴う学校の種類の変更に伴う変更に係る事項

2　留意事項

(1)　附則第12項第1号関係

みなし認可に伴う法令の名称の追加又は削除に係る事項としては、寄附行為の目的中、設置する私立学校の根拠法を「…学校教育法に従い…」とあるのを、「…就学前の子どもに関する教育、保育等の総合的な提供の推進に関する法律に従い…」等に変更する場合を想定しているものであること。また、「就学前の子どもに関する教育、保育等の総合的な提供の推進に関する法律」を追加することに伴い、目的規定中、「学校教育」を「学校教育及び保育」等に変更する場合においても、

法令の追加に伴うものとして届出とすることができるものとすること。

(2)　附則第12項第2号及び第3号関係

みなし認可に伴う学校の種類の変更に伴う変更に係る事項としては、みなし認可の効果として幼保連携施設を構成していた幼稚園が幼保連携型認定こども園に移行するにあたり、寄附行為の設置する私立学校の名称中「○○幼稚園」とあるのを「○○幼保連携型認定こども園」等に変更する場合を想定しているものであること。この場合において、当該寄附行為中、幼稚園の名称を用いている箇所を幼保連携型認定こども園の名称に変更する場合も、同様に届出とすることができるものとすること。（例：理事の選任の要件に○○幼稚園園長としている場合に、○○幼保連携型認定こども園園長と変更する場合等）

また、学校法人の名称にその設置する私立学校の名称を使用している場合に附則第12項第2号の規定により、「学校法人○○幼稚園」を「学校法人○○幼保連携型認定こども園」等と変更する場合も届出とすることができるものとすること。

なお、幼保連携施設の設置等を目的として、認可保育所を設置している学校法人については、適切な法人運営を確保する観点から、当該認可保育所を寄附行為に記載するよう指導（「学校法人の設置する認可保育所の取扱いについて（平成14年7月29日文科高第330号）」）していたところであるが、旧認定こども園法第3条第3項の規定による認定を受けた幼保連携施設を構成する幼稚園及び保育所は、みなし認可により当然にその設置の認可が失効し、幼保連携型認定こども園の認可があったものとみなされるため、寄附行為における当該保育所の削除についても届出とすることができるものとすること。

(3)　その他

① 幼保連携型認定こども園を設置する学校法人の寄附行為について

みなし認可に伴い当然に変更が想定される寄附行為の変更については、私立学校法施行規則の改正等により届出とすることができるものとするが、届出とした事項の全てについて必ず改正が必要となるものではなく、寄附行為の変更の要否や記載内容は、学校法人の判断により行われるべきものであり、学校法人の特殊事情を考慮して画一的に取り扱うことがないよう留意が必要であること。また、みなし認可に伴い当然に変更が想定される事項以外の事項（例：役員の定数等）については、従来どおり認可が必要であること。

② 既に認可等を行った場合の対応について

今回の措置は、一部改正法の施行の日（平成27年4月1日）等を施行日として、既に寄附行為の変更認可等を行った場合等を妨げるものではなく、認可を受けた寄附行為の変更について改めて届出を行う必要はないこと。

③ 登記について

今回の特例措置により届出とされた事項についても、法令上、登記が必要なものについては適切に登記を行う必要があること。

④ 一部改正法の施行の日（平成27年4月1日）の前に保育所を設置する場合の寄附行為の扱いについて

幼稚園を設置している学校法人が、幼保連携型認定こども園のみなし認可を受けることを目的として、一部改正法の施行の日（平成27年4月1日）の前に保育所の設置認可又は他の法人から保育所の事業譲渡を受けることにより幼保連携施設を設置するケースが想定されるが、当該保育所が保育所としての事業の継続を予定しておらず、みなし認可に伴い、幼保連携型認定こども園として活動することが予定されている場合には、当該保育所の設置に伴う寄附行為の扱いについては、「学校法人の設置する認可保育所の取扱いについて（平成14年7月29日文科高第330号）」にかかわらず、寄附行為に記載しないこともできることとすること。

V

地域子ども・子育て支援

V

○認可保育所等設置支援等事業の実施について

令和5年4月19日　こ成保第15号
各都道府県知事・各指定都市市長・各中核市市長宛　こども家庭庁成育局長通知

注　令和6年3月29日こ成保第207号改正現在

地域の実情に応じた多様な保育需要に対応するため、小規模保育の設置等による保育の受け皿の確保等に必要な措置を総合的に講ずることで、待機児童の解消を図るとともに、子どもを安心して育てることができる環境整備を行うため、認可保育所等設置支援等事業を次により実施し、令和5年4月1日から適用することとしたので通知する。

ついては、管内市町村（特別区を含む。）に対して周知をお願いするとともに、本事業の適正かつ円滑な実施に期されたい。

記

1　事業の種類

本通知による事業は以下の事業とする。

(1)　保育所等改修費等支援事業

(2)　都市部における保育所等への賃借料等支援事業

(3)　認可化移行のための助言指導・移転費等支援事業

(4)　民有地マッチング事業

(5)　保育環境改善等事業

2　事業の実施

1の各事業の実施及び運営に関しては、それぞれ以下の実施要綱によること。

(1)　保育所等改修費等支援事業実施要綱（別添1）

(2)　都市部における保育所等への賃借料等支援事業実施要綱（別添2）

(3)　認可化移行のための助言指導・移転費等支援事業実施要綱（別添3）

(4)　民有地マッチング事業実施要綱（別添4）

(5)　保育環境改善等事業実施要綱（別添5）

別添1

保育所等改修費等支援事業実施要綱

1　事業の目的

平成27年4月に施行された子ども・子育て支援新制度における家庭的保育事業及び小規模保育事業の推進、「新子育て安心プラン」に基づく保育の受け皿整備を進めるため、賃貸物件による保育所又は幼保連携型認定こども園（保育を実施する部分）（以下、「保育所等」という。）を設置するための改修、賃貸物件等により新たに小規模保育事業を設置するための改修、認可保育所、認定こども園、小規模保育事業又は事業所内保育事業への移行に当たって必要となる改修、家庭的保育事業の実施場所にかかる改修、こども誰でも通園制度（仮称）試行的事業の実施に必要となる改修及び幼稚園における長時間預かり保育の実施に必要となる改修等に要する経費を補助することにより、待機児童の解消を図るとともに、子どもを安心して育てることができる体制整備を行うことを目的とする。

2　実施主体

実施主体は、市町村（特別区を含む。以下同じ。）又は市町村が認めた者とする。

なお、市町村が認めた者へ委託等を行うことができる。

3　事業の内容

(1)　賃貸物件による保育所等改修費等

賃貸物件により、保育所等を新設、定員の拡大、老朽化又は、駅周辺など保育ニーズのある地域への移転や災害危険区域等からの移転など利便性向上のため、あるいは近隣のテナント等に空きが出た場合であって、定員の拡大にかかわらず、乳児室又は保育室等を増室するなど質の向上のための改修に伴い必要となる経費（改修費等、賃借料（礼金を含み、敷金を除く。））の一部を補助する。

(2)　小規模保育改修費等

賃貸物件等を活用した小規模保育事業所を新設、定員の拡大、老朽化又は、駅周辺など保育ニーズのある地域への移転や災害危険区域等からの移転など利便性向上のため、あるいは近隣のテナント等に空きが出た場合であって、定員の拡大にかかわらず、乳児室又は保育室等を増室するなど質の向上のための改修に伴い必要な経費（改修費等、賃借料（礼金を含み、敷金を除く。））の一部を補助する。

(3)　認可化移行改修費等

認可保育所、認定こども園、小規模保育事業又は事業所内保育事業への移行を希望する認可外保育施設に対して、児童福祉施設の設備及び運営に関する基準（昭和23年厚生省令第63号。以下「児童福祉施設設備運営基準」という。）第32条に規定する保育所に係る設備に関する基準、家庭的保育事業等の設備及び運営に関する基準（平成26年

厚生労働省令第61号。以下「家庭的保育事業等設備運営基準」という。）第28条、第32条、第33条に規定する小規模保育事業に係る設備に関する基準又は同基準第43条に規定する事業所内保育事業に係る設備に関する基準を満たすために必要な経費（改修費等、賃借料（改修期間中の建物賃借料及び礼金を含み、敷金を除く。））の一部を補助する。

(4)　家庭的保育改修費等

　家庭的保育事業を行う者が、家庭的保育者の居宅その他の場所（保育を受ける乳幼児の居宅を除く。）で家庭的保育事業を実施する上で保育環境を整えるために必要な経費（改修費等、賃借料（礼金を含み、敷金を除く。））の一部を補助する。

(5)　こども誰でも通園制度（仮称）試行的事業実施事業所改修費等支援事業

　こども誰でも通園制度（仮称）試行的事業（以下「試行的事業」という。）を実施する者が、試行的事業を実施する上で、適切な環境を整えるために必要な経費（改修費等、賃借料（礼金を含み、敷金を除く。））の一部を補助する。

(6)　幼稚園における長時間預かり保育改修費等

　幼稚園を11時間以上にわたり開園し、通常の教育時間の前後や長期休業期間中などに幼稚園の園児のうち希望者を対象に行う教育活動（以下「長時間預かり保育」という。）等を行う私立幼稚園であって、幼保連携型認定こども園、幼稚園型認定こども園又は小規模保育事業への移行を希望している私立幼稚園に対し、事業の開設に必要な経費（改修費等）の一部を補助する。

※　上記(1)から(5)の補助対象経費のうち、賃借料については、毎年４月１日以降開所までに発生するものに限る。ただし、当該賃借料の補助を受けた年度の翌年度以降に開所する場合は、補助を受けた年度の３月31日までの間とする。

4　対象事業者

(1)　賃貸物件による保育所等改修費等

　児童福祉法（昭和22年法律第164号）第７条に規定する保育所等を経営する者。ただし、地方公共団体が設置する場合を除く。（公立施設を活用して保育所等を運営する民間事業者であって、当該事業者が当該施設を改修する場合を含む。）

(2)　小規模保育改修費等

　子ども・子育て支援法（平成24年法律第65号）第43条に基づき特定地域型保育事業者（小規模保育事業に限る。）として市町村長の確認を受けた

者又は当該確認を受けることが予定されている者（公立を含む。）

(3)　認可化移行改修費等

　「子どものための教育・保育給付費補助事業の実施について」（平成27年４月13日雇児発0413第36号）の別添１「認可化移行運営費支援事業実施要綱」（以下「認可化移行運営費実施要綱」という。）に掲げる実施要件を満たし、認可化移行運営費実施要綱に掲げる期間内に児童福祉施設設備運営基準第32条、家庭的保育事業設備運営基準第28条、第32条、第33条又は第43条に規定する設備基準を満たす認可外保育施設を経営する者

(4)　家庭的保育改修費等

　子ども・子育て支援法第43条に基づき特定地域型保育事業者（家庭的保育事業に限る。）として市町村長の確認を受けた者又は当該確認を受けることが予定されている者（公立を含む。）

(5)　こども誰でも通園制度（仮称）試行的事業実施事業所改修費等

　こども誰でも通園制度（仮称）試行的事業（「多様な保育促進事業の実施について」平成29年４月17日雇児発0417第４号こども家庭庁成育局長通知）に掲げる実施要件を満たす市町村及び、試行的事業の実施主体として市町村長から委託を受けた者

(6)　幼稚園における長時間預かり保育改修費等

　「子どものための教育・保育給付費補助事業の実施について」の別添２「幼稚園における長時間預かり保育運営費支援事業実施要綱」（以下「長時間預かり実施要綱」という。）に掲げる実施要件を満たし、長時間預かり実施要綱に掲げる期間内に幼保連携型認定こども園、幼稚園型認定こども園又は小規模保育事業への移行を希望する私立幼稚園を経営する者

5　対象事業の制限

(1)　次に掲げる場合については、本事業の対象としないものとする。

①　国が別途定める国庫負担金、補助金、交付金の対象となる場合

②　施設整備を目的とする場合（土地や既存建物の買収、土地の整地等を含む。）

(2)　本事業による賃借料の補助は、１の施設・事業所につき１回限りとする。

6　留意事項

(1)　4の(3)について、認可化移行運営費実施要綱に掲げる期間内に認可保育所、認定こども園又は小規模保育事業として必要な基準を満たさなかった

場合、補助金の返還を命ずることができるものとする。

(2) 4の(5)について、長時間預かり実施要綱に掲げる期間内に幼保連携型認定こども園、幼稚園型認定こども園又は小規模保育事業として必要な基準を満たさなかった場合は補助金の返還を命ずることができるものとする。

7 費用
　本事業に要する費用の一部について、国は別に定めるところにより補助するものとする。

別添2
　　都市部における保育所等への賃借料等支
　　援事業実施要綱

1 事業の目的
　賃貸物件において保育所、認定こども園、家庭的保育事業所、小規模保育事業所及び事業所内保育事業所（以下「保育所等」という。）の運営を行う場合、都市部など局地的に賃借料の実勢価格と「特定教育・保育、特別利用保育、特別利用教育、特定地域型保育、特別利用地域型保育、特定利用地域型保育及び特例保育に要する費用の額の算定に関する基準等の一部を改正する告示」（平成28年内閣府告示第119号）第1条第51項に規定する賃借料加算（以下「賃借料加算」という。）の収入額が乖離している地域の保育所等について、その乖離分を補助し、安定的な運営に資するとともに、保育所又は幼保連携型認定こども園の整備に当たり、土地の確保が困難な都市部等での整備を促進するため、土地借料の一部を支援し、子どもを安心して育てることができる体制整備を行うことを目的とする。

2 実施主体
(1) 3の(1)
　　実施主体は、市町村（特別区を含む。以下同じ。）又は市町村が認めた者とする。
　　ただし、「『待機児童解消に向けて緊急的に対応する施策について』の対応方針について」（平成28年4月7日付け雇用均等・児童家庭局長通知）に基づき、待機児童解消に向けて緊急に対応する取組を実施する市町村に限る。
　　なお、市町村が認めた者へ委託等を行うことができる。
(2) 3の(2)
　　市町村が認めた者とする。

3 事業の内容
(1) 都市部における保育所等への賃借料支援事業
① 認定こども園
　　子ども・子育て支援法（平成24年法律第65

号）第19条第1項第2号又は第3号の支給要件を満たし、同法第20条第1項により市町村の認定を受けた児童に係る利用定員数を認定こども園全体の利用定員数で除した数を施設の建物借料（年額。以下同じ。）に乗じた額から賃借料加算（年額。以下同じ。）の額との差額の一部を補助する。
② 認定こども園以外の施設
　　施設の建物借料から賃借料加算の額との差額の一部を補助する事業。
(2) 保育所設置促進事業
　　保育所又は幼保連携型認定こども園の設置に当たり、新たに土地を借り上げるために必要な賃借料（敷金を除き、礼金を含む。）を補助する。（ただし、保育所又は幼保連携型認定こども園の施設整備を行う場合に限る。）

4 対象事業者
(1) 都市部における保育所等への賃借料支援事業
　　以下に掲げる施設又は事業の建物借料が賃借料加算の額の3倍を超える施設又は事業を行う者
　　　・保育所
　　　・認定こども園
　　　・家庭的保育事業
　　　・小規模保育事業
　　　・事業所内保育事業
　　なお、以下①及び②を満たす市町村に所在する施設又は事業を行う者については、「子ども・子育て支援法に基づく協議会に参加する自治体への支援策について」（平成31年3月29日子保発0329第1号）に基づき、当該年度中に開設するものにつき1回限りで、施設又は事業の建物借料が賃借料加算の額の2倍を超える場合も補助対象とする。
① 子ども・子育て支援法（平成24年法律第65号）附則第14条第4項に定める都道府県が組織する協議会（以下、「待機児童対策協議会」という。）に参加し、かつ、子ども・子育て支援法施行規則の一部を改正する内閣府令附則第8条（平成30年内閣府令第21号）に該当する市町村（以下、「特定市町村」という。）であること。
② 当該特定市町村が参加する待機児童対策協議会において、保育の受け皿整備の推進に関する協議事項のKPIを設定し、かつ当該KPIの達成状況について、ホームページで公表するなど、「見える化」していること。
(2) 保育所設置促進事業

児童福祉法（昭和22年法律第164号）第７条に規定する保育所又は幼保連携型認定こども園を経営する者。ただし、地方公共団体が設置する場合及び保育所等整備交付金により施設整備を行う場合を除く。

5　対象事業の制限

(1)　国が別途定める国庫負担金（３の(1)の事業については、子どものための教育・保育給付費国庫負担金除く。）、補助金、交付金の対象となる場合は、本事業の対象とならない。

(2)　３の(1)の事業については、賃借料加算の対象とならない場合は、本事業の対象とならない。

(3)　３の(1)①の利用定員数は毎年４月１日時点の利用定員数を用いること。

ただし、年度途中で開所する場合は開所日における利用定員数を用いること。

(4)　３の(1)の事業における施設の建物借料については、周辺の借料から乖離がある場合等は、市町村が認めた額とすること。

(5)　３の(2)の事業による賃借料の補助は、１の施設につき１回限りとする。

(6)　３の(2)の事業については、原則、当該年度中又は翌年度４月１日に開所する施設を対象とする。

(7)　３の(2)の事業は、工事契約日以降にかかる土地借料を対象とする。

6　費用

本事業に要する費用の一部について、国は別に定めるところにより補助するものとする。

別添３

認可化移行のための助言指導・移転費等
支援事業実施要綱

1　事業の目的

認可保育所、認定こども園、小規模保育事業又は事業所内保育事業（以下「保育所等」という。）への移行を希望する認可外保育施設に対して、移行にあたって必要となる経費を補助することにより、保育の供給を増やし、もって待機児童の解消を図るとともに、子どもを安心して育てることができる体制整備を行うことを目的とする。

2　実施主体

３の(1)から(3)

都道府県又は市町村（特別区含む。以下同じ。）とする。

なお、都道府県又は市町村が適当と認める者へ委託等を行うことができる。

３の(4)

市町村又は市町村が認めた者とする。

なお、市町村が認めた者へ委託等を行うことができる。

3　事業の内容

本事業は、認可外保育施設が保育所等への移行を目指すに当たって必要となる次の(1)から(4)に掲げる経費について支援するものである。

(1)　認可化移行可能性調査支援事業

保育所等に移行するために障害となっている事由を診断し、移行するための計画書作成に要する費用の一部を補助するもの。

(2)　認可化移行助言指導支援事業

保育所等への移行に必要な保育内容や施設運営等について助言・指導するために要する費用の一部を補助するもの。

(3)　指導監督基準遵守助言指導支援事業

指導監督基準を満たさない認可外保育施設に対して指導監督基準を満たすために必要な助言・指導を行うための費用の一部を補助するもの。

(4)　認可化移行移転費等支援事業

立地場所や敷地面積の制約上、現行の施設では児童福祉施設の設備及び運営に関する基準（昭和23年厚生省令第63号）第32条に規定する保育所及び認定こども園に係る設備に関する基準、家庭的保育事業等の設備及び運営に関する基準（平成26年厚生労働省令第61号。）第22条に規定する家庭的保育事業に係る設備に関する基準、同基準第28条、第32条、第33条に規定する小規模保育事業に係る設備に関する基準又は同基準第43条に規定する事業所内保育事業に係る設備に関する基準を満たすことができない認可外保育施設の移転等（移転費、仮設設置費）に必要な費用の一部を補助するもの。

4　実施要件

(1)　認可化移行可能性調査支援事業

保育所等への移行を目指す認可外保育施設であること。

なお、移行するための計画書（子どものための教育・保育給付費補助金交付要綱の別表に定める地方単独保育施設加算の適用を受けない地方単独保育施設及び地方単独保育施設以外の施設については、５年を上限とする期間の計画書）を作成し、計画の期間内に保育所等に移行するものとする。

(2)　認可化移行助言指導支援事業

保育所等への移行を目指す認可外保育施設であって、「認可化移行可能性調査支援事業」の実施等により、移行のための計画書を策定するこ

と。
(3) 指導監督基準遵守助言指導支援事業
　　指導監督基準を満たさない認可外保育施設であること。
　　また、本事業の実施により指導監督基準を満たした後、(1)や(2)の事業による支援により、保育所等への移行を目指すこと。
(4) 認可化移行移転費等支援事業
　① 保育所等への移行を目指す認可外保育施設であって、3の(1)の認可化移行可能性調査支援事業の実施等により、移行のために移転等が必要であると市町村が認めた者であること。
　② 移転先については、児童福祉施設の設備及び運営に関する基準第32条に規定する保育所及び認定こども園に係る設備に関する基準、家庭的保育事業等の設備及び運営に関する基準第22条に規定する家庭的保育事業に係る設備に関する基準、同基準第28条、第32条、第33条に規定する小規模保育事業に係る設備に関する基準又は同基準第43条に規定する事業所内保育事業に係る設備に関する基準を満たしている又は満たすことが可能な場所であること。
　③ 実施に当たっては、保育所等への移行に係る計画により、移行予定を確認すること。
5　費用
　　本事業に要する費用の一部について、国は別に定めるところにより補助するものとする。

別添4
　　民有地マッチング事業実施要綱
1　事業の目的
　　保育所・認定こども園の整備等を促進するため、土地等所有者と保育所・認定こども園を運営する法人等（以下「保育所整備法人等」という。）のマッチングを行うための経費の補助を行い、都市部を中心とした用地不足への対応を図ることを目的とする。
2　実施主体
(1) 3の(1)及び(2)
　　都道府県及び市町村（特別区を含む。以下同じ。）（以下「都道府県等」という。）とする。なお、都道府県等が認めた者へ委託等を行うことができる。
(2) 3の(3)
　　都道府県等又は都道府県等が認めた者とする。なお、都道府県等が認めた者へ委託等を行うことができる。
　　ただし、当分の間、「『待機児童解消に向けて緊

急的に対応する施策について』の対応方針について」（平成28年4月7日付け雇用均等・児童家庭局長通知）に基づき待機児童解消に向けて緊急に対応する取組を実施する市町村に限る。
3　事業の内容
(1) 土地等所有者と保育所等整備法人等のマッチング支援
　　土地等所有者と保育所等整備法人等のマッチングを行うため、土地等所有者から整備候補地等を募集し、当該候補地での保育所等整備を希望する法人の公募・選考等を行う。
(2) 整備候補地等の確保支援
　　保育所等の設置が可能な土地等の確保のため、地域の不動産事業者等と連携するなどにより、土地等の所有者を把握し、保育所等の用に供する土地等としての活用に向けた働きかけを行うことにより、整備候補地等の確保に向けた取組を行う。
(3) 地域連携コーディネーターの配置支援
　　保育所等の設置や増設に向けた地域住民との調整など、保育所等の設置を推進するためのコーディネーターを市町村又は保育所等に配置する。
4　実施要件
(1) 土地等所有者と保育所等整備法人等のマッチング支援
　ア　保育所等の整備のために提供が可能な土地等について公募等により募集し、保育所等の実施に適当な場所（地域の保育ニーズの状況、立地、土地の広さ、各種関係法令との整合性に問題がない等）であることの確認を行った上で、選定を行うこと。
　イ　アで選定された保育所等整備候補物件において、保育所等の整備を希望する法人を公募等により募集し、事業実施に当たって適当な法人（過去の決算書、監査の結果に重大な指摘がない等）であることの確認を行った上で、選定を行うこと。
　ウ　土地等所有者及び保育所整備法人等の公募に当たっては、公募条件やマッチング後の整備要件や手続き等について、予め周知しておくこと。
　エ　選定した土地等所有者と保育所整備法人等のマッチングを行い、交渉可能な物件及び連絡先等について紹介をすること。
　オ　本事業の趣旨は、保育の需要の多い地域及び利便性の高い地域での整備を推進する目的で、土地等所有者と保育所整備法人等のマッチングを行うものであるため、両者の選定・交渉可能

な相手の紹介後の具体の契約締結については、当事者間で実施することを原則とする。
(2) 整備候補地等の確保支援
ア　保育所等の用に供する土地等の積極的な掘り起こしを行うため、地域の不動産事業者等を含めた協議会の設置や担当職員の配置を行うこと。
イ　保育所等の用に供する土地等としての活用に向けた働きかけを行う際には、市町村の整備計画と整合するよう、立地や土地の広さ等、必要な要件を明らかにした上で行うこと。
ウ　実施に当たっては、地域の不動産事業者・団体等と連携し適切な整備候補地を把握した上で個々に当該土地等の所有者に働きかけるほか、民間事業者の資産活用セミナーを活用するなど効率的な事業実施に努めること。
エ　土地等の所有者への説明に当たっては、保育所等の用に供することが決定した後の手続きや、各種の補助制度や税制等について説明を行うことが望ましいこと。
オ　保育所等の用に供することが決定した際には、(1)の活用その他適切な方法で保育所設置法人等とのマッチングや紹介を行うとともに、保育所等の整備が円滑に進むよう支援すること。
(3) 地域連携コーディネーターの配置支援
ア　本事業の実施に当たっては、担当職員を配置すること。
イ　地域住民との調整等の実施に当たっては、市町村の整備計画や地域の保育の受け皿の状況に関する情報の共有など市町村と連携するとともに、市町村は必要に応じ実施保育所等の支援を行うこと。
ウ　他の補助金等により人件費の補助が行われている職員については、本事業の補助対象とはしない。
5　留意事項
委託により事業を実施する場合は、適切な地域で保育所等の整備が行われるよう、都道府県等において地域の保育の需給状況を十分に把握した上で委託すること。
6　費用
本事業に要する費用の一部について、国は別に定めるところにより補助するものとする。

別添５
保育環境改善等事業実施要綱
1　事業の目的
駅前等の利便性の高い場所にある既存の建物を活用した保育所、認定こども園、家庭的保育事業所又は小規模保育事業所（以下、「保育所等」という。）の設置や障害児を受け入れるための改修等により、保育所等の設置促進及び保育環境の改善を図り、もって待機児童の解消を図るとともに、子どもを安心して育てることができる体制整備を行うことを目的とする。
2　実施主体
(1)　3の(1)及び(2)（ただし、④を除く。）の実施主体は、市町村（特別区を含む。以下同じ。）又は市町村が認めた者とする。
なお、市町村が認めた者へ委託等を行うことができる。
(2)　3の(2)の④のア
① 保育所、幼保連携型認定こども園及び地域型保育事業（居宅訪問型保育事業を除く。以下4(5)において同じ。）を対象とする場合
実施主体は、市町村が認めた者とする。
② 認可外保育施設（児童福祉法（昭和22年法律第164号。以下「法」という。）第59条の2に基づく届出を行っている施設（法第6条の3第11項に規定する業務を目的とする施設（以下「認可外の居宅訪問型保育事業」という。）を除く。）。以下(3)、(4)及び4(5)、(6)において同じ。）を対象とする場合
実施主体は、都道府県又は市町村（以下「都道府県等」という。）が認めた者とする。
(3)　3の(2)の④のイ
① 保育所、幼保連携型認定こども園、地域型保育事業（居宅訪問型保育事業を除く。以下4(6)において同じ。）を対象とする場合
実施主体は、市町村又は市町村が認めた者とする。
② 認可外保育施設を対象とする場合
実施主体は、都道府県等又は都道府県等が認めた者とする。
3　事業の内容
(1)　基本改善事業
既存施設の改修等により、保育所等を新たに設置する事業又は病児保育事業（体調不良児対応型）の実施に必要な体制整備を行う事業で、次に掲げるものとする。
① 保育所等設置促進等事業
保育需要が高い地域において、保育所等を設置するため、既存施設の改修等を行う事業（（※）「多様な保育促進事業の実施について」（平成29年4月17日付雇児発0417第4号雇用均

等・児童家庭局長通知）に掲げる３歳児受入れ連携支援事業を行うために必要となる既存保育所等の改修等を行うものを含む。）

② 病児保育事業（体調不良児対応型）設置促進事業

「病児保育事業の実施について」（平成27年７月17日付雇用均等・児童家庭局長通知）の別紙「病児保育事業実施要綱」の４(3)に基づく事業（以下「病児保育事業（体調不良児対応型）」という。）の実施に必要な改修等を行う事業

③ ノンコンタクトタイムスペース設置促進事業

休憩時間とは別に、物理的に子どもを離れ、各種業務を行う時間（ノンコンタクトタイム）を確保し、保育の振り返り等の業務を行うスペースを設置するために必要な改修等を行う事業

(2) 環境改善事業

利用児童にとっての保育環境の改善を図るため、既存施設の改修等を行う事業で次に掲げるものとする。

① 障害児受入促進事業

既存の保育所等において、障害児及び医療的ケア児（人工呼吸器を装着している児童その他の日常生活を営むために医療を要する状態にある児童をいう。）（以下、「障害児等」という。）を受け入れるために必要な改修等を行う事業

② 分園推進事業

保育所及び認定こども園の分園の設置を推進するため、分園に必要な設備の整備等を行う事業

③ 熱中症対策事業

熱中症対策として、保育所等に冷房設備を設置又は更新するための改修等を行う事業

④ 安全対策事業

ア 睡眠中の事故防止対策に必要な機器の購入等を行う事業

イ ＩＣＴを活用した子どもの見守りに必要な機器の購入を行う事業

⑤ 病児保育事業（体調不良児対応型）推進事業

病児保育事業（体調不良児対応型）を実施するために必要な設備の整備等を行う事業

⑥ 緊急一時預かり推進事業

「一時預かり事業の実施について」（平成27年７月17日付文部科学省初等中等教育局長・厚生労働省雇用均等・児童家庭局長通知）の別紙「一時預かり事業実施要綱」に掲げる「緊急一時預かり」を実施するために必要な設備の整備

等を行う事業

⑦ 放課後児童クラブ閉所時間帯等における乳幼児受入れ支援事業

放課後児童クラブを行う場所において、放課後児童クラブを開所していない時間等に法第6条の3第7号に基づく一時預かり事業を実施するために必要な設備の整備等を行う事業

⑧ 感染症対策のための改修整備等事業

４(12)に定める対象施設において、感染症対策のために必要となる改修や設備の整備等を行う事業

⑨ 保育環境向上等事業

４(13)に定める対象施設において、保育環境の向上等を図るため、老朽化した備品や、フローリング貼・カーペット敷等の設備の購入や更新及び改修等を行う事業

4 対象事業の制限

(1) 次に掲げる事業については、対象としないものとする。

① 国が別途定める国庫負担金、補助金、交付金の対象となる事業

② 施設整備を目的とする事業（土地や既存建物の買収、土地の整地等を含む。）

③ 既存施設の破損や老朽化に伴う改修・修繕を目的とする事業（3の(2)の③、⑨の事業を除く。）

④ 保育所等設置促進等事業について、既存施設の改修を伴わず設備の整備（備品の購入等）のみを目的とする事業

⑤ 保育環境向上等事業について、冷房設備を設置又は更新するための改修等を行う事業

(2) 本事業の実施については、3に掲げる事業ごとに、補助を受けてから10年経過後に再度実施することができる。（ただし、3の(1)の①から③及び(2)の①、②、⑤から⑦の事業については、新たな需要への対応が必要な場合には、経過期間に関わらず再度実施することができる。）

なお、災害等やむを得ない事情により再び同様の事業を実施する場合はこの限りではない。

(3) 保育所等設置促進等事業（ただし、（※）を除く。）及び分園推進事業については、当該年度中、又は翌年度４月１日に開設するものを対象とすること。

(4) 熱中症対策事業の対象施設については、公立の保育所及び認定こども園を除く。

(5) 安全対策事業のアの実施については、以下①〜⑤を満たすものとする。

①　対象施設については、保育所、幼保連携型認定こども園、地域型保育事業を行う事業所及び認可外保育施設であって、「認可外保育施設指導監督基準を満たす旨の証明書の交付について」（平成17年１月21日付厚生労働省雇用均等・児童家庭局長通知）に定める証明書（以下「証明書」という。）の交付を受けている又は交付予定の施設とする。ただし、地方公共団体が運営するものを除く。

②　対象児童については、０～２歳の児童を対象とする。ただし、３歳以上の児童であっても、当該児童の発育状況等により、③に定める対象機器を使用する必要があると自治体が認める場合は対象とする。

③　対象機器については、②に定める対象児童の睡眠中の事故を防止するために、睡眠中の児童の体動や体の向きを検知するなどの機能を持つ機器その他これらと同等の機能を持つ機器（例：午睡チェック、無呼吸アラームなど）とする。

※　機器の選定に当たっては、実施主体において、「医薬品、医療機器等の品質、有効性及び安全性の確保等に関する法律」（昭和35年法律第145号）に基づく医療機器の製造販売の承認等がなされていることや保育所等での導入実績があることなど、安全性等を十分に考慮した上で決定すること。

④　本事業による機器の導入は、安全確保業務の代替となるものではなく、例えば、保育士の事務負担を軽減し、午睡中の見守りに専念することができるなど、あくまでも保育の質の確保・向上の一環として、安全かつ安心な保育環境の確保に資する補助的なものである。

このため、機器を導入した場合においても、「教育・保育施設等における事故防止及び事故発生時の対応のためのガイドラインについて」（平成28年３月31日付内閣府子ども・子育て本部参事官、文部科学省初等中等教育局幼児教育課長、厚生労働省雇用均等・児童家庭局保育課長通知）等に基づき、安全な保育環境の確保に努めること。

⑤　機器の使用対象となる児童の数以上に機器を購入する場合、及び機器の使用対象となる児童に対して複数の機器を購入する場合は本事業の対象外とする。

(6)　安全対策事業のイの実施については、以下①～③を満たすものとする。

①　対象施設については、保育所、幼保連携型認定こども園、地域型保育事業を行う事業所、認可外保育施設とする。

なお、地方公共団体が運営するもの及び証明書の交付を受けていない認可外保育施設についても対象とする。

②　対象機器については、ＧＰＳやＢＬＥにより子どもの位置情報を管理するなど、園外活動時等の子どもの見守りに資する機器とする。

③　保育所保育指針（平成29年厚生労働省告示第117号）等に基づき、安全な保育環境の確保を図ること。

(7)　病児保育事業（体調不良児対応型）設置促進事業及び病児保育事業（体調不良児対応型）推進事業については、病児保育事業（体調不良児対応型）を実施している保育所等、及び当該年度中又は翌年度中に病児保育事業（体調不良児対応型）の実施を予定している保育所等を対象とすること。

(8)　障害児受入促進事業については、当該年度中又は翌年度中に障害児等の受入れを予定している保育所等を対象とすること。

(9)　保育所等設置促進等事業により保育所等を設置する場合に限り、障害児受入促進事業と併せて実施することができるものとする。

(10)　緊急一時預かり推進事業については、当該年度中又は翌年度中に事業の実施を予定している場合を対象とすること。また、当分の間、「『待機児童解消に向けて緊急的に対応する施策について』の対応方針について」（平成28年４月７日付雇用均等・児童家庭局長通知）に基づき、待機児童解消に向けて緊急に対応する取組を実施する市町村に限り、本事業の対象とすること。

(11)　放課後児童クラブ閉所時間帯等における乳幼児受入れ支援事業については、当該年度中又は翌年度中に一時預かり事業の実施を予定している放課後児童クラブを対象とすること。

(12)　感染症対策のための改修整備等事業の対象施設については、保育所、認定こども園（地方裁量型認定こども園を除く。）、地域型保育事業（居宅訪問型保育事業を除く。）を行う事業所とする。

(13)　保育環境向上等事業の対象施設については、保育所、幼保連携型認定こども園、地域型保育事業（居宅訪問型保育事業を除く。）を行う事業所とする。

5　費用
本事業に要する費用の一部について、国は別に定めるところにより補助するものとする。

○病児保育事業の実施について

〔令和6年3月30日　こ成保第180号
　各都道府県知事宛　こども家庭庁成育局長通知〕

標記については、今般、別紙のとおり「病児保育事業実施要綱」を定め、令和6年4月1日から適用することとしたので通知する。

ついては、管内市町村（特別区を含む。）に対して周知をお願いするとともに、本事業の適正かつ円滑な実施に期されたい。

なお、本通知の施行に伴い、平成27年7月17日雇児発0717第12号厚生労働省雇用均等・児童家庭局長通知「病児保育事業の実施について」は、令和6年3月31日限りで廃止する。

別　紙

病児保育事業実施要綱

1　事業の目的

保護者が就労している場合等において、子どもが病気の際に自宅での保育が困難な場合がある。

こうした保育需要に対応するため、病院・保育所等において病気の児童を一時的に保育するほか、保育中に体調不良となった児童への緊急対応並びに病気の児童の自宅に訪問するとともに、その安全性、安定性、効率性等について検証等を行うことで、安心して子育てができる環境を整備し、もって児童の福祉の向上を図ることを目的とする。

2　実施主体

実施主体は、市町村（特別区及び一部事務組合を含む。以下同じ。）とする。

なお、市町村が認めた者へ委託等を行うことができる。

3　事業の内容

保育を必要とする乳児・幼児又は保護者の労働もしくは疾病その他の事由により家庭において保育を受けることが困難となった小学校に就学している児童であって、疾病にかかっているものについて、保育所、認定こども園、病院、診療所、その他の場所において、保育を行う事業。

4　事業類型

本事業の対象となる事業類型は、次に掲げるものとする。

(1)　病児対応型

児童が病気の「回復期に至らない場合」であり、かつ、当面の症状の急変が認められない場合において、当該児童を病院・診療所、保育所等に付設された専用スペース又は本事業のための専用施設で一時的に保育する事業。

(2)　病後児対応型

児童が病気の「回復期」であり、かつ、集団保育が困難な期間において、当該児童を病院・診療所、保育所等に付設された専用スペース又は本事業のための専用施設で一時的に保育する事業。

(3)　体調不良児対応型

児童が保育中に微熱を出すなど「体調不良」となった場合において、安心かつ安全な体制を確保することで、保育所等における緊急的な対応を図る事業及び保育所等に通所する児童に対して保健的な対応等を図る事業。

(4)　非施設型（訪問型）

児童が「回復期に至らない場合」又は、「回復期」であり、かつ、集団保育が困難な期間において、当該児童の自宅において一時的に保育する事業。

(5)　送迎対応

(1)、(2)及び(3)において、看護師、准看護師、保健師又は助産師（以下「看護師等」という。）又は保育士を配置し、保育所等において保育中に「体調不良」となった児童を送迎し、病院・診療所、保育所等に付設された専用スペース又は本事業のための専用施設で一時的に保育することを可能とする。

(6)　当日キャンセル対応

(1)及び(2)において、利用当日のキャンセルにより職員配置に余剰が生じた場合に、当日キャンセルした家庭への連絡等を行うことで、受入体制を維持していることを評価する。

5　対象児童

本事業の対象となる児童は、次のとおりとする。

(1)　病児対応型

当面症状の急変は認められないが、病気の回復期に至っていないことから、集団保育が困難であり、かつ、保護者の勤務等の都合により家庭で保育を行うことが困難な児童であって、市町村が必要と認めた乳児・幼児又は小学校に就学している児童（以下「病児」という。）。

(2)　病後児対応型

病気の回復期であり、集団保育が困難で、かつ、

保護者の勤務等の都合により家庭で保育を行うことが困難な児童であって、市町村が必要と認めた乳児・幼児又は小学校に就学している児童（以下「病後児」という。）。

(3) 体調不良児対応型

事業実施保育所等に通所しており、保育中に微熱を出すなど体調不良となった児童であって、保護者が迎えに来るまでの間、緊急的な対応を必要とする児童（以下「体調不良児」という。）。

(4) 非施設型（訪問型）

病児及び病後児とする。

(5) 送迎対応

保育所等に通所しており、保育中に微熱を出すなど体調不良となった児童であって、保護者が迎えに来るまでの間、緊急的な対応を必要とする児童。

6　実施要件

(1) 病児対応型

① 実施場所

病院・診療所、保育所等に付設された専用スペース又は本事業のための専用施設であって、次のア～ウの基準を満たし、市町村が適当と認めたものとする。

ア　保育室及び児童の静養又は隔離の機能を持つ観察室又は安静室を有すること。

イ　調理室を有すること。なお、病児保育専用の調理室を設けることが望ましいが、本体施設等の調理室と兼用しても差し支えないこと。

ウ　事故防止及び衛生面に配慮されているなど、児童の養育に適した場所とすること。

② 職員の配置

病児の看護を担当する看護師等を利用児童おおむね10人につき1名以上配置するとともに、病児が安心して過ごせる環境を整えるために、保育士を利用児童おおむね3人につき1名以上配置すること。

(注1) 保育士及び看護師等の職員配置については、常駐を原則とする。ただし、利用児童が見込まれる場合に近接病院等から保育士及び看護師等が駆けつけられる等の迅速な対応が可能であれば、以下のとおり常駐を要件としない。

ア　利用児童がいる時間帯の場合

(ア)～(エ)の要件を満たし、利用児童の安心・安全を確保できる体制を整えている場合には、看護師等の常駐を要件としない。

(ア) 病気からの回復過程を遅らせたり、二次感染を生じたりすることがないよう、利用児童の病状等を定期的に確認・把握した上で、適切な関わりとケアを行うこと。

(イ) 病児保育施設が医療機関内に設置されている場合等であり、病児保育施設と看護師等が病児保育以外の業務に従事している場所とが近接していること。

(ウ) 看護師等が病児保育以外の業務に従事している場合においても、緊急の場合には病児保育施設に速やかに駆けつけることができる職員体制が確保されていること。

(エ) 看護師等が常駐しない場合であっても、保育士等を複数配置することにより、常に複数人による保育体制を確保していること。

イ　利用児童がいない時間帯の場合

利用児童が発生した場合に、連絡を受けた保育士及び看護師等が速やかに出勤し、業務に従事するなど、柔軟な対応が可能となる職員体制が確保されていれば、利用児童がいない場合は保育士及び看護師等の常駐を要件としない。

(注2) 保育士及び看護師等の2名以上の体制で行うことを原則（必須条件）とするが、以下のア及びイの要件を満たす場合には、職員の配置要件を満たしているものとする。その際、本規定に基づき事業を実施する市町村は、事業実施に係る要綱等で定めるところにより、その提供する病児保育に係る情報を公表しなければならない。

ア　離島・中山間地その他の地域で病児保育の利用児童の見込みが少ないと市町村が認めた上で、医療機関併設型で定員2人以下の場合。

イ　「子育て支援員研修事業の実施について」（令和6年3月30日こ成環第111号・こ支家第189号通知）の別紙「子育て支援員研修事業実施要綱」の5(3)アに定める基本研修及び5(3)イ(イ)に定める「地域型保育」の専門研修を修了している等、病児保育事業に従事する上で必要な知識や技術等を修得していると市町村が認めた看護師等を1名専従で配置した上で、病児保育以外の業務に従事している看護師等1名が、必要な場合に速やかに対応できる職員体制を確保

し、利用児童の病状等を定期的に確認・把
握した上で、適切な関わりとケアを行うこ
と。

③　その他

ア　集団保育が困難であり、かつ、保護者が家
庭で保育を行うことができない期間内で対象
児童の受け入れを行うこと。

イ　本事業を担当する職員は、利用の少ない日
等において、感染症流行状況、予防策等の情
報提供や巡回支援等を適宜実施すること。

ウ　市域内の病児保育施設の空き状況を見える
化した予約システムを構築する等、利便性の
確保に努めること。

(2)　病後児対応型

①　実施場所

病院・診療所、保育所等に付設された専用ス
ペース又は本事業のための専用施設であって、
次のア〜ウの基準を満たし、市町村が適当と認
めたものとする。

ア　保育室及び児童の静養又は隔離の機能を持
つ観察室又は安静室を有すること。

イ　調理室を有すること。なお、病後児保育専
用の調理室を設けることが望ましいが、本体
施設等の調理室と兼用しても差し支えないこ
と。

ウ　事故防止及び衛生面に配慮されているな
ど、児童の養育に適した場所とすること。

②　職員の配置

病後児の看護を担当する看護師等を利用児童
おおむね10人につき1名以上配置するととも
に、病後児が安心して過ごせる環境を整えるた
めに、保育士を利用児童おおむね3人につき1
名以上配置すること。

(注1)　保育士及び看護師等の職員配置について
は、常駐を原則とする。ただし、利用児童
が見込まれる場合に近接病院等から保育士
及び看護師等が駆けつけられる等の迅速な
対応が可能であれば、以下のとおり常駐を
要件としない。

ア　利用児童がいる時間帯の場合

(ア)〜(エ)の要件を満たし、利用児童の安
心・安全を確保できる体制を整えている場
合には、看護師等の常駐を要件としない。

(ア)　病気からの回復過程を遅らせたり、二
次感染を生じたりすることがないよう、
利用児童の病状等を定期的に確認・把握
した上で、適切な関わりとケアを行うこ

と。

(イ)　病児保育施設が医療機関内に設置され
ている場合等であり、病児保育施設と看
護師等が病児保育以外の業務に従事して
いる場所とが近接していること。

(ウ)　看護師等が病児保育以外の業務に従事
している場合においても、緊急の場合に
は病児保育施設に速やかに駆けつけるこ
とができる職員体制が確保されているこ
と。

(エ)　看護師等が常駐しない場合であって
も、保育士等を複数配置することにより、
常に複数人による保育体制を確保してい
ること。

イ　利用児童がいない時間帯の場合

利用児童が発生した場合に、連絡を受け
た保育士及び看護師等が速やかに出勤し、
業務に従事するなど、柔軟な対応が可能と
なる職員体制が確保されていれば、利用児
童がいない場合は保育士及び看護師等の常
駐を要件としない。

(注2)　保育士及び看護師等の2名以上の体制で
行うことを原則（必須条件）とするが、以
下のア及びイの要件を満たす場合には、職
員の配置要件を満たしているものとする。
その際、本規定に基づき事業を実施する市
町村は、事業実施に係る要綱等で定めると
ころにより、その提供する病児保育に係る
情報を公表しなければならない。

ア　離島・中山間地その他の地域で病児保育
の利用児童の見込みが少ないと市町村が認
めた上で、医療機関併設型で定員2人以下
の場合。

イ　「子育て支援員研修事業の実施につい
て」（令和6年3月30日こ成環第111号・こ
支家第189号通知）の別紙「子育て支援員
研修事業実施要綱」の5(3)アに定める基本
研修及び5(3)イ(イ)に定める「地域型保育」
の専門研修を修了している等、病児保育事
業に従事する上で必要な知識や技術等を修
得していると市町村が認めた看護師等を1
名専従で配置した上で、病児保育以外の業
務に従事している看護師等1名が、必要な
場合に速やかに対応できる職員体制を確保
し、利用児童の病状等を定期的に確認・把
握した上で、適切な関わりとケアを行うこ
と。

③　その他

ア　集団保育が困難であり、かつ、保護者が家庭で保育を行うことができない期間内で対象児童の受け入れを行うこと。

イ　本事業を担当する職員は、利用の少ない日等において、感染症流行状況、予防策等の情報提供や巡回支援等を適宜実施すること。

ウ　市域内の病児保育施設の空き状況を見える化した予約システムを構築する等、利便性の確保に努めること。

(3)　体調不良児対応型

①　実施場所

保育所又は医務室が設けられている認定こども園、小規模保育事業所、事業所内保育事業所の医務室、余裕スペース等で、衛生面に配慮されており、対象児童の安静が確保されている場所とすること。

②　職員の配置

看護師等を1名以上配置し、預かる体調不良児の人数は、看護師等1名に対して2人程度とすること。

③　本事業を担当する看護師等は、実施保育所等における児童全体の健康管理・衛生管理等の保健的な対応を日常的に行うこと。

④　本事業を担当する看護師等は、地域の子育て家庭や妊産婦等に対する相談支援を地域のニーズに応じて定期的に実施すること。

(4)　非施設型（訪問型）

①　実施場所

利用児童の居宅とする。

②　職員の配置

次のア〜ウを満たすこと。

ア　病児（病後児）の看護を担当する一定の研修を修了した看護師等、保育士、研修により市町村長が認めた者（以下「家庭的保育者」という。）のいずれか1名以上配置すること。

イ　アに定める職員を配置する場合は、「職員の資質向上・人材確保等研修事業の実施について」（令和6年3月30日こ成事第350号通知）に定める病児・病後児保育（訪問型）研修を修了した者とする。なお、令和7年3月31日までの間に、別紙1に掲げる研修（市町村等が実施する他の研修会が別紙1の内容を満たす場合には、その研修等の修了をもって代えることも差し支えない）を修了した者についても配置できることとする。

ウ　預かる病児（病後児）の人数は、一定の研修を修了した看護師等、保育士、家庭的保育者いずれか1名に対して、1人程度とする。

③　その他

集団保育が困難であり、かつ、保護者が家庭で保育を行うことができない期間内で対象児童宅への訪問を行うこと。

(5)　送迎対応

①　職員の配置

保育所等から体調不良児の送迎を行う際は、送迎用の自動車に同乗する看護師等又は保育士を配置すること。

②　その他

ア　保育所等から体調不良児の送迎を行う際には、送迎用の自動車に看護師又は保育士が同乗し、安全面に十分配慮した上で実施すること。

イ　送迎はタクシーによる送迎を原則とする。ただし、やむを得ない事由によりタクシーによる送迎対応が困難な場合には、その他自動車の借上げ等による実施も可能とする。

(6)　当日キャンセル対応

①　内容

利用者による当日キャンセルの結果、職員配置に余剰が生じた場合（利用予定児童4名に対して2名の保育士を配置していたが、1名の当日キャンセルにより保育士が1名余剰となる場合等。）に、当日キャンセルした家庭へ状況確認のための連絡等を行う。

なお、当日キャンセルのあった日時、当日キャンセルした者の氏名、当日の職員の配置状況、当日キャンセルのあった家庭への連絡等の対応状況について、別途帳簿等で管理し、補助金等の額の確定の日の属する年度の終了後5年間保存すること。

②　複数か所への予約を未然に防ぐ取組

域内に複数の病児保育施設が所在する場合は、ICTの活用等により域内の病児保育施設の空き状況を見える化する、予約受付システムや電話連絡等により利用前日に利用者に対して利用の有無を再度確認するなど、利用者が複数か所に予約を行うことがないよう対応策を講じること。（市域内に病児保育施設が1か所しかない場合であっても、同様の措置を講じるよう努めること。）

7　実施方法

(1)　病児対応型及び病後児対応型並びに非施設型（訪問型）については、対象児童をかかりつけ医

に受診させた後、保護者と協議のうえ、受け入れ、訪問の決定を行うこと。

(2) 送迎対応については、保育所等から連絡を受けた保護者が、病児保育実施施設に連絡すること等により実施すること。また、送迎対応を行った上で、病児対応型及び病後児対応型の事業を実施する施設において保育を行うにあたっては、かかりつけ医等に受診すること。

(3) 医療機関でない施設が病児対応型及び非施設型（訪問型）を実施する場合は、保護者が児童の症状、処方内容等を記載した連絡票（別紙2様式例。児童を診察した医師が入院の必要性はない旨を署名したもの。）により、症状を確認し、受け入れ、訪問の決定を行うこと。

(4) 保育所等に登所する前からの体調不良児については、体調不良児対応型の事業を実施する保育所等及び送迎対応を利用するものでなく、地域の病児対応型又は病後児対応型の事業を実施する施設を優先的に利用することとし、児童の症状に応じた適切な利用が行われるよう、地域における連携体制の確保に努めること。

(5) 非施設型（訪問型）を実施する場合には、市町村は本事業の安全性や安定性、効率性等について検証を行い、別紙3の内容により報告すること。

(6) 非施設型（訪問型）を実施する場合には、市町村は本事業の安全性や安定性、効率性等について検証を行う観点から、年間を通して利用が見込まれるよう留意すること。

8 留意事項

(1) 医療機関との連携等

① 市町村長は、都道府県医師会・郡市医師会等（以下「地方医師会」という。）に対し、本事業への協力要請を行うとともに、本事業を実施する施設（非施設型（訪問型）を含む。以下同じ。）に対し医療機関との連携体制を十分に整えるよう指導すること。

② 本事業を実施する施設は、緊急時に児童を受け入れてもらうための医療機関（以下「協力医療機関」という。）をあらかじめ選定し、事業運営への理解を求めるとともに、協力関係を構築すること。

③ 医療機関でない施設が病児対応型、非施設型（訪問型）及び送迎対応を実施する場合は、児童の病態の変化に的確に対応し、感染の防止を徹底するため、日常の医療面での指導、助言を行う医師（以下「指導医」という。）をあらかじめ選定すること。

④ 病児対応型、非施設型（訪問型）及び送迎対応を実施する場合においては、指導医又は協力医療機関（併設する医療機関の医師を含む。）との関係において、緊急時の対応についてあらかじめ文書により取り決めを行うこと。

⑤ 本事業を実施するに当たっては、指導医・嘱託医と相談のうえ、一定の目安（対応可能な症例、開所（訪問）時間等）を作成するとともに、保護者に対して周知し、理解を得ること。

(2) 書類の整備

この実施要綱の要件に適合する保育所等である旨の必要な書類を整備しておくこと。

(3) 事故の報告

保育中に事故が生じた場合には、「教育・保育施設等における事故の報告等について（令和6年3月22日こ成安第36号・5教参学第39号通知）」に従い、速やかに報告すること。

(4) 安全計画の策定

児童福祉施設の設備及び運営に関する基準第6条の3に準じ、安全計画の策定及び必要な措置を講じること等に努めること。

(5) 自動車を運行する場合の所在の確認

児童福祉施設の設備及び運営に関する基準第6条の4に準じ、児童の送迎等のために自動車を運行する場合には、児童の自動車への乗降車の際に、点呼等の方法により児童の所在を確認すべきであること。

(6) 事業継続計画の策定

児童福祉施設の設備及び運営に関する基準第9条の3に準じ、事業継続計画の策定及び必要な措置を講じること等に努めること。

なお、本事業は、感染症に罹患した児童を含む病児を保育するものであることから、常時より次の感染防止のための対策を行うこと。

① 体温の管理等その他健康状態を適切に把握するとともに、複数の児童を受け入れる場合は、他児への感染に配慮すること。

② 手洗い等の設備を設置し、衛生面への十分な配慮を施すことで、他児及び職員への感染を防止すること。

③ 体調不良児対応型を実施する場合においては、他の健康な児童が感染しないよう、事業実施場所と保育室・遊戯室等の間に間仕切り等を設けることで、職員及び他児の往来を制限すること。

④ 児童の受け入れに際しては、予防接種の状況を確認するとともに、必要に応じて予防接種す

るよう助言すること。

9　研修

　病児保育事業に従事する職員については、「職員の資質向上・人材確保等研修事業の実施について」に定める病児・病後児保育研修を受講し、資質の向上に努めること。

10　保護者負担

　本事業の実施に必要な経費の一部を保護者負担とすることができる。

11　費用

　本事業に要する費用の一部について、国は別に定めるところにより補助するものとする。

別紙1

研　修　科　目	時間
Ⅰ　児童の発達と学び（講習Ⅰ） （考え方） 　0歳から10歳くらいまでの児童の発達に関する基本的事項を学ぶ。具体な例を検討することを通じて、できるだけ実践的に容易に応用することが可能な知識を学ぶ。	9時間
①　乳幼児期の発達	（3時間）
②　学童期の発達	（3時間）
③　児童にとっての遊び	（3時間）
Ⅱ　健康管理と緊急対応（講習Ⅱ） （考え方） 　0歳から10歳くらいまでの児童がかかりやすい病気について、その特徴を学ぶ。その上で、体調不良の時、病気の時、病気の回復期、事故を起こした場合などの際の応急措置などについて実技指導を交えて学ぶ。さらに、健康管理という視点から見た食生活について学ぶ。	9時間
①　児童の病気	（3時間）
②　緊急時の対応と応急措置	（3時間）
③　児童の成長と食生活	（3時間）
Ⅲ　病児・病後児保育における見学実習 （考え方） 　病児・病後児保育事業実施施設または訪問宅において、児童の様子の観察及び看護師（保育士）がどのように児童に関わっているのかについて見学する。	2日以上

別紙2様式例

連　絡　票

児童の氏名		
	平成　　年　　月　　日生（　　歳）男・女	

平成　　年　　月　　日　診断の結果、現時点での入院の必要性は認められません。

診断医療機関名及び電話番号		診断医師署名 　　　　　　　　　印

※太枠は医師が記載し、その他は、保護者が記載すること。

症状（病名等）	
経過（検査内容等）	
治療（処方内容）	食前・食後・（　　　　　時）・その他（　　　　　　　）

保育上の留意点	
安静	特に制限なし・ベッド安静・その他（　　　　　　　　）
食べ物	特に制限なし・絶食・その他（　　　　　　　）
薬	特になし・処方の通り・その他（　　　　　　　）
その他留意事項	

医師より上記の説明を受けた上で、病児保育を申し込みます。

保護者名　　　　　　　　　　　　　　

連絡事項				
保護者の勤務場所 　（所在地）				
緊急連絡先 　（氏名・電話番号）	（第一）	電話番号　　（　　）	関係（　　　）	
	（第二）	電話番号　　（　　）	関係（　　　）	
お迎え予定者			関係（　　　）	

別紙3

病児・病後児保育事業（非施設型（訪問型））報告事項

1　実施方法等
- ・事業実施主体の名称　　　　　　・選定理由
- ・訪問対象年齢　　　　　　　　　・訪問可能時間
- ・利用手続　　　　　　　　　　　・利用料金（1時間あたり）
- ・食事の提供の有無・方法　　　　・職員数（職種）、雇用形態、勤務日数、勤務時間

2　訪問対象となる疾患

3　医療機関との連携

4　利用児童の状況
- ・年齢　　　　　　　　　　　　　・年間延べ利用児童数
- ・実利用児童数　　　　　　　　　・平均利用頻度
- ・平均利用時間数

5　（利用児童）健常時、日中の居場所について

6　病児・病後児保育事業利用時、主な疾病（3つまで）について

7　利用者（保護者）からの意見

8　研修について
- ・実施場所　　　　　　　　　　　・実施回数
- ・日数　　　　　　　　　　　　　・時間数
- ・参加者数　　　　　　　　　　　・修了者数（うち従事者数）

9　収支報告について

10　検証結果（実施施設側記載）

11　検証結果（市町村担当課記載）
　　事業実施により得られた情報を基に、実施市町村による事業評価を報告

12　その他特記事項

※「保育対策等促進事業費の国庫補助について」（平成20年6月9日厚生労働省発雇児第0609001号厚生労働事務次官通知）別表3病児・病後児保育事業（非施設型（訪問型））報告書に定める様式にて報告すること。

○一時預かり事業の実施について

令和6年3月30日　5文科初第2592号・こ成保第191号
各都道府県知事宛　文部科学省初等中等教育・こども家庭
庁成育局長連名通知

標記については、今般、別紙のとおり「一時預かり事業実施要綱」を定め、令和6年4月1日から適用することとしたので通知する。

ついては、管内市町村（特別区を含む。）に対して周知をお願いするとともに、本事業の適正かつ円滑な実施に期されたい。

なお、本通知の施行に伴い、平成27年7月17日27文科初第238号、雇児発0717第11号文部科学省初等中等教育局長、厚生労働省雇用均等・児童家庭局長通知「一時預かり事業の実施について」は、令和6年3月31日限りで廃止する。

別　紙

一時預かり事業実施要綱

1　事業の目的

保育所等を利用していない家庭においても、日常生活上の突発的な事情や社会参加などにより、一時的に家庭での保育が困難となる場合がある。また、核家族化の進行や地域のつながりの希薄化などにより、育児疲れによる保護者の心理的・身体的負担を軽減するための支援が必要とされている。

こうした需要に対応するため、保育所、幼稚園、認定こども園その他の場所において児童を一時的に預かることで、安心して子育てができる環境を整備し、もって児童の福祉の向上を図ることを目的とする。

2　実施主体

実施主体は、市町村（特別区及び一部事務組合を含む。以下同じ。）とする。

なお、市町村が認めた者へ委託等を行うことができる。

3　事業の内容

家庭において保育を受けることが一時的に困難となった場合や、保護者の心理的・身体的負担を軽減するために支援が必要な場合に、乳児又は幼児（以下「乳幼児」という。）について、主として昼間において、保育所、幼稚園、認定こども園その他の場所において、一時的に預かり、必要な保護を行う事業。

4　実施方法

(1)　一般型

①　実施場所

保育所、幼稚園、認定こども園、地域子育て支援拠点又は駅周辺等利便性の高い場所など、一定の利用児童が見込まれる場所で実施すること。

②　対象児童

主として保育所、幼稚園、認定こども園等に通っていない、又は在籍していない乳幼児とする。

また、当分の間、「『待機児童解消に向けて緊急的に対応する施策について』の対応方針について」（平成28年4月7日雇児発0407第2号）に基づき、待機児童解消に向けて緊急的に対応する施策（以下「緊急対策」という。）を実施する市町村に限り、子ども・子育て支援法（平成24年法律第65号）第19条第2号又は第3号に掲げる小学校就学前子どもに該当する支給認定子ども（以下「保育認定子ども」という。）であって、同法第27条に規定する特定教育・保育施設又は同法第29条に規定する特定地域型保育事業者（以下「保育所等」という。）を利用していない児童について、保育所等への入所が決まるまでの間、定期的に預かること（以下「緊急一時預かり」という。）も本事業の対象とし、この場合の補助単価については別に定めることとする。

さらに、職員配置基準に基づく職員配置以上に加配が必要な障害児や、多胎育児家庭の育児疲れ等による心理的・身体的負担の軽減を図るために多胎児（以下「特別な支援等を要する児童」という。）を預かる施設に対し、次の要件を満たす場合には、別に定める加算を適用する。

ア　障害児を受け入れる施設において、当該障害児が利用した場合に職員配置基準に基づく職員配置以上に保育従事者を配置する場合。

なお、障害児とは、市町村が認める障害児とし、身体障害者手帳等の交付の有無は問わない。医師による診断書や巡回支援専門員等障害に関する専門的知見を有する者による意見提出など障害の事実が把握可能な資料をもっ

て確認しても差し支えない。

イ　多胎児を受け入れる施設において、当該多胎児を受け入れるために、「③設備基準及び保育の内容」の設備基準及び「④職員の配置」を遵守した上で、定員を超えて受け入れる場合で、かつ職員配置基準に基づく職員配置以上に保育従事者を配置する場合。

③　設備基準及び保育の内容

児童福祉法施行規則（昭和23年厚生省令第11号。以下「規則」という。）第36条の35第1号イ、ニ及びホに定める設備及び保育の内容に関する基準を遵守すること。

④　職員の配置

規則第36条の35第1号ロ及びハの規定に基づき、乳幼児の年齢及び人数に応じ、専ら当該一般型一時預かり事業に従事する職員として、当該乳幼児の処遇を行う者（以下「保育従事者」という。）を配置し、そのうち保育士を2分の1以上とすること。

当該保育従事者の数は2名を下ることはできないこと。ただし、保育所等と一体的に事業を実施し、当該保育所等の職員（保育従事者に限る。）による支援を受けられる場合には、保育士1名で処遇ができる乳幼児数の範囲内において、保育従事者を保育士1名とすることができること。

また、1日当たり平均利用児童数（年間延べ利用児童数を年間開所日数で除して得た数をいう。以下同じ。）がおおむね3人以下である場合には、家庭的保育者（児童福祉法（昭和22年法律第164号）第6条の3第9項第1号に規定する家庭的保育者をいう。以下同じ。）を、保育士とみなすことができる。これに加え、1日当たり平均利用児童数がおおむね3人以下であることに加え、保育所等と一体的に事業を運営し、当該保育所等を利用している乳幼児と同一の場所において当該一般型一時預かり事業を実施する場合であって、当該保育所等の保育士による支援を受けられる場合には、保育士1名で処遇ができる乳幼児数の範囲内において、保育従事者を「子育て支援員研修事業の実施について」（令和6年3月30日こ成環第111号、こ支家第189号こども家庭庁成育局長、こども家庭庁支援局長通知）の別紙「子育て支援員研修事業実施要綱」の5(3)アに定める基本研修及び5(3)イ(イ)に定める「一時預かり事業」又は「地域型保育」の専門研修を修了した者（以下「子育て

支援員」という。）1名とすることができること。ただし、保育所等を利用している乳幼児と同一の場所において事業を実施する場合であっても、保育所等を利用する児童と当該事業の利用乳幼児数を合わせた乳幼児の人数に応じ、児童福祉施設の設備及び運営に関する基準（昭和23年厚生省令第63号）第33条第2項の規定に準じて職員を配置すること。なお、非定期利用が中心である一時預かり事業の特性に留意し、研修内容を設定すること。

（注）　一時預かり事業を実施する保育所、幼稚園及び認定こども園を運営する法人が同一敷地内で放課後児童健全育成事業を実施する場合であって、放課後児童健全育成事業の利用児童数がおおむね2人以下であるときには、下記(ア)から(エ)までの要件を全て満たすことを条件として、一時預かり事業の実施場所において、両事業の対象児童を合同で保育することを可能とする。

(ア)　放課後児童健全育成事業の対象児童（以下「放課後児童」という。）の処遇の実施にあたっては、『「放課後児童健全育成事業」の実施について』（令和5年4月12日こ成環第5号こども家庭庁成育局長通知）の別紙「放課後児童健全育成事業実施要綱」によること。

(イ)　一時預かり事業に関する保育従事者の配置基準は、上記④の一段落目の記載に関わらず、乳児おおむね3人につき2名以上、満1歳以上満3歳に満たない幼児おおむね3人につき1名以上、満3歳以上満4歳に満たない幼児おおむね10人につき1名以上、満4歳以上の幼児おおむね15人につき1名以上とすること。

(ウ)　一時預かり事業に関する保育従事者の数は2名を下ることはできないのが原則であるが、放課後児童の処遇に係る職員2名以上から支援を受けられることを前提に、上記(イ)の基準に基づき保育士1名で保育ができる乳幼児数の範囲内において、保育士1名とすることができることとする。

(エ)　一時預かり事業の対象児童に対する処遇に支障がないことに加え、低年齢児と小学生が同一場所で活動することを踏まえた安全な保育環境が確保されていると市町村が認めていること。

⑤　研修

保育士以外の保育従事者の配置は、以下の研

修を修了した者とすること。
ア 「子育て支援員研修事業の実施について」
（令和6年3月30日こ成環第111号、こ支家
第189号こども家庭庁成育局長、こども家庭
庁支援局長通知）の別紙「子育て支援員研修
事業実施要綱」の5(3)アに定める基本研修及
び5(3)イ(イ)に定める「一時預かり事業」又は
「地域型保育」の専門研修を修了した者。
イ 子育ての知識と経験及び熱意を有し、「家
庭的保育事業の実施について」（平成21年10
月30日雇児発1030第2号厚生労働省雇用均
等・児童家庭局長通知）の別紙「家庭的保育
事業ガイドライン」（以下「ガイドライン」
という。）の別添1の1に定める基礎研修と
同等の研修を修了した者。ただし、令和7年
3月31日までの間に修了した者とする。
なお、非定期利用が中心である一時預かり
事業の特性に留意し、研修内容を設定するこ
と。
⑥ 基幹型施設
土曜日、日曜日、国民の祝日等の開所及び1
日9時間以上の開所を行う施設について、基幹
型施設とすることができる。
⑦ 事務経費
子ども・子育て支援法第27条に規定する特定
教育・保育施設、同法第29条に規定する特定地
域型保育事業、特定教育・保育施設に該当しな
い幼稚園及び企業主導型保育事業と一体的に事
業を実施している施設を除く事業所において、
事務経費への対応として事務職員の配置等や賃
貸物件における賃借料等に係る経費を必要とす
る事業所に対し、別に定める加算を適用する。
(2) 幼稚園型Ⅰ（(3)を除く）
① 実施場所
幼稚園又は認定こども園（以下「幼稚園等」
という。）で実施すること。
② 対象児童
主として、幼稚園等に在籍する満3歳以上の
幼児で、教育時間の前後又は長期休業日等に当
該幼稚園等において一時的に保護を受ける者。
③ 設備基準及び教育・保育の内容
規則第36条の35第1項第2号イ、ニ及びホに
定める設備及び教育・保育の内容に関する基準
を遵守すること。
④ 職員の配置
規則第36条の35第1項第2号ロ（附則第56条
第1項において読替え）及びハに基づき、幼児
の年齢及び人数に応じて当該幼児の処遇を行う

者（以下「教育・保育従事者」という。）を配
置し、そのうち保育士又は幼稚園教諭普通免許
状所有者を2分の1以上とすること（ただし、
当分の間の措置として3分の1以上とすること
も可）。
当該教育・保育従事者の数は2名を下ること
はできないこと。ただし、幼稚園等と一体的に
事業を実施し、当該幼稚園等の職員（保育士又
は幼稚園教諭免許状所有者に限る。）による支
援を受けられる場合には、保育士又は幼稚園教
諭普通免許状所有者1名で処遇ができる乳幼児
数の範囲内において、教育・保育従事者を保育
士又は幼稚園教諭普通免許状所有者1名とする
ことができること。また、保育士又は幼稚園教
諭普通免許状所有者以外の教育・保育従事者の
配置は、アに掲げる者又はイからオまでに掲げ
る者で市町村が適切と認める者とすること。な
お、イからオまでに掲げる者を配置する場合に
は、園内研修を定期的に実施することなどによ
り、預かり業務に従事する上で必要な知識・技
術等を十分に身につけさせる必要があること。
ア 市町村長等が行う研修を修了した者
イ 小学校教諭普通免許状所有者
ウ 養護教諭普通免許状所有者
エ 幼稚園教諭教職課程又は保育士養成課程を
履修中の学生で、幼児の心身の発達や幼児に
対する教育・保育に係る基礎的な知識を習得
していると認められる者
オ 幼稚園教諭、小学校教諭又は養護教諭の普
通免許状を有していた者（教育職員免許法
（昭和24年法律第147号）第10条第1項又は
第11条第4項の規定により免許状が失効した
者を除く。）
⑤ 研修
4(2)④アの「市町村長等が行う研修を修了し
た者」は、以下の者とすること。
ア 「子育て支援員研修事業の実施について」
の別紙「子育て支援員研修事業実施要綱」の
5(3)アに定める基本研修及び5(3)イ(イ)に定め
る「一時預かり事業」又は「地域型保育」の
専門研修を修了した者。
イ 子育ての知識と経験及び熱意を有し、ガイ
ドラインの別添1の1に定める基礎研修と同
等の研修を修了した者。ただし、令和7年3
月31日までの間に修了した者とする。なお、
非定期利用が中心である一時預かり事業の特
性に留意し、研修内容を設定すること。

⑥　特別な支援を要する児童

　障害児を受け入れる幼稚園等において、当該幼稚園等が実施する一時預かり事業を当該障害児が利用する際に、職員配置基準に基づく職員配置以上に教育・保育従事者を配置する場合、別に定める単価を適用する。

　なお、障害児とは、在籍する幼稚園等における教育時間内において、健康面・発達面において特別な支援を要するとして、現に都道府県又は市町村による補助事業等の対象となっている児童その他市町村が認める障害児とする。障害児であることの確認にあたっては、現に都道府県又は市町村による補助事業等の対象となっていることを証する書類により確認できる場合には、新たな確認を行う必要はない。また新たに障害児であることの確認を行う場合であっても、身体障害者手帳等の交付の有無は問わず、医師による診断書の他、巡回支援専門員等障害に関する専門的知見を有する者による意見提出など障害の事実が把握可能な資料をもって確認しても差し支えない。

(3)　幼稚園型Ⅱ（当分の間の措置として、保育を必要とする０～２歳児の受け皿として定期的な預かりを行うものをいう。以下同じ。）

　Ⅰ　２歳児の受入れについて

①　対象自治体

　「「新子育て安心プラン」の実施方針について」（令和３年１月21日子保発0121第１号）別添の１に定める市町村。

②　実施場所

　幼稚園で実施すること。

③　対象児童

　満３歳未満の小学校就学前子ども（子ども・子育て支援法第６条第１項に規定する小学校就学前子どもをいう。以下同じ。）であって、子ども・子育て支援法施行規則（平成26年内閣府令第44号）第１条の５で定める事由により家庭において必要な保育を受けることが困難であるものとして市町村に認定を受けた２歳児（注）。なお、２歳の誕生日を迎えた時点から随時受け入れることや、当該２歳児が３歳の誕生日を迎えた年度末まで継続して受け入れることも妨げない。

　（注）　受入れ時点だけではなく、受入れ期間中においても同施行規則第１条の５で定める事由に該当し続けていることを要件とする。

④　設備基準及び保育の内容

(2)③に同じ。なお、保育所保育指針等や「幼稚園を活用した子育て支援としての２歳児の受入れに係る留意点について」（平成19年３月31日文部科学省初等中等教育局長通知）を踏まえ、２歳児の発達段階上の特性を踏まえた保育を行うよう留意すること。

⑤　職員の配置

(2)④に同じ。ただし、当該児童の処遇を行う者の中には、必ず保育士を配置すること。

⑥　研修

(2)⑤に同じ。

⑦　保育時間・開所時間・開所日数

　児童福祉施設の設備及び運営に関する基準第34条の規定に準じ、保育時間は１日につき８時間を原則とすること。

　開所時間・開所日数については、③の対象児童に対する保育を適切に提供できるよう、保護者の就労の状況等の地域の実情に応じて定めなければならないこと。

　なお、③の対象児童が幼稚園に入園した後においても、引き続き受入れが可能となるよう、保護者の就労の状況等を踏まえて、適切に預かり保育を行うこと。

⑧　実施方法

ア　市町村は、管内の幼稚園と相談のうえ、あらかじめ、各幼稚園における受入枠を設定すること。

イ　市町村は、３号認定を行う際に、保護者の本事業の利用希望を把握したうえで、保護者に対する情報提供等を丁寧に行うとともに、各幼稚園に対して適切な受入れの要請を行うこと。

ウ　要請を受けた各幼稚園は、保護者からの利用の申込みについて、受入枠の範囲では、正当な理由がなければ、これを拒んではならないこと。また、受入枠を超える申込みがあった場合には、保育の必要度の高い者から優先して受入れを行うこと（この場合において、保育の必要度が同順位の者がいるときは、それらの者のうちから、各施設において公正な方法により受入れ対象者を決定することとして差し支えないが、この方法によっても、保育の必要度に応じた順位は常に優先する）。

エ　幼稚園は、受入れ対象者が決定した段階で、市町村に報告すること（受入枠を超える申込みがあった場合には、受入れ対象者

の決定方法を含めて報告すること）。

Ⅱ　０・１歳児の受入れについて

①　対象自治体

　　(3)Ⅰ①に同じ。

②　実施場所

　　(3)Ⅰ②に同じ。

③　対象児童

　　満３歳未満の小学校就学前子どもであって、子ども・子育て支援法施行規則第１条の５で定める事由により家庭において必要な保育を受けることが困難であるものとして市町村に認定を受けた０・１歳児（注）。なお、受け入れた当該０・１歳児が誕生日を迎えた場合でも、誕生日を迎えた年度末までは継続して誕生日を迎える前の年齢児として受け入れることとする。

（注）　受入れ時点だけではなく、受入れ期間中においても同施行規則第１条の５で定める事由に該当し続けていることを要件とする。

④　設備基準及び保育の内容

　　(2)③に同じ。ただし、乳児を利用させる場合は、規則第36条の35第１項第２号イの規定中「幼児」とあるのは「乳児及び幼児」と読み替えてその基準を遵守すること。なお、保育所保育指針等を踏まえ、０・１歳児の発達段階上の特性を踏まえた保育を行うよう留意すること。

⑤　職員の配置

　　(2)④に同じ。ただし、乳児を利用させる場合は、規則第36条の35第１項第２号ロの規定中「幼児」とあるのは「乳児及び幼児」と読み替えてその基準を遵守すること。また、教育・保育従事者の２分の１以上を保育士とすること。

⑥　研修

　　(2)⑤に同じ。

⑦　保育時間・開所時間・開所日数

　　(3)Ⅰ⑦に同じ。

⑧　実施方法

　　(3)Ⅰ⑧に同じ。

⑨　その他

　　児童福祉法第34条の14の規定に基づく確認に当たっては、④〜⑦に掲げる内容及び下記の点について留意するとともに、確認は、原則年１回以上行うなど、定期的に行うことが望ましいこと。

ア　非常災害に対する措置

・消火用具、非常口その他非常災害に必要な設備が設けられていること。

・非常災害に対する具体的計画を立て、これに対する定期的な訓練を実施すること。

イ　給食

・衛生管理の状況

　調理室、調理、配膳、食器等の衛生管理を適切に行うこと。

・食事内容等の状況

　児童の年齢や発達、健康状態（アレルギー疾患等を含む。）等に配慮した食事内容とすること。

　調理は、あらかじめ作成した献立に従って行うこと。

ウ　健康管理・安全確保

・児童の健康状態の観察

　登園、降園の際、児童一人一人の健康状態を観察すること。

・児童の発育チェック

　身長や体重の測定など基本的な発育チェックを毎月定期的に行うこと。

・児童の健康診断

　継続して保育している児童の健康診断を利用開始時及び１年に２回実施すること。

・職員の健康診断

　職員の健康診断を採用時及び１年に１回実施すること。

　調理に携わる職員には、概ね月１回検便を実施すること。

・医薬品等の整備

　必要な医薬品その他の医療品を備えること。

・感染症への対応

　感染症にかかっていることが分かった児童については、かかりつけ医の指示に従うよう保護者に指示すること。

・乳幼児突然死症候群に対する注意

　睡眠中の児童の顔色や呼吸の状態をきめ細かく観察すること。

　乳児を寝かせる場合には、仰向けに寝かせること。

　保育室では禁煙を厳守すること。

・安全確保

　児童の安全確保に配慮した保育の実施を行うこと。

　事故防止の観点から、施設内の危険な場

所、設備等に対して適切な安全管理を図ること。

不審者の立入防止などの対策や緊急時における児童の安全を確保する体制を整備すること。

事故発生時に適切な救命処置が可能となるよう、訓練を実施すること。

賠償責任保険に加入するなど、保育中の万が一の事故に備えること。死亡事故等の重大事故が発生した施設については、当該事故と同様の事故の再発防止策及び事故後の検証結果を踏まえた措置を取ること。

エ　利用者への情報提供

・提供するサービス内容を利用者の見やすいところに掲示しなければならないこと。

・利用者と利用契約が成立したときは、その利用者に対し、契約内容を記載した書面等を交付しなければならないこと。

・利用予定者から申込みがあった場合には、当該施設で提供されるサービスを利用するための契約の内容等について説明を行うこと。

(4)　余裕活用型

①　実施場所

下記の施設等のうち、当該施設等に係る利用児童数が利用定員総数に満たないもの。

ア　児童福祉法（昭和22年法律第164号）第39条第1項に規定する保育所。

イ　就学前の子どもに関する教育、保育等の総合的な提供の推進に関する法律（平成18年法律第77号）第2条第6項に規定する認定こども園。

ウ　家庭的保育事業等の設備運営基準第22条に規定する家庭的保育事業所。

エ　家庭的保育事業等の設備運営基準第28条、第31条及び第33条に規定する小規模保育事業所。

オ　家庭的保育事業等の設備運営基準第43条及び第47条に規定する事業所内保育事業所。

②　対象児童

4(1)②と同様とする。

ただし、特別な支援等を要する児童を預かる場合の実施基準は、以下の「③実施基準」によること。

③　実施基準

規則第36条の35第1項第3号に定める設備及び運営に関する基準等を遵守すること。

(5)　居宅訪問型

①　実施場所

利用児童の居宅において実施すること。

②　対象児童

家庭において保育を受けることが一時的に困難となった乳幼児で、以下のいずれかの要件に該当すること。

ア　障害、疾病等の程度を勘案して集団保育が著しく困難であると認められる場合。

イ　ひとり親家庭等で、保護者が一時的に夜間及び深夜の就労等を行う場合。

ウ　離島その他の地域において、保護者が一時的に就労等を行う場合。

また、当分の間、緊急一時預かりも本事業の対象とし、この場合の補助単価については別に定めることとする。

さらに、特別な支援等を要する児童を預かる施設に対し、(1)②の要件を満たす場合には、別に定める加算を適用する。ただし、実施基準は、以下の「③職員配置」及び「④実施要件」によること。

③　職員配置

職員の配置は次のとおりとする。なお、家庭的保育者1名が保育することができる児童の数は1人とする。

ア　「職員の資質向上・人材確保等研修事業の実施について」（令和6年3月30日こ成事第350号こども家庭庁成育局長通知）に定める居宅訪問型保育研修を修了した保育士等を配置すること。

イ　都道府県又は市町村において、アの研修の実施体制が整っていない場合には、経過措置として、家庭的保育者基礎研修を修了した保育士、家庭的保育者認定研修及び基礎研修を修了した者又はこれらの者と同等以上と認められる者であって、アの研修体制が整い次第速やかに当該研修を受講し、修了することとしている者を、当該研修を修了するまでの間（おおむね2年程度）配置することができることとする。

④　実施要件

ア　利用にあたっては、市町村と協議のうえ利用の決定を行うこと。

イ　一時預かり事業の他の類型を実施することができない場合に実施すること。

(6)　地域密着Ⅱ型

①　実施場所

地域子育て支援拠点や駅周辺等利便性の高い場所などで実施するものとする。

② 対象児童

主として保育所、幼稚園、認定こども園等に通っていない、又は在籍していない乳幼児とする。

また、当分の間、緊急一時預かりも本事業の対象とし、この場合の補助単価については別に定めることとする。

さらに、特別な支援等を要する児童を預かる施設に対し、(1)②の要件を満たす場合には、別に定める加算を適用する。ただし、実施基準は、以下の「③設備基準及び保育の内容」及び「④職員の配置」によること。

③ 設備基準及び保育の内容

規則第56条第1号、第4号及び第5号に定める設備及び保育の内容に関する基準に準じて行うこと。

④ 職員の配置

規則第56条第2号及び第3号の規定に準じ、乳幼児の年齢及び人数に応じて当該乳幼児の処遇を行う者（以下「担当者」という。）を配置すること。

担当者の数は2名を下ることはできないこと。また、担当者のうち保育について経験豊富な保育士を1名以上配置すること。

⑤ 研修

保育士資格を有していない担当者の配置は、市町村が実施する研修を受講・修了することを要件とする。

(7) 災害特例型

① 実施場所

保育所、幼稚園、認定こども園、子ども・子育て支援法第30条第1項第4号に規定する特例保育を行う施設（以下「特例保育施設」という。）又は同法第43条第1項に規定する地域型保育事業所並びに地域子育て支援拠点その他の場所で実施すること。

② 対象児童

ア 令和6年能登半島地震等（以下「地震等」という。）について災害救助法が適用された市町村（以下「被災市町村」という。）に居住する世帯に属する子ども・子育て支援法第20条第4項に規定する支給認定子どもであって、地震等の影響により、在籍する同法第27条第1項に規定する特定教育・保育施設、同法第29条第3項第1号に規定する特定地域型

保育事業所又は特例保育施設（以下「特定教育・保育施設等」という。）とは別の特定教育・保育施設等を利用する乳幼児。

イ 被災市町村に居住する世帯に属し、利用児童の保護者が復旧活動等を行うために、当該児童が在籍する幼稚園等において、教育時間の前後又は長期休業日等に当該幼稚園等を利用する幼児。

ウ 被災市町村に居住する世帯に属し、地震等の影響により、避難や保護者の復旧活動等により、①に掲げる実施場所を利用する乳幼児のうち、ア・イに該当しない乳幼児。

③ 設備基準及び保育の内容、職員の配置及び研修

ア及びイに掲げる実施場所の区分に応じ、それぞれア及びイに定める事業類型に関して(1)、(2)及び(6)において定める基準に準じて行う。

ただし、被災児童の受け入れに当たってやむをえない場合は、児童の処遇に著しい影響を生じない範囲であれば、必要な期間において、(1)、(2)及び(6)において定める基準を満たしていなくても事業を実施することを可能とする。

ア 幼稚園以外において実施する場合 一般型又は地域密着Ⅱ型

イ 幼稚園において実施する場合 幼稚園型Ⅰ

5 利用者負担軽減

(1) 内容

所得の低い世帯や支援が必要な児童がいる世帯等（以下「低所得世帯等」という。）の児童が、本事業による支援を受けた場合における、当該児童の保護者が支払うべき利用者負担額に対して、その一部の補助を行う。

(2) 対象類型

対象となる類型は、次のアからエに該当する実施方法とする。ただし、「緊急一時預かり」を除く。

ア 4(1)に定める「一般型」

イ 4(4)に定める「余裕活用型」

ウ 4(5)に定める「居宅訪問型」

エ 4(6)に定める「地域密着Ⅱ型」

(3) 事業の対象者

事業の対象者は、本事業による支援を受けた児童の保護者であって、次のアからエのいずれかに該当する者とする。

ア 一時預かり事業による支援を受けた日において生活保護法（昭和25年法律第144号）第6条第1項に規定する被保護者である場合

イ　保護者及び当該保護者と同一の世帯に属する者が地方税法（昭和25年法律第226号）の規定による市町村民税を課されない者である場合（アに掲げる場合を除く。）

ウ　保護者及び当該保護者と同一の世帯に属する者について地方税法の規定による市町村民税の同法第292条第1項第2号に掲げる所得割の額を合算した額（以下「市町村民税所得割合算額」という。）が7万7101円未満である場合（ア及びイに掲げる場合を除く。）

エ　要保護児童対策地域協議会に登録された要支援児童及び要保護児童のいる世帯、その他市町村が特に支援が必要と認めた世帯のうち、市町村がその児童及び保護者の心身の状況及び養育環境等を踏まえ、一時預かり事業の利用を促した者であって、一時預かり事業に係る利用者負担額を軽減することが適当であると認められる場合（アからウに掲げる場合を除く。）

(4)　一時預かり事業を行う者による代理請求・代理受領について

市町村は、一時預かり事業を行う者（以下「事業者」という。）に対して、あらかじめ5(3)に定める対象者から同意を得た上で通知し、対象者が当該事業者に支払うべき利用者負担額に対して対象者に補助すべき額の限度において、対象者に代わり、当該事業者に支払うことができる。

また、この場合による支払いがあったときは、対象者に対し補助があったものとみなす。

(5)　補助基準額

補助基準額は、次の各号に掲げる対象者の区分に応じ、当該各号に定める額とする。

①5(3)アに定める対象者

児童1人当たり日額3,000円

②5(3)イに定める対象者

児童1人当たり日額2,400円

③5(3)ウに定める対象者

児童1人当たり日額2,100円

④5(3)エに定める対象者

児童1人当たり日額1,500円

(6)　留意事項

5(3)イ及びウに定める対象者を決定するための市町村民税及び市町村民税所得割合算額の判定の時期は、本事業を実施する市町村が定める時期とする。このため、保育所等の保育料と同様に、当該年度の4月から8月までは前年度の市町村民税により、9月以降は当該年度の市町村民税により判定する場合のほか、通年分を4月現在の市町村

民税をもって判定するなどの場合も国庫補助の対象とする。

6　留意事項

(1)　事故の報告

保育中に事故が生じた場合には、「教育・保育施設等における事故の報告等について（令和6年3月22日こ成安第36号・5教参学第39号通知）」に従い、速やかに報告すること。

(2)　安全計画の策定

児童福祉施設の設備及び運営に関する基準第6条の3に準じ、安全計画の策定及び必要な措置等を講じること等に努めること。なお、幼稚園については、学校保健安全法第27条により、上記の内容が義務付けられていること。

(3)　自動車を運行する場合の所在の確認

児童福祉施設の設備及び運営に関する基準第6条の4に準じ、児童の通園や園外活動等のために自動車を運行する場合には、児童の自動車への乗降車の際に、点呼等の方法により児童の所在を確認すべきであること。なお、幼稚園については、学校保健安全法施行規則第29条の2により、上記の内容が義務付けられていること。

(4)　業務継続計画の策定

児童福祉施設の設備及び運営に関する基準第9条の3に準じ、業務継続計画の策定及び必要な措置を講じること等に努めること。なお、幼稚園については学校保健安全法に基づき策定されている学校安全計画や危険等発生時対処要領（危機管理マニュアル）に業務継続に関する内容が含まれていると考えられるが、改めて優先する業務内容や非常時の組織体制等を確認することが望ましいこと。

(5)　緊急一時預かり

緊急一時預かりを実施する場合は、積極的に地域の余裕スペース等の活用を検討するとともに、本来の一時預かり事業の利用者のニーズにも十分対応できるよう、供給拡大を図ること。

(6)　幼稚園型Ⅱ

本事業の対象児童について、施設型給付費等を重ねて支給することがないよう留意すること。

なお、本事業は待機児童対策として保育の受け皿確保が緊急に求められている状況を踏まえた当面の間の措置であるところ、今後、0・1歳児の受入れが継続的になる場合には、将来的に認可施設として機能を充実させることも含めて検討されることが期待される。

(7)　里帰り出産等

出産や介護等により一時的に里帰りする場合において、里帰り先の市町村が適当であると判断した場合は、住所地市町村の保育所等に在籍している児童を里帰り先の市町村において、一時預かり事業の対象としても差し支えないこと。

7　保護者負担

本事業の実施に必要な経費の一部を保護者負担とすることができる。ただし、災害特例型については保護者負担を求めないこと。

また、居宅訪問型については、利用児童の居宅まで

の交通費を実費徴収できることとする。

なお、緊急一時預かり又は幼稚園型Ⅱの場合に、保護者負担が過大とならないよう配慮すること。

8　費用

本事業に要する費用の一部について、国は別に定めるところにより補助するものとする。

なお、4(1)④の注書きにより放課後児童健全育成事業と合同で保育を実施する場合には、それぞれの対象児童の保育の実施に係る費用を按分し、それぞれの事業の対象経費として補助するものとする。

○延長保育事業の実施について

$$\left[\begin{array}{l}\text{令和６年４月１日　こ成保第225号}\\\text{各都道府県知事・各指定都市市長・各中核市市長宛　こど}\\\text{も家庭庁成育局長通知}\end{array}\right]$$

標記については、今般、別紙のとおり「延長保育事業実施要綱」を定め、令和６年４月１日から適用することとしたので通知する。

ついては、管内市町村（特別区を含む。）に対して周知をお願いするとともに、本事業の適正かつ円滑な実施に期されたい。

なお、本通知の施行に伴い、平成27年７月17日雇児発第10号厚生労働省雇用均等・児童家庭局長通知「延長保育事業の実施について」は、令和６年３月31日限りで廃止する。

別　紙

延長保育事業実施要綱

１　事業の目的

就労形態の多様化等に伴い、やむを得ない理由により、保育時間を延長して児童を預けられる環境が必要とされている。

こうした需要に対応するため、保育認定を受けた児童について、通常の利用日及び利用時間帯以外の日及び時間において、保育所、認定こども園等で引き続き保育を実施することで、安心して子育てができる環境を整備し、もって児童の福祉の向上を図ることを目的とする。

２　実施主体

実施主体は、市町村（特別区及び一部事務組合を含む。以下同じ。）とする。

なお、市町村が認めた者へ委託等を行うことができる。

３　事業の内容

子ども・子育て支援法（平成24年法律第65号）第19条第１項第２号又は第３号の支給要件を満たし、同法第20条第１項により市町村の認定を受けた児童が、やむを得ない理由により通常の利用日及び利用時間帯以外の日及び時間において保育所や認定こども園等で保育を受けた際に、保護者が支払うべき時間外保育の費用の全部又は一部の助成を行うことにより、必要な保育を確保する事業。

４　実施方法

(1)　一般型

①　実施場所

都道府県及び市町村以外の者が設置する保育所又は認定こども園（以下「民間保育所等」という。）、小規模保育事業所、事業所内保育事業所、家庭的保育事業所、駅前等利便性の高い場所、公共的施設の空き部屋等適切に事業が実施できる施設等とする。

②　対象児童

子ども・子育て支援法第19条第１項第２号又は第３号の支給要件を満たし、同法第20条第１項により市町村の認定を受け、民間保育所等、小規模保育事業所、事業所内保育事業所、家庭的保育事業所を利用する児童。

③　職員配置

配置する職員は、ア～ケの各類型において次のとおりとする。

また、配置する職員の数（以下「基準配置」という。）は、乳児おおむね３人につき１名以上、満１歳以上満３歳に満たない幼児おおむね６人につき１名以上、満３歳以上満４歳に満たない幼児おおむね20人につき１名以上、満４歳以上の幼児おおむね30人につき１名以上とする。

なお、保健師、看護師及び准看護師、幼稚園教諭、小学校教諭及び養護教諭並びに市町村長が保育士と同等の知識及び経験を有すると認める者については、次に掲げるア、イ及びオに限り、児童福祉施設の設備及び運営に関する基準（昭和23年厚生省令第63号）第94条から第97条まで、児童福祉施設最低基準の一部を改正する省令（平成10年厚生省令第51号）附則第２項並びに家庭的保育事業等の設備及び運営に関する基準（平成26年厚生労働省令第61号。以下「家庭的保育事業等の設備運営基準」という。）附則第６条から第９条までの規定に準じて保育士として配置することができることとする。

ア　民間保育所等

基準配置により保育士を配置すること。ただし、実施場所１につき保育士の数は２名を下ることはできない。

なお、開所時間内における「特定教育・保育、特別利用保育、特別利用教育、特定地域型保育、特別利用地域型保育、特定利用地域型保育及び特例保育に要する費用の額の算定

に関する基準等」（平成27年内閣府告示第49号。以下「告示」という。）第1条第44号ロに定める短時間認定を受けた児童（以下「短時間認定児」という。）の延長保育について、告示第1条第44号イに定める標準時間認定を受けた児童（以下「標準時間認定児」という。）を保育する職員の支援を受けられる場合には、保育士1名で保育ができる乳幼児数の範囲内において、保育士1名とすることができる。

（注）延長保育事業を実施する民間保育所等を運営する法人が同一敷地内で放課後児童健全育成事業を実施する場合であって、放課後児童健全育成事業の利用児童数がおおむね2人以下であるときには、下記(ア)から(エ)までの要件を全て満たすことを条件として、延長保育事業の実施場所において、両事業の対象児童を合同で保育することを可能とする。

(ア) 放課後児童健全育成事業の対象児童（以下「放課後児童」という。）の処遇の実施にあたっては、「「放課後児童健全育成事業」の実施について」（令和5年4月12日こ成環第5号こども家庭庁成育局長通知）の別紙「放課後児童健全育成事業実施要綱」によること。

(イ) 延長保育事業の職員の基準配置は、上記③二段落目の記載に関わらず、乳児おおむね3人につき2名以上、満1歳以上満3歳に満たない幼児おおむね3人につき1名以上、満3歳以上満4歳に満たない幼児おおむね10人につき1名以上、満4歳以上の幼児おおむね15人につき1名以上とすること。

(ウ) 延長保育事業の基準配置により配置する保育士の数は2名を下ることはできないのが原則であるが、放課後児童の処遇に係る職員2名以上から支援を受けられることを前提に、上記（イ）の基準に基づき保育士1名で保育ができる乳幼児数の範囲内において、保育士1名とすることができることとする。

(エ) 延長保育事業の対象児童に対する処遇に支障がないことに加え、低年齢児と小学生が同一場所で活動することを踏まえた安全な保育環境が確保されて

いると市町村が認めていること。

イ　小規模保育事業（A型）
基準配置により保育士を配置すること。

ウ　小規模保育事業（B型）
保育士その他の保育に従事する職員（家庭的保育事業等の設備運営基準第31条第1項に定める市町村長が行う研修を修了した者（以下「その他の保育従事者」という。））を基準配置により配置すること。ただし、そのうち保育士を1／2以上とする。

エ　小規模保育事業（C型）
家庭的保育事業等の設備運営基準第23条第2項に定める家庭的保育者（以下「家庭的保育者」という。）1名が保育することができる乳幼児の数は、3人以下とする。ただし、家庭的保育者が、家庭的保育事業等の設備運営基準第23条第3項に定める家庭的保育補助者（以下「家庭的保育補助者」という。）とともに保育する場合には、5人以下とする。

オ　事業所内保育事業（定員20人以上）
基準配置により保育士を配置すること。ただし、保育士の数は実施場所1につき2名を下ることはできない。
なお、開所時間内における短時間認定児の延長保育について、標準時間認定児を保育する職員の支援を受けられる場合には、保育士1名で保育ができる乳幼児数の範囲内において、保育士1名とすることができる。

カ　事業所内保育事業（定員19人以下・A型）
基準配置により保育士を配置すること。

キ　事業所内保育事業（定員19人以下・B型）
保育士その他の保育従事者を基準配置により配置すること。ただし、そのうち保育士を1／2以上とする。

ク　家庭的保育事業（定員4人以上）
家庭的保育者及び家庭的保育補助者を配置すること。

ケ　家庭的保育事業（定員3人以下）
家庭的保育者を配置すること。

④　実施要件
ア　短時間認定
(ア) 1時間延長
開所時間内で、各施設等が設定した短時間認定児の保育を行う時間を超えて1時間以上の延長保育を実施しており、延長時間内の1日当たり平均対象児童数（以下「平

均対象児童数」という。）が１人以上いること。

(イ)　２時間延長

開所時間内で、各施設等が設定した短時間認定児の保育を行う時間を超えて２時間以上の延長保育を実施しており、延長時間内の平均対象児童数が１人以上いること。

(ウ)　３時間延長

開所時間内で、各施設等が設定した短時間認定児の保育を行う時間を超えて３時間以上の延長保育を実施しており、延長時間内の平均対象児童数が１人以上いること。

(エ)　開所時間を超えた延長

標準時間認定と同様の取扱いとし、各時間帯における平均対象児童数の算定については、標準時間認定児と合算して算出すること。

イ　標準時間認定（ウを除く）

(ア)　１時間延長

開所時間を超えて１時間以上の延長保育を実施しており、延長時間内の１日当たり平均対象児童数が３人以上いること。

(イ)　２時間延長

開所時間を超えて２時間以上の延長保育を実施しており、延長時間内の平均対象児童数が３人以上いること。

(ウ)　３時間以上の延長

(イ)と同様１時間毎に区分した延長時間以上の延長保育を実施しており、延長時間内の平均対象児童数が３人以上いること。

(エ)　30分延長

上記(ア)～(ウ)に該当しないもので、開所時間を超えて30分以上の延長保育を実施しており、延長時間内の平均対象児童数が１人以上いること。

ウ　標準時間認定（小規模保育事業、事業所内保育事業（定員19人以下）及び家庭的保育事業並びに民間保育所等及び事業所内保育事業（定員20人以上）において、夜10時以降に行う延長保育）

(ア)　１時間延長

開所時間を超えて１時間以上の延長保育を実施しており、延長時間内の平均対象児童数が２人以上いること。

(イ)　２時間延長

開所時間を超えて２時間以上の延長保育

を実施しており、延長時間内の平均対象児童数が１人以上いること。

(ウ)　３時間以上の延長

(イ)と同様１時間毎に区分した延長時間以上の延長保育を実施しており、延長時間内の平均対象児童数が１人以上いること。

(エ)　30分延長

上記(ア)～(ウ)に該当しないもので、開所時間を超えて30分以上の延長保育を実施しており、延長時間内の平均対象児童数が１人以上いること。

(注１)　上記ア～ウにおいて、各施設等が設定した短時間認定児の保育を行う時間又は開所時間の前及び後ろで延長保育を実施する場合は、前後の延長保育時間及び平均対象児童数を合算することはせず、前後それぞれで延長時間を定めること。

ただし、上記アにおいて、各施設等が設定した短時間認定児の保育を行う時間上、前後それぞれで算出される延長時間に端数が生じる場合は、平均対象児童数が１人以上いる時間を前後合算して算出すること。

(注２)　上記ア～ウの各(エ)を除き、複数の延長時間区分に該当する場合は、最も長い延長時間の区分を適用すること。

また、平均対象児童数は、年間の上記の延長時間区分における各週ごとの最も多い利用児童数をもって平均し、小数点以下第一位を四捨五入して得た数とすること。

エ　夜間保育所において夜10時以降に行う延長保育

「夜間保育所の設置認可等について（平成12年３月30日児発第298号厚生省児童家庭局長通知）」により設置認可された施設において、夜10時以降に延長保育を実施する場合の夜10時以降の交付基準額については、別に定めること。

(2)　訪問型

①　実施場所

利用児童の居宅において実施すること。

②　対象児童

子ども・子育て支援法第19条第１項第２号又は第３号の支給要件を満たし、同法第20条第１

項により市町村の認定を受け、民間保育所等、小規模保育事業所、事業所内保育事業所、家庭的保育事業所、居宅訪問型保育事業所を利用する児童であって、以下のいずれかに該当するものとする。

　ア　居宅訪問型保育事業を利用する児童で利用時間を超える場合

　イ　民間保育所等における延長保育の利用児童数が1人となった場合

③　職員配置

　職員の配置は次のとおりとする。なお、家庭的保育者1名が保育することができる児童の数は1人とする。

　ア　4(2)②アに定める児童の場合

　　「職員の資質向上・人材確保等研修事業の実施について」（令和6年3月30日こ成事第350号こども家庭庁成育局長通知）の別添4に定める研修を修了した家庭的保育者を配置すること。

　イ　4(2)②イに定める児童の場合

　　保育士を配置すること。

　　(注)　都道府県又は市町村においてアの研修の実施体制が整っていない場合には、経過措置として、家庭的保育者基礎研修を修了した保育士、家庭的保育者認定研修及び基礎研修を修了した者又はこれらの者と同等以上と認められる者であって、アの研修体制が整い次第速やかに当該研修を受講し、修了することとしている者を、当該研修を修了するまでの間（おおむね2年程度）配置することができることとする。

④　実施要件

　ア　短時間認定

　　(ア)　1時間延長

　　　開所時間内で、各施設等が設定した短時間認定児の保育を行う時間を超えて1時間以上の延長保育を実施しており、延長時間内の年間利用日数（以下「年間延べ利用日数」という。）が26日以上あること。

　　(イ)　2時間以上の延長

　　　開所時間内で、(ア)と同様1時間毎に区分した延長時間以上の延長保育を実施しており、延長時間内の年間延べ利用日数が26日以上あること。

　　(ウ)　開所時間を超えた延長

標準時間認定と同様の取扱いとし、各時間帯における年間延べ利用日数の算定については、短時間認定、標準時間認定それぞれ算出すること。

　イ　標準時間認定

　　(ア)　1時間延長

　　　開所時間を超えて1時間以上の延長保育を実施しており、年間延べ利用日数が26日以上あること。

　　(イ)　2時間以上の延長

　　　(ア)と同様1時間毎に区分した延長時間以上の延長保育を実施しており、当該延長時間内の年間延べ利用日数が26日以上あること。

　　(ウ)　30分延長

　　　上記(ア)〜(イ)に該当しないもので、開所時間を超えて30分以上の延長保育を実施しており、当該延長時間内の年間延べ利用日数が26日以上あること。

　　　(注1)　上記ア〜イにおいて、各施設等が設定した短時間認定児の保育を行う時間又は開所時間の前及び後ろで延長保育を実施する場合は、前後の延長保育時間及び平均対象児童数を合算することはせず、前後それぞれで延長時間を定めること。

　　　　ただし、上記アにおいて、各施設等が設定した短時間認定児の保育を行う時間上、前後それぞれで算出される延長時間に端数が生じる場合は、平均対象児童数が1人以上いる時間を前後合算して算出すること。

　　　(注2)　訪問型の利用にあたっては、利用者と市町村が協議の上、利用の決定を行うこと。

5　留意事項

(1)　一般型については、対象児童に対し、適宜、間食又は給食等を提供すること。

(2)　この実施要綱の要件に適合する保育所等である旨の必要な書類を整備しておくこと。

(3)　保育中に事故が生じた場合には、「教育・保育施設等における事故の報告等について（令和6年3月22日こ成安第36号・5教参学第39号通知）」に従い、速やかに報告すること。

6　保護者負担

本事業の実施に必要な経費の一部を保護者負担と

することができる。

　また、訪問型については、利用児童の居宅までの交通費を実費徴収できることとする。

7　費用

　本事業に要する費用の一部について、国は別に定めるところにより補助するものとする。

　なお、4(1)③の注書きにより放課後児童健全育成事業と合同で保育を実施する場合には、それぞれの対象児童の保育の実施に係る費用を按分し、それぞれの事業の対象経費として補助するものとする。

○実費徴収に係る補足給付を行う事業の実施について

〔令和6年4月23日　こ成保第256号・6文科初第277号
各都道府県知事宛　こども家庭庁成育・文部科学省初等中
等教育局長連名通知〕

標記については、今般、別紙のとおり「実費徴収に係る補足給付事業実施要綱」を定め、令和6年4月1日から適用することとしたので通知する。

ついては、管内市町村（特別区を含む。）に対して周知をお願いするとともに、本事業の適正かつ円滑な実施に期されたい。

なお、本通知の施行に伴い、平成27年7月17日府子本第81号内閣府子ども・子育て本部統括官、27文科初第240号文部科学省初等中等教育局長、雇児発0717第5号厚生労働省雇用均等・児童家庭局長通知「実費徴収に係る補足給付を行う事業の実施について」は、令和6年3月31日限りで廃止する。

別　紙

　　実費徴収に係る補足給付事業実施要綱

1　事業の目的

　子ども・子育て支援法（平成24年法律第65号。以下「法」という。）第20条第4項に規定する教育・保育給付認定保護者（以下「教育・保育給付認定保護者」という。）及び第30条の5第3項に規定する施設等利用給付認定保護者（以下「施設等利用給付認定保護者」という。）のうち、低所得で生計が困難である者等の子どもが、特定教育・保育等又は特定子ども・子育て支援を受けた場合において、当該保護者が支払うべき実費徴収に係る費用の一部を補助することにより、これらの者の円滑な特定教育・保育等又は特定子ども・子育て支援等の利用が図られ、もってすべての子どもの健やかな成長を支援することを目的とする。

2　実施主体

　実施主体は、市町村（特別区及び一部事務組合を含む。以下同じ。）とする。

3　事業の種類

(1)　教育・保育給付認定保護者に対する日用品・文房具等に要する費用の補助

(2)　施設等利用給付認定保護者に対する副食材料費に要する費用の補助

4　実施方法等

(1)　教育・保育給付認定保護者に対する日用品・文房具等に要する費用の補助

①　事業の内容

　低所得で生計が困難である教育・保育給付認定保護者の子どもが、法第27条第1項に規定する特定教育・保育、法第28条第1項第2号に規定する特別利用保育、同項第3号に規定する特別利用教育、法第29条第1項に規定する特定地域型保育又は法第30条第1項第4号に規定する特例保育の提供を受けた場合において、日用品、文房具その他の特定教育・保育等に必要な物品の購入に要する費用又は特定教育・保育等に係る行事への参加に要する費用その他これらに類する費用として市町村が定めるものにかかる実費徴収額に対して、市町村がその一部を補助する。

②　実施要件

ⅰ）対象者

　生活保護法（昭和25年法律第144号）による被保護世帯（単給世帯を含む）及び中国残留邦人等の円滑な帰国の促進並びに永住帰国した中国残留邦人等及び特定配偶者の自立の支援に関する法律（平成6年法律第30号）による支援給付受給世帯である教育・保育給付認定保護者又は収入その他状況を勘案し、これらに準ずる者として市町村が認める教育・保育給付認定保護者

ⅱ）対象となる実費徴収額の範囲

　ⅰ）に該当する保護者の教育・保育認定子どもが特定教育・保育、特別利用保育、特別利用教育、特定地域型保育又は特例保育を受けた場合における食材料費以外の実費徴収額（特定教育・保育施設及び特定地域型保育事業並びに特定子ども・子育て支援施設等の運営に関する基準（平成26年内閣府令第39号）第13条第4項及び第43条第4項の規定による費用又は特例保育の提供に当たって徴収される同規定に掲げる費

③　施設による代理請求・代理受領について

市町村は、特定教育・保育施設に対して、あらかじめ(1)②ⅰに定める対象者から同意を得た上で通知し、日用品、文房具等の購入に要する費用について補助すべき額の限度において、対象者に代わり、特定教育・保育施設に支払うことができる。

また、この場合による支払いがあったときは、対象者に対し日用品、文房具等の購入に要する費用の補助があったものとみなす。

(2)　施設等利用給付認定保護者に対する副食材料費に要する費用の補助

①　事業の内容

世帯の所得の状況その他の事情を勘案して市町村が定める基準に該当する施設等利用給付認定保護者に係る施設等利用給付認定子ども（満3歳以上の者に限る。以下同じ。）が、法第30条の11第1項に規定する特定子ども・子育て支援（特定子ども・子育て支援施設等である認定こども園又は幼稚園が満3歳以上の施設等利用給付認定子どもに対して提供するものに限り、法第7条第10項第5号の事業に該当するものを除く。以下同じ。）を受けた場合において、当該施設等利用給付認定保護者が支払うべき食事の提供（副食の提供に限る。以下同じ。）にかかる実費徴収額に対して、市町村がその一部を補助する。

②　実施要件

ⅰ）対象者

特定子ども・子育て支援の提供を受ける施設等利用給付認定子どもに係る施設等利用給付認定保護者であって、次のア若しくはウに該当する者又はイに掲げる施設等利用給付認定子どもがいる者

ア　施設等利用給付認定保護者及び当該施設等利用給付認定保護者と同一の世帯に属する者に係る市町村民税所得割合算額（子ども・子育て支援法施行令（平成26年政令第213号。以下「令」という。）第4条第2項第2号に規定する市町村民税所得割合算額をいう。）が7万7101円未満である者。

イ　令第13条第2項に規定する負担額算定基準子ども又は小学校第3学年修了前子ども（小学校、義務教育学校の前期課程又は特別支援学校の小学部の第1学年から第3学年までに在籍する子どもをいう。）が同一の世帯に3人以上いる場合の負担額算定基

準子ども又は小学校第3学年修了前子ども（そのうち最年長者及び2番目の年長者である者を除く。）である者。

ウ　令第15条の3第2項に規定する市町村民税を課されない者に準ずる者。

ⅱ）対象となる実費徴収額の範囲

特定子ども・子育て支援を受けた場合において、当該施設等利用給付認定保護者が支払うべき食事の提供にかかる実費徴収額

③　施設による代理請求・代理受領について

市町村は、特定子ども・子育て支援提供者に対して、あらかじめ(2)②ⅰに定める対象者から同意を得た上で通知し、副食材料費に要する費用について補助すべき額の限度において、対象者に代わり、特定子ども・子育て支援提供者に支払うことができる。

また、この場合による支払いがあったときは、対象者に対し副食材料費に要する費用の補助があったものとみなす。

5　留意事項

①　4(2)にある市町村民税所得割合算額を判定する保護者等の世帯所得の時期は、当該事業を実施する市町村が定める時期とする。このため、例えば、法第20条第4項に規定する教育・保育給付認定と同様に、毎年6月に判明する当該年度分の市町村民税（4月から8月の利用分は前年度分の市町村民税）で判定したり、通年分を当該年度分の市町村民税で判定したりする場合も国庫補助の対象とする。

②　4(2)②（ⅱ）における副食の提供にかかる実費徴収額の算出に当たっては、実際に要した副食費に相当する費用（各施設に係る「1食当たり副食費相当額」を算出の上、給食提供日数を乗じて算出した額）を用いるのが基本であるが、「1食当たり副食費相当額」の算出が困難な場合（外部搬入業者が「副食費相当額」を提示できない場合等）においては、例外的に、下記の通り便宜的な算出方法を用いることも可能である。

（参考）副食費に相当する額の算出方法

給食の実施方法	副食費の算出方法（基本）	便宜的な算出方法の可否
自園調理（食材自己購入）	必要経費が明確であることから、各園で「1食当たり副食費相当額」を算出　×　給食日数	不可

自園調理 （食材外部 搬入）	外部搬入業者に依頼し 「１食当たり副食費相 当額」を算出 × 給 食日数	例外的に便 宜的な算出 方法（※） も可
外部搬入	外部搬入業者に依頼し 「１食当たり副食費相 当額」を算出 × 給 食日数	例外的に便 宜的な算出 方法（※） も可

※「１日当たり副食費相当額」の便宜的な算出方法
の例
○ 園における１食当たり給食費 × 「給食費に

占める副食費相当額の平均的な割合」（市町村に
所在する他施設等の情報から推計。）
○ 園における１食当たり食材料費相当額 ×
「食材料費に占める副食費の割合」（市町村に所
在する他施設等の情報から推計。）
○ 一律で新制度幼稚園の公定価格上の副食費徴収
免除加算と同じ単価を用いる。
6 費用
本事業に要する費用の一部については、国は別に
定めるところにより補助するものとする。

○多様な事業者の参入促進・能力活用事業の実施について

〔令和6年4月25日　こ成保第261号・6文科初第298号
各都道府県知事宛　こども家庭庁成育・文部科学省総合教
育政策・初等中等教育局長連名通知〕

地域の教育・保育需要に沿った教育・保育施設、地域子ども・子育て支援事業の量的拡大を進める上で、多様な事業者の新規参入を支援するほか、認定こども園における特別な支援が必要な子どもの受入体制を構築するため、今般、別紙のとおり「多様な事業者の参入促進・能力活用事業実施要綱」を定め、令和6年4月1日から適用することとしたので通知する。

ついては、管内市町村（特別区を含む。）に対して周知をお願いするとともに、本事業の適正かつ円滑な実施に期されたい。

なお、本通知の施行に伴い、平成27年7月17日府子本第88号内閣府子ども・子育て本部統括官、27文科初第239号文部科学省総合教育政策局長、文部科学省初等中等教育局長、雇児発0717第6号厚生労働省雇用均等・児童家庭局長通知「多様な事業者の参入促進・能力活用事業の実施について」は、令和6年3月31日限りで廃止する。

別　紙

多様な事業者の参入促進・能力活用事業
実施要綱

1　事業の目的

地域の教育・保育需要に沿った教育・保育施設、地域子ども・子育て支援事業の量的拡大を進める上で、多様な事業者の新規参入を支援するほか、私立認定こども園における特別な支援が必要な子どもの受入体制を構築するとともに、小学校就学前の子どもを対象とした多様な集団活動を利用する幼児の保護者の経済的負担の軽減を図ることで、良質かつ適切な教育・保育等の提供体制の確保を図る。

2　実施主体

実施主体は、市町村（特別区及び一部事務組合を含む。以下同じ。）とする。

なお、市町村が適当と認めた者へ委託等を行うことができる。（3⑶の事業を除く。）

3　事業の内容

⑴　新規参入施設等への巡回支援

市町村が教育・保育施設、地域子ども・子育て支援事業に新規参入する事業者（以下「新規参入事業者」）に対して、事業経験のある者（例：保育士OB等）を活用した巡回支援等を行うために必要な費用の一部を補助する事業。

⑵　認定こども園特別支援教育・保育経費

健康面や発達面において特別な支援が必要な子どもを受け入れる私立認定こども園の設置者に対して、職員の加配に必要な費用の一部を補助する事業。

⑶　地域における小学校就学前の子どもを対象とした多様な集団活動事業の利用支援

地域や保護者のニーズに応えて地域において重要な役割を果たしている、小学校就学前の子どもを対象とした多様な集団活動について、当該集団活動を利用する幼児の保護者の経済的負担を軽減する観点から、その利用料の一部を給付する事業。

4　実施要件

⑴　新規参入施設等への巡回支援

①　支援内容

新規参入事業者に対し、当該施設等における事業の推進状況等に応じて、市町村の支援チームにより、次の(ア)〜(オ)のいずれか1つ又は複数の事業を実施するものとする。

(ア)　事業開始前における事業運営や事業実施に関する相談・助言、各種手続きに関する支援等を行う事業

(イ)　事業開始後、事業運営が軌道に乗るまでの間、保護者や地域住民との関係構築や、利用児童への対応等に関する実地支援、相談・助言等を行う事業

(ウ)　小規模保育事業の連携施設のあっせんなど、事業実施に当たっての連携先の紹介等を行う事業

(エ)　小規模保育事業の連携施設に係る経過措置として、支援チーム自らが連携施設に代わる巡回支援等を行う事業

(オ)　その他、新規参入事業者が円滑に事業を実施できるよう、市町村が適当と認めた事業

②　支援対象となる事業者

待機児童解消加速化プランの推進や子ども・子育て支援新制度の円滑な実施に向け、事業の

拡大を図ることが必要な保育所、小規模保育事業、認定こども園を始め、一時預かり事業や地域子育て支援拠点事業などの地域子ども・子育て支援事業に新規に参入する事業者であって、市町村において支援が必要と認めた事業者とする。

なお、既にこれらの事業を実施している事業者であっても、他の事業を新規に開始する場合は、市町村の判断により、当該事業の対象として差し支えないものとする。

③　支援チーム

支援内容に応じて、市町村の担当者などの行政関係者のほか、保育所の保育士OBなどの事業経験者、公認会計士など監査・会計分野に関する知識を有する者、福祉分野における法人経営者などにより構成される支援チームを適宜設けることとする。

なお、必要な助言・指導等を行う体制が整っている場合には、地域の実情や必要な支援内容等により、チームを設けずに支援を行うこととしても差し支えない。

④　支援期間

新規参入事業者への支援期間については、個々の事業者の状況に応じて設定し、必要に応じて延長等を行うこと。

(2)　認定こども園特別支援教育・保育経費

①　対象施設

健康面、発達面において特別な支援が必要な子どもが在籍する私立認定こども園であって、②の要件をみたす子どもの教育・保育を担当する職員を加配する施設。ただし、健康面、発達面において特別な支援が必要な子どもが1人在籍する施設については、当該施設の在籍園児数が80人未満の施設を対象とする。

②　職員加配の対象となる子ども

次の(ア)～(ウ)の要件を満たすと市町村が認める特別な支援が必要な子ども

(ア)　日々通園し、教育・保育における集団活動に参加することが可能であること。

(イ)　特別児童扶養手当等の支給に関する法律（昭和39年法律第134号）に基づく特別児童扶養手当の支給対象であること、又は健康面、発達面において特別な支援が必要であること。

(ウ)　別表に掲げる認定こども園の類型に応じた子どもの教育・保育給付認定の区分に該当する者であること。

③　職員配置

②の要件を満たす子どもの教育・保育を担当するために、「特定教育・保育、特別利用保育、特別利用教育、特定地域型保育、特別利用地域型保育、特定利用地域型保育及び特例保育に要する費用の額の算定に関する基準等」（平成27年内閣府告示第49号）に基づき配置すべき職員数（加算を含む。）に加えて、幼稚園教諭免許状又は保育士資格を有する者を配置すること。

(3)　地域における小学校就学前の子どもを対象とした多様な集団活動事業の利用支援

①　対象幼児

事業実施主体の市町村の住民のうち、子ども・子育て支援法（平成24年法律第65号）に基づく子どものための教育・保育給付若しくは子育てのための施設等利用給付を受けていない又は企業主導型保育事業を利用していない満3歳以上の幼児であって、対象施設等を概ね、1日4時間以上8時間未満、週5日以上、年間39週以上利用している幼児。

②　対象施設等

満3歳以上小学校就学前の全ての利用幼児を対象とした標準的な開所時間が、概ね、1日4時間以上8時間未満、週5日以上、年間39週以上であり、かつ、子どものための教育・保育給付若しくは子育てのための施設等利用給付を受けている又は企業主導型保育事業を利用している満3歳以上の利用幼児の数が、満3歳以上小学校就学前の全ての利用幼児の数の概ね半数を超えない施設等であって、次の(ア)～(ケ)に掲げる事項について市町村が別に定める基準を満たすと市町村が判断する施設等。なお、市町村が基準を定める際には、(ア)、(ウ)及び(カ)については次に掲げるもののとおりとし、(ア)、(ウ)及び(カ)以外の事項については次に掲げるものを変更する際には市町村の子ども・子育て関係の審議会その他の合議制の機関で審議することとする。

(ア)　集団活動に従事する者の数及び資格

A)　集団活動に従事する者の数は、満3歳以上満4歳に満たない幼児概ね20人につき1人以上、満4歳以上の幼児概ね30人につき1人以上であること。ただし、施設等につき2人を下回ってはならないこと。

B)　集団活動に従事する者の概ね3分の1（集団活動に従事する者が2人の施設等にあっては、1人）以上は、幼稚園の教諭の普通免許状（教育職員免許法（昭和24年法律第147号）に規定する普通免許状をい

う。）を有する者、保育士若しくは看護師（准看護師を含む。）の資格を有する者又は都道府県知事（地方自治法（昭和22年法律第67号）第252条の19第１項の指定都市若しくは同法第252条の22第１項の中核市又は児童福祉法（昭和22年法律第164号）第59条の４第１項の児童相談所設置市においては、それぞれの長。以下「都道府県知事等」という。）が行う保育に従事する者に関する研修（都道府県知事等がこれと同等以上のものと認める市町村長その他の機関が行う研修を含む。）を修了したもの（１日の利用幼児の数が５人以下の施設等に限る。）であること。

(イ)　設備（有する場合）

A)　集団活動を行う部屋（以下「集団活動室」という。）のほか、調理室（給食を提供する場合に限る。自らの施設等内で調理を行わない場合には、必要な調理・保存機能を有する設備。）及び便所（手洗設備を含む。）があること。

B)　集団活動室の面積は、概ね幼児１人当たり1.65㎡以上であること。

C)　必要な遊具、用具等を備えること。

(ウ)　非常災害に対する措置

A)　消火用具、非常口その他非常災害に必要な設備が設けられていること。

B)　非常災害に対する具体的計画を立て、これに対する定期的な訓練を実施すること。

C)　集団活動室を２階に置く場合には建築基準法（昭和25年法律第201号）第２条第９号の２に規定する耐火建築物又は同条第９号の３に規定する準耐火建築物、３階以上に置く場合には耐火建築物とすること。なお、集団活動室を２階に設ける建物が耐火建築物又は準耐火建築物ではない場合においては、A)に規定する設備の設置及びB)に規定する訓練に特に留意すること。

D)　建物がない場合には、活動の実態に応じて、一時的に退避可能なスペースの確保など必要な対策をとること。

(エ)　集団活動内容

A)　幼児一人一人の心身の発育や発達の状況を把握し、活動内容を工夫すること。

B)　各施設等の活動方針に基づいた計画を策定し、実施していること。

(オ)　給食（提供する場合）

A)　幼児の年齢、発達、健康状態（アレルギー疾患等を含む。）等に配慮した食事内容とし、予め作成した献立に従って調理すること。

(カ)　健康管理・安全確保

A)　幼児の健康観察等を通じて、日々の幼児の健康を管理するとともに、幼児の安全に配慮した活動を行うため必要な健康管理や安全管理を行うこと。

(キ)　利用者への情報提供

A)　活動の内容について、利用者に対し書面の交付等を通じて、説明・情報提供を行うこと。

(ク)　備える帳簿

A)　職員及び利用幼児の状況を明らかにする帳簿等を整備しておかなければならないこと。

(ケ)　会計処理

下記A～Dにより、事業実施主体によって適切な会計処理が確認可能であること。

A)　財政及び経営の状況について真実な内容を表示すること。

B)　全ての取引について、正確な会計帳簿を作成すること。

C)　財政及び経営の状況を正確に判断することができるように必要な会計事実を明瞭に表示すること。

D)　採用する会計処理の原則及び手続並びに計算書類の表示方法については、毎会計年度継続して適用し、みだりにこれを変更しないこと。

③　対象施設等に対する指導監督

市町村は、本事業の対象となる施設等の基準の適合や適正な給付金の支出を担保する観点から、対象施設等への定期的な指導や監査を行うこと。

④　給付方法

市町村から対象施設等を利用する幼児の保護者に対する給付は、市町村から当該保護者へ直接支給すること。

⑤　補助対象経費

一般に各施設等が徴収している、対象施設等が利用者全員から徴収する利用料。

5　留意事項

新規参入施設等への巡回支援について、委託により事業を実施する場合であっても、市町村において新規参入事業者への支援の必要性や支援内容の適

否、支援後の効果等について把握すること。

6　費用

本事業に要する費用の一部については、国は別に定めるところにより補助するものとする。

別表　認定こども園特別支援教育・保育経費の対象となる子ども

認定こども園の類型			子どもの支給認定の区分（子ども・子育て支援法（平成24年法律第65号）第19条各号）
幼保連携型	学校法人立（学校法人化のための努力をする園（志向園）を含む。）以外		1号
幼稚園型	幼稚園部分が学校法人立（学校法人化のための努力をする園（志向園）を含む。）	並列型・接続型	3号
	上記以外	単独型	1号及び2号
		並列型・接続型	1号～3号
保育所型			1号
地方裁量型			1号～3号

単独型…就学前の子どもに関する教育、保育等の総合的な提供の推進に関する法律（平成18年法律第77号。以下「認定こども園法」という。）第3条第2項第1号に規定する幼稚園。

並列型…認定こども園法第3条第4項第1号イに規定する連携施設。

接続型…認定こども園法第3条第4項第1号ロに規定する連携施設。

○保育人材確保事業の実施について

〔平成29年４月17日　雇児発0417第２号
各都道府県知事・各指定都市市長・各中核市市長宛　厚生
労働省雇用均等・児童家庭局長通知〕

注　令和５年３月30日子発0330第８号改正現在

　地域の実情に応じた多様な保育需要に対応するため、保育人材の確保等に必要な措置を総合的に講じることで、待機児童の解消を図るとともに、子どもを安心して育てることができる環境整備を行うため、保育人材確保事業を次により実施し、平成29年４月１日から適用することとしたので通知する。

　ついては、管内市町村（特別区を含む。）に対して周知をお願いするとともに、本事業の適正かつ円滑な実施に期されたい。

　なお、本通知の施行に伴い、「保育体制強化事業の実施について」（平成26年５月29日雇児発0529第25号厚生労働省雇用均等・児童家庭局長通知）、「保育士資格取得支援事業の実施について」（平成27年４月13日雇児発0413第11号厚生労働省雇用均等・児童家庭局長通知）、「保育士・保育所支援センター設置運営事業の実施について」（平成27年４月13日雇児発0413第13号厚生労働省雇用均等・児童家庭局長通知）、「保育士宿舎借り上げ支援事業の実施について」（平成27年４月13日雇児発0413第14号厚生労働省雇用均等・児童家庭局長通知）、「保育士試験による資格取得支援事業の実施について」（平成27年４月13日雇児発0413第15号厚生労働省雇用均等・児童家庭局長通知）、「保育士養成施設に対する就職促進支援事業の実施について」（平成27年４月13日雇児発0413第16号厚生労働省雇用均等・児童家庭局長通知）、「保育士試験追加実施支援事業の実施について」（平成27年11月10日雇児発1110第３号厚生労働省雇用均等・児童家庭局長通知）、「保育補助者雇上強化事業の実施について」（平成28年８月18日雇児発0818第２号厚生労働省雇用均等・児童家庭局長通知）、「若手保育士や保育事業者への巡回支援事業の実施について」（平成28年８月18日雇児発0818第３号厚生労働省雇用均等・児童家庭局長通知）及び「保育士等のキャリアアップ構築のための人材交流等支援事業の実施について」（平成28年８月18日雇児発0818第４号厚生労働省雇用均等・児童家庭局長通知）は、平成29年３月31日限りで廃止する。ただし、平成28年度末までに実施したものについては、なお従前の例によるものとする。

記

第１　事業の種類

　１　保育士資格取得支援事業

　２　保育士試験追加実施支援事業

　３　保育士養成施設に対する就職促進支援事業

　４　保育士宿舎借り上げ支援事業

　５　保育人材等就職・交流支援事業

　６　保育体制強化事業

　７　保育補助者雇上強化事業

　８　若手保育士や保育事業者等への巡回支援事業

　９　保育士・保育所支援センター設置運営事業

　10　保育士・保育の現場の魅力発信事業

第２　事業の実施

　各事業の実施に当たっては、次によること。

　１　保育士資格取得支援事業実施要綱（別添１）

　２　保育士試験追加実施支援事業実施要綱（別添２）

　３　保育士養成施設に対する就職促進支援事業実施要綱（別添３）

　４　保育士宿舎借り上げ支援事業実施要綱（別添４）

　５　保育人材等就職・交流支援事業実施要綱（別添５）

　６　保育体制強化事業実施要綱（別添６）

　７　保育補助者雇上強化事業実施要綱（別添７）

　８　若手保育士や保育事業者等への巡回支援事業実施要綱（別添８）

　９　保育士・保育所支援センター設置運営事業実施要綱（別添９）

　10　保育士・保育の現場の魅力発信事業実施要綱（別添10）

別添１

　保育士資格取得支援事業実施要綱

Ⅰ　保育士資格取得支援事業

１　事業の目的

　学校教育と保育を一体的に提供する幼保連携型認定こども園に配置することとなっている幼稚園教諭免許状と保育士資格の両方の免許・資格を有する保育教諭の確保を図るとともに、幼稚園教諭免許状を有する者及び保育所等に勤務している保育士資格を有していない者の保育士資格取得を支援することにより保育教諭及び保育士の増加を図り、子どもを安心して育てることができるような体制整備を行うことを目的とする。

2 実施主体

実施主体は、都道府県、指定都市及び中核市（以下、別添1において「都道府県等」という。）、又は、都道府県等が認めた者とする。なお、都道府県等が認めた者へ委託等を行うことができる。

3 事業の内容

(1) 認可外保育施設保育士資格取得支援事業

認可外保育施設に対し、当該施設が雇用している保育士資格を有していない保育従事者（以下「認可外対象者」という。）が保育士資格を取得するために要した、児童福祉法（昭和22年法律第164号）第18条の6に基づき都道府県知事の指定する保育士を養成する学校その他の施設（以下「養成施設」という。）の受講料等及び受講する保育従事者代替に伴う雇上費の補助を行う。

(2) 保育教諭確保のための保育士資格取得支援事業

就学前の子どもに関する教育、保育等の総合的な提供の推進に関する法律（平成18年法律第77号。以下「認定こども園法」という。）第2条第6項に規定する認定こども園（以下「認定こども園」という。）及び認定こども園への移行を予定している施設に対し、当該施設に勤務している幼稚園教諭免許状を有する者であって、かつ、保育士資格を有していない者（以下「保育教諭対象者」という。）が「保育士試験の実施について」（平成15年12月1日雇児発第1201002号雇用均等・児童家庭局長通知）別表の②及び③（以下「特例制度」という。）による保育士資格の取得等に要した、養成施設の受講料等及び受講する保育従事者代替に伴う雇上費の補助を行う。

(3) 幼稚園教諭免許状を有する者の保育士資格取得支援事業

幼稚園教諭免許状を有する者であって、かつ、保育士資格を有していない者（以下「幼免対象者」という。）が特例制度により保育士資格を取得するために要した、養成施設の受講料等の補助を行う。

(4) 保育所等保育士資格取得支援事業

保育所等に対し、当該施設が雇用している保育士資格を有していない保育従事者（以下「保育所等対象者」という。）が保育士資格を取得するために要した、養成施設の受講料等の補助を行う。

4 実施要件

(1) 対象者

本事業の対象者は、以下の事業ごとに掲げる施設（以下「対象施設」という。）に勤務する者であること。ただし、幼免対象者は施設への勤務の

有無にかかわらず、本事業の対象となること。

また、保育教諭対象者及び幼免対象者は、養成施設において教科目の受講を開始し、児童福祉法施行規則（昭和23年厚生省令第11号）第6条の11の2の規定により保育士資格を取得すること。

対象施設は、対象者が保育士証の交付を受けるまでの間、当該施設としての要件を満たしていること。

なお、保育士修学資金貸付事業や雇用保険制度の教育訓練給付等、本事業と同趣旨の事業による貸付や助成等を受けている場合は、本事業の対象とならない。

① 認可外保育施設保育士資格取得支援事業

ア 「認可外保育施設指導監督基準を満たす旨の証明書の交付について」（平成17年1月21日雇児発第0121002号雇用均等・児童家庭局長通知）による認可外保育施設指導監督基準を満たす旨の証明書（以下「証明書」という。）の交付を受けた認可外保育施設

イ 認定こども園法第3条第2項第1号及び第3項に規定する施設のうち、幼稚園で構成されるもの（以下「幼稚園型認定こども園」という。）が構成する認可外保育施設

ウ 児童福祉法第6条の3第10項に規定する小規模保育事業であって、法第34条の15第2項の認可を受けたもののうち、「家庭的保育事業等の設備及び運営に関する基準」（平成26年4月30日厚生労働省令第61号）第3章第2節に規定する小規模保育事業A型及び第3節に規定する小規模保育事業B型を行う事業所

エ 児童福祉法第6条の3第12項に規定する事業所内保育事業であって、法第34条の15第2項の認可を受けたもの

オ 証明書の交付を受けていない認可外保育施設のうち、証明書の内容を同等以上満たしていると都道府県等が認める施設

カ 施設の所在する都道府県と市区町村との連名により、以下(i)～(iii)の内容を記載した「認可外保育施設指導監督基準適合化支援計画」を作成した認可外保育施設

(i) 待機児童の状況や保育時間等の観点から地域に特徴的と考えられる保育等ニーズが存在すること。

(ii) 都道府県又は市区町村において、(i)のニーズを満たすため、認可の保育施設や事業の整備・拡充等を進めているが、なお時間を要する場合に、それまでの間、(i)の保

育等ニーズの受け皿となることができる施設であると認める施設であること。

(ⅲ) 都道府県及び市区町村の連携により、当該施設が認可外保育施設指導監督基準を満たすため、職員又は巡回支援指導員等による技術的な支援、本事業の他の国庫補助の活用等を通じて、本事業以外にも十分な支援を行っている、あるいは行う予定であること。

(ⅳ) 遅くとも令和6年9月末までに、認可外保育施設指導監督基準への適合を目指すものであること。

② 保育教諭確保のための保育士資格取得支援事業

認定こども園及び認定こども園への移行を予定している施設

③ 保育所等保育士資格取得支援事業

ア 保育所

イ 認定こども園

ウ 認定こども園への移行を予定している幼稚園

エ 乳児院

オ 児童養護施設

※ 上記アからオのいずれも国又は地方公共団体が設置したものを除く。

(2) 受講方法

対象者は、養成施設での受講（通信制、昼間、昼夜開講制、夜間、昼間定時制）により保育士資格を取得する。

また、保育教諭対象者及び幼免対象者については、過去に保育士養成課程の科目の一部を修めないで卒業した者で、養成施設において、児童福祉法施行規則第6条の10第2項に掲げる筆記試験科目（同項第2号の教育原理及び同項第5号の保育の心理学を除く。）に相当する教科目を履修することで、児童福祉法施行規則第6条の11の2の規定により保育士資格を取得する場合も本事業の対象とすること。

(3) 受講開始

本事業においては、養成施設に入学した日又は養成施設からの受講許可を得た日のいずれか早い日を受講開始とすること。

(4) 代替保育士等雇上費

上記3の(1)の事業にあっては、認可外対象者の保育士資格取得に伴い代替として雇い上げた保育士又は保育従事者、上記3の(2)の事業にあっては、上記(1)②の施設に勤務している保育士（以下

「対象保育士」という。）の幼稚園教諭免許状取得に伴い、代替として雇い上げた保育士（以下「代替保育士等」という。）に係る雇上費を補助する。

5 実施計画書について

(1) 提出

① 本事業を実施する対象施設（以下「実施対象施設」という。）及び幼免対象者は、保育士資格取得支援事業実施計画書（以下「実施計画書」という。別添様式1）及び(2)に定める確認書類を都道府県等に提出すること。

なお、実施計画書を提出することができる期間は、4(3)の受講開始日の属する年度中とする。

② 都道府県等は、実施計画書が提出された際は、内容を確認し、本事業の対象の可否を速やかに実施対象施設及び幼免対象者に通知すること。

(2) 確認書類

実施計画書の確認にあたっては、4(1)の対象者（以下「対象者」という。）及び対象保育士が実施対象施設に勤務していることが確認できる書類を提出させること。

また、対象者及び対象保育士が受講を開始した場合は、養成施設（対象保育士については大学又は短大）に在学していることが確認できる書類を提出させること。

なお、実施計画書の提出前に受講を開始している場合は、実施計画書を提出する際に、養成施設に在学していることが確認できる書類を提出させること。

6 対象経費の支払い等について

(1) 支払い

養成施設受講料や教材費等の経費及び代替保育従事者雇上費（以下「対象経費」という。）は対象者又は対象保育士が保育士証又は幼稚園教諭免許状の交付を受け、4(1)の各事業に掲げる対象施設（以下「勤務対象施設」という。）に勤務することが決定した後に支払うことができる。ただし、資格取得後1年以上対象施設に勤務すること。

(2) 支払いの申請及び確認

実施対象施設及び幼免対象者は、対象者が保育士証の交付又は対象保育士が幼稚園教諭免許状の交付を受けた後、勤務対象施設に勤務を開始した日の属する月の末日までに、保育士資格取得支援事業完了報告書（以下「完了報告書」という。別

添様式２）及び次に掲げる書類を都道府県等に提出すること。ただし、やむを得ない理由により当該期日までに提出できない場合は、この限りでない。

ア　対象者が保育士証の交付又は対象保育士が幼稚園教諭免許状の交付を受けた後、勤務対象施設への勤務が決定したことを確認できる書類

イ　養成施設の長が発行する対象経費の領収書

ウ　代替保育士等が実施対象施設に勤務していたことが確認できる書類

エ　保育士証又は幼稚園教諭免許状の写し

(3)　対象経費の留意事項

①　対象経費の対象は、養成施設の長が証明する養成施設に対して支払われた入学料（養成施設における受講の開始に際し、当該養成施設に納付する入学金又は併願登録料）、受講料（面接授業料、教科書代及び教材費（受講に必要なソフトウェア等補助教材費を含む。））及び上記経費の消費税とする。

②　対象経費とならないものは、次の経費とすること。

ア　その他の検定試験の受講料

イ　受講にあたって必ずしも必要とされない補助教材費

ウ　補講費

エ　養成施設が定める修業年限を超えて修学した場合に必要となる費用

オ　養成施設が実施する各種行事参加に係る費用

カ　学債等将来対象者に対して現金還付が予定されている費用

キ　受講のための交通費及びパソコン、タブレット等の器材等

③　算定した支給額に端数が生じた場合、小数点以下を切り捨てて整数とすること。

④　入学料及び受講料を一括払いで支払った場合又は分割払いで支払った場合等のいずれの場合でも、支払った費用として養成施設の長が証明する額又は養成施設に対し振込を行ったことを金融機関が証明した額を対象とすること。

⑤　クレジットカードの利用等クレジット会社を介して支払う契約を行う場合の、クレジット会社に対する分割払い手数料（金利）は、対象経費に該当しないこと。

⑥　支給申請時点で養成施設に対して未納となっている入学料又は受講料は対象とならないこと。

7　領収書について

(1)　受講に係る領収書等

養成施設の長が、対象経費について発行した領収書又は養成施設に対し振込を行ったことを金融機関が証明した書類（以下「振込証明書類」という。）とする。

なお、クレジットカードの利用等クレジット会社を介して支払う契約を行った場合は、クレジット契約証明書（クレジット伝票の控に必要事項を付記したものを含む。）とすること。

(2)　領収書（又は振込証明書類或いはクレジット契約証明書。以下「領収書等」という。）には、次の事項が記載されていることを確認すること。

ア　「養成施設の名称」

イ　「支払者名」

ウ　「領収額（又はクレジット契約額）」

エ　「領収額の内訳（入学料と受講料のそれぞれの額）」

オ　「領収日（又はクレジット契約日）」

(3)　領収書等に訂正のある場合、養成施設の訂正印又は署名のないものは無効であること。

(4)　養成施設に係る領収書等については、確認後、原則として実施対象施設及び幼免対象者に返却すること。

ただし、必要に応じて実施対象施設及び幼免対象者了承の上で写しを取っておくこと。

(5)　本事業は、対象者及び対象保育士が保育士資格・幼稚園教諭免許を取得し、実施対象施設における保育士・幼稚園教諭の確保を図り、子どもを安心して育てることができるよう、体制の整備を支援するものであるため、上記３の(1)、(2)及び(4)に掲げる事業については、原則、実施対象施設が対象経費を負担すること。但し、実施対象施設と対象者がお互いの協議のもと、対象者が対象経費を負担することとした場合は、この限りでない。

8　留意事項

(1)　都道府県等は、提出された実施計画書に基づき、適切に補助が行えるよう、必要な財源を確保しておくこと。

(2)　実施対象施設が本事業の実施要件を満たしているかどうかの確認等に当たっては、必要に応じ市区町村と連携すること。

9　費用

本事業に要する費用の一部について、国は別に定めるところにより補助するものとする。

（別添様式１）

保育士資格取得支援事業実施計画書

都道府県等の長　殿

（元号）　　年　　月　　日
対象施設の長又は幼免対象者

①対象となる事業			
②施設名			
③住所	（〒　　ー　　　）		電話（　　　） 　　　ー
④受講者の氏名	フリガナ --------------------------------------	生年月日	年 　月　　日生（　　歳）
⑤養成施設名			
⑥受講期間	（元号）　　年　　月　　日　～　（元号）　　年　　月　　日 　　　　（受講開始日（入学日））		
⑦保育実習や面接授業期間	保育実習　　　　日、面接授業　　　　日、合計　　　　日		
⑧受講に要する費用	入学料　　　　円、受講料　　　　円、合計　　　　円		
⑨保育士修学資金貸付事業等、類似事業の貸付等の有無	保育士修学資金貸付事業等の類似事業の貸付等を 　　　　　　　　　受けている・受けていない		
⑩代替保育士等の氏名	フリガナ --------------------------------------	生年月日	年 　月　　日生（　　歳）
（備考）			

※　⑩について、代替保育士等が確定していない場合は、氏名欄に「別途配置予定」と記入し、確定次第速やかに
　　実施主体に届出を行うこと。

（別添様式２）

保育士資格取得支援事業完了報告書

都道府県等の長　殿

（元号）　　　年　　月　　日
対象施設の長又は幼免対象者

①対象となる事業			
②施設名			
③住所	（〒　　　―　　　）		電話（　　　） 　　　―
④受講者の氏名	フリガナ ------------------------------------	生年月日	年 月　　日生（　　歳）
⑤養成施設名			
⑥受講期間	（元号）　　年　　月　　日 ～ （元号）　　年　　月　　日 （受講開始日（入学日））		
⑦保育実習や面接授業期間	保育実習　　　　日、面接授業　　　　日、合計　　　　日		
⑧受講に要した費用	入学料　　　　円、受講料　　　　円、合計　　　　円		
⑨代替保育士等の氏名	フリガナ ------------------------------------	生年月日	年 月　　日生（　　歳）
⑩代替保育士等の雇上期間	（元号）　　年　　月　　日 ～ （元号）　　年　　月　　日 （　　　　日間）		
（備考）			

Ⅱ　保育士試験による資格取得支援事業

1　事業の目的

　　保育人材の確保を図るため、保育士試験受験のための学習に要した費用を補助することで保育士資格取得者の拡充を図り、子どもを安心して育てることが出来るような体制整備を行うことを目的とする。

2　実施主体

(1)　受験対策学習費用補助事業

　　都道府県、指定都市及び中核市（以下、別添2において「都道府県等」という。）が認めた者とする。なお、都道府県等が認めた者へ委託等を行うことができる。

(2)　保育士試験受験直前講座実施事業

　　都道府県及び指定都市とする。なお、都道府県及び指定都市が認めた者へ委託等を行うことができる。

3　事業の内容

(1)　受験対策学習費用補助事業

　　保育士試験により保育士資格取得を目指す者が保育士試験合格後、保育所等に保育士として勤務することが決定した者に対し、保育士試験受験のための学習に要した費用の一部を補助する。

(2)　保育士試験受験直前講座実施事業

　　国家戦略特別区域限定保育士試験（以下「特区試験」という。）を行う実施主体が、特区試験受験のための講座（以下「都道府県等講座」という。）を行うために必要な費用を補助する。

4　実施要件

(1)　受験対策学習費用補助事業

　①　対象者

　　　対象者は、保育士試験により保育士資格の取得を目指す者であって、保育士試験合格後、以下に掲げる施設又は事業（以下「対象施設等」という。）で保育士として勤務することが決定した者であること。

　　　なお、雇用保険制度の教育訓練給付等、本事業と同趣旨の事業による助成等を受けている場合は、本事業の対象とならない。

　ア　保育所

　イ　就学前の子どもに関する教育、保育等の総合的な提供の推進に関する法律（平成18年法律第77号。以下「認定こども園法」という。）第2条第6項に規定する認定こども園

　ウ　認定こども園への移行を予定している幼稚園

　エ　児童福祉法（昭和22年法律第164号）第6条の3第10項に規定する小規模保育事業のうち、「家庭的保育事業等の設備及び運営に関する基準」（平成26年厚生労働省令第61号）第3章第2節に規定する小規模保育事業A型及び同章第3節に規定する小規模保育事業B型であって、児童福祉法第34条の15第2項の認可を受けたもの

　オ　児童福祉法第6条の3第12項に規定する事業所内保育事業であって、児童福祉法第34条の15第2項の認可を受けたもの

　カ　乳児院

　キ　児童養護施設

　ク　「認可外保育施設指導監督基準を満たす旨の証明書の交付について」（平成17年1月21日雇児発第0121002号雇用均等・児童家庭局長通知）による認可外保育施設指導監督基準を満たす旨の証明書（以下「証明書」という。）の交付を受けた認可外保育施設

　ケ　証明書の交付を受けていない認可外保育施設のうち、証明書の内容を同等以上満たしていると都道府県等が認める施設

　コ　都道府県と市区町村との連名により、以下(i)～(iii)の内容を盛り込んだ「認可外保育施設指導監督基準適合化支援計画」を作成した施設

　(i)　待機児童の状況や保育時間等の観点から地域に特徴的と考えられる保育等ニーズが存在すること。

　(ii)　都道府県又は市区町村において、(i)のニーズを満たすため、認可の保育施設や事業の整備・拡充等を進めているが、なお時間を要する場合に、それまでの間、(i)の保育等ニーズの受け皿となることができる施設であると認める施設であること。

　(iii)　都道府県及び市区町村の連携により、当該施設が認可外保育施設指導監督基準を満たすため、職員又は巡回支援指導員等による技術的な支援、本事業の他の国庫補助の活用等を通じて、本事業以外にも十分な支援を行っている、あるいは行う予定であること。

　(iv)　遅くとも令和6年9月末までに、認可外保育施設指導監督基準への適合を目指すものであること。

※　いずれも国又は地方公共団体が設置したものを除く。

② 対象経費

本事業の対象となる費用（以下「対象経費」という。）は、保育士試験受験講座の受講（通信制、昼間、昼夜開講制、夜間、昼間定時制）に要する費用であって、当該講座を開講している事業者（以下「講座実施事業者」という。）が証明する当該事業者に対して支払われた入学料（講座実施事業者における受講の開始に際し、当該講座実施事業者に納付する入学金又は登録料）、受講料（面接授業料、教科書代及び教材費（受講に必要なソフトウェア等補助教材費含む。））及び上記経費の消費税とする。

なお、以下に掲げるものについては対象経費とならない。

ア その他の検定試験の受講料
イ 受講にあたって必ずしも必要とされない補助教材費
ウ 補講費
エ 講座実施事業者が定める期間を超えて受講した場合に必要となる費用
オ 講座実施事業者が実施する各種行事参加に係る費用
カ 学債等将来対象者に対して現金還付が予定されている費用
キ 受講のための交通費及びパソコン、タブレット等の器材等

③ 対象期間

対象経費の支払いの対象となる期間は、保育士試験の筆記試験日から起算して2年前の属する月の1日までのものとする。

④ 対象経費の支払い等

ⅰ) 支払い

対象経費は、対象者が保育士証の交付を受け、対象施設等に勤務することが決定した後に支払うことができる。ただし、資格取得後1年以上対象施設に勤務すること。

ⅱ) 支払いの申請及び確認

対象者は、保育士証の交付を受けた後、対象施設に勤務を開始した日の属する月の末日までに、受験対策学習費用支給申請書（以下「支給申請書」という。別添様式）及び次に掲げる書類を都道府県等に提出すること。ただし、やむを得ない理由により当該期日までに提出できない場合は、この限りでない。

ア 対象者が保育士証の交付を受けた後、対象施設への勤務が決定したことを確認できる書類

イ 講座実施事業者が発行する対象経費の領収書
ウ 保育士証の写し

ⅲ) 留意事項

ア 算定した支給額に端数が生じた場合、小数点以下を切り捨てて整数とすること。
イ 入学料及び受講料を一括払いで支払った場合又は分割払いで支払った場合等のいずれの場合でも、支払った費用として講座実施事業者が証明する額又は講座実施事業者に対し振込を行ったことを金融機関が証明した額を対象とすること。
ウ クレジットカードの利用等クレジット会社を介して支払う契約を行う場合の、クレジット会社に対する分割払い手数料（金利）は、対象経費に該当しないこと。
エ 支給申請時点で講座実施事業者に対して未納となっている入学料又は受講料は対象とならないこと。

⑤ 領収書について

ⅰ) 受講に係る領収書等

講座実施事業者が対象経費について発行した領収書又は講座実施事業者に対し振込を行ったことを金融機関が証明した書類（以下「振込証明書類」という。）とする。

なお、クレジットカードの利用等クレジット会社を介して支払う契約を行った場合は、クレジット契約証明書（クレジット伝票の控に必要事項を付記したものを含む。）とすること。

ⅱ) 領収書（又は振込証明書類或いはクレジット契約証明書。以下「領収書等」という。）には、次の事項が記載されていることを確認すること。

ア 「講座実施事業者の名称」
イ 「支払者名」
ウ 「領収額（又はクレジット契約額）」
エ 「領収額の内訳（入学料と受講料のそれぞれの額）」
オ 「領収日（又はクレジット契約日）」

ⅲ) 領収書等に訂正のある場合、講座実施事業者の訂正印又は署名のないものは無効であること。

ⅳ) 提出された領収書等については、確認後、原則として対象者に返却すること。但し、必

要に応じて本人了承の上で写しを取っておくこと。

(2)　保育士試験受験直前講座実施事業

①　対象者

特区試験の受験を希望する者であって、特区試験を実施する実施主体が開催する都道府県等講座を受講する者であること。

②　都道府県等講座の内容

ⅰ)　実施主体は、保育士試験において求められる質の高い保育士を養成する観点から、都道府県等講座の内容は、単なる受験講座にとどまらず、より実践的な内容となるよう配慮すること。

ⅱ)　実施主体は、都道府県等講座の実施場所について、対象者の利便性等を考慮し、会場数や会場規模、交通アクセス等に配慮すること。

ⅲ)　都道府県等講座の実施時期は、対象者が参

加しやすいよう、休日等に実施するなど配慮するとともに、都道府県等講座を実施する日から特区試験の試験日までに間隔が生じないようにすること。

③　対象経費

本事業の対象となる経費は、本事業に必要な諸謝金、旅費、印刷製本費、賃借料、会議費、賃金、通信運搬費等とする。

④　留意事項

ⅰ)　都道府県等講座の実施に当たっては、実施主体が適当と認める団体に委託して実施することができるものとする。

ⅱ)　都道府県等講座を委託により実施する場合においては、受託団体に対し、当該講座の実施に当たって必要な指導・助言を行うこと。

5　費用

本事業に要する費用の一部について、国は別に定めるところにより補助するものとする。

(別添様式)

受験対策学習費用支給申請書

都道府県等の長　殿

（元号）　　　年　　月　　日
対　象　者　氏　名

①対象者氏名	フリガナ --	生年月日	年 月　　日生（　　歳）
②対象者住所	（〒　　－　　　）		電話（　　　） 　　　－
③講座実施事業者名称			
④講座実施事業者所在地	（〒　　－　　　）		電話（　　　） 　　　－
⑤講座受講期間	（元号）　　　年　月　日～　（元号）　　　年　　月　　日		
⑧学習に要した費用（合計）	円		
（備考）			

別添2

　　保育士試験追加実施支援事業実施要綱

1　事業の目的

　　待機児童の解消に向け、保育の受け皿の拡大を進める上で、その担い手となる保育士の確保は喫緊の課題である。このため、保育士確保策の一環として、都道府県及び指定都市において国家戦略特別区域限定保育士試験（以下「特区試験」という。）を実施する場合において、特区試験の実施に必要な費用の一部を支援することにより、保育士試験の円滑な実施を図ることを目的とする。

2　実施主体

　　実施主体は、都道府県及び指定都市とする。なお、都道府県及び指定都市が認めた者へ委託等を行うことができる。

3　事業の内容

　　特区試験を実施する都道府県及び指定都市に対し、特区試験の実施のために必要な以下に掲げる費用の一部を補助する。

①　特区試験の広報に関する費用

②　保育実技講習会（「厚生労働省関係国家戦略特別区域法施行規則第1条第4項に規定する講習の実施について」（平成28年11月8日厚生労働省雇用均等・児童家庭局長通知）で定める講習をいう。）に関する費用

4　実施要件

　　本事業を実施する都道府県及び指定都市は、特区試験を実施すること。

5　留意事項

　　本事業を実施する都道府県及び指定都市は、試験会場や相談体制の確保、試験実施に必要な人員の確保など、円滑な実施に向けて指定試験機関に必要な支援を講じること。

6　費用

　　本事業に要する費用の一部について、国は別に定めるところにより補助するものとする。

別添3

　　保育士養成施設に対する就職促進支援事業実施要綱

1　事業の目的

　　児童福祉法第18条の6第1号に定める指定保育士養成施設（以下「養成施設」という。）を卒業予定の学生に対する保育所等への就職を促すための取組を積極的に行っている養成施設に対し、当該取組の結果、保育所等に勤務することとなった学生が増加した割合に応じ、就職促進のための費用を助成することで新卒者の保育所等への就職促進を行うことに

より、新規資格取得者の確保を図る。

2　実施主体

　　実施主体は、都道府県、又は、都道府県が認めた者とする。なお、都道府県が認めた者へ委託等を行うことができる。

3　事業の内容

　　養成施設を卒業予定の学生（以下「卒業予定者」という。）に対する保育所等への就職促進の一環として、下記4で定める要件を満たす養成施設に対し、同4(2)に掲げる施設に勤務することとなった学生の割合に応じ、当該取組に要した費用の一部を補助する。

4　実施要件

(1)　本事業の補助を受けようとする養成施設（以下「対象養成施設」という。）は、卒業予定者が下記(2)で定める施設（以下「対象施設」という。）への就職を促すため、以下の取組を実施すること。

①　保育士という職種への期待と現実とのギャップ（リアリティショック）に対応するための講座の開講

②　卒業予定者と保育士として現場で活躍する養成施設卒業者（OB・OG）との交流会の開催

③　卒業予定者を対象とした就職説明会

④　その他卒業予定者の対象施設就職促進のための取組の実施

(2)　卒業予定者の卒業後の勤務先の対象となる施設は、以下のとおりとする。なお、当該卒業予定者は、対象施設に保育士として勤務すること。

①　児童福祉法（昭和22年法律第164号）第7条に規定する児童福祉施設（保育所及び幼保連携型認定こども園を含む。）

②　学校教育法（昭和22年法律第26号）第1条に規定する幼稚園のうち、児童福祉法第7条に規定する幼保連携型認定こども園への移行を予定している施設及び幼稚園型認定こども園

③　児童福祉法第6条の3第10項に規定する小規模保育及び同法同条第12項に規定する事業所内保育事業であって、法第34条の15第1項の事業又は同法同条第2項の認可を受けたもの

④　子ども・子育て支援法（平成24年法律第65号）第30条第1項第4号に規定する特例教育・保育及び特定地域型保育の確保が著しく困難である離島その他の地域であって内閣総理大臣が別に定める基準に該当する施設

⑤　児童福祉法第39条第1項に規定する業務を目的とする施設であって法第35条第4項の認可を

受けていないもの（認可外保育施設）のうち、
次に掲げるもの

ア　法第59条の２の規定により届出をした施設

イ　都道府県等が事業の届出をするものと定め
た施設であって、当該届出をした施設

ウ　雇用保険法施行規則（昭和50年３月10日労
働省令第３号）第116条に定める事業所内保
育施設設置・運営等支援助成金の助成を受け
ている施設

(3)　本事業は、卒業予定者の卒業後の対象施設への
就職促進を図り、保育士を確保することを目的と
しているため、養成施設は、以下の①の要件を満
たし、かつ、少なくとも②又は③いずれかの要件
を満たしていること。

①　実施年度における卒業予定者に占める対象施
設への就職内定の割合（以下「内定割合」とい
う。）が、前年度における卒業予定者に占める
対象施設への就職割合（以下「前年度就職割
合」という。）の全国平均を上回っていること。

②　内定割合が、養成施設の前年度就職割合と同
率以上であること。

③　過疎地域、離島及び中山間地域等（※）に所
在する対象施設への就職内定の割合が、前年度
の当該対象施設への就職割合と同率以上である
こと。

5　費用

本事業に要する費用の一部について、国は別に定
めるところにより補助するものとする。

※　「過疎地域、離島及び中山間地域等」は以下の地
域等とする。

・過疎地域（過疎地域の持続的発展の支援に関する
特別措置法（令和３年法律第19号）第２条第１項
に規定する区域又は同法の規定により過疎地域と
みなされる区域をいう。）

・離島振興法第２条第１項の規定により指定された
離島振興対策実施地域

・奄美群島（奄美群島振興開発特別措置法（昭和29
年法律第189号）第１条に規定する奄美群島）

・豪雪地帯及び特別豪雪地域（豪雪地帯対策特別措
置法（昭和37年法律第73号）第２条第１項に規定
する豪雪地帯及び同条第２項の規定により指定さ
れた特別豪雪地帯）

・辺地（辺地に係る公共的施設の総合整備のための
財政上の特別措置等に関する法律（昭和37年法律
第88号）第２条第１項に規定する辺地）

・振興山村（山村振興法（昭和40年法律第64号）第
７条第１項の規定により指定された振興山村）

・小笠原諸島（小笠原諸島振興開発特別措置法（昭
和44年法律第79号）第４条第１項に規定する小笠
原諸島）

・半島振興対策実施地域（半島振興法（昭和60年法
律第63号）第２条第１項の規定により指定された
半島振興対策実施地域）

・特定農山村地域（特定農山村地域における農林業
等の活性化のための基盤整備の促進に関する法律
（平成５年法律第72号）第２条第１項に規定する
特定農山村地域）

・沖縄の離島（沖縄振興特別措置法（平成14年法律
第14号）第３条第３号に規定する離島）

別添４

保育士宿舎借り上げ支援事業実施要綱

1　事業の目的

待機児童解消のため、保育を支える保育士の確保
は喫緊の課題である。保育士の宿舎を借り上げるた
めの費用の一部を支援することによって、保育士の
就業継続及び離職防止を図り、保育士が働きやすい
環境を整備することを目的とする。

2　実施主体

実施主体は、「新子育て安心プラン実施計画」の
採択を受けている市町村（特別区を含む。以下同
じ。）（以下、別添４において「市町村」という。）、
又は、市町村が認めた者とする。なお、市町村が認
めた者へ委託等を行うことができる。

3　事業の内容

都道府県又は市町村以外の者が運営する認可保育
所、認定こども園、地域型保育事業、認可外保育施
設（「新子育て安心プラン実施計画」の採択を受け
ている市町村が実施する認可保育所もしくは地域型
保育事業への移行を前提として、整備費・改修費ま
たは賃借料の国庫補助を受けている施設に限る。）
及び企業主導型保育事業（以下「保育所等」とい
う。）に対し、保育所等の事業者が保育士用の宿舎
を借り上げる費用の一部を補助する。

4　対象者

本事業の対象者は保育所等に勤務する常勤の保育
士（平成24年度以前に保育所等が借り上げる宿舎に
入居している者を除く。）のうち、保育所等に採用
された日から起算して７年以内の者とする。ただ
し、次に該当する市町村が実施する場合、対象者は
保育所等に採用された日から起算して５年以内の者
とする。

・　前年度及び前々年度の１月における職業安定業
務統計（厚生労働省）による保育士の有効求人倍
率が２未満となる職業安定所の管轄する区域に所

在する市町村（ただし、令和5年度に限り、令和3年度及び令和4年度の4月1日時点における待機児童数が50人以上である市町村は除く。）

また、令和2年度、令和3年度又は令和4年度から本事業による借り上げ支援を受けていた者で引き続き令和5年度も事業の対象となる者のうち、令和2年度、令和3年度又は令和4年度において「保育所等に採用された日から起算して5年以内の者」だった者は、令和5年度も引き続き、「保育所等に採用された日から起算して5年以内」の者とする。

（経過措置）

(1)　①～④のいずれかに該当する市町村については、令和5年度に限り本事業の対象者に、従前の例のとおり、次の者を加える。

・　保育所等に勤務する常勤の保育士のうち、保育所等に採用された日から起算して5年を超え10年以内の者（令和5年3月31日時点において、平成29年度から令和2年度の経過措置を含め、①～④のそれぞれの年度から引き続き現に本事業による借り上げ支援を受けていた者に限る。）

①　平成29年度において「保育所等に採用された日から起算して5年を超え10年以内の者」も本事業の対象者であった市町村のうち、令和5年度において本事業の対象者が保育所等に採用された日から起算して5年以内又は7年以内の者となる市町村

②　平成30年度において「保育所等に採用された日から起算して5年を超え10年以内の者」も本事業の対象者であった市町村のうち、令和5年度において本事業の対象者が保育所等に採用された日から起算して5年以内又は7年以内の者となる市町村

③　令和元年度において「保育所等に採用された日から起算して5年を超え10年以内の者」も本事業の対象者であった市町村のうち、令和5年度において本事業の対象者が保育所等に採用された日から起算して5年以内又は7年以内の者となる市町村

④　令和2年度において「保育所等に採用された日から起算して5年を超え10年以内の者」も本事業の対象者であった市町村のうち、令和5年度において本事業の対象者が保育所等に採用された日から起

算して5年以内又は7年以内の者となる市町村

(2)　令和3年度において「保育所等に採用された日から起算して5年を超え9年以内の者」も本事業の対象者であった市町村のうち、令和5年度において本事業の対象者が保育所等に採用された日から起算して5年以内又は7年以内の者となる市町村に該当する市町村については、令和5年度に限り本事業の対象者に、従前の例のとおり、次の者を加える。

・　保育所等に勤務する常勤の保育士のうち、保育所等に採用された日から起算して5年を超え9年以内の者（令和5年3月31日時点において、令和3年度から現に本事業による借り上げ支援を受けていた者に限る。）

(3)　令和4年度において「保育所等に採用された日から起算して5年を超え8年以内の者」も本事業の対象者であった市町村のうち、令和5年度において本事業の対象者が保育所等に採用された日から起算して5年以内又は7年以内の者となる市町村に該当する市町村については、令和5年度に限り本事業の対象者に、従前の例のとおり、次の者を加える。

・　保育所等に勤務する常勤の保育士のうち、保育所等に採用された日から起算して5年を超え8年以内の者（令和5年3月31日時点において、令和4年度から現に本事業による借り上げ支援を受けていた者に限る。）

5　留意事項

(1)　宿舎借り上げの費用について、他の補助事業等により、住居手当又はそれに類する補助をしている場合には、対象としないこと。

(2)　未入居の月は、対象としないこと。

(3)　入居者から宿舎使用料を徴収している場合は、当該金額を差し引いた額を補助する。

(4)　令和元年度から引き続き令和4年度において本事業の対象者であって、令和5年度も引き続き本事業の対象となった者が、引き続き同じ宿舎に入居している場合には、令和元年度の補助基準額を適用できること。

(5)　本事業は保育士の就業継続を含む保育士確保のための事業であることに鑑み、本事業を実施する保育所等は、保育士の就業継続のための研修への積極的参加を図るなど、保育士の就業継続に努めること。

6　費用

本事業に要する費用の一部について、国は別に定

めるところにより補助するものとする。

別添5
　　保育人材等就職・交流支援事業実施要綱
Ⅰ　保育人材等就職支援事業
1　事業の目的
　　保育の受け皿拡大に伴い必要となる保育人材等を確保するため、新規資格取得者の確保、就業継続支援、離職者の再就職支援など、関係機関と連携の上、市町村が主体となって実施する保育人材確保等に関する取組に要する費用の一部を補助することにより、子どもを安心して育てることができる環境を整備することを目的とする。
2　実施主体
　　実施主体は、市町村（特別区を含む。）、又は、市町村が認めた者とする。なお、市町村が認めた者へ委託等を行うことができる。
3　事業の内容
　　本事業の対象は、実施主体が行う次に掲げる取組その他の保育人材等の確保に関する取組とする。
　(1)　指定保育士養成施設の学生等に対するインターンシップ等の機会の提供
　　　指定保育士養成施設の学生等に対し、保育所等におけるインターンシップや職場見学、職場体験といった機会を提供することにより、保育現場で就業することへの不安を解消するとともに、自らに適した就業先を見つけるための就職活動の支援を行い、保育所等での就業を促す。
　(2)　高校生及び中学生に対する保育の職場体験や普及啓発活動
　　　保育士を目指す者の増加を図るため、高校生や中学生に対して、保育所等における職場体験や保育士の仕事の魅力を伝えるためのセミナー等を実施する。
　(3)　就職相談会の開催等による求人情報の提供
　　　潜在保育士及び新卒保育士（以下「潜在保育士等」という。）の就職促進を図るため、就職相談会の開催や様々な媒体を活用した求人情報の提供を行う。なお、就職相談会の開催等に当たっては、保育士・保育所支援センター（以下「支援センター」という。）やハローワーク等の関係機関と連携するとともに、より多くの潜在保育士等が集まることができるよう、開催場所や日時について工夫すること。
　(4)　潜在保育士等に対するマッチング支援
　　　潜在保育士等からの相談に応じ、就職あっせんや求人情報の提供等を行い、求人を行っている事業者とのマッチングの支援を行う。実施主体の属

する地域を対象にした支援センターが設置されている場合、保育所等を離職した保育士等に対する支援センターへの届出勧奨を行うとともに、支援センターと定期的な連絡会議を開催すること。
　(5)　就職支援コーディネーターの配置
　　　マッチングの支援を円滑に行うため、以下の業務を行う就職支援コーディネーター（以下「コーディネーター」という。）を配置することができる。
　　ア　保育所等に関する採用募集状況の把握
　　イ　求職者のニーズに合った就職先の提案
　　ウ　求職者と雇用者双方のニーズの調整
　　エ　保育所等に対し潜在保育士や新卒保育士の活用に関する助言
　　オ　その他必要な連携・調整等
　(6)　職場定着を支援するための研修等の実施
　　　支援センターと連携の上、実践的な保育の技術の習得や保護者への対応等について、新規に採用される保育士に対する研修や潜在保育士の職場復帰のための研修を開催する。また、短時間正社員制度の導入支援など、保育事業者に対する雇用管理改善のための説明会等を実施する。
4　留意事項
　(1)　3(3)から(6)までの取り組みについては、指定都市及び中核市が実施するものは、本事業の対象としないこと。
　(2)　平成31年3月29日付け子保発0329第1号「子ども子育て支援法に基づく協議会に参加する自治体への支援策について」に基づき、待機児童対策協議会に参加している自治体で、かつ、同協議会において「保育人材の確保に関するKPI」を設定し、その達成状況を見える化した場合には、3(5)の就職支援コーディネーターを追加配置するための雇上費に係る補助の加算を受けることができる。
　(3)　委託により本事業を実施するにあたって、委託先の団体が職業紹介事業の許可等を持たない場合、当該団体が求人情報又は求職者情報の提供の範疇を超え、「職業紹介」に該当する活動を行うことは「職業安定法」違反となるので、「職業紹介」を行う場合は、職業紹介事業の許可等を得て実施すること。
　(4)　上記(1)の職業紹介事業の許可等にあたっては、職業紹介事業には有料職業紹介事業と無料職業紹介事業があり、地方公共団体から委託事業として職業紹介事業を受託し、当該委託費が職業紹介の対価となっている場合は、求人者等から手数料等

を取っていない場合であっても、委託費から職業紹介の対価（職業紹介手数料に類似するもの）が出ているため、有料職業紹介事業となることから、有料職業紹介事業の許可が必要となること。

(5) 市町村が保育士の就職支援等のために知り得た個人情報の取扱いについては、特に注意すること。また、委託団体に委託する場合は、市町村は委託団体に対し、適切に指導監督を行うこと。

(6) 放課後児童クラブや放課後児童支援員を対象として取組を行う場合も、本事業の対象となること。

5 費用

本事業に要する費用の一部について、国は別に定めるところにより補助するものとする。

II 保育士等のキャリアアップ構築のための人材交流等支援事業

1 事業の目的

保育所等の施設間における人材交流及び保育所等での指定保育士養成施設の実習生の受け入れ支援を行うことにより、技能の向上によるキャリアアップ及び保育所等への就職者の増加を図り、保育人材を確保することを目的とする。

2 実施主体

実施主体は、市町村（特別区を含む。以下同じ。）、又は、市町村が認めた者とする。なお、市町村が認めた者へ委託等を行うことができる。

3 事業の内容

(1) 保育士の実地派遣及び人材交流等

① 事業内容

保育所等に勤務する保育士及び保育従事者（以下「保育士等」という。）のキャリアアップを図るため、保育士等の他の保育所等へ実地派遣研修や施設間の人材交流（以下「実地派遣研修等」という。）を行うために必要な費用の一部を補助する。

② 対象施設

以下に掲げる施設又は事業（地方公共団体が運営するものは除く。）とする。

ア 児童福祉法第7条に規定する保育所及び幼保連携型認定こども園

イ 幼稚園型認定こども園

ウ 児童福祉法第6条の3第10項に規定する小規模保育事業

エ 児童福祉法第6条の3第12項に規定する事業所内保育事業

オ 子ども・子育て支援法第59条の2第1項に規定する仕事・子育て両立支援事業のうち、

「企業主導型保育事業等の実施について」（平成29年4月27日府子本第370号・雇児発0427第2号）の別紙「企業主導型保育事業費補助金実施要綱」の第2の1に定める企業主導型保育事業

③ 対象者

対象施設に勤務する保育士等とする。

④ 実施要件

i) 実地派遣研修先及び人材交流先保育所等の選定

実地派遣研修等の受け入れを行う保育所等については、実地派遣を行う対象施設を運営している法人以外が運営している保育所等とすること。

ii) 実地派遣等の対象期間

5日間以内とする。

iii) 実地派遣研修等の回数

保育士等の実地派遣研修等については、1人の保育士等につき、同一年度内に1回までとする。

iv) その他

実地派遣研修等にあたっては、受け入れ先の保育所等において、十分な体制が確保できている必要があり、実地派遣研修等が対象者の技能の向上につながるよう、事前に十分な調整を行うこと。

また、異なる施設類型の施設間における実地派遣研修等に積極的に取り組み、保育士等が多様な経験を積む機会とするなど、保育士等のキャリアアップに資するよう、工夫を行うこと。

⑤ 代替保育士等雇上費及び調整費の支給

市町村は、実地派遣研修等に伴う派遣（以下「派遣」という。）を行った対象施設に対し、保育士等の代替保育士等雇上費及び派遣に係る調整費用（事前調整に必要な旅費、会議費等）について、実績に応じて支給することとし、支給方法等については、以下のとおりとする。

i) 実地派遣研修等受入実施計画書の提出

対象施設は、市町村に対し、対象となる保育士等の数及び1人当たりの派遣の日数、派遣予定先を記載した実施計画書を提出すること。

ii) 実地派遣研修等受入実績報告書の提出

対象施設は、市町村に対し、派遣を行った保育士等の数及び派遣の日数、代替保育士等として雇い上げた者の数及び日数、派遣先を

記載した実績報告書を作成し、調整等に要した費用の領収書を添付の上、提出すること。

市町村は、提出された実績報告書の内容について、本要綱の内容に即しているか審査し、適正であると判断した場合は、代替保育士等雇上費及び調整費用を速やかに対象施設に支給すること。

(2) 指定保育士養成施設の学生の保育実習受け入れ

① 事業内容

指定保育士養成施設（以下「養成施設」という。）の学生の実習指導に関わることにより、保育士の技能の向上を図るとともに、実習指導の充実により、養成施設の保育所等への就職者の増加を図るため、保育所等において養成施設の学生（以下「実習生」という。）に対する保育実習を受け入れ、適切な実習指導を行うために必要な費用の一部を補助する。

② 実施要件

ⅰ) 実習先となる対象施設の要件

保育実習を受け入れる対象施設（以下「実習受入施設」という。）は、養成施設が実習生に対し適切に指導等を行うことができるものと認めた施設（「指定保育士養成施設の指定及び運営の基準について」（平成15年12月9日付厚生労働省雇用均等・児童家庭局長通知）の別紙2「保育実習実施基準」で定める実習施設に該当する施設に限る。）であること。

ⅱ) 実習指導者の要件

実習指導者は、以下のいずれかの要件を満たしている者であること。

ア　保育士資格を有する施設長

イ　主任保育士

ウ　保育士として保育所等に勤務した経験が5年以上ある者

エ　国又は地方公共団体が実施する実習指導者向けの研修等（国又は地方公共団体から委託又は補助を受けて実施したものを含む。）を修了した者

③ 実習受入費及び調整費の支給

市町村は、実習受入施設に対し、実習受入費及び実習受入に係る調整費用（事前調整に必要な旅費、会議費等）について、実績に応じて支給することとし、支給方法等については、以下のとおりとする。

ⅰ) 実習受入計画書の提出

実習受入施設は、市町村に対し、実習生派

遣元の養成施設の名称、実習生の受入予定人数、実習生の受入予定時期及び実習内容を記載した実習受入計画書に、養成施設が作成した実習計画書を添えて提出すること。

ⅱ) 実習受入実績報告書の提出

実習受入施設は、市町村に対し、実習生派遣元の養成施設の名称、実習生の受入人数、受入時期及び実習内容を記載した実績報告書に、調整等に要した費用の領収書を添付の上、提出すること。

市町村は、提出された報告書の内容について、本要綱の内容に即しているか審査し、適正であると判断した場合は、実習受入費及び調整費を速やかに対象施設に支給すること。

4　留意事項

本事業に要する経費について、子ども・子育て支援法第11条に規定する子どものための教育・保育給付やその他の事業により、その経費が交付される場合には、対象としないこと。

5　費用

本事業に要する費用の一部について、国は別に定めるところにより補助するものとする。

別添6

保育体制強化事業実施要綱

1　事業の目的

保育所入所待機児童解消のため、保育を支える保育士の確保は喫緊の課題である。地域住民や子育て経験者などの地域の多様な人材（以下「保育支援者」という。）を保育に係る周辺業務に活用し、保育士の負担を軽減することによって、保育の体制を強化し、保育士の就業継続及び離職防止を図り、保育士が働きやすい職場環境を整備するとともに、児童の園外活動時や特に見守り等が必要な時間帯の安全管理を図ることを目的とする。

2　実施主体

実施主体は、市町村（特別区を含む。以下同じ。）が認めた者とする。なお、市町村が認めた者へ委託等を行うことができる。

3　事業の内容

保育支援者の配置、散歩等の児童の園外活動時の見守り等及びスポット支援員の配置に要する費用の一部を補助する。

4　対象施設

(1) 保育支援者の配置

都道府県又は市町村以外の者が設置する保育所及び幼保連携型認定こども園（以下「保育所等」という。）

(2) 児童の園外活動の見守り等及び(3)スポット支援
　員の配置
　　都道府県又は市町村以外の者が設置する保育
　所、幼保連携型認定こども園、小規模保育事業、
　家庭的保育事業、事業所内保育事業及び幼稚園型
　認定こども園
5　実施要件
(1) 保育支援者の配置
　① 保育支援者は、保育士資格を有しない者で、
　　保育に係る次の周辺業務を行うものとする。
　　ア 保育設備、遊具場所、遊具等の消毒・清掃
　　イ 給食の配膳・あとかたづけ
　　ウ 寝具の用意・あとかたづけ
　　エ 外国人の児童の保護者とのやりとりに係る
　　　通訳及び翻訳
　　オ 児童の園外活動時の見守り等
　　カ その他、保育士の負担軽減に資する業務
　② 保育支援者は、平成26年4月1日以降、新た
　　に保育所等に配置された者とすること。
　③ 本事業は、保育士の負担軽減を図ることを目
　　的としているため、保育支援者を配置する保育
　　所等は、市町村に対し、実施計画書を提出する
　　ものとする。実施計画書には、①本事業による
　　保育支援者の業務及び保育士の業務負担が軽減
　　される内容、②職員の雇用管理や勤務環境の改
　　善に関する取組（保育支援者の配置を除く。）
　　を記載すること。
(2) 児童の園外活動時の見守り等
　① 本業務は、散歩等の園外活動時において、散
　　歩の経路、目的地における危険箇所の確認、道
　　路を歩く際の体制・安全確認等、現地での児童
　　の行動把握などを行うものとする。
　② 本業務を行う者は、以下のいずれかの要件を
　　満たすこと。
　　ア 市町村が認めた交通安全に関する講習会等
　　　を修了した者
　　イ 安全管理に知見を有する者として市町村が
　　　認めた者（いわゆる「キッズ・ガード」）
　③ 本業務を行う場合は、「保育所等における園
　　外活動時の安全管理に関する留意事項」（令和
　　元年6月21日）に留意して実施すること。
(3) スポット支援員の配置
　① 本事業は、登園時の繁忙な時間帯やプール活
　　動時など、特に見守りや児童の所在確認等が必
　　要な時間帯にスポット支援者を配置し、安全な
　　保育体制の強化を行うものとする。
　② スポット支援員は、平成26年4月1日以降、

新たに配置された者とすること。
　③ スポット支援員は、対象施設が5(1)の事業と
　　合わせて実施する場合は、5(1)で配置した保育
　　支援者とは別に加配すること。
6　留意事項
　　本事業に要する費用について、子ども・子育て支
　援法第11条に規定する子どものための教育・保育給
　付やその他の補助事業により、その経費が交付され
　る場合には、対象としないこと。
7　費用
　　本事業に要する費用の一部について、国は別に定
　めるところにより補助するものとする。

別添7
　　　　保育補助者雇上強化事業実施要綱
1　事業の目的
　　保育士資格を持たない保育所等に勤務する保育士
　の補助を行う者（以下「保育補助者」という。）を
　雇い上げることにより、保育士の業務負担を軽減
　し、保育士の離職防止を図り、保育人材の確保を行
　うことを目的とする。
2　実施主体
　　実施主体は、市町村（特別区を含む。以下同
　じ。）、又は、市町村が認めた者とする。なお、市町
　村が認めた者へ委託等を行うことができる。
3　事業の内容
　　保育士の勤務環境改善に取り組んでいる保育事業
　者に対し、保育補助者の雇上げに必要な費用の一部
　を補助する。
4　対象者
　　本事業の対象となる者は、新たに保育補助者の雇
　上げを行う以下の施設又は事業者とする。
(1) 児童福祉法第7条に規定する保育所及び幼保連
　　携型認定こども園（地方公共団体が運営するもの
　　を除く。）
(2) 児童福祉法第6条の3第10項に規定する小規模
　　保育事業を行う者（子ども・子育て支援法（平成
　　24年法律第65号）第29条に規定する地域型保育給
　　付費又は同法第30条に規定する特例地域型保育給
　　付費の支給の算定の対象となる者を雇い上げる場
　　合を除く。(3)の事業において同じ。）
(3) 児童福祉法第6条の3第12項に規定する事業所
　　内保育事業を行う者
(4) 子ども・子育て支援法第59条の2第1項に規定
　　する仕事・子育て両立支援事業のうち、「企業主
　　導型保育事業等の実施について」（平成29年4月
　　27日府子本第370号・雇児発0427第2号）の別紙
　　「企業主導型保育事業費補助金実施要綱」の第2

の１に定める企業主導型保育事業を行う者

5　実施要件

　　本事業により雇い上げる保育補助者は、以下の要件をいずれも満たす者とする。

(1)　保育士資格を有していない者であること。

(2)　保育に関する40時間以上の実習を受けた者又はこれと同等の知識及び技能があると市町村が認めた者であること。

　　なお、実習の実施方法等については、別に定めることとする。

6　実施計画書

　　対象者は、市町村に対し、実施計画書を提出するものとする。実施計画書には、①本事業による保育補助者の業務及び保育士の業務負担が軽減される内容、②職員の雇用管理や勤務環境の改善に関する取組（保育補助者の配置を除く。）を記載すること。

7　留意事項

(1)　本事業により新たに雇上げを行った保育補助者は、雇上げを行った年度の翌年度以降も引き続き、本事業の対象者とすることができること。

(2)　本事業による雇上げに係る費用について、子ども・子育て支援法第11条に規定する子どものための教育・保育給付やその他の事業により、その経費が交付される場合には、対象としないこと。

(3)　対象者は、本事業により配置する保育補助者に対しては、保育士資格の取得を促すこと。

8　費用

　　本事業に要する費用の一部について、国は別に定めるところにより補助するものとする。

別添8

　　　若手保育士や保育事業者等への巡回支援事業実施要綱

1　事業の目的

　　保育士の離職防止及び保育所等の勤務環境改善を進めるため、保育所等に勤務する経験年数の短い保育士（勤務経験が5年以内の保育士をいう。）や保育所等に再就職して間もない保育士（再就職後5年以内の保育士をいう。）（以下「若手保育士」という。）、保育事業者及び放課後児童クラブを対象とした巡回相談、働き方改革や魅力ある職場づくり、保育の質の確保・向上のための支援を行うことにより、保育人材の確保等を図ることを目的とする。

2　実施主体

　　実施主体は、都道府県又は市町村（特別区を含む。以下、別添8において「都道府県等」という。）、又は、都道府県等が認めた者とする。なお、都道府県等が認めた者へ委託等を行うことができ

る。

3　事業の内容

(1)　若手保育士への巡回支援事業

①　事業内容

　　若手保育士のスキルアップや保護者への適切な対応方法等に関する助言又は指導を行うため、以下に掲げる施設又は事業（以下「保育所等」という。）に対する保育士支援アドバイザーによる巡回相談の実施に必要な費用の一部を補助する。

ア　児童福祉法第7条に規定する保育所及び幼保連携型認定こども園

イ　幼稚園型認定こども園

ウ　児童福祉法第6条の3第10項に規定する小規模保育事業

エ　児童福祉法第6条の3第12項に規定する事業所内保育事業

オ　子ども・子育て支援法第59条の2第1項に規定する仕事・子育て両立支援事業のうち、「平成28年度企業主導型保育事業等の実施について」の別紙「平成28年度企業主導型保育事業費補助金実施要綱」の第2の1に定める企業主導型保育事業

②　実施要件

ア　保育士支援アドバイザーの配置

　　実施主体は、保育所等に勤務する若手保育士に対し、巡回相談を行うための「保育士支援アドバイザー」を配置する。

イ　保育士支援アドバイザーの業務

　　保育士支援アドバイザーは、実施主体の管内の保育所等への巡回による若手保育士への相談支援を行うものとし、その主な内容は以下のとおりとする。

ⅰ　保育業務全般に関する助言又は指導

ⅱ　事故の防止に関すること

ⅲ　保護者への対応における個別の事例ごとの助言又は指導

ⅳ　保育所等の勤務環境等に関する助言又は指導

ⅴ　地域の子育て家庭及び通園する児童の保護者への効果的な相談支援に関すること

ⅵ　その他若手保育士への助言又は指導に関することや当該助言又は指導に付随する関係機関との調整に関すること

ウ　保育士支援アドバイザーの要件

　　保育士支援アドバイザーは、以下に掲げる要件をいずれも満たしている者又は相談援助

に関する専門的知識及び技術を有するものとして実施主体が認めるものであること。
　　　ⅰ　保育士資格を有している者又はこれに準じる者として実施主体が適当と認める者
　　　ⅱ　保育所等において10年以上の保育業務の経験を有する者
　　　ⅲ　本事業の趣旨を理解し、若手保育士に対する相談支援業務を適切に実施することができる者として、実施主体が認めた者
　　エ　その他
　　　本事業は、巡回相談により若手保育士を支援し、スキルアップ及び離職防止を図ることを目的としていることから、その実施に当たっては以下の点に留意すること。
　　　ⅰ　保育士支援アドバイザーは、相談支援を行った若手保育士について、相談内容等を記録し、管理するとともに、定期的に同一の保育所等を巡回することにより、若手保育士への継続的な支援に努めること。
　　　ⅱ　実施主体は保育士支援アドバイザーと連携し、保育所等への助言又は指導を行うなど、必要な措置を講じること。
　(2)　保育事業者への巡回支援事業
　　①　事業内容
　　　保育所等における保育人材の離職の防止を図るとともに、保育の質の向上を図るため、保育所等の事業者（以下「保育事業者」という。）に対し、保育所等における勤務環境の改善に関することや保育の質の向上に関する助言又は指導を行うため、保育事業者支援コンサルタントの配置による保育所等への巡回相談の実施に必要な費用の一部を補助する。
　　②　実施要件
　　ア　保育事業者支援コンサルタントの配置
　　　実施主体は、保育事業者に対し、巡回相談を行うための「保育事業者支援コンサルタント」を配置する。
　　イ　保育事業者支援コンサルタントの業務
　　　保育事業者支援コンサルタントは、実施主体の管内の保育所等への巡回による保育事業者への相談支援を行うものとし、以下のいずれかの事項に該当する助言又は指導を行うとともに、関係機関との調整を行うこと。
　　　ⅰ　保育所等の勤務環境等に関する助言又は指導
　　　ⅱ　保育の質の向上に関すること
　　　ⅲ　事故の防止に関すること

　　　ⅳ　保護者や地域住民等とのトラブル等に関すること
　　　ⅴ　その他保育事業の円滑な運営に関すること
　　ウ　保育事業者支援コンサルタントの要件
　　　保育事業者支援コンサルタントは、以下に掲げる要件をいずれも満たしている者として、実施主体が適当と認める者であること。
　　　ⅰ　イに掲げる業務に関する専門的な知見を有する者
　　　ⅱ　本事業の趣旨を理解し、保育事業者に対する相談支援業務を適切に実施することができる者
　　エ　その他
　　　本事業は、相談支援により保育事業者を支援し、保育所等における保育人材の離職防止を図ることを目的としているものであることから、その実施に当たっては以下の点に留意すること。
　　　ⅰ　保育事業者支援コンサルタントは、相談支援を行った保育事業者について、相談内容等を記録し、管理するとともに、定期的に同一の保育所等を巡回することにより、保育事業者への継続的な支援に努めること。
　　　ⅱ　実施主体は保育事業者支援コンサルタントと連携し、保育所等への助言又は指導を行うなど、必要な対応を講じること。
　(3)　放課後児童クラブへの巡回支援事業
　　①　事業内容
　　　放課後児童クラブにおいて、子どもが安全・安心に過ごすことができ、子どもの主体的な活動が尊重される質の高い支援を確保するための助言・指導等を行うため、放課後児童クラブ巡回アドバイザー（以下「巡回アドバイザー」という。）の配置による放課後児童クラブへの巡回支援の実施に必要な費用の一部を補助する。
　　②　実施要件
　　ア　巡回アドバイザーの配置
　　　実施主体は、放課後児童クラブへの巡回支援を行うための「巡回アドバイザー」を配置する。
　　イ　巡回アドバイザーの業務
　　　巡回アドバイザーは、実施主体の管内の放課後児童クラブへの巡回による助言・指導等の支援を行うものとし、その内容は以下のようなものが考えられるが、放課後児童クラブ

の実情等に応じて実施するものとする。

　　　ⅰ　放課後児童クラブ業務全般に関すること

　　　ⅱ　事故防止、防犯、防災対策など子どもの安全管理体制に関すること

　　　ⅲ　子どもの発達段階や特性に応じた遊びや生活に関すること

　　　ⅳ　障害のある子どもや特に配置を必要とする子どもの支援に関すること

　　　ⅴ　地域との相互交流など地域に開かれたクラブ運営に関すること

　　　ⅵ　その他、放課後児童クラブの質の向上に関すること

　　ウ　巡回アドバイザーの要件

　　　巡回アドバイザーは、それぞれの支援目的に応じて、放課後児童クラブの運営や育成支援等に関する専門的知識及び技術を有するものとして、実施主体が適当と認める者であること。

　　エ　その他

　　　本事業の実施に当たっては以下の点に留意すること。

　　　ⅰ　巡回アドバイザーは、巡回支援を行った放課後児童クラブについて、支援内容等を記録し、管理するとともに、定期的に同一の放課後児童クラブを巡回することにより、継続的な支援に努めること。

　　　ⅱ　実施主体は巡回アドバイザーと連携し、放課後児童クラブへの助言又は指導を行うなど、必要な措置を講じること。

(4)　保育士の働き方改革への巡回支援

　①　事業内容

　　　保育所等において保育士が生涯働ける魅力ある職場づくりを行うとともに、保育士の離職防止を図るため、保育士の働き方の見直しや定着管理のマネジメント、育児や介護など一人一人の実情に応じた多様で柔軟な働き方を自由に選択できる勤務環境の整備、業務負担軽減・業務の再構築（以下「業務改善」という。）に関して、助言又は指導を行うため、保育士働き方改革支援コンサルタントによる保育所等への巡回相談の実施に必要な費用の一部を補助する。

　②　実施要件

　　ア　保育士働き方改革支援コンサルタントの配置

　　　実施主体は、社会保険労務士などの労務管理に関する専門的な知見を有し、保育事業者や保育士に対し、巡回相談を行うための「保育士働き方改革支援コンサルタント」を配置すること。

　　イ　保育士働き方改革支援コンサルタントの業務

　　　保育士働き方改革支援コンサルタントは、実施主体の管内の保育所等への巡回による保育事業者や保育士への相談支援を行うものとし、以下のいずれかの事項に該当する助言又は指導を行うとともに、関係者との調整を行うこと。

　　　ⅰ　職員の勤務時間の改善（休憩時間の確保を含む）や有給休暇の取得促進、育児・介護休業制度や短時間勤務制度、子の看護休暇・介護休暇制度等の整備に関すること

　　　ⅱ　産休・育休後のキャリアパスの明確化や職場復帰支援プログラムの作成、技能・経験・役割に応じた処遇の整備に関すること

　　　ⅲ　保育所等におけるＩＣＴ化の推進に関すること

　　　ⅳ　保育業務の書類作成の省力化に関すること

　　　ⅴ　業務改善に関すること

　　　ⅵ　その他勤務環境の改善に関すること

　　ウ　保育士働き方改革支援コンサルタントの要件

　　　保育士働き方改革支援コンサルタントは、社会保険労務士などの労務管理に関する専門的な知見を有し、保育事業者や保育士に対し、巡回相談を行う者として、実施主体が適当と認める者であること。

　　エ　その他

　　　本事業の実施に当たっては、以下の点に留意すること。

　　　ⅰ　保育士働き方改革支援コンサルタントは、保育所等の業務改善に関する研修の受講や事例の収集に努め、知見の蓄積を行うとともに、定期的に同一の保育所等を巡回することにより、継続的な支援に努めること。

　　　ⅱ　実施主体は、保育士働き方改革支援コンサルタントと連携を図り、必要な対応を講じること。

(5)　魅力ある職場づくりに向けた保育所等への啓発セミナー等の実施

　①　事業内容

　　　保育所等において保育士が生涯働ける魅力ある職場づくりを行うとともに、保育士の離職防

止を図るため、保育士の働き方の見直しや業務
改善等に関して、保育所等の施設長や主任保育
士、中堅の保育士などを対象とした働き方改革
の啓発セミナーや実践例を用いた研修会等を開
催するために必要な費用の一部を補助する。

② その他

本事業の実施に当たっては、以下の点に留意
すること。

ア 保育士働き方改革支援コンサルタント等と
も連携しつつ、助言指導を行った保育所等の
実践例を紹介するなど、参加する保育所等に
対して、働き方改革を実践しやすい研修内容
とするなど工夫すること。

イ 知見の集積を図る観点から、セミナーや研
修の内容は、厚生労働省へ情報提供するこ
と。

(6) 保育実践充実コーディネーターによる巡回支援

① 事業内容

保育所の自己評価等の充実により保育の質の
確保・向上を図り、働きがいを高められるよ
う、保育実践充実コーディネーターによる巡回
支援の実施に必要な費用の一部を補助する。

② 実施要件

ア 保育実践充実コーディネーターの配置

実施主体は、保育所保育指針に基づく実践
及びその振り返りに基づく保育内容等の自己
評価に関する助言・指導について知見を有
し、保育事業者や保育士に対し、巡回支援を
行うための「保育実践充実コーディネー
ター」を配置すること。

イ 保育実践充実コーディネーターの業務

保育実践充実コーディネーターは、保育所
保育指針に基づく実践及びその振り返りに基
づく保育内容等の自己評価について、実施主
体の管内の保育所等に対して助言・指導を行
うとともに、関係者との調整を行うこと。

ウ 保育実践充実コーディネーターの要件

保育所保育指針に基づく実践及びその振り
返りに基づく保育内容等の自己評価に関する
助言・指導について知見を有し、保育事業者
や保育士に対し、巡回支援を行う者として、
実施主体が適当と認める者であること。

エ その他

本事業の実施に当たっては、自治体で保育
実践充実に関する巡回支援を行う者の名簿を
作成し、適宜「保育実践充実コーディネー
ター」として派遣する場合でも差し支えな

い。

(7) 地域保育ネットワークを含む協議会の開催

① 事業内容

以下の事業に必要な費用の一部を補助する。

ア 公開保育の実施の支援や各保育所の保育内
容等の自己評価の促進を図るため、地域の全
ての保育所等を対象とし、公開保育の実施や
各施設の実践報告、実践を深めるための協議
などを通じ、保育を多角的・多面的に捉え、
継続的に保育について対話を重ねていくため
のネットワーク会合の開催や事務局の運営を
行う事業。

イ 保育所等の地域支援力向上を図るため、関
係機関及び専門家による地域の子育て支援に
係る情報共有や事例検討等を通じた学び合い
を行うための協議会の開催や事務局の運営を
行う事業。

4 費用

本事業に要する費用の一部について、国は別に定
めるところにより補助するものとする。

別添9

保育士・保育所支援センター設置運営事
業実施要綱

1 事業の目的

保育士の専門性向上と質の高い人材を安定的に確
保するという観点から、保育士資格を有する者で
あって、保育士として就業していない者(以下「潜
在保育士」という。)の就職や保育所を含めた児童
福祉施設、認定こども園、地域型保育事業を行う事
業所、企業主導型保育事業を行う事業所及び認可外
保育施設(保育所、認定こども園、小規模保育事業
及び事業所内保育事業への移行を目指す施設に限
る。)、放課後児童クラブ(以下「保育所等」とい
う。)の潜在保育士活用支援等を行うとともに、保
育所等に勤務する保育士が保育分野で就業を継続す
るために必要な相談支援を行い、また保育士の負担
軽減を図る観点から保育補助者・保育支援者(以下
「保育補助者等」という。)の確保を行う「保育
士・保育所支援センター」(以下「支援センター」
という。)の設置及び運営に要する費用の一部を補
助することにより、子どもを安心して育てることが
できるよう体制整備を行うことを目的とする。

2 実施主体

実施主体は、都道府県、指定都市及び中核市(以
下、別添9において「都道府県等」という。)又は
都道府県等が認めた者とする。なお、都道府県等が
認めた者へ委託等を行うことができる。

3　事業の内容

本事業の対象は、支援センターが行う以下の取組とする。

① 支援センターの設置及び運営

都道府県等において、支援センターを設置し、潜在保育士の再就職支援等に係る以下の業務を行う。なお、エの業務に当たっては、可能な限り、管内の保育所等を巡回することなどにより、より多くの保育所等の支援を行うこと。

ア 潜在保育士、保育士を目指している者及び保育補助者等が新たに就職するための相談支援

イ 保育所等勤務保育士が保育分野で就業を継続するための相談支援

ウ 潜在保育士や保育補助者等への就職あっせん

エ 潜在保育士や保育補助者等への求人情報の提供

オ 保育所等への雇用管理や求人方法等に関する助言指導

カ 研修の企画及びその実施

キ その他潜在保育士の再就職支援等に関する事項

② 保育士再就職支援コーディネーターの配置

支援センターに保育士再就職支援コーディネーター（以下「コーディネーター」という。）を配置し、上記①に掲げる業務を円滑に実施するための以下の業務を行う。

ア 保育所等に関する採用募集状況の把握

イ 求職者のニーズに合った就職先の提案

ウ 求職者と雇用者双方のニーズ調整

エ 保育所等に対し潜在保育士の活用に関する助言

オ その他必要な連携・調整等

③ 人材バンク機能を活用した潜在保育士の把握と継続的な支援

保育所等を離職した保育士（以下「離職保育士」という。）に対し、再就職希望の随時把握や再就職に向けた各種案内等に関する以下の業務を行う。

ア 保育所等に対する離職保育士による支援センターへの届出勧奨

イ 離職保育士から届出のあった情報の名簿による管理

※ 届出してもらう情報の内容

氏名、生年月日、離職時の住所、電話番号及びメールアドレス　など

ウ 離職保育士に対する郵送等による再就職希望状況等の現況確認

エ 求人情報や就職相談会、研修等に関する情報提供

④ 保育士登録を活用した人材バンク機能の強化

保育士登録の仕組みを活用し、氏名や生年月日のほか、住所や電話番号等の連絡調整に必要な情報について、保育士登録後の就職促進に活用するため、名簿による管理を行う。この際、以後、就職促進を行うことについて、本人から同意を得ておくことが望ましい。

また、当該名簿に登録されている保育士（以下「登録保育士」という。）に対し、就業状況や就業していない場合の再就職希望の有無等を把握するとともに、再就職に向けた連絡調整に関して、以下の業務を行う。

ア 名簿の情報を活用した登録保育士に対する郵送等による現在の就業状況等についての現況確認の実施

イ 求人情報や就職相談会、研修等に関する情報提供

⑤ 支援センター認知度向上のための普及啓発

支援センターの認知度を向上させ、潜在保育士等に支援センターを積極的に活用してもらうための以下の業務を行う。

ア 潜在保育士の掘り起こし等に関するこれまでの活動実績や取組内容を紹介するシンポジウムの開催

イ 集客力の高い施設や関連イベント等での出張相談会の開催

ウ シルバー人材センターと合同で実施する就職相談会の開催

エ その他支援センターの認知度向上のための取組の実施

⑥ 再就職支援や雇用管理改善のための研修

都道府県等と連携して、離職保育士の職場復帰のための研修や事業者や園長等に対する保育所等の雇用管理改善のための研修等を行う。

⑦ 潜在保育士等マッチング強化事業

支援センターにマッチングシステムを導入（既に導入済みの場合は、改修）することで、①で実施している潜在保育士の再就職支援等について、潜在保育士等のニーズに合わせた、きめ細かいマッチングを実施する。

⑧ 放課後児童支援員の人材確保支援

上記①～⑦の取組において、放課後児童支援員として就職を希望する者や放課後児童クラブも支援の対象として業務を行う。

4　留意事項

(1) 上記3の業務について、支援センターを開設せず、コーディネーターの配置のみで当該業務の実施が可能である場合は、支援センターを開設せずに、都道府県等又は都道府県等が適当と認めた施設にコーディネーターのみを配置することができる。ただし、この場合において支援センター開設運営経費に係る補助を受けることができない。

(2) 上記3の②の業務について、コーディネーターを配置せずに当該業務の実施が可能である場合は、コーディネーターを配置せずに支援センターを設置・運営することができる。ただし、この場合においてコーディネーター雇上費に係る補助を受けることができない。

(3) 上記3の②の業務について、前年度における本事業の実績として、潜在保育士が保育所等に就職した件数が50件以上ある都道府県等においては、コーディネーターの追加配置のための雇上費に係る補助の加算を受けることができる。

(4) 平成31年3月29日付け子保発0329第1号「子ども子育て支援法に基づく協議会に参加する自治体への支援策について」に基づき、待機児童対策協議会に参加している自治体で、かつ、同協議会において「保育人材の確保に関するKPI」を設定し、その達成状況を見える化した場合には、3②のコーディネーターを追加配置するための雇上費に係る補助の加算を受けることができる。

(5) 上記3の⑧の業務について、本業務のみで補助の加算を受けることはできない。

(6) 委託団体が職業紹介事業の許可等を持たない場合、当該委託団体が求人情報又は求職者情報の提供の範疇を超え「職業紹介」に該当する活動を行うことは「職業安定法」違反となるので、「職業紹介」を行う場合は、職業紹介事業の許可等を得て実施すること。

(7) 上記(6)の職業紹介事業の許可等にあたっては、職業紹介事業には有料職業紹介事業と無料職業紹介事業があり、地方公共団体から委託事業として職業紹介事業を受託し、当該委託費が職業紹介の対価となっている場合は、求人者等から手数料等を取っていない場合であっても、委託費から職業紹介の対価（職業紹介手数料に類似するもの）が出ているため、有料職業紹介事業となることから、有料職業紹介事業の許可が必要となること。

(8) 支援センターが保育士の再就職支援等のために知り得た個人情報の取扱いについては特に注意すること。また、委託団体に委託する場合は、都道府県等は委託団体に対し、適切に指導監督を行うこと。

(9) 3の⑦の事業を実施する場合、支援センターにおける求人・求職の合計件数について、下記の目標値を設定し、達成した場合に補助を行う。達成できなかった場合は、減額して補助を行う。

（目標値）
・マッチングシステム導入月以降の求人・求職件数の年度内の合計とし、前年度の同月以降の件数の合計を上回ることとする。

（参考事例）
求人・求職を増やす取組として、以下を参考とするなど、マッチング業務を充実させるように努めること。
・インターネット環境と接続したマッチングシステムを導入することで、求職者にとって利便性を高める
・平成30年10月26日付事務連絡「保育士・保育所支援センターの事例集について」における事例を参考に、それらを踏まえた取組を実施
・ハローワークや保育関係団体と連携し、就職説明会などを実施する
など

5 費用
本事業に要する費用の一部について、国は別に定めるところにより補助するものとする。

別添10
保育士・保育の現場の魅力発信事業実施要綱

1 事業の目的
保育士を目指す方や保育士に復帰しようとする方が増え、保育現場で就業しやすくなるよう、保育士という職業や保育の現場の魅力発信や保育士が相談しやすい体制を整備し、保育士確保や就業継続を図ることを目的とする。

2 実施主体
3(1)は、都道府県又は指定都市とする。なお、都道府県又は指定都市が認めた者へ委託等を行うことができる。
3(2)は、都道府県又は市町村（特別区及び一部事務組合を含む。）とする。なお、都道府県又は市町村が認めた者へ委託等を行うことができる。

3 事業の内容
(1) 保育士という職業や保育の現場の魅力発信
① 業務内容
保育士は、子どもの育ちに関する高度な専門知識を持つ専門職であり、多くの子どもを見守りながら育み続けることができる魅力あふれる

仕事であることなどについて、厚生労働省で作成する保育技術の見える化などの情報発信のプラットフォームを活用しつつ、保育体験イベントの実施や情報発信サイトの開設、進路指導担当や中高生などに対する魅力発信等の広報を実施する。

②　その他

本事業の実施に当たっては、以下の点に留意すること。

ア　魅力発信の内容や方法は、厚生労働省で開催した「保育の現場・職業の魅力向上検討会」の報告書（令和２年９月30日公表）も参考にすること。

イ　実施主体は、保育士・保育所支援センター等の関係機関とも連携を図ること。

(2)　保育士が相談しやすい体制整備

1)　保育士の相談窓口の設置

①　業務内容

保育士が保育現場で就業しやすくなるよう、就労条件や保育の長時間化、子育て支援をめぐる保護者との関係性、メンタルヘルスなどについて、保育所長経験者など外部人材に相談しやすい環境を整備する。また、相談内容に応じて、保育所等（幼稚園型認定こども園を含む。）に対して、必要な指導・助言を行う。

②　その他

本事業の実施に当たっては、以下の点に留意すること。

ア　相談窓口の設置に当たっては、心理職又は労務管理の専門家などを配置することが望ましく、保育所等への助言・指導に当たっては、市町村とも連携を図ること。

イ　相談者の個人情報の管理には十分注意すること。

ウ　ＳＮＳ等を活用した相談窓口の開設等、相談者の利便性も考慮した方法も検討すること。

2)　新型コロナウイルス感染症に関する相談支援

①　業務内容

保育所等は、適切な感染防止対策を行った上での事業継続が求められており、感染対策に関する不安等を抱えて業務にあたっているため、精神的にも多大な負荷を負っている。そのため、医療機関や感染症専門家等による適切な感染防止対策等に関する相談窓口の設置・派遣指導、職員のメンタルヘルス相談窓口の設置等の支援を行う。

②　対象施設等

ア　放課後児童健全育成事業、利用者支援事業、延長保育事業、子育て短期支援事業、乳児家庭全戸訪問事業、養育支援訪問事業、地域子育て支援拠点事業、一時預かり事業、病児保育事業、子育て援助活動支援事業（ファミリー・サポート・センター）

イ　保育所、幼保連携型認定こども園、幼稚園型認定こども園、地域型保育事業所、児童福祉法（昭和22年法律第164号）第59条の２に基づく届出を行っている認可外保育施設、児童厚生施設

③　その他

ア　実施主体は、相談窓口等の設置等の支援を行うに当たり、支援する対象施設等を明確にすることにより、希望する全ての対象施設等が支援を受けることができるよう、施設の所在する市町村と密接に連携・調整を図ること。

イ　24時間365日対応を含めたＳＮＳ等を活用した相談窓口の開設等、対象施設等の利便性も考慮した通信手段とすることも検討すること。

4　費用

本事業に要する費用の一部について、国は別に定めるところにより補助するものとする。

○子どものための教育・保育給付費補助事業の実施について

〔令和5年9月19日　こ成保第111号
各都道府県知事・各指定都市市長・各中核市市長宛　こども家庭庁成育局長通知〕

認可保育所等への移行を希望する認可外保育施設や認定こども園への移行等を希望して長時間の預かり保育を行う幼稚園に対して財政支援を行うことにより、保育の供給を増やし、もって待機児童の解消を図るとともに、こどもを安心して育てることができるような体制整備を行うため、子どものための教育・保育給付費補助事業を次により実施し、令和5年4月1日から適用することとしたので通知する。

ついては、管内市町村（特別区を含む。）に対して周知をお願いするとともに、本事業の適正かつ円滑な実施に期されたい。

なお、本通知の施行に伴い、平成27年4月13日雇児発0413第36号厚生労働省雇用均等・児童家庭局長通知「子どものための教育・保育給付費補助事業の実施について」（以下「旧要綱」という。）は、令和5年3月31日限りで廃止する。

この要綱の施行前に、旧要綱に基づき実施した事業に係る補助金の取り扱いについては、なお従前の例によることとする。

第1　事業の種類
1　認可化移行運営費支援事業
2　幼稚園における長時間預かり保育運営費支援事業

第2　事業の実施
各事業の実施及び運営は、次によること。
1　認可化移行運営費支援事業実施要綱（別添1）
2　幼稚園における長時間預かり保育運営費支援事業実施要綱（別添2）

別添1

認可化移行運営費支援事業実施要綱

1　事業の目的
認可保育所、認定こども園、家庭的保育事業、小規模保育事業又は事業所内保育事業（以下「保育所等」という。）への移行を希望する認可外保育施設に対して、移行に当たって必要となる経費を補助すること及び地方自治体における単独保育施策において児童を保育している施設（以下「地方単独保育施設」という。）については当該補助に加え、利用者負担額（保育料）を軽減するための経費を補助することにより、保育の供給及び受入れを増やし、もって待機児童の解消を図るとともに、こどもを安心して育てることができる体制整備を行うことを目的と

する。

2　事業の内容
本事業は、認可外保育施設が保育所等への移行を目指すに当たって必要となる経費（地方単独保育施設については当該経費に加え、利用者負担額（保育料）を軽減するための経費）の支援を実施するものであり、児童福祉施設の設備及び運営に関する基準（昭和23年厚生省令第63号。以下「児童福祉施設設備運営基準」という。）に規定する保育所に係る設備及び職員配置に関する基準又は家庭的保育事業等の設備及び運営に関する基準（平成26年厚生労働省令第61号。以下「家庭的保育事業等設備運営基準」という。）に規定する家庭的保育事業若しくは小規模保育事業若しくは事業所内保育事業に係る設備及び職員配置に関する基準を満たす認可外保育施設に対し、運営に要する費用の一部を補助するものである。

3　実施主体
実施主体は、市町村（特別区を含む。以下同じ。）とする。
なお、市町村が適当と認める者へ委託等を行うことができる。

4　実施要件
(1)　対象児童
保育の必要性の認定を受けた児童と同等であると市町村が認めた児童
(2)　対象施設
①　認可化移行計画について
ア　保育所等への移行に係る計画（以下「認可化移行計画」という。）の期間内に移行を希望している施設であること。
イ　認可化移行計画を策定した上で本事業を実施する施設であること。
認可化移行計画については、認可化移行のための助言指導・移転費等支援事業実施要綱（「認可保育所等設置支援等事業の実施について（令和5年4月19日こども家庭庁成育局長通知）」の別添3）の3(1)に基づく「認可化移行可能性調査支援事業」を実施する等により、施設整備面での課題解決や保育士資格を有していない者に指定保育士養成施設における受講によって保育士資格を取得させるこ

とによる保育士人材確保を図ること等を踏ま
えて策定し、移行を図ること。
ウ　子どものための教育・保育給付費補助金の
国庫補助について（令和5年9月19日こ成保
第110号こども家庭庁長官通知）の別紙「子
どものための教育・保育給付費補助金交付要
綱」（以下「交付要綱」という。）の別表に定
める地方単独保育施設加算の適用を受けない
地方単独保育施設及び地方単独保育施設以外
の施設については、5年間を上限とする認可
化移行計画とすること。
②　満たす必要又は満たす見込みが必要な基準に
ついて
ア　認可保育所又は認定こども園への移行を目
指す場合
(ア)　施設の設備は、認可化移行計画の期間内
に児童福祉施設設備運営基準第32条を満た
す見込みがあること。
(イ)　職員の配置は、児童福祉施設設備運営基
準第33条を満たすこと。
ただし、保育士資格を有する者が不足し
ている等特段の理由がある市町村において
は、同条第2項に規定する保育士数（以下
「児童福祉施設基準保育士数」という。）
以上の保育に従事する者を配置しており、
児童福祉施設基準保育士数の4分の1以上
の保育士又は看護師（准看護師を含む。）
の資格を有する者（以下「看護師等」とい
う。）を配置している施設については、認
可化移行計画の期間内に当該施設が児童福
祉施設基準保育士数以上の保育士を配置す
ることを条件に、本事業を実施することが
できる。
(ウ)　施設の利用定員が、20人以上であること。
イ　家庭的保育事業への移行を目指す場合
(ア)　施設の設備は、認可化移行計画の期間内
に家庭的保育事業等設備運営基準第22条を
満たす見込みがあること。
(イ)　職員の配置は、家庭的保育事業等設備運
営基準第23条を満たすこと。
ウ　小規模保育事業A型への移行を目指す場合
(ア)　施設の設備は、認可化移行計画の期間内
に家庭的保育事業等設備運営基準第28条を
満たす見込みがあること。
(イ)　職員の配置は、家庭的保育事業等設備運
営基準第29条を満たすこと。
ただし、保育士資格を有する者が不足し

ている等特段の理由がある市町村において
は、同条第2項に規定する保育士数（以下
「小規模保育事業A型基準保育士数」とい
う。）以上の保育に従事する者を配置して
おり、小規模保育事業A型基準保育士数の
4分の1以上の保育士又は看護師等を配置
している施設については、認可化移行計画
の期間内に当該施設が小規模保育事業A型
基準保育士数以上の保育士を配置すること
を条件に、本事業を実施することができる。
(ウ)　施設の利用定員が、6人以上であるこ
と。
エ　小規模保育事業B型への移行を目指す場合
(ア)　施設の設備は、認可化移行計画の期間内
に家庭的保育事業等設備運営基準第32条に
より準用する同基準第28条を満たす見込み
があること。
(イ)　職員の配置は、家庭的保育事業等設備運
営基準第31条を満たすこと。
ただし、保育士資格を有する者が不足し
ている等特段の理由がある市町村において
は、同条第2項に規定する保育従事者数以
上の保育に従事する者を配置しており、同
条第2項に規定する保育士の配置割合にか
かわらず保育従事者数の4分の1以上の保
育士又は看護師等を配置している施設につ
いては、認可化移行計画の期間内に当該施
設が同条第2項に規定する保育士数以上の
保育士を配置することを条件に、本事業を
実施することができる。
(ウ)　施設の利用定員が、6人以上であるこ
と。
オ　小規模保育事業C型への移行を目指す場合
(ア)　施設の設備は、認可化移行計画の期間内
に家庭的保育事業等設備運営基準第33条を
満たす見込みがあること。
(イ)　職員の配置は、家庭的保育事業等設備運
営基準第34条を満たすこと。
(ウ)　施設の利用定員が、6人以上であるこ
と。
カ　保育所型事業所内保育事業（利用定員が20
人以上のものに限る。）への移行を目指す場
合
(ア)　施設の設備は、認可化移行計画の期間内
に家庭的保育事業等設備運営基準第43条を
満たす見込みがあること。
(イ)　職員の配置は、家庭的保育事業等設備運

営基準第44条を満たすこと。

　　　ただし、保育士資格を有する者が不足している等特段の理由がある市町村においては、同条第2項に規定する保育士数（以下「保育所型事業所内保育事業基準保育士数」という。）以上の保育に従事する者を配置しており、保育所型事業所内保育事業基準保育士数の4分の1以上の保育士又は看護師等を配置している施設については、認可化移行計画の期間内に当該施設が保育所型事業所内保育事業基準保育士数以上の保育士を配置することを条件に、本事業を実施することができる。

　　(ｳ)　施設の利用定員が、20人以上であること。

　キ　小規模型事業所内保育事業（利用定員が19人以下のものに限る。）への移行を目指す場合

　　(ｱ)　施設の設備は、認可化移行計画の期間内に家庭的保育事業等設備運営基準第48条により準用する同基準第28条を満たす見込みがあること。

　　(ｲ)　職員の配置は、家庭的保育事業等設備運営基準第47条を満たすこと。

　　　ただし、保育士資格を有する者が不足している等特段の理由がある市町村においては、同条第2項に規定する保育従事者数以上の保育に従事する者を配置しており、同条第2項に規定する保育士の配置割合にかかわらず保育従事者数の4分の1以上の保育士又は看護師等を配置している施設については、認可化移行計画の期間内に当該施設が同条第2項に規定する保育士数以上の保育士を配置することを条件に、本事業を実施することができる。

　　(ｳ)　施設の利用定員が、19人以下であること。

5　留意事項

(1)　以下のいずれかに該当する場合は、補助金の返還を命ずることとする。ただし、特段の理由がある場合は、この限りでない。

　①　児童福祉施設設備運営基準第32条又は第33条第2項の基準を満たしていない認可保育所又は認定こども園への移行を目指す施設が、認可化移行計画の期間内に当該基準を満たさなかった場合

　②　家庭的保育事業等設備運営基準第22条又は第

23条第3項の基準を満たしていない家庭的保育事業への移行を目指す施設が、認可化移行計画の期間内に当該基準を満たさなかった場合

　③　家庭的保育事業等設備運営基準第28条又は第29条第2項の基準を満たしていない小規模保育事業A型への移行を目指す施設が、認可化移行計画の期間内に当該基準を満たさなかった場合

　④　家庭的保育事業等設備運営基準第32条により準用する同基準第28条又は第31条第2項の基準を満たしていない小規模保育事業B型への移行を目指す施設が、認可化移行計画の期間内に当該基準を満たさなかった場合

　⑤　家庭的保育事業等設備運営基準第33条又は第34条第2項の基準を満たしていない小規模保育事業C型への移行を目指す施設が、認可化移行計画の期間内に当該基準を満たさなかった場合

　⑥　家庭的保育事業等設備運営基準第43条又は第44条第2項の基準を満たしていない保育所型事業所内保育事業への移行を目指す施設が、認可化移行計画の期間内に当該基準を満たさなかった場合

　⑦　家庭的保育事業等設備運営基準第48条により準用する同基準第28条又は第47条第2項の基準を満たしていない小規模型事業所内保育事業への移行を目指す施設が、認可化移行計画の期間内に当該基準を満たさなかった場合

(2)　地方単独保育施設加算の適用を受けて本事業を実施する場合、以下の①〜④の要件を満たすものであること。

　①　「『待機児童解消に向けて緊急的に対応する施策について』の対応方針について」（平成28年4月7日雇児発0407第2号）に基づき、待機児童解消に向けて緊急的に対応する取組を実施する市町村であること。

　②　地方単独保育施設は、地方単独保育施設加算として補助される額について、利用者負担額（保育料）の軽減に全額充てること。

　③　地方自治体が、地方単独保育施設の利用者への補助により利用者負担額（保育料）の軽減を図っている場合、現行の補助制度と同水準以上の制度を継続すること。

　④　地方自治体が、利用者への補助により利用者負担額（保育料）の軽減を図っている場合、当該市町村における認可保育所の平均利用者負担額（保育料）と対象施設の平均利用者負担額（保育料）の差については、軽減後の差によるものとすること。

（3）　認可外保育施設における施設の設備、職員の配置については、市町村が現地調査により確認すること。現地調査については、児童福祉法（昭和22年法律第164号）第59条に基づく認可外保育施設に対する立入調査や、保育所等の質の確保・向上のための取組強化事業実施要綱に定める保育所等の質の確保・向上のための巡回支援指導事業（保育所等の質の確保・向上のための取組強化及び認可外保育施設支援等事業の実施について（令和5年5月25日こども家庭庁成育局長通知）の別添1）と合わせて行う等、効率的に実施すること。

（4）　市町村が認可外保育施設に対し補助金を交付する際、当該施設における施設の設備の適否、職員の配置の適否を明示すること。適否の表示については、子どものための教育・保育給付費補助金所要額調書内訳書（交付要綱の別表2）の設備運営基準施設の設備の適否欄、設備運営基準職員の配置の適否欄と合わせること。

（5）　副食費の徴収については、交付要綱に基づき副食費徴収免除加算が適用される児童の保護者からは徴収しないこと。

（6）　本事業の対象施設は子ども・子育て支援法（平成24年法律第65号）第30条の11第1項の確認を受けるよう努めること。

6　費用
　　本事業に要する費用の一部について、国は別に定めるところにより補助するものとする。

別添2
　　　幼稚園における長時間預かり保育運営費
　　　支援事業実施要綱

1　事業の目的
　　保育所と同様に11時間の開園を行う私立幼稚園の預かり保育等に対し、運営費の補助を行うことにより、保育の供給を増やし、もって待機児童の解消を図るとともに、こどもを安心して育てることができるような体制整備を行うことを目的とする。

2　事業の内容
　　通常の教育時間の前後や長期休業期間中などに幼稚園の園児のうち希望者を対象に行う長時間の教育活動（以下「長時間預かり保育」という。）や3歳未満児の保育を行う私立幼稚園に対し、運営に要する費用の一部を補助するものである。

3　実施主体
　市町村（特別区を含む。以下同じ。）
　　なお、市町村が適当と認める者へ委託等を行うことができる。

4　実施要件
（1）　事業者
　　地域のニーズに合致した安定的な保育の提供体制を確保するため、事業開始後一定期間内に、幼保連携型認定こども園若しくは幼稚園型認定こども園に移行すること（本事業において0～2歳児を受け入れる場合にあっては、幼稚園として子ども・子育て支援新制度に移行した上で併せて小規模保育事業を実施することを含む。）に関する計画（以下「認定こども園化移行等計画」）を策定している私立幼稚園

（2）　対象児童
　　保育の必要性の認定を受けた児童と同等であると市町村が認めた児童
　　なお、3歳未満児の保育については、2歳児のみを対象とすることも可能とする。

（3）　設備基準
　　認定こども園化移行等計画の期間内に、幼保連携型認定こども園若しくは幼稚園型認定こども園又は小規模保育事業として必要な基準（幼保連携型認定こども園の学級の編制、職員、設備及び運営に関する基準（平成26年4月30日内閣府・文部科学省・厚生労働省令第1号）、就学前の子どもに関する教育、保育等の総合的な提供の推進に関する法律（平成18年法律第77号）第3条第2項及び第4項の規定に基づき内閣総理大臣及び文部科学大臣が定める施設の設備及び運営に関する基準（平成26年7月31日内閣府・文部科学省・厚生労働省告示第2号）及び各自治体において定める認定基準又は家庭的保育事業等の設備及び運営に関する基準（平成26年厚生労働省令第61号））を満たすこと。

（4）　職員の配置
　　児童福祉施設の設備及び運営に関する基準（昭和23年厚生省令第63号）第33条第2項の規定に準じ、対象児童の年齢及び人数に応じて、当該乳幼児の処遇を行う者（以下「教育・保育従事者」という。）を置くこととし、そのうち、3歳未満児の処遇を行う者の2分の1以上は保育士、3歳以上児の処遇を行う者の2分の1以上は幼稚園教諭又は保育士とすること。また、その数は2名を下ることはできないこと。
　　保育士又は幼稚園教諭以外の教育・保育従事者の配置は、以下の研修を修了した者とすること。
ア　「子育て支援員研修事業の実施について」（平成27年5月21日雇児発0521第18号厚生労働省雇用均等・児童家庭局長通知）の別紙「子育て支

援員研修事業実施要綱」の5⑶アに定める基本研修及び5⑶イ(イ)に定める「一時預かり事業」又は「地域型保育」の専門研修を修了した者。

イ　子育ての知識と経験及び熱意を有し、「家庭的保育事業の実施について」（平成21年10月30日雇児発1030第2号厚生労働省雇用均等・児童家庭局長通知）の別紙「家庭的保育事業ガイドライン」の別添1の1に定める基礎研修と同等の研修を修了した者。ただし、平成32年3月31日までの間に修了した者とする。なお、非定期利用が中心である一時預かり事業の特性に留意し、研修内容を設定すること。

(5)　開園日

　　土曜日（土曜日共同保育の活用により他の施設において受入れ体制が確保される場合等を除く。）、幼稚園の長期休業日においても、原則として、本事業の対象となる長時間預かり保育又は3歳未満児の保育、若しくは長時間預かり保育と3歳未満児の保育の両方を実施すること。

　　ただし、地域の実情に応じて、土曜日を開所しないことも可能とする。

(6)　開園時間

　　原則として、1日の開園時間は通常の教育時間を含め、11時間以上とすること。

　　ただし、地域の実情に応じて、9〜10時間程度の開所とすることも可能とする。

(7)　その他

　　認定こども園化移行等計画の期間内に幼保連携型認定こども園若しくは幼稚園型認定こども園へ

の移行又は小規模保育事業の実施に向けて長時間預かり保育又は3歳未満児の保育、若しくは長時間預かり保育と3歳未満児の保育の両方を実施する施設であること。

5　留意事項

・　私立高等学校等経常費助成費補助金（預かり保育推進事業）、「一時預かり事業の実施について」（平成27年雇用均等・児童家庭局長通知）の別紙「一時預かり事業実施要綱」に規定する幼稚園型Ⅰ及び幼稚園型Ⅱの申請の際には、本事業の補助対象児童数に係る保育担当者数、利用児童数を差し引いて申請すること。

・　認定こども園化移行等計画の期間内に4⑶を満たさなかった場合は、補助額の返還を命ずることができること。

・　「『子どものための教育・保育給付費補助事業の実施について』の一部改正について（平成28年7月7日雇児発0707第1号）」による改正のうち、職員の配置の弾力化については、「『待機児童解消に向けて緊急的に対応する施策について』の対応方針について」（平成28年4月7日雇児発0407第2号）に基づき、待機児童解消に向けて緊急的に対応する取組を実施する市町村にのみ適用されるものであり、その他の市町村においては従前どおりの取扱いとなること。

6　費用

　　本事業の実施に要する費用の一部については、国は別に定めるところにより補助するものとする。

○子ども・子育て支援交付金の交付について（抄）

〔令和５年９月７日　こ成事第481号
各都道府県知事宛　こども家庭庁長官通知〕
注　令和６年５月21日こ成事第425号改正現在

標記の交付金については、別紙「子ども・子育て支援交付金交付要綱」により行うこととし、令和５年４月１日から適用することとしたので通知する。

なお、各都道府県知事におかれては、貴管内市町村（特別区を含む。）に対してこの旨通知されたい。

別　紙
子ども・子育て支援交付金交付要綱

（通則）

第１条　子ども・子育て支援交付金については、予算の範囲内において交付するものとし、補助金等に係る予算の執行の適正化に関する法律（昭和30年法律第179号）及び補助金等に係る予算の執行の適正化に関する法律施行令（昭和30年政令第255号。以下「適正化法施行令」という。）及びこども家庭庁の所掌に属する補助金等交付規則（令和５年内閣府令第41号）の規定によるほか、この要綱の定めるところによる。

（交付の目的）

第２条　この交付金は、子ども・子育て支援法（平成24年法律第65号）第61条の規定に基づき市町村（特別区を含む。以下同じ。）が策定する市町村子ども・子育て支援事業計画（以下「事業計画」という。）に基づく措置のうち、同法第59条に規定する地域子ども・子育て支援事業に要する経費に充てるため交付することにより、子ども・子育て支援の着実な推進を図ることを目的とする。

（交付の対象）

第３条　この交付金の交付の対象（以下「交付対象事業」という。）は、事業計画に基づいて実施される次の事業とする。

(1)　利用者支援事業
「利用者支援事業の実施について」（令和６年３月30日こ成環第131号、こ支虐第122号、５文科初第2594号）の別紙に定める利用者支援事業

(2)　延長保育事業
「延長保育事業の実施について」（令和６年４月１日こ成保第225号）の別紙に定める延長保育事業

(3)　実費徴収に係る補足給付を行う事業
「実費徴収に係る補足給付を行う事業の実施について」（令和６年４月23日こ成保第256号、６文科初第277号）の別紙に定める実費徴収に係る補足給付を行う事業

(4)　多様な事業者の参入促進・能力活用事業
「多様な事業者の参入促進・能力活用事業の実施について」（令和６年４月25日こ成保第261号、６文科初第298号）の別紙に定める多様な事業者の参入促進・能力活用事業

(5)　放課後児童健全育成事業
「「放課後児童健全育成事業」の実施について」（令和５年４月12日こ成環第５号）の別紙に定める放課後児童健全育成事業

(6)　子育て短期支援事業
「子育て短期支援事業の実施について」（令和６年３月30日こ成環第103号）の別紙に定める子育て短期支援事業

(7)　乳児家庭全戸訪問事業
「乳児家庭全戸訪問事業の実施について」（平成26年５月29日雇児発0529第32号）の別紙に定める乳児家庭全戸訪問事業

(8)　養育支援訪問事業
「養育支援訪問事業の実施について」（令和６年３月28日こ支虐第88号）の別紙に定める養育支援訪問事業

(9)　子どもを守る地域ネットワーク機能強化事業
「子どもを守る地域ネットワーク機能強化事業の実施について」（平成26年５月29日雇児発0529第34号）の別紙に定める子どもを守る地域ネットワーク機能強化事業

(10)　子育て世帯訪問支援事業
「子育て世帯訪問支援事業の実施について」（令和６年３月30日こ成環第104号）の別紙に定める子育て世帯訪問支援事業

(11)　児童育成支援拠点事業
「児童育成支援拠点事業の実施について」（令和６年３月30日こ成環第105号）の別紙に定める児童育成支援拠点事業

(12)　親子関係形成支援事業

「親子関係形成支援事業の実施について」（令和6年3月30日こ成育第106号）の別紙に定める親子関係形成支援事業

⒀ 地域子育て支援拠点事業

「地域子育て支援拠点事業の実施について」（令和6年3月30日こ成環第113号）の別紙に定める地域子育て支援拠点事業

⒁ 一時預かり事業

「一時預かり事業の実施について」（令和6年3月30日5文科初第2592号、こ成保第191号）の別紙に定める一時預かり事業

⒂ 病児保育事業

「病児保育事業の実施について」（令和6年3月30日こ成保第180号）の別紙に定める病児保育事業

⒃ 子育て援助活動支援事業（ファミリー・サポート・センター事業）

「子育て援助活動支援事業（ファミリー・サポート・センター事業）の実施について」（令和6年3月30日こ成環第120号）の別紙に定める子育て援助活動支援事業（ファミリー・サポート・センター事業）

（交付額の算定方法）

第4条 この交付金の交付額は、別紙の第2欄に定める区分ごとに、次により算出された額の合計額とする。ただし、算出された区分ごとの合計額に1000円未満の端数が生じた場合には、これを切り捨てるものとする。

⑴ 第2欄の各区分ごとに、第3欄に定める基準額と第4欄に定める対象経費の実支出額を比較して少ない方の額と、総事業費から寄付金その他の収入額を控除した額とを比較して少ない方の額を選定する。

⑵ 第2欄の各区分ごとに、⑴により選定された額に第5欄に定める国の負担割合を乗じて得た額の合計額を交付額とする。

（交付の条件）

第5条 この交付金の交付の決定には次の条件が付されるものとする。

⑴ 交付対象事業に要する経費については、別紙様式2の別表1及び別紙様式4における「特定分」、「一般分」、「その他分」及び「特例措置分」の区分を超えて配分の変更を行うことはできない。

⑵ 事業の内容の変更（軽微な変更を除く。）をする場合には、地方厚生局長（徳島県、香川県、愛媛県及び高知県にあっては四国厚生支局長、以下「地方厚生（支）局長」という。）の承認を受け

なければならない。

⑶ 事業を中止し、又は廃止する場合には、地方厚生（支）局長の承認を受けなければならない。

⑷ 事業が予定の期間内に完了しない場合、又は事業の遂行が困難になった場合には、速やかに地方厚生（支）局長に報告してその指示を受けなければならない。

⑸ 事業により取得し、又は効用の増加した価格が単価50万円以上の機械、器具及びその他の財産については、適正化法施行令第14条第1項第2号の規定により、こども家庭庁長官が別に定める期間を経過するまで、地方厚生（支）局長の承認を受けないで、この交付金の目的に反して使用し、譲渡し、交換し、貸し付け、担保に供し、又は廃棄してはならない。

⑹ 地方厚生（支）局長の承認を受けて財産を処分することにより収入があった場合には、その収入の全部又は一部を国庫に返納させることがある。

⑺ 事業により取得し、又は効用の増加した財産については、事業の完了後においても善良な管理者の注意をもって管理するとともに、その効率的な運営を図らなければならない。

⑻ 事業完了後に、消費税及び地方消費税の申告により補助金に係る消費税及び地方消費税仕入控除税額が確定した場合は、別紙様式8により速やかに地方厚生（支）局長に報告しなければならない。なお、交付対象事業者が全国的に事業を展開する組織の1支部（又は1支社、1支所等）であって、自ら消費税及び地方消費税の申告を行わず、本部（又は本社、本所等）で消費税及び地方消費税の申告を行っている場合は、本部の課税売上割合等の申告内容に基づき報告を行うこと。また、地方厚生（支）局長は報告があった場合には、当該仕入控除税額の全部又は一部を国庫に納付させることがある。

⑼ この交付金と事業に係る予算及び決算との関係を明らかにした別紙様式1による調書を作成するとともに、事業に係る歳入及び歳出について証拠書類を整理し、かつこれらを交付金の額の確定の日（事業の中止又は廃止の承認を受けた場合にはその承認を受けた日）の属する年度の終了後5年間保管しなければならない。

ただし、事業により取得し、又は効用の増加した価格が単価50万円以上の財産がある場合は、前記の期間を経過後、当該財産の財産処分が完了する日、又は適化法施行令第14条第1項第2号の規定によりこども家庭庁長官が別に定める期間を経

過する日のいずれか遅い日まで保管しておかなければならない。

⑽　市町村は、市町村以外の者が行う交付対象事業に対して、この交付金をその財源の一部とする補助金等を交付する場合には、間接補助事業者に対して⑴から⑼までに掲げる条件を付さなければならない。

この場合において、⑵、⑶、⑷、⑸、⑹及び⑻中「地方厚生（支）局長」とあるのは「市町村長」と、⑹及び⑻中「国庫」とあるのは「市町村」と、⑸及び⑼中「交付金」とあるのは「補助金等」と読み替えるものとする。

（申請手続）

第6条　この交付金の交付の申請は、次により行うものとする。

⑴　市町村長は、別紙様式2による申請書を都道府県知事が別に定める日までに都道府県知事に提出するものとする。

⑵　都道府県知事は、市町村から⑴の申請書の提出があった場合には、必要な審査を行い、適正と認めたときはこれを取りまとめの上、別紙様式3と併せて別に定める日までに地方厚生（支）局長に提出するものとする。

（変更交付申請）

第7条　この交付金の交付決定後の事情の変更により、申請の内容を変更して追加交付申請等を行う場合には、前条に定める申請手続に従い、別に定める日までに行うものとする。

（交付決定）

第8条　地方厚生（支）局長は、交付申請書又は変更交付申請書が到達した日から起算して原則として2か月以内に交付の決定又は決定の変更を行うものとする。

2　都道府県知事は地方厚生（支）局長の交付決定又は決定の変更があったときは、市町村に対し別紙様式4により、速やかに決定内容及びこれに付された条件を通知すること。

3　市町村は、交付決定の内容又はこれに付された条件に対して不服があることにより、交付の申請を取り下げようとするときは、交付決定の通知を受けた日から15日以内にその旨を記載した書面を地方厚生（支）局長に提出しなければならない。

（交付金の概算払）

第9条　こども家庭庁長官は、必要があると認める場合においては、国の支払計画承認額の範囲内において概算払をすることができる。

（実績報告）

第10条　この交付金の事業実績の報告は、次により行うものとする。

⑴　市町村長は、毎年4月10日（第5条の⑶により事業の中止又は廃止の承認を受けた場合には、当該承認通知を受理した日から1か月を経過した日）までに別紙様式5による報告書を都道府県知事に提出するものとする。

⑵　都道府県知事は、市町村から⑴の報告書の提出があった場合には、必要な審査を行い、適正と認めたときはこれを取りまとめの上、別紙様式6と併せて毎年4月末日までに地方厚生（支）局長に提出するものとする。

（額の確定）

第11条　都道府県知事は地方厚生（支）局長の確定通知があったときは、市町村に対し別紙様式7により、速やかに確定の通知を行うこと。

（交付金の返還）

第12条　地方厚生（支）局長は、交付すべき交付金の額を確定した場合において、既にその額を超える交付金が交付されているときは、期限を定めて、その超える部分について国庫に返還することを命ずる。

（その他）

第13条　特別の事情により、第4条、第6条、第7条及び第10条に定める算定方法又は手続によることができない場合には、あらかじめ地方厚生（支）局長の承認を受けてその定めるところによるものとする。

別紙

1 事　業　名	2 区　分	3　　基準額	4 対象経費	5 負担割合
利用者 支援事 業	利用者 支援事 業	1　運営費 　(1)　基本型 　　ア　基本分 　　　①　基本Ⅰ型（開所日数が週5日以上の場合） 　　　　　　　　　　　　1か所当たり年額　7,730,000円 　　　②　基本Ⅱ型（開所日数が週5日に満たない場合） 　　　　　　　　　　　　1か所当たり年額　2,433,000円 　　　③　基本Ⅲ型（保育所や地域子育て支援拠点などの既存施設・ 　　　　事業において配置されている職員のみで「こども家庭セン 　　　　ター連携等加算」の要件を満たす場合） 　　　　　　　　　　　　1か所当たり年額　　300,000円 　　イ　加算分 　　　①　夜間加算　　　　1か所当たり年額　1,500,000円 　　　②　休日加算　　　　1か所当たり年額　　807,000円 　　　③　出張相談支援加算　1か所当たり年額　1,105,000円 　　　④　機能強化のための取組加算 　　　　　　　　　　　　1か所当たり年額　1,999,000円 　　　⑤　多言語対応加算　1か所当たり年額　　805,000円 　　　⑥　特別支援対応加算　1か所当たり年額　　800,000円 　　　⑦　多機能型加算　　1か所当たり年額　3,315,000円 　　　⑧　こども家庭センター連携等加算 　　　　　　　　　　　　1か所当たり年額　　300,000円 　　※加算対象は、基本Ⅰ型及び基本Ⅱ型を実施する事業所に限る。 　(2)　特定型 　　ア　基本分　　　　　　1か所当たり年額　3,232,000円 　　イ　加算分 　　　①　夜間加算　　　　1か所当たり年額　1,500,000円 　　　②　休日加算　　　　1か所当たり年額　　807,000円 　　　③　出張相談支援加算　1か所当たり年額　1,105,000円 　　　④　機能強化のための取組加算 　　　　　　　　　　　　1か所当たり年額　1,999,000円 　　　⑤　多言語対応加算　1か所当たり年額　　805,000円 　　　⑥　特別支援対応加算　1か所当たり年額　　800,000円 　(3)　こども家庭センター型 　　別に定めるこども家庭センターの要件を満たしている施設を設 　　置している場合、次のアからカの合計額 　　ア　統括支援員の配置　　1か所当たり　　6,324,000円 　　※　「1か所当たり」とは、こども家庭センター1か所当たり 　　　とする。 　　※　人件費が地方財政措置や、他の交付金や補助金等から交付 　　　されている場合については対象としない。 　　イ　母子保健機能（従来の子育て世代包括支援センター） 　　　①　基本分 　　　　(i)　保健師等専門職員及び困難事例等を対応する職員を専任 　　　　　により配置する場合　　1か所当たり　14,331,000円 　　　　(ii)　保健師等専門職員及び困難事例等を対応する職員を兼任 　　　　　により配置する場合　　1か所当たり　6,994,000円 　　　　(iii)　保健師等専門職員を専任、困難事例等を対応する職員を 　　　　　兼任により配置する場合　1か所当たり　11,834,000円	利用者支 援事業の 実施に必 要な経費	国 2／3 （都道 府県 1／6） （市町村 1／6）

　　　　　(ⅳ)　保健師等専門職員を兼任、困難事例等を対応する職員を
　　　　　　　専任により配置する場合　　　１か所当たり　　9,491,000円
　　　　　(ⅴ)　保健師等専門職員のみを専任により配置する場合
　　　　　　　　　　　　　　　　　　　　　1か所当たり　　9,337,000円
　　　　　(ⅵ)　保健師等専門職員のみを兼任により配置する場合
　　　　　　　　　　　　　　　　　　　　　1か所当たり　　4,497,000円
　　　　※　平成27年度において、1か所に複数の専任職員を配置し
　　　　　て事業を実施し、かつ、引き続き同様の事業形態を維持し
　　　　　ている市町村は、(ⅰ)から(ⅵ)の基準額によらず、以下の基準
　　　　　額を適用することができるものとする。
　　　　　・保健師等専門職員を2名配置する場合
　　　　　　　　　　　　　　　　1市町村当たり　　14,988,000円
　　　　　・保健師等専門職員を3名以上配置する場合
　　　　　　　　　　　　　　　　1市町村当たり　　21,382,000円
　　　　※　従来より市町村保健センター等で勤務している保健師等
　　　　　が従事する場合など、人件費が地方財政措置や、他の交付
　　　　　金や補助金等から交付されている場合については対象とし
　　　　　ない。
　　　②　加算分
　　　　(ⅰ)　多言語対応加算　　　1か所当たり年額　　805,000円
　　　　(ⅱ)　特別支援対応加算　　1か所当たり年額　　774,000円
　　　※　イの「1か所当たり」とは、こども家庭センターのうち「母
　　　　子保健機能」に関する業務内容及び人員配置等の基準を満た
　　　　す施設・場所1か所当たりとする。
　　ウ　児童福祉機能（従来の子ども家庭総合支援拠点）
　　　①　基本分（直営で行う場合。人件費については、会計年度職
　　　　員及び臨時的任用職員に限る。）
　　　　(ⅰ)　基礎単価
　　　　　小規模A型　　3,771,000円
　　　　　小規模B型　　9,700,000円
　　　　　小規模C型　　16,133,000円
　　　　　中規模型　　　21,588,000円
　　　　　大規模型　　　40,091,000円
　　　　(ⅱ)　最低配置人員を満たすための虐待対応専門員の上乗せ配
　　　　　置単価　　　　　　　　　2,715,000円×配置人数
　　　　(ⅲ)　最低配置人員を満たした上での虐待対応専門員の上乗せ
　　　　　配置単価　　　　　2,715,000円×配置人数（上限5人）
　　　②　基本分（委託して行う場合）
　　　　(ⅰ)　基礎単価
　　　　　小規模A型　　9,205,000円
　　　　　小規模B型　　15,134,000円
　　　　　小規模C型　　21,567,000円
　　　　　中規模型　　　32,455,000円
　　　　　大規模型　　　61,825,000円
　　　　(ⅱ)　最低配置人員を満たすための虐待対応専門員の上乗せ配
　　　　　置単価
　　　　　常勤職員を配置した場合　　5,646,000円×配置人数
　　　　　非常勤職員を配置した場合　2,715,000円×配置人数
　　　　(ⅲ)　最低配置人員を満たした上での虐待対応専門員の上乗せ
　　　　　配置単価（上限5人）
　　　　　常勤職員を配置した場合　　5,646,000円×配置人数

　　　　　　非常勤職員を配置した場合　　　2,715,000円×配置人数
　　③　夜間・土日開所加算
　　　　①又は②による基準額×（（１週間当たりの開所時間数－
　　40）÷40）
　　④　開設準備経費（児童福祉機能のみを開設する場合に限る。
　　　２　開設準備経費とは併用不可。）
　　　　　　　　　　　　　　１か所当たり　　7,678,000円
　　⑤　弁護士・医師等配置加算
　　　　　　　　　　　　　　１か所当たり　　　360,000円
　　⑥　地域活動等推進加算
　　　（ⅰ）研修・広報啓発費用　１か所当たり　　　872,000円
　　　（ⅱ）見守り活動等推進費用　１か所当たり　13,000,000円
　　　（ⅲ）通訳業務費用　　　　１か所当たり　 1,560,000円
　　※　ウの「１か所当たり」とは、こども家庭センターのうち「児
　　　童福祉機能」に関する業務内容及び人員配置等の基準を満た
　　　す施設・場所１か所当たりとする。
　エ　サポートプラン作成にかかる支援員の追加配置
　　①　直営の場合（会計年度職員及び臨時的任用職員に限る。）
　　　　　　　　　　　　　　１人当たり　　　2,715,000円
　　②　委託の場合　　　　　１人当たり　　　5,646,000円
　　※　配置人数については、サポートプラン40件作成につき１人
　　　とする。なお作成件数には、サポートプランを作成し手交で
　　　きない場合も含むものとする。
　　※　１か所当たりの支援員の配置人数の上限は、人口規模に応
　　　じ以下のとおりとする。なお、人口については直近の人口を
　　　用いるものとする。
　　　　人口10万人未満　　　　　　　１人
　　　　人口10万人以上かつ30万人未満　２人
　　　　人口30万人以上　　　　　　　３人
　　※　エの「１か所当たり」とは、こども家庭センター１か所当
　　　たりとする。
　オ　地域資源開拓コーディネーターの配置
　　①　直営の場合（会計年度職員及び臨時的任用職員に限る。）
　　　　　　　　　　　　　　１か所当たり　 2,715,000円
　　②　委託の場合　　　　　１か所当たり　 5,646,000円
　　※　１か所当たり１人を上限とする。
　　※　オの「１か所当たり」とは、こども家庭センター１か所当
　　　たりとする。
　カ　制度施行円滑導入経費　　　１市町村当たり　 3,330,000円
（令和８年度までの経過措置）
　　　別に定めるこども家庭センターの要件を満たしていない施設で
　　あって、こども家庭センターの「母子保健機能」に関する業務内
　　容及び人員配置等の基準を満たす施設・場所を設置している場合
　　にはイに掲げる基準額を、こども家庭センターの「児童福祉機能」
　　に関する業務内容及び人員配置等の基準を満たす施設・場所を設
　　置している場合にはウに掲げる基準額を、令和８年度まで適用する。
２　開設準備経費（改修費等）
（1）基本型及び特定型（基本Ⅲ型を除く）
　　　　　　　　　　　　　　１か所当たり　　4,000,000円
（2）こども家庭センター型　　１か所当たり　　7,678,000円

<table>
<tr><td></td><td></td><td>※　(1)(2)とも当該年度に支払われたものに限る。
※　(2)において、「1か所当たり」とは、こども家庭センター1か所当たりとする。</td><td></td><td></td></tr>
<tr><td>延長保育事業</td><td>延長保育事業</td><td>

1　一般型

(1)　保育短時間認定（在籍児童1人当たり年額）

ア　保育所及び認定こども園並びに事業所内保育事業（定員20人以上）

<table>
<tr><th>延長時間区分</th><th></th></tr>
<tr><td>1時間</td><td>20,200円</td></tr>
<tr><td>2時間</td><td>40,400円</td></tr>
<tr><td>3時間</td><td>60,600円</td></tr>
</table>

イ　小規模保育事業

<table>
<tr><th>延長時間区分</th><th>A型・B型</th><th>C型</th></tr>
<tr><td>1時間</td><td>14,000円</td><td>17,700円</td></tr>
<tr><td>2時間</td><td>28,000円</td><td>35,400円</td></tr>
<tr><td>3時間</td><td>42,000円</td><td>53,100円</td></tr>
</table>

ウ　事業所内保育事業（定員19人以下）

<table>
<tr><th>延長時間区分</th><th></th></tr>
<tr><td>1時間</td><td>12,900円</td></tr>
<tr><td>2時間</td><td>25,800円</td></tr>
<tr><td>3時間</td><td>38,700円</td></tr>
</table>

エ　家庭的保育事業

<table>
<tr><th>延長時間区分</th><th></th></tr>
<tr><td>1時間</td><td>88,600円</td></tr>
<tr><td>2時間</td><td>177,200円</td></tr>
<tr><td>3時間</td><td>265,800円</td></tr>
</table>

(2)　保育標準時間認定（1事業当たり年額）

ア　保育所及び認定こども園

<table>
<tr><th>延長時間区分</th><th></th></tr>
<tr><td>30分</td><td>600,000円</td></tr>
<tr><td>1時間</td><td>1,760,000円</td></tr>
<tr><td>2～3時間</td><td>2,761,000円</td></tr>
<tr><td>4～5時間</td><td>5,673,000円</td></tr>
<tr><td>6時間以上</td><td>6,704,000円</td></tr>
</table>

イ　小規模保育事業

<table>
<tr><th></th><th>延長時間区分</th><th>A型</th><th>B型</th><th>C型</th></tr>
<tr><td></td><td>30分</td><td>600,000円</td><td>600,000円</td><td>600,000円</td></tr>
<tr><td></td><td>1時間</td><td>1,422,000円</td><td>1,422,000円</td><td>1,422,000円</td></tr>
</table>

</td><td>延長保育事業の実施に必要な経費</td><td>国
1／3

(都道府県
1／3)

(市町村
1／3)</td></tr>
</table>

自園調理等	2〜3時間	1,760,000円	1,760,000円	1,760,000円
	4〜5時間	4,366,000円	4,366,000円	4,346,000円
	6時間以上	5,092,000円	5,092,000円	5,071,000円
その他	30分	600,000円	600,000円	600,000円
	1時間	1,375,000円	1,375,000円	1,375,000円
	2〜3時間	1,605,000円	1,605,000円	1,605,000円
	4〜5時間	3,524,000円	3,524,000円	3,503,000円
	6時間以上	3,944,000円	3,944,000円	3,923,000円

※　「自園調理等」は、食事について、事業所内で調理する方法により提供する事業所及び連携施設又は給食搬入施設から食事を調理・搬入して提供する事業所に適用（ウ及びエにおいて同じ）

ウ　事業所内保育事業

延長時間区分		定員20人以上	定員19人以下	
			A型	B型
自園調理等	30分	552,000円	552,000円	552,000円
	1時間	1,619,000円	1,308,000円	1,308,000円
	2〜3時間	2,540,000円	1,619,000円	1,619,000円
	4〜5時間	5,220,000円	4,017,000円	4,017,000円
	6時間以上	6,168,000円	4,685,000円	4,685,000円
その他	30分	552,000円	552,000円	552,000円
	1時間	1,406,000円	1,265,000円	1,265,000円
	2〜3時間	1,828,000円	1,477,000円	1,477,000円
	4〜5時間	3,875,000円	3,242,000円	3,242,000円
	6時間以上	4,542,000円	3,628,000円	3,628,000円

エ　家庭的保育事業

延長時間区分		利用定員4人以上	利用定員3人以下
自園調理等	30分	314,000円	161,000円
	1時間	627,000円	321,000円
	2〜3時間	1,122,000円	587,000円
	4〜5時間	2,792,000円	1,894,000円

	6時間以上	4,433,000円	3,174,000円
そ の 他	30分	306,000円	153,000円
	1時間	611,000円	306,000円
	2～3時間	1,070,000円	535,000円
	4～5時間	2,052,000円	1,155,000円
	6時間以上	3,389,000円	2,128,000円

オ　夜間保育所において夜10時以降に行う場合

延長時間区分	
30分	600,000円
1時間	1,988,000円
2～3時間	2,989,000円
4～5時間	5,787,000円
6時間以上	6,704,000円

2　訪問型
(1)　保育短時間認定（児童1人当たり年額）
ア　居宅訪問型

延長時間区分	
1時間	265,900円
2時間	531,800円
3時間	797,700円

イ　その他（保育所等の施設で利用児童が1名となった場合）

延長時間区分	
1時間	265,900円
2時間	458,000円
3時間	458,000円

(2)　保育標準時間認定（1事業当たり年額）
ア　居宅訪問型

延長時間区分	
30分	153,000円
1時間	306,000円
2～3時間	535,000円
4～5時間	898,000円
6時間以上	1,261,000円

イ　その他（保育所等の施設で利用児童が1名となった場合）

延長時間区分	
30分	153,000円
1時間	306,000円
2時間以上	458,000円

		※　１及び２ともに事業期間が６か月未満の施設にあっては、該当する１人（１事業）当たり年額に２分の１を乗じて得た額を基準額とする。	
実費徴収に係る補足給付を行う事業	実費徴収に係る補足給付を行う事業	１　教材費・行事費等（給食費以外） 　　生活保護世帯等に属する児童　　　　　　１人当たり月額　2,700円 ２　給食費（副食材料費） 　　低所得世帯・多子世帯等に属する児童　１人当たり月額　4,800円	実費徴収に係る補足給付を行う事業の実施に必要な経費
多様な事業者の参入促進・能力活用事業	多様な事業者の参入促進・能力活用事業	１　新規参入施設等への巡回支援 　　　　　　　　　　　　　　１施設当たり年額　400,000円 ２　認定こども園特別支援教育・保育経費 　　　　　　　　　対象障害児１人当たり月額　65,300円 ３　地域における小学校就学前の子どもを対象とした多様な集団活動事業の利用支援 　　　　　　　　　対象幼児１人当たり月額　20,000円 ※　ただし、本事業の対象施設等として決定した日の属する年度の前年度以前過去３か年の平均月額利用料（10円未満の端数がある場合は切り捨て。）が20,000円を下回る対象施設等を利用する幼児は、当該平均月額利用料	多様な事業者の参入促進・能力活用事業の実施に必要な経費
地域子育て支援拠点事業	地域子育て支援拠点事業	１　運営費（１か所当たり年額） (1)　一般型 　ア　基本分 　(ア)　３～４日型 　　・職員を合計３名以上配置する場合　　6,096,000円 　　・職員を合計２名配置する場合　　4,496,000円 　(イ)　５日型 　　・常勤職員を配置する場合　　8,714,000円 　　・非常勤職員のみを配置する場合　　5,521,000円 　(ウ)　６日型 　　・常勤職員を配置する場合　　9,739,000円 　　・非常勤職員のみを配置する場合　　6,946,000円 　(エ)　７日型 　　・常勤職員を配置する場合　　10,772,000円 　　・非常勤職員のみを配置する場合　　7,978,000円 ※　(イ)～(エ)について、「平成24年度子育て支援交付金の交付対象事業等について」１(5)③センター型（経過措置（小規模型指定施設）の場合を除く）として実施し、引き続き同様の事業形態を維持している場合は、「『常勤職員』を配置した場合」の補助基準額を適用することができるものとする。 　イ　加算分 　(ア)　子育て支援活動の展開を図る取組 　　　　　　　３～４日型　1,653,000円 　　　　　　　５日型　3,247,000円 　　　　　　　６・７日型　2,847,000円 　(イ)　地域支援　　1,592,000円 　(ウ)　特別支援対応加算　　1,111,000円 　(エ)　研修代替職員配置加算　１人当たり年額　23,000円	地域子育て支援拠点事業の実施に必要な経費

		（ｵ）　育児参加促進講習休日実施加算　　　　　　425,000円		
		（2）　出張ひろば　　　　　　　　　　　　　　1,646,000円		
		（3）　小規模型指定施設		
		ア　基本分　　　　　　　　　　　　　　　3,187,000円		
		イ　加算分　　　　　　　　　　　　　　　1,594,000円		
		（4）　連携型		
		ア　基本分		
		3～4日型　2,075,000円		
		5～7日型　3,257,000円		
		イ　加算分		
		（ｱ）　地域の子育て力を高める取組　　　　498,000円		
		（ｲ）　特別支援対応加算　　　　　　　　1,111,000円		
		（ｳ）　研修代替職員配置加算　1人当たり年額　23,000円		
		（ｴ）　育児参加促進講習休日実施加算　　　425,000円		

※　事業実施月数（1月に満たない端数を生じたときは、これを1月とする。）が12月に満たない場合には、各基準額（加算分も含む）ごとに算定された金額に「事業実施月数÷12」を乗じた額（1円未満切り捨て）とする。月によって開所日数等が変動し、基準額が複数となる場合は、各基準額に「事業実施月数÷12」を乗じること。

2　開設準備経費（1か所当たり年額）
（1）　改修費等　　　　　　　　　1か所当たり　4,000,000円
（2）　礼金及び賃借料（開設前月分）1か所当たり　600,000円
※　(1)(2)とも当該年度に支払われたものに限る。

一時預かり事業	一時預かり事業（一般分）	1　運営費 （1）　一般型 　ア　一般型対象児童（イ～エを除く）（1か所当たり年額） 　　（ｱ）　基本分 　　　①　保育従事者がすべて保育士又は1日当たり平均利用児童数概ね3人以下の施設において保育士とみなされた家庭的保育者と同等の研修を修了した者の場合。	一時預かり事業の実施に必要な費用

年間延べ利用児童数	基準額
300人未満	2,833,000円
300人以上900人未満	3,105,000円
900人以上1,500人未満	3,321,000円
1,500人以上2,100人未満	4,797,000円
2,100人以上2,700人未満	6,273,000円
2,700人以上3,300人未満	7,749,000円
3,300人以上3,900人未満	9,225,000円
3,900人以上4,500人未満	10,701,000円
4,500人以上5,100人未満	12,177,000円
5,100人以上5,700人未満	13,653,000円
5,700人以上6,300人未満	15,129,000円
6,300人以上6,900人未満	16,605,000円
6,900人以上7,500人未満	18,081,000円

年間延べ利用児童数	基準額
7,500人以上8,100人未満	19,557,000円
8,100人以上8,700人未満	21,033,000円
8,700人以上9,300人未満	22,509,000円
9,300人以上9,900人未満	23,985,000円
9,900人以上10,500人未満	25,461,000円
10,500人以上11,100人未満	26,937,000円
11,100人以上11,700人未満	28,413,000円
11,700人以上12,300人未満	29,889,000円
12,300人以上12,900人未満	31,365,000円
12,900人以上13,500人未満	32,841,000円
13,500人以上14,100人未満	34,317,000円
14,100人以上14,700人未満	35,793,000円
14,700人以上15,300人未満	37,269,000円
15,300人以上15,900人未満	38,745,000円
15,900人以上16,500人未満	40,221,000円
16,500人以上17,100人未満	41,697,000円
17,100人以上17,700人未満	43,173,000円
17,700人以上18,300人未満	44,649,000円
18,300人以上18,900人未満	46,125,000円
18,900人以上19,500人未満	47,601,000円
19,500人以上20,100人未満	49,077,000円

※20,100人以上の場合は別途協議
② ①以外（地域密着Ⅱ型を含む）の場合

年間延べ利用児童数	基準額
300人未満	2,833,000円
300人以上900人未満	2,979,000円
900人以上1,500人未満	3,200,000円
1,500人以上2,100人未満	4,622,000円
2,100人以上2,700人未満	6,044,000円
2,700人以上3,300人未満	7,466,000円
3,300人以上3,900人未満	8,888,000円
3,900人以上4,500人未満	10,310,000円
4,500人以上5,100人未満	11,732,000円
5,100人以上5,700人未満	13,154,000円
5,700人以上6,300人未満	14,576,000円
6,300人以上6,900人未満	15,998,000円
6,900人以上7,500人未満	17,420,000円
7,500人以上8,100人未満	18,842,000円

8,100人以上8,700人未満	20,264,000円
8,700人以上9,300人未満	21,686,000円
9,300人以上9,900人未満	23,108,000円
9,900人以上10,500人未満	24,530,000円
10,500人以上11,100人未満	25,952,000円
11,100人以上11,700人未満	27,374,000円
11,700人以上12,300人未満	28,796,000円
12,300人以上12,900人未満	30,218,000円
12,900人以上13,500人未満	31,640,000円
13,500人以上14,100人未満	33,062,000円
14,100人以上14,700人未満	34,484,000円
14,700人以上15,300人未満	35,906,000円
15,300人以上15,900人未満	37,328,000円
15,900人以上16,500人未満	38,750,000円
16,500人以上17,100人未満	40,172,000円
17,100人以上17,700人未満	41,594,000円
17,700人以上18,300人未満	43,016,000円
18,300人以上18,900人未満	44,438,000円
18,900人以上19,500人未満	45,860,000円
19,500人以上20,100人未満	47,282,000円

　※20,100人以上の場合は別途協議
　(ｲ)　基幹型施設加算　　　　　　　　　　　　　　　1,150,000円
イ　特別利用保育等対象児童（児童1人当たり日額）（子ども・子育て支援法第28条第1項第2号に規定する特別利用保育の提供を受ける児童及び第30条第1項第2号に規定する特別利用地域型保育の提供を受ける児童。）
　(ｱ)　平日分　　　　　　　　　　　　　　　　　　　　400円
　(ｲ)　長期休業日（8時間未満）　　　　　　　　　　　400円
　(ｳ)　長期休業日（8時間以上）　　　　　　　　　　　800円
　(ｴ)　休日分（土曜日、日曜日及び国民の休日等の利用）800円
　(ｵ)　長時間加算（(ｱ)(ｲ)については4時間（又は特別利用保育等として提供される時間との合計が8時間）、(ｳ)(ｴ)については8時間を超えた利用）
　　　・超えた利用時間が2時間未満　　　　　　　　　　100円
　　　・超えた利用時間が2時間以上3時間未満　　　　　200円
　　　・超えた利用時間が3時間以上　　　　　　　　　　300円
ウ　緊急一時預かり対象児童（児童1人当たり日額）　4,400円
エ　特別支援児童（障害児・多胎児）加算
　　　　　　　　　　　　　　（児童1人当たり日額）　3,600円
オ　利用者負担軽減（児童1人当たり日額）
　　　・生活保護法による被保護者世帯　　　　　　　　3,000円
　　　・市町村民税非課税世帯　　　　　　　　　　　　2,400円
　　　・市町村民税所得割合算額が7万7101円未満世帯　2,100円
　　　・その他要支援児童のいる世帯　　　　　　　　　1,500円

　　※　オは緊急一時預かりを除く。

（2）　幼稚園型Ⅰ

　ア　在籍園児分（ウを除く）（児童１人当たり日額）

　　（ア）　基本分（平日の教育時間前後や長期休業日の利用）

　　　Ⅰ　年間延べ利用児童数2000人超の施設

　　　　①　平日　　　　　　　　　　　　　　　　　　　　400円

　　　　②　長期休業日（８時間未満）　　　　　　　　　　400円

　　　　③　長期休業日（８時間以上）　　　　　　　　　　800円

　　　Ⅱ　年間延べ利用児童数2000人以下の施設

　　　　①　平日

　　　　　　　　　（1,600,000円÷年間延べ利用児童数）－400円

　　　　　　　　　　　　　　　　　　　　　（10円未満切り捨て）

　　　　②　長期休業日（８時間未満）　　　　　　　　　　400円

　　　　③　長期休業日（８時間以上）　　　　　　　　　　800円

　　（イ）　休日分（土曜日、日曜日及び国民の休日等の利用）　800円

　　（ウ）　長時間加算

　　　Ⅰ　（ア）Ⅰ①及び（ア）Ⅱ①については４時間（又は教育時間との
　　　　合計が８時間）、（ア）Ⅰ③、（ア）Ⅱ③及び（イ）については８時間
　　　　を超えた利用の場合

　　　　・超えた利用時間が２時間未満　　　　　　　　　　150円

　　　　・超えた利用時間が２時間以上３時間未満　　　　　300円

　　　　・超えた利用時間が３時間以上　　　　　　　　　　450円

　　　Ⅱ　（ア）Ⅰ②及び（ア）Ⅱ②については４時間を超えた利用の場合

　　　　・超えた利用時間が２時間未満　　　　　　　　　　100円

　　　　・超えた利用時間が２時間以上３時間未満　　　　　200円

　　　　・超えた利用時間が３時間以上　　　　　　　　　　300円

　　（エ）　保育体制充実加算

　　　Ⅰ　次の①又は②の要件を満たした上で、③及び④の要件を
　　　　満たす施設　　　　　　１か所当たり年額　　2,892,400円

　　　Ⅱ　次の①又は②の要件を満たした上で、③及び⑤の要件を
　　　　満たす施設　　　　　　１か所当たり年額　　1,446,200円

　　　①　平日及び長期休業中の双方において、原則11時間以上
　　　　（平日については教育時間を含む）の預かりを実施してい
　　　　ること。

　　　②　平日及び長期休業中の双方において、原則９時間以上
　　　　（平日については教育時間を含む）の預かりを実施すると
　　　　ともに、休日において40日以上の預かりを実施しているこ
　　　　と。

　　　③　年間延べ利用児童数が2000人超の施設であること。

　　　④　児童福祉法施行規則（昭和23年厚生省令第11号）第36条
　　　　の35第２号ロ（附則第56条第１項において読替え）及びハ
　　　　に基づき配置する者（以下「教育・保育従事者」）をすべ
　　　　て保育士又は幼稚園教諭普通免許状保有者とすること。ま
　　　　た、当該教育・保育従事者の数は２名を下ることがないこ
　　　　と。

　　　⑤　教育・保育従事者の概ね２分の１以上を保育士又は幼稚
　　　　園教諭普通免許状保有者とすること。また、当該教育・保
　　　　育従事者の数は２名を下ることがないこと。

　　（オ）　就労支援型施設加算（事務経費）

　　　　　　　　　　　　　　１か所当たり年額　　1,383,200円

※１　※２③の配置月数（１月に満たない端数を生じたときは、これを１月とする。）が６月に満たない場合には、１か所当たり年額を691,600円とする。

※２　次の要件を満たす施設に適用する。

①　平日及び長期休業中の双方において、８時間以上（平日については教育時間を含む）の預かりを実施していること

②　次のいずれかの要件を満たしていること

a　特定教育・保育施設及び特定地域型保育事業の運営に関する基準（平成26年内閣府令第39号）第42条に規定されている連携施設となっていること

b　３以上の市町村から園児を受け入れていること

c　一時預かり事業（幼稚園型Ⅱ）を実施していること

③　本事業の事務を担当する職員を追加で配置すること

イ　在籍園児以外の児童分（ウ及び(3)を除く）（児童１人当たり日額）

(ｱ)　基本分　　　　　　　　　　　　　　　　　　　800円

(ｲ)　長時間加算（８時間を超えた利用）

・超えた利用時間が２時間未満　　　　　　　150円

・超えた利用時間が２時間以上３時間未満　　300円

・超えた利用時間が３時間以上　　　　　　　450円

ウ　特別な支援を要する児童分（児童１人当たり日額）　4,000円

※　以下のいずれかの要件を満たすと市町村が認める児童に適用する。

(ｱ)　教育時間内において特別な支援を要するとして、既に多様な事業者の参入促進・能力活用事業（認定こども園特別支援教育・保育経費）や都道府県等による補助事業等の対象となっている児童

(ｲ)　特別児童扶養手当証書を所持する児童、身体障害者手帳、療育手帳又は精神障害者福祉手帳を所持する児童、医師、巡回支援専門員等障害に関する専門的知見を有する者による意見等により障害を有すると認められる児童その他の健康面・発達面において特別な支援を要すると市町村が認める児童

※　幼稚園型Ⅰに係る公費支援の総額（１施設当たり年額）は、10,223,000円を上限額とする（なお、待機児童又は特別な支援を要する児童の受け入れ促進に資する措置（ア(ｱ)Ⅰ③、ア(ｱ)Ⅱ③、ア(ｳ)、ア(ｴ)、ア(ｵ)、イ(ｲ)及びウに係る基準額）を適用したことにより、10,223,000円を超えた場合は、この限りでない）。

(3)　幼稚園型Ⅱ（児童１人当たり日額）

ア　２歳児

Ⅰ　一時預かり事業（幼稚園型Ⅱ）を利用する年間延べ利用児童数が1500人以上の施設

(ｱ)　基本分　　　　　　　　　　　　　　　　　2,650円

(ｲ)　長時間加算（８時間を超えた利用）

・超えた利用時間が２時間未満　　　　　　　330円

・超えた利用時間が２時間以上３時間未満　　660円

・超えた利用時間が３時間以上　　　　　　　990円

Ⅱ　一時預かり事業（幼稚園型Ⅱ）を利用する年間延べ利用児童数が1500人未満の施設

(ｱ)　基本分　　　　　　　　　　　　　　　　　2,250円

　　　　(イ)　長時間加算（8時間を超えた利用）

　　　　　・超えた利用時間が2時間未満　　　　　　　　　280円

　　　　　・超えた利用時間が2時間以上3時間未満　　　　560円

　　　　　・超えた利用時間が3時間以上　　　　　　　　840円

　　イ　1歳児

　　　　(ア)　基本分　　　　　　　　　　　　　　　　2,250円

　　　　(イ)　長時間加算（8時間を超えた利用）

　　　　　・超えた利用時間が2時間未満　　　　　　　　　280円

　　　　　・超えた利用時間が2時間以上3時間未満　　　　560円

　　　　　・超えた利用時間が3時間以上　　　　　　　　840円

　　ウ　0歳児

　　　　(ア)　基本分　　　　　　　　　　　　　　　　4,500円

　　　　(イ)　長時間加算（8時間を超えた利用）

　　　　　・超えた利用時間が2時間未満　　　　　　　　　560円

　　　　　・超えた利用時間が2時間以上3時間未満　　　1,120円

　　　　　・超えた利用時間が3時間以上　　　　　　　1,680円

(4)　余裕活用型（児童1人当たり日額）

　　ア　基本分　　　　　　　　　　　　　　　　　　2,400円

　　イ　特別支援児童（障害児・多胎児）加算

　　　　　　　　　　　　（児童1人当たり日額）　　3,600円

　　ウ　利用者負担軽減（児童1人当たり日額）

　　　　・生活保護法による被保護者世帯　　　　　　3,000円

　　　　・市町村民税非課税世帯　　　　　　　　　　2,400円

　　　　・市町村民税所得割合算額が7万7,101円未満世帯　2,100円

　　　　・その他要支援児童のいる世帯　　　　　　　1,500円

(5)　居宅訪問型（児童1人当たり日額）

　　ア　イの緊急一時預かり対象児童以外の児童

　　　　　　　　　　　利用時間4時間以上　　　　　9,000円

　　　　　　　　　　　利用時間4時間未満　　　　　4,500円

　　イ　緊急一時預かり対象児童

　　　　　　　　　　　利用時間4時間以上　　　　12,100円

　　　　　　　　　　　利用時間4時間未満　　　　　6,050円

　　ウ　特別支援児童（障害児・多胎児）加算

　　　　　　　　　　　（児童1人当たり日額）　　3,600円

　　エ　利用者負担軽減（児童1人当たり日額）

　　　　・生活保護法による被保護者世帯　　　　　　3,000円

　　　　・市町村民税非課税世帯　　　　　　　　　　2,400円

　　　　・市町村民税所得割合算額が7万7,101円未満世帯　2,100円

　　　　・その他要支援児童のいる世帯　　　　　　　1,500円

　　※　エは緊急一時預かりを除く。

(6)　災害特例型

　　ア　利用児童の保護者が当該児童について受けている支給認定に
　　　基づいて本事業で利用している施設等において教育・保育の提
　　　供を受けた場合に支給される子どものための教育・保育給付に
　　　応じて、子ども・子育て支援法第27条第3項第1号、同法第29
　　　条第3項第1号、同法第28条第2項第2号若しくは第3号の内
　　　閣総理大臣が定める基準又は同法第30条第2項第2号、第3号
　　　若しくは第4号に規定する内閣総理大臣が定める基準により算
　　　定される金額（児童1人当たり月額）

		※　月途中で利用を開始、又は利用を終了した場合の基準額の算定に当たっては、公定価格の算定の例によること。 イ　利用児童の保護者が復旧活動等を行うために、当該児童が在籍する幼稚園等において、教育時間の前後又は長期休業日等に、本事業を利用する児童（児童１人当たり日額）　　　1,600円 ウ　ア、イ以外の児童（児童１人当たり日額）　　　　　4,650円 ２　開設準備経費（１か所当たり年額） 　(1)　改修費等　　　　　　　　　　　　　　　　　　　4,000,000円 　(2)　礼金及び賃借料（開設前月分）　　　　　　　　　600,000円 ※　(1)(2)とも当該年度に支払われたものに限る。 ※　(1)は災害特例型を除く。 ※　(2)は一般型に限る。	
一時預かり事業（その他分）		１　運営費の事務経費加算（一般型に限る）　　　　2,670,000円	一時預かり事業の実施に必要な費用
病児保育事業	病児保育事業（特定分、一般分・事業費）	１　病児対応型 　(1)　基本分　　　　　　　　　　１か所当たり年額　8,443,000円 　　　　　　　　　　　　　　　　　うち改善分　2,538,000円 　※　ただし、利用の少ない日等において、地域の保育所等への情報提供や巡回支援等を実施しない場合は、改善分を減算すること 　(2)　加算分 　　ア　年間延べ利用児童数に応じた加算	病児保育事業の実施に必要な経費

年間延べ利用児童数	基準額 （１か所当たり年額）
50人以上100人未満	1,000,000円
100人以上150人未満	1,500,000円
150人以上200人未満	2,000,000円
200人以上300人未満	3,000,000円
300人以上400人未満	4,000,000円
400人以上500人未満	5,000,000円
500人以上600人未満	6,000,000円
600人以上700人未満	7,000,000円
700人以上800人未満	8,000,000円
800人以上900人未満	9,000,000円
900人以上1,000人未満	10,000,000円
1,000人以上1,100人未満	11,000,000円
1,100人以上1,200人未満	12,000,000円
1,200人以上1,300人未満	13,000,000円
1,300人以上1,400人未満	14,000,000円
1,400人以上1,500人未満	15,000,000円

1,500人以上1,600人未満	16,000,000円
1,600人以上1,700人未満	17,000,000円
1,700人以上1,800人未満	18,000,000円
1,800人以上1,900人未満	19,000,000円
1,900人以上2,000人未満	20,000,000円
2,000人以上2,200人未満	20,900,000円
2,200人以上2,400人未満	22,800,000円
2,400人以上2,600人未満	24,700,000円
2,600人以上2,800人未満	26,600,000円
2,800人以上3,000人未満	28,500,000円
3,000人以上3,200人未満	30,400,000円
3,200人以上3,400人未満	32,300,000円
3,400人以上3,600人未満	34,200,000円
3,600人以上3,800人未満	36,100,000円
3,800人以上4,000人未満	38,000,000円

※4000人以上の場合は別途協議

イ　送迎対応を行う看護師等雇上費

　　　　　　　　　　　　1か所当たり年額　5,400,000円

ウ　送迎経費　　　　　1か所当たり年額　3,634,000円

エ　研修参加費用　　　職員1人当たり年額　10,000円

オ　当日キャンセル対応加算

年間キャンセル回数	基準額 （1か所当たり年額）
(1)　25回以上50回未満	247,900円
(2)　50回以上100回未満	502,500円
(3)　100回以上150回未満	670,000円
(4)　150回以上	1,005,000円

(3)　普及定着促進費（開設準備経費）

　　ア　改修費等　　　　　1か所当たり　4,000,000円

　　イ　礼金及び賃借料（開設前月分）　1か所当たり　600,000円

　　※　ア及びイとも当該年度に支払われたものに限る。

2　病後児対応型

(1)　基本分　　　　　　　1か所当たり年額　6,032,000円

　　　　　　　　　　　　　うち改善分　2,225,000円

　　※　ただし、利用の少ない日等において、地域の保育所等への情報提供や巡回支援等を実施しない場合は、改善分を減算すること

(2)　加算分

　　ア　年間延べ利用児童数に応じた加算

年間延べ利用児童数	基準額 （1か所当たり年額）
50人以上100人未満	1,300,000円

100人以上150人未満	1,410,000円
150人以上200人未満	1,880,000円
200人以上300人未満	2,820,000円
300人以上400人未満	3,760,000円
400人以上500人未満	4,700,000円
500人以上600人未満	5,640,000円
600人以上700人未満	6,580,000円
700人以上800人未満	7,520,000円
800人以上900人未満	8,460,000円
900人以上1,000人未満	9,400,000円
1,000人以上1,100人未満	10,340,000円
1,100人以上1,200人未満	11,280,000円
1,200人以上1,300人未満	12,220,000円
1,300人以上1,400人未満	13,160,000円
1,400人以上1,500人未満	14,100,000円
1,500人以上1,600人未満	15,040,000円
1,600人以上1,700人未満	15,980,000円
1,700人以上1,800人未満	16,920,000円
1,800人以上1,900人未満	17,860,000円
1,900人以上2,000人未満	18,800,000円
2,000人以上2,200人未満	19,646,000円
2,200人以上2,400人未満	21,432,000円
2,400人以上2,600人未満	23,218,000円
2,600人以上2,800人未満	25,004,000円
2,800人以上3,000人未満	26,790,000円
3,000人以上3,200人未満	28,576,000円
3,200人以上3,400人未満	30,362,000円
3,400人以上3,600人未満	32,148,000円
3,600人以上3,800人未満	33,934,000円
3,800人以上4,000人未満	35,720,000円

※4000人以上の場合は別途協議

イ　送迎対応を行う看護師等雇上費

1か所当たり年額　5,400,000円

ウ　送迎経費　　　　　　　　　1か所当たり年額　3,634,000円

エ　研修参加費用　　　　　　　職員1人当たり年額　10,000円

オ　当日キャンセル対応加算

年間キャンセル回数	基準額 （1か所当たり年額）
(1)　25回以上50回未満	247,900円

（2）	50回以上100回未満		502,500円
（3）	100回以上150回未満		670,000円
（4）	150回以上		1,005,000円

（3） 普及定着促進費（開設準備経費）
  ア　改修費等　　　　　　　　　　1か所当たり　4,000,000円
  イ　礼金及び賃借料（開設前月分）　1か所当たり　600,000円
  ※　ア及びイとも当該年度に支払われたものに限る。
3　体調不良児対応型
（1）　基本分　　　　　　　　　　1か所当たり年額　4,500,000円
　　　　（ただし、事業期間が6か月未満の施設にあっては、2,248,000円）
  ※　平成26年度以前から実施する施設、または平成27年度以降新規開設し看護師等を2名以上配置して実施する施設の場合
（2）　加算分
  ア　送迎対応を行う看護師等雇上費
　　　　　　　　　　　　　　　　1か所当たり年額　5,400,000円
  イ　送迎経費　　　　　　　　　1か所当たり年額　3,634,000円
  ウ　研修参加費用　　　　　　　職員1人当たり年額　10,000円
（3）　改善分　　　　　　　　　　1か所当たり年額　4,496,000円
　　　　（ただし、事業期間が6か月未満の施設にあっては、2,248,000円）
  ※　平成27年度以降新規開設し看護師等を1名配置して実施する施設の場合
4　非施設型（訪問型）
　　　　　　　　　　　　　（1か所当たり年額）　7,280,000円
　　　　（ただし、事業期間が6か月未満の施設にあっては、3,640,000円）

	病児保育（特定分・低所得者減免加算）	1　低所得者減免分加算（病児対応型） （1）　生活保護法による被保護者世帯　　5,000円×年間延利用人員 （2）　市区町村民税非課税世帯　　2,500円×年間延利用人員 　※　市町村民税非課税世帯のうち、生活保護法（昭和25年法律第144号）に定める要保護者の属する世帯等、特に困窮していると市町村が認めた世帯の利用に係る加算額については、被保護者世帯と同額とすること。 2　低所得者減免分加算（病後児対応型） （1）　生活保護法による被保護者世帯　　5,000円×年間延利用人員 （2）　市区町村民税非課税世帯　　2,500円×年間延利用人員 　※　市町村民税非課税世帯のうち、生活保護法に定める要保護者の属する世帯等、特に困窮していると市町村が認めた世帯の利用に係る加算額については、被保護者世帯と同額とすること。	病児保育事業の実施に必要な経費
子ども・子育て支援法に基づく地域子ども・子育て支援事業	子ども・子育て支援法に基づく地域子ども・子育て支援事業	1　地域子ども・子育て支援事業におけるICT化推進事業（令和5年度補正予算分） （1）　業務のICT化を行うためのシステムの導入 （2）　研修のオンライン化 　　　　　　　　　　（1）、（2）の合計　500,000円 　※　放課後児童健全育成事業は1支援の単位当たり、乳児家庭全戸訪問事業、養育支援訪問事業、親子関係形成支援事業、子育て援助活動支援事業（ファミリー・サポート・センター事業）は1市町村当たり、その他事業は1か所当たり	ICT化推進事業（令和5年度補正予算分）の実施に必要な経費

| （延長保育事業、一時預かり事業、病児保育事業を除く。） | （延長保育事業、一時預かり事業、病児保育事業を除く。）（特例措置分） | ※　連絡帳の電子化や、オンライン会議やオンラインを活用した相談支援に必要なＩＣＴ機器の導入等の環境整備に係る経費及び、都道府県等が実施する研修をオンラインで受講できるよう、必要なシステム基盤の導入等に係る経費に限る。
(3)　通訳や翻訳のための機器の導入　　　　　　　　　　150,000円
※　放課後児童健全育成事業は1支援の単位当たり、乳児家庭全戸訪問事業、養育支援訪問事業、親子関係形成支援事業、子育て援助活動支援事業（ファミリー・サポート・センター事業）は1市町村当たり、その他事業は1か所当たり
※　外国人の子育て家庭が事業を円滑に利用できるよう、多言語音声翻訳システム等の導入に係る経費に限る。 | |

別紙様式1～8　略

VI

関係法令

IV

関係志令

●児童福祉法（抄）

〔昭和22年12月12日
法 律 第 164 号〕

注　令和6年6月12日法律第47号改正現在
（未施行分については1629頁以降に収載）

第1章　総則

〔児童の福祉を保障するための原理〕

第1条　全て児童は、児童の権利に関する条約の精神にのつとり、適切に養育されること、その生活を保障されること、愛され、保護されること、その心身の健やかな成長及び発達並びにその自立が図られることその他の福祉を等しく保障される権利を有する。

〔児童育成の責任〕

第2条　全て国民は、児童が良好な環境において生まれ、かつ、社会のあらゆる分野において、児童の年齢及び発達の程度に応じて、その意見が尊重され、その最善の利益が優先して考慮され、心身ともに健やかに育成されるよう努めなければならない。

②　児童の保護者は、児童を心身ともに健やかに育成することについて第一義的責任を負う。

③　国及び地方公共団体は、児童の保護者とともに、児童を心身ともに健やかに育成する責任を負う。

〔原理の尊重〕

第3条　前2条に規定するところは、児童の福祉を保障するための原理であり、この原理は、すべて児童に関する法令の施行にあたつて、常に尊重されなければならない。

第1節　国及び地方公共団体の責務

第3条の2　国及び地方公共団体は、児童が家庭において心身ともに健やかに養育されるよう、児童の保護者を支援しなければならない。ただし、児童及びその保護者の心身の状況、これらの者の置かれている環境その他の状況を勘案し、児童を家庭において養育することが困難であり又は適当でない場合にあつては児童が家庭における養育環境と同様の養育環境において継続的に養育されるよう、児童を家庭及び当該養育環境において養育することが適当でない場合にあつては児童ができる限り良好な家庭的環境において養育されるよう、必要な措置を講じなければならない。

第3条の3　市町村（特別区を含む。以下同じ。）は、児童が心身ともに健やかに育成されるよう、基礎的な地方公共団体として、第10条第1項各号に掲げる業務の実施、障害児通所給付費の支給、第24条第1項の規定による保育の実施その他この法律に基づく児童の身近な場所における児童の福祉に関する支援に係る業務を適切に行わなければならない。

②　都道府県は、市町村の行うこの法律に基づく児童の福祉に関する業務が適正かつ円滑に行われるよう、市町村に対する必要な助言及び適切な援助を行うとともに、児童が心身ともに健やかに育成されるよう、専門的な知識及び技術並びに各市町村の区域を超えた広域的な対応が必要な業務として、第11条第1項各号に掲げる業務の実施、小児慢性特定疾病医療費の支給、障害児入所給付費の支給、第27条第1項第3号の規定による委託又は入所の措置その他この法律に基づく児童の福祉に関する業務を適切に行わなければならない。

③　国は、市町村及び都道府県の行うこの法律に基づく児童の福祉に関する業務が適正かつ円滑に行われるよう、児童が適切に養育される体制の確保に関する施策、市町村及び都道府県に対する助言及び情報の提供その他の必要な各般の措置を講じなければならない。

第2節　定義

〔児童〕

第4条　この法律で、児童とは、満18歳に満たない者をいい、児童を左のように分ける。

一　乳児　満1歳に満たない者

二　幼児　満1歳から、小学校就学の始期に達するまでの者

三　少年　小学校就学の始期から、満18歳に達するまでの者

②　この法律で、障害児とは、身体に障害のある児童、知的障害のある児童、精神に障害のある児童（発達障害者支援法（平成16年法律第167号）第2条第2項に規定する発達障害児を含む。）又は治療方法が確立していない疾病その他の特殊の疾病であつて障害者の日常生活及び社会生活を総合的に支援するための法律（平成17年法律第123号）第4条第1項の政令で定めるものによる障害の程度が同項の主務大臣が定める程度である児童をいう。

〔保護者〕

第6条　この法律で、保護者とは、親権を行う者、未成年後見人その他の者で、児童を現に監護する者を

いう。

〔事業〕

第6条の3　この法律で、児童自立生活援助事業とは、次に掲げる者に対しこれらの者が共同生活を営むべき住居その他内閣府令で定める場所における相談その他の日常生活上の援助及び生活指導並びに就業の支援（以下「児童自立生活援助」という。）を行い、あわせて児童自立生活援助の実施を解除された者に対し相談その他の援助を行う事業をいう。

一　義務教育を終了した児童又は児童以外の満20歳に満たない者であつて、措置解除者等（第27条第1項第3号に規定する措置（政令で定めるものに限る。）を解除された者その他政令で定める者をいう。以下同じ。）であるもの（以下「満20歳未満義務教育終了児童等」という。）

二　満20歳以上の措置解除者等であつて政令で定めるもののうち、学校教育法第50条に規定する高等学校の生徒であること、同法第83条に規定する大学の学生であることその他の政令で定めるやむを得ない事情により児童自立生活援助の実施が必要であると都道府県知事が認めたもの

②　この法律で、放課後児童健全育成事業とは、小学校に就学している児童であつて、その保護者が労働等により昼間家庭にいないものに、授業の終了後に児童厚生施設等の施設を利用して適切な遊び及び生活の場を与えて、その健全な育成を図る事業をいう。

③　この法律で、子育て短期支援事業とは、保護者の疾病その他の理由により家庭において養育を受けることが一時的に困難となつた児童について、内閣府令で定めるところにより、児童養護施設その他の内閣府令で定める施設に入所させ、又は里親（次条第3号に掲げる者を除く。）その他の内閣府令で定める者に委託し、当該児童につき必要な保護その他の支援（保護者の心身の状況、児童の養育環境その他の状況を勘案し、児童と共にその保護者に対して支援を行うことが必要である場合にあつては、当該保護者への支援を含む。）を行う事業をいう。

④　この法律で、乳児家庭全戸訪問事業とは、一の市町村の区域内における原則として全ての乳児のいる家庭を訪問することにより、内閣府令で定めるところにより、子育てに関する情報の提供並びに乳児及びその保護者の心身の状況及び養育環境の把握を行うほか、養育についての相談に応じ、助言その他の援助を行う事業をいう。

⑤　この法律で、養育支援訪問事業とは、内閣府令で定めるところにより、乳児家庭全戸訪問事業の実施その他により把握した保護者の養育を支援することが特に必要と認められる児童（第8項に規定する要保護児童に該当するものを除く。以下「要支援児童」という。）若しくは保護者に監護させることが不適当であると認められる児童及びその保護者又は出産後の養育について出産前において支援を行うことが特に必要と認められる妊婦（以下「特定妊婦」という。）（以下「要支援児童等」という。）に対し、その養育が適切に行われるよう、当該要支援児童等の居宅において、養育に関する相談、指導、助言その他必要な支援を行う事業をいう。

⑥　この法律で、地域子育て支援拠点事業とは、内閣府令で定めるところにより、乳児又は幼児及びその保護者が相互の交流を行う場所を開設し、子育てについての相談、情報の提供、助言その他の援助を行う事業をいう。

⑦　この法律で、一時預かり事業とは、次に掲げる者について、内閣府令で定めるところにより、主として昼間において、保育所、認定こども園（就学前の子どもに関する教育、保育等の総合的な提供の推進に関する法律（平成18年法律第77号。以下「認定こども園法」という。）第2条第6項に規定する認定こども園をいい、保育所であるものを除く。第24条第2項を除き、以下同じ。）その他の場所（第2号において「保育所等」という。）において、一時的に預かり、必要な保護を行う事業をいう。

一　家庭において保育（養護及び教育（第39条の2第1項に規定する満3歳以上の幼児に対する教育を除く。）を行うことをいう。以下同じ。）を受けることが一時的に困難となつた乳児又は幼児

二　子育てに係る保護者の負担を軽減するため、保育所等において一時的に預かることが望ましいと認められる乳児又は幼児

⑧　この法律で、小規模住居型児童養育事業とは、第27条第1項第3号の措置に係る児童について、内閣府令で定めるところにより、保護者のない児童又は保護者に監護させることが不適当であると認められる児童（以下「要保護児童」という。）の養育に関し相当の経験を有する者その他の内閣府令で定める者（次条に規定する里親を除く。）の住居において養育を行う事業をいう。

⑨　この法律で、家庭的保育事業とは、次に掲げる事業をいう。

一　子ども・子育て支援法（平成24年法律第65号）第19条第2号の内閣府令で定める事由により家庭において必要な保育を受けることが困難である乳児又は幼児（以下「保育を必要とする乳児・幼児」という。）であつて満3歳未満のものについて、

家庭的保育者（市町村長が行う研修を修了した保育士その他の内閣府令で定める者であつて、当該保育を必要とする乳児・幼児の保育を行う者として市町村長が適当と認めるものをいう。以下同じ。）の居宅その他の場所（当該保育を必要とする乳児・幼児の居宅を除く。）において、家庭的保育者による保育を行う事業（利用定員が5人以下であるものに限る。次号において同じ。）

二　満3歳以上の幼児に係る保育の体制の整備の状況その他の地域の事情を勘案して、保育が必要と認められる児童であつて満3歳以上のものについて、家庭的保育者の居宅その他の場所（当該保育が必要と認められる児童の居宅を除く。）において、家庭的保育者による保育を行う事業

⑩　この法律で、小規模保育事業とは、次に掲げる事業をいう。

一　保育を必要とする乳児・幼児であつて満3歳未満のものについて、当該保育を必要とする乳児・幼児を保育することを目的とする施設（利用定員が6人以上19人以下であるものに限る。）において、保育を行う事業

二　満3歳以上の幼児に係る保育の体制の整備の状況その他の地域の事情を勘案して、保育が必要と認められる児童であつて満3歳以上のものについて、前号に規定する施設において、保育を行う事業

⑪　この法律で、居宅訪問型保育事業とは、次に掲げる事業をいう。

一　保育を必要とする乳児・幼児であつて満3歳未満のものについて、当該保育を必要とする乳児・幼児の居宅において家庭的保育者による保育を行う事業

二　満3歳以上の幼児に係る保育の体制の整備の状況その他の地域の事情を勘案して、保育が必要と認められる児童であつて満3歳以上のものについて、当該保育が必要と認められる児童の居宅において家庭的保育者による保育を行う事業

⑫　この法律で、事業所内保育事業とは、次に掲げる事業をいう。

一　保育を必要とする乳児・幼児であつて満3歳未満のものについて、次に掲げる施設において、保育を行う事業

イ　事業主がその雇用する労働者の監護する乳児若しくは幼児及びその他の乳児若しくは幼児を保育するために自ら設置する施設又は事業主から委託を受けて当該事業主が雇用する労働者の監護する乳児若しくは幼児及びその他の乳児若

しくは幼児の保育を実施する施設

ロ　事業主団体がその構成員である事業主の雇用する労働者の監護する乳児若しくは幼児及びその他の乳児若しくは幼児を保育するために自ら設置する施設又は事業主団体から委託を受けてその構成員である事業主の雇用する労働者の監護する乳児若しくは幼児及びその他の乳児若しくは幼児の保育を実施する施設

ハ　地方公務員等共済組合法（昭和37年法律第152号）の規定に基づく共済組合その他の内閣府令で定める組合（以下ハにおいて「共済組合等」という。）が当該共済組合等の構成員として内閣府令で定める者（以下ハにおいて「共済組合等の構成員」という。）の監護する乳児若しくは幼児及びその他の乳児若しくは幼児を保育するために自ら設置する施設又は共済組合等から委託を受けて当該共済組合等の構成員の監護する乳児若しくは幼児及びその他の乳児若しくは幼児の保育を実施する施設

二　満3歳以上の幼児に係る保育の体制の整備の状況その他の地域の事情を勘案して、保育が必要と認められる児童であつて満3歳以上のものについて、前号に規定する施設において、保育を行う事業

⑬　この法律で、病児保育事業とは、保育を必要とする乳児・幼児又は保護者の労働若しくは疾病その他の事由により家庭において保育を受けることが困難となつた小学校に就学している児童であつて、疾病にかかつているものについて、保育所、認定こども園、病院、診療所その他内閣府令で定める施設において、保育を行う事業をいう。

⑭　この法律で、子育て援助活動支援事業とは、内閣府令で定めるところにより、次に掲げる援助のいずれか又は全てを受けることを希望する者と当該援助を行うことを希望する者（個人に限る。以下この項において「援助希望者」という。）との連絡及び調整並びに援助希望者への講習の実施その他の必要な支援を行う事業をいう。

一　児童を一時的に預かり、必要な保護（宿泊を伴つて行うものを含む。）を行うこと。

二　児童が円滑に外出することができるよう、その移動を支援すること。

⑮　この法律で、親子再統合支援事業とは、内閣府令で定めるところにより、親子の再統合を図ることが必要と認められる児童及びその保護者に対して、児童虐待の防止等に関する法律（平成12年法律第82号）第2条に規定する児童虐待（以下単に「児童虐

待」という。）の防止に資する情報の提供、相談及び助言その他の必要な支援を行う事業をいう。

⑯　この法律で、社会的養護自立支援拠点事業とは、内閣府令で定めるところにより、措置解除者等又はこれに類する者が相互の交流を行う場所を開設し、これらの者に対する情報の提供、相談及び助言並びにこれらの者の支援に関連する関係機関との連絡調整その他の必要な支援を行う事業をいう。

⑰　この法律で、意見表明等支援事業とは、第33条の３の３に規定する意見聴取等措置の対象となる児童の同条各号に規定する措置を行うことに係る意見又は意向及び第27条第１項第３号の措置その他の措置が採られている児童その他の者の当該措置における処遇に係る意見又は意向について、児童の福祉に関し知識又は経験を有する者が、意見聴取その他これらの者の状況に応じた適切な方法により把握するとともに、これらの意見又は意向を勘案して児童相談所、都道府県その他の関係機関との連絡調整その他の必要な支援を行う事業をいう。

⑱　この法律で、妊産婦等生活援助事業とは、家庭生活に支障が生じている特定妊産婦その他これに類する者及びその者の監護すべき児童を、生活すべき住居に入居させ、又は当該事業に係る事業所その他の場所に通わせ、食事の提供その他日常生活を営むのに必要な便宜の供与、児童の養育に係る相談及び助言、母子生活支援施設その他の関係機関との連絡調整、民法（明治29年法律第89号）第817条の２第１項に規定する特別養子縁組（以下単に「特別養子縁組」という。）に係る情報の提供その他の必要な支援を行う事業をいう。

⑲　この法律で、子育て世帯訪問支援事業とは、内閣府令で定めるところにより、要支援児童の保護者その他の内閣府令で定める者に対し、その居宅において、子育てに関する情報の提供並びに家事及び養育に係る援助その他の必要な支援を行う事業をいう。

⑳　この法律で、児童育成支援拠点事業とは、養育環境等に関する課題を抱える児童について、当該児童に生活の場を与えるための場所を開設し、情報の提供、相談及び関係機関との連絡調整を行うとともに、必要に応じて当該児童の保護者に対し、情報の提供、相談及び助言その他の必要な支援を行う事業をいう。

㉑　この法律で、親子関係形成支援事業とは、内閣府令で定めるところにより、親子間における適切な関係性の構築を目的として、児童及びその保護者に対し、当該児童の心身の発達の状況等に応じた情報の提供、相談及び助言その他の必要な支援を行う事業

をいう。

〔児童福祉施設等〕

第7条　この法律で、児童福祉施設とは、助産施設、乳児院、母子生活支援施設、保育所、幼保連携型認定こども園、児童厚生施設、児童養護施設、障害児入所施設、児童発達支援センター、児童心理治療施設、児童自立支援施設、児童家庭支援センター及び里親支援センターとする。

②　この法律で、障害児入所支援とは、障害児入所施設に入所し、又は独立行政法人国立病院機構若しくは国立研究開発法人国立精神・神経医療研究センターの設置する医療機関であつて内閣総理大臣が指定するもの（以下「指定発達支援医療機関」という。）に入院する障害児に対して行われる保護、日常生活における基本的な動作及び独立自活に必要な知識技能の習得のための支援並びに障害児入所施設に入所し、又は指定発達支援医療機関に入院する障害児のうち知的障害のある児童、肢体不自由のある児童又は重度の知的障害及び重度の肢体不自由が重複している児童（以下「重症心身障害児」という。）に対し行われる治療をいう。

第4節　実施機関

〔市町村の業務〕

第10条　市町村は、この法律の施行に関し、次に掲げる業務を行わなければならない。

一　児童及び妊産婦の福祉に関し、必要な実情の把握に努めること。

二　児童及び妊産婦の福祉に関し、必要な情報の提供を行うこと。

三　児童及び妊産婦の福祉に関し、家庭その他からの相談に応ずること並びに必要な調査及び指導を行うこと並びにこれらに付随する業務を行うこと。

四　児童及び妊産婦の福祉に関し、心身の状況等に照らし包括的な支援を必要とすると認められる要支援児童等その他の者に対して、これらの者に対する支援の種類及び内容その他の内閣府令で定める事項を記載した計画の作成その他の包括的かつ計画的な支援を行うこと。

五　前各号に掲げるもののほか、児童及び妊産婦の福祉に関し、家庭その他につき、必要な支援を行うこと。

②　市町村長は、前項第３号に掲げる業務のうち専門的な知識及び技術を必要とするものについては、児童相談所の技術的援助及び助言を求めなければならない。

③　市町村長は、第１項第３号に掲げる業務を行うに当たつて、医学的、心理学的、教育学的、社会学的

及び精神保健上の判定を必要とする場合には、児童相談所の判定を求めなければならない。

④　市町村は、この法律による事務を適切に行うために必要な体制の整備に努めるとともに、当該事務に従事する職員の人材の確保及び資質の向上のために必要な措置を講じなければならない。

⑤　国は、市町村における前項の体制の整備及び措置の実施に関し、必要な支援を行うように努めなければならない。

〔こども家庭センター〕

第10条の2　市町村は、こども家庭センターの設置に努めなければならない。

②　こども家庭センターは、次に掲げる業務を行うことにより、児童及び妊産婦の福祉に関する包括的な支援を行うことを目的とする施設とする。

　一　前条第1項第1号から第4号までに掲げる業務を行うこと。

　二　児童及び妊産婦の福祉に関する機関との連絡調整を行うこと。

　三　児童及び妊産婦の福祉並びに児童の健全育成に資する支援を行う者の確保、当該支援を行う者が相互の有機的な連携の下で支援を円滑に行うための体制の整備その他の児童及び妊産婦の福祉並びに児童の健全育成に係る支援を促進すること。

　四　前3号に掲げるもののほか、児童及び妊産婦の福祉に関し、家庭その他につき、必要な支援を行うこと。

③　こども家庭センターは、前項各号に掲げる業務を行うに当たつて、次条第1項に規定する地域子育て相談機関と密接に連携を図るものとする。

〔地域子育て相談機関〕

第10条の3　市町村は、地理的条件、人口、交通事情その他の社会的条件、子育てに関する施設の整備の状況等を総合的に勘案して定める区域ごとに、その住民からの子育てに関する相談に応じ、必要な助言を行うことができる地域子育て相談機関（当該区域に所在する保育所、認定こども園、地域子育て支援拠点事業を行う場所その他の内閣府令で定める場所であつて、的確な相談及び助言を行うに足りる体制を有すると市町村が認めるものをいう。以下この条において同じ。）の整備に努めなければならない。

②　地域子育て相談機関は、前項の相談及び助言を行うほか、必要に応じ、こども家庭センターと連絡調整を行うとともに、地域の住民に対し、子育て支援に関する情報の提供を行うよう努めなければならない。

③　市町村は、その住民に対し、地域子育て相談機関

の名称、所在地その他必要な情報を提供するよう努めなければならない。

〔都道府県の業務〕

第11条　都道府県は、この法律の施行に関し、次に掲げる業務を行わなければならない。

　一　第10条第1項各号に掲げる市町村の業務の実施に関し、市町村相互間の連絡調整、市町村に対する情報の提供、市町村職員の研修その他必要な援助を行うこと及びこれらに付随する業務を行うこと。

　二　児童及び妊産婦の福祉に関し、主として次に掲げる業務を行うこと。

　イ　各市町村の区域を超えた広域的な見地から、実情の把握に努めること。

　ロ　児童に関する家庭その他からの相談のうち、専門的な知識及び技術を必要とするものに応ずること。

　ハ　児童及びその家庭につき、必要な調査並びに医学的、心理学的、教育学的、社会学的及び精神保健上の判定を行うこと。

　ニ　児童及びその保護者につき、ハの調査又は判定に基づいて心理又は児童の健康及び心身の発達に関する専門的な知識及び技術を必要とする指導その他必要な指導を行うこと。

　ホ　児童の一時保護を行うこと。

　ヘ　児童の権利の保護の観点から、一時保護の解除後の家庭その他の環境の調整、当該児童の状況の把握その他の措置により当該児童の安全を確保すること。

　ト　里親に関する次に掲げる業務を行うこと。

　　(1)　里親に関する普及啓発を行うこと。

　　(2)　里親につき、その相談に応じ、必要な情報の提供、助言、研修その他の援助を行うこと。

　　(3)　里親と第27条第1項第3号の規定により入所の措置が採られて乳児院、児童養護施設、児童心理治療施設又は児童自立支援施設に入所している児童及び里親相互の交流の場を提供すること。

　　(4)　第27条第1項第3号の規定による里親への委託に資するよう、里親の選定及び里親と児童との間の調整を行うこと。

　　(5)　第27条第1項第3号の規定により里親に委託しようとする児童及びその保護者並びに里親の意見を聴いて、当該児童の養育の内容その他の内閣府令で定める事項について当該児

童の養育に関する計画を作成すること。

　チ　養子縁組により養子となる児童、その父母及び当該養子となる児童の養親となる者、養子縁組により養子となつた児童、その養親となつた者及び当該養子となつた児童の父母（特別養子縁組により親族関係が終了した当該養子となつた児童の実方の父母を含む。）その他の児童を養子とする養子縁組に関する者につき、その相談に応じ、必要な情報の提供、助言その他の援助を行うこと。

　リ　児童養護施設その他の施設への入所の措置、一時保護の措置その他の措置の実施及びこれらの措置の実施中における処遇に対する児童の意見又は意向に関し、都道府県児童福祉審議会その他の機関の調査審議及び意見の具申が行われるようにすることその他の児童の権利の擁護に係る環境の整備を行うこと。

　ヌ　措置解除者等の実情を把握し、その自立のために必要な援助を行うこと。

三　前2号に掲げるもののほか、児童及び妊産婦の福祉に関し、広域的な対応が必要な業務並びに家庭その他につき専門的な知識及び技術を必要とする支援を行うこと。

② 都道府県知事は、市町村の第10条第1項各号に掲げる業務の適切な実施を確保するため必要があると認めるときは、市町村に対し、体制の整備その他の措置について必要な助言を行うことができる。

③ 都道府県知事は、第1項又は前項の規定による都道府県の事務の全部又は一部を、その管理に属する行政庁に委任することができる。

④ 都道府県知事は、第1項第2号トに掲げる業務（以下「里親支援事業」という。）に係る事務の全部又は一部を内閣府令で定める者に委託することができる。

⑤ 前項の規定により行われる里親支援事業に係る事務に従事する者又は従事していた者は、その事務に関して知り得た秘密を漏らしてはならない。

⑥ 都道府県は、この法律による事務を適切に行うために必要な体制の整備に努めるとともに、当該事務に従事する職員の人材の確保及び資質の向上のために必要な措置を講じなければならない。

⑦ 国は、都道府県における前項の体制の整備及び措置の実施に関し、必要な支援を行うように努めなければならない。

第7節　保育士

〔定義〕

第18条の4　この法律で、保育士とは、第18条の18第1項の登録を受け、保育士の名称を用いて、専門的知識及び技術をもつて、児童の保育及び児童の保護者に対する保育に関する指導を行うことを業とする者をいう。

〔欠格事由〕

第18条の5　次の各号のいずれかに該当する者は、保育士となることができない。

一　心身の故障により保育士の業務を適正に行うことができない者として内閣府令で定めるもの

二　禁錮以上の刑に処せられた者

三　この法律の規定その他児童の福祉に関する法律の規定であつて政令で定めるものにより、罰金の刑に処せられ、その執行を終わり、又は執行を受けることがなくなつた日から起算して3年を経過しない者

四　第18条の19第1項第2号若しくは第3号又は第2項の規定により登録を取り消され、その取消しの日から起算して3年を経過しない者

五　国家戦略特別区域法（平成25年法律第107号）第12条の5第8項において準用する第18条の19第1項第2号若しくは第3号又は第2項の規定により登録を取り消され、その取消しの日から起算して3年を経過しない者

〔保育士の資格〕

第18条の6　次の各号のいずれかに該当する者は、保育士となる資格を有する。

一　都道府県知事の指定する保育士を養成する学校その他の施設（以下「指定保育士養成施設」という。）を卒業した者（学校教育法に基づく専門職大学の前期課程を修了した者を含む。）

二　保育士試験に合格した者

〔報告及び検査等〕

第18条の7　都道府県知事は、保育士の養成の適切な実施を確保するため必要があると認めるときは、その必要な限度で、指定保育士養成施設の長に対し、教育方法、設備その他の事項に関し報告を求め、若しくは指導をし、又は当該職員に、その帳簿書類その他の物件を検査させることができる。

② 前項の規定による検査を行う場合においては、当該職員は、その身分を示す証明書を携帯し、関係者の請求があるときは、これを提示しなければならない。

③ 第1項の規定による権限は、犯罪捜査のために認められたものと解釈してはならない。

〔保育士試験の実施〕

第18条の8　保育士試験は、内閣総理大臣の定める基準により、保育士として必要な知識及び技能につい

て行う。

② 保育士試験は、毎年１回以上、都道府県知事が行う。

③ 保育士として必要な知識及び技能を有するかどうかの判定に関する事務を行わせるため、都道府県に保育士試験委員（次項において「試験委員」という。）を置く。ただし、次条第１項の規定により指定された者に当該事務を行わせることとした場合は、この限りでない。

④ 試験委員又は試験委員であつた者は、前項に規定する事務に関して知り得た秘密を漏らしてはならない。

〔登録〕

第18条の18 保育士となる資格を有する者が保育士となるには、保育士登録簿に、氏名、生年月日その他内閣府令で定める事項の登録を受けなければならない。

② 保育士登録簿は、都道府県に備える。

③ 都道府県知事は、保育士の登録をしたときは、申請者に第１項に規定する事項を記載した保育士登録証を交付する。

〔登録の取消し等〕

第18条の19 都道府県知事は、保育士が次の各号のいずれかに該当する場合には、その登録を取り消さなければならない。

一 第18条の５各号（第４号を除く。）のいずれかに該当するに至つた場合

二 虚偽又は不正の事実に基づいて登録を受けた場合

三 第１号に掲げる場合のほか、児童生徒性暴力等（教育職員等による児童生徒性暴力等の防止等に関する法律（令和３年法律第57号）第２条第３項に規定する児童生徒性暴力等をいう。以下同じ。）を行つたと認められる場合

② 都道府県知事は、保育士が第18条の21又は第18条の22の規定に違反したときは、その登録を取り消し、又は期間を定めて保育士の名称の使用の停止を命ずることができる。

〔登録の消除〕

第18条の20 都道府県知事は、保育士の登録がその効力を失つたときは、その登録を消除しなければならない。

〔特定登録取消者の登録等〕

第18条の20の２ 都道府県知事は、次に掲げる者（第18条の５各号のいずれかに該当する者を除く。以下この条において「特定登録取消者」という。）については、その行つた児童生徒性暴力等の内容等を踏

まえ、当該特定登録取消者の改善更生の状況その他その後の事情により保育士の登録を行うのが適当であると認められる場合に限り、保育士の登録を行うことができる。

一 児童生徒性暴力等を行つたことにより保育士又は国家戦略特別区域限定保育士（国家戦略特別区域法第12条の５第２項に規定する国家戦略特別区域限定保育士をいう。次号及び第３項において同じ。）の登録を取り消された者

二 前号に掲げる者以外の者であつて、保育士又は国家戦略特別区域限定保育士の登録を取り消されたもののうち、保育士又は国家戦略特別区域限定保育士の登録を受けた日以後の行為が児童生徒性暴力等に該当していたと判明した者

② 都道府県知事は、前項の規定により保育士の登録を行うに当たつては、あらかじめ、都道府県児童福祉審議会の意見を聴かなければならない。

③ 都道府県知事は、第１項の規定による保育士の登録を行おうとする際に必要があると認めるときは、第18条の19の規定により保育士の登録を取り消した都道府県知事（国家戦略特別区域法第12条の５第８項において準用する第18条の19の規定により国家戦略特別区域限定保育士の登録を取り消した都道府県知事を含む。）その他の関係機関に対し、当該特定登録取消者についてその行つた児童生徒性暴力等の内容等を調査し、保育士の登録を行うかどうかを判断するために必要な情報の提供を求めることができる。

〔都道府県知事への報告〕

第18条の20の３ 保育士を任命し、又は雇用する者は、その任命し、又は雇用する保育士について、第18条の５第２号若しくは第３号に該当すると認めたとき、又は当該保育士が児童生徒性暴力等を行つたと思料するときは、速やかにその旨を都道府県知事に報告しなければならない。

② 刑法の秘密漏示罪の規定その他の守秘義務に関する法律の規定は、前項の規定による報告（虚偽であるもの及び過失によるものを除く。）をすることを妨げるものと解釈してはならない。

〔データベースの整備等〕

第18条の20の４ 国は、次に掲げる者について、その氏名、保育士の登録の取消しの事由、行つた児童生徒性暴力等に関する情報その他の内閣総理大臣が定める事項に係るデータベースを整備するものとする。

一 児童生徒性暴力等を行つたことにより保育士の登録を取り消された者

二 前号に掲げる者以外の者であつて、保育士の登録を取り消されたもののうち、保育士の登録を受けた日以後の行為が児童生徒性暴力等に該当していたと判明した者

② 都道府県知事は、保育士が児童生徒性暴力等を行つたことによりその登録を取り消したとき、又は保育士の登録を取り消された者（児童生徒性暴力等を行つたことにより保育士の登録を取り消された者を除く。）の保育士の登録を受けた日以後の行為が児童生徒性暴力等に該当していたことが判明したときは、前項の情報を同項のデータベースに迅速に記録することその他必要な措置を講ずるものとする。

③ 保育士を任命し、又は雇用する者は、保育士を任命し、又は雇用しようとするときは、第1項のデータベース（国家戦略特別区域法第12条の5第8項において準用する第1項のデータベースを含む。）を活用するものとする。

〔信用失墜行為の禁止〕

第18条の21 保育士は、保育士の信用を傷つけるような行為をしてはならない。

〔秘密保持義務〕

第18条の22 保育士は、正当な理由がなく、その業務に関して知り得た人の秘密を漏らしてはならない。保育士でなくなつた後においても、同様とする。

〔名称の使用制限〕

第18条の23 保育士でない者は、保育士又はこれに紛らわしい名称を使用してはならない。

〔政令への委任〕

第18条の24 この法律に定めるもののほか、指定保育士養成施設、保育士試験、指定試験機関、保育士の登録その他保育士に関し必要な事項は、政令でこれを定める。

第2章 福祉の保障
第2節 居宅生活の支援
第6款 子育て支援事業

〔体制の整備〕

第21条の8 市町村は、次条に規定する子育て支援事業に係る福祉サービスその他地域の実情に応じたきめ細かな福祉サービスが積極的に提供され、保護者が、その児童及び保護者の心身の状況、これらの者の置かれている環境その他の状況に応じて、当該児童を養育するために最も適切な支援が総合的に受けられるように、福祉サービスを提供する者又はこれに参画する者の活動の連携及び調整を図るようにすることその他の地域の実情に応じた体制の整備に努めなければならない。

〔子育て支援事業〕

第21条の9 市町村は、児童の健全な育成に資するため、その区域内において、放課後児童健全育成事業、子育て短期支援事業、乳児家庭全戸訪問事業、養育支援訪問事業、地域子育て支援拠点事業、一時預かり事業、病児保育事業、子育て援助活動支援事業、子育て世帯訪問支援事業、児童育成支援拠点事業及び親子関係形成支援事業並びに次に掲げる事業であつて主務省令で定めるもの（以下「子育て支援事業」という。）が着実に実施されるよう、必要な措置の実施に努めなければならない。

一 児童及びその保護者又はその他の者の居宅において保護者の児童の養育を支援する事業

二 保育所その他の施設において保護者の児童の養育を支援する事業

三 地域の児童の養育に関する各般の問題につき、保護者からの相談に応じ、必要な情報の提供及び助言を行う事業

〔放課後児童健全育成事業の利用の促進〕

第21条の10 市町村は、児童の健全な育成に資するため、地域の実情に応じた放課後児童健全育成事業を行うとともに、当該市町村以外の放課後児童健全育成事業を行う者との連携を図る等により、第6条の3第2項に規定する児童の放課後児童健全育成事業の利用の促進に努めなければならない。

〔市町村の情報提供等〕

第21条の11 市町村は、子育て支援事業に関し必要な情報の収集及び提供を行うとともに、保護者から求めがあつたときは、当該保護者の希望、その児童の養育の状況、当該児童に必要な支援の内容その他の事情を勘案し、当該保護者が最も適切な子育て支援事業の利用ができるよう、相談に応じ、必要な助言を行うものとする。

② 市町村は、前項の助言を受けた保護者から求めがあつた場合には、必要に応じて、子育て支援事業の利用についてあつせん又は調整を行うとともに、子育て支援事業を行う者に対し、当該保護者の利用の要請を行うものとする。

③ 市町村は、第1項の情報の収集及び提供、相談並びに助言並びに前項のあつせん、調整及び要請の事務を当該市町村以外の者に委託することができる。

④ 子育て支援事業を行う者は、前3項の規定により行われる情報の収集、あつせん、調整及び要請に対し、できる限り協力しなければならない。

〔秘密保持義務〕

第21条の12 前条第3項の規定により行われる情報の提供、相談及び助言並びにあつせん、調整及び要請の事務（次条及び第21条の14第1項において「調整

等の事務」という。）に従事する者又は従事していた者は、その事務に関して知り得た秘密を漏らしてはならない。

〔監督命令〕

第21条の13　市町村長は、第21条の11第3項の規定により行われる調整等の事務の適正な実施を確保するため必要があると認めるときは、その事務を受託した者に対し、当該事務に関し監督上必要な命令をすることができる。

〔報告の徴収等〕

第21条の14　市町村長は、第21条の11第3項の規定により行われる調整等の事務の適正な実施を確保するため必要があると認めるときは、その必要な限度で、その事務を受託した者に対し、報告を求め、又は当該職員に、関係者に対し質問させ、若しくは当該事務を受託した者の事務所に立ち入り、その帳簿書類その他の物件を検査させることができる。

②　第18条の16第2項及び第3項の規定は、前項の場合について準用する。

〔届出〕

第21条の15　国、都道府県及び市町村以外の子育て支援事業を行う者は、内閣府令で定めるところにより、その事業に関する事項を市町村長に届け出ることができる。

〔国等の情報提供等〕

第21条の16　国及び地方公共団体は、子育て支援事業を行う者に対して、情報の提供、相談その他の適当な援助をするように努めなければならない。

〔国等による調査研究の推進〕

第21条の17　国及び都道府県は、子育て支援事業を行う者が行う福祉サービスの質の向上のための措置を援助するための研究その他保護者の児童の養育を支援し、児童の福祉を増進するために必要な調査研究の推進に努めなければならない。

〔家庭支援事業利用支援〕

第21条の18　市町村は、第10条第1項第4号に規定する計画が作成された者、第26条第1項第8号の規定による通知を受けた児童その他の者その他の子育て短期支援事業、養育支援訪問事業、一時預かり事業、子育て世帯訪問支援事業、児童育成支援拠点事業又は親子関係形成支援事業（以下この条において「家庭支援事業」という。）の提供が必要であると認められる者について、当該者に必要な家庭支援事業（当該市町村が実施するものに限る。）の利用を勧奨し、及びその利用ができるよう支援しなければならない。

②　市町村は、前項に規定する者が、同項の規定による勧奨及び支援を行つても、なおやむを得ない事由により当該勧奨及び支援に係る家庭支援事業を利用することが著しく困難であると認めるときは、当該者について、家庭支援事業による支援を提供することができる。

第3節　助産施設、母子生活支援施設及び保育所への入所等

〔保育の利用〕

第24条　市町村は、この法律及び子ども・子育て支援法の定めるところにより、保護者の労働又は疾病その他の事由により、その監護すべき乳児、幼児その他の児童について保育を必要とする場合において、次項に定めるところによるほか、当該児童を保育所（認定こども園法第3条第1項の認定を受けたもの及び同条第10項の規定による公示がされたものを除く。）において保育しなければならない。

②　市町村は、前項に規定する児童に対し、認定こども園法第2条第6項に規定する認定こども園（子ども・子育て支援法第27条第1項の確認を受けたものに限る。）又は家庭的保育事業等（家庭的保育事業、小規模保育事業、居宅訪問型保育事業又は事業所内保育事業をいう。以下同じ。）により必要な保育を確保するための措置を講じなければならない。

③　市町村は、保育の需要に応ずるに足りる保育所、認定こども園（子ども・子育て支援法第27条第1項の確認を受けたものに限る。以下この項及び第46条の2第2項において同じ。）又は家庭的保育事業等が不足し、又は不足するおそれがある場合その他必要と認められる場合には、保育所、認定こども園（保育所であるものを含む。）又は家庭的保育事業等の利用について調整を行うとともに、認定こども園の設置者又は家庭的保育事業等を行う者に対し、前項に規定する児童の利用の要請を行うものとする。

④　市町村は、第25条の8第3号又は第26条第1項第4号の規定による報告又は通知を受けた児童その他の優先的に保育を行う必要があると認められる児童について、その保護者に対し、保育所若しくは幼保連携型認定こども園において保育を受けること又は家庭的保育事業等による保育を受けること（以下「保育の利用」という。）の申込みを勧奨し、及び保育を受けることができるよう支援しなければならない。

⑤　市町村は、前項に規定する児童が、同項の規定による勧奨及び支援を行つても、なおやむを得ない事由により子ども・子育て支援法に規定する施設型給付費若しくは特例施設型給付費（同法第28条第1項第2号に係るものを除く。次項において同じ。）又は同法に規定する地域型保育給付費若しくは特例地

域型保育給付費（同法第30条第1項第2号に係るものを除く。次項において同じ。）の支給に係る保育を受けることが著しく困難であると認めるときは、当該児童を当該市町村の設置する保育所若しくは幼保連携型認定こども園に入所させ、又は当該市町村以外の者の設置する保育所若しくは幼保連携型認定こども園に入所を委託して、保育を行わなければならない。

⑥　市町村は、前項に定めるほか、保育を必要とする乳児・幼児が、子ども・子育て支援法第42条第1項又は第54条第1項の規定によるあつせん又は要請その他市町村による支援等を受けたにもかかわらず、なお保育が利用できないなど、やむを得ない事由により同法に規定する施設型給付費若しくは特例施設型給付費又は同法に規定する地域型保育給付費若しくは特例地域型保育給付費の支給に係る保育を受けることが著しく困難であると認めるときは、次の措置を採ることができる。

一　当該保育を必要とする乳児・幼児を当該市町村の設置する保育所若しくは幼保連携型認定こども園に入所させ、又は当該市町村以外の者の設置する保育所若しくは幼保連携型認定こども園に入所を委託して、保育を行うこと。

二　当該保育を必要とする乳児・幼児に対して当該市町村が行う家庭的保育事業等による保育を行い、又は家庭的保育事業等を行う当該市町村以外の者に当該家庭的保育事業等により保育を行うことを委託すること。

⑦　市町村は、第3項の規定による調整及び要請並びに第4項の規定による勧奨及び支援を適切に実施するとともに、地域の実情に応じたきめ細かな保育が積極的に提供され、児童が、その置かれている環境等に応じて、必要な保育を受けることができるよう、保育を行う事業その他児童の福祉を増進することを目的とする事業を行う者の活動の連携及び調整を図る等地域の実情に応じた体制の整備を行うものとする。

第6節　要保護児童の保護措置等

〔権限の委任〕

第32条　都道府県知事は、第27条第1項若しくは第2項の措置を採る権限又は児童自立生活援助の実施の権限の全部又は一部を児童相談所長に委任することができる。

②　都道府県知事又は市町村長は、第21条の6の措置を採る権限又は助産の実施若しくは母子保護の実施の権限、第21条の18第1項の規定による勧奨及び支援並びに同条第2項の規定による措置に関する権

限、第23条第1項ただし書に規定する保護の権限並びに第24条の2から第24条の7まで及び第24条の20の規定による権限の全部又は一部を、それぞれその管理する福祉事務所の長に委任することができる。

③　市町村長は、保育所における保育を行うことの権限並びに第24条第3項の規定による調整及び要請、同条第4項の規定による勧奨及び支援並びに同条第5項又は第6項の規定による措置に関する権限の全部又は一部を、その管理する福祉事務所の長又は当該市町村に置かれる教育委員会に委任することができる。

〔措置又は助産の実施、母子保護の実施の解除に係る説明等〕

第33条の4　都道府県知事、市町村長、福祉事務所長又は児童相談所長は、次の各号に掲げる措置又は助産の実施、母子保護の実施若しくは児童自立生活援助の実施を解除する場合には、あらかじめ、当該各号に定める者に対し、当該措置又は助産の実施、母子保護の実施若しくは児童自立生活援助の実施の解除の理由について説明するとともに、その意見を聴かなければならない。ただし、当該各号に定める者から当該措置又は助産の実施、母子保護の実施若しくは児童自立生活援助の実施の解除の申出があつた場合その他内閣府令で定める場合においては、この限りでない。

一　第21条の6、第21条の18第2項、第24条第5項及び第6項、第25条の7第1項第2号、第25条の8第2号、第26条第1項第2号並びに第27条第1項第2号の措置　当該措置に係る児童の保護者

二　助産の実施　当該助産の実施に係る妊産婦

三　母子保護の実施　当該母子保護の実施に係る児童の保護者

四　第27条第1項第3号及び第2項の措置　当該措置に係る児童の親権を行う者又はその未成年後見人

五　児童自立生活援助の実施　当該児童自立生活援助の実施に係る措置解除者等

〔行政手続法の適用除外〕

第33条の5　第21条の6、第21条の18第2項、第24条第5項若しくは第6項、第25条の7第1項第2号、第25条の8第2号、第26条第1項第2号若しくは第27条第1項第2号若しくは第3号若しくは第2項の措置を解除する処分又は助産の実施、母子保護の実施若しくは児童自立生活援助の実施の解除については、行政手続法第3章（第12条及び第14条を除く。）の規定は、適用しない。

第10節　雑則

〔禁止行為〕

第34条　何人も、次に掲げる行為をしてはならない。

一　身体に障害又は形態上の異常がある児童を公衆の観覧に供する行為

二　児童にこじきをさせ、又は児童を利用してこじきをする行為

三　公衆の娯楽を目的として、満15歳に満たない児童にかるわざ又は曲馬をさせる行為

四　満15歳に満たない児童に戸々について、又は道路その他これに準ずる場所で歌謡、遊芸その他の演技を業務としてさせる行為

四の二　児童に午後10時から午前３時までの間、戸々について、又は道路その他これに準ずる場所で物品の販売、配布、展示若しくは拾集又は役務の提供を業務としてさせる行為

四の三　戸々について、又は道路その他これに準ずる場所で物品の販売、配布、展示若しくは拾集又は役務の提供を業務として行う満15歳に満たない児童を、当該業務を行うために、風俗営業等の規制及び業務の適正化等に関する法律（昭和23年法律第122号）第２条第４項の接待飲食等営業、同条第６項の店舗型性風俗特殊営業及び同条第９項の店舗型電話異性紹介営業に該当する営業を営む場所に立ち入らせる行為

五　満15歳に満たない児童に酒席に侍する行為を業務としてさせる行為

六　児童に淫行をさせる行為

七　前各号に掲げる行為をするおそれのある者その他児童に対し、刑罰法令に触れる行為をなすおそれのある者に、情を知つて、児童を引き渡す行為及び当該引渡し行為のなされるおそれがあるの情を知つて、他人に児童を引き渡す行為

八　成人及び児童のための正当な職業紹介の機関以外の者が、営利を目的として、児童の養育をあつせんする行為

九　児童の心身に有害な影響を与える行為をさせる目的をもつて、これを自己の支配下に置く行為

②　児童養護施設、障害児入所施設、児童発達支援センター又は児童自立支援施設においては、それぞれ第41条から第43条まで及び第44条に規定する目的に反して、入所した児童を酷使してはならない。

〔政令への委任〕

第34条の２　この法律に定めるもののほか、福祉の保障に関し必要な事項は、政令でこれを定める。

　　　　第３章　事業、養育里親及び養子縁組里親並びに施設

〔子育て短期支援事業〕

第34条の９　市町村は、内閣府令で定めるところにより、子育て短期支援事業を行うことができる。

〔地域子育て支援拠点事業〕

第34条の11　市町村、社会福祉法人その他の者は、社会福祉法の定めるところにより、地域子育て支援拠点事業、子育て世帯訪問支援事業又は親子関係形成支援事業を行うことができる。

②　地域子育て支援拠点事業に従事する者は、その職務を遂行するに当たつては、個人の身上に関する秘密を守らなければならない。

〔一時預かり事業〕

第34条の12　市町村、社会福祉法人その他の者は、内閣府令の定めるところにより、あらかじめ、内閣府令で定める事項を都道府県知事に届け出て、一時預かり事業を行うことができる。

②　市町村、社会福祉法人その他の者は、前項の規定により届け出た事項に変更を生じたときは、変更の日から１月以内に、その旨を都道府県知事に届け出なければならない。

③　市町村、社会福祉法人その他の者は、一時預かり事業を廃止し、又は休止しようとするときは、あらかじめ、内閣府令で定める事項を都道府県知事に届け出なければならない。

第34条の13　一時預かり事業を行う者は、その事業を実施するために必要なものとして内閣府令で定める基準を遵守しなければならない。

〔報告及び立入検査等〕

第34条の14　都道府県知事は、前条の基準を維持するため、一時預かり事業を行う者に対して、必要と認める事項の報告を求め、又は当該職員に、関係者に対して質問させ、若しくはその事業を行う場所に立ち入り、設備、帳簿書類その他の物件を検査させることができる。

②　第18条の16第２項及び第３項の規定は、前項の場合について準用する。

③　都道府県知事は、一時預かり事業が前条の基準に適合しないと認められるに至つたときは、その事業を行う者に対し、当該基準に適合するために必要な措置を採るべき旨を命ずることができる。

④　都道府県知事は、一時預かり事業を行う者が、この法律若しくはこれに基づく命令若しくはこれらに基づいてする処分に違反したとき、又はその事業に関し不当に営利を図り、若しくはその事業に係る乳児若しくは幼児の処遇につき不当な行為をしたときは、その者に対し、その事業の制限又は停止を命ずることができる。

〔児童福祉施設の設置〕

第35条　国は、政令の定めるところにより、児童福祉施設（助産施設、母子生活支援施設、保育所及び幼保連携型認定こども園を除く。）を設置するものとする。

②　都道府県は、政令の定めるところにより、児童福祉施設（幼保連携型認定こども園を除く。以下この条、第45条、第46条、第49条、第50条第9号、第51条第7号、第56条の2、第57条及び第58条において同じ。）を設置しなければならない。

③　市町村は、内閣府令の定めるところにより、あらかじめ、内閣府令で定める事項を都道府県知事に届け出て、児童福祉施設を設置することができる。

④　国、都道府県及び市町村以外の者は、内閣府令の定めるところにより、都道府県知事の認可を得て、児童福祉施設を設置することができる。

⑤　都道府県知事は、保育所に関する前項の認可の申請があつたときは、第45条第1項の条例で定める基準（保育所に係るものに限る。第8項において同じ。）に適合するかどうかを審査するほか、次に掲げる基準（当該認可の申請をした者が社会福祉法人又は学校法人である場合にあつては、第4号に掲げる基準に限る。）によつて、その申請を審査しなければならない。

一　当該保育所を経営するために必要な経済的基礎があること。

二　当該保育所の経営者（その者が法人である場合にあつては、経営担当役員とする。）が社会的信望を有すること。

三　実務を担当する幹部職員が社会福祉事業に関する知識又は経験を有すること。

四　次のいずれにも該当しないこと。

イ　申請者が、禁錮以上の刑に処せられ、その執行を終わり、又は執行を受けることがなくなるまでの者であるとき。

ロ　申請者が、この法律その他国民の福祉若しくは学校教育に関する法律で政令で定めるものの規定により罰金の刑に処せられ、その執行を終わり、又は執行を受けることがなくなるまでの者であるとき。

ハ　申請者が、労働に関する法律の規定であつて政令で定めるものにより罰金の刑に処せられ、その執行を終わり、又は執行を受けることがなくなるまでの者であるとき。

ニ　申請者が、第58条第1項の規定により認可を取り消され、その取消しの日から起算して5年を経過しない者（当該認可を取り消された者が法人である場合においては、当該取消しの処分に係る行政手続法第15条の規定による通知があつた日前60日以内に当該法人の役員等であつた者で当該取消しの日から起算して5年を経過しないものを含み、当該認可を取り消された者が法人でない場合においては、当該通知があつた日前60日以内に当該保育所の管理者であつた者で当該取消しの日から起算して5年を経過しないものを含む。）であるとき。ただし、当該認可の取消しが、保育所の設置の認可の取消しのうち当該認可の取消しの処分の理由となつた事実及び当該事実の発生を防止するための当該保育所の設置者による業務管理体制の整備についての取組の状況その他の当該事実に関して当該保育所の設置者が有していた責任の程度を考慮して、ニ本文に規定する認可の取消しに該当しないこととすることが相当であると認められるものとして内閣府令で定めるものに該当する場合を除く。

ホ　申請者と密接な関係を有する者が、第58条第1項の規定により認可を取り消され、その取消しの日から起算して5年を経過していないとき。ただし、当該認可の取消しが、保育所の設置の認可の取消しのうち当該認可の取消しの処分の理由となつた事実及び当該事実の発生を防止するための当該保育所の設置者による業務管理体制の整備についての取組の状況その他の当該事実に関して当該保育所の設置者が有していた責任の程度を考慮して、ホ本文に規定する認可の取消しに該当しないこととすることが相当であると認められるものとして内閣府令で定めるものに該当する場合を除く。

ヘ　申請者が、第58条第1項の規定による認可の取消しの処分に係る行政手続法第15条の規定による通知があつた日から当該処分をする日又は処分をしないことを決定する日までの間に第12項の規定による保育所の廃止をした者（当該廃止について相当の理由がある者を除く。）で、当該保育所の廃止の承認の日から起算して5年を経過しないものであるとき。

ト　申請者が、第46条第1項の規定による検査が行われた日から聴聞決定予定日（当該検査の結果に基づき第58条第1項の規定による認可の取消しの処分に係る聴聞を行うか否かの決定をすることが見込まれる日として内閣府令で定めるところにより都道府県知事が当該申請者に当該検査が行われた日から10日以内に特定の日を通知した場合における当該特定の日をいう。）ま

での間に第12項の規定による保育所の廃止をした者（当該廃止について相当の理由がある者を除く。）で、当該保育所の廃止の承認の日から起算して５年を経過しないものであるとき。

チ　ヘに規定する期間内に第12項の規定による保育所の廃止の承認の申請があつた場合において、申請者が、ヘへの通知の日前60日以内に当該申請に係る法人（当該保育所の廃止について相当の理由がある法人を除く。）の役員等又は当該申請に係る法人でない保育所（当該保育所の廃止について相当の理由があるものを除く。）の管理者であつた者で、当該保育所の廃止の承認の日から起算して５年を経過しないものであるとき。

リ　申請者が、認可の申請前５年以内に保育に関し不正又は著しく不当な行為をした者であるとき。

ヌ　申請者が、法人で、その役員等のうちにイからニまで又はヘからリまでのいずれかに該当する者のあるものであるとき。

ル　申請者が、法人でない者で、その管理者がイからニまで又はヘからリまでのいずれかに該当する者であるとき。

⑥　都道府県知事は、第４項の規定により保育所の設置の認可をしようとするときは、あらかじめ、都道府県児童福祉審議会の意見を聴かなければならない。

⑦　都道府県知事は、第４項の規定により保育所の設置の認可をしようとするときは、内閣府令で定めるところにより、あらかじめ、当該認可の申請に係る保育所が所在する市町村の長に協議しなければならない。

⑧　都道府県知事は、第５項に基づく審査の結果、その申請が第45条第１項の条例で定める基準に適合しており、かつ、その設置者が第５項各号に掲げる基準（その者が社会福祉法人又は学校法人である場合にあつては、同項第４号に掲げる基準に限る。）に該当すると認めるときは、第４項の認可をするものとする。ただし、都道府県知事は、当該申請に係る保育所の所在地を含む区域（子ども・子育て支援法第62条第２項第１号の規定により当該都道府県が定める区域とする。以下この項において同じ。）における特定教育・保育施設（同法第27条第１項に規定する特定教育・保育施設をいう。以下この項において同じ。）の利用定員の総数（同法第19条第２号及び第３号に掲げる小学校就学前子どもに係るものに限る。）が、同法第62条第１項の規定により当該都道府県が定める都道府県子ども・子育て支援事業支援計画において定める当該区域の特定教育・保育施設に係る必要利用定員総数（同法第19条第２号及び第３号に掲げる小学校就学前子どもの区分に係るものに限る。）に既に達しているか、又は当該申請に係る保育所の設置によつてこれを超えることになると認めるとき、その他の当該都道府県子ども・子育て支援事業支援計画の達成に支障を生ずるおそれがある場合として内閣府令で定める場合に該当すると認めるときは、第４項の認可をしないことができる。

⑨　都道府県知事は、保育所に関する第４項の申請に係る認可をしないときは、速やかにその旨及び理由を通知しなければならない。

⑩　児童福祉施設には、児童福祉施設の職員の養成施設を附置することができる。

⑪　市町村は、児童福祉施設を廃止し、又は休止しようとするときは、その廃止又は休止の日の１月前（当該児童福祉施設が保育所である場合には３月前）までに、内閣府令で定める事項を都道府県知事に届け出なければならない。

⑫　国、都道府県及び市町村以外の者は、児童福祉施設を廃止し、又は休止しようとするときは、内閣府令の定めるところにより、都道府県知事の承認を受けなければならない。

〔保育所〕

第39条　保育所は、保育を必要とする乳児・幼児を日々保護者の下から通わせて保育を行うことを目的とする施設（利用定員が20人以上であるものに限り、幼保連携型認定こども園を除く。）とする。

②　保育所は、前項の規定にかかわらず、特に必要があるときは、保育を必要とするその他の児童を日々保護者の下から通わせて保育することができる。

〔幼保連携型認定こども園〕

第39条の２　幼保連携型認定こども園は、義務教育及びその後の教育の基礎を培うものとしての満３歳以上の幼児に対する教育（教育基本法（平成18年法律第120号）第６条第１項に規定する法律に定める学校において行われる教育をいう。）及び保育を必要とする乳児・幼児に対する保育を一体的に行い、これらの乳児又は幼児の健やかな成長が図られるよう適当な環境を与えて、その心身の発達を助長することを目的とする施設とする。

②　幼保連携型認定こども園に関しては、この法律に定めるもののほか、認定こども園法の定めるところによる。

〔基準の制定等〕

第45条　都道府県は、児童福祉施設の設備及び運営について、条例で基準を定めなければならない。この

場合において、その基準は、児童の身体的、精神的及び社会的な発達のために必要な生活水準を確保するものでなければならない。

② 都道府県が前項の条例を定めるに当たつては、次に掲げる事項については内閣府令で定める基準に従い定めるものとし、その他の事項については内閣府令で定める基準を参酌するものとする。

一 児童福祉施設に配置する従業者及びその員数

二 児童福祉施設に係る居室及び病室の床面積その他児童福祉施設の設備に関する事項であつて児童の健全な発達に密接に関連するものとして内閣府令で定めるもの

三 児童福祉施設の運営に関する事項であつて、保育所における保育の内容その他児童（助産施設にあつては、妊産婦）の適切な処遇及び安全の確保並びに秘密の保持並びに児童の健全な発達に密接に関連するものとして内閣府令で定めるもの

③ 内閣総理大臣は、前項の内閣府令で定める基準（同項第３号の保育所における保育の内容に関する事項に限る。）を定めるに当たつては、学校教育法第25条第１項の規定により文部科学大臣が定める幼稚園の教育課程その他の保育内容に関する事項並びに認定こども園法第10条第１項の規定により主務大臣が定める幼保連携型認定こども園の教育課程その他の教育及び保育の内容に関する事項との整合性の確保並びに小学校及び義務教育学校における教育との円滑な接続に配慮しなければならない。

④ 内閣総理大臣は、前項の内閣府令で定める基準を定めるときは、あらかじめ、文部科学大臣に協議しなければならない。

⑤ 児童福祉施設の設置者は、第１項の基準を遵守しなければならない。

⑥ 児童福祉施設の設置者は、児童福祉施設の設備及び運営についての水準の向上を図ることに努めるものとする。

〔報告の徴収等〕

第46条 都道府県知事は、第45条第１項及び前条第１項の基準を維持するため、児童福祉施設の設置者、児童福祉施設の長及び里親に対して、必要な報告を求め、児童の福祉に関する事務に従事する職員に、関係者に対して質問させ、若しくはその施設に立ち入り、設備、帳簿書類その他の物件を検査させることができる。

② 第18条の16第２項及び第３項の規定は、前項の場合について準用する。

③ 都道府県知事は、児童福祉施設の設備又は運営が第45条第１項の基準に達しないときは、その施設の設置者に対し、必要な改善を勧告し、又はその施設の設置者がその勧告に従わず、かつ、児童福祉に有害であると認められるときは、必要な改善を命ずることができる。

④ 都道府県知事は、児童福祉施設の設備又は運営が第45条第１項の基準に達せず、かつ、児童福祉に著しく有害であると認められるときは、都道府県児童福祉審議会の意見を聴き、その施設の設置者に対し、その事業の停止を命ずることができる。

〔児童福祉施設の長の義務等〕

第46条の２ 児童福祉施設の長は、都道府県知事又は市町村長（第32条第３項の規定により第24条第５項又は第６項の規定による措置に関する権限が当該市町村に置かれる教育委員会に委任されている場合にあつては、当該教育委員会）からこの法律の規定に基づく措置又は助産の実施若しくは母子保護の実施のための委託を受けたときは、正当な理由がない限り、これを拒んではならない。

② 保育所若しくは認定こども園の設置者又は家庭的保育事業等を行う者は、第24条第３項の規定により行われる調整及び要請に対し、できる限り協力しなければならない。

〔児童福祉施設の長の親権等〕

第47条 児童福祉施設の長は、入所中の児童等で親権を行う者又は未成年後見人のないものに対し、親権を行う者又は未成年後見人があるに至るまでの間、親権を行う。ただし、民法第797条の規定による縁組の承諾をするには、内閣府令の定めるところにより、都道府県知事の許可を得なければならない。

② 児童相談所長は、小規模住居型児童養育事業を行う者又は里親に委託中の児童等で親権を行う者又は未成年後見人のないものに対し、親権を行う者又は未成年後見人があるに至るまでの間、親権を行う。ただし、民法第797条の規定による縁組の承諾をするには、内閣府令の定めるところにより、都道府県知事の許可を得なければならない。

③ 児童福祉施設の長、その住居において養育を行う第６条の３第８項に規定する内閣府令で定める者又は里親（以下この項において「施設長等」という。）は、入所中又は受託中の児童等で親権を行う者又は未成年後見人のあるものについても、監護及び教育に関し、その児童等の福祉のため必要な措置をとることができる。この場合において、施設長等は、児童の人格を尊重するとともに、その年齢及び発達の程度に配慮しなければならず、かつ、体罰その他の児童の心身の健全な発達に有害な影響を及ぼす言動をしてはならない。

④ 前項の児童等の親権を行う者又は未成年後見人は、同項の規定による措置を不当に妨げてはならない。

⑤ 第3項の規定による措置は、児童等の生命又は身体の安全を確保するため緊急の必要があると認めるときは、その親権を行う者又は未成年後見人の意に反しても、これをとることができる。この場合において、児童福祉施設の長、小規模住居型児童養育事業を行う者又は里親は、速やかに、そのとつた措置について、当該児童等に係る通所給付決定若しくは入所給付決定、第21条の6、第24条第5項若しくは第6項若しくは第27条第1項第3号の措置、助産の実施若しくは母子保護の実施又は当該児童に係る子ども・子育て支援法第20条第4項に規定する教育・保育給付認定を行つた都道府県又は市町村の長に報告しなければならない。

〔親子の再統合のための支援等〕

第48条の3 乳児院、児童養護施設、障害児入所施設、児童心理治療施設及び児童自立支援施設の長並びに小規模住居型児童養育事業を行う者及び里親は、当該施設に入所し、又は小規模住居型児童養育事業を行う者若しくは里親に委託された児童及びその保護者に対して、市町村、児童相談所、児童家庭支援センター、里親支援センター、教育機関、医療機関その他の関係機関との緊密な連携を図りつつ、親子の再統合のための支援その他の当該児童が家庭（家庭における養育環境と同様の養育環境及び良好な家庭的環境を含む。）で養育されるために必要な措置を採らなければならない。

〔保育所の情報提供等〕

第48条の4 保育所は、当該保育所が主として利用される地域の住民に対して、その行う保育に関し情報の提供を行わなければならない。

② 保育所は、当該保育所が主として利用される地域の住民に対して、その行う保育に支障がない限りにおいて、乳児、幼児等の保育に関する相談に応じ、及び助言を行うよう努めなければならない。

③ 保育所に勤務する保育士は、乳児、幼児等の保育に関する相談に応じ、及び助言を行うために必要な知識及び技能の修得、維持及び向上に努めなければならない。

〔命令への委任〕

第49条 この法律で定めるもののほか、第6条の3各項に規定する事業及び児童福祉施設の職員その他児童福祉施設に関し必要な事項は、命令で定める。

第4章 費用

〔国庫の支弁〕

第49条の2 国庫は、都道府県が、第27条第1項第3号に規定する措置により、国の設置する児童福祉施設に入所させた者につき、その入所後に要する費用を支弁する。

〔都道府県の支弁〕

第50条 次に掲げる費用は、都道府県の支弁とする。

一 都道府県児童福祉審議会に要する費用

二 児童福祉司及び児童委員に要する費用

三 児童相談所に要する費用（第9号の費用を除く。）

四 削除

五 第20条の措置に要する費用

五の二 小児慢性特定疾病医療費の支給に要する費用

五の三 小児慢性特定疾病児童等自立支援事業に要する費用

六 都道府県の設置する助産施設又は母子生活支援施設において市町村が行う助産の実施又は母子保護の実施に要する費用（助産の実施又は母子保護の実施につき第45条第1項の基準を維持するために要する費用をいう。次号及び次条第3号において同じ。）

六の二 都道府県が行う助産の実施又は母子保護の実施に要する費用

六の三 障害児入所給付費、高額障害児入所給付費若しくは特定入所障害児食費等給付費又は障害児入所医療費（以下「障害児入所給付費等」という。）の支給に要する費用

六の四 児童相談所長が第26条第1項第2号に規定する指導を委託した場合又は都道府県が第27条第1項第2号に規定する指導を委託した場合におけるこれらの指導に要する費用

七 都道府県が、第27条第1項第3号に規定する措置を採つた場合において、入所又は委託に要する費用及び入所後の保護又は委託後の養育につき、第45条第1項又は第45条の2第1項の基準を維持するために要する費用（国の設置する乳児院、児童養護施設、障害児入所施設、児童心理治療施設又は児童自立支援施設に入所させた児童につき、その入所後に要する費用を除き、里親支援センターにおいて行う里親支援事業に要する費用を含む。）

七の二 都道府県が、第27条第2項に規定する措置を採つた場合において、委託及び委託後の治療等に要する費用

七の三 都道府県が行う児童自立生活援助の実施に要する費用

八 一時保護に要する費用

九　児童相談所の設備並びに都道府県の設置する児童福祉施設の設備及び職員の養成施設に要する費用

〔市町村の支弁〕

第51条　次に掲げる費用は、市町村の支弁とする。

一　障害児通所給付費、特例障害児通所給付費若しくは高額障害児通所給付費又は肢体不自由児通所医療費の支給に要する費用

二　第21条の6の措置に要する費用

二の二　第21条の18第2項の措置に要する費用

三　市町村が行う助産の実施又は母子保護の実施に要する費用（都道府県の設置する助産施設又は母子生活支援施設に係るものを除く。）

四　第24条第5項又は第6項の措置（都道府県若しくは市町村の設置する保育所若しくは幼保連携型認定こども園又は都道府県若しくは市町村の行う家庭的保育事業等に係るものに限る。）に要する費用

五　第24条第5項又は第6項の措置（都道府県及び市町村以外の者の設置する保育所若しくは幼保連携型認定こども園又は都道府県及び市町村以外の者の行う家庭的保育事業等に係るものに限る。）に要する費用

六　障害児相談支援給付費又は特例障害児相談支援給付費の支給に要する費用

七　市町村の設置する児童福祉施設の設備及び職員の養成施設に要する費用

八　市町村児童福祉審議会に要する費用

〔子ども・子育て支援法による給付との調整〕

第52条　第24条第5項又は第6項の規定による措置に係る児童が、子ども・子育て支援法第27条第1項、第28条第1項（第2号に係るものを除く。）、第29条第1項又は第30条第1項（第2号に係るものを除く。）の規定により施設型給付費、特例施設型給付費、地域型保育給付費又は特例地域型保育給付費の支給を受けることができる保護者の児童であるときは、市町村は、その限度において、前条第4号又は第5号の規定による費用の支弁をすることを要しない。

〔国庫の負担〕

第53条　国庫は、第50条（第1号から第3号まで及び第9号を除く。）及び第51条（第4号、第7号及び第8号を除く。）に規定する地方公共団体の支弁する費用に対しては、政令の定めるところにより、その2分の1を負担する。

〔都道府県の負担〕

第55条　都道府県は、第51条第1号から第3号まで、第5号及び第6号の費用に対しては、政令の定める

ところにより、その4分の1を負担しなければならない。

〔費用の徴収及び負担〕

第56条　第49条の2に規定する費用を国庫が支弁した場合においては、内閣総理大臣は、本人又はその扶養義務者（民法に定める扶養義務者をいう。以下同じ。）から、都道府県知事の認定するその負担能力に応じ、その費用の全部又は一部を徴収することができる。

②　第50条第5号、第6号、第6号の2若しくは第7号から第7号の3までに規定する費用（同条第7号に規定する里親支援センターにおいて行う里親支援事業に要する費用を除く。）を支弁した都道府県又は第51条第2号から第5号までに規定する費用を支弁した市町村の長は、本人又はその扶養義務者から、その負担能力に応じ、その費用の全部又は一部を徴収することができる。

③　都道府県知事又は市町村長は、第1項の規定による負担能力の認定又は前項の規定による費用の徴収に関し必要があると認めるときは、本人又はその扶養義務者の収入の状況につき、本人若しくはその扶養義務者に対し報告を求め、又は官公署に対し必要な書類の閲覧若しくは資料の提供を求めることができる。

④　第1項又は第2項の規定による費用の徴収は、これを本人又はその扶養義務者の居住地又は財産所在地の都道府県又は市町村に嘱託することができる。

⑤　第1項又は第2項の規定により徴収される費用を、指定の期限内に納付しない者があるときは、第1項に規定する費用については国税の、第2項に規定する費用については地方税の滞納処分の例により処分することができる。この場合における徴収金の先取特権の順位は、国税及び地方税に次ぐものとする。

⑥　保育所又は幼保連携型認定こども園の設置者が、次の各号に掲げる乳児又は幼児の保護者から、善良な管理者と同一の注意をもつて、当該各号に定める額のうち当該保護者が当該保育所又は幼保連携型認定こども園に支払うべき金額に相当する金額の支払を受けることに努めたにもかかわらず、なお当該保護者が当該金額の全部又は一部を支払わない場合において、当該保育所又は幼保連携型認定こども園における保育に支障が生じ、又は生ずるおそれがあり、かつ、市町村が第24条第1項の規定により当該保育所における保育を行うため必要であると認めるとき又は同条第2項の規定により当該幼保連携型認定こども園における保育を確保するため必要であると認

めるときは、市町村は、当該設置者の請求に基づき、地方税の滞納処分の例によりこれを処分することができる。この場合における徴収金の先取特権の順位は、国税及び地方税に次ぐものとする。

一　子ども・子育て支援法第27条第1項に規定する特定教育・保育を受けた乳児又は幼児　同条第3項第1号に掲げる額から同条第5項の規定により支払がなされた額を控除して得た額（当該支払がなされなかつたときは、同号に掲げる額）又は同法第28条第2項第1号の規定による特例施設型給付費の額及び同号に規定する政令で定める額を限度として市町村が定める額（当該市町村が定める額が現に当該特定教育・保育に要した費用の額を超えるときは、当該現に特定教育・保育に要した費用の額）の合計額

二　子ども・子育て支援法第28条第1項第2号に規定する特別利用保育を受けた幼児　同条第2項第2号の規定による特例施設型給付費の額及び同号に規定する市町村が定める額（当該市町村が定める額が現に当該特別利用保育に要した費用の額を超えるときは、当該現に特別利用保育に要した費用の額）の合計額から同条第4項において準用する同法第27条第5項の規定により支払がなされた額を控除して得た額（当該支払がなされなかつたときは、当該合計額）

⑦　家庭的保育事業等を行う者が、次の各号に掲げる乳児又は幼児の保護者から、善良な管理者と同一の注意をもつて、当該各号に定める額のうち当該保護者が当該家庭的保育事業等を行う者に支払うべき金額に相当する金額の支払を受けることに努めたにもかかわらず、なお当該保護者が当該金額の全部又は一部を支払わない場合において、当該家庭的保育事業等による保育に支障が生じ、又は生ずるおそれがあり、かつ、市町村が第24条第2項の規定により当該家庭的保育事業等による保育を確保するため必要であると認めるときは、市町村は、当該家庭的保育事業等を行う者の請求に基づき、地方税の滞納処分の例によりこれを処分することができる。この場合における徴収金の先取特権の順位は、国税及び地方税に次ぐものとする。

一　子ども・子育て支援法第29条第1項に規定する特定地域型保育（同法第30条第1項第2号に規定する特別利用地域型保育（次号において「特別利用地域型保育」という。）及び同項第3号に規定する特定利用地域型保育（第3号において「特定利用地域型保育」という。）を除く。）を受けた乳児又は幼児　同法第29条第3項第1号に掲げる額

から同条第5項の規定により支払がなされた額を控除して得た額（当該支払がなされなかつたときは、同号に掲げる額）又は同法第30条第2項第1号の規定による特例地域型保育給付費の額及び同号に規定する政令で定める額を限度として市町村が定める額（当該市町村が定める額が現に当該特定地域型保育に要した費用の額を超えるときは、当該現に特定地域型保育に要した費用の額）の合計額

二　特別利用地域型保育を受けた幼児　子ども・子育て支援法第30条第2項第2号の規定による特例地域型保育給付費の額及び同号に規定する市町村が定める額（当該市町村が定める額が現に当該特別利用地域型保育に要した費用の額を超えるときは、当該現に特別利用地域型保育に要した費用の額）の合計額から同条第4項において準用する同法第29条第5項の規定により支払がなされた額を控除して得た額（当該支払がなされなかつたときは、当該合計額）

三　特定利用地域型保育を受けた幼児　子ども・子育て支援法第30条第2項第3号の規定による特例地域型保育給付費の額及び同号に規定する市町村が定める額（当該市町村が定める額が現に当該特定利用地域型保育に要した費用の額を超えるときは、当該現に特定利用地域型保育に要した費用の額）の合計額から同条第4項において準用する同法第29条第5項の規定により支払がなされた額を控除して得た額（当該支払がなされなかつたときは、当該合計額）

〔私立児童福祉施設に対する補助〕

第56条の2　都道府県及び市町村は、次の各号に該当する場合においては、第35条第4項の規定により、国、都道府県及び市町村以外の者が設置する児童福祉施設（保育所を除く。以下この条において同じ。）について、その新設（社会福祉法第31条第1項の規定により設立された社会福祉法人が設置する児童福祉施設の新設に限る。）、修理、改造、拡張又は整備（以下「新設等」という。）に要する費用の4分の3以内を補助することができる。ただし、1の児童福祉施設について都道府県及び市町村が補助する金額の合計額は、当該児童福祉施設の新設等に要する費用の4分の3を超えてはならない。

一　その児童福祉施設が、社会福祉法第31条第1項の規定により設立された社会福祉法人、日本赤十字社又は公益社団法人若しくは公益財団法人の設置するものであること。

二　その児童福祉施設が主として利用される地域に

おいて、この法律の規定に基づく障害児入所給付費の支給、入所させる措置又は助産の実施若しくは母子保護の実施を必要とする児童、その保護者又は妊産婦の分布状況からみて、同種の児童福祉施設が必要とされるにかかわらず、その地域に、国、都道府県又は市町村の設置する同種の児童福祉施設がないか、又はあつてもこれが十分でないこと。

② 前項の規定により、児童福祉施設に対する補助がなされたときは、内閣総理大臣、都道府県知事及び市町村長は、その補助の目的が有効に達せられることを確保するため、当該児童福祉施設に対して、第46条及び第58条第1項に規定するもののほか、次に掲げる権限を有する。

一　その児童福祉施設の予算が、補助の効果をあげるために不適当であると認めるときは、その予算について必要な変更をすべき旨を指示すること。

二　その児童福祉施設の職員が、この法律若しくはこれに基づく命令又はこれらに基づいてする処分に違反したときは、当該職員を解職すべき旨を指示すること。

③ 国庫は、第1項の規定により都道府県が障害児入所施設又は児童発達支援センターについて補助した金額の3分の2以内を補助することができる。

〔補助金の返還命令〕

第56条の3　都道府県及び市町村は、次に掲げる場合においては、補助金の交付を受けた児童福祉施設の設置者に対して、既に交付した補助金の全部又は一部の返還を命ずることができる。

一　補助金の交付条件に違反したとき。

二　詐欺その他の不正な手段をもつて、補助金の交付を受けたとき。

三　児童福祉施設の経営について、営利を図る行為があつたとき。

四　児童福祉施設が、この法律若しくはこれに基く命令又はこれらに基いてする処分に違反したとき。

〔児童委員に要する費用に対する補助〕

第56条の4　国庫は、第50条第2号に規定する児童委員に要する費用のうち、内閣総理大臣の定める事項に関するものについては、予算の範囲内で、その一部を補助することができる。

〔市町村整備計画〕

第56条の4の2　市町村は、保育を必要とする乳児・幼児に対し、必要な保育を確保するために必要があると認めるときは、当該市町村における保育所及び幼保連携型認定こども園（次項第1号及び第2号並びに次条第2項において「保育所等」という。）の

整備に関する計画（以下「市町村整備計画」という。）を作成することができる。

② 市町村整備計画においては、おおむね次に掲げる事項について定めるものとする。

一　保育提供区域（市町村が、地理的条件、人口、交通事情その他の社会的条件、保育を提供するための施設の整備の状況その他の条件を総合的に勘案して定める区域をいう。以下同じ。）ごとの当該保育提供区域における保育所等の整備に関する目標及び計画期間

二　前号の目標を達成するために必要な保育所等を整備する事業に関する事項

三　その他内閣府令で定める事項

③ 市町村整備計画は、子ども・子育て支援法第61条第1項に規定する市町村子ども・子育て支援事業計画と調和が保たれたものでなければならない。

④ 市町村は、市町村整備計画を作成し、又はこれを変更したときは、次条第1項の規定により当該市町村整備計画を内閣総理大臣に提出する場合を除き、遅滞なく、都道府県にその写しを送付しなければならない。

〔交付金の交付〕

第56条の4の3　市町村は、次項の交付金を充てて市町村整備計画に基づく事業又は事務（同項において「事業等」という。）の実施をしようとするときは、当該市町村整備計画を、当該市町村の属する都道府県の知事を経由して、内閣総理大臣に提出しなければならない。

② 国は、市町村に対し、前項の規定により提出された市町村整備計画に基づく事業等（国、都道府県及び市町村以外の者が設置する保育所等に係るものに限る。）の実施に要する経費に充てるため、保育所等の整備の状況その他の事項を勘案して内閣府令で定めるところにより、予算の範囲内で、交付金を交付することができる。

③ 前2項に定めるもののほか、前項の交付金の交付に関し必要な事項は、内閣府令で定める。

〔準用規定〕

第56条の5　社会福祉法第58条第2項から第4項までの規定は、児童福祉施設の用に供するため国有財産特別措置法（昭和27年法律第219号）第2条第2項第2号の規定又は同法第3条第1項第4号及び同条第2項の規定により普通財産の譲渡又は貸付けを受けた社会福祉法人に準用する。この場合において、社会福祉法第58条第2項中「厚生労働大臣」とあるのは、「内閣総理大臣」と読み替えるものとする。

第7章　雑則

〔福祉の保障に関する連絡調整等〕

第56条の6　地方公共団体は、児童の福祉を増進するため、障害児通所給付費、特例障害児通所給付費、高額障害児通所給付費、障害児相談支援給付費、特例障害児相談支援給付費、介護給付費等、障害児入所給付費、高額障害児入所給付費又は特定入所障害児食費等給付費の支給、第21条の6、第21条の18第2項、第24条第5項若しくは第6項又は第27条第1項若しくは第2項の規定による措置及び保育の利用等並びにその他の福祉の保障が適切に行われるように、相互に連絡及び調整を図らなければならない。

②　地方公共団体は、人工呼吸器を装着している障害児その他の日常生活を営むために医療を要する状態にある障害児が、その心身の状況に応じた適切な保健、医療、福祉その他の各関連分野の支援を受けられるよう、保健、医療、福祉その他の各関連分野の支援を行う機関との連絡調整を行うための体制の整備に関し、必要な措置を講ずるように努めなければならない。

③　児童自立生活援助事業、社会的養護自立支援拠点事業又は放課後児童健全育成事業を行う者及び児童福祉施設の設置者は、その事業を行い、又はその施設を運営するに当たつては、相互に連携を図りつつ、児童及びその家庭からの相談に応ずることその他の地域の実情に応じた積極的な支援を行うように努めなければならない。

〔保育所等の設置又は運営の促進〕

第56条の7　市町村は、必要に応じ、公有財産（地方自治法第238条第1項に規定する公有財産をいう。次項において同じ。）の貸付けその他の必要な措置を積極的に講ずることにより、社会福祉法人その他の多様な事業者の能力を活用した保育所の設置又は運営を促進し、保育の利用に係る供給を効率的かつ計画的に増大させるものとする。

②　市町村は、必要に応じ、公有財産の貸付けその他の必要な措置を積極的に講ずることにより、社会福祉法人その他の多様な事業者の能力を活用した放課後児童健全育成事業の実施を促進し、放課後児童健全育成事業に係る供給を効率的かつ計画的に増大させるものとする。

③　国及び都道府県は、前2項の市町村の措置に関し、必要な支援を行うものとする。

〔公私連携型保育所の設置及び運営を目的とする法人の指定〕

第56条の8　市町村長は、当該市町村における保育の実施に対する需要の状況等に照らし適当であると認めるときは、公私連携型保育所（次項に規定する協

定に基づき、当該市町村から必要な設備の貸付け、譲渡その他の協力を得て、当該市町村との連携の下に保育及び子育て支援事業（以下この条において「保育等」という。）を行う保育所をいう。以下この条において同じ。）の運営を継続的かつ安定的に行うことができる能力を有するものであると認められるもの（法人に限る。）を、その申請により、公私連携型保育所の設置及び運営を目的とする法人（以下この条において「公私連携保育法人」という。）として指定することができる。

②　市町村長は、前項の規定による指定（第11項において単に「指定」という。）をしようとするときは、あらかじめ、当該指定をしようとする法人と、次に掲げる事項を定めた協定（以下この条において単に「協定」という。）を締結しなければならない。

一　協定の目的となる公私連携型保育所の名称及び所在地

二　公私連携型保育所における保育等に関する基本的事項

三　市町村による必要な設備の貸付け、譲渡その他の協力に関する基本的事項

四　協定の有効期間

五　協定に違反した場合の措置

六　その他公私連携型保育所の設置及び運営に関し必要な事項

③　公私連携保育法人は、第35条第4項の規定にかかわらず、市町村長を経由し、都道府県知事に届け出ることにより、公私連携型保育所を設置することができる。

④　市町村長は、公私連携保育法人が前項の規定による届出をした際に、当該公私連携保育法人が協定に基づき公私連携型保育所における保育等を行うために設備の整備を必要とする場合には、当該協定に定めるところにより、当該公私連携保育法人に対し、当該設備を無償又は時価よりも低い対価で貸し付け、又は譲渡するものとする。

⑤　前項の規定は、地方自治法第96条及び第237条から第238条の5までの規定の適用を妨げない。

⑥　公私連携保育法人は、第35条第12項の規定による廃止又は休止の承認の申請を行おうとするときは、市町村長を経由して行わなければならない。この場合において、当該市町村長は、当該申請に係る事項に関し意見を付すことができる。

⑦　市町村長は、公私連携型保育所の運営を適切にさせるため、必要があると認めるときは、公私連携保育法人若しくは公私連携型保育所の長に対して、必要な報告を求め、又は当該職員に、関係者に対して

質問させ、若しくはその施設に立ち入り、設備、帳簿書類その他の物件を検査させることができる。

⑧　第18条の16第2項及び第3項の規定は、前項の場合について準用する。

⑨　第7項の規定により、公私連携保育法人若しくは公私連携型保育所の長に対し報告を求め、又は当該職員に、関係者に対し質問させ、若しくは公私連携型保育所に立入検査をさせた市町村長は、当該公私連携型保育所につき、第46条第3項又は第4項の規定による処分が行われる必要があると認めるときは、理由を付して、その旨を都道府県知事に通知しなければならない。

⑩　市町村長は、公私連携型保育所が正当な理由なく協定に従つて保育等を行つていないと認めるときは、公私連携保育法人に対し、協定に従つて保育等を行うことを勧告することができる。

⑪　市町村長は、前項の規定により勧告を受けた公私連携保育法人が当該勧告に従わないときは、指定を取り消すことができる。

⑫　公私連携保育法人は、前項の規定による指定の取消しの処分を受けたときは、当該処分に係る公私連携型保育所について、第35条第12項の規定による廃止の承認を都道府県知事に申請しなければならない。

⑬　公私連携保育法人は、前項の規定による廃止の承認の申請をしたときは、当該申請の日前1月以内に保育等を受けていた者であつて、当該廃止の日以後においても引き続き当該保育等に相当する保育等の提供を希望する者に対し、必要な保育等が継続的に提供されるよう、他の保育所及び認定こども園その他関係者との連絡調整その他の便宜の提供を行わなければならない。

〔課税除外〕

第57条　都道府県、市町村その他の公共団体は、左の各号に掲げる建物及び土地に対しては、租税その他の公課を課することができない。但し、有料で使用させるものについては、この限りでない。

一　主として児童福祉施設のために使う建物

二　前号に掲げる建物の敷地その他主として児童福祉施設のために使う土地

〔公課及び差押の禁止〕

第57条の5　租税その他の公課は、この法律により支給を受けた金品を標準として、これを課することができない。

②　小児慢性特定疾病医療費、障害児通所給付費等及び障害児入所給付費等を受ける権利は、譲り渡し、担保に供し、又は差し押さえることができない。

③　前項に規定するもののほか、この法律による支給金品は、既に支給を受けたものであるとないとにかかわらず、これを差し押さえることができない。

〔施設の設置認可の取消〕

第58条　第35条第4項の規定により設置した児童福祉施設が、この法律若しくはこの法律に基づいて発する命令又はこれらに基づいてなす処分に違反したときは、都道府県知事は、同項の認可を取り消すことができる。

②　第34条の15第2項の規定により開始した家庭的保育事業等が、この法律若しくはこの法律に基づいて発する命令又はこれらに基づいてなす処分に違反したときは、市町村長は、同項の認可を取り消すことができる。

〔無認可施設に対する措置〕

第59条　都道府県知事は、児童の福祉のため必要があると認めるときは、第6条の3第9項から第12項まで若しくは第36条から第44条まで（第39条の2を除く。）に規定する業務を目的とする施設であつて第35条第3項の届出若しくは認定こども園法第16条の届出をしていないもの又は第34条の15第2項若しくは第35条第4項の認可若しくは認定こども園法第17条第1項の認可を受けていないもの（前条の規定により児童福祉施設若しくは家庭的保育事業等の認可を取り消されたもの又は認定こども園法第22条第1項の規定により幼保連携型認定こども園の認可を取り消されたものを含む。）については、その施設の設置者若しくは管理者に対し、必要と認める事項の報告を求め、又は当該職員をして、その事務所若しくは施設に立ち入り、その施設の設備若しくは運営について必要な調査若しくは質問をさせることができる。この場合においては、その身分を証明する証票を携帯させなければならない。

②　第18条の16第3項の規定は、前項の場合について準用する。

③　都道府県知事は、児童の福祉のため必要があると認めるときは、第1項に規定する施設の設置者に対し、その施設の設備又は運営の改善その他の勧告をすることができる。

④　都道府県知事は、前項の勧告を受けた施設の設置者がその勧告に従わなかつたときは、その旨を公表することができる。

⑤　都道府県知事は、第1項に規定する施設について、児童の福祉のため必要があると認めるときは、都道府県児童福祉審議会の意見を聴き、その事業の停止又は施設の閉鎖を命ずることができる。

⑥　都道府県知事は、児童の生命又は身体の安全を確保するため緊急を要する場合で、あらかじめ都道府

県児童福祉審議会の意見を聴くいとまがないとき
は、当該手続を経ないで前項の命令をすることがで
きる。

⑦　都道府県知事は、第３項の勧告又は第５項の命令
をするために必要があると認めるときは、他の都道
府県知事に対し、その勧告又は命令の対象となるべ
き施設の設置者に関する情報その他の参考となるべ
き情報の提供を求めることができる。

⑧　都道府県知事は、第３項の勧告又は第５項の命令
をした場合には、その旨を当該施設の所在地の市町
村長に通知するものとする。

⑨　都道府県知事は、第５項の命令をした場合には、
その旨を公表することができる。

〔認可外保育所の届出〕

第59条の２　第６条の３第９項から第12項までに規定
する業務又は第39条第１項に規定する業務を目的と
する施設（少数の乳児又は幼児を対象とするものそ
の他の内閣府令で定めるものを除く。）であつて第
34条の15第２項若しくは第35条第４項の認可又は認
定こども園法第17条第１項の認可を受けていないも
の（第58条の規定により児童福祉施設若しくは家庭
的保育事業等の認可を取り消されたもの又は認定こ
ども園法第22条第１項の規定により幼保連携型認定
こども園の認可を取り消されたものを含む。）につ
いては、その施設の設置者は、その事業の開始の日
（第58条の規定により児童福祉施設若しくは家庭的
保育事業等の認可を取り消された施設又は認定こど
も園法第22条第１項の規定により幼保連携型認定こ
ども園の認可を取り消された施設にあつては、当該
認可の取消しの日）から１月以内に、次に掲げる事
項を都道府県知事に届け出なければならない。

一　施設の名称及び所在地

二　設置者の氏名及び住所又は名称及び所在地

三　建物その他の設備の規模及び構造

四　事業を開始した年月日

五　施設の管理者の氏名及び住所

六　その他内閣府令で定める事項

②　前項に規定する施設の設置者は、同項の規定によ
り届け出た事項のうち内閣府令で定めるものに変更
を生じたときは、変更の日から１月以内に、その旨
を都道府県知事に届け出なければならない。その事
業を廃止し、又は休止したときも、同様とする。

③　都道府県知事は、前２項の規定による届出があつ
たときは、当該届出に係る事項を当該施設の所在地
の市町村長に通知するものとする。

〔掲示〕

第59条の２の２　前条第１項に規定する施設の設置者

は、次に掲げる事項について、当該施設において提
供されるサービスを利用しようとする者の見やすい
場所に掲示するとともに、内閣府令で定めるところ
により、電気通信回線に接続して行う自動公衆送信
（公衆によつて直接受信されることを目的として公
衆からの求めに応じ自動的に送信を行うことをい
い、放送又は有線放送に該当するものを除く。）に
より公衆の閲覧に供しなければならない。

一　設置者の氏名又は名称及び施設の管理者の氏名

二　建物その他の設備の規模及び構造

三　その他内閣府令で定める事項

〔契約内容等の説明〕

第59条の２の３　第59条の２第１項に規定する施設の
設置者は、当該施設において提供されるサービスを
利用しようとする者からの申込みがあつた場合に
は、その者に対し、当該サービスを利用するための
契約の内容及びその履行に関する事項について説明
するように努めなければならない。

〔契約書面の交付〕

第59条の２の４　第59条の２第１項に規定する施設の
設置者は、当該施設において提供されるサービスを
利用するための契約が成立したときは、その利用者
に対し、遅滞なく、次に掲げる事項を記載した書面
を交付しなければならない。

一　設置者の氏名及び住所又は名称及び所在地

二　当該サービスの提供につき利用者が支払うべき
額に関する事項

三　その他内閣府令で定める事項

〔運営状況の報告及び公表〕

第59条の２の５　第59条の２第１項に規定する施設の
設置者は、毎年、内閣府令で定めるところにより、
当該施設の運営の状況を都道府県知事に報告しなけ
ればならない。

②　都道府県知事は、毎年、前項の報告に係る施設の
運営の状況その他第59条の２第１項に規定する施設
に関し児童の福祉のため必要と認める事項を取りま
とめ、これを各施設の所在地の市町村長に通知する
とともに、公表するものとする。

〔市町村長への協力要請〕

第59条の２の６　都道府県知事は、第59条、第59条の
２及び前条に規定する事務の執行及び権限の行使に
関し、市町村長に対し、必要な協力を求めることが
できる。

〔町村の一部事務組合等〕

第59条の２の７　町村が一部事務組合又は広域連合を
設けて福祉事務所を設置した場合には、この法律の
適用については、その一部事務組合又は広域連合を

福祉事務所を設置する町村とみなす。

〔大都市等の特例〕

第59条の4 この法律中都道府県が処理することとされている事務で政令で定めるものは、指定都市及び中核市並びに児童相談所を設置する市（特別区を含む。以下この項において同じ。）として政令で定める市（以下「児童相談所設置市」という。）においては、政令で定めるところにより、指定都市若しくは中核市又は児童相談所設置市（以下「指定都市等」という。）が処理するものとする。この場合においては、この法律中都道府県に関する規定は、指定都市等に関する規定として指定都市等に適用があるものとする。

② 前項の規定により指定都市等の長がした処分（地方自治法第2条第9項第1号に規定する第1号法定受託事務（次項及び第59条の6において「第1号法定受託事務」という。）に係るものに限る。）に係る審査請求についての都道府県知事の裁決に不服がある者は、内閣総理大臣に対して再審査請求をすることができる。

③ 指定都市等の長が第1項の規定によりその処理することとされた事務のうち第1号法定受託事務に係る処分をする権限をその補助機関である職員又はその管理に属する行政機関の長に委任した場合において、委任を受けた職員又は行政機関の長がその委任に基づいてした処分につき、地方自治法第255条の2第2項の再審査請求の裁決があつたときは、当該裁決に不服がある者は、同法第252条の17の4第5項から第7項までの規定の例により、内閣総理大臣に対して再々審査請求をすることができる。

④ 都道府県知事は、児童相談所設置市の長に対し、当該児童相談所の円滑な運営が確保されるように必要な勧告、助言又は援助をすることができる。

⑤ この法律に定めるもののほか、児童相談所設置市に関し必要な事項は、政令で定める。

〔緊急時における厚生労働大臣の事務執行〕

第59条の5 第21条の3第1項、第34条の5第1項、第34条の6、第46条及び第59条の規定により都道府県知事の権限に属するものとされている事務は、児童の利益を保護する緊急の必要があると内閣総理大臣が認める場合にあつては、内閣総理大臣又は都道府県知事が行うものとする。

② 前項の場合においては、この法律の規定中都道府県知事に関する規定（当該事務に係るものに限る。）は、内閣総理大臣に関する規定として内閣総理大臣に適用があるものとする。この場合において、第46条第4項中「都道府県児童福祉審議会の意見を聴き、

その施設の」とあるのは「その施設の」と、第59条第5項中「都道府県児童福祉審議会の意見を聴き、その事業の」とあるのは「その事業の」とする。

③ 第1項の場合において、内閣総理大臣又は都道府県知事が当該事務を行うときは、相互に密接な連携の下に行うものとする。

④ 第1項、第2項前段及び前項の規定は、第19条の16第1項の規定により都道府県知事の権限に属するものとされている事務について準用する。この場合において、第1項、第2項前段及び前項中「内閣総理大臣」とあるのは、「厚生労働大臣」と読み替えるものとする。

〔事務の区分〕

第59条の6 第56条第1項の規定により都道府県が処理することとされている事務は、第1号法定受託事務とする。

〔主務省令〕

第59条の7 この法律における主務省令は、内閣府令とする。ただし、第21条の9各号に掲げる事業に該当する事業のうち内閣総理大臣以外の大臣が所管するものに関する事項については、内閣総理大臣及びその事業を所管する大臣の発する命令とする。

〔地方厚生局長等への委任〕

第59条の8 厚生労働大臣は、厚生労働省令で定めるところにより、第16条第3項、第57条の3の3第2項及び第5項並びに第59条の5第4項において読み替えて準用する同条第1項に規定する厚生労働大臣の権限を地方厚生局長に委任することができる。内閣総理大臣は、この法律に規定する内閣総理大臣の権限（政令で定めるものを除く。）をこども家庭庁長官に委任する。

② こども家庭庁長官は、政令で定めるところにより、前項の規定により委任された権限の一部を地方厚生局長又は地方厚生支局長に委任することができる。

③ 前項の規定により地方厚生局長に委任された権限は、厚生労働省令で定めるところにより、地方厚生支局長に委任することができる。

第8章 罰則

第60条 第34条第1項第6号の規定に違反したときは、当該違反行為をした者は、10年以下の懲役若しくは300万円以下の罰金に処し、又はこれを併科する。

② 第34条第1項第1号から第5号まで又は第7号から第9号までの規定に違反したときは、当該違反行為をした者は、3年以下の懲役若しくは100万円以下の罰金に処し、又はこれを併科する。

③ 第34条第2項の規定に違反したときは、当該違反

行為をした者は、1年以下の懲役又は50万円以下の罰金に処する。

④ 児童を使用する者は、児童の年齢を知らないことを理由として、前3項の規定による処罰を免れることができない。ただし、過失のないときは、この限りでない。

⑤ 第1項及び第2項（第34条第1項第7号又は第9号の規定に違反した者に係る部分に限る。）の罪は、刑法第4条の2の例に従う。

第61条 児童相談所において、相談、調査及び判定に従事した者が、正当な理由なく、その職務上取り扱つたことについて知得した人の秘密を漏らしたときは、これを1年以下の懲役又は50万円以下の罰金に処する。

第61条の2 第18条の22の規定に違反した者は、1年以下の懲役又は50万円以下の罰金に処する。

② 前項の罪は、告訴がなければ公訴を提起することができない。

第61条の3 第11条第5項、第18条の8第4項、第18条の12第1項、第21条の10の2第4項、第21条の12、第25条の5又は第27条の4の規定に違反した者は、1年以下の懲役又は50万円以下の罰金に処する。

第61条の4 第46条第4項又は第59条第5項の規定による事業の停止又は施設の閉鎖の命令に違反した者は、6月以下の懲役若しくは禁錮又は50万円以下の罰金に処する。

第61条の5 正当な理由がないのに、第21条の4の7第1項の規定による報告若しくは帳簿書類の提出若しくは提示をせず、若しくは虚偽の報告若しくは虚偽の帳簿書類の提出若しくは提示をし、又は同項の規定による質問に対して答弁をせず、若しくは虚偽の答弁をし、若しくは同項の規定による立入り若しくは検査を拒み、妨げ、若しくは忌避したときは、当該違反行為をした者は、50万円以下の罰金に処する。

② 正当な理由がないのに、第29条の規定による児童委員若しくは児童の福祉に関する事務に従事する職員の職務の執行を拒み、妨げ、若しくは忌避し、又はその質問に対して答弁をせず、若しくは虚偽の答弁をし、若しくは児童に答弁をさせず、若しくは虚偽の答弁をさせた者は、50万円以下の罰金に処する。

第62条 正当な理由がないのに、第19条の16第1項、第21条の5の22第1項、第21条の5の27第1項（第24条の19の2において準用する場合を含む。）、第24条の15第1項、第24条の34第1項若しくは第24条の39第1項の規定による報告若しくは物件の提出若しくは提示をせず、若しくは虚偽の報告若しくは虚偽の物件の提出若しくは提示をし、又はこれらの規定による質問に対して答弁をせず、若しくは虚偽の答弁をし、若しくはこれらの規定による立入り若しくは検査を拒み、妨げ、若しくは忌避したときは、当該違反行為をした者は、30万円以下の罰金に処する。

② 次の各号のいずれかに該当する者は、30万円以下の罰金に処する。

一 第18条の19第2項の規定により保育士の名称の使用の停止を命ぜられた者で、当該停止を命ぜられた期間中に、保育士の名称を使用したもの

二 第18条の23の規定に違反した者

三 正当な理由がないのに、第21条の14第1項の規定による報告をせず、若しくは虚偽の報告をし、又は同項の規定による質問に対して答弁をせず、若しくは虚偽の答弁をし、若しくは同項の規定による立入り若しくは検査を拒み、妨げ、若しくは忌避した者

四 第30条第1項に規定する届出を怠つた者

五 正当な理由がないのに、第57条の3の3第1項から第3項までの規定による報告若しくは物件の提出若しくは提示をせず、若しくは虚偽の報告若しくは虚偽の物件の提出若しくは提示をし、又はこれらの規定による当該職員の質問若しくは第57条の3の4第1項の規定により委託を受けた指定事務受託法人の職員の第57条の3の3第1項の規定による質問に対して、答弁せず、若しくは虚偽の答弁をした者

六 正当な理由がないのに、第59条第1項の規定による報告をせず、若しくは虚偽の報告をし、又は同項の規定による立入調査を拒み、妨げ、若しくは忌避し、若しくは同項の規定による質問に対して答弁をせず、若しくは虚偽の答弁をした者

第62条の4 法人の代表者又は法人若しくは人の代理人、使用人その他の従業者が、その法人又は人の業務に関して、第60条第1項から第3項まで、第60条の3、第61条の5第1項又は第62条第1項の違反行為をしたときは、行為者を罰するほか、その法人又は人に対しても、各本条の罰金刑を科する。

第62条の5 第59条の2第1項又は第2項の規定による届出をせず、又は虚偽の届出をした者は、50万円以下の過料に処する。

附　則　抄

〔施行期日〕

第63条 この法律は、昭和23年1月1日から、これを施行する。但し、第19条、第22条から第24条まで、第50条第4号、第6号、第7号及び第9号（児童相談所の設備に関する部分を除く。）第51条、第54条及び第55条の規定並びに第52条、第53条及び第56条

の規定中これらの規定に関する部分は、昭和23年4月1日から、これを施行する。

〔児童福祉施設に関する経過規定〕

第69条　この法律施行の際、現に存する生活保護法の規定による保護施設中の児童保護施設は、これをこの法律の規定により設置した児童福祉施設とみなす。

第70条　この法律施行の際、現に存する児童福祉施設であつて、第67条及び前条の規定に該当しないものは、命令の定めるところにより、行政庁の認可を得て、この法律による児童福祉施設として存続することができる。

〔国の無利子、貸付け等〕

第72条　国は、当分の間、都道府県（第59条の4第1項の規定により、都道府県が処理することとされている第56条の2第1項の事務を指定都市等が処理する場合にあつては、当該指定都市等を含む。以下この項及び第7項において同じ。）に対し、第56条の2第3項の規定により国がその費用について補助することができる知的障害児施設等の新設等で日本電信電話株式会社の株式の売払収入の活用による社会資本の整備の促進に関する特別措置法（昭和62年法律第86号。以下「社会資本整備特別措置法」という。）第2条第1項第2号に該当するものにつき、社会福祉法第31条第1項の規定により設立された社会福祉法人、日本赤十字社又は公益社団法人若しくは公益財団法人に対し当該都道府県が補助する費用に充てる資金について、予算の範囲内において、第56条の2第3項の規定（この規定による国の補助の割合について、この規定と異なる定めをした法令の規定がある場合には、当該異なる定めをした法令の規定を含む。以下同じ。）により国が補助することができる金額に相当する金額を無利子で貸し付けることができる。

②　国は、当分の間、都道府県又は市町村に対し、児童家庭支援センターの新設、修理、改造、拡張又は整備で社会資本整備特別措置法第2条第1項第2号に該当するものに要する費用に充てる資金の一部を、予算の範囲内において、無利子で貸し付けることができる。

③　国は、当分の間、都道府県又は指定都市等に対し、児童の保護を行う事業又は児童の健全な育成を図る事業を目的とする施設の新設、修理、改造、拡張又は整備（第56条の2第3項の規定により国がその費用について補助するものを除く。）で社会資本整備特別措置法第2条第1項第2号に該当するものにつき、当該都道府県又は指定都市等が自ら行う場合にあつてはその要する費用に充てる資金の一部を、指定都市等以外の市町村又は社会福祉法人が行う場合にあつてはその者に対し当該都道府県又は指定都市

等が補助する費用に充てる資金の一部を、予算の範囲内において、無利子で貸し付けることができる。

④　国は、当分の間、都道府県、市町村又は長期にわたり医療施設において療養を必要とする児童（以下「長期療養児童」という。）の療養環境の向上のために必要な事業を行う者に対し、長期療養児童の家族が宿泊する施設の新設、修理、改造、拡張又は整備で社会資本整備特別措置法第2条第1項第2号に該当するものに要する費用に充てる資金の一部を、予算の範囲内において、無利子で貸し付けることができる。

⑤　前各項の国の貸付金の償還期間は、5年（2年以内の据置期間を含む。）以内で政令で定める期間とする。

⑥　前項に定めるもののほか、第1項から第4項までの規定による貸付金の償還方法、償還期限の繰上げその他償還に関し必要な事項は、政令で定める。

⑦　国は、第1項の規定により都道府県に対し貸付けを行つた場合には、当該貸付けの対象である事業について、第56条の2第3項の規定による当該貸付金に相当する金額の補助を行うものとし、当該補助については、当該貸付金の償還時において、当該貸付金の償還金に相当する金額を交付することにより行うものとする。

⑧　国は、第2項から第4項までの規定により都道府県、市町村又は長期療養児童の療養環境の向上のために必要な事業を行う者に対し貸付けを行つた場合には、当該貸付けの対象である事業について、当該貸付金に相当する金額の補助を行うものとし、当該補助については、当該貸付金の償還時において、当該貸付金の償還金に相当する金額を交付することにより行うものとする。

⑨　都道府県、市町村又は長期療養児童の療養環境の向上のために必要な事業を行う者が、第1項から第4項までの規定による貸付けを受けた無利子貸付金について、第5項及び第6項の規定に基づき定められる償還期限を繰り上げて償還を行つた場合（政令で定める場合を除く。）における前2項の規定の適用については、当該償還は、当該償還期限の到来時に行われたものとみなす。

〔保育の実施等に関する経過措置〕

第73条　第24条第3項の規定の適用については、当分の間、同項中「市町村は、保育の需要に応ずるに足りる保育所、認定こども園（子ども・子育て支援法第27条第1項の確認を受けたものに限る。以下この項及び第46条の2第2項において同じ。）又は家庭的保育事業等が不足し、又は不足するおそれがある場合その他必要と認められる場合には、保育所、認定こども園」とあるのは、「市町村は、保育所、認

定こども園（子ども・子育て支援法第27条第1項の確認を受けたものに限る。以下この項及び第46条の2第2項において同じ。）」とするほか、必要な技術的読替えは、政令で定める。

② 第46条の2第1項の規定の適用については、当分の間、同項中「第24条第5項」とあるのは「保育所における保育を行うことの権限及び第24条第5項」と、「母子保護の実施のための委託」とあるのは「母子保護の実施のための委託若しくは保育所における保育を行うことの委託」とするほか、必要な技術的読替えは、政令で定める。

　　　附　則（平成18年3月31日法律第20号）抄
（施行期日）

第1条　この法律は、平成18年4月1日から施行する。
（児童福祉法の一部改正に伴う経過措置）

第5条　この法律の施行前に行われた第2条の規定による改正前の児童福祉法（以下「旧児童福祉法」という。）第72条第1項の規定による国の貸付けについては、同条第8項の規定は、この法律の施行後も、なおその効力を有する。この場合において、同項中「第1項」とあるのは「国の補助金等の整理及び合理化等に伴う児童手当法等の一部を改正する法律（平成18年法律第20号）第2条の規定による改正前の児童福祉法（以下「旧児童福祉法」という。）第72条第1項」と、「第52条」とあるのは「旧児童福祉法第52条」とする。

2　第2条の規定による改正後の児童福祉法（以下「新児童福祉法」という。）第72条第5項、第6項及び第9項の規定は、国がこの法律の施行前に貸し付けた旧児童福祉法第72条第1項の貸付金についても、適用する。この場合において、新児童福祉法第72条第5項中「前各項」とあるのは「国の補助金等の整理及び合理化等に伴う児童手当法等の一部を改正する法律（平成18年法律第20号。第9項において「一部改正法」という。）第2条の規定による改正前の児童福祉法（以下「旧児童福祉法」という。）第72条第1項」と、同条第6項中「第1項から第4項まで」とあるのは「旧児童福祉法第72条第1項」と、同条第9項中「、市町村又は長期療養児童の療養環境の向上のために必要な事業を行う者」とあるのは「又は市町村」と、「第1項から第4項まで」とあるのは「旧児童福祉法第72条第1項」と、「前2項」とあるのは「一部改正法附則第5条第1項の規定によりなおその効力を有することとされた旧児童福祉法第72条第8項」とする。

　　　附　則（平成24年8月22日法律第67号）抄
　この法律は、子ども・子育て支援法〔平成24年法律第65号〕の施行の日〔平成27年4月1日〕から施行する。〔以下略〕。

注　第8条は本則中の条文
（児童福祉法の一部改正に伴う経過措置）

第8条　子ども・子育て支援法（平成24年法律第65号）附則第9条第1項（第3号ロに係る部分を除く。）の規定が適用される施設型給付費、特例施設型給付費又は特例地域型保育給付費に係る保護者に対する児童福祉法第56条第7項及び第8項並びに児童手当法第21条及び第22条の規定の適用については、当分の間、児童福祉法第56条第7項第1号中「同条第3項第1号に掲げる額から同条第5項」とあるのは「同法附則第9条第1項第1号の規定による施設型給付費の額及び同号イに規定する政令で定める額を限度として市町村が定める額（当該市町村が定める額が現に当該特定教育・保育に要した費用の額を超えるときは、当該現に特定教育・保育に要した費用の額）の合計額から同法第27条第5項」と、「同号に掲げる額」とあるのは「当該合計額」と、「第28条第2項第1号の規定による特例施設型給付費の額及び同号」とあるのは「附則第9条第1項第2号イの規定による特例施設型給付費の額及び同号イ(1)」と、同項第2号中「同条第2項第2号」とあるのは「同法附則第9条第1項第2号ロ」と、「同号」とあるのは「同号ロ(1)」と、「同条第4項」とあるのは「同法第28条第4項」と、同条第8項第2号中「第30条第2項第2号」とあるのは「附則第9条第1項第3号イ」と、「同号」とあるのは「同号イ(1)」と、「同条第4項」とあるのは「同法第30条第4項」とするほか、必要な技術的読替えは、政令で定める。

　　　附　則（令和4年6月15日法律第66号）抄
（施行期日）

第1条　この法律は、令和6年4月1日から施行する。ただし、次の各号に掲げる規定は、当該各号に定める日から施行する。

一　附則〔中略〕第17条の規定　公布の日

二　第1条中児童福祉法第59条の改正規定　公布の日から起算して3月を経過した日〔令和4年9月15日〕

三　第1条の規定（前号に掲げる改正規定を除く。）及び〔中略〕附則第3条〔中略〕の規定　令和5年4月1日

四　第2条中児童福祉法第18条の20の3の次に1条を加える改正規定〔中略〕　公布の日から起算して2年を超えない範囲内において政令で定める日〔令和6年4月1日〕

（検討）

第2条　政府は、第2条の規定（前条第4号に掲げる改正規定を除く。）による改正後の児童福祉法（以下「新児童福祉法」という。）第13条第3項第1号の規定の施行の状況、児童その他の者に対する同項

第3号に規定する相談援助業務に従事する者に係る資格の取得状況その他の状況を勘案し、次に掲げる事項に係る環境を整備しつつ、児童の生命又は心身の安全を確保する観点から、児童の福祉に関し専門的な知識及び技術を必要とする支援を行う者（以下この項において「支援実施者」という。）に関して、その能力を発揮して働くことができる組織及び資格の在り方について、国家資格を含め、この法律の施行後2年を目途として検討を加え、その結果に基づいて必要な措置を講ずるものとする。

一　支援実施者が実施すべき業務の内容、支援実施者に必要な専門的な知識及び技術に係る内容並びに教育課程の内容の明確化

二　支援実施者を養成するために必要な体制の確保

三　支援実施者がその能力を発揮して働くことができる施設その他の場所における雇用の機会の確保

2　政府は、この法律の施行後5年を目途として、この法律による改正後の児童福祉法及び母子保健法（以下この項において「改正後の両法律」という。）の施行の状況等を勘案し、必要があると認めるときは、改正後の両法律の規定について検討を加え、その結果に基づいて必要な措置を講ずるものとする。

（保育士の欠格事由等に関する経過措置）

第3条　第1条の規定（附則第1条第3号に掲げる改正規定に限る。）による改正後の児童福祉法（以下この条において「第3号改正後児童福祉法」という。）第18条の5（第1号を除く。）の規定は、附則第1条第3号に掲げる規定の施行の日（以下この条及び附則第15条において「第3号施行日」という。）以後の行為により第3号改正後児童福祉法第18条の5各号（第1号を除く。）に該当する者について適用し、第3号施行日前の行為に係る欠格事由については、なお従前の例による。

2　第3号改正後児童福祉法第18条の19第1項（第1号及び第3号に限る。）の規定は、第3号施行日以後の行為により同項第1号又は第3号に該当する者について適用し、第3号施行日前の行為に係る登録の取消しについては、なお従前の例による。

3　第3号改正後児童福祉法第18条の20の2の規定は、第3号施行日以後の行為により同条第1項各号に該当する者について適用し、第3号施行日前の行為により同項各号に該当する者については、適用しない。

（都道府県知事又は児童相談所長の指導に要する費用に関する経過措置）

第13条　新児童福祉法第50条第6号の4及び第53条の規定は、児童福祉法第26条第1項第2号又は第27条第1項第2号の規定による委託に係る指導であって施行日以後に行われるものに要する費用について適用し、施行日前に行われた当該指導に要する費用についての都道府県の支弁及び国庫の負担については、なお従前の例による。

（罰則に関する経過措置）

第16条　この法律の施行前にした行為に対する罰則の適用については、なお従前の例による。

（政令への委任）

第17条　附則第3条から前条までに規定するもののほか、この法律の施行に伴い必要な経過措置（罰則に関する経過措置を含む。）は、政令で定める。

　　　附　則（令和4年6月22日法律第76号）抄

（施行期日）

第1条　この法律は、こども家庭庁設置法（令和4年法律第75号）の施行の日〔令和5年4月1日〕から施行する。ただし、附則第9条の規定は、この法律の公布の日から施行する。

（処分等に関する経過措置）

第2条　この法律の施行前にこの法律による改正前のそれぞれの法律（これに基づく命令を含む。以下この条及び次条において「旧法令」という。）の規定により従前の国の機関がした認定、指定その他の処分又は通知その他の行為は、法令に別段の定めがあるもののほか、この法律の施行後は、この法律による改正後のそれぞれの法律（これに基づく命令を含む。以下この条及び次条において「新法令」という。）の相当規定により相当の国の機関がした認定、指定その他の処分又は通知その他の行為とみなす。

2　この法律の施行の際現に旧法令の規定により従前の国の機関に対してされている申請、届出その他の行為は、法令に別段の定めがあるもののほか、この法律の施行後は、新法令の相当規定により相当の国の機関に対してされた申請、届出その他の行為とみなす。

3　この法律の施行前に旧法令の規定により従前の国の機関に対して申請、届出その他の手続をしなければならない事項で、この法律の施行の日前に従前の国の機関に対してその手続がされていないものについては、法令に別段の定めがあるもののほか、この法律の施行後は、これを、新法令の相当規定により相当の国の機関に対してその手続がされていないものとみなして、新法令の規定を適用する。

（命令の効力に関する経過措置）

第3条　旧法令の規定により発せられた内閣府設置法第7条第3項の内閣府令又は国家行政組織法（昭和23年法律第120号）第12条第1項の省令は、法令に別段の定めがあるもののほか、この法律の施行後は、新法令の相当規定に基づいて発せられた相当の内閣府設置法第7条第3項の内閣府令又は国家行政

組織法第12条第１項の省令としての効力を有するものとする。

（罰則の適用に関する経過措置）

第４条 この法律の施行前にした行為に対する罰則の適用については、なお従前の例による。

（政令への委任）

第９条 附則第２条から第４条まで及び前条に定めるもののほか、この法律の施行に関し必要な経過措置（罰則に関する経過措置を含む。）は、政令で定める。

　　　附　則（令和４年12月16日法律第104号）抄

（施行期日）

第１条 この法律は、令和６年４月１日から施行する。ただし、次の各号に掲げる規定は、当該各号に定める日から施行する。

一　〔前略〕附則第43条の規定　公布の日

四　〔前略〕第６条〔中略〕の規定　公布の日から起算して３年を超えない範囲内において政令で定める日

（検討）

第２条 政府は、この法律の施行後５年を目途として、この法律による改正後の障害者の日常生活及び社会生活を総合的に支援するための法律、児童福祉法、精神保健福祉法、障害者雇用促進法及び難病の患者に対する医療等に関する法律の規定について、その施行の状況等を勘案しつつ検討を加え、必要があると認めるときは、その結果に基づいて必要な措置を講ずるものとする。

（児童福祉法の一部改正に伴う経過措置）

第９条 刑法施行日〔刑法等の一部を改正する法律（令和４年法律第67号）の施行の日〔令和７年６月１日〕の前日までの間における第５条の規定による改正後の児童福祉法第60条の３の規定の適用については、同条中「拘禁刑」とあるのは、「懲役」とする。刑法施行日以後における刑法施行日前にした行為に対する同条の適用についても、同様とする。

（政令への委任）

第43条 この附則に規定するもののほか、この法律の施行に伴い必要な経過措置（罰則に関する経過措置を含む。）は、政令で定める。

〔参考１〕

　●刑法等の一部を改正する法律の施行に伴う関係法律の整理等に関する法律（抄）

〔令和４年６月17日〕
〔法　律　第　68　号〕

　　　注　令和５年５月17日法律第28号により一部改正

第１編 関係法律の一部改正

第11章 厚生労働省関係

（児童福祉法の一部改正）

第224条 児童福祉法（昭和22年法律第164号）の一部を次のように改正する。

　第18条の５第２号〔中略〕及び第35条第５項第４号イ中「禁錮」を「拘禁刑」に改める。

　第60条第１項から第３項までの規定、〔中略〕第61条、第61条の２第１項及び第61条の３中「懲役」を「拘禁刑」に改める。

　第61条の４中「懲役若しくは禁錮」を「拘禁刑」に改める。

第２編 経過措置

第１章 通則

（罰則の適用等に関する経過措置）

第441条 刑法等の一部を改正する法律（令和４年法律第67号。以下「刑法等一部改正法」という。）及びこの法律（以下「刑法等一部改正法等」という。）の施行前にした行為の処罰については、次章に別段の定めがあるもののほか、なお従前の例による。

２　刑法等一部改正法等の施行後にした行為に対して、他の法律の規定によりなお従前の例によることとされ、なお効力を有することとされ又は改正前若しくは廃止前の法律の規定の例によることとされる罰則を適用する場合において、当該罰則に定める刑（刑法施行法第19条第１項の規定又は第82条の規定による改正後の沖縄の復帰に伴う特別措置に関する法律第25条第４項の規定の適用後のものを含む。）に刑法等一部改正法第２条の規定による改正前の刑法（明治40年法律第45号。以下この項において「旧刑法」という。）第12条に規定する懲役（以下「懲役」という。）、旧刑法第13条に規定する禁錮（以下「禁錮」という。）又は旧刑法第16条に規定する拘留（以下「旧拘留」という。）が含まれるときは、当該刑のうち無期の懲役又は禁錮はそれぞれ無期拘禁刑と、有期の懲役又は禁錮はそれぞれその刑と長期及び短期（刑法施行法第20条の規定の適用後のものを含む。）を同じくする有期拘禁刑と、旧拘留は長期及び短期（刑法施行法第20条の規定の適用後のものを含む。）を同じくする拘留とする。

（裁判の効力とその執行に関する経過措置）

第442条 懲役、禁錮及び旧拘留の確定裁判の効力並びにその執行については、次章に別段の定めがあるもののほか、なお従前の例による。

（人の資格に関する経過措置）

第443条 懲役、禁錮又は旧拘留に処せられた者に係る人の資格に関する法令の規定の適用については、無期の懲役又は禁錮に処せられた者はそれぞれ無期拘禁刑に処せられた者と、有期の懲役又は禁錮に処せられた者はそれぞれ刑期を同じくする有期拘禁刑に処せられた者と、旧拘留に処せられた者は拘留に

処せられた者とみなす。

2　拘禁刑又は拘留に処せられた者に係る他の法律の規定によりなお従前の例によることとされ、なお効力を有することとされ又は改正前若しくは廃止前の法律の規定の例によることとされる人の資格に関する法令の規定の適用については、無期拘禁刑に処せられた者は無期禁錮に処せられた者と、有期拘禁刑に処せられた者は刑期を同じくする有期禁錮に処せられた者と、拘留に処せられた者は刑期を同じくする旧拘留に処せられた者とみなす。

第4章　その他

（経過措置の政令への委任）

第509条　この編に定めるもののほか、刑法等一部改正法等の施行に伴い必要な経過措置は、政令で定める。

附　則　抄

（施行期日）

1　この法律は、刑法等一部改正法施行日〔令和7年6月1日〕から施行する。ただし、次の各号に掲げる規定は、当該各号に定める日から施行する。

一　第509条の規定　公布の日

〔参考2〕

●障害者の日常生活及び社会生活を総合的に支援するための法律等の一部を改正する法律（抄）

〔令和4年12月16日 法律第104号〕

（児童福祉法の一部改正）

第6条　児童福祉法の一部を次のように改正する。

第61条の5第1項中「第21条の4の7第1項」の下に「若しくは第33条の23の8第1項」を加え、「同項」を「これら」に改める。

附　則　抄

（施行期日）

第1条　この法律は、令和6年4月1日から施行する。ただし、次の各号に掲げる規定は、当該各号に定める日から施行する。

四　〔前略〕第6条〔中略〕の規定　公布の日から起算して3年を超えない範囲内において政令で定める日

〔参考3〕

●子ども・子育て支援法等の一部を改正する法律（抄）

〔令和6年6月12日 法律第47号〕

（児童福祉法の一部改正）

第4条　児童福祉法（昭和22年法律第164号）の一部を次のように改正する。

第6条の3に次の2項を加える。

㉒　この法律で、妊婦等包括相談支援事業とは、内閣府令で定めるところにより、妊婦及びその配偶者その他内閣府令で定める者（以下この項において「妊婦等」という。）に対して、面談その他の内閣府令で定める措置を講ずることにより、妊婦等の心身の状況、その置かれている環境その他の状況の把握を行うほか、母子保健及び子育てに関する情報の提供、相談その他の援助を行う事業をいう。

㉓　この法律で、乳児等通園支援事業とは、内閣府令で定めるところにより、保育所その他の内閣府令で定める施設において、乳児又は幼児であつて満3歳未満のもの（保育所に入所しているものその他の内閣府令で定めるものを除く。）に適切な遊び及び生活の場を与えるとともに、当該乳児又は幼児及びその保護者の心身の状況及び養育環境を把握するための当該保護者との面談並びに当該保護者に対する子育てについての情報の提供、助言その他の援助を行う事業をいう。

第21条の9中「及び親子関係形成支援事業」を「、親子関係形成支援事業及び妊婦等包括相談支援事業」に改める。

第58条第1項中「児童福祉施設」の下に「の設置者」を加え、「なす」を「する」に改め、同条第2項中「家庭的保育事業等」の下に「又は乳児等通園支援事業を行う者」を加え、「なす」を「する」に改める。

附　則　抄

（施行期日）

第1条　この法律は、令和6年10月1日から施行する。ただし、次の各号に掲げる規定は、当該各号に定める日から施行する。

一　〔前略〕附則第46条の規定　この法律の公布の日

四　次に掲げる規定　令和7年4月1日

ロ　第4条の規定〔以下略〕

（その他の経過措置の政令への委任）

第46条　この附則に定めるもののほか、この法律の施行に関し必要な経過措置（罰則に関する経過措置を含む。）は、政令で定める。

（検討）

第48条　政府は、この法律の施行後5年を目途として、少子化の進展に対処するための子ども及び子育ての支援に関する施策の在り方について、加速化プラン実施施策の実施状況及びその効果並びに前条第2項の観点を踏まえて検討を行い、その結果に基づいて所要の措置を講ずるものとする。

●児童福祉法施行令（抄）

〔昭和23年3月31日〕
〔政 令 第 74 号〕
注　令和6年3月30日政令第161号改正現在
（未施行分については1639頁以降に収載）

第2章　保育士

〔法第18条の5第3号の政令で定める法律の規定〕

第4条　法〔児童福祉法（昭和22年法律第164号）〕第18条の5第3号の政令で定める法律の規定は、次のとおりとする。

一　刑法（明治40年法律第45号）第182条の規定

二　社会福祉法（昭和26年法律第45号）第161条及び第164条の規定

三　児童扶養手当法（昭和36年法律第238号）第35条の規定

四　特別児童扶養手当等の支給に関する法律（昭和39年法律第134号）第41条の規定

五　児童手当法（昭和46年法律第73号）第31条の規定

六　児童買春、児童ポルノに係る行為等の規制及び処罰並びに児童の保護等に関する法律（平成11年法律第52号）第4条から第7条まで及び第11条の規定

七　児童虐待の防止等に関する法律第17条及び第18条の規定

八　就学前の子どもに関する教育、保育等の総合的な提供の推進に関する法律（平成18年法律第77号。以下「認定こども園法」という。）第6章の規定

九　平成22年度等における子ども手当の支給に関する法律（平成22年法律第19号）第33条の規定

十　平成23年度における子ども手当の支給等に関する特別措置法（平成23年法律第107号）第37条の規定

十一　子ども・子育て支援法（平成24年法律第65号）第78条から第80条までの規定

十二　国家戦略特別区域法（平成25年法律第107号。以下「特区法」という。）第12条の5第15項及び第17項から第19項までの規定

十三　民間あっせん機関による養子縁組のあっせんに係る児童の保護等に関する法律（平成28年法律第110号）第5章の規定

十四　性的な姿態を撮影する行為等の処罰及び押収物に記録された性的な姿態の影像に係る電磁的記録の消去等に関する法律（令和5年法律第67号）第2条第1項（第4号に係る部分に限る。）及び

第2項（同条第1項（第4号に係る部分に限る。）の罪に係る部分に限る。）、第3条及び第4条（これらの規定のうち、同法第3条第1項に規定する性的影像記録であつて、同法第2条第1項第4号に掲げる行為により生成され、若しくは同法第5条第1項第4号に掲げる行為により影像送信（同項第1号に規定する影像送信をいう。以下この号において同じ。）をされた影像を記録する行為により生成された同法第3条第1項に規定する電磁的記録その他の記録又は当該記録の全部若しくは一部（同法第2条第1項第1号に規定する性的姿態等の影像が記録された部分に限る。）を複写したものに係る部分に限る。）、第5条第1項（第4号に係る部分に限る。）、同条第2項及び第6条第1項（これらの規定のうち、同法第5条第1項第4号に掲げる行為により影像送信をされた影像に係る部分に限る。以下この号において同じ。）並びに第6条第2項（同条第1項の罪に係る部分に限る。）の規定

〔指定保育士養成施設の指定等〕

第5条　法第18条の6第1号の指定保育士養成施設（以下「指定保育士養成施設」という。）の指定は、内閣府令で定める基準に適合する施設について行うものとする。

②　指定保育士養成施設の指定を受けようとする施設の設置者は、内閣府令で定める事項を記載した申請書を、当該学校又は施設の所在地の都道府県知事に提出しなければならない。この場合において、設置者が法人（地方公共団体を除く。）であるときは、申請書に定款、寄付行為その他の規約を添えなければならない。

③　指定保育士養成施設の設置者は、前項の申請書の記載事項（内閣府令で定めるものに限る。）を変更しようとするときは、当該施設の所在地の都道府県知事に申請し、その承認を得なければならない。

④　指定保育士養成施設の設置者は、第2項の申請書の記載事項（前項の内閣府令で定めるもの以外のものであつて内閣府令で定めるものに限る。）に変更が生じたときは、変更のあつた日から起算して1月以内に、当該施設の所在地の都道府県知事に届け出

なければならない。

⑤　指定保育士養成施設の長は、毎学年開始後３月以内に、内閣府令で定める事項を、当該施設の所在地の都道府県知事に報告しなければならない。

⑥　都道府県知事は、指定保育士養成施設につき、第１項の規定に基づく内閣府令で定める基準に該当しなくなつたと認めるとき、若しくは法第18条の７第１項に規定する指導に従わないとき、又は次項の規定による申請があつたときは、その指定を取り消すことができる。

⑦　指定保育士養成施設の設置者は、指定の取消しを求めようとするときは、学年の開始月２月前までに、内閣府令で定める事項を、当該施設の所在地の都道府県知事に提出しなければならない。

〔都道府県知事による保育士試験委員の選任〕

第６条　都道府県知事は、法第18条の８第３項の保育士試験委員を選任しようとするときは、内閣府令で定める要件を備える者のうちから選任しなければならない。

〔登録〕

第16条　保育士の登録を受けようとする者は、申請書に法第18条の６各号のいずれかに該当することを証する書類を添え、その者が同条第１号に該当する場合は住所地の都道府県知事に、同条第２号に該当する場合は当該保育士試験を行つた都道府県知事（指定試験機関が行つた保育士試験を受けた場合にあつては、当該保育士試験の実施に関する事務の全部又は一部を当該指定試験機関に行わせることとした都道府県知事）に提出しなければならない。

〔登録証の書換え交付〕

第17条　保育士は、保育士登録証（以下「登録証」という。）の記載事項に変更を生じたときは、遅滞なく、登録証の書換え交付を申請しなければならない。

②　前項の申請をするには、申請書に申請の原因となる事実を証する書類及び登録証を添え、これを登録を行つた都道府県知事に提出しなければならない。

〔登録証の再交付〕

第18条　保育士は、登録証を破り、汚し、又は失つたときは、登録証の再交付を申請することができる。

②　前項の申請をするには、申請書を登録を行つた都道府県知事に提出しなければならない。

③　登録証を破り、又は汚した保育士が第１項の申請をするには、申請書にその登録証を添えなければならない。

④　保育士は、第１項の申請をした後、失つた登録証を発見したときは、速やかに、これを登録を行つた

都道府県知事に返納しなければならない。

〔登録証の返納〕

第19条　保育士は、登録を取り消されたときは、遅滞なく、登録証を登録を行つた都道府県知事に返納しなければならない。

〔通知〕

第20条　都道府県知事は、他の都道府県知事の登録を受けた保育士について、登録の取消しを適当と認めるときは、理由を付して、登録を行つた都道府県知事に、その旨を通知しなければならない。

〔省令への委任〕

第21条　この章に定めるもののほか、指定保育士養成施設、保育士試験、指定試験機関、保育士の登録その他保育士に関し必要な事項は、内閣府令で定める。

第３章　福祉の保障

〔保育の利用等若しくは措置の解除等の方式〕

第28条　市町村長（特別区の区長を含む。以下同じ。）又は都道府県知事は、法第25条の８第３号に規定する保育の利用等又は法第27条第１項第３号若しくは第２項の措置を解除し、停止し、又は他の保育の利用等若しくは措置に変更する場合においては、現にその保護に当たつている児童福祉施設の長、家庭的保育事業等を行う者又は法第７条第２項に規定する指定発達支援医療機関の長の意見を参考としなければならない。法第31条第１項から第３項までに規定する児童について、これらの規定により、満20歳に達するまで、又はその者が社会生活に順応することができるようになるまで、引き続きその者を児童福祉施設に在所させ、若しくは法第27条第２項の規定による委託を継続し、又はこれらの措置を相互に変更する措置を採る場合においても、同様とする。

〔厚生労働省令への委任〕

第34条　この政令で定めるもののほか、福祉の保障に関し必要な事項のうち、法第２章第１節第２款及び第４款の規定による小児慢性特定疾病医療費の支給等に関するものについては厚生労働省令で、それ以外のものについては内閣府令で定める。

第４章　事業、養育里親及び児童福祉施設

〔法第34条の15第３項第４号ロの政令で定める法律〕

第35条　法第34条の15第３項第４号ロの政令で定める法律は、第22条の６第７号、第８号、第12号から第19号まで及び第21号に掲げる法律とする。

〔法第34条の15第３項第４号ハの政令で定める法律〕

第35条の２　法第34条の15第３項第４号ハの政令で定める法律の規定は、第22条の７各号に掲げる規定とする。

〔法第34条の15第3項第4号ニの政令で定める使用人〕

第35条の3 法第34条の15第3項第4号ニの政令で定める使用人は、申請者の行う家庭的保育事業等を管理する者及び申請者の設置する保育所の管理者とする。

〔実施検査〕

第35条の4 市町村長は、当該職員をして、年度ごとに1回以上、国及び都道府県以外の者が行う家庭的保育事業等が法第34条の16第1項の規定に基づき定められた基準を遵守しているかどうかを実地につき検査させなければならない。ただし、当該家庭的保育事業等について次の各号のいずれかに該当する場合においては、実地の検査に代えて、必要と認める事項の報告を求め、又は当該職員に関係者に対して質問させることにより、当該基準を遵守しているかどうかを確認させることができる。

一 天災その他やむを得ない事由により当該年度内に実地の検査を行うことが著しく困難又は不適当と認められる場合

二 前年度の実地の検査の結果その他内閣府令で定める事項を勘案して実地の検査が必ずしも必要でないと認められる場合

〔法第34条の20第1項第3号の政令で定める法律〕

第35条の5 法第34条の20第1項第3号の政令で定める法律は、次のとおりとする。

一 児童扶養手当法

二 特別児童扶養手当等の支給に関する法律

三 児童手当法

四 平成22年度等における子ども手当の支給に関する法律

五 平成23年度における子ども手当の支給等に関する特別措置法

六 第22条の6第8号、第17号、第19号及び第21号に掲げる法律

〔法第35条第5項第4号ロの政令で定める法律〕

第36条の2 法第35条第5項第4号ロの政令で定める法律は、次のとおりとする。

一 学校教育法

二 教育職員免許法（昭和24年法律第147号）

三 第22条の6第7号、第8号、第12号から第19号まで及び第21号に掲げる法律

〔法第35条第5項第4号ハの政令で定める法律の規定〕

第36条の3 法第35条第5項第4号ハの政令で定める法律の規定は、第22条の7各号に掲げる規定とする。

〔児童福祉施設等の管理〕

第37条 国、都道府県又は市町村の設置する児童福祉施設（幼保連携型認定こども園を除く。以下この条及び次条において同じ。）及び児童福祉施設の職員の養成施設は、法第49条の規定により、それぞれ内閣総理大臣、都道府県知事又は市町村長が、これを管理する。

〔児童福祉施設の実地検査〕

第38条 都道府県知事は、当該職員をして、年度ごとに1回以上、国以外の者の設置する児童福祉施設が法第45条第1項の規定に基づき定められた基準を遵守しているかどうかを実地につき検査させなければならない。ただし、当該児童福祉施設について次の各号のいずれかに該当する場合においては、実地の検査に代えて、必要な報告を求め、又は当該職員に関係者に対して質問させることにより、当該基準を遵守しているかどうかを確認させることができる。

一 天災その他やむを得ない事由により当該年度内に実地の検査を行うことが著しく困難又は不適当と認められる場合

二 前年度の実地の検査の結果その他内閣府令で定める事項を勘案して実地の検査が必ずしも必要でないと認められる場合

第5章 費用

〔国庫又は都道府県の負担又は補助〕

第39条 都道府県又は市町村の支弁する費用に対する国庫又は都道府県の負担又は補助に関しては、法第50条から第55条までに規定するもののほか、この章の定めるところによる。

〔国庫又は都道府県の負担〕

第42条 法第53条又は第55条の規定による国庫又は都道府県の負担は、各年度において、次に掲げる額について行う。

一 法第50条第5号に掲げる費用については、当該年度において現に法第20条第2項の医療に係る給付に要した費用の額及び内閣総理大臣が定める基準によつて算定した同項の物品の支給に要する費用の額の合計額（その額が当該年度において現に要した当該費用の額（その費用のための収入があるときは、その収入の額を控除するものとする。）を超えるときは、当該費用の額とする。）から内閣総理大臣が定める基準によつて算定した当該費用に係る法第56条第2項の規定による徴収金の額を控除した額

二 法第50条第5号の2に掲げる費用については、小児慢性特定疾病医療費の支給に要した費用の額（その費用のための収入があるときは、その収入の額を控除するものとする。）

三 法第50条第5号の3に掲げる費用については、厚生労働大臣が定める基準によつて算定した同号

に掲げる費用の額（その額が当該年度において現に要した当該費用の額（その費用のための収入があるときは、その収入の額を控除するものとする。）を超えるときは、当該費用の額とする。）

四　法第50条第6号、第6号の2若しくは第7号まで又は第51条第3号若しくは第5号に掲げる費用（第6号及び第7号に規定する費用を除く。）については、内閣総理大臣が児童福祉施設、小規模住居型児童養育事業又は家庭的保育事業等の種類、入所定員又は利用定員、所在地による地域差等を考慮して定める基準によつて算定した児童福祉施設、小規模住居型児童養育事業又は家庭的保育事業等の職員の給与費、入所者又は利用者の日常生活費その他の経費の額（その額が当該年度において現に要した当該費用の額（その費用のための収入があるときは、その収入の額を控除するものとする。）を超えるときは、当該費用の額とする。）から内閣総理大臣が定める基準によつて算定した当該費用に係る法第56条第2項の規定による徴収金の額を控除した額

五　法第50条第6号の3に掲げる費用については、障害児入所給付費、高額障害児入所給付費若しくは特定入所障害児食費等給付費又は障害児入所医療費の支給に要した費用の額（その費用のための収入があるときは、その収入の額を控除するものとする。）

六　法第50条第6号の4に掲げる費用については、内閣総理大臣が法第26条第1項第2号又は第27条第1項第2号に規定する指導に係る児童の数等を考慮して定める基準によつて算定した当該指導に従事する職員の給与費その他の経費の額（その額が当該年度において現に要した当該費用の額（その費用のための収入があるときは、その収入の額を控除するものとする。）を超えるときは、当該費用の額とする。）

七　法第50条第7号に掲げる費用のうち障害児入所施設に係る費用又は同条第7号の2に掲げる費用については、法第27条第2項、第42条第2号又は第43条第2号に規定する治療に関し現に要した費用の額及び内閣総理大臣が定める基準によつて算定した知識技能を与え、又は日常生活の指導をするために必要な職員の給与費、入所者の日用品費その他の経費の額の合計額（その額が当該年度において現に要した当該費用の額（その費用のための収入があるときは、その収入の額を控除するものとする。）を超えるときは、当該費用の額とする。）から内閣総理大臣が定める基準によつて算

定した当該費用に係る法第56条第2項の規定による徴収金の額を控除した額

八　法第50条第7号に掲げる費用のうち里親への委託の措置に係る費用については、内閣総理大臣が当該措置を受けた児童の年齢等を考慮して定める基準によつて算定した日常生活費その他の経費の額（その額が当該年度において現に要した当該費用の額（その費用のための収入があるときは、その収入の額を控除するものとする。）を超えるときは、当該費用の額とする。）から内閣総理大臣が定める基準によつて算定した当該費用に係る法第56条第2項の規定による徴収金の額を控除した額

九　法第50条第7号に掲げる費用のうち里親支援センターにおいて行う法第11条第4項に規定する里親支援事業に要する費用については、内閣総理大臣が里親支援センターの所在地による地域差等を考慮して定める基準によつて算定した当該里親支援事業に従事する職員の給与費その他の経費の額（その額が当該年度において現に要した当該費用の額（その費用のための収入があるときは、その収入の額を控除するものとする。）を超えるときは、当該費用の額とする。）

十　法第50条第7号の3に掲げる費用については、児童自立生活援助を行う場所の種類、当該場所の所在地による地域差等を考慮して内閣総理大臣が定める基準によつて算定した児童自立生活援助事業に従事する職員の給与費、利用者の日常生活費その他の経費の額（その額が当該年度において現に要した当該費用の額（その費用のための収入があるときは、その収入の額を控除するものとする。）を超えるときは、当該費用の額とする。）から内閣総理大臣が定める基準によつて算定した当該費用に係る法第56条第2項の規定による徴収金の額を控除した額

十一　法第50条第8号に掲げる費用については、内閣総理大臣が定める基準によつて算定した法第12条の4第1項に規定する一時保護施設の職員の給与費、一時保護が行われた児童の日常生活費その他の経費の額（その額が当該年度において現に要した当該費用の額（その費用のための収入があるときは、その収入の額を控除するものとする。）を超えるときは、当該費用の額とする。）

十二　法第51条第1号に掲げる費用については、障害児通所給付費、特例障害児通所給付費若しくは高額障害児通所給付費又は肢体不自由児通所医療

費の支給に要した費用の額（その費用のための収入があるときは、その収入の額を控除するものとする。）

十三　法第51条第2号に掲げる費用については、内閣総理大臣が定める基準によつて算定した同号に掲げる費用の額から内閣総理大臣が定める基準によつて算定した当該費用に係る法第56条第2項の規定による徴収金の額及び当該費用のためのその他の収入の額の合計額を控除した額

十四　法第51条第2号の2に掲げる費用については、内閣総理大臣が法第21条の18第1項に規定する家庭支援事業の種類等を考慮して定める基準によつて算定した当該家庭支援事業に従事する職員の給与費その他の経費の額（その額が当該年度において現に要した当該費用の額（その費用のための収入があるときは、その収入の額を控除するものとする。）を超えるときは、当該費用の額とする。）から内閣総理大臣が定める基準によつて算定した当該費用に係る法第56条第2項の規定による徴収金の額を控除した額

十五　法第51条第6号に掲げる費用については、障害児相談支援給付費又は特例障害児相談支援給付費の支給に要した費用の額（その費用のための収入があるときは、その収入の額を控除するものとする。）

〔負担金の返還〕

第43条　法第53条及び第55条の規定により交付した国庫及び都道府県の負担金は、次に掲げる場合においては、その全部又は一部を返還させることができる。

一　家庭的保育事業等を行う者が、法第34条の17第4項の規定により、その事業の制限又は停止を命ぜられたとき。

二　児童福祉施設（幼保連携型認定こども園を除く。次号及び第5号において同じ。）の設置者が、法第46条第4項の規定により、その事業の停止を命ぜられたとき。

三　児童福祉施設の設置者が、法第58条第1項の規定により、法第35条第4項の認可を取り消されたとき。

四　家庭的保育事業等を行う者が、法第58条第2項の規定により、法第34条の15第2項の認可を取り消されたとき。

五　児童相談所若しくは児童福祉施設の設置者又は家庭的保育事業等を行う者が、法若しくは法に基づいて発する命令又はこれらに基づいてする処分に違反したとき。

六　幼保連携型認定こども園の設置者が、認定こども園法第21条第1項の規定により、その事業の停

止又は施設の閉鎖を命ぜられたとき。

七　幼保連携型認定こども園の設置者が、認定こども園法第22条第1項の規定により、認定こども園法第17条第1項の認可を取り消されたとき。

八　幼保連携型認定こども園の設置者が、法若しくは認定こども園法若しくはこれらの法律に基づいて発する命令又はこれらに基づいてする処分に違反したとき。

九　児童相談所若しくは児童福祉施設の設置者若しくは家庭的保育事業等を行う者が、その事業の全部若しくは一部を廃止し、又は児童相談所若しくは児童福祉施設若しくは家庭的保育事業等を行う場所が当初予定した目的以外の用途に利用されるようになつたとき。

十　負担金交付の条件に違反したとき。

十一　詐偽の手段で、負担金の交付を受けたとき。

第44条　削除

第7章　雑則

〔大都市等の特例〕

第45条　指定都市において、法第59条の4第1項の規定により、指定都市が処理する事務については、地方自治法施行令（昭和22年政令第16号）第174条の26第1項から第7項までに定めるところによる。

②　地方自治法第252条の22第1項の中核市（以下「中核市」という。）において、法第59条の4第1項の規定により、中核市が処理する事務については、地方自治法施行令第174条の49の2に定めるところによる。

〔児童相談所を設置する市〕

第45条の2　法第59条の4第1項の政令で定める市（特別区を含む。）は、東京都港区、世田谷区、中野区、豊島区、荒川区、板橋区、葛飾区及び江戸川区、横須賀市、金沢市、明石市並びに奈良市とする。

〔児童相談所設置市が処理する事務〕

第45条の3　児童相談所設置市において、法第59条の4第1項の規定により、児童相談所設置市が処理する事務は、法及びこの政令の規定により、都道府県が処理することとされている事務（法第11条第1項第1号及び第2号イの規定による市町村相互間の連絡調整等、同項第3号の規定による広域的な対応が必要な業務、同条第2項の規定による助言、法第13条第3項第2号の規定並びに第3条の2第2項から第7項まで、第10項及び第11項の規定による同号に規定する施設及び講習会の指定等、法第18条の6第1号及び第18条の7第1項の規定並びに第5条第2項から第7項までの規定による指定保育士養成施設

の指定等、法第18条の８第２項の規定による保育士試験、同条第３項の規定による保育士試験委員の設置、法第18条の９、第18条の10（法第18条の11第２項において準用する場合を含む。）及び第18条の13から第18条の17までの規定並びに第７条、第９条、第11条から第13条まで及び第15条の規定による指定試験機関の指定等、法第18条の18から第18条の20の２までの規定及び第16条から第20条までの規定による保育士の登録等、法第18条の20の３第１項の規定による報告の受理、法第18条の20の４第２項の規定による同条第１項のデータベースへの記録等、法第21条の５の10の規定による協力その他市町村に対する必要な援助、法第21条の５の15第６項及び第７項（これらの規定を法第21条の５の16第４項において準用する場合を含む。）の規定による関係市町村長に対する通知等、法第21条の５の21第１項（法第24条の14の２において準用する場合を含む。）の規定による関係者相互間の連絡調整又は援助、法第24条の19第４項の規定による協議の場の設置等、法第２章第５節第３款の規定による業務管理体制の整備等に係る質問等、法第33条の18第５項及び第７項の規定による市町村長に対する通知、法第33条の20第１項に規定する市町村障害児福祉計画に係る同条第11項及び第12項の規定による意見等、法第33条の22第１項に規定する都道府県障害児福祉計画に係る同条並びに法第33条の23及び第33条の24第１項の規定による作成等、法第33条の23の２第２項の規定による情報の提供、児童相談所設置市が行う法第34条の３第１項に規定する障害児通所支援事業等（第９項において「障害児通所支援事業等」という。）、児童自立生活援助事業又は小規模住居型児童養育事業に係る法第34条の５の規定による質問等及び法第34条の６の規定による制限又は停止の命令、児童相談所設置市が行う親子再統合支援事業、社会的養護自立支援拠点事業又は意見表明等支援事業に係る法第34条の７の３の規定による質問等及び法第34条の７の４の規定による制限又は停止の命令、児童相談所設置市が行う妊産婦等生活援助事業に係る法第34条の７の６の規定による質問等及び法第34条の７の７の規定による制限又は停止の命令、児童相談所設置市が行う一時預かり事業に係る法第34条の14の規定による質問等、児童相談所設置市が行う病児保育事業に係る法第34条の18の２の規定による質問等、児童相談所設置市が設置する児童福祉施設に係る法第46条の規定による質問等及び第38条の規定による検査、法第55条の規定による法第51条第５号の費用の負担、法第56条の４の２第４項の規定により送付され

た市町村整備計画の写しの受理、法第56条の４の３第１項の規定による市町村整備計画の提出の経由、法第56条の５の５第１項に規定する審査請求に対する裁決、法第56条の７第３項の規定による支援、法第57条の２第１項に規定する障害児通所給付費等の支給に係る法第57条の３の３の規定による質問等、法第57条の３の４第１項及び第４項の規定並びに第44条の８及び第44条の10から第44条の13までの規定による指定事務受託法人の指定等並びに法第59条の４第４項の規定による勧告等に関する事務を除く。）とする。この場合においては、第４項から第７項までにおいて特別の定めがあるものを除き、法及びこの政令中都道府県に関する規定（前段括弧内に掲げる事務に係る規定を除く。）は、児童相談所設置市に関する規定として児童相談所設置市に適用があるものとする。

② 　前項に定めるもののほか、児童相談所設置市は、少年法（昭和23年法律第168号）の規定により、都道府県が処理することとされている児童福祉に関する事務を処理するものとする。この場合においては、同法中都道府県に関する規定は、児童相談所設置市に関する規定として児童相談所設置市に適用があるものとする。

③ 　児童相談所設置市の長は、第１項の規定により法第19条の20第１項（法第21条の２及び第24条の21において準用する場合を含む。）の規定による事務を管理し及び執行する場合においては、法第19条の20第３項（法第21条の２及び第24条の21において準用する場合を含む。）の意見の聴取に関し、社会保険診療報酬支払基金法による社会保険診療報酬支払基金と契約を締結するものとする。

④ 　第１項及び第２項の場合においては、児童相談所設置市は、第６項の規定によりその権限に属させられた事項を調査審議するため、法第８条第３項の規定により児童福祉に関する審議会その他の合議制の機関を置くものとする。

⑤ 　第１項及び第２項の場合においては、前項に規定する児童福祉に関する審議会その他の合議制の機関は、同項に定めるもののほか、児童、妊産婦及び知的障害者の福祉に関する事項を調査審議することができる。

⑥ 　第１項及び第２項の場合においては、第４項に規定する児童福祉に関する審議会その他の合議制の機関は、法第８条第９項、第27条第６項、第33条の15第３項、第35条第６項、第46条第４項及び第59条第５項の規定による権限を有するものとする。この場合においては、第４項に規定する児童福祉に関する

審議会その他の合議制の機関を都道府県児童福祉審議会とみなして、法第33条の12第１項及び第３項、第33条の13並びに第33条の15第１項、第２項及び第４項の規定を適用する。

⑦　第１項及び第２項の場合においては、法第10条第２項及び第３項、第18条第１項及び第３項、第55条（法第51条第５号に係る部分を除く。）並びに第56条の８第６項の規定は、適用しない。

⑧　第１項及び第２項の場合においては、法第３条の３第２項中「市町村の行うこの法律に基づく児童の福祉に関する業務が適正かつ円滑に行われるよう、市町村に対する必要な助言及び適切な援助を行うとともに、児童」とあるのは「児童」と、「技術並びに各市町村の区域を超えた広域的な対応」とあるのは「技術」と、「第11条第１項各号に掲げる業務」とあるのは「第11条第１項第２号（イを除く。）に掲げる業務及び同項第３号に掲げる業務」と、法第11条第１項第３号中「広域的な対応が必要な業務並びに家庭」とあるのは「家庭」と、法第12条第３項中「前条第１項第１号に掲げる業務（市町村職員の研修を除く。）並びに同項第２号（イを除く。）」とあるのは「前条第１項第２号（イを除く。）」と、法第13条第２項中「、第27条第１項第３号の規定による里親への委託の状況及び市町村におけるこの法律による事務の実施状況」とあるのは「及び第27条第１項第３号の規定による里親への委託の状況」と、同条第８項中「を行い、担当区域内の市町村長に協力を求めることができる。」とあるのは「を行う」と、法第18条第２項中「児童相談所長又は市町村長」とあるのは「児童相談所長」と、法第21条の５の15第１項（法第21条の５の16第４項において準用する場合を含む。）中「ごとに行う」とあるのは「ごとに行う。この場合において、第59条の４第１項の児童相談所設置市（以下第56条の８第３項までにおいて「児童相談所設置市」という。）の長は、当該指定が次項に規定する特定障害児通所支援に係るものであるときは、あらかじめ、都道府県知事の同意を得なければならない」と、法第21条の５の15第８項（法第21条の５の16第４項において準用する場合を含む。）中「前項の意見を勘案し」とあるのは「第33条の20第１項に規定する市町村障害児福祉計画との調整を図る見地から」と、法第21条の５の17第５項中「ものは」とあるのは「ものから」と、「又は同法」とあるのは「について同法第78条の５第２項の規定による事業の廃止若しくは休止の届出があつたとき、又は同法」と、「を廃止し、又は休止しようとするときは、内閣府令で定めるところに

より、その廃止又は休止の日の１月前までに、その旨を当該指定を行つた都道府県知事に届け出なければならない。この場合において、当該」とあるのは「について同法第115条の15第２項の規定による事業の廃止若しくは休止の」と、法第21条の５の26第２項第２号中「の区域」とあるのは「又は児童相談所設置市の区域」と、「指定都市の長」とあるのは「指定都市の長又は児童相談所設置市の長」と、同条第３項中「又は指定都市若しくは中核市の長」とあるのは「、指定都市若しくは中核市の長又は児童相談所設置市の長」と、法第21条の５の27第２項（法第24条の19の２において準用する場合を含む。）中「指定都市若しくは中核市の長」とあるのは「都道府県知事」と、「関係都道府県知事」とあるのは「関係児童相談所設置市の長」と、法第21条の５の27第３項及び第４項（これらの規定を法第24条の19の２において準用する場合を含む。）中「指定都市若しくは中核市の長」とあるのは「都道府県知事」と、法第21条の５の28第５項（法第24条の19の２において準用する場合を含む。）中「指定都市若しくは中核市の長」とあるのは「都道府県知事」と、「関係都道府県知事」とあるのは「関係児童相談所設置市の長」と、法第24条の４第１項第２号中「以外の都道府県の区域内」とあるのは「の区域以外の区域」と、法第24条の９第１項（法第24条の10第４項において準用する場合を含む。）中「行う」とあるのは「行う。この場合において、児童相談所設置市の長は、当該指定をしようとするときは、あらかじめ、都道府県知事の同意を得なければならない」と、法第26条第１項第２号中「市町村」とあるのは「児童相談所設置市以外の市町村」と、法第27条第１項第２号中「市町村」とあるのは「当該児童相談所設置市以外の市町村」と、法第30条第１項中「以内）に、市町村長を経て」とあるのは「以内）に」と、同条第２項中「以内に、市町村長を経て」とあるのは「以内に」と、法第34条の３第２項から第４項まで及び第34条の４中「及び都道府県」とあるのは「、都道府県及び児童相談所設置市」と、法第34条の５第１項及び第34条の６中「行う者」とあるのは「行う者（都道府県を除く。）」と、法第34条の７の２第２項から第４項までの規定中「及び都道府県」とあるのは「、都道府県及び児童相談所設置市」と、法第34条の７の３第１項及び第34条の７の４中「行う者」とあるのは「行う者（都道府県を除く。）」と、法第34条の７の５第２項から第４項までの規定中「及び都道府県」とあるのは「、都道府県及び児童相談所設置市」と、法第34条の７の６第１

項及び第34条の7の7中「行う者」とあるのは「行う者（都道府県を除く。）」と、法第34条の18中「及び都道府県」とあるのは「、都道府県及び児童相談所設置市」と、法第35条第3項中「市町村」とあるのは「児童相談所設置市以外の市町村」と、同条第8項中「第62条第2項第1号」とあるのは「第61条第2項第1号」と、「第62条第1項」とあるのは「第61条第1項」と、「都道府県子ども・子育て支援事業支援計画」とあるのは「市町村子ども・子育て支援事業計画」と、同条第11項中「市町村」とあるのは「児童相談所設置市以外の市町村」と、法第45条第1項、第2項及び第5項並びに第46条第1項、第3項及び第4項中「児童福祉施設」とあるのは「児童福祉施設（都道府県が設置するものを除く。）」と、法第51条第3号中「費用（都道府県の設置する助産施設又は母子生活支援施設に係るものを除く。）」とあるのは「費用」と、法第56条の8第3項中「にかかわらず、市町村長を経由し」とあるのは「にかかわらず」と、第1条の3第1号中「1又は2以上の市町村（特別区を含む。以下この号において同じ。）の区域であつて、児童相談所と市町村及び」とあるのは「児童相談所と」と、第3条第1項中「次の各号」とあるのは「第1号及び第2号」と、第38条中「児童福祉施設」とあるのは「児童福祉施設（都道府県が設置するものを除く。）」とする。

⑨　児童相談所設置市がその事務を処理するに当たつては、法第34条の5第1項の規定による障害児通所支援事業等、児童自立生活援助事業又は小規模住居型児童養育事業についての都道府県知事の質問等に関する規定、法第34条の6の規定による障害児通所支援事業等、児童自立生活援助事業又は小規模住居型児童養育事業の制限又は停止についての都道府県知事の命令に関する規定、法第34条の7の3第1項の規定による親子再統合支援事業、社会的養護自立支援拠点事業又は意見表明等支援事業についての都道府県知事の質問等に関する規定、法第34条の7の4の規定による親子再統合支援事業、社会的養護自立支援拠点事業又は意見表明等支援事業の制限又は停止についての都道府県知事の命令に関する規定、法第34条の7の6第1項の規定による妊産婦等生活援助事業についての都道府県知事の質問等に関する規定、法第34条の7の7の規定による妊産婦等生活援助事業の制限又は停止についての都道府県知事の命令に関する規定、法第34条の14第1項、第3項及び第4項の規定による一時預かり事業についての都道府県知事の質問等に関する規定、第34条の18の2

第1項及び第3項の規定による病児保育事業についての都道府県知事の質問等に関する規定、法第46条第1項、第3項及び第4項の規定による児童福祉施設についての都道府県知事の質問等に関する規定並びに第38条の規定による児童福祉施設についての都道府県知事の検査に関する規定は、適用しない。

〔事務の区分〕

第46条　第5条第2項から第5項まで及び第7項（内閣総理大臣への経由に関する事務に係る部分に限る。）の規定により都道府県が処理することとされている事務は、地方自治法第2条第9項第1号に規定する第1号法定受託事務とする。

〔法第59条の8第1項の政令で定める権限〕

第46条の2　法第59条の8第1項の政令で定める権限は、法第45条第4項並びに第59条の4第2項及び第3項に規定する権限とする。

〔権限の委任〕

第46条の3　法第59条の8第1項の規定によりこども家庭庁長官に委任された権限のうち次の各号に掲げるものは、当該各号に定める地方厚生局長（四国厚生支局の管轄する区域にあつては、四国厚生支局長。以下この条において同じ。）に委任する。ただし、こども家庭庁長官が自らその権限を行うことを妨げない。

一　法第21条の3第3項に規定する権限　当該権限の行使の対象となる都道府県知事が管轄する区域を管轄する地方厚生局長

二　法第21条の5の27及び第21条の5の28（これらの規定を法第24条の19の2において準用する場合を含む。）に規定する権限　当該権限の行使の対象となる法第21条の5の18第1項に規定する指定障害児事業者等又は指定障害児入所施設等の設置者の主たる事務所の所在地を管轄する地方厚生局長

三　法第24条の39及び第24条の40に規定する権限　当該権限の行使の対象となる指定障害児相談支援事業者の主たる事務所の所在地を管轄する地方厚生局長

四　法第59条の5第1項から第3項までに規定する権限　法第21条の3第1項、第34条の5第1項、第34条の6、第46条及び第59条の規定により当該権限が属するものとされている都道府県知事が管轄する区域を管轄する地方厚生局長

第46条の4　内閣総理大臣は、この政令に規定する内閣総理大臣の権限をこども家庭庁長官に委任する。

第47条　この政令に規定する厚生労働大臣の権限は、厚生労働省令で定めるところにより、地方厚生局長

に委任することができる。

② 前項の規定により地方厚生局長に委任された権限は、厚生労働省令で定めるところにより、地方厚生支局長に委任することができる。

　　　附　則　抄

〔施行期日〕

第48条 この政令は、昭和23年1月1日から、これを適用する。ただし、法第63条ただし書に掲げる規定に関する部分は、昭和23年4月1日から、これを施行する。

〔在所期間の延長の特例が適用される場合の措置の解除等〕

第49条 第28条の規定は、法第63条の2第1項又は第2項に規定する児童について、これらの規定により、満20歳に達した後においても、引き続きその者を児童福祉施設に在所させ、若しくは法第27条第2項の規定による委託を継続し、又はこれらの措置を相互に変更する措置を採る場合に準用する。法第63条の3に規定する措置を解除する場合においても、同様とする。

〔国の貸付金の償還期間等〕

第51条 法第72条第5項に規定する政令で定める期間は、5年（2年の据置期間を含む。）とする。

② 前項に規定する期間は、日本電信電話株式会社の株式の売払収入の活用による社会資本の整備の促進に関する特別措置法（昭和62年法律第86号）第5条第1項の規定により読み替えて準用される補助金等に係る予算の執行の適正化に関する法律第6条第1項の規定による貸付けの決定（以下「貸付決定」という。）ごとに、当該貸付決定に係る法第72条第1項から第4項までの規定による国の貸付金（以下「国の貸付金」という。）の交付を完了した日（その日が当該貸付決定があつた日の属する年度の末日の前日以後の日である場合には、当該年度の末日の前々日）の翌日から起算する。

③ 国の貸付金の償還は、均等年賦償還の方法によるものとする。

④ 国は、国の財政状況を勘案し、相当と認めるときは、国の貸付金の全部又は一部について、前3項の規定により定められた償還期限を繰り上げて償還させることができる。

⑤ 法第72条第9項に規定する政令で定める場合は、前項の規定により償還期限を繰り上げて償還を行つた場合とする。

〔法附則第73条第1項の規定による技術的読替え〕

第52条 法附則第73条第1項の規定による技術的読替えは、次の表のとおりとする。

法の規定中読み替える規定	読み替えられる字句	読み替える字句
第24条第7項	第3項	附則第73条第1項の規定により読み替えられた第3項
第32条第3項	第24条第3項	附則第73条第1項の規定により読み替えられた第24条第3項
	同条第4項	第24条第4項
第46条の2第2項	第24条第3項	附則第73条第1項の規定により読み替えられた第24条第3項

〔参　考〕

◉児童福祉法施行令の一部を改正する政令

〔令和6年3月8日
　政令第48号〕

児童福祉法施行令（昭和23年政令第74号）の一部を次のように改正する。

第45条の2中「東京都港区」の下に「、品川区」を加える。

　　　附　則

（施行期日）

1　この政令は、令和6年10月1日から施行する。

（処分等に関する経過措置）

2　都道府県知事若しくは都道府県が設置する児童相談所の所長その他の都道府県の機関（以下「都道府県知事等」という。）が行った許可、認可その他の処分若しくは通知その他の行為のうちこの政令の施行の際に効力を有するもの又はこの政令の施行の際現に都道府県知事等に対してされている申請、届出その他の行為であって、児童福祉法第59条の4第1項、児童虐待の防止等に関する法律（平成12年法律第82号）第16条又は民間あっせん機関による養子縁組のあっせんに係る児童の保護等に関する法律（平成28年法律第110号）第41条の規定により、この政令の施行後、東京都品川区が処理することとなる事務に係るものは、この政令の施行後は、東京都品川区長又は東京都品川区が設置する児童相談所の所長その他の東京都品川区の機関（以下「品川区長等」という。）の行った許可、認可その他の処分若しくは通知その他の行為又は品川区長等に対してされた申請、届出その他の行為とみなす。

3　この政令の施行前に児童福祉法、児童虐待の防止等に関する法律又は民間あっせん機関による養子縁

組のあっせんに係る児童の保護等に関する法律（これらに基づく命令を含む。）の規定により都道府県知事等に対して報告その他の手続をしなければならない事項であって、この政令の施行前に当該手続がされていないもののうち、児童福祉法第59条の4第1項、児童虐待の防止等に関する法律第16条又は民間あっせん機関による養子縁組のあっせんに係る児童の保護等に関する法律第41条の規定により、この政令の施行後、東京都品川区が処理することとなる事務に係るものについては、この政令の施行後は、これを、品川区長等に対して当該手続がされていないものとみなして、これらの法令の規定を適用する。

●地域の自主性及び自立性を高めるための改革の推進を図る ための関係法律の整備に関する法律の一部の施行に伴う厚 生労働省関係政令等の整備及び経過措置に関する政令(抄)

〔平成23年 9 月14日〕
政 令 第 289 号

注 令和 4 年12月23日政令第398号改正現在

（地域の自主性及び自立性を高めるための改革の推進
を図るための関係法律の整備に関する法律附則第4
条の政令で定める日）

第4条 地域の自主性及び自立性を高めるための改革
の推進を図るための関係法律の整備に関する法律
〔平成23年法律第37号〕（以下「法」という。）附則
第 4 条の政令で定める日は、令和 7 年 3 月31日とす
る。

（保育所に係る居室の床面積の特例の適用）

第5条 第 1 条の規定による改正後の児童福祉法施行
令第45条の 3 第 1 項の規定により適用される児童福
祉法第45条第 1 項の規定により同法第59条の 4 第 1
項の児童相談所設置市が条例を定める場合において
は、法附則第 4 条中「都道府県」とあるのは、「児
童福祉法第59条の 4 第 1 項の児童相談所設置市」と
する。

　　附　則

この政令は、平成24年 4 月 1 日から施行する。

●児童福祉法施行規則（抄）

〔昭和23年3月31日〕
〔厚生省令第11号〕

注 令和6年6月12日内閣府令第58号改正現在

第1章 総則

〔子育て短期支援事業〕

第1条の2の9 法〔児童福祉法（昭和22年法律第164号）〕第6条の3第3項に規定する子育て短期支援事業は、短期入所生活援助事業及び夜間養護等事業とする。

〔短期入所生活援助事業〕

第1条の2の10 短期入所生活援助事業とは、保護者が疾病、疲労その他の身体上若しくは精神上又は環境上の理由により家庭において児童を養育することが一時的に困難となつた場合において、市町村長（特別区の区長を含む。以下同じ。）が適当と認めたときに、当該児童につき、第1条の4第1項に定める施設において必要な保護その他の支援（保護者の心身の状況、児童の養育環境その他の状況を勘案し、児童と共にその保護者に対して支援を行うことが必要である場合にあつては、当該保護者への支援を含む。次項、次条及び第1条の4において同じ。）を行う事業をいう。

② 前項の保護その他の支援の期間は、当該保護者の心身の状況、当該児童の養育環境その他の状況を勘案して市町村長が必要と認める期間とする。

〔夜間養護等事業〕

第1条の3 夜間養護等事業とは、保護者が仕事その他の理由により平日の夜間又は休日に不在となり家庭において児童を養育することが困難となつた場合その他緊急の必要がある場合において、市町村長が適当と認めたときに、当該児童につき、次条第1項に定める施設において必要な保護その他の支援を行う事業をいう。

② 前項の保護その他の支援の期間は、当該保護者が仕事その他の理由により不在となる期間又は同項の緊急の必要がなくなるまでの期間とする。ただし、市町村長は、必要があると認めるときは、その期間を延長することができる。

〔法第6条の3第3項に規定する内閣府令で定める施設等〕

第1条の4 法第6条の3第3項に規定する内閣府令で定める施設は、乳児院、母子生活支援施設、児童養護施設その他の前2条に定める保護その他の支援を適切に行うことができる施設とする。

② 法第6条の3第3項に規定する内閣府令で定める

者は、里親、保護その他の支援を適切に行うことができる者として市町村長が適当と認めた者その他の保護その他の支援を適切に行うことができる者とする。

〔地域子育て支援拠点事業〕

第1条の7 法第6条の3第6項に規定する地域子育て支援拠点事業は、次に掲げる基準に従い、地域の乳児又は幼児（以下「乳幼児」という。）及びその保護者が相互の交流を行う場所を開設し、当該場所において、適当な設備を備える等により、子育てについての相談、情報の提供、助言その他の援助を行うもの（市町村（特別区を含む。以下同じ。）又はその委託等を受けた者が行うものに限る。）とする。

一 子育て支援に関して意欲のある者であつて、子育てに関する知識と経験を有するものを配置すること。

二 おおむね10組の乳幼児及びその保護者が1度に利用することが差し支えない程度の十分な広さを有すること。ただし、保育所その他の施設であつて、児童の養育及び保育（法第6条の3第7項第1号に規定する保育をいう。以下同じ。）に関する専門的な支援を行うものについては、この限りでない。

三 原則として、1日に3時間以上、かつ、1週間に3日以上開設すること。

〔一時預かり事業〕

第1条の8 法第6条の3第7項に規定する一時預かり事業は、次に掲げる者について、主として昼間において、保育所、幼稚園、認定こども園その他の場所（第2号において「保育所等」という。）において、一時的に預かり、必要な保護を行うもの（特定の乳幼児のみを対象とするものを除く。）とする。

一 家庭において保育を受けることが一時的に困難となつた乳幼児

二 子育てに係る保護者の負担を軽減するため、保育所等において一時的に預かることが望ましいと認められる乳幼児

〔法第6条の3第9項第1号に規定する内閣府令で定める者〕

第1条の32 法第6条の3第9項第1号に規定する内閣府令で定める者は、市町村長が行う研修（市町村

長が指定する都道府県知事その他の機関が行う研修を含む。）を修了した保育士（国家戦略特別区域法（平成25年法律第107号。以下「特区法」という。）第12条の５第５項に規定する事業実施区域内にある家庭的保育事業を行う場所にあつては、保育士又は当該事業実施区域に係る国家戦略特別区域限定保育士）又は保育士と同等以上の知識及び経験を有すると市町村長が認める者とする。

第１章の４　保育士

〔法第18条の５第１号の内閣府令で定める者〕

第６条の２の２　法第18条の５第１号の内閣府令で定める者は、精神の機能の障害により保育士の業務を適正に行うに当たつて必要な認知、判断及び意思疎通を適切に行うことができない者とする。

〔指定保育士養成施設〕

第６条の２の３　令〔児童福祉法施行令（昭和23年政令第74号）〕第５条第１項に規定する内閣府令で定める基準は、次のとおりとする。

一　入所資格を有する者は、学校教育法による高等学校若しくは中等教育学校を卒業した者、指定保育士養成施設の指定を受けようとする学校が大学である場合における当該大学が同法第90条第２項の規定により当該大学に入学させた者若しくは通常の課程による12年の学校教育を修了した者（通常の課程以外の課程によりこれに相当する学校教育を修了した者を含む。）又は文部科学大臣においてこれと同等以上の資格を有すると認定した者であること。

二　修業年限は、２年以上であること。

三　こども家庭庁長官の定める修業教科目及び単位数を有し、かつ、こども家庭庁長官の定める方法により履修させるものであること。

四　保育士の養成に適当な建物及び設備を有すること。

五　学生の定員は、100人以上であること。

六　１学級の学生数は、50人以下であること。

七　専任の教員は、おおむね、学生数40人につき１人以上を置くものであること。

八　教員は、その担当する科目に関し、学校教育法第104条に規定する修士若しくは博士の学位を有する者又はこれと同等以上の学識経験若しくは教育上の能力を有すると認められる者であること。

九　管理及び維持の方法が確実であること。

②　都道府県知事は、前項第１号に規定する者のほか、満18歳以上の者であつて児童福祉施設において２年以上児童の保護に従事した者その他その者に準ずるものとしてこども家庭庁長官の定める者に入所資格

を与える学校その他の施設につき、当該学校その他の施設が同項各号（第１号を除く。）に該当する場合に限り、同項第１号の規定にかかわらず、指定保育士養成施設の指定をすることができる。

③　都道府県知事は、その経営の状況等から見て、保育士の養成に支障を生じさせるおそれがないと認められる学校その他の施設につき、当該学校その他の施設が第１項各号（第５号（前項に規定する学校その他の施設にあつては、第１号及び第５号。以下この項において同じ。）を除く。）に該当する場合に限り、同項第５号の規定にかかわらず、指定保育士養成施設の指定をすることができる。

〔指定保育士養成施設の指定の申請等〕

第６条の３　令第５条第２項に規定する内閣府令で定める事項は、次のとおりとする。

一　設置者の氏名及び住所又は名称及び主たる事務所の所在地

二　名称及び位置

三　設置年月日

四　学則

五　学校その他の施設の長の氏名及び履歴

六　教員の氏名、履歴、担当科目及び専任兼任の別

七　建物その他設備の規模及び構造並びにその図面

八　実習に利用する施設の名称及び利用の概要

九　当該年度経費収支予算の細目

十　設置者が国又は地方公共団体以外のときは、設置者の資産状況

②　令第５条第３項に規定する内閣府令で定める事項は、前項第４号に掲げる事項（こども家庭庁長官の定める修業教科目並びにその単位数及び履修方法並びに学生の定員に関する事項に限る。）とする。

③　令第５条第４項に規定する内閣府令で定める事項は、第１項第１号及び第２号に掲げる事項、同項第４号に掲げる事項（入所資格、修業年限、前項のこども家庭庁長官の定める修業教科目以外の修業教科目並びにその単位数及び履修方法並びに単位の算定方法に関する事項に限る。）並びに同項第７号に掲げる事項（学校に係る事項を除く。）とする。

〔毎学年度の報告〕

第６条の４　令第５条第５項に規定する内閣府令で定める事項は、次のとおりとする。

一　前学年度卒業者数（学校教育法に規定する専門職大学の前期課程の修了者数を含む。）

二　前年度における経営の状況及び収支決算の細目

三　前学年度教授科目別時間数及び実習の実施状況

四　学生の現在数

〔指定の取消し〕

〔養成施設卒業証明書〕

第6条の5 令第5条第7項に規定する内閣府令で定める事項は、次のとおりとする。

一 その指定保育士養成施設をやめようとする理由

二 入所している学生の処置

三 その指定保育士養成施設をやめようとする年月日

〔養成施設卒業証明書〕

第6条の6 指定保育士養成施設の長は、第6条の2の3第1項第3号の規定による修業教科目及び単位数を同号の規定による方法により履修して卒業する者に対し、第1号様式により、指定保育士養成施設卒業証明書を交付しなければならない。

〔検査証票〕

第6条の7 法第18条の7第2項の規定により当該職員が携帯すべき証明書は、第2号様式によるものとする。

② 法第18条の16第2項（法第34条の5第2項、第34条の14第2項、第34条の18の2第2項及び第46条第2項において準用する場合を含む。）の規定により当該職員が携帯すべき証明書は、第3号様式によるものとする。

③ 法第59条の5第2項の規定により内閣総理大臣に適用があるものとされた法第34条の5第2項及び第46条第2項の規定において準用する法第18条の16第2項に規定する証明書は、第4号様式によるものとする。

〔受験資格〕

第6条の9 保育士試験を受けようとする者は、次の各号のいずれかに該当する者でなければならない。

一 学校教育法による大学に2年以上在学して62単位以上修得した者又は高等専門学校を卒業した者その他その者に準ずるものとしてこども家庭庁長官の定める者

二 学校教育法による高等学校若しくは中等教育学校を卒業した者、同法第90条第2項の規定により大学への入学を認められた者若しくは通常の課程による12年の学校教育を修了した者（通常の課程以外の課程によりこれに相当する学校教育を修了した者を含む。）又は文部科学大臣においてこれと同等以上の資格を有すると認定した者であつて、児童福祉施設において、2年以上児童の保護に従事した者

三 児童福祉施設において、5年以上児童の保護に従事した者

四 前各号に掲げる者のほか、こども家庭庁長官の定める基準に従い、都道府県知事において適当な資格を有すると認めた者

〔登録事項〕

第6条の30 法第18条の18第1項の内閣府令で定める事項は、次のとおりとする。

一 登録番号及び登録年月日

二 本籍地都道府県名（日本国籍を有しない者については、その国籍）

三 法第18条の6各号のいずれに該当するかの別及び当該要件に該当するに至つた年月

四 特定登録取消者（法第18条の20の2第1項に規定する特定登録取消者をいう。）に該当するときはその旨

〔死亡等の届出〕

第6条の34 保育士が次の各号のいずれかに該当するに至つた場合は、当該各号に掲げる者は、遅滞なく、登録証を添え、その旨を登録を行つた都道府県知事に届け出なければならない。

一 死亡し、又は失踪の宣告を受けた場合 戸籍法（昭和22年法律第224号）に規定する届出義務者

二 法第18条の5第1号に該当するに至つた場合 当該保育士又は同居の親族若しくは法定代理人

三 法第18条の5第2号、第3号又は第5号に該当するに至つた場合 当該保育士又は法定代理人

〔欠格事由等の確認〕

第6条の34の2 都道府県知事は、保育士が法第18条の5各号若しくは第18条の19第1項第2号若しくは第3号のいずれかに該当するおそれ又は法第18条の21若しくは法第18条の22の規定に違反しているおそれがあると認めるときは、関係地方公共団体の長その他の者に書類の提示その他の必要な情報の提供を求める方法によつて、当該保育士が当該各号の該当の有無又は当該各条の規定の違反の有無を確認するものとする。

〔処分の通知〕

第6条の35 都道府県知事は、法第18条の19第1項又は第2項の規定により、保育士の登録を取り消し、又は保育士の名称の使用の停止を命じたときは、理由を付し、その旨を登録の取消し又は名称の使用の停止の処分を受けた者に通知しなければならない。

② 法第18条の19第1項又は第2項の規定により保育士の登録を取り消された者は、遅滞なく、登録証を登録を行つた都道府県知事に返納しなければならない。

〔登録簿の訂正等〕

第6条の36 都道府県知事は、第6条の34の届出があつたとき、令第17条第1項の申請があつたとき又は法第18条の19第1項若しくは第2項の規定により保育士の登録を取り消し、若しくは保育士の名称の使

用の停止を命じたときは、保育士登録簿の当該保育士に関する登録を訂正し、若しくは消除し、又は当該保育士の名称の使用の停止をした旨を保育士登録簿に記載するとともに、それぞれ登録の訂正若しくは消除又は名称の使用の停止の理由及びその年月日を記載するものとする。

〔施行細則〕

第6条の37　この章で定めるもののほか、保育士試験、指定試験機関及び保育士の登録に関し必要な事項は、都道府県知事が定める。

第2章　福祉の保障

〔法第21条の9に規定する主務省令で定める事業〕

第19条　法第21条の9に規定する主務省令で定める事業は、次のとおりとする。

一　法第25条の2第1項に規定する要保護児童対策地域協議会その他の者による同条第2項に規定する要保護児童等に対する支援に資する事業

二　地域の児童の養育に関する各般の問題につき、保護者からの相談に応じ、必要な情報の提供及び助言を行う事業

〔身分を示す証明書〕

第20条　法第21条の14第2項、第34条の8の3第2項、第34条の17第2項及び第56条の8第8項において準用する法第18条の16第2項の規定により当該職員が携帯すべき証明書は、第13号の3様式によるものとする。

〔子育て支援事業者の届出〕

第21条　法第21条の15の規定による届出は、次に掲げる事項（当該届出をした事項に変更があつたときは、当該変更に係る事項とし、事業を廃止し、若しくは休止し、又は当該届出に係る事業を再開したときは、その旨とする。）を記載した届出書を提出することにより行うものとする。

一　事業の種類及び内容

二　経営者の氏名及び住所（法人であるときは、その名称及び主たる事務所の所在地）

三　その他市町村長が必要と認める事項

〔保育所等の利用についての調整〕

第24条　市町村は、法第24条第3項の規定に基づき、保育所、認定こども園（子ども・子育て支援法（平成24年法律第65号）第27条第1項の規定による確認を受けたものに限る。）又は家庭的保育事業等の利用について調整を行う場合（法第73条第1項の規定により読み替えて適用する場合を含む。）には、保育の必要の程度及び家族等の状況を勘案し、保育を受ける必要性が高いと認められる児童が優先的に利用できるよう、調整するものとする。

〔法第33条の4に規定する内閣府令で定める場合〕

第36条　法第33条の4に規定する内閣府令で定める場合は、当該措置又は助産の実施、母子保護の実施若しくは児童自立生活援助の実施に係る者が都道府県の区域（市の区域及び福祉事務所を設置する町村の区域に係る部分を除く。）、市町村の区域、福祉事務所の所管区域又は児童相談所の管轄区域を超えて他の区域、所管区域又は管轄区域に居住地を移した場合とする。

〔一時預かり事業の届出〕

第36条の33　法第34条の12第1項に規定する内閣府令で定める事項は、次のとおりとする。

一　事業の種類及び内容

二　経営者の氏名及び住所（法人であるときは、その名称及び主たる事務所の所在地）

三　条例、定款その他の基本約款

四　職員の定数及び職務の内容

五　主な職員の氏名及び経歴

六　事業を行おうとする区域（市町村の委託を受けて事業を行おうとする者にあつては、当該市町村の名称を含む。）

七　事業の用に供する施設の名称、種類、所在地及び利用定員

八　建物その他設備の規模及び構造並びにその図面

九　事業開始の予定年月日

②　法第34条の12第1項の規定による届出を行おうとする者は、収支予算書及び事業計画書を都道府県知事に提出しなければならない。ただし、都道府県知事が、インターネットを利用してこれらの内容を閲覧することができる場合は、この限りでない。

〔一時預かり事業の廃止又は休止の届出〕

第36条の34　法第34条の12第3項に規定する内閣府令で定める事項は、次のとおりとする。

一　廃止又は休止しようとする年月日

二　廃止又は休止の理由

三　現に便宜を受けている乳幼児に対する措置

四　休止しようとする場合にあつては、休止の予定期間

〔法第34条の13に規定する内閣府令で定める基準〕

第36条の35　法第34条の13に規定する内閣府令で定める基準は、次の各号に掲げる場合に応じ、当該各号に定めるところによる。

一　保育所、幼稚園、認定こども園その他の場所（以下この号において「保育所等」という。）において、主として保育所等に通っていない、又は在籍していない乳幼児に対して一時預かり事業を行う場合

（次号から第４号までに掲げる場合を除く。以下この号において「一般型一時預かり事業」という。）次に掲げる全ての要件を満たすこと。

イ　児童福祉施設の設備及び運営に関する基準第32条の規定に準じ、一般型一時預かり事業の対象とする乳幼児の年齢及び人数に応じて、必要な設備（医務室、調理室及び屋外遊戯場を除く。）を設けること。

ロ　児童福祉施設の設備及び運営に関する基準第33条第２項の規定に準じ、一般型一時預かり事業の対象とする乳幼児の年齢及び人数に応じて、当該乳幼児の処遇を行う職員として保育士（特区法第12条の５第５項に規定する事業実施区域内にある一般型一時預かり事業を行う場所にあつては、保育士又は当該事業実施区域に係る国家戦略特別区域限定保育士。以下このロ及びハにおいて同じ。）その他市町村長が行う研修（市町村長が指定する都道府県知事その他の機関が行う研修を含む。）を修了した者を置くこととし、そのうち半数以上は保育士（当該一般型一時預かり事業を利用している乳幼児の人数が１日当たり平均３人以下である場合にあつては、第１条の32に規定する研修と同等以上の内容を有すると認められるものを修了した者を含む。ハにおいて同じ。）であること。ただし、当該職員の数は、２人を下ることはできないこと。

ハ　ロに規定する職員は、専ら当該一般型一時預かり事業に従事するものでなければならないこと。ただし、次のいずれかに該当する場合は、専ら当該一般型一時預かり事業に従事する職員（保育士に限る。）を１人とすることができること。

（1）当該一般型一時預かり事業と保育所等とが一体的に運営されている場合であつて、当該一般型一時預かり事業を行うに当たつて当該保育所等の職員（保育その他の子育て支援に従事する職員に限る。）による支援を受けることができ、かつ、専ら当該一般型一時預かり事業に従事する職員が保育士であるとき

（2）当該一般型一時預かり事業を利用している乳幼児の人数が１日当たり平均３人以下である場合であつて、保育所等を利用している乳幼児の保育が現に行われている乳児室、ほふく室、保育室又は遊戯室において当該一般型一時預かり事業が実施され、かつ、当該一般型一時預かり事業を行うに当たつて当該保育

所等の保育士による支援を受けることができるとき

ニ　児童福祉施設の設備及び運営に関する基準第35条の規定に準じ、事業を実施すること。

ホ　食事の提供を行う場合（施設外で調理し運搬する方法により行う場合を含む。次号ホにおいて同じ。）においては、当該施設において行うことが必要な調理のための加熱、保存等の調理機能を有する設備を備えること。

二　幼稚園又は認定こども園（以下この号において「幼稚園等」という。）において、主として幼稚園等に在籍している満３歳以上の幼児に対して一時預かり事業を行う場合（以下この号において「幼稚園型一時預かり事業」という。）次に掲げる全ての要件を満たすこと。

イ　児童福祉施設の設備及び運営に関する基準第32条の規定に準じ、幼稚園型一時預かり事業の対象とする幼児の年齢及び人数に応じて、必要な設備（調理室及び屋外遊戯場を除く。）を設けること。

ロ　児童福祉施設の設備及び運営に関する基準第33条第２項の規定に準じ、幼稚園型一時預かり事業の対象とする幼児の年齢及び人数に応じて、当該幼児の処遇を行う職員として保育士（特区法第12条の５第５項に規定する事業実施区域内にある幼稚園型一時預かり事業を行う場所にあつては、保育士又は当該事業実施区域に係る国家戦略特別区域限定保育士。以下このロ及びハただし書において同じ。）、幼稚園の教諭の普通免許状（教育職員免許法に規定する普通免許状をいう。）を有する者（以下この号において「幼稚園教諭普通免許状所有者」という。）その他市町村長が行う研修（市町村長が指定する都道府県知事その他の機関が行う研修を含む。）を修了した者を置くこととし、そのうち半数以上は保育士又は幼稚園教諭普通免許状所有者であること。ただし、当該職員の数は、２人を下ることはできないこと。

ハ　ロに規定する職員は、専ら当該幼稚園型一時預かり事業に従事するものでなければならないこと。ただし、当該幼稚園型一時預かり事業と幼稚園等とが一体的に運営されている場合であつて、当該幼稚園型一時預かり事業を行うに当たつて当該幼稚園等の職員（保育士又は幼稚園教諭普通免許状所有者に限る。）による支援を受けることができるときは、専ら当該幼稚園型一時預かり事業に従事する職員を１人とするこ

とができること。

二　次に掲げる施設の区分に応じ、それぞれ次に定めるものに準じ、事業を実施すること。

（1）　幼稚園又は幼保連携型認定こども園以外の認定こども園　学校教育法第25条の規定に基づき文部科学大臣が定める幼稚園の教育課程その他の教育内容に関する事項

（2）　幼保連携型認定こども園　認定こども園法第10条第１項の規定に基づき主務大臣が定める幼保連携型認定こども園の教育課程その他の教育及び保育の内容に関する事項

ホ　食事の提供を行う場合においては、当該施設において行うことが必要な調理のための加熱、保存等の調理機能を有する設備を備えること。

三　保育所、認定こども園又は家庭的保育事業等（居宅訪問型保育事業を除く。以下この号において同じ。）を行う事業所において、当該施設又は事業を利用する児童の数（以下この号において「利用児童数」という。）が当該施設又は事業に係る利用定員の総数に満たない場合であつて、当該利用定員の総数から当該利用児童数を除いた数の乳幼児を対象として一時預かり事業を行うとき　次に掲げる施設又は事業所の区分に応じ、それぞれ次に定めるものに準じ、事業を実施すること。

イ　保育所　児童福祉施設の設備及び運営に関する基準（保育所に係るものに限る。）

ロ　幼保連携型認定こども園以外の認定こども園　認定こども園法第３条第２項に規定する主務大臣が定める施設の設備及び運営に関する基準

ハ　幼保連携型認定こども園　幼保連携型認定こども園の学級の編制、職員、設備及び運営に関する基準（平成26年内閣府・文部科学省・厚生労働省令第１号）

ニ　家庭的保育事業等を行う事業所　家庭的保育事業等の設備及び運営に関する基準（平成26年厚生労働省令第61号）（居宅訪問型保育事業に係るものを除く。）

四　乳幼児の居宅において一時預かり事業を行う場合　家庭的保育事業等の設備及び運営に関する基準（居宅訪問型保育事業に係るものに限る。）に準じ、事業を実施すること。

②　一時預かり事業を行う者は、当該事業の実施による事故の発生又はその再発の防止に努めるとともに、事故が発生した場合は、速やかに当該事実を都道府県知事に報告しなければならない。

〔令第35条の４第２号に規定する内閣府令で定める事項〕

第36条の37の２　令第35条の４第２号に規定する内閣府令で定める事項は、当該家庭的保育事業等を行う事業所が所在する市町村における前年度の令第35条の４本文に規定する実地の検査の実施状況及び当該家庭的保育事業等を開始してからの年数とする。

〔児童福祉施設の設置認可の申請〕

第37条　法第35条第３項に規定する内閣府令で定める事項は、次のとおりとする。

一　名称、種類及び位置

二　建物その他設備の規模及び構造並びにその図面

三　運営の方法（保育所にあつては事業の運営についての重要事項に関する規程）

三の二　経営の責任者及び福祉の実務に当る幹部職員の氏名及び経歴

四　収支予算書

五　事業開始の予定年月日

②　法第35条第４項の認可を受けようとする者は、前項各号に掲げる事項を具し、これを都道府県知事に申請しなければならない。

③　前項の申請をしようとする者は、次に掲げる書類を提出しなければならない。

一　設置する者の履歴及び資産状況を明らかにする書類

二　保育所を設置しようとする者が法人である場合にあつては、その法人格を有することを証する書類

三　法人又は団体においては定款、寄附行為その他の規約

④　法第35条第３項の届出を行つた市町村は、第１項第２号若しくは第３号に掲げる事項又は経営の責任者若しくは福祉の実務に当たる幹部職員を変更しようとするときは、あらかじめ、都道府県知事に届け出なければならない。

⑤　法第35条第３項の届出を行つた市町村又は同条第４項の認可を受けた者は、第１項第１号又は第３項第３号に掲げる事項に変更があつたときは、変更のあつた日から起算して１月以内に、都道府県知事に届け出なければならない。

⑥　法第35条第４項の認可を受けた者は、第１項第２号若しくは第３号に掲げる事項又は経営の責任者若しくは福祉の実務に当たる幹部職員を変更しようとするときは、都道府県知事にあらかじめ届け出なければならない。

〔児童福祉施設の廃止又は休止承認の申請〕

第38条　法第35条第11項に規定する命令で定める事項は、次のとおりとする。

一　廃止又は休止の理由

二　入所させている者の処置

三　廃止しようとする者にあつては廃止の期日及び財産の処分

四　休止しようとする者にあつては休止の予定期間

②　法第35条第12項の規定により、児童福祉施設を廃止又は休止しようとするときは、前項各号に掲げる事項を具し、都道府県知事の承認を受けなければならない。

③　前項の承認の申請を受けた都道府県知事は、必要な条件を附して承認を与えることができる。

〔令第38条第２号に規定する内閣府令で定める事項〕

第38条の３　令第38条第２号に規定する内閣府令で定める事項は、当該児童福祉施設が所在する都道府県における前年度の令第38条本文に規定する実地の検査の実施状況及び当該児童福祉施設を設置してからの年数とする。

〔法第56条の４の２第２項第３号の内閣府令で定める事項〕

第40条　法第56条の４の２第２項第３号の内閣府令で定める事項は、次のとおりとする。

一　市町村整備計画（法第56条の４の２第１項に規定する市町村整備計画をいう。以下この条において同じ。）の名称

二　市町村整備計画の区域

三　市町村整備計画に基づく事業に要する費用の額

四　市町村整備計画交付金（法第56条の４の３第２項の交付金をいう。次号及び次条において同じ。）の額の算定のために必要な事項としてこども家庭庁長官が定めるもの

五　その他市町村整備計画交付金の交付に関しこども家庭庁長官が必要と認める事項

〔交付金の交付〕

第41条　市町村整備計画交付金は、別にこども家庭庁長官が定める交付方法に従い、予算の範囲内で交付する。

第４章　雑則

〔証票〕

第49条　法第59条第１項に規定する証票は、第14号様式による。

②　法第59条の５第２項の規定により内閣総理大臣に適用があるものとされた法第59条第１項に規定する証票は、第15号様式による。

〔届出対象外施設〕

第49条の２　法第59条の２第１項に規定する内閣府令で定めるものは、次の各号のいずれかに該当する施設（子ども・子育て支援法第59条の２に規定する仕事・子育て両立支援事業に係るものを除く。）とする。

一　次に掲げる乳幼児のみの保育を行う施設であつて、その旨が約款その他の書類により明らかであるもの

イ　店舗その他の事業所において商品の販売又は役務の提供を行う事業者が商品の販売又は役務の提供を行う間に限り、その顧客の監護する乳幼児を保育するために自ら設置する施設又は当該事業者からの委託を受けて当該顧客の監護する乳幼児を保育する施設にあつては、当該顧客の監護する乳幼児

ロ　設置者の４親等内の親族である乳幼児

ハ　設置者の親族又はこれに準ずる密接な人的関係を有する者の監護する乳幼児

二　半年を限度として臨時に設置される施設

三　認定こども園法第３条第３項に規定する連携施設を構成する保育機能施設

〔設置届出事項〕

第49条の３　法第59条の２第１項第６号に規定する内閣府令で定める事項は、次に掲げるものとする。

一　開所している時間

二　提供するサービスの内容及び当該サービスの提供につき利用者が支払うべき額に関する事項

三　届出年月日の前日において保育している乳幼児の人数

四　入所定員

五　届出年月日の前日において保育に従事している保育士その他の職員の配置数（当該施設の保育士その他の職員のそれぞれの１日の勤務延べ時間数を８で除して得た数をいう。以下同じ。）及び勤務の体制

六　保育士その他の職員の配置数及び勤務の体制の予定

七　法第６条の３第11項に規定する業務を目的とする施設の設置者又は１日に保育する乳幼児の数が５人以下である施設（前条各号に掲げるものを除く。第49条の５第２項第７号及び第49条の７第11号において同じ。）の設置者にあつては、当該設置者及び職員に対する研修の受講状況

八　保育する乳幼児に関して契約している保険の種類、保険事故及び保険金額

九　提携している医療機関の名称、所在地及び提携内容

十　提供するサービスの内容に関する情報をインターネットを利用して公衆が閲覧することができる状態に置いてこれに伝達し、かつ、当該情報の

伝達を受けた保護者が当該サービスの利用を目的として電子メールその他の電気通信（電気通信事業法（昭和59年法律第86号）第2条第1号に規定する電気通信をいう。以下この号及び第49条の7第14号において同じ。）を利用して当該情報を伝達する設置者と相互に連絡することができるようにする方法（当該設置者のウェブサイトを利用する方法を除く。同号において同じ。）を用いようとする設置者にあつては、当該情報を公衆に伝達するための電気通信の送信元を識別するための文字、番号、記号その他の符号（同号において「送信元識別符号」という。）

十一　施設の設置者について、過去に法第59条第5項の命令を受けたか否かの別（当該設置者が、法第59条の2第1項に規定する施設の設置者であつた場合の当該命令に限る。当該命令を受けたことがある場合には、その内容を含む。第49条の5第2項第13号及び第49条の7第15号において同じ。）

〔変更届出事項〕

第49条の4　法第59条の2第2項に規定する内閣府令で定める事項は、同条第1項第1号から第3号まで及び第5号並びに前条第11号に掲げる事項とする。

〔閲覧の方法及び掲示事項〕

第49条の5　法第59条の2の2の規定による公衆の閲覧は、独立行政法人福祉医療機構のウェブサイトへの掲載により行うものとする。

②　法第59条の2の2第3号に規定する内閣府令で定める事項は、次に掲げるものとする。

一　施設の名称及び所在地
二　事業を開始した年月日
三　開所している時間
四　提供するサービスの内容及び当該サービスの提供につき利用者が支払うべき額に関する事項並びにこれらの事項に変更を生じたことがある場合にあつては当該変更のうち直近のものの内容及びその理由
五　入所定員
六　保育士その他の職員の配置数又はその予定
七　法第6条の3第11項に規定する業務を目的とする施設の設置者又は1日に保育する乳幼児の数が5人以下である施設の設置者にあつては、当該設置者及び職員に対する研修の受講状況
八　保育する乳幼児に関して契約している保険の種類、保険事故及び保険金額
九　提携している医療機関の名称、所在地及び提携内容

十　緊急時等における対応方法
十一　非常災害対策
十二　虐待の防止のための措置に関する事項
十三　施設の設置者について、過去に法第59条第5項の命令を受けたか否かの別

〔書面交付事項〕

第49条の6　法第59条の2の4第3号に規定する内閣府令で定める事項は、次の各号に掲げるものとする。

一　施設の名称及び所在地
二　施設の管理者の氏名
三　当該利用者に対して提供するサービスの内容
四　保育する乳幼児に関して契約している保険の種類、保険事故及び保険金額
五　提携している医療機関の名称、所在地及び提携内容
六　利用者からの苦情を受け付ける担当職員の氏名及び連絡先

〔定期報告事項〕

第49条の7　法第59条の2の5第1項の規定による報告は、次の各号に掲げる事項を都道府県知事の定める日までに提出することにより行うものとする。

一　施設の名称及び所在地
二　設置者の氏名及び住所又は名称及び主たる事務所の所在地
三　建物その他の設備の規模及び構造
四　施設の管理者の氏名及び住所
五　開所している時間
六　提供するサービスの内容及び当該サービスの提供につき利用者が支払うべき額に関する事項
七　報告年月日の前日において保育している乳幼児の人数
八　入所定員
九　報告年月日の前日において保育に従事している保育士その他の職員の配置数及び勤務の体制
十　保育士その他の職員の配置数及び勤務の体制の予定
十一　法第6条の3第11項に規定する業務を目的とする施設の設置者又は1日に保育する乳幼児の数が5人以下である施設の設置者にあつては、当該設置者及び職員に対する研修の受講状況
十二　保育する乳幼児に関して契約している保険の種類、保険事故及び保険金額
十三　提携している医療機関の名称、所在地及び提携内容
十四　提供するサービスの内容に関する情報をインターネットを利用して公衆が閲覧することができる状態に置いてこれに伝達し、かつ、当該情報の

伝達を受けた保護者が当該サービスの利用を目的として電子メールその他の電気通信を利用して当該情報を伝達する設置者と相互に連絡することができるようにする方法を用いようとする設置者にあつては、当該情報を公衆に伝達するための電気通信の送信元を識別するための送信元識別符号

十五　施設の設置者について、過去に法第59条第5項の命令を受けたか否かの別

十六　その他施設の管理及び運営に関する事項

〔事故発生の防止及び発生時の対応〕

第49条の7の2　法第59条の2第1項に規定する施設の設置者は、当該施設におけるサービスの提供による事故の発生又はその再発の防止に努めるとともに、事故が発生した場合は、速やかに当該事実を都道府県知事に報告しなければならない。

②　都道府県知事は、前項の規定による報告があつたときは、その内容を当該施設の所在地の市町村長に通知するものとする。

〔権限の委任〕

第49条の8　法第59条の8第3項及び令第47条第1項の規定により、法第59条の5第4項において読み替えて準用する同条第1項に規定する厚生労働大臣の権限は、地方厚生局長に委任する。ただし、厚生労働大臣が自ら行うことを妨げない。

〔町村の一部事務組合等〕

第50条　町村が一部事務組合又は広域連合を設けて福祉事務所を設置した場合には、この命令の適用については、その一部事務組合又は広域連合を福祉事務所を設置する町村とみなす。

〔大都市の特例〕

第50条の2　令第45条第1項の規定により、指定都市が児童福祉に関する事務を処理する場合及び令第45条の3第1項の規定により、法第59条の4第1項の児童相談所設置市（以下「児童相談所設置市」という。）が児童福祉に関する事務を処理する場合においては、次の表の上欄に掲げるこの命令の規定中の字句で、同表中欄に掲げるものは、それぞれ同表下欄の字句と読み替えるものとする。

第1条の10	都道府県	指定都市及び児童相談所設置市
第1条の29 第1条の31第1項 第1条の36 第1条の37 第1条の40 第1条の41 第4条第1項	都道府県知事	指定都市の市長及び児童相談所設置市の長
第4条第2項	都道府県内	指定都市内及び

第5条		児童相談所設置市内
第7条第1項及び第3項 第7条の9第1項	都道府県	指定都市及び児童相談所設置市
第7条の9第2項	都道府県は、	指定都市及び児童相談所設置市は、
	都道府県知事	指定都市の市長及び児童相談所設置市の長
第7条の9第3項及び第4項	都道府県	指定都市及び児童相談所設置市
第7条の10 第7条の11 第7条の14 第7条の16 第7条の17	都道府県知事	指定都市の市長及び児童相談所設置市の長
第7条の20	都道府県は、	指定都市及び児童相談所設置市は、
	都道府県知事	指定都市の市長及び児童相談所設置市の長
第7条の22 第7条の23 第7条の27 第7条の28	都道府県	指定都市及び児童相談所設置市
第7条の29 第7条の30 第7条の35 第7条の36 第7条の37 第7条の39第1項	都道府県知事	指定都市の市長及び児童相談所設置市の長
第7条の39第2項	都道府県は、	指定都市及び児童相談所設置市は、
	都道府県知事	指定都市の市長及び児童相談所設置市の長
第8条第1項	都道府県知事	指定都市の市長及び児童相談所設置市の長
第8条第2項	都道府県は、	指定都市及び児童相談所設置市は、
	都道府県知事	指定都市の市長及び児童相談所設置市の長
第10条第1項 第11条	都道府県知事	指定都市の市長及び児童相談所

第15条 第16条		設置市の長
第17条第2項及び第4項	都道府県	指定都市及び児童相談所設置市
第18条の27第1項から第3項まで 第18条の27第4項（第18条の29第4項において準用する場合を含む。）	都道府県知事	指定都市の市長及び児童相談所設置市の長
第18条の27第5項（第18条の29第4項において準用する場合を含む。）	都道府県知事	指定都市の市長及び児童相談所設置市の長
	市町村長	指定都市の市長及び児童相談所設置市の長
	は、これらの指定に係る申請の書類の写しを提出することにより行わせる	を省略させる
第18条の27第6項 第18条の28 第18条の29第1項から第3項まで及び第5項 第18条の29の2 第18条の30 第18条の32第4項 第18条の34の2第1項 第18条の34の3 第18条の34の4 第18条の35第1項、第3項及び第4号 第18条の35の7	都道府県知事	指定都市の市長及び児童相談所設置市の長
第18条の38第1項	区分	区分（令第45条の3第8項の規定により読み替えて適用する場合を含む。以下この条において同じ。）
	又は指定都市若しくは中核市（地方自治法第252条の22第1項の中核市をいう。以下同じ。）の市長	、指定都市の市長又は児童相談所設置市の長
第18条の38第2項	又は指定都市若しくは中核市の市長	、指定都市の市長又は児童相談所設置市の長
第18条の39	法第21条の5の27第4項	法第21条の5の27第4項（地方
		自治法施行令第174条の26第7項及び令第45条の3第8項により読み替えて適用する場合を含む。）
	指定都市若しくは中核市の市長	都道府県知事
第18条の40	指定都市若しくは中核市の市長	都道府県知事
	都道府県知事	指定都市の市長又は児童相談所設置市の長
第18条の47第1項	都道府県知事	指定都市の市長及び児童相談所設置市の長
第25条の7第1項から第10項まで及び第12項 第25条の9 第25条の11 第25条の14 第25条の17 第25条の19第1項及び第3項	都道府県	指定都市及び児童相談所設置市
第25条の21 第25条の22	都道府県知事	指定都市の市長又は児童相談所設置市の長
第25条の23の2第1項	区分	区分（令第45条の3第8項の規定により読み替えて適用する場合を含む。以下この条において同じ。）
	又は指定都市の市長	、指定都市の市長又は児童相談所設置市の長
第25条の23の2第2項	又は指定都市の市長	、指定都市の市長又は児童相談所設置市の長
第25条の23の3	法第21条の5の27第4項	法第21条の5の27第4項（地方自治法施行令第174条の26第7項及び令第45条の3第8項の規定により読み替えて適用する場合を含む。）
	こども家庭庁長官	こども家庭庁長官又は都道府県知事
第25条の23の4	こども家庭庁長官	こども家庭庁長官又は都道府県知事
	都道府県知事	指定都市の市長又は児童相談所設置市の長

第25条の24第1項	都道府県	指定都市及び児童相談所設置市
第25条の26第1項及び第2項 第25条の29 第26条 第27条 第32条において準用する第26条 第32条において準用する第27条	都道府県知事	指定都市の市長及び児童相談所設置市の長
第34条の2 第34条の3	市町村長を経て、都道府県知事に	指定都市の市長及び児童相談所設置市の長に
第36条の2	都道府県	指定都市及び児童相談所設置市
第36条の8第3項 第36条の24 第36条の26第1項	都道府県知事	指定都市の市長及び児童相談所設置市の長
第36条の26第2項、第4項及び第5項	都道府県	指定都市及び児童相談所設置市
第36条の27第1項 第36条の28	都道府県知事	指定都市の市長及び児童相談所設置市の長
第36条の29	都道府県	指定都市及び児童相談所設置市
第36条の30の2 第36条の30の3 第36条の30の5 第36条の30の6 第36条の30の7第2項 第36条の31第2項 第36条の32の2第2項 第36条の32の4第2項 第36条の32の8 第36条の32の9 第36条の33第2項 第36条の35第2項 第36条の38第2項 第36条の39の2 第36条の40	都道府県知事	指定都市の市長及び児童相談所設置市の長
第36条の41第1項及び第3項	都道府県知事	指定都市の市長及び児童相談所設置市の長
	都道府県	指定都市及び児童相談所設置市
第36条の41第4項及び第6項 第36条の42 第36条の43 第36条の44 第36条の46第2項及び第4項 第36条の47	都道府県知事	指定都市の市長及び児童相談所設置市の長
第37条第2項	都道府県知事	指定都市の市長及び児童相談所設置市の長
第37条第4項 第37条第5項	都道府県知事	指定都市の市長及び児童相談所設置市の長
	市町村	指定都市及び児童相談所設置市以外の市町村
第37条第6項 第38条第2項及び第3項	都道府県知事	指定都市の市長及び児童相談所設置市の長
第39条第1項	都道府県の知事	指定都市の市長及び児童相談所設置市の長
第39条第2項	都道府県知事	指定都市の市長及び児童相談所設置市の長
第49条の7 第49条の7の2第1項	都道府県知事	指定都市の市長及び児童相談所設置市の長
別表第2	都道府県	指定都市及び児童相談所設置市
	都道府県知事	指定都市の市長及び児童相談所設置市の長
別表第3	都道府県知事	指定都市の市長及び児童相談所設置市の長

〔中核市の特例〕

第50条の3　令第45条第2項の規定により、中核市が児童福祉に関する事務を処理する場合においては、次の表の上欄に掲げるこの命令の規定中の字句で、同表中欄に掲げるものは、それぞれ同表下欄の字句と読み替えるものとする。

第7条第1項及び第3項 第7条の9第1項	都道府県	中核市
第7条の9第2項	都道府県は、	中核市は、
	都道府県知事	中核市の市長
第7条の9第3項及び第4項	都道府県	中核市
第7条の10 第7条の11	都道府県知事	中核市の市長

第7条の14 第7条の16 第7条の17		
第7条の20	都道府県は、	中核市は、
	都道府県知事	中核市の市長
第7条の22 第7条の23 第7条の27 第7条の28	都道府県	中核市
第7条の29 第7条の30 第7条の35 第7条の36 第7条の37 第7条の39第1項	都道府県知事	中核市の市長
第7条の39第2項	都道府県は、	中核市は、
	都道府県知事	中核市の市長
第8条第1項	都道府県知事	中核市の市長
第8条第2項	都道府県は、	中核市は、
	都道府県知事	中核市の市長
第10条第1項 第11条 第15条 第16条	都道府県知事	中核市の市長
第17条第2項及び第4項	都道府県	中核市
第18条の27第1項から第3項まで	都道府県知事	中核市の市長
第18条の27第4項（第18条の29第4項において準用する場合を含む。）		
第18条の27第5項（第18条の29第4項において準用する場合を含む。）	都道府県知事	中核市の市長
	市町村長	中核市の市長
	は、これらの指定に係る申請の書類の写しを提出することにより行わせる	を省略させる
第18条の27第6項	都道府県知事	中核市の市長
第18条の28 第18条の29第1項から第3項まで及び第5項 第18条の29の2 第18条の30		

第18条の32第4項 第18条の34の2第1項 第18条の34の3 第18条の34の4 第18条の35第1項、第3項及び第4項 第18条の35の7		
第18条の39	法第21条の5の27第4項	法第21条の5の27第4項（地方自治法施行令第174条の49の2第2項の規定により読み替えて適用する場合を含む。）
	指定都市若しくは中核市の市長	都道府県知事
第18条の40	指定都市若しくは中核市の市長	都道府県知事
	都道府県知事	中核市の市長
第36条の30の2	都道府県知事	中核市の市長
	情報公表対象支援情報を	情報公表対象支援情報（指定障害児入所施設等（法第24条の2第1項に規定する指定障害児入所施設等をいう。以下この条において同じ。）に係るものを除く。）を
	対象事業者を	対象事業者（指定障害児入所施設等の設置者を除く。）を
第36条の30の3	都道府県知事	中核市の市長
第36条の30の4	情報公表対象支援を	情報公表対象支援（指定入所支援（法第24条の2第1項に規定する指定入所支援をいう。）を除く。）を
第36条の30の5 第36条の30の6 第36条の30の7第2項 第36条の32の2第2項 第36条の32の4第2項 第36条の32の8 第36条の32の9 第36条の33第2項	都道府県知事	中核市の市長

第36条の35第2項 第36条の38第2項 第36条の39の2		
第37条第2項	都道府県知事	都道府県知事（助産施設、母子生活支援施設及び保育所（以下「特定児童福祉施設」という。）については、中核市の市長）
第37条第4項 第37条第5項	都道府県知事	都道府県知事（特定児童福祉施設については、中核市の市長）
	市町村	市町村（特定児童福祉施設については、中核市以外の市町村）
第37条第6項 第38条第2項及び第3項	都道府県知事	都道府県知事（特定児童福祉施設については、中核市の市長）
第49条の7 第49条の7の2第1項	都道府県知事	中核市の市長
別表第2	都道府県	中核市
	都道府県知事	中核市の市長
別表第3	都道府県知事	中核市の市長

附　則　抄

〔施行期日〕

第51条　この省令は、昭和23年1月1日から、これを適用する。但し、法第63条但書に掲げる規定に関する部分は、昭和23年4月1日から、これを施行する。

〔一時預かり事業の実施基準に関する経過措置〕

第56条　第36条の35第1項第2号の規定の適用については、当分の間、同号ロ中「をいう。」とあるのは「をいう。以下このロにおいて同じ。」と、「修了した者」とあるのは「修了した者又は小学校の教諭若しくは養護教諭の普通免許状を有する者その他の教育及び保育に関する知識、経験等を有する者として市町村長が認めるもの」と、「半数」とあるのは「3分の1」とする。

②　法第34条の13に規定する内閣府令で定める基準は、乳幼児及びその保護者が相互の交流を行う場所として開設された施設又は駅周辺の施設その他の利便性の高い施設において、乳幼児を対象に一時預かり事業を行う場合には、当分の間、第36条の35第1項の規定にかかわらず、次の各号に定めるところによることができる。

一　児童福祉施設の設備及び運営に関する基準第32条の規定に準じ、事業の対象とする乳幼児の年齢及び人数に応じて、必要な設備（医務室、調理室及び屋外遊戯場を除く。）を設けるよう努めること。

二　児童福祉施設の設備及び運営に関する基準第33条第2項の規定に準じ、事業の対象とする乳幼児の年齢及び人数に応じて、当該乳幼児の処遇を行う職員として保育士（特区法第12条の5第5項に規定する事業実施区域内にある施設にあつては、保育士又は当該事業実施区域に係る国家戦略特別区域限定保育士。次号において同じ。）又は市町村長が行う研修（市町村長が指定する都道府県知事その他の機関が行う研修を含む。）を修了した者を置くこと。ただし、当該職員の数は、2人を下ることはできないこと。

三　前号に規定する職員のうち1人以上は、豊富な経験を有する保育士であること。

四　児童福祉施設の設備及び運営に関する基準第35条の規定に準じ、事業を実施すること。

五　食事の提供を行う場合（施設外で調理し運搬する方法により行う場合を含む。）においては、当該施設において行うことが必要な調理のための加熱、保存等の調理機能を有する設備を備えるよう努めること。

●教育基本法（抄）

〔平成18年12月22日〕
〔法 律 第 120 号〕

第1章　教育の目的及び理念

（教育の目的）

第1条　教育は、人格の完成を目指し、平和で民主的な国家及び社会の形成者として必要な資質を備えた心身ともに健康な国民の育成を期して行われなければならない。

（教育の目標）

第2条　教育は、その目的を実現するため、学問の自由を尊重しつつ、次に掲げる目標を達成するよう行われるものとする。

一　幅広い知識と教養を身に付け、真理を求める態度を養い、豊かな情操と道徳心を培うとともに、健やかな身体を養うこと。

二　個人の価値を尊重して、その能力を伸ばし、創造性を培い、自主及び自律の精神を養うとともに、職業及び生活との関連を重視し、勤労を重んずる態度を養うこと。

三　正義と責任、男女の平等、自他の敬愛と協力を重んずるとともに、公共の精神に基づき、主体的に社会の形成に参画し、その発展に寄与する態度を養うこと。

四　生命を尊び、自然を大切にし、環境の保全に寄与する態度を養うこと。

五　伝統と文化を尊重し、それらをはぐくんできた我が国と郷土を愛するとともに、他国を尊重し、国際社会の平和と発展に寄与する態度を養うこと。

（生涯学習の理念）

第3条　国民一人一人が、自己の人格を磨き、豊かな人生を送ることができるよう、その生涯にわたって、あらゆる機会に、あらゆる場所において学習することができ、その成果を適切に生かすことのできる社会の実現が図られなければならない。

（教育の機会均等）

第4条　すべて国民は、ひとしく、その能力に応じた教育を受ける機会を与えられなければならず、人種、信条、性別、社会的身分、経済的地位又は門地によって、教育上差別されない。

2　国及び地方公共団体は、障害のある者が、その障害の状態に応じ、十分な教育を受けられるよう、教育上必要な支援を講じなければならない。

3　国及び地方公共団体は、能力があるにもかかわらず、経済的理由によって修学が困難な者に対して、奨学の措置を講じなければならない。

第2章　教育の実施に関する基本

（学校教育）

第6条　法律に定める学校は、公の性質を有するものであって、国、地方公共団体及び法律に定める法人のみが、これを設置することができる。

2　前項の学校においては、教育の目標が達成されるよう、教育を受ける者の心身の発達に応じて、体系的な教育が組織的に行われなければならない。この場合において、教育を受ける者が、学校生活を営む上で必要な規律を重んずるとともに、自ら進んで学習に取り組む意欲を高めることを重視して行われなければならない。

（私立学校）

第8条　私立学校の有する公の性質及び学校教育において果たす重要な役割にかんがみ、国及び地方公共団体は、その自主性を尊重しつつ、助成その他の適当な方法によって私立学校教育の振興に努めなければならない。

（教員）

第9条　法律に定める学校の教員は、自己の崇高な使命を深く自覚し、絶えず研究と修養に励み、その職責の遂行に努めなければならない。

2　前項の教員については、その使命と職責の重要性にかんがみ、その身分は尊重され、待遇の適正が期せられるとともに、養成と研修の充実が図られなければならない。

（家庭教育）

第10条　父母その他の保護者は、子の教育について第一義的責任を有するものであって、生活のために必要な習慣を身に付けさせるとともに、自立心を育成し、心身の調和のとれた発達を図るよう努めるものとする。

2　国及び地方公共団体は、家庭教育の自主性を尊重しつつ、保護者に対する学習の機会及び情報の提供その他の家庭教育を支援するために必要な施策を講ずるよう努めなければならない。

（幼児期の教育）

第11条　幼児期の教育は、生涯にわたる人格形成の基礎を培う重要なものであることにかんがみ、国及び地方公共団体は、幼児の健やかな成長に資する良好な環境の整備その他適当な方法によって、その振興

に努めなければならない。

（社会教育）

第12条　個人の要望や社会の要請にこたえ、社会において行われる教育は、国及び地方公共団体によって奨励されなければならない。

2　国及び地方公共団体は、図書館、博物館、公民館その他の社会教育施設の設置、学校の施設の利用、学習の機会及び情報の提供その他の適当な方法によって社会教育の振興に努めなければならない。

（学校、家庭及び地域住民等の相互の連携協力）

第13条　学校、家庭及び地域住民その他の関係者は、教育におけるそれぞれの役割と責任を自覚するとともに、相互の連携及び協力に努めるものとする。

（政治教育）

第14条　良識ある公民として必要な政治的教養は、教育上尊重されなければならない。

2　法律に定める学校は、特定の政党を支持し、又はこれに反対するための政治教育その他政治的活動をしてはならない。

（宗教教育）

第15条　宗教に関する寛容の態度、宗教に関する一般的な教養及び宗教の社会生活における地位は、教育上尊重されなければならない。

2　国及び地方公共団体が設置する学校は、特定の宗教のための宗教教育その他宗教的活動をしてはならない。

第3章　教育行政

（教育行政）

第16条　教育は、不当な支配に服することなく、この法律及び他の法律の定めるところにより行われるべきものであり、教育行政は、国と地方公共団体との適切な役割分担及び相互の協力の下、公正かつ適正に行われなければならない。

2　国は、全国的な教育の機会均等と教育水準の維持向上を図るため、教育に関する施策を総合的に策定し、実施しなければならない。

3　地方公共団体は、その地域における教育の振興を図るため、その実情に応じた教育に関する施策を策定し、実施しなければならない。

4　国及び地方公共団体は、教育が円滑かつ継続的に実施されるよう、必要な財政上の措置を講じなければならない。

（教育振興基本計画）

第17条　政府は、教育の振興に関する施策の総合的かつ計画的な推進を図るため、教育の振興に関する施策についての基本的な方針及び講ずべき施策その他必要な事項について、基本的な計画を定め、これを国会に報告するとともに、公表しなければならない。

2　地方公共団体は、前項の計画を参酌し、その地域の実情に応じ、当該地方公共団体における教育の振興のための施策に関する基本的な計画を定めるよう努めなければならない。

第4章　法令の制定

第18条　この法律に規定する諸条項を実施するため、必要な法令が制定されなければならない。

附　則　抄

（施行期日）

1　この法律は、公布の日〔平成18年12月22日〕から施行する。

●学校教育法（抄）

〔昭和22年3月31日〕
〔法　律　第　26　号〕

注　令和6年6月14日法律第50号改正現在
（未施行分については1660頁に収載）

第1章　総則

〔学校の範囲〕

第1条　この法律で、学校とは、幼稚園、小学校、中学校、義務教育学校、高等学校、中等教育学校、特別支援学校、大学及び高等専門学校とする。

〔学校の設置者、国立・公立・私立学校〕

第2条　学校は、国（国立大学法人法（平成15年法律第112号）第2条第1項に規定する国立大学法人及び独立行政法人国立高等専門学校機構を含む。以下同じ。）、地方公共団体（地方独立行政法人法（平成15年法律第118号）第68条第1項に規定する公立大学法人（以下「公立大学法人」という。）を含む。次項及び第127条において同じ。）及び私立学校法（昭和24年法律第270号）第3条に規定する学校法人（以下「学校法人」という。）のみが、これを設置することができる。

②　この法律で、国立学校とは、国の設置する学校を、公立学校とは、地方公共団体の設置する学校を、私立学校とは、学校法人の設置する学校をいう。

〔学校の設置基準〕

第3条　学校を設置しようとする者は、学校の種類に応じ、文部科学大臣の定める設備、編制その他に関する設置基準に従い、これを設置しなければならない。

〔設置廃止等の認可〕

第4条　次の各号に掲げる学校の設置廃止、設置者の変更その他政令で定める事項（次条において「設置廃止等」という。）は、それぞれ当該各号に定める者の認可を受けなければならない。これらの学校のうち、高等学校（中等教育学校の後期課程を含む。）の通常の課程（以下「全日制の課程」という。）、夜間その他特別の時間又は時期において授業を行う課程（以下「定時制の課程」という。）及び通信による教育を行う課程（以下「通信制の課程」という。）、大学の学部、大学院及び大学院の研究科並びに第108条第2項の大学の学科についても、同様とする。

一　公立又は私立の大学及び高等専門学校　文部科学大臣

二　市町村（市町村が単独で又は他の市町村と共同して設立する公立大学法人を含む。次条、第13条第2項、第14条、第130条第1項及び第131条にお

いて同じ。）の設置する高等学校、中等教育学校及び特別支援学校　都道府県の教育委員会

三　私立の幼稚園、小学校、中学校、義務教育学校、高等学校、中等教育学校及び特別支援学校　都道府県知事

②　前項の規定にかかわらず、同項第1号に掲げる学校を設置する者は、次に掲げる事項を行うときは、同項の認可を受けることを要しない。この場合において、当該学校を設置する者は、文部科学大臣の定めるところにより、あらかじめ、文部科学大臣に届け出なければならない。

一　大学の学部若しくは大学院の研究科又は第108条第2項の大学の学科の設置であつて、当該大学が授与する学位の種類及び分野の変更を伴わないもの

二　大学の学部若しくは大学院の研究科又は第108条第2項の大学の学科の廃止

三　前2号に掲げるもののほか、政令で定める事項

③　文部科学大臣は、前項の届出があつた場合において、その届出に係る事項が、設備、授業その他の事項に関する法令の規定に適合しないと認めるときは、その届出をした者に対し、必要な措置をとるべきことを命ずることができる。

④　地方自治法（昭和22年法律第67号）第252条の19第1項の指定都市（以下「指定都市」という。）（指定都市が単独で又は他の市町村と共同して設立する公立大学法人を含む。）の設置する高等学校、中等教育学校及び特別支援学校については、第1項の規定は、適用しない。この場合において、当該高等学校、中等教育学校及び特別支援学校を設置する者は、同項の規定により認可を受けなければならないとされている事項を行おうとするときは、あらかじめ、都道府県の教育委員会に届け出なければならない。

⑤　第2項第1号の学位の種類及び分野の変更に関する基準は、文部科学大臣が、これを定める。

〔幼稚園の設置廃止等の届出〕

第4条の2　市町村は、その設置する幼稚園の設置廃止等を行おうとするときは、あらかじめ、都道府県の教育委員会に届け出なければならない。

〔学校の管理と費用負担〕

第5条　学校の設置者は、その設置する学校を管理し、法令に特別の定のある場合を除いては、その学校の経費を負担する。

〔授業料〕

第6条　学校においては、授業料を徴収することができる。ただし、国立又は公立の小学校及び中学校、義務教育学校、中等教育学校の前期課程又は特別支援学校の小学部及び中学部における義務教育については、これを徴収することができない。

〔校長及び教員の配置〕

第7条　学校には、校長及び相当数の教員を置かなければならない。

〔校長又は教員の欠格事由〕

第9条　次の各号のいずれかに該当する者は、校長又は教員となることができない。

一　禁錮以上の刑に処せられた者

二　教育職員免許法第10条第1項第2号又は第3号に該当することにより免許状がその効力を失い、当該失効の日から3年を経過しない者

三　教育職員免許法第11条第1項から第3項までの規定により免許状取上げの処分を受け、3年を経過しない者

四　日本国憲法施行の日以後において、日本国憲法又はその下に成立した政府を暴力で破壊することを主張する政党その他の団体を結成し、又はこれに加入した者

〔私立学校の届出〕

第10条　私立学校は、校長を定め、大学及び高等専門学校にあつては文部科学大臣に、大学及び高等専門学校以外の学校にあつては都道府県知事に届け出なければならない。

〔健康診断等〕

第12条　学校においては、別に法律で定めるところにより、幼児、児童、生徒及び学生並びに職員の健康の保持増進を図るため、健康診断を行い、その他その保健に必要な措置を講じなければならない。

〔学校の閉鎖〕

第13条　第4条第1項各号に掲げる学校が次の各号のいずれかに該当する場合においては、それぞれ同項各号に定める者は、当該学校の閉鎖を命ずることができる。

一　法令の規定に故意に違反したとき

二　法令の規定によりその者がした命令に違反したとき

三　6箇月以上授業を行わなかつたとき

②　前項の規定は、市町村の設置する幼稚園に準用する。この場合において、同項中「それぞれ同項各号

に定める者」とあり、及び同項第2号中「その者」とあるのは、「都道府県の教育委員会」と読み替えるものとする。

第3章　幼稚園

〔幼稚園の目的〕

第22条　幼稚園は、義務教育及びその後の教育の基礎を培うものとして、幼児を保育し、幼児の健やかな成長のために適当な環境を与えて、その心身の発達を助長することを目的とする。

〔教育目標〕

第23条　幼稚園における教育は、前条に規定する目的を実現するため、次に掲げる目標を達成するよう行われるものとする。

一　健康、安全で幸福な生活のために必要な基本的な習慣を養い、身体諸機能の調和的発達を図ること。

二　集団生活を通じて、喜んでこれに参加する態度を養うとともに家族や身近な人への信頼感を深め、自主、自律及び協同の精神並びに規範意識の芽生えを養うこと。

三　身近な社会生活、生命及び自然に対する興味を養い、それらに対する正しい理解と態度及び思考力の芽生えを養うこと。

四　日常の会話や、絵本、童話等に親しむことを通じて、言葉の使い方を正しく導くとともに、相手の話を理解しようとする態度を養うこと。

五　音楽、身体による表現、造形等に親しむことを通じて、豊かな感性と表現力の芽生えを養うこと。

〔情報の提供及び助言〕

第24条　幼稚園においては、第22条に規定する目的を実現するための教育を行うほか、幼児期の教育に関する各般の問題につき、保護者及び地域住民その他の関係者からの相談に応じ、必要な情報の提供及び助言を行うなど、家庭及び地域における幼児期の教育の支援に努めるものとする。

〔教育課程その他の保育内容〕

第25条　幼稚園の教育課程その他の保育内容に関する事項は、第22条及び第23条の規定に従い、文部科学大臣が定める。

②　文部科学大臣は、前項の規定により幼稚園の教育課程その他の保育内容に関する事項を定めるに当つては、児童福祉法（昭和22年法律第164号）第45条第2項の規定により児童福祉施設に関して内閣府令で定める基準（同項第3号の保育所における保育の内容に係る部分に限る。）並びに就学前の子どもに関する教育、保育等の総合的な提供の推進に関する法律（平成18年法律第77号）第10条第1項の規定

により主務大臣が定める幼保連携型認定こども園の教育課程その他の教育及び保育の内容に関する事項との整合性の確保に配慮しなければならない。

③　文部科学大臣は、第1項の幼稚園の教育課程その他の保育内容に関する事項を定めるときは、あらかじめ、内閣総理大臣に協議しなければならない。

〔入園資格年齢〕

第26条　幼稚園に入園することのできる者は、満3歳から、小学校就学の始期に達するまでの幼児とする。

〔園長、教頭及び教諭〕

第27条　幼稚園には、園長、教頭及び教諭を置かなければならない。

②　幼稚園には、前項に規定するもののほか、副園長、主幹教諭、指導教諭、養護教諭、栄養教諭、事務職員、養護助教諭その他必要な職員を置くことができる。

③　第1項の規定にかかわらず、副園長を置くときその他特別の事情のあるときは、教頭を置かないことができる。

④　園長は、園務をつかさどり、所属職員を監督する。

⑤　副園長は、園長を助け、命を受けて園務をつかさどる。

⑥　教頭は、園長（副園長を置く幼稚園にあつては、園長及び副園長）を助け、園務を整理し、及び必要に応じ幼児の保育をつかさどる。

⑦　主幹教諭は、園長（副園長を置く幼稚園にあつては、園長及び副園長）及び教頭を助け、命を受けて園務の一部を整理し、並びに幼児の保育をつかさどる。

⑧　指導教諭は、幼児の保育をつかさどり、並びに教諭その他の職員に対して、保育の改善及び充実のために必要な指導及び助言を行う。

⑨　教諭は、幼児の保育をつかさどる。

⑩　特別の事情のあるときは、第1項の規定にかかわらず、教諭に代えて助教諭又は講師を置くことができる。

⑪　学校の実情に照らし必要があると認めるときは、第7項の規定にかかわらず、園長（副園長を置く幼稚園にあつては、園長及び副園長）及び教頭を助け、命を受けて園務の一部を整理し、並びに幼児の養護又は栄養の指導及び管理をつかさどる主幹教諭を置くことができる。

第8章　特別支援教育

〔特別支援学校の目的〕

第72条　特別支援学校は、視覚障害者、聴覚障害者、知的障害者、肢体不自由者又は病弱者（身体虚弱者を含む。以下同じ。）に対して、幼稚園、小学校、中学校又は高等学校に準ずる教育を施すとともに、障害による学習上又は生活上の困難を克服し自立を図るために必要な知識技能を授けることを目的とする。

第73条　特別支援学校においては、文部科学大臣の定めるところにより、前条に規定する者に対する教育のうち当該学校が行うものを明らかにするものとする。

〔助言又は援助〕

第74条　特別支援学校においては、第72条に規定する目的を実現するための教育を行うほか、幼稚園、小学校、中学校、義務教育学校、高等学校又は中等教育学校の要請に応じて、第81条第1項に規定する幼児、児童又は生徒の教育に関し必要な助言又は援助を行うよう努めるものとする。

〔障害の程度〕

第75条　第72条に規定する視覚障害者、聴覚障害者、知的障害者、肢体不自由者又は病弱者の障害の程度は、政令で定める。

〔特別支援学校の部別〕

第76条　特別支援学校には、小学部及び中学部を置かなければならない。ただし、特別の必要のある場合においては、そのいずれかのみを置くことができる。

②　特別支援学校には、小学部及び中学部のほか、幼稚部又は高等部を置くことができ、また、特別の必要のある場合においては、前項の規定にかかわらず、小学部及び中学部を置かないで幼稚部又は高等部のみを置くことができる。

〔教育課程その他の保育内容〕

第77条　特別支援学校の幼稚部の教育課程その他の保育内容、小学部及び中学部の教育課程又は高等部の学科及び教育課程に関する事項は、幼稚園、小学校、中学校又は高等学校に準じて、文部科学大臣が定める。

〔寄宿舎の設置義務〕

第78条　特別支援学校には、寄宿舎を設けなければならない。ただし、特別の事情のあるときは、これを設けないことができる。

〔寄宿舎指導員の設置義務等〕

第79条　寄宿舎を設ける特別支援学校には、寄宿舎指導員を置かなければならない。

②　寄宿舎指導員は、寄宿舎における幼児、児童又は生徒の日常生活上の世話及び生活指導に従事する。

〔特別支援学校の設置義務〕

第80条　都道府県は、その区域内にある学齢児童及び学齢生徒のうち、視覚障害者、聴覚障害者、知的障害者、肢体不自由者又は病弱者で、その障害が第75

条の政令で定める程度のものを就学させるに必要な特別支援学校を設置しなければならない。

〔特別支援学級〕

第81条 幼稚園、小学校、中学校、義務教育学校、高等学校及び中等教育学校においては、次項各号のいずれかに該当する幼児、児童及び生徒その他教育上特別の支援を必要とする幼児、児童及び生徒に対し、文部科学大臣の定めるところにより、障害による学習上又は生活上の困難を克服するための教育を行うものとする。

② 小学校、中学校、義務教育学校、高等学校及び中等教育学校には、次の各号のいずれかに該当する児童及び生徒のために、特別支援学級を置くことができる。

一 知的障害者

二 肢体不自由者

三 身体虚弱者

四 弱視者

五 難聴者

六 その他障害のある者で、特別支援学級において教育を行うことが適当なもの

③ 前項に規定する学校においては、疾病により療養中の児童及び生徒に対して、特別支援学級を設け、又は教員を派遣して、教育を行うことができる。

第12章 雑則

〔施設の利用〕

第137条 学校教育上支障のない限り、学校には、社会教育に関する施設を附置し、又は学校の施設を社会教育その他公共のために、利用させることができる。

〔参 考〕

●刑法等の一部を改正する法律の施行に伴う関係法律の整理等に関する法律（抄）

〔令和4年6月17日〕
〔法 律 第 68 号〕

注 令和5年5月17日法律第28号により一部改正

第1編 関係法律の一部改正

第10章 文部科学省関係

（学校教育法の一部改正）

第209条 学校教育法（昭和22年法律第26号）の一部を次のように改正する。

第9条第1号中「禁錮」を「拘禁刑」に改める。

第2編 経過措置

第1章 通則

（人の資格に関する経過措置）

第443条 懲役、禁錮又は旧拘留に処せられた者に係る人の資格に関する法令の規定の適用については、無期の懲役又は禁錮に処せられた者はそれぞれ無期拘禁刑に処せられた者と、有期の懲役又は禁錮に処せられた者はそれぞれ刑期を同じくする有期拘禁刑に処せられた者と、旧拘留に処せられた者は拘留に処せられた者とみなす。

2 拘禁刑又は拘留に処せられた者に係る他の法律の規定によりなお従前の例によることとされ、なお効力を有することとされ又は改正前若しくは廃止前の法律の規定の例によることとされる人の資格に関する法令の規定の適用については、無期拘禁刑に処せられた者は無期禁錮に処せられた者と、有期拘禁刑に処せられた者は刑期を同じくする有期禁錮に処せられた者と、拘留に処せられた者は刑期を同じくする旧拘留に処せられた者とみなす。

第4章 その他

（経過措置の政令への委任）

第509条 この編に定めるもののほか、刑法等一部改正法等の施行に伴い必要な経過措置は、政令で定める。

附 則 抄

（施行期日）

1 この法律は、刑法等一部改正法〔刑法等の一部を改正する法律（令和4年法律第67号）〕施行日〔令和7年6月1日〕から施行する。ただし、次の各号に掲げる規定は、当該各号に定める日から施行する。

一 第509条の規定 公布の日

●学校教育法施行規則（抄）

〔昭和22年5月23日
文部省令第11号〕

注　令和5年12月28日文部科学省令第42号改正現在

第1章　総則
第3節　管理
〔指導要録〕

第24条　校長は、その学校に在学する児童等の指導要録（学校教育法施行令第31条に規定する児童等の学習及び健康の状況を記録した書類の原本をいう。以下同じ。）を作成しなければならない。

② 　校長は、児童等が進学した場合においては、その作成に係る当該児童等の指導要録の抄本又は写しを作成し、これを進学先の校長に送付しなければならない。

③ 　校長は、児童等が転学した場合においては、その作成に係る当該児童等の指導要録の写しを作成し、その写し（転学してきた児童等については転学により送付を受けた指導要録（就学前の子どもに関する教育、保育等の総合的な提供の推進に関する法律施行令（平成26年政令第203号）第8条に規定する園児の学習及び健康の状況を記録した書類の原本を含む。）の写しを含む。）及び前項の抄本又は写しを転学先の校長、保育所の長又は認定こども園の長に送付しなければならない。

〔学校備付表簿〕

第28条　学校において備えなければならない表簿は、概ね次のとおりとする。

一　学校に関係のある法令

二　学則、日課表、教科用図書配当表、学校医執務記録簿、学校歯科医執務記録簿、学校薬剤師執務記録簿及び学校日誌

三　職員の名簿、履歴書、出勤簿並びに担任学級、担任の教科又は科目及び時間表

四　指導要録、その写し及び抄本並びに出席簿及び健康診断に関する表簿

五　入学者の選抜及び成績考査に関する表簿

六　資産原簿、出納簿及び経費の予算決算についての帳簿並びに図書機械器具、標本、模型等の教具の目録

七　往復文書処理簿

② 　前項の表簿（第24条第2項の抄本又は写しを除く。）は、別に定めるもののほか、5年間保存しなければならない。ただし、指導要録及びその写しのうち入学、卒業等の学籍に関する記録については、その保存期間は、20年間とする。

③ 　学校教育法施行令第31条の規定により指導要録及びその写しを保存しなければならない期間は、前項のこれらの書類の保存期間から当該学校においてこれらの書類を保存していた期間を控除した期間とする。

第3章　幼稚園
〔設備、編制その他設置に関する基準〕

第36条　幼稚園の設備、編制その他設置に関する事項は、この章に定めるもののほか、幼稚園設置基準（昭和31年文部省令第32号）の定めるところによる。

〔教育週数〕

第37条　幼稚園の毎学年の教育週数は、特別の事情のある場合を除き、39週を下つてはならない。

〔教育課程その他の保育内容の基準〕

第38条　幼稚園の教育課程その他の保育内容については、この章に定めるもののほか、教育課程その他の保育内容の基準として文部科学大臣が別に公示する幼稚園教育要領によるものとする。

第8章　特別支援教育
〔設備、編制に関する基準〕

第118条　特別支援学校の設備、編制その他設置に関する事項及び特別支援学級の設備編制は、この章及び特別支援学校設置基準（令和3年文部科学省令第45号）に定めるもののほか、別に定める。

〔教育課程の基準〕

第129条　特別支援学校の幼稚部の教育課程その他の保育内容並びに小学部、中学部及び高等部の教育課程については、この章に定めるもののほか、教育課程その他の保育内容又は教育課程の基準として文部科学大臣が別に公示する特別支援学校幼稚部教育要領、特別支援学校小学部・中学部学習指導要領及び特別支援学校高等部学習指導要領によるものとする。

●学校保健安全法（抄）

〔昭和33年 4 月10日〕
法 律 第 56 号

注 平成27年 6 月24日法律第46号改正現在

第 1 章 総則

（目的）

第 1 条 この法律は、学校における児童生徒等及び職員の健康の保持増進を図るため、学校における保健管理に関し必要な事項を定めるとともに、学校における教育活動が安全な環境において実施され、児童生徒等の安全の確保が図られるよう、学校における安全管理に関し必要な事項を定め、もつて学校教育の円滑な実施とその成果の確保に資することを目的とする。

（定義）

第 2 条 この法律において「学校」とは、学校教育法（昭和22年法律第26号）第 1 条に規定する学校をいう。

2 この法律において「児童生徒等」とは、学校に在学する幼児、児童、生徒又は学生をいう。

（国及び地方公共団体の責務）

第 3 条 国及び地方公共団体は、相互に連携を図り、各学校において保健及び安全に係る取組が確実かつ効果的に実施されるようにするため、学校における保健及び安全に関する最新の知見及び事例を踏まえつつ、財政上の措置その他の必要な施策を講ずるものとする。

2 国は、各学校における安全に係る取組を総合的かつ効果的に推進するため、学校安全の推進に関する計画の策定その他所要の措置を講ずるものとする。

3 地方公共団体は、国が講ずる前項の措置に準じた措置を講ずるように努めなければならない。

第 2 章 学校保健

第 1 節 学校の管理運営等

（学校保健に関する学校の設置者の責務）

第 4 条 学校の設置者は、その設置する学校の児童生徒等及び職員の心身の健康の保持増進を図るため、当該学校の施設及び設備並びに管理運営体制の整備充実その他の必要な措置を講ずるよう努めるものとする。

（学校保健計画の策定等）

第 5 条 学校においては、児童生徒等及び職員の心身の健康の保持増進を図るため、児童生徒等及び職員の健康診断、環境衛生検査、児童生徒等に対する指導その他保健に関する事項について計画を策定し、これを実施しなければならない。

（学校環境衛生基準）

第 6 条 文部科学大臣は、学校における換気、採光、照明、保温、清潔保持その他環境衛生に係る事項（学校給食法（昭和29年法律第160号）第 9 条第 1 項（夜間課程を置く高等学校における学校給食に関する法律（昭和31年法律第157号）第 7 条及び特別支援学校の幼稚部及び高等部における学校給食に関する法律（昭和32年法律第118号）第 6 条において準用する場合を含む。）に規定する事項を除く。）について、児童生徒等及び職員の健康を保護する上で維持されることが望ましい基準（以下この条において「学校環境衛生基準」という。）を定めるものとする。

2 学校の設置者は、学校環境衛生基準に照らしてその設置する学校の適切な環境の維持に努めなければならない。

3 校長は、学校環境衛生基準に照らし、学校の環境衛生に関し適正を欠く事項があると認めた場合には、遅滞なく、その改善のために必要な措置を講じ、又は当該措置を講ずることができないときは、当該学校の設置者に対し、その旨を申し出るものとする。

（保健室）

第 7 条 学校には、健康診断、健康相談、保健指導、救急処置その他の保健に関する措置を行うため、保健室を設けるものとする。

第 2 節 健康相談等

（健康相談）

第 8 条 学校においては、児童生徒等の心身の健康に関し、健康相談を行うものとする。

（保健指導）

第 9 条 養護教諭その他の職員は、相互に連携して、健康相談又は児童生徒等の健康状態の日常的な観察により、児童生徒等の心身の状況を把握し、健康上の問題があると認めるときは、遅滞なく、当該児童生徒等に対して必要な指導を行うとともに、必要に応じ、その保護者（学校教育法第16条に規定する保護者をいう。第24条及び第30条において同じ。）に対して必要な助言を行うものとする。

（地域の医療機関等との連携）

第10条 学校においては、救急処置、健康相談又は保健指導を行うに当たつては、必要に応じ、当該学校

の所在する地域の医療機関その他の関係機関との連携を図るよう努めるものとする。

第3節　健康診断

（就学時の健康診断）

第11条　市（特別区を含む。以下同じ。）町村の教育委員会は、学校教育法第17条第1項の規定により翌学年の初めから同項に規定する学校に就学させるべき者で、当該市町村の区域内に住所を有するものの就学に当たつて、その健康診断を行わなければならない。

第12条　市町村の教育委員会は、前条の健康診断の結果に基づき、治療を勧告し、保健上必要な助言を行い、及び学校教育法第17条第1項に規定する義務の猶予若しくは免除又は特別支援学校への就学に関し指導を行う等適切な措置をとらなければならない。

（児童生徒等の健康診断）

第13条　学校においては、毎学年定期に、児童生徒等（通信による教育を受ける学生を除く。）の健康診断を行わなければならない。

2　学校においては、必要があるときは、臨時に、児童生徒等の健康診断を行うものとする。

第14条　学校においては、前条の健康診断の結果に基づき、疾病の予防処置を行い、又は治療を指示し、並びに運動及び作業を軽減する等適切な措置をとらなければならない。

（職員の健康診断）

第15条　学校の設置者は、毎学年定期に、学校の職員の健康診断を行わなければならない。

2　学校の設置者は、必要があるときは、臨時に、学校の職員の健康診断を行うものとする。

第16条　学校の設置者は、前条の健康診断の結果に基づき、治療を指示し、及び勤務を軽減する等適切な措置をとらなければならない。

（健康診断の方法及び技術的基準等）

第17条　健康診断の方法及び技術的基準については、文部科学省令で定める。

2　第11条から前条までに定めるもののほか、健康診断の時期及び検査の項目その他健康診断に関し必要な事項は、前項に規定するものを除き、第11条の健康診断に関するものについては政令で、第13条及び第15条の健康診断に関するものについては文部科学省令で定める。

3　前2項の文部科学省令は、健康増進法（平成14年法律第103号）第9条第1項に規定する健康診査等指針と調和が保たれたものでなければならない。

（保健所との連絡）

第18条　学校の設置者は、この法律の規定による健康診断を行おうとする場合その他政令で定める場合においては、保健所と連絡するものとする。

第4節　感染症の予防

（出席停止）

第19条　校長は、感染症にかかつており、かかつている疑いがあり、又はかかるおそれのある児童生徒等があるときは、政令で定めるところにより、出席を停止させることができる。

（臨時休業）

第20条　学校の設置者は、感染症の予防上必要があるときは、臨時に、学校の全部又は一部の休業を行うことができる。

（文部科学省令への委任）

第21条　前2条（第19条の規定に基づく政令を含む。）及び感染症の予防及び感染症の患者に対する医療に関する法律（平成10年法律第114号）その他感染症の予防に関して規定する法律（これらの法律に基づく命令を含む。）に定めるもののほか、学校における感染症の予防に関し必要な事項は、文部科学省令で定める。

第5節　学校保健技師並びに学校医、学校歯科医及び学校薬剤師

（学校医、学校歯科医及び学校薬剤師）

第23条　学校には、学校医を置くものとする。

2　大学以外の学校には、学校歯科医及び学校薬剤師を置くものとする。

3　学校医、学校歯科医及び学校薬剤師は、それぞれ医師、歯科医師又は薬剤師のうちから、任命し、又は委嘱する。

4　学校医、学校歯科医及び学校薬剤師は、学校における保健管理に関する専門的事項に関し、技術及び指導に従事する。

5　学校医、学校歯科医及び学校薬剤師の職務執行の準則は、文部科学省令で定める。

第6節　地方公共団体の援助及び国の補助

（地方公共団体の援助）

第24条　地方公共団体は、その設置する小学校、中学校、義務教育学校、中等教育学校の前期課程又は特別支援学校の小学部若しくは中学部の児童又は生徒が、感染性又は学習に支障を生ずるおそれのある疾病で政令で定めるものにかかり、学校において治療の指示を受けたときは、当該児童又は生徒の保護者で次の各号のいずれかに該当するものに対して、その疾病の治療のための医療に要する費用について必要な援助を行うものとする。

一　生活保護法（昭和25年法律第144号）第6条第2項に規定する要保護者

二　生活保護法第6条第2項に規定する要保護者に準ずる程度に困窮している者で政令で定めるもの

（国の補助）

第25条　国は、地方公共団体が前条の規定により同条第1号に掲げる者に対して援助を行う場合には、予算の範囲内において、その援助に要する経費の一部を補助することができる。

2　前項の規定により国が補助を行う場合の補助の基準については、政令で定める。

第3章　学校安全

（学校安全に関する学校の設置者の責務）

第26条　学校の設置者は、児童生徒等の安全の確保を図るため、その設置する学校において、事故、加害行為、災害等（以下この条及び第29条第3項において「事故等」という。）により児童生徒等に生ずる危険を防止し、及び事故等により児童生徒等に危険又は危害が現に生じた場合（同条第1項及び第2項において「危険等発生時」という。）において適切に対処することができるよう、当該学校の施設及び設備並びに管理運営体制の整備充実その他の必要な措置を講ずるよう努めるものとする。

（学校安全計画の策定等）

第27条　学校においては、児童生徒等の安全の確保を図るため、当該学校の施設及び設備の安全点検、児童生徒等に対する通学を含めた学校生活その他の日常生活における安全に関する指導、職員の研修その他学校における安全に関する事項について計画を策定し、これを実施しなければならない。

（学校環境の安全の確保）

第28条　校長は、当該学校の施設又は設備について、児童生徒等の安全の確保を図る上で支障となる事項があると認めた場合には、遅滞なく、その改善を図るために必要な措置を講じ、又は当該措置を講ずることができないときは、当該学校の設置者に対し、その旨を申し出るものとする。

（危険等発生時対処要領の作成等）

第29条　学校においては、児童生徒等の安全の確保を図るため、当該学校の実情に応じて、危険等発生時において当該学校の職員がとるべき措置の具体的内容及び手順を定めた対処要領（次項において「危険等発生時対処要領」という。）を作成するものとする。

2　校長は、危険等発生時対処要領の職員に対する周知、訓練の実施その他の危険等発生時において職員が適切に対処するために必要な措置を講ずるものとする。

3　学校においては、事故等により児童生徒等に危害が生じた場合において、当該児童生徒等及び当該事故等により心理的外傷その他の心身の健康に対する影響を受けた児童生徒等その他の関係者の心身の健康を回復させるため、これらの者に対して必要な支援を行うものとする。この場合においては、第10条の規定を準用する。

（地域の関係機関等との連携）

第30条　学校においては、児童生徒等の安全の確保を図るため、児童生徒等の保護者との連携を図るとともに、当該学校が所在する地域の実情に応じて、当該地域を管轄する警察署その他の関係機関、地域の安全を確保するための活動を行う団体その他の関係団体、当該地域の住民その他の関係者との連携を図るよう努めるものとする。

第4章　雑則

（学校の設置者の事務の委任）

第31条　学校の設置者は、他の法律に特別の定めがある場合のほか、この法律に基づき処理すべき事務を校長に委任することができる。

●学校保健安全法施行令（抄）

［昭和33年6月10日
政 令 第 174 号］
注　平成27年12月16日政令第421号改正現在

（就学時の健康診断の時期）

第1条　学校保健安全法（昭和33年法律第56号。以下「法」という。）第11条の健康診断（以下「就学時の健康診断」という。）は、学校教育法施行令（昭和28年政令第340号）第2条の規定により学齢簿が作成された後翌学年の初めから4月前(同令第5条、第7条、第11条、第14条、第15条及び第18条の2に規定する就学に関する手続の実施に支障がない場合にあつては、3月前)までの間に行うものとする。

2　前項の規定にかかわらず、市町村の教育委員会は、同項の規定により定めた就学時の健康診断の実施日の翌日以後に当該市町村の教育委員会が作成した学齢簿に新たに就学予定者（学校教育法施行令第5条第1項に規定する就学予定者をいう。以下この項において同じ。）が記載された場合において、当該就学予定者が他の市町村の教育委員会が行う就学時の健康診断を受けていないときは、当該就学予定者について、速やかに就学時の健康診断を行うものとする。

（検査の項目）

第2条　就学時の健康診断における検査の項目は、次のとおりとする。

一　栄養状態

二　脊柱及び胸郭の疾病及び異常の有無

三　視力及び聴力

四　眼の疾病及び異常の有無

五　耳鼻咽頭疾患及び皮膚疾患の有無

六　歯及び口腔の疾病及び異常の有無

七　その他の疾病及び異常の有無

（保護者への通知）

第3条　市（特別区を含む。以下同じ。）町村の教育委員会は、就学時の健康診断を行うに当たつて、あらかじめ、その日時、場所及び実施の要領等を法第11条に規定する者の学校教育法（昭和22年法律第26号）第16条に規定する保護者（以下「保護者」という。）に通知しなければならない。

（就学時健康診断票）

第4条　市町村の教育委員会は、就学時の健康診断を行つたときは、文部科学省令で定める様式により、就学時健康診断票を作成しなければならない。

2　市町村の教育委員会は、翌学年の初めから15日前までに、就学時健康診断票を就学時の健康診断を受けた者の入学する学校の校長に送付しなければなら

ない。

（保健所と連絡すべき場合）

第5条　法第18条の政令で定める場合は、次に掲げる場合とする。

一　法第19条の規定による出席停止が行われた場合

二　法第20条の規定による学校の休業を行つた場合

（出席停止の指示）

第6条　校長は、法第19条の規定により出席を停止させようとするときは、その理由及び期間を明らかにして、幼児、児童又は生徒（高等学校（中等教育学校の後期課程及び特別支援学校の高等部を含む。以下同じ。）の生徒を除く。）にあつてはその保護者に、高等学校の生徒又は学生にあつては当該生徒又は学生にこれを指示しなければならない。

2　出席停止の期間は、感染症の種類等に応じて、文部科学省令で定める基準による。

（出席停止の報告）

第7条　校長は、前条第1項の規定による指示をしたときは、文部科学省令で定めるところにより、その旨を学校の設置者に報告しなければならない。

（感染性又は学習に支障を生ずるおそれのある疾病）

第8条　法第24条の政令で定める疾病は、次に掲げるものとする。

一　トラコーマ及び結膜炎

二　白癬、疥癬及び膿痂疹

三　中耳炎

四　慢性副鼻腔炎及びアデノイド

五　齲歯

六　寄生虫病（虫卵保有を含む。）

（要保護者に準ずる程度に困窮している者）

第9条　法第24条第2号の政令で定める者は、当該義務教育諸学校（小学校、中学校、義務教育学校、中等教育学校の前期課程又は特別支援学校の小学部若しくは中学部をいう。）を設置する地方公共団体の教育委員会が、生活保護法（昭和25年法律第144号）第6条第2項に規定する要保護者（以下「要保護者」という。）に準ずる程度に困窮していると認める者とする。

2　教育委員会は、前項に規定する認定を行うため必要があるときは、社会福祉法（昭和26年法律第45号）に定める福祉に関する事務所の長及び民生委員法（昭和23年法律第198号）に定める民生委員に対して、助言を求めることができる。

●学校保健安全法施行規則（抄）

〔昭和33年6月13日〕
〔文部省令第18号〕
注　令和5年4月28日文部科学省令第22号改正現在

第1章　環境衛生検査等

（環境衛生検査）

第1条　学校保健安全法（昭和33年法律第56号。以下「法」という。）第5条の環境衛生検査は、他の法令に基づくもののほか、毎学年定期に、法第6条に規定する学校環境衛生基準に基づき行わなければならない。

2　学校においては、必要があるときは、臨時に、環境衛生検査を行うものとする。

（日常における環境衛生）

第2条　学校においては、前条の環境衛生検査のほか、日常的な点検を行い、環境衛生の維持又は改善を図らなければならない。

第2章　健康診断

第2節　児童生徒等の健康診断

（時期）

第5条　法第13条第1項の健康診断は、毎学年、6月30日までに行うものとする。ただし、疾病その他やむを得ない事由によつて当該期日に健康診断を受けることのできなかつた者に対しては、その事由のなくなつた後すみやかに健康診断を行うものとする。

2　第1項の健康診断における結核の有無の検査において結核発病のおそれがあると診断された者（第6条第3項第4号に該当する者に限る。）については、おおむね6か月の後に再度結核の有無の検査を行うものとする。

（健康診断票）

第8条　学校においては、法第13条第1項の健康診断を行つたときは、児童生徒等の健康診断票を作成しなければならない。

2　校長は、児童又は生徒が進学した場合においては、その作成に係る当該児童又は生徒の健康診断票を進学先の校長に送付しなければならない。

3　校長は、児童生徒等が転学した場合においては、その作成に係る当該児童生徒等の健康診断票を転学先の校長、保育所の長又は認定こども園の長に送付しなければならない。

4　児童生徒等の健康診断票は、5年間保存しなければならない。ただし、第2項の規定により送付を受けた児童又は生徒の健康診断票は、当該健康診断票に係る児童又は生徒が進学前の学校を卒業した日か

ら5年間とする。

（事後措置）

第9条　学校においては、法第13条第1項の健康診断を行つたときは、21日以内にその結果を幼児、児童又は生徒にあつては当該幼児、児童又は生徒及びその保護者（学校教育法（昭和22年法律第26号）第16条に規定する保護者をいう。）に、学生にあつては当該学生に通知するとともに、次の各号に定める基準により、法第14条の措置をとらなければならない。

一　疾病の予防処置を行うこと。

二　必要な医療を受けるよう指示すること。

三　必要な検査、予防接種等を受けるよう指示すること。

四　療養のため必要な期間学校において学習しないよう指導すること。

五　特別支援学級への編入について指導及び助言を行うこと。

六　学習又は運動・作業の軽減、停止、変更等を行うこと。

七　修学旅行、対外運動競技等への参加を制限すること。

八　机又は腰掛の調整、座席の変更及び学級の編制の適正を図ること。

九　その他発育、健康状態等に応じて適当な保健指導を行うこと。

2　前項の場合において、結核の有無の検査の結果に基づく措置については、当該健康診断に当たつた学校医その他の医師が別表第一に定める生活規正の面及び医療の面の区分を組み合わせて決定する指導区分に基づいて、とるものとする。

（臨時の健康診断）

第10条　法第13条第2項の健康診断は、次に掲げるような場合で必要があるときに、必要な検査の項目について行うものとする。

一　感染症又は食中毒の発生したとき。

二　風水害等により感染症の発生のおそれのあるとき。

三　夏季における休業日の直前又は直後

四　結核、寄生虫病その他の疾病の有無について検査を行う必要のあるとき。

五　卒業のとき。

第3節　職員の健康診断

（健康診断票）

第15条　学校の設置者は、法第15条第1項の健康診断を行つたときは、第2号様式によつて、職員健康診断票を作成しなければならない。

2　学校の設置者は、当該学校の職員がその管理する学校から他の学校又は幼保連携型認定こども園へ移つた場合においては、その作成に係る当該職員の健康診断票を異動後の学校又は幼保連携型認定こども園の設置者へ送付しなければならない。

3　職員健康診断票は、5年間保存しなければならない。

第6章　安全点検等

（自動車を運行する場合の所在の確認）

第29条の2　学校においては、児童生徒等の通学、校外における学習のための移動その他の児童生徒等の移動のために自動車を運行するときは、児童生徒等の乗車及び降車の際に、点呼その他の児童生徒等の所在を確実に把握することができる方法により、児童生徒等の所在を確認しなければならない。

2　幼稚園及び特別支援学校においては、通学を目的とした自動車（運転者席及びこれと並列の座席並びにこれらより1つ後方に備えられた前向きの座席以外の座席を有しないものその他利用の態様を勘案してこれと同程度に児童生徒等の見落としのおそれが少ないと認められるものを除く。）を運行するときは、当該自動車にブザーその他の車内の児童生徒等の見落としを防止する装置を備え、これを用いて前項に定める所在の確認（児童生徒等の自動車からの降車の際に限る。）を行わなければならない。

●教育公務員特例法（抄）

〔昭和24年1月12日
法律第1号〕
注 令和5年5月17日法律第28号改正現在

第1章 総則

（この法律の趣旨）

第1条 この法律は、教育を通じて国民全体に奉仕する教育公務員の職務とその責任の特殊性に基づき、教育公務員の任免、人事評価、給与、分限、懲戒、服務及び研修等について規定する。

（定義）

第2条 この法律において「教育公務員」とは、地方公務員のうち、学校（学校教育法（昭和22年法律第26号）第1条に規定する学校及び就学前の子どもに関する教育、保育等の総合的な提供の推進に関する法律（平成18年法律第77号）第2条第7項に規定する幼保連携型認定こども園（以下「幼保連携型認定こども園」という。）をいう。以下同じ。）であつて地方公共団体が設置するもの（以下「公立学校」という。）の学長、校長（園長を含む。以下同じ。）、教員及び部局長並びに教育委員会の専門的教育職員をいう。

2 この法律において「教員」とは、公立学校の教授、准教授、助教、副校長（副園長を含む。以下同じ。）、教頭、主幹教諭（幼保連携型認定こども園の主幹養護教諭及び主幹栄養教諭を含む。以下同じ。）、指導教諭、教諭、助教諭、養護教諭、養護助教諭、栄養教諭、主幹保育教諭、指導保育教諭、保育教諭、助保育教諭及び講師をいう。

3 この法律で「部局長」とは、大学（公立学校であるものに限る。第22条の6第3項、第22条の7第2項第2号及び第26条第1項を除き、以下同じ。）の副学長、学部長その他政令で指定する部局の長をいう。

4 この法律で「評議会」とは、大学に置かれる会議であつて当該大学を設置する地方公共団体の定めるところにより学長、学部長その他の者で構成するものをいう。

5 この法律で「専門的教育職員」とは、指導主事及び社会教育主事をいう。

第2章 任免、人事評価、給与、分限及び懲戒
第2節 大学以外の公立学校の校長及び教員

（採用及び昇任の方法）

第11条 公立学校の校長の採用（現に校長の職以外の職に任命されている者を校長の職に任命する場合を含む。）並びに教員の採用（現に教員の職以外の職に任命されている者を教員の職に任命する場合を含む。以下この条において同じ。）及び昇任（採用に該当するものを除く。）は、選考によるものとし、その選考は、大学附置の学校にあつては当該大学の学長が、大学附置の学校以外の公立学校（幼保連携型認定こども園を除く。）にあつてはその校長及び教員の任命権者である教育委員会の教育長が、大学附置の学校以外の公立学校（幼保連携型認定こども園に限る。）にあつてはその校長及び教員の任命権者である地方公共団体の長が行う。

（条件付任用）

第12条 公立の小学校、中学校、義務教育学校、高等学校、中等教育学校、特別支援学校、幼稚園及び幼保連携型認定こども園（以下「小学校等」という。）の教諭、助教諭、保育教諭、助保育教諭及び講師（以下「教諭等」という。）に係る地方公務員法第22条に規定する採用については、同条中「6月」とあるのは「1年」として同条の規定を適用する。

2 地方教育行政の組織及び運営に関する法律（昭和31年法律第162号）第40条に定める場合のほか、公立の小学校等の校長又は教員で地方公務員法第22条（同法第22条の2第7項及び前項の規定において読み替えて適用する場合を含む。）の規定により正式任用になつている者が、引き続き同一都道府県内の公立の小学校等の校長又は教員に任用された場合には、その任用については、同法第22条の規定は適用しない。

（校長及び教員の給与）

第13条 公立の小学校等の校長及び教員の給与は、これらの者の職務と責任の特殊性に基づき条例で定めるものとする。

2 前項に規定する給与のうち地方自治法（昭和22年法律第67号）第204条第2項の規定により支給することができる義務教育等教員特別手当は、これらの者のうち次に掲げるものを対象とするものとし、その内容は、条例で定める。

一 公立の小学校、中学校、義務教育学校、中等教育学校の前期課程又は特別支援学校の小学部若しくは中学部に勤務する校長及び教員

二 前号に規定する校長及び教員との権衡上必要が

あると認められる公立の高等学校、中等教育学校の後期課程、特別支援学校の高等部若しくは幼稚部、幼稚園又は幼保連携型認定こども園に勤務する校長及び教員

第4章　研修

（研修実施者及び指導助言者）

第20条　この章において「研修実施者」とは、次の各号に掲げる者の区分に応じ当該各号に定める者をいう。

一　市町村が設置する中等教育学校（後期課程に学校教育法第4条第1項に規定する定時制の課程のみを置くものを除く。次号において同じ。）の校長及び教員のうち県費負担教職員である者　当該市町村の教育委員会

二　地方自治法第252条の22第1項の中核市（以下この号及び次項第2号において「中核市」という。）が設置する小学校等（中等教育学校を除く。）の校長及び教員のうち県費負担教職員である者　当該中核市の教育委員会

三　前2号に掲げる者以外の教育公務員　当該教育公務員の任命権者

2　この章において「指導助言者」とは、次の各号に掲げる者の区分に応じ当該各号に定める者をいう。

一　前項第1号に掲げる者　同号に定める市町村の教育委員会

二　前項第2号に掲げる者　同号に定める中核市の教育委員会

三　公立の小学校等の校長及び教員のうち県費負担教職員である者（前2号に掲げる者を除く。）　当該校長及び教員の属する市町村の教育委員会

四　公立の小学校等の校長及び教員のうち県費負担教職員以外の者　当該校長及び教員の任命権者

（研修）

第21条　教育公務員は、その職責を遂行するために、絶えず研究と修養に努めなければならない。

2　教育公務員の研修実施者は、教育公務員（公立の小学校等の校長及び教員（臨時的に任用された者その他の政令で定める者を除く。以下この章において同じ。）を除く。）の研修について、それに要する施設、研修を奨励するための方途その他研修に関する計画を樹立し、その実施に努めなければならない。

（研修の機会）

第22条　教育公務員には、研修を受ける機会が与えられなければならない。

2　教員は、授業に支障のない限り、本属長の承認を受けて、勤務場所を離れて研修を行うことができる。

3　教育公務員は、任命権者（第20条第1項第1号に掲げる者については、同号に定める市町村の教育委員会。以下この章において同じ。）の定めるところにより、現職のままで、長期にわたる研修を受けることができる。

（校長及び教員としての資質の向上に関する指標の策定に関する指針）

第22条の2　文部科学大臣は、公立の小学校等の校長及び教員の計画的かつ効果的な資質の向上を図るため、次条第1項に規定する指標の策定に関する指針（以下この条及び次条第1項において「指針」という。）を定めなければならない。

2　指針においては、次に掲げる事項を定めるものとする。

一　公立の小学校等の校長及び教員の資質の向上に関する基本的な事項

二　次条第1項に規定する指標の内容に関する事項

三　その他公立の小学校等の校長及び教員の資質の向上を図るに際し配慮すべき事項

3　文部科学大臣は、指針を定め、又はこれを変更したときは、遅滞なく、これを公表しなければならない。

（校長及び教員としての資質の向上に関する指標）

第22条の3　公立の小学校等の校長及び教員の任命権者は、指針を参酌し、その地域の実情に応じ、当該校長及び教員の職責、経験及び適性に応じて向上を図るべき校長及び教員としての資質に関する指標（以下この章において「指標」という。）を定めるものとする。

2　公立の小学校等の校長及び教員の任命権者は、指標を定め、又はこれを変更しようとするときは、第22条の7第1項に規定する協議会において協議するものとする。

3　公立の小学校等の校長及び教員の任命権者は、指標を定め、又はこれを変更したときは、遅滞なく、これを公表するよう努めるものとする。

4　独立行政法人教職員支援機構は、指標を策定する者に対して、当該指標の策定に関する専門的な助言を行うものとする。

（教員研修計画）

第22条の4　公立の小学校等の校長及び教員の研修実施者は、指標を踏まえ、当該校長及び教員の研修について、毎年度、体系的かつ効果的に実施するための計画（以下この条及び第22条の6第2項において「教員研修計画」という。）を定めるものとする。

2　教員研修計画においては、おおむね次に掲げる事項を定めるものとする。

一　研修実施者が実施する第23条第1項に規定する

初任者研修、第24条第1項に規定する中堅教諭等資質向上研修その他の研修（以下この項及び次条第2項第1号において「研修実施者実施研修」という。）に関する基本的な方針

二　研修実施者実施研修の体系に関する事項

三　研修実施者実施研修の時期、方法及び施設に関する事項

四　研修実施者が指導助言者として行う第22条の6第2項に規定する資質の向上に関する指導助言等の方法に関して必要な事項（研修実施者が都道府県の教育委員会である場合においては、県費負担教職員について第20条第2項第3号に定める市町村の教育委員会が指導助言者として行う第22条の6第2項に規定する資質の向上に関する指導助言等に関する基本的な事項を含む。）

五　前号に掲げるもののほか、研修を奨励するための方途に関する事項

六　前各号に掲げるもののほか、研修の実施に関し必要な事項として文部科学省令で定める事項

3　公立の小学校等の校長及び教員の研修実施者は、教員研修計画を定め、又はこれを変更したときは、遅滞なく、これを公表するよう努めるものとする。

（研修等に関する記録）

第22条の5　公立の小学校等の校長及び教員の任命権者は、文部科学省令で定めるところにより、当該校長及び教員ごとに、研修の受講その他の当該校長及び教員の資質の向上のための取組の状況に関する記録（以下この条及び次条第2項において「研修等に関する記録」という。）を作成しなければならない。

2　研修等に関する記録には、次に掲げる事項を記載するものとする。

一　当該校長及び教員が受講した研修実施者実施研修に関する事項

二　第26条第1項に規定する大学院修学休業により当該教員が履修した同項に規定する大学院の課程等に関する事項

三　認定講習等（教育職員免許法（昭和24年法律第147号）別表第3備考第6号の文部科学大臣の認定する講習又は通信教育をいう。次条第1項及び第3項において同じ。）のうち当該任命権者が開設したものであつて、当該校長及び教員が単位を修得したものに関する事項

四　前3号に掲げるもののほか、当該校長及び教員が行つた資質の向上のための取組のうち当該任命権者が必要と認めるものに関する事項

3　公立の小学校等の校長及び教員の任命権者が都道府県の教育委員会である場合においては、当該都道府県の教育委員会は、指導助言者（第20条第2項第2号及び第3号に定める者に限る。）に対し、当該校長及び教員の研修等に関する記録に係る情報を提供するものとする。

（資質の向上に関する指導助言等）

第22条の6　公立の小学校等の校長及び教員の指導助言者は、当該校長及び教員がその職責、経験及び適性に応じた資質の向上のための取組を行うことを促進するため、当該校長及び教員からの相談に応じ、研修、認定講習等その他の資質の向上のための機会に関する情報を提供し、又は資質の向上に関する指導及び助言を行うものとする。

2　公立の小学校等の校長及び教員の指導助言者は、前項の規定による相談への対応、情報の提供並びに指導及び助言（次項において「資質の向上に関する指導助言等」という。）を行うに当たつては、当該校長及び教員に係る指標及び教員研修計画を踏まえるとともに、当該校長及び教員の研修等に関する記録に係る情報を活用するものとする。

3　指導助言者は、資質の向上に関する指導助言等を行うため必要があると認めるときは、独立行政法人教職員支援機構、認定講習等を開設する大学その他の関係者に対し、これらの者が行う研修、認定講習等その他の資質の向上のための機会に関する情報の提供その他の必要な協力を求めることができる。

（初任者研修）

第23条　公立の小学校等の教諭等の研修実施者は、当該教諭等（臨時的に任用された者その他の政令で定める者を除く。）に対して、その採用（現に教諭等の職以外の職に任命されている者を教諭等の職に任命する場合を含む。）の日から1年間の教諭又は保育教諭の職務の遂行に必要な事項に関する実践的な研修（次項において「初任者研修」という。）を実施しなければならない。

2　指導助言者は、初任者研修を受ける者（次項において「初任者」という。）の所属する学校の副校長、教頭、主幹教諭（養護又は栄養の指導及び管理をつかさどる主幹教諭を除く。）、指導教諭、教諭、主幹保育教諭、指導保育教諭、保育教諭又は講師のうちから、指導教員を命じるものとする。

3　指導教員は、初任者に対して教諭又は保育教諭の職務の遂行に必要な事項について指導及び助言を行うものとする。

（中堅教諭等資質向上研修）

第24条　公立の小学校等の教諭等（臨時的に任用された者その他の政令で定める者を除く。以下この項において同じ。）の研修実施者は、当該教諭等に対し

て、個々の能力、適性等に応じて、公立の小学校等
における教育に関し相当の経験を有し、その教育活
動その他の学校運営の円滑かつ効果的な実施におい
て中核的な役割を果たすことが期待される中堅教諭
等としての職務を遂行する上で必要とされる資質の
向上を図るために必要な事項に関する研修（次項に
おいて「中堅教諭等資質向上研修」という。）を実
施しなければならない。

2　指導助言者、中堅教諭等資質向上研修を実施する
に当たり、中堅教諭等資質向上研修を受ける者の能
力、適性等について評価を行い、その結果に基づ
き、当該者ごとに中堅教諭等資質向上研修に関する
計画書を作成しなければならない。

（指導改善研修）

第25条　公立の小学校等の教諭等の任命権者は、児童、
生徒又は幼児（以下「児童等」という。）に対する
指導が不適切であると認定した教諭等に対して、そ
の能力、適性等に応じて、当該指導の改善を図るた
めに必要な事項に関する研修（以下この条において
「指導改善研修」という。）を実施しなければならな
い。

2　指導改善研修の期間は、1年を超えてはならない。
ただし、特に必要があると認めるときは、任命権者
は、指導改善研修を開始した日から引き続き2年を
超えない範囲内で、これを延長することができる。

3　任命権者は、指導改善研修を実施するに当たり、
指導改善研修を受ける者の能力、適性等に応じて、
その者ごとに指導改善研修に関する計画書を作成し
なければならない。

4　任命権者は、指導改善研修の終了時において、指
導改善研修を受けた者の児童等に対する指導の改善
の程度に関する認定を行わなければならない。

5　任命権者は、第1項及び前項の認定に当たつては、
教育委員会規則（幼保連携型認定こども園にあつて
は、地方公共団体の規則。次項において同じ。）で
定めるところにより、教育学、医学、心理学その他
の児童等に対する指導に関する専門的知識を有する
者及び当該任命権者の属する都道府県又は市町村の
区域内に居住する保護者（親権を行う者及び未成年
後見人をいう。）である者の意見を聴かなければな
らない。

6　前項に定めるもののほか、事実の確認の方法その
他第1項及び第4項の認定の手続に関し必要な事項
は、教育委員会規則で定めるものとする。

7　前各項に規定するもののほか、指導改善研修の実
施に関し必要な事項は、政令で定める。

（指導改善研修後の措置）

第25条の2　任命権者は、前条第4項の認定において
指導の改善が不十分でなお児童等に対する指導を適
切に行うことができないと認める教諭等に対して、
免職その他の必要な措置を講ずるものとする。

　　　第5章　大学院修学休業

（大学院修学休業の許可及びその要件等）

第26条　公立の小学校等の主幹教諭、指導教諭、教諭、
養護教諭、栄養教諭、主幹保育教諭、指導保育教諭、
保育教諭又は講師（以下「主幹教諭等」という。）
で次の各号のいずれにも該当するものは、任命権者
（第20条第1項第1号に掲げる者については、同号
に定める市町村の教育委員会。次項及び第28条第2
項において同じ。）の許可を受けて、3年を超えな
い範囲内で年を単位として定める期間、大学（短期
大学を除く。）の大学院の課程若しくは専攻科の課
程又はこれらの課程に相当する外国の大学の課程
（次項及び第28条第2項において「大学院の課程等」
という。）に在学してその課程を履修するための休
業（以下「大学院修学休業」という。）をすること
ができる。

一　主幹教諭（養護又は栄養の指導及び管理をつか
さどる主幹教諭を除く。）、指導教諭、教諭、主幹
保育教諭、指導保育教諭、保育教諭又は講師にあ
つては教育職員免許法に規定する教諭の専修免許
状、養護をつかさどる主幹教諭又は養護教諭にあ
つては同法に規定する養護教諭の専修免許状、栄
養の指導及び管理をつかさどる主幹教諭又は栄養
教諭にあつては同法に規定する栄養教諭の専修免
許状の取得を目的としていること。

二　取得しようとする専修免許状に係る基礎となる
免許状（教育職員免許法に規定する教諭の一種免
許状若しくは特別免許状、養護教諭の一種免許状
又は栄養教諭の一種免許状であつて、同法別表第
三、別表第五、別表第六、別表第六の二又は別表
第七の規定により専修免許状の授与を受けようと
する場合には有することを必要とされるものをい
う。次号において同じ。）を有していること。

三　取得しようとする専修免許状に係る基礎となる
免許状について、教育職員免許法別表第三、別表
第五、別表第六、別表第六の二又は別表第七に定
める最低在職年数を満たしていること。

四　条件付採用期間中の者、臨時的に任用された者、
第23条第1項に規定する初任者研修を受けている
者その他政令で定める者でないこと。

2　大学院修学休業の許可を受けようとする主幹教諭
等は、取得しようとする専修免許状の種類、在学し
ようとする大学院の課程等及び大学院修学休業をし

ようとする期間を明らかにして、任命権者に対し、その許可を申請するものとする。

　　　附　則　抄

（施行期日）

第1条 この法律は、公布の日〔昭和24年1月12日〕から施行する。

2　この法律中の規定が、国家公務員法又は地方公務員法の規定に矛盾し、又は抵触すると認められるに至つた場合は、国家公務員法又は地方公務員法の規定が優先する。

（幼稚園等の教諭等に対する初任者研修等の特例）

第5条 幼稚園、特別支援学校の幼稚部及び幼保連携型認定こども園（以下この条及び次条において「幼稚園等」という。）の教諭等の研修実施者（第20条第1項に規定する研修実施者をいう。以下この項において同じ。）については、当分の間、第23条第1項の規定は、適用しない。この場合において、幼稚園等の教諭等の研修実施者（指定都市以外の市町村の設置する幼稚園及び特別支援学校の幼稚部の教諭等については当該市町村を包括する都道府県の教育委員会、当該市町村の設置する幼保連携型認定こども園の教諭等については当該市町村を包括する都道府県の知事）は、採用（現に教諭等の職以外の職に任命されている者を教諭等の職に任命する場合を含む。）の日から起算して1年に満たない幼稚園等の教諭等（臨時的に任用された者その他の政令で定める者を除く。）に対して、幼稚園等の教諭又は保育教諭の職務の遂行に必要な事項に関する研修を実施しなければならない。

2　市（指定都市を除く。）町村の教育委員会及び長は、その所管に属する幼稚園等の教諭等に対して都道府

県の教育委員会及び知事が行う前項後段の研修に協力しなければならない。

3　第12条第1項の規定は、当分の間、幼稚園等の教諭等については、適用しない。

（幼稚園等の教諭等に対する中堅教諭等資質向上研修の特例）

第6条 指定都市以外の市町村の設置する幼稚園等の教諭等に対する中堅教諭等資質向上研修（第24条第1項に規定する中堅教諭等資質向上研修をいう。次項において同じ。）は、当分の間、同条第1項の規定にかかわらず、幼稚園及び特別支援学校の幼稚部の教諭等については当該市町村を包括する都道府県の教育委員会が、幼保連携型認定こども園の教諭等については当該市町村を包括する都道府県の知事が実施しなければならない。

2　指定都市以外の市町村の教育委員会及び長は、その所管に属する幼稚園等の教諭等に対して都道府県の教育委員会及び知事が行う中堅教諭等資質向上研修に協力しなければならない。

（指定都市以外の市町村の教育委員会及び長に係る指導改善研修の特例）

第7条 指定都市以外の市町村の教育委員会及び長については、当分の間、第25条及び第25条の2の規定は、適用しない。この場合において、当該教育委員会及び長は、その所管に属する小学校等の教諭等（その任命権が当該教育委員会及び長に属する者に限る。）のうち、児童等に対する指導が不適切であると認める教諭等（政令で定める者を除く。）に対して、第25条第1項に規定する指導改善研修に準ずる研修その他必要な措置を講じなければならない。

●教育職員免許法（抄）

〔昭和24年 5 月31日〕
法 律 第 147 号
注　令和 5 年 5 月17日法律第28号改正現在

第 1 章　総則

（この法律の目的）

第 1 条　この法律は、教育職員の免許に関する基準を定め、教育職員の資質の保持と向上を図ることを目的とする。

（定義）

第 2 条　この法律において「教育職員」とは、学校（学校教育法（昭和22年法律第26号）第 1 条に規定する幼稚園、小学校、中学校、義務教育学校、高等学校、中等教育学校及び特別支援学校（第 3 項において「第 1 条学校」という。）並びに就学前の子どもに関する教育、保育等の総合的な提供の推進に関する法律（平成18年法律第77号）第 2 条第 7 項に規定する幼保連携型認定こども園（以下「幼保連携型認定こども園」という。）をいう。以下同じ。）の主幹教諭（幼保連携型認定こども園の主幹養護教諭及び主幹栄養教諭を含む。以下同じ。）、指導教諭、教諭、助教諭、養護教諭、養護助教諭、栄養教諭、主幹保育教諭、指導保育教諭、保育教諭、助保育教諭及び講師（以下「教員」という。）をいう。

2　この法律で「免許管理者」とは、免許状を有する者が教育職員及び文部科学省令で定める教育の職にある者である場合にあつてはその者の勤務地の都道府県の教育委員会、これらの者以外の者である場合にあつてはその者の住所地の都道府県の教育委員会をいう。

3　この法律において「所轄庁」とは、大学附置の国立学校（国（国立大学法人法（平成15年法律第112号）第 2 条第 1 項に規定する国立大学法人を含む。以下この項において同じ。）が設置する学校をいう。以下同じ。）又は公立学校（地方公共団体（地方独立行政法人法（平成15年法律第118号）第68条第 1 項に規定する公立大学法人（以下単に「公立大学法人」という。）を含む。）が設置する学校をいう。以下同じ。）の教員にあつてはその大学の学長、大学附置の学校以外の公立学校（第 1 条学校に限る。）の教員にあつてはその学校を所管する教育委員会、大学附置の学校以外の公立学校（幼保連携型認定こども園に限る。）の教員にあつてはその学校を所管する地方公共団体の長、私立学校（国及び地方公共団体（公立大学法人を含む。）以外の者が設置する学校をいう。以下同じ。）の教員にあつては都道府県知事（地方自治法（昭和22年法律第67号）第252条の19第 1 項の指定都市又は同法第252条の22第 1 項の中核市（以下この項において「指定都市等」という。）の区域内の幼保連携型認定こども園の教員にあつては、当該指定都市等の長）をいう。

4　この法律で「自立教科等」とは、理療（あん摩、マツサージ、指圧等に関する基礎的な知識技能の修得を目標とした教科をいう。）、理学療法、理容その他の職業についての知識技能の修得に関する教科及び学習上又は生活上の困難を克服し自立を図るために必要な知識技能の修得を目的とする教育に係る活動（以下「自立活動」という。）をいう。

5　この法律で「特別支援教育領域」とは、学校教育法第72条に規定する視覚障害者、聴覚障害者、知的障害者、肢体不自由者又は病弱者（身体虚弱者を含む。）に関するいずれかの教育の領域をいう。

（免許）

第 3 条　教育職員は、この法律により授与する各相当の免許状を有する者でなければならない。

2　前項の規定にかかわらず、主幹教諭（養護又は栄養の指導及び管理をつかさどる主幹教諭を除く。）及び指導教諭については各相当学校の教諭の免許状を有する者を、養護をつかさどる主幹教諭については養護教諭の免許状を有する者を、栄養の指導及び管理をつかさどる主幹教諭については栄養教諭の免許状を有する者を、講師については各相当学校の教員の相当免許状を有する者を、それぞれ充てるものとする。

3　特別支援学校の教員（養護又は栄養の指導及び管理をつかさどる主幹教諭、養護教諭、養護助教諭、栄養教諭並びに特別支援学校において自立教科等の教授を担任する教員を除く。）については、第 1 項の規定にかかわらず、特別支援学校の教員の免許状のほか、特別支援学校の各部に相当する学校の教員の免許状を有する者でなければならない。

4　義務教育学校の教員（養護又は栄養の指導及び管理をつかさどる主幹教諭、養護教諭、養護助教諭並びに栄養教諭を除く。）については、第 1 項の規定

にかかわらず、小学校の教員の免許状及び中学校の教員の免許状を有する者でなければならない。

5 中等教育学校の教員（養護又は栄養の指導及び管理をつかさどる主幹教諭、養護教諭、養護助教諭並びに栄養教諭を除く。）については、第１項の規定にかかわらず、中学校の教員の免許状及び高等学校の教員の免許状を有する者でなければならない。

6 幼保連携型認定こども園の教員の免許については、第１項の規定にかかわらず、就学前の子どもに関する教育、保育等の総合的な提供の推進に関する法律の定めるところによる。

●地方教育行政の組織及び運営に関する法律（抄）

昭和31年6月30日
法律第162号

注　令和5年5月8日法律第19号改正現在
（未施行分については1678頁に収載）

第1章　総則

（この法律の趣旨）

第1条　この法律は、教育委員会の設置、学校その他の教育機関の職員の身分取扱その他地方公共団体における教育行政の組織及び運営の基本を定めることを目的とする。

（基本理念）

第1条の2　地方公共団体における教育行政は、教育基本法（平成18年法律第120号）の趣旨にのつとり、教育の機会均等、教育水準の維持向上及び地域の実情に応じた教育の振興が図られるよう、国との適切な役割分担及び相互の協力の下、公正かつ適正に行われなければならない。

（大綱の策定等）

第1条の3　地方公共団体の長は、教育基本法第17条第1項に規定する基本的な方針を参酌し、その地域の実情に応じ、当該地方公共団体の教育、学術及び文化の振興に関する総合的な施策の大綱（以下単に「大綱」という。）を定めるものとする。

2　地方公共団体の長は、大綱を定め、又はこれを変更しようとするときは、あらかじめ、次条第1項の総合教育会議において協議するものとする。

3　地方公共団体の長は、大綱を定め、又はこれを変更したときは、遅滞なく、これを公表しなければならない。

4　第1項の規定は、地方公共団体の長に対し、第21条に規定する事務を管理し、又は執行する権限を与えるものと解釈してはならない。

第2章　教育委員会の設置及び組織

第1節　教育委員会の設置、教育長及び委員並びに会議

（設置）

第2条　都道府県、市（特別区を含む。以下同じ。）町村及び第21条に規定する事務の全部又は一部を処理する地方公共団体の組合に教育委員会を置く。

（組織）

第3条　教育委員会は、教育長及び4人の委員をもつて組織する。ただし、条例で定めるところにより、都道府県若しくは市又は地方公共団体の組合のうち都道府県若しくは市が加入するものの教育委員会にあつては教育長及び5人以上の委員、町村又は地方

公共団体の組合のうち町村のみが加入するものの教育委員会にあつては教育長及び2人以上の委員をもつて組織することができる。

（任命）

第4条　教育長は、当該地方公共団体の長の被選挙権を有する者で、人格が高潔で、教育行政に関し識見を有するもののうちから、地方公共団体の長が、議会の同意を得て、任命する。

2　委員は、当該地方公共団体の長の被選挙権を有する者で、人格が高潔で、教育、学術及び文化（以下単に「教育」という。）に関し識見を有するもののうちから、地方公共団体の長が、議会の同意を得て、任命する。

3　次の各号のいずれかに該当する者は、教育長又は委員となることができない。

一　破産手続開始の決定を受けて復権を得ない者

二　禁錮以上の刑に処せられた者

4　教育長及び委員の任命については、そのうち委員の定数に1を加えた数の2分の1以上の者が同一の政党に所属することとなつてはならない。

5　地方公共団体の長は、第2項の規定による委員の任命に当たつては、委員の年齢、性別、職業等に著しい偏りが生じないように配慮するとともに、委員のうちに保護者（親権を行う者及び未成年後見人をいう。第47条の5第2項第2号及び第5号において同じ。）である者が含まれるようにしなければならない。

第2節　事務局

（事務局）

第17条　教育委員会の権限に属する事務を処理させるため、教育委員会に事務局を置く。

2　教育委員会の事務局の内部組織は、教育委員会規則で定める。

（指導主事その他の職員）

第18条　都道府県に置かれる教育委員会（以下「都道府県委員会」という。）の事務局に、指導主事、事務職員及び技術職員を置くほか、所要の職員を置く。

2　市町村に置かれる教育委員会（以下「市町村委員会」という。）の事務局に、前項の規定に準じて指導主事その他の職員を置く。

3　指導主事は、上司の命を受け、学校（学校教育法（昭和22年法律第26号）第1条に規定する学校及び

就学前の子どもに関する教育、保育等の総合的な提供の推進に関する法律（平成18年法律第77号）第2条第7項に規定する幼保連携型認定こども園（以下「幼保連携型認定こども園」という。）をいう。以下同じ。）における教育課程、学習指導その他学校教育に関する専門的事項の指導に関する事務に従事する。

4　指導主事は、教育に関し識見を有し、かつ、学校における教育課程、学習指導その他学校教育に関する専門的事項について教養と経験がある者でなければならない。指導主事は、大学以外の公立学校（地方公共団体が設置する学校をいう。以下同じ。）の教員（教育公務員特例法（昭和24年法律第1号）第2条第2項に規定する教員をいう。以下同じ。）をもつて充てることができる。

5　事務職員は、上司の命を受け、事務に従事する。

6　技術職員は、上司の命を受け、技術に従事する。

7　第1項及び第2項の職員は、教育委員会が任命する。

8　教育委員会は、事務局の職員のうち所掌事務に係る教育行政に関する相談に関する事務を行う職員を指定するものとする。

9　前各項に定めるもののほか、教育委員会の事務局に置かれる職員に関し必要な事項は、政令で定める。

第3章　教育委員会及び地方公共団体の長の職務権限

（教育委員会の職務権限）

第21条　教育委員会は、当該地方公共団体が処理する教育に関する事務で、次に掲げるものを管理し、及び執行する。

一　教育委員会の所管に属する第30条に規定する学校その他の教育機関（以下「学校その他の教育機関」という。）の設置、管理及び廃止に関すること。

二　教育委員会の所管に属する学校その他の教育機関の用に供する財産（以下「教育財産」という。）の管理に関すること。

三　教育委員会及び教育委員会の所管に属する学校その他の教育機関の職員の任免その他の人事に関すること。

四　学齢生徒及び学齢児童の就学並びに生徒、児童及び幼児の入学、転学及び退学に関すること。

五　教育委員会の所管に属する学校の組織編制、教育課程、学習指導、生徒指導及び職業指導に関すること。

六　教科書その他の教材の取扱いに関すること。

七　校舎その他の施設及び教具その他の設備の整備に関すること。

八　校長、教員その他の教育関係職員の研修に関すること。

九　校長、教員その他の教育関係職員並びに生徒、児童及び幼児の保健、安全、厚生及び福利に関すること。

十　教育委員会の所管に属する学校その他の教育機関の環境衛生に関すること。

十一　学校給食に関すること。

十二　青少年教育、女性教育及び公民館の事業その他社会教育に関すること。

十三　スポーツに関すること。

十四　文化財の保護に関すること。

十五　ユネスコ活動に関すること。

十六　教育に関する法人に関すること。

十七　教育に係る調査及び基幹統計その他の統計に関すること。

十八　所掌事務に係る広報及び所掌事務に係る教育行政に関する相談に関すること。

十九　前各号に掲げるもののほか、当該地方公共団体の区域内における教育に関する事務に関すること。

（長の職務権限）

第22条　地方公共団体の長は、大綱の策定に関する事務のほか、次に掲げる教育に関する事務を管理し、及び執行する。

一　大学に関すること。

二　幼保連携型認定こども園に関すること。

三　私立学校に関すること。

四　教育財産を取得し、及び処分すること。

五　教育委員会の所掌に係る事項に関する契約を結ぶこと。

六　前号に掲げるもののほか、教育委員会の所掌に係る事項に関する予算を執行すること。

（幼保連携型認定こども園に関する意見聴取）

第27条　地方公共団体の長は、当該地方公共団体が設置する幼保連携型認定こども園に関する事務のうち、幼保連携型認定こども園における教育課程に関する基本的事項の策定その他の当該地方公共団体の教育委員会の権限に属する事務と密接な関連を有するものとして当該地方公共団体の規則で定めるものの実施に当たつては、当該教育委員会の意見を聴かなければならない。

2　地方公共団体の長は、前項の規則を制定し、又は改廃しようとするときは、あらかじめ、当該地方公共団体の教育委員会の意見を聴かなければならない。

（幼保連携型認定こども園に関する意見の陳述）

第27条の2　教育委員会は、当該地方公共団体が設置

する幼保連携型認定こども園に関する事務の管理及び執行について、その職務に関して必要と認めるときは、当該地方公共団体の長に対し、意見を述べることができる。

（幼保連携型認定こども園に関する資料の提供等）

第27条の3　教育委員会は、前2条の規定による権限を行うため必要があるときは、当該地方公共団体の長に対し、必要な資料の提供その他の協力を求めることができる。

（幼保連携型認定こども園に関する事務に係る教育委員会の助言又は援助）

第27条の4　地方公共団体の長は、第22条第2号に掲げる幼保連携型認定こども園に関する事務を管理し、及び執行するに当たり、必要と認めるときは、当該地方公共団体の教育委員会に対し、学校教育に関する専門的事項について助言又は援助を求めることができる。

（私立学校に関する事務に係る都道府県委員会の助言又は援助）

第27条の5　都道府県知事は、第22条第3号に掲げる私立学校に関する事務を管理し、及び執行するに当たり、必要と認めるときは、当該都道府県委員会に対し、学校教育に関する専門的事項について助言又は援助を求めることができる。

　　　第5章　文部科学大臣及び教育委員会相互間の関係等

（文部科学大臣又は都道府県委員会の指導、助言及び援助）

第48条　地方自治法第245条の4第1項の規定によるほか、文部科学大臣は都道府県又は市町村に対し、都道府県委員会は市町村に対し、都道府県又は市町村の教育に関する事務の適正な処理を図るため、必要な指導、助言又は援助を行うことができる。

2　前項の指導、助言又は援助を例示すると、おおむね次のとおりである。

一　学校その他の教育機関の設置及び管理並びに整備に関し、指導及び助言を与えること。

二　学校の組織編制、教育課程、学習指導、生徒指導、職業指導、教科書その他の教材の取扱いその他学校運営に関し、指導及び助言を与えること。

三　学校における保健及び安全並びに学校給食に関し、指導及び助言を与えること。

四　教育委員会の委員及び校長、教員その他の教育関係職員の研究集会、講習会その他研修に関し、指導及び助言を与え、又はこれらを主催すること。

五　生徒及び児童の就学に関する事務に関し、指導及び助言を与えること。

六　青少年教育、女性教育及び公民館の事業その他社会教育の振興並びに芸術の普及及び向上に関し、指導及び助言を与えること。

七　スポーツの振興に関し、指導及び助言を与えること。

八　指導主事、社会教育主事その他の職員を派遣すること。

九　教育及び教育行政に関する資料、手引書等を作成し、利用に供すること。

十　教育に係る調査及び統計並びに広報及び教育行政に関する相談に関し、指導及び助言を与えること。

十一　教育委員会の組織及び運営に関し、指導及び助言を与えること。

3　文部科学大臣は、都道府県委員会に対し、第1項の規定による市町村に対する指導、助言又は援助に関し、必要な指示をすることができる。

4　地方自治法第245条の4第3項の規定によるほか、都道府県知事又は都道府県委員会は文部科学大臣に対し、市町村長又は市町村委員会は文部科学大臣又は都道府県委員会に対し、教育に関する事務の処理について必要な指導、助言又は援助を求めることができる。

（是正の要求の方式）

第49条　文部科学大臣は、都道府県委員会又は市町村委員会の教育に関する事務の管理及び執行が法令の規定に違反するものがある場合又は当該事務の管理及び執行を怠るものがある場合において、児童、生徒等の教育を受ける機会が妨げられていることその他の教育を受ける権利が侵害されていることが明らかであるとして地方自治法第245条の5第1項若しくは第4項の規定による求め又は同条第2項の指示を行うときは、当該教育委員会が講ずべき措置の内容を示して行うものとする。

（文部科学大臣の指示）

第50条　文部科学大臣は、都道府県委員会又は市町村委員会の教育に関する事務の管理及び執行が法令の規定に違反するものがある場合又は当該事務の管理及び執行を怠るものがある場合において、児童、生徒等の生命又は身体に現に被害が生じ、又はまさに被害が生ずるおそれがあると見込まれ、その被害の拡大又は発生を防止するため、緊急の必要があるときは、当該教育委員会に対し、当該違反を是正し、又は当該怠る事務の管理及び執行を改めるべきことを指示することができる。ただし、他の措置によつては、その是正を図ることが困難である場合に限る。

（文部科学大臣の通知）

第50条の2　文部科学大臣は、第49条に規定する求め若しくは指示又は前条の規定による指示を行つたときは、遅滞なく、当該地方公共団体（第49条に規定する指示を行つたときにあつては、当該指示に係る市町村）の長及び議会に対して、その旨を通知するものとする。

（調査）

第53条　文部科学大臣又は都道府県委員会は、第48条第1項及び第51条の規定による権限を行うため必要があるときは、地方公共団体の長又は教育委員会が管理し、及び執行する教育に関する事務について、必要な調査を行うことができる。

2　文部科学大臣は、前項の調査に関し、都道府県委員会に対し、市町村長又は市町村委員会が管理し、及び執行する教育に関する事務について、その特に指定する事項の調査を行うよう指示をすることができる。

（資料及び報告）

第54条　教育行政機関は、的確な調査、統計その他の資料に基いて、その所掌する事務の適切かつ合理的な処理に努めなければならない。

2　文部科学大臣は地方公共団体の長又は教育委員会に対し、都道府県委員会は市町村長又は市町村委員会に対し、それぞれ都道府県又は市町村の区域内の教育に関する事務に関し、必要な調査、統計その他の資料又は報告の提出を求めることができる。

（幼保連携型認定こども園に係る事務の処理に関する指導、助言及び援助等）

第54条の2　地方公共団体の長が管理し、及び執行する当該地方公共団体が設置する幼保連携型認定こども園に関する事務に係る第48条から第50条の2まで、第53条及び前条第2項の規定の適用については、これらの規定（第48条第4項を除く。）中「都道府県委員会」とあるのは「都道府県知事」と、第48条第4項中「都道府県委員会に」とあるのは「都道府県知事に」と、第49条及び第50条中「市町村委員会」とあるのは「市町村長」と、「当該教育委員会」とあるのは「当該地方公共団体の長」と、第50条の2中「長及び議会」とあるのは「議会」と、第53条第1項中「第48条第1項及び第51条」とあるのは「第48条第1項」と、「地方公共団体の長又は教育委員会」とあるのは「地方公共団体の長」と、同条第2項中「市町村長又は市町村委員会」とあるのは「市町村長」と、前条第2項中「地方公共団体の長又は教育委員会」とあるのは「地方公共団体の長」と、「市町村長又は市町村委員会」とあるのは「市町村長」とする。

〔参　考〕

●刑法等の一部を改正する法律の施行に伴う関係法律の整理等に関する法律（抄）

〔令和4年6月17日〕
〔法律第68号〕

注　令和5年5月17日法律第28号により一部改正

第1編　関係法律の一部改正

第10章　文部科学省関係

（宗教法人法等の一部改正）

第215条　次に掲げる法律の規定中「禁錮」を「拘禁刑」に改める。

二　地方教育行政の組織及び運営に関する法律（昭和31年法律第162号）第4条第3項第2号

第2編　経過措置

第1章　通則

（人の資格に関する経過措置）

第443条　懲役、禁錮又は旧拘留に処せられた者に係る人の資格に関する法令の規定の適用については、無期の懲役又は禁錮に処せられた者はそれぞれ無期拘禁刑に処せられた者と、有期の懲役又は禁錮に処せられた者はそれぞれ刑期を同じくする有期拘禁刑に処せられた者と、旧拘留に処せられた者は拘留に処せられた者とみなす。

2　拘禁刑又は拘留に処せられた者に係る他の法律の規定によりなお従前の例によることとされ、なお効力を有することとされ又は改正前若しくは廃止前の法律の規定の例によることとされる人の資格に関する法令の規定の適用については、無期拘禁刑に処せられた者は無期禁錮に処せられた者と、有期拘禁刑に処せられた者は刑期を同じくする有期禁錮に処せられた者と、拘留に処せられた者は刑期を同じくする旧拘留に処せられた者とみなす。

第4章　その他

（経過措置の政令への委任）

第509条　この編に定めるもののほか、刑法等一部改正法等の施行に伴い必要な経過措置は、政令で定める。

附　則　抄

（施行期日）

1　この法律は、刑法等一部改正法〔刑法等の一部を改正する法律（令和4年法律第67号）〕施行日〔令和7年6月1日〕から施行する。ただし、次の各号に掲げる規定は、当該各号に定める日から施行する。

一　第509条の規定　公布の日

●地方税法（抄）

〔昭和25年 7 月31日
法 律 第 226 号〕

注　令和 6 年 6 月14日法律第52号改正現在
（未施行分については1697頁以降に収載）

第 2 章　道府県の普通税
第 1 節　道府県民税
第 1 款　通則
（道府県民税に関する用語の意義）

第23条　道府県民税について、次の各号に掲げる用語の意義は、それぞれ当該各号に定めるところによる。

一　均等割　均等の額により課する道府県民税をいう。

二　所得割　所得により課する道府県民税をいう。

三　法人税割　次に掲げる法人の区分に応じ、それぞれ次に定める道府県民税をいう。

イ　この法律の施行地に本店又は主たる事務所若しくは事業所を有する法人（以下この項及び第53条において「内国法人」という。）法人税額を課税標準として課する道府県民税

ロ　この法律の施行地に本店又は主たる事務所若しくは事業所を有しない法人（以下この節において「外国法人」という。）次に掲げる法人税額の区分ごとに、当該法人税額を課税標準として課する道府県民税

(1)　法人税法第141条第 1 号イに掲げる国内源泉所得に対する法人税額

(2)　法人税法第141条第 1 号ロに掲げる国内源泉所得に対する法人税額

三の二　利子割　支払を受けるべき利子等の額により課する道府県民税をいう。

三の三　配当割　支払を受けるべき特定配当等の額により課する道府県民税をいう。

三の四　株式等譲渡所得割　特定株式等譲渡所得金額により課する道府県民税をいう。

四　法人税額　次に掲げる法人の区分に応じ、それぞれ次に定める額をいう。

イ　内国法人　法人税法その他の法人税に関する法令の規定により計算した法人税額（各対象会計年度（法人税法第15条の 2 に規定する対象会計年度をいう。）の国際最低課税額（同法第82条の 2 第 1 項に規定する国際最低課税額をいう。）に対する法人税の額を除く。）で、法人税法第68条（租税特別措置法（昭和32年法律第26号）第 3 条の 3 第 5 項、第 6 条第 3 項、第 8 条の 3 第 5 項、第 9 条の 2 第 4 項、第 9 条の 3 の

2 第 7 項、第41条の 9 第 4 項、第41条の12第 4 項及び第41条の12の 2 第 7 項の規定により読み替えて適用する場合を含む。）、第69条（租税特別措置法第66条の 7 第 1 項及び第66条の 9 の 3 第 1 項の規定により読み替えて適用する場合を含む。）、第69条の 2 （租税特別措置法第 9 条の 3 の 2 第 7 項、第 9 条の 6 第 4 項、第 9 条の 6 の 2 第 4 項、第 9 条の 6 の 3 第 4 項及び第 9 条の 6 の 4 第 4 項の規定により読み替えて適用する場合を含む。）及び第70条並びに租税特別措置法第42条の 4 、第42条の10（第 1 項、第 3 項、第 4 項及び第 7 項を除く。）、第42条の11（第 1 項、第 3 項から第 5 項まで及び第 8 項を除く。）、第42条の11の 2 （第 1 項、第 3 項、第 4 項及び第 7 項を除く。）、第42条の11の 3 （第 1 項、第 3 項、第 4 項及び第 7 項を除く。）、第42条の12、第42条の12の 2 、第42条の12の 5 、第42条の12の 6 （第 1 項、第 3 項、第 4 項及び第 7 項を除く。）、第42条の12の 7 （第 1 項から第 3 項まで、第 7 項から第 9 項まで及び第12項を除く。）、第66条の 7 （第 2 項、第 6 項及び第10項から第13項までを除く。）及び第66条の 9 の 3 （第 2 項、第 5 項及び第 9 項から第12項までを除く。）の規定の適用を受ける前のものをいい、法人税に係る延滞税、利子税、過少申告加算税、無申告加算税及び重加算税の額を含まないものとする。

ロ　外国法人　次に掲げる国内源泉所得の区分ごとに、法人税法その他の法人税に関する法令の規定により計算した法人税額で、法人税法第144条（租税特別措置法第 9 条の 3 の 2 第 7 項、第41条の 9 第 4 項、第41条の12第 4 項、第41条の12の 2 第 7 項及び第41条の22第 2 項の規定により読み替えて適用する場合を含む。）において準用する法人税法第68条（租税特別措置法第 9 条の 3 の 2 第 7 項、第41条の 9 第 4 項、第41条の12第 4 項及び第41条の12の 2 第 7 項の規定により読み替えて適用する場合を含む。）、第144条の 2 及び第144条の 2 の 2 （租税特別措置法第 9 条の 3 の 2 第 7 項、第 9 条の 6 第 4 項、第 9 条の 6 の 2 第 4 項、第 9 条の 6 の 3 第 4 項及び第 9 条の 6 の 4 第 4 項の規定により読み替

えて適用する場合を含む。）並びに租税特別措置法第42条の4、第42条の10（第1項、第3項、第4項及び第7項を除く。）、第42条の11（第1項、第3項から第5項まで及び第8項を除く。）、第42条の11の2（第1項、第3項、第4項及び第7項を除く。）、第42条の11の3（第1項、第3項、第4項及び第7項を除く。）、第42条の12、第42条の12の2、第42条の12の5、第42条の12の6（第1項、第3項、第4項及び第7項を除く。）及び第42条の12の7（第1項から第3項まで、第7項から第9項まで及び第12項を除く。）の規定の適用を受ける前のものをいい、法人税に係る延滞税、利子税、過少申告加算税、無申告加算税及び重加算税の額を含まないものとする。

(1)　法人税法第141条第1号イに掲げる国内源泉所得

(2)　法人税法第141条第1号ロに掲げる国内源泉所得

四の二　資本金等の額　次に掲げる法人の区分に応じ、それぞれ次に定める額をいう。

イ　第53条第1項の規定により申告納付する法人（ロ及びハに掲げる法人を除く。）　同項に規定する法人税額の課税標準の算定期間の末日現在における法人税法第2条第16号に規定する資本金等の額と、当該算定期間の初日前に終了した各事業年度（イ及びロにおいて「過去事業年度」という。）の(1)に掲げる金額の合計額から過去事業年度の(2)及び(3)に掲げる金額の合計額を控除した金額に、当該算定期間中の(1)に掲げる金額を加算し、これから当該算定期間中の(3)に掲げる金額を減算した金額との合計額

(1)　平成22年4月1日以後に、会社法（平成17年法律第86号）第446条に規定する剰余金（同法第447条又は第448条の規定により資本金の額又は資本準備金の額を減少し、剰余金として計上したものを除き、総務省令で定めるものに限る。）を同法第450条の規定により資本金とし、又は同法第448条第1項第2号の規定により利益準備金の額の全部若しくは一部を資本金とした金額

(2)　平成13年4月1日から平成18年4月30日までの間に、資本又は出資の減少（金銭その他の資産を交付したものを除く。）による資本の欠損の塡補に充てた金額並びに会社法の施行に伴う関係法律の整備等に関する法律（平成17年法律第87号。(2)において「会社法整備法」という。）第64条の規定による改正前の

商法（(2)において「旧商法」という。）第289条第1項及び第2項（これらの規定を会社法整備法第1条の規定による廃止前の有限会社法（昭和13年法律第74号。(2)において「旧有限会社法」という。）第46条において準用する場合を含む。）に規定する資本準備金による旧商法第289条第1項及び第2項第2号（これらの規定を旧有限会社法第46条において準用する場合を含む。）に規定する資本の欠損の塡補に充てた金額

(3)　平成18年5月1日以後に、会社法第446条に規定する剰余金（同法第447条又は第448条の規定により資本金の額又は資本準備金の額を減少し、剰余金として計上したもので総務省令で定めるものに限る。）を同法第452条の規定により総務省令で定める損失の塡補に充てた金額

ロ　第53条第1項の規定により申告納付する法人のうち法人税法第71条第1項（同法第72条第1項の規定が適用される場合を除く。）若しくは第144条の3第1項（同法第144条の4第1項の規定が適用される場合を除く。）に規定する申告書を提出する義務があるもの（ハに掲げる法人を除く。）又は第53条第2項の規定により申告納付する法人（ハに掲げる法人を除く。）　政令で定める日現在における同法第2条第16号に規定する資本金等の額と、過去事業年度のイ(1)に掲げる金額の合計額から過去事業年度のイ(2)及びイ(3)に掲げる金額の合計額を控除した金額との合計額

ハ　保険業法（平成7年法律第105号）に規定する相互会社　純資産額として政令で定めるところにより算定した金額

五　給与所得　所得税法第28条第1項に規定する給与所得をいう。

六　退職手当等　所得税法第30条第1項に規定する退職手当等（同法第31条において退職手当等とみなされる一時金及び租税特別措置法第29条の4において退職手当等とみなされる金額を含む。）をいう。

七　同一生計配偶者　道府県民税の納税義務者の配偶者でその納税義務者と生計を一にするもの（第32条第3項に規定する青色事業専従者に該当するもので同項に規定する給与の支払を受けるもの及び同条第4項に規定する事業専従者に該当するものを除く。）のうち、当該年度の初日の属する年の前年（以下この条から第45条の3までにおいて「前年」という。）の合計所得金額が48万円以下

である者をいう。

八　控除対象配偶者　同一生計配偶者のうち、前年の合計所得金額が1000万円以下である道府県民税の納税義務者の配偶者をいう。

九　扶養親族　道府県民税の納税義務者の親族（その納税義務者の配偶者を除く。）並びに児童福祉法（昭和22年法律第164号）第27条第1項第3号の規定により同法第6条の4に規定する里親に委託された児童及び老人福祉法（昭和38年法律第133号）第11条第1項第3号の規定により同号に規定する養護受託者に委託された老人でその納税義務者と生計を一にするもの（第32条第3項に規定する青色事業専従者に該当するもので同項に規定する給与の支払を受けるもの及び同条第4項に規定する事業専従者に該当するものを除く。）のうち、前年の合計所得金額が48万円以下である者をいう。

十　障害者　精神上の障害により事理を弁識する能力を欠く常況にある者、失明者その他の精神又は身体に障害がある者で政令で定めるものをいう。

十一　寡婦　次に掲げる者でひとり親に該当しないものをいう。

イ　夫と離婚した後婚姻をしていない者のうち、次に掲げる要件を満たすもの
(1)　扶養親族を有すること。
(2)　前年の合計所得金額が500万円以下であること。
(3)　その者と事実上婚姻関係と同様の事情にあると認められる者として総務省令で定めるものがいないこと。

ロ　夫と死別した後婚姻をしていない者又は夫の生死の明らかでない者で政令で定めるもののうち、イ(2)及び(3)に掲げる要件を満たすもの

十二　ひとり親　現に婚姻をしていない者又は配偶者の生死の明らかでない者で政令で定めるもののうち、次に掲げる要件を満たすものをいう。

イ　その者と生計を一にする子で政令で定めるものを有すること。
ロ　前年の合計所得金額が500万円以下であること。
ハ　その者と事実上婚姻関係と同様の事情にあると認められる者として総務省令で定めるものがいないこと。

十三　合計所得金額　第32条第8項及び第9項の規定による控除前の同条第1項の総所得金額、退職所得金額及び山林所得金額の合計額をいう。

十四　利子等　利子、収益の分配その他これらに類

するもので次に掲げるものをいう。

イ　この法律の施行地において支払を受けるべき租税特別措置法第3条第1項に規定する一般利子等（同法第4条の4第1項の規定により所得税法第23条第1項に規定する利子等とみなされる勤労者財産形成貯蓄保険契約等に基づき支払を受ける差益、預金保険法第53条第1項の規定による支払（同法第58条の2第1項の規定により同項第1号に掲げる利子、同項第4号に掲げる収益の分配又は同項第5号に掲げる利子の額とみなされる金額に相当する部分に限る。）、同法第70条第1項の規定による買取りの対価（同法第73条第1項の規定により同項第1号に掲げる利子、同項第4号に掲げる収益の分配又は同項第5号に掲げる利子の額とみなされる金額に相当する部分に限る。）及び同法第70条第2項ただし書の規定による支払（同法第73条第2項の規定により同条第1項第1号に掲げる利子、同項第4号に掲げる収益の分配又は同項第5号に掲げる利子の額とみなされる金額に相当する部分に限る。）、農水産業協同組合貯金保険法第55条第1項の規定による支払（同法第60条の2第1項の規定により同項第1号に掲げる利子、同項第3号に掲げる収益の分配又は同項第4号に掲げる利子の額とみなされる金額に相当する部分に限る。）、同法第70条第1項の規定による買取りの対価（同法第73条第1項の規定により同項第1号に掲げる利子、同項第3号に掲げる収益の分配又は同項第4号に掲げる利子の額とみなされる金額に相当する部分に限る。）及び同法第70条第2項ただし書の規定による支払（同法第73条第2項の規定により同条第1項第1号に掲げる利子、同項第3号に掲げる収益の分配又は同項第4号に掲げる利子の額とみなされる金額に相当する部分に限る。）並びに民間公益活動を促進するための休眠預金等に係る資金の活用に関する法律（平成28年法律第101号）第7条第2項に規定する休眠預金等代替金の支払（同法第45条第1項の規定により同法第4条第2項第1号若しくは第2号に掲げる利子、同項第5号に掲げる収益の分配又は同項第6号に掲げる利子の額とみなされる金額に相当する部分に限る。）を含み、所得税法第10条第1項の規定の適用を受ける利子又は収益の分配、租税特別措置法第4条の2第1項の規定の適用を受ける財産形成住宅貯蓄に係る同項各号に掲げる利子、収益の分配又は差益及び同法第4条の3

第1項の規定の適用を受ける財産形成年金貯蓄に係る同項各号に掲げる利子、収益の分配又は差益を除く。）

ロ　租税特別措置法第3条の3第1項に規定する国外一般公社債等の利子等で同項の国内における支払の取扱者を通じて支払を受けるもの（第71条の8において「国外一般公社債等の利子等」という。）

ハ　租税特別措置法第8条の2第1項に規定する私募公社債等運用投資信託等の収益の分配に係る配当等（所得税法第10条第1項の規定の適用を受ける収益の分配、租税特別措置法第4条の2第1項の規定の適用を受ける財産形成住宅貯蓄に係る同項第3号に掲げる収益の分配及び同法第4条の3第1項の規定の適用を受ける財産形成年金貯蓄に係る同項第3号に掲げる収益の分配に係るものを除く。）

ニ　租税特別措置法第8条の3第1項に規定する国外私募公社債等運用投資信託等の配当等で同項の国内における支払の取扱者を通じて支払を受けるもの（第25条の2第3項及び第71条の8において「国外私募公社債等運用投資信託等の配当等」という。）

ホ　租税特別措置法第41条の9第1項に規定する懸賞金付預貯金等の懸賞金等

ヘ　この法律の施行地において支払を受けるべき所得税法第174条第3号から第8号までに掲げる給付補填金、利息、利益又は差益（預金保険法第53条第1項の規定による支払（同法第58条の2第1項の規定により同項第2号又は第3号に掲げる給付補填金の額とみなされる金額に相当する部分に限る。）、同法第70条第1項の規定による買取りの対価（同法第73条第1項の規定により同項第2号又は第3号に掲げる給付補填金の額とみなされる金額に相当する部分に限る。）及び同法第70条第2項ただし書の規定による支払（同法第73条第2項の規定により同条第1項第2号又は第3号に掲げる給付補填金の額とみなされる金額に相当する部分に限る。）、農水産業協同組合貯金保険法第55条第1項の規定による支払（同法第60条の2第1項の規定により同項第2号に掲げる給付補てん金の額とみなされる金額に相当する部分に限る。）、同法第70条第1項の規定による買取りの対価（同法第73条第1項の規定により同項第2号に掲げる給付補てん金の額とみなされる金額に相当する部分に限る。）及び同法第70条第2項ただし書の

規定による支払（同法第73条第2項の規定により同条第1項第2号に掲げる給付補てん金の額とみなされる金額に相当する部分に限る。）並びに民間公益活動を促進するための休眠預金等に係る資金の活用に関する法律第7条第2項に規定する休眠預金等代替金の支払（同法第45条第1項の規定により同法第4条第2項第3号又は第4号に掲げる給付補填金の額とみなされる金額に相当する部分に限る。）を含む。）

十五　特定配当等　租税特別措置法第8条の4第1項に規定する上場株式等の配当等及び同法第41条の12の2第1項各号に掲げる償還金に係る同条第6項第3号に規定する差益金額をいう。

十六　特定株式等譲渡対価等　租税特別措置法第37条の11の4第1項に規定する源泉徴収選択口座（以下この号及び第6款において「選択口座」という。）に係る同法第37条の11の3第1項に規定する特定口座内保管上場株式等の同法第37条の12の2第2項に規定する譲渡の対価又は当該選択口座において処理された同法第37条の11の3第2項に規定する上場株式等の同項に規定する信用取引等に係る同法第37条の11の4第1項に規定する差金決済に係る差益に相当する金額をいう。

十七　特定株式等譲渡所得金額　租税特別措置法第37条の11の4第2項に規定する源泉徴収選択口座内調整所得金額をいう。

十八　恒久的施設　次に掲げるものをいう。ただし、我が国が締結した租税に関する二重課税の回避又は脱税の防止のための条約において次に掲げるものと異なる定めがある場合には、当該条約の適用を受ける外国法人については、当該条約において恒久的施設と定められたもの（国内（この法律の施行地をいう。以下この号において同じ。）にあるものに限る。）とする。

イ　外国法人の国内にある支店、工場その他事業を行う一定の場所で政令で定めるもの

ロ　外国法人の国内にある建設若しくは据付けの工事又はこれらの指揮監督の役務の提供を行う場所その他これに準ずるものとして政令で定めるもの

ハ　外国法人が国内に置く自己のために契約を締結する権限のある者その他これに準ずる者で政令で定めるもの

2　道府県民税の納税義務者の配偶者がその納税義務者の同一生計配偶者に該当し、かつ、他の道府県民税の納税義務者の扶養親族にも該当する場合には、その配偶者は、政令で定めるところにより、これら

のうちいずれか一にのみ該当するものとみなす。

3　2以上の道府県民税の納税義務者の扶養親族に該当する者がある場合には、その者は、政令で定めるところにより、これらの納税義務者のうちいずれか一の納税義務者の扶養親族にのみ該当するものとみなす。

4　道府県民税について所得税法その他の所得税に関する法令を引用する場合（第1項第6号及び第14号から第17号まで、第25条の2、次款第3目及び第4款から第6款まで並びに附則第35条の2の5第2項から第4項までにおいて引用する場合を除く。）には、これらの法令は、前年の所得について適用されたものをいうものとする。

（道府県民税の納税義務者等）

第24条　道府県民税は、第1号に掲げる者に対しては均等割額及び所得割額の合算額により、第3号に掲げる者に対しては均等割額及び法人税割額の合算額により、第2号及び第4号に掲げる者に対しては均等割額により、第4号の2に掲げる者に対しては法人税割額により、第5号に掲げる者に対しては利子割額により、第6号に掲げる者に対しては配当割額により、第7号に掲げる者に対しては株式等譲渡所得割額により課する。

一　道府県内に住所を有する個人

二　道府県内に事務所、事業所又は家屋敷を有する個人で当該事務所、事業所又は家屋敷を有する市町村内に住所を有しない者

三　道府県内に事務所又は事業所を有する法人

四　道府県内に寮、宿泊所、クラブその他これらに類する施設（「寮等」という。以下道府県民税について同じ。）を有する法人で当該道府県内に事務所又は事業所を有しないもの

四の二　法人課税信託（法人税法第2条第29号の2に規定する法人課税信託をいう。以下この節において同じ。）の引受けを行うことにより法人税を課される個人で道府県内に事務所又は事業所を有するもの

五　利子等の支払又はその取扱いをする者の営業所等で道府県内に所在するものを通じて利子等の支払を受ける個人

六　特定配当等の支払を受ける個人で当該特定配当等の支払を受けるべき日現在において道府県内に住所を有するもの

七　特定株式等譲渡対価等の支払を受ける個人で当該特定株式等譲渡対価等の支払を受けるべき日の属する年の1月1日現在において道府県内に住所を有するもの

2　前項第1号、第6号及び第7号の道府県内に住所を有する個人とは、住民基本台帳法の適用を受ける者については、その道府県の区域内の市町村の住民基本台帳に記録されている者（第294条第3項の規定により当該住民基本台帳に記録されているものとみなされる者を含み、同条第4項に規定する者を除く。）をいう。

3　外国法人に対するこの節の規定の適用については、恒久的施設をもつて、その事務所又は事業所とする。

4　第25条第1項第2号に掲げる者で収益事業を行うもの又は法人課税信託の引受けを行うものに対する道府県民税は、第1項の規定にかかわらず、当該収益事業又は法人課税信託の信託事務を行う事務所又は事業所所在の道府県において課する。

5　公益法人等（法人税法第2条第6号の公益法人等並びに防災街区整備事業組合、管理組合法人及び団地管理組合法人、マンション建替組合、マンション敷地売却組合及び敷地分割組合、地方自治法第260条の2第7項に規定する認可地縁団体、政党交付金の交付を受ける政党等に対する法人格の付与に関する法律（平成6年法律第106号）第7条の2第1項に規定する法人である政党等並びに特定非営利活動促進法（平成10年法律第7号）第2条第2項に規定する特定非営利活動法人をいう。）のうち第25条第1項第2号に掲げる者以外のもの及び次項の規定により法人とみなされるものに対する法人税割（法人税法第74条第1項の申告書に係る法人税額を課税標準とする法人税割に限る。）は、第1項の規定にかかわらず、これらの者の収益事業又は法人課税信託の信託事務を行う事務所又は事業所所在の道府県において課する。

6　法人でない社団又は財団で代表者又は管理人の定めがあり、かつ、収益事業を行うもの（当該社団又は財団で収益事業を廃止したものを含む。以下道府県民税について「人格のない社団等」という。）又は法人課税信託の引受けを行うものは、法人とみなして、この節（第53条第65項から第81項までを除く。）の規定を適用する。

7　第1項第2号に掲げる者については、市町村民税を均等割により課する市町村ごとに一の納税義務があるものとして道府県民税を課する。

8　第1項第5号の営業所等とは、利子等の支払をする者の営業所、事務所その他これらに準ずるもので利子等の支払の事務（利子等の支払に関連を有する事務を含む。）で政令で定めるものを行うもの（利子等の支払の取扱いをする者で政令で定めるものが

ある場合にあつては、その者の営業所、事務所その
他これらに準ずるもので利子等の支払の取扱いの事
務のうち政令で定めるものを行うもの）をいう。

9　第4項から第6項までの収益事業の範囲は、政令
で定める。

第2款　個人の道府県民税
第1目　課税標準及び税率

（寄附金税額控除）

第37条の2　道府県は、所得割の納税義務者が、前年
中に次に掲げる寄附金を支出し、当該寄附金の額の
合計額（当該合計額が前年の総所得金額、退職所得
金額及び山林所得金額の合計額の100分の30に相当
する金額を超える場合には、当該100分の30に相当
する金額）が2000円を超える場合には、その超える
金額の100分の4（当該納税義務者が指定都市の区
域内に住所を有する場合には、100分の2）に相当
する金額（当該納税義務者が前年中に特例控除対象
寄附金を支出し、当該特例控除対象寄附金の額の合
計額が2000円を超える場合には、当該100分の4（当
該納税義務者が指定都市の区域内に住所を有する場
合には、100分の2）に相当する金額に特例控除額
を加算した金額。以下この項において「控除額」と
いう。）を当該納税義務者の第35条及び前条の規定
を適用した場合の所得割の額から控除するものとす
る。この場合において、当該控除額が当該所得割の
額を超えるときは、当該控除額は、当該所得割の額
に相当する金額とする。

一　都道府県、市町村又は特別区（以下この条にお
いて「都道府県等」という。）に対する寄附金（当
該納税義務者がその寄附によつて設けられた設備
を専属的に利用することその他特別の利益が当該
納税義務者に及ぶと認められるものを除く。）

二　社会福祉法（昭和26年法律第45号）第113条第
2項に規定する共同募金会（その主たる事務所を
当該納税義務者に係る賦課期日現在における住所
所在の道府県内に有するものに限る。）に対する
寄附金又は日本赤十字社に対する寄附金（当該納
税義務者に係る賦課期日現在における住所所在の
道府県内に事務所を有する日本赤十字社の支部に
おいて収納されたものに限る。）で、政令で定め
るもの

三　所得税法第78条第2項第2号及び第3号に掲げ
る寄附金（同条第3項の規定により特定寄附金と
みなされるものを含む。）並びに租税特別措置法
第41条の18の2第2項に規定する特定非営利活動
に関する寄附金（次号に掲げる寄附金を除く。）
のうち、住民の福祉の増進に寄与する寄附金とし

て当該道府県の条例で定めるもの

四　特定非営利活動促進法第2条第12項に規定する
特定非営利活動法人（以下この号及び第12項にお
いて「特定非営利活動法人」という。）に対する
当該特定非営利活動法人の行う同条第1項に規定
する特定非営利活動に係る事業に関連する寄附金
のうち、住民の福祉の増進に寄与する寄附金とし
て当該道府県の条例で定めるもの（特別の利益が
当該納税義務者に及ぶと認められるものを除く。）

2　前項の特例控除対象寄附金とは、同項第1号に掲
げる寄附金（以下この条において「第1号寄附金」
という。）であつて、第1号、第4号及び第5号に
掲げる基準（都道府県等が返礼品等（都道府県等が
第1号寄附金の受領に伴い当該第1号寄附金を支出
した者に対して提供する物品、役務その他これらに
類するものとして総務大臣が定めるものをいう。以
下この項において同じ。）を提供する場合には、次
に掲げる基準）に適合する都道府県等として総務大
臣が指定するものに対するものをいう。

一　都道府県等による第1号寄附金の募集の適正な
実施に係る基準として総務大臣が定める基準に適
合するものであること。

二　都道府県等が個別の第1号寄附金の受領に伴い
提供する返礼品等の調達に要する費用の額として
総務大臣が定めるところにより算定した額が、い
ずれも当該都道府県等が受領する当該第1号寄附
金の額の100分の30に相当する金額以下であるこ
と。

三　都道府県等が提供する返礼品等が当該都道府県
等の区域内において生産された物品又は提供され
る役務その他これらに類するものであつて、総務
大臣が定める基準に適合するものであること。

四　都道府県等がこの項の規定により受けようとす
る指定の効力を生ずる日前1年以内（当該都道府
県等がこの項の規定による指定（以下この条にお
いて「指定」という。）を受けていた期間に限
る。次号において「特定期間」という。）におい
て前3号に掲げる基準のうち適合すべきこととさ
れていたものに適合していたこと。

五　特定期間において行われた第5項の規定による
報告の求めに対し、報告をしなかつたことがな
く、かつ、虚偽の報告をしたことがないこと。

3　指定を受けようとする都道府県等は、総務省令で
定めるところにより、第1号寄附金の募集の適正な
実施に関し総務省令で定める事項を記載した申出書
に、前項に規定する基準に適合していることを証す
る書類を添えて、これを総務大臣に提出しなければ

ならない。

4 第6項の規定により指定を取り消され、その取消しの日から起算して2年を経過しない都道府県等は、指定を受けることができない。

5 総務大臣は、指定をした都道府県等に対し、第1号寄附金の募集の実施状況その他必要な事項について報告を求めることができる。

6 総務大臣は、指定をした都道府県等が第2項に規定する基準のいずれかに適合しなくなつた若しくは適合していなかつたと認めるとき、又は前項の規定による報告をせず、若しくは虚偽の報告をしたときは、指定を取り消すことができる。

7 総務大臣は、指定をし、又は前項の規定による指定の取消し（次項及び第10項において「指定の取消し」という。）をしたときは、直ちにその旨を告示しなければならない。

8 総務大臣は、第2項に規定する基準若しくは同項の規定による定めの設定、変更若しくは廃止又は指定若しくは指定の取消しについては、地方財政審議会の意見を聴かなければならない。

9 第1項の場合において、第2項に規定する特例控除対象寄附金（第11項において「特例控除対象寄附金」という。）であるかどうかの判定は、所得割の納税義務者が第1号寄附金を支出した時に当該第1号寄附金を受領した都道府県等が指定をされているかどうかにより行うものとする。

10 第2項から第8項までに規定するもののほか、指定及び指定の取消しに関し必要な事項は、政令で定める。

11 第1項の特例控除額は、同項の所得割の納税義務者が前年中に支出した特例控除対象寄附金の額の合計額のうち2000円を超える金額に、次の各号に掲げる場合の区分に応じ、当該各号に定める割合を乗じて得た金額の5分の2（当該納税義務者が指定都市の区域内に住所を有する場合には、5分の1）に相当する金額（当該金額が当該納税義務者の第35条及び前条の規定を適用した場合の所得割の額の100分の20に相当する金額を超えるときは、当該100分の20に相当する金額）とする。

一 当該納税義務者が第35条第2項に規定する課税総所得金額（以下この項において「課税総所得金額」という。）を有する場合において、当該課税総所得金額から当該納税義務者に係る前条第1号イに掲げる金額（以下この項において「人的控除差調整額」という。）を控除した金額が零以上であるとき 当該控除後の金額について、次の表の上欄に掲げる金額の区分に応じ、それぞれ同表の

下欄に掲げる割合

195万円以下の金額	100分の85
195万円を超え330万円以下の金額	100分の80
330万円を超え695万円以下の金額	100分の70
695万円を超え900万円以下の金額	100分の67
900万円を超え1800万円以下の金額	100分の57
1800万円を超え4000万円以下の金額	100分の50
4000万円を超える金額	100分の45

二 当該納税義務者が課税総所得金額を有する場合において、当該課税総所得金額から当該納税義務者に係る人的控除差調整額を控除した金額が零を下回るときであつて、当該納税義務者が第35条第2項に規定する課税山林所得金額（次号において「課税山林所得金額」という。）及び同項に規定する課税退職所得金額（同号において「課税退職所得金額」という。）を有しないとき 100分の90

三 当該納税義務者が課税総所得金額を有する場合において当該課税総所得金額から当該納税義務者に係る人的控除差調整額を控除した金額が零を下回るとき又は当該納税義務者が課税総所得金額を有しない場合であつて、当該納税義務者が課税山林所得金額又は課税退職所得金額を有するとき 次のイ又はロに掲げる場合の区分に応じ、それぞれイ又はロに定める割合（イ及びロに掲げる場合のいずれにも該当するときは、当該イ又はロに定める割合のうちいずれか低い割合）

イ 課税山林所得金額を有する場合 当該課税山林所得金額の5分の1に相当する金額について、第1号の表の上欄に掲げる金額の区分に応じ、それぞれ同表の下欄に掲げる割合

ロ 課税退職所得金額を有する場合 当該課税退職所得金額について、第1号の表の上欄に掲げる金額の区分に応じ、それぞれ同表の下欄に掲げる割合

12 第1項第4号の規定による道府県の条例の定めは、当該寄附金を受け入れる特定非営利活動法人（以下この条において「控除対象特定非営利活動法人」という。）からの申出があつた場合において適切と認められるときに行うものとし、当該条例においては、当該控除対象特定非営利活動法人の名称及び主たる事務所の所在地を明らかにしなければならない。

13 控除対象特定非営利活動法人は、総務省令で定めるところにより、寄附者名簿（各事業年度に当該法

人が受け入れた寄附金の支払者ごとに当該支払者の氏名又は名称及びその住所又は事務所の所在地並びにその寄附金の額及び受け入れた年月日を記載した書類をいう。次項において同じ。）を備え、これを保存しなければならない。

14　道府県知事は、第1項（第4号に掲げる寄附金に係る部分に限る。）の規定により控除すべき金額の計算のために必要があると認めるときは、控除対象特定非営利活動法人に対し、同号に掲げる寄附金の受入れに関し報告又は寄附者名簿その他の資料の提出をさせることができる。

第2節　事業税
第1款　通則
（事業税に関する用語の意義）

第72条　事業税について、次の各号に掲げる用語の意義は、それぞれ当該各号に定めるところによる。

一　付加価値割　付加価値額により法人の行う事業に対して課する事業税をいう。

二　資本割　資本金等の額により法人の行う事業に対して課する事業税をいう。

三　所得割　所得により法人の行う事業に対して課する事業税をいう。

四　収入割　収入金額により法人の行う事業に対して課する事業税をいう。

五　恒久的施設　次に掲げるものをいう。ただし、我が国が締結した租税に関する二重課税の回避又は脱税の防止のための条約において次に掲げるものと異なる定めがある場合には、当該条約の適用を受ける国内（この法律の施行地をいう。以下この号において同じ。）に本店若しくは主たる事務所若しくは事業所を有しない法人（以下この節において「外国法人」という。）又は国内に主たる事務所若しくは事業所を有しない個人については、当該条約において恒久的施設と定められたもの（国内にあるものに限る。）とする。

イ　外国法人又は国内に主たる事務所若しくは事業所を有しない個人の国内にある支店、工場その他事業を行う一定の場所で政令で定めるもの

ロ　外国法人又は国内に主たる事務所若しくは事業所を有しない個人の国内にある建設若しくは据付けの工事又はこれらの指揮監督の役務の提供を行う場所その他これに準ずるものとして政令で定めるもの

ハ　外国法人又は国内に主たる事務所若しくは事業所を有しない個人が国内に置く自己のために契約を締結する権限のある者その他これに準ずる者で政令で定めるもの

（事業税の納税義務者等）

第72条の2　法人の行う事業に対する事業税は、法人の行う事業に対し、次の各号に掲げる事業の区分に応じ、当該各号に定める額により事務所又は事業所所在の道府県において、その法人に課する。

一　次号から第4号までに掲げる事業以外の事業　次に掲げる法人の区分に応じ、それぞれ次に定める額

イ　ロに掲げる法人以外の法人　付加価値割額、資本割額及び所得割額の合算額

ロ　第72条の4第1項各号に掲げる法人、第72条の5第1項各号に掲げる法人、第72条の24の7第7項各号に掲げる法人、第4項に規定する人格のない社団等、第5項に規定するみなし課税法人、投資法人（投資信託及び投資法人に関する法律第2条第12項に規定する投資法人をいう。第72条の32第2項第3号において同じ。）、特定目的会社（資産の流動化に関する法律第2条第3項に規定する特定目的会社をいう。第72条の32第2項第4号において同じ。）並びに一般社団法人（非営利型法人（法人税法第2条第9号の2に規定する非営利型法人をいう。以下この号において同じ。）に該当するものを除く。）及び一般財団法人（非営利型法人に該当するものを除く。）並びにこれらの法人以外の法人で資本金の額若しくは出資金の額が1億円以下のもの又は資本若しくは出資を有しないもの　所得割額

二　電気供給業（次号に掲げる事業を除く。）、ガス供給業のうちガス事業法（昭和29年法律第51号）第2条第5項に規定する一般ガス導管事業及び同条第7項に規定する特定ガス導管事業（以下この節において「導管ガス供給業」という。）、保険業並びに貿易保険業　収入割額

三　電気供給業のうち、電気事業法（昭和39年法律第170号）第2条第1項第2号に規定する小売電気事業（これに準ずるものとして総務省令で定めるものを含む。以下この節において「小売電気事業等」という。）、同項第14号に規定する発電事業（これに準ずるものとして総務省令で定めるものを含む。以下この節において「発電事業等」という。）及び同項第15号の3に規定する特定卸供給事業（以下この節において「特定卸供給事業」という。）　次に掲げる法人の区分に応じ、それぞれ次に定める額

イ　ロに掲げる法人以外の法人　収入割額、付加価値割額及び資本割額の合算額

ロ　第１号ロに掲げる法人　収入割額及び所得割額の合算額

四　ガス供給業のうち、ガス事業法第２条第10項に規定するガス製造事業者（同法第54条の２に規定する特別一般ガス導管事業者に係る同法第38条第２項第４号の供給区域内においてガス製造事業（同法第２条第９項に規定するガス製造事業をいう。）を行う者に限る。）が行うもの（導管ガス供給業を除く。第72条の24の２第１項及び第72条の24の７第４項において「特定ガス供給業」という。）　収入割額、付加価値割額及び資本割額の合算額

2　前項の規定を適用する場合において、資本金の額又は出資金の額が１億円以下の法人であるかどうか及び資本又は出資を有しない法人であるかどうかの判定は、各事業年度終了の日（第72条の26第１項ただし書の規定により申告納付すべき事業税にあつては同項に規定する６月経過日の前日、第72条の29第１項、第３項又は第５項の規定により申告納付すべき事業税にあつてはその解散の日）の現況によるものとする。

3　個人の行う事業に対する事業税は、個人の行う第１種事業、第２種事業及び第３種事業に対し、所得を課税標準として事務所又は事業所所在の道府県において、その個人に課する。

4　法人でない社団又は財団で代表者又は管理人の定めがあり、かつ、収益事業又は法人課税信託（法人税法第２条第29号の２に規定する法人課税信託をいう。以下この節において同じ。）の引受けを行うもの（当該社団又は財団で収益事業を廃止したものを含む。以下事業税について「人格のない社団等」という。）は、法人とみなして、この節（第72条の32を除く。）の規定を適用する。

5　法人課税信託の引受けを行う個人（以下この節において「みなし課税法人」という。）には、第３項の規定により個人の行う事業に対する事業税を課するほか、法人とみなして、法人の行う事業に対する事業税を課する。

6　外国法人又はこの法律の施行地に主たる事務所若しくは事業所を有しない個人の行う事業に対するこの節の規定の適用については、恒久的施設をもつて、その事務所又は事業所とする。

7　事務所又は事業所を設けないで行う第１種事業、第２種事業及び第３種事業については、その事業を行う者の住所又は居所のうちその事業と最も関係の深いものをもつて、その事務所又は事業所とみなして、事業税を課する。

8　第３項の「第１種事業」とは、次に掲げるものをいう。

一　物品販売業（動植物その他通常物品といわないものの販売業を含む。）

一の二　保険業

二　金銭貸付業

三　物品貸付業（動植物その他通常物品といわないものの貸付業を含む。）

四　不動産貸付業

五　製造業（物品の加工修理業を含む。）

六　電気供給業

七　土石採取業

八　電気通信事業（放送事業を含む。）

九　運送業

十　運送取扱業

十一　船舶定係場業

十二　倉庫業（物品の寄託を受け、これを保管する業を含む。）

十三　駐車場業

十四　請負業

十五　印刷業

十六　出版業

十七　写真業

十八　席貸業

十九　旅館業

二十　料理店業

二十一　飲食店業

二十二　周旋業

二十三　代理業

二十四　仲立業

二十五　問屋業

二十六　両替業

二十七　公衆浴場業（第10項第20号に掲げるものを除く。）

二十八　演劇興行業

二十九　遊技場業

三十　遊覧所業

三十一　前各号に掲げる事業に類する事業で政令で定めるもの

9　第３項の「第２種事業」とは、次に掲げるもので政令で定める主として自家労力を用いて行うもの以外のものをいう。

一　畜産業（農業に付随して行うものを除く。）

二　水産業（小規模な水産動植物の採捕の事業として政令で定めるものを除く。）

三　前２号に掲げる事業に類する事業で政令で定めるもの（農業を除く。）

10　第3項の「第3種事業」とは、次に掲げるものをいう。

一　医業

二　歯科医業

三　薬剤師業

四　削除

五　あん摩、マツサージ又は指圧、はり、きゆう、柔道整復その他の医業に類する事業（両眼の視力を喪失した者その他これに類する政令で定める視力障害のある者が行うものを除く。）

六　獣医業

七　装蹄師業

八　弁護士業

九　司法書士業

十　行政書士業

十一　公証人業

十二　弁理士業

十三　税理士業

十四　公認会計士業

十五　計理士業

十五の二　社会保険労務士業

十五の三　コンサルタント業

十六　設計監督者業

十六の二　不動産鑑定業

十六の三　デザイン業

十七　諸芸師匠業

十八　理容業

十八の二　美容業

十九　クリーニング業

二十　公衆浴場業（政令で定める公衆浴場業を除く。）

二十一　前各号に掲げる事業に類する事業で政令で定めるもの

11　第4項の収益事業の範囲並びに前項第15号の3に掲げる事業及び同項第16号の3に掲げる事業の範囲は、政令で定める。

（法人の事業税の非課税所得等の範囲）

第72条の5　道府県は、次に掲げる法人の事業の所得又は収入金額で収益事業に係るもの以外のものに対しては、事業税を課することができない。

一　法人税法別表第2に規定する独立行政法人

二　日本赤十字社、医療法人（医療法第42条の2第1項に規定する社会医療法人に限る。）、商工会議所及び日本商工会議所、商工会及び商工会連合会、中央労働災害防止協会及び労働災害防止協会、船員災害防止協会、公益社団法人及び公益財団法人、一般社団法人（非営利型法人（法人税法第2条第9号の2に規定する非営利型法人をいう。以下こ

の号において同じ。）に該当するものに限る。）及び一般財団法人（非営利型法人に該当するものに限る。）、社会福祉法人、更生保護法人、宗教法人、学校法人及び私立学校法第64条第4項の法人、職業訓練法人、中央職業能力開発協会及び都道府県職業能力開発協会並びに労働者協同組合（労働者協同組合法（令和2年法律第78号）第94条の3第2号に規定する特定労働者協同組合に限る。）

三　弁護士会及び日本弁護士連合会、日本弁理士会、司法書士会及び日本司法書士会連合会、土地家屋調査士会及び日本土地家屋調査士会連合会、行政書士会及び日本行政書士会連合会、日本公認会計士協会、税理士会及び日本税理士会連合会、社会保険労務士会及び全国社会保険労務士会連合会並びに水先法（昭和24年法律第121号）に規定する水先人会及び日本水先人会連合会

四　法人である労働組合及び職員団体等に対する法人格の付与に関する法律に基づく法人である職員団体等

五　漁船保険組合、漁業信用基金協会、信用保証協会、農業信用基金協会、漁業共済組合及び漁業共済組合連合会、農業共済組合及び農業共済組合連合会、土地改良事業団体連合会、農業協同組合連合会（医療法第31条に規定する公的医療機関に該当する病院又は診療所を設置するもので政令で定めるものに限る。第72条の23第2項及び第72条の24の7第7項において「特定農業協同組合連合会」という。）、中小企業団体中央会、酒造組合及び酒造組合連合会、酒造組合中央会、酒販組合及び酒販組合連合会、酒販組合中央会、非出資組合である商工組合及び商工組合連合会、非出資組合である生活衛生同業組合及び生活衛生同業組合連合会、非出資組合である輸出組合及び輸入組合、国民健康保険組合及び国民健康保険団体連合会、全国健康保険協会、健康保険組合及び健康保険組合連合会、国家公務員共済組合及び国家公務員共済組合連合会、地方公務員共済組合、全国市町村職員共済組合連合会、地方公務員共済組合連合会、地方公務員災害補償基金、消防団員等公務災害補償等共済基金、日本私立学校振興・共済事業団、企業年金基金及び確定給付企業年金法に規定する企業年金連合会、石炭鉱業年金基金、国民年金基金及び国民年金基金連合会、預金保険機構、農水産業協同組合貯金保険機構、保険契約者保護機構、投資者保護基金、委託者保護基金、原子力損害賠償・廃炉等支援機構並びに勤労者財産形成基金

六　市街地再開発組合、住宅街区整備組合、負債整

理組合及び防災街区整備事業組合

七　損害保険料率算出団体、地方競馬全国協会、高圧ガス保安協会、日本電気計器検定所、危険物保安技術協会、日本消防検定協会、軽自動車検査協会、小型船舶検査機構、外国人技能実習機構、日本勤労者住宅協会、広域臨海環境整備センター、原子力発電環境整備機構、広域的運営推進機関、使用済燃料再処理・廃炉推進機構、認可金融商品取引業協会、商品先物取引協会、貸金業協会、自動車安全運転センター、金融経済教育推進機構及び脱炭素成長型経済構造移行推進機構

八　管理組合法人及び団地管理組合法人並びにマンション建替組合、マンション敷地売却組合及び敷地分割組合

九　地方自治法第260条の2第7項に規定する認可地縁団体

十　政党交付金の交付を受ける政党等に対する法人格の付与に関する法律第7条の2第1項に規定する法人である政党等

十一　特定非営利活動促進法第2条第2項に規定する特定非営利活動法人

2　道府県は、人格のない社団等の事業の所得で収益事業に係るもの以外のものに対しては、事業税を課することができない。

3　第1項各号に掲げる法人及び人格のない社団等は、収益事業に係る所得又は収入金額に関する経理を、収益事業以外の事業に係る所得又は収入金額に関する経理と区分して行わなければならない。

4　第1項及び第2項の収益事業の範囲は、政令で定める。

第4節　不動産取得税
第1款　通則
（用途による不動産取得税の非課税）

第73条の4　道府県は、次の各号に規定する者が不動産をそれぞれ当該各号に掲げる不動産として使用するために取得した場合には、当該不動産の取得に対しては、不動産取得税を課することができない。

三　学校法人又は私立学校法第64条第4項の法人（以下この号において「学校法人等」という。）がその設置する学校において直接保育又は教育の用に供する不動産（第4号の4に該当するものを除く。）、学校法人等がその設置する寄宿舎で学校教育法（昭和22年法律第26号）第1条の学校又は同法第124条の専修学校に係るものにおいて直接その用に供する不動産、公益社団法人若しくは公益財団法人、宗教法人又は社会福祉法人がその設置する幼稚園において直接保育の用に供する不動

産（同号に該当するものを除く。）及び公益社団法人若しくは公益財団法人で職業能力開発促進法（昭和44年法律第64号）第24条の規定による認定職業訓練を行うことを目的とするもの又は職業訓練法人で政令で定めるもの若しくは都道府県職業能力開発協会がその職業訓練施設において直接職業訓練の用に供する不動産並びに公益社団法人又は公益財団法人がその設置する図書館において直接その用に供する不動産及び公益社団法人若しくは公益財団法人又は宗教法人がその設置する博物館法第2条第1項の博物館において直接その用に供する不動産

四の二　社会福祉法人その他政令で定める者が児童福祉法第6条の3第10項に規定する小規模保育事業の用に供する不動産

四の三　社会福祉法人その他政令で定める者が児童福祉法第7条第1項に規定する児童福祉施設の用に供する不動産で政令で定めるもの（次号に該当するものを除く。）

四の四　学校法人、社会福祉法人その他政令で定める者が就学前の子どもに関する教育、保育等の総合的な提供の推進に関する法律（平成18年法律第77号）第2条第6項に規定する認定こども園の用に供する不動産

四の七　第4号から前号までに掲げる不動産のほか、社会福祉法人その他政令で定める者が社会福祉法第2条第1項に規定する社会福祉事業（同条第3項第1号の2に掲げる事業を除く。）の用に供する不動産で政令で定めるもの

四の十　児童福祉法第34条の15第2項の規定により同法第6条の3第12項に規定する事業所内保育事業の認可を得た者が当該事業（利用定員が6人以上であるものに限る。）の用に供する不動産

2　道府県は、外国の政府が不動産を次に掲げる施設の用に供する不動産として使用するために取得した場合においては、当該不動産の取得に対しては、不動産取得税を課することができない。ただし、第3号に掲げる施設の用に供する不動産については、外国が不動産取得税に相当する税を当該外国において日本国の同号に掲げる施設の用に供する不動産の取得に対して課する場合においては、この限りでない。

一　大使館、公使館又は領事館

二　専ら大使館、公使館若しくは領事館の長又は大使館若しくは公使館の職員の居住の用に供する施設

三　専ら領事館の職員の居住の用に供する施設

3　道府県は、公共の用に供する道路の用に供するた

めに不動産を取得した場合における当該不動産の取得又は保安林、墓地若しくは公共の用に供する運河用地、水道用地、用悪水路、ため池、堤とう若しくは井溝の用に供するために土地を取得した場合における当該土地（保安林の用に供するために取得した土地については、森林の保健機能の増進に関する特別措置法（平成元年法律第71号）第２条第２項第２号に規定する施設の用に供する土地で政令で定めるものを除く。）の取得に対しては、不動産取得税を課することができない。

第３章　市町村の普通税

第１節　市町村民税

第１款　通則

（市町村民税に関する用語の意義）

第292条　市町村民税について、次の各号に掲げる用語の意義は、それぞれ当該各号に定めるところによる。

一　均等割　均等の額により課する市町村民税をいう。

二　所得割　所得により課する市町村民税をいう。

三　法人税割　次に掲げる法人の区分に応じ、それぞれ次に定める市町村民税をいう。

　イ　この法律の施行地に本店又は主たる事務所若しくは事業所を有する法人（以下この項及び第321条の８において「内国法人」という。）　法人税額を課税標準として課する市町村民税

　ロ　この法律の施行地に本店又は主たる事務所若しくは事業所を有しない法人（以下この節において「外国法人」という。）　次に掲げる法人税額の区分ごとに、当該法人税額を課税標準として課する市町村民税

　（1）　法人税法第141条第１号イに掲げる国内源泉所得に対する法人税額

　（2）　法人税法第141条第１号ロに掲げる国内源泉所得に対する法人税額

四　法人税額　次に掲げる法人の区分に応じ、それぞれ次に定める額をいう。

　イ　内国法人　法人税法その他の法人税に関する法令の規定により計算した法人税額（各対象会計年度（法人税法第15条の２に規定する対象会計年度をいう。）の国際最低課税額（同法第82条の２第１項に規定する国際最低課税額をいう。）に対する法人税の額を除く。）で、法人税法第68条（租税特別措置法第３条の３第５項、第６条第３項、第８条の３第５項、第９条の２第４項、第９条の３の２第７項、第41条の９第４項、第41条の12第４項及び第41条の12の２第

７項の規定により読み替えて適用する場合を含む。）、第69条（租税特別措置法第66条の７第１項及び第66条の９の３第１項の規定により読み替えて適用する場合を含む。）、第69条の２（租税特別措置法第９条の３の２第７項、第９条の６第４項、第９条の６の２第４項、第９条の６の３第４項及び第９条の６の４第４項の規定により読み替えて適用する場合を含む。）及び第70条並びに租税特別措置法第42条の４、第42条の10（第１項、第３項、第４項及び第７項を除く。）、第42条の11（第１項、第３項から第５項まで及び第８項を除く。）、第42条の11の２（第１項、第３項、第４項及び第７項を除く。）、第42条の11の３（第１項、第３項、第４項及び第７項を除く。）、第42条の12、第42条の12の２、第42条の12の５、第42条の12の６（第１項、第３項、第４項及び第７項を除く。）、第42条の12の７（第１項から第３項まで、第７項から第９項まで及び第12項を除く。）、第66条の７（第２項、第６項及び第10項から第13項までを除く。）及び第66条の９の３（第２項、第５項及び第９項から第12項までを除く。）の規定の適用を受ける前のものをいい、法人税に係る延滞税、利子税、過少申告加算税、無申告加算税及び重加算税の額を含まないものとする。

　ロ　外国法人　次に掲げる国内源泉所得の区分ごとに、法人税法その他の法人税に関する法令の規定により計算した法人税額で、法人税法第144条（租税特別措置法第９条の３の２第７項、第41条の９第４項、第41条の12第４項、第41条の12の２第７項及び第41条の22第２項の規定により読み替えて適用する場合を含む。）において準用する法人税法第68条（租税特別措置法第９条の３の２第７項、第41条の９第４項、第41条の12第４項及び第41条の12の２第７項の規定により読み替えて適用する場合を含む。）、第144条の２及び第144条の２の２（租税特別措置法第９条の３の２第７項、第９条の６第４項、第９条の６の２第４項、第９条の６の３第４項及び第９条の６の４第４項の規定により読み替えて適用する場合を含む。）並びに租税特別措置法第42条の４、第42条の10（第１項、第３項、第４項及び第７項を除く。）、第42条の11（第１項、第３項から第５項まで及び第８項を除く。）、第42条の11の２（第１項、第３項、第４項及び第７項を除く。）、第42条の11の３（第１項、第３項、第４項及び第７項を除く。）、第42条の

12、第42条の12の２、第42条の12の５、第42条の12の６（第１項、第３項、第４項及び第７項を除く。）及び第42条の12の７（第１項から第３項まで、第７項から第９項まで及び第12項を除く。）の規定の適用を受ける前のものをいい、法人税に係る延滞税、利子税、過少申告加算税、無申告加算税及び重加算税の額を含まないものとする。

(1) 法人税法第141条第１号イに掲げる国内源泉所得

(2) 法人税法第141条第１号ロに掲げる国内源泉所得

四の二 資本金等の額 次に掲げる法人の区分に応じ、それぞれ次に定める額をいう。

イ 第321条の８第１項の規定により申告納付する法人（ロ及びハに掲げる法人を除く。）同項に規定する法人税額の課税標準の算定期間の末日現在における法人税法第２条第16号に規定する資本金等の額と、当該算定期間の初日前に終了した各事業年度（イ及びロにおいて「過去事業年度」という。）の(1)に掲げる金額の合計額から過去事業年度の(2)及び(3)に掲げる金額の合計額を控除した金額に、当該算定期間中の(1)に掲げる金額を加算し、これから当該算定期間中の(3)に掲げる金額を減算した金額との合計額

(1) 平成22年４月１日以後に、会社法第446条に規定する剰余金（同法第447条又は第448条の規定により資本金の額又は資本準備金の額を減少し、剰余金として計上したものを除き、総務省令で定めるものに限る。）を同法第450条の規定により資本金とし、又は同法第448条第１項第２号の規定により利益準備金の額の全部若しくは一部を資本金とした金額

(2) 平成13年４月１日から平成18年４月30日までの間に、資本又は出資の減少（金銭その他の資産を交付したものを除く。）による資本の欠損の填補に充てた金額並びに会社法の施行に伴う関係法律の整備等に関する法律（(2)において「会社法整備法」という。）第64条の規定による改正前の商法（(2)において「旧商法」という。）第289条第１項及び第２項（これらの規定を会社法整備法第１条の規定による廃止前の有限会社法（(2)において「旧有限会社法」という。）第46条において準用する場合を含む。）に規定する資本準備金による旧商法第289条第１項及び第２項第２号（これらの規定を旧有限会社法第46条において準

用する場合を含む。）に規定する資本の欠損の填補に充てた金額

(3) 平成18年５月１日以後に、会社法第446条に規定する剰余金（同法第447条又は第448条の規定により資本金の額又は資本準備金の額を減少し、剰余金として計上したもので総務省令で定めるものに限る。）を同法第452条の規定により総務省令で定める損失の填補に充てた金額

ロ 第321条の８第１項の規定により申告納付する法人のうち法人税法第71条第１項（同法第72条第１項の規定が適用される場合を除く。）若しくは第144条の３第１項（同法第144条の４第１項の規定が適用される場合を除く。）に規定する申告書を提出する義務があるもの（ハに掲げる法人を除く。）又は第321条の８第２項の規定により申告納付する法人（ハに掲げる法人を除く。）政令で定める日現在における同法第２条第16号に規定する資本金等の額と、過去事業年度等のイ(1)に掲げる金額の合計額から過去事業年度のイ(2)及びイ(3)に掲げる金額の合計額を控除した金額との合計額

ハ 保険業法に規定する相互会社 純資産額として政令で定めるところにより算定した金額

五 給与所得 所得税法第28条第１項に規定する給与所得をいう。

六 退職手当等 所得税法第30条第１項に規定する退職手当等（同法第31条において退職手当等とみなされる一時金及び租税特別措置法第29条の４において退職手当等とみなされる金額を含む。）をいう。

七 同一生計配偶者 市町村民税の納税義務者の配偶者でその納税義務者と生計を一にするもの（第313条第３項に規定する青色事業専従者に該当するもので同項に規定する給与の支払を受けるもの及び同条第４項に規定する事業専従者に該当するものを除く。）のうち、当該年度の初日の属する年の前年（以下この条、第295条、第313条から第317条の３まで及び第317条の６から第321条の７の９までにおいて「前年」という。）の合計所得金額が48万円以下である者をいう。

八 控除対象配偶者 同一生計配偶者のうち、前年の合計所得金額が1000万円以下である市町村民税の納税義務者の配偶者をいう。

九 扶養親族 市町村民税の納税義務者の親族（その納税義務者の配偶者を除く。）並びに児童福祉法第27条第１項第３号の規定により同法第６条の

4に規定する里親に委託された児童及び老人福祉法第11条第1項第3号の規定により同号に規定する養護受託者に委託された老人でその納税義務者と生計を一にするもの（第313条第3項に規定する青色事業専従者に該当するもので同項に規定する給与の支払を受けるもの及び同条第4項に規定する事業専従者に該当するものを除く。）のうち、前年の合計所得金額が48万円以下である者をいう。

十　障害者　精神上の障害により事理を弁識する能力を欠く常況にある者、失明者その他の精神又は身体に障害がある者で政令で定めるものをいう。

十一　寡婦　次に掲げる者でひとり親に該当しないものをいう。

　イ　夫と離婚した後婚姻をしていない者のうち、次に掲げる要件を満たすもの

　　⑴　扶養親族を有すること。

　　⑵　前年の合計所得金額が500万円以下であること。

　　⑶　その者と事実上婚姻関係と同様の事情にあると認められる者として総務省令で定めるものがいないこと。

　ロ　夫と死別した後婚姻をしていない者又は夫の生死の明らかでない者で政令で定めるもののうち、イ⑵及び⑶に掲げる要件を満たすもの

十二　ひとり親　現に婚姻をしていない者又は配偶者の生死の明らかでない者で政令で定めるもののうち、次に掲げる要件を満たすものをいう。

　イ　その者と生計を一にする子で政令で定めるものを有すること。

　ロ　前年の合計所得金額が500万円以下であること。

　ハ　その者と事実上婚姻関係と同様の事情にあると認められる者として総務省令で定めるものがいないこと。

十三　合計所得金額　第313条第8項及び第9項の規定による控除前の同条第1項の総所得金額、退職所得金額及び山林所得金額の合計額をいう。

十四　恒久的施設　次に掲げるものをいう。ただし、我が国が締結した租税に関する二重課税の回避又は脱税の防止のための条約において次に掲げるものと異なる定めがある場合には、当該条約の適用を受ける外国法人については、当該条約において恒久的施設と定められたもの（国内（この法律の施行地をいう。以下この号において同じ。）にあるものに限る。）とする。

　イ　外国法人の国内にある支店、工場その他事業を行う一定の場所で政令で定めるもの

　ロ　外国法人の国内にある建設若しくは据付けの工事又はこれらの指揮監督の役務の提供を行う場所その他これに準ずるものとして政令で定めるもの

　ハ　外国法人が国内に置く自己のために契約を締結する権限のある者その他これに準ずる者で政令で定めるもの

2　市町村民税の納税義務者の配偶者がその納税義務者の同一生計配偶者に該当し、かつ、他の市町村民税の納税義務者の扶養親族にも該当する場合には、その配偶者は、政令で定めるところにより、これらのうちいずれか一にのみ該当するものとみなす。

3　2以上の市町村民税の納税義務者の扶養親族に該当する者がある場合には、その者は、政令で定めるところにより、これらの納税義務者のうちいずれか一の納税義務者の扶養親族にのみ該当するものとみなす。

4　市町村民税について所得税法その他の所得税に関する法令を引用する場合（第1項第6号、第317条の6、第321条の4及び第5款において引用する場合を除く。）には、これらの法令は、前年の所得について適用されたものをいうものとする。

第3章　市町村の普通税
第1節　市町村民税
第2款　課税標準及び税率

（寄附金税額控除）

第314条の7　市町村は、所得割の納税義務者が、前年中に次に掲げる寄附金を支出し、当該寄附金の額の合計額（当該合計額が前年の総所得金額、退職所得金額及び山林所得金額の合計額の100分の30に相当する金額を超える場合には、当該100分の30に相当する金額）が2000円を超える場合には、その超える金額の100分の6（当該納税義務者が指定都市の区域内に住所を有する場合には、100分の8）に相当する金額（当該納税義務者が前年中に特例控除対象寄附金を支出し、当該特例控除対象寄附金の額の合計額が2000円を超える場合には、当該100分の6（当該納税義務者が指定都市の区域内に住所を有する場合には、100分の8）に相当する金額に特例控除額を加算した金額。以下この項において「控除額」という。）を当該納税義務者の第314条の3及び前条の規定を適用した場合の所得割の額から控除するものとする。この場合において、当該控除額が当該所得割の額を超えるときは、当該控除額は、当該所得割の額に相当する金額とする。

一　都道府県、市町村又は特別区（以下この条において「都道府県等」という。）に対する寄附金（当

該納税義務者がその寄附によつて設けられた設備を専属的に利用することその他特別の利益が当該納税義務者に及ぶと認められるものを除く。）

二　社会福祉法第113条第2項に規定する共同募金会（その主たる事務所を当該納税義務者に係る賦課期日現在における住所所在の道府県内に有するものに限る。）に対する寄附金又は日本赤十字社に対する寄附金（当該納税義務者に係る賦課期日現在における住所所在の道府県内に事務所を有する日本赤十字社の支部において収納されたものに限る。）で、政令で定めるもの

三　所得税法第78条第2項第2号及び第3号に掲げる寄附金（同条第3項の規定により特定寄附金とみなされるものを含む。）並びに租税特別措置法第41条の18の2第2項に規定する特定非営利活動に関する寄附金（次号に掲げる寄附金を除く。）のうち、住民の福祉の増進に寄与する寄附金として当該市町村の条例で定めるもの

四　特定非営利活動促進法第2条第2項に規定する特定非営利活動法人（以下この号及び第12項において「特定非営利活動法人」という。）に対する当該特定非営利活動法人の行う同条第1項に規定する特定非営利活動に係る事業に関連する寄附金のうち、住民の福祉の増進に寄与する寄附金として当該市町村の条例で定めるもの（特別の利益が当該納税義務者に及ぶと認められるものを除く。）

2　前項の特例控除対象寄附金とは、同項第1号に掲げる寄附金（以下この条において「第1号寄附金」という。）であつて、第1号、第4号及び第5号に掲げる基準（都道府県等が返礼品等（都道府県等が第1号寄附金の受領に伴い当該第1号寄附金を支出した者に対して提供する物品、役務その他これらに類するものとして総務大臣が定めるものをいう。以下この項において同じ。）を提供する場合には、次に掲げる基準）に適合する都道府県等として総務大臣が指定するものに対するものをいう。

一　都道府県等による第1号寄附金の募集の適正な実施に係る基準として総務大臣が定める基準に適合するものであること。

二　都道府県等が個別の第1号寄附金の受領に伴い提供する返礼品等の調達に要する費用の額として総務大臣が定めるところにより算定した額が、いずれも当該都道府県等が受領する当該第1号寄附金の額の100分の30に相当する金額以下であること。

三　都道府県等が提供する返礼品等が当該都道府県等の区域内において生産された物品又は提供され

る役務その他これらに類するものであつて、総務大臣が定める基準に適合するものであること。

四　都道府県等がこの項の規定により受けようとする指定の効力を生ずる日前1年以内（当該都道府県等がこの項の規定による指定（以下この条において「指定」という。）を受けていた期間に限る。次号において「特定期間」という。）において前3号に掲げる基準のうち適合すべきこととされていたものに適合していたこと。

五　特定期間において行われた第5項の規定による報告の求めに対し、報告をしなかつたことがなく、かつ、虚偽の報告をしたことがないこと。

3　指定を受けようとする都道府県等は、総務省令で定めるところにより、第1号寄附金の募集の適正な実施に関し総務省令で定める事項を記載した申出書に、前項に規定する基準に適合していることを証する書類を添えて、これを総務大臣に提出しなければならない。

4　第6項の規定により指定を取り消され、その取消しの日から起算して2年を経過しない都道府県等は、指定を受けることができない。

5　総務大臣は、指定をした都道府県等に対し、第1号寄附金の募集の実施状況その他必要な事項について報告を求めることができる。

6　総務大臣は、指定をした都道府県等が第2項に規定する基準のいずれかに若しくは適合していなかつたと認めるとき、又は前項の規定による報告をせず、若しくは虚偽の報告をしたときは、指定を取り消すことができる。

7　総務大臣は、指定をし、又は前項の規定による指定の取消し（次項及び第10項において「指定の取消し」という。）をしたときは、直ちにその旨を告示しなければならない。

8　総務大臣は、第2項に規定する基準若しくは同項の規定による定めの設定、変更若しくは廃止又は指定若しくは指定の取消しについては、地方財政審議会の意見を聴かなければならない。

9　第1項の場合において、第2項に規定する特例控除対象寄附金（第11項において「特例控除対象寄附金」という。）であるかどうかの判定は、所得割の納税義務者が第1号寄附金を支出した時に当該第1号寄附金を受領した都道府県等が指定をされているかどうかにより行うものとする。

10　第2項から第8項までに規定するもののほか、指定及び指定の取消しに関し必要な事項は、政令で定める。

11　第1項の特例控除額は、同項の所得割の納税義務

者が前年中に支出した特例控除対象寄附金の額の合計額のうち2000円を超える金額に、次の各号に掲げる場合の区分に応じ、当該各号に定める割合を乗じて得た金額の5分の3（当該納税義務者が指定都市の区域内に住所を有する場合には、5分の4）に相当する金額（当該金額が当該納税義務者の第314条の3及び前条の規定を適用した場合の所得割の額の100分の20に相当する金額を超えるときは、当該100分の20に相当する金額）とする。

一　当該納税義務者が第314条の3第2項に規定する課税総所得金額（以下この項において「課税総所得金額」という。）を有する場合において、当該課税総所得金額から当該納税義務者に係る前条第1号イに掲げる金額（以下この項において「人的控除差調整額」という。）を控除した金額が零以上であるとき　当該控除後の金額について、次の表の上欄に掲げる金額の区分に応じ、それぞれ同表の下欄に掲げる割合

195万円以下の金額	100分の85
195万円を超え330万円以下の金額	100分の80
330万円を超え695万円以下の金額	100分の70
695万円を超え900万円以下の金額	100分の67
900万円を超え1800万円以下の金額	100分の57
1800万円を超え4000万円以下の金額	100分の50
4000万円を超える金額	100分の45

二　当該納税義務者が課税総所得金額を有する場合において、当該課税総所得金額から当該納税義務者に係る人的控除差調整額を控除した金額が零を下回るときであつて、当該納税義務者が第314条の3第2項に規定する課税山林所得金額（次号において「課税山林所得金額」という。）及び同項に規定する課税退職所得金額（同号において「課税退職所得金額」という。）を有しないとき　100分の90

三　当該納税義務者が課税総所得金額を有する場合において当該課税総所得金額から当該納税義務者に係る人的控除差調整額を控除した金額が零を下回るとき又は当該納税義務者が課税総所得金額を有しない場合であつて、当該納税義務者が課税山林所得金額又は課税退職所得金額を有するとき　次のイ又はロに掲げる場合の区分に応じ、それぞれイ又はロに定める割合（イ及びロに掲げる場合のいずれにも該当するときは、当該イ又はロに定

める割合のうちいずれか低い割合）

イ　課税山林所得金額を有する場合　当該課税山林所得金額の5分の1に相当する金額について、第1号の表の上欄に掲げる金額の区分に応じ、それぞれ同表の下欄に掲げる割合

ロ　課税退職所得金額を有する場合　当該課税退職所得金額について、第1号の表の上欄に掲げる金額の区分に応じ、それぞれ同表の下欄に掲げる割合

12　第1項第4号の規定による市町村の条例の定めは、当該寄附金を受け入れる特定非営利活動法人（以下この条において「控除対象特定非営利活動法人」という。）からの申出があつた場合において適切と認められるときに行うものとし、当該条例においては、当該控除対象特定非営利活動法人の名称及び主たる事務所の所在地を明らかにしなければならない。

13　控除対象特定非営利活動法人は、総務省令で定めるところにより、寄附者名簿（各事業年度に当該法人が受け入れた寄附金の支払者ごとに当該支払者の氏名又は名称及びその住所又は事務所の所在地並びにその寄附金の額及び受け入れた年月日を記載した書類をいう。次項において同じ。）を備え、これを保存しなければならない。

14　市町村長は、第1項（第4号に掲げる寄附金に係る部分に限る。）の規定により控除すべき金額の計算のために必要があると認めるときは、控除対象特定非営利活動法人に対し、同号に掲げる寄附金の受入れに関し報告又は寄附者名簿その他の資料の提出をさせることができる。

第2節　固定資産税

第1款　通則

（固定資産税の非課税の範囲）

第348条　市町村は、国並びに都道府県、市町村、特別区、これらの組合、財産区及び合併特例区に対しては、固定資産税を課することができない。

2　固定資産税は、次に掲げる固定資産に対しては課することができない。ただし、固定資産を有料で借り受けた者がこれを次に掲げる固定資産として使用する場合には、当該固定資産の所有者に課することができる。

一　国並びに都道府県、市町村、特別区、これらの組合及び財産区が公用又は公共の用に供する固定資産

九　学校法人又は私立学校法第64条第4項の法人（以下この号において「学校法人等」という。）がその設置する学校において直接保育又は教育の用に供する固定資産（第10号の4に該当するもの

を除く。）、学校法人等がその設置する寄宿舎で学校教育法第１条の学校又は同法第124条の専修学校に係るものにおいて直接その用に供する固定資産及び公益社団法人若しくは公益財団法人、宗教法人又は社会福祉法人がその設置する幼稚園において直接保育の用に供する固定資産（同号に該当するものを除く。）並びに公益社団法人又は公益財団法人がその設置する図書館において直接その用に供する固定資産及び公益社団法人若しくは公益財団法人又は宗教法人がその設置する博物館法第２条第１項の博物館において直接その用に供する固定資産

十の二　社会福祉法人その他政令で定める者が児童福祉法第６条の３第10項に規定する小規模保育事業の用に供する固定資産

十の三　社会福祉法人その他政令で定める者が児童福祉法第７条第１項に規定する児童福祉施設の用に供する固定資産で政令で定めるもの（次号に該当するものを除く。）

十の四　学校法人、社会福祉法人その他政令で定める者が就学前の子どもに関する教育、保育等の総合的な提供の推進に関する法律第２条第６項に規定する認定こども園の用に供する固定資産

十の七　第10号から前号までに掲げる固定資産のほか、社会福祉法人その他政令で定める者が社会福祉法第２条第１項に規定する社会福祉事業（同条第３項第１号の２に掲げる事業を除く。）の用に供する固定資産で政令で定めるもの

十の十　児童福祉法第34条の15第２項の規定により同法第６条の３第12項に規定する事業所内保育事業の認可を得た者が当該事業（利用定員が６人以上であるものに限る。）の用に供する固定資産

3　市町村は、前項各号に掲げる固定資産を当該各号に掲げる目的以外の目的に使用する場合においては、前項の規定にかかわらず、これらの固定資産に対し、固定資産税を課する。

4　市町村は、森林組合法、農業災害補償法、消費生活協同組合法、水産業協同組合法、漁業災害補償法（昭和39年法律第158号）、輸出入取引法（昭和27年法律第299号）、中小企業等協同組合法（昭和24年法律第181号）、中小企業団体の組織に関する法律（昭和32年法律第185号）、酒税の保全及び酒類業組合等に関する法律（昭和28年法律第７号）、商店街振興組合法（昭和37年法律第141号）及び生活衛生関係営業の運営の適正化及び振興に関する法律（昭和32年法律第164号）による組合（信用協同組合及び企業組合を除き、生活衛生同業小組合を含む。）、連合

会（信用協同組合連合会（中小企業等協同組合法第９条の９第１項第１号に規定する事業を行う協同組合連合会をいう。第349条の３第23項において同じ。）を除く。）及び中央会、全国健康保険協会、健康保険組合及び健康保険組合連合会、国民健康保険組合及び国民健康保険団体連合会、国家公務員共済組合及び国家公務員共済組合連合会、地方公務員共済組合、全国市町村職員共済組合連合会及び地方公務員共済組合連合会、企業年金基金及び確定給付企業年金法に規定する企業年金連合会、国民年金基金及び国民年金基金連合会、法人である労働組合、職員団体等に対する法人格の付与に関する法律による法人である職員団体等、漁船保険組合、たばこ耕作組合、輸出水産業組合、土地改良事業団体連合会、農業協同組合及び農業協同組合連合会並びに労働者協同組合連合会が所有し、かつ、使用する事務所及び倉庫に対しては、固定資産税を課することができない。

5　市町村は、旅客会社等が独立行政法人鉄道建設・運輸施設整備支援機構法（平成14年法律第180号）第13条第１項第３号又は第６号の規定に基づき借り受ける固定資産のうち第２項第２号の５に掲げる固定資産で政令で定めるものに対しては、固定資産税を課することができない。

6　市町村は、非課税独立行政法人が所有する固定資産（当該固定資産を所有する非課税独立行政法人以外の者が使用しているものその他の政令で定めるものを除く。）、国立大学法人等が所有する固定資産（当該固定資産を所有する国立大学法人等以外の者が使用しているものを除く。）、日本年金機構が所有する固定資産（日本年金機構以外の者が使用しているものを除く。）及び福島国際研究教育機構が所有する固定資産（福島国際研究教育機構以外の者が使用しているものを除く。）に対しては、固定資産税を課することができない。

7　市町村は、非課税独立行政法人で政令で定めるものが公益社団法人又は公益財団法人から無償で借り受けて直接その本来の業務の用に供する土地で政令で定めるものに対しては、固定資産税を課することができない。

8　市町村は、地方独立行政法人（公立大学法人を除く。以下この項において同じ。）が所有する固定資産（当該固定資産を所有する地方独立行政法人以外の者が使用しているものその他の政令で定めるものを除く。）及び公立大学法人が所有する固定資産（当該固定資産を所有する公立大学法人以外の者が使用しているものを除く。）に対しては、固定資産税を

課することができない。

9　市町村は、外国の政府が所有する次に掲げる施設の用に供する固定資産に対しては、固定資産税を課することができない。ただし、第3号に掲げる施設の用に供する固定資産については、外国が固定資産税に相当する税を当該外国において日本国の同号に掲げる施設の用に供する固定資産に対して課する場合においては、この限りでない。

一　大使館、公使館又は領事館

二　専ら大使館、公使館若しくは領事館の長又は大使館若しくは公使館の職員の居住の用に供する施設

三　専ら領事館の職員の居住の用に供する施設

10　市町村長は、当該年度の前年度分の固定資産税について第2項本文又は第4項から前項までの規定の適用を受けた固定資産で当該年度において新たに固定資産税を課することとなるものがある場合においては、第411条第1項の規定による固定資産の価格等の登録後遅滞なく、その旨を当該固定資産に対して課する固定資産税の納税義務者に通知するように努めなければならない。

第4章　目的税
第5節　事業所税
第1款　通則

（事業所税の非課税の範囲）

第701条の34　指定都市等は、国及び非課税独立行政法人並びに法人税法第2条第5号の公共法人（非課税独立行政法人であるものを除く。）に対しては、事業所税を課することができない。

2　指定都市等は、法人税法第2条第6号の公益法人等（防災街区整備事業組合、管理組合法人及び団地管理組合法人、マンション建替組合、マンション敷地売却組合及び敷地分割組合、地方自治法第260条の2第7項に規定する認可地縁団体、政党交付金の交付を受ける政党等に対する法人格の付与に関する法律第7条の2第1項に規定する法人である政党等並びに特定非営利活動促進法第2条第2項に規定する法人を含む。）又は人格のない社団等が事業所等において行う事業のうち収益事業以外の事業に対しては、事業所税を課することができない。

3　指定都市等は、次に掲げる施設に係る事業所等において行う事業に対しては、事業所税を課することができない。

三　博物館法第2条第1項に規定する博物館その他政令で定める教育文化施設（第10号の4に該当するものを除く。）

十の二　児童福祉法第6条の3第10項に規定する小規模保育事業の用に供する施設

十の三　児童福祉法第7条第1項に規定する児童福祉施設で政令で定めるもの（次号に該当するものを除く。）

十の四　就学前の子どもに関する教育、保育等の総合的な提供の推進に関する法律第2条第6項に規定する認定こども園

十の七　第10号から前号までに掲げる施設のほか、社会福祉法第2条第1項に規定する社会福祉事業の用に供する施設で政令で定めるもの

十の九　児童福祉法第6条の3第9項に規定する家庭的保育事業、同条第11項に規定する居宅訪問型保育事業又は同条第12項に規定する事業所内保育事業の用に供する施設

十九　次のイ又はロに掲げる施設

イ　総合特別区域法（平成23年法律第81号）第2条第2項第5号イに規定する事業（総務省令で定めるものを除く。）を行う者が市町村（特別区を含む。ロにおいて同じ。）から同号イの資金の貸付けを受けて設置する施設のうち、当該事業又は当該事業に係るものとして政令で定める事業の用に供する施設で政令で定めるもの

ロ　総合特別区域法第2条第3項第5号イに規定する事業（総務省令で定めるものを除く。）を行う者が市町村から同号イの資金の貸付けを受けて設置する施設のうち、当該事業又は当該事業に係るものとして政令で定める事業の用に供する施設で政令で定めるもの

4　指定都市等は、百貨店、旅館その他の消防法（昭和23年法律第186号）第17条第1項に規定する防火対象物で多数の者が出入するものとして政令で定めるものに設置される同項に規定する消防用設備等で政令で定めるもの（以下この項において「消防用設備等」という。）及び同条第3項に規定する特殊消防用設備等（以下この項において「特殊消防用設備等」という。）並びに当該防火対象物に設置される建築基準法第35条に規定する避難施設その他の政令で定める防災に関する施設又は設備（消防用設備等及び特殊消防用設備等を除く。）のうち政令で定める部分に係る事業所床面積に対しては資産割を課することができない。

5　指定都市等は、港湾運送事業法（昭和26年法律第161号）第9条第1項に規定する港湾運送事業者がその本来の事業の用に供する施設で政令で定めるものに係る従業者給与総額に対しては、従業者割を課

することができない。

6　第2項から前項までに規定する場合において、これらの規定の適用を受ける事業であるかどうかの判定は課税標準の算定期間（法人に係るものにあつては、事業年度とし、個人に係るものにあつては、個人に係る課税期間とする。以下この節において同じ。）の末日の現況によるものとする。

7　第2項の法人が同一の事業所等において収益事業と収益事業以外の事業とを併せて行う場合における事業所床面積又は従業者給与総額についての同項の規定の適用を受けるものと受けないものとの区分に関し必要な事項、同項の収益事業の範囲その他第1項から第5項までの規定の適用に関し必要な事項は、政令で定める。

第6節　都市計画税

（都市計画税の非課税の範囲）

第702条の2　市町村は、国、非課税独立行政法人、国立大学法人等、日本年金機構及び福島国際研究教育機構並びに都道府県、市町村、特別区、これらの組合、財産区、合併特例区及び地方独立行政法人に対しては、都市計画税を課することができない。

2　前項に規定するもののほか、市町村は、第348条第2項から第5項まで、第7項若しくは第9項又は第351条の規定により固定資産税を課することができない土地又は家屋に対しては、都市計画税を課することができない。

〔参考1〕

　●国立健康危機管理研究機構法の施行に伴う関係法律の整備に関する法律（抄）

〔令和5年6月7日 法律第47号〕

（地方税法の一部改正）

第16条　地方税法（昭和25年法律第226号）の一部を次のように改正する。

　第348条第6項中「及び福島国際研究教育機構」を「、福島国際研究教育機構」に、「に対して」を「及び国立健康危機管理研究機構が所有する固定資産（国立健康危機管理研究機構以外の者が使用しているものを除く。）に対して」に改める。

　第702条の2第1項中「及び福島国際研究教育機構」を「、福島国際研究教育機構及び国立健康危機管理研究機構」に改める。

　　附　則　抄

（施行期日）

第1条　この法律は、国立健康危機管理研究機構法（令和5年法律第46号）の施行の日〔令和7年4月

1日〕（以下「施行日」という。）から施行する。

〔参考2〕

　●地方税法等の一部を改正する法律（抄）

〔令和6年3月30日 法律第4号〕

（地方税法の一部改正）

第1条　地方税法（昭和25年法律第226号）の一部を次のように改正する。

　第23条第1項第4号イ及びロ中「第7項から第9項まで及び第12項」を「第13項から第15項まで及び第23項」に改める。

　第292条第1項第4号イ及びロ中「第7項から第9項まで及び第12項」を「第13項から第15項まで及び第23項」に改める。

第2条　地方税法の一部を次のように改正する。

　第72条の5第1項第2号、第73条の4第1項第3号、第348条第2項第9号中「第64条第4項」を「第152条第5項」に改める。

第3条　地方税法の一部を次のように改正する。

　第37条の2第1項第3号中「及び第3号に掲げる寄附金（同条第3項の規定により特定寄附金とみなされるものを含む。）並びに」を「から第4号までに掲げる寄附金及び」に改める。

　第72条の2第1項第1号ロ中「並びにこれらの法人」を「（以下ロにおいて「所得等課税法人」という。）並びに所得等課税法人」に改め、「有しないもの」の下に「（所得等課税法人以外の法人のうち次に掲げる法人に該当するものを除く。）」を加え、同号ロに次のように加える。

　(1)　特定法人（払込資本の額（法人が株主又は合名会社、合資会社若しくは合同会社の社員その他法人の出資者から出資を受けた金額として政令で定める金額をいう。以下(1)及び(2)において同じ。）が50億円を超える法人（ロに掲げる法人を除く。）及び保険業法に規定する相互会社（これに準ずるものとして政令で定めるものを含む。）をいう。以下(1)及び(2)において同じ。）との間に当該特定法人による完全支配関係（法人税法第2条第12号の7の6に規定する完全支配関係をいう。以下この号及び次項第2号において同じ。）がある法人のうち払込資本の額（地方税法等の一部を改正する法律（令和6年法律第4号）の公布の日以後に当該法人と当該特定法人との間に完全支配関係（当該法人以外の特定法人による

完全支配関係に限る。）がある場合その他政令で定める場合において、当該法人が剰余金の配当（払込資本の額のうち政令で定める額の減少に伴うものに限る。以下(1)及び(2)において同じ。）又は出資の払戻しをしたときは、当該剰余金の配当又は出資の払戻しにより減少した払込資本の額を加算した額）が２億円を超えるもの

(2)　法人との間に完全支配関係がある全ての特定法人が有する株式及び出資の全部を当該全ての特定法人のうちいずれか一のものが有するものとみなした場合において当該いずれか一のものと当該法人との間に当該いずれか一のものによる完全支配関係があることとなるときの当該法人のうち払込資本の額（地方税法等の一部を改正する法律（令和６年法律第４号）の公布の日以後に、特定親法人（当該事業年度において当該法人と他の法人との間に当該他の法人による完全支配関係がある場合における当該他の法人をいう。以下(2)において同じ。）と当該法人との間に当該特定親法人による完全支配関係があり、かつ、当該法人との間に完全支配関係がある全ての特定法人が有する株式及び出資の全部を当該全ての特定法人のうちいずれか一のものが有するものとみなした場合において当該いずれか一のものと当該法人との間に当該いずれか一のものによる完全支配関係があることとなるときその他政令で定める場合に、当該法人が剰余金の配当又は出資の払戻しをしたときは、当該剰余金の配当又は出資の払戻しにより減少した払込資本の額を加算した額）が２億円を超えるもの（(1)に掲げる法人を除く。）

第72条の２第２項を次のように改める。

2　前項の規定を適用する場合において、次の各号に掲げる判定は、当該各号に定める日の現況によるものとする。

一　資本金の額又は出資金の額が１億円以下の法人であるかどうか及び資本又は出資を有しない

法人であるかどうかの判定並びに前項第１号ロ(1)又は(2)に掲げる法人に該当するものであるかどうかの判定に関し必要な事項の判定（次号に掲げる判定を除く。）　当該事業年度終了の日（第72条の26第１項ただし書の規定により申告納付すべき事業税にあつては同項に規定する６月経過日の前日、第72条の29第１項、第３項又は第５項の規定により申告納付すべき事業税にあつてはその解散の日）

二　前号に規定する当該事業年度終了の日に法人との間に完全支配関係がある他の法人が当該事業年度において前項第１号ロ(1)又は(2)の特定法人に該当するものであるかどうかの判定に関し必要な事項の判定　同日以前に最後に終了した当該他の法人の事業年度終了の日（当該日がない場合には、当該他の法人の設立の日）

第314条の７第１項第３号中「及び第３号に掲げる寄附金（同条第３項の規定により特定寄附金とみなされるものを含む。）並びに」を「から第４号までに掲げる寄附金及び」に改める。

　　　附　則　抄

（施行期日）

第１条　この法律は、令和６年４月１日から施行する。ただし、次の各号に掲げる規定は、当該各号に定める日から施行する。

三　第２条〔中略〕の規定　令和７年４月１日

四　第３条中地方税法第72条の２第１項第１号ロ及び第２項〔中略〕の規定　令和８年４月１日

六　第１条中地方税法第23条第１項第４号及び第292条第１項第４号の改正規定〔中略〕　新たな事業の創出及び産業への投資を促進するための産業競争力強化法等の一部を改正する法律（令和６年法律第　　号）の施行の日

十一　第３条中地方税法第37条の２第１項第３号及び第314条の７第１項第３号の改正規定〔中略〕前号に掲げる規定の施行の日〔公益信託に関する法律（令和６年法律第　　号）の施行の日〕の属する年の翌年の１月１日

（政令への委任）

第36条　この附則に定めるもののほか、この法律の施行に伴い必要な経過措置は、政令で定める。

●地方税法施行令（抄）

［昭和25年7月31日　政令第245号］

注　令和6年3月30日政令第138号改正現在
（未施行分については1701頁に収載）

第2章　道府県の普通税

第1節　道府県民税

（収益事業の範囲）

第7条の4　法〔地方税法（昭和25年法律第226号）〕第24条第4項から第6項まで、第25条第1項ただし書及び第2項ただし書並びに第52条第1項の表の第1号の収益事業は、法人税法施行令（昭和40年政令第97号）第5条に規定する事業で、継続して事業場を設けて行われるものとする。ただし、当該事業のうち社会福祉法人、更生保護法人、学校法人又は私立学校法（昭和24年法律第270号）第64条第4項の法人が行う事業でその所得の金額の100分の90以上の金額を当該法人が行う社会福祉事業、更生保護事業、私立学校、私立専修学校又は私立各種学校の経営（法人税法施行令第5条に規定する事業を除く。）に充てているもの（その所得の金額がなく当該経営に充てていないものを含む。）を含まないものとする。

第4節　不動産取得税

（法第73条の4第1項第4号の4の政令で定める者）

第36条の8の2　法第73条の4第1項第4号の4に規定する政令で定める者は、学校法人及び社会福祉法人以外の者で就学前の子どもに関する教育、保育等の総合的な提供の推進に関する法律（平成18年法律第77号）第3条第1項若しくは第3項の認定又は同法第17条第1項の設置の認可を受けたものとする。

（法第73条の4第1項第4号の7の政令で定める者等）

第36条の10　法第73条の4第1項第4号の7に規定する政令で定める者は、次に掲げる者とする。

一　公益社団法人、公益財団法人、農業協同組合、農業協同組合連合会、消費生活協同組合及び消費生活協同組合連合会

二　健康保険組合、健康保険組合連合会、企業年金基金、確定給付企業年金法に規定する企業年金連合会、国家公務員共済組合、国家公務員共済組合連合会、国民健康保険組合、国民健康保険団体連合会、国民年金基金、国民年金基金連合会、商工組合（組合員に出資をさせないものに限る。）、商工組合連合会（会員に出資をさせないものに限る。）、石炭鉱業年金基金、全国市町村職員共済組合連合会、地方公務員共済組合、地方公務員共済

組合連合会及び日本私立学校振興・共済事業団

三　医療法人

四　前3号に掲げる者以外の者で総務省令で定めるもの

2　法第73条の4第1項第4号の7に規定する政令で定める不動産は、次に掲げる不動産とする。

一　社会福祉法人又は前項第1号に掲げる者が実施する社会福祉法第2条第2項第1号に掲げる生計困難者に対して助葬を行う事業、同項第6号若しくは第7号に掲げる事業又は同条第3項第1号、第3号、第8号、第11号若しくは第13号に掲げる事業の用に供する不動産

二　社会福祉法人又は前項第1号に掲げる者（同号に掲げる者にあつては、総務省令で定めるものに限る。）で、道路交通法施行令（昭和35年政令第270号）第8条第2項の規定による国家公安委員会の指定を受けたものが実施する社会福祉法第2条第3項第5号に規定する盲導犬訓練施設を経営する事業の用に供する不動産

三　社会福祉法人又は前項第1号若しくは第4号に掲げる者（同号に掲げる者にあつては、総務省令で定めるものに限る。）が実施する社会福祉法第2条第3項第9号に掲げる事業の用に供する不動産

四　社会福祉法人又は前項第1号若しくは第3号に掲げる者が実施する社会福祉法第2条第3項第4号の2に掲げる福祉ホームを経営する事業、同項第5号に掲げる身体障害者福祉センター、補装具製作施設若しくは視聴覚障害者情報提供施設を経営する事業又は同項第10号に掲げる事業の用に供する不動産

五　社会福祉法人又は前項第1号から第3号までに掲げる者が実施する社会福祉法第2条第3項第4号に掲げる老人居宅介護等事業、老人デイサービス事業、老人短期入所事業、小規模多機能型居宅介護事業、認知症対応型老人共同生活援助事業又は複合型サービス福祉事業の用に供する不動産

六　社会福祉法人又は前項各号に掲げる者が実施する社会福祉法第2条第3項第2号に掲げる障害児通所支援事業、障害児相談支援事業、児童自立生活援助事業、放課後児童健全育成事業、子育て短

期支援事業、乳児家庭全戸訪問事業、養育支援訪問事業、地域子育て支援拠点事業、一時預かり事業、小規模住居型児童養育事業、病児保育事業、子育て援助活動支援事業、親子再統合支援事業、社会的養護自立支援拠点事業、意見表明等支援事業、妊産婦等生活援助事業、子育て世帯訪問支援事業、児童育成支援拠点事業、親子関係形成支援事業若しくは児童の福祉の増進について相談に応ずる事業、同項第2号の3に掲げる事業、同項第4号の2に掲げる障害福祉サービス事業、一般相談支援事業、特定相談支援事業、移動支援事業若しくは地域活動支援センターを経営する事業、同項第5号に掲げる身体障害者生活訓練等事業、手話通訳事業、介助犬訓練事業、聴導犬訓練事業若しくは身体障害者の更生相談に応ずる事業又は同項第6号若しくは第12号に掲げる事業の用に供する不動産

第3章　市町村の普通税
第2節　固定資産税

（法第348条第2項第10号の4の政令で定める者）

第49条の12の2　法第348条第2項第10号の4に規定する政令で定める者は、学校法人及び社会福祉法人以外の者で就学前の子どもに関する教育、保育等の総合的な提供の推進に関する法律第3条第1項若しくは第3項の認定又は同法第17条第1項の設置の認可を受けたものとする。

（法第348条第2項第10号の7の政令で定める者等）

第49条の15　法第348条第2項第10号の7に規定する政令で定める者は、次に掲げる者とする。

一　公益社団法人、公益財団法人、農業協同組合、農業協同組合連合会、消費生活協同組合及び消費生活協同組合連合会

二　健康保険組合、健康保険組合連合会、企業年金基金、確定給付企業年金法に規定する企業年金連合会、国家公務員共済組合、国家公務員共済組合連合会、国民健康保険組合、国民健康保険団体連合会、国民年金基金、国民年金基金連合会、商工組合（組合員に出資をさせないものに限る。）、商工組合連合会（会員に出資をさせないものに限る。）、石炭鉱業年金基金、全国市町村職員共済組合連合会、地方公務員共済組合、地方公務員共済組合連合会及び日本私立学校振興・共済事業団

三　医療法人

四　前3号に掲げる者以外の者で児童福祉法第27条第1項第3号の規定による委託を受けたもの

五　第1号から第3号までに掲げる者以外の者で児童福祉法第33条の6第1項の規定による委託を受

けたもの

六　前各号に掲げる者以外の者で総務省令で定めるもの

2　法第348条第2項第10号の7に規定する政令で定める固定資産は、次に掲げる固定資産とする。

一　社会福祉法人又は前項第1号に掲げる者が実施する社会福祉法第2条第2項第1号に掲げる生計困難者に対して助葬を行う事業、同項第6号若しくは第7号に掲げる事業又は同条第3項第1号、第3号、第8号、第11号若しくは第13号に掲げる事業の用に供する固定資産

二　社会福祉法人又は前項第1号若しくは第6号に掲げる者（同号に掲げる者にあつては、総務省令で定めるものに限る。）が実施する社会福祉法第2条第3項第5号に掲げる介助犬訓練事業又は聴導犬訓練事業の用に供する固定資産で総務省令で定めるもの

三　社会福祉法人又は前項第1号に掲げる者（同号に掲げる者にあつては、総務省令で定めるものに限る。）で、道路交通法施行令第8条第2項の規定による国家公安委員会の指定を受けたものが実施する社会福祉法第2条第3項第5号に掲げる盲導犬訓練施設を経営する事業の用に供する固定資産

四　社会福祉法人又は前項第1号若しくは第6号に掲げる者（同号に掲げる者にあつては、総務省令で定めるものに限る。）が実施する社会福祉法第2条第3項第9号に掲げる事業の用に供する固定資産で総務省令で定めるもの

五　社会福祉法人又は前項第1号若しくは第3号に掲げる者が実施する社会福祉法第2条第3項第4号の2に掲げる福祉ホームを経営する事業、同項第5号に掲げる身体障害者福祉センター、補装具製作施設若しくは視聴覚障害者情報提供施設を経営する事業又は同項第10号に掲げる事業の用に供する固定資産で総務省令で定めるもの

六　社会福祉法人又は前項第1号から第3号までに掲げる者が実施する社会福祉法第2条第3項第4号に掲げる老人居宅介護等事業、老人デイサービス事業、老人短期入所事業、小規模多機能型居宅介護事業、認知症対応型老人共同生活援助事業又は複合型サービス福祉事業の用に供する固定資産

七　社会福祉法人又は前項第1号から第4号までに掲げる者（同項第1号から第3号までに掲げる者にあつては、児童福祉法第27条第1項第3号の規定による委託を受けたものに限る。）が実施する社会福祉法第2条第3項第2号に掲げる小規模住

居型児童養育事業の用に供する固定資産で総務省令で定めるもの

八　社会福祉法人又は前項第1号から第3号まで若しくは第5号に掲げる者（同項第1号から第3号までに掲げる者にあつては、児童福祉法第33条の6第1項の規定による委託を受けたものに限る。）が実施する社会福祉法第2条第3項第2号に掲げる児童自立生活援助事業の用に供する固定資産

九　社会福祉法人又は前項各号に掲げる者（同項第6号に掲げる者にあつては、総務省令で定めるものに限る。）が実施する社会福祉法第2条第3項第2号に掲げる障害児通所支援事業、障害児相談支援事業、放課後児童健全育成事業、子育て短期支援事業、乳児家庭全戸訪問事業、養育支援訪問事業、地域子育て支援拠点事業、一時預かり事業、病児保育事業、子育て援助活動支援事業、親子再統合支援事業、社会的養護自立支援拠点事業、意見表明等支援事業、妊産婦等生活援助事業、子育て世帯訪問支援事業、児童育成支援拠点事業、親子関係形成支援事業若しくは児童の福祉の増進について相談に応ずる事業、同項第2号の3に掲げる事業、同項第4号の2に掲げる一般相談支援事業若しくは特定相談支援事業、同項第5号に掲げる身体障害者の更生相談に応ずる事業若しくは同項第6号に掲げる知的障害者の更生相談に応ずる事業の用に供する固定資産で総務省令で定めるもの又は同項第4号の2に掲げる障害福祉サービス事業、移動支援事業若しくは地域活動支援センターを経営する事業、同項第5号に掲げる身体障害者生活訓練等事業若しくは手話通訳事業若しくは同項第12号に掲げる事業の用に供する固定資産

第3章の4　事業所税

（法第701条の34第2項の収益事業）

第56条の22　法第701条の34第2項の収益事業は、法人税法施行令第5条に規定する事業で継続して事業場を設けて行われるものとする。ただし、当該事業のうち、学校法人（私立学校法第64条第4項の規定により設立された法人を含む。）が学生又は生徒のために行う事業を含まないものとする。

（法第701条の34第3項第3号の教育文化施設）

第56条の24　法第701条の34第3項第3号に規定する政令で定める教育文化施設は、次に掲げる施設とする。

一　図書館法（昭和25年法律第118号）第2条第1項に規定する図書館

二　学校教育法附則第6条の規定により設置された幼稚園

（法第701条の34第3項第10号の7の社会福祉事業の用に供する施設）

第56条の26の5　法第701条の34第3項第10号の7に規定する政令で定める社会福祉事業の用に供する施設は、社会福祉法第2条第2項第1号に掲げる生計困難者に対して助葬を行う事業、同項第6号若しくは第7号に掲げる事業、同条第3項第1号若しくは第1号の2に掲げる事業、同項第2号に掲げる障害児通所支援事業、障害児相談支援事業、児童自立生活援助事業、放課後児童健全育成事業、子育て短期支援事業、乳児家庭全戸訪問事業、養育支援訪問事業、地域子育て支援拠点事業、一時預かり事業、小規模住居型児童養育事業、病児保育事業、子育て援助活動支援事業、親子再統合支援事業、社会的養護自立支援拠点事業、意見表明等支援事業、妊産婦等生活援助事業、子育て世帯訪問支援事業、児童育成支援拠点事業、親子関係形成支援事業若しくは児童の福祉の増進について相談に応ずる事業、同項第2号の3に掲げる事業、同項第3号に掲げる事業、同項第4号に掲げる老人居宅介護等事業、老人デイサービス事業、老人短期入所事業、小規模多機能型居宅介護事業、認知症対応型老人共同生活援助事業若しくは複合型サービス福祉事業又は同項第4号の2から第6号まで若しくは第8号から第13号までに掲げる事業の用に供する施設とする。

〔**参　考**〕

●地方税法施行令の一部を改正する政令（抄）

〔令和6年3月30日〕
〔政令第137号〕

地方税法施行令（昭和25年政令第245号）の一部を次のように改正する。

第7条の4ただし書中「第64条第4項」を「第152条第5項」に改める。

第56条の22ただし書中「第64条第4項」を「第152条第5項」に改める。

附　則　抄

（施行期日）

1　この政令は、令和7年4月1日から施行する。

●地方財政法（抄）

〔昭和23年7月7日〕
〔法 律 第 109 号〕

注　令和5年12月6日法律第83号改正現在
（未施行分については1703頁に収載）

（地方債の制限）

第5条　地方公共団体の歳出は、地方債以外の歳入をもつて、その財源としなければならない。ただし、次に掲げる場合においては、地方債をもつてその財源とすることができる。

一　交通事業、ガス事業、水道事業その他地方公共団体の行う企業（以下「公営企業」という。）に要する経費の財源とする場合

二　出資金及び貸付金の財源とする場合（出資又は貸付けを目的として土地又は物件を買収するために要する経費の財源とする場合を含む。）

三　地方債の借換えのために要する経費の財源とする場合

四　災害応急事業費、災害復旧事業費及び災害救助事業費の財源とする場合

五　学校その他の文教施設、保育所その他の厚生施設、消防施設、道路、河川、港湾その他の土木施設等の公共施設又は公用施設の建設事業費（公共的団体又は国若しくは地方公共団体が出資している法人で政令で定めるものが設置する公共施設の建設事業に係る負担又は助成に要する経費を含む。）及び公共用若しくは公用に供する土地又はその代替地としてあらかじめ取得する土地の購入費（当該土地に関する所有権以外の権利を取得するために要する経費を含む。）の財源とする場合

（地方公共団体がその全額を負担する経費）

第9条　地方公共団体の事務（地方自治法（昭和22年法律第67号）第252条の17の2第1項及び第291条の2第2項の規定に基づき、都道府県が条例の定めるところにより、市町村の処理することとした事務及び都道府県の加入しない同法第284条第1項の広域連合（第28条第2項及び第3項において「広域連合」という。）の処理することとした事務を除く。）を行うために要する経費については、当該地方公共団体が全額これを負担する。ただし、次条から第10条の4までに規定する事務を行うために要する経費については、この限りでない。

（国がその全部又は一部を負担する法令に基づいて実施しなければならない事務に要する経費）

第10条　地方公共団体が法令に基づいて実施しなけれ

ばならない事務であつて、国と地方公共団体相互の利害に関係がある事務のうち、その円滑な運営を期するためには、なお、国が進んで経費を負担する必要がある次に掲げるものについては、国が、その経費の全部又は一部を負担する。

一　義務教育職員の給与（退職手当、退職年金及び退職一時金並びに旅費を除く。）に要する経費

三　義務教育諸学校の建物の建築に要する経費

四　生活保護に要する経費

五　感染症の予防に要する経費

六　臨時の予防接種並びに予防接種を受けたことによる疾病、障害及び死亡について行う給付に要する経費

七　精神保健及び精神障害者の福祉に要する経費

八　麻薬、大麻及びあへんの慢性中毒者の医療に要する経費

九　身体障害者の更生援護に要する経費

十　婦人相談支援センターに要する経費

十一　知的障害者の援護に要する経費

十二　後期高齢者医療の療養の給付並びに入院時食事療養費、入院時生活療養費、保険外併用療養費、療養費、訪問看護療養費、特別療養費、移送費、高額療養費及び高額介護合算療養費の支給並びに財政安定化基金への繰入れに要する経費

十三　介護保険の介護給付及び予防給付並びに財政安定化基金への繰入れに要する経費

十四　児童一時保護所、未熟児、小児慢性特定疾病児童等、身体障害児及び結核にかかつている児童の保護、児童福祉施設（地方公共団体の設置する保育所及び幼保連携型認定こども園を除く。）並びに里親に要する経費

十五　児童手当に要する経費

十六　国民健康保険の療養の給付並びに入院時食事療養費、入院時生活療養費、保険外併用療養費、療養費、訪問看護療養費、特別療養費、移送費、高額療養費及び高額介護合算療養費の支給、前期高齢者納付金及び後期高齢者支援金並びに介護納付金の納付、特定健康診査及び特定保健指導並びに財政安定化基金への繰入れに要する経費

十七　原子爆弾の被爆者に対する介護手当の支給及

び介護手当に係る事務の処理に要する経費

十八　重度障害児に対する障害児福祉手当及び特別障害者に対する特別障害者手当の支給に要する経費

十九　児童扶養手当に要する経費

二十　職業能力開発校及び障害者職業能力開発校の施設及び設備に要する経費

二十一　家畜伝染病予防に要する経費

二十二　民有林の森林計画、保安林の整備その他森林の保続培養に要する経費

二十三　森林病害虫等の防除に要する経費

二十四　国土交通大臣が定める特定計画又は国土調査事業十箇年計画に基づく地籍調査に要する経費

二十五　特別支援学校への就学奨励に要する経費

二十六　公営住宅の家賃の低廉化に要する経費

二十七　消防庁長官の指示により出動した緊急消防援助隊の活動に要する経費

二十八　武力攻撃事態等における国民の保護のための措置及び緊急対処事態における緊急対処保護措置に要する経費並びにこれらに係る損失の補償若しくは実費の弁償、損害の補償又は損失の補てんに要する経費並びに国の機関と共同して行う国民の保護のための措置及び緊急対処保護措置についての訓練に要する経費

二十九　高等学校等就学支援金の支給に要する経費

三十　新型インフルエンザ等緊急事態における埋葬及び火葬に要する経費並びに新型インフルエンザ等対策に係る臨時の医療施設における医療の提供、損失の補償若しくは実費の弁償又は損害の補償に要する経費

三十一　地域における医療及び介護の総合的な確保の促進に関する基金への繰入れに要する経費

三十二　指定難病に係る特定医療費の支給に要する経費

三十三　子どものための教育・保育給付に要する経費（地方公共団体の設置する教育・保育施設に係るものを除く。）及び子育てのための施設等利用給付に要する経費（地方公共団体又は公立大学法人の設置する認定こども園、幼稚園又は特別支援学校に係るものを除く。）

三十四　生活困窮者自立相談支援事業に要する経費及び生活困窮者住居確保給付金の支給に要する経費

三十五　都道府県知事の確認を受けた専門学校（地方公共団体又は地方独立行政法人が設置するものを除く。）に係る授業料等減免に要する経費

〔参　考〕

●子ども・子育て支援法等の一部を改正する法律（抄）

〔令和6年6月12日〕
〔法律第47号〕

附　則　抄

（施行期日）

第1条　この法律は、令和6年10月1日から施行する。ただし、次の各号に掲げる規定は、当該各号に定める日から施行する。

一　〔前略〕附則第46条の規定　この法律の公布の日

四　次に掲げる規定　令和7年4月1日

チ　附則第22条中地方財政法（昭和23年法律第109号）第10条第33号の改正規定（「子どものための教育・保育給付」を「妊婦のための支援給付に要する経費、子どものための教育・保育給付」に改める部分に限る。）

五　次に掲げる規定　令和8年4月1日

リ　附則第22条中地方財政法第10条第33号の改正規定（「子どものための教育・保育給付」を「妊婦のための支援給付に要する経費、子どものための教育・保育給付」に改める部分を除く。）

（地方財政法の一部改正）

第22条　地方財政法の一部を次のように改正する。

第10条第33号中「子どものための教育・保育給付」を「妊婦のための支援給付に要する経費、子どものための教育・保育給付」に、「除く。）及び」を「除く。）、」に改め、「特別支援学校に係るものを除く。）」の下に「及び乳児等のための支援給付に要する経費」を加える。

（その他の経過措置の政令への委任）

第46条　この附則に定めるもののほか、この法律の施行に関し必要な経過措置（罰則に関する経過措置を含む。）は、政令で定める。

●租税特別措置法 (抄)

〔昭和32年3月31日〕
法 律 第 26 号
注 令和6年6月7日法律第46号改正現在
（未施行分については1720頁に収載）

第2章 所得税法の特例
　第4節 山林所得及び譲渡所得等
　　第4款 収用等の場合の譲渡所得の特別控除等
（収用等に伴い代替資産を取得した場合の課税の特例）
第33条 個人の有する資産（所得税法第2条第1項第16号に規定する棚卸資産その他これに準ずる資産で政令で定めるものを除く。以下この条、次条第2項及び第33条の4において同じ。）で次の各号に規定するものが当該各号に掲げる場合に該当することとなつた場合（次条第1項の規定に該当する場合を除く。）において、その者が当該各号に規定する補償金、対価又は清算金の額（当該資産の譲渡（消滅及び価値の減少を含む。以下この款において同じ。）に要した費用がある場合には、当該補償金、対価又は清算金の額のうちから支出したものとして政令で定める金額を控除した金額。以下この条において同じ。）の全部又は一部に相当する金額をもつて当該各号に規定する収用、買取り、換地処分、権利変換、買収又は消滅（以下第33条の4までにおいて「収用等」という。）のあつた日の属する年の12月31日までに当該収用等により譲渡した資産と同種の資産その他のこれに代わるべき資産として政令で定めるもの（以下この款において「代替資産」という。）の取得（所有権移転外リース取引による取得を除き、製作及び建設を含む。以下この款において同じ。）をしたときは、その者については、その選択により、当該収用等により取得した補償金、対価又は清算金の額が当該代替資産に係る取得に要した金額（以下第37条の8までにおいて「取得価額」という。）以下である場合にあつては、当該譲渡した資産（第3号の清算金を同号の土地等とともに取得した場合には、当該譲渡した資産のうち当該清算金の額に対応するものとして政令で定める部分。以下この項において同じ。）の譲渡がなかつたものとし、当該補償金、対価又は清算金の額が当該取得価額を超える場合にあつては、当該譲渡した資産のうちその超える金額に相当するものとして政令で定める部分について譲渡があつたものとして、第31条（第31条の2又は第31条の3の規定により適用される場合を含む。第33条の4第1項第1号、第34条第1項第1号、第34条の2第1項第1号、第34条の3第1項第1号、第35条第1項第1号、第35条の2第1項及び第35条の3第1項を除き、以下第37条の8までにおいて同じ。）若しくは前条又は同法第32条若しくは第33条の規定を適用することができる。

一 資産が土地収用法（昭和26年法律第219号）、河川法（昭和39年法律第167号）、都市計画法、首都圏の近郊整備地帯及び都市開発区域の整備に関する法律（昭和33年法律第98号）、近畿圏の近郊整備区域及び都市開発区域の整備及び開発に関する法律（昭和39年法律第145号）、新住宅市街地開発法（昭和38年法律第134号）、都市再開発法、新都市基盤整備法（昭和47年法律第86号）、流通業務市街地の整備に関する法律（昭和41年法律第110号）、水防法（昭和24年法律第193号）、土地改良法（昭和24年法律第195号）、森林法、道路法（昭和27年法律第180号）、住宅地区改良法（昭和35年法律第84号）、所有者不明土地の利用の円滑化等に関する特別措置法その他政令で定めるその他の法令（以下次条までにおいて「土地収用法等」という。）の規定に基づいて収用され、補償金を取得する場合（政令で定める場合に該当する場合を除く。）。

二 資産について買取りの申出を拒むときは土地収用法等の規定に基づいて収用されることとなる場合において、当該資産が買い取られ、対価を取得するとき（政令で定める場合に該当する場合を除く。）。

三 土地又は土地の上に存する権利（以下第33条の3までにおいて「土地等」という。）につき土地区画整理法による土地区画整理事業、大都市地域における住宅及び住宅地の供給の促進に関する特別措置法（昭和50年法律第67号。以下第34条の2までにおいて「大都市地域住宅等供給促進法」という。）による住宅街区整備事業、新都市基盤整備法による土地整理又は土地改良法による土地改良事業が施行された場合において、当該土地等に係る換地処分により土地区画整理法第94条（大都市地域住宅等供給促進法第82条第1項及び新都市基盤整備法第37条において準用する場合を含む。）の規定による清算金（土地区画整理法第90条（同

項及び新都市基盤整備法第36条において準用する場合を含む。）の規定により換地又は当該権利の目的となるべき宅地若しくはその部分を定められなかつたこと及び大都市地域住宅等供給促進法第74条第4項又は第90条第1項の規定により大都市地域住宅等供給促進法第74条第4項に規定する施設住宅の一部等又は大都市地域住宅等供給促進法第90条第2項に規定する施設住宅若しくは施設住宅敷地に関する権利を定められなかつたことにより支払われるものを除く。）又は土地改良法第54条の2第4項（同法第89条の2第10項、第96条及び第96条の4第1項において準用する場合を含む。）に規定する清算金（同法第53条の2の2第1項（同法第89条の2第3項、第96条及び第96条の4第1項において準用する場合を含む。）の規定により地積を特に減じて換地若しくは当該権利の目的となるべき土地若しくはその部分を定めたこと又は換地若しくは当該権利の目的となるべき土地若しくはその部分を定められなかつたことにより支払われるものを除く。）を取得するとき（政令で定める場合に該当する場合を除く。）。

三の二　資産につき都市再開発法による第1種市街地再開発事業が施行された場合において、当該資産に係る権利変換により同法第91条の規定による補償金（同法第79条第3項の規定により施設建築物の一部等若しくは施設建築物の一部についての借家権が与えられないように定められたこと又は同法第111条の規定により読み替えられた同項の規定により建築施設の部分若しくは施設建築物の一部についての借家権が与えられないように定められたことにより支払われるもの及びやむを得ない事情により同法第71条第1項又は第3項の申出をしたと認められる場合として政令で定める場合における当該申出に基づき支払われるものに限る。）を取得するとき（政令で定める場合に該当する場合を除く。）。

三の三　資産につき密集市街地における防災街区の整備の促進に関する法律による防災街区整備事業が施行された場合において、当該資産に係る権利変換により同法第226条の規定による補償金（同法第212条第3項の規定により防災施設建築物の一部等若しくは防災施設建築物の一部についての借家権が与えられないように定められたこと又は政令で定める規定により防災建築施設の部分若しくは防災施設建築物の一部についての借家権が与えられないように定められたことにより支払われるもの及びやむを得ない事情により同法第203条

第1項又は第3項の申出をしたと認められる場合として政令で定める場合における当該申出に基づき支払われるものに限る。）を取得するとき（政令で定める場合に該当する場合を除く。）。

三の四　土地等が都市計画法第52条の4第1項（同法第57条の5及び密集市街地における防災街区の整備の促進に関する法律第285条において準用する場合を含む。）又は都市計画法第56条第1項の規定に基づいて買い取られ、対価を取得する場合（第34条第2項第2号及び第2号の2に掲げる場合に該当する場合を除く。）

三の五　土地区画整理法による土地区画整理事業で同法第109条第1項に規定する減価補償金（次号において「減価補償金」という。）を交付すべきこととなるものが施行される場合において、公共施設の用地に充てるべきものとして当該事業の施行区域（同法第2条第8項に規定する施行区域をいう。同号において同じ。）内の土地等が買い取られ、対価を取得するとき。

三の六　地方公共団体又は独立行政法人都市再生機構が被災市街地復興推進地域において施行する被災市街地復興土地区画整理事業で減価補償金を交付すべきこととなるものの施行区域内にある土地等について、これらの者が当該被災市街地復興土地区画整理事業として行う公共施設の整備改善に関する事業の用に供するためにこれらの者（土地開発公社を含む。）に買い取られ、対価を取得する場合（前2号に掲げる場合に該当する場合を除く。）

三の七　地方公共団体又は独立行政法人都市再生機構が被災市街地復興特別措置法第21条に規定する住宅被災市町村の区域において施行する都市再開発法による第2種市街地再開発事業の施行区域（都市計画法第12条第2項の規定により第2種市街地再開発事業について都市計画に定められた施行区域をいう。）内にある土地等について、当該第2種市街地再開発事業の用に供するためにこれらの者（土地開発公社を含む。）に買い取られ、対価を取得する場合（第2号又は次条第1項第1号に掲げる場合に該当する場合を除く。）

四　国、地方公共団体、独立行政法人都市再生機構又は地方住宅供給公社が、自ら居住するため住宅を必要とする者に対し賃貸し、又は譲渡する目的で行う50戸以上の一団地の住宅経営に係る事業の用に供するため土地等が買い取られ、対価を取得する場合

五　資産が土地収用法等の規定により収用された場

合（第２号の規定に該当する買取りがあつた場合を含む。）において、当該資産に関して有する所有権以外の権利が消滅し、補償金又は対価を取得するとき（政令で定める場合に該当する場合を除く。）。

六　資産に関して有する権利で都市再開発法に規定する権利変換により新たな権利に変換をすることのないものが、同法第87条の規定により消滅し、同法第91条の規定による補償金を取得する場合（政令で定める場合に該当する場合を除く。）

六の二　資産に関して有する権利で密集市街地における防災街区の整備の促進に関する法律に規定する権利変換により新たな権利に変換をすることのないものが、同法第221条の規定により消滅し、同法第226条の規定による補償金を取得する場合（政令で定める場合に該当する場合を除く。）

七　国若しくは地方公共団体（その設立に係る団体で政令で定めるものを含む。）が行い、若しくは土地収用法第３条に規定する事業の施行者がその事業の用に供するために行う公有水面埋立法（大正10年法律第57号）の規定に基づく公有水面の埋立て又は当該施行者が行う当該事業の施行に伴う漁業権、入漁権、漁港水面施設運営権その他水の利用に関する権利又は鉱業権（租鉱権及び採石権その他土石を採掘し、又は採取する権利を含む。）の消滅（これらの権利の価値の減少を含む。）により、補償金又は対価を取得する場合

八　前各号に掲げる場合のほか、国又は地方公共団体が、建築基準法第11条第１項若しくは漁業法（昭和24年法律第267号）第93条第１項その他政令で定めるその他の法令の規定に基づき行う処分に伴う資産の買取り若しくは消滅（価値の減少を含む。）により、又はこれらの規定に基づき行う買収の処分により補償金又は対価を取得する場合

2　前項の規定は、個人が同項各号に掲げる場合に該当することとなつた場合において、当該個人が、収用等のあつた日の属する年の前年中（当該収用等により当該個人の有する資産の譲渡をすることとなることが明らかとなつた日以後の期間に限る。）に代替資産となるべき資産の取得をしたとき（当該代替資産となるべき資産が土地等である場合において、工場等の建設に要する期間が通常１年を超えることその他の政令で定めるやむを得ない事情があるときは、政令で定める期間内に取得をしたとき）について準用する。この場合において、同項中「その選択により」とあるのは、「その選択により、政令で定めるところにより」と読み替えるものとする。

3　第１項の規定は、個人が同項各号に掲げる場合に該当した場合において、その者が当該各号に規定する補償金、対価又は清算金の額の全部又は一部に相当する金額をもつて取得指定期間（収用等のあつた日の属する年の翌年１月１日から収用等のあつた日以後２年を経過した日までの期間（当該収用等に係る事業の全部又は一部が完了しないこと、工場等の建設に要する期間が通常２年を超えることその他のやむを得ない事情があるため、当該期間内に代替資産の取得をすることが困難である場合で政令で定める場合には、当該代替資産については、同年１月１日から政令で定める日までの期間）をいう。）内に代替資産の取得をする見込みであるときについて準用する。この場合において、同項中「の額（」とあるのは「の額（第３項に規定する収用等のあつた日の属する年において当該補償金、対価若しくは清算金の額の一部に相当する金額をもつて同項に規定する代替資産の取得をした場合又は同項に規定する収用等に係る次項に規定する前年中に同項に規定する代替資産となるべき資産の取得をした場合には、これらの資産の取得価額を控除した金額。以下この項において同じ。）（」と、「取得価額」とあるのは「取得価額の見積額」と読み替えるものとする。

4　個人の有する資産が次の各号に掲げる場合に該当することとなつた場合には、第１項（前２項において準用する場合を含む。）の規定の適用については、第１号の場合にあつては同号に規定する土地等、第２号又は第３号の場合にあつてはこれらの号に規定する土地の上にある資産又はその土地の上にある建物に係る配偶者居住権、第４号の場合にあつては同号に規定する権利（第２号から第４号までに規定する補償金がこれらの資産の価額の一部を補償するものである場合には、これらの資産のうちその補償金に対応するものとして政令で定める部分）について、収用等による譲渡があつたものとみなす。この場合においては、第１号、第２号若しくは第４号に規定する補償金若しくは対価の額又は第３号に規定する補償金の額をもつて、第１項に規定する補償金、対価又は清算金の額とみなす。

一　土地等が土地収用法等の規定に基づいて使用され、補償金を取得する場合（土地等について使用の申出を拒むときは土地収用法等の規定に基づいて使用されることとなる場合において、当該土地等が契約により使用され、対価を取得するときを含む。）において、当該土地等を使用させることが譲渡所得の基因となる不動産等の貸付けに該当するとき（政令で定める場合に該当する場合を除

く。）。

二　土地等が第1項第1号から第3号の3までの規
定、前号の規定若しくは次条第1項第2号若しく
は第33条の3第1項の規定に該当することとなつ
たことに伴い、その土地の上にある資産につき、
土地収用法等の規定に基づく収用をし、若しくは
取壊し若しくは除去をしなければならなくなつた
場合又は第1項第8号に規定する法令の規定若し
くは大深度地下の公共的使用に関する特別措置法
（平成12年法律第87号）第11条の規定に基づき行
う国若しくは地方公共団体の処分に伴い、その土
地の上にある資産の取壊し若しくは除去をしなけ
ればならなくなつた場合において、これらの資産
若しくはその土地の上にある建物に係る配偶者居
住権（当該配偶者居住権の目的となつている建物
の敷地の用に供される土地等を当該配偶者居住権
に基づき使用する権利を含む。以下この号及び次
号並びに次条第1項第1号において同じ。）の対
価又はこれらの資産若しくはその土地の上にある
建物に係る配偶者居住権の損失に対する補償金で
政令で定めるものを取得するとき（政令で定める
場合に該当する場合を除く。）。

三　土地等が第33条の3第9項の規定に該当するこ
ととなつたことに伴い、その土地の上にある資産
が土地区画整理法第77条の規定により除却される
場合において、当該資産又はその土地の上にある
建物に係る配偶者居住権の損失に対して、同法第
78条第1項の規定による補償金を取得するとき。

四　配偶者居住権の目的となつている建物の敷地の
用に供される土地等が第1項第1号、第2号、第
3号の2若しくは第3号の3の規定若しくは第1
号の規定に該当することとなつたことに伴い当該
土地等を当該配偶者居住権に基づき使用する権利
の価値が減少した場合又は配偶者居住権の目的と
なつている建物が同項第1号、第2号若しくは第
5号の規定に該当することとなつたことに伴い当
該建物の敷地の用に供される土地等を当該配偶者
居住権に基づき使用する権利が消滅した場合にお
いて、これらの権利の対価又はこれらの権利の損
失に対する補償金で政令で定めるものを取得する
とき（第2号に掲げる場合又は政令で定める場合
に該当する場合を除く。）。

5　第1項第1号、第5号、第7号又は第8号に規定
する補償金の額は、名義がいずれであるかを問わず、
資産の収用等の対価たる金額をいうものとし、収用
等に際して交付を受ける移転料その他当該資産の収
用等の対価たる金額以外の金額を含まないものとす

る。

6　第1項から第3項までの規定は、これらの規定の
適用を受けようとする年分の確定申告書に、これら
の規定の適用を受けようとする旨を記載し、かつ、
これらの規定による山林所得の金額又は譲渡所得の
金額の計算に関する明細書その他財務省令で定める
書類を添付しない場合には、適用しない。ただし、
当該申告書の提出がなかつたこと又は当該記載若し
くは添付がなかつたことにつき税務署長においてや
むを得ない事情があると認める場合において、当該
記載をした書類並びに当該明細書及び財務省令で定
める書類の提出があつたときは、この限りでない。

7　前項に規定する確定申告書を提出する者は、政令
で定めるところにより、代替資産の明細に関する財
務省令で定める書類を納税地の所轄税務署長に提出
しなければならない。

8　個人が、特定非常災害の被害者の権利利益の保全
等を図るための特別措置に関する法律第2条第1項
の規定により特定非常災害として指定された非常災
害に基因するやむを得ない事情により、代替資産の
第3項に規定する取得指定期間内における取得をす
ることが困難となつた場合において、当該取得指定
期間の初日から当該取得指定期間の末日後2年以内
の日で政令で定める日までの間に代替資産の取得を
する見込みであり、かつ、財務省令で定めるところ
により納税地の所轄税務署長の承認を受けたとき
は、同項及び第33条の5の規定の適用については、
同項に規定する取得指定期間は、当該初日から当該
政令で定める日までの期間とする。

（交換処分等に伴い資産を取得した場合の課税の特例）

第33条の2　個人の有する資産で次の各号に規定する
ものが当該各号に掲げる場合に該当することとなつ
た場合（当該各号に規定する資産とともに補償金、
対価又は清算金（以下この款において「補償金等」
という。）を取得した場合を含む。）には、その者に
ついては、その選択により、当該各号に規定する収
用、買取り又は交換（以下この款において「交換処
分等」という。）により譲渡した資産（当該各号に
規定する資産とともに補償金等を取得した場合に
は、当該譲渡した資産のうち当該補償金等の額に対
応する部分以外のものとして政令で定める部分）の
譲渡がなかつたものとして、第28条の4、第31条若
しくは第32条又は所得税法第27条、第32条、第33条
若しくは第35条の規定を適用することができる。

一　資産につき土地収用法等の規定による収用があ
つた場合（前条第1項第2号又は第4号の規定に
該当する買取りがあつた場合を含む。）において、

当該資産又は当該資産に係る配偶者居住権と同種の資産その他のこれらに代わるべき資産として政令で定めるものを取得するとき。

二　土地等につき土地改良法による土地改良事業又は農業振興地域の整備に関する法律第13条の2第1項の事業が施行された場合において、当該土地等に係る交換により土地等を取得するとき。

2　前条第1項から第4項までの規定は、個人の有する資産で前項各号に規定するものが当該各号に掲げる場合に該当することとなつた場合において、個人が、当該各号に規定する資産とともに補償金等を取得し、その額の全部若しくは一部に相当する金額をもつて代替資産の取得をしたとき、又は取得をする見込みであるとき、又は代替資産となるべき資産の取得をしたときについて準用する。この場合において、同条第1項中「当該譲渡した資産」とあるのは、「当該譲渡した資産のうち当該補償金等の額に対応するものとして政令で定める部分」と読み替えるものとする。

3　前条第5項及び第6項の規定は、前2項の規定を適用する場合について準用する。

4　前条第7項の規定は、前項において準用する同条第6項に規定する確定申告書を提出する者について準用する。この場合において、同条第7項中「代替資産」とあるのは、「交換処分等により取得した資産又は代替資産」と読み替えるものとする。

5　前条第8項の規定は、第2項の規定を適用する場合について準用する。この場合において、同条第8項中「第3項」とあるのは、「次条第2項において準用する第3項」と読み替えるものとする。

（換地処分等に伴い資産を取得した場合の課税の特例）

第33条の3　個人が、その有する土地等につき土地区画整理法による土地区画整理事業、新都市基盤整備法による土地整理、土地改良法による土地改良事業又は大都市地域住宅等供給促進法による住宅街区整備事業が施行された場合において、当該土地等に係る換地処分により土地等又は土地区画整理法第93条第1項、第2項、第4項若しくは第5項に規定する建築物の一部及びその建築物の存する土地の共有持分、大都市地域住宅等供給促進法第74条第1項に規定する施設住宅の一部等若しくは大都市地域住宅等供給促進法第90条第2項に規定する施設住宅若しくは施設住宅敷地に関する権利を取得したときは、第28条の4、第31条若しくは第32条又は所得税法第27条、第33条若しくは第35条の規定の適用については、換地処分により譲渡した土地等（土地等とともに清算金を取得した場合又は中心市街地の活性化に関す

る法律（平成10年法律第92号）第16条第1項、高齢者、障害者等の移動等の円滑化の促進に関する法律（平成18年法律第91号）第39条第1項、都市の低炭素化の促進に関する法律（平成24年法律第84号）第19条第1項、大都市地域住宅等供給促進法第21条第1項若しくは地方拠点都市地域の整備及び産業業務施設の再配置の促進に関する法律（平成4年法律第76号）第28条第1項の規定による保留地が定められた場合には、当該譲渡した土地等のうち当該清算金の額又は当該保留地の対価の額に対応する部分以外のものとして政令で定める部分）の譲渡がなかつたものとみなす。

2　個人が、その有する資産につき都市再開発法による第1種市街地再開発事業が施行された場合において当該資産に係る権利変換により施設建築物の一部を取得する権利若しくは施設建築物の一部についての借家権を取得する権利及び施設建築敷地若しくはその共有持分若しくは地上権の共有持分（当該資産に係る権利変換が同法第110条第1項又は第110条の2第1項の規定により定められた権利変換計画において定められたものである場合には、施設建築敷地に関する権利又は施設建築物に関する権利を取得する権利）若しくは個別利用区内の宅地若しくはその使用収益権を取得したとき、又はその有する資産が同法による第2種市街地再開発事業の施行に伴い買い取られ、若しくは収用された場合において同法第118条の11第1項の規定によりその対価として同項に規定する建築施設の部分の給付（当該給付が同法第118条の25の3第1項の規定により定められた管理処分計画において定められたものである場合には、施設建築敷地又は施設建築物に関する権利の給付）を受ける権利を取得したときは、第28条の4、第31条若しくは第32条又は所得税法第27条、第33条若しくは第35条の規定の適用については、当該権利変換又は買取り若しくは収用により譲渡した資産（当該給付を受ける権利とともに補償金等を取得した場合には、当該譲渡した資産のうち当該補償金等の額に対応する部分以外のものとして政令で定める部分。次項及び次条第1項において「旧資産」という。）の譲渡がなかつたものとみなす。

3　前項の規定の適用を受けた場合において、同項の施設建築物の一部を取得する権利若しくは施設建築物の一部についての借家権を取得する権利（都市再開発法第110条第1項又は第110条の2第1項の規定により定められた権利変換計画に係る施設建築物に関する権利を取得する権利を含む。）若しくは前項に規定する給付を受ける権利につき譲渡、相続（限

定承認に係るものに限る。以下この条、第33条の6、第36条の4、第37条の3、第37条の6及び第37条の8第4項において同じ。）、遺贈（法人に対するもの及び個人に対する包括遺贈のうち限定承認に係るものに限る。以下この条、第33条の6、第36条の4、第37条の3、第37条の6及び第37条の8第4項において同じ。）若しくは贈与（法人に対するものに限る。以下この条、第33条の6、第36条の4、第37条の3、第37条の6及び第37条の8第4項において同じ。）があつたとき、又は前項に規定する建築施設の部分（同法第118条の25の3第1項の規定により定められた管理処分計画に係る施設建築敷地又は施設建築物に関する権利を含む。）につき同法第118条の5第1項の規定による譲受け希望の申出の撤回があつたとき（同法第118条の12第1項又は第118条の19第1項の規定により譲受け希望の申出を撤回したものとみなされる場合を含む。）は、政令で定めるところにより、当該譲渡、相続、遺贈若しくは贈与又は譲受け希望の申出の撤回のあつた日若しくは同法第118条の12第1項若しくは第118条の19第1項の規定によりその撤回があつたものとみなされる日において旧資産の譲渡、相続、遺贈若しくは贈与又は収用等による譲渡があつたものとみなして第28条の4、第31条、第32条若しくは第33条又は所得税法第27条、第33条、第35条、第40条若しくは第59条の規定を適用し、前項の施設建築物の一部を取得する権利及び施設建築敷地若しくはその共有持分若しくは地上権の共有持分（都市再開発法第110条の2第1項の規定により定められた権利変換計画に係る施設建築敷地に関する権利又は施設建築物に関する権利を取得する権利を含む。）若しくは個別利用区内の宅地若しくはその使用収益権又は前項に規定する給付を受ける権利につき都市再開発法第104条第1項（同法第110条の2第6項又は第111条の規定により読み替えて適用される場合を含む。）又は第118条の24（同法第118条の25の3第3項の規定により読み替えて適用される場合を含む。）の規定によりこれらの規定に規定する差額に相当する金額の交付を受けることとなつたときは、そのなつた日において旧資産のうち当該金額に対応するものとして政令で定める部分につき収用等による譲渡があつたものとみなして第33条の規定を適用する。

4　個人が、その有する資産につき密集市街地における防災街区の整備の促進に関する法律による防災街区整備事業が施行された場合において、当該資産に係る権利変換により防災施設建築物の一部を取得する権利若しくは防災施設建築物の一部についての借

家権を取得する権利及び防災施設建築敷地若しくはその共有持分若しくは地上権の共有持分（当該資産に係る権利変換が同法第255条第1項又は第257条第1項の規定により定められた権利変換計画において定められたものである場合には、防災施設建築敷地に関する権利又は防災施設建築物に関する権利を取得する権利）又は個別利用区内の宅地若しくはその使用収益権を取得したときは、第28条の4、第31条若しくは第32条又は所得税法第27条、第33条若しくは第35条の規定の適用については、当該権利変換により譲渡した資産（次項及び次条第1項において「防災旧資産」という。）の譲渡がなかつたものとみなす。

5　前項の規定の適用を受けた場合において、同項の防災施設建築物の一部を取得する権利又は防災施設建築物の一部についての借家権を取得する権利（密集市街地における防災街区の整備の促進に関する法律第255条第1項又は第257条第1項の規定により定められた権利変換計画に係る防災施設建築物に関する権利を取得する権利を含む。）につき譲渡、相続、遺贈又は贈与があつたときは、政令で定めるところにより、当該譲渡、相続、遺贈又は贈与のあつた日において防災旧資産の譲渡、相続、遺贈又は贈与があつたものとみなして第28条の4、第31条若しくは第32条又は所得税法第27条、第33条、第35条、第40条若しくは第59条の規定を適用し、前項の防災施設建築物の一部を取得する権利及び防災施設建築敷地若しくはその共有持分若しくは地上権の共有持分（密集市街地における防災街区の整備の促進に関する法律第255条第1項の規定により定められた権利変換計画に係る防災施設建築敷地に関する権利又は防災施設建築物に関する権利を取得する権利を含む。）又は個別利用区内の宅地若しくはその使用収益権につき密集市街地における防災街区の整備の促進に関する法律第248条第1項（政令で定める規定により読み替えて適用される場合を含む。）の規定により同項に規定する差額に相当する金額の交付を受けることとなつたときは、そのなつた日において防災旧資産のうち当該金額に対応するものとして政令で定める部分につき収用等による譲渡があつたものとみなして第33条の規定を適用する。

6　個人が、その有する資産（政令で定めるものに限る。以下この項において同じ。）につきマンションの建替え等の円滑化に関する法律第2条第1項第4号に規定するマンション建替事業が施行された場合において、当該資産に係る同法の権利変換により同項第7号に規定する施行再建マンションに関する権利を取得する権利又は当該施行再建マンションに係

る敷地利用権（同項第19号に規定する敷地利用権をいう。）を取得したときは、第28条の４、第31条若しくは第32条又は所得税法第27条、第33条若しくは第35条の規定の適用については、当該権利変換により譲渡した資産（次項において「変換前資産」という。）の譲渡がなかつたものとみなす。

7　前項の規定の適用を受けた場合において、同項の施行再建マンションに関する権利を取得する権利につき譲渡、相続、遺贈又は贈与があつたときは、政令で定めるところにより、当該譲渡、相続、遺贈又は贈与のあつた日において変換前資産の譲渡、相続、遺贈又は贈与があつたものとみなして第28条の４、第31条若しくは第32条又は所得税法第27条、第33条、第35条、第40条若しくは第59条の規定を適用し、当該施行再建マンションに関する権利を取得する権利又は同項の施行再建マンションに係る敷地利用権につきマンションの建替え等の円滑化に関する法律第85条の規定により同条に規定する差額に相当する金額の交付を受けることとなつたときは、そのなつた日において変換前資産のうち当該金額に対応するものとして政令で定める部分につき譲渡があつたものとみなして第28条の４、第31条若しくは第32条又は所得税法第27条、第33条若しくは第35条の規定を適用する。

8　個人が、その有する資産につきマンションの建替え等の円滑化に関する法律第２条第１項第12号に規定する敷地分割事業が実施された場合において、当該資産に係る同法の敷地権利変換により同法第191条第１項第２号に規定する除却敷地持分、同項第５号に規定する非除却敷地持分等又は同項第８号の敷地分割後の団地共用部分の共有持分を取得したときは、第28条の４、第31条若しくは第32条又は所得税法第27条、第33条若しくは第35条の規定の適用については、当該敷地権利変換により譲渡した資産（当該資産につきマンションの建替え等の円滑化に関する法律第205条の規定により同条に規定する差額に相当する金額の交付を受けることとなつた場合には、当該譲渡した資産のうち当該差額に相当する金額に対応する部分以外のものとして政令で定める部分）の譲渡がなかつたものとみなす。

9　個人が、その有する土地等（所得税法第２条第１項第16号に規定する棚卸資産その他これに準ずる資産で政令で定めるものを除く。以下この条において同じ。）で被災市街地復興推進地域内にあるものにつき被災市街地復興土地区画整理事業が施行された場合において、当該土地等に係る換地処分により、土地等及びその土地等の上に建設された被災市街地

復興特別措置法第15条第１項に規定する住宅又は同条第２項に規定する住宅等（以下この項、次項及び第33条の６第１項第４号において「代替住宅等」という。）を取得したときは、第31条若しくは第32条又は所得税法第33条の規定の適用については、当該換地処分により譲渡した土地等（代替住宅等とともに清算金を取得した場合又は被災市街地復興特別措置法第17条第１項の規定により保留地が定められた場合には、当該譲渡した土地等のうち当該清算金の額又は当該保留地の対価の額に対応する部分以外のものとして政令で定める部分）の譲渡がなかつたものとみなす。

10　前項の規定は、同項の規定の適用を受けようとする年分の確定申告書に、同項の規定の適用を受けようとする旨の記載があり、かつ、被災市街地復興土地区画整理事業の施行者から交付を受けた土地等に係る換地処分により代替住宅等を取得したことを証する書類その他の財務省令で定める書類の添付がある場合に限り、適用する。

11　税務署長は、確定申告書の提出がなかつた場合又は前項の記載若しくは添付がない確定申告書の提出があつた場合においても、その提出又は記載若しくは添付がなかつたことについてやむを得ない事情があると認めるときは、当該記載をした書類及び同項の財務省令で定める書類の提出があつた場合に限り、第９項の規定を適用することができる。

12　第９項の規定の適用を受ける同項に規定する換地処分による土地等の譲渡については、第１項の規定は、適用しない。

13　個人の有する土地又は土地の上に存する権利で被災市街地復興推進地域内にあるものにつき被災市街地復興土地区画整理事業が施行された場合において、当該個人が、当該土地又は土地の上に存する権利に係る換地処分により土地等及びその土地等の上に建設された被災市街地復興特別措置法第15条第１項に規定する住宅又は同条第２項に規定する住宅等を取得したときにおける第１項の規定の適用については、当該換地処分による土地又は土地の上に存する権利の譲渡につき第９項の規定の適用を受ける場合を除き、当該換地処分により取得した当該住宅又は当該住宅等は第１項に規定する清算金に、当該住宅又は当該住宅等の価額は同項に規定する清算金の額にそれぞれ該当するものとみなす。

（収用交換等の場合の譲渡所得等の特別控除）

第33条の４　個人の有する資産で第33条第１項各号又は第33条の２第１項各号に規定するものがこれらの規定に該当することとなつた場合（第33条第４項の

規定により同項第1号に規定する土地等、同項第2号若しくは第3号に規定する土地の上にある資産若しくはその土地の上にある建物に係る配偶者居住権又は同項第4号に規定する権利につき収用等による譲渡があつたものとみなされた場合、前条第3項の規定により旧資産又は旧資産のうち同項の政令で定める部分につき収用等による譲渡があつたものとみなされた場合及び同条第5項の規定により防災旧資産のうち同項の政令で定める部分につき収用等による譲渡があつたものとみなされた場合を含む。）において、その者がその年中にその該当することとなつた資産のいずれについても第33条又は第33条の2の規定の適用を受けないとき（同条の規定の適用を受けず、かつ、第33条の規定の適用を受けた場合において、次条第1項の規定による修正申告書を提出したことにより第33条の規定の適用を受けないこととなるときを含む。）は、これらの全部の資産の収用等又は交換処分等（以下この款において「収用交換等」という。）による譲渡に対する第31条若しくは第32条又は所得税法第32条若しくは第33条の規定の適用については、次に定めるところによる。

一　第31条第1項中「長期譲渡所得の金額（」とあるのは、「長期譲渡所得の金額から5000万円（長期譲渡所得の金額のうち第33条の4第1項の規定に該当する資産の譲渡に係る部分の金額が5000万円に満たない場合には、当該資産の譲渡に係る部分の金額）を控除した金額（」とする。

二　第32条第1項中「短期譲渡所得の金額（」とあるのは、「短期譲渡所得の金額から5000万円（短期譲渡所得の金額のうち第33条の4第1項の規定に該当する資産の譲渡に係る部分の金額が5000万円に満たない場合には、当該資産の譲渡に係る部分の金額）を控除した金額（」とする。

三　所得税法第32条第3項の山林所得に係る収入金額から必要経費を控除した残額は、当該資産の譲渡に係る当該残額に相当する金額から5000万円（当該残額に相当する金額が5000万円に満たない場合には、当該残額に相当する金額）を控除した金額とする。

四　所得税法第33条第3項の譲渡所得に係る収入金額から当該所得の基因となつた資産の取得費及びその資産の譲渡に要した費用の額の合計額を控除した残額は、当該資産の譲渡に係る当該残額に相当する金額から5000万円（当該残額に相当する金額が5000万円に満たない場合には、当該残額に相当する金額）を控除した金額とする。

2　前項の場合において、当該個人のその年中の収用交換等による資産の譲渡について同項各号のうち2以上の号の規定の適用があるときは、同項各号の規定により控除すべき金額は、通じて5000万円の範囲内において、政令で定めるところにより計算した金額とする。

3　第1項の規定は、次の各号に掲げる場合に該当する場合には、当該各号に定める資産については、適用しない。

一　第1項に規定する資産の収用交換等による譲渡が、当該資産の買取り、消滅、交換、取壊し、除去又は使用（以下この条において「買取り等」という。）の申出をする者（以下この条において「公共事業施行者」という。）から当該資産につき最初に当該申出のあつた日から6月を経過した日（当該資産の当該譲渡につき、土地収用法第15条の7第1項の規定による仲裁の申請（同日以前にされたものに限る。）に基づき同法第15条の11第1項に規定する仲裁判断があつた場合、同法第46条の2第1項の規定による補償金の支払の請求があつた場合又は農地法（昭和27年法律第229号）第3条第1項若しくは第5条第1項の規定による許可を受けなければならない場合若しくは同項第6号の規定による届出をする場合には、同日から政令で定める期間を経過した日）までにされなかつた場合　当該資産

二　一の収用交換等に係る事業につき第1項に規定する資産の収用交換等による譲渡が2以上あつた場合において、これらの譲渡が2以上の年にわたつてされたとき　当該資産のうち、最初に当該譲渡があつた年において譲渡された資産以外の資産

三　第1項に規定する資産の収用交換等による譲渡が当該資産につき最初に買取り等の申出を受けた者以外の者からされた場合（当該申出を受けた者の死亡によりその者から当該資産を取得した者が当該譲渡をした場合を除く。）　当該資産

4　第1項の規定は、同項の規定の適用があるものとした場合においてもその年分の確定申告書を提出しなければならない者については、同項の規定の適用を受けようとする年分の確定申告書又は同項の修正申告書に、同項の規定の適用を受けようとする旨の記載があり、かつ、同項の規定の適用を受けようとする資産につき公共事業施行者から交付を受けた前項の買取り等の申出があつたことを証する書類その他の財務省令で定める書類の添付がある場合に限り、適用する。

5　税務署長は、確定申告書若しくは第1項の修正申告書の提出がなかつた場合又は前項の記載若しくは

添付がない確定申告書若しくは第1項の修正申告書の提出があつた場合においても、その提出又は記載若しくは添付がなかつたことについてやむを得ない事情があると認めるときは、当該記載をした書類及び前項の財務省令で定める書類の提出があつた場合に限り、第1項の規定を適用することができる。

6　公共事業施行者は、財務省令で定めるところにより、第3項の買取り等の申出に係る資産の全部につき第4項に規定する買取り等の申出があつたことを証する書類の写し及び当該資産の買取り等に係る支払に関する調書を、その事業の施行に係る営業所、事業所その他の事業場の所在地の所轄税務署長に提出しなければならない。

7　所得税法第132条第1項に規定する延納の許可に係る所得税の額の計算の基礎となつた山林所得の金額又は譲渡所得の金額のうちに第1項の規定の適用を受けた資産の譲渡に係る部分の金額がある場合には、当該延納に係る同法第136条の規定による利子税のうち当該譲渡に係る山林所得の金額又は譲渡所得の金額に対する所得税の額に対応する部分の金額として政令で定めるところにより計算した金額は、免除する。

第3章　法人税法の特例
第6節　資産の譲渡の場合の課税の特例
第1款　収用等の場合の課税の特例

（収用等に伴い代替資産を取得した場合の課税の特例）

第64条　法人（清算中の法人を除く。以下この条、次条、第65条第3項及び第5項並びに第65条の2において同じ。）の有する資産（棚卸資産を除く。以下この条、次条、第65条第3項及び第65条の2において同じ。）で次の各号に規定するものが当該各号に掲げる場合に該当することとなつた場合（第65条第1項の規定に該当する場合を除く。）において、当該法人が当該各号に規定する補償金、対価又は清算金の額（当該資産の譲渡（消滅及び価値の減少を含む。以下この款において同じ。）に要した経費がある場合には、当該補償金、対価又は清算金の額のうちから支出したものとして政令で定める金額を控除した金額。以下この条及び次条において同じ。）の全部又は一部に相当する金額をもつて当該各号に規定する収用、買取り、換地処分、権利変換、買収又は消滅（以下この款において「収用等」という。）のあつた日を含む事業年度において当該収用等により譲渡した資産と同種の資産その他のこれに代わるべき資産として政令で定めるもの（以下第65条までにおいて「代替資産」という。）の取得（所有権移転外リース取引による取得を除き、製作及び建設を

含む。以下第65条までにおいて同じ。）をし、当該代替資産につき、その取得価額（その額が当該補償金、対価又は清算金の額（既に取得をした代替資産のその取得に係る部分の金額として政令で定める金額を除く。）を超える場合には、その超える金額を控除した金額。第3項及び次条第9項において同じ。）に、補償金、対価若しくは清算金の額から当該譲渡した資産の譲渡直前の帳簿価額を控除した残額の当該補償金、対価若しくは清算金の額に対する割合（第3項及び次条において「差益割合」という。）を乗じて計算した金額（以下この条において「圧縮限度額」という。）の範囲内でその帳簿価額を損金経理により減額し、又はその帳簿価額を減額することに代えてその圧縮限度額以下の金額を当該事業年度の確定した決算において積立金として積み立てる方法（当該事業年度の決算の確定の日までに剰余金の処分により積立金として積み立てる方法を含む。）により経理したときは、その減額し、又は経理した金額に相当する金額は、当該事業年度の所得の金額の計算上、損金の額に算入する。

一　資産が土地収用法等（第33条第1項第1号に規定する土地収用法等をいう。以下この条及び第65条において同じ。）の規定に基づいて収用され、補償金を取得する場合（政令で定める場合に該当する場合を除く。）

二　資産について買取りの申出を拒むときは土地収用法等の規定に基づいて収用されることとなる場合において、当該資産が買い取られ、対価を取得するとき（政令で定める場合に該当する場合を除く。）。

三　土地又は土地の上に存する権利（以下この款において「土地等」という。）につき土地区画整理法による土地区画整理事業、大都市地域における住宅及び住宅地の供給の促進に関する特別措置法（以下第65条の4までにおいて「大都市地域住宅等供給促進法」という。）による住宅街区整備事業、新都市基盤整備法による土地整理又は土地改良法による土地改良事業が施行された場合において、当該土地等に係る換地処分により土地区画整理法第94条（大都市地域住宅等供給促進法第82条第1項及び新都市基盤整備法第37条において準用する場合を含む。）の規定による清算金（土地区画整理法第90条（同項及び新都市基盤整備法第36条において準用する場合を含む。）の規定により換地又は当該権利の目的となるべき宅地若しくはその部分を定められなかつたこと及び大都市地域住宅等供給促進法第74条第4項又は第90条第1項の規

定により大都市地域住宅等供給促進法第74条第4項に規定する施設住宅の一部等又は大都市地域住宅等供給促進法第90条第2項に規定する施設住宅若しくは施設住宅敷地に関する権利を定められなかつたことにより支払われるものを除く。）又は土地改良法第54条の2第4項（同法第89条の2第10項、第96条及び第96条の4第1項において準用する場合を含む。）に規定する清算金（同法第53条の2の2第1項（同法第89条の2第3項、第96条及び第96条の4第1項において準用する場合を含む。）の規定により地積を特に減じて換地若しくは当該権利の目的となるべき土地若しくはその部分を定めたこと又は換地若しくは当該権利の目的となるべき土地若しくはその部分を定められなかつたことにより支払われるものを除く。）を取得するとき（政令で定める場合に該当する場合を除く。）。

三の二 資産につき都市再開発法による第1種市街地再開発事業が施行された場合において、当該資産に係る権利変換により同法第91条の規定による補償金（同法第79条第3項の規定により施設建築物の一部等若しくは施設建築物の一部についての借家権が与えられないように定められたこと又は同法第111条の規定により読み替えられた同項の規定により建築施設の部分若しくは施設建築物の一部についての借家権が与えられないように定められたことにより支払われるもの及びやむを得ない事情により同法第71条第1項又は第3項の申出をしたと認められる場合として政令で定める場合における当該申出に基づき支払われるものに限る。）を取得するとき（政令で定める場合に該当する場合を除く。）。

三の三 資産につき密集市街地における防災街区の整備の促進に関する法律による防災街区整備事業が施行された場合において、当該資産に係る権利変換により同法第226条の規定による補償金（同法第212条第3項の規定により防災施設建築物の一部等若しくは防災施設建築物の一部についての借家権が与えられないように定められたこと又は政令で定める規定により防災建築施設の部分若しくは防災施設建築物の一部についての借家権が与えられないように定められたことにより支払われるもの及びやむを得ない事情により同法第203条第1項又は第3項の申出をしたと認められる場合として政令で定める場合における当該申出に基づき支払われるものに限る。）を取得するとき（政令で定める場合に該当する場合を除く。）。

三の四 土地等が都市計画法第52条の4第1項（同法第57条の5及び密集市街地における防災街区の整備の促進に関する法律第285条において準用する場合を含む。）又は都市計画法第56条第1項の規定に基づいて買い取られ、対価を取得する場合（第65条の3第1項第2号及び第2号の2に掲げる場合に該当する場合を除く。）

三の五 土地区画整理法による土地区画整理事業で同法第109条第1項に規定する減価補償金（次号において「減価補償金」という。）を交付すべきこととなるものが施行される場合において、公共施設の用地に充てるべきものとして当該事業の施行区域（同法第2条第8項に規定する施行区域をいう。同号において同じ。）内の土地等が買い取られ、対価を取得するとき。

三の六 地方公共団体又は独立行政法人都市再生機構が被災市街地復興特別措置法第5条第1項の規定により都市計画に定められた被災市街地復興推進地域において施行する同法による被災市街地復興土地区画整理事業（以下この号において「被災市街地復興土地区画整理事業」という。）で減価補償金を交付すべきこととなるものの施行区域内にある土地等について、これらの者が当該被災市街地復興土地区画整理事業として行う公共施設の整備改善に関する事業の用に供するためにこれらの者（土地開発公社を含む。）に買い取られ、対価を取得する場合（前2号に掲げる場合に該当する場合を除く。）

三の七 地方公共団体又は独立行政法人都市再生機構が被災市街地復興特別措置法第21条に規定する住宅被災市町村の区域において施行する都市再開発法による第2種市街地再開発事業の施行区域（都市計画法第12条第2項の規定により第2種市街地再開発事業について都市計画に定められた施行区域をいう。）内にある土地等について、当該第2種市街地再開発事業の用に供するためにこれらの者（土地開発公社を含む。）に買い取られ、対価を取得する場合（第2号又は第65条第1項第1号に掲げる場合に該当する場合を除く。）

四 国、地方公共団体、独立行政法人都市再生機構又は地方住宅供給公社が、自ら居住するため住宅を必要とする者に対し賃貸し、又は譲渡する目的で行う50戸以上の1団地の住宅経営に係る事業の用に供するため土地等が買い取られ、対価を取得する場合

五 資産が土地収用法等の規定により収用された場合（第2号の規定に該当する買取りがあつた場

を含む。）において、当該資産に関して有する所有権以外の権利が消滅し、補償金又は対価を取得するとき（政令で定める場合に該当する場合を除く。）。

六　資産に関して有する権利で都市再開発法に規定する権利変換により新たな権利に変換をすることのないものが、同法第87条の規定により消滅し、同法第91条の規定による補償金を取得する場合（政令で定める場合に該当する場合を除く。）

六の二　資産に関して有する権利で密集市街地における防災街区の整備の促進に関する法律に規定する権利変換により新たな権利に変換をすることのないものが、同法第221条の規定により消滅し、同法第226条の規定による補償金を取得する場合（政令で定める場合に該当する場合を除く。）

七　国若しくは地方公共団体（その設立に係る団体で政令で定めるものを含む。）が行い、若しくは土地収用法第3条に規定する事業の施行者がその事業の用に供するために行う公有水面埋立法の規定に基づく公有水面の埋立て又は当該施行者が行う当該事業の施行に伴う漁業権、入漁権、漁港水面施設運営権その他水の利用に関する権利又は鉱業権（租鉱権及び採石権その他土石を採掘し、又は採取する権利を含む。）の消滅（これらの権利の価値の減少を含む。）により、補償金又は対価を取得する場合

八　前各号に掲げる場合のほか、国又は地方公共団体が、建築基準法第11条第1項若しくは漁業法第93条第1項その他政令で定めるその他の法令の規定に基づき行う処分に伴う資産の買取り若しくは消滅（価値の減少を含む。）により、又はこれらの規定に基づき行う買収の処分により補償金又は対価を取得する場合

2　法人の有する資産が次の各号に掲げる場合に該当することとなつた場合には、前項の規定の適用については、第1号の場合にあつては同号に規定する土地等、第2号の場合にあつては同号に規定する土地の上にある資産（同号に規定する補償金が当該資産の価額の一部を補償するものである場合には、当該資産のうちその補償金に対応するものとして政令で定める部分）について、収用等による譲渡があつたものとみなす。この場合においては、第1号又は第2号に規定する補償金又は対価の額をもつて、同項に規定する補償金、対価又は清算金の額とみなす。

一　土地等が土地収用法等の規定に基づいて使用され、補償金を取得する場合（土地等について使用の申出を拒むときは土地収用法等の規定に基づいて使用されることとなる場合において、当該土地

等が契約により使用され、対価を取得するときを含む。）において、当該使用に伴い当該土地等の価値が著しく減少する場合として政令で定める場合に該当するとき（政令で定める場合に該当する場合を除く。）。

二　土地等が前項第1号から第3号の3までの規定、前号の規定若しくは第65条第1項第2号若しくは第3号の規定に該当することとなつたことに伴い、その土地の上にある資産につき、土地収用法等の規定に基づく収用をし、若しくは取壊し若しくは除去をしなければならなくなつた場合又は前項第8号に規定する法令の規定若しくは大深度地下の公共的使用に関する特別措置法第11条の規定に基づき行う国若しくは地方公共団体の処分に伴い、その土地の上にある資産の取壊し若しくは除去をしなければならなくなつた場合において、これらの資産の対価又はこれらの資産の損失に対する補償金で政令で定めるものを取得するとき（政令で定める場合に該当する場合を除く。）。

3　第1項に規定する場合において、当該法人が、収用等のあつた日を含む事業年度開始の日から起算して1年（工場等の建設に要する期間が通常1年を超えることその他の政令で定めるやむを得ない事情がある場合には、政令で定める期間）前の日（同日が当該収用等により当該法人の有する資産の譲渡をすることとなることが明らかとなつた日前である場合には、同日）から当該開始の日の前日までの間に代替資産となるべき資産の取得をしたときは、当該法人は、当該資産を同項の規定に該当する代替資産とみなして同項の規定の適用を受けることができる。この場合において、当該資産が減価償却資産であるときにおける当該資産に係る圧縮限度額は、当該資産の取得価額に差益割合を乗じて計算した金額を基礎として政令で定めるところにより計算した金額とする。

4　第1項第1号、第5号、第7号又は第8号に規定する補償金の額は、名義がいずれであるかを問わず、資産の収用等の対価たるものをいうものとし、収用等に際して交付を受ける移転料その他当該資産の収用等の対価たる金額以外の金額を含まないものとする。

5　第1項の規定は、確定申告書等に同項の規定により損金の額に算入される金額の損金算入に関する申告の記載及びその損金の額に算入される金額の計算に関する明細書の添付があり、かつ、同項の規定の適用を受けようとする資産が同項各号又は第2項各号に掲げる場合に該当することとなつたことを証す

る書類として財務省令で定める書類を保存している場合に限り、適用する。

6　税務署長は、前項の記載若しくは添付がない確定申告書等の提出があつた場合又は同項の財務省令で定める書類の保存がない場合においても、その記載若しくは添付又は保存がなかつたことについてやむを得ない事情があると認めるときは、当該記載をした書類及び同項の明細書並びに当該財務省令で定める書類の提出があつた場合に限り、第1項の規定を適用することができる。

7　第1項の規定の適用を受けた資産については、第53条第1項各号に掲げる規定は、適用しない。

8　第1項の規定の適用を受けた代替資産について法人税に関する法令の規定を適用する場合には、同項の規定により各事業年度の所得の金額の計算上損金の額に算入された金額は、当該代替資産の取得価額に算入しない。

9　法人（その法人の有する資産で第1項各号に規定するものが当該各号に掲げる場合に該当することとなつた場合（第2項の規定により同項第1号に規定する土地等又は同項第2号に規定する土地の上にある資産につき収用等による譲渡があつたものとみなされた場合を含むものとし、第65条第1項の規定に該当する場合を除く。）における当該法人に限る。）が収用等のあつた日を含む事業年度において適格分割、適格現物出資又は適格現物分配（その日以後に行われるものに限る。以下この項及び第11項において「適格分割等」という。）を行う場合において、当該法人が補償金、対価又は清算金の額の全部又は一部に相当する金額をもつて当該事業年度開始の時から当該適格分割等の直前の時までの間に代替資産の取得をし、当該適格分割等により当該代替資産を分割承継法人、被現物出資法人又は被現物分配法人に移転するときは、当該代替資産につき、当該代替資産に係る圧縮限度額に相当する金額の範囲内でその帳簿価額を減額したときに限り、その減額した金額に相当する金額は、当該事業年度の所得の金額の計算上、損金の額に算入する。

10　第3項の規定は前項に規定する場合について、第7項及び第8項の規定は前項の規定の適用を受けた代替資産について、それぞれ準用する。

11　第9項の規定は、同項の規定の適用を受けようとする法人が適格分割等の日以後2月以内に同項に規定する減額した金額その他の財務省令で定める事項を記載した書類を納税地の所轄税務署長に提出した場合に限り、適用する。

12　適格合併、適格分割、適格現物出資又は適格現物分配（以下この項において「適格合併等」という。）により第1項又は第9項の規定の適用を受けた代替資産の移転を受けた合併法人、分割承継法人、被現物出資法人又は被現物分配法人が当該代替資産について法人税に関する法令の規定を適用する場合には、当該適格合併等に係る被合併法人、分割法人、現物出資法人又は現物分配法人において当該代替資産の取得価額に算入されなかつた金額は、当該代替資産の取得価額に算入しない。

13　第5項から第8項まで及び前3項に定めるもののほか、第1項及び第9項の規定の適用に関し必要な事項は、政令で定める。

（収用等に伴い特別勘定を設けた場合の課税の特例）

第64条の2　法人の有する資産で前条第1項各号に規定するものが当該各号に掲げる場合に該当することとなつた場合（同条第2項の規定により同項第1号に規定する土地等又は同項第2号に規定する土地の上にある資産につき収用等による譲渡があつたものとみなされた場合を含むものとし、次条第1項の規定に該当する場合を除く。次項において同じ。）において、当該法人が、収用等のあつた日を含む事業年度（解散の日を含む事業年度及び被合併法人の合併（適格合併を除く。）の日の前日を含む事業年度を除く。）終了の日の翌日から収用等のあつた日以後2年を経過する日までの期間（当該収用等に係る事業の全部又は一部が完了しないこと、工場等の建設に要する期間が通常2年を超えることその他のやむを得ない事情があるため、当該期間内に代替資産の取得をすることが困難である場合で政令で定める場合には、当該終了の日の翌日から政令で定める日までの期間。以下この項及び第4項第2号において「指定期間」という。）内に補償金、対価又は清算金の額（当該収用等のあつた日を含む事業年度において当該補償金、対価若しくは清算金の額の一部に相当する金額をもつて代替資産の取得をした場合又は当該収用等に係る前条第3項に規定する1年前の日から当該収用等のあつた日を含む事業年度開始の日の前日までの間に代替資産となるべき資産の取得をした場合には、これらの資産の取得価額を控除した金額。以下この条において同じ。）の全部又は一部に相当する金額をもつて代替資産の取得をする見込みであるとき（当該法人が被合併法人となる適格合併を行う場合において当該適格合併に係る合併法人が指定期間内に代替資産の取得をする見込みであるときその他の政令で定めるときを含む。次条第3項において同じ。）は、当該補償金、対価又は清算金の額で当該代替資産の

取得に充てようとするものの額に差益割合を乗じて計算した金額以下の金額を当該収用等のあつた日を含む事業年度の確定した決算において特別勘定を設ける方法（当該事業年度の決算の確定の日までに剰余金の処分により積立金として積み立てる方法を含む。）により経理したときに限り、その経理した金額に相当する金額は、当該事業年度の所得の金額の計算上、損金の額に算入する。

2　法人（その法人の有する資産で前条第1項各号に規定するものが当該各号に掲げる場合に該当することとなつた場合における当該法人に限る。）が収用等のあつた日を含む事業年度において適格分割又は適格現物出資（その日以後に行われるものに限る。第8項を除き、以下この条において「適格分割等」という。）を行う場合において、当該適格分割等に係る分割承継法人又は被現物出資法人において当該適格分割等の日から収用等のあつた日以後2年を経過する日までの期間（当該収用等に係る事業の全部又は一部が完了しないこと、工場等の建設に要する期間が通常2年を超えることその他のやむを得ない事情があるため、当該分割承継法人又は被現物出資法人が当該期間内に代替資産の取得をすることが困難である場合で政令で定めるときは、当該代替資産については、当該適格分割等の日から政令で定める日までの期間）内に補償金、対価又は清算金の額の全部又は一部に相当する金額をもつて代替資産の取得をする見込みであるときは、当該補償金、対価又は清算金の額で当該分割承継法人又は被現物出資法人において当該代替資産の取得に充てようとするものの額に差益割合を乗じて計算した金額の範囲内で前項の特別勘定に相当するもの（以下この条において「期中特別勘定」という。）を設けたときに限り、その設けた期中特別勘定の金額に相当する金額は、当該事業年度の所得の金額の計算上、損金の額に算入する。

3　前項の規定は、同項の規定の適用を受けようとする法人が適格分割等の日以後2月以内に期中特別勘定の金額その他の財務省令で定める事項を記載した書類を納税地の所轄税務署長に提出した場合に限り、適用する。

4　法人が、適格合併、適格分割又は適格現物出資（以下この項において「適格合併等」という。）を行つた場合には、次の各号に掲げる適格合併等の区分に応じ、当該各号に定める特別勘定の金額又は期中特別勘定の金額は、当該適格合併等に係る合併法人、分割承継法人又は被現物出資法人（以下この条において「合併法人等」という。）に引き継ぐものとする。

一　適格合併　当該適格合併直前において有する第1項の特別勘定の金額（既に益金の額に算入された、又は益金の額に算入されるべき金額がある場合には、これらの金額を控除した金額。以下この条において同じ。）

二　適格分割等　当該適格分割等の直前において有する第1項の特別勘定の金額のうち当該適格分割等に係る分割承継法人又は被現物出資法人が指定期間の末日までに補償金、対価又は清算金の額の全部又は一部に相当する金額をもつて代替資産の取得をすることが見込まれる場合における当該代替資産の取得に充てようとするものの額に差益割合を乗じて計算した金額に相当する金額及び当該適格分割等に際して設けた期中特別勘定の金額

5　前項の規定は、第1項の特別勘定を設けている法人で適格分割等を行つたもの（当該特別勘定及び期中特別勘定の双方を設けている法人であつて、適格分割等により分割承継法人又は被現物出資法人に当該期中特別勘定の金額のみを引き継ぐものを除く。）にあつては、当該特別勘定を設けている法人が当該適格分割等の日以後2月以内に当該適格分割等により分割承継法人又は被現物出資法人に引き継ぐ当該特別勘定の金額その他の財務省令で定める事項を記載した書類を納税地の所轄税務署長に提出した場合に限り、適用する。

6　第4項の規定により合併法人等が引継ぎを受けた特別勘定の金額又は期中特別勘定の金額は、当該合併法人等が第1項の規定により設けている特別勘定の金額とみなす。

7　前条第1項の規定は、第1項の特別勘定を設けている法人が、同項に規定する指定期間（当該特別勘定の金額が第4項の規定により引継ぎを受けた期中特別勘定の金額である場合その他の政令で定める場合には、第2項に規定する期間その他の政令で定める期間。次項及び第12項において「指定期間」という。）内に補償金、対価又は清算金の額で代替資産の取得に充てようとするものの全部又は一部に相当する金額をもつて代替資産の取得をした場合について準用する。この場合において、同条第1項中「当該事業年度の確定した決算」とあるのは、「当該代替資産の取得の日を含む事業年度の確定した決算」と読み替えるものとする。

8　前条第9項の規定は、第1項の特別勘定を設けている法人が適格分割、適格現物出資又は適格現物分配（収用等のあつた日以後に行われるものに限る。以下この項において「適格分割等」という。）を行う場合において、当該法人が当該適格分割等の日を

含む事業年度の指定期間内に補償金、対価又は清算金の額で代替資産の取得に充てようとするものの全部又は一部に相当する金額をもつて代替資産の取得をし、当該適格分割等により当該代替資産を分割承継法人、被現物出資法人又は被現物分配法人に移転するときについて準用する。この場合において、同条第９項中「当該事業年度の所得の金額の計算上」とあるのは、「当該代替資産の取得の日を含む事業年度の所得の金額の計算上」と読み替えるものとする。

9　前２項の場合において、第１項の特別勘定の金額のうち、代替資産の取得価額に差益割合を乗じて計算した金額に相当する金額は、代替資産の取得をした日を含む事業年度の所得の金額の計算上、益金の額に算入する。

10　第１項の特別勘定を設けている法人が、自己を株式交換等完全子法人又は株式移転完全子法人とする法人税法第62条の９第１項に規定する非適格株式交換等（以下この項において「非適格株式交換等」という。）を行つた場合において、当該非適格株式交換等の直前の時に第１項の特別勘定の金額（政令で定める金額未満のものを除く。）を有しているときは、当該特別勘定の金額は、当該非適格株式交換等の日を含む事業年度の所得の金額の計算上、益金の額に算入する。

11　第１項の特別勘定を設けている法人が、法人税法第64条の11第１項に規定する内国法人、同法第64条の12第１項に規定する他の内国法人又は同法第64条の13第１項に規定する通算法人（同項第１号に掲げる要件に該当するものに限る。）に該当することとなつた場合において、同法第64条の11第１項に規定する通算開始直前事業年度、同法第64条の12第１項に規定する通算加入直前事業年度又は同法第64条の13第１項に規定する通算終了直前事業年度終了の時に第１項の特別勘定の金額（政令で定める金額未満のものを除く。）を有しているときは、当該特別勘定の金額は、当該通算開始直前事業年度、当該通算加入直前事業年度又は当該通算終了直前事業年度の所得の金額の計算上、益金の額に算入する。

12　第１項の特別勘定を設けている法人が次の各号に掲げる場合（第４項の規定により合併法人等に当該特別勘定を引き継ぐこととなつた場合を除く。）に該当することとなつた場合には、当該各号に定める金額は、その該当することとなつた日を含む事業年度（第４号に掲げる場合にあつては、その合併の日の前日を含む事業年度）の所得の金額の計算上、益金の額に算入する。

一　指定期間内に第１項の特別勘定の金額を前３項の規定に該当する場合以外の場合に取り崩した場合　当該取り崩した金額

二　指定期間を経過する日において、第１項の特別勘定の金額を有している場合　当該特別勘定の金額

三　指定期間内に解散した場合（合併により解散した場合を除く。）において、第１項の特別勘定の金額を有しているとき　当該特別勘定の金額

四　指定期間内に当該法人を被合併法人とする合併を行つた場合において、第１項の特別勘定の金額を有しているとき　当該特別勘定の金額

13　前条第５項及び第６項の規定は、第１項又は第７項の規定により損金の額に算入する場合について準用する。

14　前条第７項及び第８項の規定は、第７項又は第８項の規定の適用を受けた資産について準用する。

15　前条第11項の規定は、第８項の規定を適用する場合について準用する。

16　前条第12項の規定は、第７項又は第８項の規定の適用を受けた資産について準用する。

17　法人が、特定非常災害の被害者の権利利益の保全等を図るための特別措置に関する法律第２条第１項の規定により特定非常災害として指定された非常災害に基因するやむを得ない事情により、代替資産の第７項に規定する指定期間内における取得をすることが困難となつた場合において、当該指定期間の初日から当該指定期間の末日後２年以内の日で政令で定める日までの間に代替資産の取得をする見込みであり、かつ、財務省令で定めるところにより納税地の所轄税務署長の承認を受けたときは、前各項の規定の適用については、これらの規定に規定する指定期間は、当該初日から当該政令で定める日までの期間とする。

18　第12項から前項までに定めるもののほか、第１項から第11項までの規定の適用に関し必要な事項は、政令で定める。

（収用換地等の場合の所得の特別控除）

第65条の２　法人の有する資産で第64条第１項各号又は前条第１項第１号若しくは第２号に規定するものがこれらの規定に該当することとなつた場合（第64条第２項の規定により同項第１号に規定する土地等又は同項第２号に規定する土地の上にある資産につき収用等による譲渡があつたものとみなされた場合及び前条第７項に規定する譲受け希望の申出の撤回があつたときにおいて、同項の規定により同条第１項第４号に規定する建築施設の部分の給付を受ける

権利につき収用等による譲渡があつたものとみなされる場合を含む。）において、当該法人が収用等又は換地処分等（以下この条において「収用換地等」という。）により取得したこれらの規定に規定する補償金、対価若しくは清算金（当該譲受け希望の申出の撤回があつたことにより支払を受ける対価を含む。以下この条において「補償金等」という。）の額又は資産（以下この条において「交換取得資産」という。）の価額（当該収用換地等により取得した交換取得資産の価額が当該収用換地等により譲渡した資産の価額を超える場合において、その差額に相当する金額を当該収用換地等に際して支出したときは、当該差額に相当する金額を控除した金額）が、当該譲渡した資産の譲渡直前の帳簿価額と当該譲渡した資産の譲渡に要した経費で当該補償金等又は交換取得資産に係るものとして政令で定めるところにより計算した金額との合計額を超え、かつ、当該法人が当該事業年度のうち同一の年に属する期間中に収用換地等により譲渡した資産（前条第１項第３号から第７号までに掲げる場合に該当する換地処分等により譲渡した資産のうち当該換地処分等により取得した資産の価額に対応する部分として政令で定める部分及び同条第７項から第９項までの規定により換地処分等による譲渡があつたものとみなされる資産を除く。次項及び第７項において同じ。）のいずれについても第64条から前条までの規定の適用を受けないときは、その超える部分の金額と５千万円（当該譲渡の日の属する年における収用換地等により取得した補償金等（変換清算金及び防災変換清算金を含む。）の額又は交換取得資産の価額につき、この項、次項又は第７項の規定により損金の額に算入した、又は損金の額に算入する金額があるときは、当該金額を控除した金額）とのいずれか低い金額を当該譲渡の日を含む事業年度の所得の金額の計算上、損金の額に算入する。

2　法人の有する資産で前条第１項第３号から第５号までに規定するものがこれらの規定に該当し、当該法人がこれらの規定に掲げる場合に該当する換地処分等により資産とともに補償金等を取得した場合又は同条第７項の規定により同条第１項第４号の資産につき収用等による譲渡があつたものとみなされて変換清算金の交付を受けることとなつた場合若しくは同条第８項の規定により同条第１項第５号の資産につき収用等による譲渡があつたものとみなされて防災変換清算金の交付を受けることとなつた場合において、その取得した補償金等（変換清算金及び防災変換清算金を含む。以下この項及び第７項におい

て同じ。）の額が当該換地処分等により譲渡した資産（同条第７項又は第８項の規定により収用等による譲渡があつたものとみなされる資産を含む。）の譲渡直前の帳簿価額のうち当該補償金等の額に対応するものとして政令で定めるところにより計算した金額と当該譲渡した資産の譲渡に要した経費で当該補償金等に係るものとして政令で定めるところにより計算した金額との合計額を超え、かつ、当該法人が当該事業年度のうち同一の年に属する期間中に収用換地等により譲渡した資産のいずれについても第64条から前条までの規定の適用を受けないときは、その超える部分の金額と5000万円（当該譲渡の日の属する年における収用換地等により取得した補償金等の額又は交換取得資産の価額につき、前項、この項又は第７項の規定により損金の額に算入した、又は損金の額に算入する金額があるときは、当該金額を控除した金額）とのいずれか低い金額を当該譲渡の日を含む事業年度の所得の金額の計算上、損金の額に算入する。

3　前２項の規定は、次の各号に掲げる場合に該当する場合には、当該各号に定める資産については、適用しない。

一　前２項に規定する資産の収用換地等による譲渡が、当該資産の買取り、消滅、交換、取壊し、除去又は使用（以下この条において「買取り等」という。）の申出をする者（以下この条において「公共事業施行者」という。）から当該資産につき最初に当該申出のあつた日から６月を経過した日（当該資産の当該譲渡につき、土地収用法第15条の７第１項の規定による仲裁の申請（同日以前にされたものに限る。）に基づき同法第15条の11第１項に規定する仲裁判断があつた場合、同法第46条の２第１項の規定による補償金の支払の請求があつた場合又は農地法第３条第１項若しくは第５条第１項の規定による許可を受けなければならない場合若しくは同項第６号の規定による届出をする場合には、同日から政令で定める期間を経過した日）までにされなかつた場合　当該資産

二　一の収用換地等に係る事業につき前２項に規定する資産の収用換地等による譲渡が２以上あつた場合において、これらの譲渡が２以上の年にわたつてされたとき　当該資産のうち、最初に当該譲渡があつた年において譲渡された資産以外の資産

三　前２項に規定する資産の収用換地等による譲渡が当該資産につき最初に買取り等の申出を受けた者以外の法人からされた場合（当該申出を受けた者が法人である場合には、当該法人が当該収用換

地等による譲渡をしていない場合に該当し、かつ、次に掲げる場合に該当するときを除く。）　当該資産

　　イ　当該法人を被合併法人とする適格合併が行われた場合で当該適格合併により当該資産の移転を受けた合併法人が当該譲渡をした場合

　　ロ　当該法人を分割法人とする適格分割が行われた場合で当該適格分割により当該資産の移転を受けた分割承継法人が当該譲渡をした場合

4　第1項又は第2項の規定は、確定申告書等にこれらの規定により損金の額に算入される金額の損金算入に関する申告の記載及びその損金の額に算入される金額の計算に関する明細書の添付があり、かつ、これらの規定の適用を受けようとする資産につき公共事業施行者から交付を受けた前項の買取り等の申出があつたことを証する書類その他の財務省令で定める書類を保存している場合に限り、適用する。

5　税務署長は、前項の記載若しくは添付がない確定申告書等の提出があつた場合又は同項の財務省令で定める書類の保存がない場合においても、その記載若しくは添付又は保存がなかつたことについてやむを得ない事情があると認めるときは、当該記載をした書類及び同項の明細書並びに当該財務省令で定める書類の提出があつた場合に限り、第1項又は第2項の規定を適用することができる。

6　公共事業施行者は、財務省令で定めるところにより、第4項に規定する買取り等の申出があつたことを証する書類の写し及び当該資産の買取り等に係る支払に関する調書を、その事業の施行に係る営業所、事業所その他の事業場の所在地の所轄税務署長に提出しなければならない。

7　法人が、第64条の2第10項から第12項まで（これらの規定を前条第3項において準用する場合を含む。以下この項において同じ。）の規定に該当することとなつた場合において、第64条の2第10項若しくは第11項に規定する特別勘定の金額又は同条第12項各号に定める金額に係る収用換地等のあつた日を含む事業年度のうち同一の年に属する期間中に収用換地等により譲渡した資産の全部に係る同条第1項の特別勘定の金額がないこととなり、かつ、当該資産のいずれについても第64条第1項（第64条の2第7項又は前条第3項において準用する場合を含む。）、第64条第9項（第64条の2第8項又は前条第3項において準用する場合を含む。）又は前条第1項若しくは第5項の規定の適用を受けていないときは、第64条の2第10項から第12項までの規定に該当することとなつた当該特別勘定の金額と5000万円

（当該収用換地等のあつた日の属する年において他の資産の収用換地等により取得した補償金等の額又は交換取得資産の価額につき、第1項、第2項又はこの項の規定により損金の額に算入した、又は損金の額に算入する金額があるときは、当該金額を控除した金額）とのうちいずれか低い金額をその該当することとなつた日を含む事業年度の所得の金額の計算上、損金の額に算入する。

8　第3項から第5項までの規定は、前項の規定により損金の額に算入する場合について準用する。

9　第1項、第2項又は第7項の規定の適用を受けた法人のこれらの規定により損金の額に算入された金額は、法人税法第67条第3項及び第5項の規定の適用については、これらの規定に規定する所得等の金額に含まれるものとする。

10　第3項から第6項まで、第8項及び前項に定めるもののほか、第1項、第2項又は第7項の規定の適用を受けた法人の利益積立金額の計算その他第1項、第2項又は第7項の規定の適用に関し必要な事項は、政令で定める。

第8節　その他の特例

（認定特定非営利活動法人に対する寄附金の損金算入等の特例）

第66条の11の3　その事業年度終了の日において特定非営利活動促進法第2条第3項に規定する認定特定非営利活動法人（次項において「認定特定非営利活動法人」という。）である法人がその収益事業に属する資産のうちからその収益事業以外の事業で特定非営利活動（同条第1項に規定する特定非営利活動をいう。次項及び第3項において同じ。）に係る事業に該当するもののために支出した金額がある場合における同法第70条第1項の規定により読み替えて適用する法人税法第37条の規定の適用については、同条第4項ただし書中「公益法人等が」とあるのは「公益法人等又は認定特定非営利活動法人（租税特別措置法第66条の11の3第1項（認定特定非営利活動法人に対する寄附金の損金算入等の特例）に規定する認定特定非営利活動法人をいう。次項において同じ。）が」と、同条第5項中「公益法人等が」とあるのは「公益法人等又は認定特定非営利活動法人が」と、「にあつては、」とあるのは「にあつては」と、「金額）」とあるのは「金額とし、認定特定非営利活動法人にあつてはその収益事業に属する資産のうちからその収益事業以外の事業で租税特別措置法第66条の11の3第1項に規定する特定非営利活動に係る事業に該当するもののために支出した金額とする。）」とする。

2　法人（前項の規定の適用を受ける法人を除く。）
　が各事業年度において支出した寄附金の額のうちに
　認定特定非営利活動法人等（認定特定非営利活動法
　人及び特定非営利活動促進法第２条第４項に規定す
　る特例認定特定非営利活動法人をいう。以下この項
　において同じ。）に対する当該認定特定非営利活動
　法人等の行う特定非営利活動に係る事業に関連する
　寄附金の額がある場合における法人税法第37条の規
　定の適用については、同条第４項中「）の額がある
　ときは、当該寄附金」とあるのは、「以下この項に
　おいて同じ。）及び認定特定非営利活動法人等（租
　税特別措置法第66条の11の３第２項（認定特定非営
　利活動法人に対する寄附金の損金算入等の特例）に
　規定する認定特定非営利活動法人等をいう。）に対
　する当該認定特定非営利活動法人等の行う同条第２
　項に規定する特定非営利活動に係る事業に関連する
　寄附金の額があるときは、これらの寄附金」とする。
3　特定非営利活動促進法第44条第１項の認定を受け
　た法人がその認定を取り消された場合には、当該法
　人がその取消しの基因となつた事実が生じた日とし
　て政令で定める日を含む事業年度からその取消しの
　日を含む事業年度の前事業年度までの各事業年度
　（その取消しの日を含む事業年度終了の日前７年以
　内に終了した各事業年度に限る。以下この項におい
　て同じ。）においてその収益事業に属する資産のう
　ちからその収益事業以外の事業で特定非営利活動に
　係る事業に該当するもののために支出した金額で当
　該各事業年度の所得の金額の計算上損金の額に算入
　された金額に相当する金額の合計額は、当該法人の
　その取消しの日を含む事業年度において行う収益事
　業から生じた収益の額とみなす。
4　前項の場合において、同項の法人がその取消しの
　日に収益事業を行つていないものであるときは、当
　該法人は、その取消しの日において新たに収益事業
　を開始したものとみなす。この場合において、その
　取消しの日を含む事業年度については、法人税法第
　66条第４項の規定は、適用しない。
5　前項に定めるもののほか、第１項に規定する認定
　特定非営利活動法人が同項の規定により法人税法第
　37条第５項の規定を読み替えて同条第１項の規定を
　適用する場合の同項に規定する政令で定めるところ
　により計算した金額その他第１項から第３項までの
　規定の適用に関し必要な事項は、政令で定める。

〔参　考〕
●所得税法等の一部を改正する法律（抄）

〔令和６年３月30日〕
〔法　律　第　8　号〕

（租税特別措置法の一部改正）
第13条　租税特別措置法（昭和32年法律第26号）の一
　部を次のように改正する。
　　第33条の３第３項中「及び個人」を「並びに公益
　信託に関する法律第２条第１項第１号に規定する公
　益信託（以下この項において「公益信託」という。）
　の受託者である個人に対するもの（その信託財産と
　するためのものに限る。）及び個人」に改め、「贈与
　（法人に対するもの」の下に「及び公益信託の受託
　者である個人に対するもの（その信託財産とするた
　めのものに限る。）」を加え、「建築施設の部分（同
　法」を「建築施設の部分（都市再開発法」に改め
　る。
　　第66条の11の３第１項中「。次項に」を「。次項
　及び第６項に」に、「同条第５項」を「同条第５項
　ただし書中「公益法人等が」とあるのは「公益法人
　等又は認定特定非営利活動法人が」と、同条第６
　項」に改め、同条第５項中「第37条第５項」を「第
　37条第６項」に改める。
　　　　附　則　抄
（施行期日）
第１条　この法律は、令和６年４月１日から施行す
　る。ただし、次の各号に掲げる規定は、当該各号に
　定める日から施行する。
　九　次に掲げる規定　公益信託に関する法律（令和
　　６年法律第　　　号）の施行の日
　　ヘ　第13条中租税特別措置法〔中略〕第33条の３
　　　第３項の改正規定、〔中略〕同法第66条の11の
　　　３の改正規定〔以下略〕

●租税特別措置法施行規則（抄）

〔昭和32年３月31日〕
〔大蔵省令第15号〕

注　令和６年５月24日財務省令第41号改正現在

第２章　所得税法の特例

（収用等に伴い代替資産を取得した場合の課税の特例）

第14条　施行令第22条第３項に規定する財務省令で定めるところにより計算した金額は、同項に規定する超える金額を同項に規定する譲渡に要した費用の金額に按分して計算した金額とする。

2　施行令第22条第４項第１号に規定する財務省令で定める構築物は、建物に附属する門、塀、庭園（庭園に附属する亭、庭内神しその他これらに類する附属設備を含む。）、煙突、貯水槽その他これらに類する資産をいう。

3　施行令第22条第５項の規定は、同項に規定する１組の資産が次に掲げる用に供するものである場合において、同項に規定する譲渡資産の譲渡の日の属する年分の確定申告書に当該１組の資産の明細を記載した書類を添付したときに限り、適用する。

一　居住の用

二　店舗又は事務所の用

三　工場、発電所又は変電所の用

四　倉庫の用

五　前各号の用のほか、劇場の用、運動場の用、遊技場の用その他これらの用の区分に類する用

4　施行令第22条第19項第１号イ又はロに規定する所轄税務署長の承認を受けようとする者は、これらの規定に規定する収用等があつた日後４年を経過した日から２月以内に、次に掲げる事項を記載した申請書にこれらの規定に規定する事業の施行者の当該承認を受けようとする者がこれらの規定に掲げる資産を同号に規定する代替資産として同号イに規定する取得をすること又は同号ロに規定する敷地の用に供することができることとなると認められる年月の記載がされた書類を添付して、納税地の所轄税務署長に提出しなければならない。

一　申請者の氏名及び住所

二　法第33条第１項に規定する譲渡した資産について引き続き同項の規定の適用を受けようとする旨

三　当該４年を経過した日までに当該取得をすること又は当該敷地の用に供することができないこととなつた事情の詳細

四　法第33条第３項に規定する収用等のあつた年月日

五　法第33条第３項に規定する補償金、対価又は清算金の額

六　法第33条の５第１項第２号に掲げる場合に該当することとなつたとしたならば同項に規定する修正申告書の提出により納付すべきこととなる税額及びその計算に関する明細

七　当該取得をする予定の当該代替資産の種類、構造及び規模並びにその取得予定年月日

5　法第33条第６項（法第33条の２第３項において準用する場合を含む。）に規定する財務省令で定める書類は、次の各号の区分に応じそれぞれ当該各号に定める書類（法第33条第３項において準用する同条第１項の規定の適用を受ける場合には、当該書類並びに同項に規定する取得をする予定の同項に規定する代替資産についての取得予定年月日及び当該代替資産の取得価額の見積額その他の明細を記載した書類（次項において「代替資産明細書」という。））とする。

一　土地収用法（昭和26年法律第219号）の規定に基づいて収用若しくは使用された資産又は同法に規定された収用委員会の勧告に基づく和解により買い取られ若しくは使用された資産　当該収用若しくは使用に係る裁決書又は当該和解調書の写し

二　土地収用法第３条に規定する事業の用に供するため又は都市計画法その他の法律の規定により都市計画法第４条第６項に規定する都市計画施設の整備に関する事業若しくは同条第７項に規定する市街地開発事業の用に供するため収用又は使用することができる資産（前号に掲げる資産及び次号から第５号までに掲げる資産でこれらの号の規定の適用を受けるものを除く。）　当該資産の買取り（使用を含む。以下この号において同じ。）をする者の当該事業が土地収用法第３条の規定による事業の認定を受けたものである旨又は都市計画法第59条第１項から第４項までの規定による都市計画事業の認可若しくは承認を受けたものである旨を証する書類（当該資産の買取りを必要とする当該事業の施行者が国、地方公共団体若しくは独立行政法人都市再生機構である場合において、当該事業の施行者に代わり、地方公共団体若しくは地方公共団体が財産を提供して設立した団体（地方公共団体以外の者が財産を提供して設立した団体を除く。以下この項において同じ。）が当該資産

の買取りをするとき、当該資産の買取りを必要とする当該事業の施行者が国若しくは地方公共団体であり、かつ、当該事業が一団地の面積において10ヘクタール以上（当該事業が拡張に関する事業である場合には、その拡張後の一団地の面積が10ヘクタール以上）のものである場合において、当該事業の施行者に代わり、独立行政法人都市再生機構が当該資産の買取りをするとき、当該事業が全国新幹線鉄道整備法（昭和45年法律第71号）第２条に規定する新幹線鉄道（同法附則第６項に規定する新幹線鉄道規格新線等を含む。）の建設に係る事業若しくは地方公共団体が当該事業に関連して施行する道路法（昭和27年法律第180号）による道路に関する事業である場合において、これらの事業の施行者に代わり、地方公共団体若しくは地方公共団体が財産を提供して設立した団体若しくは独立行政法人鉄道建設・運輸施設整備支援機構が当該資産の買取りをするとき、又は当該事業が大都市地域における宅地開発及び鉄道整備の一体的推進に関する特別措置法（平成元年法律第61号）第９条第２項に規定する同意特定鉄道の整備に係る事業に関連して施行される土地収用法第３条第７号の規定に該当する事業である場合において、当該事業の施行者に代わり、地方公共団体が当該資産の買取りをするときは、これらの事業の施行者の当該証する書類でこれらの買取りをする者の名称及び所在地の記載があるもの。次号及び第５号において同じ。）

三　次に掲げる資産（当該資産の収用に伴い消滅する法第33条第１項第５号に規定する権利を含み、第１号に掲げる資産を除く。以下この項において同じ。）　当該資産の買取り（使用を含む。）をする者の当該資産が次に掲げる資産に該当する旨を証する書類

イ　土地収用法第３条第１号（専用自動車道及び路外駐車場に係る部分を除く。）、第２号から第６号まで、第７号から第８号まで（鉄道事業法（昭和61年法律第92号）による鉄道事業者の鉄道事業の用、独立行政法人鉄道建設・運輸施設整備支援機構が設置する鉄道の用又は軌道の用に供する施設のうち線路及び停車場に係る部分に限る。）、第10号、第10号の２、第11号、第12号、第13号（観測の用に供する施設に係る部分に限る。）、第13号の２（日本郵便株式会社が設置する郵便物の集配又は運送事務に必要な仕分その他の作業の用に供する施設で既成市街地内のもの及び高速自動車国道と一般国道との連結

位置の隣接地内のものに係る部分に限る。）、第15号（海上保安庁が設置する電気通信設備に係る部分に限る。）、第15号の２（電気通信事業法（昭和59年法律第86号）第120条第１項に規定する認定電気通信事業者が設置する同法第９条第１号に規定する電気通信回線設備の用に供する施設（当該施設が市外通信幹線路の中継施設以外の施設である場合には、既成市街地内にあるものに限る。）に係る部分に限る。）、第17号（水力による発電施設、最大出力10万キロワット以上の汽力若しくは原子力による発電施設、最大出力5000キロワット以上の内燃力若しくはガスタービンによる発電施設（その地域の全部若しくは一部が離島振興法（昭和28年法律第72号）第２条第１項の規定により指定された同項の離島振興対策実施地域若しくは奄美群島振興開発特別措置法（昭和29年法律第189号）第１条に規定する奄美群島の区域に含まれる島、沖縄振興特別措置法（平成14年法律第14号）第３条第３号に規定する離島又は小笠原諸島振興開発特別措置法（昭和44年法律第79号）第４条第１項に規定する小笠原諸島において設置されるものに限る。）又は送電施設若しくは使用電圧５万ボルト以上の変電施設（電気事業法（昭和39年法律第170号）第２条第１項第８号に規定する一般送配電事業、同項第10号に規定する送電事業又は同項第11号の２に規定する配電事業の用に供するために設置される送電施設又は変電施設に限る。）に係る部分に限る。）、第17号の２（高圧導管又は中圧導管及びこれらと接続する整圧器に係る部分に限る。）、第18号から第20号まで、第21号（地方公共団体の設置に係る幼稚園、小学校、中学校、高等学校及び特別支援学校、国の設置に係る特別支援学校、私立学校法（昭和24年法律第270号）第３条に規定する学校法人（イにおいて「学校法人」という。）の設置に係る幼稚園及び高等学校並びに国又は地方公共団体の設置に係る看護師養成所及び准看護師養成所に係る部分に限る。）、第23号（国、地方公共団体又は社会福祉法人の設置に係る社会福祉法（昭和26年法律第45号）第２条第３項第４号に規定する老人デイサービスセンター及び老人短期入所施設並びに同項第４号の２に規定する障害福祉サービス事業の用に供する施設（障害者の日常生活及び社会生活を総合的に支援するための法律（平成17年法律第123号）第５条第６項に規定する療養介護、同条第７項に規定す

る生活介護、同条第12項に規定する自立訓練、同条第13項に規定する就労移行支援、同条第14項に規定する就労継続支援及び同条第17項に規定する共同生活援助の用に供するものに限る。）並びに同号に規定する地域活動支援センター及び福祉ホーム並びに社会福祉法第62条第1項に規定する社会福祉施設並びに児童福祉法（昭和22年法律第164号）第43条に規定する児童発達支援センター、地方公共団体又は社会福祉法人の設置に係る幼保連携型認定こども園（就学前の子どもに関する教育、保育等の総合的な提供の推進に関する法律（平成18年法律第77号）第2条第7項に規定する幼保連携型認定こども園をいう。イにおいて同じ。）、保育所（児童福祉法第39条第1項に規定する保育所をいう。）及び小規模保育事業の用に供する施設（同法第6条の3第10項に規定する小規模保育事業の用に供する同項第1号に規定する施設のうち利用定員が10人以上であるものをいう。）並びに学校法人の設置に係る幼保連携型認定こども園に係る部分に限る。）、第25号（地方公共団体の設置に係る火葬場に係る部分に限る。）、第26号（地方公共団体の設置に係るものに限る。）、第27号（地方公共団体が設置する一般廃棄物処理施設、産業廃棄物処理施設その他の廃棄物の処理施設に係る部分に限る。）、第27号の2（中間貯蔵施設（福島県の区域内において汚染廃棄物等（平成23年3月11日に発生した東北地方太平洋沖地震に伴う原子力発電所の事故により放出された放射性物質による環境の汚染への対処に関する特別措置法（平成23年法律第110号）第46条に規定する汚染廃棄物等をいう。イにおいて同じ。）の処理を行うために設置される一群の施設であつて、汚染廃棄物等の貯蔵施設及び汚染廃棄物等の受入施設、分別施設又は減量施設から構成されるもの（これらと一体的に設置される常時監視施設、試験研究及び研究開発施設、展示施設、緑化施設その他の施設を含む。）をいう。）及び指定廃棄物の最終処分場（宮城県、茨城県、栃木県、群馬県又は千葉県の区域内において同法第19条に規定する指定廃棄物の埋立処分の用に供される場所をいう。）として環境大臣が指定するものに係る部分に限る。）、第31号（国が設置する通信施設並びに都道府県が設置する警察署、派出所又は駐在所に係る庁舎、警察職員の待機宿舎、交通機動隊の庁舎及び自動車検問のための施設並びに運転免許センター

に係る部分に限る。）、第32号（都市公園法（昭和31年法律第79号）第2条第1項に規定する都市公園に係る部分に限る。）又は第34号（独立行政法人水資源機構法（平成14年法律第182号）第2条第2項に規定する施設で1日につき10万立方メートル以上の原水を供給する能力を有するものに係る部分に限る。）の規定に該当するもの（これらのものに関する事業のために欠くことができない土地収用法第3条第35号に規定する施設を含む。）に関する事業に必要なものとして収用又は使用することができる資産

ロ　河川法（昭和39年法律第167号）第22条第1項、水防法（昭和24年法律第193号）第28条、土地改良法（昭和24年法律第195号）第119条若しくは第120条、道路法第68条又は住宅地区改良法（昭和35年法律第84号）の規定に基づいて収用又は使用することができる資産

ハ　土地区画整理法第79条第1項（大都市地域における住宅及び住宅地の供給の促進に関する特別措置法（昭和50年法律第67号。以下第17条の2第1項までにおいて「大都市地域住宅等供給促進法」という。）第71条において準用する場合を含む。）の規定により適用される土地収用法の規定に基づいて使用することができる資産

四　都市計画法第4条第15項に規定する都市計画事業（以下この号において「都市計画事業」という。）に準ずる事業として行う一団地の住宅施設（一団地における50戸以上の集団住宅及びこれらに附帯する通路その他の施設をいう。）のために買い取られる土地その他の資産（第6号に掲げる土地等で同号の規定の適用を受けるものを除く。）　国土交通大臣又は都道府県知事の当該事業が国土交通大臣の定める都市計画事業として行う一団地の住宅施設に係る基準に該当するこれに準ずる事業である旨又は当該土地その他の資産が当該一団地の住宅施設の整備に関する都市計画事業に係る同条第8項に規定する市街地開発事業等予定区域に関する都市計画において定められた区域内にある土地その他の資産である旨を証する書類（当該事業の施行者（当該都市計画が定められている場合には、当該都市計画に定められた施行予定者。以下この号、次号及び第4号の5において同じ。）が国又は地方公共団体である場合において、当該事業の施行者に代わり、地方公共団体又は地方公共団体が財産を提供して設立した団体が当該資産の買取りをするときは、当該証する書類で当該買取りをする者の名称及び所在地の記載の

あるもの)

四の二　新住宅市街地開発法(昭和38年法律第134号)第2条第1項に規定する新住宅市街地開発事業(以下この号において「新住宅市街地開発事業」という。)に準ずる事業(新住宅市街地開発事業に係る都市計画法第4条第8項に規定する市街地開発事業等予定区域に関する都市計画が定められているものを除く。)として国土交通大臣が指定した事業又は当該都市計画が定められている新住宅市街地開発事業に準ずる事業の用に供するために買い取られる土地及び当該土地の上に存する資産　国土交通大臣の当該事業が新住宅市街地開発事業として行う宅地の造成及び公共施設の整備に関する事業に係る基準に準じて国土交通大臣の定める基準に該当する事業として指定した旨又は当該土地及び資産が当該都市計画において定められた区域内にある土地及び当該土地の上に存する資産である旨を証する書類並びに当該事業の施行者の当該土地及び当該土地の上に存する資産を当該事業の用に供するために買い取つた旨を証する書類(当該事業の施行者が独立行政法人都市再生機構である場合において、当該事業の施行者に代わり、地方公共団体又は地方公共団体が財産を提供して設立した団体が当該資産の買取りをするときは、当該証する書類で当該買取りをする者の名称及び所在地の記載があるもの)

四の三　首都圏の近郊整備地帯及び都市開発区域の整備に関する法律(昭和33年法律第98号)第2条第5項又は近畿圏の近郊整備区域及び都市開発区域の整備及び開発に関する法律(昭和39年法律第145号)第2条第4項に規定する工業団地造成事業に該当することとなる事業で一団地の面積において10ヘクタール以上であるものに必要な土地で当該事業の用に供されるもの及び当該土地の上に存する資産(第1号に掲げる資産を除く。)　国土交通大臣の当該土地及び資産が当該事業の用に供される土地及び当該土地の上に存する資産である旨並びに当該事業の施行される区域が首都圏の近郊整備地帯及び都市開発区域の整備に関する法律第3条の2第1項第1号から第3号まで若しくは近畿圏の近郊整備区域及び都市開発区域の整備及び開発に関する法律第5条の2第1項第1号から第3号まで及び第6条第1項第2号に掲げる条件に該当する区域であり、かつ、当該事業につき都市計画法第18条第1項(同法第22条第1項後段の規定により読み替えて適用する場合を含む。次号から第4号の6までにおいて同じ。)の決定をす

ることが確実であると認められる旨、当該土地及び資産が当該工業団地造成事業について同法第12条第2項の規定により都市計画に定められた施行区域内にある土地及び当該土地の上に存する資産である旨又は当該土地及び資産が当該工業団地造成事業に係る同法第4条第8項に規定する市街地開発事業等予定区域に関する都市計画において定められた区域内にある土地及び当該土地の上に存する資産である旨を証する書類

四の四　都市再開発法(昭和44年法律第38号)第2条第1号に規定する第2種市街地再開発事業に該当することとなる事業に必要な土地で当該事業の用に供されるもの及び当該土地の上に存する資産(第1号に掲げる資産を除く。)　国土交通大臣の当該土地及び資産が当該事業の用に供される土地及び当該土地の上に存する資産である旨並びに当該事業の施行される区域が同法第3条第2号から第4号まで及び第3条の2第2項に掲げる条件に該当する区域であり、かつ、当該事業につき都市計画法第18条第1項の決定をすることが確実であると認められる旨又は当該土地及び資産が当該第2種市街地再開発事業について同法第12条第2項の規定により都市計画に定められた施行区域内にある土地及び当該土地の上に存する資産である旨を証する書類

四の五　新都市基盤整備法(昭和47年法律第86号)第2条第1項に規定する新都市基盤整備事業(第10号及び第11号において「新都市基盤整備事業」という。)に該当することとなる事業に必要な土地で当該事業の用に供されるもの及び当該土地の上に存する資産(第1号に掲げる資産を除く。)　国土交通大臣の当該土地及び資産が当該事業の用に供される土地及び当該土地の上に存する資産である旨並びに当該事業の施行される区域が同法第2条の2第1号から第3号まで及び第3条第2号に掲げる条件に該当する区域であり、かつ、当該事業につき都市計画法第18条第1項の決定をすることが確実であると認められる旨、当該土地及び資産が当該新都市基盤整備事業について同法第12条第2項の規定により都市計画に定められた施行区域内にある土地及び当該土地の上に存する資産である旨又は当該土地及び資産が当該新都市基盤整備事業に係る同法第4条第8項に規定する市街地開発事業等予定区域に関する都市計画において定められた区域内にある土地及び当該土地の上に存する資産である旨を証する書類(当該事業の施行者に代わり、地方公共団体又は地方公共団体が財産を提供して設立した団体が当該資産の買取り

をする場合には、当該証する書類で当該買取りを
する者の名称及び所在地の記載があるもの。次号
において同じ。）

四の六　流通業務市街地の整備に関する法律（昭和
41年法律第110号）第2条第2項に規定する流通
業務団地造成事業に該当することとなる事業（当
該事業の施行される区域の面積が30ヘクタール以
上であるものに限る。）に必要な土地で当該事業
の用に供されるもの及び当該土地の上に存する資
産（第1号に掲げる資産を除く。）　国土交通大臣
の当該土地及び資産が当該事業の用に供される土
地及び当該土地の上に存する資産である旨並びに
当該事業の施行される区域が同法第6条の2各号
及び第7条第1項第2号に掲げる条件に該当する
区域であり、かつ、当該事業につき都市計画法第
18条第1項の決定をすることが確実であると認め
られる旨、当該土地及び資産が当該流通業務団地
造成事業に係る同法第11条第1項第11号に掲げる
流通業務団地について同条第2項の規定により都
市計画に定められた区域内にある土地及び当該土
地の上に存する資産である旨又は当該土地及び資
産が当該流通業務団地造成事業に係る同法第4条
第8項に規定する市街地開発事業等予定区域に関
する都市計画において定められた区域内にある土
地及び当該土地の上に存する資産である旨を証す
る書類

四の七　東日本大震災復興特別区域法（平成23年法
律第122号）第4条第1項に規定する政令で定め
る区域内において行う都市計画法第11条第1項第
12号に掲げる一団地の津波防災拠点市街地形成施
設（以下この号において「一団地の津波防災拠点
市街地形成施設」という。）の整備に関する事業
に必要な土地で当該事業の用に供されるもの及び
当該土地の上に存する資産（第1号に掲げる資産
を除く。）　国土交通大臣（当該事業の施行者が市
町村である場合には、道県知事）の当該土地及び
資産が当該事業の用に供される土地及び当該土地
の上に存する資産である旨並びに当該土地及び資
産が当該事業に係る一団地の津波防災拠点市街地
形成施設について同条第2項の規定により都市計
画に定められた区域内にある土地及び当該土地の
上に存する資産である旨を証する書類（当該事業
の施行者に代わり、地方公共団体又は地方公共団
体が財産を提供して設立した団体が当該資産の買
取りをする場合には、当該証する書類で当該買取
りをする者の名称及び所在地の記載があるもの）

四の八　都市計画法第11条第1項第13号に掲げる一
団地の復興再生拠点市街地形成施設（以下この号

において「一団地の復興再生拠点市街地形成施設」
という。）の整備に関する事業に必要な土地で当
該事業の用に供されるもの及び当該土地の上に存
する資産（第1号に掲げる資産を除く。）　国土交
通大臣（当該事業の施行者が市町村である場合に
は、福島県知事）の当該土地及び資産が当該事業
の用に供される土地及び当該土地の上に存する資
産である旨並びに当該土地及び資産が当該事業に
係る一団地の復興再生拠点市街地形成施設につい
て同条第2項の規定により都市計画に定められた
区域内にある土地及び当該土地の上に存する資産
である旨を証する書類（当該事業の施行者に代わ
り、地方公共団体又は地方公共団体が財産を提供
して設立した団体が当該資産の買取りをする場合
には、当該証する書類で当該買取りをする者の名
称及び所在地の記載があるもの）

五　土地収用法第3条各号のいずれかに該当するも
の（当該いずれかに該当するものと他の当該各号
のいずれかに該当するものとが1組の施設として
一の効用を有する場合には、当該1組の施設とし、
第3号イに規定するものを除く。）に関する事業
で一団地の面積において10ヘクタール以上である
もの（拡張に関する事業にあつては、その拡張後
の一団地の面積が10ヘクタール以上であるもの）
に必要な土地で当該事業の用に供されるもの及び
当該土地の上に存する資産（第1号に掲げる資産
を除く。）　当該資産の買取りをする者の当該土地
及び資産が当該事業の用に供される土地及び当該
土地の上に存する資産である旨並びにこれらの資
産につき法第33条第1項第2号に規定する事由が
あると認められる旨を証する書類

五の二　森林法の規定に基づいて収用又は使用する
ことができる資産　当該資産の所在する地域を管
轄する都道府県知事の当該資産の収用（買取りを
含む。）又は使用に関して同法第51条（同法第55
条第2項において準用する場合を含む。）の裁定
をした旨又は同法第57条の届出を受けた旨を証す
る書類

五の三　所有者不明土地の利用の円滑化等に関する
特別措置法の規定に基づいて収用又は使用するこ
とができる資産　当該資産の所在する地域を管轄
する都道府県知事の当該資産の収用又は使用につ
いての同法第32条第1項の裁定をした旨を証する
書類

五の四　測量法（昭和24年法律第188号）の規定に
基づいて収用又は使用することができる資産　国
土地理院の長のその旨及び当該資産の所在する地
域につき同法第14条第1項の規定による通知に係
る同条第3項の公示があつたことを証する書類

五の五　鉱業法（昭和25年法律第289号）又は採石法（昭和25年法律第291号）の規定に基づいて収用又は使用することができる資産　経済産業大臣又は当該資産の所在する地域を管轄する経済産業局長の当該資産の収用又は使用に関して鉱業法第106条第１項又は採石法第36条第１項の許可をした旨を証する書類

五の六　日本国とアメリカ合衆国との間の相互協力及び安全保障条約第６条に基づく施設及び区域並びに日本国における合衆国軍隊の地位に関する協定の実施に伴う土地等の使用等に関する特別措置法（昭和27年法律第140号）の規定に基づいて収用又は使用することができる資産　当該資産の所在する地域を管轄する地方防衛局長（当該資産の所在する地域が東海防衛支局の管轄区域内である場合には、東海防衛支局長）のその旨を証する書類

五の七　都市再開発法による市街地再開発事業の施行に伴う権利変換又は買取り若しくは収用に係る資産　次に掲げる資産の区分に応じそれぞれ次に定める書類

イ　都市再開発法第79条第３項の規定により施設建築物の一部等若しくは施設建築物の一部についての借家権が与えられないように定められた資産又は同法第111条の規定により読み替えられた同項の規定により建築施設の部分若しくは施設建築物の一部についての借家権が与えられないように定められた資産　第１種市街地再開発事業の施行者のその旨を証する書類

ロ　都市再開発法第71条第１項又は第３項の申出に基づき同法第87条又は第88条第１項、第２項若しくは第５項の規定による権利の変換を受けなかつた資産　第１種市街地再開発事業の施行者の施行令第22条第11項各号に掲げる場合のいずれか（同法第71条第１項又は第３項の申出をした者が同法第70条の２第１項の申出をすることができる場合には、施行令第22条第11項第１号に掲げる場合に限る。）に該当する旨を証する書類及び同項に規定する審査委員の同意又は市街地再開発審査会の議決のあつたことを証する書類

ハ　都市再開発法第104条第１項（同法第110条の２第６項又は第111条の規定により読み替えて適用される場合を含む。）又は第118条の24（同法第118条の25の３第３項の規定により読み替えて適用される場合を含む。）の規定によりこれらの規定に規定する差額に相当する金額の交付を受けることとなつた資産　市街地再開発事業の施行者のその旨を証する書類

五の八　密集市街地における防災街区の整備の促進に関する法律による防災街区整備事業の施行に伴う権利変換に係る資産　次に掲げる資産の区分に応じそれぞれ次に定める書類

イ　密集市街地における防災街区の整備の促進に関する法律第212条第３項の規定により防災施設建築物の一部等若しくは防災施設建築物の一部についての借家権が与えられないように定められた資産又は密集市街地における防災街区の整備の促進に関する法律施行令（平成９年政令第324号）第43条の規定により読み替えられた同項の規定により防災建築施設の部分若しくは防災施設建築物の一部についての借家権が与えられないように定められた資産　防災街区整備事業の施行者のその旨を証する書類

ロ　密集市街地における防災街区の整備の促進に関する法律第203条第１項又は第３項の申出に基づき同法第221条又は第222条第１項、第２項若しくは第５項の規定による権利の変換を受けなかつた資産　防災街区整備事業の施行者の施行令第22条第14項各号に掲げる場合のいずれか（同法第203条第１項又は第３項の申出をした者が同法第202条第１項の申出をすることができる場合には、施行令第22条第14項第１号に掲げる場合に限る。）に該当する旨を証する書類及び同項に規定する審査委員の同意又は防災街区整備審査会の議決のあつたことを証する書類

ハ　密集市街地における防災街区の整備の促進に関する法律第248条第１項（密集市街地における防災街区の整備の促進に関する法律施行令第43条又は第45条の規定により読み替えて適用される場合を含む。）の規定により同項に規定する差額に相当する金額の交付を受けることとなつた資産　防災街区整備事業の施行者のその旨を証する書類

五の九　都市計画法第52条の４第１項（同法第57条の５及び密集市街地における防災街区の整備の促進に関する法律第285条において準用する場合を含む。）の規定に基づいて買い取られる土地又は土地の上に存する権利（以下第６号までにおいて「土地等」という。）　これらの規定に規定する施行予定者の当該土地等をこれらの規定により買い取つた旨を証する書類

五の十　都市計画法第56条第１項の規定に基づいて買い取られる土地等　同法第55条第１項に規定する都道府県知事等の当該土地等につき同項本文の規定により同法第53条第１項の許可をしなかつた

旨を証する書類及びその買取りをする者の当該土地等を同法第56条第1項の規定により買取りをした旨を証する書類

五の十一　土地区画整理法による土地区画整理事業で同法第109条第1項に規定する減価補償金（以下この号及び次号において「減価補償金」という。）を交付すべきこととなるものに係る公共施設の用地に充てるために買い取られる土地等　国土交通大臣（当該事業の施行者が市町村である場合には、都道府県知事。以下この号において同じ。）の当該事業が減価補償金を交付すべきこととなる同法による土地区画整理事業である旨を証する書類及び当該事業の施行者の当該事業に係る公共施設の用地に充てるための土地等の買取りにつき国土交通大臣の承認を受けて当該事業の施行区域（同法第2条第8項に規定する施行区域をいう。次号において同じ。）内にある当該土地等を買い取つたものであり、かつ、当該土地等を当該公共施設の用地として登記をした旨を証する書類

五の十二　地方公共団体又は独立行政法人都市再生機構が被災市街地復興特別措置法（平成7年法律第14号）第5条第1項の規定により都市計画に定められた被災市街地復興推進地域において施行する同法による被災市街地復興土地区画整理事業（以下第17条の2までにおいて「被災市街地復興土地区画整理事業」という。）で減価補償金を交付すべきこととなるものの施行区域内にある土地等　国土交通大臣（当該被災市街地復興土地区画整理事業の施行者が市町村である場合には、都道府県知事。以下この号において同じ。）の当該被災市街地復興土地区画整理事業が減価補償金を交付すべきこととなる土地区画整理法による土地区画整理事業となることが確実であると認められる旨を証する書類及び当該被災市街地復興土地区画整理事業の施行者の当該被災市街地復興土地区画整理事業に係る公共施設の整備改善に関する事業の用地に充てるための土地等の買取りにつき国土交通大臣の承認を受けて当該被災市街地復興土地区画整理事業の施行区域内にある当該土地等を買い取つた旨を証する書類（当該土地等の所在地及び面積並びに当該土地等の買取りの年月日及び買取りの対価の額並びに当該被災市街地復興土地区画整理事業の施行者に代わり、当該施行者以外の者が当該土地等の買取りをする場合には、当該買取りをする者の名称及び所在地の記載があるものに限る。）

五の十三　地方公共団体又は独立行政法人都市再生

機構が被災市街地復興特別措置法第21条に規定する住宅被災市町村の区域において施行する都市再開発法による第2種市街地再開発事業の施行区域（都市計画法第12条第2項の規定により第2種市街地再開発事業について都市計画に定められた施行区域をいう。以下この号において同じ。）内にある土地等　国土交通大臣の次に掲げる事項を証する書類（当該土地等の所在地及び面積並びに当該土地等の買取りの年月日及び買取りの対価の額並びに当該第2種市街地再開発事業の施行者の名称及び所在地（当該第2種市街地再開発事業の施行者に代わり、当該施行者以外の者が当該土地等の買取りをする場合には、当該施行者の名称及び所在地並びに当該買取りをする者の名称及び所在地）の記載があるものに限る。）

イ　当該土地等が当該第2種市街地再開発事業の施行区域内の土地等であり、かつ、当該土地等が当該第2種市街地再開発事業の施行者により当該事業の用に供されることが確実であると認められること。

ロ　当該第2種市街地再開発事業につき都市再開発法第51条第1項又は第58条第1項の規定による認可があることが確実であると認められること。

六　国、地方公共団体、独立行政法人都市再生機構又は地方住宅供給公社の行う50戸以上の一団地の住宅経営に係る事業の用に供するために買い取られる土地等　当該事業の施行者の当該事業が自ら居住するため住宅を必要とする者に対し賃貸し、又は譲渡する目的で行う50戸以上の一団地の住宅経営に係る事業である旨及び当該土地等を当該事業の用に供するために買い取つた旨を証する書類

七　都市再開発法による第1種市街地再開発事業の施行に伴う権利変換により新たな権利に変換することのない権利　第1種市街地再開発事業の施行者のその旨を証する書類

七の二　密集市街地における防災街区の整備の促進に関する法律による防災街区整備事業の施行に伴う権利変換により新たな権利に変換することのない権利　防災街区整備事業の施行者のその旨を証する書類

八　法第33条第1項第7号の規定に該当して消滅（価値の減少を含む。次号ロ及びニにおいて同じ。）をする漁業権、入漁権、漁港水面施設運営権その他水の利用に関する権利又は鉱業権（租鉱権及び採石権その他土石を採掘し、又は採取する権利を含む。）　同項第7号に規定する事業の施行

に関する主務大臣又は当該事業の施行に係る地域を管轄する都道府県知事のその旨を証する書類（当該事業の施行者が国又は地方公共団体である場合において、当該事業の施行者に代わり、地方公共団体又は地方公共団体が財産を提供して設立した団体が同号に規定する補償金又は対価の支払をするときは、当該証する書類で当該支払をする者の名称及び所在地の記載があるもの）

九　法第33条第１項第８号の規定に該当する資産　次に掲げる資産の区分に応じそれぞれ次に定める書類

イ　建築基準法第11条第１項の規定による命令又は港湾法（昭和25年法律第218号）第41条第１項の規定による命令に基づく処分により買い取られる資産　これらの命令をした建築基準法第11条第１項に規定する特定行政庁又は港湾法第41条第１項に規定する港湾管理者のその旨を証する書類

ロ　漁業法（昭和24年法律第267号）第93条第１項、海岸法（昭和31年法律第101号）第22条第１項又は電気通信事業法第141条第５項の規定による処分により消滅をした漁業権　当該処分をした都道府県知事又は農林水産大臣のその旨を証する書類

ハ　漁港及び漁場の整備等に関する法律（昭和25年法律第137号）第59条第２項（第２号に係る部分に限る。）の規定による処分により消滅をした漁港水面施設運営権　当該処分をした同項の漁港管理者のその旨を証する書類

ニ　鉱業法第53条（同法第87条において準用する場合を含む。）の規定による処分により消滅をした鉱業権（租鉱権を含む。）　当該処分をした経済産業大臣又は経済産業局長のその旨を証する書類

ホ　水道法（昭和32年法律第177号）第42条第１項の規定により買収される資産　国土交通大臣のその旨を証する書類

十　土地区画整理法、大都市地域住宅等供給促進法、新都市基盤整備法、土地改良法又は農業振興地域の整備に関する法律（昭和44年法律第58号）の規定に基づく換地処分又は交換により譲渡する資産　土地区画整理事業、住宅街区整備事業、新都市基盤整備事業、土地改良事業又は農業振興地域の整備に関する法律第13条の２第１項の事業の施行者のその旨を証する書類

十一　法第33条第４項第２号又は第３号に規定する土地の上にある資産又はその土地の上にある建物に係る配偶者居住権（以下この号において「対象資産」という。）　これらの土地の収用若しくは使用をすることができる者、これらの土地に係る土地区画整理事業、住宅街区整備事業、新都市基盤整備事業若しくは土地改良事業の施行者、これらの土地に係る第１種市街地再開発事業の施行者、これらの土地に係る防災街区整備事業の施行者又は同条第１項第８号に規定する処分を行う者の当該対象資産及び当該対象資産に係る対価又は補償金が同条第４項第２号又は第３号の規定に該当するものである旨を証する書類並びに当該対価又は補償金に関する明細書（これらの者が国、地方公共団体又は独立行政法人都市再生機構であり、かつ、当該対象資産に係る土地又は土地の上に存する権利につき第２号から第４号の２まで又は第４号の５から第５号までの規定の適用がある場合において、これらの者に代わり地方公共団体又は地方公共団体が財産を提供して設立した団体が当該対価又は補償金の支払をするときは、当該証する書類で当該支払をする者の名称及び所在地の記載があるもの及び当該支払をする者の当該対価又は補償金に関する明細書）

十二　法第33条第４項第４号に規定する権利　当該権利に係る同号に規定する配偶者居住権の目的となつている建物若しくは当該建物の敷地の用に供される土地等の収用若しくは使用をすることができる者、当該建物若しくは当該土地等に係る第１種市街地再開発事業の施行者又は当該建物若しくは当該土地等に係る防災街区整備事業の施行者の当該権利に係る対価又は補償金が同号の規定に該当するものである旨を証する書類並びに当該対価又は補償金に関する明細書（これらの者が国、地方公共団体又は独立行政法人都市再生機構であり、かつ、当該権利に係る当該建物若しくは当該土地等につき第２号から第４号の２まで又は第４号の５から第５号までの規定の適用がある場合において、これらの者に代わり地方公共団体又は地方公共団体が財産を提供して設立した団体が当該対価又は補償金の支払をするときは、当該証する書類で当該支払をする者の名称及び所在地の記載があるもの及び当該支払をする者の当該対価又は補償金に関する明細書）

6　法第33条第３項（法第33条の２第２項において準用する場合を含む。）において準用する法第33条第１項の規定の適用を受ける者が施行令第22条第19項各号に掲げる場合に該当するときは、その者は、代替資産明細書に、当該各号に掲げる場合の区分に応

じ当該該当する事情及び同項第1号の場合にあつては同号イの当該土地若しくは土地の上に存する権利の取得をすることができることとなると認められる日又は同号ロの当該土地若しくは当該権利の目的物である土地を同号ロの建物若しくは構築物の敷地の用に供することができることとなると認められる日、同項第2号の場合にあつては同号の当該工場等又は当該工場等の敷地の用に供する土地その他の当該工場等に係る資産の同号に規定する取得をすることができると認められる日を付記し、かつ、同項第1号の場合にあつてはこれにその付記した事項についての事実を証する書類を添付しなければならない。

7　法第33条第7項に規定する財務省令で定める書類は、同項に規定する代替資産に関する登記事項証明書その他当該代替資産の同条第1項に規定する取得をした旨を証する書類とする。

8　法第33条第8項に規定する所轄税務署長の承認を受けようとする個人は、同項に規定する取得指定期間の末日の属する年の翌年3月15日（同日が法第33条の5第1項に規定する提出期限後である場合には、当該提出期限）までに、法第33条第1項に規定する譲渡した資産について同条第8項の承認を受けようとする旨、同項の特定非常災害として指定された非常災害に基因するやむを得ない事情により代替資産（同条第1項に規定する代替資産をいう。以下この項において同じ。）の取得（同条第1項に規定する取得をいう。以下この項において同じ。）をすることが困難であると認められる事情の詳細、取得をする予定の代替資産の取得予定年月日及びその取得価額の見積額並びに当該所轄税務署長の認定を受けようとする年月日その他の明細を記載した申請書に、当該非常災害に基因するやむを得ない事情により代替資産の取得をすることが困難であると認められる事情を証する書類を添付して、当該所轄税務署長に提出しなければならない。ただし、税務署長においてやむを得ない事情があると認める場合には、当該書類を添付することを要しない。

9　前項に規定する個人が同項の所轄税務署長の承認を受けた場合には、施行令第22条第27項に規定する所轄税務署長が認定した日は当該承認において税務署長が認定した日とする。

第3章　法人税法の特例

（収用等に伴い代替資産を取得した場合等の課税の特例）

第22条の2　施行令第39条第1項に規定する財務省令で定めるところにより計算した金額は、同項に規定する超える金額を同項に規定する譲渡に要した経費

の金額に按分して計算した金額とする。

2　施行令第39条第2項第1号に規定する財務省令で定める構築物は、建物に附属する門、塀、庭園（庭園に附属する亭、庭内神しその他これらに類する附属設備を含む。）、煙突、貯水槽その他これらに類する資産をいう。

3　施行令第39条第3項の規定は、同項に規定する1組の資産が次に掲げる用に供するものである場合において、同項に規定する譲渡資産の譲渡の日の属する事業年度の確定申告書等に当該1組の資産の明細を記載した書類を添付したときに限り、適用する。

一　居住の用

二　店舗又は事務所の用

三　工場、発電所又は変電所の用

四　倉庫の用

五　前各号の用のほか、劇場の用、運動場の用、遊技場の用その他これらの用の区分に類する用

4　法第64条第5項（法第64条の2第13項（法第65条第3項において準用する場合を含む。）又は第65条第3項若しくは第4項において準用する場合を含む。）並びに施行令第39条第35項及び第39条の2第10項に規定する財務省令で定める書類は、次の各号の区分に応じ当該各号に定める書類とする。

一　第14条第5項各号（第5号の7、第5号の8及び第12号を除く。）に該当する資産　当該各号の区分に応じ当該各号に定める書類

二　都市再開発法による市街地再開発事業の施行に伴う権利変換又は買取り若しくは収用に係る資産　次に掲げる資産の区分に応じそれぞれ次に定める書類

イ　第1種市街地再開発事業の施行に伴う権利変換により施設建築物の一部を取得する権利若しくは施設建築物の一部についての借家権を取得する権利及び施設建築敷地若しくはその共有持分若しくは地上権の共有持分（都市再開発法第110条第1項又は第110条の2第1項の規定により定められた権利変換計画に係る施設建築敷地に関する権利又は施設建築物に関する権利を取得する権利を含む。）又は個別利用区内の宅地若しくはその使用収益権が与えられるように定められた資産　第1種市街地再開発事業の施行者のその旨を証する書類

ロ　都市再開発法第79条第3項の規定により施設建築物の一部等若しくは施設建築物の一部についての借家権が与えられないように定められた資産又は同法第111条の規定により読み替えられた同項の規定により建築施設の部分若しくは

施設建築物の一部についての借家権が与えられ
ないように定められた資産　第1種市街地再開
発事業の施行者のその旨を証する書類
ハ　都市再開発法第71条第1項又は第3項の申出
に基づき同法第87条又は第88条第1項、第2項
若しくは第5項の規定による権利の変換を受け
なかつた資産　第1種市街地再開発事業の施行
者の施行令第39条第8項各号に掲げる場合のい
ずれか（同法第71条第1項又は第3項の申出を
した者が同法第70条の2第1項の申出をするこ
とができる場合には、施行令第39条第8項第1
号に掲げる場合に限る。）に該当する旨を証す
る書類及び同項に規定する審査委員の同意又は
市街地再開発審査会の議決のあつたことを証す
る書類
ニ　第2種市街地再開発事業の施行に伴い買い取
られ、又は収用された資産で都市再開発法第
118条の11第1項の規定によりその対償として
同項に規定する建築施設の部分の給付（当該給
付が同法第118条の25の3第1項の規定により
定められた管理処分計画において定められたも
のである場合には、施設建築敷地又は施設建築
物に関する権利の給付）を受ける権利を取得し
たもの　第2種市街地再開発事業の施行者のそ
の旨を証する書類
ホ　都市再開発法第104条第1項（同法第110条の
2第6項又は第111条の規定により読み替えて
適用される場合を含む。）又は第118条の24（同
法第118条の25の3第3項の規定により読み替
えて適用される場合を含む。）の規定によりこ
れらの規定に規定する差額に相当する金額の交
付を受けることとなつた資産　市街地再開発事
業の施行者のその旨を証する書類
ヘ　第1種市街地再開発事業に係る施設建築物の
建築工事の完了に伴い、施設建築物の一部又は
施設建築物の一部についての借家権（施設建築
物に関する権利を含む。）を取得することとな
つた法第65条第1項第4号の施設建築物の一部
を取得する権利又は施設建築物の一部について
の借家権を取得する権利（都市再開発法第110
条第1項又は第110条の2第1項の規定により
定められた権利変換計画に係る施設建築物に関
する権利を取得する権利を含む。）　第1種市街
地再開発事業の施行者のその旨を証する書類
ト　第2種市街地再開発事業に係る建築施設の建
築工事の完了に伴い、建築施設の部分（施設建
築敷地又は施設建築物に関する権利を含む。）

を取得することとなつた法第65条第1項第4号
に規定する給付を受ける権利　第2種市街地再
開発事業の施行者のその旨を証する書類
三　密集市街地における防災街区の整備の促進に関
する法律による防災街区整備事業に係る権利変換
に係る資産　次に掲げる資産の区分に応じそれぞ
れ次に定める書類
イ　防災街区整備事業の施行に伴う権利変換によ
り防災施設建築物の一部を取得する権利若しく
は防災施設建築物の一部についての借家権を取
得する権利及び防災施設建築敷地若しくはその
共有持分若しくは地上権の共有持分（密集市街
地における防災街区の整備の促進に関する法律
第255条第1項又は第257条第1項の規定により
定められた権利変換計画に係る防災施設建築敷
地に関する権利又は防災施設建築物に関する権
利を取得する権利を含む。）又は個別利用区内
の宅地若しくはその使用収益権が与えられるよ
うに定められた資産　防災街区整備事業の施行
者のその旨を証する書類
ロ　密集市街地における防災街区の整備の促進に
関する法律第212条第3項の規定により防災施
設建築物の一部等若しくは防災施設建築物の一
部についての借家権が与えられないように定め
られた資産又は密集市街地における防災街区の
整備の促進に関する法律施行令第43条の規定に
より読み替えられた同項の規定により防災建築
施設の部分若しくは防災施設建築物の一部につ
いての借家権が与えられないように定められた
資産　防災街区整備事業の施行者のその旨を証
する書類
ハ　密集市街地における防災街区の整備の促進に
関する法律第203条第1項又は第3項の申出に
基づき同法第221条又は第222条第1項、第2項
若しくは第5項の規定による権利の変換を受け
なかつた資産　防災街区整備事業の施行者の施
行令第39条第11項各号に掲げる場合のいずれか
（同法第203条第1項又は第3項の申出をした
者が同法第202条第1項の申出をすることがで
きる場合には、施行令第39条第11項第1号に掲
げる場合に限る。）に該当する旨を証する書類
及び同項に規定する審査委員の同意又は防災街
区整備審査会の議決のあつたことを証する書類
ニ　密集市街地における防災街区の整備の促進に
関する法律第248条第1項（密集市街地におけ
る防災街区の整備の促進に関する法律施行令第
43条又は第45条の規定により読み替えて適用さ

れる場合を含む。）の規定により同項に規定する差額に相当する金額の交付を受けることとなつた資産　防災街区整備事業の施行者のその旨を証する書類

ホ　防災街区整備事業に係る防災施設建築物の建築工事の完了に伴い、防災施設建築物の一部又は防災施設建築物の一部についての借家権（防災施設建築物に関する権利を含む。）を取得することとなつた法第65条第1項第5号の防災施設建築物の一部を取得する権利又は防災施設建築物の一部についての借家権を取得する権利（密集市街地における防災街区の整備の促進に関する法律第255条第1項又は第257条第1項の規定により定められた権利変換計画に係る防災施設建築物に関する権利を取得する権利を含む。）　防災街区整備事業の施行者のその旨を証する書類

四　マンションの建替え等の円滑化に関する法律第2条第1項第4号に規定するマンション建替事業（以下この号において「マンション建替事業」という。）の施行に伴う権利変換（同法の権利変換をいう。以下この号において同じ。）に係る資産　次に掲げる資産の区分に応じそれぞれ次に定める書類

イ　マンション建替事業の施行に伴う権利変換によりマンションの建替え等の円滑化に関する法律第2条第1項第7号に規定する施行再建マンション（ロにおいて「施行再建マンション」という。）に関する権利を取得する権利又は当該施行再建マンションに係る敷地利用権（同項第19号に規定する敷地利用権をいう。）が与えられるように定められた資産　マンション建替事業の施行者（同項第5号に規定する施行者をいう。ロにおいて同じ。）のその旨を証する書類

ロ　マンション建替事業に係る施行再建マンションの建築工事の完了に伴い、施行再建マンションに関する権利を取得することとなつた法第65条第1項第6号に規定する権利　マンション建替事業の施行者のその旨を証する書類

五　マンションの建替え等の円滑化に関する法律第2条第1項第12号に規定する敷地分割事業の実施に伴う同法の敷地権利変換により同法第191条第1項第2号に規定する除却敷地持分、同項第5号に規定する非除却敷地持分等又は同項第8号の敷地分割後の団地共用部分の共有持分が与えられるように定められた資産　当該敷地分割事業を実施する同法第164条に規定する敷地分割組合のその

旨を証する書類

5　法第64条第11項（法第64条の2第15項（法第65条第3項において準用する場合を含む。）又は第65条第3項において準用する場合を含む。）に規定する財務省令で定める事項は、次に掲げる事項とする。

一　法第64条第9項（法第64条の2第8項（法第65条第3項において準用する場合を含む。）又は第65条第3項において準用する場合を含む。）の規定の適用を受けようとする法人の名称、納税地及び法人番号並びに代表者の氏名

二　法第64条第9項又は第64条の2第8項に規定する分割承継法人、被現物出資法人又は被現物分配法人の名称及び納税地並びに代表者の氏名

三　法第64条第9項又は第64条の2第8項に規定する適格分割等の年月日

四　法第64条第1項に規定する収用等（法第65条第3項において準用する場合にあつては、同条第1項に規定する換地処分等）のあつた年月日

五　法第64条第9項、第64条の2第8項又は第65条第1項に規定する補償金、対価又は清算金の額

六　法第64条第1項に規定する代替資産（以下この条において「代替資産」という。）の種類、構造及び規模並びに取得年月日

七　法第64条第9項（法第64条の2第8項（法第65条第3項において準用する場合を含む。）又は第65条第3項において準用する場合を含む。）の規定により損金の額に算入される法第64条第8項に規定する帳簿価額を減額した金額及びその金額の計算に関する明細

八　その他参考となるべき事項

6　法第64条の2第1項に規定するやむを得ない事情があるため、同項に規定する収用等（法第65条第3項において準用する場合にあつては、同条第1項に規定する換地処分等）のあつた日以後2年を経過した日から法第64条の2第1項に規定する政令で定める日までの期間内に代替資産の取得（同項に規定する取得をいう。第8項から第11項までにおいて同じ。）をする見込みであり、かつ、当該代替資産につき同条第1項（法第65条第3項において準用する場合を含む。）の規定の適用を受けようとする場合における法第64条の2第13項（法第65条第3項において準用する場合を含む。）において準用する法第64条第5項に規定する明細書の添付には、そのやむを得ない事情の詳細、当該代替資産の取得予定年月日及びその取得価額の見積額その他の明細を記載した書類の添付を含むものとする。

7　施行令第39条第23項第1号イ又はロの所轄税務署

長の承認を受けようとする法人は、これらの規定に
規定する収用等があつた日後4年を経過する日から
2月以内に、次に掲げる事項を記載した申請書にこ
れらの規定に規定する事業の施行者の当該法人がこ
れらの規定に掲げる資産を同号に規定する代替資産
として同号イに規定する取得をすること又は同号ロ
に規定する敷地の用に供することができることとな
ると認められる年月の記載がされた書類を添付し
て、納税地の所轄税務署長に提出しなければならな
い。

一　申請をする法人の名称、納税地及び法人番号並
びに代表者の氏名

二　法第64条第1項に規定する譲渡した資産につい
て引き続き法第64条の2第1項の特別勘定の金額
を有しようとする旨

三　当該4年を経過する日までに当該取得をするこ
と又は当該敷地の用に供することができないこと
となつた事情の詳細

四　法第64条の2第1項に規定する収用等のあつた
年月日

五　法第64条の2第1項に規定する補償金、対価又
は清算金の額

六　法第64条の2第12項第2号に掲げる場合に該当
することとなつたとしたならば同項の規定により
益金の額に算入すべきこととなる同条第4項第1
号に規定する特別勘定の金額

七　当該取得をする予定の当該代替資産の種類、構
造及び規模並びにその取得予定年月日

8　施行令第39条第23項第2号の所轄税務署長の承認
を受けようとする法人は、同号に規定する収用等が
あつた日後4年を経過する日から2月以内に、次に
掲げる事項を記載した申請書を、納税地の所轄税務
署長に提出しなければならない。

一　前項第1号及び第2号並びに第4号から第7号
までに掲げる事項

二　当該4年を経過する日までに施行令第39条第19
項第2号に規定する増殖施設の取得をすることが
できないこととなつた事情の詳細

三　法第64条の2第1項に規定する収用等に係る事
業の施行の状況及び当該事業の完了見込年月日

四　施行令第39条第19項第2号に規定する生態影響
調査の実施の状況及び当該調査の完了予定年月日

9　法第64条の2第3項（法第65条第3項において準
用する場合を含む。）に規定する財務省令で定める
事項は、次に掲げる事項（法第64条の2第2項に規
定するやむを得ない事情があるため、同項に規定す
る収用等（法第65条第3項において準用する場合に

あつては、同条第1項に規定する換地処分等。第4
号において同じ。）のあつた日以後2年を経過した
日から法第64条の2第2項に規定する政令で定める
日までの期間内に代替資産の取得をする見込みであ
り、かつ、当該代替資産につき同項（法第65条第3
項において準用する場合を含む。）の規定の適用を
受けようとする場合にあつては、そのやむを得ない
事情の詳細、当該代替資産の取得予定年月日及びそ
の取得価額の見積額その他の明細を含む。）とする。

一　法第64条の2第2項（法第65条第3項において
準用する場合を含む。）の規定の適用を受けよう
とする法人の名称、納税地及び法人番号並びに代
表者の氏名

二　法第64条の2第2項に規定する分割承継法人又
は被現物出資法人（第6号において「分割承継法
人等」という。）の名称及び納税地並びに代表者
の氏名

三　法第64条の2第2項に規定する適格分割等の年
月日

四　法第64条の2第2項に規定する収用等のあつた
年月日及び当該収用等により譲渡した資産の種類

五　法第64条の2第2項又は第65条第1項に規定す
る補償金、対価又は清算金の額

六　分割承継法人等において取得をする見込みであ
る代替資産の種類、構造及び規模並びにその取得
予定年月日

七　法第64条の2第2項（法第65条第3項において
準用する場合を含む。）の規定により損金の額に
算入される法第64条の2第2項に規定する期中特
別勘定の金額及びその金額の計算に関する明細

八　その他参考となるべき事項

10　法第64条の2第5項（法第65条第3項において準
用する場合を含む。）に規定する財務省令で定める
事項は、次に掲げる事項とする。

一　法第64条の2第4項（法第65条第3項において
準用する場合を含む。）の規定の適用を受けよう
とする法人の名称、納税地及び法人番号並びに代
表者の氏名

二　分割承継法人等（法第64条の2第4項第2号に
規定する分割承継法人又は被現物出資法人をい
う。第4号及び第6号において同じ。）の名称及
び納税地並びに代表者の氏名

三　法第64条の2第4項第2号に規定する適格分割
等の年月日

四　法第64条の2第4項（法第65条第3項において
準用する場合を含む。）の規定により分割承継法
人等に引き継ぐ法第64条の2第4項第2号に定め

る特別勘定の金額又は期中特別勘定の金額

五　前号に掲げる特別勘定の金額又は期中特別勘定の金額に係る法第64条の２第４項第２号又は第65条第１項に規定する補償金、対価又は清算金の額

六　分割承継法人等において取得をする見込みである代替資産の種類、構造及び規模並びにその取得予定年月日

七　その他参考となるべき事項

11　法第64条の２第17項（法第65条第３項において準用する場合を含む。）の所轄税務署長の承認を受けようとする法人は、法第64条の２第17項に規定する指定期間の末日までに、次に掲げる事項を記載した申請書を納税地の所轄税務署長に提出しなければならない。

一　申請をする法人の名称、納税地及び法人番号並びに代表者の氏名

二　その申請の日における法第64条の２第４項第１号に規定する特別勘定の金額

三　取得をする見込みである代替資産の種類、構造、規模及び価額

四　法第64条の２第17項の特定非常災害として指定された非常災害に基因するやむを得ない事情の詳細

五　代替資産の取得予定年月日及び施行令第39条第31項の認定を受けようとする日

六　その他参考となるべき事項

12　前項に規定する法人が同項の所轄税務署長の承認を受けた場合には、施行令第39条第31項に規定する所轄税務署長が認定した日は当該承認において税務署長が認定した日とする。

13　法第65条第６項に規定する財務省令で定める事項は、次に掲げる事項とする。

一　法第65条第５項の規定の適用を受けようとする法人の名称、納税地及び法人番号並びに代表者の氏名

二　法第65条第５項に規定する分割承継法人、被現物出資法人又は被現物分配法人の名称及び納税地並びに代表者の氏名

三　法第65条第５項に規定する適格分割等の年月日

四　法第65条第１項に規定する換地処分等のあつた年月日及び当該換地処分等により譲渡した資産の種類

五　法第65条第１項に規定する補償金等、保留地の対価の額及び交換取得資産の価額

六　法第65条第５項に規定する交換取得資産の種類、構造及び規模並びにその取得年月日

七　法第65条第５項の規定により損金の額に算入される同項に規定する帳簿価額を減額した金額及びその金額の計算に関する明細

八　その他参考となるべき事項

●法人税法（抄）

〔昭和40年3月31日
　法　律　第 34 号〕

注　令和6年6月7日法律第46号改正現在
（未施行分については1736頁に収載）

第2編　内国法人の法人税
　第1章　各事業年度の所得に対する法人税
　　第1節　課税標準及びその計算
　　　第2款　各事業年度の所得の金額の計算の
　　　　　　　通則
第22条　内国法人の各事業年度の所得の金額は、当該
　事業年度の益金の額から当該事業年度の損金の額を
　控除した金額とする。
2　内国法人の各事業年度の所得の金額の計算上当該
　事業年度の益金の額に算入すべき金額は、別段の定
　めがあるものを除き、資産の販売、有償又は無償に
　よる資産の譲渡又は役務の提供、無償による資産の
　譲受けその他の取引で資本等取引以外のものに係る
　当該事業年度の収益の額とする。
3　内国法人の各事業年度の所得の金額の計算上当該
　事業年度の損金の額に算入すべき金額は、別段の定
　めがあるものを除き、次に掲げる額とする。
　一　当該事業年度の収益に係る売上原価、完成工事
　　原価その他これらに準ずる原価の額
　二　前号に掲げるもののほか、当該事業年度の販売
　　費、一般管理費その他の費用（償却費以外の費用
　　で当該事業年度終了の日までに債務の確定しない
　　ものを除く。）の額
　三　当該事業年度の損失の額で資本等取引以外の取
　　引に係るもの
4　第2項に規定する当該事業年度の収益の額及び前
　項各号に掲げる額は、別段の定めがあるものを除
　き、一般に公正妥当と認められる会計処理の基準に
　従つて計算されるものとする。
5　第2項又は第3項に規定する資本等取引とは、法
　人の資本金等の額の増加又は減少を生ずる取引並び
　に法人が行う利益又は剰余金の分配（資産の流動化
　に関する法律第115条第1項（中間配当）に規定す
　る金銭の分配を含む。）及び残余財産の分配又は引
　渡しをいう。
　　　第4款　損金の額の計算
　　　　第4目　寄附金
（寄附金の損金不算入）
第37条　内国法人が各事業年度において支出した寄附
　金の額（次項の規定の適用を受ける寄附金の額を除
　く。）の合計額のうち、その内国法人の当該事業年
　度終了の時の資本金の額及び資本準備金の額の合計
　額若しくは出資金の額又は当該事業年度の所得の金

額を基礎として政令で定めるところにより計算した
金額を超える部分の金額は、当該内国法人の各事業
年度の所得の金額の計算上、損金の額に算入しない。
2　内国法人が各事業年度において当該内国法人との
　間に完全支配関係（法人による完全支配関係に限
　る。）がある他の内国法人に対して支出した寄附金
　の額（第25条の2（受贈益）の規定の適用がないも
　のとした場合に当該他の内国法人の各事業年度の所
　得の金額の計算上益金の額に算入される同条第2項
　に規定する受贈益の額に対応するものに限る。）は、
　当該内国法人の各事業年度の所得の金額の計算上、
　損金の額に算入しない。
3　第1項の場合において、同項に規定する寄附金の
　額のうちに次の各号に掲げる寄附金の額があるとき
　は、当該各号に掲げる寄附金の額の合計額は、同項
　に規定する寄附金の額の合計額に算入しない。
　一　国又は地方公共団体（港湾法（昭和25年法律第
　　218号）の規定による港務局を含む。）に対する寄
　　附金（その寄附をした者がその寄附によつて設け
　　られた設備を専属的に利用することその他特別の
　　利益がその寄附をした者に及ぶと認められるもの
　　を除く。）の額
　二　公益社団法人、公益財団法人その他公益を目的
　　とする事業を行う法人又は団体に対する寄附金
　　（当該法人の設立のためにされる寄附金その他の
　　当該法人の設立前においてされる寄附金で政令で
　　定めるものを含む。）のうち、次に掲げる要件を
　　満たすと認められるものとして政令で定めるとこ
　　ろにより財務大臣が指定したものの額
　　イ　広く一般に募集されること。
　　ロ　教育又は科学の振興、文化の向上、社会福祉
　　　への貢献その他公益の増進に寄与するための支
　　　出で緊急を要するものに充てられることが確実
　　　であること。
4　第1項の場合において、同項に規定する寄附金の
　額のうちに、公共法人、公益法人等（別表第2に掲
　げる一般社団法人、一般財団法人及び労働者協同組
　合を除く。以下この項及び次項において同じ。）そ
　の他特別の法律により設立された法人のうち、教育
　又は科学の振興、文化の向上、社会福祉への貢献そ
　の他公益の増進に著しく寄与するものとして政令で
　定めるものに対する当該法人の主たる目的である業
　務に関連する寄附金（出資に関する業務に充てられ

ることが明らかなもの及び前項各号に規定する寄附金に該当するものを除く。）の額があるときは、当該寄附金の額の合計額（当該合計額が当該事業年度終了の時の資本金の額及び資本準備金の額の合計額若しくは出資金の額又は当該事業年度の所得の金額を基礎として政令で定めるところにより計算した金額を超える場合には、当該計算した金額に相当する金額）は、第1項に規定する寄附金の額の合計額に算入しない。ただし、公益法人等が支出した寄附金の額については、この限りでない。

5 公益法人等がその収益事業に属する資産のうちからその収益事業以外の事業のために支出した金額（公益社団法人又は公益財団法人にあつては、その収益事業に属する資産のうちからその収益事業以外の事業で公益に関する事業として政令で定める事業に該当するもののために支出した金額）は、その収益事業に係る寄附金の額とみなして、第1項の規定を適用する。ただし、事実を隠蔽し、又は仮装して経理をすることにより支出した金額については、この限りでない。

6 内国法人が特定公益信託（公益信託ニ関スル法律（大正11年法律第62号）第1条（公益信託）に規定する公益信託で信託の終了の時における信託財産がその信託財産に係る信託の委託者に帰属しないこと及びその信託事務の実施につき政令で定める要件を満たすものであることについて政令で定めるところにより証明がされたものをいう。）の信託財産とするために支出した金銭の額は、寄附金の額とみなして第1項、第4項、第9項及び第10項の規定を適用する。この場合において、第4項中「）の額」とあるのは、「）の額（第6項に規定する特定公益信託のうち、その目的が教育又は科学の振興、文化の向上、社会福祉への貢献その他公益の増進に著しく寄与するものとして政令で定めるものの信託財産とするために支出した金銭の額を含む。）」とするほか、この項の規定の適用を受けるための手続に関し必要な事項は、政令で定める。

7 前各項に規定する寄附金の額は、寄附金、拠出金、見舞金その他いずれの名義をもつてするかを問わず、内国法人が金銭その他の資産又は経済的な利益の贈与又は無償の供与（広告宣伝及び見本品の費用その他これらに類する費用並びに交際費、接待費及び福利厚生費とされるべきものを除く。次項において同じ。）をした場合における当該金銭の額若しくは金銭以外の資産のその贈与の時における価額又は当該経済的な利益のその供与の時における価額によるものとする。

8 内国法人が資産の譲渡又は経済的な利益の供与をした場合において、その譲渡又は供与の対価の額が当該資産のその譲渡の時における価額又は当該経済的な利益のその供与の時における価額に比して低いときは、当該対価の額と当該価額との差額のうち実質的に贈与又は無償の供与をしたと認められる金額は、前項の寄附金の額に含まれるものとする。

9 第3項の規定は、確定申告書、修正申告書又は更正請求書に第1項に規定する寄附金の額の合計額に算入されない第3項各号に掲げる寄附金の額及び当該寄附金の明細を記載した書類の添付がある場合に限り、第4項の規定は、確定申告書、修正申告書又は更正請求書に第1項に規定する寄附金の額の合計額に算入されない第4項に規定する寄附金の額及び当該寄附金の明細を記載した書類の添付があり、かつ、当該書類に記載された寄附金が同項に規定する寄附金に該当することを証する書類として財務省令で定める書類を保存している場合に限り、適用する。この場合において、第3項又は第4項の規定により第1項に規定する寄附金の額の合計額に算入されない金額は、当該金額として記載された金額を限度とする。

10 税務署長は、第4項の規定により第1項に規定する寄附金の額の合計額に算入されないこととなる金額の全部又は一部につき前項に規定する財務省令で定める書類の保存がない場合においても、その書類の保存がなかつたことについてやむを得ない事情があると認めるときは、その書類の保存がなかつた金額につき第4項の規定を適用することができる。

11 財務大臣は、第3項第2号の指定をしたときは、これを告示する。

12 第5項から前項までに定めるもののほか、第1項から第4項までの規定の適用に関し必要な事項は、政令で定める。

〔**参　考**〕

●所得税法等の一部を改正する法律（抄）

〔令和6年3月30日〕
〔法 律 第 8 号〕

（法人税法の一部改正）

第2条　法人税法（昭和40年法律第34号）の一部を次のように改正する。

　第37条第4項中「この項及び次項」を「第6項まで」に改め、同条第6項を削り、同条第5項を同条第6項とし、同条第4項の次に次の1項を加える。

5　第1項の場合において、同項に規定する寄附金の額のうちに公益信託に関する法律第2条第1項第1号（定義）に規定する公益信託の信託財産とするために支出した当該公益信託に係る信託事務に関連する寄附金（出資に関する信託事務に充てられることが明らかなもの及び第3項各号又は前項に規定する寄附金に該当するものを除く。）の額があるときは、当該寄附金の額の合計額（当該合計額が前項に規定する政令で定めるところにより計算した金額から同項の規定により第1項に規定する寄附金の額の合計額に算入されない金額を控除した金額を超える場合には、当該控除した金額に相当する金額）は、第1項に規定する寄附金の額の合計額に算入しない。ただし、公益法人等が支出した寄附金の額については、この限りでない。

　第37条第9項中「、第4項」を「、第4項及び第5項」に、「第4項に」を「第4項又は第5項に」に、「同項」を「これらの規定」に、「又は第4項」を「から第5項まで」に改め、同条第10項中「第4項」の下に「又は第5項」を加え、同条第12項中「第5項」を「第6項」に、「第4項」を「第5項」に改める。

　　　附　則　抄

（施行期日）

第1条　この法律は、令和6年4月1日から施行する。ただし、次の各号に掲げる規定は、当該各号に定める日から施行する。

九　次に掲げる規定　公益信託に関する法律（令和6年法律第　　　号）の施行の日

　　ロ　第2条中法人税法〔中略〕第37条の改正規定〔以下略〕

◉法人税法施行令（抄）

〔昭和40年3月31日
政令第97号〕

注　令和6年3月30日政令第142号改正現在
（未施行分については1738頁に収載）

第2編　内国法人の法人税
　第1章　各事業年度の所得に対する法人税
　　第1節　各事業年度の所得の金額の計算
　　　第2款　損金の額の計算
　　　　第11目　寄附金
（公益の増進に著しく寄与する法人の範囲）
第77条　法〔法人税法（昭和40年法律第34号）〕第37条第4項（寄附金の損金不算入）に規定する政令で定める法人は、次に掲げる法人とする。
一　独立行政法人通則法（平成11年法律第103号）第2条第1項（定義）に規定する独立行政法人
一の二　地方独立行政法人法（平成15年法律第118号）第2条第1項（定義）に規定する地方独立行政法人で同法第21条第1号又は第3号から第6号まで（業務の範囲）に掲げる業務（同条第3号に掲げる業務にあつては同号チに掲げる事業の経営に、同条第6号に掲げる業務にあつては地方独立行政法人法施行令（平成15年政令第486号）第6条第1号又は第3号（公共的な施設の範囲）に掲げる施設の設置及び管理に、それぞれ限るものとする。）を主たる目的とするもの
二　自動車安全運転センター、日本司法支援センター、日本私立学校振興・共済事業団、日本赤十字社及び福島国際研究教育機構
三　公益社団法人及び公益財団法人
四　私立学校法第3条（定義）に規定する学校法人で学校（学校教育法第1条（定義）に規定する学校及び就学前の子どもに関する教育、保育等の総合的な提供の推進に関する法律（平成18年法律第77号）第2条第7項（定義）に規定する幼保連携型認定こども園をいう。以下この号において同じ。）の設置若しくは学校及び専修学校（学校教育法第124条（専修学校）に規定する専修学校で財務省令で定めるものをいう。以下この号において同じ。）若しくは各種学校（学校教育法第134条第1項（各種学校）に規定する各種学校で財務省令で定めるものをいう。以下この号において同じ。）の設置を主たる目的とするもの又は私立学校法第64条第4項（私立専修学校等）の規定により設立された法人で専修学校若しくは各種学校の設置を主たる目的とするもの
五　社会福祉法第22条（定義）に規定する社会福祉法人

六　更生保護事業法第2条第6項（定義）に規定する更生保護法人
（特定公益信託の要件等）
第77条の4　法第37条第6項（特定公益信託）に規定する政令で定める要件は、次に掲げる事項が信託行為において明らかであり、かつ、受託者が信託会社（金融機関の信託業務の兼営等に関する法律により同法第1条第1項（兼営の認可）に規定する信託業務を営む同項に規定する金融機関を含む。）であることとする。
一　当該公益信託の終了（信託の併合による終了を除く。次号において同じ。）の場合において、その信託財産が国若しくは地方公共団体に帰属し、又は当該公益信託が類似の目的のための公益信託として継続するものであること。
二　当該公益信託は、合意による終了ができないものであること。
三　当該公益信託の受託者がその信託財産として受け入れる資産は、金銭に限られるものであること。
四　当該公益信託の信託財産の運用は、次に掲げる方法に限られるものであること。
　イ　預金又は貯金
　ロ　国債、地方債、特別の法律により法人の発行する債券又は貸付信託（所得税法第2条第1項第12号（定義）に規定する貸付信託をいう。）の受益権の取得
　ハ　イ又はロに準ずるものとして財務省令で定める方法
五　当該公益信託につき信託管理人が指定されるものであること。
六　当該公益信託の受託者がその信託財産の処分を行う場合には、当該受託者は、当該公益信託の目的に関し学識経験を有する者の意見を聴かなければならないものであること。
七　当該公益信託の信託管理人及び前号に規定する学識経験を有する者に対してその信託財産から支払われる報酬の額は、その任務の遂行のために通常必要な費用の額を超えないものであること。
八　当該公益信託の受託者がその信託財産から受ける報酬の額は、当該公益信託の信託事務の処理に要する経費として通常必要な額を超えないものであること。
2　法第37条第6項に規定する政令で定めるところに

より証明がされた公益信託は、同項に定める要件を満たす公益信託であることにつき当該公益信託に係る主務大臣（当該公益信託が次項第2号に掲げるものを目的とする公益信託である場合を除き、公益信託ニ関スル法律（大正11年法律第62号）第11条（主務官庁の権限に属する事務の処理）その他の法令の規定により当該公益信託に係る主務官庁の権限に属する事務を行うこととされた都道府県の知事その他の執行機関を含む。次項及び第4項において同じ。）の証明を受けたものとする。

3　法第37条第6項の規定により読み替えられた同条第4項（公益の増進に著しく寄与する法人に対する寄附金）に規定する政令で定める特定公益信託は、次に掲げるものの1又は2以上のものをその目的とする同項に規定する特定公益信託で、その目的に関し相当と認められる業績が持続できることにつき当該特定公益信託に係る主務大臣の認定を受けたもの（その認定を受けた日の翌日から5年を経過していないものに限る。）とする。

一　科学技術（自然科学に係るものに限る。）に関する試験研究を行う者に対する助成金の支給

二　人文科学の諸領域について、優れた研究を行う者に対する助成金の支給

三　学校教育法第1条（定義）に規定する学校における教育に対する助成

四　学生又は生徒に対する学資の支給又は貸与

五　芸術の普及向上に関する業務（助成金の支給に限る。）を行うこと。

六　文化財保護法（昭和25年法律第214号）第2条第1項（定義）に規定する文化財の保存及び活用に関する業務（助成金の支給に限る。）を行うこと。

七　開発途上にある海外の地域に対する経済協力（技術協力を含む。）に資する資金の贈与

八　自然環境の保全のため野生動植物の保護繁殖に関する業務を行うことを主たる目的とする法人で当該業務に関し国又は地方公共団体の委託を受けているもの（これに準ずるものとして財務省令で定めるものを含む。）に対する助成金の支給

九　すぐれた自然環境の保全のためその自然環境の保存及び活用に関する業務（助成金の支給に限る。）を行うこと。

十　国土の緑化事業の推進（助成金の支給に限る。）

十一　社会福祉を目的とする事業に対する助成

十二　就学前の子どもに関する教育、保育等の総合的な提供の推進に関する法律第2条第7項（定義）に規定する幼保連携型認定こども園における教育及び保育に対する助成

4　当該公益信託に係る主務大臣は、第2項の証明又は前項の認定をしようとするとき（当該証明がされた公益信託の第1項各号に掲げる事項に関する信託の変更を当該公益信託の主務官庁が命じ、又は許可するときを含む。）は、財務大臣に協議しなければならない。

5　法第37条第6項の規定により同条第1項（寄附金の損金算入限度額）の規定の適用を受けようとする内国法人は、確定申告書に同条第6項に規定する特定公益信託の信託財産とするために支出した金銭の明細書及び当該特定公益信託の第2項の証明に係る書類の写しを添付しなければならない。

6　第2項又は第3項の規定により都道府県が処理することとされている事務は、地方自治法（昭和22年法律第67号）第2条第9項第1号（法定受託事務）に規定する第1号法定受託事務とする。

〔参　考〕

●法人税法施行令等の一部を改正する政令（抄）

〔令和6年3月30日
政　令　第　142　号〕

（法人税法施行令の一部改正）

第1条　法人税法施行令（昭和40年政令第97号）の一部を次のように改正する。

第77条の4を削る。

附　則　抄

（施行期日）

第1条　この政令は、令和6年4月1日から施行する。ただし、次の各号に掲げる規定は、当該各号に定める日から施行する。

三　第1条中法人税法施行令第77条の4を削る改正規定　公益信託に関する法律（令和6年法律第　号）の施行の日

〔参考2〕

●私立学校法の一部を改正する法律の施行に伴う関係政令の整備に関する政令（抄）

〔令和6年6月14日
政　令　第　209　号〕

（租税特別措置法施行令等の一部改正）

第2条　次に掲げる政令の規定中「第64条第4項」を「第152条第5項」に改める。

五　法人税法施行令（昭和40年政令第97号）〔中略〕第77条第4号

附　則　抄

（施行期日）

1　この政令は、令和7年4月1日から施行する。

●消費税法（抄）

〔昭和63年12月30日〕
〔法 律 第 108 号〕
注 令和6年6月7日法律第46号改正現在

第1章 総則

（非課税）

第6条 国内において行われる資産の譲渡等のうち、別表第2に掲げるものには、消費税を課さない。

2 保税地域から引き取られる外国貨物のうち、別表第2の2に掲げるものには、消費税を課さない。

別表第2（第6条、第12条の2、第12条の3、第30条、第35条の2関係）

一 土地（土地の上に存する権利を含む。）の譲渡及び貸付け（一時的に使用させる場合その他の政令で定める場合を除く。）

二 金融商品取引法（昭和23年法律第25号）第2条第1項（定義）に規定する有価証券その他これに類するものとして政令で定めるもの（ゴルフ場その他の施設の利用に関する権利に係るものとして政令で定めるものを除く。）及び外国為替及び外国貿易法第6条第1項第7号（定義）に規定する支払手段（収集品その他の政令で定めるものを除く。）その他これに類するものとして政令で定めるもの（別表第2の2において「有価証券等」という。）の譲渡

三 利子を対価とする貸付金その他の政令で定める資産の貸付け、信用の保証としての役務の提供、所得税法第2条第1項第11号（定義）に規定する合同運用信託、同項第15号に規定する公社債投資信託又は同項第15号の2に規定する公社債等運用投資信託に係る信託報酬を対価とする役務の提供及び保険料を対価とする役務の提供（当該保険料が当該役務の提供に係る事務に要する費用の額とその他の部分とに区分して支払われることとされている契約で政令で定めるものに係る保険料（当該費用の額に相当する部分の金額に限る。）を対価とする役務の提供を除く。）その他これらに類するものとして政令で定めるもの

四 次に掲げる資産の譲渡

イ 日本郵便株式会社が行う郵便切手類販売所等に関する法律（昭和24年法律第91号）第1条（定義）に規定する郵便切手その他郵便に関する料金を表す証票（以下この号及び別表第2の2において「郵便切手類」という。）の譲渡及び簡易郵便局法（昭和24年法律第213号）第7条第

1項（簡易郵便局の設置及び受託者の呼称）に規定する委託業務を行う施設若しくは郵便切手類販売所等に関する法律第3条（郵便切手類販売所等の設置）に規定する郵便切手類販売所（同法第4条第3項（郵便切手類の販売等）の規定による承認に係る場所（以下この号において「承認販売所」という。）を含む。）における郵便切手類又は印紙をもつてする歳入金納付に関する法律（昭和23年法律第142号）第3条第1項各号（印紙の売渡し場所）に定める所（承認販売所を含む。）若しくは同法第4条第1項（自動車検査登録印紙の売渡し場所）に規定する所における同法第3条第1項各号に掲げる印紙若しくは同法第4条第1項に規定する自動車検査登録印紙（同表において「印紙」と総称する。）の譲渡

ロ 地方公共団体又は売りさばき人（地方自治法（昭和22年法律第67号）第231条の2第1項（証紙による収入の方法等）（同法第292条（都道府県及び市町村に関する規定の準用）において準用する場合を含む。以下この号において同じ。）並びに地方税法（昭和25年法律第226号）第162条第4項（環境性能割の納付の方法）、第177条の11第6項（種別割の徴収の方法）、第290条第3項（道府県法定外普通税の証紙徴収の手続）、第456条第4項（環境性能割の納付の方法）、第463条の18第6項（種別割の徴収の方法）、第698条第3項（市町村法定外普通税の証紙徴収の手続）、第700条の69第3項（狩猟税の証紙徴収の手続）及び第733条の27第3項（法定外目的税の証紙徴収の手続）（これらの規定を同法第1条第2項（用語）において準用する場合を含む。）に規定する条例に基づき指定された者をいう。）が行う証紙（地方自治法第231条の2第1項に規定する使用料又は手数料の徴収に係る証紙並びに地方税法第1条第1項第13号に規定する証紙徴収に係る証紙並びに同法第162条第1項及び第456条第1項（これらの規定を同法第1条第2項において準用する場合を含む。）に規定する証紙をいう。別表第2の2において同じ。）の譲渡

ハ 物品切手（商品券その他名称のいかんを問わ
ず、物品の給付請求権を表彰する証書をいい、
郵便切手類に該当するものを除く。）その他こ
れに類するものとして政令で定めるもの（別表
第2の2において「物品切手等」という。）の
譲渡

五 次に掲げる役務の提供

イ 国、地方公共団体、別表第3に掲げる法人そ
の他法令に基づき国若しくは地方公共団体の委
託若しくは指定を受けた者が、法令に基づき行
う次に掲げる事務に係る役務の提供で、その手
数料、特許料、申立料その他の料金の徴収が法
令に基づくもの（政令で定めるものを除く。）

(1) 登記、登録、特許、免許、許可、認可、承
認、認定、確認及び指定

(2) 検査、検定、試験、審査、証明及び講習

(3) 公文書の交付（再交付及び書換交付を含
む。）、更新、訂正、閲覧及び謄写

(4) 裁判その他の紛争の処理

ロ イに掲げる役務の提供に類するものとして政
令で定めるもの

ハ 裁判所法（昭和22年法律第59号）第62条第4
項（執行官）又は公証人法（明治41年法律第53
号）第7条第1項（手数料等）の手数料を対価
とする役務の提供

ニ 外国為替及び外国貿易法第55条の7（外国為
替業務に関する事項の報告）に規定する外国為
替業務（銀行法（昭和56年法律第59号）第10条
第2項第5号（業務の範囲）に規定する譲渡性
預金証書の非居住者からの取得に係る媒介、取
次ぎ又は代理に係る業務その他の政令で定める
業務を除く。）に係る役務の提供

六 次に掲げる療養若しくは医療又はこれらに類す
るものとしての資産の譲渡等（これらのうち特別
の病室の提供その他の財務大臣の定めるものにあ
つては、財務大臣の定める金額に相当する部分に
限る。）

イ 健康保険法（大正11年法律第70号）、国民健
康保険法（昭和33年法律第192号）、船員保険法
（昭和14年法律第73号）、国家公務員共済組合
法（昭和33年法律第128号）（防衛省の職員の給
与等に関する法律（昭和27年法律第266号）第
22条第1項（療養等）においてその例によるも
のとされる場合を含む。）、地方公務員等共済組
合法（昭和37年法律第152号）又は私立学校教
職員共済法（昭和28年法律第245号）の規定に
基づく療養の給付及び入院時食事療養費、入院

時生活療養費、保険外併用療養費、療養費、家
族療養費又は特別療養費の支給に係る療養並び
に訪問看護療養費又は家族訪問看護療養費の支
給に係る指定訪問看護

ロ 高齢者の医療の確保に関する法律（昭和57年
法律第80号）の規定に基づく療養の給付及び入
院時食事療養費、入院時生活療養費、保険外併
用療養費、療養費又は特別療養費の支給に係る
療養並びに訪問看護療養費の支給に係る指定訪
問看護

ハ 精神保健及び精神障害者福祉に関する法律
（昭和25年法律第123号）の規定に基づく医療、
生活保護法（昭和25年法律第144号）の規定に
基づく医療扶助のための医療の給付及び医療扶
助のための金銭給付に係る医療、原子爆弾被爆
者に対する援護に関する法律（平成6年法律第
117号）の規定に基づく医療の給付及び医療費
又は一般疾病医療費の支給に係る医療並びに障
害者の日常生活及び社会生活を総合的に支援す
るための法律（平成17年法律第123号）の規定
に基づく自立支援医療費、療養介護医療費又は
基準該当療養介護医療費の支給に係る医療

ニ 公害健康被害の補償等に関する法律（昭和48
年法律第111号）の規定に基づく療養の給付及
び療養費の支給に係る療養

ホ 労働者災害補償保険法（昭和22年法律第50号）
の規定に基づく療養の給付及び療養の費用の支
給に係る療養並びに同法の規定による社会復帰
促進等事業として行われる医療の措置及び医療
に要する費用の支給に係る医療

ヘ 自動車損害賠償保障法（昭和30年法律第97号）
の規定による損害賠償額の支払（同法第72条第
1項（定義）の規定による損害をてん補するた
めの支払を含む。）を受けるべき被害者に対す
る当該支払に係る療養

ト イからヘまでに掲げる療養又は医療に類する
ものとして政令で定めるもの

七 次に掲げる資産の譲渡等（前号の規定に該当す
るものを除く。）

イ 介護保険法（平成9年法律第123号）の規定
に基づく居宅介護サービス費の支給に係る居宅
サービス（訪問介護、訪問入浴介護その他の政
令で定めるものに限る。）、施設介護サービス費
の支給に係る施設サービス（政令で定めるもの
を除く。）その他これらに類するものとして政
令で定めるもの

ロ 社会福祉法第2条（定義）に規定する社会福

祉事業及び更生保護事業法（平成7年法律第86号）第2条第1項（定義）に規定する更生保護事業として行われる資産の譲渡等（社会福祉法第2条第2項第4号若しくは第7号に規定する障害者支援施設若しくは授産施設を経営する事業、同条第3項第1号の2に規定する認定生活困窮者就労訓練事業、同項第4号の2に規定する地域活動支援センターを経営する事業又は同号に規定する障害福祉サービス事業（障害者の日常生活及び社会生活を総合的に支援するための法律第5条第7項、第13項又は第14項（定義）に規定する生活介護、就労移行支援又は就労継続支援を行う事業に限る。）において生産活動としての作業に基づき行われるもの及び政令で定めるものを除く。）

ハ　ロに掲げる資産の譲渡等に類するものとして政令で定めるもの

八　医師、助産師その他医療に関する施設の開設者による助産に係る資産の譲渡等（第6号並びに前号イ及びロの規定に該当するものを除く。）

九　墓地、埋葬等に関する法律（昭和23年法律第48号）第2条第1項（定義）に規定する埋葬に係る埋葬料又は同条第2項に規定する火葬に係る火葬料を対価とする役務の提供

十　身体障害者の使用に供するための特殊な性状、構造又は機能を有する物品として政令で定めるもの（別表第2の2において「身体障害者用物品」という。）の譲渡、貸付けその他の政令で定める資産の譲渡等

十一　次に掲げる教育に関する役務の提供（授業料、入学金、施設設備費その他の政令で定める料金を対価として行われる部分に限る。）

イ　学校教育法（昭和22年法律第26号）第1条（学校の範囲）に規定する学校を設置する者が当該学校における教育として行う役務の提供

ロ　学校教育法第124条（専修学校）に規定する専修学校を設置する者が当該専修学校の同法第125条第1項（課程）に規定する高等課程、専門課程又は一般課程における教育として行う役務の提供

ハ　学校教育法第134条第1項（各種学校）に規定する各種学校を設置する者が当該各種学校における教育（修業期間が1年以上であることその他政令で定める要件に該当するものに限る。）として行う役務の提供

ニ　イからハまでに掲げる教育に関する役務の提供に類するものとして政令で定めるもの

十二　学校教育法第34条第1項（小学校の教科用図書）（同法第49条（中学校）、第49条の8（義務教育学校）、第62条（高等学校）、第70条第1項（中等教育学校）及び第82条（特別支援学校）において準用する場合を含む。）に規定する教科用図書（別表第2の2において「教科用図書」という。）の譲渡

十三　住宅（人の居住の用に供する家屋又は家屋のうち人の居住の用に供する部分をいう。）の貸付け（当該貸付けに係る契約において人の居住の用に供することが明らかにされている場合（当該契約において当該貸付けに係る用途が明らかにされていない場合に当該貸付け等の状況からみて人の居住の用に供されていることが明らかな場合を含む。）に限るものとし、一時的に使用させる場合その他の政令で定める場合を除く。）

●消費税法施行令（抄）

〔昭和63年12月30日〕
〔政　令　第　360　号〕

注　令和6年3月30日政令第145号改正現在

第1章　総則
（社会福祉事業等として行われる資産の譲渡等に類するものの範囲）
第14条の3　法〔消費税法（昭和63年法律第108号）〕別表第2第7号ハに規定する政令で定めるものは、次に掲げるものとする。
一　児童福祉法第7条第1項（児童福祉施設）に規定する児童福祉施設を経営する事業として行われる資産の譲渡等（法別表第2第7号ロに掲げるものを除く。）及び同項に規定する保育所を経営する事業に類する事業として行われる資産の譲渡等として内閣総理大臣が財務大臣と協議して指定するもの
二　児童福祉法第27条第2項（都道府県のとるべき措置）の規定に基づき同項に規定する指定発達支援医療機関が行う同項に規定する治療等
三　児童福祉法第33条（児童の一時保護）に規定する一時保護
四　障害者の日常生活及び社会生活を総合的に支援するための法律（平成17年法律第123号）第29条第1項（介護給付費又は訓練等給付費）又は第30条第1項（特例介護給付費又は特例訓練等給付費）の規定に基づき独立行政法人国立重度知的障害者総合施設のぞみの園がその設置する施設において行うこれらの規定に規定する介護給付費若しくは訓練等給付費又は特例介護給付費若しくは特例訓練等給付費の支給に係る同法第5条第1項（定義）に規定する施設障害福祉サービス及び知的障害者福祉法（昭和35年法律第37号）第16条第1項第2号（障害者支援施設等への入所等の措置）の規定に基づき独立行政法人国立重度知的障害者総合施設のぞみの園がその設置する施設において行う同

号の更生援護
五　介護保険法第115条の46第1項（地域包括支援センター）に規定する包括的支援事業として行われる資産の譲渡等（社会福祉法（昭和26年法律第45号）第2条第3項第4号（定義）に規定する老人介護支援センターを経営する事業に類する事業として行われる資産の譲渡等として厚生労働大臣が財務大臣と協議して指定するものに限る。）
六　子ども・子育て支援法（平成24年法律第65号）の規定に基づく施設型給付費、特例施設型給付費、地域型保育給付費又は特例地域型保育給付費の支給に係る事業として行われる資産の譲渡等（法別表第2第7号ロ及び第11号イ並びに第1号に掲げるものを除く。）
七　母子保健法第17条の2第1項（産後ケア事業）に規定する産後ケア事業として行われる資産の譲渡等（法別表第2第8号に掲げるものを除く。）
八　前各号に掲げるもののほか、老人福祉法第5条の2第1項（定義）に規定する老人居宅生活支援事業、障害者の日常生活及び社会生活を総合的に支援するための法律第5条第1項に規定する障害福祉サービス事業（同項に規定する居宅介護、重度訪問介護、同行援護、行動援護、短期入所及び共同生活援助に係るものに限る。）その他これらに類する事業として行われる資産の譲渡等（法別表第2第7号ロに掲げるものを除く。）のうち、国又は地方公共団体の施策に基づきその要する費用が国又は地方公共団体により負担されるものとして内閣総理大臣及び厚生労働大臣が財務大臣と協議して指定するもの

●建築基準法（抄）

〔昭和25年5月24日〕
〔法 律 第 201 号〕
注　令和5年6月16日法律第63号改正現在

第1章　総則

（目的）

第1条　この法律は、建築物の敷地、構造、設備及び用途に関する最低の基準を定めて、国民の生命、健康及び財産の保護を図り、もつて公共の福祉の増進に資することを目的とする。

（用語の定義）

第2条　この法律において次の各号に掲げる用語の意義は、当該各号に定めるところによる。

一　建築物　土地に定着する工作物のうち、屋根及び柱若しくは壁を有するもの（これに類する構造のものを含む。）、これに附属する門若しくは塀、観覧のための工作物又は地下若しくは高架の工作物内に設ける事務所、店舗、興行場、倉庫その他これらに類する施設（鉄道及び軌道の線路敷地内の運転保安に関する施設並びに跨線橋、プラットホームの上家、貯蔵槽その他これらに類する施設を除く。）をいい、建築設備を含むものとする。

二　特殊建築物　学校（専修学校及び各種学校を含む。以下同様とする。）、体育館、病院、劇場、観覧場、集会場、展示場、百貨店、市場、ダンスホール、遊技場、公衆浴場、旅館、共同住宅、寄宿舎、下宿、工場、倉庫、自動車車庫、危険物の貯蔵場、と畜場、火葬場、汚物処理場その他これらに類する用途に供する建築物をいう。

三　建築設備　建築物に設ける電気、ガス、給水、排水、換気、暖房、冷房、消火、排煙若しくは汚物処理の設備又は煙突、昇降機若しくは避雷針をいう。

四　居室　居住、執務、作業、集会、娯楽その他これらに類する目的のために継続的に使用する室をいう。

五　主要構造部　壁、柱、床、はり、屋根又は階段をいい、建築物の構造上重要でない間仕切壁、間柱、付け柱、揚げ床、最下階の床、回り舞台の床、小ばり、ひさし、局部的な小階段、屋外階段その他これらに類する建築物の部分を除くものとする。

六　延焼のおそれのある部分　隣地境界線、道路中心線又は同一敷地内の2以上の建築物（延べ面積の合計が500平方メートル以内の建築物は、一の建築物とみなす。）相互の外壁間の中心線（ロにおいて「隣地境界線等」という。）から、1階にあつては3メートル以下、2階以上にあつては5メートル以下の距離にある建築物の部分をいう。ただし、次のイ又はロのいずれかに該当する部分を除く。

イ　防火上有効な公園、広場、川その他の空地又は水面、耐火構造の壁その他これらに類するものに面する部分

ロ　建築物の外壁面と隣地境界線等との角度に応じて、当該建築物の周囲において発生する通常の火災時における火熱により燃焼するおそれのないものとして国土交通大臣が定める部分

七　耐火構造　壁、柱、床その他の建築物の部分の構造のうち、耐火性能（通常の火災が終了するまでの間当該火災による建築物の倒壊及び延焼を防止するために当該建築物の部分に必要とされる性能をいう。）に関して政令で定める技術的基準に適合する鉄筋コンクリート造、れんが造その他の構造で、国土交通大臣が定めた構造方法を用いるもの又は国土交通大臣の認定を受けたものをいう。

七の二　準耐火構造　壁、柱、床その他の建築物の部分の構造のうち、準耐火性能（通常の火災による延焼を抑制するために当該建築物の部分に必要とされる性能をいう。第9号の3ロ及び第26条第2項第2号において同じ。）に関して政令で定める技術的基準に適合するもので、国土交通大臣が定めた構造方法を用いるもの又は国土交通大臣の認定を受けたものをいう。

八　防火構造　建築物の外壁又は軒裏の構造のうち、防火性能（建築物の周囲において発生する通常の火災による延焼を抑制するために当該外壁又は軒裏に必要とされる性能をいう。）に関して政令で定める技術的基準に適合する鉄網モルタル塗、しつくい塗その他の構造で、国土交通大臣が定めた構造方法を用いるもの又は国土交通大臣の認定を受けたものをいう。

九　不燃材料　建築材料のうち、不燃性能（通常の

火災時における火熱により燃焼しないことその他の政令で定める性能をいう。）に関して政令で定める技術的基準に適合するもので、国土交通大臣が定めたもの又は国土交通大臣の認定を受けたものをいう。

九の二　耐火建築物　次に掲げる基準に適合する建築物をいう。

　イ　その主要構造部のうち、防火上及び避難上支障がないものとして政令で定める部分（以下「特定主要構造部」という。）が、(1)又は(2)のいずれかに該当すること。

　　(1)　耐火構造であること。

　　(2)　次に掲げる性能（外壁以外の特定主要構造部にあつては、(ⅰ)に掲げる性能に限る。）に関して政令で定める技術的基準に適合するものであること。

　　　(ⅰ)　当該建築物の構造、建築設備及び用途に応じて屋内において発生が予測される火災による火熱に当該火災が終了するまで耐えること。

　　　(ⅱ)　当該建築物の周囲において発生する通常の火災による火熱に当該火災が終了するまで耐えること。

　ロ　その外壁の開口部で延焼のおそれのある部分に、防火戸その他の政令で定める防火設備（その構造が遮炎性能（通常の火災時における火炎を有効に遮るために防火設備に必要とされる性能をいう。第27条第1項において同じ。）に関して政令で定める技術的基準に適合するもので、国土交通大臣が定めた構造方法を用いるもの又は国土交通大臣の認定を受けたものに限る。）を有すること。

九の三　準耐火建築物　耐火建築物以外の建築物で、イ又はロのいずれかに該当し、外壁の開口部で延焼のおそれのある部分に前号ロに規定する防火設備を有するものをいう。

　イ　主要構造部を準耐火構造としたもの

　ロ　イに掲げる建築物以外の建築物であつて、イに掲げるものと同等の準耐火性能を有するものとして主要構造部の防火の措置その他の事項について政令で定める技術的基準に適合するもの

十　設計　建築士法（昭和25年法律第202号）第2条第6項に規定する設計をいう。

十一　工事監理者　建築士法第2条第8項に規定する工事監理をする者をいう。

十二　設計図書　建築物、その敷地又は第88条第1項から第3項までに規定する工作物に関する工事用の図面（現寸図その他これに類するものを除く。）及び仕様書をいう。

十三　建築　建築物を新築し、増築し、改築し、又は移転することをいう。

十四　大規模の修繕　建築物の主要構造部の1種以上について行う過半の修繕をいう。

十五　大規模の模様替　建築物の主要構造部の1種以上について行う過半の模様替をいう。

十六　建築主　建築物に関する工事の請負契約の注文者又は請負契約によらないで自らその工事をする者をいう。

十七　設計者　その者の責任において、設計図書を作成した者をいい、建築士法第20条の2第3項又は第20条の3第3項の規定により建築物が構造関係規定（同法第20条の2第2項に規定する構造関係規定をいう。以下同じ。）又は設備関係規定（同法第20条の3第2項に規定する設備関係規定をいう。第5条の6第3項及び同号において同じ。）に適合することを確認した構造設計1級建築士（同法第10条の3第4項に規定する構造設計1級建築士をいう。以下同じ。）又は設備設計1級建築士（同法第10条の3第4項に規定する設備設計1級建築士をいう。第5条の6第3項及び同号において同じ。）を含むものとする。

十八　工事施工者　建築物、その敷地若しくは第88条第1項から第3項までに規定する工作物に関する工事の請負人又は請負契約によらないで自らこれらの工事をする者をいう。

十九　都市計画　都市計画法（昭和43年法律第100号）第4条第1項に規定する都市計画をいう。

二十　都市計画区域又は準都市計画区域　それぞれ、都市計画法第4条第2項に規定する都市計画区域又は準都市計画区域をいう。

二十一　第1種低層住居専用地域、第2種低層住居専用地域、第1種中高層住居専用地域、第2種中高層住居専用地域、第1種住居地域、第2種住居地域、準住居地域、田園住居地域、近隣商業地域、商業地域、準工業地域、工業地域、工業専用地域、特別用途地区、特定用途制限地域、特例容積率適用地区、高層住居誘導地区、高度地区、高度利用地区、特定街区、都市再生特別地区、居住環境向上用途誘導地区、特定用途誘導地区、防火地域、準防火地域、特定防災街区整備地区又は景観地区　それぞれ、都市計画法第8条第1項第1号から第6号までに掲げる第1種低層住居専用地域、第2種低層住居専用地域、第1種中高層住居専用地域、第2種中高層住居専用地域、第1種住居地域、

第２種住居地域、準住居地域、田園住居地域、近隣商業地域、商業地域、準工業地域、工業地域、工業専用地域、特別用途地区、特定用途制限地域、特例容積率適用地区、高層住居誘導地区、高度地区、高度利用地区、特定街区、都市再生特別地区、居住環境向上用途誘導地区、特定用途誘導地区、防火地域、準防火地域、特定防災街区整備地区又は景観地区をいう。

三十五　特定行政庁　この法律の規定により建築主事又は建築副主事を置く市町村の区域については当該市町村の長をいい、その他の市町村の区域については都道府県知事をいう。ただし、第97条の２第１項若しくは第２項又は第97条の３第１項若しくは第２項の規定により建築主事又は建築副主事を置く市町村の区域内の政令で定める建築物については、都道府県知事とする。

第２章　建築物の敷地、構造及び建築設備

（屋根）

第22条　特定行政庁が防火地域及び準防火地域以外の市街地について指定する区域内にある建築物の屋根の構造は、通常の火災を想定した火の粉による建築物の火災の発生を防止するために屋根に必要とされる性能に関して建築物の構造及び用途の区分に応じて政令で定める技術的基準に適合するもので、国土交通大臣が定めた構造方法を用いるもの又は国土交通大臣の認定を受けたものとしなければならない。ただし、茶室、あずまやその他これらに類する建築物又は延べ面積が10平方メートル以内の物置、納屋その他これらに類する建築物の屋根の延焼のおそれのある部分以外の部分については、この限りでない。

2　特定行政庁は、前項の規定による指定をする場合においては、あらかじめ、都市計画区域内にある区域については都道府県都市計画審議会（市町村都市計画審議会が置かれている市町村の長たる特定行政庁が行う場合にあつては、当該市町村都市計画審議会。第51条を除き、以下同じ。）の意見を聴き、その他の区域については関係市町村の同意を得なければならない。

（外壁）

第23条　前条第１項の市街地の区域内にある建築物（その主要構造部の第21条第１項の政令で定める部分が木材、プラスチックその他の可燃材料で造られたもの（第25条及び第61条第１項において「木造建築物等」という。）に限る。）は、その外壁で延焼のおそれのある部分の構造を、準防火性能（建築物の周囲において発生する通常の火災による延焼の抑制に一定の効果を発揮するために外壁に必要とされる

性能をいう。）に関して政令で定める技術的基準に適合する土塗壁その他の構造で、国土交通大臣が定めた構造方法を用いるもの又は国土交通大臣の認定を受けたものとしなければならない。

（耐火建築物等としなければならない特殊建築物）

第27条　次の各号のいずれかに該当する特殊建築物は、その特定主要構造部を当該特殊建築物に存する者の全てが当該特殊建築物から地上までの避難を終了するまでの間通常の火災による建築物の倒壊及び延焼を防止するために特定主要構造部に必要とされる性能に関して政令で定める技術的基準に適合するもので、国土交通大臣が定めた構造方法を用いるもの又は国土交通大臣の認定を受けたものとし、かつ、その外壁の開口部であつて建築物の他の部分から当該開口部へ延焼するおそれがあるものとして政令で定めるものに、防火戸その他の政令で定める防火設備（その構造が遮炎性能に関して政令で定める技術的基準に適合するもので、国土交通大臣が定めた構造方法を用いるもの又は国土交通大臣の認定を受けたものに限る。）を設けなければならない。

一　別表第１（ろ）欄に掲げる階を同表（い）欄（一）項から（四）項までに掲げる用途に供するもの（階数が３で延べ面積が200平方メートル未満のもの（同表（ろ）欄に掲げる階を同表（い）欄（二）項に掲げる用途で政令で定めるものに供するものにあつては、政令で定める技術的基準に従つて警報設備を設けたものに限る。）を除く。）

二　別表第１（い）欄（一）項から（四）項までに掲げる用途に供するもので、その用途に供する部分（同表（一）項の場合にあつては客席、同表（二）項及び（四）項の場合にあつては２階の部分に限り、かつ、病院及び診療所についてはその部分に患者の収容施設がある場合に限る。）の床面積の合計が同表（は）欄の当該各項に該当するもの

三　別表第１（い）欄（四）項に掲げる用途に供するもので、その用途に供する部分の床面積の合計が3000平方メートル以上のもの

四　劇場、映画館又は演芸場の用途に供するもので、主階が１階にないもの（階数が３以下で延べ面積が200平方メートル未満のものを除く。）

2　次の各号のいずれかに該当する特殊建築物は、耐火建築物としなければならない。

一　別表第１（い）欄（五）項に掲げる用途に供するもので、その用途に供する３階以上の部分の床面積の合計が同表（は）欄（五）項に該当するもの

二　別表第１（ろ）欄（六）項に掲げる階を同表（い）欄（六）項に掲げる用途に供するもの

3　次の各号のいずれかに該当する特殊建築物は、耐火建築物又は準耐火建築物（別表第1（い）欄（六）項に掲げる用途に供するものにあつては、第2条第9号の3ロに該当する準耐火建築物のうち政令で定めるものを除く。）としなければならない。

一　別表第1（い）欄（五）項又は（六）項に掲げる用途に供するもので、その用途に供する部分の床面積の合計が同表（に）欄の当該各項に該当するもの

二　別表第2（と）項第4号に規定する危険物（安全上及び防火上支障がないものとして政令で定めるものを除く。以下この号において同じ。）の貯蔵場又は処理場の用途に供するもの（貯蔵又は処理に係る危険物の数量が政令で定める限度を超えないものを除く。）

4　前3項に規定する基準の適用上一の建築物であつても別の建築物とみなすことができる部分として政令で定める部分が二以上ある建築物の当該建築物の部分は、これらの規定の適用については、それぞれ別の建築物とみなす。

（居室の採光及び換気）

第28条　住宅、学校、病院、診療所、寄宿舎、下宿その他これらに類する建築物で政令で定めるものの居室（居住のための居室、学校の教室、病院の病室その他これらに類するものとして政令で定めるものに限る。）には、採光のための窓その他の開口部を設け、その採光に有効な部分の面積は、その居室の床面積に対して、5分の1から10分の1までの間において居室の種類に応じ政令で定める割合以上としなければならない。ただし、地階若しくは地下工作物内に設ける居室その他これらに類する居室又は温湿度調整を必要とする作業を行う作業室その他用途上やむを得ない居室については、この限りでない。

2　居室には換気のための窓その他の開口部を設け、その換気に有効な部分の面積は、その居室の床面積に対して、20分の1以上としなければならない。ただし、政令で定める技術的基準に従つて換気設備を設けた場合においては、この限りでない。

3　別表第1（い）欄（一）項に掲げる用途に供する特殊建築物の居室又は建築物の調理室、浴室その他の室でかまど、こんろその他火を使用する設備若しくは器具を設けたもの（政令で定めるものを除く。）には、政令で定める技術的基準に従つて、換気設備を設けなければならない。

4　ふすま、障子その他随時開放することができるもので仕切られた2室は、前3項の規定の適用については、1室とみなす。

（地階における住宅等の居室）

第29条　住宅の居室、学校の教室、病院の病室又は寄宿舎の寝室で地階に設けるものは、壁及び床の防湿の措置その他の事項について衛生上必要な政令で定める技術的基準に適合するものとしなければならない。

第3章　都市計画区域等における建築物の敷地、構造、建築設備及び用途

第3節　建築物の用途

（用途地域等）

第48条　第1種低層住居専用地域内においては、別表第2（い）項に掲げる建築物以外の建築物は、建築してはならない。ただし、特定行政庁が第1種低層住居専用地域における良好な住居の環境を害するおそれがないと認め、又は公益上やむを得ないと認めて許可した場合においては、この限りでない。

2　第2種低層住居専用地域内においては、別表第2（ろ）項に掲げる建築物以外の建築物は、建築してはならない。ただし、特定行政庁が第2種低層住居専用地域における良好な住居の環境を害するおそれがないと認め、又は公益上やむを得ないと認めて許可した場合においては、この限りでない。

3　第1種中高層住居専用地域内においては、別表第2（は）項に掲げる建築物以外の建築物は、建築してはならない。ただし、特定行政庁が第1種中高層住居専用地域における良好な住居の環境を害するおそれがないと認め、又は公益上やむを得ないと認めて許可した場合においては、この限りでない。

12　工業地域内においては、別表第2（を）項に掲げる建築物は、建築してはならない。ただし、特定行政庁が工業の利便上又は公益上必要と認めて許可した場合においては、この限りでない。

15　特定行政庁は、前各項のただし書の規定による許可（次項において「特例許可」という。）をする場合においては、あらかじめ、その許可に利害関係を有する者の出頭を求めて公開により意見を聴取し、かつ、建築審査会の同意を得なければならない。

16　前項の規定にかかわらず、特定行政庁は、第1号に該当する場合においては同項の規定による意見の聴取及び同意の取得を要せず、第2号に該当する場合においては同項の規定による同意の取得を要しない。

一　特例許可を受けた建築物の増築、改築又は移転（これらのうち、政令で定める場合に限る。）について特例許可をする場合

二　日常生活に必要な政令で定める建築物で、騒音又は振動の発生その他の事象による住居の環境の悪化を防止するために必要な国土交通省令で定め

る措置が講じられているものの建築について特例許可（第1項から第7項までの規定のただし書の規定によるものに限る。）をする場合

17　特定行政庁は、第15項の規定により意見を聴取する場合においては、その許可しようとする建築物の建築の計画並びに意見の聴取の期日及び場所を期日の3日前までに公告しなければならない。

第4節　建築物の敷地及び構造

（第1種低層住居専用地域等内における建築物の高さの限度）

第55条　第1種低層住居専用地域、第2種低層住居専用地域又は田園住居地域内においては、建築物の高さは、10メートル又は12メートルのうち当該地域に関する都市計画において定められた建築物の高さの限度を超えてはならない。

2　前項の都市計画において建築物の高さの限度が10メートルと定められた第1種低層住居専用地域、第2種低層住居専用地域又は田園住居地域内においては、その敷地内に政令で定める空地を有し、かつ、その敷地面積が政令で定める規模以上である建築物であつて、特定行政庁が低層住宅に係る良好な住居の環境を害するおそれがないと認めるものの高さの限度は、同項の規定にかかわらず、12メートルとする。

3　再生可能エネルギー源（太陽光、風力その他非化石エネルギー源のうち、エネルギー源として永続的に利用することができると認められるものをいう。第58条第2項において同じ。）の利用に資する設備の設置のため必要な屋根に関する工事その他の屋外に面する建築物の部分に関する工事を行う建築物で構造上やむを得ないものとして国土交通省令で定めるものであつて、特定行政庁が低層住宅に係る良好な住居の環境を害するおそれがないと認めて許可したものの高さは、前2項の規定にかかわらず、その許可の範囲内において、これらの規定による限度を超えるものとすることができる。

4　第1項及び第2項の規定は、次の各号のいずれかに該当する建築物については、適用しない。

一　その敷地の周囲に広い公園、広場、道路その他の空地を有する建築物であつて、低層住宅に係る良好な住居の環境を害するおそれがないと認めて特定行政庁が許可したもの

二　学校その他の建築物であつて、その用途によつてやむを得ないと認めて特定行政庁が許可したもの

5　第44条第2項の規定は、第3項又は前項各号の規定による許可をする場合について準用する。

第6章　雑則

（用途の変更に対するこの法律の準用）

第87条　建築物の用途を変更して第6条第1項第1号の特殊建築物のいずれかとする場合（当該用途の変更が政令で指定する類似の用途相互間におけるものである場合を除く。）においては、同条（第3項、第5項及び第6項を除く。）、第6条の2（第3項を除く。）、第6条の4（第1項第1号及び第2号の建築物に係る部分に限る。）、第7条第1項並びに第18条第1項から第3項まで及び第14項から第16項までの規定を準用する。この場合において、第7条第1項中「建築主事等の検査（建築副主事の検査にあつては、大規模建築物以外の建築物に係るものに限る。第7条の3第1項において同じ。）を申請しなければならない」とあるのは、「建築主事等（当該用途の変更が大規模建築物に係るものである場合にあつては、建築主事）に届け出なければならない」と読み替えるものとする。

別表第1　耐火建築物等としなければならない特殊建築物（第6条、第21条、第27条、第28条、第35条―第35条の3、第90条の3関係）

	(い)	(ろ)	(は)	(に)
	用途	(い)欄の用途に供する階	(い)欄の用途に供する部分（(一)項の場合にあつては客席、(二)項及び(四)項の場合にあつては2階、(五)項の場合にあつては3階以上の部分に限り、かつ、病院及び診療所についてはその部分に患者の収容施設がある場合に限る。）の床面積の合計	(い)欄の用途に供する部分の床面積の合計
(三)	学校、体育館その	3階以上の階	2000平方メートル以	

	他これらに類するもので政令で定めるもの	上

別表第2　用途地域等内の建築物の制限（第27条、第48条、第68条の３関係）

(い)	第１種低層住居専用地域内に建築することができる建築物	一　住宅 二　住宅で事務所、店舗その他これらに類する用途を兼ねるもののうち政令で定めるもの 三　共同住宅、寄宿舎又は下宿 四　学校（大学、高等専門学校、専修学校及び各種学校を除く。）、図書館その他これらに類するもの 五　神社、寺院、教会その他これらに類するもの 六　老人ホーム、保育所、福祉ホームその他これらに類するもの 七　公衆浴場（風俗営業等の規制及び業務の適正化等に関する法律（昭和23年法律第122号）第２条第６項第１号に該当する営業（以下この表において「個室付浴場業」という。）に係るものを除く。） 八　診療所 九　巡査派出所、公衆電話所その他これらに類する政令で定める公益上必要な建築物 十　前各号の建築物に附属するもの（政令で定めるものを除く。）
(ろ)	第２種低層住居専用地域内に建築することができる建築物	一　(い)項第１号から第９号までに掲げるもの 二　店舗、飲食店その他これらに類する用途に供するもののうち政令で定めるものでその用途に供する部分の床面積の合計が150平方メートル以内のもの（３階以上の部分をその用途に供するものを除く。）
		三　前２号の建築物に附属するもの（政令で定めるものを除く。）
(は)	第１種中高層住居専用地域内に建築することができる建築物	一　(い)項第１号から第９号までに掲げるもの 二　大学、高等専門学校、専修学校その他これらに類するもの 三　病院 四　老人福祉センター、児童厚生施設その他これらに類するもの 五　店舗、飲食店その他これらに類する用途に供するもののうち政令で定めるものでその用途に供する部分の床面積の合計が500平方メートル以内のもの（３階以上の部分をその用途に供するものを除く。） 六　自動車車庫で床面積の合計が300平方メートル以内のもの又は都市計画として決定されたもの（３階以上の部分をその用途に供するものを除く。） 七　公益上必要な建築物で政令で定めるもの 八　前各号の建築物に附属するもの（政令で定めるものを除く。）
(を)	工業地域内に建築してはならない建築物	一　(る)項第３号に掲げるもの 二　ホテル又は旅館 三　キャバレー、料理店その他これらに類するもの 四　劇場、映画館、演芸場若しくは観覧場又はナイトクラブその他これに類する政令で定めるもの 五　学校（幼保連携型認定こども園を除く。） 六　病院 七　店舗、飲食店、展示場、遊技場、勝馬投票券発売所、場外車券売場その他これらに類する用途で政令で定めるものに供する建築物でその用途に供する部分の床面積の合計が１万平方メートルを超えるもの

●建築基準法施行令（抄）

〔昭和25年11月16日〕
〔政 令 第 338 号〕

注 令和6年4月19日政令第172号改正現在

第2章 一般構造
第1節 採光に必要な開口部
（居室の採光）

第19条 法第28条第1項（法第87条第3項において準用する場合を含む。以下この条及び次条において同じ。）の政令で定める建築物は、児童福祉施設（幼保連携型認定こども園を除く。）、助産所、身体障害者社会参加支援施設（補装具製作施設及び視聴覚障害者情報提供施設を除く。）、保護施設（医療保護施設を除く。）、女性自立支援施設、老人福祉施設、有料老人ホーム、母子保健施設、障害者支援施設、地域活動支援センター、福祉ホーム又は障害福祉サービス事業（生活介護、自立訓練、就労移行支援又は就労継続支援を行う事業に限る。）の用に供する施設（以下「児童福祉施設等」という。）とする。

2 法第28条第1項の政令で定める居室は、次に掲げるものとする。
一 保育所及び幼保連携型認定こども園の保育室
二 診療所の病室
三 児童福祉施設等の寝室（入所する者の使用するものに限る。）
四 児童福祉施設等（保育所を除く。）の居室のうちこれらに入所し、又は通う者に対する保育、訓練、日常生活に必要な便宜の供与その他これらに類する目的のために使用されるもの
五 病院、診療所及び児童福祉施設等の居室のうち入院患者又は入所する者の談話、娯楽その他これらに類する目的のために使用されるもの

3 法第28条第1項の政令で定める割合は、次の表の上欄に掲げる居室の種類の区分に応じ、それぞれ同表の下欄に掲げる割合とする。ただし、同表の㈠の項から㈥の項までの上欄に掲げる居室のうち、国土交通大臣が定める基準に従い、照明設備の設置、有効な採光方法の確保その他これらに準ずる措置が講じられているものにあつては、それぞれ同表の下欄に掲げる割合から10分の1までの範囲内において国土交通大臣が別に定める割合とする。

	居室の種類	割合
㈠	幼稚園、小学校、中学校、義務教育学校、高等学校、中等教育学校又は幼保連携型認定こども園の教室	5分の1
㈡	前項第1号に掲げる居室	
㈢	住宅の居住のための居室	7分の1
㈣	病院又は診療所の病室	
㈤	寄宿舎の寝室又は下宿の宿泊室	
㈥	前項第3号及び第4号に掲げる居室	
㈦	㈠の項に掲げる学校以外の学校の教室	10分の1
㈧	前項第5号に掲げる居室	

第4章 耐火構造、準耐火構造、防火構造、防火区画等
（耐火建築物等としなければならない特殊建築物）

第115条の3 法別表第1㈡欄の㈡項から㈣項まで及び㈥項（法第87条第3項において法第27条の規定を準用する場合を含む。）に掲げる用途に類するもので政令で定めるものは、それぞれ次の各号に掲げるものとする。
一 ㈡項の用途に類するもの 児童福祉施設等（幼保連携型認定こども園を含む。以下同じ。）
二 ㈢項の用途に類するもの 博物館、美術館、図書館、ボーリング場、スキー場、スケート場、水泳場又はスポーツの練習場
三 ㈣項の用途に類するもの 公衆浴場、待合、料理店、飲食店又は物品販売業を営む店舗（床面積が10平方メートル以内のものを除く。）
四 ㈥項の用途に類するもの 映画スタジオ又はテレビスタジオ

第5章 避難施設等
第2節 廊下、避難階段及び出入口
（直通階段の設置）

第120条 建築物の避難階以外の階（地下街における

ものを除く。次条第１項において同じ。）においては、避難階又は地上に通ずる直通階段（傾斜路を含む。以下同じ。）を次の表の上欄に掲げる居室の種類の区分に応じ当該各居室からその一に至る歩行距離が同表の中欄又は下欄に掲げる場合の区分に応じそれぞれ同表の中欄又は下欄に掲げる数値以下となるように設けなければならない。

居室の種類	構造 主要構造部が準耐火構造である場合（特定主要構造部が耐火構造である場合を含む。）又は主要構造部が不燃材料で造られている場合（単位　メートル）	その他の場合（単位　メートル）
（一）　第116条の２第１項第１号に該当する窓その他の開口部を有しない居室（当該居室の床面積、当該居室からの避難の用に供する廊下その他の通路の構造並びに消火設備、排煙設備、非常用の照明装置及び警報設備の設置の状況及び構造に関し避難上支障がないものとして国土交通大臣が定める基準に適合するものを除く。）又は法別表第１(い)欄(四)項に掲げる用途に供する特殊建築物の主たる用途に供する居室	30	30
（二）　法別表第１(い)欄(二)項に掲げる用途に供する特殊建築物の主たる用途に供する居室	50	30
（三）　(一)の項又は(二)の項に掲げる居室以外の居室	50	40

２　主要構造部が準耐火構造である建築物（特定主要構造部が耐火構造である建築物を含む。次条第２項及び第122条第１項において同じ。）又は主要構造部が不燃材料で造られている建築物の居室で、当該居室及びこれから地上に通ずる主たる廊下、階段その他の通路の壁（床面からの高さが1.2メートル以下の部分を除く。）及び天井（天井のない場合においては、屋根）の室内に面する部分（回り縁、窓台その他これらに類する部分を除く。）の仕上げを準不燃材料でしたものについては、前項の表の数値に10を加えた数値を同項の表の数値とする。ただし、15階以上の階の居室については、この限りでない。

３　15階以上の階の居室については、前項本文の規定に該当するものを除き、第１項の表の数値から10を減じた数値を同項の表の数値とする。

４　第１項の規定は、主要構造部を準耐火構造とした共同住宅（特定主要構造部を耐火構造とした共同住宅を含む。第123条の２において同じ。）の住戸でその階数が２又は３であり、かつ、出入口が一の階のみにあるものの当該出入口のある階以外の階については、その居室の各部分から避難階又は地上に通ずる直通階段の一に至る歩行距離が40メートル以下である場合においては、適用しない。

（２以上の直通階段を設ける場合）

第121条　建築物の避難階以外の階が次の各号のいずれかに該当する場合においては、その階から避難階又は地上に通ずる２以上の直通階段を設けなければならない。

　一　劇場、映画館、演芸場、観覧場、公会堂又は集会場の用途に供する階でその階に客席、集会室その他これらに類するものを有するもの

　二　物品販売業を営む店舗（床面積の合計が1500平方メートルを超えるものに限る。第122条第２項、第124条第１項及び第125条第３項において同じ。）の用途に供する階でその階に売場を有するもの

　三　次に掲げる用途に供する階でその階に客席、客室その他これらに類するものを有するもの（５階以下の階で、その階の居室の床面積の合計が100平方メートルを超えず、かつ、その階に避難上有効なバルコニー、屋外通路その他これらに類するもの及びその階から避難階又は地上に通ずる直通階段で第123条第２項又は第３項の規定に適合するものが設けられているもの並びに避難階の直上階又は直下階である５階以下の階でその階の居室の床面積の合計が100平方メートルを超えないものを除く。）

　　イ　キャバレー、カフェー、ナイトクラブ又はバー

　　ロ　個室付浴場業その他客の性的好奇心に応じて

その客に接触する役務を提供する営業を営む施設

ハ　ヌードスタジオその他これに類する興行場（劇場、映画館又は演芸場に該当するものを除く。）

ニ　専ら異性を同伴する客の休憩の用に供する施設

ホ　店舗型電話異性紹介営業その他これに類する営業を営む店舗

四　病院若しくは診療所の用途に供する階でその階における病室の床面積の合計又は児童福祉施設等の用途に供する階でその階における児童福祉施設等の主たる用途に供する居室の床面積の合計が、それぞれ50平方メートルを超えるもの

五　ホテル、旅館若しくは下宿の用途に供する階でその階における宿泊室の床面積の合計、共同住宅の用途に供する階でその階における居室の床面積の合計又は寄宿舎の用途に供する階でその階における寝室の床面積の合計が、それぞれ100平方メートルを超えるもの

六　前各号に掲げる階以外の階で次のイ又はロに該当するもの

イ　6階以上の階でその階に居室を有するもの（第1号から第4号までに掲げる用途に供する階以外の階で、その階の居室の床面積の合計が100平方メートルを超えず、かつ、その階に避難上有効なバルコニー、屋外通路その他これらに類するもの及びその階から避難階又は地上に通ずる直通階段で第123条第2項又は第3項の規定に適合するものが設けられているものを除く。）

ロ　5階以下の階でその階における居室の床面積の合計が避難階の直上階にあつては200平方メートルを、その他の階にあつては100平方メートルを超えるもの

2　主要構造部が準耐火構造である建築物又は主要構造部が不燃材料で造られている建築物について前項の規定を適用する場合には、同項中「50平方メートル」とあるのは「100平方メートル」と、「100平方メートル」とあるのは「200平方メートル」と、「200平方メートル」とあるのは「400平方メートル」とする。

3　第1項の規定により避難階又は地上に通ずる2以上の直通階段を設ける場合において、居室の各部分から各直通階段に至る通常の歩行経路の全てに共通の重複区間があるときにおける当該重複区間の長さは、前条に規定する歩行距離の数値の2分の1をこ

えてはならない。ただし、居室の各部分から、当該重複区間を経由しないで、避難上有効なバルコニー、屋外通路その他これらに類するものに避難することができる場合は、この限りでない。

4　第1項（第4号及び第5号（第2項の規定が適用される場合にあつては、第4号）に係る部分に限る。）の規定は、階数が3以下で延べ面積が200平方メートル未満の建築物の避難階以外の階（以下この項において「特定階」という。）（階段の部分（当該部分からのみ人が出入りすることのできる便所、公衆電話所その他これらに類するものを含む。）と当該階段の部分以外の部分（直接外気に開放されている廊下、バルコニーその他これらに類する部分を除く。）とが間仕切壁若しくは次の各号に掲げる場合の区分に応じ当該各号に定める防火設備で第112条第19項第2号に規定する構造であるもので区画されている建築物又は同条第15項の国土交通大臣が定める建築物の特定階に限る。）については、適用しない。

一　特定階を第1項第4号に規定する用途（児童福祉施設等については入所する者の寝室があるものに限る。）に供する場合　法第2条第9号の2ロに規定する防火設備（当該特定階がある建築物の居室、倉庫その他これらに類する部分にスプリンクラー設備その他これに類するものを設けた場合にあつては、10分間防火設備）

二　特定階を児童福祉施設等（入所する者の寝室があるものを除く。）の用途又は第1項第5号に規定する用途に供する場合　戸（ふすま、障子その他これらに類するものを除く。）

第3節　排煙設備

（設置）

第126条の2　法別表第1(い)欄(一)項から(四)項までに掲げる用途に供する特殊建築物で延べ面積が500平方メートルを超えるもの、階数が3以上で延べ面積が500平方メートルを超える建築物（建築物の高さが31メートル以下の部分にある居室で、床面積100平方メートル以内ごとに、間仕切壁、天井面から50センチメートル以上下方に突出した垂れ壁その他これらと同等以上に煙の流動を妨げる効力のあるもので不燃材料で造り、又は覆われたもの（以下「防煙壁」という。）によつて区画されたものを除く。）、第116条の2第1項第2号に該当する窓その他の開口部を有しない居室又は延べ面積が1000平方メートルを超える建築物の居室で、その床面積が200平方メートルを超えるもの（建築物の高さが31メートル以下の部分にある居室で、床面積100平方メートル以内ご

とに防煙壁で区画されたものを除く。）には、排煙設備を設けなければならない。ただし、次の各号のいずれかに該当する建築物又は建築物の部分については、この限りでない。

一　法別表第1（い）欄（二）項に掲げる用途に供する特殊建築物のうち、準耐火構造の床若しくは壁又は法第2条第9号の2ロに規定する防火設備で区画された部分で、その床面積が100平方メートル（共同住宅の住戸にあつては、200平方メートル）以内のもの

二　学校（幼保連携型認定こども園を除く。）、体育館、ボーリング場、スキー場、スケート場、水泳場又はスポーツの練習場（以下「学校等」という。）

三　階段の部分、昇降機の昇降路の部分（当該昇降機の乗降のための乗降ロビーの部分を含む。）その他これらに類する建築物の部分

四　機械製作工場、不燃性の物品を保管する倉庫その他これらに類する用途に供する建築物で主要構造部が不燃材料で造られたものその他これらと同等以上に火災の発生のおそれの少ない構造のもの

五　火災が発生した場合に避難上支障のある高さまで煙又はガスの降下が生じない建築物の部分として、天井の高さ、壁及び天井の仕上げに用いる材料の種類等を考慮して国土交通大臣が定めるもの

2　次に掲げる建築物の部分は、この節の規定の適用については、それぞれ別の建築物とみなす。

一　建築物が開口部のない準耐火構造の床若しくは壁又は法第2条第9号の2ロに規定する防火設備でその構造が第112条第19項第1号イ及びロ並びに第2号ロに掲げる要件を満たすものとして、国土交通大臣が定めた構造方法を用いるもの若しくは国土交通大臣の認定を受けたもので区画されている場合における当該床若しくは壁又は防火設備により分離された部分

二　建築物の2以上の部分の構造が通常の火災時において相互に煙又はガスによる避難上有害な影響を及ぼさないものとして国土交通大臣が定めた構造方法を用いるものである場合における当該部分

（構造）

第126条の3　前条第1項の排煙設備は、次に定める構造としなければならない。

一　建築物をその床面積500平方メートル以内ごとに、防煙壁で区画すること。

二　排煙設備の排煙口、風道その他煙に接する部分は、不燃材料で造ること。

三　排煙口は、第1号の規定により区画された部分（以下「防煙区画部分」という。）のそれぞれに

ついて、当該防煙区画部分の各部分から排煙口の一に至る水平距離が30メートル以下となるように、天井又は壁の上部（天井から80センチメートル（たけの最も短い防煙壁のたけが80センチメートルに満たないときは、その値）以内の距離にある部分をいう。）に設け、直接外気に接する場合を除き、排煙風道に直結すること。

四　排煙口には、手動開放装置を設けること。

五　前号の手動開放装置のうち手で操作する部分は、壁に設ける場合においては床面から80センチメートル以上1.5メートル以下の高さの位置に、天井から吊り下げて設ける場合においては床面からおおむね1.8メートルの高さの位置に設け、かつ、見やすい方法でその使用方法を表示すること。

六　排煙口には、第4号の手動開放装置若しくは煙感知器と連動する自動開放装置又は遠隔操作方式による開放装置により開放された場合を除き閉鎖状態を保持し、かつ、開放時に排煙に伴い生ずる気流により閉鎖されるおそれのない構造の戸その他これに類するものを設けること。

七　排煙風道は、第115条第1項第3号に定める構造とし、かつ、防煙壁を貫通する場合においては、当該風道と防煙壁とのすき間をモルタルその他の不燃材料で埋めること。

八　排煙口が防煙区画部分の床面積の50分の1以上の開口面積を有し、かつ、直接外気に接する場合を除き、排煙機を設けること。

九　前号の排煙機は、一の排煙口の開放に伴い自動的に作動し、かつ、1分間に、120立方メートル以上で、かつ、防煙区画部分の床面積1平方メートルにつき1立方メートル（2以上の防煙区画部分に係る排煙機にあつては、当該防煙区画部分のうち床面積の最大のものの床面積1平方メートルにつき2立方メートル）以上の空気を排出する能力を有するものとすること。

十　電源を必要とする排煙設備には、予備電源を設けること。

十一　法第34条第2項に規定する建築物又は各構えの床面積の合計が1000平方メートルを超える地下街における排煙設備の制御及び作動状態の監視は、中央管理室において行うことができるものとすること。

十二　前各号に定めるもののほか、火災時に生ずる煙を有効に排出することができるものとして国土交通大臣が定めた構造方法を用いるものとすること。

2　前項の規定は、送風機を設けた排煙設備その他の

特殊な構造の排煙設備で、通常の火災時に生ずる煙を有効に排出することができるものとして国土交通大臣が定めた構造方法を用いるものについては、適用しない。

第4節 非常用の照明装置

（設置）

第126条の4 法別表第1(い)欄(一)項から(四)項までに掲げる用途に供する特殊建築物の居室、階数が3以上で延べ面積が500平方メートルを超える建築物の居室、第116条の2第1項第1号に該当する窓その他の開口部を有しない居室又は延べ面積が1000平方メートルを超える建築物の居室及びこれらの居室から地上に通ずる廊下、階段その他の通路（採光上有効に直接外気に開放された通路を除く。）並びにこれらに類する建築物の部分で照明装置の設置を通常要する部分には、非常用の照明装置を設けなければならない。ただし、次の各号のいずれかに該当する建築物又は建築物の部分については、この限りでない。

一 一戸建の住宅又は長屋若しくは共同住宅の住戸

二 病院の病室、下宿の宿泊室又は寄宿舎の寝室その他これらに類する居室

三 学校等

四 避難階又は避難階の直上階若しくは直下階の居室で避難上支障がないものその他これらに類するものとして国土交通大臣が定めるもの

2 第117条第2項各号に掲げる建築物の部分は、この節の規定の適用については、それぞれ別の建築物とみなす。

（構造）

第126条の5 前条第1項の非常用の照明装置は、次の各号のいずれかに定める構造としなければならない。

一 次に定める構造とすること。

イ 照明は、直接照明とし、床面において1ルクス以上の照度を確保することができるものとすること。

ロ 照明器具の構造は、火災時において温度が上昇した場合であつても著しく光度が低下しないものとして国土交通大臣が定めた構造方法を用いるものとすること。

ハ 予備電源を設けること。

ニ イからハまでに定めるもののほか、非常の場合の照明を確保するために必要があるものとして国土交通大臣が定めた構造方法を用いるものとすること。

二 火災時において、停電した場合に自動的に点灯

し、かつ、避難するまでの間に、当該建築物の室内の温度が上昇した場合にあつても床面において1ルクス以上の照度を確保することができるものとして、国土交通大臣の認定を受けたものとすること。

第8章 既存の建築物に対する制限の緩和等

（建築物の用途を変更して特殊建築物とする場合に建築主事の確認等を要しない類似の用途）

第137条の18 法第87条第1項の規定により政令で指定する類似の用途は、当該建築物が次の各号のいずれかに掲げる用途である場合において、それぞれ当該各号に掲げる他の用途とする。ただし、第3号若しくは第6号に掲げる用途に供する建築物が第1種低層住居専用地域、第2種低層住居専用地域若しくは田園住居地域内にある場合、第7号に掲げる用途に供する建築物が第1種中高層住居専用地域、第2種中高層住居専用地域若しくは工業専用地域内にある場合又は第9号に掲げる用途に供する建築物が準住居地域若しくは近隣商業地域内にある場合については、この限りでない。

一 劇場、映画館、演芸場

二 公会堂、集会場

三 診療所（患者の収容施設があるものに限る。）、児童福祉施設等

四 ホテル、旅館

五 下宿、寄宿舎

六 博物館、美術館、図書館

七 体育館、ボーリング場、スケート場、水泳場、スキー場、ゴルフ練習場、バッティング練習場

八 百貨店、マーケット、その他の物品販売業を営む店舗

九 キャバレー、カフェー、ナイトクラブ、バー

十 待合、料理店

十一 映画スタジオ、テレビスタジオ

●直通階段の一に至る歩行距離に関し建築基準法施行令第116条の2第1項第1号に該当する窓その他の開口部を有する居室と同等の規制を受けるものとして避難上支障がない居室の基準を定める件

〔令和 5 年 3 月 20 日〕
〔国土交通省告示第208号〕

注　令和6年3月25日国土交通省告示第221号改正現在

建築基準法施行令（以下「令」という。）第120条第1項の表の（一）の項に規定する避難上支障がない居室の基準は、次に掲げるものとする。

一　次のイ又はロのいずれかに該当すること。

イ　床面積が30平方メートル以内の居室（病院、診療所（患者の収容施設があるものに限る。）又は児童福祉施設等（令第115条の3第1号に規定する児童福祉施設等をいい、通所のみにより利用されるものを除く。）の用に供するもの及び地階に存するものを除く。以下同じ。）であること。

ロ　居室及び当該居室から地上に通ずる廊下等（廊下その他の避難の用に供する建築物の部分をいう。以下同じ。）（採光上有効に直接外気に開放された部分を除く。）が、令第126条の5に規定する構造の非常用の照明装置を設けたものであること。

二　次のイ又はロのいずれかに該当すること。

イ　居室から令第120条の規定による直通階段（以下単に「直通階段」という。）に通ずる廊下等が、不燃材料で造り、又は覆われた壁又は戸（ふすま、障子その他これらに類するものを除く。以下同じ。）で令第112条第19項第2号に規定する構造であるもので区画されたものであること。

ロ　居室から直通階段に通ずる廊下等が、スプリンクラー設備（水源として、水道の用に供する水管を当該スプリンクラー設備に連結したものを除く。）、水噴霧消火設備、泡消火設備その他これらに類するもので自動式のもの（以下「スプリンクラー設備等」という。）を設け、又は消火上有効な措置が講じられた室以外の室（令第128条の7第2項に規定する火災の発生のおそれの少ない室（以下単に「火災の発生のおそ

れの少ない室」という。）を除く。）に面しないものであり、かつ、火災の発生のおそれの少ない室に該当する場合を除き、スプリンクラー設備等を設け、又は消火上有効な措置が講じられたものであること。

三　直通階段が次のイ又はロのいずれかに該当すること。

イ　直通階段の階段室が、その他の部分と準耐火構造の床若しくは壁又は建築基準法（昭和25年法律第201号）第2条第9号の2ロに規定する防火設備で令第112条第19項第2号に規定する構造であるもので区画されたものであること。

ロ　直通階段が屋外に設けられ、かつ、屋内から当該直通階段に通ずる出入口にイに規定する防火設備を設けたものであること。

四　居室から直通階段に通ずる廊下等が、火災の発生のおそれの少ない室に該当すること。ただし、不燃材料で造り、又は覆われた壁又は戸で令第112条第19項第2号に規定する構造であるもので区画された居室に該当する場合において、次のイからハまでに定めるところにより、当該居室で火災が発生した場合においても当該居室からの避難が安全に行われることを火災により生じた煙又はガスの高さに基づき検証する方法により確かめられたときは、この限りでない。

イ　当該居室に存する者（当該居室を通らなければ避難することができない者を含む。）の全てが当該居室において火災が発生してから当該居室からの避難を終了するまでの時間を、令和3年国土交通省告示第475号第1号イ及びロに掲げる式に基づき計算した時間を合計することにより計算すること。

ロ　イの規定によって計算した時間が経過したときにおける当該居室において発生した火災によ

り生じた煙又はガスの高さを、令和3年国土交
通省告示第475号第2号に掲げる式に基づき計
算すること。

ハ ロの規定によって計算した高さが、1.8メー
トルを下回らないことを確かめること。

五 令第110条の5に規定する基準に従って警報設
備（自動火災報知設備に限る。）を設けた建築物
の居室であること。

　　　附　則

　この告示は、建築基準法施行令の一部を改正する政
令（令和5年政令第34号）の施行の日（令和5年4月
1日）から施行する。

●消防法（抄）

〔昭和23年7月24日〕
〔法　律　第　186　号〕
注　令和5年6月16日法律第58号改正現在

第1章　総則

〔用語例〕

第2条　この法律の用語は左の例による。

②　防火対象物とは、山林又は舟車、船きよ若しくはふ頭に繋留された船舶、建築物その他の工作物若しくはこれらに属する物をいう。

③　消防対象物とは、山林又は舟車、船きよ若しくはふ頭に繋留された船舶、建築物その他の工作物又は物件をいう。

④　関係者とは、防火対象物又は消防対象物の所有者、管理者又は占有者をいう。

⑤　関係のある場所とは、防火対象物又は消防対象物のある場所をいう。

第4章　消防の設備等

〔消防用設備等の設置義務〕

第17条　学校、病院、工場、事業場、興行場、百貨店、旅館、飲食店、地下街、複合用途防火対象物その他の防火対象物で政令で定めるものの関係者は、政令で定める消防の用に供する設備、消防用水及び消火活動上必要な施設（以下「消防用設備等」という。）について消火、避難その他の消防の活動のために必要とされる性能を有するように、政令で定める技術上の基準に従つて、設置し、及び維持しなければな

らない。

②　市町村は、その地方の気候又は風土の特殊性により、前項の消防用設備等の技術上の基準に関する政令又はこれに基づく命令の規定のみによつては防火の目的を充分に達し難いと認めるときは、条例で、同項の消防用設備等の技術上の基準に関して、当該政令又はこれに基づく命令の規定と異なる規定を設けることができる。

③　第1項の防火対象物の関係者が、同項の政令若しくはこれに基づく命令又は前項の規定に基づく条例で定める技術上の基準に従つて設置し、及び維持しなければならない消防用設備等に代えて、特殊の消防用設備等その他の設備等（以下「特殊消防用設備等」という。）であつて、当該消防用設備等と同等以上の性能を有し、かつ、当該関係者が総務省令で定めるところにより作成する特殊消防用設備等の設置及び維持に関する計画（以下「設備等設置維持計画」という。）に従つて設置し、及び維持するものとして、総務大臣の認定を受けたものを用いる場合には、当該消防用設備等（それに代えて当該認定を受けた特殊消防用設備等が用いられるものに限る。）については、前2項の規定は、適用しない。

●消防法施行令（抄）

〔昭和36年3月25日〕
〔政 令 第 37 号〕

注　令和6年3月30日政令第161号改正現在

第2章　消防用設備等
第1節　防火対象物の指定
（防火対象物の指定）

第6条　法第17条第1項の政令で定める防火対象物は、別表第1に掲げる防火対象物とする。

第2節　種類
（消防用設備等の種類）

第7条　法第17条第1項の政令で定める消防の用に供する設備は、消火設備、警報設備及び避難設備とする。

2　前項の消火設備は、水その他消火剤を使用して消火を行う機械器具又は設備であつて、次に掲げるものとする。

一　消火器及び次に掲げる簡易消火用具

イ　水バケツ

ロ　水槽（そう）

ハ　乾燥砂

ニ　膨張ひる石又は膨張真珠岩

二　屋内消火栓（せん）設備

三　スプリンクラー設備

四　水噴霧消火設備

五　泡（あわ）消火設備

六　不活性ガス消火設備

七　ハロゲン化物消火設備

八　粉末消火設備

九　屋外消火栓（せん）設備

十　動力消防ポンプ設備

3　第1項の警報設備は、火災の発生を報知する機械器具又は設備であつて、次に掲げるものとする。

一　自動火災報知設備

一の二　ガス漏れ火災警報設備（液化石油ガスの保安の確保及び取引の適正化に関する法律（昭和42年法律第149号）第2条第3項に規定する液化石油ガス販売事業によりその販売がされる液化石油ガスの漏れを検知するためのものを除く。以下同じ。）

二　漏電火災警報器

三　消防機関へ通報する火災報知設備

四　警鐘、携帯用拡声器、手動式サイレンその他の非常警報器具及び次に掲げる非常警報設備

イ　非常ベル

ロ　自動式サイレン

ハ　放送設備

4　第1項の避難設備は、火災が発生した場合において避難するために用いる機械器具又は設備であつて、次に掲げるものとする。

一　すべり台、避難はしご、救助袋、緩降機、避難橋その他の避難器具

二　誘導灯及び誘導標識

5　法第17条第1項の政令で定める消防用水は、防火水槽（そう）又はこれに代わる貯水池その他の用水とする。

6　法第17条第1項の政令で定める消火活動上必要な施設は、排煙設備、連結散水設備、連結送水管、非常コンセント設備及び無線通信補助設備とする。

7　第1項及び前2項に規定するもののほか、第29条の4第1項に規定する必要とされる防火安全性能を有する消防の用に供する設備等は、法第17条第1項に規定する政令で定める消防の用に供する設備、消防用水及び消火活動上必要な施設とする。

第3節　設置及び維持の技術上の基準
第2款　消火設備に関する基準
（消火器具に関する基準）

第10条　消火器又は簡易消火用具（以下「消火器具」という。）は、次に掲げる防火対象物又はその部分に設置するものとする。

一　次に掲げる防火対象物

イ　別表第1㈠項イ、㈡項、㈥項イ(1)から(3)まで及びロ、（十六の二）項から㈥項まで並びに㈠項に掲げる防火対象物

ロ　別表第1㈢項に掲げる防火対象物で、火を使用する設備又は器具（防火上有効な措置として総務省令で定める措置が講じられたものを除く。）を設けたもの

二　次に掲げる防火対象物で、延べ面積が150平方メートル以上のもの

イ　別表第1㈠項ロ、㈣項、㈤項、㈥項イ(4)、ハ及びニ、㈨項並びに㈡項から㈥項までに掲げる防火対象物

ロ　別表第1㈢項に掲げる防火対象物（前号ロに掲げるものを除く。）

三　別表第1㈦項、㈧項、㈩項、㈡項及び㈥項に掲げる防火対象物で、延べ面積が300平方メートル

以上のもの

四　前3号に掲げるもののほか、別表第1に掲げる建築物その他の工作物で、少量危険物（法第2条第7項に規定する危険物（別表第2において「危険物」という。）のうち、危険物の規制に関する政令（昭和34年政令第306号）第1条の11に規定する指定数量の5分の1以上で当該指定数量未満のものをいう。）又は指定可燃物（同令別表第4の品名欄に掲げる物品で、同表の数量欄に定める数量以上のものをいう。以下同じ。）を貯蔵し、又は取り扱うもの

五　前各号に掲げる防火対象物以外の別表第1に掲げる建築物の地階（地下建築物にあつては、その各階をいう。以下同じ。）、無窓階（建築物の地上階のうち、総務省令で定める避難上又は消火活動上有効な開口部を有しない階をいう。以下同じ。）又は3階以上の階で、床面積が50平方メートル以上のもの

2　前項に規定するもののほか、消火器具の設置及び維持に関する技術上の基準は、次のとおりとする。

一　前項各号に掲げる防火対象物又はその部分には、防火対象物の用途、構造若しくは規模又は消火器具の種類若しくは性能に応じ、総務省令で定めるところにより、別表第2においてその消火に適応するものとされる消火器具を設置すること。ただし、二酸化炭素又はハロゲン化物（総務省令で定めるものを除く。）を放射する消火器は、別表第1（十六の二）項及び（十六の三）項に掲げる防火対象物並びに総務省令で定める地階、無窓階その他の場所に設置してはならない。

二　消火器具は、通行又は避難に支障がなく、かつ、使用に際して容易に持ち出すことができる箇所に設置すること。

3　第1項各号に掲げる防火対象物又はその部分に屋内消火栓設備、スプリンクラー設備、水噴霧消火設備、泡消火設備、不活性ガス消火設備、ハロゲン化物消火設備又は粉末消火設備を次条、第12条、第13条、第14条、第15条、第16条、第17条若しくは第18条に定める技術上の基準に従い、又は当該技術上の基準の例により設置したときは、同項の規定にかかわらず、総務省令で定めるところにより、消火器具の設置個数を減少することができる。

（屋内消火栓設備に関する基準）

第11条　屋内消火栓設備は、次に掲げる防火対象物又はその部分に設置するものとする。

一　別表第1（一）項に掲げる防火対象物で、延べ面積が500平方メートル以上のもの

二　別表第1（二）項から（十）項まで、（十二）項及び（十四）項に掲げる防火対象物で、延べ面積が700平方メートル以上のもの

三　別表第1（十一）項及び（十五）項に掲げる防火対象物で、延べ面積が1000平方メートル以上のもの

四　別表第1（十六の二）項に掲げる防火対象物で、延べ面積が150平方メートル以上のもの

五　前各号に掲げるもののほか、別表第1に掲げる建築物その他の工作物で、指定可燃物（可燃性液体類に係るものを除く。）を危険物の規制に関する政令別表第4で定める数量の750倍以上貯蔵し、又は取り扱うもの

六　前各号に掲げる防火対象物以外の別表第1（一）項から（十二）項まで、（十四）項及び（十五）項に掲げる防火対象物の地階、無窓階又は4階以上の階で、床面積が、同表（一）項に掲げる防火対象物にあつては100平方メートル以上、同表（二）項から（十）項まで、（十二）項及び（十四）項に掲げる防火対象物にあつては150平方メートル以上、同表（十一）項及び（十五）項に掲げる防火対象物にあつては200平方メートル以上のもの

2　前項の規定の適用については、同項各号（第5号を除く。）に掲げる防火対象物又はその部分の延べ面積又は床面積の数値は、特定主要構造部（建築基準法第2条第9号の2イに規定する特定主要構造部をいう。以下同じ。）を耐火構造とし、かつ、壁及び天井（天井のない場合にあつては、屋根。以下この項において同じ。）の室内に面する部分（回り縁、窓台その他これらに類する部分を除く。以下この項において同じ。）の仕上げを難燃材料（建築基準法施行令第1条第6号に規定する難燃材料をいう。以下この項において同じ。）でした防火対象物にあつては当該数値の3倍の数値（次条第1項第1号に掲げる防火対象物について前項第2号の規定を適用する場合にあつては、当該3倍の数値又は1000平方メートルに同条第2項第3号の2の総務省令で定める部分の床面積の合計を加えた数値のうち、いずれか小さい数値）とし、特定主要構造部を耐火構造としたその他の防火対象物又は建築基準法第2条第9号の3イ若しくはロのいずれかに該当し、かつ、壁及び天井の室内に面する部分の仕上げを難燃材料でした防火対象物にあつては当該数値の2倍の数値（次条第1項第1号に掲げる防火対象物について前項第2号の規定を適用する場合にあつては、当該2倍の数値又は1000平方メートルに同条第2項第3号の2の総務省令で定める部分の床面積の合計を加えた数値のうち、いずれか小さい数値）とする。

3　前2項に規定するもののほか、屋内消火栓設備の

設置及び維持に関する技術上の基準は、次の各号に掲げる防火対象物又はその部分の区分に応じ、当該各号に定めるとおりとする。

一　第1項第2号及び第6号に掲げる防火対象物又はその部分（別表第1(士)項イ又は(士)項に掲げる防火対象物に係るものに限る。）並びに第1項第5号に掲げる防火対象物又はその部分　次に掲げる基準

　イ　屋内消火栓は、防火対象物の階ごとに、その階の各部分から一のホース接続口までの水平距離が25メートル以下となるように設けること。

　ロ　屋内消火栓設備の消防用ホースの長さは、当該屋内消火栓設備のホース接続口からの水平距離が25メートルの範囲内の当該階の各部分に有効に放水することができる長さとすること。

　ハ　水源は、その水量が屋内消火栓の設置個数が最も多い階における当該設置個数（当該設置個数が2を超えるときは、2とする。）に2.6立方メートルを乗じて得た量以上の量となるように設けること。

　ニ　屋内消火栓設備は、いずれの階においても、当該階のすべての屋内消火栓（設置個数が2を超えるときは、2個の屋内消火栓とする。）を同時に使用した場合に、それぞれのノズルの先端において、放水圧力が0.17メガパスカル以上で、かつ、放水量が130リットル毎分以上の性能のものとすること。

　ホ　水源に連結する加圧送水装置は、点検に便利で、かつ、火災等の災害による被害を受けるおそれが少ない箇所に設けること。

　ヘ　屋内消火栓設備には、非常電源を附置すること。

二　第1項各号に掲げる防火対象物又はその部分で、前号に掲げる防火対象物又はその部分以外のもの　同号又は次のイ若しくはロに掲げる基準

　イ　次に掲げる基準

　　(1)　屋内消火栓は、防火対象物の階ごとに、その階の各部分から一のホース接続口までの水平距離が15メートル以下となるように設けること。

　　(2)　屋内消火栓設備の消防用ホースの長さは、当該屋内消火栓設備のホース接続口からの水平距離が15メートルの範囲内の当該階の各部分に有効に放水することができる長さとすること。

　　(3)　屋内消火栓設備の消防用ホースの構造は、1人で操作することができるものとして総務

省令で定める基準に適合するものとすること。

　　(4)　水源は、その水量が屋内消火栓の設置個数が最も多い階における当該設置個数（当該設置個数が2を超えるときは、2とする。）に1.2立方メートルを乗じて得た量以上の量となるように設けること。

　　(5)　屋内消火栓設備は、いずれの階においても、当該階の全ての屋内消火栓（設置個数が2を超えるときは、2個の屋内消火栓とする。）を同時に使用した場合に、それぞれのノズルの先端において、放水圧力が0.25メガパスカル以上で、かつ、放水量が60リットル毎分以上の性能のものとすること。

　　(6)　水源に連結する加圧送水装置は、点検に便利で、かつ、火災等の災害による被害を受けるおそれが少ない箇所に設けること。

　　(7)　屋内消火栓設備には、非常電源を附置すること。

　ロ　次に掲げる基準

　　(1)　屋内消火栓は、防火対象物の階ごとに、その階の各部分から一のホース接続口までの水平距離が25メートル以下となるように設けること。

　　(2)　屋内消火栓設備の消防用ホースの長さは、当該屋内消火栓設備のホース接続口からの水平距離が25メートルの範囲内の当該階の各部分に有効に放水することができる長さとすること。

　　(3)　屋内消火栓設備の消防用ホースの構造は、1人で操作することができるものとして総務省令で定める基準に適合するものとすること。

　　(4)　水源は、その水量が屋内消火栓の設置個数が最も多い階における当該設置個数（当該設置個数が2を超えるときは、2とする。）に1.6立方メートルを乗じて得た量以上の量となるように設けること。

　　(5)　屋内消火栓設備は、いずれの階においても、当該階の全ての屋内消火栓（設置個数が2を超えるときは、2個の屋内消火栓とする。）を同時に使用した場合に、それぞれのノズルの先端において、放水圧力が0.17メガパスカル以上で、かつ、放水量が80リットル毎分以上の性能のものとすること。

　　(6)　水源に連結する加圧送水装置は、点検に便利で、かつ、火災等の災害による被害を受けるおそれが少ない箇所に設けること。

　　(7)　屋内消火栓設備には、非常電源を附置する

こと。

4　第1項各号に掲げる防火対象物又はその部分にスプリンクラー設備、水噴霧消火設備、泡消火設備、不活性ガス消火設備、ハロゲン化物消火設備、粉末消火設備、屋外消火栓設備又は動力消防ポンプ設備を次条、第13条、第14条、第15条、第16条、第17条、第18条、第19条若しくは第20条に定める技術上の基準に従い、又は当該技術上の基準の例により設置したときは、同項の規定にかかわらず、当該設備の有効範囲内の部分（屋外消火栓設備及び動力消防ポンプ設備にあつては、1階及び2階の部分に限る。）について屋内消火栓設備を設置しないことができる。

（スプリンクラー設備に関する基準）

第12条　スプリンクラー設備は、次に掲げる防火対象物又はその部分に設置するものとする。

　四　別表第1(一)項から(四)項まで、(五)項イ、(六)項及び(九)項イに掲げる防火対象物（前号に掲げるものを除く。）のうち、平屋建以外の防火対象物で、総務省令で定める部分以外の部分の床面積の合計が、同表(四)項及び(六)項(1)から(3)までに掲げる防火対象物にあつては3000平方メートル以上、その他の防火対象物にあつては6000平方メートル以上のもの

　十一　前各号に掲げる防火対象物又はその部分以外の別表第1に掲げる防火対象物の地階、無窓階又は4階以上10階以下の階（総務省令で定める部分を除く。）で、次に掲げるもの

　　イ　別表第1(一)項、(三)項、(五)項イ、(六)項及び(九)項イに掲げる防火対象物の階で、その床面積が、地階又は無窓階にあつては1000平方メートル以上、4階以上10階以下の階にあつては1500平方メートル以上のもの

　　ロ　別表第1(二)項及び(四)項に掲げる防火対象物の階で、その床面積が1000平方メートル以上のもの

　　ハ　別表第1(十六)項イに掲げる防火対象物の階のうち、同表(一)項から(四)項まで、(五)項イ、(六)項又は(九)項イに掲げる防火対象物の用途に供される部分が存する階で、当該部分の床面積が、地階又は無窓階にあつては1000平方メートル以上、4階以上10階以下の階にあつては1500平方メートル（同表(二)項又は(四)項に掲げる防火対象物の用途に供される部分が存する階にあつては、1000平方メートル）以上のもの

　十二　前各号に掲げる防火対象物又はその部分以外の別表第1に掲げる防火対象物の11階以上の階（総務省令で定める部分を除く。）

2　前項に規定するもののほか、スプリンクラー設備

の設置及び維持に関する技術上の基準は、次のとおりとする。

　一　スプリンクラーヘッドは、前項第2号に掲げる防火対象物にあつては舞台部に、同項第8号に掲げる防火対象物にあつては指定可燃物（可燃性液体類に係るものを除く。）を貯蔵し、又は取り扱う部分に、同項第1号、第3号、第4号、第6号、第7号及び第9号から第12号までに掲げる防火対象物にあつては総務省令で定める部分に、それぞれ設けること。

　二　スプリンクラーヘッドは、次に定めるところにより、設けること。

　　イ　前項各号（第1号、第5号から第7号まで及び第9号を除く。）に掲げる防火対象物又はその部分（ロに規定する部分を除くほか、別表第1(五)項若しくは(六)項に掲げる防火対象物又は同表(十六)項に掲げる防火対象物の同表(五)項若しくは(六)項に掲げる防火対象物の用途に供される部分であつて、総務省令で定める種別のスプリンクラーヘッドが総務省令で定めるところにより設けられている部分がある場合には、当該スプリンクラーヘッドが設けられている部分を除く。）においては、前号に掲げる部分の天井又は小屋裏に、当該天井又は小屋裏の各部分から一のスプリンクラーヘッドまでの水平距離が、次の表の上欄に掲げる防火対象物又はその部分ごとに、同表の下欄に定める距離となるように、総務省令で定める種別のスプリンクラーヘッドを設けること。

防火対象物又はその部分	距離
第1項第2号から第4号まで及び第10号から第12号までに掲げる防火対象物又はその部分（別表第1(一)項に掲げる防火対象物の舞台部に限る。）	1.7メートル以下
第1項第8号に掲げる防火対象物	1.7メートル（火災を早期に感知し、かつ、広範囲に散水することができるスプリンクラーヘッドとして総務省令で定めるスプリンクラーヘッド（以下この表において「高感度型ヘッド」という。）にあつては、当該スプリンクラーヘッドの性能に応じ総務省令で定

		める距離）以下
第1項第3号、第4号及び第10号から第12号までに掲げる防火対象物又はその部分（別表第1㈠項に掲げる防火対象物の舞台部を除く。）	耐火建築物（建築基準法第2条第9号の2に規定する耐火建築物をいう。以下同じ。）以外の建築物	2.1メートル（高感度型ヘッドにあつては、当該スプリンクラーヘッドの性能に応じ総務省令で定める距離）以下
	耐火建築物	2.3メートル（高感度型ヘッドにあつては、当該スプリンクラーヘッドの性能に応じ総務省令で定める距離）以下

　　ロ　前項第3号、第4号、第8号及び第10号から第12号までに掲げる防火対象物又はその部分（別表第1㈠項に掲げる防火対象物の舞台部を除く。）のうち、可燃物が大量に存し消火が困難と認められる部分として総務省令で定めるものであつて床面から天井までの高さが6メートルを超える部分及びその他の部分であつて床面から天井までの高さが10メートルを超える部分においては、総務省令で定める種別のスプリンクラーヘッドを、総務省令で定めるところにより、設けること。

　　ハ　前項第1号、第5号から第7号まで及び第9号に掲げる防火対象物においては、総務省令で定める種別のスプリンクラーヘッドを、総務省令で定めるところにより、設けること。

　三　前号に掲げるもののほか、開口部（防火対象物の10階以下の部分にある開口部にあつては、延焼のおそれのある部分（建築基準法第2条第6号に規定する延焼のおそれのある部分をいう。）にあるものに限る。）には、その上枠に、当該上枠の長さ2.5メートル以下ごとに一のスプリンクラーヘッドを設けること。ただし、防火対象物の10階以下の部分にある開口部で建築基準法第2条第9号の2ロに規定する防火設備（防火戸その他の総務省令で定めるものに限る。）が設けられているものについては、この限りでない。

　三の二　特定施設水道連結型スプリンクラー設備（スプリンクラー設備のうち、その水源として、水道の用に供する水管を当該スプリンクラー設備に連結したものであつて、次号に規定する水量を貯留するための施設を有しないものをいう。以下この項において同じ。）は、前項第1号及び第9号に掲げる防火対象物又はその部分のうち、防火上有効な措置が講じられた構造を有するものとして総務省令で定める部分以外の部分の床面積の合計が1000平方メートル未満のものに限り、設置することができること。

　四　スプリンクラー設備（特定施設水道連結型スプリンクラー設備を除く。）には、その水源として、防火対象物の用途、構造若しくは規模又はスプリンクラーヘッドの種別に応じ総務省令で定めるところにより算出した量以上の量となる水量を貯留するための施設を設けること。

　五　スプリンクラー設備は、防火対象物の用途、構造若しくは規模又はスプリンクラーヘッドの種別に応じ総務省令で定めるところにより放水することができる性能のものとすること。

　六　スプリンクラー設備（総務省令で定める特定施設水道連結型スプリンクラー設備を除く。）には、点検に便利で、かつ、火災等の災害による被害を受けるおそれが少ない箇所に、水源に連結する加圧送水装置を設けること。

　七　スプリンクラー設備には、非常電源を附置し、かつ、消防ポンプ自動車が容易に接近することができる位置に双口形の送水口を附置すること。ただし、特定施設水道連結型スプリンクラー設備については、この限りでない。

　八　スプリンクラー設備には、総務省令で定めるところにより、補助散水栓を設けることができること。

3　第1項各号に掲げる防火対象物又はその部分に水噴霧消火設備、泡消火設備、不活性ガス消火設備、ハロゲン化物消火設備又は粉末消火設備を次条、第14条、第15条、第16条、第17条若しくは第18条に定める技術上の基準に従い、又は当該技術上の基準の例により設置したときは、同項の規定にかかわらず、当該設備の有効範囲内の部分についてスプリンクラー設備を設置しないことができる。

4　前条第2項の規定は、第1項第5号に掲げる防火対象物について準用する。

（屋外消火栓設備に関する基準）

第19条　屋外消火栓設備は、別表第1㈠項から㈤項まで、㈦項及び㈨項に掲げる建築物で、床面積（地階を除く階数が一であるものにあつては1階の床面積を、地階を除く階数が2以上であるものにあつては1階及び2階の部分の床面積の合計をいう。第27条において同じ。）が、耐火建築物にあつては9000平

1761

方メートル以上、準耐火建築物（建築基準法第2条第9号の3に規定する準耐火建築物をいう。以下同じ。）にあつては6000平方メートル以上、その他の建築物にあつては3000平方メートル以上のものについて設置するものとする。

2　同一敷地内にある2以上の別表第1(一)項から(十五)項まで、(十七)項及び(十八)項に掲げる建築物（耐火建築物及び準耐火建築物を除く。）で、当該建築物相互の1階の外壁間の中心線からの水平距離が、1階にあつては3メートル以下、2階にあつては5メートル以下である部分を有するものは、前項の規定の適用については、一の建築物とみなす。

3　前2項に規定するもののほか、屋外消火栓設備の設置及び維持に関する技術上の基準は、次のとおりとする。

一　屋外消火栓は、建築物の各部分から一のホース接続口までの水平距離が40メートル以下となるように設けること。

二　屋外消火栓設備の消防用ホースの長さは、当該屋外消火栓設備のホース接続口からの水平距離が40メートルの範囲内の当該建築物の各部分に有効に放水することができる長さとすること。

三　水源は、その水量が屋外消火栓の設置個数（当該設置個数が2を超えるときは、2とする。）に7立方メートルを乗じて得た量以上の量となるように設けること。

四　屋外消火栓設備は、すべての屋外消火栓（設置個数が2を超えるときは、2個の屋外消火栓とする。）を同時に使用した場合に、それぞれのノズルの先端において、放水圧力が0.25メガパスカル以上で、かつ、放水量が350リットル毎分以上の性能のものとすること。

五　屋外消火栓及び屋外消火栓設備の放水用器具を格納する箱は、避難の際通路となる場所等屋外消火栓設備の操作が著しく阻害されるおそれのある箇所に設けないこと。

六　屋外消火栓設備には、非常電源を附置すること。

4　第1項の建築物にスプリンクラー設備、水噴霧消火設備、泡消火設備、不活性ガス消火設備、ハロゲン化物消火設備、粉末消火設備又は動力消防ポンプ設備を第12条、第13条、第14条、第15条、第16条、第17条、前条若しくは次条に定める技術上の基準に従い、又は当該技術上の基準の例により設置したときは、同項の規定にかかわらず、当該設備の有効範囲内の部分について屋外消火栓設備を設置しないことができる。

（動力消防ポンプ設備に関する基準）

第20条　動力消防ポンプ設備は、次の各号に掲げる防火対象物又はその部分について設置するものとする。

一　第11条第1項各号（第4号を除く。）に掲げる防火対象物又はその部分

二　前条第1項の建築物

2　第11条第2項の規定は前項第1号に掲げる防火対象物又はその部分について、前条第2項の規定は前項第2号に掲げる建築物について準用する。

3　動力消防ポンプ設備は、法第21条の16の3第1項の技術上の規格として定められた放水量（次項において「規格放水量」という。）が第1項第1号に掲げる防火対象物又はその部分に設置するものにあつては0.2立方メートル毎分以上、同項第2号に掲げる建築物に設置するものにあつては0.4立方メートル毎分以上であるものとする。

4　前3項に規定するもののほか、動力消防ポンプ設備の設置及び維持に関する技術上の基準は、次のとおりとする。

一　動力消防ポンプ設備の水源は、防火対象物の各部分から一の水源までの水平距離が、当該動力消防ポンプの規格放水量が0.5立方メートル毎分以上のものにあつては100メートル以下、0.4立方メートル毎分以上0.5立方メートル毎分未満のものにあつては40メートル以下、0.4立方メートル毎分未満のものにあつては25メートル以下となるように設けること。

二　動力消防ポンプ設備の消防用ホースの長さは、当該動力消防ポンプ設備の水源からの水平距離が当該動力消防ポンプの規格放水量が0.5立方メートル毎分以上のものにあつては100メートル、0.4立方メートル毎分以上0.5立方メートル毎分未満のものにあつては40メートル、0.4立方メートル毎分未満のものにあつては25メートルの範囲内の当該防火対象物の各部分に有効に放水することができる長さとすること。

三　水源は、その水量が当該動力消防ポンプを使用した場合に規格放水量で20分間放水することができる量（その量が20立方メートル以上となることとなる場合にあつては、20立方メートル）以上の量となるように設けること。

四　動力消防ポンプは、消防ポンプ自動車又は自動車によつて牽（けん）引されるものにあつては水源からの歩行距離が1000メートル以内の場所に、その他のものにあつては水源の直近の場所に常置すること。

5　第1項各号に掲げる防火対象物又はその部分に次の各号に掲げる消火設備をそれぞれ当該各号に定めるところにより設置したときは、同項の規定にかか

わらず、当該設備の有効範囲内の部分について動力消防ポンプ設備を設置しないことができる。

一　第1項各号に掲げる防火対象物又はその部分に屋外消火栓設備を前条に定める技術上の基準に従い、又は当該技術上の基準の例により設置したとき。

二　第1項第1号に掲げる防火対象物の1階又は2階に屋内消火栓設備、スプリンクラー設備、水噴霧消火設備、泡消火設備、不活性ガス消火設備、ハロゲン化物消火設備又は粉末消火設備を第11条、第12条、第13条、第14条、第15条、第16条、第17条若しくは第18条に定める技術上の基準に従い、又は当該技術上の基準の例により設置したとき。

三　第1項第2号に掲げる建築物の1階又は2階にスプリンクラー設備、水噴霧消火設備、泡消火設備、不活性ガス消火設備、ハロゲン化物消火設備又は粉末消火設備を第12条、第13条、第14条、第15条、第16条、第17条若しくは第18条に定める技術上の基準に従い、又は当該技術上の基準の例により設置したとき。

第3款　警報設備に関する基準

（ガス漏れ火災警報設備に関する基準）

第21条の2　ガス漏れ火災警報設備は、次に掲げる防火対象物又はその部分（総務省令で定めるものを除く。）に設置するものとする。

一　別表第1（十六の二）項に掲げる防火対象物で、延べ面積が1000平方メートル以上のもの

二　別表第1（十六の三）項に掲げる防火対象物のうち、延べ面積が1000平方メートル以上で、かつ、同表㈠項から㈣項まで、㈤項イ、㈥項又は㈨項イに掲げる防火対象物の用途に供される部分の床面積の合計が500平方メートル以上のもの

三　前2号に掲げる防火対象物以外の別表第1に掲げる建築物その他の工作物（収容人員が総務省令で定める数に満たないものを除く。）で、その内部に、温泉の採取のための設備で総務省令で定めるもの（温泉法（昭和23年法律第125号）第14条の5第1項の確認を受けた者が当該確認に係る温泉の採取の場所において温泉を採取するための設備を除く。）が設置されているもの

四　別表第1㈠項から㈣項まで、㈤項イ、㈥項及び㈨項イに掲げる防火対象物（前号に掲げるものを除く。）の地階で、床面積の合計が1000平方メートル以上のもの

五　別表第1㈥項イに掲げる防火対象物（第3号に掲げるものを除く。）の地階のうち、床面積の合計が1000平方メートル以上で、かつ、同表㈠項から㈣項まで、㈤項イ、㈥項又は㈨項イに掲げる防火対象物の用途に供される部分の床面積の合計が500平方メートル以上のもの

2　前項に規定するもののほか、ガス漏れ火災警報設備の設置及び維持に関する技術上の基準は、次のとおりとする。

一　ガス漏れ火災警報設備の警戒区域（ガス漏れの発生した区域を他の区域と区別して識別することができる最小単位の区域をいう。次号において同じ。）は、防火対象物の2以上の階にわたらないものとすること。ただし、総務省令で定める場合は、この限りでない。

二　一の警戒区域の面積は、600平方メートル以下とすること。ただし、総務省令で定める場合は、この限りでない。

三　ガス漏れ火災警報設備のガス漏れ検知器は、総務省令で定めるところにより、有効にガス漏れを検知することができるように設けること。

四　ガス漏れ火災警報設備には、非常電源を附置すること。

（漏電火災警報器に関する基準）

第22条　漏電火災警報器は、次に掲げる防火対象物で、間柱若しくは下地を準不燃材料（建築基準法施行令第1条第5号に規定する準不燃材料をいう。以下この項において同じ。）以外の材料で造つた鉄網入りの壁、根太若しくは下地を準不燃材料以外の材料で造つた鉄網入りの床又は天井野縁若しくは下地を準不燃材料以外の材料で造つた鉄網入りの天井を有するものに設置するものとする。

一　別表第1㈩項に掲げる建築物

二　別表第1㈤項及び㈨項に掲げる建築物で、延べ面積が150平方メートル以上のもの

三　別表第1㈠項から㈣項まで、㈥項、㈩項及び（十六の二）項に掲げる防火対象物で、延べ面積が300平方メートル以上のもの

四　別表第1㈦項、㈧項、㈩項及び㈫項に掲げる建築物で、延べ面積が500平方メートル以上のもの

五　別表第1㈫項及び㈭項に掲げる建築物で、延べ面積が1000平方メートル以上のもの

六　別表第1㈥項イに掲げる防火対象物のうち、延べ面積が500平方メートル以上で、かつ、同表㈠項から㈣項まで、㈤項イ、㈥項又は㈨項イに掲げる防火対象物の用途に供される部分の床面積の合計が300平方メートル以上のもの

七　前各号に掲げるもののほか、別表第1㈠項から㈥項まで、㈭項及び㈮項に掲げる建築物で、当該

建築物における契約電流容量（同一建築物で契約種別の異なる電気が供給されているものにあつては、そのうちの最大契約電流容量）が50アンペアを超えるもの

2　前項の漏電火災警報器は、建築物の屋内電気配線に係る火災を有効に感知することができるように設置するものとする。

（消防機関へ通報する火災報知設備に関する基準）

第23条　消防機関へ通報する火災報知設備は、次に掲げる防火対象物に設置するものとする。ただし、消防機関から著しく離れた場所その他総務省令で定める場所にある防火対象物にあつては、この限りでない。

一　別表第１(六)項イ(1)から(3)まで及びロ、(十六の二)項並びに(十六の三)項に掲げる防火対象物

二　別表第１(一)項、(二)項、(四)項、(五)項イ、(六)項イ(4)、ハ及びニ、(十二)項並びに(十七)項に掲げる防火対象物で、延べ面積が500平方メートル以上のもの

三　別表第１(三)項、(五)項ロ、(七)項から(十一)項まで及び(十三)項から(十五)項までに掲げる防火対象物で、延べ面積が1000平方メートル以上のもの

2　前項の火災報知設備は、当該火災報知設備の種別に応じ総務省令で定めるところにより、設置するものとする。

3　第１項各号に掲げる防火対象物（同項第１号に掲げる防火対象物で別表第１(六)項イ(1)から(3)まで及びロに掲げるもの並びに第１項第２号に掲げる防火対象物で同表(五)項イ並びに(六)項イ(4)及びハに掲げるものを除く。）に消防機関へ常時通報することができる電話を設置したときは、第１項の規定にかかわらず、同項の火災報知設備を設置しないことができる。

（非常警報器具又は非常警報設備に関する基準）

第24条　非常警報器具は、別表第１(四)項、(六)項ロ、ハ及びニ、(九)項ロ並びに(十二)項に掲げる防火対象物で収容人員が20人以上50人未満のもの（次項に掲げるものを除く。）に設置するものとする。ただし、これらの防火対象物に自動火災報知設備又は非常警報設備が第21条若しくは第４項に定める技術上の基準に従い、又は当該技術上の基準の例により設置されているときは、当該設備の有効範囲内の部分については、この限りでない。

2　非常ベル、自動式サイレン又は放送設備は、次に掲げる防火対象物（次項の適用を受けるものを除く。）に設置するものとする。ただし、これらの防火対象物に自動火災報知設備が第21条に定める技術上の基準に従い、又は当該技術上の基準の例により設置されているときは、当該設備の有効範囲内の部

分については、この限りでない。

一　別表第１(五)項イ、(六)項イ及び(九)項イに掲げる防火対象物で、収容人員が20人以上のもの

二　前号に掲げる防火対象物以外の別表第１(一)項から(十七)項までに掲げる防火対象物で、収容人員が50人以上のもの又は地階及び無窓階の収容人員が20人以上のもの

3　非常ベル及び放送設備又は自動式サイレン及び放送設備は、次に掲げる防火対象物に設置するものとする。

一　別表第１(十六の二)項及び(十六の三)項に掲げる防火対象物

二　別表第１に掲げる防火対象物（前号に掲げるものを除く。）で、地階を除く階数が11以上のもの又は地階の階数が３以上のもの

三　別表第１(十六)項イに掲げる防火対象物で、収容人員が500人以上のもの

四　前２号に掲げるもののほか、別表第１(一)項から(四)項まで、(五)項イ、(六)項イ及び(九)項イに掲げる防火対象物で収容人員が300人以上のもの又は同表(五)項ロ、(七)項及び(八)項に掲げる防火対象物で収容人員が800人以上のもの

4　前３項に規定するもののほか、非常警報器具又は非常警報設備の設置及び維持に関する技術上の基準は、次のとおりとする。

一　非常警報器具又は非常警報設備は、当該防火対象物の全区域に火災の発生を有効に、かつ、すみやかに報知することができるように設けること。

二　非常警報器具又は非常警報設備の起動装置は、多数の者の目にふれやすく、かつ、火災に際しすみやかに操作することができる箇所に設けること。

三　非常警報設備には、非常電源を附置すること。

5　第３項各号に掲げる防火対象物のうち自動火災報知設備又は総務省令で定める放送設備が第21条若しくは前項に定める技術上の基準に従い、又は当該技術上の基準の例により設置されているものについては、第３項の規定にかかわらず、当該設備の有効範囲内の部分について非常ベル又は自動式サイレンを設置しないことができる。

第４款　避難設備に関する基準

（避難器具に関する基準）

第25条　避難器具は、次に掲げる防火対象物の階（避難階及び11階以上の階を除く。）に設置するものとする。

一　別表第１(六)項に掲げる防火対象物の２階以上の階又は地階で、収容人員が20人（下階に同表(一)項から(四)項まで、(九)項、(十二)項イ、(十三)項イ、(十五)項又は

（圭）項に掲げる防火対象物が存するものにあつて
は、10人）以上のもの

二　別表第1（五）項に掲げる防火対象物の2階以上の
階又は地階で、収容人員が30人（下階に同表（一）項
から（四）項まで、（九）項、（土）項イ、（圭）項イ、（圭）項又は
（圭）項に掲げる防火対象物が存するものにあつて
は、10人）以上のもの

三　別表第1（一）項から（四）項まで及び（七）項から（圭）項ま
でに掲げる防火対象物の2階以上の階（特定主要
構造部を耐火構造とした建築物の2階を除く。）
又は地階で、収容人員が50人以上のもの

四　別表第1（圭）項及び（圭）項に掲げる防火対象物の3
階以上の階又は地階で、収容人員が、3階以上の
無窓階又は地階にあつては100人以上、その他の
階にあつては150人以上のもの

五　前各号に掲げるもののほか、別表第1に掲げる
防火対象物の3階（同表（二）項及び（三）項に掲げる防
火対象物並びに同表（圭）項イに掲げる防火対象物で
2階に同表（二）項又は（三）項に掲げる防火対象物の用
途に供される部分が存するものにあつては、2階）
以上の階のうち、当該階（当該階に総務省令で定
める避難上有効な開口部を有しない壁で区画され
ている部分が存する場合にあつては、その区画さ
れた部分）から避難階又は地上に直通する階段が
2以上設けられていない階で、収容人員が10人以
上のもの

2　前項に規定するもののほか、避難器具の設置及び
維持に関する技術上の基準は、次のとおりとする。

一　前項各号に掲げる階には、次の表において同項
各号の防火対象物の区分に従いそれぞれの階に適
応するものとされる避難器具のいずれかを、同項
第1号、第2号及び第5号に掲げる階にあつては、
収容人員が100人以下のときは1個以上、100人を
超えるときは1個に100人までを増すごとに1個
を加えた個数以上、同項第3号に掲げる階にあつ
ては、収容人員が200人以下のときは1個以上、
200人を超えるときは1個に200人までを増すごと
に1個を加えた個数以上、同項第4号に掲げる階
にあつては、収容人員が300人以下のときは1個
以上、300人を超えるときは1個に300人までを増
すごとに1個を加えた個数以上設置すること。た
だし、当該防火対象物の位置、構造又は設備の状
況により避難上支障がないと認められるときは、
総務省令で定めるところにより、その設置個数を
減少し、又は避難器具を設置しないことができる。

階／防火対象物	地階	2階	3階	4階又は5階	6階以上の階
前項第1号の防火対象物	避難はしご 避難用タラップ	滑り台 避難はしご 救助袋 緩降機 避難橋 避難用タラップ	滑り台 救助袋 緩降機 避難橋	滑り台 救助袋 緩降機 避難橋	滑り台 救助袋 避難橋
前項第2号及び第3号の防火対象物	避難はしご 避難用タラップ	滑り台 避難はしご 救助袋 緩降機 避難橋 滑り棒 避難ロープ 避難用タラップ	滑り台 避難はしご 救助袋 緩降機 避難橋 避難用タラップ	滑り台 避難はしご 救助袋 緩降機 避難橋	滑り台 避難はしご 救助袋 緩降機 避難橋
前項第4号の防火対象物	避難はしご 避難用タラップ		滑り台 避難はしご 救助袋 緩降機 避難橋 避難用タラップ	滑り台 避難はしご 救助袋 緩降機 避難橋	滑り台 避難はしご 救助袋 緩降機 避難橋
前項第5号の防火対象物		滑り台 避難はしご 救助袋 緩降機 避難橋 滑り棒 避難ロープ 避難用タラップ	滑り台 避難はしご 救助袋 緩降機 避難橋 避難用タラップ	滑り台 避難はしご 救助袋 緩降機 避難橋	滑り台 避難はしご 救助袋 緩降機 避難橋

　二　避難器具は、避難に際して容易に接近すること
　　ができ、階段、避難口その他の避難施設から適当
　　な距離にあり、かつ、当該器具を使用するについ
　　て安全な構造を有する開口部に設置すること。

　三　避難器具は、前号の開口部に常時取り付けてお
　　くか、又は必要に応じて速やかに当該開口部に取
　　り付けることができるような状態にしておくこと。

（誘導灯及び誘導標識に関する基準）

第26条　誘導灯及び誘導標識は、次の各号に掲げる区
　分に従い、当該各号に定める防火対象物又はその部
　分に設置するものとする。ただし、避難が容易であ
　ると認められるもので総務省令で定めるものについ
　ては、この限りでない。

　一　避難口誘導灯　別表第1（一）項から（四）項まで、（五）
　　項イ、（六）項、（九）項、（十二）項イ、（十六の二）項及び（十六
　　の三）項に掲げる防火対象物並びに同表（五）項ロ、
　　（七）項、（八）項、（十）項から（十五）項まで及び（十六）項ロに掲げ
　　る防火対象物の地階、無窓階及び11階以上の部分

　二　通路誘導灯　別表第1（一）項から（四）項まで、（五）項
　　イ、（六）項、（九）項、（十二）項イ、（十六の二）項及び（十六
　　の三）項に掲げる防火対象物並びに同表（五）項ロ、
　　（七）項、（八）項、（十）項から（十五）項まで及び（十六）項ロに掲げ
　　る防火対象物の地階、無窓階及び11階以上の部分

　三　客席誘導灯　別表第1（一）項に掲げる防火対象物
　　並びに同表（十六）項イ及び（十六の二）項に掲げる防火
　　対象物の部分で、同表（一）項に掲げる防火対象物の
　　用途に供されるもの

　四　誘導標識　別表第1（一）項から（十二）項までに掲げる
　　防火対象物

2　前項に規定するもののほか、誘導灯及び誘導標識
　の設置及び維持に関する技術上の基準は、次のとお
　りとする。

　一　避難口誘導灯は、避難口である旨を表示した緑
　　色の灯火とし、防火対象物又はその部分の避難口
　　に、避難上有効なものとなるように設けること。

　二　通路誘導灯は、避難の方向を明示した緑色の灯
　　火とし、防火対象物又はその部分の廊下、階段、
　　通路その他避難上の設備がある場所に、避難上有
　　効なものとなるように設けること。ただし、階段
　　に設けるものにあつては、避難の方向を明示した
　　ものとすることを要しない。

　三　客席誘導灯は、客席に、総務省令で定めるとこ
　　ろにより計つた客席の照度が0.2ルクス以上とな
　　るように設けること。

　四　誘導灯には、非常電源を附置すること。

　五　誘導標識は、避難口である旨又は避難の方向を
　　明示した緑色の標識とし、多数の者の目に触れや

すい箇所に、避難上有効なものとなるように設け
ること。

3　第1項第4号に掲げる防火対象物又はその部分に
　避難口誘導灯又は通路誘導灯を前項に定める技術上
　の基準に従い、又は当該技術上の基準の例により設
　置したときは、第1項の規定にかかわらず、これら
　の誘導灯の有効範囲内の部分について誘導標識を設
　置しないことができる。

　　　第5款　消防用水に関する基準

（消防用水に関する基準）

第27条　消防用水は、次に掲げる建築物について設置
　するものとする。

　一　別表第1（一）項から（十五）項まで、（十七）項及び（十八）項に掲
　　げる建築物で、その敷地の面積が2万平方メート
　　ル以上あり、かつ、その床面積が、耐火建築物に
　　あつては1万5000平方メートル以上、準耐火建築
　　物にあつては1万平方メートル以上、その他の建
　　築物にあつては5000平方メートル以上のもの（次
　　号に掲げる建築物を除く。）

　二　別表第1に掲げる建築物で、その高さが31メー
　　トルを超え、かつ、その延べ面積（地階に係るも
　　のを除く。以下この条において同じ。）が2万
　　5000平方メートル以上のもの

2　同一敷地内に別表第1（一）項から（十五）項まで、（十七）項及
　び（十八）項に掲げる建築物（高さが31メートルを超え、
　かつ、延べ面積が2万5000平方メートル以上の建築
　物を除く。以下この項において同じ。）が2以上あ
　る場合において、これらの建築物が、当該建築物相
　互の1階の外壁間の中心線からの水平距離が、1階
　にあつては3メートル以下、2階にあつては5メー
　トル以下である部分を有するものであり、かつ、こ
　れらの建築物の床面積を、耐火建築物にあつては
　1万5000平方メートル、準耐火建築物にあつては
　1万平方メートル、その他の建築物にあつては5000
　平方メートルでそれぞれ除した商の和が1以上とな
　るものであるときは、これらの建築物は、前項の規
　定の適用については、一の建築物とみなす。

3　前2項に規定するもののほか、消防用水の設置及
　び維持に関する技術上の基準は、次のとおりとする。

　一　消防用水は、その有効水量（地盤面下に設けら
　　れている消防用水にあつては、その設けられてい
　　る地盤面の高さから4.5メートル以内の部分の水
　　量をいう。以下この条において同じ。）の合計が、
　　第1項第1号に掲げる建築物にあつてはその床面
　　積を、同項第2号に掲げる建築物にあつてはその
　　延べ面積を建築物の区分に従い次の表に定める面
　　積で除した商（1未満のはしたの数は切り上げる

ものとする。）を20立方メートルに乗じた量以上
の量となるように設けること。この場合において、
当該消防用水が流水を利用するものであるとき
は、0.8立方メートル毎分の流量を20立方メート
ルの水量に換算するものとする。

建築物の区分		面積
第1項第1号に掲げる建築物	耐火建築物	7500平方メートル
	準耐火建築物	5000平方メートル
	その他の建築物	2500平方メートル
第1項第2号に掲げる建築物		1万2500平方メートル

二　消防用水は、建築物の各部分から一の消防用水
までの水平距離が100メートル以下となるように
設けるとともに、1個の消防用水の有効水量は、
20立方メートル未満（流水の場合は、0.8立方メー
トル毎分未満）のものであつてはならないものと
すること。

三　消防用水の吸管を投入する部分の水深は、当該
消防用水について、所要水量のすべてを有効に吸
い上げることができる深さであるものとすること。

四　消防用水は、消防ポンプ自動車が2メートル以
内に接近することができるように設けること。

五　防火水槽には、適当の大きさの吸管投入孔を設
けること。

第8款　雑則

（基準の特例）

第31条　別表第1(十二)項イに掲げる防火対象物で、総務
省令で定めるものについては、この節の第2款に定
める基準に関して、総務省令で特例を定めることが
できる。

2　次に掲げる防火対象物又はその部分については、
この節に定める基準に関して、総務省令で特例を定
めることができる。

一　別表第1(十一)項に掲げる防火対象物で、総務省令
で定めるもの

二　別表第1に掲げる防火対象物の道路の用に供さ
れる部分で、総務省令で定めるもの

第32条　この節の規定は、消防用設備等について、消
防長又は消防署長が、防火対象物の位置、構造又は
設備の状況から判断して、この節の規定による消防
用設備等の基準によらなくとも、火災の発生又は延
焼のおそれが著しく少なく、かつ、火災等の災害に
よる被害を最少限度に止めることができると認める
ときにおいては、適用しない。

別表第1（第1条の2―第3条、第3条の3、第4条、
第4条の2の2―第4条の3、第6条、第9条―第
14条、第19条、第21条―第29条の3、第31条、第34
条、第34条の2、第34条の4―第36条関係）

(六)	ハ　次に掲げる防火対象物
	(3)　助産施設、保育所、幼保連携型認定こども園、児童養護施設、児童自立支援施設、児童家庭支援センター、児童福祉法（昭和22年法律第164号）第6条の3第7項に規定する一時預かり事業又は同条第9項に規定する家庭的保育事業を行う施設その他これらに類するものとして総務省令で定めるもの
	ニ　幼稚園又は特別支援学校

※33頁参照（●子ども・子育て支援法）
　本書印刷直前に公布された令和6年6月12日法律第47号による改正のうち、未施行分について〔参考〕として以下に収載します。

〔参　考〕
　●子ども・子育て支援法等の一部を改正する法律（抄）

〔令和6年6月12日〕
〔法律第47号〕

（子ども・子育て支援法の一部改正）
第1条　子ども・子育て支援法（平成24年法律第65号）の一部を次のように改正する。
　　目次中「第2節　子どものための現金給付（第9条・第10条）　　　　　　」を「第2節　子どものための現金給付（第9条・第10条）
　　第3節　妊婦のための支援給付
　　　第1款　通則（第10条の2―第10条の7）
　　　第2款　妊婦給付認定等（第10条の8―第10条の11）
　　　第3款　妊婦支援給付金の支給（第10条の12―第10条の15）　　　　　　」
　に、「第3節」を「第4節」に、「第4節」を「第5節」に、「第3章　特定教育・保育施設及び特定地域型保育事業者並びに特定子ども・子育て支援施設等
　　　第1節　特定教育・保育施設及び特定地域型保育事業者　　　　　　」
　を「　第6節　乳児等のための支援給付
　　　第1款　通則（第30条の12・第30条の13）
　　　第2款　乳児等支援給付認定等（第30条の14―第30条の19）
　　　第3款　乳児等支援給付費及び特例乳児等支援給付費の支給（第30条の20・第30条の21）
　　第3章　特定教育・保育施設、特定地域型保育事業者及び特定乳児等通園支援事業者並びに特定子ども・子育て支援施設等
　　　第1節　特定教育・保育施設、特定地域型保育事業者及び特定乳児等通園支援事業者　　　　　　」
　に、「第3款　業務管理体制の整備等（第55条―第57条）
　　　第4款　教育・保育に関する情報の報告及び公表（第58条）　　　　　　」

　を、「第3款　特定乳児等通園支援事業者（第54条の2・第54条の3）
　　　第4款　業務管理体制の整備等（第55条―第57条）
　　　第5款　教育・保育等に関する情報の報告及び公表（第58条）　　　　　　」
　に、「第4章の2　仕事・子育て両立支援事業（第59条の2）　　　　　　」
　を「第4章の2　仕事・子育て両立支援事業（第59条の2）
　　第4章の3　働き方等の多様化に対応した子育て支援事業（第59条の3）　」
　に、「第6章　費用等（第65条―第71条）」を
　「第6章　費用等
　　　第1節　費用の支弁等（第65条―第68条の2）
　　　第2節　拠出金の徴収等（第69条―第71条）
　　　第3節　子ども・子育て支援納付金の徴収等
　　　　第1款　通則（第71条の2）
　　　　第2款　子ども・子育て支援納付金の徴収及び納付義務（第71条の3）
　　　　第3款　子ども・子育て支援納付金の額等（第71条の4―第71条の7）
　　　　第4款　子ども・子育て支援納付金の徴収の方法（第71条の8―第71条の13）
　　　　第5款　社会保険診療報酬支払基金による徴収事務の実施等（第71条の14―第71条の25）
　　　　第6款　子ども・子育て支援特例公債の発行等（第71条の26―第71条の28）
　　　　第7款　雑則（第71条の29・第71条の30）　　　　　　」
　に、「第78条」を「第77条の2」に改める。
　　第1条中「子どもに」を「子ども及び子育てに」に、「成長する」を「成長し、及び子どもを持つことを希望する者が安心して子どもを生み、育てる」に改める。
　　第7条第1項中「が等しく確保されるよう」を「を等しく確保するとともに、子どもを持つことを希望する者が安心して子どもを生み、育てることができる環境を整備するため」に改め、同条に次の1項を加える。
11　この法律において「乳児等通園支援」とは、児

童福祉法第6条の3第23項に規定する乳児等通園支援事業として行う同項の乳児又は幼児への遊び及び生活の場の提供並びにその保護者との面談及び当該保護者への援助をいう。

第8条中「子どものための現金給付」の下に「、妊婦のための支援給付」を加え、「及び子育てのための施設等利用給付」を「、子育てのための施設等利用給付及び乳児等のための支援給付」に改める。

第30条の3中「第12条から第18条まで」を「第10条の6、第10条の7及び第12条から第16条まで」に改める。

第2章第4節を同章第5節とする。

第12条第3項中「（昭和22年法律第67号）」を削る。

第13条の前の見出しを削り、同条に見出しとして「（報告等）」を付し、同条第2項及び第3項を削る。

第14条に見出しとして「（報告徴収及び立入検査）」を付し、同条第1項中「関係者」を「、関係者」に改め、同条第2項を次のように改める。

2　前項の規定により立入検査をする職員は、その身分を示す証明書を携帯し、関係人の請求があったときは、これを提示しなければならない。

第14条に次の1項を加える。

3　第1項の規定による立入検査の権限は、犯罪捜査のために認められたものと解釈してはならない。

第15条第3項を削る。

第17条及び第18条を次のように改める。

（準用）

第17条　第10条の6及び第10条の7の規定は、子どものための教育・保育給付について準用する。

第18条　削除

第2章中第3節を第4節とし、第2節の次に次の1節を加える。

第3節　妊婦のための支援給付
第1款　通則

（妊婦のための支援給付）

第10条の2　妊婦のための支援給付は、妊婦支援給付金の支給とする。

（妊婦等包括相談支援事業等との連携）

第10条の3　市町村は、妊婦のための支援給付を行うに当たっては、妊婦支援給付金の支給と児童福祉法第6条の3第22項に規定する妊婦等包括相談支援事業による援助その他の支援とを効果的に組み合わせることにより、妊娠中の身体的、精神的及び経済的な負担の軽減のための総合的な支援を行うよう配慮するものとする。

（不正利得の徴収）

第10条の4　市町村は、偽りその他不正の手段により妊婦のための支援給付を受けた者があるときは、その者から、その妊婦のための支援給付の額に相当する金額の全部又は一部を徴収することができる。

2　前項の規定による徴収金は、地方自治法（昭和22年法律第67号）第231条の3第3項に規定する法律で定める歳入とする。

（報告等）

第10条の5　市町村は、妊婦のための支援給付に関して必要があると認めるときは、この法律の施行に必要な限度において、妊婦若しくはその配偶者若しくは妊婦の属する世帯の世帯主その他その世帯に属する者又はこれらの者であった者に対し、報告若しくは文書その他の物件の提出若しくは提示を命じ、又はその職員に質問させることができる。

（受給権の保護）

第10条の6　妊婦のための支援給付を受ける権利は、譲り渡し、担保に供し、又は差し押さえることができない。

（租税その他の公課の禁止）

第10条の7　租税その他の公課は、妊婦のための支援給付として支給を受けた金品を標準として、課することができない。

第2款　妊婦給付認定等

（支給要件）

第10条の8　妊婦のための支援給付は、妊婦であって、日本国内に住所を有するものに対して行う。

（市町村の認定等）

第10条の9　妊婦のための支援給付を受けようとする者は、内閣府令で定めるところにより、市町村に対し、妊婦のための支援給付を受ける資格を有することについての認定を申請し、その認定を受けなければならない。

2　前項の認定（以下「妊婦給付認定」という。）は、当該妊婦給付認定を受けようとする者の住所地の市町村が行うものとする。

（妊婦給付認定の取消し）

第10条の10　妊婦給付認定を行った市町村は、妊婦給付認定を受けた者（以下「妊婦給付認定者」という。）が当該市町村以外の市町村の区域内に住所地を有するに至ったと認めるときその他政令で定めるときは、当該妊婦給付認定を取り消すことができる。

（内閣府令への委任）

第10条の11 この款に定めるもののほか、妊婦給付認定の申請その他の手続に関し必要な事項は、内閣府令で定める。

第3款 妊婦支援給付金の支給

（妊婦支援給付金の支給）

第10条の12 市町村は、妊婦給付認定者に対し、妊婦支援給付金を支給する。

2 妊婦支援給付金の額は、当該妊婦給付認定者の胎児の数に1を加えた数に5万円を乗じて得た額とする。

3 妊婦給付認定者が当該妊婦給付認定の原因となった妊娠と同一の妊娠を原因として他の市町村から妊婦支援給付金の支給を受けた場合には、当該妊婦給付認定者が市町村から支払を受けることができる妊婦支援給付金の額は、前項に規定する額から当該他の市町村から支払を受けた額を控除した額とする。

（届出等）

第10条の13 妊婦給付認定者は、内閣府令で定めるところにより、市町村に対し、当該妊婦給付認定者の胎児の数その他内閣府令で定める事項を届け出なければならない。

2 市町村は、他の市町村に対し、妊婦支援給付金の支給のため必要な情報の提供を求めることができる。

（妊婦支援給付金の支払方法）

第10条の14 妊婦支援給付金のうち、5万円は妊婦給付認定後遅滞なく、第10条の12第2項の規定により算定した額から5万円を控除した額は当該妊婦給付認定者の胎児の数についての前条第1項の規定による届出があった日以後に支払うものとする。ただし、第10条の12第3項の規定の適用がある場合における妊婦支援給付金については、同項の規定により算定した額を当該届出があった日以後に支払うものとする。

2 妊婦支援給付金は、現金その他確実な支払の方法で内閣府令で定めるものにより支払うものとする。

（内閣府令への委任）

第10条の15 この款に定めるもののほか、妊婦支援給付金の支給に関し必要な事項は、内閣府令で定める。

第2章に次の1節を加える。

第6節 乳児等のための支援給付

第1款 通則

（乳児等のための支援給付）

第30条の12 乳児等のための支援給付は、乳児等支援給付費及び特例乳児等支援給付費の支給とする。

（準用）

第30条の13 第10条の6、第10条の7及び第12条から第16条までの規定は、乳児等のための支援給付について準用する。この場合において、必要な技術的読替えは、政令で定める。

第2款 乳児等支援給付認定等

（支給要件）

第30条の14 乳児等のための支援給付は、支給対象小学校就学前子ども（満3歳未満の小学校就学前子ども（当該小学校就学前子どもに係る教育・保育給付認定保護者が現に施設型給付費、特例施設型給付費、地域型保育給付費若しくは特例地域型保育給付費の支給を受けている場合における当該小学校就学前子ども又は第7条第10項第4号ハの政令で定める施設を利用している小学校就学前子どもを除く。）をいう。以下この節及び第54条の2第2項において同じ。）の保護者に対し、当該支給対象小学校就学前子どもの第30条の20第1項に規定する特定乳児等通園支援の利用について行う。

（市町村の認定等）

第30条の15 支給対象小学校就学前子どもの保護者は、乳児等のための支援給付を受けようとするときは、内閣府令で定めるところにより、市町村に対し、その支給対象小学校就学前子どもごとに、乳児等のための支援給付を受ける資格を有することについての認定を申請し、その認定を受けなければならない。

2 前項の認定（以下「乳児等支援給付認定」という。）は、支給対象小学校就学前子どもの保護者の居住地の市町村が行うものとする。ただし、当該支給対象小学校就学前子どもの保護者が居住地を有しないとき、又はその居住地が明らかでないときは、当該支給対象小学校就学前子どもの保護者の現在地の市町村が行うものとする。

3 市町村は、乳児等支援給付認定を行ったときは、内閣府令で定めるところにより、当該乳児等支援給付認定に係る保護者（以下「乳児等支援給付認定保護者」という。）に氏名その他の内閣府令で定める事項を記載した認定証（以下「乳児等支援支給認定証」という。）を交付するものとする。

（乳児等支援給付認定の有効期間）

第30条の16 乳児等支援給付認定は、当該乳児等支

援給付認定に係る支給対象小学校就学前子ども（以下「乳児等支援給付認定子ども」という。）が満3歳に達する日の前日まで効力を有する。

（乳児等支援給付認定の変更）

第30条の17 乳児等支援給付認定保護者は、第30条の15第3項の内閣府令で定める事項を変更しようとするときは、内閣府令で定めるところにより、その旨を市町村に届け出なければならない。

2 前項の規定による届出は、内閣府令で定める届出書に乳児等支援支給認定証を添付して行うものとする。

（乳児等支援給付認定の取消し）

第30条の18 乳児等支援給付認定を行った市町村は、次に掲げる場合には、当該乳児等支援給付認定を取り消すことができる。

一 乳児等支援給付認定子どもが支給対象小学校就学前子どもに該当しなくなったとき。

二 乳児等支援給付認定保護者が当該市町村以外の市町村の区域内に居住地を有するに至ったと認めるとき。

三 乳児等支援給付認定保護者が前条第1項の規定に違反したとき。

四 その他政令で定めるとき。

2 前項の規定により乳児等支援給付認定の取消しを行った市町村は、内閣府令で定めるところにより、当該取消しに係る乳児等支援給付認定保護者に対し、乳児等支援支給認定証の返還を求めるものとする。

（内閣府令への委任）

第30条の19 この款に定めるもののほか、乳児等支援給付認定の申請その他の手続に関し必要な事項は、内閣府令で定める。

　　　　　　第3款 乳児等支援給付費及び特例乳児
　　　　　　　　　等支援給付費の支給

（乳児等支援給付費の支給）

第30条の20 市町村は、乳児等支援給付認定保護者が乳児等支援給付認定子どもについて、第54条の3に規定する特定乳児等通園支援事業者（以下この款において「特定乳児等通園支援事業者」という。）の行う第54条の2第1項の確認に係る乳児等通園支援（以下この款、第62条第2項第5号及び第72条第1項第3号において「特定乳児等通園支援」という。）を利用したときは、内閣府令で定めるところにより、当該乳児等支援給付認定保護者に対し、乳児等支援給付費を支給するものとする。

2 特定乳児等通園支援を利用しようとする乳児等

支援給付認定保護者は、内閣府令で定めるところにより、特定乳児等通園支援事業者に乳児等支援支給認定証を提示するものとする。ただし、緊急の場合その他やむを得ない事由のある場合については、この限りでない。

3 乳児等支援給付費の額は、1月につき、特定乳児等通園支援を行う事業所の所在する地域等を勘案して算定される1時間当たりの特定乳児等通園支援に通常要する費用の額を勘案して内閣総理大臣が定める基準により算定した費用の額（その額が現に当該1時間当たりの特定乳児等通園支援に要した費用の額を超えるときは、当該額）に当該月に乳児等支援給付認定子どもについて特定乳児等通園支援を利用した時間（当該時間が10時間以上であって乳児等通園支援の体制の整備の状況その他の事情を勘案して内閣府令で定める時間を超えるときは、当該内閣府令で定める時間）を乗じた額とする。

4 内閣総理大臣は、前項の基準又は内閣府令を定め、又は変更しようとするときは、こども家庭審議会の意見を聴かなければならない。

5 乳児等支援給付認定保護者が乳児等支援給付認定子どもについて特定乳児等通園支援を利用したときは、市町村は、当該乳児等支援給付認定保護者が当該特定乳児等通園支援事業者に支払うべき当該特定乳児等通園支援の利用に要した費用について、乳児等支援給付費として当該乳児等支援給付認定保護者に支給すべき額の限度において、当該乳児等支援給付認定保護者に代わり、当該特定乳児等通園支援事業者に支払うことができる。

6 前項の規定による支払があったときは、乳児等支援給付認定保護者に対し乳児等支援給付費の支給があったものとみなす。

7 市町村は、特定乳児等通園支援事業者から乳児等支援給付費の請求があったときは、第3項の基準及び第54条の3において準用する第46条第2項の市町村の条例で定める基準（特定乳児等通園支援の取扱いに関する部分に限る。）に照らして審査の上、支払うものとする。

8 前各項に定めるもののほか、乳児等支援給付費の支給に関し必要な事項は、内閣府令で定める。

（特例乳児等支援給付費の支給）

第30条の21 乳児等支援給付認定保護者は、第30条の15第1項の規定による申請（以下この項及び次項において「申請」という。）をした日から当該乳児等支援給付認定の効力が生じた日の前日までの間（以下この項及び次項において「申請中期

間」という。）に当該申請に係る支給対象小学校就学前子どもについて特定乳児等通園支援を利用した場合であって、申請中期間に特定乳児等通園支援を利用することがやむを得ないと認められる事由として内閣府令で定めるものがあるときは、特定乳児等通園支援に要した費用について、特例乳児等支援給付費の支給を受けることができる。

2　特例乳児等支援給付費の額は、前条第３項の基準により算定した１時間当たりの費用の額（その額が現に当該特定乳児等通園支援に要した１時間当たりの費用の額を超えるときは、当該額）に乳児等支援給付認定保護者が申請中期間に申請に係る支給対象小学校就学前子どもについて特定乳児等通園支援を利用した時間（同項の内閣府令で定める時間を超えるときは、当該内閣府令で定める時間）を乗じた額とする。

3　前条第５項から第７項までの規定は、特例乳児等支援給付費の支給について準用する。この場合において、必要な技術的読替えは、政令で定める。

4　前３項に定めるもののほか、特例乳児等支援給付費の支給に関し必要な事項は、内閣府令で定める。

第３章の章名及び同章第１節の節名中「及び特定地域型保育事業者」を「、特定地域型保育事業者及び特定乳児等通園支援事業者」に改める。

第38条の見出しを「（報告徴収及び立入検査）」に改め、同条第１項中「関係者」を「、関係者」に改め、同条第２項を次のように改める。

2　第14条第２項及び第３項の規定は、前項の規定による立入検査について準用する。

第50条の見出しを「（報告徴収及び立入検査）」に改め、同条第１項中「関係者」を「、関係者」に改め、同条第２項を次のように改める。

2　第14条第２項及び第３項の規定は、前項の規定による立入検査について準用する。

第58条第１項中「又は特定地域型保育事業者」を「、特定地域型保育事業者又は特定乳児等通園支援事業者」に、「教育・保育の」を「教育・保育等の」に、「教育・保育に係る教育・保育情報」を「教育・保育等に係る教育・保育等情報」に、「教育・保育を」を「教育・保育等を」に改め、同条第７項中「教育・保育を」を「教育・保育等を」に、「教育・保育の」を「教育・保育等の」に、「教育・保育情報」を「教育・保育等情報」に改め、同項を同条第９項とし、同条第６項中「第４項」を「第６項」に改め、同項を同条第８項とし、同条第

5項を同条第７項とし、同条第４項中「第１項」の下に「又は第２項」を加え、同項を同条第６項とし、同条第３項中「第１項」の下に「又は第２項」を加え、「教育・保育情報」を「教育・保育等情報又は特定教育・保育施設設置者等経営情報」に改め、同項を同条第５項とし、同条第２項中「前項」を「前２項」に改め、「内容」の下に「（特定教育・保育施設設置者等経営情報にあっては、職員の処遇等に関する情報であって、小学校就学前子どもに教育・保育を受けさせ、又は受けさせようとする小学校就学前子どもの保護者が適切かつ円滑に教育・保育を小学校就学前子どもに受けさせる機会を確保するために公表されることが必要なものとして内閣府令で定める事項に限る。）」を加え、同項を同条第３項とし、同項の次に次の１項を加える。

4　都道府県知事は、内閣府令で定めるところにより、第２項の規定により報告を受けた特定教育・保育施設設置者等経営情報について調査及び分析を行い、当該調査及び分析の結果を公表するよう努めるものとする。

第58条第１項の次に次の１項を加える。

2　特定教育・保育施設の設置者及び特定地域型保育事業者は、政令で定めるところにより、毎事業年度終了後５月以内に、当該事業年度に係る特定教育・保育施設設置者等経営情報（特定教育・保育施設及び特定地域型保育事業所ごとの収益及び費用その他内閣府令で定める事項をいう。以下この条及び第62条第３項第２号において同じ。）を教育・保育を提供する施設又は事業所の所在地の都道府県知事に報告しなければならない。

第３章第１節第４款の款名中「教育・保育」を「教育・保育等」に改め、同款を同節第５款とする。

第55条第１項中「及び特定地域型保育事業者」を「、特定地域型保育事業者及び特定乳児等通園支援事業者」に改め、「第45条第５項」の下に「（前条において準用する場合を含む。）」を加え、同条第２項第１号中「又は地域型保育事業所」を「、地域型保育事業所」に改め、「同じ。）」の下に「又は乳児等通園支援事業所」を加え、同項第２号中「又は地域型保育事業所」を「、地域型保育事業所又は乳児等通園支援事業所」に改める。

第56条の見出しを「（報告徴収及び立入検査）」に改め、同条第１項中「関係者」を「、関係者」に、「若しくは地域型保育事業所」を「、地域型保育事業所若しくは乳児等通園支援事業所」に、「の教育・保育」を「の教育・保育等（教育・保育又は乳

児等通園支援をいう。以下同じ。）」に改め、同条第5項を次のように改める。

5　第14条第2項及び第3項の規定は、第1項の規定による立入検査について準用する。

第57条第1項中「地域型保育給付費」の下に「若しくは乳児等支援給付費」を加える。

第3章第1節中第3款を第4款とし、第2款の次に次の1款を加える。

　　　　　第3款　特定乳児等通園支援事業者
（特定乳児等通園支援事業者の確認）

第54条の2　乳児等通園支援を行う者は、乳児等支援給付費の支給に係る事業を行う者である旨の市町村長の確認を受けることができる。

2　前項の確認は、内閣府令で定めるところにより、乳児等通園支援を行う者の申請により、乳児等通園支援事業所（乳児等通園支援を行う事業所をいう。第55条第2項第1号及び第2号並びに第56条第1項において同じ。）ごとに、支給対象小学校就学前子どもに係る乳児等通園支援の利用定員を定めて、市町村長が行う。

3　市町村長は、前項の利用定員を定めようとするときは、第72条第1項の審議会その他の合議制の機関を設置している場合にあってはその意見を、その他の場合にあっては子どもの保護者その他子ども・子育て支援に係る当事者の意見を聴かなければならない。

（準用）

第54条の3　第44条から第54条までの規定（第45条第2項を除く。）は、前条第1項の確認を受けた者（以下「特定乳児等通園支援事業者」という。）について準用する。この場合において、必要な技術的読替えは、政令で定める。

第58条の8の見出しを「（報告徴収及び立入検査）」に改め、同条第1項中「関係者」を「、関係者」に改め、同条第2項を次のように改める。

2　第14条第2項及び第3項の規定は、前項の規定による立入検査について準用する。

第58条の9第6項第3号イ中「認定子ども園法」を「認定こども園法」に改める。

第59条第1号中「子ども及び」を「妊婦及びその配偶者並びに子ども及び」に、「子ども又は子どもの」を「妊婦若しくはその配偶者又は子ども若しくはその」に改め、同条に次の1号を加える。

十四　母子保健法第17条の2第1項に規定する産後ケア事業

第59条の2第2項中「仕事・子育て両立支援事業」の下に「（前項に規定するものを除く。）」を加

え、同項を同条第3項とし、同条第1項の次に次の1項を加える。

2　政府は、子どもを養育する者の出生後休業（子どもを養育するための休業をいう。）の取得及び育児時短就業（子どもを養育するために所定労働時間を短縮して就業することをいう。）を促進するため、仕事・子育て両立支援事業として、雇用保険法（昭和49年法律第116号）の規定による出生後休業支援給付及び育児時短就業給付を行うものとする。

第59条の2の次に次の1章を加える。

　　　　　第4章の3　働き方等の多様化に対応した子育て支援事業

第59条の3　政府は、子どもを養育する者の働き方及び生活様式の多様化を踏まえ、仕事・子育て両立支援事業の対象とならない者の子育てに対する支援の充実を図るため、働き方等の多様化に対応した子育て支援事業として、1歳未満の子どもを養育する国民年金の被保険者に対して経済的支援を行うものとする。

2　前項の経済的支援は、国民年金法（昭和34年法律第141号）第88条の3の定めるところによる。

第60条第1項中「教育・保育」を「教育・保育等」に、「及び仕事・子育て両立支援事業」を「、仕事・子育て両立支援事業及び働き方等の多様化に対応した子育て支援事業」に改め、同条第2項第1号中「教育・保育給付」の下に「及び乳児等のための支援給付」を加え、「教育・保育を」を「教育・保育等を」に、「及び仕事・子育て両立支援事業」を「、仕事・子育て両立支援事業及び働き方等の多様化に対応した子育て支援事業」に改め、同項第2号中「教育・保育」を「教育・保育等」に改める。

第61条第1項中「教育・保育」を「教育・保育等」に改め、同条第2項中第4号を第5号とし、第3号を第4号とし、第2号を第3号とし、第1号の次に次の1号を加える。

二　教育・保育提供区域ごとの当該教育・保育提供区域における各年度の特定乳児等通園支援事業者に係る必要利用定員総数その他の乳児等通園支援の量の見込み並びに当該市町村が実施しようとする乳児等通園支援の提供体制の確保の内容及びその実施時期

第61条第2項に次の1号を加える。

六　乳児等のための支援給付に係る教育・保育等の一体的提供及び当該教育・保育等の推進に関する体制の確保の内容

第62条第1項中「教育・保育」を「教育・保育

等」に改め、同条第2項中第6号を第7号とし、第5号を第6号とし、同項第4号中「及び特定地域型保育」を「、特定地域型保育及び特定乳児等通園支援」に改め、同号を同項第5号とし、同項第3号の次に次の1号を加える。

四　乳児等のための支援給付に係る教育・保育等の一体的提供及び当該教育・保育等の推進に関する体制の確保の内容

第62条第3項第2号中「教育・保育情報」を「教育・保育等情報」に、「の公表」を「及び特定教育・保育施設設置者等経営情報（第58条第3項の内閣府令で定める事項に限る。）の公表」に改める。

第6章中第65条の前に次の節名を付する。

第1節　費用の支弁等

第65条第1号を同条第1号の2とし、同号の前に次の1号を加える。

一　妊婦支援給付金の支給に要する費用

第65条第5号の次に次の1号を加える。

五の二　乳児等支援給付費及び特例乳児等支援給付費の支給に要する費用

第66条の3第1項中「5分の1」を「50分の11」に、「次条第1項及び第68条第1項」を「第67条第1項及び第68条第2項」に改め、同条の次に次の1条を加える。

（妊婦支援給付金等支給費用への国等の交付金の充当）

第66条の4　第65条の規定により市町村が支弁する同条第1号に掲げる費用については、その全額につき、第68条第1項の規定による国からの交付金をもって充てる。

2　第65条の規定により市町村が支弁する同条第5号の2に掲げる費用については、その8分の1に相当する額につき次条第3項の規定による都道府県からの交付金を、4分の3に相当する額につき第68条第4項の規定による国からの交付金をもって充てるものとし、当該費用の8分の1に相当する額を市町村が負担する。

第67条第1項及び第2項中「4分の1を負担する」を「4分の1に相当する額を負担するものとし、市町村に対し、当該費用に充当させるため、当該額を交付する」に改め、同条第3項を次のように改める。

3　都道府県は、政令で定めるところにより、第65条の規定により市町村が支弁する同条第5号の2に掲げる費用の額の8分の1に相当する額を負担するものとし、市町村に対し、当該費用に充当させるため、当該額を交付する。

第67条の次に次の1条を加える。

（地域子ども・子育て支援事業に係る都道府県の交付金）

第67条の2　都道府県は、政令で定めるところにより、市町村に対し、第65条の規定により市町村が支弁する同条第6号に掲げる費用に充当させるため、当該都道府県の予算の範囲内で、交付金を交付することができる。

第68条の見出し中「市町村」を「国から市町村」に改め、同条第3項を削り、同条第2項中「前条第2項」を「第67条第2項」に改め、同項を同条第3項とし、同条第1項を同条第2項とし、同条に第1項として次の1項を加える。

国は、政令で定めるところにより、市町村に対し、第65条の規定により市町村が支弁する同条第1号に掲げる費用に充当させるため、第71条の3第1項の規定により国が徴収する子ども・子育て支援納付金を原資として、当該費用の全額に相当する額を交付する。

第68条に次の1項を加える。

4　国は、政令で定めるところにより、市町村に対し、第65条の規定により市町村が支弁する同条第5号の2に掲げる費用に充当させるため、当該費用の額の4分の3に相当する額を交付する。この場合において、国が交付する交付金のうち、当該費用の額の4分の1に相当する額は国が負担し、当該費用の額の2分の1に相当する額は第71条の3第1項の規定により国が徴収する子ども・子育て支援納付金を原資とする。

第68条の次に次の1条を加える。

（地域子ども・子育て支援事業に係る国の交付金）

第68条の2　国は、政令で定めるところにより、市町村に対し、第65条の規定により市町村が支弁する同条第6号に掲げる費用に充当させるため、予算の範囲内で、交付金を交付することができる。

第69条の前に次の節名を付する。

第2節　拠出金の徴収等

第69条第1項中「第18条第1項に規定するもの」を「第19条第1項の規定による国の交付金を充てる部分のうち、拠出金を原資とする部分」に、「同項」を「第59条の2第2項に規定する事業に係るものを除く。次条第2項」に改める。

第70条第2項中「第68条第1項」を「第68条第2項」に、「国が負担する」を「国が交付する」に改め、「係るもの」の下に「について国が負担する部分」を加え、「同条第3項」を「第68条の2」に、「第18条第1項の規定により国庫が負担する額」を

「第19条第1項の規定により国が交付する額（拠出金を原資とする部分を除く。）」に、「1000分の4.5」を「1000分の4.0」に改める。

第6章中第71条の次に次の1節を加える。

第3節　子ども・子育て支援納付金の徴収等

第1款　通則

第71条の2　この節において「健康保険各法」とは、次に掲げる法律をいう。

一　健康保険法（大正11年法律第70号）

二　船員保険法（昭和14年法律第73号）

三　国民健康保険法（昭和33年法律第192号）

四　国家公務員共済組合法

五　地方公務員等共済組合法

六　私立学校教職員共済法

2　この節において「健康保険者」とは、健康保険各法の規定により保険給付を行う全国健康保険協会、健康保険組合、都道府県、国民健康保険組合、共済組合又は日本私立学校振興・共済事業団をいう。

3　この節において「被用者保険等保険者」とは、健康保険者（健康保険法第123条第1項の規定による保険者（以下この節において「日雇保険者」という。）としての全国健康保険協会、都道府県及び国民健康保険組合を除く。）又は同法第3条第1項第8号の承認を受けて同法の被保険者とならない者を組合員とする国民健康保険組合であって内閣総理大臣が定めるものをいう。

4　この節において「地域保険等保険者」とは、被用者保険等保険者以外の健康保険者をいう。

5　この節において「健康保険者等」とは、健康保険又は高齢者の医療の確保に関する法律（昭和57年法律第80号）第48条に規定する後期高齢者医療広域連合（以下この節において「後期高齢者医療広域連合」という。）をいう。

6　この節において「加入者等」とは、次に掲げる者をいう。

一　健康保険法の規定による被保険者（同法第3条第2項に規定する日雇特例被保険者を除く。）

二　船員保険法の規定による被保険者

三　国民健康保険法の規定による被保険者

四　国家公務員共済組合法又は地方公務員等共済組合法に基づく共済組合の組合員

五　私立学校教職員共済法の規定による私立学校教職員共済制度の加入者

六　健康保険法、船員保険法、国家公務員共済組合法（他の法律において準用する場合を含む。）

又は地方公務員等共済組合法の規定による被扶養者（健康保険法第3条第2項に規定する日雇特例被保険者の同法の規定による被扶養者を除く。）

七　健康保険法第126条の規定により日雇特例被保険者手帳の交付を受け、その手帳に健康保険印紙を貼り付けるべき余白がなくなるに至るまでの間にある者及び同法の規定によるその者の被扶養者（同法第3条第2項ただし書の承認を受けて同項に規定する日雇特例被保険者とならない期間内にある者及び同法第126条第3項の規定により当該日雇特例被保険者手帳を返納した者並びに同法の規定によるそれらの者の被扶養者を除く。）

八　高齢者の医療の確保に関する法律の規定による被保険者

第2款　子ども・子育て支援納付金の徴収及び納付義務

第71条の3　政府は、次に掲げる費用（以下「支援納付金対象費用」という。）に充てるため、令和8年度から毎年度、健康保険者等から、子ども・子育て支援納付金を徴収する。

一　第68条第1項の規定による交付金の交付に要する費用

二　第68条第4項の規定による交付金の交付に要する費用（当該費用のうち国が負担する部分を除いた部分に限る。）

三　児童手当法第19条の規定による交付金の交付に要する費用（同条第1項の規定による交付金の交付に要する費用のうち拠出金を原資とする部分を除いた部分並びに同条第2項及び第3項の規定による交付金の交付に要する費用のうち国が負担する部分を除いた部分に限る。）

四　雇用保険法第61条の6第3項に規定する出生後休業支援給付金及び同条第4項に規定する育児時短就業給付金の支給に要する費用

五　国民年金法第88条の3第3項の規定による保険料に相当する額の補填に要する費用

六　子ども・子育て支援特例公債等（第71条の27に規定する子ども・子育て支援特例公債等をいう。以下この号において同じ。）の償還金（同条に規定する借換国債を発行した場合にあっては、当該借換国債の収入をもって充てられる部分を除く。）、利子並びに子ども・子育て支援特例公債等の発行及び償還に関連する経費として政令で定めるもの

2　健康保険者等は、子ども・子育て支援納付金を

納付する義務を負う。

第3款　子ども・子育て支援納付金の額
等

（子ども・子育て支援納付金の額）

第71条の4　前条第1項の規定により各健康保険者等から毎年度徴収する子ども・子育て支援納付金の額は、当該年度（以下この条において「徴収年度」という。）の当該健康保険者等に係る概算支援納付金の額とする。ただし、徴収年度の前々年度の概算支援納付金の額が当該年度の確定支援納付金の額を超えるときは、徴収年度の概算支援納付金の額からその超える額とその超える額に係る調整金額との合計額を控除して得た額とするものとし、徴収年度の前々年度の概算支援納付金の額が当該年度の確定支援納付金の額に満たないときは、徴収年度の概算支援納付金の額にその満たない額とその満たない額に係る調整金額との合計額を加算して得た額とする。

2　前項ただし書の調整金額は、徴収年度の前々年度における全ての健康保険者等に係る概算支援納付金の額と確定支援納付金の額との過不足額につき生ずる利子その他の事情を勘案して内閣府令で定めるところにより健康保険者等ごとに算定される額とする。

（概算支援納付金）

第71条の5　各年度における前条の概算支援納付金の額は、次の各号に掲げる健康保険者等の区分に応じ、当該各号に定める額とする。

一　被用者保険等保険者　当該年度における支援納付金対象費用の予定額（以下この項において「支援納付金算定対象予定額」という。）から全ての後期高齢者医療広域連合について第4号に定めるところにより算定した額の総額を控除して得た額に、当該年度におけるイ及びロに掲げる数を順次乗じて得た額

イ　内閣府令で定めるところにより算定した全ての被用者保険等保険者に係る加入者等の見込数の総数を内閣府令で定めるところにより算定した全ての健康保険者に係る加入者等の見込数の総数で除して得た数

ロ　当該被用者保険等保険者に係る標準報酬総額の見込額（当該年度の標準報酬総額と見込まれる額として内閣府令で定めるところにより算定される額をいう。以下このロにおいて同じ。）を全ての被用者保険等保険者に係る標準報酬総額の見込額の合計額で除して得た数

二　地域保険等保険者（日雇保険者としての全国健康保険協会を除く。）　当該年度における支援納付金算定対象予定額から全ての後期高齢者医療広域連合について第4号に定めるところにより算定した額の総額を控除して得た額に、当該年度におけるイ及びロに掲げる数を順次乗じて得た額

イ　内閣府令で定めるところにより算定した全ての地域保険等保険者（日雇保険者としての全国健康保険協会を除く。）に係る加入者等の見込数の総数を内閣府令で定めるところにより算定した全ての健康保険者に係る加入者等の見込数の総数で除して得た数

ロ　内閣府令で定めるところにより算定した当該地域保険等保険者に係る加入者等（18歳に達する日以後の最初の3月31日までの間にある加入者等（以下このロ及び次条第1項第2号ロにおいて「18歳未満加入者等」という。）を除く。）の見込数を内閣府令で定めるところにより算定した全ての地域保険等保険者（日雇保険者としての全国健康保険協会を除く。）に係る加入者等（18歳未満加入者等を除く。）の見込数の総数で除して得た数

三　日雇保険者としての全国健康保険協会　当該年度における支援納付金算定対象予定額から全ての後期高齢者医療広域連合について次号に定めるところにより算定した額の総額を控除して得た額に、当該年度における内閣府令で定めるところにより算定した日雇保険者としての全国健康保険協会に係る加入者等の見込数を内閣府令で定めるところにより算定した全ての健康保険者に係る加入者等の見込数の総数で除して得た数を乗じて得た額

四　後期高齢者医療広域連合　当該年度における支援納付金算定対象予定額に、当該年度におけるイ、ロ及びハに掲げる数を順次乗じて得た額

イ　概算後期高齢者支援納付金率

ロ　内閣府令で定めるところにより算定した当該後期高齢者医療広域連合に係る被保険者の見込数を内閣府令で定めるところにより算定した全ての後期高齢者医療広域連合に係る被保険者の見込数の総数で除して得た数

ハ　当該後期高齢者医療広域連合に係る所得係数

2　前項第1号ロの被用者保険等保険者に係る標準報酬総額は、次の各号に掲げる被用者保険等保険者の区分に応じ各年度の当該各号に定める額を当

該被用者保険等保険者の全ての加入者等について
合算した額を、それぞれ内閣府令で定めるところ
により補正して得た額とする。

一 全国健康保険協会及び健康保険組合 被保険
者ごとの健康保険法又は船員保険法に規定する
標準報酬月額及び標準賞与額の総額

二 共済組合 組合員ごとの国家公務員共済組合
法又は地方公務員等共済組合法に規定する標準
報酬の月額及び標準期末手当等の額の総額

三 日本私立学校振興・共済事業団 加入者ごと
の私立学校教職員共済法に規定する標準報酬月
額及び標準賞与額の総額

四 国民健康保険組合 組合員ごとの前3号に定
める額に相当するものとして内閣府令で定める
額

3 第1項第4号イの概算後期高齢者支援納付金率
は、次の各号に掲げる年度の区分に応じ、当該各
号に定める率とする。

一 令和8年度及び令和9年度 100分の8

二 令和10年度以降の年度 内閣総理大臣が2年
ごとに告示する率

4 前項第2号の内閣総理大臣が告示する率は、第
1号に掲げる数を第2号に掲げる数で除して得た
数(その数に小数点以下4位未満の端数があると
きは、これを四捨五入する。)とする。

一 内閣府令で定めるところにより算定した当該
告示を行う年度における全ての後期高齢者医療
広域連合に係る被保険者の見込数の総数を内閣
府令で定めるところにより算定した令和8年度
における全ての後期高齢者医療広域連合に係る
被保険者の総数で除して得た数に100分の8を
乗じて得た数

二 前号に掲げる数に、内閣府令で定めるところ
により算定した当該告示を行う年度における全
ての健康保険者に係る加入者等の見込数の総数
を内閣府令で定めるところにより算定した令和
8年度における全ての健康保険者に係る加入者
等の総数で除して得た数に100分の92を乗じて
得た数を加えて得た数

5 各年度における第1項第4号ハの所得係数は、
内閣府令で定めるところにより算定した当該後期
高齢者医療広域連合に係る被保険者の所得の平均
額を内閣府令で定めるところにより算定した全て
の後期高齢者医療広域連合に係る被保険者の所得
の平均額で除して得た数とする。

(確定支援納付金)

第71条の6 各年度における第71条の4第1項ただ

し書の確定支援納付金の額は、次の各号に掲げる
健康保険者等の区分に応じ、当該各号に定める額
とする。

一 被用者保険等保険者 当該年度における支援
納付金対象費用の額(以下この項において「支
援納付金算定対象額」という。)から全ての後
期高齢者医療広域連合について第4号に定める
ところにより算定した額の総額を控除して得た
額に、当該年度におけるイ及びロに掲げる数を
順次乗じて得た額

イ 内閣府令で定めるところにより算定した全
ての被用者保険等保険者に係る加入者等の総
数を内閣府令で定めるところにより算定した
全ての健康保険者に係る加入者等の総数で除
して得た数

ロ 当該被用者保険等保険者に係る標準報酬総
額(前条第2項に規定する被用者保険等保険
者に係る標準報酬総額をいう。以下このロに
おいて同じ。)を全ての被用者保険等保険者
に係る標準報酬総額の合計額で除して得た数

二 地域保険等保険者(日雇保険者としての全国
健康保険協会を除く。) 当該年度における支援
納付金算定対象額から全ての後期高齢者医療広
域連合について第4号に定めるところにより算
定した額の総額を控除して得た額に、当該年度
におけるイ及びロに掲げる数を順次乗じて得た
額

イ 内閣府令で定めるところにより算定した全
ての地域保険等保険者(日雇保険者としての
全国健康保険協会を除く。)に係る加入者等
の総数を内閣府令で定めるところにより算定
した全ての健康保険者に係る加入者等の総数
で除して得た数

ロ 内閣府令で定めるところにより算定した当
該地域保険等保険者に係る加入者等(18歳未
満加入者等を除く。)の数を内閣府令で定め
るところにより算定した全ての地域保険等保
険者(日雇保険者としての全国健康保険協会
を除く。)に係る加入者等(18歳未満加入者
等を除く。)の総数で除して得た数

三 日雇保険者としての全国健康保険協会 当該
年度における支援納付金算定対象額から全ての
後期高齢者医療広域連合について次号に定める
ところにより算定した額の総額を控除して得た
額に、当該年度における内閣府令で定めるとこ
ろにより算定した日雇保険者としての全国健康
保険協会に係る加入者等の数を内閣府令で定め

るところにより算定した全ての健康保険者に係
る加入者等の総数で除して得た数を乗じて得た
額

四　後期高齢者医療広域連合　当該年度における
支援納付金算定対象額に、当該年度における
イ、ロ及びハに掲げる数を順次乗じて得た額

イ　確定後期高齢者支援納付率

ロ　内閣府令で定めるところにより算定した当
該後期高齢者医療広域連合に係る被保険者の
数を内閣府令で定めるところにより算定した
全ての後期高齢者医療広域連合に係る被保険
者の総数で除して得た数

ハ　当該後期高齢者医療広域連合に係る前条第
5項に規定する所得係数

2　前項第4号イの確定後期高齢者支援納付金率
は、次の各号に掲げる年度の区分に応じ、当該各
号に定める率とする。

一　令和8年度及び令和9年度　100分の8

二　令和10年度以降の年度　内閣総理大臣が2年
ごとに告示する率

3　前項第2号の内閣総理大臣が告示する率は、第
1号に掲げる数を第2号に掲げる数で除して得た
数（その数に小数点以下4位未満の端数があると
きは、これを四捨五入する。）とする。

一　内閣府令で定めるところにより算定した当該
告示を行う年度の前々年度における全ての後期
高齢者医療広域連合に係る被保険者の総数を内
閣府令で定めるところにより算定した令和8年
度における全ての後期高齢者医療広域連合に係
る被保険者の総数で除して得た数に100分の8
を乗じて得た数

二　前号に掲げる数に、内閣府令で定めるところ
により算定した当該告示を行う年度の前々年度
における全ての健康保険者に係る加入者等の総
数を内閣府令で定めるところにより算定した令
和8年度における全ての健康保険者に係る加入
者等の総数で除して得た数に100分の92を乗じ
て得た数を加えて得た数

（健康保険者等の合併等の場合における子ども・子
育て支援納付金の額の特例）

第71条の7　合併又は分割により成立した健康保険
者等、合併又は分割後存続する健康保険者等及び
解散をした健康保険者等の権利義務を承継した健
康保険者等に係る子ども・子育て支援納付金の額
の算定の特例については、政令で定める。

　　　　　第4款　子ども・子育て支援納付金の徴
　　　　　　　　収の方法

（子ども・子育て支援納付金の通知）

第71条の8　内閣総理大臣は、毎年度、健康保険者
等に対し、当該年度に当該健康保険者等が納付す
べき子ども・子育て支援納付金の額、納付の方法
及び納付すべき期限その他内閣府令で定める事項
を通知しなければならない。

（督促及び滞納処分）

第71条の9　内閣総理大臣は、健康保険者等が、納
付すべき期限までに子ども・子育て支援納付金を
納付しないときは、期限を指定してこれを督促し
なければならない。

2　前項の規定による督促は、当該健康保険者等に
対し、督促状を発する方法により行う。この場合
において、督促状により指定すべき期限は、督促
状を発する日から起算して10日以上経過した日で
なければならない。

3　内閣総理大臣は、第1項の規定による督促を受
けた健康保険者等がその指定期限までにその督促
に係る子ども・子育て支援納付金及び次条の規定
による延滞金を完納しないときは、国税滞納処分
の例により当該子ども・子育て支援納付金及び延
滞金を徴収することができる。

（延滞金）

第71条の10　前条第1項の規定により子ども・子育
て支援納付金の納付を督促したときは、内閣総理
大臣は、その督促に係る子ども・子育て支援納付
金の額につき年14.5パーセントの割合で、納付期
日の翌日からその完納又は財産差押えの日の前日
までの日数により計算した延滞金を徴収する。た
だし、その督促に係る子ども・子育て支援納付金
の額が1000円未満であるときは、この限りでな
い。

2　前項の場合において、子ども・子育て支援納付
金の額の一部につき納付があったときは、その納
付の日以降の期間に係る延滞金の額の計算の基礎
となる子ども・子育て支援納付金の額は、その納
付のあった子ども・子育て支援納付金の額を控除
した額とする。

3　延滞金の計算において、前2項の子ども・子育
て支援納付金の額に1000円未満の端数があるとき
は、その端数は、切り捨てる。

4　前3項の規定によって計算した延滞金の額に
100円未満の端数があるときは、その端数は、切
り捨てる。

5　延滞金は、次の各号のいずれかに該当する場合
には、徴収しない。ただし、第3号に該当する場
合にあっては、その執行を停止し、又は猶予した

期間に対応する部分の金額に限る。

一　督促状に指定した期限までに子ども・子育て支援納付金を完納したとき。

二　延滞金の額が100円未満であるとき。

三　子ども・子育て支援納付金について滞納処分の執行を停止し、又は猶予したとき。

四　子ども・子育て支援納付金を納付しないことについてやむを得ない理由があると認められるとき。

（納付の猶予）

第71条の11　内閣総理大臣は、やむを得ない事情により、健康保険者等が子ども・子育て支援納付金を納付することが著しく困難であると認められるときは、内閣府令で定めるところにより、当該健康保険者等の申請に基づき、その納付すべき期限から1年以内の期間を限り、その一部の納付を猶予することができる。

2　内閣総理大臣は、前項の規定による猶予をしたときは、その旨、その猶予に係る子ども・子育て支援納付金の額、猶予期間その他必要な事項を健康保険者等に通知しなければならない。

3　内閣総理大臣は、第1項の規定による猶予をしたときは、その猶予期間内は、その猶予に係る子ども・子育て支援納付金につき新たに第71条の9第1項の規定による督促をすることができない。

（健康保険者等の報告）

第71条の12　健康保険者等は、内閣総理大臣に対し、毎年度、加入者等の数その他の内閣府令で定める事項を報告しなければならない。

（報告徴収及び立入検査）

第71条の13　内閣総理大臣は、子ども・子育て支援納付金の額の算定に関して必要があると認めるときは、この法律の施行に必要な限度において、健康保険者等に対し、報告若しくは帳簿書類その他の物件の提出若しくは提示を命じ、又はその職員に、関係者に対し質問させ、若しくは健康保険者等の事務所その他必要な場所に立ち入り、その設備若しくは帳簿書類その他の物件を検査させることができる。

2　前項の規定により立入検査をする職員は、その身分を示す証明書を携帯し、関係人の請求があったときは、これを提示しなければならない。

3　第1項の規定による立入検査の権限は、犯罪捜査のために認められたものと解釈してはならない。

　　　　第5款　社会保険診療報酬支払基金による徴収事務の実施等

（支払基金による子ども・子育て支援納付金の徴収）

第71条の14　内閣総理大臣は、社会保険診療報酬支払基金法（昭和23年法律第129号）による社会保険診療報酬支払基金（以下「支払基金」という。）に、次に掲げる事務の全部又は一部を行わせることができる。

一　第71条の3第1項の規定による子ども・子育て支援納付金の徴収

二　第71条の9第1項の規定による督促

三　第71条の10第1項の規定による延滞金の徴収

2　内閣総理大臣は、前項の規定により支払基金に同項各号に掲げる事務を行わせる場合は、当該事務を行わないものとする。

3　内閣総理大臣は、第1項の規定により支払基金に同項各号に掲げる事務の全部若しくは一部を行わせることとするとき又は支払基金に行わせていた当該事務の全部若しくは一部を行わせないこととするときは、その旨を公示しなければならない。

（支払基金の業務）

第71条の15　支払基金は、社会保険診療報酬支払基金法第15条に規定する業務のほか、次に掲げる業務（以下「支援納付金関係業務」という。）を行うことができる。

一　前条第1項の規定により行うこととされた事務（以下「徴収事務」という。）を行うこと。

二　前号に掲げる業務に附帯する業務を行うこと。

2　支払基金は、内閣総理大臣の認可を受けて、支援納付金関係業務の一部を健康保険者等が加入している団体で内閣総理大臣が定めるものに委託することができる。

（業務方法書）

第71条の16　支払基金は、第71条の14第1項の規定により徴収事務を行うこととされたときは、支援納付金関係業務に関し、当該業務の開始前に、業務方法書を作成し、内閣総理大臣の認可を受けなければならない。これを変更しようとするときも、同様とする。

2　前項の業務方法書に記載すべき事項は、内閣府令で定める。

（区分経理）

第71条の17　支払基金は、支援納付金関係業務に係る経理については、その他の業務に係る経理と区分して、特別の会計を設けて行わなければならない。

（予算等の認可）

第71条の18　支払基金は、第71条の14第1項の規定により徴収事務を行うこととされたときは、支援納付金関係業務に関し、毎事業年度、予算、事業計画及び資金計画を作成し、当該事業年度の開始前に、内閣総理大臣の認可を受けなければならない。これを変更しようとするときも、同様とする。

（財務諸表等）

第71条の19　支払基金は、第71条の14第1項の規定により徴収事務を行うこととされたときは、支援納付金関係業務に関し、毎事業年度、財産目録、貸借対照表及び損益計算書（以下この条において「財務諸表」という。）を作成し、当該事業年度の終了後3月以内に内閣総理大臣に提出し、その承認を受けなければならない。

2　支払基金は、前項の規定により財務諸表を内閣総理大臣に提出するときは、内閣府令で定めるところにより、これに当該事業年度の事業報告書及び予算の区分に従い作成した決算報告書並びに財務諸表及び決算報告書に関する監事の意見書を添付しなければならない。

3　支払基金は、第1項の承認を受けたときは、遅滞なく、財務諸表又はその要旨を官報に公告し、かつ、財務諸表及び附属明細書並びに前項の事業報告書、決算報告書及び監事の意見書を、主たる事務所に備えて置き、内閣府令で定める期間、一般の閲覧に供しなければならない。

（利益及び損失の処理）

第71条の20　支払基金は、支援納付金関係業務に関し、毎事業年度、損益計算において利益を生じたときは、前事業年度から繰り越した損失を埋め、なお残余があるときは、その残余の額は、積立金として整理しなければならない。

2　支払基金は、支援納付金関係業務に関し、毎事業年度、損益計算において損失を生じたときは、前項の規定による積立金を減額して整理し、なお不足があるときは、その不足額は繰越欠損金として整理しなければならない。

3　支払基金は、予算をもって定める金額に限り、第1項の規定による積立金を支援納付金関係業務に要する費用に充てることができる。

（余裕金の運用）

第71条の21　支払基金は、次に掲げる方法によるほか、支援納付金関係業務に係る業務上の余裕金を運用してはならない。

一　国債その他内閣総理大臣が指定する有価証券の保有

二　銀行その他内閣総理大臣が指定する金融機関への預金

三　信託業務を営む金融機関（金融機関の信託業務の兼営等に関する法律（昭和18年法律第43号）第1条第1項の認可を受けた金融機関をいう。）への金銭信託

（報告徴収及び立入検査）

第71条の22　内閣総理大臣は、支援納付金関係業務の適正かつ確実な実施を確保するため必要があると認めるときは、この法律の施行に必要な限度において、支払基金又は第71条の15第2項の規定による委託を受けた者（以下この項において「受託者」という。）に対し、報告若しくは帳簿書類その他の物件の提出若しくは提示を命じ、又はその職員に、関係者に対し質問させ、若しくは支払基金若しくは受託者の事務所その他必要な場所に立ち入り、その設備若しくは帳簿書類その他の物件を検査させることができる。

2　第71条の13第2項及び第3項の規定は、前項の規定による立入検査について準用する。

3　内閣総理大臣は、第1項の規定により、報告若しくは物件の提出若しくは提示を命じ、又はその職員に、質問させ、若しくは立入検査をさせたときは、厚生労働大臣に、速やかにその結果を通知するものとする。

4　内閣総理大臣は、支払基金の理事長、理事又は監事につき支援納付金関係業務に関し社会保険診療報酬支払基金法第11条第2項又は第3項の規定による処分が行われる必要があると認めるときは、理由を付して、その旨を厚生労働大臣に通知するものとする。

（監督）

第71条の23　内閣総理大臣は、支援納付金関係業務の適正かつ確実な実施を確保するため、支払基金に対し、支援納付金関係業務に関し監督上必要な命令をすることができる。

2　内閣総理大臣は、支払基金に対し前項の命令をしたときは、速やかにその旨を厚生労働大臣に通知するものとする。

（社会保険診療報酬支払基金法の適用の特例）

第71条の24　支援納付金関係業務に関する社会保険診療報酬支払基金法第9条第4項の規定の適用については、同項中「厚生労働大臣」とあるのは、「内閣総理大臣」とする。

2　支援納付金関係業務は、社会保険診療報酬支払基金法第32条第2項の規定の適用については、同法第15条に規定する業務とみなす。

（協議）

第71条の25　内閣総理大臣は、次に掲げる場合には、厚生労働大臣に協議しなければならない。

　一　第71条の15第２項、第71条の16第１項又は第71条の18の認可をしようとするとき。

　二　第71条の15第２項の団体を定めようとするとき。

　三　第71条の16第２項又は第71条の19第２項若しくは第３項の内閣府令を定めようとするとき。

　四　第71条の19第１項の承認をしようとするとき。

２　内閣総理大臣は、第71条の21第１号又は第２号の規定による指定をしようとするときは、財務大臣及び厚生労働大臣に協議しなければならない。

　　　　　　第６款　子ども・子育て支援特例公債の発行等

（子ども・子育て支援特例公債の発行）

第71条の26　政府は、令和６年度から令和10年度までの各年度に限り、財政法（昭和22年法律第34号）第４条第１項の規定にかかわらず、支援納付金対象費用の財源については、各年度の予算をもって国会の議決を経た金額の範囲内で、子ども・子育て支援特別会計の負担において、公債を発行することができる。

２　前項の規定による公債（以下「子ども・子育て支援特例公債」という。）の発行は、各年度の翌年度の６月30日までの間、行うことができる。この場合において、翌年度の４月１日以後発行される子ども・子育て支援特例公債に係る収入は、当該各年度所属の歳入とする。

（子ども・子育て支援特例公債等の償還期限）

第71条の27　子ども・子育て支援特例公債等（子ども・子育て支援特例公債及び子ども・子育て支援特例公債に係る借換国債（特別会計に関する法律（平成19年法律第23号）第46条第１項又は第47条第１項の規定により起債される借換国債をいい、当該借換国債につきこれらの規定により順次起債される借換国債を含む。）をいう。第71条の29において同じ。）については、令和33年度までの間に償還するものとする。

（特別会計に関する法律の適用）

第71条の28　子ども・子育て支援特例公債を発行する場合における子ども・子育て支援特別会計についての特別会計に関する法律第16条の規定の適用については、同条中「融通証券」とあるのは、「公債及び融通証券」とする。

　　　　　　第７款　雑則

（支援納付金対象費用に係る歳入歳出の経理）

第71条の29　支援納付金対象費用、子ども・子育て支援特例公債等の発行及び償還並びに子ども・子育て支援納付金に係る歳入歳出は、子ども・子育て支援特別会計の子ども・子育て支援勘定において経理するものとする。

（こども家庭審議会への意見聴取）

第71条の30　内閣総理大臣は、第71条の４第２項、第71条の５第１項各号、第２項、第４項各号及び第５項並びに第71条の６第１項各号及び第３項各号の内閣府令を定めようとするときその他子ども・子育て支援納付金に関する重要事項を定めようとするときは、こども家庭審議会の意見を聴かなければならない。

　第72条第１項中第４号を第５号とし、第３号を第４号とし、第２号の次に次の１号を加える。

　三　第54条の２第２項の規定による特定乳児等通園支援の利用定員の設定に関し、同条第３項に規定する事項を処理すること。

　第73条第１項中「子どものための教育・保育給付」を「妊婦のための支援給付、子どものための教育・保育給付」に、「及び子育てのための施設等利用給付」を「、子育てのための施設等利用給付及び乳児等のための支援給付」に改め、「拠出金等」の下に「及び子ども・子育て支援納付金」を加え、同条第２項中「子どものための教育・保育給付」を「妊婦のための支援給付、子どものための教育・保育給付」に、「及び子育てのための施設等利用給付」を「、子育てのための施設等利用給付及び乳児等のための支援給付」に改め、同条第３項中「拠出金等」の下に「及び子ども・子育て支援納付金」を加える。

　第75条に次の１項を加える。

２　この法律に基づく支払基金の処分又はその不作為に不服のある者は、内閣総理大臣に対して審査請求をすることができる。この場合において、内閣総理大臣は、行政不服審査法（平成26年法律第68号）第25条第２項及び第３項、第46条第１項及び第２項、第47条並びに第49条第３項の規定の適用については、支払基金の上級行政庁とみなす。

　第９章中第78条の前に次の１条を加える。

第77条の２　第71条の13第１項若しくは第71条の22第１項の規定による報告若しくは物件の提出若しくは提示をせず、若しくは虚偽の報告若しくは虚偽の物件の提出若しくは提示をし、又はこれらの規定による当該職員の質問に対して答弁をせず、若しくは虚偽の答弁をし、若しくはこれらの規定

による検査を拒み、妨げ、若しくは忌避した者は、50万円以下の罰金に処する。

第78条中「第30条の3」の下に「及び第30条の13」を加える。

第79条中「第50条第1項」の下に「(第54条の3において準用する場合を含む。)」を加え、「若しくは第58条の8第1項」を「、第56条第1項若しくは第58条の8第1項」に改める。

第80条の次に次の1条を加える。

第80条の2 次の各号のいずれかに該当する支払基金の役員は、20万円以下の過料に処する。

一 この法律により内閣総理大臣の認可又は承認を受けなければならない場合において、その認可又は承認を受けなかったとき。

二 第71条の21の規定に違反して業務上の余裕金を運用したとき。

第81条中「第30条の3」の下に「及び第30条の13」を加える。

第82条第1項中「第13条第1項(」を「第10条の5若しくは第13条(」に改め、「第30条の3」の下に「及び第30条の13」を加え、「。以下この項において同じ」を削り、「第13条第1項の」を「これらの」に改め、同条第2項中「第30条の3」の下に「及び第30条の13」を加え、同条第3項中「又は第24条第2項」を「、第24条第2項又は第30条の18第2項」に改め、「支給認定証」の下に「又は乳児等支援支給認定証」を加える。

附則第2条の2及び第3条中「教育・保育」を「教育・保育等」に改める。

附則第5条を次のように改める。

第5条 削除

附則第9条第3項中「第68条第1項」を「第68条第2項」に改める。

附則第14条の2中「第59条の2第1項」の下に「及び第2項」を加える。

附則に次の8条を加える。

（支援納付金対象費用に関する経過措置）

第26条 令和6年10月1日から令和8年9月30日までの間において第6章第3節の規定を適用する場合における支援納付金対象費用は、第71条の3第1項の規定にかかわらず、次の各号に掲げる期間の区分に応じ、当該各号に定める費用とする。

一 令和6年10月1日から令和7年3月31日までの期間 第71条の3第1項第3号及び第6号に掲げる費用

二 令和7年4月1日から令和8年3月31日までの期間 第71条の3第1項第1号、第3号、第4号及び第6号に掲げる費用

三 令和8年4月1日から令和8年9月30日までの期間 第71条の3第1項第1号から第4号まで及び第6号に掲げる費用

（延滞金の割合の特例）

第27条 延滞税特例基準割合（租税特別措置法（昭和32年法律第26号）第94条第1項に規定する延滞税特例基準割合をいう。以下この条において同じ。）が年7.2パーセントの割合に満たない年における第71条の10第1項の延滞金の割合は、当分の間、同項の規定にかかわらず、当該延滞税特例基準割合に年7.3パーセントを加算した割合とする。

（令和6年度における支援納付金対象費用に係る歳入歳出の経理等に関する経過措置）

第28条 令和6年度における第71条の26、第71条の28及び第71条の29の規定の適用については、第71条の26第1項、第71条の28及び第71条の29中「子ども・子育て支援特別会計」とあるのは、「年金特別会計」とする。

（地域子ども・子育て支援事業に関する経過措置）

第29条 令和7年度における第59条の規定の適用については、同条中「掲げる事業」とあるのは、「掲げる事業及び児童福祉法第6条の3第23項に規定する乳児等通園支援事業」とする。

（令和7年度における国から市町村に対する交付金の特例）

第30条 令和7年度における第68条第1項の規定の適用については、同項中「第71条の3第1項の規定により国が徴収する子ども・子育て支援納付金」とあるのは、「第71条の26第2項に規定する子ども・子育て支援特例公債の発行収入金」とする。

（令和8年度から令和10年度までの間における国から市町村に対する交付金の特例）

第31条 令和8年度から令和10年度までの間における第68条第1項及び第4項の規定の適用については、これらの規定中「子ども・子育て支援納付金」とあるのは、「子ども・子育て支援納付金及び第71条の26第2項に規定する子ども・子育て支援特例公債の発行収入金」とする。

（令和8年度及び令和9年度における子ども・子育て支援納付金の額の算定方法に係る経過措置）

第32条 令和8年度及び令和9年度に徴収する子ども・子育て支援納付金の額は、第71条の4第1項ただし書の規定を適用せず同項本文の規定により算定した額とする。

（令和8年度から令和10年度までの間における子ど

も・子育て支援納付金の額の算定方法に係る特
例）

第33条　令和8年度から令和10年度までの各年度に
おける第71条の4から第71条の6までの規定の適
用については、第71条の5第1項第1号中「の予
定額」とあるのは「の予定額から当該年度の第71
条の26第2項に規定する子ども・子育て支援特例
公債の発行予定額を控除して得た額」と、第71条
の6第1項第1号中「の額」とあるのは「の額か
ら当該年度の第71条の26第2項に規定する子ど
も・子育て支援特例公債の発行額を控除して得た
額」とする。

（子ども・子育て支援法の一部を改正する法律の一部
改正）

第21条　子ども・子育て支援法の一部を改正する法律
（令和元年法律第7号）の一部を次のように改正す
る。

　附則第4条第1項中「新法第8条」を「子ども・
子育て支援法第8条」に、「新法第7条第10項第4
号ハ」を「子ども・子育て支援法第7条第10項第4
号ハ」に、「を同号」を「であって同号の基準を満
たしていないもののうち、当該施設がなければ当該
施設が所在する特定教育・保育提供区域（子ども・
子育て支援法62条第1項に規定する都道府県子ど
も・子育て支援事業支援計画において定める同条第
2項第1号に定める区域をいう。）における保育の
提供体制を確保することができないと認められるも
のとして都道府県知事が指定するものを子ども・子
育て支援法第7条第10項第4号」に、「新法（」を
「同法（」に改め、同条第2項及び第3項を削る。

　　　附　則　抄

（施行期日）

第1条　この法律は、令和6年10月1日から施行す
る。ただし、次の各号に掲げる規定は、当該各号に
定める日から施行する。

　一　〔前略〕第21条中子ども・子育て支援法の一部
を改正する法律附則第4条第1項の改正規定（「施
行日から起算して5年を経過する日」を「令和12
年3月31日」に改める部分に限る。）並びに附則
第46条の規定　この法律の公布の日

　四　次に掲げる規定　令和7年4月1日

　　イ　第1条中子ども・子育て支援法の目次の改正
規定（「第2節　子どものための現金給付（第
9条・第10条）」を

　　　「　第2節　子どものための現金給付（第9
　　　　　条・第10条）
　　　　第3節　妊婦のための支援給付

　　　　第1款　通則（第10条の2─第10条の
　　　　　7）
　　　　第2款　妊婦給付認定等（第10条の
　　　　　8─第10条の11）
　　　　第3款　妊婦支援給付金の支給（第10
　　　　　条の12─第10条の15）　　　　」
に、「第3節」を「第4節」に、「第4節」を
「第5節」に改める部分に限る。）、同法第8条
の改正規定（「子どものための現金給付」の下
に「、妊婦のための支援給付」を加える部分に
限る。）、同法第30条の3の改正規定、同法第2
章第4節を同章第5節とする改正規定、同法第
12条第3項の改正規定、同法第13条の前の見出
しを削り、同条に見出しを付する改正規定、同
条第2項及び第3項を削る改正規定、同法第14
条（見出しを含む。）の改正規定、同法第15条
第3項を削る改正規定、同法第17条及び第18条
の改正規定、同法第2章中第3節を第4節と
し、第2節の次に1節を加える改正規定、同法
第38条（見出しを含む。）の改正規定、同法第
50条（見出しを含む。）の改正規定、同法第58
条の改正規定、同法第56条の見出しの改正規
定、同条第5項の改正規定、同法第58条の8
（見出しを含む。）の改正規定、同法第59条の
改正規定、同法第59条の2の改正規定、同法第
62条第3項第2号の改正規定（「教育・保育情
報」を「教育・保育等情報」に改める部分を除
く。）、同法第65条の改正規定（同条第5号の次
に1号を加える改正規定を除く。）、同法第66条
の3第1項の改正規定、同条の次に1条を加え
る改正規定、同法第67条第1項及び第2項の改
正規定、同法第68条（見出しを含む。）の改正
規定（同条第3項を削る改正規定及び同条に1
項を加える改正規定を除く。）、同法第69条第1
項の改正規定（「同項」を「第59条の2第2項
に規定する事業に係るものを除く。次条第2
項」に改める部分に限る。）、同法第70条第2項
の改正規定（「第68条第1項」を「第68条第2
項」に、「1000分の4.5」を「1000分の4.0」に改
める部分に限る。）、同法第73条第1項の改正規
定（「子どものための教育・保育給付」を「妊
婦のための支援給付、子どものための教育・保
育給付」に改める部分に限る。）、同法第73条第2項の
改正規定（「子どものための教育・保育給付」
を「妊婦のための支援給付、子どものための教
育・保育給付」に改める部分に限る。）、同法第
82条第1項の改正規定（「第30条の3」の下に

「及び第30条の13」を加える部分を除く。）、同法附則第9条第3項の改正規定、同法附則第14条の2の改正規定並びに同法附則に8条を加える改正規定（同法附則第29条及び第30条に係る部分に限る。）並びに次条から附則第5条までの規定

ト　〔前略〕附則第16条から第18条までの規定

五　次に掲げる規定　令和8年4月1日

イ　第1条中子ども・子育て支援法の目次の改正規定（「第3章　特定教育・保育施設及び特定
　　　　　　　　　地域型保育事業者並びに特定
　　　　　　　　　子ども・子育て支援施設等
　　　　第1節　特定教育・保育施設及び特
　　　　　　　定地域型保育事業者　　　　」
を「　第6節　乳児等のための支援給付
　　　　第1款　通則（第30条の12・第30条
　　　　　　　の13）
　　　　第2款　乳児等支援給付認定等（第
　　　　　　　30条の14―第30条の19）
　　　　第3款　乳児等支援給付費及び特例
　　　　　　　乳児等支援給付費の支給
　　　　　　　（第30条の20・第30条の
　　　　　　　21）
　　　第3章　特定教育・保育施設、特定地域
　　　　　　　型保育事業者及び特定乳児等通
　　　　　　　園支援事業者並びに特定子ど
　　　　　　　も・子育て支援施設等
　　　　第1節　特定教育・保育施設、特定地
　　　　　　　域型保育事業者及び特定乳児
　　　　　　　等通園支援事業者　　　　　」
に、「第3款　業務管理体制の整備等（第55条
　　　　　　　―第57条）
　　　　第4款　教育・保育に関する情報の報告
　　　　　　　及び公表（第58条）　　　　　」
を「第3款　特定乳児等通園支援事業者（第
　　　　　　　54条の2・第54条の3）
　　　　第4款　業務管理体制の整備等（第55
　　　　　　　条―第57条）
　　　　第5款　教育・保育等に関する情報の報
　　　　　　　告及び公表（第58条）　　　　」
に改める部分に限る。）、同法第7条に1項を加える改正規定、同法第8条の改正規定（「子どものための現金給付」の下に「、妊婦のための支援給付」を加える部分を除く。）、同法第2章に1節を加える改正規定、同法第3章の章名及び同章第1節の節名の改正規定、同節第4款の款名の改正規定、同款を同節第5款とする改正

規定、同法第55条の改正規定、同法第56条第1項の改正規定、同法第57条第1項の改正規定、同節中第3款を第4款とし、第2款の次に1款を加える改正規定、同法第60条第1項の改正規定（「及び仕事・子育て両立支援事業」を「、仕事・子育て両立支援事業及び働き方等の多様化に対応した子育て支援事業」に改める部分を除く。）、同条第2項第1号の改正規定（「及び仕事・子育て両立支援事業」を「、仕事・子育て両立支援事業及び働き方等の多様化に対応した子育て支援事業」に改める部分を除く。）、同項第2号の改正規定、同法第61条の改正規定、同法第62条第1項の改正規定、同条第2項の改正規定、同条第3項第2号の改正規定（「教育・保育情報」を「教育・保育等情報」に改める部分に限る。）、同法第65条第5号の次に1号を加える改正規定、同法第67条第3項の改正規定、同条の次に1条を加える改正規定、同法第68条に1項を加える改正規定、同法第72条第1項の改正規定、同法第73条第1項の改正規定（「及び子育てのための施設等利用給付」を「、子育てのための施設等利用給付及び乳児等のための支援給付」に改める部分に限る。）、同条第2項の改正規定（「及び子育てのための施設等利用給付」を「、子育てのための施設等利用給付及び乳児等のための支援給付」に改める部分に限る。）、同法第78条の改正規定、同法第79条の改正規定（「第50条第1項」の下に「（第54条の3において準用する場合を含む。）」を加える部分に限る。）、同法第81条の改正規定、同法第82条第1項の改正規定（「第30条の3」の下に「及び第30条の13」を加える部分に限る。）、同条第2項の改正規定、同条第3項の改正規定、同法附則第2条の2及び第3条の改正規定並びに同法附則に8条を加える改正規定（同法附則第31条から第33条までに係る部分に限る。）並びに附則第6条の規定

六　次に掲げる規定　令和8年10月1日

イ　第1条中子ども・子育て支援法の目次の改正規定（「第4章の2　仕事・子育て両立支援事業（第59条の2）」を
　　「第4章の2　仕事・子育て両立支援事業
　　　　　　　（第59条の2）
　　　第4章の3　働き方等の多様化に対応した
　　　　　　　子育て支援事業（第59条の3）」
に改める部分に限る。）、同法第59条の2の次に1章を加える改正規定、同法第60条第1項の改

正規定（「及び仕事・子育て両立支援事業」を
「、仕事・子育て両立支援事業及び働き方等の
多様化に対応した子育て支援事業」に改める部
分に限る。）及び同条第2項第1号の改正規定
（「及び仕事・子育て両立支援事業」を「、仕
事・子育て両立支援事業及び働き方等の多様化
に対応した子育て支援事業」に改める部分に限
る。）

（第4号施行日新支援法第58条及び第66条の4第2項
の規定の適用に関する経過措置）

第2条　前条第4号に掲げる規定の施行の日（以下
「第4号施行日」という。）から同条第5号に掲げ
る規定の施行の日（以下「第5号施行日」という。）
の前日までの間における第1条の規定（前条第4号
イに掲げる改正規定に限る。）による改正後の子ど
も・子育て支援法（以下「第4号施行日新支援法」
という。）第58条の規定の適用については、同条第
1項中「、特定地域型保育事業者又は特定乳児等通
園支援事業者」とあるのは「又は特定地域型保育事
業者」と、「教育・保育等に」とあるのは「教育・
保育に」と、同条第1項、第5項及び第9項中「教
育・保育等情報」とあるのは「教育・保育情報」
と、同条第1項及び第9項中「教育・保育等の」と
あるのは「教育・保育の」と、「教育・保育等を」
とあるのは「教育・保育を」とする。

2　第4号施行日から第5号施行日の前日までの間に
おいては、第4号施行日新支援法第66条の4第2項
の規定は、適用しない。

（妊婦のための支援給付に関する経過措置）

第3条　第4号施行日新支援法第10条の9第1項の認
定を受けた者が第4号施行日前に当該認定の原因と
なった妊娠と同一の妊娠を原因として令和6年度の
予算における国の妊娠出産子育て支援交付金を財源
として市町村（特別区を含む。次条第2項において
同じ。）から給付される給付金で妊娠から出産及び
子育てまでの支援の観点から支給されるものの支給
を受けた場合における第4号施行日新支援法第10条
の12第2項及び第3項並びに第10条の14第1項の規
定の適用については、第4号施行日新支援法第10条
の12第3項中「他の市町村から妊婦支援給付金」と
あるのは「市町村から令和6年度の予算における国
の妊娠出産子育て支援交付金を財源として市町村か
ら給付される給付金で妊娠から出産及び子育てまで
の支援の観点から支給されるもの」と、「当該他の
市町村から支払を受けた額」とあるのは「5万円」
とする。

（乳児等のための支援給付の支給要件の認定に関する

準備行為）

第4条　第1条の規定（附則第1条第5号イに掲げる
改正規定に限る。）による改正後の子ども・子育て
支援法（以下この条から附則第6条までにおいて
「第5号施行日新支援法」という。）第30条の15第
1項の認定を受けようとする者は、第5号施行日前
においても、同項の規定の例により、その申請を行
うことができる。

2　市町村は、前項の規定により認定の申請があった
場合には、第5号施行日前においても、第5号施行
日新支援法第30条の15第1項及び第2項の規定の例
により、当該認定をすることができる。この場合に
おいて、当該認定は、第5号施行日以後は、同条第
1項の認定とみなす。

（特定乳児等通園支援事業者の確認に関する準備行
為）

第5条　第5号施行日新支援法第54条の2第1項の確
認を受けようとする者は、第5号施行日前において
も、同項の規定の例により、その申請を行うことが
できる。

2　市町村長（特別区の区長を含む。附則第7条第2
項において同じ。）は、前項の規定により確認の申
請があった場合には、第5号施行日前においても、
第5号施行日新支援法第54条の2の規定の例によ
り、当該確認をすることができる。この場合におい
て、当該確認は、第5号施行日以後は、同条第1項
の確認とみなす。

（乳児等のための支援給付に関する経過措置）

第6条　第5号施行日から令和10年3月31日までの間
における第5号施行日新支援法第30条の20第3項及
び第30条の21第2項の規定の適用については、第5
号施行日新支援法第30条の20第3項中「10時間」と
あるのは、「3時間」とする。

（令和6年度の子ども・子育て支援特例公債に係る経
過措置）

第18条　第1条の規定（附則第1条第4号イ、第5号
イ及び第6号イに掲げる改正規定を除く。）による
改正後の子ども・子育て支援法（以下この条及び附
則第47条において「施行日新支援法」という。）附
則第28条の規定により読み替えて適用する施行日新
支援法第71条の26の規定により令和7年6月30日ま
での間に行われる公債の発行は、旧子ども・子育て
支援勘定の負担において行うものとし、当該公債に
関する権利義務は、同年7月1日において、子ど
も・子育て支援特別会計の子ども・子育て支援勘定
に帰属する。

（罰則に関する経過措置）

第45条 この法律（附則第1条第4号から第6号までに掲げる規定については、当該規定。以下この条において同じ。）の施行前にした行為及び附則第13条第1項の規定によりなお従前の例によることとされる場合におけるこの法律の施行後にした行為に対する罰則の適用については、なお従前の例による。

（その他の経過措置の政令への委任）

第46条 この附則に定めるもののほか、この法律の施行に関し必要な経過措置（罰則に関する経過措置を含む。）は、政令で定める。

（子ども・子育て支援納付金の導入に当たっての経過措置及び留意事項）

第47条 政府は、この法律の施行にあわせて、令和5年12月22日に閣議において決定されたこども未来戦略（次項において「こども未来戦略」という。）に基づき、社会保障負担率（一会計年度における国民経済計算の体系（国際連合の定めた基準に準拠して内閣府が作成する国民経済計算の体系をいう。以下この項において同じ。）における社会保障負担の額その他内閣総理大臣が定める額を合算した額を国民経済計算の体系における国民所得の額で除して得られる数値をいう。以下この項において同じ。）の上昇の抑制に向けて、全世代型社会保障制度改革（同日の閣議において決定された全世代型社会保障構築を目指す改革の道筋（改革工程）（以下この項及び第3項第1号において「改革工程」という。）の「医療・介護制度等の改革」の「「加速化プラン」の実施が完了する2028年度までに実施について検討する取組」に記載されたところにより検討した結果に基づいて行う取組をいう。以下この条において同じ。）の徹底を図るものとし、子ども・子育て支援納付金（施行日新支援法第71条の3第1項に規定する子ども・子育て支援納付金をいう。以下この条において同じ。）の導入に当たっては、次項各号に掲げる各年度において、子ども・子育て支援納付金（当該年度の支援納付金公費負担額に相当する部分を除いた部分に限る。）を徴収することにより当該年度の社会保障負担率の上昇に与える影響の程度が、令和5年度から当該各年度まで全世代型社会保障制度改革等（改革工程の「医療・介護制度等の改革」のうち「来年度（2024年度）に実施する取組」に記載された取組その他の令和5年度及び令和6年度に実施された社会保障制度に関する施策の見直し並びに全世代型社会保障制度改革をいう。次項及び第5項において同じ。）及び労働者の報酬の水準の上昇に向けた取組を実施することにより社会保障負担率の低下に与える影響の程度を超えないものとす

る。

2 政府は、前項の規定の趣旨及び受益と負担の均衡がとれた社会保障制度の確立を図る観点を踏まえ、加速化プラン実施施策（こども未来戦略に「「加速化プラン」において実施する具体的な施策」として記載された施策をいう。以下この項及び次条において同じ。）を実施するために必要となる費用については、全世代型社会保障制度改革等を通じた国及び地方公共団体の歳出の抑制その他歳出の見直し、消費税法（昭和63年法律第108号）第1条第2項の規定により少子化に対処するための施策に要する経費に充てるものとされている消費税の収入、施行日新支援法第69条第1項に規定する拠出金の収入、加速化プラン実施施策に係る社会保険料の収入並びに施行日新支援法第71条の3第1項に規定する支援納付金対象費用（第5項において「支援納付金対象費用」という。）に係る財源により賄うものとし、次の各号に掲げる各年度における子ども・子育て支援納付金（当該年度の支援納付金公費負担額に相当する部分を除いた部分に限る。）の総額は、それぞれ当該各号に掲げる額を目安とするものとする。

一 令和8年度 おおむね6000億円
二 令和9年度 おおむね8000億円
三 令和10年度 おおむね1兆円

3 政府は、第1項の全世代型社会保障制度改革を推進するに当たっては、次に掲げる事項を基本とするものとする。

一 改革工程において令和10年度までに実施の検討を行うこととされている取組については、当該年度までの各年度の予算編成過程において実施すべき施策の検討及び決定を行い、全世代が安心できる社会保障制度を構築し、これを次の世代に引き継ぐことを旨として、着実に進めること。

二 前号の予算編成過程における検討に当たっては、社会保障サービスの生産性の向上、質の向上及び提供体制の効率化、能力に応じて全世代が支え合う仕組みの構築、高齢者の活躍促進及び健康寿命の延伸等の観点を踏まえつつ、人口動態の変化に対応し、全世代が安心できる社会保障制度を構築することを旨として、それまでに実施した取組の検証等も含め、制度、事業等の在り方について、幅広い検討を行うこと。

三 前項の規定の趣旨を踏まえ、国及び地方公共団体の歳出の継続的な抑制に資するものとなるようにすること。

4 第1項及び第2項の「支援納付金公費負担額」とは、次の各号に掲げる額の総額をいう。

一　第２条の規定による改正後の健康保険法（附則第49条において「新健康保険法」という。）第154条第２項の規定による国庫補助の額（子ども・子育て支援納付金の納付に要する費用に係る部分に限る。）

二　第７条の規定（附則第１条第５号へに掲げる改正規定に限る。）による改正後の国家公務員共済組合法第99条第２項第３号に掲げる費用のうち、同号に定める国の負担金をもって充てる部分の額

三　第８条の規定による改正後の国民健康保険法（以下この号において「新国民健康保険法」という。）第70条第１項の規定による国庫負担金、新国民健康保険法第72条第１項の規定による調整交付金及び新国民健康保険法第72条の２第１項の規定による繰入金の額（子ども・子育て支援納付金の納付に要する費用に係る部分に限る。）並びに新国民健康保険法第72条の３第１項、第72条の３の２第１項、第72条の３の３第１項及び第72条の４第１項の規定による繰入金並びに新国民健康保険法第73条第１項の規定による補助の額（子ども・子育て支援納付金の納付に要する費用に係る部分として政令で定める部分に限る。）

四　第11条の規定（附則第１条第５号トに掲げる改正規定に限る。）による改正後の地方公務員等共済組合法第113条第２項第２号の２に掲げる費用のうち、同号に定める地方公共団体の負担金をもって充てる部分の額

五　高齢者の医療の確保に関する法律第99条第１項及び第２項の規定による繰入金の額（子ども・子育て支援納付金の納付に要する費用に係る部分として政令で定める部分に限る。）

5　政府は、全世代型社会保障制度改革等及び労働者の報酬の水準の上昇に向けた取組の実施状況その他の事情を勘案し、第１項及び第２項の規定の趣旨に照らして必要があると認める場合は、支援納付金対象費用に係る施策の費用負担の在り方その他の事項について、必要な見直しを行うものとする。

（検討）

第48条　政府は、この法律の施行後５年を目途として、少子化の進展に対処するための子ども及び子育ての支援に関する施策の在り方について、加速化プラン実施施策の実施状況及びその効果並びに前条第２項の観点を踏まえて検討を行い、その結果に基づいて所要の措置を講ずるものとする。

五 十 音 索 引

き

け

こ

さ 行

さ

し

そ

た　行

た

ち

て

と

な　行

な

● 内閣総理大臣が定める特例地域型保育給付費の支給に係る離島その他の地域の基準／平成
　27年　内閣府告示第47号 ……………………………………………………………………… 1081

● 内閣府・文部科学省関係構造改革特別区域法第35条に規定する政令等規制事業に係る主務
　省令の特例に関する措置を定める命令／平成27年　内閣府・文部科学省・厚生労働省令第
　7号 ………………………………………………………………………………………………… 552

に

○ 認可定員を超過して園児を受け入れている私立幼稚園に係る子ども・子育て支援法に基づ
　く確認等に関する留意事項について／平成26年　事務連絡 …………………………………… 572

○ 認可保育所等設置支援等事業の実施について／令和5年　こ成保第15号 …………………… 1453

○ 認定こども園における職員配置に係る特例について／平成28年　府子本第246号・28文科
　初第51号・雇児発0401第32号 ………………………………………………………………… 577

○ 認定こども園における利用定員の適切な管理について／令和4年　府子本第364号 ………… 582

は　行

は

○ バス送迎に当たっての安全管理の徹底に関する緊急対策「こどものバス送迎・安全徹底プ
　ラン」について／令和4年　事務連絡 …………………………………………………………… 703

ひ

○ 病児保育事業の実施について／令和6年　こ成保第180号 …………………………………… 1461

ふ

○ 複数の法人が連携して設置する幼保連携型認定こども園に係る法人間の財産の承継を含む
　事業譲渡等の取扱いについて／平成24年　府政共生第964号・24初幼教第10号・雇児保発
　1218第1号・社援基発1218第1号 ……………………………………………………………… 1375

ほ

ま　行

も

や　行

よ

認定こども園運営ハンドブック（令和6年版）

令和6年7月30日　　発行

編　集──中央法規出版編集部

発行者──荘　村　明　彦

発行所──中央法規出版株式会社
　　　　　〒110－0016　東京都台東区台東3-29-1　中央法規ビル
　　　　　　　　　　TEL 03-6387-3196
　　　　　　　　https://www.chuohoki.co.jp/

印刷・製本──株式会社アルキャスト

ISBN978-4-8243-0081-2

本書の内容に関するご質問については、下記ＵＲＬから「お問い合わせフォーム」にご入力いただきますようお願いいたします。
https://www.chuohoki.co.jp/contact/